건설기술 진흥법령집

2. 주요 훈령 및 고시 · 지침

총 목 차

국토교통부 주요 훈령 및 고시·지침

총 목 차

국토교통부 주요 훈령 및 고시·지침

1. 훈령

건설기술진흥업무 운영규정

국토교통부고시 제2022-399호

일부개정 2022.6.30

제1편 총 칙

제1조(목적) 이 규정은 「건설기술진흥법령」(이하 "법" 또는 "영" 또는 "규칙"이라한다) 및 「국가를당사자로하는계약에관한법령」(이하 "국가계약법" 또는 "국가계약법 시행령" 또는 "국가계약법 시행규칙"이라 한다.)과 관련된 업무를 효율적으로 수행하기 위하여 필요한 사항을 정함을 목적으로 한다.

제2조(적용대상 및 범위) ① 다른 법령에 특별히 규정하고 있는 것을 제외하고는 이 규정을 적용한다.

② 제2편의 제4장 및 제5장의 규정은 국토교통부 및 국토교통부 소속기관과 국토교통부 외의 기관에서 중앙건설기술심의위원회(이하 "중앙심의위원회"라 한다)에 일괄입찰, 대안입찰 및 기술제안입찰에 관한 심의를 요청하는 경우에 적용하고 그 외의 기관에서는 이 규정을 준용하여 세부사항을 정한다.

③ 제3편은 법 제14조에 의거 지정·고시된 신기술(이하 "신기술"이라 한다)의 현장적용 활성화를 위하여 필요한 사항과 영 제34조제1항에 의거 신기술사용자인 발주자가 기술개발자에게 지급할 기술사용료에 적용한다.

④ 제4편은 법 제19조, 영 제41조제2항, 규칙 제15조에 따라 건설정보표준, 건설정보통합전산망 구축사업, 건설사업정보화 정례협의회 등을 효율적으로 관리하기 위하여 필요한 사항에 적용한다.

⑤ 제5편은 국가계약법 시행령 제9조제1항제2호 및 제3호에 따라 예정가격의 결정에 기초자료가 되는 토목공사(건설기계·측량부문을 포함한다), 건축공사, 기계설비공사의 표준시장단가, 표준품셈 및 건설신기술 품셈을 효율적으로 관리하기 위하여 필요한 사항을 정한다.

⑥ 제6편은 품질 및 안전관리 현황 등을 종합 점검하는 중앙품질안전관리단 및 특별건설사업관리검수단의 설치·운영에 관한 사항을 정하고, 법 및 국가계약법에 규정된 건설공사의 점검업무를 수행하는 자가 업무를 수행함에 있어 준수하여야 할 행동요령과 건설공사의 검사에 관한 사항을 정한다. 다만, 법 제39조제2항에 의한 감독 권한대행 등 건설사업관리를 하는 건설공사에 대하여는 제6편 제4장의 규정을 적용하지 아니하고 영제59조제5항의 규정에 의하여 국토교통부장관이 정하여 고시한 건설사업관리 업무지침서의 규정에 따르며, 제5장의 규정은 관계법령에 따라 점검을 수행하는 국토교통부, 소속·산하기관, 한국건설기술연구원 등에 소속된 자와 해당분야 관계전문가로 구성된 점검자에 대하여 적용한다.

⑦ 제7편은 법 위반에 따른 행정처분 절차, 감경 및 가중기준 등을 정하여 합리적인 행정처분을 집행하기 위한 사항을 정한다.

제2편 건설기술심의 등에 관한 기준

제1장 정의

제3조(정의) 제2편에서 사용하는 용어의 정의는 다음과 같다.

1. "개선제안공법"이라 함은 국내·외에서 새로이 개발되었거나 개량된 기술·공법·기자재 등(이하 "공법"이라 한다)을 포함한 정부설계와 동등이상의 기능과 효과를 가진 공법을 사용함으로써 공사비의 절감, 시공기간의 단축 등의 효과가 현저한 것을 말한다.
2. "기술제안서"란 입찰자가 수요기관의 장이 교부한 설계서 등을 검토하여 공사비절감방안, 공기단축방안, 공사관리방안 등을 제안하는 문서를 말한다.
3. "책임기술인"라 함은 용역과업을 수행하기 위하여 계약자를 대리하여 용역전반에 관한 업무를 수행하는 자를 말한다.

제2장 건설기술개발보상

제4조(개선제안공법의 사용신청) ① 국토교통부 및 그 소속행정기관의 장(이하 "발주청"이라 한다)이 발주하는 건설공사에 개선제안공법을 사용하고자 하는 계약대상자(건설산업기본법 제2조제11호의 규정에 의한 하수급인을 포함하며, 이하 "신청인"이라 한다)는 별지 제1호 서식의 개선제안공법사용신청서와 별지 제2호 서식의 공사비 절감제안서 및 계약서상의 공법과 개선제안공법을 비교·설명할 수 있는 다음 각호의 자료를 각 6부 작성하여 발주청에 제출하여야 한다.

1. 전체공사 개요와 개선제안공법을 당초 공법과 비교한 장·단점
2. 개선제안공법 사용에 따른 구조적 안정성검토서, 세부공사계획, 품질 및 안전관리계획
3. 계약서상의 공법과 개선제안공법의 세부공사비 내역비교
4. 기타 개선제안공법사용을 판단하는데 필요한 자료

② 발주청은 수급인(하수급인을 포함한다)에게 국가계약법 제11조제2항의 규정에 의한 계약 성립일 또는 건설산업기본법 제29조제2항의 규정에 의한 하도급통지를 받은 날부터 7일 이내에 다음 각호의 사항을 통보하여야 한다.

1. 개선제안공법 사용신청방법
2. 개선제안공법 사용신청서 구비서류
3. 별지 제1호 및 제2호 서식

제5조(사용결정 및 통보) ① 발주청은 제4조의 규정에 의하여 관련서류가 제출된 경우에는 제출된 날부터 30일이내에 개선제안공법 사용의 승인여부를 결정하여 별지 제3호 서식에 따라 신청인에게 통보하여야 하며, 기각시 이의신청방법을 함께 통보하여야 한다.

② 발주청은 필요한 경우 신청인에게 신청서류를 보완하게 하거나 관계공무원으로 하여금 현장조사를 하게 할 수 있다. 이 경우 서류의 보완을 위하여 소요된 기간은 제1항에서 정한 통보기간에 산입하지 아니한다.

③ 발주청은 하수급인이 신청한 개선제안공법 사용의 승인여부를 결정시 건설산업기본법 제2조제10호의 규정에 의한 수급인의 의견

을 들어야 한다.

④ 발주청은 신청된 개선제안공법의 범위와 한계에 관하여 판단이 곤란할 경우에는 즉시 국가계약법 시행령 제65조제5항의 규정에 따라 영 제19조의 규정에 의한 기술자문위원회에 심의를 요청하여야 하며, 심의를 요청한 날로부터 7일 이내에 신청인에게 그 사실을 통보하여야 한다. 이 경우 기술자문위원회의 심의에 소요되는 기간은 제1항에서 정한 통보기간에 산입하지 아니한다.

⑤ 발주청의 심의결과에 이의가 있는 신청인은 심의결과를 안 날로부터 30일 이내에 기술자문위원회에 심의를 요청할 수 있다. 다만, 제4항의 규정에 의하여 기술자문위원회의 심의를 거친 경우에는 그러하지 아니하다.

제6조(기술자문위원회에의 심의요청) ① 제5조제5항의 규정에 의하여 기술자문위원회에 심의를 요청하고자 하는 자(이하 "심의요청인"이라 한다)는 별지 제1호 서식의 개선제안공법사용신청서 및 별지 제4호 서식의 건설기술심의요청서 1부와 제4조의 규정에 의한 신청서류 및 관련 발주부서의 의견서 10부를 발주청을 통해 기술자문위원회에 제출하여야 한다.

② 발주청은 제1항의 규정에 의하여 심의요청된 사항을 15일 이내에 기술자문위원회에 회부하여야 한다.

③ 기술자문위원회는 제2항의 규정에 의하여 부의를 받은 경우에는 부의를 받은 날부터 15일 이내에 심의하여야 한다. 다만, 기술자문위원회위원장이 부득이한 사정이 있다고 인정하는 경우에는 당해 심의기간을 1회에 한하여 15일 이내에서 연장할 수 있다.

④ 기술자문위원회위원장은 위원회의 심의를 위하여 필요하다고 인정하는 때에는 현장조사를 하거나 관계공무원 또는 관계전문가를 회의에 출석하게 하여 그 의견을 들을 수 있으며 관계기관 또는 심의 요청인에 대하여 필요한 자료의 제출을 요청할 수 있다.

제7조(심의결과 통보 및 조치) ① 기술자문위원회위원장은 제6조의 규정에 의한 심의결과를 심의요청인 및 발주청에 통보하여야 한다.

② 발주청은 제1항의 규정에 의하여 통보된 심의결과에 따라 개선제안공법사용의 승인여부를 결정하여야 한다.

제8조(설계변경 등의 사후조치) ① 발주청은 제5조 및 제7조의 규정에 의하여 개선제안공법의 사용이 승인된 경우에는 설계변경 등의 후속조치를 취하여야 한다. 이 경우 계약금액 조정에 대하여는 국가계약법 시행령 제65조제4항의 규정에 다른다.

② 사용승인된 개선제안공법의 신청인이 하수급인일 경우 발주청은 개선제안공법이 사용된 부분에 대하여 국가계약법 제15조의 규정에 의한 대가를 지급시 개선제안공법사용에 따른 공사비 절감액 중 건설산업기본법 시행규칙 제26조의 규정에 따라 발주기관에 통지된 하도급율에 해당하는 금액이 하수급인에게 지급되도록 하여야 한다.

제9조(사후관리 등) ① 발주청은 제4조의 규정에 의하여 제출된 개선제안공법 사용신청 및 승인사항에 대하여 매년 12월 31일을 기준으로 별지 제5호 서식에 따라 다음 연도 1월 31일까지 국토교통부장관에게 보고하여야 하며, 승인사항에 대하여는 동 공법을 설명할 수 있는 서류를 첨부하여야 한다.

② 국토교통부장관은 발주청이 승인한 개선제안공법에 대하여 활용권장 등 필요한 조치를 취할 수 있다.

제10조(준용) 중앙관서의 장과 그 위임을 받은 공무원 또는 계약상대자가 국가계약법 시행령 제65조제5항의 단서규정에 의하여 새로운 기술·공법 등의 범위와 한계에 관하여 이의가 있어 중앙건설기술심의위원회에 심의를 청구하는 경우의 심의절차는 제5조부터 제7조의 규정을 준용한다.

제3장 건설기술심의위원회 운영

제11조(심의내용) 중앙건설기술심의위원회(이하"중앙심의위원회"라 한다)는 다른 법령에서 따로 정하는 심의사항이 있는 경우를 제외하고는 다음 각 호의 사항에 대하여 심의하여야 한다.

1. 영 제6조제1호에 따른 건설기술진흥기본계획 및 건설기술정책 등에 관한 사항
   가. 기본계획의 적정성
   나. 건설기술정책의 타당성 및 기본계획과의 부합성
2. 영 제6조제2호에 따른 외국도입건설기술에 관한 사항
   가. 국내에서 필요로 하는 새로운 기술의 여부
   나. 새로운 기술의 효율적인 활용방안
3. 영 제6조제3호에 따른 통합정보체계구축계획의 수립 및 변경에 관한 사항
4. 영 제6조제4호에 따른 건설공사의 설계 및 시공기준 적정성에 관한 사항
   가. 기준의 기술적 타당성
   나. 기준의 적용상 타당성
   다. 다른 기준과의 상충여부에 관한 사항
   라. 기준의 구성체계 등에 관한 타당성 및 합리성
5. 규칙 제38조제2항에 따른 건설기준 정비 등을 위한 경비지원에 관한 사항
   가. 건설기준 정비 및 관리계획서의 적정성
   나. 건설기준 정비대상 및 내용 등에 관한 타당성
   다. 관리주체별 소요경비 지원의 필요성 및 합리성
6. 입찰안내서 작성의 적정성 등에 관한 사항
   가. 소요사업비의 적정성
   나. 설계기간 및 사업기간의 적정성
   다. 설계기준 및 시공기준 등 적용기술의 난이도에 따른 당해 건설공사 시행의 적정성 등
   라. 지장물·지반상태 등의 사전조사의 적정성
   마. 평가항목별 설계평가 배점기준의 적정성
   바. 감점기준의 적정성·합리성에 대한 검토 및 평가와 관련하여 입찰참가자가 사전에 숙지하여야 할 사항
   사. 지질조사 및 관련 인·허가 사항의 공동시행 방법 및 발주청 지원사항
7. 영 제6조제5호 라·마·바·사·아목 및 「국가계약법 시행령」 제85조, 제86조에 따른 설계·시공일괄입찰(이하"일괄입찰"이라 한

다) 및 대안입찰공사의 설계심의 등에 관한 사항과 「국가계약법 시행령」 제103조, 제105조에 따른 실시설계 기술제안 및 기본설계 기술제안 입찰공사의 설계심의 등에 관한 사항(국토교통부 소속기관이 2010. 1. 1이후 입찰공고한 일괄입찰공사, 대안입찰공사, 실시설계 기술제안 및 기본설계 기술제안 입찰공사의 설계적격심의 및 설계점수는 중앙건설기술심의위원회 설계심의분과위원회에서 심의. 단, 일괄입찰 및 기본설계기술제안입찰의 실시설계 적격심의는 제외)

가. 대안입찰시 낙찰적격입찰의 대안설계 적격여부 및 대안공종의 채택·조정·수정 및 설계점수

나. 일괄입찰시 기본설계입찰서의 설계적격여부와 설계점수 및 실시설계서의 설계적격 여부

다. 실시설계·시공입찰서의 설계적격 여부와 설계점수 단, '99.9.9일 이전 관보에 집행계획이 공고된 공사에 한하여 적용한다.

라. 실시설계 기술제안입찰시 기술제안서의 적격여부와 설계점수

마. 기본설계 기술제안입찰시 기술제안서 또는 실시설계서의 적격여부와 설계점수

8. 영 제6조제5호 다·바목 및 국가계약법 시행령 제80조, 제99조에 따른 대형공사 및 기술제안 입찰방법심의에 관한 사항

가. 공종 및 규모, 기술의 난이도등에 따른 국가계약법 시행령 제79조제1항제4호에 따른 대안입찰 집행 필요성 여부

나. 공종 및 규모, 기술의 난이도, 당해 공사여건 등에 따른 국가계약법 시행령 제79조제1항제5호에 따른 일괄입찰 집행 필요성 여부

다. 공종 및 규모, 기술의 난이도, 당해 공사여건 등에 따른 국가계약법 시행령 제98조제2호에 따른 실시설계 기술제안 입찰 필요성 여부

라. 공종 및 규모, 기술의 난이도, 당해 공사여건 등에 따른 국가계약법 시행령 제98조제3호에 따른 기본설계 기술제안 입찰 필요성 여부

9. 영 제6조제5호 다·바목 및 「국가계약법 시행령」 제80조제1항에 따른 대형공사·특정공사와 같은법 지99조제1항에 따른 실시설계 기술제안 또는 기본설계 기술제안 입찰방법 심의기준에 관한 사항

가. 일괄입찰·대안입찰 대상공사 선정에 관한 대형공사입찰방법심의기준의 적정성

나. 실시설계기술제안 또는 기본설계기술제안입찰 대상공사 선정에 관한 대형공사입찰방법심의기준의 적정성

10. 영 제6조제6호에 따라 건설사업관리를 위탁하기 위하여 그 적정성에 관한 심의를 요청한 사항

11. 영 제6조제7호에 따라 건설기술용역사업의 용역업자 선정을 위한 사업수행능력 세부평가기준과 기술평가의 방법·기준 및 입찰공고안의 적적성에 관한 사항

12. 영 제6조제8호의 규정에 의하여 다른 법령에서 위원회에 심의를 위임·위탁한 사항과 국토교통부장관이 부의하는 사항

제12조(위원의 임명 등) ① 국토교통부장관은 중앙심의위원회 위원장(이하"위원장"이라한다)이 추천하는 사람 중에서 다음 각 호에 해당하는 사람을 중앙심의위원회 위원(이하"중앙심의위원"이라 한다)으로 임명 또는 위촉한다.

1. 건설기술 업무와 관련된 행정기관의 4급 이상 또는 이에 상당하는 공무원(고위공무원단에 속하는 공무원을 포함한다)
2. 건설기술 관계 단체의 임원 및 투자기관의 1급 이상 임직원
3. 건설기술 관련 연구기관의 연구위원급이상의 연구원
4. 당해 분야 대학의 조교수급 이상인 사람
5. 「국가기술자격법」에 의한 당해분야의 기술사 또는 「건축사법」에 의한 건축사 자격을 취득한 사람.
6. 당해 분야 박사학위를 취득한 후 그 분야에서 3년 이상 연구 또는 실무경험이 있는 사람.
7. 당해 분야 석사학위를 취득한 후 그 분야에서 9년 이상 연구 또는 실무경험이 있는 사람.
8. 설계의 경제성 등 검토(VE)에 대한 해박한 지식이 있는 사람
9. 그 밖에 시민단체 등이 추천하는 건설공사 경험과 학식이 풍부한 사람

② 중앙심의위원회의 위원장은 건설기술업무를 관장하는 국토교통부 제1차관, 부위원장은 기술안전정책관이 된다.

③ 중앙심의위원회의 간사는 소관업무를 담당하는 해당부서 과장이 되고, 서기는 해당부서의 5급 이상 공무원이 된다.

제13조(심의요청) ① 영 제11조제1항의 규정에 의하여 심의를 받고자 하는 자는 별지 제4호 서식의 건설기술심의 요청서(또는 별지 제4호의2서식의 기술제안평가위원회심의 요청서)와 다음 각 호에서 정하는 관계서류를 국토교통부장관에게 제출하여야 한다.

1. 제11조제4호의 심의사항인 경우에는 그 기준의 요약서 및 제·개정 비교표, 기준의 내용
2. 제11조제6호의 심의사항인 경우에는 당해 입찰안내서 작성에 대한 설명자료
3. 제11조제7호가항부터 다항까지의 심의사항인 경우에는 공사설명서와 입찰안내서의 작성기준에 따른 기본설계·실시설계에 대한 설계도서(설계의 경제성 등 검토서 포함) 및 기본계획·설계지침·배점기준 등에 관한 입찰안내서(입찰안내서는 발주청장이 제출)
4. 제11조제7호 라항과 마항의 심의사항인 경우에는 공사설명서와 입찰안내서의 작성기준에 따른 기술제안서와 물량 및 단가를 명백히 한 산출내역서(실시설계 기술제안입찰에 한함) 및 기본설계서, 실시설계서(실시설계 기술제안의 경우만 첨부), 설계지침 및 배점기준 등에 관한 입찰안내서(입찰안내서는 발주청장이 제출), 별지 제6호 서식에 따른 기술제안입찰 공사설명서(단, 발주청장이 중앙심의위원회에 평가를 의뢰하기 전에 입찰참가업체가 제시한 기술제안을 통한 개선효과에 대해 자체적으로 검증하거나 공인된 전문기관에 의뢰하여 검증한 경우 그 결과를 첨부할 수 있음)
5. 기타 위원장 또는 심의주관 부서에서 당해 심의에 필요하다고

인정하여 요청하는 사항

② 제11조제7호의 심의와 관련하여 발주청 기술자문위원회가 설치되어 있는 심의요청기관은 입찰안내서 적정성 여부 및 실시설계서의 설계적격 여부에 대한 사항은 자체 기술자문위원회를 통하여 심의하여야 한다. 다만, 제32조제2항제1호 및 제3항과 관련된 입찰안내서의 자료목록, 입찰서목록, 감점기준, 전문분야 및 설계배점기준은 입찰안내서 심의 전 국토교통부장관과 협의하여야 한다.

③ 심의대상 건설공사는 다음 각 호에 따라 적용한다.

1. 당해 건설공사를 분할하여 시행하는 경우 또는 당해 사업이 시행되는 일단의 대지내 2이상의 건축물이 있는 경우에는 그 분할공사비 또는 그 건축물의 개별공사비를 합산한 금액
2. 총공사비는 당해 건설공사에 소요되는 전체 사업비중에서 용지비, 보상비, 수속비 등의 간접비용을 제외한 금액으로서 건설공사를 시행하는데 직접 소요되는 비용

④ 국토교통부장관은 심의의 원활한 진행을 위하여 심의요청기관에 행정지원 요청을 할 수 있으며, 심의요청기관은 이에 적극 협조하여야 한다.

⑤ 영 제11조제1항에 따라 발주청이 심의 요청함에 따라 발생되는 심의비용은 발주청이 부담한다.

⑥ 영 제15조제3항에 따른 중앙건설기술심의위원(설계심의분과위원)의 기술검토비는 한국엔지니어링진흥협회에서 공표하는 엔지니어링기술자 노임 중 건설 및 기타부분의 기술사 임금을 토대로 산정한다.

제14조 (소위원회 위원선정) 제11조제1호부터 제6호까지, 제8호부터 제11호까지의 심의사항에 관한 소위원회는 다음 각호의 방법에 따라 소위원장과 심의위원을 선정하여야 한다.

1. 소위원회의 소위원장은 위원장 또는 부위원장이나 위원장이 지명하는 중앙심의위원이 된다.
2. 소위원회는 소위원장을 포함하여 5인 이상 40인 이내로 구성한다. 다만 소위원장은 설계심의의 객관성과 공정성을 확보하기 위하여 심의는 하지 않는다.
3. 심의위원 선정은 다음 각 호의 방법에 따라 위원장이 중앙심의위원 중 당해 심의에 적합한 사람을 선정한다.
   가. 심의위원은 전문분야별로 2인 이상을 선정
   나. 위원의 선정시기는 심의내용 검토를 충분히 할 수 있도록 심의일 10일 이전으로 하되, 제11조제5호에 관하여는 15일 이전에 선정
   다. 심의위원의 선정은 가능한 한 공공기관, 학계, 업계 등의 의견이 골고루 반영되도록 선정
   라. 제11조제8호 관련 사항의 심의결과에 대한 동일사안 재심의의 경우에는 당초 심의위원 배제

제15조(소위원회의 심의방법) ① 소위원회 운영에 있어 적정한 시간이 확보되도록 사전에 심의위원을 확정하고 심의에 필요한 설계도서 등을 배포하여야 한다.

② 소위원회의 심의를 거친 사항은 중앙심의위원회 심의를 거친 것으로 보며, 이 규정에서 별도로 정하지 않은 심의절차·방법 등은

중앙심의위원회의 심의절차·방법 등을 준용한다.

제16조(기술검토 등) ① 위원장(소위원장)은 당해 위원회를 개최하기 전에 심의위원, 관계공무원, 심의관계자 등에게 다음 각 호에 따라 검토의견을 사전설명 또는 제출·보고하도록 하여야한다.

1. 심의위원은 제11조제2호, 제4호, 제6호, 제9호부터 제12호에 대하여 특별한 경우를 제외하고는 심의개최 3일전에 검토의견을 서면으로 제출
2. 관계공무원은 제1호의 심의사항에 대하여 관계기관·관계전문가 등의 의견이 있는 경우 이를 검토하여 보고.

② 위원장(소위원장)은 필요하다고 인정할 때에는 위원(심의위원) 등으로 하여금 현장조사를 하게 하거나 또는 관계전문기관에 기술검토를 의뢰할 수 있다.

제17조(회의소집 및 개회) ① 위원장(소위원장)은 영 제10조에 따라 당해 안건에 대한 심의위원이 선정되면 지체없이 의안명, 일시 및 장소를 기재한 심의개최 통지서를 심의위원, 심의요청자에게 송부하여야 한다. 이 경우 위원 등에게는 심의개최 통지서 외에 제13조제1항에 따른 관계서류를 송부하여야 하며, 심의안건의 성격·인원수 등에 따라 심의개최 전 안건 송부일자 및 송부서류 등을 조정할 수 있다.

② 제1항에 의하여 회의개최 통지서를 받은 심의요청자는 직접 위원회에 출석하여 의안을 설명하거나 관계 5급 이상 공무원과 관련 책임기술인, 건축사 또는 이와 동등한 자격을 갖춘 자로 하여금 의안을 설명하게 하여야 한다. 이때 건축시설물의 경우에는 제13조제1항에 따른 심의요청서류 및 「건축법」, 「주택건설촉진법」 등 관계법령에 대한 적정여부 등을 직접 설명하고, 필요한 경우 그 대안을 제시하여야 한다.

③ 위원회는 참석대상 전문분야별 위원 각 1인 이상을 포함한 과반수의 위원 출석으로 개회한다. 다만, 해당 전문분야에 참석위원이 없는 경우로서 심의에 지장이 없다고 위원장(소위원장)이 인정하는 경우에는 유사한 전문분야의 위원으로 하여금 심의하게 하여 개회할 수 있다.

제18조(심의사항의 설명) 위원장(소위원장)은 발주청장으로 하여금 당해 심의사항에 대하여 위원회(소위원회)에 설명하게 할 수 있다. 다만, 제11조제7호에 대하여는 평가결과에 영향이 미치는 설계도서의 기술적 검토사항에 대한 설명을 하게 하여서는 아니 된다.

제19조(심의의결) ① 위원회는 출석위원 과반수의 찬성으로 의결한다.

② 위원회가 제11조제4호에 따른 건설공사의 설계 및 적정성에 대하여 심의의결을 할 때에는 다음 각 호의 기준에 따라 원안채택, 조건부채택 또는 재심의로 구분하여 의결하여야 한다.

1. 원안채택 : 의안을 심의한 결과 결함이 없거나 경미하여 원안채택이 바람직하다고 판단되는 의안에 대한 의결
2. 조건부채택 : 의안을 심의한 결과 결함을 수정 또는 보완할 필요가 있다고 판단되는 의안에 대한 의결인 경우로서, 심의내용의 전부 또는 부분을 보완하는 조건으로 채택하는 것을 말하며, 보완사항에 대하여는 당해 심의사항의 중요도 및 보완내용에 따라 서면에 의한 보완사항 검토방법(서면보완) 또는 당해 심의에

참여한 위원중에서 일부위원이 모여서 공동으로 검토하는 방안(공동검토보완)에 의할 수 있으며 심의의결시 위원장(소위원장)이 심의위원의 의견을 들은 후 정하는 방법에 따른다.

3. 재심의 : 의안을 심의한 결과 결함이 중대하여 의안의 일부 또는 전부를 재작성한 후 중앙심의위원회의 심의를 다시 받을 필요가 있다고 판단되는 의안 또는 지적사항에 대하여 과반수이상 위원의 확인을 받아야 하는 의안에 대한 의결

③ 위원장(소위원장)은 제2항에 따른 심의의결을 함에 있어서 위원 또는 심의위원 등에게 당해 설계의 결함에 대하여 보완이 필요한 사항을 제출하게 할 수 있으며, 국토교통부장관은 이를 심의요청기관에 통보할 수 있다.

④ 소위원회가 제11조제1호부터 제2호, 제5호, 제6호, 제8호부터 제12호 심의사항에 대하여 심의의결을 할 때에는 심의의 종류 및 내용 등을 감안하여 제2항 또는 제31조제1항부터 제4항까지의 의결방법을 준용할 수 있다.

제20조(심의결과 조치등) ① 영 제11조에 따라 중앙심의위원회에 제출된 관계서류는 심의 완료후 3년간 보관하여야 한다. 다만, 심의요청 설계도서 등은 심의요청기관에게 반환할 수 있다.

② 영 제14조제1항에 따라 심의결과에 대한 조치내용을 국토교통부장관에게 통보하는 경우에는 별지 제7호 서식(건축시설물의 경우에는 별지 제8호 서식을 포함한다)에 의한다.

③ 발주청장은 입찰안내서 심의지적사항에 대하여는 반드시 이를 보완하고 보완 결과를 국토교통부장관에게 통보하여야 한다.

④ 규칙 제4조에 따른 사후평가는 별지 제9호 서식에 의한다.

제21조(제출서류) 발주청장은 영 제17조제2항에 따라 다음 각 호의 구분에 따라 관계 자료를 국토교통부장관에게 제출하여야 한다.

1. 영 제17조제2항제1호부터 제3호까지에 해당하는 전년도에 제정·개정한 규정 또는 조례의 내역인 경우에는 별지 제10호 서식
2. 영 제17조제2항제1호부터 제3호까지에 해당하는 전년도 심의운영 실적인 경우에는 별지 제11호 서식

제22조(회의록 등) 위원회의 간사는 별지 제12호 서식에 따른 회의록(심의위원별 발표내용은 서면으로 제출한 심의의견서, 질문서, 설계검토서에 대한 검증서, 채점표 등으로 갈음할 수 있다)을 작성하고 참석위원 등의 서명 날인을 받아 보존하여야 한다.

제23조(기술자문위원회 운영) ① 영 제19조에 따른 기술자문위원회는 중앙심의위원회의 전문분야와 환경분야, 경관분야 등 관련분야의 전문가로 구성한다, 다만 필요한 경우에는 지방위원회·타 발주청 기술자문위원회 또는 시민단체가 추천하는 관계전문가 또는 당해 분야 전문가 중에서 위원정수의 5분의 1 범위 내에서 사안별로 일시 임명·위촉할 수 있다.

② 국토교통부(본부) 기술자문위원회는 중앙건설기술심의위원회에 둔다.

③ 기술자문위원회는 다음 각 호의 사항을 각호에서 정하는 내용에 따라 자문 또는 심의한다.

1. 영 제19조제2항(건축사법 제2조제3호의 규정에 의한 설계 및 제11조제9호의 사항을 포함한다)의 규정에 따라 건설공사의 기본

설계 및 실시설계에 관하여는 다음 각 호의 내용을 심의 한다.

가. 종합계획의 적정성

나. 사전조사(현황, 통계 등) 내용, 수요예측 내용, 경제성 평가 등의 적정성

다. 기초·토질조사의 적정성

라. 설계도서의 적정성(설계의 표준화, 자재의 규격화를 포함)

마. 구조물 안전상의 적정성

바. 공사시행상의 적정성

사. 공정계획의 적정성

아. 공사시방서 작성의 적정성

자. 기술개발 및 신공법 등 적용의 적정성

차. 유지관리의적정성

카. 사용전산프로그램의 등록사항 및 적정성

타. 해당지역 주민 및 지자체 등 이해관계자 협의 및 의견수렴 사항 등

파. 기타 설계상 필요한 사항

2. 기술자문위원회는 영 제19조제4항의 규정에 따라 다음 각 호의 사항을 심의한다.

가. 국가계약법령에서 기술자문위원회 심의사항으로 규정하고 있는 사항

나. 총공사비가 100억원 이상인 건설공사의 공법변경 등 중대한 설계변경의 적정성에 관한 사항

다. 「시설물의 안전 및 유지관리에 관한 특별법」 제7조의 규정에 의한 시설물의 정밀안전진단의 적정성 여부

라. 건설기술용역사업의 용역업자 선정을 위한 사업수행능력 세부평가기준과 기술평가의 방법·기준 및 입찰공고안의 적정성에 관한 사항

마. 위원장이 건설공사의 기본계획 및 용역수행과 관련하여 자문위원회에 부의한 사항

바. 공사현장의 안전성 및 시공의 적정성 등에 대하여 기술자문위원회에 현장점검을 요청한 사항

사. 기타 위원장이 필요하다고 인정하는 사항

④ 제3항제1호에 따라 심의를 받고자하는 경우에는 기본설계 등에 관한 세부시행기준(국토교통부 고시)의 기본설계·실시설계의 내용 및 작성기준에 따른 설계도서를 첨부하여 심의를 요청하여야 한다.

⑤ 제12조부터 제22조 및 영 제9조부터 제16조의 규정은 기술자문위원회의 운영에 이를 준용한다.

제4장 일괄입찰, 대안입찰 및 기술제안입찰공사의 설계심의 운영

제24조(설계심의분과위원회의 구성 및 위원 임명 등) ① 중앙심의위원회는 제11조제7호에서 정한 사항을 효율적으로 수행하기 위하여 설계심의분과위원회(이하 "분과위원회"라 한다)를 구성·운영하여야 한다.

② 분과위원회는 영 제9조제2항에 따라 설계심의분과위원장(이하 "분과위원장"이라 한다) 1인을 포함한 전문분야별(별표 1) 분과위원으로 구성한다.

③ 영 제22조에 따른 위원 해촉으로 결원이 생긴 때에는 보궐위원을 위촉하여야 하며, 그 보궐위원의 임기는 전임자의 잔임 기간으로 한다.

④ 분과위원장은 설계심의 업무를 관장하는 국토교통부 기술안전정책관이 된다.

⑤ 위원장은 중앙심의위원회의 위원 중 다음 각호에 해당하는 사람을 분과위원으로 임명 또는 위촉하고, 그 명단을 즉시 공개한다.

1. 건설업무와 관련된 행정기관의 기술직렬 4급 이상, 기술사·건축사 자격 또는 박사학위를 소지한 5급 이상 공무원
2. 「공공기관의 운영에 관한 법률」에 따른 건설관련 공기업 또는 준 정부기관의 건설업무관련 기술직렬의 임원, 기술사·건축사 자격 또는 박사학위를 소지한 3급 이상의 기술직렬 직원(다만, 3급은 해당분야의 기술사 · 건축사 자격 또는 박사학위를 취득한 후 8년 이상 기술분야 업무를 수행한 사람)
3. 「공공기관의 운영에 관한 법률」에 따른 기타 공공기관 중 건설관련 분야 연구기관의 책임연구원(선임연구위원)급 이상 또는 「고등교육법」 제2조제1호에 해당하는 대학의 교수

⑥ 분과위원회의 간사는 소관업무를 담당하는 해당부서 5급 이상 공무원이 되고, 서기는 해당부서의 6급 공무원이 된다.

⑦ 분과위원은 설계심의분과위원회의 윤리행동강령(별표 2)을 따라야 한다.

⑧ 분과위원회 심의와 관련하여 분과위원의 제척·기피·회피 및 해촉은 영 제20조 및 영 제22조를 따른다.

제25조(분과위원회의 소위원회 위원선정 및 개최) ① 제11조제7호의 심의사항에 관한 분과위원회의 소위원회(이하 "소위원회")는 심의요청된 설계심의 건별로 분과위원 중에서 다음 각 호의 방법에 따라 분과위원회 소위원장(이하 "소위원장"이라 한다)과 심의위원을 선정하여야 한다.

1. 소위원장은 설계심의 업무를 담당하는 과장이 된다.
2. 소위원회는 소위원장을 포함하여 10명 이상 40명인 이내로 구성한다. 다만 소위원장은 설계적격여부 및 설계점수(기술제안입찰의 경우 제안채택여부 및 제안서점수) 평가는 하지 않는다.
3. 심의위원은 다음 각 호의 방법에 따라 분과위원장이 선정하며, 분과위원장이 필요하다고 인정하는 경우에는 이를 조정할 수 있다.
   가. 발주청에서 정한 평가기준에 따라 심의 업무를 수행할 적합한 사람을 선정하되, 당해 건설공사의 특성을 고려하여 주된 전문분야별로 2인 이상 선정을 원칙으로 한다.
   나. 심의위원의 당해연도 설계심의 2회 이상 참여를 지양하고, 소위원회 구성시 동일 대학교 출신이 전체 30%, 분야별 50%를 초과하지 않도록 하여야 한다.
   다. 심의위원 선정시 위원선정의 투명성을 확보하기 위해 당해 설계심의 건에 참여하는 입찰참가업체별로 1인을 입회시켜야 한다.
   라. 심의위원은 심의일 전 10일 이내에 선정하고 홈페이지 등을 통하여 선정된 위원의 명단은 공개한다.

4. 분과위원회의 소위원회 운영과 관련하여 별도로 정하지 않은 사항은 제15조에서부터 제22조까지를 준용한다.

② 소위원장은 심의를 원활히 진행하기 위하여 제30조의 설계평가회의 전에 전문분야별 심의위원 1인 이상을 포함한 심의위원 3분의2 이상을 출석시켜 소위원회를 개최할 수 있다.

③ 소위원장은 심의와 관련된 특수분야로 전문분야를 벗어나는 경우 관계전문기관 또는 전문가의 자문을 받아 이를 토대로 유사한 전문분야의 심의위원이 심의토록 할 수 있다.

제26조(기술제안입찰의 기술제안범위 및 배점) ① 발주청장은 별표3의 '기술제안 분야 및 과제'를 참고하여 기술제안을 받고자 하는 전문분야를 정하여야 한다.

② 발주청장은 각 전문분야별로 기술제안이 필요한 과제, 구간, 범위 등을 가능한 구체적으로 정하여야 한다.

③ 발주청장은 분야별로 중요도를 고려하여 입찰자가 제시할 수 있는 기술제안 건수 상한을 정할 수 있다. 이 경우 전체 제안건수의 합은 최대 50개를 넘지 않도록 하여야 한다.

④ 발주청장은 제1항부터 제3항에서 정한 기술제안범위와, 기술제안범위 내의 각 분야별 또는 과제별로 중요도를 고려하여 정한 평가항목 및 배점을 입찰안내서에 제시하여야 한다.

제27조(설명회 등) ① 소위원장은 제11조제7호의 심의와 관련하여 공정하고 효율적인 진행을 위하여 발주청 및 입찰참가업체를 대상으로 심의계획설명회, 공동 설명회, 기술검토회의, 평가회의 등 관계자 회의를 개최할 수 있다. (제11조제7호의 라목 및 마목의 기술제안에 대한 회의 운영과 관련한 세부적인 내용, 절차 등은 별표4 '기술제안입찰의 소위원회 회의운영 세부기준'을 참고하여 소위원장 또는 소위원회에서 정한다.)

② 소위원장은 제25조제1항에 따라 심의위원이 선정되면 심의위원에게 평가 자료를 송부하여야 하며, 입찰참가업체들이 자신의 설계 또는 기술제안 내용을 심의위원에게 충분히 설명할 수 있도록 공동 설명회를 1회 이상 개최하여야 한다.

③ 소위원장은 공동 설명회의 설명자료 제출 시 제34조 규정을 준수토록 하고 발주청장은 이를 위반한 입찰참가업체에 대한 감점방법 및 기준 등에 관한 사항을 사전에 입찰참가업체에게 통보하거나 입찰공고에 포함하여야 한다.

④ 입찰참가업체는 심의와 관련하여 다음 각 호에 해당하는 행위를 해서는 안되며, 발주청장은 이를 위반한 입찰참가업체에 대한 감점방법 및 기준 등에 관한 사항을 사전에 입찰참가업체에게 통보하거나 입찰공고에 포함하여야 한다.

1. 소속직원이 심의위원 선정일부터 설계평가회의가 끝날 때까지 해당 심의위원과 접촉하는 행위(단, 접촉은 업체관계자가 유선, 방문 등을 통해 의도적으로 접근하여 심의위원이 해당업체를 인식하게 하는 경우를 의미한다.)
2. 제1항에 따른 설명회 외 별도로 심의위원 선정 대상자에게 개별적으로 설계내용 또는 기술제안내용을 설명하는 행위
3. 사전신고 없이 낙찰된 업체가 1년 이내 심의참여 위원에게 용역, 연구, 자문 등을 의뢰하는 행위

4. 심의와 관련한 비리 또는 부정행위

⑤ 심의위원은 입찰참가업체가 제4항에서 금지한 행위를 행한 사실을 알게된 즉시 소위원장에게 신고하여야 하며, 소위원장은 해당 업체가 불이익을 받도록 조치를 취하여야 한다

⑥ 소위원장은 심의위원이 객관적이고 심도 있는 평가를 할 수 있도록 현장답사 또는 현장조사를 하게 하거나, 관계전문기관에 기술 검토를 의뢰할 수 있다.

제28조(소위원회 기술검토 등) ① 소위원장은 제11조제7호의 심의와 관련하여 평가회의 개최 5일전까지 다음 각 호의 사항을 논의하기 위해 기술검토회의를 개최하여야 한다.

1. 입찰업체 제출도서의 입찰안내서 위배여부 및 최소설계기준 미달여부
2. 설계평가회의 운영방법 및 절차
3. 입찰업체의 설계 설명 청취 등
4. 설계평가지표 평가항목별 세부평가지표의 적정성 검토 등

② 소위원장은 제1항에 따른 기술검토회의 및 제30조에 따른 평가회의 진행을 위하여 심의위원, 관계공무원, 입찰참가업체 등에게 다음 각 호에 따라 검토의견을 사전설명 또는 제출·보고하도록 하여야한다.

1. 발주청장(관계공무원)은 제11조제7호가목, 나목 및 다목에 대해서는 제34조의 설계도서 제한사항 위반에 대한 감점사항(제11조제7호라목 및 마목에 대해서는 별표8 기술제안서 작성기준에 따라 발주청별로 정한 제한사항 감점사항)과 입찰안내서에서 제시한 설계조건 또는 기술제안조건 부합여부에 대한 검토내용 및 별표5의 기준에 따라 작성한 설계검토서 또는 기술제안검토서 등을 기술검토회의 2일 전까지 보고
2. 심의위원은 입찰안내서, 설계도서 등을 검토하여 분야별 질문항목을 기술검토회의 전까지 서면으로 제출
3. 입찰참가업체는 경쟁 상대입찰업체의 설계내용에 대한 질문항목은 기술검토회의 전까지, 제3항에 따른 소위원회 질문사항 및 입찰업체간 질문사항에 대한 답변은 평가회의 개최 전 서면으로 제출

③ 소위원장은 기술검토회의에서 결정된 입찰업체 질문서, 심의평가 운영계획 등을 평가회의 개최 3일전까지 발주청 및 입찰참가업체에 통보하여야 한다.

제29조(청렴서약서 제출) 소위원장은 제11조제7호에 따른 심의에 참여하는 심의위원과 입찰참가업체로부터 별지 제13호 서식에 따른 청렴서약서를 제출하게 하여야 한다.

제30조(평가회의 운영) ① 소위원장은 제11조제7호에 관한 사항을 심의하기 위해 평가회의를 개최하여야 한다.

② 소위원장은 평가회의를 전문분야별 심의위원 1인 이상의 참석과 입찰참가업체의 출석으로 개회하며, 제28조에 따른 기술검토회의에서 정한 운영 및 절차에 따라 진행하되, 정하지 못한 특별한 사항이 발생시에는 평가회의 당일에 발주청장, 심의위원과 협의하여 정한다.

③ 소위원장은 심의위원 질문사항 및 입찰업체간 질문사항에 대한

입찰참가업체의 제안 및 답변 내용 중 입찰시 제출한 설계도서 또는 기술제안서와 상이한 부분과 설계도서 또는 기술제안서의 보완 또는 추가를 요하는 사항에 대하여는 소위원회의 심의를 거쳐 수용여부를 결정하고, 입찰참가업체(이 경우 입찰참가업체로 하여금 동의서 또는 이행확약서 등을 제출토록 하여야 한다)에게 통보하여야 한다.

④ 소위원장은 설계도서 또는 기술제안서 상의 설계 중점사항 및 주안점 등에 대하여 업체의 요청이 있으면 추가적으로 설명 기회를 부여할 수 있다.

⑤ 심의위원은 설계도서 또는 기술제안서 및 입찰참가업체의 제안·질문·답변내용과 관련하여 보충·추가질문을 서면으로 소위원장에게 제출할 수 있으며, 소위원장은 그 내용이 소위원회 및 입찰업체간 질문 내용의 범위와 수준을 벗어나지 않는다고 판단될 경우에 한하여 심의위원을 대신하여 질문을 할 수 있다. 단, 소위원장은 참여기술인의 고강도 근로방지를 위해 심의위원과 업체간 질문항목 및 추가질문을 제한할 수 있다.

⑥ 소위원장은 제3항 및 제4항에서 정한 질의·답변 과정 이후 내실 있는 평가를 위하여 충분한 시간을 확보한 후 전문분야별로 심의위원 간 평가 토론회를 반드시 실시하여야 한다.

제31조(소위원회 심의의결) ① 제11조제7호의 심의사항과 관련하여 소위원회 참석 심의위원의 2/3이상(기술제안입찰의 경우 1/2이상)의 찬성으로 의결한다.

② 소위원회가 제11조제7호의 심의사항 중 국가계약법 시행령 제85조제5항 및 제86조제8항에 따른 대안입찰 공사 설계에 대하여 심의의결을 할 때에는 설계 평가점수에 발주청의 설계도서 제한사항 위반에 대한 감점사항을 반영한 입찰참가업체별 종합평가점수를 확정하여 다음 각 호의 기준에 따라 설계적격 또는 설계부적격으로 구분하고, 입찰공고 시 제시한 대안공종별로 대안채택 또는 대안불채택으로 구분하여야 하며, 대안채택 여부는 원안설계 내용과 비교하여 원안설계보다 우수한 설계를 채택한다. 다만, 「국가계약법 시행령」 제79조제1항제3호에서 규정한 신기술·신공법·공기단축 등이 적용되지 않는 경우에는 이를 채택하지 아니할 수 있다.

1. 설계적격 : 의안을 심의한 결과 대안공종별로 대안채택여부와 관계없이 결함이 없거나 경미하고 설계점수가 100점 만점을 기준으로 60점(낙찰자 결정방법이 최저가격인 경우는 75점)이상인 경우에 대한 의결
2. 설계부적격 : 대안의 공종을 심의한 결과 결함이 중대하다고 인정하여 출석위원 2/3이상의 동의가 있는 설계 또는 100점 만점을 기준으로 설계점수가 60점(낙찰자 결정방법이 최저가격인 경우는 75점) 미만인 경우에 대한 의결
3. 대안채택 : 대안공종 입찰가격이 원안 공종 예정가격 미만이고 대안 설계점수가 원안의 설계점수 이상인 경우로서 국가계약법 시행령 제79조제1항제3호에 적합하다고 인정되는 의안에 대한 의결
4. 대안불채택 : 대안의 설계에 주요한 결함, 또는 대안공종 입찰가격이 원안 공종 예정가격이상 이거나 대안설계 점수가 원안의

설계점수 미만인 경우, 또는 국가계약법 시행령 제79조제1항제3호에 적합하지 않다고 판단되는 의안에 대한 의결

③ 소위원회가 제11조제7호의 심의사항 중 국가계약법 시행령 제103조제3항 및 제106조제2항에 따른 기술제안입찰 공사 기술제안서에 대하여 심의의결을 할 때에는 점수평가 전 각 제안별로 실제 사업에 적용가능성을 검토하고 기술제안별 적격여부를 심의하여야 한다. 입찰참가업체가 제시한 기술제안에 대해 해당분야 참여위원의 2분의1 이상이 '적격'으로 심의한 경우 '적격'으로 의결한다. 해당분야 참여위원 중 '조건부적격'과 '부적격'으로 심의한 위원의 합이 과반일 경우 '적격'으로 심의한 위원을 제외한 참여위원 2분의1이상의 심의의견에 따라 '조건부적격' 또는 '부적격'으로 의결한다. 단, '조건부적격'과 '부적격'으로 심의한 위원수가 동일한 경우에는 '조건부적격'으로 의결한다. 입찰참가업체가 제시한 기술제안이 다음 각 호에 해당되는 경우 '부적격' 또는 '조건부적격'으로 의결한다.

1. 부적격 제안 : 기준에 미달하거나 관계법령을 미준수한 제안, 설계 의도에 반대되거나 목표성능에 미달되는 제안, 성능이 검증되지 않은 아이디어 수준의 제안
2. 조건부적격 : 검증에 시간이 소요되어 심의 중 판단이 불가능한 제안, 시험시공 및 시제품 제작 등이 필요하여 시공 전 검증이 불가능한 제안, 사업에 적용하기 위해 일부 보완할 필요가 있는 제안

④ 소위원회가 제11조제7호 심의사항 중 제2항 및 제3항에서 정한 사항을 제외한 내용에 대하여 심의의결을 할 때에는 설계 평가점수 또는 기술제안 평가점수에 발주청의 설계도서 제한사항 또는 기술제안서 제한사항 위반에 대한 감점사항을 반영한 입찰참가업체별 종합평가점수를 확정하여 적격 또는 부적격으로 구분하고 설계점수 또는 기술제안점수와 함께 의결하여야 한다.

1. 적격 : 의안을 심의한 결과 결함이 없거나 경미하다고 판단되는 경우로서 설계점수 또는 기술제안점수가 100점 만점을 기준으로 60점(낙찰자 결정방법이 최저가격인 경우는 75점)이상인 설계 또는 기술제안을 적격으로 본다.
2. 부적격 : 의안을 심의한 결과 결함이 중대하다고 인정하여 출석위원 2/3이상의 동의가 있는 설계 또는 기술제안이거나 입찰공고 시 발주청이 제시한 기본계획 및 입찰안내서에 부합되지 아니하다고 판단되는 의안이거나 설계 또는 기술제안점수가 100점 만점을 기준으로 60점(낙찰자 결정방법이 최저가격인 경우는 75점) 미만인 설계 또는 기술제안.

⑤ 소위원장은 제2항과 제4항에 따른 심의의결을 함에 있어서 위원 또는 심의위원 등에게 당해 설계 또는 기술제안의 결함에 대하여 보완이 필요한 사항을 제출하게 할 수 있으며, 국토교통부장관은 이를 심의요청기관에 통보할 수 있다.

⑥ 국토교통부장관은 일괄입찰공사, 대안입찰공사 및 기술제안입찰공사에 관한 심의를 위하여 필요하다고 인정하는 경우에는 심의요청기관의 의견을 받아 이를 소위원회에 부의할 수 있다.

⑦ 소위원회가 제11조제7호나목의 실시설계서의 적격여부 대하여 심의의결을 할 때에는 제4항의 의결방법에 따른다.

제32조(소위원회 심의방식 및 설계점수의 채점방법 등) ① 제11조제7호의 심의사항에 관한 심의위원은 다음 각 호의 임무를 수행한다.

1. 심의위원이 검토할 설계도서 또는 기술제안서의 기술적 사항은 다음 각 호와 같고, 특정업체에 유리 또는 불리한 내용을 포함하여서는 아니 된다.
   가. 설계심의 또는 기술제안심의 관련 자료를 검토하여 질문사항 도출
   나. 발주청이 작성한 설계검토서 또는 기술제안검토서에 대한 내용의 적정성 및 객관성 검증서 제출
   다. 입찰참가업체에서 검토한 질문항목의 적정성 검토
   라. 질문항목을 토대로 입찰참가업체와 질의 및 토론
   마. 입찰참가업체의 답변내용에 대한 진위여부 판단
   바. 당해 설계도서 또는 기술제안서의 결함에 대하여 보완이 필요한 사항(심의위원 기술검토서) 제출
2. 심의위원은 다음 각 호의 내용을 토대로 담당 전문분야의 설계도서 또는 기술제안서를 채점하고, 그 채점결과 및 항목별 평가사유서를 작성하여 소위원장에게 제출하여야 한다.
   가. 발주청장이 작성한 검증된 설계검토서 또는 기술제안검토서
   나. 소위원회 질문사항 및 입찰업체간 질문사항에 대한 답변
   다. 평가회의(심의위원 및 입찰참가업체간의 질의·답변)
   라. 입찰업체가 제출한 설계도서 또는 기술제안서 및 관계서류
   마. 그 밖에 소위원회가 필요하다고 인정하여 요구한 서류

② 제11조제7호에 따른 일괄입찰, 대안입찰 또는 기술제안입찰공사의 설계점수 또는 기술제안점수의 채점방법 등에 관한 사항은 다음 각 호와 같다.

1. 발주청장은 별표6 및 별표7의 '설계평가지표 및 배점기준'을 참고하여 작성한 입찰안내서(기술제안입찰의 경우 별표8의 '기술제안서 작성기준' 및 별표9의 '기술제안입찰의 입찰안내서 작성목록'을 참고하거나 필요시 공인된 전문기관의 자문을 받아 작성한 입찰안내서)의 평가배점기준에 따라 배점표를 작성하여 소위원장에게 제출하여야 하며, 소위원장은 심의위원별 평가결과 산정 등에 다음 각 목의 방법에 따른 평가 차등방법 중 2가지 이상을 심의에 적용하도록 하여야 한다. 다만, 차등평가의 폭은 평가항목별 배점, 심의위원별 배점 및 총점에 대해 각각 15퍼센트 이내로 한다.
   가. 평가항목별 차등평가
   나. 심의위원별 차등평가
   다. 총점에 대해 차등평가
2. 심의위원은 제1호에 따라 담당 전문분야를 평가하되, 해당 전문분야별 '설계평가지표 및 배점표'를 기준으로 별지 제14호 서식에 따른 전문분야별 채점표와 별지 제15호 서식에 따른 전문분야의 항목별 평가사유서(기술제안입찰의 경우 별지 제17호 서식에 따른 채점표와 별지 제18호 서식에 따른 항목별 평가사유서)를 작성하여 소위원장에게 제출하여야 한다.
3. 심의위원은 제1호의 방법에 따라 발주청장이 정하는 기준에 의거 입찰참가업체별 우수 순위를 결정하여 채점하여야 한다.

4. 소위원장은 심의위원이 제1호에 따라 채점하지 아니한 경우에는 다시 채점하게 할 수 있다.
5. 평가항목별 설계점수의 소숫점 처리는 소숫점 3자리에서 반올림한다.
6. 업체별 득점은 전문분야별로 산정한 해당 심의위원들의 평균점수의 합과 제39조에서 정한 감점기준에 따른 감점을 더한 값으로 한다.
7. 기술제안입찰의 경우에 소위원회는 평가결과 부적격 제안이 전체 제안의 2분의 1이상이거나 평가점수가 60점 미만인 제안서는 부적격으로 의결한다.

③ 제2항에 따른 설계점수 또는 기술제안점수의 채점방법 규정에도 불구하고, 다음 각 호의 경우에는 평가항목별 절대평가를 실시하여야 하며, 절대평가에 필요한 사항은 소위원회에서 별도로 정할 수 있다.

1. 국가계약법 시행령 제85조의2제1항제1호에 따라 일괄입찰에서 최저가격으로 입찰한 자를 실시설계적격자로 결정하는 경우
2. 국가계약법 시행령 제85조의2제2항제1호에 따라 대안입찰에서 최저가격으로 입찰한 자를 낙찰자로 결정하는 경우
3. 국가계약법 시행령 제102조제1항제1호에 따라 실시설계 기술제안입찰에서 최저가격으로 입찰한 자를 낙찰자로 결정하는 경우
4. 국가계약법 시행령 제102조제2항제1호에 따라 기본설계 기술제안입찰에서 최저가격으로 입찰한 자를 실시설계적격자로 결정하는 경우

④ 소위원장은 평가항목의 세부평가지표별 배점을 결정하기 위해 평가 서류 제출일에 별지 제15의1호 서식을 활용하여 발주청 1인, 입찰참여업체 대표 각 1인이 각각 작성한 배점 산정표를 밀봉하여 별도로 제출받아야 한다.

⑤ 소위원장은 심의위원별 평가가 완료된 후에 배점 산정표를 개봉하여 다음과 같이 세부평가지표별 배점 산정식에 따라 배점을 확정하고, 배점과 심의위원 평가결과를 반영하여 심의위원별 최종 점수를 확정한다.

$$\text{세부배점} = \frac{(\text{평가지표의 배점} \times \text{배점위원별 세부평가지표 점수의 합})}{(\text{모든 배점위원별 세부평가지표 점수의 합})}$$

* 세부평가지표 배점은 소숫점 3자리에서 반올림하고 배점의 합이 평가항목 배점과 일치하지 않는 경우, 초과하는 경우는 세부평가지표 배점이 가장 낮은 지표(동점이 있는 경우 목차 후 순위) 배점에서 감하고, 작은 경우는 세부평가지표 배점이 가장 높은 지표(동점이 있는 경우 목차 선 순위) 배점에 가한다.

⑥ 소위원장은 심의가 종결된 후 심의위원의 입찰업체별 전문분야 점수, 심의위원별 평가점수 및 사유서, 세부감점 내용을 실명으로 공개하여야 하며, 다만, 심의위원별 세부채점표는 비공개하여야 한다. 또한 심의요청기관(계약담당부서 포함)에 통보할 때에는 입찰참가업체별로 채점된 종합평가점수를 통보한다.

⑦ 설계심의 결과에 이의가 있는 입찰참가업체는 발주청이 정하는 방법과 절차에 따라 이의를 제기할 수 있다.

⑧ 소위원장은 입찰참여업체가 이의제기를 하였을 때에는 그 내용을 검토하고, 검토결과를 이의제기 업체에게 설명하여야 한다.

⑨ 제6항에 따른 검토결과 심각한 오류가 있는 경우 재심의를 할 수 있으며 재심의 방법 및 절차는 해당 소위원회에서 정한다.

⑩ 위원장(소위원장)은 제30조제3항과 관련하여 수용하기로 의결된 보완·추가사항을 동의서 또는 이행확약서와 함께 심의요청기관(계약담당부서 포함)에 통보하여야 한다.

⑪ 발주청장 및 소위원장은 심의와 관련한 정보를 법 제19조에 따라 구축한 건설사업정보시스템(이하 "건설CALS포탈시스템")에 등록하여 체계적으로 관리하여야 한다.

제33조(기술제안 반영) ① 기술제안입찰에서 낙찰자 또는 실시설계 적격자로 선정된 자는 기술제안 중 제31조제3항제1호에 따라 부적격제안으로 심의의결된 제안은 발주청에서 작성한 원래 설계로 변경하여야 한다.

② 기술제안입찰에서 낙찰자 또는 실시설계적격자로 선정된 자는 기술제안 중 제31조제3항제2호에 따라 조건부적격으로 심의 의결된 제안에 대해서는 심의시 요구한 검증을 실시하거나 보완사항을 반영하여 설계서를 변경(실시설계 기술제안에 해당)하거나 작성(기본설계 기술제안에 해당)하여야 한다.

③ 제2항에 따른 검증결과 발주청에서 수용이 불가능하다고 판단되는 경우에는 발주청에 속한 기술자문위원회의 심의를 거쳐 부적격제안으로 의결할 수 있으며 이 경우 제1항을 따른다.

④ 기술제안입찰에서 낙찰자 또는 실시설계적격자로 선정된 자는 기술제안 중 제31조제3항에 따라 적격제안으로 심의 의결된 제안에 대해서는 제안내용을 반영하여 설계서를 변경(실시설계 기술제안에 해당)하거나 작성(기본설계 기술제안에 해당)하여야 한다.

⑤ 발주청장은 제31조 및 제1항부터 제4항까지의 내용을 입찰안내서에 제시하여야 한다.

⑥ 발주청장은 제2항에 따라 낙찰자 또는 실시설계적격자로 선정된자가 변경하거나 작성하여 제출한 설계서를 해당 발주청에 속한 기술자문위원회의 심의를 거쳐 승인하여야 한다.

제34조(소위원회 제출서류) ① 발주청장은 제11조제7호 가항부터 다항까지에 규정한 심의와 관련하여 입찰시 제출하는 설계도서에 대하여는 입찰안내서, 입찰공고 또는 서면통보 등의 방법으로 다음 각 호에 따라 평가에 직접 필요한 사항으로 제한하여 제출하게 하여야 하며, 이를 준수하지 아니한 경우에는 평가 시 감점기준에 따라 감점하여야 한다.

1. 보고서 및 설계도서는 「건설공사의 설계도서 작성기준」을 참조하여 작성
2. 기본설계보고서 100~150쪽 이내(A4규격)
3. 설계도면(A3규격)은 기본설계도면을 기준으로 100쪽 이내
4. 토질보고서(A4규격) 100쪽 이내
5. 구조계산서(수리,용량,기타 포함)(A4규격) 300쪽 이내
6. 제2호 및 제3호에 대하여는 발주청장이 공사의 특성에 따라 쪽수 기준을 가감할 수 있으나, 제1호를 준수하여야 한다.

제35조(금지행위 및 감점) ① 입찰참가업체는 심의와 관련하여 별표10

'감점기준'의 감점사항에 해당하는 행위를 해서는 아니 된다.

② 발주청장은 제1항의 감점사항 이외에 추가로 감점하고자 하는 경우에는 감점사항, 감점방법, 감점한도 등에 관한 감점기준을 정하여야한다.

③ 발주청장은 제1항 및 제2항에 따른 감점기준을 입찰안내서에 제시하여야 한다.

④ 발주청장은 제1항의 비리감점사항을 신고 또는 통보받거나 인지한 경우 사실관계를 확인한 후 별지 제19호에 따라 설계심의 비리감점 심의요청서를 작성한 후 해당 건설기술심의위원회(또는 기술자문위원회)에 감점부과의 적정성에 대한 심의를 요청하여야 한다.

⑤ 발주청장은 제4항에 따른 사실관계 확인을 위해 감점사항과 관련하여 최대 5일 동안 업체의 의견을 들을 수 있다.

⑥ 국토교통부장관은 모든 심의기관의 제27조제4항 관련 감점사항을 수집하여 종합관리하여야 한다.

⑦ 발주청장은 심의위원으로 선발된 소속직원에게 부당한 간섭이나 내부압력을 하여서는 아니되며, 독립적인 심의를 보장하여야 한다.

제36조(일괄입찰 등의 설계비 보상) 발주청은 국가계약법 시행령 제89조 및 제107조에 따른 설계비 보상 및 기술제안입찰 제안서 작성비용 보상의 지급을 위한 산식을 적용함에 있어서 '설계점수' 및 '기술제안점수'에 제32조제2항 및 제3항에 의한 평가항목별 배점 및 심의위원별 배점의 합계(100점 만점)를 적용하여야 하며, 총점에 대해 차등평가한 경우에는 차등을 적용한 최종점수를 적용하여야 한다.

제5장 일괄사업 입찰안내서 작성

제37조(입찰안내서) ① 발주청은 일괄·기술제안입찰사업 등 입찰안내서 작성 시 별표11의 '일괄입찰의 분야별 입찰안내서 목록(예시)'를 참고하여 작성하되, 다음 각 호의 내용을 포함하여야한다.

1. 국가계약법 시행령, 국가계약법 시행구칙, 국가계약법 특례규정 및 계약예규 등에서 규정하고 있는 입찰, 계약 관련 일반사항
2. 공사설명서, 기본계획보고서 등 당하 사업의 내용을 나타내는 자료
3. 설계, 시공, 관리 등과 관련한 지침
4. 설계배점표, 설계평가방식, 감점기준 등 설계심의 관련 사항
5. 입찰서 목록 등 입찰참여자가 제출하여야 하는 자료의 목록 및 양식
6. 토질조사보고서 등 입찰참가자가 공동 활용할 수 있는 기초자료 (다만, 노선의 불확정 등으로 기초자료의 활용성이 크지 않다고 판단되는 경우는 생략할 수 있다.)
7. 기타 참고사항을 기재한 서류

② 발주청은 일괄·기술제안입찰사업 등 입찰안내서 작성 시 관행적인 사유 등으로 국가계약법 시행령, 국가계약법 시행규칙, 국가계약법 특례규정 및 계약예규 등에 위배되거나 계약상대자간의 불공정한 계약내용이 포함되지 않도록 하여야 하며, 다음 각 호의 내용을 참고하여 작성하여야 한다.

1. 발주청은 입찰참여자가 설계분야 참가자를 포함하여 공동수급

체를 구성하는 경우에 계약금액, 계약기간, 대금지급방법, 계약조건 등 설계분야 참가자와 공동수급체 대표자와의 계약서를 입찰공고일로부터 8주 이내에 제출하게 하여 계약내용은 비공개로 하고 계약이 공정하게 이루어 졌는지를 검토하여야 함

2. 공동수급체 대표자는 설계보상비 범위내의 설계비용에 대하여는 설계분야 참가자에게 직접 지급하여야 함
3. 제1호의 규정에 따라 제출한 계약서의 설계분야 참가자의 지분에 따라 기본설계 및 실시설계가 이루어지도록 하고 변경시에는 발주청과 협의를 하도록 함
4. 계약상대자의 책임있는 사유가 아닌 경우에는 공기연장에 따른 간접비 등의 비용 청구를 제한하는 내용이 포함되지 않도록 하여야 함
5. 발주청은 민원 등의 원인에 따라 추가 비용이 발생할 경우에 계약상대자의 책임여부와 상관없이 계약상대자가 비용을 부담해야 한다는 내용이 포함되지 않도록 하고 비용의 부담에 대한 내용이 필요한 경우는 공사계약일반조건이나 계약관련 법령의 규정과 적합한지를 검토하여야 함
6. 발주청은 참여기술인의 고강도 근로방지를 위하여 적합한 설계기간(설계시공 일괄 입찰 5개월 이상, 기술제안 입찰 4개월 이상)을 검토하여야 한다. 다만, 공사의 시급성 및 특성에 따라 설계기간 축소 검토 시 국토교통부장관과 사전에 협의하여야 한다.

③ 발주청은 일괄·기술제안입찰사업 등 입찰안내서를 입찰공고시 제시하여야 한다.

제38조(사전조사실시) 발주청은 기초자료조사 등 입찰자들이 기본설계 시 공동으로 활용할 수 있는 자료를 제공하여야하며, 이 경우 발주청에서는 입찰 전에 이와 관련한 용역 등을 실시할 수 있다.

제39조(입찰서) ① 발주청장은 일괄입찰에 참여하는 입찰참가자가 제출하는 입찰서의 목록을 별표12의 '일괄입찰의 분야별 입찰서 목록(예시)'를 참고하여 작성하되, 평가에 직접 필요한 사항으로 제한하고 입찰서의 설계도서 내용이 「설계공모, 기본설계 등의 시행 및 설계의 경제성 검토에 관한 지침」(국토교통부 고시)에 따른 기본설계의 내용과 영 제71조제2항에 의한 건설공사의 설계도서 작성기준의 기본설계 성과품 작성기준의 범위를 벗어나지 않도록 하여야 한다.

② 발주청장은 입찰참가자가 제1항의 사항을 준수하지 않을 경우 평가 시 감점기준에 따라 감점하여야 한다.

제6장 건설기준 정비 등

제40조(기준의 종류 및 소관부서 등) ① 법 제44조의 규정에 따라 정하는 기준의 종류와 관련업무를 관장하는 소관부서와 관련단체(영 제65조제1항제4호의 관련 기관 및 단체, 이하 "관련단체"라 한다)는 별표13과 같다.

② 건설기준의 소관부서장은 다음 각 호의 업무를 담당한다.

1. 건설기준의 관리와 하위기술기준(표준도, 지침, 편람, 기술지도서, 업무요령 등을 포함하며, 이하 같다) 정비 등에 대해 관련단체를 지도·감독

2. 건설기준 정비촉진을 위한 연구용역
3. 건설기준 유권해석 등 질의회신

③ 기술안전정책관은 건설기준의 제도개선 등의 연구와 공통분야 건설기준 등의 관리업무를 총괄하며, 다음 각 호의 업무를 담당한다.

1. 건설기준의 제도정비 및 정책 수립
2. 건설기준의 정비계획 수립과 국고보조금 교부
3. 정비지침, 업무요령 등의 제정 및 운영
4. 건설기준의 중앙건설기술심의위원회 심의 및 승인
5. 공통분야 건설기준 관리 및 하위기술기준 정비 등에 참여하는 관련단체(이하 "참여관련단체"라 한다.)에 대한 지도·감독
6. 총괄업무 관련사항에 대해 소관부서와 사전협의
7. 건설기준의 정보화시스템 연구

제41조(소관부서의 의무 등) ① 건설기준의 소관부서는 소관 건설기준에 대한 제·개정 등의 관리업무를 수행하고자 할 경우 소관 건설기준 및 하위기술기준의 정비·관리 등과 관련된 부서 및 다른 소관부서와 사전협의를 하여야 한다.

② 참여관련단체는 국토교통부장관이 기준정비와 관련하여 필요한 자료 등의 제출을 요청한 때에는 이에 응하여야 한다.

제42조(건설기준의 관리 등) ① 국토교통부장관은 법 제44조의2제2항에 따른 국가건설기준센터(이하 "건설기준센터"라 한다)의 운영을 영 제65조의2제4항에 따라 한국건설기술연구원(이하 "건설기술연구원"이라 한다)에 위탁한다.

② 건설기술연구원장은 건설기준센터의 운영에 필요한 출연금을 지급받기 위해서 영 제65조의3제4항에 따른 세부운영계획을 별표14의 '국가건설기준센터 운영 출연금 비목별 계상기준'에 따라 작성하여 국토교통부장관의 승인을 받아야 한다.

③ 건설기준센터는 건설기준의 연구·개발을 위하여 필요한 경우 국토교통과학기술진흥원(이하 "기술진흥원"이라 한다)에 건설기준과 관련된 자료를 요청하거나 국토교통브 R&D사업의 시행에 대해 협의할 수 있다.

④ 기술진흥원은 건설기준과 관련된 R&D사업을 수행할 경우 착수, 중간, 최종단계의 사업추진내용과 최종 연구성과물에 대해 건설기준센터에 통보하여야 한다. 이 과정에서 건설기준센터가 의견을 제시할 경우 기술진흥원은 가능한 협조하여야 하며, 건설기준센터는 R&D사업의 연구성과가 건설기준에 반영될 수 있도록 노력하여야 한다.

⑤ 건설기술연구원장은 건설기준센터의 효율적인 운영을 위해 국토교통부장관의 승인을 거쳐 세부운영규정을 정할 수 있다.

제3편 건설신기술 기술사용료 및 현장적용

제1장 정 의

제43조(정의) 제3편에서 사용하는 용어의 정의는 다음과 같다.

1. "발주청"은 신기술이 적용되는 건설공사를 발주하는 법 제2조제6호에서 정한 기관의 장을 말한다.

2. “발주자”라 함은 건설공사를 건설업자에게 도급하는 자를 말한다.
3. “신기술활용심의위원회”(이하 “위원회”라 한다)는 법 제6조의 규정에 의한 발주청의 「기술자문위원회」 또는 발주청이 신기술의 설계 및 시공 등의 적정성을 심의하기 위하여 구성한 위원회를 말한다.
4. “기술평가기관”은 법 제11조의 규정에 의하여 설립된 기관을 말한다.
5. “유사신기술”이란 동일한 효과를 나타내는 다른 기법의 신기술로서 국토교통부장관 또는 국토교통과학기술진흥원장이 공지한 것을 말한다.
6. “기술개발자”라 함은 법 제14조제1항에 의하여 신기술지정을 받은 자 또는 업체를 말한다.
7. “기술사용료”라 함은 원가계산에 의한 예정가격작성기준(기획재정부 회계예규)에 의거 당해 계약목적물을 시공하는데 직접 필요한 노우하우비(Know-How費) 및 동 부대비용으로서 외부에 지급되는 비용을 말한다.
8. “예정가격”이라 함은 예정가격작성기준(기획재정부 회계예규)에 따라 결정한 가격을 말한다.

제44조(적용범위) 제3편은 발주청이 시행하는 건설공사에 대하여 적용한다.

제2장 건설신기술 현장 적용

제45조(위원회의 심의 등) ① 발주청은 건설공사 시행시 다음 각 호의 1에 대한 판단이 필요하다고 인정되는 경우에는 위원회의 심의를 요청할 수 있다.

1. 건설공사에 반영할 신기술의 설계, 시공, 계약방법, 활용범위 등의 적정성 여부
2. 제1호의 계약방법 중 국가계약법 시행령 제26조제1항제제2호마목 및 지방자치단체를당사자로하는계약에관한법률 시행령 제25조제4호마목의 규정에 근거한 수의계약일 경우 공사의 특성 등에 부합되는지 여부
3. 영 제34조제2항의 규정에 의거 권고받은 시험시공의 실시여부
4. 기타 신기술의 현장적용과 관련한 사항

② 발주청은 제1항의 규정에 의한 위원회의 심의를 받은 때에는 그 결과를 건설공사의 설계에 반영하는 등 필요한 조치를 취하여야 한다.

③ 발주청은 제2항의 규정에 의거 건설공사의 설계에 반영된 신기술에 대하여 현장여건의 변동이 있거나 신기술개발자가 신기술제공을 거부하는 등의 사유로 인하여 설계변경이 필요하다고 인정될 경우에는 위원회의 재심의를 받아 당해 신기술을 타공법으로 설계변경 하는 등 필요한 조치를 하여야 한다.

④ 위원회의 구성 및 운영 등은 영 제19조제1항, 제2항, 제5항 및 제6항의 규정을 준용하되, 2명 이상의 외부전문가를 포함하여 최소 5명 이상으로 구성한다.

⑤ 발주청은 제3항의 규정에 의거 신기술 제공을 부당하게 거부하여 위원회의 심의를 거쳐 설계변경한 경우에는 향후 6개월 이상 18

개월 이하의 기간을 정하여 그가 시행하는 건설공사에 당해 신기술의 사용을 배제할 수 있다.

⑥ 발주청은 제1항 및 제3항의 규정에 의하여 위원회의 심의를 거친 경우에 그 결과를 별지 제20호 서식의 신기술활용심의 관리대장에 의하여 관리하여야 하며, 그 결과를 매반기 말일을 기준으로 다음달 15일까지 국토교통부장관에게 통보하여야 한다.

제46조(유사신기술의 활용) 발주청은 적용하려는 신기술과 유사한 신기술이 있는 경우 설계 및 제한경쟁입찰 등의 절차에서 유사신기술을 배제하지 말아야 한다.

제3장 건설신기술 기술사용료

제47조(공사 참여유형에 따른 기술사용료) 발주자는 기술개발자의 공사 참여유형에 따라 다음 각 호와 같이 기술사용료를 적용하여야 한다.

1. 기술개발자가 기술지도 등 간접적으로 참여하는 경우에는 기술사용료를 지급한다. 다만, 기술개발자가 재료를 직접 제공하는 경우에는 신기술공사비에서 재료비를 제외할 수 있다.
2. 기술개발자가 직접 시공에 참여하는 경우에는 기술사용료를 지급하지 아니한다.

제48조(보호기간에 따른 기술사용료) 신기술 보호기간 이내에 공사계약이 이루어진 경우에는 기술사용료를 지급하여야 한다.

제49조(기술사용료 산출) 기술사용료는 신기술공사비에 일정 요율과 낙찰률을 곱하여 산출한다.

제50조(신기술공사비) 신기술공사비는 예정가격을 기준으로 신기술의 시공에 직접적으로 소요되는 인건비, 재료비, 기계경비를 합산하여 산정하며, 신기술의 시공 범위는 해당 신기술의 기술범위를 기준으로 발주자가 공사의 특성 등을 고려하여 정한다.

제51조(요율) 기술사용료 산출시 적용하는 요율은 별표15을 기준으로 발주자가 해당 신기술의 특성 및 적용에 따른 효과 등을 고려하여 정한다. 단, 8.5%를 초과하지 않도록 한다.

제52조(신기술공사비 중간에 있을 때의 요율) 신기술공사비가 요율표의 각 단위 중간에 있을 때의 요율은 직선보간법에 의하여 다음과 같이 산정한다.

$$y = y_1 - \frac{(x - x_2)(y_1 - y_2)}{x_1 - x_2}$$

※ x : 당해금액, x_1 : 큰 금액, x_2 : 작은 금액

y : 당해공사비요율, y_1 : 작은 금액요율, y_2 : 큰 금액요율

제53조(낙찰률) 기술사용료 산출시 실제 낙찰률이 80% 미만인 경우에는 낙찰률을 80%로 적용하고, 실제 낙찰률이 80% 이상인 경우 해당 낙찰률을 적용하여 지급한다.

제4장 건설신기술 사후관리

제54조(신기술의 사후관리 등) ① 발주청은 그가 시행하는 당해연도 건설공사에 신기술을 적용하여 준공한 때에는 준공일부터 1개월 이내에 별지 제21호 서식에 의한 사후평가서를 작성하고 이를 국

토교통부장관에게 제출하여야 한다.

② 국토교통부장관은 제1항의 규정에 의한 사후평가서를 신기술의 현장적용 등에 활용될 수 있도록 기술평가기관에 통보하고 이를 관리하도록 조치할 수 있다.

③ 제2항의 규정에 의하여 사후평가서를 통보받은 기술평가기관은 이를 축적 및 분석하기 위해 건설신기술종합정보시스템을 구축하여 관리하여야 한다.

④ 발주청은 그가 시행하는 건설공사에 신기술을 적용한 후 건설산업기본법 제30조의 하자담보책임기간내 하자가 발생하여 하자보수공사를 시행하여 준공한 때에는 준공일부터 1개월 이내에 별지 제21호 서식에 의한 사후평가서를 작성하고 이를 국토교통부장관에게 제출하여야 한다.

⑤ 제3항의 규정에 의하여 구축된 건설신기술종합정보시스템에 발주청이 사후평가서를 입력한 경우 제1항 및 제4항의 규정에 의한 사후평가서를 국토교통부장관에게 제출한 것으로 본다.

제4편 건설정보표준 등에 관한 관리

제1장 정의

제55조(정의) 제4편에서 사용하는 용어의 정의는 다음과 같다.

1. "건설정보 표준"이라 함은 건설사업의 전과정에서 발생하는 정보를 전산망을 통하여 교환·공유하기 위하여 건설과 관련된 기관·단체 및 업체 등이 정하여 운용하는 지침·요령·기준 등의 준칙이나 기술규격 등을 말한다.
2. "건설정보 단체표준"이라 함은 제62조의 규정에 의한 전담기관의 장이 제59조의 규정에 의한 절차를 거쳐 단체표준으로 정하여 공고하는 건설정보 표준을 말한다.

제2장 건설정보표준의 관리

제56조(표준의 제안 및 채택) ① 건설정보 단체표준(이하 "단체표준"이라 한다)을 제안하고자 하는 자는 누구든지 제62조의 규정에 의한 전담기관의 장에게 표준화의 대상 또는 표준안을 제안할 수 있다.

② 전담기관의 장은 제1항의 규정에 의한 표준화 과제의 제안이 있는 경우에는 이해관계자의 의견을 수렴하고, 제58조의 규정에 의한 표준화위원회의 심의를 거쳐 단체표준화의 추진 여부를 결정하여야 한다.

③ 전담기관의 장은 제1항의 규정에 의한 표준화 과제가 지적재산권과 관련이 있는 경우에는 지적재산권 문제를 해결한 후에 표준화 과제로 채택하여야 한다.

제57조(단체표준안의 작성) ① 전담기관의 장은 제56조의 규정에 의하여 채택된 표준화 과제에 대하여 관계기관의 의견을 수렴하여 단체표준안을 작성하여야 한다.

② 전담기관의 장은 단체표준안의 개발·작성과정에서 당해 단체표준안이 제정목적에 적절히 부합되는지 여부를 검증하기 위하여 필

요한 각종 시험·검사를 시행할 수 있다.

제58조(표준화위원회) ① 전담기관에 건설정보 표준화위원회(이하 "표준화위원회"라 한다)를 두며, 표준화위원회에 전문분과를 둘 수 있다.

② 표준화위원회의 구성 및 운영에 관한 사항은 표준화위원회의 의견을 들어 전담기관의 장이 정한다. 이 경우 전담기관의 장은 사전에 국토교통부장관과 이를 협의하여야 한다.

제59조(표준의 제·개정 절차) ① 전담기관의 장은 제57조의 규정에 의한 단체표준안을 작성한 때에는 이를 표준화위원회에 회부한다.

② 표준화위원회는 회부된 단체표준안을 심의하고, 그 결과를 전담기관의 장에게 통보한다. 이 경우 표준화위원회에서 필요하다고 인정하는 때에는 해당 전문분과에 의뢰하여 단체표준안의 기술적 검토 및 시험·검증의 과정을 거치도록 할 수 있다.

③ 전담기관의 장은 표준화위원회의 심의결과에 따라 건설정보 단체표준으로 채택하는 것이 바람직하다고 인정된 단체표준안을 전담기관의 홈페이지와 간행물 등을 통하여 30일 이상 예고하여 이해관계자의 의견을 수렴하여야 한다.

④ 전담기관의 장은 제3항의 규정에 의한 예고기간 동안 특별한 이견이 접수되지 아니하였거나 의견이 원만히 수렴되었다고 인정된 표준안에 대하여는 이를 단체표준으로 확정하여 공고한다.

⑤ 전담기관의 장은 제4항의 규정에 의하여 제·개정된 단체표준에 대하여 표준번호를 부여하고 이를 체계적으로 관리하여야 한다.

제60조(국가표준의 건의 및 채택) ① 전담기관의 장은 단체표준중 국가표준으로 채택하는 것이 바람직하다고 판단하는 표준에 대하여는 표준화위원회의 심의를 거쳐 이를 건설정보 국가표준(이하 "국가표준"이라 한다)으로 채택하여 줄 것을 국토교통부장관에게 건의할 수 있다.

② 국토교통부장관은 제1항의 규정에 의하여 전담기관의 장이 국가표준안을 건의한 때에는 국토교통부 홈페이지 등에 60일 이상 국가표준 채택을 예고하여 이해관계자의 의견을 수렴하여야 한다.

③ 국토교통부장관은 제2항의 규정에 의한 예고기간 동안 특별한 이견이 접수되지 아니하였거나 의견이 원만히 수렴되었다고 인정된 표준안에 대하여는 이를 국가표준으로 채택하고 고시한다.

④ 국토교통부장관은 제3항의 규정에 의하여 제시된 의견을 수렴한 결과 당해 표준안을 국가표준으로 채택하는데 상당한 문제가 있다고 판단하는 경우에는 표준채택을 중지하거나 전담기관의 장에게 재검토를 요청할 수 있다.

제61조(표준의 보급 및 적용) ① 전담기관의 장은 이해관계자뿐 아니라 표준을 구하고자 하는 자에 대하여는 누구에게나 국가표준 및 단체표준을 제공하여야 한다.

② 각종 건설정보 표준을 정하고자 하는 자는 국가표준·단체표준 등 상위 등급의 표준과 조화를 이루도록 제·개정하거나 관리하여야 한다.

③ 건설사업정보 체계를 개발·구축·운영하고자 하는 자는 관련분야의 국가표준 또는 단체표준이 제정되어 있는 경우에는 이를 적용하여야 한다.

④ 건설정보 표준이 동일한 위상의 다른 표준과 일치하지 아니하

는 경우에는 건설정보 표준을 우선 적용한다.

제3장 건설정보통합전산망 구축사업

제62조(전담기관의 지정 등) ① 국토교통부장관은 법 제19의 규정에 의한 건설공사지원 통합정보체계구축사업(이하 "건설사업정보화사업"이라 한다)을 효율적으로 추진하기 위하여 과학기술분야 정부출연연구기관 등의 설립·운영 및 육성에 관한 법률 제8조의 규정에 의한 한국건설기술연구원을 건설사업 정보화 사업추진을 위한 전담기관(이하 "전담기관"이라 한다)으로 지정한다.

② 전담기관의 장은 건설사업정보화사업과 관련된 다음 각 호의 업무를 행한다.

1. 영 제41조제2항의 규정에 의한 업무
2. 건설사업정보화사업의 정책지원
3. 건설사업정보화사업의 연도별 사업계획 수립과 성과분석
4. 건설사업정보화사업 출연금의 관리와 집행
5. 건설사업정보화사업 결과에 대한 평가·활용 및 관리
6. 건설사업정보화 추진 및 확산을 위한 기술 지원
7. 건설사업정보화 관련기관·단체 및 업체와의 공동사업 수행
8. 기타 건설사업정보화사업 추진과 관련하여 국토교통부장관이 필요하다고 인정하는 사항

제63조(출연금의 지원 등) ① 건설사업정보화사업의 추진에 필요한 경비는 정부 또는 정부외의 자의 출연금 등으로 충당한다.

② 국토교통부장관은 정부의 출연금을 건설사업정보화사업의 규모, 착수시기 및 월별 소요액 등을 고려하여 일시급 또는 4회 이내의 분할금으로 전담기관의 장에게 지급하며, 정부외의 자의 출연금은 각 기관·단체의 장으로 하여금 전담기관의 장에게 지급하도록 한다.

③ 국토교통부장관은 전담기관에 대하여 건설사업정보화사업의 관리업무수행에 따른 소요비용을 지급할 수 있다.

제64조(출연금 등의 관리 및 사용) ① 제63조제1항의 규정에 의한 출연금은 건설사업정보화사업, 기타 국토교통부장관이 전담기관의 장과 협의하여 정하는 사업에 한하여 사용한다.

② 전담기관의 장은 제63조제2항의 규정에 의하여 출연금을 지급받은 경우에는 출연금 집행에 대한 회계관리사항을 증빙할 수 있도록 별도의 계정을 설정하여 관리하여야 한다.

제65조(연도별 건설사업정보화사업계획의 수립) ① 전담기관의 장은 관계부처, 학계, 연구소, 산업계등의 전문가로 구성된 전담기관의 외부전문심의위원회 자문을 거쳐 영 제41조제1항의 규정에 의한 건설사업정보화기본계획 및 연차별 시행계획에 따라 다음 각 호의 사항을 포함하여 당해 연도의 건설사업정보화사업계획을 매년 1월 말까지 국토교통부장관에게 제출하여야 한다.

1. 건설사업정보화사업의 기본목표
2. 건설사업정보화사업의 추진방향
3. 중점추진 사업내용 및 사업추진체계

② 제1항의 규정에 의한 연도별 건설사업정보화사업계획을 반영한 건설사업정보화 시행계획을 제72조의 규정에 의한 건설사업정보화

정례협의회(이하 "협의회"라 한다)의 심의를 거쳐 확정한다.

제66조(건설사업정보화 사업의 시행 등) ① 전담기관의 장은 연도별 건설사업정보화 시행계획에서 정한 기본목표·추진방향·중점추진 사업내용 및 사업추진체계 등에 따라 사업명·사업내용·예산내역 및 사업기간 등을 포함한 세부사업계획을 수립하고 국토교통부장관의 승인을 받아 건설사업정보화 사업을 수행하여야 한다.

② 국토교통부장관은 건설사업정보화사업을 원활히 추진하기 위하여 필요하다고 인정하는 경우에는 국토교통부 소관의 건설기술연구·개발사업비를 건설사업정보화 구축사업비에 활용할 수 있다. 이 경우 개발사업비의 집행절차 등은 본장의 규정에 따른다.

③ 전담기관의 장은 건설사업정보화사업의 효율적인 수행을 위하여 필요하다고 인정하는 경우에는 국토교통부장관의 승인을 받아 세부사업계획의 내용을 변경하여 수행할 수 있다.

④ 전담기관의 장은 매분기별로 건설사업정보화사업의 진도를 국토교통부장관에게 보고하여야 한다.

⑤ 전담기관의 장은 건설사업정보화사업의 효율적인 추진을 위하여 건설사업정보화사업의 총괄책임자와 세부사업별 책임자를 두어야 하며, 세부사업별로 자문위원회 또는 전문위원회를 구성하여 운영할 수 있다.

⑥ 전담기관의 장은 필요하다고 인정하는 경우에는 건설사업정보화사업의 전부 또는 일부를 건설사업정보화사업 관련기관 또는 단체·업체에 위탁하여 수행하게 하거나 협동하여 수행할 수 있다.

제67조(사업결과의 평가와 반영) ① 전담기관의 장은 건설사업정보화사업이 종료된 후 사업의 성과를 협의회에 상정하여 그 결과를 평가받아야 하며, 평가결과 다음연도의 사업계획에 반영할 필요가 있는 사항은 이를 반영하고 그 내용을 국트교통부장관에게 보고하여야 한다.

② 국토교통부장관 또는 전담기관의 장은 건설사업정보화사업의 신뢰성, 안정성, 유효성 등을 제고하기 위하여 필요하다고 인정되는 경우에는 외부 전문기관을 통하여 감리를 시행할 수 있다. 이 경우 소요비용은 개발 사업비에 계상하여 집행한다.

제68조(사업결과의 보고) ① 전담기관의 장은 건설사업정보화사업 세부수행에 따른 결과보고서를 사업종료후 2개월 이내에 국토교통부장관에게 제출하여야 한다.

② 국토교통부장관은 전담기관의 장으로 하여금 협의회에 건설사업정보화사업에 대한 보고회 또는 시연회 등을 하게 할 수 있다.

제69조(사업성과의 활용 및 보급) ① 전담기관의 장은 건설사업정보화사업 성과가 건설사업정보화체계구축에 원활히 활용되도록 필요한 조치를 취하여야 한다.

② 전담기관의 장은 제1항의 조치내용과 전년도 사업성과의 활용현황을 종합하여 국토교통부장관에게 보고하여야 한다.

제70조(전담기관의 세부지침) 전담기관의 장은 이 규정에 의한 건설사업정보화사업의 원활한 수행을 위하여 필요한 세부지침을 정하여 국토교통부장관의 승인을 받아 운영할 수 있다.

제4장 건설사업정보화 정례 협의회의 구성 및 운영

제71조(구성) ① 국토교통부장관은 규칙 제15조의 규정에 따라 건설사업정보화사업 추진과 관련된 기관 또는 단체간에 건설사업정보화사업간의 중복수행을 방지하고 원활하고 체계적인 사업수행과 각 기관간의 역할조정 등을 위하여 협의회를 구성하여 운영할 수 있다.

② 국토교통부장관은 다음 각 호와 같이 협의회를 구성할 수 있다.

1. 협의회는 위원장, 부위원장을 포함하여 19인 이내의 위원으로 구성한다.
2. 위원장은 국토교통부 기술안전정책관이 되고 협의회의 업무를 총괄하고 협의회를 대표를 한다.
3. 부위원장은 국토교통부 기술정책과장이 되고 위원장이 부득이한 사유로 직무를 수행할 수 없는 경우 그 직무를 대행한다.
4. 위원은 건설사업정보화 관련부처의 담당과장, 국토교통부 산하투자기관 및 공단 등의 임원, 국내 연구기관의 연구책임자, 건설사업정보화 관련단체 및 민간전문가 등으로 구성한다.
5. 민간전문가 위원은 협의회 위원의 추천에 의하여 위원장이 위촉하고 임기는 2년으로 하되, 연임할 수 있다.

제72조(기능) 협의회는 다음 각 호의 사항을 협의·조정하다.

1. 건설사업정보화 추진방향 및 상호 협조사항 협의
2. 건설사업정보화 연도별 시행계획 심의
3. 건설사업정보화 추진 관련기관간 역할 조정
4. 건설사업정보화 추진예산 확보
5. 사업결과 평가
6. 기타 건설사업정보화 활성화을 위해 국토교통부장관이 필요하다고 인정하는 사항

제73조(회의 및 의결 등) ① 위원장은 반기별 정례회의 또는 위원장이 필요하다고 인정하는 경우에 회의를 소집할 수 있으며 다음 각 호와 같이 의결한다.

1. 협의회의 회의는 출석위원 과반수의 찬성으로 의결한다.
2. 의결에 있어 위원장은 표결권을 가지며 가부동수인 경우에는 결정권을 가진다.
3. 위원장은 의회의 결정사항 중 위원이 소속된 기관에서 조치해야 할 사항에 대하여는 관련기관장에게 통보하고 관련기관의 협조를 요청할 수 있다.

② 국토교통부장관은 협의회와 실무위원회의 회의에 출석한 위원에 대하여는 예산의 범위 내에서 수당을 지급할 수 있다. 다만, 공무원인 위원이 그 소관업무와 직접 관련하여 회의에 출석한 경우에는 그러하지 아니하다.

제74조(실무위원회의 구성 및 기능) ① 실무위원회를 다음 각 호와 같이 구성하여 운영할 수 있다.

1. 실무위원회의 위원장은 협의회 부위원장이 되며 위원회의 업무를 총괄한다.
2. 실무위원회의 위원은 정부의 건설사업정보화 관련정부부처와 관련단체 등의 추천을 받아 협의회 위원장이 임명하며, 임기는

2년으로 하되 연임할 수 있다.

② 실무위원회는 다음 각 호와 같은 사항을 검토할 수 있으며 위원장은 필요할 경우 실무위원회에서 검토한 주요사항을 협의회에 상정 또는 보고하여야 한다.

1. 제72조에 의한 협의회의 기능의 세부 추진에 필요한 사항
2. 건설사업정보화 관련 정보수집·분석·보급에 관한 사항
3. 건설사업정보화 관련 국가간 또는 국제기구와의 협력 및 교류
4. 건설사업정보화사업 적용을 위한 관련 법령·제도 개선 검토
5. 협의회에 상정할 안건의 사전검토
6. 기타 위원장이 필요하다고 인정되는 사항

제5장 건설공사 정보의 공개 및 공동이용

제75조(건설공사정보 공개의 원칙) 발주청은 건설공사의 실시설계, 인·허가, 입찰·계약, 시공, 건설사업관리, 유지관리 등 건설공사의 시행과정에서 발생하는 정보(이하 "건설공사정보"라 한다)의 이용 및 공유가 원활하게 이루어지도록 하기 위하여 당해 기관이 보유·관리하는 건설공사정보 중 건설공사의 시행에 도움이 되거나 국민의 알권리를 보장하는 정보는 공공기관의정보공개에관한법률 제3조와 영 제41조제2항제4호의 규정에 의하여 공개하여야 한다. 다만, 국가의 안전보장이나 법률로 보호되는 법인·단체의 비밀 또는 권익, 개인의 사생활을 침해하는 것은 그러하지 아니하다.

제76조(공개대상 건설공사정보의 범위 등) ① 건설공사정보의 범위는 다음 각 호와 같다.

1. 규칙 제40조의 규정에 의한 설계도서
2. 공사계약일반조건(기획재정부 계약예규) 제3조의 규정에 의한 계약문서
3. 기타 건설공사의 시행과정에서 발주청과 설계·시공·건설사업관리 등 건설관련업자가 교환하는 별표16에 예시된 정보

② 발주청은 제1항의 규정에 의한 건설공사정보중 공공기관의정보공개에관한법률 제9조제1항의 규정에 의한 정보는 공개하지 아니할 수 있으며, 건설공사정보 공개의 등급별 분류기준은 별표17과 같다.

제77조(정보공개의 절차 등) ① 정보공개의 청구방법, 정보공개여부의 결정, 정보공개심의회의 설치·운영, 정보공개의 방법 및 비용부담 등에 대하여는 공공기관의정보공개에관한법률이 정하는 바에 따른다.

② 건설공사정보의 공개를 청구하는 자(이하 "청구인"이라 한다)는 공공기관의 정보공개에 관한 법률 제10조의 규정에 따라 정보공개 청구서를 작성하여 당해 정보를 보유하거나 관리하고 있는 발주청에 제출하여야 하며, 이를 접수한 발주청은 별표18에 따라 처리하여야 한다.

③ 발주청은 청구인이 공개청구한 정보의 공개여부를 별표17의 기준에 따라 처리하여야 하며, 공개여부를 결정하기 곤란한 사항에 대하여는 공공기관의 정보공개에 관한 법률 제12조에 따른 정보공개심의회의 심의를 거쳐 공개여부를 결정할 수 있다.

④ 발주청은 제3항의 규정에 의한 정보공개심의회를 구성함에 있

어 건설공사 관련 외부전문가를 1인 이상 위촉하여야 한다.

⑤ 발주청은 건설공사정보를 공개함에 있어 우송이 곤란하거나 기타 상당한 이유가 있다고 인정될 때에는 당해 정보를 열람시키는 것으로 공개를 갈음할 수 있다.

⑥ 청구인에 의한 건설공사정보의 공개청구와 발주청에 의한 정보의 공개는 정보통신망 이용촉진 및 정보보호 등에 관한 법률 제2조제1호에 따른 정보통신망을 이용한 송·수신을 통해 청구 또는 공개할 수 있다.

제78조(정보의 공동이용) ① 발주청이 수집·보유하고 있는 건설공사정보는 이를 필요로 하는 다른 기관과 공동으로 이용할 수 있으며, 정보의 원활한 연계·공유를 위해 정보통신망을 이용할 수 있다. 다만, 공동이용 내용 중 개인정보는 공공기관의개인정보보호에관한법률이 정하는 경우를 제외하고는 당사자의 의사에 반하여 사용될 수 없다.

② 공동이용되는 정보와 관련하여 제공기관은 당해 정보의 정확성을 유지하여야 한다.

③ 발주청이 공동이용을 목적으로 정보통신망을 통하여 정보를 전송하고자 하는 경우에는 안전성과 신뢰성 확보를 위해 충분한 보안대책을 강구하여야 한다.

제79조(정보통신망의 활용) ① 발주청은 공공기관의 정보공개에 관한 법률 제6조제2항에 의하여 청구인이 당해기관을 직접 방문하지 않고 정보공개업무를 처리할 수 있도록 필요한 시설 및 시스템을 구축할 수 있다.

② 발주청은 정보통신망을 이용한 창구를 통하여 다른 기관 상호간 또는 국민에 대한 정보공개 서비스를 제공할 수 있다

③ 발주청은 정보공개와 관련한 절차 및 기준 등을 청구인이 알 수 있도록 정보통신망 등을 활용하여 국민에게 제공하여야 한다.

제80조(정보의 연계 및 공유 촉진) 국토교통부장관은 영 제41조제2항제4호의 규정에 따라 발주청이 전자적으로 생산, 유통 또는 저장하고 있는 건설공사정보에 대한 연계·공유를 촉진하기 위하여 필요한 조치를 취할 수 있다.

제5편 공사비산정기준의 관리

제1장 일반사항

제81조(공사비산정기준의 활용) 이 규정에 의해 제정되는 공사비산정기준은 국가, 지방자치단체, 정부투자기관에서 시행하는 건설공사의 예정가격을 산정하는 기초자료로 활용할 수 있다.

제82조(관리기관의 지정 등) ① 법 제45조제2항에 따라 한국건설기술연구원을 표준시장단가 및 품셈에 대한 관리기관(이하 "공사비산정기준 관리기관"이라 한다)으로 지정한다.

② 공사비산정기준 관리기관의 장은 다음의 업무를 관장하여 효율적으로 운영·관리하여야 한다.

1. 표준시장단가 및 표준품셈 제·개정
2. 표준시장단가 및 표준품셈 연구, 조사, 해석 및 보급

3. 표준시장단가 및 표준품셈 데이터베이스 구축
4. 표준시장단가 및 표준품셈 민원 처리를 위한 홈페이지 운영
5. 건설신기술 공사비기준 조사 및 검토(일반건설, 스마트건설)
6. 스마트건설 마당 신청 기술 공사비 검토
7. 스마트건설 공사비 산정기준 제·개정(건설자동화, 모듈러, BIM 단가 등)
8. 노후인프라 성능개선 원가기준 제·개정
9. 설계용역 대가 선진화 조사 및 연구

③ 공사비산정 관리기관은 제2항의 업무를 효율적으로 수행하기 위하여 관리기관 내에 독립된 기구(공사비원가관리센터)를 설치 운영하여야 한다.

④ 국토교통부장관은 공사비산정기준 관리기관이 관련업무를 고의로 태만히 하거나 공신력에 있어 물의를 야기하는 등 지속적인 업무수행이 부적절하다고 인정될 때에는 공사비산정기준 관리기관의 지정을 철회하거나 취소할 수 있다.

제83조(관리자료 수집기관 지정) 다음 각 호의 기관을 표준시장단가 및 품셈에 대한 관리자료 수집기관으로 지정한다.

1. 국가, 지방자치단체, 한국수자원공사사장, 한국도로공사사장, 한국토지주택공사사장, 부산교통공단이사장, 한국철도시설공단이사장 및 국가 또는 지방자치단체가 납입자본금의 2분의1 이상을 출자한 단체의 장
2. 대한건설협회장, 대한전문건설협회장, 대한건축사협회장, 대한기계설비건설협회장, 대한건설기계협회장, 공간정보산업협회장 또는 한국건설교통신기술협회장
3. 국토지리정보원장, 지방국토관리청장, 지방항공청장

제84조(출연금의 지원 등) ① 표준시장단가 및 품셈관리업무에 필요한 경비는 정부 또는 정부외의 자의 출연금 등으로 충당한다.

② 국토교통부장관은 정부의 출연금을 표준시장단가 및 품셈 관리업무의 내용, 착수시기 및 월별 소요액 등을 고려하여 일시급 또는 분할급으로 공사비산정기준 관리기관의 장에게 지급하며 정부외의 자의 출연금은 각 기관·단체의 장으로 하여금 공사비산정기준 관리기관의 장에게 지급하도록 한다.

제85조(출연금 등의 관리 및 사용) ① 제84조제1항의 규정에 의한 출연금은 표준시장단가 및 품셈 관리업무, 기타 공사비산정기준 관리기관의 장이 국토교통부장관과 협의된 사업에 한하여 사용한다.

② 공사비산정기준 관리기관의 장은 제84조제2항의 규정에 의하여 출연금을 지급 받은 경우에는 출연금 집행에 대한 회계관리사항을 증빙할 수 있도록 별도의 계정을 설정하고, 별표19에 따라 출연금 집행계획을 수립·관리하여야 한다.

제2장 표준시장단가의 관리

제86조(표준시장단가 관리 등에 관한 추진계획 수립) ① 공사비산정기준 관리기관의 장은 다음 각 호의 사항이 포함된 표준시장단가 관리 등에 관한 추진계획을 수립하여 매년 2월말까지 국토교통부장관에게 제출하여야 한다.

1. 표준시장단가 적용 후보공종 및 적용범위
2. 표준시장단가 자료 조사 및 분석방법
3. 표준시장단가 단가집 및 건설공사비 지수 등의 발간에 관한 사항
4. 「예정가격 작성기준」 제39조제3항에 규정된 법정요율에 관한 사항
5. 기타 표준시장단가 제도 운영 등에 필요한 사항

② 국토교통부장관은 제1항의 규정에 의해 제출된 추진계획을 검토하여 변경이 필요한 경우에는 공사비산정기준 관리기관의 장에게 이를 요구할 수 있다. 이 경우 공사비산정기준 관리기관의 장은 특별한 사유가 없는 한 이를 반영하여야 한다.

③ 국토교통부장관은 추진계획 검토를 위하여 필요한 경우에는 중앙건설기술심의위원회의 심의를 거칠수 있다.

제87조(표준시장단가 자료의 제출) ① 소속기관의 장은 제97조제1항에 따른 공사비산정위원회 운영을 원활히 하기 위해 표준시장단가 후보공종에 대해 다음 각 호의 자료를 매년말까지 공사비산정기준 관리기관의 장에게 제출하여야 한다.

1. 이미 수행한 공사의 계약단가, 입찰단가와 시공단가 등 표준시장단가 산출에 필요한 자료
2. 건설현장의 시장상황과 시공상황 등 건설공사비 보정체계 구축에 필요한 자료
3. 기타 공사비 산정기준 조사, 연구 등에 필요한 자료

② 관련기관의 장 및 관련협회의 장은 표준시장단가 적용이 필요한 공종에 대해 제1항제1호부터 제3호에 해당하는 자료를 매년말까지 공사비산정기준 관리기관의 장에게 제출할 수 있다.

③ 소속기관의 장 및 관련기관의 장은 제1항 및 제2항에 따른 자료를 제출하는 경우 등 현장조사 및 검증에 필요한 경우 공사비산정기준 관리기관의 장에게 협조하여야 한다.

④ 공사비산정기준 관리기관의 장은 필요한 경우 제87조제3항에 따라 현장조사 및 검증에 대하여 전문단체에 용역을 의뢰할 수 있다.

제88조(표준시장단가 적용대상 공종 및 단가의 확정 등) ① 공사비산정기준 관리기관의 장은 제86조의 규정에 의하여 수립된 계획에 따라 표준시장단가 적용대상 공종 및 단가(이하 "표준시장단가"라 한다)에 대한 심의안을 마련하여야 한다.

② 공사비산정기준 관리기관의 장은 제1항에 따라 마련된 표준시장단가 심의안을 제97조제1항에 따른 공사비산정위원회에 제출하고자 할 때에는 국토교통부장관과 사전협의를 거쳐야 한다.

③ 공사비산정기준심의위원회는 국토교통부장관의 사전협의를 거쳐 제출된 표준시장단가 심의안에 대하여 심의를 거쳐 표준시장단가를 확정한다.

④ 국토교통부 장관은 제3항에 따라 확정된 표준시장단가를 15일 이내에 공고하여야 한다.

제89조(건설공사비 지수의 관리 등) ① 공사비산정기준 관리기관의 장은 건설공사비 지수와 관련하여 통계법 제15조의 규정에 의하여 통계 지정기관으로 지정을 받아야 하며 통계법 제18조의 규정에 의하여 통계작성 승인을 받아야 한다.

② 공사비산정기준 관리기관의 장은 표준시장단가에 활용할 수 있는

건설공사 종류별 건설공사비 지수를 산출하여 매월 발표하여야한다.

제90조(건설공사비 보정체계 구축) ① 공사비산정기준 관리기관의 장은 표준시장단가의 산출시 지역별·공사별 특수성에 따라 보정할 수 있는 기준을 구축하여야 한다.

② 발주청은 표준시장단가를 당해 공사에 적용할 경우 기준가격 및 비용 등을 부당하게 감액하거나 과잉 계상되지 않도록 하여야 하며, 공사의 특수성에 따라 보정이 필요한 경우 제1항에서 정한 보정기준 범위 내에서 법 제6조제1항에 따른 기술자문위원회의 심의를 거쳐 보정할 수 있다.

③ 공사비산정기준 관리기관의 장은 현장조사를 통한 개정 대상 이외의 공종에 대하여 이전에 공고된 표준시장단가를 산출할 수 있으며, 물가보정방법은 다음 각 호에 따른다.

1. 공종별 표준시장단가에 노무비가 구분되는 경우, 노무비는 '건설업임금실태조사보고서의 일반공사직종 평균임금', 재료비 및 경비는 '생산자물가지수 총지수'를 활용하여 물가 보정한다.
2. 공종공종별 표준시장단가에서 노무비가 구분되지 않는 경우, 제89조에 따른 건설공사비 지수를 활용하여 물가 보정한다.

제3장 표준품셈의 관리

제91조(표준품셈관리자료의 수집 등) ① 관련기관의 장 및 관련협회의 장은 제97조제2항에 해당하는 사항의 심의에 필요한 근거자료를 첨부하여 매년말까지 공사비산정기준 관리기관의 장에게 표준품셈의 제정·개정 및 관리(이하 "표준품셈의 제정 등"이라 한다)에 관한 심의를 요청할 수 있다.

② 소속기관의 장은 표준품셈의 제정 등에 대한 연구와 자체자료 수집을 하여야 하며 제97조제2항에 해당되는 사항, 신자재 사용, 공법개발 등에 따른 표준품셈자료를 매년말까지 공사비산정기준 관리기관의 장에게 제출하여야 한다.

③ 삭제

④ 공사비산정기준 관리기관의 장은 필요한 경우 소속기관의 장에게 특정항목에 대한 표준품셈의 제정 또는 개정안 제출을 요구하거나 소속기관의 장과 합동으로 제92조제1항제2호의 규정에 의한 실사결과의 적정성 여부의 검토 및 제97조제2항의 사항을 합동으로 연구·조사할 수 있다.

⑤ 공사비산정기준 관리기관의 장은 안건의 제출은 물론 필요한 경우 제97조제2항에 대하여 전문단체에 용역을 의뢰할 수 있다.

⑥ 소속기관의 장 또는 제1항의 규정에 의거 표준품셈의 제정 등에 관하여 필요한 사항의 심의를 요청한 자는 표준품셈관리자료 수집 및 현장실사시 조사·연구를 위한 제반 편의제공에 협조하여야 한다.

제92조(표준품셈의 제정 등) ① 공사비산정기준 관리기관의 장은 다음 각 호의 사항이 포함된 표준품셈의 제정 등에 관한 추진계획을 수립하여 매년 2월말까지 국토교통부장관에게 제출하여야 한다.

1. 표준품셈의 제정 등에 필요한 항목 및 내용
2. 표준품셈관련자료의 확인을 위한 실사계획 및 실사기관

3. 표준품셈의 제정 등을 위한 추진일정
4. 기타 표준품셈의 제정 등에 필요한 사항

② 국토교통부장관은 제1항의 규정에 의해 제출된 추진계획을 검토하여 변경이 필요한 경우에는 공사비산정기준 관리기관의 장에게 이를 요구할 수 있다. 이 경우 공사비산정기준 관리기관의 장은 특별한 사유가 없는 한 이를 반영하여야 한다.

③ 국토교통부장관은 추진계획 검토를 위하여 필요한 경우에는 중앙건설기술심의위원회의 심의를 거칠 수 있다.

④ 삭제

제93조(표준품셈의 확정) ① 공사비산정기준 관리기관의 장은 제92조의 규정에 의하여 수립된 계획에 따라 표준품셈 제·개정에 대한 심의안(이하 "표준품셈 심의안"이라 한다)을 마련하여야 한다.

② 공사비산정기준 관리기관의 장은 제1항의 규정에 따라 마련된 표준품셈 심의안을 제97조제1항에 따른 공사비산정위원회에 제출하고자 할 때에는 국토교통부장관과 사전협의를 거쳐야 한다.

③ 공사비산정위원회는 국토교통부장관의 사전협의를 거쳐 제출된 표준품셈 심의안에 대하여 심의를 거쳐 표준품셈을 확정한다.

④ 국토교통부 장관은 제3항에 따라 확정된 표준품셈은 15일 이내에 이를 공고하여야 한다.

제4장 신기술품셈의 관리

제94조(신기술 원가계산서 검토 및 품셈안 작성) ① 영 제117조제1항에 따라 건설신기술 지정심사 업무를 위탁받은 관리기관(이하 "건설신기술 심사기관"이라 한다)의 장은 법 제14조에 의한 신기술 지정신청이 있는 경우 공사비산정기준 관리기관의 장에게 원가계산서와 별지 제23호 서식에 대한 검토를 요청하여야 한다.

② 공사비산정기준 관리기관의 장은 건설신기술 심사기관의 장으로부터 제1항에 따라 원가계산서의 적정성 검토를 의뢰받은 경우, 별지 제24호 서식에 따라 1차 검토결과를 30일 이내에 건설신기술 심사기관의 장에게 제출하여야 한다.

③ 건설신기술 심사기관의 장은 영 제32조의 신기술심사위원회(이하 "심사위원회"라 한다) 1차 심사가 통과된 기술에 대한 심사결과 및 심사위원회의 2차 심사일정 등을 공사비산정기준 관리기관의 장에게 통보하여 건설신기술품셈안 작성을 요청하여야 한다.

④ 공사비산정기준 관리기관의 장은 필요한 경우, 건설신기술 심사기관의 장이 실시하는 건설신기술 현장실사에 참석하여 신기술원가계산서 및 건설신기술품셈안의 적정성에 대해 검증할 수 있다.

⑤ 공사비산정기준 관리기관의 장은 필요한 경우 제2항 및 제4항에 대하여 전문단체에 용역을 의뢰할 수 있다.

⑥ 공사비산정기준 관리기관의 장은 제3항에 따라 요청받은 기술에 대한 건설신기술품셈안을 작성하여 심사위원회의 2차 심사 전까지 건설신기술 심사기관의장에게 제출하여야 한다.

제95조(건설신기술품셈의 확정) ① 건설신기술 심사기관의 장은 2차 심사가 통과된 기술에 대한 심사결과를 공사비산정기준 관리기관의 장에게 통보하고, 공사비산정기준 관리기관의 장은 건설신기술

지정·고시전까지 건설신기술품셈을 확정하여 국토교통부장관에게 제출하여야 한다.

② 국토교통부 장관은 건설신기술 지정·고시 후 15일 이내에 건설신기술품셈을 공표하여야 한다.

③ 공사비산정기준 관리기관의 장은 표준품셈의 제·개정 시 보호기간 내 건설신기술품셈의 개정 필요성을 함께 검토하여 이를 반영하여야 한다.

제96조(건설신기술품셈의 변경) ① 건설신기술 심사기관의 장은 신기술개발자의 심의요청이나 필요에 따라 신기술의 범위 또는 시방서의 변경 등의 사유로 건설신기술품셈을 변경하고자 하는 경우에는 공사비산정기준 관리기관의 장에게 건설신기술품셈 변경에 대한 검토를 요청하여야 한다.

② 공사비산정기준 관리기관의 장은 제1항에 따라 건설신기술품셈의 변경을 요청받은 때에는 그 적정성을 검토하여 30일 이내에 건설신기술 심사기관의 장에게 통보하여야 한다.

③ 건설신기술 심사기관의 장은 제2항의 심사결과 건설신기술 변경사항 인정시 공사비산정기준 관리기관의 장에게 통보하고 공사비산정기준 관리기관의 장은 변경내용 확인 후 건설신기술품셈을 변경, 확정하여야 한다.

④ 공사비산정기준 관리기관의 장은 건설신기술품셈 변경이 확정되면 세부 내용을 국토교통부장관에게 제출하고, 15일 이내에 건설신기술품셈을 공표하여야 한다.

제5장 공사비산정기준 심의위원회 운영 및 구성

제97조(위원회의 운영) ① 법 제45조제1항에 따른 공사비 산정기준에 관한 제·개정 사항을 검토하기 위하여 공사비 산정기준 심의 위원회(이하 “공사비산정위원회”)를 둘 수 있다.

② 제1항에 따라 공사비산정위원회에서 심의하는 사항은 다음 각 호와 같다.

1. 표준시장단가 적용대상 공종 및 단가의 적정성 등에 관한 사항
2. 표준품셈의 제정 등에 관한 사항
3. 그 밖의 표준시장단가 및 표준품셈 관리 업무에 관한 사항

제98조(위원회의 구성) ① 공사비산정위원회는 위원장 1명과 10명의 위원(이하 “위원”이라 한다)으로 구성하되 위원은 발주청과 민간 동수(同數)로 한다.

② 공사비산정위원회의 위원은 건설공사비 산정과 관련한 관련기관의 업무담당자 및 전문적인 지식이 있는 다음 각 호의 사람으로 국토교통부 장관이 위촉한다.

1. 표준시장단가 및 표준품셈을 담당하는 국토교통부 소속 5급이상 일반직공무원(고위공무원단에 속하는 일반직공무원을 포함한다) 또는 이에 상당한 공무원
2. 공사비산정기준 관리기관 연구원 및 건설관련 학과의 교수
3. 발주청 소속 공무원 또는 임직원
4. 건설관련 단체의 임직원 및 연구기관의 연구원
5. 기타 건설공사원가에 박식한 사람으로서 시민단체 및 관련협회

의 장이 추천하는 전문가

③ 공사비 산정기준 관리기관의 장은 공사비산정위원회 제출할 안건을 마련하기 위하여 공사비 산정기준 관리기관은 별도의 전문가 협의회를 운영할 수 있다.

④ 제2항에 따라 위촉된 위원의 임기는 2년으로 하며 연임할 수 있다.

제99조(위원장의 직무) ① 위원장은 국토교통부 기술혁신과장으로 하며, 공사비산정위원회의 업무를 총괄한다.

② 위원장이 부득이한 사유로 직무를 수행할 수 없을 때에는 위원장이 미리 지명한 위원이 그 직무를 대행한다.

③ 공사비산정위원회에 간사 1인을 두며, 간사는 공사비 산정기준 관리기관 담당연구원으로 한다.

④ 간사는 위원장의 명을 받아 회의록의 작성 기타 공사비산정위원회의 사무를 처리한다.

제100조(회의 의사 및 의결정족수) ① 공사비산정위원회의 회의는 위원장이 주재하며, 재적과반수 이상의 출석과 출적위원 과반수의 찬성으로 의결한다.

② 위원장은 의결권이 없으며, 가부동수인 경우에는 부결된 것으로 본다.

제101조(공사비산정기준 관리기관의 세부지침) ① 공사비산정기준 관리기관의 장은 이 규정에 의한 표준시장단가 관리 및 품셈 업무 등의 원활한 수행을 위하여 필요한 세부지침을 정하여 국토교통부장관의 승인을 받아 운영하여야한다.

② 공사비산정기준 관리기관의 장은 매년 2월말까지 전년도 표준시장단가 관리 및 품셈업무의 사업결과보고서(출연금 집행실적 결과를 포함한다.)를 국토교통부장관에게 보고하여야 한다.

제6편 건설공사 현장점검 및 검사

제1장 정의

제102조(정의) 제6편에서 사용하는 용어의 정의는 다음과 같다.

1. "발주청"이란 다음 각 목의 어느 하나에 해당하는 기관을 말한다.
   가. 「국토교통부와 그 소속기관 직제」 제2조에 따른 지방국토관리청
   나. 「한국철도시설공단법」 제1조에 따라 설립된 한국철도시설공단
   다. 「한국도로공사법」 제1조에 따라 설립된 한국도로공사
   라. 「한국수자원공사법」 제1조에 따라 설립된 한국수자원공사
2. "발주청장"이란 제1호 각 목의 어느 하나에 해당하는 기관의 장을 말한다.
3. "상시관리"란 발주청장이 대상사업의 품질 및 안전관리 현황을 주기적으로 또는 필요시 점검하고 그 결과를 관리단에 보고하는 것을 말한다.
4. "점검"이라 함은 사무실 또는 건설현장, 공장 등을 방문하여 수행하는 다음 각 호의 어느 하나에 해당되는 업무를 말한다.
   가. 법 제54조에 따른 건설공사현장 등의 점검

나. 법 제55조에 따른 품질관리의 확인
다. 법 제57조에 따른 레미콘·아스콘 공장에 대한 점검
라. 법 제58조에 따른 철강구조물공장 인증 및 사후관리를 위한 조사
마. 법 제38조에 따른 건설기술용역업무 수행사항 검사
바. 국가계약법 제14조에 따른 계약의 전부 또는 일부의 이행 확인
사. 기타 건설기술진흥법령에 따라 필요하다고 인정되는 사항에 대한 점검 또는 조사

5. "점검자"라 함은 사무실 또는 건설현장, 공장 등을 방문하여 제4호의 업무를 수행하는 자를 말한다.
6. "피점검자"라 함은 점검을 받는 당사자로서 법인 및 점검업무와 관련되는 자를 말한다.
7. "점검기관"이라 함은 점검계획 수립, 점검실시, 점검결과 처리 등 점검업무를 주관하는 기관을 말한다.
8. "선물"이라 함은 대가없이(대가가 시장가격 또는 거래의 관행과 비교하여 현저히 낮은 경우를 포함한다) 제공되는 물품 또는 유가증권·숙박권·회원권·입장권·상품권 그밖에 이에 준하는 것을 말한다.
9. "향응"이라 함은 음식물·골프 등의 접대 또는 교통·숙박 등의 편의를 제공하는 것을 말한다. 다만, 점검장 내에서의 불가피한 교통제공은 제외한다.

제2장 중앙품질안전관리단

제103조(상시관리계획의 수립·보고 및 관리) ① 발주청장은 매년도 마다 다음 각 호의 어느 하나에 해당하는 건설공사 중에서 특별관리대상사업을 선정하여 상시관리계획을 수립 후 제104조제4항에 따른 해당 분야별 관리단장(이하 "관리단장"이라 한다)에게 매 분기 다음 월 15일까지 보고하여야 한다.

1. 국책사업 등 대규모 건설공사
2. 저가 낙찰(70퍼센트 미만)되어 부실시공의 우려가 있는 건설공사
3. 특수공법, 대절토사면, 가시설공사 등 안전 취약공종이 포함된 사업
4. 그 밖에 발주청장이 품질확보 및 안전사고 예방을 위해 상시관리가 필요하다고 인정하는 건설공사

② 발주청장은 제1항의 상시관리계획에 따라 품질 및 안전관리 현황을 매월 서면점검 또는 필요시 현장점검하고 그 결과를 관리단장에게 매 분기 다음 월 15일까지 보고하여야 한다.

제104조(관리단의 구성) ① 중앙품질안전관리단(이하 "관리단"이라 한다)은 도로국, 철도국에 각각 두며 각 관리단별로 점검요원의 전문성확보를 위하여 외부전문가 10인 이상 15인 이하를 매년 1월 31일까지 정 하여야 한다.

② 관리단장은 제105조제1항에 따라 품질 및 안전관리 현황을 종합점검 하고자 하는 때에는 미리 정한 외부전문가와 국토교통부 소속 직원 등을 포함하여 적정 인원으로 관리단을 구성하여야 한다.

③ 관리단의 구성은 시공, 토질, 구조 등 각 분야의 전문가가 고루 포함되도록 하되, 현장경험 등을 포함한 경력, 기술자격 및 청렴도 등을 참작하여야 한다.

④ 관리단장은 도로국장, 철도국장으로 한다.

제105조(점검의 실시) ① 관리단장은 국토교통부장관의 지시에 따라 특별관리 대상사업 중 주요사업과 발주청의 상시관리 내용에 대하여 년 2회 이상 점검을 실시하여야 한다.

② 관리단장은 업무의 형편 및 점검의 중복 등을 고려하여 해빙기·우기·동절기대비 점검 등을 제1항에 따른 점검으로 대체할 수 있다.

③ 관리단장은 점검계획을 사전에 기술안전정책관에게 통보하여야 한다.

제106조(점검방법) ① 관리단장 및 단원은 법 제54조에 따라 점검에 필요한 자료를 요구할 수 있고 해당 사무실, 공사현장 등에 출입하여 검사할 수 있다.

② 관리단장은 점검하려는 현장의 부실시공 우려제기 등 구체적인 민원이 제기된 경우를 제외하고는 점검 3일 전까지 해당 현장의 책임건설사업관리기술인 및 현장대리인에게 점검목적, 일시, 점검자, 점검내용 등을 통보하여야 한다

③ 관리단장 및 단원은 점검을 수행하는 때에는 국토교통부장관이 발급하는 별지 제1호 서식의 증표를 지니고 관계인에게 이를 제시하여야 한다.

제107조(점검결과의 처리) ① 관리단장은 법 제53조에 따라 벌점을 부과할 필요가 있거나 법 제24조제1항 및 제2항, 제31조에 따라 업무를 정지시킬 필요가 있는 등 관계법령에 따라 조치할 내용이 있는 경우에는 점검결과에 해당내용을 포함하여야 한다.

② 관리단장은 건설안전·품질제도의 개선 검토와 해당 발주청이 관계법령에 따라 필요한 조치를 취할 수 있도록 점검결과를 각각 기술안전정책관과 해당 발주청에 통보하는 등 필요한 조치를 취하여야 한다.

③ 제2항에 따라 점검결과를 통보받은 기술안전정책관은 반기별로 당해 내용을 검토·분석하여 필요시 건설안전·품질제도 개선 등에 활용 하여야 한다.

제108조(관리단의 책무) ① 관리단원은 관리단장의 지시에 따라 성실하게 점검업무를 수행하여야 한다.

② 관리단장 및 단원은 관리단 업무 수행과 관련하여 알게 된 사실을 누설하여서는 아니 되며 관리단 업무와 관련하여 일체의 금품수수, 향응을 받아서는 아니 된다.

③ 제1항 및 제2항을 위반한 사람은 관리단에서 제외하고 소속 단체 또는 기관에 그 사실을 통지한다.

제109조(경비지원) 관리단장은 예산의 범위내에서 관리단의 조사활동비 및 여비 등을 지원할 수 있다.

제3장 특별건설사업관리검수단

제110조(조사계획의 수립) ① 국토교통부장관은 법 제39조제2항에 따

른 감독 권한대행 등 건설사업관리(이하 "건설사업관리"라 한다)를 시행하는 건설공사 중 다음 각 호에 해당하는 건설공사의 건설사업관리에 대하여 실태조사가 필요하다고 인정하는 경우 조사계획을 수립하여야 한다.

1. 부실시공 및 안전사고 등이 발생되어 언론보도된 건설공사
2. 지방국토관리청의 부실 및 부패신고센터에 부실 건설사업관리로 신고된 건설공사
3. 지방국토관리청의 공사현장 시공실태 점검 시 부실 건설사업관리로 지적되어 업무정지 등의 조치를 받은 건설공사
4. 저가 낙찰되어 부실시공의 우려가 있는 건설공사
5. 국책사업 등 대규모 건설공사
6. 그 밖에 국토교통부장관이 건설사업관리실태의 조사가 필요하다고 인정하는 건설공사

② 제1항의 규정에 따른 조사계획에는 제111조의 규정에 따른 특별건설사업관리검수단(이하 "검수단"이라 한다)의 구성, 조사대상, 조사기간, 조사내용 등이 포함되어야 한다.

③ 국토교통부장관은 제1항의 규정에 따른 조사계획을 수립한 때에는 제111조제2항의 규정에 따른 검수단의 장(이하 "검수단장"이라 한다)에게 이를 통보하여야 한다.

제111조(검수단의 구성) ① 국토교통부장관은 제110조의 규정에 따라 건설사업관리실태를 조사하고자 하는 때에 다음 각 호에 해당되는 자 및 제112조의 규정에 따라 선정된 예비요원 중에서 3인 이상 7인 이하의 요원으로 검수단을 구성하여야 한다. 이 경우 제112조제1항제1호의 규정에 따른 예비요원이 1인 이상 포함되어야 한다.

1. 국토교통부의 6급 이상 공무원
2. 지방자치단체의 장이 추천하는 6급 이상 공무원

② 검수단장은 검수단 요원 중에서 호선한다.

③ 검수단은 제115조제1항의 규정에 따른 조사결과 보고를 완료하는 때에 해산한다.

제112조(검수단 예비요원 선정) ① 국토교통부장관은 검수단을 효율적으로 구성하기 위하여 다음 각 호에 해당하는 사람 중에서 검수단 예비요원을 선정한다.

1. 시민단체, 건설관련 학회에서 추천하는 전문가 중 30인 이내
2. 「공공기관의 운영에 관한 법률」에 따른 공공기관 중 국토교통부장관의 지도·감독을 받는 공기업·준정부기관의 장이 추천하는 부장급 이상 소속 직원 중 30인 이내
3. 「공공기관의 운영에 관한 법률」에 따른 기타공공기관 중 건설관련 연구기관의 장이 추천하는 연구위원급 이상 소속 연구원 중 15인 이내
4. 그 밖에 국토교통부장관의 요청에 따라 관계부처 또는 관계기관에서 추천하는 소속 공무원 또는 직원

② 국토교통부장관이 제1항의 규정에 다라 검수단 예비요원을 선정하고자 하는 경우에는 도로, 공항, 수자원, 항만, 철도, 토질, 구조, 시공, 설비 등 각 분야의 전문가가 고루 분포되도록 하되, 현장경험 등을 포함한 경력, 기술자격 및 청렴도 등을 참작하여야 한다.

③ 국토교통부장관이 제1항 및 제2항의 규정에도 불구하고 필요하

다고 판단될 경우 예비요원 인원을 조정할 수 있다.

제113조(조사의 실시) ① 검수단장은 제110조제3항의 규정에 따라 조사계획을 통보받은 경우, 그 계획에 따라 조사를 실시하여야 한다.

② 검수단은 국토교통부장관이 따로 정한 조사요령에 따라 건설사업관리용역업자 및 건설사업관리기술인의 부실 건설사업관리 여부를 조사하여야 한다.

③ 검수단장은 조사 착수사실 및 조사와 관련된 중요사항을 수시로 국토교통부장관에게 보고하여야 한다.

제114조(조사방법) ① 검수단은 법 제38조에 따라 조사대상 건설사업관리용역업자 및 건설사업관리기술인에게 그 업무에 관하여 보고를 하게 하거나, 관계 자료의 제출을 요구할 수 있고, 해당 사무실, 공사현장 등에 출입하여 검사할 수 있다.

② 검수단은 조사를 수행하는 때에는 국토교통부장관이 발급하는 증표를 지니고 관계인에게 이를 내보여야 한다.

③ 제2항에 따라 국토교통부장관이 발급하는 증표는 별지 제26호 서식과 같다.

제115조(조사결과의 처리) ① 검수단장은 제113조의 규정에 따른 조사결과를 국토교통부장관에게 보고하여야 한다.

② 검수단장은 조사결과 건설사업관리용역업자 또는 건설사업관리기술인에 대하여 벌점을 부과할 필요가 있거나, 건설사업관리업무를 정지시킬 필요가 있는 등 관계법령의 위반사항에 대하여 관계법령에 따라 조치할 내용이 있는 경우에는 제1항의 규정에 따른 조사결과 보고에 해당 내용을 포함하여야 한다.

③ 국토교통부장관은 발주청으로 하여금 검수단이 보고한 조사결과를 건설사업관리용역 중간평가에 반영하고, 관계법령에 따라 필요한 조치를 취하도록 관련 내용을 해당 발주청에 통보하는 등 필요한 조치를 취하여야 한다.

제116조(검수단 요원의 책무) ① 검수단 요원은 단장의 지시에 따라 성실하게 조사업무를 수행하여야 한다.

② 검수단 요원은 국토교통부장관으로부터 통보받은 조사계획 및 검수단 업무 수행과 관련하여 알게 된 사실을 누설하여서는 아니 된다.

③ 검수단 요원은 검수단 업무와 관련하여 일체의 금품수수, 향응을 받아서는 아니 된다.

④ 제2항 및 제3항의 규정을 위반한 자는 검수단 예비요원에서 제외하고, 검수단 요원 지정을 취소하며, 소속 단체 또는 기관에 그 사실을 통지한다.

제117조(경비지원) 국토교통부장관은 예산의 범위에서 검수단의 조사활동비 및 여비 등을 지원할 수 있다.

제4장 건설공사의 검사

제118조(검사의 종류) 건설공사에 대한 검사의 종류는 다음과 같다.

1. 기성부분검사 : 공사준공 이전에 부분적으로 행하는 검사
2. 준공검사 : 공사가 완공되었을 때 전부분에 대하여 행하는 검사
3. 하자검사 : 공사의 하자기간이 만료되거나 기간만료이전에 하자

발생으로 하자보수를 완성하였을 때 행하는 검사

4. 예비준공검사 : 주요공사에 대하여 공사준공 1월전까지 공사주무부서에서 준공기한내 준공가능여부 및 미진사항의 사전보완을 위하여 행하는 검사

5. 특별검사 : 발주청이 특히 필요하다고 인정하여 행하는 검사

제119조(검사원의 제출) ① 계약자는 공사비를 청구하기 위하여 공사의 기성부분 또는 전부에 대하여 검사를 받고자 할 때에는 별지 제3호 서식에 의한 공사기성부분 검사원 또는 별지 제4호 서식에 의한 준공검사원을 발주청에 제출하여야 한다.

② 계약자는 하자보증기간만료 이전에 발생한 하자에 대한 보수를 완성하였을 때에는 별지 제5호 서식에 의한 하자보수준공검사원을 발주청에 제출하여야 한다.

③ 예비준공검사는 공사감독자가 공사주무부서에 준공 45일전까지 서면으로 요청한다

제120조(검사공무원의 임명) ① 발주기관의 장은 계약자로부터 기성부분 검사원, 준공검사원, 하자보수준공검사원(이하 "검사원"이라 한다)을 접수하였을 때에는 접수된 날부터 3일이내에 공사의하자보증기간만료로 인한 하자검사의 경우에는 하자보증기간 만료 2일전에 검사공무원(이하 "검사관"이라 한다) 및 입회공무원(기성부분검사 및 하자검사시는 생략할 수 있음)을 임명하여야 한다. 이 경우 검사관은 불가피한 경우를 제외하고는 관련분야의 기술직공무원을 검사관으로 임명하여야 한다.

② 국가계약법 시행령 제57조의 규정에 의거 특별한 기술을 요하는 공사 또는 유지보수에 관한 공사 등에 대하여는 공사감독자를 검사관으로 임명할 수 있다.

③ 각종설비, 복합공사 등 특수공종이 포함된 공사준공검사의 경우 전문기술인를 포함한 준공검사반을 구성할 수 있다.

④ 제118조제5호 규정에 의한 특별검사를 행하기 위한 검사관 및 입회공무원의 임명은 발주청이 행하여야 한다.

⑤ 발주청이 검사관 또는 입회공무원을 임명하였을 때에는 즉일로 전화·전신 또는 기타의 방법으로 당해 공무원에게 통지하여야 한다.

⑥ 발주청은 부득이한 사유로 소속공무원이 검사할 수 없다고 인정될 때에는 소속공무원 이외의 자 또는 검사기관으로 하여금 그 검사를 하게 할 수 있다. 이 경우 검사결과는 서면으로 작성하여야 한다.

⑦ 예비준공검사의 검사관지명 및 예비준공검사는 공사주무부서에서 실시한다.

제121조(검사관의 임무) ① 검사관은 당해 공사의 현장에 공사감독자 및 계약자 또는 그 대리인 등을 입회케하여 계약서, 설계도서, 기타 관계서류에 따라 다음 각 호의 사항을 검사하여야 한다.

1. 기성부분검사
   가. 기성부분내역이 설계도서대로 시공되었는지 여부
   나. 사용된 자재의 규격 및 품질에 대한 시험의 실시여부
   다. 시험기구의 비치와 그 활용도의 판단
   라. 지급자재의 수불실태
   마. 지하 또는 기초부분의 시공확인과 시공과정을 촬영한 사진

의 확인

바. 기성검사원에 대한 공사감독자의 검토의견서

사. 기타 검사관이 필요하다고 인정하는 사항

2. 준공검사

가. 준공된 공사가 설계도서대로 시공되었는지의 여부

나. 공사시공시의 공사감독자가 비치한 제기록에 대한 검토

다. 폐품 또는 발생물의 유무 및 처리의 적정 여부

라. 지급자재의 사용적부와 잉여자재의 유무 및 그 처리의 적정여부

마. 제설비의 제거 및 원상복구정리상황(토석채취장 포함)

바. 준공검사원에 대한 공사감독자의 검토의견서

사. 기타 검사관이 필요하다고 인정하는 사항

3. 하자검사

가. 준공도면에 의거 시설물 전반에 대한 하자발생 유무

나. 하자보수가 완성되었을 때에는 설계도서 또는 보수지시대로 시공되었는 지 여부

다. 기타 검사관이 필요하다고 인정되는 사항

② 검사관은 시공된 부분이 수중 지하구조물의 내부 또는 저부 등 시공후 매몰되어 사후검사가 곤란한 부분과 주요구조물에 중대한 피해를 주거나 대량의 파손 및 재시공행위를 요하는 검사는 제59조의 규정에 의한 감독조서와 사전검사, 검측확인서류 등을 근거로 하여 검사를 행한다. 이 경우 검사관은 실제검사한 사항에 대하여만 책임을 진다.

③ 예비준공검사관은 준공검사에 준하여 검사를 행한 후 지적사항에 대하여는 발주청에 보고하여야 하며, 발주청은 계약자로 하여금 지적사항을 시정토록 하고 준공검사관으로 하여금 검사시에 이의 시정여부를 확인하도록 하여야 한다.

제122조(검사조서의 작성) ① 검사관은 임명통지를 받은 날부터 8일 이내에 검사를 완료하고 기성부분검사는 별지 제6호 서식, 예비준공검사는 별지 제7호 서식, 준공검사는 별지 제8호 서식에 의한 검사조서를 작성하여 검사완료일부터 3일 이내에 검사결과를 발주청에 보고하여야 한다.

② 전항의 준공검사조서에는 별지 제9호 서식에 의한 공사감독자 감독조서와 준공사진을, 준설공사에 대한 준공검사조서에는 준공수심 평면도를 첨부하여야 한다.

③ 발주청은 해일 등 천재지변 또는 기타 이에 준하는 불가항력으로 인하여 제1항의 규정에 의한 기간을 준수할 수 없을 경우에는 발주청이 필요한 최소한의 범위내에서 검사기간을 연장할 수 있다.

제123조(감독조서의 작성) 공사감독자는 계약자로부터 기성부분 검사원 또는 준공검사원을 접수하였을 때에는 접수된 날부터 5일이내에 별지 제9호 서식에 의한 공사감독자 감독조서를 작성하여 발주청에 다음 서류를 구비하여 검사원과 함께 제출하여야 한다.

1. 공사에 사용한 재료의 품질, 품명 및 규격에 관한 서류
2. 시공후 매몰부분에 대한 공사감독자의 검사기록서류 및 시공당시의 사진
3. 공사의 사전검측 확인 서류

4. 품질시험·검사성과 총괄표
5. 법 제63조의 규정에 의한 안전관리비 사용내역
6. 산업안전보건법 제30조의 규정에 의한 산업안전보건관리비 사용내역
7. 지급자재 잉여분 조치현황
8. 기타 공사감독자가 필요하다고 인정하는 서류

제124조(불합격공사에 대한 재시공 명령) 검사관은 검사에 합격되지 아니한 부분이 있을 때에는 발주청에 지체없이 그 내용을 보고하고 발주청의 지시에 따라 즉시 계약자로 하여금 보완시공 또는 재시공하게 하고, 발주청은 당해 공사의 검사를 위하여 임명된 검사관으로 하여금 재검사를 하게 하여야 한다.

제125조(공사현장의 사후관리) 준공검사관은 공사가 완공되었을 때에는 공사의 시행으로 인하여 발생한 모든 폐물 잉여자재 및 가건물과 토석채취장에 방기된 토사와 토석 등을 계약자로 하여금 지체없이 제거 또는 방출케 하는등 공사현장 주위환경의 정리된 상태를 확인한 후 검사에 임하여야 한다.

제126조(준공표지설치확인) 준공검사관은 준공검사에 합격된 공사에 대하여 계약자가 건설산업기본법 제42조 및 동법 시행규칙 제32조의 규정에 의한 준공표지를 설치하였는지 여부를 확인하여야 한다.

제5장 청렴도 향상을 위한 건설현장 등 점검자 행동요령

제127조(성실의무 등) ① 제102조제5호에 따라 건설공사의 점검업무를 수행하는 자(이하, 점검자라 한다)는 공인으로서의 투철한 책임감을 가지고 공명정대한 자세로 업무를 하여야 한다.

② 점검자는 항상 창의적인 노력과 관계법령을 숙지하여 점검자로서의 자질을 구비하도록 노력하여야 한다.

③ 점검자는 항상 친절과 봉사하는 자세로 업무를 수행하여야 한다.

제128조(점검업무수행을 저해하는 지시에 대한 처리) ① 점검자는 상급자가 공정한 점검업무수행을 저해하는 지시를 한 경우에는 그 사유를 당해 상급자에게 별지 제10호 서식에 따라 소명하고 지시에 따르지 아니할 수 있다.

② 제1항의 규정에 의한 지시의 불이행에도 불구하고 같은 지시가 계속될 때에는 즉시 점검기관의 장(점검기관의 장이 당사자인 경우에는 직근상급기관의 장을 말한다. 이하같음)에게 보고하여야 한다.

③ 제1항 또는 제2항의 규정에 의한 보고를 받은 점검기관의 장은 필요하다고 인정되는 경우에는 지시의 취소·변경 등 적절한 조치를 하여야 한다. 이 경우 공정한 점검업무수행을 저해하는 지시에 대하여 제1항의 규정에 의한 지시의 불이행에도 불구하고 같은 지시를 반복하는 상급자에 대하여는 징계 등 필요한 조치를 할 수 있다.

제129조(특혜의 배제) 점검자는 점검업무를 수행함에 있어 지연·학연·혈연 등을 이유로 피점검자에게 특혜를 주어서는 아니 된다.

제130조(이해관계 점검업무의 회피) 점검자는 점검업무가 자신의 이해와 관련되거나 4촌 이내의 친족(민법 제767조의 규정에 의한 친족을 말한다) 또는 자신이 2년 이내에 재직하였던 단체 또는 그 단체

의 대리인이 피점검자에 해당되는 등 공정한 업무수행이 어렵다고 판단되는 경우에는 당해 점검업무의 회피여부 등에 관하여 직근상급자와 상담한 후 처리하여야 한다.

제131조(청탁의 배제) 점검자는 점검업무와 관련하여 청탁 등이 있는 경우 별지 제11호 서식에 따라 점검기관의 장에게 신고하여야 한다.

제132조(이권개입 등의 금지) 점검자는 점검업무를 이용하여 이권에 개입하거나 권한을 남용하여서는 아니 된다.

제133조(금품 등을 받는 행위의 제한) 점검자는 피점검자로부터 금전·선물·향응(이하 "금품 등"이라 한다)을 요구하거나 받을 수 없다.

제134조(점검 계획의 수립) ① 점검에 관한 계획(이하 "점검계획"이라 한다)을 수립하는 기관은 가능한 점검대상이 중복되지 않도록 노력하여야 하며, 동시에 두가지 이상의 점검이 필요한 경우는 같은 날짜에 실시함을 원칙으로 한다.

② 점검계획 및 점검처리 절차에 대하여는 점검 3일전까지 문서 등으로 피점검자에게 통보하여야 한다. 다만, 긴급점검 등 불가피한 경우에는 그러하지 아니하다.

③ 점검계획에는 다음 각 호의 사항이 포함되어야 한다.

1. 점검 근거 및 목적
2. 점검일시
3. 점검자 인적사항
4. 점검의 종류 및 방법
5. 점검내용
6. 기타 점검과 관련하여 필요한 사항

④ 점검반에는 해당분야의 전문적 사항에 대한 자문을 위하여 관계전문가를 포함할 수 있다.

⑤ 점검반의 점검조 편성은 가능한 한 2인 이상 1조로 편성하고, 피점검자의 불편을 최소화하기 위해 점검에 필요한 최소인원으로 점검을 수행토록 한다.

⑥ 점검자는 안전장구 및 점검에 필요한 도구를 휴대하여, 피점검자의 부담을 최소화하여야 한다.

제135조(점검자에 대한 교육) 점검계획을 수립하는 기관은 긴급점검 등 불가피한 경우를 제외하고는 자체 교육계획을 수립하여 점검 전 점검자에게 교육을 실시하여야 하며, 교육내용에는 다음 각 호의 사항이 포함되어야 한다.

1. 점검의 목적
2. 점검과 관련된 법령에 관한 사항
3. 중점 점검사항
4. 점검자의 점검자세 등 청렴과 관련된 사
5. 기타 점검업무 수행과 관련하여 필요한 사항

제136조(점검 순서 등) ① 점검자가 점검업무를 수행할 경우 당해 피점검자가 비치하고 있는 방문기록부 등에 서명하고 점검목적, 점검일정, 점검내용, 점검결과 처리방법 등을 설명하여야 한다.

② 점검자 및 피점검자는 별지 제12호 서식에 따른 청렴서약서에 청렴서약을 자필기재하고 서명 후 점검을 시작하여야 한다.

제137조(점검업무 수행) ① 점검자는 점검표를 점검에 활용하여 내실있는 점검을 실시하여야 한다.

② 점검자는 점검수행 중 경미한 사항 또는 재해위험 등이 있는 사항에 대하여는 현지에서 시정지도할 수 있다.

③ 점검자는 점검결과 법령위반 사항 등에 대하여는 별지 제13호 서식에 따른 확인서를 피점검자에게 징구하여야 하며, 이 경우 확인서에는 피점검자의 서명이 있어야 한다. 다만, 피점검자가 서명을 거부하는 경우 서명거부임을 명시하고 점검자가 서명할 수 있다.

④ 확인서에는 확인내용을 증명할 수 있는 사진, 도면 등을 첨부하여야 한다.

⑤ 점검자는 확인서 징구 등 점검일정이 종료되면 피점검자에게 점검결과에 대한 강평을 실시하여야 한다.

제138조(이의제기 절차) ① 점검자는 점검 종료시 피점검자에게 별지 제13호 서식에 따라 확인서 내용에 대한 이의제기 방법, 절차 등을 알려 주어야 한다.

② 제1항의 규정에 의한 이의제기는 별지 제14호 서식에 의해 점검일 이후 30일 이내에 서면으로 점검기관의 장에게 제출하는 것을 원칙으로 한다.

③ 점검기관의 장은 이의제기가 된 사항에 대하여 5인 이상의 관계공무원이 이의제기의 타당성 여부를 검토하고, 접수일로부터 15일 이내에 그 결과를 피점검자에게 통보함을 원칙으로 한다.

제139조(점검결과 보고) 점검자는 점검결과를 점검계획에 따른 기간 내에 점검기관의 장에게 보고하여야 한다.

제140조(점검결과 처리) ① 점검기관의 장은 점검결과 보고사항에 대하여 관련 기관에 통보 또는 시정지시, 관련 법령에 따른 행정처분 등 필요한 조치를 하여야 한다.

② 시정지시 등 사항에 대하여는 사후확인하고 미이행 시에는 건설기술진흥법령에서 정하는 바에 따라 처리하여야 한다.

제141조(사후관리 등) ① 점검자는 점검 후 피점검자의 상급자에게 전화를 걸어 청렴한 점검이 이루어졌음을 통보하여야 하며, 국토교통부장관과 점검기관의 장은 점검자가 이를 실시하였는지 피점검자에게 확인할 수 있다.

② 국토교통부장관과 점검기관의 장은 점검업무와 관련하여 점검자의 청렴도를 측정하기 위하여 피점검자를 대상으로 설문조사를 실시할 수 있다.

③ 국토교통부장관과 점검기관의 장은 제2항의 설문조사 결과 문제점으로 나타난 사항에 대하여는 향후 점검계획 수립 시 이를 보완·반영하여야 한다..

제142조(금지된 금품 등의 처리) ① 제133조의 규정에 위반되는 금품 등을 제공받은 점검자는 피점검자에게 즉시 반환하여야 한다.

② 제1항의 규정에 의하여 반환하여야 하는 금품 등이 멸실·부패·변질 등의 우려가 있거나 피점검자의 주소를 알 수 없는 등 반환하는 것이 어려운 경우에는 즉시 점검기관의 장에게 인도하여야 한다.

③ 제2항의 규정에 의하여 금품 등이 인도된 경우 점검기관의 장은 다음 각 호의 어느 하나에 따라 처리하여야 한다.

1. 멸실·부패·변질되어 경제적 가치가 없는 금품 등은 폐기처분한다.
2. 멸실·부패·변질될 우려가 있는 금품 등은 불우이웃돕기시설 등 점검기관의 장이 정하는 단체에 기증한다.

3. 그 밖에 금전적 가치가 있는 금품 등에 대하여는 국가계약법의 규정에 준하여 매각하고, 그 매각대금은 국고에 귀속한다.

제143조(징계 등) 점검자가 제142조제1항 및 제2항의 규정을 위반하여 금품 등의 반환 등 필요한 조치를 취하지 않은 경우 점검기관의 장은 당해 점검자로부터 소명자료를 제출받아 검토 후 점검자에게 징계 등 필요한 조치를 할 수 있다.

제144조(업무지도·감독) 점검기관의 장은 점검자의 업무수행 실태에 대한 지도·점검을 한 후 그 결과에 따라 점검자에게 시정을 요구할 수 있다.

제145조(유사업무 수행자 준용) 점검기관의 장은 제102조제4호의 점검과 유사한 업무를 수행하기 위해 사무실 또는 건설현장, 공장 등을 방문하게 하는 자에게 동 규정을 준용할 수 있다

제7편 건설기술진흥법 위반 제재 사무처리

제1장 일반사항

제146조(처분권자 및 업무) ① 법 제82조제1항 및 영 제115조에 의해 행정처분에 관한 국토교통부장관의 권한을 위임받은 사람과 위임사항은 다음 각 호와 같다.

1. 지방국토관리청장
   가. 법 제24조제1항에 따른 건설기술인의 업무정지
   나. 법 제24조제4항에 따른 건설기술경력증의 반납 접수
   다. 법 제53조제1항에 따른 국토교통부장관의 부실 정도 측정 및 부실벌점 부과
   라. 법 제54조제1항에 따른 건설공사현장 등의 점검과 점검 결과에 따른 시정명령 등의 조치 및 영업정지 등의 요청
   마. 법 제60조제2항에 따른 품질검사를 대행하는 건설기술용역업자에 대한 조사 및 시정명령 등
   바. 법 제82조의 권한 중 위임된 권한에 관한 청문
   사. 법 제91조제1항 각 호 및 같은 조 제2항제1호부터 제4호까지의 자에 대한 과태료의 부과·징수. 다만, 「건설산업기본법」 제8조제1항에 따른 건설업자와 그에 소속되어 근무하는 건설기술인 제외
2. 시·도지사
   가. 「건설산업기본법」 제8조제1항에 따른 건설업자와 그에 소속되어 근무하는 건설기술인에 대한 법 제91조의 과태료 부과·징수

② 제1항제1호의 지방국토관리청장의 권한은 건설기술인의 거주지(「주민등록법」 제10조에 의해 신고된 거주지를 말하며 이하 같다) 또는 해당 업체의 소재지가 관내에 있는 경우에 한한다.

③ 제1항제2호의 시·도지사의 권한은 건설기술인의 거주지 또는 건설업체의 소재지가 관내(시·도지사의 권한을 시·군·구청장에게 위임한 경우 해당 시·군·구청장의 관내를 말한다)에 있는 경우에 한한다.

④ 처분권자는 처분대상자의 거주지 또는 소재지의 변경 등으로

다른 처분권자에게 권한이 있는 경우에는 해당 처분권자에게 이관하고 위반사실을 통보한 기관에 알려야 한다.

제2장 처분요청 대상 선정 및 통보 등

제147조(처분요청 대상 선정 등) ① 건설기술인경력관리수탁기관(이하 "수탁기관"이라 한다)은 건설기술인이 다음 각 호의 어느 하나에 해당될 때에는 "건설기술인 등급 인정 및 교육·훈련 등에 관한 기준(국토교통부 고시)" 제13조의 규정에 관계없이 사실관계를 확인하여야 한다.

1. 군복무(현역)기간 중 업체에 재직한 것으로 신고된 경우
2. 건설기술인의 사망일(행정안전부 주민등록 전산조회 결과 등으로 확인된 경우를 말한다) 이후 해당 건설기술인의 입사신고를 하거나 건설기술진흥법령에 의한 증명서(이하 "제증명"이라 한다)가 발급된 경우
3. 건설기술인의 근무사실 확인을 위해 제출한 4대 보험 등의 증빙자료를 변경하여 2005. 7. 1 이후 신고한 근무처 또는 근무기간을 경정하는 경우
4. 퇴직한 건설기술인의 제증명이 발급된 경우
5. 건설기술경력증(이하 "경력증"이라 한다)의 대여가 의심되는 경우
6. 학력 또는 자격 등을 거짓으로 신고한 경우
7. 건설기술인이 교육이수 기한내 교육을 미이수한 경우

② 수탁기관은 다음 각 호의 어느 하나에 해당하는 경우에는 처분권자에게 해당 사실을 통보하여야 한다.

1. 본인이 위법사실을 인정하거나 실명이 확인되는 진정서가 접수된 경우
2. 발주청 또는 사법기관 등에서 위법사실을 통보하거나 법의 위반이 확인된 경우

③ 수탁기관은 제1항 및 제2항에도 불구하고 다음 어느 하나에 해당되는 때에는 처분요청 대상에서 제외한다.

1. 해당 업체가 부도·폐업 또는 면허반납 등으로 처분사유가 소멸된 경우
2. 건설기술인이 입·퇴사 과정상 60일 이내에 이중으로 근무한 경우
3. 과태료부과의 경우 「질서위반행위규제법」 제19조에 따라 해당 위반행위가 종료된 날부터 5년이 경과한 경우

④ 수탁기관은 건설기술인에 해당되지 않는 사람이 자격·학력 또는 경력 등을 거짓으로 신고하여 건설기술인이 된 경우(거짓 신고 경력을 제외하여 건설기술인에 포함되지 않는 경우를 말한다) 법 제89조 및 제90조에 따라 관련자들을 조치하여야 한다. 이 경우 자격·학력 또는 경력 등을 거짓으로 신고한 사람은 건설기술인에 해당 되지 않으므로 행정처분 통보는 하지 않는다.

⑤ 수탁기관은 제1항에 따른 위반사실 조사대상자의 소재지 불명 또는 확인자료 미제출 등 해당 사실관계를 확인하기 곤란한 경우 해당 건설기술인의 경력신고 및 제증명 발급을 제한하여야 한다.

⑥ 수탁기관은 제5항에 따라 경력신고 및 제증명 발급 제한 사유가 조사대상자 또는 관계기관 등에서 확인된 경우 경력신고 및 제

증명 발급이 가능토록 조치하고 위법사실이 확인되면 행정처분기관에 통보하여야 한다.

제148조(처분대상의 통보) ① 발주청 또는 수탁기관은 법 위반사항에 대하여 제146조의 처분권자에게 통보하여야 한다.

② 수탁기관은 제147조제1항에 따라 사실관계 확인을 위해 자료의 제출을 3회 이상 요청(자료제출을 요구하는 공문을 등기우편으로 시행한 경우를 말한다)하였음에도 이를 제출하지 않는 경우에는 해당 내용을 처분권자에게 통보하여야 한다.

③ 수탁기관은 법원의 확정판결, 문서위조(학력 또는 자격 등), 사법기관의 위반사실 통보, 관계기관 확인 또는 본인 진술 등으로 신고경력이 거짓일 경우 해당 신고경력을 정정(삭제 포함)하고 위반사항을 처분권자에게 통보하여야 한다.

④ 수탁기관은 하나의 위반행위에 따른 각각의 행정처분(행정형벌을 포함한다) 권한이 다른 처분권자에게 있는 경우 위반사항을 제146조제1항제1호의 지방국토관리청장에게 통보하여야 한다.

⑤ 발주청 또는 수탁기관은 제1항에 따라 위반사항을 통보할 때에는 관련 자료를 첨부하고 처분대상자의 주소를 확인하여야 한다. 이 경우 발주청 또는 수탁기관은 처분대상자의 주소 확인을 위해 필요한 경우 행정안전부의 주민등록전산망조회 등 협조를 요청할 수 있다.

제149조(행정처분의 방법, 감경 또는 가중의 기준 등) ① 처분권자는 위반사실 확인을 위해 14일 이상의 제출기한을 정하여 의견진술서 제출을 요구하는 공문을 처분대상자에게 등기우편으로 시행하여야 한다.

② 처분권자는 제1항에 따라 의견진술서 제출을 요구할 때에는 다음 각 호의 사항이 포함되어야 한다.

1. 과태료처분의 경우 : 「질서위반행위규제법 시행령」 제3조제1항제1호부터 제6호에 관한 사항
2. 과태료처분 이외의 경우 : 「행정절차법」 제21조제1항제1호부터 제7호에 관한 사항
3. 제출기한내에 의견을 제출하지 않는 경우 위법사실을 인정하는 것으로 간주하여 처분할 것임을 예고하는 내용

③ 처분권자는 제1항에도 불구하고 다음 각 호의 어느 하나에 해당될 때에는 청문을 실시하여야 한다.

1. 국토교통부장관의 지정 또는 등록(지방국토관리청장 또는 다른 기관장에게 권한이 위임된 경우를 포함한다)을 취소하려는 경우(법 제83조에 따른 청문 실시)
2. 처분권자가 필요하다고 인정하는 경우

④ 처분권자는 제1항의 의견진술통지서 또는 제3항의 청문안내 공문서가 반송되는 경우 인근 시·군·구청에 주민등록 전산망 조회 협조요청을 통해 주소지를 확인 한 후 다시 통보하여야 한다.

⑤ 처분권자는 처분대상자가 위법사실을 부인할 경우 입증자료 재검토 또는 관계기관 조회 등을 통하여 위법여부를 최종 판단한다.

⑥ 처분권자는 처분대상자가 의견진술 기한내에 의견진술서를 제출하지 않는 경우에는 위법사실을 인정하는 것으로 간주하여 처분한다. 이 경우 처분권자의 재량으로 1회에 한하여 7일 이상의 기한

을 정하여 의견진술서 제출을 독촉하는 공문을 시행할 수 있다.

⑦ 처분권자는 제1항 또는 제3항의 의견청취 후 처분내용을 확정할 때에는 건설기술진흥법령 처분기준의 일반기준[영 제121조제1항 별표11(국토교통부장관의 권한을 위임받은 경우에 한한다) 및 규칙 제20조제1항 별표1] 및 별표20에 따라 감경 또는 가중할 수 있다. 이 경우 감경 또는 가중기준별로 해당되는 사항의 감경 또는 가중범위를 합산하여야 한다.

⑧ 처분권자는 경력신고 또는 경력변경신고를 거짓으로 한 건설기술인에 대한 행정처분을 함에 있어 거짓신고 건수를 참작하여 행정처분 감경 또는 가중기준을 적용할 수 있다.

⑨ 지방국토관리청장은 제148조제3항에 의한 처분대상자의 처분내용을 확정한 후 다른 처분권자의 처분이 필요한 경우 처분사실을 해당 처분권자에게 이송시켜야 한다.

⑩ 처분권자는 건설기술인이 경력증 대여(국가기술자격 대여를 포함한다)에 따른 근무처 등 경력을 신고한 경우 법 제24조제1항제1호의 규정을 적용하지 않는다.

⑪ 처분권자는 과태료 징수절차·가산금 징수에 대하여는 질서위반행위규제법령을 따라야 한다.

⑫ 처분권자는 제11항에 따라 결정된 위법사실과 과태료 부과 등에 대해서 처분대상자에게 등기우편으로 고지하여야 한다.

⑬ 처분권자는 건설기술인에게 업무정지를 처분한 경우 경력증을 회수하여 해당 수탁기관으로 송부하여야 한다.

⑭ 처분권자는 영 제115조제3항에 따라 모든 처분결과(위반사항이 없는 경우도 포함한다)를 모든 수탁기관에 지체없이 별지 제39호 서식으로 통보하고 12월 31일 기준으로 다음해 1월 31일까지 국토교통부장관(기술정책과장)에게 별지 제40호 서식으로 통보하여야 한다.

⑮ 시·도지사는 법 제31조제1항제6호부터 제9호 또는 같은 조 제2항의 건설기술용역업자의 행정처분을 할 때 건설기술진흥법령 처분기준의 일반기준[영 제46조제1항 별표6 및 제121조제1항 별표11(시·도지사의 권한에 한한다)]에서 감경 또는 가중은 제1항부터 제14항까지를 준용할 수 있다.

제150조(다른 법령에 의한 행정처분의 적용 및 통보 등) ① 「국가기술자격법」 제23조제1항 및 같은 법 시행령 제29조제1항 별표6에 의하여 국토교통부장관이 주무부장관인 국가기술자격 종목의 행정처분 업무를 위임받은 지방국토관리청장은 같은 법 시행규칙 제34조제1항 별표18에 따른 행정처분 시 제149조를 준용할 수 있다.

② 수탁기관은 제147조에 따라 처분대상 선정과정에서 건설기술인이 국가기술자격을 대여하거나 업체가 대여받은 사실이 확인·의심되는 경우 이를 지방국토관리청장에게 통보하여야 한다. 이 경우 수탁기관은 근무사실이 없는 기간의 경력에 대하여는 경정(삭제포함)조치를 하여야 한다.

③ 수탁기관은 제147조에 따라 처분대상자 선정과정에서 업체가 「건설산업기본법」 등 다른 법률에 따른 인가, 허가, 등록 또는 면허행위의 위반이 확인되거나 예상되는 경우 해당 법률에 따라 처분권한을 가지고 있는 행정기관장(대표업종의 처분권한을 가지고

있는 행정기관을 말하며 이하 "행정기관장"이라 한다)에게 위반사실을 통보하여야 한다.

④ 제2항 또는 제3항에 따라 위반사실을 통보받은 지방국토관리청장 또는 행정기관장은 위반사실 확인 후 다른 행정기관의 처분이 필요한 경우 처분사실을 해당 행정기관에 이송시켜야 한다.

⑤ 한 회사가 수개의 업종을 영위하는 경우에는 위반행위를 1건으로 처리한다.

제3장 과태료 처분에 대한 이의신청

제151조(이의신청) 처분권자는 과태료 처분에 대한 이의신청이 있는 경우 별표21 및 질서위반행위규제법령을 따라야 한다.

부칙 〈제547호, 2015.6.30〉

제1조(시행일) 이 훈령은 발령한 날부터 시행한다.

제2조(기존 훈령의 폐지) 다음 각 호의 훈령은 폐지한다.

1. 「건설신기술 기술사용료 적용 등에 관한 기준」(국토교통부훈령 제463호)
2. 「기술제안입찰 심의운영 규정」(국토교통부훈령 제372호)
3. 「건설기술개발 및 관리 등에 관한 운영규정」(국토교통부훈령 제371호)
4. 「표준시장단가 및 표준품셈 관리규정」(국토교통부훈령 제493호)
5. 「청렴도 향상을 위한 건설현장 등 점검자 행동요령」(국토교통부훈령 제26호)
6. 「건설기술진흥법 위반 업체 및 건설기술자 제재사무 처리요령」(국토교통부훈령 제374호)
7. 「중앙품질안전관리단 운영 규정」(국토교통부훈령 제2014-466호)
8. 「특별건설사업관리검수단 규정」(국토교통부훈령 제375호)

제3조(금지행위 및 감점에 관한 경과조치) 이 훈령 시행 당시 종전의 금지행위 및 감점에 대한 적용에 있어서는 행위 당시의 훈령인 「건설기술개발 및 관리 등에 관한 운영규정」을 적용한다.

제4조(유효기간) 이 훈령은 「훈령 · 예규 등의 발령 및 관리에 관한 규정」(대통령령 제248호)에 따라 이 훈령을 발령한 후의 법령이나 현실 여건의 변화 등을 검토하여야 하는 2018년 6월 29일까지 효력을 가진다.

부칙 〈제779호, 2016.11.30〉

제1조(시행일) 이 훈령은 발령한 날부터 시행한다.

제2조(업무정지 가중기준 적용례) 제149조제7항 별표18 제1호의 건설기술자 업무정지 가중기준은 이 훈령 시행 후 위반행위에 대한 처분부터 적용한다.

제3조(유효기간) 이 훈령은 「훈령 · 예규 등의 발령 및 관리에 관한 규정」(대통령령 제334호)에 따라 이 훈령을 발령한 후의 법령이나 현실 여건의 변화 등을 검토하여야 하는 2019년 11월 29일까지 효력을 가진다.

부칙 〈제783호, 2016.12.8〉

제1조(시행일) 이 훈령은 발령한 날부터 시행한다.

제2조(업무정지 가중기준 적용례) 제149조제7항 별표20 제1호의 건설기술자 업무정지 가중기준은 이 훈령 시행 후 위반행위에 대한 처분부터 적용한다. 〈개정 2017.12.19〉

제3조(유효기간) 이 훈령은 「훈령 · 예규 등의 발령 및 관리에 관한 규정」(대통령령 제334호)에 따라 이 훈령을 발령한 후의 법령이나 현실 여건의 변화 등을 검토하여야 하는 2019년 11월 29일까지 효력을 가진다.

부칙 〈제934호, 2017.11.10〉

제1조(시행일) 이 훈령은 공포한 날부터 시행한다.

제2조(유효기간) 이 훈령은 「훈령 · 예규 등의 발령 및 관리에 관한 규정」(대통령령 제334호)에 따라 이 훈령을 발령한 후의 법령이나 현실 여건의 변화 등을 검토하여야 하는 2019년 11월 10까지 효력을 가진다.

부칙 〈제950호, 2017.12.19〉

이 훈령은 발령한 날부터 시행한다.

부칙 〈제1044호, 2018.6.29〉

이 훈령은 발령한 날부터 시행한다.

부칙 〈제1152호, 2019.1.11〉

이 훈령은 발령한 날부터 시행한다.

부칙 〈제1179호, 2019.4.12〉

이 훈령은 발령한 날부터 시행한다. 단, 건설기술심의 등에 관한 기준 중 제28조제1항제4호, 제32조제2항제1호와 제4항 및 제5항의 개정 규정은 시행 이후 입찰공고하는 건설공사부터 적용한다.

부칙 〈제1224호, 2019.10.7〉

제1조(시행일) 이 훈령은 발령한 날부터 시행한다.

제2조(유효기간) 이 훈령은 「훈령 · 예규 등의 발령 및 관리에 관한 규정」(대통령령 제334호)에 따라 이 훈령을 발령한 후의 법령이나 현실 여건의 변화 등을 검토하여야 하는 2022년 12월 30까지 효력을 가진다.

부칙 〈제1316호, 2020.8.25〉

이 훈령은 발령한 날부터 시행한다.

부칙 〈제1331호, 2020.10.30〉

이 훈령은 발령한 날부터 시행한다. 단, 건설기술심의 등에 관한 기준 중 제25조제1항제3호의 개정 규정은 차기 설계심의분과위원회 구성 운영부터 적용한다.

부칙 〈제1401호, 2021.6.4〉

이 훈령은 발령한 날부터 시행한다.

부칙 〈제1452호, 2021.11.23〉

이 훈령은 발령한 날부터 시행한다.

부칙 〈제1505호, 2022.1.27〉

이 훈령은 발령한 날부터 시행한다.

부칙 〈제1513호, 2022.3.22〉

이 훈령은 발령한 날부터 시행한다.

부 칙

이 훈령은 발령한 날부터 시행한다. 단 일괄입찰, 대안입찰 및 기술제안입찰공사의 설계심의 운영 중 제24조제5항의 개정 규정은 건설기술진흥법 시행령 개정 이후부터 차기 설계심의분과위원회 구성 운영부터 적용한다.

[별표 1]

전문분야 분류(예시)

구분	전문분야	세부전공분야
토목분야 (7개 분야)	도로 및 교통	도로계획, 도로설계, 측량 및 측지, 포장, 교량, 교통계획, 교통체계, 교통안전시설, 교통영향, 교통경제
	철 도	철도계획, 철도설계, 궤도, 관제, 측량 및 측지, 교량
	토목구조	강구조, 콘크리트 구조, 내진 및 구조해석, 합성구조
	토질 및 기초	지반, 사면, 터널, 토질기초, 토류 구조물
	수자원, 상·하수도	댐, 하천, 수문지질, 수자원, 수리 구조물 상수도, 하수도, 하수처리, 정수처리
	항만·해안	항만, 연안계획, 해안시공, 해양물리, 해양지질, 해양수공
	토목시공 건설관리	토목시공, 건설관리(토목), 건설VE, 품질관리, 유지관리, 안전관리
건축분야 (4개 분야)	건축계획	건축계획, 건축설계, 실내건축 디자인, 전시기획
	건축구조	강구조, 콘크리트구조, 내진 및 구조해석, 합성구조
	건축시공 건설관리	건축시공, 건축재료, 건설관리(건축), 건설VE, 품질관리, 유지관리, 안전관리
	건축설비 통신	건축기계설비, 건축전기설비, 통신설비, 전자통신, 전자응용, 통신전자제어
공통분야 (1개 분야)	조경·환경	도시계획·설계, 단지계획 및 설계, 지역계획, 경관계획, 조경계획·설계, 조경식재, 수질관리, 대기관리, 소음진동, 환경평가
합계	11개 분야	

[별표 2]

설계심의분과위원회의 윤리행동강령

제1장 총 칙

제1조【목적】

이 윤리 행동강령(이하 "강령"이라 한다)은 부패방지 및 깨끗하고 건전한 건설시장 조성을 위하여 일괄입찰, 대안입찰, 실시설계 기술제안입찰과 기본설계 기술제안입찰 설계심의분과위원회의 위원(이하 "분과위원")이 준수하여야 할 행동의 기준을 정함을 목적으로 한다.

제2조【정의】

이 강령에서 사용하는 용어의 정의는 다음과 같다.

1. "분과위원"이라 함은 건설기술개발 및 관리 등에 관한 운영규정 제24조 규정에 의한 위원을 말한다.
2. "직무관련자"라 함은 분과위원의 소관업무와 관련되는 자를 말한다.
3. "선물"이라 함은 대가없이(대가가 시장가격 또는 거래의 관행과 비교하여 현저히 낮은 경우를 포함한다) 제공되는 물품 또는 유가증권·숙박권·회원권·입장권 그밖에 이에 준하는 것을 말한다.
4. "향응"이라 함은 음식물·골프 등의 접대 또는 교통·숙박 등의 편의를 제공하는 것을 말한다.

제3조【적용범위】

강령지침은 일괄입찰, 대안입찰, 실시설계 기술제안입찰과 기본설계 기술제안입찰 관련 분과위원에 대하여 적용한다.

제2장 부당 이득의 수수 금지 등

제4조【이권 개입 등의 금지】

분과위원은 자신의 직위를 직접 이용하여 부당한 이익을 얻거나 타인이 부당한 이익을 얻도록 해서는 아니 된다.

제5조【알선·청탁 등의 금지】

①분과위원은 자기 또는 타인의 부당한 이익을 위하여 다른 위원의 공정한 직무수행을 저해하는 알선·청탁 등을 하여서는 아니 된다.

②분과위원은 직무수행과 관련하여 자기 또는 타인의 부당한 이익을 위하여 직무관련자를 다른 직무관련자에게 소개하여서는 아니 된다.

제6조【금품 등을 받는 행위의 제한】

①분과위원은 직무관련자로부터 금전·부동산·선물 또는 향응(이하 "금품 등"이라 한다)을 받아서는 아니 된다. 다만, 다음 각 호의 어느 하나에 해당하는 경우에는 그러하지 아니하다.

1. 채무의 이행 등 정당한 권원에 의하여 제공되는 금품 등
2. 직무수행상 부득이한 경우에 통상적인 관례의 범위(3만원 한도)안에서 제공되는 음식물 또는 편의
3. 직무와 관련된 공식적인 행사에서 주최자가 참석자에게 일률적으로 제공하는 교통·숙박 또는 음식물
4. 불특정 다수인에게 배포하기 위한 기념품 또는 홍보용 물품
5. 질병, 재난 등으로 인하여 어려운 처지에 있는 분과위원을 돕기 위하여 공개적으로 제공되는 금품 등
6. 그밖에 원활한 직무수행 등을 위하여 분과위원장이 허용하는 범위 안에서 제공되는 금품 등

②분과위원은 직무관련자였던 자로부터 당시의 직무와 관련하여 금품등을 받아서는 아니 된다. 다만, 제1항 각 호의 어느 하나에 해당하는 경우는 제외한다.

③분과위원은 본인이 참여했던 심의에서 낙찰된 업체와 관련해서는 1년 이내에는 용역이나 연구, 자문 등을 해서는 안된다. 다만, 특별한 사정에 의해 사전에 분과위원장에게 신고한 경우는 제외한다.

제7조 【배우자 등의 금품 등 수수 제한】

분과위원은 배우자 또는 직계 존·비속이 제6조의 규정에 의하여 수령이 금지되는 금품 등을 받지 아니하도록 하여야 한다.

제3장 건전한 설계심의 조성

제8조 【금전의 차용금지 등】

①분과위원은 직무관련자(4촌 이내의 친족은 제외한다. 이하 이 조에서 같다)에게 금전을 빌리거나 빌려주어서는 아니 되며 부동산을 무상(대여의 대가가 시장가격 또는 거래관행과 비교하여 현저하게 낮은 경우를 포함한다. 이하 이 조에서 같다)으로 대여 받아서는 아니 된다. 다만, 「금융실명거래 및 비밀보장에 관한 법률」 제2조에 따른 금융기관으로부터 통상적인 조건으로 금전을 빌리는 경우는 제외한다.

②제1항 본문에도 불구하고 부득이한 사정으로 직무관련자에게 금전을 빌리거나 빌려주는 것과 부동산을 무상으로 대여 받으려는 분과위원은 설계심의분과위원장(이하 "분과위원장")에게 신고하여야 한다.

제9조 【건전한 경조사 문화의 정착】

①분과위원은 건전한 경조사 문화의 정착을 위하여 솔선수범하여야 한다.

②분과위원은 직무관련자에게 경조사를 알려서는 아니 된다. 다만, 다음 각 호의 어느 하나에 해당하는 경우에는 경조사를 알릴 수 있다.

1. 친족에 대한 통지
2. 현재 근무하고 있거나 과거에 근무하였던 기관의 소속 직원에 대한 통지
3. 신문, 방송 또는 제2호에 따른 직원에게만 열람이 허용되는 내부통신망 등을 통한 통지
4. 분과위원 자신이 소속된 종교단체·친목단체 등의 회원에 대한 통지

제10조 【골프 및 사행성 오락의 제한】

①분과위원은 현실적이고 직접적인 이해관계가 있는 직무관련자와 골프를 같이 하여서는 아니 되며 부득이한 사정에 따라 골프를 같이 하는 경우에는 미리 분과위원장에게 보고하여야 한다. 다만, 사전보고가 불가능한 경우에는 종료즉시 사후 보고하여야 한다.

②분과위원은 직무관련자와 함께 마작·화투·카드 등 사행성 오락을 하여서는 아니 된다.

제11조(분과위원의 공정 평가 의무)

분과위원은 설계심의에 대하여 소속기관의 장이나 상급자의 명령 또는 지시 등과 관계없이 객관적이고 독립적으로 평가를 하여야 한다.

제4장 위반 시의 조치

제12조 【위반여부에 대한 상담】

①분과위원은 직무를 수행함에 있어서 강령의 위반여부가 분명하지 아니한 경우에는 분과위원장과 상담한 후 처리하여야 한다.

②분과위원장은 제1항의 규정에 의한 상담이 원활하게 이루어질 수 있도록 필요한 조치를 취하여야 한다.

제13조【징계】

분과위원장은 강령에 위반된 행위를 한 분과위원에 대하여는 영 제22조에서 정한 해촉 등 필요한 조치를 하여야 한다.

제5장 보 칙

제14조【교육】

①분과위원장은 분과위원에 대하여 부패방지와 강령 등 관련규정의 준수를 위한 교육계획을 수립·시행하여야 한다.

②제1항의 규정에 의한 교육은 1년마다 1회 이상 실시하여야 한다.

제15조【행동강령책임관의 지정】

①설계심의분과위원회의 행동강령책임관은 분과위원장으로 한다.

②행동강령책임관은 다음 각 호의 어느 하나에 해당하는 업무를 수행한다.

1. 강령의 교육·상담에 관한 사항
2. 강령의 준수여부 점검 및 평가에 관한 사항
3. 강령의 위반행위 신고·접수·처리 및 신고인 보호에 관한 사항
4. 기타 강령의 운영을 위하여 필요한 사항

③행동강령책임관은 제2항의 규정에 의한 업무를 수행함에 있어서 지득한 비밀을 누설하여서는 아니 된다.

제16조【준수여부 점검】

①행동강령책임관은 분과위원의 강령 이행실태 및 준수여부 등을 매년 1회 이상 정기적으로 점검하여야 한다.

②행동강령책임관은 제1항의 규정에 의한 정기점검 이외에도 휴가철, 명절전후 등 부패 취약 시기에 수시 점검을 실시할 수 있다.

③ 행동강령책임관은 제1항 및 제2항의 규정에 의한 점검 결과를 중앙건설기술심의위원장에게 보고하여야 한다.

[별표 3]

기술제안 분야 및 과제 예시

전문분야	기술제안 과제	평가요소
토목구조	공사비 절감	· 제안공법(내용)의 기술적 적정성(타당성) · 현장여건 등 당해공사 적용 효과성
	공기단축	· 공사공정의 기술적 과제 및 대책의 적정성 · 공기단축 산출내용의 적정성
	교량유지관리비 절감 (생애주기비용 감축)	· 유지관리비 절감방안의 적정성 · 발주청 요구조건 반영 적정성 · 비용 산출의 적정성
	교량가설 기술	· 미관향상, 비용절감 등 제안내용의 적정성 · 시공성, 내구성, 유지관리 적정성
	강교용접 등 품질관리 기술	· 제안공법(내용)의 적용 적정성 · 시공성, 내구성, 유지관리 적정성
	특정구조물 개선 (대규모 옹벽, 암거 등)	· 제안공법(내용)의 적용 적정성 · 안전성 및 친환경 적정성 · 사전조사, 관련협의 적정성
토질 및 기초	공사비 절감	· 제안공법(내용)의 기술적 적정성(타당성) · 현장여건 등 당해공사 적용 효과성
	공기단축	· 공사공정의 기술적 과제 및 대책의 적정성 · 공기단축 산출내용의 적정성
	터널, 사면 등 유지관리 절감 (생애주기비용 감축)	· 유지관리비 절감방안의 적정성 · 발주청 요구조건 반영 적정성 · 비용 산출의 적정성
	터널굴착 및 버력처리	· 제안공법(내용)의 적용 적정성 · 안전성 및 친환경 적정성 · 사전조사, 관련협의 적정성

전문분야	기술제안 과제	평가요소
토질 및 기초	터널 지보 및 라이닝 적정화	· 제안공법(내용)의 적용 적정성 · 안전성 및 친환경 적정성 · 사전조사, 관련협의 적정성
	사면처리(안정화 등)적정화	· 제안공법(내용)의 적용 적정성 · 안전성 및 친환경 적정성 · 사전조사, 관련협의 적정성
	기초시공	· 제안공법(내용)의 적용 적정성 · 안전성 및 친환경 적정성 · 사전조사, 관련협의 적정성
	차수 및 흙막이공 적정화	· 제안공법(내용)의 적용 적정성 · 안전성 및 친환경 적정성 · 사전조사, 관련협의 적정성
	연약지반 처리의 적정화	· 제안공법(내용)의 적용 적정성 · 안전성 및 친환경 적정성 · 사전조사, 관련협의 적정성
토목시공 건설관리	공정관리 최적화 및 공기단축	· 장비, 자재, 인력 운영 등 관리계획의 적정성 · 사업관리운영시스템 구축계획의 적정성 · 안전, 재난대비 계획의 적정성 · 민원발생 여부 및 조치계획의 적정성 · 리스크 분석 및 관리계획의 적정성
	지하매설물, 철도, 고압선, 병원, 학교 등 근접시공 계획	· 안전, 재난대비, 지장물처리계획의 적정성 · 민원발생 여부 및 조치계획의 적정성
	공사현장 주변 교통대책	· 교통처리계획의 적정성 · 안전, 재난대비 계획의 적정성 · 민원발생 여부 및 조치계획의 적정성
	공사현장 주변 보행자 안전대책	· 보행자 안전시설 계획의 적정성 · 민원발생 여부 및 조치계획의 적정성

전문분야	기술제안 과제	평가요소
토목시공 건설관리	소음, 진동, 분진, 수질오염, 토질오염, 악취 대책	· 제안내용의 적정성 · 민원발생 여부 및 조치계획의 적정성 · 가설계획 수립, 공해방지의 적정성 · 사전조사, 관련협의 적정성
	공사현장 주변 지반침하 대책	· 제안내용의 적정성 · 안전, 재난대비, 지장물처리계획의 적정성 · 민원발생 여부 및 조치계획의 적정성 · 가설계획 수립, 공해방지의 적정성
	공사현장 및 주변 생태계 대책	· 제안내용의 적정성 · 사전조사, 관련협의 적정성
	공사 중 발생하는 작업 부산물 등에 대한 자원재활용 방안	· 제안내용의 적정성 · 사전조사, 관련협의 적정성
	자연보호구역 등 희소 동식물 관리방안	· 제안내용의 적정성 · 사전조사, 관련협의 적정성
	콘크리트 구조물 균열방지 기술	· 제안내용의 적정성 · 안전, 재난대비, 지장물처리계획의 적정성
	공사 가설계획	· 제안내용의 적정성 · 안전, 재난대비 계획의 적정성 · 민원발생 여부 및 조치계획의 적정성
	품질관리의 적정성	· 품질관리계획의 적정성 · 현장내 품질관리체계 구축 적정성 등
도로	공사비 절감	· 제안공법(내용)의 기술적 적정성 또는 타당성 · 현장여건 등 당해공사 적용 효과성
	공기단축	· 공사공정의 기술적 과제와 대책의 적정성 · 공기단축 산출내용의 타당성
	도로유지관리 비용 절감 (생애주기비용 감축)	· 유지관리비 절감방안의 적정성 · 발주청 요구조건 반영 적정성 · 비용 산출의 적정성

전문분야	기술제안 과제	평가요소
도로	포장 평탄도 향상	· 제안공법(내용)의 적용 적정성 · 관련기준 및 규정과의 적합성 · 시공성, 내구성, 유지관리 적정성
	차량소음 저감	· 제안공법(내용)의 적용 적정성 · 관련기준 및 규정과의 적합성 · 시공성, 내구성, 유지관리 적정성
	균열방지 기술	· 제안공법(내용)의 적용 적정성 · 관련기준 및 규정과의 적합성 · 시공성, 내구성, 유지관리 적정성
수자원, 상·하수도	공사비 절감	· 제안공법(내용)의 기술적 적정성(타당성) · 현장여건 등 당해공사 적용 효과성
	공기단축	· 공사공정의 기술적 과제 및 대책의 적정성 · 공기단축 산출내용의 적정성
	생애주기비용 감축	· 유지관리비 절감방안의 적정성 · 발주청 요구조건 반영 적정성 · 비용 산출의 적정성
	성능개선	· 제안공법(내용)의 적용 적정성 · 안전성 및 친환경 적정성 · 사전조사, 관련협의 적정성
항만·해안	공사비 절감	· 제안공법(내용)의 기술적 적정성(타당성) · 현장여건 등 당해공사 적용 효과성
	공기단축	· 공사공정의 기술적 과제 및 대책의 적정성 · 공기단축 산출내용의 적정성
	생애주기비용 감축	· 유지관리비 절감방안의 적정성 · 발주청 요구조건 반영 적정성 · 비용 산출의 적정성
	성능개선	· 제안공법(내용)의 적용 적정성 · 안전성 및 친환경 적정성 · 사전조사, 관련협의 적정성

전문분야	기술제안 과제	평가요소
건축계획	공사비 절감	· 제안공법(내용)의 기술적 적정성(타당성) · 현장여건 등 당해공사 적용 효과성
	공기단축	· 공정의 기술적 과제 및 계획의 적정성 · 공기단축 산출내용의 적정성
	건축물 유지관리비 절감 (생애주기비용 감축)	· 분석방법, 유지관리계획의 적정성 · 발주청 요구조건 반영 적정성 · 비용산출 적정성
	성능개선	· 제안공법(내용)의 적용 적정성 · 안전성 및 친환경 적정성 · 사전조사, 관련협의 적정성
건축구조	공사비 절감	· 제안공법(내용)의 기술적 적정성(타당성) · 현장여건 등 당해공사 적용 효과성
	공기단축	· 공사공정의 기술적 과제 및 대책의 적정성 · 공기단축 산출내용의 적정성
	생애주기비용 감축 (에너지 절감)	· 유지관리비용의 절감방안 · 발주청 요구조건 반영 적정성 · 비용 산출의 적정성
	건축구조 성능개선	· 제안공법(내용)의 적용 적정성 · 안전성 및 친환경 적정성 · 사전조사, 관련협의 적정성
건축시공 건설관리	공사관리방안	· 장비, 자재, 인력 운영 등 관리계획의 적정성 · 사업관리운영시스템 구축계획의 적정성 · 안전, 재난대비 계획의 적정성 · 민원발생 여부 및 조치계획의 적정성 · 리스크 분석 및 관리계획의 적정성
	거푸집 등 가설공사 안전성 및 시공성 향상	· 제안공법(내용)의 적용 적정성

전문분야	기술제안 과제	평가요소
건축시공 건설관리	콘크리트, 철골 등 주요재료 품질 및 성능개선기술	· 제안공법(내용)의 적용 적정성
	마감품질 향상	· 제안공법(내용)의 적용 적정성
	가설계획 수립	· 제안공법(내용)의 적용 적정성 · 민원발생 여부 및 조치계획의 적정성
건축설비 통신	공사비 절감	· 제안공법(내용)의 기술적 적정성(타당성) · 현장여건 등 당해공사 적용 효과성
	공기단축	· 공사공정의 기술적 과제 및 대책의 적정성 · 공기단축 산출내용의 적정성
	생애주기비용 감축	· 유지관리비용의 절감방안 · 발주청 요구조건 반영 적정성 · 비용 산출의 적정성
	각종 설비의 저소음, 저진동 기술	· 제안공법(내용)의 기술적 적정성(타당성) · 현장여건 등 당해공사 적용 효과성
	에너지 소비량 절감기술	· 제안공법(내용)의 기술적 적정성(타당성) · 현장여건 등 당해공사 적용 효과성
조경·환경	공사비 절감	· 제안공법(내용)의 기술적 적정성(타당성) · 현장여건 등 당해공사 적용 효과성
	공기단축	· 공사공정의 기술적 과제 및 대책의 적정성 · 공기단축 산출내용의 적정성
	생애주기비용 감축	· 유지관리비용의 절감방안 · 발주청 요구조건 반영 적정성 · 비용 산출의 적정성
	상징성, 예술성 향상	· 제안내용의 적용 적정성 · 발주청 요구조건 반영 적정성

[별표 4]

기술제안입찰의 소위원회 회의운영 세부기준

구분	주요내용	일시	주의사항	비고
심의계획 설명회	· 심의일정 및 평가방법 안내 · 질문서 및 답변서 작성방법 안내 · 설명회 발표순서 결정	평가회의 15일 이전	발주청, 입찰사 참석	
소위원회 구성	· 심의위원 선정	평가회의 10일전	입찰사 참석	
현장답사	· 현장답사	평가회의 8~9일전	입찰사 미참석	
공동 제안서설명회	· 심의운영계획 설명 (심의기관→심의위원) · 설계내용 설명 (발주기관→심의위원) · 입찰사별 제안서 내용 설명	평가회의 8~9일전		
기술검토회의	· 공통질문 및 업체간 질문항목 확정 · 기술제안검토서 검증 · 기준위반사항 심의 · 설계평가회의 운영계획 결정	평가회의 5일전	입찰사 미참석	
제안서 평가회의	· 입찰참가업체 설계 설명 · 업체간 설계토론회 개최 · 보충·추가 질의 및 답변 · 입찰사 답변에 대한 진위여부 확인(심의위원) · 기술제안서 검토 및 토론 (심의위원) · 기술제안서 적격여부 심의 (심의위원) · 기술제안서 평가(심의위원) · 평가결과 공개	평가회의 당일 (2박3일)*		

* 평가회의 소요일은 사업평가 여건을 고려하여 발주청에서 조정할 수 있다.

[별표 5]

설계/기술제안검토서 작성기준

1. 작성기준

가. 발주청 자체 작성 또는 제3의 전문기관(엔지니어링업체, 건설관련 연구원 등)에 위탁하여 작성할 수 있음

나. 발주청은 설계검토 참여자(위탁에 의할 경우에는 대표자 포함)에 대하여 "보안업무취급규정"에 의한 보안각서 및 수행과정에서 이해관계자에게 부당한 요구를 하거나 금품 · 향응 등을 제공받지 않겠으며, 위반시는 관계법령에 의한 처벌을 감수하겠다는 내용의 "청렴서약서"를 징구하고 위반시 민 · 형사상 책임을 지도록 함.

다. 제출된 설계도서를 기준으로 업체별 제시 공법 · 자재 등의 장 · 단점, 안전성, 경제성, 시공성, 유지관리 편리성 등 비교가 가능하도록 객관적이고 공정하며 투명하게 작성하여야 한다.〈개정 06.1.20〉

라. 설계검토서는 객관적으로 증명된 자료 또는 법령 등 관련기준 등에 따라 각 업체가 제출한 설계내용의 장 · 단점이 부각될 수 있도록 작성하여야 한다.〈개정 07.10.30〉

마. 관련분야 전문서적 · 학술논문집 · 공공기관(연구 · 시험기관 포함) 발간자료 · 공공기관의 성능확인서 등 객관성이 인정된 자료를 근거로 작성하여야 하며, 출처가 불명확하거나 학위 연구논문 · 홍보용 자료(팜플렛 등) 등 객관성이 입증되지 않은 자료 등을 근거로 작성하여서는 안된다.

바. 작성자의 주관적 판단이 평가에 영향을 미치지 않도록 객관적 사항만으로 작성하여야 하며, 위탁에 의하여 작성시에는 공정성을 위반한 경우 향후 유사용역 등 입찰 참가시 불이익을 부과하여도 이의를 제기치 않을 것임을 명시하여 계약

2. 설계검토서의 내용 등(도로공사에 대한 예시)

가. 입찰안내서에서 제시한 설계조건의 각 항목에 대한 적용내용

나. 주요 구조부에 대한 구조형식 · 적용공법과 사용자재 등에 대한 장 · 단점, 구조적 안정성, 경제성, 시공성, 유지관리성 등

다. 적용된 각종 설계기준(설계하중 · 하중조건, 장래교통량, 설계방법, 지반조건 및 물성치, 안정성 검토계수 등)

라. 현황조사 및 분석결과(수리 · 수문, 지반, 교통량, 환경 등)

마. 수리 · 수문검토 내용(설계빈도, 강우강도, 유역면적, 적용계수, 유량결정 등)

바. 지질 및 지반조사 방법, 조사결과 분석방법과 주요 구조물기초 선정시 적용내용 등

사. 기타 발주청이 필요하다고 판단되는 나용

3. ○○공사 설계검토서 작성예시(도로분야)

전문분야	세부 검토항목	A사 제시내용	A사 관련근거	B사 제시내용	B사 관련근거
도로	○ 사전 조사의 적정성 - 각종 현황조사 및 관련계획 검토 - 측량, 골재원, 지장물 조사 등 ○ 설계기준 적정성 ○ 도로기능에 부합한 설계 적정성 - 노선 특성에 따른 선형 전·후 접속 검토 - 부대시설계획의 적정성 ○ 교차로 계획의 적정성				
	○ 토공설계 적정성 ○ 배수시설 적정성 ○ 포장설계 적정성 ○ 부대시설 설계의 적정성				
	○ 포장 및 깍기, 쌓기 사면의 유지관리 용이성				
	○ 교통안전시설 배치의 적정성 ○ 운영시 교통사고 방지대책의 적정성				
	○ 경제성 분석을 통한 도로 및 교차로 계획의 평가 ○ 유지관리비 절감을 위한 효율적인 시설물 계획				
	○ 환경친화적 도로설계의 창의성				
	○ 스마트 건설기술 도입의 적정성 ○ 기타				

전문분야	세부 검토항목	A사 제시내용	A사 관련근거	B사 제시내용	B사 관련근거
구조	○ 교량계획수립의 적정성 - 현지여건의 분석 및 위치 선정 - 미관 및 경간장 구성의 적정성 - 교량 상·하부 형식, 부대시설 계획의 적정성 ○ 설계기준 수립 및 세부구조계획의 적정성				
	○ 교량 상부형식의 시공 적정성 ○ 교량하부 및 기초의 시공 적정성 ○ 교량가설공법의 적정성 ○ 부대시설의 시공 적정성 - 교량받침, 신축이음장치, 난간, 방호책 등 ○ 교면방수 및 교면포장의 적정성				
	○ 터널굴착공법의 적합성 ○ 발파패턴의 적정성 ○ 지보공 적용의 적정성 ○ 갱문형식의 적정성				
	○ 유지관리계획 및 계측시설계획의 적정성 ○ 계측시설의 설치 및 운영계획의 적정성 ○ 공용중 안전점검계획의 적정성				
	○ 구조계산 및 단면설계의 적정성 ○ 설계기준, 제시방서의 부합성 ○ 지진에 대한 안전성				
	○ VE/LCC 기법적용의 적정성 및 교량계획평가 ○ 유지관리 비용 산출의 적정성				
	○ 교량구조물의 주변 환경과의 조화				
	○ 스마트 건설기술 도입의 적정성 ○ 기타				

전문분야	세부 검토항목	A사		B사	
		제시내용	관련근거	제시내용	관련근거
토질 및 기초	○ 조사계획 및 조사항목, 내용, 수량의 적정성 ○ 조사결과 분석 및 설계의 적용성 ○ 구조물 기초지반(연약지반 등) 설계의 적용성				
	○ 깍기 및 쌓기사면 설계의 적정성 및 안전성 ○ 교량기초 설계의 적정성 및 안전성				
	○ 경제성 분석을 통한 구조물 기초 및 비탈면 보강공법 평가 ○ 유지관리비 절감을 위한 효율적 시설물 계획				
	○ 스마트 건설기술 도입의 적정성 ○ 기타				
토목시공	○ 공정관리계획의 적정성 ○ 환경관리계획의 적정성 ○ 품질관리계획의 적정성				
	○ 공사중 시공계획의 적정성 - 공사중 교통처리계획의 적정성 - 공사중 계측계획의 적정성 ○ 건설안전 및 품질관리계획의 적정성				
	○ 예상민원 대처방안의 적정성 ○ 공사시방서 작성의 적정성				
	○ 신기술, 신공법 도입의 적정성				
	○ 스마트 건설기술 도입의 적정성 ○ 기타				

전문분야	세부 검토항목	A사		B사	
		제시내용	관련근거	제시내용	관련근거
환경	○ 환경현황조사의 적정성 ○ 환경영향 저감방안 수립의 적정성 ○ 사후 환경영향조사계획 수립의 적정성				
	○ 기타				
조경	○ 조경계획의 적정성 - 공간구조의 효율성 - 친환경적인 식재계획				
	○ 기타				
전기설비	○ 설비시스템 선정 ○ 전력, 조명, 약전, 소방 및 자동제어시스템 ○ 에너지 절약 및 기타				
	○ 기타				
기계설비	○ 수변전 설비 및 공급방식의 적정성 ○ 조명, 전력 등의 자동제어 및 유지관리의 용이성 ○ 조도 및 조명방식의 적정성 ○ 에너지 절약 및 기타				
	○ 기타				

[별표 6]

대안입찰공사 설계평가지표 및 배점기준

전문분야	평가항목	배점기준
도로 및 교통	○ 사전조사 및 설계기준의 적정성 ○ 최적 노선 선정의 타당성 및 적정성 ○ 평면 및 종단선형 설계의 적정성 ○ 토공계획의 적정성 ○ 교통안전, 이상기후를 고려한 배수설계의 적정성 ○ 포장 및 부대시설 설계의 적정성 ○ 유지관리 편의를 고려한 시설물 계획의 적정성 ○ 나들목/분기점 형식 및 접속계획의 적정성 ○ 교통수요 분석의 적정성 ○ 경제성(VE/LCC) 분석을 통한 시설물 계획의 적정성 ○ 신기술, 신공법 도입의 적정성 ○ 스마트 건설기술 도입의 적정성	
토목구조	○ 구조설계의 적정성 ○ 유지관리 편의를 고려한 구조물 계획의 적정성 ○ 구조물계획(교량, 지하차도 등) 수립의 적정성 ○ 구조물 가설공법의 적정성 ○ 부대시설 및 교면포장공법 설계의 적정성 ○ 신기술, 신공법 도입의 적정성 ○ 수리, 수문분석, 세굴방지 대책의 적정성 ○ 스마트 건설기술 도입의 적정성	
토질 및 기초	○ 조사결과 분석 및 설계의 적용성 ○ 구조물 기초지반(연약지반 등) 설계의 적정성 ○ 비탈면 설계 및 보호공법의 적정성 ○ 유지관리 편의를 고려한 효율적 구조물 계획 ○ 교량기초 설계의 적정성 ○ 터널굴착공법의 적정성 ○ 발파패턴의 적정성 ○ 터널 지보설계의 적정성 ○ 갱문형식, 위치의 적정성 ○ 터널형식 및 단면계획의 적정성 ○ 터널 방배수 및 부대시설의 적정성 ○ 가시설 설계의 적정성 ○ 계측계획 및 계측관리의 적정성 ○ 신기술, 신공법 도입의 적정성 ○ 스마트 건설기술 도입의 적정성	
토목시공 건설관리	○ 시공계획 수립의 적정성 ○ 공기단축방안 및 공정계획 수립의 적정성 ○ 시공관리계획의 적정성 ○ 예상민원 및 대처방안의 적정성 ○ 장비, 인력, 자재 등 자원투입계획의 적정성 ○ 스마트 건설기술 도입의 적정성	
건축설비 통신	○ 전력 공급계획 및 규모의 적정성 ○ 비상전원설비 구축 및 방재시스템의 적정성 ○ 운전자를 고려한 조명설계(조도, 조명방식 등) 적정성 ○ 터널 환기시설 계획의 적정성 ○ 유지관리 용이성을 고려한 설비계획 ○ 에너지 절감계획	
조경 · 환경 · 경관	○ 조경계획의 적정성 ○ 환경현황조사 및 환경영향 저감방안 수립의 적정성 ○ 환경 친화적인 구조물 및 도로설계의 적정성 ○ 경관설계의 적정성(도로, 교량 터널 등)	
총 계		100

※ 1. 전문분야의 평가항목과 배점기준은 공사의 규모 및 특성에 따라 조정 가능
2. 항목별 상대평가로 채점

건축분야의 평가지표 및 배점기준(예)

전문분야	평가항목	배점기준
건축계획	○ 사전조사 및 설계기준의 적정성 ○ 배치 및 시설계획의 적정성 ○ 에너지 절감 등 친환경 설계의 적정성 ○ 유지관리 편의를 고려한 시설물 계획의 적정성 ○ 경제성(VE/LCC) 분석을 통한 시설물 계획 수립 여부 ○ 신기술 및 신공법 도입의 적정성 ○ 스마트 건설기술 도입의 적정성	
건축구조	○ 구조계획의 적정성 ○ 기초설계의 적정성 ○ 유지관리 편의를 고려한 시설물 계획의 적정성 ○ 신기술 및 신공법 도입의 적정성 ○ 스마트 건설기술 도입의 적정성	
건축시공	○ 시공계획수립의 적정성 - 인력투입, 품질관리계획 및 현장내 품질관리체계 구축 적정성, 공정, 안전, 환경, 민원 등 ○ 공기단축방안 및 공정계획수립의 적정성 ○ 시공관리계획의 적정성 ○ 예상민원 및 대처방안의 적정성 ○ 장비, 인력, 자재 등 자원투입계획의 적정성 ○ 스마트 건설기술 도입의 적정성	
기계 및 소방	○ 설비 시스템 계획 ○ 위생, 냉난방 및 소방 설비계획의 적정성 ○ 유지관리 용이성을 고려한 설비계획 ○ 신기술 및 신공법 도입의 적정성	
전기설비 · 통신	○ 설비 시스템 계획 ○ 방재, 통신 및 조명 설비계획으 적정성 ○ 유지관리 용이성을 고려한 설비계획 ○ 신기술 및 신공법 도입의 적정성 및 향후 확정성	
토목 및 조경 · 환경 · 경관	○ 사전조사 및 부지조성계획의 젹정성 ○ 상하수도 등 기반시설계획 ○ 흙막이 및 기초계획 ○ 조경식재 및 시설물 계획의 적정성 ○ 유지관리 편의를 고려한 효율적 시설물 계획 ○ 신기술 및 신공법 도입의 적정성	
총계		100

※ 1. 전문분야의 평가항목과 배점기준은 공사의 규모 및 특성에 따라 조정 가능
2. 항목별 상대평가로 채점

[별표 7]

일괄입찰공사 설계평가지표 및 배점기준
도로분야(교량 및 터널포함)의 평가지표 및 배점기준(예)

전문분야	평가항목	배점기준
도로 및 교통	○ 사전조사 및 설계기준의 적정성 ○ 최적 노선 선정의 타당성 및 적정성 ○ 평면 및 종단선형 설계의 적정성 ○ 토공계획의 적정성 ○ 교통안전, 이상기후를 고려한 배수설계의 적정성 ○ 포장 및 부대시설 설계의 적정성 ○ 유지관리 편의를 고려한 시설물 계획의 적정성 ○ 나들목/분기점 형식 및 접속계획의 적정성 ○ 교통수요 분석의 적정성 ○ 경제성(VE/LCC) 분석을 통한 시설물 계획의 적정성 ○ 신기술, 신공법 도입의 적정성 ○ 스마트 건설기술 도입의 적정성	
토목구조	○ 구조설계의 적정성 ○ 유지관리 편의를 고려한 구조물 계획의 적정성 ○ 구조물계획(교량, 지하차도 등) 수립의 적정성 ○ 구조물 가설공법의 적정성 ○ 부대시설 및 교면포장공법 설계의 적정성 ○ 신기술, 신공법 도입의 적정성 ○ 수리, 수문분석, 세굴방지 대책의 적정성 ○ 스마트 건설기술 도입의 적정성	
토질 및 기초	○ 조사결과 분석 및 설계의 적용성 ○ 구조물 기초지반(연약지반 등) 설계의 적정성 ○ 비탈면 설계 및 보호공법의 적정성 ○ 유지관리 편의를 고려한 효율적 구조물 계획 ○ 교량기초 설계의 적정성 ○ 터널굴착공법의 적정성 ○ 발파패턴의 적정성 ○ 터널지보공 적용의 적정성	
	○ 갱문형식, 위치의 적정성 ○ 계측계획 및 계측관리의 적정성 ○ 신기술, 신공법 도입의 적정성 ○ 스마트 건설기술 도입의 적정성	
토목시공 건설관리	○ 시공계획 수립의 적정성 ○ 공기단축방안 및 공정계획 수립의 적정성 ○ 시공관리계획의 적정성 ○ 예상민원 및 대처방안의 적정성 ○ 장비, 인력, 자재 등 자원투입계획의 적정성 ○ 스마트 건설기술 도입의 적정성 ○ 사회적 가치실현	
건축설비 통신	○ 전력 공급계획 및 규모의 적정성 ○ 비상전원설비 구축 및 방재시스템의 적정성 ○ 운전자를 고려한 조명설계(조도, 조명방식 등) 적정성 ○ 터널 환기시설 계획의 적정성 ○ 유지관리 용이성을 고려한 설비계획 ○ 에너지 절감계획	
조경·환경·경관	○ 조경계획의 적정성 ○ 환경현황조사 및 환경영향 저감방안 수립의 적정성 ○ 환경 친화적인 구조물 및 도로설계의 적정성 ○ 경관설계의 적정성(도로, 교량 터널 등)	
총 계		100

※ 1. 전문분야의 평가항목 및 평가항목별 세부내용과 배점기준은 공사의 규모 및 특성에 따라 조정가능
2. 항목별 상대평가로 채점

철도분야의 평가지표 및 배점기준(예)

전문분야	평가항목	배점기준
철도계획	○ 사전조사 및 설계기준의 적정성 ○ 최적 노선 선정의 타당성 및 적정성 ○ 철도 기능에 부합한 설계의 적정성 ○ 열차운행 효율성 및 안전성을 고려한 철도계획 수립 여부 ○ 유지관리 편의를 고려한 시설물 계획의 적정성 ○ 공사용 부대시설 설계의 적정성 ○ 경제성(VE/LCC) 분석을 통한 철도계획 수립 여부 ○ 신기술, 신공법 도입의 적정성 ○ 스마트 건설기술 도입의 적정성	
토목구조	○ 구조설계의 적정성 ○ 유지관리 편의를 고려한 구조물 계획의 적정성 ○ 구조물계획(교량, 정거장, 지하구조물 등) 수립의 적정성 ○ 구조물 가설공법의 적정성 ○ 부대시설 계획의 적정성 ○ 신기술, 신공법 도입의 적정성 ○ 공사 중, 공용 중 민원을 고려한 구조물 설계 ○ 관련계획 및 관련분야를 고려한 구조물 설계 ○ 친환경 구조물설계 방안 ○ 스마트 건설기술 도입의 적정성	
토질 및 기초	○ 조사결과 분석 및 설계의 적용성 ○ 가시설 설계의 적정성 ○ 구조물 기초지반(연약지반 등) 설계의 적정성 ○ 비탈면 설계 및 보호공법의 적정성 ○ 교량기초 설계의 적정성 ○ 터널형식 및 단면계획의 적정성 ○ 터널굴착공법의 적정성 ○ 터널 지보설계의 적정성 ○ 터널 갱문형식, 위치의 적정성 ○ 터널 방·배수설계 및 부대시설의 적정성 ○ 계측계획 및 계측관리의 적정성	

전문분야	평가항목	배점기준
	○ 유지관리 편의를 고려한 효율적 구조물 계획 ○ 신기술, 신공법 도입의 적정성 ○ 스마트 건설기술 도입의 적정성	
토목시공 건설관리	○ 시공계획 수립의 적정성 ○ 공기단축방안 및 공정계획 수립의 적정성 ○ 시공관리계획의 적정성 ○ 예상민원 및 대처방안의 적정성 ○ 장비, 인력, 자재 등 자원투입계획의 적정성 ○ 스마트 건설기술 도입의 적정성 ○ 사회적 가치실현	
궤도	○ 노선 특성을 반영한 배선계획 수립 여부 ○ 공법 선정 및 시공계획의 적정성 ○ 안전성 확보 대책의 적정 수립 여부 ○ 스마트 건설기술 도입의 적정성	
건축	○ 사전조사 및 설계기준의 적정성 ○ 건축물 설계의 작품성 및 창의성 ○ 건축물 규모 및 배치계획의 적정성 ○ 경제적 타당성을 고려한 구조 적용 시스템 적합성 ○ 공법 선정 및 시공계획의 적정성 ○ 설비용량 산정과 시스템 선정의 적합성 ○ 신기술, 신공법 도입의 적정성 ○ 스마트 건설기술 도입의 적정성	
조경·환경·경관	○ 조경계획의 적정성 ○ 환경현황조사 및 환경영향 저감방안 수립의 적정성 ○ 환경 친화적인 구조물 및 철도설계의 적정성 ○ 경관설계의 적정성(교량, 터널, 건축물 등)	
전철·전력	○ 사전조사 및 설계기준의 적정성 ○ 전철·전력설비 설치계획의 적정성 ○ 전철·전력분야 시공계획 수립의 적정성 ○ 친환경 설계기법 반영의 적정성	

전문분야	평가항목	배점기준
신호·통신	○ 사전조사 및 설계기준의 적정성 ○ 신호·통신설비 설치계획의 적정성 ○ 신호·통신분야 안전성 확보 대책의 적정성	
기계·소방	○ 사전조사 및 설계기준의 적정성 ○ 기계설비 계획의 적정성 ○ 방재(소화, 피난, 구난 등) 계획의 적정성 ○ 친환경 설계기법 반영의 적정성	
총계		100

※ 1. 전문분야의 평가항목 및 평가항목별 세부내용과 배점기준은 공사의 규모 및 특성에 따라 조정가능
2. 항목별 상대평가로 채점

수자원분야의 평가지표 및 배점기준(예)

전문분야	평가항목	배점기준
수자원	○ 사전조사의 부합성 ○ 수리·수문 분석의 적정성 ○ 시설물(댐, 하구둑 등) 설치계획의 적정성 ○ 하천정비계획의 적정성 ○ 주변시설물 및 주민의 안전성 고려 여부 ○ 유지관리 편의를 고려한 구조물 계획의 적정성 ○ 경제성(VE/LCC) 분석을 통한 시설물 계획 수립 여부 ○ 신기술 및 신공법 도입의 적정성 ○ 스마트 건설기술 도입의 적정성	
토목구조	○ 주요구조물 구조설계 기준 수립 적정성 ○ 주요구조물 안전성 및 내구성 등 ○ 구조재료 특성평가 및 적용의 적정성 ○ 유지관리 편의를 고려한 시설물 계획의 적정성 ○ 스마트 건설기술 도입의 적정성	
토질 및 기초	○ 지반특성을 반영한 주요시설물 설계의 적정성 ○ 토질 특성 분석의 적정성 ○ 주요시설물 기초 처리계획의 적정성 등 ○ 유지관리 편의를 고려한 효율적 시설물 계획 ○ 계측계획 및 계측관리의 적정성 ○ 스마트 건설기술 도입의 적정성	
토목시공	○ 시공관리계획의 적정성 - 인력투입, 품질관리계획 및 현장내 품질관리체계 구축 적정성, 공정, 안전, 환경, 민원 등 ○ 공기단축방안 및 공정계획수립의 적정성 ○ 시공관리계획의 적정성 ○ 예상민원 및 대처방안의 적정성 ○ 장비, 인력, 자재 등 자원투입계획의 적정성 ○ 스마트 건설기술 도입의 적정성 ○ 사회적 가치실현	

전문분야	평가항목	배점기준
기계 및 전기	○ 사전조사 및 설비계획의 적정성 ○ 시스템 및 운영계획의 적정성 ○ 에너지 절감방안, 신재생에너지 적용방안의 적정성 ○ 유지관리 용이성을 고려한 설비계획	
환경 및 조경	○ 사전조사 및 시설계획의 적정성 ○ 경관계획의 적정성 ○ 조경 및 생태환경 시설계획의 적정성 ○ 환경영향조사 및 환경영향 저감방안 수립의 적정성 ○ 환경 친화적인 설계의 적정성	
총계		

※ 1. 전문분야의 평가항목 및 평가항목별 세부내용과 배점기준은 공사의 규모 및 특성에 따라 조정가능
2. 항목별 상대평가로 채점

항만분야의 평가지표 및 배점기준(예)

전문분야	평가항목	배점기준
항만 및 해안	○ 사전조사 및 설계기준의 적정성 ○ 평면계획의 적정성 ○ 단면선정의 적정성 ○ 구조물 세부설계의 적정성 ○ 수치 및 수리모형실험의 적정성 ○ 부대시설의 적정성 ○ 준설 및 매립계획의 적정성 ○ 유지관리 편의를 고려한 시설물 계획의 적정성 ○ 경제성(VE/LCC) 분석을 통한 시설물 계획의 적정성 ○ 신기술, 신공법 도입의 적정성 ○ 스마트 건설기술 도입의 적정성	
토목구조	○ 설계기준의 적정성 ○ 구조물 단면계산의 적정성 ○ 구조물 부재 및 재료설계의 적정성 ○ 가시설물의 안전성 ○ 인접 구조물 안전성 ○ 유지관리 편의를 고려한 시설물 계획의 적정성 ○ 신기술, 신공법 도입의 적정성 ○ 스마트 건설기술 도입의 적정성	
토질 및 기초	○ 지반조사 및 토질정수의 산정의 적정성 ○ 설계기준의 적정성 ○ 기초지반처리의 적정성 ○ 유지관리 편의를 고려한 효율적 시설물 계획 ○ 계측계획의 적정성 ○ 신기술 신공법 도입의 적정성 ○ 스마트 건설기술 도입의 적정성	
토목시공	○ 시공계획 수립의 적정성 ○ 공기단축방안 및 공정계획수립의 적정성 ○ 시공관리계획의 적정성 ○ 예상민원 및 대처방안의 적정성	

전문분야	평가항목	배점기준
토목시공	○ 부대시설의 적정성 ○ 장비, 인력, 자재 등 자원투입계획의 적정성 ○ 스마트 건설기술 도입의 적정성 ○ 공사관련 계약관리의 적정성 ○ 사회적 가치실현	
해상교통 및 안전	○ 사전조사 및 설계기준의 적정성 ○ 해상교통 및 안전을 고려한 시설물 계획의 적정성 ○ 공사중 해상교통 안전성 확보 방안 ○ 해상교통 안전성 검토의 적정성 ○ 해상사고 대책방안의 적정성	
해양환경	○ 해양·해저 조사 및 설계기준의 적정성 ○ 해양 보존을 고려한 시설계획의 적정성 ○ 해양환경 보전의 적정성 ○ 해양 구조물 및 자원 이용의 적정성	
환경 및 조경	○ 환경영향 저감방안 수립의 적정성 ○ 친수성 시설계획의 적정성 ○ 환경 친화적인 항만설계의 적정성 ○ 유지관리 편의를 고려한 효율적 시설물 계획 ○ 신기술 및 신공법 도입의 적정성	
총계		100

※ 1. 전문분야의 평가항목 및 평가항목별 세부내용과 배점기준은 공사의 규모 및 특성에 따라 조정가능
2. 항목별 상대평가로 채점

건축분야의 평가지표 및 배점기준(예)

전문분야	평가항목	배점기준
건축계획	○ 사전조사 및 설계기준의 적정성 ○ 배치 및 시설계획의 적정성 ○ 에너지 절감 등 친환경 설계의 적정성 ○ 유지관리 편의를 고려한 시설물 계획의 적정성 ○ 경제성(VE/LCC) 분석을 통한 시설물 계획 수립 여부 ○ 신기술 및 신공법 도입의 적정성 ○ 스마트 건설기술 도입의 적정성	
건축구조	○ 구조계획의 적정성 ○ 기초설계의 적정성 ○ 유지관리 편의를 고려한 시설물 계획의 적정성 ○ 신기술 및 신공법 도입의 적정성	
건축시공	○ 시공관리계획의 적정성 - 인력투입, 품질관리계획 및 현장내 품질관리체계 구축 적정성, 공정, 안전, 환경, 민원 등 ○ 공기단축방안 및 공정계획수립의 적정성 ○ 시공관리계획의 적정성 ○ 예상민원 및 대처방안의 적정성 ○ 장비, 인력, 자재 등 자원투입계획의 적정성 ○ 스마트 건설기술 도입의 적정성 ○ 사회적 가치실현	
기계 및 소방	○ 설비 시스템 계획 ○ 위생, 냉난방 및 소방 설비계획의 적정성 ○ 유지관리 용이성을 고려한 설비계획 ○ 신기술 및 신공법 도입의 적정성 ○ 스마트 건설기술 도입의 적정성	
전기설비·통신	○ 설비 시스템 계획 ○ 방재, 통신 및 조명 설비계획의 적정성 ○ 유지관리 용이성을 고려한 설비계획 ○ 신기술 및 신공법 도입의 적정성 및 향후 확정성 ○ 스마트 건설기술 도입의 적정성	

전문분야	평가항목	배점기준
토목 및 조경·환경·경관	○ 사전조사 및 부지조성계획의 적정성 ○ 상하수도 등 기반시설계획 ○ 흙막이 및 기초계획 ○ 조경식재 및 시설물 계획의 적정성 ○ 유지관리 편의를 고려한 효율적 시설물 계획 ○ 신기술 및 신공법 도입의 적정성	
총계		100

※ 1. 전문분야의 평가항목 및 평가항목별 세부내용과 배점기준은 공사의 규모 및 특성에 따라 조정가능

2. 항목별 상대평가로 채점

공항분야의 평가지표 및 배점기준(예)

전문분야	평가항목	배점기준
공항계획	○ 사전조사의 적정성 ○ 설계기준 및 평면배치의 적정성 ○ 포장계획의 적정성 ○ 배수계획의 적정성 ○ 공항 진입도로 및 이설도로 ○ 토공계획의 적정성 ○ 유지관리 편의를 고려한 시설물 계획의 적정성 ○ 경제성(VE/LCC) 분석을 통한 시설물 계획의 적정성 ○ 신기술, 신공법 도입의 적정성 ○ 스마트 건설기술 도입의 적정성	
토질 및 기초	○ 지반조사 및 토질정수 산정의 적정성 ○ 설계기준의 적정성 ○ 기초지반(침하대책)의 검토 적정성 ○ 비탈면 계획의 적정성 ○ 스마트 건설기술 도입의 적정성 ○ 사회적 가치실현	
토목구조	○ 구조물계획 수립의 적정성 ○ 구조설계의 적정성 ○ 유지관리 편의를 고려한 구조물 계획의 적정성	
토목시공	○ 시공계획 수립의 적정성 ○ 공기단축방안 및 공정계획수립의 적정성 ○ 시공관리계획의 적정성 ○ 예상민원 및 대처방안의 적정성 ○ 장비, 인력, 자재 등 자원투입계획의 적정성 ○ 스마트 건설기술 도입의 적정성	
건축	○ 건축물(여객터미널, 화물터미널 등) 규모 및 배치계획의 적정성 ○ 건축구조의 적정성 ○ 공법 선정 및 시공계획의 적정성 ○ 설비용량 산정과 시스템 선정의 적합성 ○ 스마트 건설기술 도입의 적정성	

전문분야	평가항목	배점기준
기계/전기	○ 사전조사 및 설계기준의 적정성 ○ 급유시설의 적정성 ○ 기계설비 설계의 적정성 ○ 전기설비 설계의 적정성 ○ 항공등화시설의 적정성 ○ 친환경 설계기법 반영의 적정성	
정보통신	○ 사전조사 및 설계기준의 적정성 ○ 정보통신설비 설치계획의 적정성 ○ 정보통신시설 계획의 적정성 ○ 항행안전무전시설 계획의 적정성	
환경	○ 환경영향 저감방안 수립의 적정성 ○ 친환경 설계의 적정성	
총계		100

※ 1. 전문분야의 평가항목 및 평가항목별 세부내용과 배점기준은 공사의 규모 및 특성에 따라 조정가능
2. 항목별 상대평가로 채점

상하수도분야의 평가지표 및 배점기준(예)

전문분야		평가항목	배점기준
상하수도	처리장/ 하수관로	○ 기초자료 조사 및 분석 ○ 설계 기준의 적정성 ○ 처리공정 선정 및 시설물 계획 ○ 부대시설계획 ○ 운영 및 유지관리계획, 기술이전, 시운전계획 ○ 관로정비 개선방향 ○ 관로정비 계획수립의 적정성 ○ 경제성 및 유지관리비의 적정성 ○ 저탄소 녹생성장 도입의 적정성 ○ 스마트 건설기술 도입의 적정성	
	정수장/ 상수관로	○ 기초자료 조사 및 분석 ○ 설계 기준의 적정성 ○ 처리공정 선정 및 시설물 계획 ○ 부대시설계획 ○ 운영 및 유지관리계획, 기술이전, 시운전계획 ○ 관로계획의 적정성 ○ 관로정비의 적정성 ○ 경제성 및 유지관리비의 적정성 ○ 저탄소 녹생성장 도입의 적정성 ○ 스마트 건설기술 도입의 적정성	
토목시공 건설관리		○ 시공계획 수립의 적정성 ○ 공기단축방안 및 공정계획수립의 적정성 ○ 시공관리계획의 적정성 ○ 예상민원 및 대처방안의 적정성 ○ 장비, 인력, 자재 등 자원투입계획의 적정성 ○ 스마트 시공관리 도입의 적정성 ○ 사회적 가치실현	

전문분야	평가항목	배점기준
토질 및 기초	○ 지반조사 계획 및 결과분석(설계지반정수)의 적정성 ○ 굴착방법 선정 및 가시설의 안정성 ○ 구조물 및 관로 기초계획의 적정성 ○ 지하수 처리계획 ○ 지장물 및 인근구조물에 대한 안정성	
토목구조	○ 구조설계 제반기준 수립의 적정성 ○ 구조물의 안전성 및 내구성 설계의 적정성 ○ 방수 및 방식계획의 적정성 ○ 기타 시설물 계획 ○ 스마트 시공관리 도입의 적정성	
건축계획	○ 사전조사 및 관련법규 검토의 적정성 ○ 건축물 규모 및 배치계획의 적정성 ○ 건축계획의 적정성 ○ 건축구조계획의 적정성 ○ 스마트 시공관리 도입의 적정성	
조경 · 환경 · 경관	○ 조경계획의 적정성 ○ 환경현황조사 및 환경영향 저감방안 수립의 적정성 ○ 경관설계의 적정성(건축 등)	
기계	○ 공정 및 설비 구성의 적정성 ○ 주요설비 선정의 적정성 ○ 건축기계설비 설계의 적정성 ○ 설비의 경제성 및 합리성	
전기 및 계측제어	○ 전기설비 설계의 적정성 ○ 계측제어설비 설계의 적정성 ○ 건축전기설비 계획의 적정성 ○ 설비의 유지관리 및 안정성	
총계		100

※ 1. 전문분야의 평가항목 및 평가항목별 세부내용과 배점기준은 공사의 규모 및 특성에 따라 조정가능
2. 항목별 상대평가로 채점

[별표 8]

기술제안서 작성기준

1. 일반기준

가. 기술제안서는 제시된 기술제안 분야에 대하여 공사비절감방안, 생애주기비용개선방안, 공기단축방안, 공사관리방안, 그밖에 발주청에서 정한 사항 등의 과제목록(평가항목)에 대한 평가가 가능하도록 기술제안 내용을 작성하여야 하며, 발주청은 평가항목별로 포함되어야 할 세부내용을 입찰안내서에 제시하여야 한다.

나. 정부의 계약제도 및 건설관련법규, 최근 정부 제정 각종 시방서 및 기준에 의하여 제안 설계를 하여야 하며, 관련 시방서 및 기준 등에 위배 또는 저촉되지 않도록 하여야 한다.

다. 제안자의 창의성을 발휘하여 품질 및 성능 면에서 신뢰할 수 있는 특수한 기술, 공법, 특허자재 적용을 검토 반영하였을 경우에는 그 품질규격 및 시공방법 등 필요사항을 반드시 명시하고 검증하여야 한다.

라. 신기술, 특허 및 특정 공사방법을 채택할 경우 기술권에 대하여는 하도급 계약 등의 처리 및 기술사용료를 포함하여야 하며, 향후 운영 등에 있어 별도 관리비용 등을 요구할 수 없다.

마. 기술제안자는 기술제안으로 인·허가 및 각종 협의(교통, 환경영향평가 등) 사항의 변경이 필요한 경우에는 변경업무를 수행하고 발주청의 관련 업무를 지원하여야 한다.

바. 안전과 관련된 기술제안은 기술적 통용이 가능한 안전율 이상을 확보하여야 한다.

사. 기술제안자는 제공된 지반조사보고서 및 설계도서를 면밀히 검토하

여 입찰서를 작성하고 필요한 경우 기술제안자 부담으로 지반조사를 추가로 실시할 수 있다.

아. 품질관리비는 일반시방 및 특기시방서에서 요구한 품질시험에 따른 시험비용과 기술제안에 따라 변경된 공법 및 자재 등에 대한 품질관리비를 포함하여야 한다.

자. 본 공사에 대해 낙찰자가 공사기간 단축방안을 제시하였을 경우 제시한 단축 공사기간으로 공사계약을 체결한다.

차. 기타 발주청이 제안 받고자 하는 기술제안 내용, 성능기준 및 관련지침 등을 제시한다.

2. 제안도서 작성 세부기준

가. 기술제안 관련 제출도서는 기술제안요약서, 기술제안서(별지 제3호서식 참조), 부속서류, 산출내역서, 기술제안 설명자료(발표자료) 등으로 제출부수와 쪽수를 정하여 입찰안내서에 제시한 기준에 따라 작성하여야 한다.

나. 제출도서의 규격, 지질 및 제본방식, 표지, 목차, 본문 등의 구성순서, 번호 부여방법, 글자색, 글자체, 글자크기, 줄간격 등은 입찰안내서에 제시한 작성세부내용에 따라야 한다.

다. 모든 제안서류는 한글로 작성하는 것을 원칙으로 하며 필요시 영문 등의 외국어 또는 외래어로 표기한다.

라. 모든 제안서류는 아라비아 숫자로 표기하는 것을 원칙으로 하며 미터법을 사용한다.

마. 설계도서의 작성방법은 법 제48조(설계도서의 작성 등), 건설기술진흥법 시행규칙 제40조(설계도서의 작성), 건설공사의 설계도서 작성기준 등 관련규정에 위배 또는 저촉되지 않도록 하여야 한다.

아. 제출한 기술제안서 등은 수정 또는 보완할 수 없으며, 추가로 제출받지 아니한다. 단, 평가위원의 질문서에 의한 답변서는 제출할 수 있다.

자. 기술제안요약서는 관련 내용의 요점을 정리하여 심의·평가 시 기술제안 요약서만으로도 제안내용을 쉽게 파악할 수 있도록 명확하게 기재하여 별도로 제본하고 표지는 기술제안서의 표지와 동일한 형식으로 작성한다.

차. 각종 통계나 연구자료를 인용할 때는 발췌, 참고문헌을 각주 등의 방식으로 표기하며 객관적 타당성이 입증된 자료를 사용한다.

카. 기술제안에 대한 증빙 및 보충자료가 부속서류 등에 첨부되어 있을 때는 관련 페이지를 해당 기술제안서 하단에 명기한다.

파. 제출도서는 원칙적으로 흑백인쇄만 허용하되, 필요시 칼라도면의 내용 및 개수, 형식 등을 별도로 제시한다.

3. 산출내역서 작성지침

가. 산출내역서는 기술제안의 비용 관련 증빙자료이며 실시설계내역의 내용과 비교가 가능하도록 작성하며, 산출물량, 금액 등 기술제안 내용을 충실히 반영하여 작성하여야 한다.

나. 산출내역의 항목별 내용은 재료비, 노무비, 경비로 구분하여 작성한다.

다. 산출물량은 기술제안내용을 반영한 적정수량으로 한다.

라. 산출금액은 기술제안내용을 반영한 적정비용으로 한다.

마. 법정경비율은 관련법령 및 기준에 의하여 적용한다.

사. 기술제안으로 지급자재의 수량 등의 변동이 있을 경우 기술제안 입찰자가 제시하는 물량에 발주기관이 정한 규격 및 단가를 적용하여 지급자재 금액을 산출하며 변동내역을 상세하게 작성하여 기술제안서에 포함시켜 제출한다.

아. 기술제안으로 지급자재를 대체하는 신규자재가 발생할 경우는 일반자재로 산출내역서에 계상하고 해당 지급자재의 수량 및 금액은 감한다.

자. 산출내역에 대한 주요내용(수량, 금액 등)은 기술제안서의 해당 항목편에 명기한다.

차. 기술제안서 평가 시에 제출하는 산출내역서의 내용은 입찰참가업체가 제출한 입찰가격 산출내역서 내용과 동일하여야 한다.

타. 필요시 산출내역에 대한 증빙자료를 첨부하도록 한다.

[별표 9]

기술제안입찰의 입찰안내서 목록

번호	자료명	비고
일반사항		
1	입찰안내서 유의사항	
2	공사설명서	
입찰에 관한 사항		
3	입찰서 목록	
4	공사입찰 유의서	
5	기술제안입찰의 공사입찰 특별유의서	
계약에 관한 사항		
6	공동계약 운용기준	
7	청렴계약 입찰특별유의서	
8	공사계약 일반조건	
9	공사계약 특수조건	
10	청렴계약 특수조건	
기술에 관한 사항		
11	설계지침	
12	시공지침	
13	기술제안서 작성지침	
평가에 관한 사항		
16	평가기준	
17	배점표	
18	평가지침	
19	감점기준	
참고		
20	내역서 등 참고자료	

[별표 10] 감점기준

비리 등에 대한 감점 기준

1. 감점사항 및 감점부과기준

감점사항	감점	감점기간
1. 심의위원 선정이후 사전접촉 (제3자를 통한 사전접촉 포함)	3	당해심의
2. 설계심의분과위원(중앙심의위원 포함)에 대한 사전설명(제3자를 통한 사전설명 포함)	5	감점부과 결정일부터 1년
3. 사전신고 없이 낙찰된 후 1년이내 심의참여 위원에게 용역, 연구, 자문 등을 의뢰한 경우	5	감점부과 결정일부터 1년
4. 심의와 관련하여 심의당시 소속직원(감점부과 결정일 퇴직자 포함)이 비리행위 또는 부정행위를 한 사실이 있는 경우	15	감점부과 결정일부터 2년
5. 입찰담합으로 독점규제 및 공정거래에 관한 법률 제22조의 규정에 따른 과징금 부과처분이 확정된 경우(면제처분도 포함)	10	감점부과 결정일부터 2년

2. 감점 부과방법

가. 감점은 상기 기준을 참고하여 감점사항과 관련된 사업의 심의를 수행 중이거나 수행한 건설기술심의위원회(또는 기술자문위원회)에서 의결하여 정하고, 그 결과를 국토교통부 장관에게 통보하여야 한다.

나. 감점은 소속 직원의 감점행위를 인지하였는지 여부와 관계없이 감점사항에 해당하는 행위와 관련된 업체에게 부과한다.

다. 대표 입찰사가 아닌 업체가 감점행위를 한 경우 대표 입찰사에게도 동일한 기간 동안 1/2의 감점을 적용한다.

라. 제1호에 따른 감점은 총점 차등 전에 적용하고, 기타 감점은 총점 차등 후에 적용한다.

마. 수사, 소송 진행중인 사안은 1심 판결 이후 건설기술심의위원회(또는 기술자문위원회) 의결 등 판단 과정을 거쳐 감점 조치한다.

바. 평가위원 사전접촉 및 사전설명 신고 등에 대해서는 사실관계 확인 등을 거쳐 건설기술심의위원회(또는 기술자문위원회) 의결 즉시 감점 조치한다.

사. 제3자가 신고하는 경우에도 제1호 및 제2호의 기준을 적용한다.

3. 감점 적용방법

가. 해당 위원회와 다른 위원회에서 일괄, 대안 및 기술제안입찰과 관련하여 부과한 감점을 모두 적용한다. 다른 위원회의 감점을 적용하는 경우 감점, 감점기간 등은 감점을 부과한 위원회의 내용을 그대로 준용한다.

나. 설계심의분과위원회는 감점조회를 위해 국토교통부 장관에게 감점에 대한 정보를 요청할 수 있다.

다. 입찰공고서 상의 입찰마감일을 기준으로 감점기간이 유효한 감점과 입찰마감일부터 최종 평가일까지 새로 발생한 감점을 모두 적용한다.

라. 감점을 부과받은 업체가 공동으로 입찰에 참여하는 경우 감점은 참여업체별 감점의 합으로 한다.

4. 감점 취소

가. 감점을 받은 업체가 감점의 취소나 정정을 요청하는 경우에는 감점을 부과한 건설기술심의위원회(또는 기술자문위원회)에서 의결하여 정하고, 그 결과를 국토교통부 장관에게 통보하여야 한다.

나. 감점의 취소나 정정은 감점을 부과받은 업체가 감점사항에 해당하지 않는다는 사실을 명백히 증명한 경우에만 한다.

[별표 11]

일괄입찰의 분야별 입찰안내서 작성목록(예시)

1. 도로분야

번호	자료명	비고
1	입찰안내서 유의사항	
2	공사설명서	
3	입찰서 목록	
4	공사입찰 유의서	
5	공사입찰 특별유의서	
6	공동계약 운용기준	
7	청렴계약 입찰특별유의서	
8	공사계약 일반조건	
9	공사계약 특수조건	
10	청렴계약 특수조건	
11	설계지침	
12	시공지침	
13	설계도서 작성지침	
14	공사관리지침	
15	공사관리도서 작성지침	
16	입찰참가자격 사전심사 세부기준	
17	설계배점표	
18	설계평가방식	
19	감점기준	
20	토질조사 보고서 (단, 노선의 미확정 등으로 활용성이 낮은 경우 생략가능)	

2. 철도분야

번호	자료명	비고
1	입찰안내서 유의사항	
2	공사 설명서	
3	입찰서 목록	
4	공사계약 일반조건	
5	공사계약 특수조건(1)	
6	공사계약 특수조건(2)	
7	청렴계약 특수조건	
8	공사현장 안전관리수칙	
9	사업자료 작성 및 제출 표준요건(특별시방서)	
10	설계지침	
11	시공지침	
12	설계서 작성지침	
13	관리지침	
14	관리계획서 작성지침	
15	입찰서 평가기준	
16	입찰서 감점기준	
17	기본계획보고서	
18	기본계획설계도면 등	
19	지질조사 자료	

3. 수자원분야

번호	자료명	비고
1	일괄입찰공사 설명서	
2	공사입찰 유의서	
3	공사입찰 특별유의서	
4	청렴계약 입찰특별유의서	
5	공사계약 일반조건	
6	공사계약 특수조건	
7	청렴계약 특수조건	
8	기계경비 지수조정 특수조건	
9	설계지침	
10	시공지침	
11	기본계획 또는 타당성조사 보고서	
12	입찰도서 작성지침	
13	지질조사 자료	
14	설계시공 일괄입찰 적격자 선정기준	

4. 항만분야

번호	자료명	비고
1	입찰안내서 유의사항	
2	공사설명서	
3	입찰서 목록	
4	공사입찰 유의서	
5	공사입찰 특별유의서	
6	공동계약 운용기준	
7	청렴계약 입찰특별유의서	
8	공사계약 일반조건	
9	공사계약 특수조건	
10	청렴계약 특수조건	
11	설계지침	
12	시공지침	
13	설계도서 작성지침	
14	공사관리지침	
15	공사관리도서 작성지침	
16	입찰참가자격 사전심사 세부기준	
17	설계배점표	
18	설계평가방식	
19	감점기준	
20	기초자료 조사용역 (지질조사, 측량보고서, 구조검토서 등) 보고서 등	
21	환경영향평가보고서 및 협의서류	
22	수중 문화재 지표조사 보고서	
23	현장설명서 자료배포	

5. 건축분야

번호	자료명	비고
1	일괄입찰공사 일반사항	
2	공사설명서	
3	공사입찰유의서	
4	계약에 관한 사항	
5	설계 및 시공지침	
6	설계도서 작성지침	
7	관리지침	
8	입찰양식 및 평가기준	
9	부록(토질조사)	

* 입찰비용 경감을 위해 BIM(Building Information Modeling) 시스템은 설계적격자 선정 후 실시설계 단계부터 구축토록 입찰안내서에 명시

[별표 12]

일괄입찰의 분야별 입찰서 목록(예시)

1. 도로분야

번호	자료명	비고
1	설계보고서	
2	설계요약보고서	
3	지반해석보고서	
4	터널해석보고서(터널 존재시)	
5	설계도	
6	공사관리계획서	

2. 철도분야

번호	자료명	비고
1	기본설계 보고서	
2	기본설계 요약보고서	
3	기본설계도면	
4	선로 종단면도	
5	선로 평면도	
6	구조 등 각종계산서	
7	지반해석보고서	
8	사업수행계획서	
9	산출내역서	

3. 수자원분야

번호	자료명	비고
1	기본설계보고서	
2	기본설계 요약보고서	
3	지반해석보고서	
4	설계도면	
5	공사관리계획서	

4. 건축분야

번호	자료명	비고
1	기본설계 보고서	
2	설계도면	
3	실시설계 계획서	
4	지반해석 보고서	
5	공사관리계획서	

5. 항만분야

번호	자료명	비고
1	설계도면	
2	기본설계 보고서	
3	기본설계 설명서	
4	지반해석보고서	
5	공사관리계획서	

[별표 13]

건설기준 종류별 소관부서 및 관련단체

소관부서	건설기준명	코드	관련단체
13개	46종(설계기준 19, 표준시방서 18, 전문시방서 9)		
기술안전 정책관	공통 설계기준 공통공사 표준시방서	KDS 10 00 00 KCS 10 00 00	한국건설기술연구원
	지반 설계기준 지반공사 표준시방서	KDS 11 00 00 KCS 11 00 00	한국지반공학회 대한토목학회 국토안전관리원
	구조 설계기준 구조재료공사 표준시방서	KDS 14 00 00 KCS 14 00 00	한국콘크리트학회 한국강구조학회
	내진설계기준	KDS 17 00 00	한국지진공학회
	가설 설계기준 가설공사 표준시방서	KDS 21 00 00 KCS 21 00 00	한국건설가설협회 한국건설기술연구원
도시 정책관	공동구 설계기준 공동구 표준시방서	KDS 29 00 00 KCS 29 00 00	국토안전관리원
	조경 설계기준 조경공사 표준시방서	KDS 34 00 00 KCS 34 00 00	한국조경학회
도로국 철도국	교량 설계기준 교량공사 표준시방서	KDS 24 00 00 KCS 24 00 00	한국도로협회 한국교량및구조공학회 국가철도공단 한국철도학회
건설 정책국	설비 설계기준 설비공사 표준시방서	KDS 31 00 00 KCS 31 00 00	대한설비공학회 한국조명전기설비학회
건축 정책관	건축 구조기준 건축공사 표준시방서	KDS 41 00 00 KCS 41 00 00	대한건축학회
도로국	터널 설계기준 터널공사 표준시방서	KDS 27 00 00 KCS 27 00 00	한국터널지하공간학회 국가철도공단 한국철도학회

소관부서	건설기준명	코드	관련단체
	도로 설계기준 도로공사 표준시방서	KDS 44 00 00 KCS 44 00 00	한국도로협회 한국도로학회
철도국	철도 설계기준 철도공사 표준시방서	KDS 47 00 00 KCS 47 00 00	국가철도공단 한국철도학회
환경부	하천 설계기준 하천공사 표준시방서	KDS 51 00 00 KCS 51 00 00	한국수자원학회 한국하천협회
	댐 설계기준 댐공사 표준시방서	KDS 54 00 00 KCS 54 00 00	한국수자원학회 한국수자원공사
	상수도 설계기준 상수도공사 표준시방서	KDS 57 00 00 KCS 57 00 00	한국상하수도협회
	하수도 설계기준 하수도공사 표준시방서	KDS 61 00 00 KCS 61 00 00	한국상하수도협회
해양 수산부	항만 및 어항 설계기준 항만 및 어항공사 표준시방서	KDS 64 00 00 KCS 64 00 00	한국항만협회
농림축산 식품부	농업생산기반시설설계기준 농업생산기반공사표준시방서	KDS 67 00 00 KCS 67 00 00	한국농어촌공사

■ 전문시방서

소관부서	건설기준명	코드명	관련단체
토지정책관	LH 전문시방서	LHCS	한국토지주택공사
도로국	고속도로공사 전문시방서	EXCS	한국도로공사
	일반국도공사 전문시방서	KRCS	한국도로협회
철도국	철도건설공사 전문시방서	KRACS	국가철도공단 한국철도학회
행정중심 복합도시 건설청	행정중심복합도시 건설공사전문시방서	-	행정중심복합도시 건설청
서울특별시	서울특별시 전문시방서	SMCS	서울특별시
농림축산식품부	한국농어촌공사 전문시방서	KRCCS	한국농어촌공사
환경부	댐 및 상수도공사 전문시방서	KWCS	한국수자원공사
해양수산부	항만 및 어항공사 전문시방서	KPCS	한국항만협회

[별표 14]

국가건설기준센터 운영 출연금 비목별 계상기준(제42조제2항 관련)

비목	세목	사용 용도	계상기준
기관운영경비	인건비	국가건설기준센터 운영 사업에 직접 참여하는 내부·외부 연구원에게 지급하는 인건비	1. 국가건설기준센터 위탁기관(이하 위탁기관)의 급여기준에 따른 사업기간 동안의 급여총액(4대 보험과 퇴직급여충당금의 본인 및 기관 부담분 포함한다)을 해당 과제 참여율에 따라 계상한다. 비고: "해당 과제 참여율"이란 위탁기관에서 지급하는 연봉총액을 100으로 할 때 국가건설기준센터 운영 사업에서 연구원에게 지급될 인건비의 비율을 말한다.
사업비			사업비는 국가건설기준센터 운영 사업에 직접적으로 소용되는 비용으로서 "국가연구개발사업 연구개발비 사용기준"에 준하여 각 비목별로 계상하고 사업계획서 승인을 득하여야 한다.
	연구시설·장비비	1. 사업 수행에 필요한 연구시설·장비의 구입·설치비 및 관련 부대비용 또는 성능향상비 등의 연구시설·장비 구입·설치비 2. 사업 수행에 필요한 연구시설·장비의 임차비 등의 연구시설·장비 임차비 3. 유지·보수비, 운영비 또는 이전설치비(연구시설·장비를 다른 기관으로부터 이전받거나 같은 기관 내의 공동활용시설로 이전·설치하는 비용 포함) 등의 연구시설·장비 운영 유지비	1. 국가건설기준센터 당해연도 사업계획서에 따라 실제 필요한 경비를 계상한다. 2. 연구시설·장비에 대하여 당해연도 사업종료일 2개월 전까지 구입·설치 또는 임차를 완료(검수완료)하여야 한다. 단, 재난, 재해, 그 밖에 경제적·사회적으로 중대한 사유가 발생한 경우, 국토교통부 장관이 인정하는 경우에 한해 종료일 1개월 전까지 완료할 수 있다.
	연구재료비	1. 시약·재료 구입비 및 부대비용 등의 연구재료 구입비 2. 사업 수행을 위하여 필요한 관리시스템 등의 운영비 등의 연구개발과제 관리비 3. 시험제품·시험설비 제작(자체제작과 외부제작을 모두 포함) 비용 등의 연구재료 제작비	1. 연구재료비는 사업의 종료일까지 구매(검수완료) 할 수 있다. 2. 연구개발과제 관리비는 해당 사업 수행을 위하여 필요한 전산처리 및 관리비*로 실소요금액으로 현금 계상한다. * 사업과 직접적으로 관련 있으며, 독립적으로 운영할 필요가 있는 홈페이지 구축 및 관리비, 온라인 협력 플랫폼 운영비 등
	연구활동비	1. 사업 수행을 위한 국내외 출장비 등의 출장비 2. 기술도입비, 전문가 활용비(원고료, 강사료, 자문료 등을 포함), 연구개발서비스 활용비 등 외부 전문기술 활용을 위하여 필요한 비용 등의 외부 전문기술 활용비(국외에 소재한 기관 및 외국인의 전문기술 활용 또는 협업연구를 위하여 지급하는 비용 포함) 3. 회의장 임차료, 속기료, 통역료 또는 회의비 등 연구개발과제 수행을 위하여 필요한 회의·세미나 개최 비용 등의 회의비 4. 사업 수행을 위한 소프트웨어의 구입·설치·임차·사용대차 비용 또는 데이터베이스·네트워크의 이용료 등의 소프트웨어 활용비 5. 사업 수행을 위하여 필요한 사무용기기 및 사무용 소프트웨어의 구입·설치·임차·사용대차 비용, 사무용품비, 연구실 운영에 필요한 소모성 비용 또는 연구실 냉난방 및 청결한 환경 유지를 위하여 필요한 기기·비품의 구입·유지 비용 등의 연구실운영비 6. 사업 수행과 직접 관련된 교육·훈련 비용, 학회·세미나 참가비 또는 연구개발과제 수행을 위하여 지출된 야근(특근) 식대 등의 연구인력 지원비 7. 기술·특허·표준 정보 조사·분석, 원천·핵심특허 확보전략 수립 등 지식재산 창출 활동에 필요한 비용 등의 지식재산 창출 활동비	1. 위탁기관의 장은 출장비를 다음 각 호에 따라 계상하여야 한다. 가. 참여인력·연구근접지원인력이 공무원인 경우: 「공무원 여비 규정」에 따라 계상 나. 참여인력·연구근접지원인력이 공무원이 아닌 경우: 위탁기관의 자체규정에 따라 계상 2. 위탁기관의 장은 외부 전문기술 활용비를 인건비와 사업비 합의 40퍼센트 범위에서 다음 각 호에 따라 사용하여야 한다. 다만, 국토교통부 장관이 사업의 특성을 감안하여 필요하다고 인정하는 경우에는 인건비와 사업비 합의 40퍼센트를 초과하여 사용할 수 있다. 가. 기술도입비: 위탁기관의 자체규정에 따라 해당 기술을 도입하는 데 실제 필요한 비용을 계상 나. 전문가활용비: 위탁기관의 자체규정이 있는 경우 자체규정에 따라 계상하며, 위탁기관의 자체규정이 없는 경우 실제 필요한 금액으로 계상. 위탁기관이 비영리기관인 경우, 참여인력과 동일한 부서(해당 기관의 자체규정에 따른 최소단위 부서를 말함)에 소속된 자가 아닌 전문가에 대한 전문가 활용비는 계상가능 다. 연구개발서비스 활용비: 위탁기관의 자체규정에 따라 해당 연구개발서비스를 활용하는 데 실제 필요한 비용을 계상

비목	세목	사용 용도	계상기준
사업비	연구활동비	8. 문헌구입비, 논문 게재료, 인쇄·복사·인화비, 슬라이드 제작비, 각종 세금 및 공과금, 우편요금, 택배비, 수수료, 공공요금, 일용직 활용비 등 연구개발과제와 직접 관련있는 그 밖의 비용	3. 위탁기관의 장은 해당 사업에 소속된 자만 참여하는 회의에 대하여는 회의비 중 식비를 계상하여서는 아니 된다. 4. 위탁기관의 장은 회의비를 사용할 때에는 내부결재문서 또는 회의록 중 어느 하나와 영수증서를 갖추어야 한다. 다만, 10만원(부가가치세를 포함한다) 이하의 회의비를 사용하는 경우에는 회의의 목적, 일시, 장소, 내용, 참석자 명단이 기재된 증명자료로 내부결재문서 또는 회의록을 대신할 수 있다. 5. 위탁기관의 장은 연구실운영비를 사용할 때에 연구개발기관 자체 규정에 따라 사용하여야 한다. 6. 사업비 지원 표기 여부와 관계없이 해당 사업과 직접 관련된 논문게재료는 사용할 수 있으며, 사업과 관련된 학회의 경우 연회비(1년) 대상 기간이 사업기간을 포함한 전·후 기간에 대해서도 연회비를 계상·사용할 수 있다. 다만, 연회비 사용일은 사업기간 내에 포함되어야 한다.
	연구수당	국가건설기준센터 운영 사업수행과 관련된 연구원의 보상금·장려금 지급을 위한 수당	사업의 특성 및 연구성과 등을 고려하여 인건비(인건비로 계상된 현물·미지급인건비 및 학생인건비 포함한다)의 20퍼센트 범위에서 계상한다.
	위탁연구개발비	연구의 일부를 외부기관에 용역을 주어 위탁 수행하는 데에 드는 경비	국가건설기준센터 운영 사업인건비와 사업비(위탁연구개발비를 제외한다) 합의 40퍼센트를 초과할 수 없다. 다만, 국토교통부 장관의 사전 승인을 받은 경우에는 위탁연구개발비를 인건비와 사업비(위탁연구개발비를 제외한다)합의 40퍼센트를 초과하여 계상할 수 있다.

비목	세목	사용 용도	계상기준
기관운영경비	경상비	1. 인력지원비 가. 지원인력 인건비: 지원인력(장비운영, 연구실 안전관리 전문인력 등을 포함한다), 연구비 정산 등을 직접 지원하기 위한 인력의 인건비 나. 연구개발능률성과급: 우수한 성과를 낸 연구자 및 우수한 지원인력에게 지급하는 능률성과급 2. 연구지원비 가. 기관 공통지원경비: 국가건설기준센터 운영 사업에 필요한 기관 공통지원경비 나. 연구실 안전관리비: 연구실험실 안전을 위한 안전교육비 등 예방활동과 보험 가입 등 연구실 안전환경 조성에 관한 경비 중 「연구실 안전환경 조성에 관한 법률」에 따라 정하는 경비 다. 연구보안관리비: 보안장비 구입, 보안교육 등에 필요경비 라. 연구윤리활동비: 연구윤리규정 제정·운영, 연구윤리 교육 및 인식확산 활동 등 연구윤리 확립, 연구부정행위 예방 등과 관련된 경비 마. 연구개발준비금: 연구원의 일시적 연구중단, 연구연가, 박사후 연수 또는 3개월 이상의 교육훈련, 신규채용 직후 처음으로 과제에 참여하기까지의 공백 등으로 인하여 연구개발과제에 참여하지 않는 기간 동안의 급여 및 파견 관련 경비 3. 성과활용지원비 가. 과학문화활동비: 과학홍보물 및 행사 프로그램 등의 제작, 강연, 체험활동, 연구실 개방 및 홍보전문가 양성 등 과학기술문화 확산에 관련된 경비	1. 경상비는 위탁기관의 간접비 비율이 고시된 비영리기간은 인건비와 사업비의 합(미지급 인건비, 현물 및 위탁연구개발비는 제외한다)에 고시된 간접비 비율을 곱한 금액 이내에서 계상한다. 2. 위탁기관의 간접비 비율이 고시되지 않은 비영리법인은 인건비와 사업비의 합(미지급 인건비, 현물 및 위탁연구개발비는 제외한다)의 17퍼센트 범위에서 계상한다. 3. 영리법인(「공공기관의 운영에 관한 법률」 제5조제3항제1호의 공기업을 포함한다)에 대해서는 인건비와 사업비(미지급 인건비, 현물 및 위탁연구개발비는 제외한다)의 5퍼센트 범위에서 실제 필요한 경비로 계상한다. 4. 연구개발능률성과급은 해당 연도 경상비 총액의 10퍼센트 범위에서 계상한다. 5. 연구실 안전관리비는 「연구실 안전환경 조성에 관한 법률」 제13조제3항에 따른 금액으로 계상한다.

비목	세목	사용 용도	계상기준
기관운영경비	경상비	나. 지식재산권 출원·등록비: 지식재산권의 출원·등록·유지 등에 필요한 모든 경비 또는 기술가치평가 등 기술이전에 필요한 경비, 국내·외 표준 등록 등 표준화(인증을 포함한다) 활동에 필요한 경비	

[별표 15]

기술사용요율표

신기술공사비	기술사용요율(%)
1억원 이하	8.5
2억원	8.3
5억원	8.0
10억원	7.5
20억원	6.8
50억원	6.0
100억원	5.0
100억원 초과	3.5

[별표 16]

건설공사의 시행과정에서 발주청과 건설관련업자가 교환하는 정보(예시)

분 야	내 용
실시설계	설계방침서, 과업수행계획서, 설계자문회의 결과 및 지적사항, 실시설계 용역보고서, 각종 영향평가보고서, 예산현황, 사업별 투자계획서, 계획노선 및 교차로 계획, 주민의견 조치결과 등
건설사업관리 및 공사착수	도로구역결정고시 등 각종 인허가서, 용지 및 지장물조서, 건설사업관리착수신고서, 건설사업관리업무수행계획서, 건설사업관리용역계약서, 설계도면, 공사시방서, 물량산출서, 공사계약서, 착공신고서, 공사예정공정표, 품질보증계획서, 현지여건조사결과, 가시설물설치계획서 등
품질·안전관리	품질시험계획, 건설사업관리단검토의견서, 품질시험결과, 품질시험검사대장, 시공실태점검결과서, 검측체크리스트, 검측결과서, 매몰부분검사서, 매몰부분사진, 주요자재공급원승인요청서, 정기안전점검결과, 정기 안전교육 결과, 분기별 안전관리실적보고 등
시공관리	건설사업관리기술인업무일지, 조직도, 작업공정표, 공법설명서, 장비·노무동원계획, 자재조달계획, 공사예정세부공정표, 정기공정보고, 현장실정보고, 공사중지 명령·보고서, 주요자재검사, 현장실정보고, 설계변경요청서, 변경설계도면, 설계변경시방서, 변경계약서 등
환경관리	환경관리대장, 환경관련평가서, 비산먼지·소음·진동 등 환경관련신고서, 사후환경영향조사결과보고서 등
공사기성 및 준공	공사기성부분검사조서, 공사기성 건설사업관리조서, 예비준공검사결과서, 준공검사원, 준공설계도면, 준공건설사업관리조서, 시공단계사진앨범, 품질시험·검사성과총괄표, 안전관리점검총괄표, 사용재료총괄표, 매몰부분검사기록부, 준공검사조서, 준공사진첩 등
인수인계 및 유지관리	운영지침서, 시운전결과보고서, 품질시험·검사성과총괄표, 기자재구매서류, 공사관련기록부, 시설물인수·인계서, 건설사업관리일지, 시설물 현황 및 유지·보수 실적, 일상점검 및 정기점검 보고서, 유지관리 지침서 등

※ 비고 : 기타 건설공사의 시행과정에서 발생하는 관련법령에 저촉되지 아니 하는 정보를 포함한다.

[별표 17]

건설공사정보 공개의 등급별 분류기준

등급		분 류 기 준
비공개	기준	- 국가안보와 이익을 해할 우려가 있는 정보 - 국민의 안녕과 기타 공공의 안전과 이익을 해할 우려가 있는 정보 - 다른 법률 또는 법령에 따라 비공개사항으로 규정된 정보 - 의사결정과정 또는 내부검토과정에 있는 사항 등으로서 공개될 경우 업무의 공정한 수행에 지장을 초래할 우려가 있는 정보
	사례	- 국가 보안시설 및 군사시설 등의 설계도면 및 사업계획 등과 관련한 정보 - 법인 등으로부터 공개하지 않기로 하고 취득한 정보 - 입찰계약·기술개발 과정에 있는 정보 등
제한적 공개	기준	- 특정 개인을 식별할 수 있는 개인 정보 - 법인·단체 또는 개인의 영업상 비밀에 관한 사항으로서 법인 등의 정당한 이익을 해할 우려가 있는 정보 - 공개될 경우 부동산투기 등으로 특정인에게 이익 또는 불이익을 줄 우려가 있는 정보 - 공개될 경우 지적소유권 등 타인의 권리 또는 이익이 침해될 우려가 있는 정보
	사례	- 의사결정과정 또는 내부검토과정에 있는 계획서 - 자격증 사본 등 개인에 관한 정보 - 사업계획서, 예산내역서 등 법인·단체의 고유한 기술력이 포함된 정보
공개	기준	- 비공개 및 제한적 공개 이외의 건설공사정보로서 불특정인을 대상으로 공개 또는 제공되는 정보
	사례	- 비공개 및 제한적 공개 이외의 정보 - 기간의 경과 등으로 비공개 및 제한적 공개의 필요가 없어진 정보

[별표 18]

정보공개의 처리절차

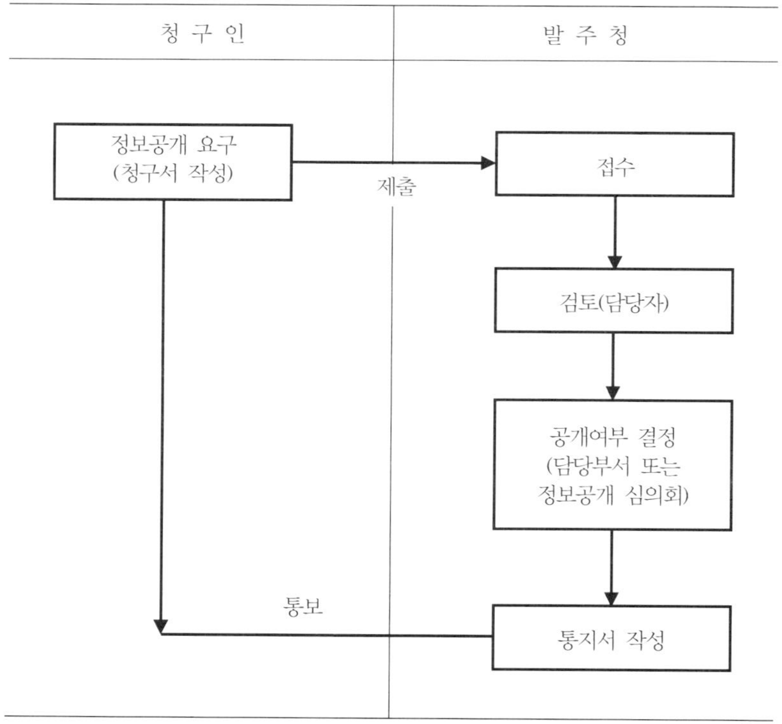

※ 비고 : 정보공개청구서는 청구인이 공공기관정보공개에관한법률 시행규칙 제2조 별지 제1호의2서식에 의하여 작성하며, 발주청은 동법률 시행규칙 제5조 별지 제7호 서식에 의하여 통지서를 작성하여 통보한다.

[별표 19]

공사비산정기준관리운영 출연금 비목별 계상기준(제85조제2항 관련)

비목	세목	사용 용도	계상기준
기관운영경비	인건비	공사비산정기준관리운영 사업에 직접 참여하는 내부·외부 연구원에게 지급하는 인건비	1. 공사비산정기준 관리기관(이하 관리기관)의 급여기준에 따른 연구기간 동안의 급여총액(4대 보험과 퇴직급여충당금의 본인 및 기관부담분 포함한다)을 해당 과제 참여율에 따라 계상한다. 비고: "해당 과제 참여율"이란 관리기관에서 지급하는 연봉총액을 100으로 할 때 공사비산정기준관리운영 사업에서 연구원에게 지급될 인건비의 비율을 말한다.
사업비			사업비는 공사비산정기준관리운영 사업에 직접적으로 소용되는 비용으로서 "국가연구개발사업 연구개발비 사용기준"에 준하여 각 비목별로 계상하고 사업계획서 승인을 득하여야 한다.
	연구시설·장비비	1. 사업 수행에 필요한 연구시설·장비의 구입·설치비 및 관련 부대비용 또는 성능향상비 2. 사업 수행에 필요한 연구시설·장비의 임차비 3. 유지·보수비, 운영비 또는 이전설치비(연구시설·장비를 다른 기관으로부터 이전받거나 같은 기관 내의 공동활용시설로 이전·설치하는 비용 포함)	1. 공사비산정기준 당해연도 사업계획서에 따라 실제 필요한 경비를 계상한다. 2. 연구시설·장비에 대하여 당해연도 사업종료일 2개월 전까지 구입·설치 또는 임차를 완료(검수완료)하여야 한다. 단, 재난, 재해, 그 밖에 경제적·사회적으로 중대한 사유가 발생한 경우, 국토교통부 장관이 인정하는 경우에 한해 종료일 1개월 전까지 완료할 수 있다.
	연구재료비	1. 시약·재료 구입비 및 부대비용 등 연구재료 구입비 2. 사업 수행을 위하여 필요한 관리시스템 등의 운영비 등 연구개발과제 관리비 3. 시험제품·시험설비 제작(자체제작과 외부제작을 모두 포함) 비용 등 연구재료 제작비	1. 연구재료비는 사업의 종료일까지 구매(검수완료) 할 수 있다. 2. 연구개발과제 관리비는 해당 사업수행을 위하여 필요한 전산처리 및 관리비*로 실소요금액으로 현금 계상한다. * 사업과 직접적으로 관련 있으며, 독립적으로 운영할 필요가 있는 홈페이지 구축 및 관리비, 온라인 협력 플랫폼 운영비 등
	연구활동비	1. 사업 수행을 위한 국내외 출장비 2. 기술도입비, 전문가 활용비(원고료, 강사료, 자문료 등을 포함), 연구개발서비스 활용비 등 외부 전문기술 활용을 위하여 필요한 비용 등 외부 전문기술 활용비(국외에 소재한 기관 및 외국인의 전문기술 활용 또는 협업연구를 위하여 지급하는 비용 포함) 3. 회의장 임차료, 속기료, 통역료 또는 회의비 등 연구개발과제 수행을 위하여 필요한 회의·세미나 개최 비용 등 회의비 4. 사업 수행을 위한 소프트웨어의 구입·설치·임차·사용대차 비용 또는 데이터베이스·네트워크의 이용료 등 소프트웨어 활용비 5. 사업 수행을 위하여 필요한 사무용기기 및 사무용 소프트웨어의 구입·설치·임차·사용대차 비용, 사무용품비, 연구실 운영에 필요한 소모성 비용 또는 연구실 냉난방 및 청결한 환경 유지를 위하여 필요한 기기·비품의 구입·유지 비용 등 연구실운영비 6. 사업 수행과 직접 관련된 교육·훈련 비용, 학회·세미나 참가비 또는 연구개발과제 수행을 위하여 지출된 야근(특근) 식대 등 연구인력 지원비 7. 기술·특허·표준 정보 조사·분석, 원천·핵심특허 확보전략 수립 등 지식재산 창출 활동에 필요한 비용 등 지식재산 창출 활동비	1. 관리기관의 장은 출장비를 다음 각 호에 따라 계상하여야 한다. 가. 참여인력·연구근접지원인력이 공무원인 경우: 「공무원 여비규정」에 따라 계상 나. 참여인력·연구근접지원인력이 공무원이 아닌 경우: 관리기관의 자체규정에 따라 계상 2. 관리기관의 장은 외부 전문기술 활용비를 직접비의 40퍼센트 범위에서 다음 각 호에 따라 사용하여야 한다. 다만, 국토교통부 장관이 사업의 특성을 감안하여 필요하다고 인정하는 경우에는 직접비의 40퍼센트를 초과하여 사용할 수 있다. 가. 기술도입비: 관리기관의 자체규정에 따라 해당 기술을 도입하는데 실제 필요한 비용을 계상 나. 전문가활용비: 관리기관의 자체규정이 있는 경우 자체규정에 따라 계상하며, 관리기관의 자체규정이 없는 경우 실제 필요한 금액으로 계상. 관리기관이 비영리기관인 경우, 참여인력과 동일한 부서(해당 기관의 자체규정에 따른 최소단위 부서를 말함)에 소속된 자가 아닌 전문가에 대한 전문가 활용비는 계상가능 다. 연구개발서비스 활용비: 관리기관의 자체규정에 따라 해당 연구개발서비스를 활용하는 데 실제 필요한 비용을 계상

비목	세목	사용 용도	계상기준
사업비	연구활동비	8. 문헌구입비, 논문 게재료, 인쇄·복사·인화비, 슬라이드 제작비, 각종 세금 및 공과금, 우편요금, 택배비, 수수료, 공공요금, 일용직 활용비 등 연구개발과제와 직접 관련있는 그 밖의 비용	3. 관리기관의 장은 해당 사업에 소속된 자만 참여하는 회의에 대하여는 회의비 중 식비를 계상하여서는 아니 된다. 다만, 관리기관이 정부출연기관으로서 정관에 따른 설립목적을 달성하기 위하여 정부가 직접 출연한 예산으로 수행하는 사업의 성격에 해당하는 경우에는 계상할 수 있다. 4. 관리기관의 장은 회의비를 사용할 때에는 내부결재문서 또는 회의록 중 어느 하나와 영수증서를 갖추어야 한다. 다만, 10만원(부가가치세를 포함한다) 이하의 회의비를 사용하는 경우에는 회의의 목적, 일시, 장소, 내용, 참석자 명단이 기재된 증명자료로 내부결재문서 또는 회의록을 대신할 수 있다. 5. 관리기관의 장은 연구실운영비를 사용할 때에 연구개발기관 자체규정에 따라 사용하여야 한다. 6. 사업비 지원 표기 여부와 관계없이 해당 사업과 직접 관련된 논문 게재료는 사용할 수 있으며, 사업과 관련된 학회의 경우 연회비(1년) 대상 기간이 사업기간을 포함한 전·후 기간에 대해서도 연회비를 계상·사용할 수 있다. 다만, 연회비 사용일은 사업기간 내에 포함되어야 한다.
	연구수당	공사비산정기준관리운영 사업수행과 관련된 연구원의 보상금·장려금 지급을 위한 수당	사업의 특성 및 연구성과 등을 고려하여 인건비(인건비로 계상된 현물·미지급인건비 및 학생인건비 포함한다)의 20퍼센트 범위에서 계상한다.
	위탁연구개발비	연구의 일부를 외부기관에 용역을 주어 위탁 수행하는 데에 드는 경비	직접비, 간접비로 계상하되, 원칙적으로 공사비산정기준관리운영 사업 직접비(위탁연구개발비를 제외한다)의 40퍼센트를 초과할 수 없다. 다만, 관리기관이 정부출연기관인 경우 위탁연구개발비를 직접비의 40퍼센트를 초과하여 계상할 수 있으며, 이 경우 사업계획서 승인을 득하여야 한다.
기관운영비	경상비	1. 인력지원비 가. 지원인력 인건비: 지원인력(장비운영, 연구실 안전관리 전문인력 등을 포함한다), 연구비 정산 등을 직접 지원하기 위한 인력의 인건비 나. 연구개발능률성과급: 우수한 성과를 낸 연구자 및 우수한 지원인력에게 지급하는 능률성과급 2. 연구지원비 가. 기관 공통지원경비: 공사비산정기준관리운영 사업에 필요한 기관 공통지원경비 나. 연구실 안전관리비: 연구실험실 안전을 위한 안전교육비 등 예방활동과 보험 가입 등 연구실 안전환경 조성에 관한 경비 중 「연구실 안전환경 조성에 관한 법률」에 따라 정하는 경비 다. 연구보안관리비: 보안장비 구입, 보안교육 등에 필요경비 라. 연구윤리활동비: 연구윤리규정 제정·운영, 연구윤리 교육 및 인식확산 활동 등 연구윤리 확립, 연구부정행위 예방 등과 관련된 경비 바. 연구개발준비금: 연구원의 일시적 연구중단, 연구연가, 박사 후 연수 또는 3개월 이상의 교육훈련, 신규채용 직후 처음으로 과제에 참여하기까지의 공백 등으로 인하여 연구개발과제에 참여하지 않는 기간 동안의 급여 및 파견 관련 경비	1. 경상비의 비율은 인건비 및 사업비(미지급 인건비, 현물 및 위탁연구개발비는 제외한다) 합의 일정 비율로 계상하며, 관리기관이 정한 기준이 있는 경우에는 그 기준에 따라 계상하고 사업계획서 승인을 득하여야 하며, 관리기관이 정한 기준이 없는 경우에는 "비영리기관인 연구개발기관별 간접비고시비율(국가연구개발사업 연구개발비 사용기준 별표6)"에 따른다. 2. 연구개발능률성과금은 해당 연도 경상비 총액의 10퍼센트 범위에서 계상한다. 3. 연구실 안전관리비는 「연구실 안전환경 조성에 관한 법률」 제13조 제3항에 따른 금액으로 계상한다.

비목	세목	사용 용도	계상기준
기관운영비	경상비	3. 성과활용지원비 가. 과학문화활동비: 과학홍보물 및 행사 프로그램 등의 제작, 강연, 체험활동, 연구실 개방 및 홍보 전문가 양성 등 과학기술문화 확산에 관련된 경비 나. 지식재산권 출원 · 등록비: 지식재산권의 출원 · 등록 · 유지 등에 필요한 모든 경비 또는 기술가치평가 등 기술이전에 필요한 경비, 국내 · 외 표준 등록 등 표준화(인증을 포함한다) 활동에 필요한 경비	

[별표 20]

업무정지 및 과태료부과 금액의 감경·가중 기준

1. 건설기술인 업무정지

1) 감경기준

○ 건설기술경력증을 대여한 자의 업무정지에 대하여는 감경기준을 적용하지 아니한다.

구분	감경사유	감경
위반동기	당해 위반행위가 과실에 의한 것으로 구조안전에 이상이 없거나 보완 완료한 때	1/4
위반내용	당해 위반행위로 인해 공중(위반행위를 한 당사자와 소속 직원은 제외한다)에 위해를 끼치지 아니한 때	1/4

2) 가중기준

○ 업무정지 기간과 각 업무정지 가중기준에 따라 가중한 기간을 합산한 기간이 법에서 정한 업무정지 기간을 초과하는 경우 업무정지 기간은 법에서 정한 기간까지로 한다.

구분	가중사유	가중
위반건수	서로 다른 위반 행위가 둘 이상이며 둘 이상의 처분기준이 모두 업무정지인 때	무거운 처분기준의 1/6가중
	동일한 위반 행위의 횟수가 둘 이상일 때	1/6
위반동기	당해 위반행위가 고의나 중과실에 의한 때	1/6
위반내용	당해 위반행위로 인해 공중에 위해를 끼친 때	1/6

* 위반건수 가중은 무거운 처분기준과 가중기간을 합산한 기간이 각 처분기준의 합산기간을 초과할 경우 무거운 처분기준을 제외한 나머지 처분기준의 합산기간을 가중

2. 과태료

1) 감경기준

구분	감경사유	감경
처분횟수	과태료 사유에 해당하는 위반행위를 한 날로부터 3년 이내에 과태료 처분을 받은 사실이 없을 때	1/4
위반동기 및 건수	당해 위반행위가 단순한 경과실로 인한 경우 또는 동일한 유형의 위반건수가 2건 이하인 때	1/4
자진납부	의견진술 기간에 자진 납부하는 때 (「질서위반행위규제법」 제18조)	부과될 과태료의 1/5

* 처분권자는 과태료의 감경 또는 가중기준 해당 여부를 확인하여 감경 또는 가중된 금액을 사전통지하고 자진납부하는 경우 추가로 감경. 다만, 감경기준 해당 여부를 당사자가 입증하여야 하는 경우에는 의견 제출기한 내에 감경사유를 입증하고 자진 납부하여야 함

2) 가중기준

구분	가중사유	가중
처분횟수	과태료 사유에 해당하는 위반행위를 한 날부터 1년 이내에 동일 사유로 인한 과태료처분을 받은 사실이 있는 때	1/4
위반동기 및 건수	당해 위반행위가 고의나 중과실에 의한 경우 또는 동일한 유형의 위반건수가 3건 이상인 때	1/4

[별표 21]

과태료 처분에 대한 이의신청 절차

1. 이의신청권자 및 제출기관

1) 이의신청권자 : 「건설기술진흥법」 위반으로 과태료 부과 처분을 받은 건설기술인, 건설업자, 건설기술용역업자 및 그 대리인

2) 제출기관(처분권자) : 지방국토관리청장, 시·도지사 및 시·군·구청장

2. 처리절차

절차	주체
과태료의 부과	처분권자 → 건설기술인 등
· 납부기한, 납부방법 및 수납기관 등을 명시하여 부과	
이의신청(60일 이내)	건설기술인 등 → 처분권자
· 이의제기가 있을 경우 과태료 부과처분 효력 상실	
이의신청 검토 등	처분권자
· 이의제기 철회→과태료 재부과, 과태료 부과 필요가 없는 경우 취소처분	
관할법원으로 통보 (14일 이내)	처분권자 → 관할법원
과태료 재판 및 과태료 결정 고지	관할법원 → 당사자와 검사
· 당사자 또는 검사는 과태료 재판에 대하여 즉시 항고 가능	
과태료 집행 (검사의 명령으로 집행)	검사(행정청에 위탁 가능) → 건설기술인 등

3. 처분권자 처리요령

1) 이의신청권자가 이의 제기를 하지 않고 과태료를 납부하지 아니한 때에는 「질서위반행위규제법」 제24조에 따라 징수

2) 이의신청자가 이의 제기를 할 경우에는 「질서위반행위규제법」 제21조에 따라 관할 법원에 통보하고 이의제기 당사자에 처리내용 통지 등 조치. 다만, 같은 조 제1항제1호의 경우 과태료를 징수하고 같은 조 같은 항 제2호의 경우에는 처분권자가 과태료 부과 취소처분하고 이의제기 당사자에 그 내용을 통지

3) 이의제기가 있는 경우 행정청의 과태료 부과처분은 그 효력이 상실되며 행정청은 이의제기일로부터 14일 이내에 관할법원에 통보하여야 함

※ 과태료 부과처분에 대한 이의제기와 관련한 질서위반행위의 재판 및 집행과 관련한 사항은 「질서위반행위규제법」 제25조부터 제50조 규정 참조

4. 행정심판과의 관계 등

1) '이의신청' 및 '행정심판'은 행정처분으로 인하여 권익을 침해 당한 자가 행정처분의 위법 또는 부당을 이유로 시정을 구하는 사후적 구제수단으로 재심사하는 기관에 따라 다음과 같이 구분함

가. 행정심판 : 행정심판이란 행정청의 위법 또는 부당한 처분 그밖에 공권력의 행사·불행사 등으로 인하여 권익을 침해당한 자의 청구에 의하여 직근상급청이 당해 행정처분을 재심사하는 절차를 말하며 이에 관한 일반법으로 「행정심판법」이 있다.

나. 이의신청 : 이의신청이란 위법 또는 부당한 행정처분으로 인하여 권익을 침해당한 자의 청구에 의하여 처분청 자신이 재결청이 되어 당해 행정처분을 재심사하는 절차를 말한다.

[별지 제1호 서식]

개선제안공법사용신청서

신청인	①상호 또는 명칭		②면허 또는 등록번호	
	③주소	(전화 :)		
	④대표자성명		⑤생년월일	
공사개요	⑥공사명		⑦공사기간	
	⑧계약금액		⑨발주처	
	⑩공사위치			
신청내용	⑪신청건수		⑫절감액	

건설기술개발및관리등에관한운영규정 제7조의 규정에 의하여 개선제안공법 사용승인을 신청합니다.

년 월 일

신 청 인 (인)

(발주관서장) 귀하

이 신청서는 아래와 같이 처리됩니다.

(뒷면)

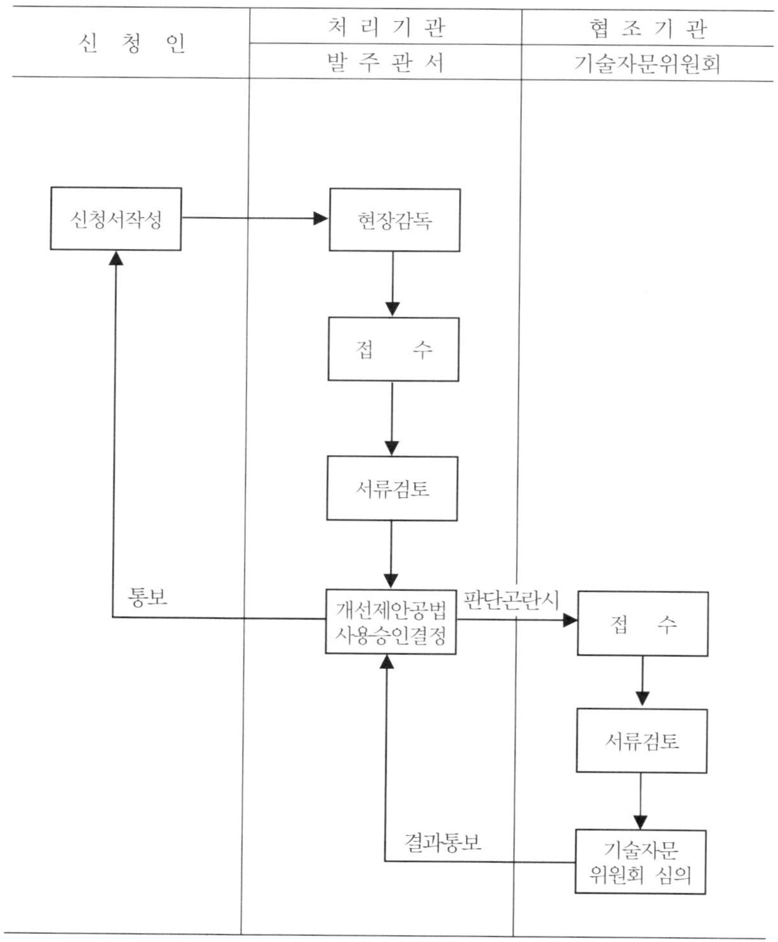

[별지 제2호 서식]

공사비절감제안서

제안서번호

공 사 명		현장대리인	
개선자명			
개선안내용	개 선 전		개 선 후

구 분		공 사 비	비 고
공사비내용 A	개 선 전		
B	개 선 후		
C	절감액(A-B)		
D	절감율(C/A×100%)		

개선안특징	장 점	단 점	시공시 주의할점
효 과 (기술성)			

[별지 제3호 서식]

개선제안공법사용승인서

신청인	①상호 또는 명칭		②면허 또는 등록 번호	
	③주소	(전화 :)		
	④대표자성명		⑤생년월일	
공사개요	⑥공사명		⑦공사기간	
	⑧계약금액		⑨발주처	
	⑩공사위치			
신청내용	⑪신청건수		⑫절감액	
승인내용	⑬승인건수		⑭절감액	

건설기술개발및관리등에관한운영규정 제8조의 규정에 의하여 개선제안공법의 사용을 붙임과 같이 승인(기각)함

년 월 일

(발주관서장) (인)

붙임 : 개선제안공법 승인(기각) 내역서 1부.

개선제안공법승인(기각) 내역서

분야	제안서번호	개선안명	절감액	승인여부	승인하지 아니한 사유

[별지 제4호 서식]

건 설 기 술 심 의 요 청 서

의안번호	제 호
구 분	

건 명	

심의요청인	
제출연월일	

※ "구분"란에는 건설기술진흥기본계획심의, 건설공사의 설계심의(기본설계, 실시설계), 대형공사의 입찰방법심의(설계·시공일괄입찰심의, 대안입찰심의, 기본설계 기술제안 및 실시설계 기술제안입찰심의, 기타공사), 건설기준심의, 기술개발보상심의 및 신기술지정심의 등으로 구분하여 기재한다.

[별지 제4호의2서식]

기 술 제 안 평 가 심 의 요 청 서

의안번호	제 호
구 분	

공 사 명	

발 주 청	
제출년월일	201 . . .

※ "구분"란에는 기본설계 기술제안 및 실시설계 기술제안으로 구분하여 기재한다.

[별지 제5호 서식]

개선제안공법 사용신청처리결과(　년)

발 주 처 :

공사명	공사위치	신청자	개선제안공법개요	절감금액	인정여부	제출일	결정일

발주관서의장 　인

[별지 제6호 서식]

기술제안입찰 공사설명서

1. 공사명 :

2. 위치도 또는 도면

2. 공사개요 (예시)

○ 노 선 명 :

○ 위　　치 :

○ 공사개요 : 도로축조 : L=　km, B=　m

○ 공사예정기간 :

○ 총공사비 추정금액 :　억원 (보상비 지외)

- 주요 공종별 물량 및 공사비

· 00교(길이=2000m) : 00억원

· 00터널(길이=4000m) : 00억원

· 기　　타 : 00억원

○ 교　통　량 :　　대/일(목표년도　년도)

3. 사업 필요성 및 효과

4. 추진경위

○ 예비타당성조사, 타당성조사, 기본계획, 기본설계 등 사항을 구체적으로 기재하되 기본설계 등을 완료한 경우에는 그 사유를 명확히 기재

5. 기타 참고사항 : 기술제안 평가에 필요한 사항

[별지 제7호 서식]

조 치 결 과 서

지적위원	①한글4자이내(이하자수만표시)	지적분야	②8
지적사항및 조치사항	③지적사항 : 280 조치결과 :		

지적위원	4	지적분야	8
지적사항및 조치사항	지적사항 : 280 조치결과 :		

※ 참 고 : 고딕체 부분은 기입하지 않음

①지적위원 : 해당 지적사항을 지적한 심의위원을 기입한다.

②지적분야 : 지적사항의 분야를 기입한다.
지적사항 분류는 국토교통부의 심의위원 분류를 사용하며 해당 심의위원이 소속된 분야를 기입한다.

③지적사항 및 조치사항 : 지적된 사항 및 조치한 결과를 기입한다.

[별지 제8호 서식]

지적사항에 대한 보완 조치결과

1. 조치건수

구 분	조치 내용	조 치 가 능				조치곤란	비고
		조치완료		전문가의 자문, 자료보완, 정밀 검토 후 조치	착공 후 공사중 반영		
		적정	미흡				
건축계획분야	건		건				
건축구조분야	건						
	건						
계	건	건	건	건	건	건	

※ 조치내용, 조치가능, 조치곤란에는 건수를 기입

※ 조치완료(적정)외에는 2항의 양식에 의거 구체적인 향후조치계획 또는 곤란사유를 작성 제출

2. 향후조치예정인 내용에 대한 처리계획

가. 조치완료 중 미흡

구 분			지적내용	구체적인조치계획	비고
분야별	건수	지적번호			
건축계획분야 (○○○위원)		○ 번항			
계					

나. 전문가의 자문, 자료보완, 정밀검토 후 조치할 사항

구 분			지적내용	구체적인조치계획	비고
분야별	건수	지적번호			
건축계획분야 (○○○위원)		○ 번항			
계					

다. 착공 후 공사중 반영

구 분			지적내용	구체적인조치계획	비고
분야별	건수	지적번호			
건축계획분야 (○○○위원)		○ 번항			
계					

라. 조치곤란

구 분			지적내용	구체적인조치계획	비고
분야별	건수	지적번호			
건축계획분야 (○○○위원)		○ 번항			
계					

3. 종합조치결과

구 분	지적내용	조치내용	비 고
건축계획분야 (○○○위원)			
계			

※ 구분 : 해당분야 및 위원 기입

※ 비고 : 관련근거, 해당도면 등 기입

[별지 제9호 서식]

평 가 요 령 서

가. 일반사항

공 사 명 :	감 리 자 :
공사개요 :	계약금액 :
시 행 청 :	공사기간 :
시 공 자 :	현장대리인 :

나. 평 가 서

구 분	평 가 내 용	반영정도	참고자료
1. 심의결과 조 치	가. 지적사항의 시공반영	(수, 우, 미, 양 등으로 표시)	(참고서류 사본, 도면 등 첨부)
2. 설계변경	가. 설계변경심의 지적사항의 시공반영 나. 심의대상인 설계변경 현황		
3. 신 공 법 적 용	가. 법에 의한 신공법적용 나. 기타 신공법적용		
4. 시공수준	가. 공사관리, 공정관리, 품질관리 등의 수준		

[별지 제10호 서식]

제·개정규정(조례) 현황

위원회명 : ○○ 지방(특별)건설기술심의위원회

구 분	규정(조례)명	제정(개정)일	주요골자	비 고

(주) : 1. 구분은 제정 또는 개정을 표시한다.
2. 제 · 개정 규정(조례)내용을 별도로 첨부한다.

[별지 제11호 서식]

지방(특별)심의위원회 운영실적

위원회명 : ○○ 지방(특별)건설기술심의위원회

분야	공사명 (용역명)	공사개요	공사 금액	용역 금액	입찰 방법	심의 일	심 의 위원수	발주 기관	비고

(주)
1. 분 야 : 토목공사, 건축공사, 기계 · 전기설비공사로 구분하여 표시한다.
2. 공사개요 : 공사규모, 구조의 종류 등을 기재한다.
3. 공사기간 : 월단위로 표시한다.
4. 입찰방법 : P.Q, P.P, 기술가격분리입찰, 지명경쟁, 수의계약 등으로 표시한다.
5. 발주부서 : 시(도),국, 과단위까지(전화번호 포함) 기재한다.
6. 설계심사이외의 심의실적(사후관리평가, 기술진단 등)은 별도로 첨부한다.

[별지 제12호 서식]

중앙건설기술심의위원회 회의록

가. 의 안 명 :

나. 참석위원 :

성 명	서 명

다. 회의내용 : (별첨)

위 원 장 (인)

회 의 내 용

가. 안 건 명 :

나. 회 의 일 시 :

다. 회 의 장 소 :

라. 심의의결사항 :

마. 회의진행사항 :

[별지 제13호 서식]

청 렴 서 약 서

○ 사업명 :

본인은 위 사업 입찰공사의 설계심의분과위원(심의위원)으로 위촉 받아 이해관계자에게 어떤 부당한 요구를 하거나 금품·향응 등을 제공받지 아니하며, 설계심의분과위원 윤리행동강령을 엄수하고, 공정하게 심의할 것을 서약하며 이를 위반 시는 관계법령에 따라 어떠한 처벌도 감수 하겠습니다.

20 . . .

서약자 : 소속직장명
직위(급) 성명 (서명)

중앙건설기술심의위원회 설계심의분과위원회
소위원장 귀하

[별지 제14호 서식]

심의위원별 설계 평가 채점표(예시, 3개사 참여시)

□ 안건명 :

□ 기본설계평가(토목시공 분야)

평 가 항 목	배점기준	세부배점	세부평가
○ 시공 계획수립의 적정성		미표시*	• 공사용 가시설 계획의 적정성 1위 [○○사] 2위 [△△사] 3위 [□□사]
		-	• 토공, 기초공, 교량공, 포장공 등 주요 공종 시공계획의 적정성 1위 [□□사] 2위 [△△사] 3위 [○○사]
○ 공기단축방안 및 공정계획수립의 적정성		-	• 단위공기 산출의 적정성 1위 [○○사] 2위 [△△사] 3위 [□□사]
		-	• 공기단축 방안 수립의 적정성 1위 [○○사] 2위 [△△사] 3위 [□□사]
		-	• 공정계획 수립의 적정성 1위 [○○사] 2위 [△△사] 3위 [□□사]
○ 시공관리계획의 적정성		-	상기 동일방법
○ 예상민원 및 대처방안의 적정성		-	상기 동일방법
○ 장비, 인력, 자재 등 자원투입계획의 적정성		-	상기 동일방법
○ 스마트 건설기술 도입의 적정성		-	상기 동일방법
소계			
합계			

* 세부배점은 평가위원들에게 미공개

년 월 일

심의위원 : (서명)

중앙건설기술심의위원회 설계심의분과위원회
소위원장 귀하

[별지 제15호 서식]

설계평가 사유서

○ 안 건 명 :

평가 분야	평 가 항 목	평가 사유서
토목시공 (10)	○ 공정관리계획의 적정성 ○ 환경관리계획의 적정성 ○ 품질관리계획의 적정성	
	○ 공사중 시공계획의 적정성 ○ 건설안전 및 품질관리계획 적정성	
	○ 예상민원 대처방안의 적정성 ○ 공사시방서 작성의 적정성	
	○ 신기술, 신공법 도입의 적정성	

※ 평가사유서는 평가항목별로 입찰업체간 상대적 비교가 가능하도록 설계내용의 장·단점을 상호 비교하여 주관적으로 작성

건설기술진흥업무 운영규정 제32조제2항제2호의 규정에 의하여 위와 같이 평가사유서를 제출합니다.

년 월 일

심의위원 : (서명)

중앙건설기술심의위원회 설계심의분과위원회
소위원장 귀하

[별지 제15호1 서식]

세부 평가지표 배점 산정표(양식)

□ 안건명 :

□ 기본설계평가(전문분야) : 도로 및 교통

전문분야	평가지표	세부평가지표	평가지표내 우선순위	세부 배점
도로 및 교통	사전조사 및 설계기준의 적정성(3점)	• 각종 현황조사 및 관련계획 검토		미표시
		• 측량, 골재원, 지장물 등 기초자료 조사		"
		• 도로기능에 부합한 설계기준 등		"
	최적 노선 선정의 타당성 및 적정성 (5점)	• 효율적인 시설물 계획, 교차로 계획		"
		• 최적 노선의 경제성(B/C)		"
		• 용지편입, 민원발생 최소화 등		
	평면 및 종단선형 설계의 적정성(4점)	• 평면선형 설계의 적정성		
		• 종단선형 설계의 적정성		
		• 평면 및 종단선형의 조화성		
	토공계획의 적정성 (3점)	• 절토 및 성토의 균형		
		• 사토처리 계획의 적정성		
	교통안전, 이상기후를 고려한 배수설계의 적정성(3점)	• 이상기후를 고려한 배수시설 규격의 적정성		
		• 교통안전을 고려한 노면배수 용이성		
	포장 및 부대시설 설계의 적정성(3점)	• 포장단면 및 형식, 평탄성 확보 등		
		• 편의성 증대를 고려한 부대시설		
		• 교통안전시설 배치, 교통사고 방지대책		
	유지관리 편의를 고려한 시설물 계획의 적정성(4점)	• 유지관리 편의를 고려한 시설물계획		
		• 유지관리비 절감을 고려한 시설물계획		

* 평가표는 배점위원 및 평가위원에게 미공개

** 세부 배점은 소수점 3째 자리에서 반올림 한다.

년 월 일

발주청(입찰참여업체) 대표 : (서명)

중앙건설기술심의위원회 설계심의분과위원회

소위원장 귀하

[별지 제16호 서식]

기 술 제 안 서

<table>
<tr><td>제안번호</td><td colspan="2">00분야 - 00</td><td colspan="2">기술적 과제</td><td colspan="2"></td></tr>
<tr><td>제안제목</td><td colspan="6"></td></tr>
<tr><td rowspan="2">제안 내용</td><td colspan="3">원안(필요시 개략도면 포함)</td><td colspan="3">제안(필요시 개략도면 포함)</td></tr>
<tr><td colspan="3"></td><td colspan="3"></td></tr>
<tr><td>특징 (장단점)</td><td colspan="3"></td><td colspan="3"></td></tr>
<tr><td rowspan="5">기대 효과</td><td>공사비</td><td>LCC</td><td>성능</td><td>품질</td><td>공기</td><td>기타</td></tr>
<tr><td></td><td></td><td></td><td></td><td></td><td></td></tr>
<tr><td colspan="6">* 위의 칸에는 ⇧, ⇩, - 중 택일(기타효과는 개략적으로 작성)

○ 각각의 기대효과에 대한 산출근거 및 구체적인 증빙
(단, 공사비 절감효과에 대해 구체적인 금액은 표시하지 않음)</td></tr>
<tr><td colspan="6">○ 검증방법
- (시공 중이나 준공 후 효과를 검증할 수 있는 구체적 방법)</td></tr>
<tr><td colspan="6"></td></tr>
<tr><td>제안의 적정성</td><td colspan="6">○ 기술적 적합성
○ 연계성
○ 시공성</td></tr>
<tr><td>근거 자료</td><td colspan="6"></td></tr>
</table>

[별지 제17호 서식]

기술제안서 전문분야 심의위원별 채점표

평가대상	00 공사명
평가분야	분 야
소위원	(인)

평가분야	평가항목(기술제안과제)	배점	업체별 평가점수			
			A사	B사	C사	D사
	합 계					

※ 항목별 평가배점은 입찰안내서에서 발주청이 정한 평가항목별 배점기준표에 따름

건설기술진흥업무 운영규정 제32조제2항제2호의 규정에 의하여 위와 같이 채점하여 제출합니다.

년 월 일

심의위원 : (서명)

중앙건설기술심의위원회 설계심의분과위원회
소위원장 귀하

[별지 제18호 서식]

기술제안서 평가사유서

○ 안 건 명 :

평가분야	평가항목(기술제안 과제)	평가 사유서

※ 평가사유서는 평가항목별로 입찰참가업체간 상대적 비교가 가능하도록 기술제안서 내용의 장·단점을 상호 비교하여 주관적으로 작성

건설기술진흥업무 운영규정 제32조제2항제2호의 규정에 의하여 위와 같이 평가사유서를 제출합니다.

년 월 일

심의위원 : (서명)

중앙건설기술심의위원회 설계심의분과위원회
소위원장 귀하

[별지 제19호 서식]

설계심의 감점 심의 요청서

의안번호	제 호
구 분	설계심의 감점 심의

건 명	

심의요청기관	
제출연월일	

〈 건 명 〉

1. 사업개요

○ 위 치 :

○ 사업개요 :

○ 사업기간 :

○ 총공사비 :

2. 추진경위

○ *턴키 등 기술형입찰 발주 및 심의 완료시까지 주요일정 등 작성*

○

3. 신고 내용

○ 신고접수일 :

○ 신고대상 :

○ 신고내용 :

4. 발주청(기관) 검토내용

○ 사실여부 확인내용

발주청에서 신고서 내용에 대하여 사실확인 등 조사내용을 작성

○ 검토결과 : *감점 대상 여부 및 부과감점 · 감점기간 작성*

5. 기타 참고사항

신고서 원본(신고자 인적사항은 제외), 기술형입찰 설계심의 참가업체 현황 및 점수 등 참고사항

[별지 제20호 서식]

신기술활용심의 관리대장

번호	심의일	신기술명 (지정번호)	신기술 개발자				공사개요			심의결과요약	비고
			법인명 (개인명)	대표자	법인번호 (주민번호)	연락처	공사명	신기술공사비	계약 형태		

[별지 제21호 서식]

신기술 사후평가서

1. 신기술 및 공사개요

작성일: 년 월 일

신 기 술 명	(지정번호 :)		
기술개발자			

공사개요				
	발주자		시공자	
	개발자 참여형태	□ 직접참여(기술사용료 미지급) □ 기술지도(기술사용료 지급) □ 자재, 장비 납품		
	공사명 (계약명)	도급 공사명: 하도급 공사명: ※ 하도급 공사명을 모르는 경우 생략 가능		
	현장주소			
	총공사비	원	신기술공사비	원
	총공사기간	~	신기술공사기간	~

2. 활용 평가

평가시기	□ 준공 □ 하자 보수공사 준공

평가항목	세부 평가기준			
공사비절감	단위당 관련된 비용(시공비, 유지관리비 등)과 기존 기술을 사용했을 경우의 개선비용을 비교한다.			
	구분	기존 기술(A)	신기술(B)	공사비 절감(A-B)
	단위 수량 ( )	원	원	원
	공사비절감 평가점수 : ( ) - 공사비절감 평가점수 = 15 + [10 ×(기존 기술 공사비 - 신기술 공사비)/기존 기술 공사비] (0~25점)			
공기단축	해당 공정에 대하여 기존 기술과 건설신기술의 공사일수를 비교한다.			
	구분	기존 기술(A)	신기술(B)	단축일수(A-B)
	단위 수량 ( )	일	일	일
	공기단축 평가점수 : ( ) - 공기단축 평가점수 = 15 + [10 ×(기존 기술 공사일수- 신기술 공사일수)/기존 기술 공사일수] (0~25점)			

	세부 평가기준	평가점수				
		매우우수	우수	동등	미흡	매우미흡
시공성	□ 시공용이성	□ +2	□ +1	□ 0	□ -1	□ -2
	□ 신기술시방서 준수	□ +2	□ +1	□ 0	□ -1	□ -2
	□ 타공종과 간섭 축소	□ +2	□ +1	□ 0	□ -1	□ -2
	□ 인력 및 장비 적시 투입	□ +2	□ +1	□ 0	□ -1	□ -2
	시공성 평가점수 : ( ) - 시공성 평가점수 = 15 + [5 ×(세부 평가점수 합)/선택 항목 수] (0~25점)	세부평가 점수합				
품질향상	□ 내구성 향상	□ +2	□ +1	□ 0	□ -1	□ -2
	□ 시공목적물의 완성도	□ +2	□ +1	□ 0	□ -1	□ -2
	□ 시공상의 하자 저감	□ +2	□ +1	□ 0	□ -1	□ -2
	품질향상 평가점수 : ( ) - 품질향상 평가점수 = 15 + [5 ×(세부 평가점수 합)/선택 항목 수] (0~25점)	세부평가 점수합				
친환경성	□ 폐기물처리 및 환경관리 상태	□ +2	□ +1	□ 0	□ -1	□ -2
	□ 환경관련 민원 저감	□ +2	□ +1	□ 0	□ -1	□ -2
	친환경성 평가점수 : ( ) - 친환경성 평가점수 = 15 + [5 ×(세부 평가점수 합)/선택 항목 수] (0~25점)	세부평가 점수합				
안전성	□ 안전사고 저감 효과	□ +2	□ +1	□ 0	□ -1	□ -2
	안전성 평가점수 : ( ) - 안전성 평가점수 = 15 + [5 ×(세부 평가점수 합)/선택 항목 수] (0~25점)	세부평가 점수합				
계	( ) 총 점수 = 공사비 절감 + 공기단축 + 시공성 + 품질향상 + 친환경성 + 안정성의 총합 (최대 150점)					

※ 해당란에 ○표

3. 신기술 활용에 대한 의견(유사한 현장에 적용시 참고 사항)

4. 신기술 활용상의 문제점 및 개선요구사항

5. 작성자 및 확인자(비공개)

평가자	소속기관		부서	
	전화번호		직위,성명	서명
확인자	소속기관		부서	
	전화번호		직위,성명	서명

※ 1. 감리현장: 평가자(책임건설사업관리기술인), 확인자(발주청 담당자)
2. 발주청 직접 감독현장: 평가자(공사관리관), 확인자(직 상급자)

[별지 제22호 서식]

표준시장단가 축적서식

1) 총괄집계표

공사명 : 공사기간 :

구 분		금 액	구성비	비 고
직접공사비				
간접공사비	· 간접노무비 · 산재보험료 · 고용보험료 · 국민연금보험료 · 건강보험료 · 산업안전보건관리비 · 환경보전비 · 공사이행 보증수수료 · 건설근로자 퇴직공제부금비 · 건설하도급대금지급보증서발급수수료 · 건설기계대여대금 지급보증서 발급금액 · 기타경비(수도광열비, 복리후생비, 소모품비 및 사무용품비, 여비·교통통신비, 세금과공과, 도서인쇄비 등)			
일반관리비				
이 윤				
공사손해보험료				
부가가치세				
합 계				

2) 공종별 표준시장단가 자료

공종코드	공종명칭	단 위	수 량	단 가			비 고
				예정단가	계약단가 (입찰단가)	시공단가	

* 표준시장단가 자료 조사 대상공종은 공사비산정기준 관리기관의 장이 정한다.

[별지 제23호 서식]

건설신기술 품셈 마련을 위한 작성서식

Ⅰ. 신청자 정보

작성기관		부 서	
성 명		전 화	
팩 스		이 메 일	

Ⅱ. 신청 신기술 개요

2-1. 신기술명

2-2. 신기술 개요

* 귀사의 신기술 개요와 기존기술과의 차이를 간략히 기술하여 주시기 바랍니다.

2-3. 신기술의 범위

* 신청서 상 귀사의 신기술 고유범위를 기술하여 주시기 바랍니다.

Ⅲ. 신기술 시공절차

"신기술 시공절차"는 신기술의 특성이 나타날 수 있도록 구체화된 신기술의 고유영역을 독립적인 시공프로세스로 제시하여 주시기 바랍니다.

- 비교대상 기술이 2개 이상인 경우 각각 별도로 작성하여 주시기 바랍니다.

3-1 시공절차 비교표

기존기술 시공절차	신기술 시공절차	표준품셈* 관련 부문 장-절-항	신기술 고유영역 (해당시 ○ 표시)

비교대상 기존기술 설명 * 비교대상 기술의 적정성 설명

기존기술 명 :
기존기술 특성 및 신기술 대체 적정성
-
-
-

* 비교대상 기술은 아래 유형의 내용을 포함하고 있어야 함

** 신기술이 대체할 수 있는 기술특성 보유

** 유사한 기능을 제공하고 있는 특허기술 또는 기존 신기술

* 표준품셈 : www.kict.re.kr → 국토교통전자정보관 → 공사정보 → 건설공사표준품셈

[작성예시]

기존기술 시공절차	신기술 시공절차	표준품셈 관련 부문 장-절-항	신기술 고유영역 (해당시 ○ 표시)
예시1) 참고하고 있는 표준품셈 상세히 제시			
①거푸집제작	①거푸집 제작	토목 6-3-2 합판거푸집 (구체화 필요)	
	②특수시트 부착	자사기준	○
②거푸집 조립	③거푸집 조립	토목 6-3-2 합판거푸집 (4회)	
③콘크리트 타설	④콘크리트 타설	토목 6-1-2 콘크리트 펌프차타설 (무근/50m³미만)	

예시2) 신기술 영역 세분화 제시		표준품셈 관련 부문 장-절-항	신기술 고유영역 (해당시 ○ 표시)
③말뚝시공	③말뚝시공 - 일렬말뚝 - H말뚝 - 캡형 유공강판보강재 사용	- 신기술 고유영역이 포괄적으로 제시되어 시공절차 분리 필요	
↓	↓		
③말뚝시공	③말뚝시공-일렬 H말뚝		
-	④캡형 유공강판보강재		○

3-2 시공절차 비교표 설명자료

"3-1 시공절차 비교표"에 제시하신 기존기술 및 신기술 시공절차의 세부 항목별 설명자료를 사진 또는 도해(圖解) 등과 함께 제시하여 주시기 바랍니다.

Ⅳ. 신기술 원가산정기준

4-1 시공절차 세부항목별 소요 인력, 장비, 자재 등

(단위)

시공절차 세부항목[1]	소요 인력, 장비, 자재		단위	소요량[2]	출처[3]
	품명	규격			

[주[4]] ①
②
③
.
.
.

자사기준 적용 품 설명 * 자사기준 적용항목에 대한 간략한 사유 설명

가. 항목명 :
유 형 :
조정사유 :
조정내용 :

나. 항목명 :
……

* 자사기준 적용 품 유형
** 1.현장실사에 의한 조사 값 적용 : 실사내용(조사기준) 간략 설명
** 2.유사 관련 기준 응용 : 응용한 품 기준 및 증감사유 설명
** 3.개발 또는 신규장비 적용 : 손료산정기준 설경

[1] "3-1 시공절차 비교표"의 신기술 시공절차 세부항목이 누락되지 않도록 작성

- 신기술 시공절차 세부항목 중 복수의 세부항목이 1개의 정부 표준품셈과 대응되는 경우는 출처가 동일한 시공절차 세부항목을 모두 기입(아래 예시 첫칸)
- 표준품셈 복수 항목을 조합하여 신기술 시공절차 세부항목을 구성한 경우, 소요 인력, 장비, 자재 등을 표준품셈 단위로 분개하여 출처 식별이 가능하도록 작성

[2] 소요량 적용기준이 복잡한 경우 등 필요시 적절하게 양식변경 또는 별지 사용

[3] 정부 표준품셈이 있는 항목은 표준품셈의 부문, 장-절-항 표시, 표준품셈 없는 경우는 출처(자사기준 등) 기술

[4] 주기사항은 제시한 품의 적용기준 및 적용범위 등, 설계시 참고사항을 명확하게 기술

[작성예시]

(m^2)

시공절차 세부항목[1]	소요 인력, 장비, 자재		단위	소요량[2]	출처[3]
	품명	규격			
①거푸집제작 ③거푸집조립 …	합판		m^2	0.47 (3회 기준)	표준품셈 토목, 6-3-2 합판거푸집
	각재		m^3	0.018(3회 기준)	
	…				
	형틀목공		인	0.10 (3회 기준)	
	…				
②특수시트 부착	시트재료		m^2	1.252	자사기준
	보통인부		인	0.042	
…					

[주] ①본 품은 소운반 및 재료할증이 포함되어 있다.
②동바리 재료 및 품은 포함되어 있지 않다.
③수중에서 거푸집을 조립·해체할 때에는 별도 계상할 수 있다.

자사기준 적용 품 설명(예시) * 자사기준 적용항목에 대한 간략한 사유 설명

- 항목명 : ②특수시트부착
  - 유 형 : 유사 관련 기준 응용(관련품셈 건축 13-6-1 합성고분자 시트)
  - 조정사유 : 현행품의 경우 방수공이 투입되고 있으나, 시공이 단순화되어 보통인부로 시공가능
  - 조정내용 : 방수공 삭제, 현행품셈 방수공+보통인부 투입기준(0.6인) 품의 70%를 보통인부에 적용

* 장비개발의 경우 기계경비(손료, 운전경비, 장비가격) 기준 제시
* 재료의 경우 할증포함 여부 제시
* 공구손료기준(공구 종류) 제시

4-2 신기술 일위대가(신청 신기술과 기존기술 분리하여 작성)

시공절차 세부항목	소요 인력, 장비, 자재		단위	소요량	단가			금액 (소요량×단가)				단가출처	비고
	품명	규격			재료비	노무비	경비	재료비	노무비	경비	계		
계**													

- 굵은 실선 안은 "4-1 시공절차 세부항목별 소요 인력, 장비, 자재 등(현행기준)"과 동일하게 작성
- 시공절차별로 일위대가 작성
- 단가출처
  - * 자재비 : 물가정보지 해당월 기재(예, 물가정보 10월)
  - * 노무비 : 표준품셈 적용 기준 제시(예, 2012년 하반기), 자체기준 인 경우
  - * 경　비 : 경비산정기준월 제시(2012년 10월)

- 비고 : 원가계산서상 해당 page 기입

** 계 : 금액(소요량×단가)의 합계를 기재

[별지 제24호 서식]

원가계산서 적정성 검토서식

□ 신청 신기술명(관리번호 호)

Ⅰ. 신기술 분류

기존공법 보완	자재/재료/장비 개발(보완)	독립기술	기타

Ⅱ. 신청 신기술 시공절차 및 고유영역

1) 시공절차 적정성	적정( )	보완필요( )	제시필요( )
3) 표준품셈 관련항목(장,절,항)	적정( )	보완필요( )	제시필요( )
4) 비교대상 기존기술의 적정성	적정( )	보완필요( )	제시필요( )
5) 신청 신기술 고유영역 적정성	적정( )	보완필요( )	제시필요( )

보완사항	* 번호별로 사유 및 보완내용 설명

Ⅲ. 신청 신기술 원가산정 적정성

1) 3-1의 시공절차 별 세부항목과 일치여부	적정( )	보완필요( )	제시필요( )
2) 출처(품셈) 제시여부	적정( )	보완필요( )	제시필요( )
3) 현행 품셈과 비교	적정( )	보완필요( )	제시필요( )
4) 적용단위 제시여부	적정( )	보완필요( )	제시필요( )
5) 간접비 등의 적정성	적정( )	보완필요( )	제시필요( )
6) 일위대가와 일치 여부 - 항목, 수량, 단위 등의 적정성	적정( )	보완필요( )	제시필요( )
7) 적용단가, 신규자재, 노임단가의 적정성	적정( )	보완필요( )	제시필요( )
8) 수량산출 및 할증 등의 적정성	적정( )	보완필요( )	제시필요( )
9) 기존 기술과의 공사비 비교	적정( )	보완필요( )	제시필요( )
10) 신기술 범위내에서 작성여부	적정( )	보완필요( )	제시필요( )

보완사항	* 번호별로 사유 및 보완내용 설명

기타의견	* 해당 항목별 종합검토의견 제시

년 월 일

검토기관 :

검 토 자 : (인)

[별지 제25호 서식]

점 검 요 원 증

증 명
사 진

소 속 :

직 위 :

성 명 :

위 사람은 국토교통부훈령 제 호(중앙품질관리단운영규정)에 의하여 품질·안전관리 실태를 점검하는 자임을 증명합니다.

년 월 일

국토교통부장관 ㊞

90mm×60mm

[별지 제26호 서식]

특별건설사업관리검수단요원증

증 명
사 진

소 속 :
직급 및 직위 :
성 명 :

위 사람은 국토교통부훈령 제 호(특별건설사업관리검수단 규정)에 의하여 건설사업관리실태를 조사하는 자임을 증명합니다.

년 월 일

국토교통부장관 ㊞

[별지 제27호 서식]

공사기성부분검사원(제 회)

공사감독자경유 (인)

1. 공 사 명 :
2. 위 치 :
3. 계 약 금 액 :
4. 계약년월일 :
5. 착공년월일 :
6. 준 공 기 한 :
7. 현 재 공 정 : . . . 현재 %
8. 첨 부 서 류 : 공사기성부분내역서, 기성부분사진

위 공사의 도급시행에 있어서 공사전반에 걸쳐 공사설계도서, 제시방서, 품질관리기준 및 기타 약정대로 어김없이 기성되었음을 확인하오며 만약 공사의 시공 · 감독 및 검사에 관하여 하자가 발견시는 즉시 변상 또는 재시공할 것을 서약하고 이에 기성검사원을 제출하오니 검사하여 주시기 바랍니다.

년 월 일

주 소
상 호
성 명 (인)

귀 하

[별지 제28호 서식]

준 공 검 사 원

공사감독자경유 (인)

1. 공 사 명 :
2. 공 사 위 치 :
3. 계 약 금 액 :
4. 계약년월일 :
5. 착공년월일 :
6. 준 공 기 한 :
7. 실지준공년월일 :
8. 첨 부 서 류 : 준공사진

위 공사의 도급시행에 있어서 공사전반에 걸쳐 공사설계도서, 제시방서, 품질관리기준 및 기타 약정대로 어김없이 준공하였음을 확인하오며 만약 하자책임기간내에 공사의 시공·감독 및 검사에 관하여 하자가 발견시는 즉시 실액변상 또는 재시공할 것을 서약하고 이에 준공검사원을 제출합니다.

년 월 일

주 소

상 호

성 명 (인)

귀 하

[별지 제29호 서식]

하자보수준공검사원

공사감독자경유 (인)

1. 공 사 명 :
2. 위 치 :
3. 계 약 금 액 :
4. 계약년월일 :
5. 준공년월일 :
6. 하자보증금 :
7. 하 자 기 간 : . . . ~ . . .
8. 하자발생금액 :
9. 하자보수준공년월일 :

위 공사에 대한 하자보수가 완료되었으므로 검사하여 주시기 바라며 검사결과 하자가 있을시에는 즉시 재시공할 것을 서약하고 이에 검사원을 제출합니다.

년 월 일

주 소

상 호

성 명 (인)

귀 하

[별지 제30호 서식]

공사기성부분검사조서

공 사 명 :

년 월 일 와 계약분

위 공사 제 회 기성부분검사의 명을 받아 년 월 일 검사한 결과 별지 내역서와 같이 전공사에 대하여 그 기성공정을 %로 조정함.

단, 수중 지하 및 구조물 내부 또는 저부등 시공후 매몰된 부분의 검사는 별지 공사감독자 감독조서에 의거함

년 월 일

기성부분검사관 (인)

입 회 원 (인)

귀 하

[별지 제31호 서식]

예 비 준 공 검 사 조 서

공 사 명 :

년 월 일 준공예정

년 월 일 과 계약분

위 공사 예비준공검사의 명을 받아 년 월 일 검사한 결과를 붙임과 같이 보고합니다.

붙임 : 예비준공검사결과

년 월 일

예비준공검사관 (인)

귀 하

예비준공검사 결과

공사명 :

지적내용	시정해야할 사항	비 고

[별지 제32호 서식]

준 공 검 사 조 서

공 사 명 :

년 월 일 준공

년 월 일 와 계약분

위 공사 준공검사의 명을 받아 년 월 일 검사한 결과 공사설계도서 및 기타 약정대로 어김없이 준공하였음을 인정함.

단, 수중 지하 및 구조물의 내부 또는 저부등 시공후 매몰된 부분의 검사는 별지 공사감독자 감독조서에 의거함

년 월 일

준공검사관 (인)

입 회 원 (인)

귀 하

[별지 제33호 서식]

공사감독자 [기성부분 / 준 공] 감독조서

공 사 명 :

년 월 일 과 계약분

위 공사의 감독자로 임명받아 년 월 일부터 년 월 일까지 실지 현장 감독한 결과(제 회 기성부분검사까지의)공사 전반에 걸쳐 공사설계도서, 제시방서 및 품질관리 기준 및 기타 약정대로 어김없이 [전공사의 %가 기성 / 준 공] 되었음을 인정함.

년 월 일

공사감독자 (인)

귀 하

[별지 제34호 서식]

소 명 서

소 명 인 인적사항	성 명		생년월일	
	소 속		직위 (직급)	
지시받은 사 항				
소 명 내 용				
비 고				

20 . .

소 명 인 (서명)

[별지 제35호 서식]

청탁 등 신고서

□ 점검종류 :

□ 점검일자 :

□ 청탁일자 :

□ 청 탁 자 : 소속
성명

□ 청탁내용

20 년 월 일

신고자 : 서명

[별지 제36호 서식]

청 렴 서 약 서

공사명(공장명):

(점검자)

위 에 대한 점검을 실시함에 있어 공명정대하게 업무를 수행하겠으며, 점검과 관련하여 적발된 사항을 묵인 또는 은폐하거나 이와 관련하여 금품수수 및 향응 등 점검자로서의 품위를 손상하는 행위를 하지 않을 것을 서약합니다.

<u>아래 글을 자필로 따라적고 서명하십시오.(○○○에는 자신의 이름을 기재)</u>

나 ○○○는 서약을 지키며 청렴의무를 준수하겠습니다.(서명)

(피점검자)

위 에 대한 점검을 수검함에 있어 성실하게 점검에 임하겠으며, 점검과 관련하여 적발된 사항을 묵인 또는 은폐 등의 목적으로 금품수수 및 향응제공 등 수검자로서의 품위를 손상하는 행위를 하지 않을 것을 서약합니다.

<u>아래 글을 자필로 따라적고 서명하십시오.(○○○에는 자신의 이름을 기재)</u>

나 ○○○는 서약을 지키며 성실하게 점검에 임하겠습니다.(서명)

20 년 월 일

점검자대표: 소속 직급 성명 (서명)
수검자대표: 소속 직급 성명 (서명)

[별지 제37호 서식]

확　인　서

점 검 명		
공사개요	공 사 명	
	위 치	
	발 주 자	(감독관:)
	공 사 금 액	백만원(도급액: 백만원, 보상비: 백만원)
	공 사 기 간	년 월 일 ~ 년 월 일
	시 공 자	(대 표: , 현장대리인:)
	건설사업관리 용역업자	(대 표: , 책임건설사업관리기술인 :)
지적내용	제목 : 내용 : 상기내용에 대해, 점검일 이후 30일 이내에 별지 제5호 서식에 의해 서면으로 점검기관의 장에게 이의제기가 가능합니다. 위 사실을 확인합니다. 20 년 월 일 확 인 자 현장대리인 소속 : 성명 : (인) 책임건설사업관리기술인 소속 : 성명 : (인)	

[별지 제38호 서식]

이 의 제 기 서

공 사 명 :

점 검 일 자 :

지적내용 요약

이의제기 내용

붙임 : 관련 증빙서류

20 년 월 일

확인자 : 현장대리인 (인)

책임건설사업관리기술인 (인)

[별지 제39호 서식]

제 재 처 분 내 역 (건설기술인)

연번	성명	생년월일	처 분 현 황							
			처분 일자	처분 기관	위반 시기	위반 내용[1]	위반당시 소속업체등	처분 종류[2]	자격종목 (등록번호)	대여업체 (대여기간)

(작성요령)

1) 위반내용 : 경력증 대여, 건설사고(「건설기술진흥법」 제2조제10호에 따른 건설사고가 발생한 경우 "건설사고"로 기재), 자격대여 등

2) 처분종류 : 자격취소, 자격정지, 업무정지, 경고, 과태료금액, 직권말소 등

제 재 처 분 내 역 (업 체)

연번	상호명	주 소	면허번호 및 등록번호	처 분 현 황						
				처분 일자	처분 기관	위반 시기	위반 내용[1]	위반당시 소재지	처분 종류[2]	처분업종 (면허번호)

(작성요령)

1) 위반내용 : 자격대여, 자료 미제출 또는 거짓으로 제출 등

2) 처분종류 : 면허취소, 면허정지, 경고, 과태료금액, 직권말소 등

[별지 제40호 서식]

「건설기술진흥법」 위반업체 및 건설기술인 제재처분 현황

월말 현재

구분	위반 내용	합계	과태료 부과	자격정지 (업무정지)	자격 취소	영업 정지	등록 취소	비 고
	합 계							
건설 기술인								
건설 기술 용역 업자								
건설 업체								

용역적격심사 및 협상에 의한 낙찰자 결정기준

국토교통부훈령 제965호

일부개정 2018.1.4

제1장 총칙

제1조(목적) 이 규정은 「국가를 당사자로 하는 계약에 관한 법률 시행령」 제42조 및 제43조의 규정에 의한 용역 등의 적격심사에 의한 낙찰자결정과 협상에 의한 계약체결에 필요한 세부기준 및 「건설기술진흥법 시행령」 제52조의 규정에 의한 기술·가격분리입찰의 절차를 정함을 목적으로 한다.

제2조(적용범위) 이 규정은 국토교통부 본부 및 소속기관에서 집행하는 설계용역, 감리용역, 건설사업관리용역, 정밀안전진단용역, 지도제작용역 등의 입찰·계약(선박수리용역의 입찰·계약은 제외한다)에 대하여 다른 법령이나 규정에 특별히 규정하는 것을 제외하고는 이 규정을 적용한다.

제3조(입찰공고 등) ①계약담당공무원은 제2조에 의한 용역을 발주하고자 하는 경우에는 낙찰자 결정방법, 용역수행능력 평가기준, 심사에 필요한 서류 및 제출기한, 기술제안서를 계약문서로 한다는 사항, 입찰희망자가 사전에 알아야할 사항 등을 같이 공고하여야 한다.

②계약담당공무원은 용역에 참가하고자 하는 자가 상시 열람할 수 있도록 제1항의 규정에 의하여 공고한 내용을 서면으로 작성·비치하여야 하며, 용역참가자의 요구가 있을 경우에는 이를 교부하여야 한다.

③이 규정에 정하지 아니하는 사항이나 용역의 특성에 따라 이 규정을 적용하기 곤란하다고 인정되는 사항에 대하여는 용역발주기관에서 입찰공고를 할 때 조건으로 반영하여 집행할 수 있다.

제2장 적격심사기준

제4조(평가기준 등) ①용역적격심사 세부평가는 당해용역 수행능력, 입찰가격, 기타 당해 용역 수행관련 결격여부 등을 심사하여 평가한다.

②용역적격심사 세부평가의 세부심사항목 및 배점기준은 별표1과 같다.

③계약담당공무원은 당해 용역의 규모 및 특성 등을 감안하여 제1항 또는 제2항의 평가기준의 평가항목 및 배점한도를 조정하여 정할 수 있다. 이 경우 배점한도는 ±20%범위(「건설기술진흥법 시행규칙」 별표2내지 별표3에서 배점한도의 조정범위를 정한 경우에는 그 조정범위에 의한다)내에서 조정하여야 하며, 입찰공고 또는 입찰설명서에 조정내용을 명시하여야 한다.

④당해 용역수행능력을 평가받은 후 가격입찰을 하는 용역의 경우

가격입찰참가자는 당해 용역수행능력을 평가한 평가점수와 입찰가격의 배점점수를 합한 점수가 제5조제1항 각 호의 규정에 의한 점수 이상을 얻을 수 있는 자이어야 한다.

제5조(낙찰자 결정 및 적격심사 서류 제출 등) ①예정가격 이하로서 최저가로 입찰한 자 순으로 제4조에 의한 평가기준에 따라 심사하여 종합평점이 다음 각 호의 구분에 따른 점수 이상인 자를 낙찰자로 결정한다.

1. 추정가격이 고시금액(「국가를 당사자로 하는 계약에 관한 법률」 제4조제1항의 규정에 의한 고시금액을 말한다. 이하 같다) 미만인 용역 : 종합평점 95점 이상
2. 추정가격이 고시금액 이상 10억원 미만인 용역 : 종합평점 90점(감리 및 건설사업관리용역의 경우 95점) 이상
3. 추정가격이 10억원 이상 30억원 미만인 용역 : 종합평점 90점 이상
4. 추정가격이 30억원 이상인 용역 : 종합평점 85점 이상

②제1항의 규정에 의한 낙찰자 결정에 있어서 동일가격으로 입찰한 자가 2인 이상인 때에는 종합평점이 최고점수인 자를 낙찰자로 결정하며, 종합평점도 동일한 경우 추첨에 의하여 낙찰자를 결정한다.

③제1항의 규정에 의한 낙찰자가 없는 경우 재공고입찰에 부칠 수 있다. 다만, 이 경우에도 종합평점이 제1항 각 호의 구분에 따른 점수 이상인 자가 없을 때에는 제1항의 규정에 불구하고 최고 점수자를 낙찰자로 결정한다.

④계약담당공무원은 추정가격이 고시금액 미만 용역의 경우 입찰이 끝난 후 적격심사대상자를 선정·통보(구두, 유·무선통신, 인터넷상으로 통보한 경우를 포함한다) 하고 통보서를 접수한 날로부터 7일 이내에 다음 각 호의 서류를 제출하도록 하여야 한다. 다만, 계약담당공무원이 건설기술진흥법령 등 관계법령에 의한 수탁기관을 통하여 기술용역이행실적을 확인(인터넷망 등)할 수 있는 경우에는 제3호의 서류 제출을 생략할 수 있다.

1. 적격심사신청서 1부 : 별지 제1호 서식
2. 적격심사 자기평가 및 심사표 1부 : 별지 제2호 서식
3. 기술용역이행실적증명서 1부 : 별지 제3호 서식
4. 공인회계사 또는 세무사가 증명한 정기결산서 또는 기업진단보고서를 첨부한 최초결산서 1부

제6조(결격사유의 심사) ①적격심사 대상자가 부도·파산상태에 있는 경우에는 당해용역 수행능력 결격사유로 본다.

②공동수급체 구성원중 대표자가 부도·파산상태에 있는 경우에는 당해 공동수급체의 결격사유로 본다. 다만, 대표자 이외의 구성원이 부도·파산상태에 있는 경우에는 잔여 구성원만으로 적격심사를 할 수 있다.

③적격심사 대상자(공동수급체일 경우에는 그 대표자를 말한다)가 부도·파산의 우려가 있다고 인정될 때에는 계약담당공무원은 심의위원회를 구성 결격사유 여부를 심사 결정한다.

④계약담당공무원은 결격사유 심사를 위하여 필요한 경우에는 적격심사 대상자에게 자료제출 또는 심의위원회에 출석하여 발언하게 할 수 있다.

제7조(예정가격결정을 위한 복수예비가격 작성 등) ①계약담당공무원은 기초금액의 ±2% 범위내에서 총 15개의 복수예비가격을 작성하여야 하며, 복수예비가격 작성시 각 예비가격간의 폭은 가급적 크게 하고, 어느 한쪽에 편중하지 않도록 하여야 한다.

② 입찰이 종료된 후 제1항의 규정에 의하여 작성된 복수예비가격 중 입찰참여자 4인에게 각각 1개를 추첨토록하여 추첨된 4개를 산술평균한 가격을 예정가격으로 결정한다. 다만, 입찰참여자가 4인 미만일 때에는 당해 용역과 관계없는 공무원으로 하여금 대신 추첨하게 하여야 한다.

③ 예정가격이 결정된 후 입찰참가자가 복수예비가격, 추첨가격, 예정가격의 공개를 요청하는 경우에는 이를 공개하여야 한다.

④ 계약담당공무원이 당해 입찰을 국가종합전자조달시스템을 통해서 전자입찰로 진행하는 경우에는 전항에도 불구하고 「국가종합전자조달시스템 전자입찰특별유의서」 제16조(전자입찰의 예정가격의 결정)에 따라서 예정가격을 결정할 수 있다.

제8조(부정한 방법으로 서류를 제출한 자) 적격심사시 "당해용역 수행능력평가(감리용역인 경우 책임감리전문회사 선정평가서를 말한다)"에 필요한 제출서류를 위조, 변조, 허위 등 부정한 방법으로 작성한 자(공동수급체의 경우에는 각 구성원을 말한다)에 대하여는 다음 각 호와 같이 처리한다.

1. 계약체결 이전인 경우에는 적격낙찰자 결정대상에서 제외하거나 낙찰자 결정통보를 취소한다.
2. 계약체결 이후인 경우에는 당해 계약을 해제 또는 해지할 수 있다.

제3장 협상에 의한 계약체결기준

제9조(적용대상) 「국가를 당사자로 하는 계약에 관한 법률 시행령」 제43조제1항에 의한 계약 체결방식을 적용할 수 있는 용역은 다음 각 호의 어느 하나와 같다.

1. 기타 새로운 기술 또는 공법의 적용 등 계약의 특수성으로 인하여 협상에 의한 계약방식을 적용하는 것이 과업달성에 효과적인 용역(관련기기의 설치공사를 포함한다)
2. 계약이행의 전문성 · 기술성 · 긴급성, 공공시설물의 안정성 등의 이유로 필요하다고 인정되는 경우

제10조(제안서 평가) ①제안서는 기술능력과 입찰가격을 종합적으로 평가하며, 평가항목 및 배점한도는 별표2와 같다. 이 경우 사업의 특성 · 목적 및 내용 등을 고려하여 필요한 때에는 별표2의 분야별 배점한도를 10점의 범위 내에서 가 · 감 조정할 수 있으며, 평가항목을 추가하거나 제외할 수 있다.

②제안서의 용역 수행능력평가는 해당 사업부서에서 실시하고 그 결과를 밀봉하여 계약담당부서에 송부한다.

③제안서의 가격평가는 계약담당부서에서 실시한다.

④용역발주기관은 제2항 및 제3항의 규정에 의한 평가를 위하여 기술제안서 내용에 대한 조사 · 확인에 필요한 자료를 요구하거나, 제안자에게 직접설명 등을 요구할 수 있다.

제11조 〈삭제〉

제12조(협상적격자 선정 등) ①계약담당공무원은 제10조에 따른 제안

서의 평가결과 기술능력평가 점수가 기술능력평가분야 배점한도의 85% 이상인 자를 협상적격자로 선정한다.

②협상순서는 제1항에 따른 협상적격자의 기술능력평가 점수와 입찰가격평가 점수를 합산하여 합산점수의 고득점 순에 따라 결정한다. 다만, 합산점수가 동일한 제안자가 2인 이상일 경우에는 기술능력 평가점수가 높은 제안자를 선순위자로 하고, 기술능력 평가점수도 동일한 경우에는 기술능력의 세부평가항목 중 배점이 큰 항목에서 높은 점수를 얻은 자를 선순위자로 한다.

제13조(협상금액) ①용역발주기관의 협상금액은 협상적격자의 제안서 평균금액에 의하되 제안서 평균금액이 협상대상자의 제안서 금액보다 높을 경우에는 협상대상자의 제안서 금액에 의한다. 다만, 제안서 평균금액 및 협상대상자의 제안서 금액이 용역발주기관이 산정한 설계금액(설계금액이 없는 경우에는 설계비 예산)을 초과하는 경우에는 설계금액을 협상금액으로 한다.

②계약담당공무원은 협상대상자가 제안한 내용을 가감하는 경우에는 그 가감되는 내용에 상당하는 금액을 당해 사업예산(예정가격을 작성한 경우에는 예정가격을 말한다) 범위내에서 조정할 수 있다. 다만, 제안한 내용의 가감조정이 없는 경우에는 제1항에 따른 가격협상시 협상대상자가 제안한 가격을 증감 조정할 수 없다.

제13조의2(협상절차) ①계약담당공무원은 제12조의 규정에 의하여 결정된 협상대상자와 협상을 하며, 협상이 성립된 때에는 다른 협상적격자와 협상을 실시하지 아니한다.

②제1항의 규정에 의한 협상대상자와 협상이 성립되지 아니한 경우에는 동일한 기준과 절차에 따라 순차적으로 차순위 협상적격자와 협상을 실시한다.

③계약담당공무원은 모든 협상적격자와의 협상이 결렬된 경우에는 재공고입찰에 부칠 수 있다.

제13조의3(평가위원회) 계약담당공무원은 제안서의 평가를 위하여 업무관련 공무원, 관계기관 임직원 및 해당분야 전문가 등으로 구성된 평가위원회를 구성할 수 있다.

제4장 기술 · 가격분리입찰 절차

제14조(적용대상) 「건설기술진흥법 시행령」 제52조제3항 및 동법 시행규칙 제30조의 규정에 의한 기술과 가격을 분리하여 입찰할 수 있는 경우는 다음 각 호의 어느 하나와 같다.

1. 특수한 공법을 필요로 하는 용역
2. 특별한 기술 · 경험을 필요로 하는 용역
3. 독창적인 설계기법(고도의 환경설계기법을 포함한다)을 필요로 하는 용역

제15조(제안서의 평가 등) ①제14조의 규정에 의하여 기술과 가격을 분리하여 입찰하는 경우 제안자는 기술제안서와 가격제안서를 각각 작성한 후 밀봉하여 제출하여야 한다.

②제안자가 제출한 기술제안서는 해당 사업부서에서 용역수행능력 평가기준에 의하여 평가한 후 그 결과를 밀봉하여 계약담당부서에 송부한다.

③용역발주기관은 제2항의 규정에 의한 평가를 위하여 조사·확인에 필요한 자료를 요구하거나 제안자의 직접설명 등을 요구할 수 있다.

제16조(협상금액) ①제15조제2항의 기술제안서 평가결과 평가점수가 높은 업체부터 우선 협상하되, 협상금액은 예정가격 이내로 한다.
②제안자의 제안금액이 예정가격 이하인 경우의 협상금액은 본인의 제안금액 이내로 한다.

제17조(재검토기한) 국토교통부장관은 「훈령·예규 등의 발령 및 관리에 관한 규정」에 따라 이 고시에 대하여 2018년 7월 1일 기준으로 매3년이 되는 시점(매 3년째의 6월 30일까지를 말한다)마다 그 타당성을 검토하여 개선 등의 조치를 하여야 한다.

부칙 〈제843호, 2012.7.6〉

제1조(시행일) 이 훈령은 2012년 8월 24일부터 시행한다.

제2조(입찰에 관한 경과조치) 이 훈령 시행 전에 입찰공고를 한 용역에 관하여는 종전의 규정에 의한다.

부칙 〈제176호, 2013.5.2〉

이 훈령은 발령한 날부터 시행한다.

부칙 〈제686호, 2016.4.1〉

이 훈령은 발령한 날부터 시행한다.

부칙 〈제963호, 2017.12.29〉

이 훈령은 발령한 날부터 시행한다.

부칙 〈제965호, 2018.1.4〉

이 훈령은 발령한 날부터 시행한다.

[별표 1]

적격심사항목 및 배점한도액(제4조제2항 관련)

구 분		고시금액 미만인 용역①	고시금액 이상 10억원 미만인 용역(1억원 이상 고시금액 미만의 정밀안전진단용역 포함)②	10억원 이상 30억원 미만인 용역③	30억원 이상인 용역④	비 고
계		100	100	100	100	
당해 용역 수행 능력	배점 범위	30	70	80	80	
	심사 항목	부표적용	건설기술진흥법 시행규칙 별표2 내지 별표3에 따른 발주청 평가기준 적용			
		평점=30/100 ×평가점수	평점=70/100 ×평가점수	평점=80/100 ×평가점수	평점=80/100 ×평가점수	소수점 3째 자리에서 반올림
입찰 가격	배점 범위	70	30	20	20	
기타 당해 용역 수행 관련 결격 사유	△20점	1. 당해 업체가 수행중이거나 수행한 용역과 관련하여 최근 1년이내 공사 시공 중 또는 완공 후 계약목적물의 현저한 손괴를 가져왔거나 사상자를 발생시켜 사회적 물의를 일으킨 경우(천재지변 등 불가항력적인 사유 제외) 2. 부도 또는 파산의 우려가 있어 당해 계약이행이 어렵다고 판단되는 경우				
	△20점	법정관리 또는 화의결정 후 당좌거래가 재개되어도 동 재개일로부터 1년간 보증서발급가능확인서를 제출하지 못하는 경우				

비고

1. 입찰가격 평점산식(| |는 절대값 표시임) : 입찰가격을 예정가격으로 나눈 결과 소수점이하의 숫자가 있는 경우 소수점 다섯째자리에서 반올림
   ①평점(점)=70-20×|88/100-입찰가격/예정가격|×100 단, 입찰가격이 예정가격 이하로서 예정가격의 88.25% 이상인 경우는 평점 65점 적용
   ②평점(점)=30-2×|88/100-입찰가격/예정가격|×100 단, 입찰가격이 예정가격 이하로서 예정가격의 93% 이상인 경우는 평점 20점(감리용역의 경우 90.5% 이상인 경우 25점) 적용
   ③평점(점)=20-2×|88/100-입찰가격/예정가격|×100 단, 입찰가격이 예정가격이하로서 예정가격의 93% 이상인 경우는 평점 10점 적용
   ④평정(점)=20-2|88/100-입찰가격/예정가격|×100 단, 입찰가격이 예정가격이하로서 예정가격의 95.5% 이상인 경우는 평점 5점 적용
2. 고시금액 이상의 용역수행능력 평가시 당해 발주기관은 건설기술진흥법 시행규칙 제28조의 절차에 의하여 동 시행규칙 별표2 내지 별표3에 규정한 세부평가사항, 배점범위, 평가기준·방법 및 가·감점 사항 등에 대한 용역수행능력 세부평가기준을 작성하여야 한다.
3. 적격심사시 기간계산의 기준일은 입찰공고일로 한다. 다만, 당해 용역수행능력 결격여부에 대한 평가기준일은 적격낙찰자 통보일로 한다.
4. 적격심사결과 가감점을 합산한 종합평점은 100점을 초과할 수 없다.

[별표 2]

제안서의 평가항목 및 배점한도(제10조제1항 관련)

구 분	평가항목	배점한도	비 고
계		100	
기술능력 평 가	건설기술진흥법 시행규칙 별표2 내지 별표3에 의거 해당 평가기준을 적용	80	※ 평점 = 80/100× 평가점수(소수점 3째 자리에서 반올림)
입찰가격 평 가		20	※ 평점산식 : 아래

주) 입찰가격 평점산식

가) 입찰가격을 추정가격의 100분의 80 이상으로 입찰한 자에 대한 평가

- 평점 = 입찰가격평가 배점한도×(최저입찰가격/당해입찰가격)

* 최저입찰가격 : 유효한 입찰자중 최저입찰가격

* 당해입찰가격 : 당해 평가대상자의 입찰가격

* 입찰가격 평가시 사업예산으로 하는 경우에는 추정가격에 부가가치세를 포함하여 적용하고, 예정가격을 작성한 경우에는 추정가격을 예정가격으로 적용

나) 입찰가격을 추정가격의 100분의 80 미만인 입찰한 자에 대한 평가

- 평점 = 입찰가격평가 배점한도×(최저입찰가격/추정가격의80%상당가격)+[2×((추정가격의80%상당가격-당해입찰가격)/(추정가격의80%상당가격-추정가격의 60%상당가격))]

* 최저입찰가격 : 유효한 입찰자중 최저입찰가격

* 당해입찰가격 : 당해 평가대상자의 입찰가격으로 하되, 입찰가격이 추정가격의 100분의 60 미만일 경우에는 100분의 60으로 계산

* 입찰가격 평가시 사업예산으로 하는 경우에는 추정가격에 부가가치세를 포함하여 적용하고, 예정가격을 작성한 경우에는 추정가격을 예정가격으로 적용

다) 입찰가격 평점산식에 의한 계산결과 소수점이하의 숫자가 있는 경우에는 소수점 다섯째자리에서 반올림함

[부표]

고시금액 미만 용역 당해 용역수행능력 심사항목 및 배점한도액

평가항목	세부평가사항	배점기준	평 가 기 준				
계		100					
참여기술자(참여감리원)	소계	50	- 설계·감리·시공 등 건설분야 경력·실적을 동일하게 평가				
	- 사업책임기술자	25					
	· 기술자등급(책임감리원등급)	(7)	특급(수석감리사)	고급(감리사)	중급(감리사)	초급(감리사보)	
			7	5	3	0	
	· 경력	(8)	12년이상	10년이상	8년이상	6년이상	6년미만
			8	6	4	2	0
	· 용역실적	(10)	120개월 이상	108개월 이상	96개월 이상	84개월 이상	84개월 미만
			10	8	6	4	2
	- 분야별 책임기술자	25	- 사업책임기술자와 동일하게 평가				
	· 기술자등급(보조감리원등급)	(7)	고급(감리사)	중급(감리사)	초급(감리사보)		
			7	5	3		
	· 경력	(8)	9년이상	7년이상	5년이상	5년미만	
			8	6	4	2	
	· 용역실적	(10)	84개월이상	72개월이상	60개월이상	60개월미만	
			10	8	6	4	
유사용역 수행실적(5천만원 이상용역에 적용)	- 용역업자수행실적	34	- 최근 3년이내의 실적을 평가				
	· 용역수행건수	(17)	6건이상	4건이상	2건이상	2건미만	
			17	13	9	5	
	· 용역수행금액	(17)	3억원이상	2억원이상	1억원이상	1억원미만	
			17	13	9	5	
경영상태(5천만원 미만용역에 적용)	- 경영상태	34					
	· 최근년도자기자본비율(자기자본/총자산)/기준비율	(17)	100%이상	90%이상	80%이상	70%이상	70%미만
			17	15	13	11	9
	· 최근년도유동비율(유동자산/유동부채)/기준비율	(17)	100%이상	90%이상	80%이상	70%이상	70%미만
			17	15	13	11	9

<table>
<tr><th>평가항목</th><th>세부평가사항</th><th>배점기준</th><th colspan="4">평 가 기 준</th></tr>
<tr><td rowspan="3">용역업무 중복정도</td><td>- 용역업무 중복도</td><td>12</td><td colspan="4">- 참여기술자의 업무 중복도를 평가</td></tr>
<tr><td rowspan="2">· 용역업무 중복도</td><td rowspan="2">(12)</td><td>1건이하</td><td>2건이하</td><td>3건이하</td><td>4건이상</td></tr>
<tr><td>12</td><td>8</td><td>4</td><td>0</td></tr>
<tr><td rowspan="3">신용도</td><td>- 신용도</td><td>4</td><td colspan="4">- 최근 1년이내 해당 용역분야와 관련한 제재사항</td></tr>
<tr><td>· 입찰참가제한</td><td>(2)</td><td colspan="4">· 입찰참가제한 1월마다 배점의 10% 감점</td></tr>
<tr><td>· 기술자(감리원)업무 정지</td><td>(2)</td><td colspan="4">· 평가대상기술자(감리원)의 업무정지 합산기간 3월마다 배점의 10% 감점</td></tr>
</table>

비 고

1. 참여기술자 및 용역업자에 대한 경력 · 실적 평가방법 및 확인절차는 「건설기술진흥법 시행규칙」 [별표 3] 제1호 비고 3호 및 4호를 준용한다. 다만, 관계규정에 별도로 절차 등을 규정하고 있는 경우에는 그에 따른다.
2. 유사 용역실적과 관련하여 공동도급의 경우 실적은 용역 참여지분율에 의하여 산정한 후 합산하며, 적법한 하도급은 그 실적을 인정한다.
3. 용역업무 중복도는 해당 발주청 기준으로 잔여과업의 합산기간이 1년인 경우 1건으로 평가한다.
4. 평가기준에 대하여 이 표에서 정하지 않은 평가방법 등은 용역의 종류에 따라 「건설기술진흥법 시행규칙」 [별표 2] 내지 [별표 3]을 준용할 수 있다.
5. 5천만원 미만인 용역에 대하여는 '유사용역 수행실적' 평가항목 대신에 '경영상태' 평가항목으로 심사하며, 경영상태 평가방법은 다음과 같다.
   가. 경영상태평가는 최근년도 한국은행 발행 "기업경영분석" 자료와 동일한 연도의 정기결산서에 의하며 관련서류를 제출하지 않을 경우 최저등급으로 평가한다. 다만, 기준비율이 산정된 이후 설립된 신규 업체는 최초결산서와 기업진단보고서에 의한다.
   나. 기준비율은 최근년도 한국은행 발행 "기업경영분석" 자료를 적용하되 입찰 공고시 별도 명시한다.

[별지 제1호 서식]

적 격 심 사 신 청 서

○ 용　　역　　명 :
○ 발 주 기 관 :
○ 입 찰 일 시 :

위 건 용역입찰의 적격심사와 관련하여 적격심사 자기평가표 및 제증빙자료를 신의성실의 원칙에 입각하여 붙임과 같이 작성 제출하며, 만일 제출한 서류가 허위 또는 부정한 방법으로 작성된 사실이 확인될 경우에는 적격심사기준(회계예규) 및 「국가를 당사자로 하는 계약에 관한 법령」 등에 따라 처리하여도 아무런 이의를 제기하지 않겠음을 확약합니다.

입 찰 자　　주　　소 :
회 사 명 :
대 표 자 :　　　　　　(인)

붙임 : 제출서류 목록 및 관련서류 1부

귀하

[별지 제2호 서식]

적격심사 자기평가 및 심사표

1. 심사대상용역

공고번호	
입찰일시	
용 역 명	
용역기간	
수요기관	
입찰금액	
예정가격	
제출기한	

2. 심사대상입찰자

업 체 명	(전화)
대 표 자	
업종구분	감리( ), 설계( ), 기타( )

3. 회사를 대표하는 연락책임자 인적사항

소 속	
직 위	
성 명	
전화번호	(Fax)

4. 종합평가

구 분		배 점	자기평점	심사평점
계		100		
참여기술자(참여감리원)		50×30/100		
유사용역수행실적 (5천만원이상 용역에 적용)		34×30/100		
경영상태 (5천만원미만 용역에 적용)	자본비율 :			
	유동비율 :			
업무중복정도		12×30/100		
신용도		4×30/100		
입찰가격		70		
결격사유		-40		

[별지 제3호 서식]

기술용역이행 실적증명서

신청인	업 체 명 (상호)				대 표 자		
	영 업 소 재 지				전 화 번 호		
	사 업 자 번 호				입찰공고번호		
	증 명 서 용 도	기술용역 적격심사 신청용			제 출 처		
	용역범위 및 기준 (면적, 금액 등)						
용역 이행 실적 내용	용 역 명			구분	설계( ) 감리( ) 기타( ) :		
	용 역 개 요						
	계 약 번 호	계약 일자	계약 기간	규모	이행실적		비 고
					비율	실적	
증명서 발급 기관	위 사실을 증명함 년 월 일						
	기 관 명 : (인) (전화번호 :)						
	주 소 : (FAX번호 :)						
	발급부서 :				담당자 :		

비고
1. 민간거래실적은 세금계산서, 계약서등 증빙자료를 첨부하여야 함
2. 용역이행실적은 입찰공고시에 제시한 용역범위 및 기준(면적, 금액 등) 등의 조건에 부합되는 실적에 한하며, 공동계약으로 이행하였을 경우 비율과 이행실적을 기재하여야 함
3. 이행실적 내용란에는 투명접착테이프를 붙여 증명을 받아야 함

국토교통부 주요 훈령 및 고시·지침

2. 고시

| 건설공사 |

1. 건설공사 품질관리 업무지침
2. 건설공사 안전관리 업무수행 지침
3. 환경관리비의 산출기준 및 관리에 관한 지침
4. 건설엔지니어링 및 시공 평가지침
5. 대형공사 등의 입찰방법 심의기준
6. 건설공사 사후평가 시행지침
7. 공공 건설공사의 공사기간 산정기준

건설공사 품질관리 업무지침

국토교통부고시 제2022-30호

개정 2022.1.18

제1편 총칙

제1조(목적) 이 지침은 「건설기술진흥법」 제55조부터 제61조까지의 규정에 따라 발주자, 건설사업자 또는 주택건설공급업자, 품질검사를 대행하는 건설기술용역사업자가 건설공사 품질관리, 레미콘·아스콘 품질관리, 레미콘 현장배치플랜트 설치 및 관리, 철강구조물 제작공장 인증 및 가설기자재 품질관리와 관련된 업무를 효율적으로 수행하게 하기 위하여 업무수행의 방법 및 절차 등 필요한 세부기준을 정하는 데 그 목적이 있다.

제2조(정의) 이 지침에서 사용하는 용어의 뜻은 다음과 같다.

1. "발주자"란 건설기술진흥법(이하 "법"이라 한다) 제2조제6호의 발주청과, 자재에 대한 공급원 승인권한을 갖는 자 등 건설공사를 시공자에게 도급하는 자를 말한다.
2. "품질관리"란 법 제53조부터 제61조까지의 품질과 관련된 법령, 설계도서 등의 요구사항을 충족시키기 위한 활동으로서, 시공 및 사용자재에 대한 품질시험·검사활동뿐 아니라 설계도서와 불일치된 부적합공사를 사전 예방하기 위한 활동을 포함한다.
3. "시공자"란 「건설산업기본법」 제2조제7호 또는 「주택법」 제9조에 따라 면허를 받거나 등록을 하고 건설업 또는 주택건설업을 영위하는 건설사업자 또는 주택건설등록업자를 말한다.
4. "공사감독자"란 법 제49조에 따라 발주청의 장이 임명한 자, 법 제39조에 따라 건설사업관리업무를 수행하는 자, 주택법 제24조 또는 건축법 제25조에 따라 건설공사의 감리업무를 수행하는 자를 말한다.
5. "검사"란 측정, 시험 또는 계측 등을 활용한 관찰 및 판정에 따른 적합 여부 평가를 말한다.
6. "시험"이란 하나 또는 그 이상의 특성을 결정하는 것을 말한다.
7. "중점 품질관리(특별 프로세스)"란 품질관리가 소홀해지기 쉽거나 하자 발생빈도가 높으며, 부적합 공사로 판명될 경우 시정이 어렵고 많은 노력과 경비가 소요되는 공종 또는 부위에 대한 품질관리 활동을 말한다.
8. "프로세스"란 건설공사 수행 과정에서 발생되는 다양한 종류의 업무 또는 작업의 시작과 종료에 맞물려 의도된 결과를 만들어내기 위해 입력을 사용하여 상호 관련되거나 상호 작용하는 활동의 집합을 말한다.
9. "품질관리규정"이란 케이에스 큐 아이에스오(KS Q ISO) 17025에 따라 시험업무처리 요령 및 인력·장비의 관리·운영에 필요한 방법 및 절차를 정한 문서를 말한다.

10. “품질검사의 적정성 평가”란 품질검사를 대행하는 건설기술용역사업자로 등록한 자에 대하여 평가기관이 「건설기술진흥법」 시행령(이하 “영”이라 한다) 별표5(등록요건 및 업무범위) 및 시험 · 검사 실시에 따른 관련 자료를 법 제61조에 따른 평가기관이 조사하고 적합 또는 부적합을 판정하는 것을 말한다.
11. “적절성 확인”이란 발주청 또는 인 · 허가기관의 장 등이 건설사업자 또는 주택건설등록업자가 법 제55조에 따라 수립한 품질관리계획서 또는 품질시험계획서에 규정된 품질관리를 적절하게 수행하고 있는지 여부를 확인하는 것을 말한다.
12. “시험관리인력”이라 함은 「건설기술진흥법」 시행규칙(이하 “규칙”이라 한다) 별표5에 따라 건설공사 품질관리를 위해 배치되는 건설기술인 중에 최하위 등급자 또는 품질검사를 대행하는 건설기술용역사업자 및 국립 · 공립시험기관에서 품질시험 · 검사를 총괄 관리하는 사람을 말한다.
13. “시험인력”이라 함은 규칙 제50조에 따른 품질시험 및 검사를 실시하는 자를 말하며, 시험인력의 등급은 특급, 고급, 중급, 초급품질관리원으로 구분한다.
14. “공급원 승인권자”란 자재를 공급받아 사용하는 수요자가 신청한 자재공급원 승인요청에 대하여 승인 권한을 갖는 발주청 또는 공사감독자를 말한다.
15. “혼화재”란 혼화재료 중 사용량이 비교적 많아서 그 자체의 부피가 콘크리트 등의 비비기 용적에 계산되는 재료를 말하며, 이 지침에서는 플라이애시 또는 고로슬래그 미분말을 말한다.
16. “현장배치플랜트”란 시공자가 해당 건설공사에 사용되는 레미콘을 생산 · 공급하기 위하여 설치하는 고정식 또는 이동식 배치플랜트를 말한다.
17. “주변의 레미콘전문제조업자의 출하능력 여유분”이란 콘크리트를 비비기 시작하고 나서 90분 이내에 트럭믹서로 해당 건설공사 현장의 배출지점까지 운반이 가능한 거리 내에 있는 레미콘전문제조업자의 평균출하능력에서 평상시의 가동율을 뺀 나머지 출하능력을 말한다. 다만, 평상시의 가동율을 산출하기 곤란한 경우에는 전년도 3월부터 6월까지의 전국 레미콘전문제조업자의 평균가동율을 이용할 수 있다.
18. “레미콘 수요성수기”란 해당 건설공사의 착공시 신규 소요되는 레미콘의 일간(1일은 8시간으로 한다) 최대소요량이 주변의 레미콘전문제조업자의 출하능력 여유분으로 생산될 수 있는 일간 최대생산량을 초과하는 기간이 1주일이상 지속되는 경우를 말한다.
19. “대규모 구조물”이란 해당 구조물의 착공으로 신규 소요되는 레미콘의 일간 최대소요량이 주변의 레미콘전문제조업자의 출하능력 여유분으로 생산될 수 있는 일간 최대생산량을 초과하는 기간이 1주일이상 지속되는 경우를 말한다.
20. “철강구조물 제작 공장인증”이란 건설공사 현장에 철강구조물을 제작 · 납품하는 자의 신청을 받아 그 능력에 따라 철강구조물제작공장을 분야별로 등급화하는 것을 말한다.
21. “가설기자재”란 어떤 작업 또는 공사를 수행하기 위해서 설치

했다가 그 작업이나 공사가 완료된 후에 해체하거나 철거하게 되는 가설구조물 또는 설비와 이들을 구성하는 부품, 재료를 말한다.

22. "공사시방서"란 표준시방서 및 전문시방서를 기본으로 하여 작성한 것으로, 공사의 특수성, 지역여건 및 공사방법 등을 고려하여 기본설계 및 실시설계도면에 구체적으로 표시할 수 없는 내용과 공사수행을 위한 시공방법, 자재의 성능·규격 및 공법, 품질시험 및 검사 등 품질관리, 안전관리, 환경관리 등에 관한 사항을 기술한 시공기준을 말한다.
23. "설계도서"란 규칙 제40조의 규정에 따라 건설공사의 설계 등 용역사업자가 작성한 설계도면, 설계명세서, 공사시방서 및 발주자가 특히 필요하다고 인정하여 요구한 부대도면 및 그 밖의 관련 서류를 말한다.

제3조(적용범위) ① 제2편제1장 및 제2장은 영 제89조에 따른 품질관리계획과 품질시험계획 수립대상 공사에 적용한다.

② 제2편제3장은 영 제44조제1항제1호 또는 제3호에 따른 건설기술용역업의 등록과 법 제61조에 따른 품질검사의 대행에 대한 평가에 적용한다.

③ 제3편은 영 제95조제2항에 따른 레디믹스트 콘크리트(이하 "레미콘"이라 한다), 포장용 가열 아스팔트 혼합물(이하 "아스콘"이라 한다)의 품질관리 및 영 제95조제2항제1호에 해당하는 건설공사 현장에 배치플랜트를 설치하는 경우에 적용한다.

④ 제4편은 법 제58조에 따른 철강구조물 제작공장 인증심사업무에 적용한다.

⑤ 제5편은 제1항의 적용 공사 현장에서 사용하는 가설 기자재 품질관리에 적용한다.

제2편 건설공사 품질관리

제1장 품질관리계획의 수립 및 관리

제4조(발주자의 역할) ① 발주자는 공사계약문서에 품질관리계획서의 내용, 제출시기 및 수량 등에 대한 다음 각 호의 사항을 정하여야 한다.

1. 품질관리계획서 및 품질관리절차서, 지침서 등 품질관련 문서의 제출시기 및 수량
2. 품질관리계획서 등 품질관련 문서의 검토, 승인 시기
3. 하도급자의 품질관리계획 이행에 관한 시공자의 책임사항
4. 공사감독자 또는 건설사업관리기술인이 실시하는 품질관리계획 이행상태 확인의 시기 및 방법
5. 품질관리계획 이행의 부적합 사항의 처리 및 기록

② 발주자가 영 제90조제1항에 따른 품질관리계획을 승인할 경우에는 공사감독자 또는 건설사업관리기술인의 검토결과를 확인할 뿐 아니라 영 제90조제2항에 따라 품질관리계획의 내용을 적정, 조건부 적정 또는 부적정으로 심사하고 결과를 확정하여 시공자, 공사감독자 및 건설사업관리기술인에게 서면으로 통보하여야 한다.

③ 발주자 중 발주청이 아닌 자는 시공자가 건설사업관리기술인의 검토를 받아 제출한 품질관리계획을 해당 건설공사의 인·허가 행정기관의 장에게 제출하여 검토 받아야 한다.

④ 발주자가 영 제90조제3항에 따라 품질관리계획을 승인하는 경우, 별지 제1호 서식의 품질관리계획서 검토·승인서에 따라 승인한다..

⑤ 발주자는 시공자가 품질관리계획서를 변경하는 경우, 변경된 품질관리계획서에 대하여 제1항부터 제4항까지의 조치를 하여야 한다.

⑥ 공동도급계약 방식으로 공사를 발주하는 경우 발주자는 공동수급체에 대한 품질관리계획 이행 요구사항을 공사계약문서에 명시하여야 한다.

⑦ 공동도급계약 방식의 공사인 경우 품질관리계획서 및 관련문서의 운영은 다음 각 호와 같이 할 수 있다.

1. 공동수급체가 통합조직을 구성하여 공사를 수행하는 경우 대표사가 통합품질관리계획을 수립, 이행할 수 있다. 이 경우 대표사는 수급인별로 품질관리계획서와 그 밖의 품질관련 문서의 준수를 위한 동의 서명을 받아야 한다. 다만, 내부심사, 경영검토 등은 수급인 각자가 별도로 수행할 필요가 없고 합동으로 실시하거나 어느 한 수급인이 통합조직에 대하여 수행할 수 있다.
2. 공동수급체가 각각의 조직별로 공사구간을 나누어 공사를 수행하는 경우는 각 수급인별로 품질관리계획을 독립적으로 수립, 이행하여야 한다.

제5조(공사감독자 또는 건설사업관리기술인의 역할) ① 공사감독자 또는 건설사업관리기술인는 시공자가 수립한 품질관리계획서의 적정여부를 별지 제1호 서식의 품질관리계획서 검토·승인서에 따라 검토·확인하여야 한다.

② 공사감독자 또는 건설사업관리기술인은 품질관리계획서와 절차서, 지침서 등 이에 수반된 문서를 검토·확인하고 그 결과를 시공자에게 통보하여야 한다.

③ 공사감독자 또는 건설사업관리기술인은 검토·확인결과에 따라 시공자에게 시정 및 시정조치를 요구할 수 있으며, 조치를 요구받은 시공자는 이를 지체 없이 이행하여야 한다.

④ 공사감독자 또는 건설사업관리기술인은 발주자가 달리 지정하지 않는 한 품질관리계획이 승인되기 전까지는 시공자로 하여금 해당업무를 수행하게 하여서는 안된다.

⑤ 공사감독자 또는 건설사업관리기술인은 시공자가 품질관리계획서를 변경하는 경우 변경된 품질관리계획서에 대하여 제1항부터 제4항까지의 조치를 하여야 한다.

⑥ 공사감독자 또는 건설사업관리기술인은 「건설공사 사업관리 방식 검토기준 및 업무수행지침서(국토교통부 고시)」 제60조 및 제90조, 제139조제4항에 따라 시행하는 품질관리계획의 이행실태 확인을 체계적으로 수행하기 위해 다음 각 호의 사항을 포함한 이행상태 확인계획을 수립하고 이행하여야 한다.

1. 점검기준, 범위, 점검자 선정을 포함한 점검계획을 수립
2. 품질관리계획의 이행확인에 중점을 둔 점검표를 작성 및 점검

수행방법

3. 관련법령, 서류명 등 객관적인 증거의 기술을 포함한 품질관리 계획의 이행여부 확인결과에 대한 기록 방법
4. 필요한 경우 시정 및 시정조치의 요구, 취해진 조치결과의 검증 방법

제6조(시공자의 역할) ① 시공자는 건설기술진흥법령 및 이 지침에서 정한 바에 따라 해당 건설공사의 여건을 종합적으로 고려한 품질관리계획을 수립하고 공사감독자 또는 건설사업관리기술인의 검토·확인을 받아 발주자의 승인을 받아야 한다.

② 시공자는 다음 각 호의 사항을 고려하여 품질관리계획서의 문서구성과 내용을 결정하여야 한다.

1. 건설공사의 규모 및 활동의 형태
2. 프로세스의 복잡성 및 그 상호작용
3. 조직 구성원의 학력, 교육훈련, 숙련도, 경험 등을 고려한 업무 수행능력

③ 시공자는 품질관리계획서를 변경하는 경우에도 공사감독자 또는 건설사업관리기술인의 검토·확인을 받아 발주자의 승인을 받아야 한다.

제7조(품질관리계획서의 작성기준) 영 제89조제4항에 따른 품질관리계획서 작성기준은 별표1과 같다.

제2장 품질시험기준 및 품질관리의 적절성 확인, 품질시험비 산출

제8조(품질시험기준) ① 건설공사의 종류별, 공종별 시험종목·방법 및 빈도 등 건설공사 품질시험기준은 별표2와 같다.

② 별표2의 건설공사 품질시험기준에 명시되지 아니한 공종이나 자재에 대해서는 시방서 등 설계도서에 제시된 시험종목·방법 및 빈도에 따른다.

③ 발주자가 공사의 종류·규모 및 중요성, 현지실정 등을 감안하여 특히 필요하다고 인정하면 별표2의 건설공사 품질시험기준의 시험빈도를 조정할 수 있다.

제9조(품질시험기준의 반영 등) ① 발주자는 「산업표준화법」에 따른 한국산업표준, 법 제44조제1항 각 호에 따른 설계 및 시공기준과 별표2의 건설공사 품질시험기준을 검토하여 설계도서에 반영하여야 한다.

② 발주자는 「산업표준화법」에 따른 한국산업표준, 법 제44조제1항 각 호에 따른 설계 및 시공기준과 별표2의 건설공사 품질시험기준이 각기 다른 경우 공사의 종류, 구조물의 특성 등을 감안하여 적합한 기준을 선정하여 설계도서에 반영하여야 한다.

③ 신공법이나 신기술의 도입 등으로 국내 시험방법이 없는 경우 및 품질검사를 대행하는 건설기술용역사업자의 시험장비 기준상 시험이 곤란한 경우 등은 발주자가 설계자와 협의하여 품질을 확인할 수 있는 방법을 시방서에 명기하여야 하며, 시방서에 따라 품질을 확인하는 경우 법 제55조제2항에 따라 시험한 것으로 본다.

제10조(품질관리의 적절성 확인기준) ① 규칙 제52조에 따른 적절성확인 기준 및 요령은 별표3과 같다.

② 발주자는 별표1에 따른 품질관리계획서 작성기준에 따라 시공자가 품질관리를 적절하게 하는지를 확인하기 위한 계획을 수립하고 이행하여야 한다.

③ 발주자가 제2항의 적절성 확인계획을 수립하는 경우에는 품질관리의 적절성 확인을 체계적으로 수행하기 위해 다음 각 호의 사항을 고려하여야 한다.

1. 품질관리계획과 관련된 교육 이수 등 전문지식을 보유한 적절성 확인자의 선정
2. 별표1에 따라 시공자가 수립한 품질관리계획서의 내용 검토
3. 이미 발생된 지적 및 조치사항의 확인을 위한 기존 점검자료의 검토
4. 필요한 경우, 별지 제2호 서식에 따른 품질관리 적절성 확인점검 내용의 추가, 수정 또는 삭제

제11조(품질시험비 산출단위량 및 단가 적용) ① 품질시험비 산출시 소요되는 인건비 및 공공요금의 산출 단위량 기준은 별표4와 같다.

② 관리인력의 산출 단위량은 법 제56조에 따른 품질시험비 산출시에는 적용하지 않으나, 법 제60조에 따른 국립·공립시험기관 및 품질검사를 대행하는 건설기술용역사업자의 품질시험비 산출시에는 적용한다.

③ 인력의 노임단가는 다음 각 호와 같다.

1. 시험관리인력의 등급별 노임단가는 한국엔지니어링협회가 통계법에 의하여 조사·공표한 노임단가로 한다.
2. 시험인력의 등급별 노임단가는 대한건설협회가 통계법에 의하여 조사·공표한 노임단가로 한다.

④ 공공요금의 단가는 다음 각 호와 같다.

1. "전력요금 단가"는 일반전력용(갑)의 저압전력에 대한 계절별 평균 전력량요금으로 소수점 이하를 절사한 값을 적용한다.
2. "수도 요금단가"라 함은 서울특별시 및 6개 광역시에서 조례로 정한 영업용 최소사용량을 기준으로 한 상수도 및 하수도 요금단가의 평균값으로서 소수점 이하를 절사한 값을 적용하며, 영업용 단가가 없는 경우 일반용, 업무용, 가정용 순으로 적용한다.
3. "가스요금 단가"는 시·도별 도시가스 요금표의 일반용 1을 적용한다.

제12조(품질시험비 산정방법 등) ① 인건비 및 공공요금 산정 방법은 다음 각 호와 같다.

1. 시험관리인력의 인건비는 별표4의 시험 종목별 산출단위량에 제11조제3항제1호의 노임단가를 곱하여 산정한다.
2. 시험인력의 인건비는 별표4의 시험종목별 산출단위량에 제11조제3항제2호의 노임단가를 곱하여 산정한다.
3. 전기요금은 별표4의 시험종목별 산출단위량에 제11조제4항제1호의 전력요금 단가를 곱하여 산정한다.
4. 수도요금은 별표4의 시험종목별 산출단위량에 제11조제4항제2호의 상·하수도요금 단가를 곱하여 산정한다.
5. 가스요금은 별도의 시험종목별 산출단위량에 제11조제4항제3호

의 가스요금 단가를 곱하여 산정한다.

6. 공공요금 및 인건비의 산출단위량이 별표4에 규정되지 아니하여 인건비 및 공공요금 산정이 어려워 품질시험비 산출이 곤란한 경우에는 발주자가 설계자와 협의하여 시장거래가격 또는 견적가격 등을 조사하여 설계도서에 반영할 수 있다.

② 재료비, 장비손료, 시설비용, 시험 및 검사기구의 검정 · 교정비는 규칙 별표6에 따라 산정하며, 국립 · 공립시험기관 및 품질검사를 대행하는 건설기술용역사업자의 품질시험 · 검사대행비 산출시에도 적용한다.

제3장 품질검사를 대행하는 건설기술용역사업자의 등록 및 평가

제1절 품질관리규정 수립 및 시험장비의 보유기준

제13조(품질관리규정의 수립) 품질검사를 대행하는 건설기술용역사업자는 영 제44조제1항제1호 및 제3호에 따른 요건을 만족하기 위하여 별표5에 따라 품질관리규정을 수립하여야 한다.

제14조(품질관리규정의 관리) 품질검사를 대행하는 건설기술용역사업자는 제13조에 따라 작성한 품질관리규정이 계속 실행되고 개선할 사항이 있는 지를 확인하기 위하여 매년 자체점검 등 품질관리를 하여야 한다.

제15조(기록유지) 품질검사를 대행하는 건설기술용역사업자는 제13조에 따라 수립한 품질관리규정을 실행한 증거를 기록하여 유지하여야 한다.

제16조(시험장비 보유기준) ① 품질검사를 대행하는 건설기술용역사업자는 세부분야별로 시험 및 검사를 실시하는 데에 필요한 필수시험장비를 별표6의 기준에 따라 보유하여야 한다.

② 품질검사를 대행하는 건설기술용역사업자는 세부분야별로 별표6의 선택 시험장비를 보유한 경우에 한정하여 해당 시험을 수행하고 품질검사성적서를 발급할 수 있다.

제2절 품질검사를 대행하는 건설기술용역업의 등록에 관한 평가

제17조(평가의 의뢰) 등록 등 업무수탁기관의 장(영 제117조제3항에 따라 건설기술용역사업자의 등록 · 변경등록, 휴업 · 폐업의 신고, 영업양도 · 합병의 신고에 관한 업무를 의탁받은 기관의 장을 말한다. 이하 같다)은 다음 각 호의 어느 하나에 해당하는 경우에 평가기관의 장에게 품질검사를 대행하는 건설기술용역사업자에 대한 평가를 의뢰하여야 한다.

1. 규칙 제26조제1항에 따라 품질검사를 대행하는 건설기술용역업으로 등록신청을 받아 영 별표5의 등록요건을 갖추었는지 검토하는 경우
2. 규칙 제26조제1항에 따라 품질검사를 대행하는 건설기술용역사업자가 등록사항의 변경을 신고한 경우
3. 〈삭제〉

제18조(평가서류의 검토) ① 등록 등 업무수탁기관의 장은 제17조에

따라 평가기관의 장에게 평가를 의뢰하고자 하는 경우 제출된 서류를 검토하고, 검토결과 미비한 것으로 판단되면 품질검사를 대행하는 건설기술용역업으로 등록하고자 하는 자 또는 품질검사를 대행하는 건설기술용역사업자(이하 "평가대상자"라 한다)에게 서류의 보완을 요구할 수 있다. 이 경우 평가대상자는 30일 이내에 보완을 완료하여야 한다.

② 등록 등 업무수탁기관의 장은 제1항에 따라 서류를 검토하여 적합한 경우 지체 없이 평가기관의 장에게 평가를 의뢰하여야 한다.

③ 등록 등 업무수탁기관의 장은 제2항에 따라 서류를 검토한 결과, 법 제27조의 결격사유에 해당되는 경우에는 신청서를 반려하여야 한다.

④ 제2항에 따라 평가를 의뢰 받은 평가기관의 장은, 제출서류를 7일 이내에 검토하여야 하며 다음 각 호의 경우 등록 등 업무수탁기관의 장에게 제출서류 등의 보완을 요청할 수 있다.

1. 규칙 제21조에 따른 등록신청서 및 첨부서류의 일부 등이 제출되지 않은 경우
2. 규칙 제21조에 따른 등록신청서 및 첨부서류의 내용이 미비하거나 사실과 다른 문서를 제출한 경우
3. 그 밖에 평가기관의 장이 보완이 필요하다고 판단하는 경우

제19조(평가반 구성 및 평가계획 수립 등) ① 평가기관의 장은 제18조에 따라 평가서류의 검토가 완료되면 별표7의 소요인원 및 평가일수에 적합하게 평가반을 구성하고 그 중 1명을 반장으로 지명한다.

② 평가기관의 장은 평가반장으로 하여금 별지 제3호 서식의 평가계획서를 작성하고 등록 등 업무수탁기관의 장 및 평가대상자, 지방국토관리청장에게 평가계획을 통보 하여야 한다.

③ 제2항에 따라 평가계획을 통보받은 지방국토관리청장은 소속 담당자로 하여금 평가에 참관하게 할 수 있다.

제20조(평가의 수행) ① 평가반장은 평가업무를 수행하기 전 시작회의를 개최하고 평가대상자에게 평가목적, 평가일정, 평가기준 및 방법, 평가내용, 청렴서약 및 이해관계확인 등을 설명하여야 한다.

② 영 제44조제1항에 따른 등록기준의 적합성을 평가하는 전문가(이하 "평가사"라 한다) 및 평가대상자는 별지 제4호 서식의 청렴서약 및 이해관계확인서에 쌍방간 서약 및 확인 서명 후 평가를 시작하여야 한다.

③ 평가사는 제19조제2항에 따른 평가계획서의 일정에 따라 다음 각 호의 사항에 대해 평가를 실시하여야 한다.

1. 품질책임자, 책임기술인, 시험·검사자 등 기술인력의 적합성 및 활용성
2. 시설 및 장비의 적합성 및 활용성
3. 품질관리규정의 적합성 및 이행성
4. 신청분야의 수행능력
5. 품질시험·검사의 수행 적합성(적정성 평가에 한함)

④ 평가사는 평가수행 중 관계법령 및 평가기준 등에 부적합한 사항을 발견하면 그 사항을 기록하고 유지하여야 한다.

⑤ 평가반장은 평가가 종결되면 종료회의를 개최하여 평가대상자에게 평가결과에 대한 강평을 실시하고 평가결과 처리방법, 평가결

과에 대한 이의제기 방법 및 절차 등을 알려 주어야 한다.

제21조(평가보고서 작성) ① 평가반장은 평가 후 7일 이내에 별지 제5호 서식에 따른 평가보고서와 별지 제6호 서식에 따른 부적합보고서(평가결과가 부적합으로 판정되어 시정조치 사항이 있는 경우에만 해당한다)를 작성하여 평가기관의 장에게 제출하여야 한다.

② 평가기관의 장은 평가결과가 부적합한 경우 부적합한 내용을 평가대상자에게 통보하고 평가대상자에게 1개월의 조치기간을 정하여 시정조치를 요구하여야 한다.

③ 평가기관의 장은 평가대상자가 시정조치를 완료하고 재평가를 요청하면 14일 이내에 재평가를 실시하여야 한다.

④ 제2항에 따라 시정조치 요구를 받은 평가대상자는 1개월 이내에 시정조치의 이행이 곤란한 경우 한차례에 한하여 1개월 이내의 범위에서 그 이행기간의 연기를 평가기관의 장에게 신청할 수 있다.

⑤ 평가기관의 장은 제3항에 따라 재평가를 실시하면, 부적합사항의 조치결과를 확인하고 별지 제6호 서식에 확인 내용을 기재하며, 별지 제7호 서식에 따라 확인보고서를 작성하여야 한다.

제22조(평가결과 통보 및 처리) ① 평가기관의 장은 평가가 완료되면 즉시 제21조제1항에 따른 평가보고서와 제21조제5항에 따른 확인보고서(해당하는 경우에만 해당한다)를 등록 등 업무수탁기관의 장에게 통보하여야 한다.

② 등록 등 업무수탁기관의 장은 제1항에 따라 통보된 평가보고서 및 확인보고서를 검토하여 평가대상자가 등록기준에 적합한지 확인하고 등록, 시정조치 등 필요한 조치를 취하여야 한다.

제3절 품질검사의 적정성 평가

제23조(자체품질관리) 품질검사를 대행하는 건설기술용역사업자는 제20조제3항 각 호의 평가기준을 철저히 이행하고 그 기록을 유지하여야 하며, 평가기관의 장은 평가를 위하여 필요한 경우 해당 자료의 제출 또는 열람을 요청할 수 있다.

제24조(품질검사성적서 및 원시데이터의 관리) ① 품질검사를 대행하는 건설기술용역사업자는 법 제60조제3항어 따라 성적서를 발급한 날부터 7일 이내에 품질검사 성적서 및 품질검사 내용을 건설사업정보포털시스템(http://www.calspia.go.kr)에 입력하고 필요한 경우 수정 등 관리하여야 한다.

② 제1항에서 품질검사 내용이라 함은 다음의 각 호를 포함하는 것을 말한다.

1. 규칙 별지 제48호 서식으로 작성된 품질검사 의뢰서
2. 법 제60조제2항에 따라 발주자 또는 건설사업관리를 수행하는 건설기술용역사업자의 봉인 또는 확인을 거친 재료임이 확인되는 사진
3. 별표5에 따라 작성되는 시료량을 기록한 내용, 시험·검사일지 및 시험·검사종목별로 시험·검사과정에 대한 전, 후 사진
4. 시험·검사시 수집된 수기 또는 전자적 기록
5. 시험·검사결과 분석기록
6. 그 밖에 시험·검사결과에 영향을 미치는 기록

③ 법 제60조에 따른 품질검사의 대행 이외의 다른 목적으로 품질

검사 성적서를 발급할 경우에도 제1항 및 제2항에 따라 품질검사 성적서와 원시데이터를 관리하여야 한다.

제25조(계획의 수립 및 조사) ① 지방국토관리청장은 영 제97조제2항에 따라 품질검사를 대행하는 건설기술용역사업자로부터 제출받은 서류에 대한 적정성을 검토하고 평가기관의 장과 협의하여 품질검사의 적정성 평가계획을 수립하여 매년 2월 15일까지 홈페이지에 공고하여야 한다.

② 품질검사를 대행하는 건설기술용역사업자는 공고된 품질검사의 적정성 평가계획에 따라 평가기관으로부터 평가를 받아야 한다. 다만, 품질검사를 대행하는 건설기술용역사업자가 연기를 요청한 경우 한차례에 한정하여 2개월까지 연장할 수 있다.

③ 품질검사의 적정성 평가에 관한 세부절차는 제19조부터 제22조까지를 준용하며, 평가기관의 장은 적정성 평가결과를 지방국토관리청장에게 보고한다

④ 제3항에 따라 적정성 평가결과를 보고 받은 지방국토관리청장은 지적내용에 대하여 영 제115조제2항제4호에 따라 시정명령하거나 법 제31조에 따라 등록취소 등의 요청을 하여야 한다.

⑤ 지방국토관리청장은 제2항에 따른 적정성 평가에 필요한 경우, 소속 담당자를 참관하게 하여 지도·감독을 할 수 있다.

⑥ 지방국토관리청장은 품질검사를 대행하는 건설기술용역사업자에 대하여 영 제115조제2항제4호에 따라 품질검사를 적정하게 하는지 수시조사를 실시할 수 있다.

제4절 평가기관의 조직 및 운영

제26조(조직 및 업무 등) ① 평가기관은 한국건설기술연구원으로 한다.

② 평가기관의 장은 평가의 독립성을 확보하고 평가제도를 효율적으로 운영하기 위한 조직과 인력을 갖추어야 한다.

③ 평가기관의 장은 다음 각 호의 업무를 수행한다.

1. 평가시스템 구축 및 운영에 관한 사항
2. 자문위원회 구성 및 운영에 관한 사항
3. 품질검사를 대행하는 건설기술용역사업자의 등록에 대한 조사 및 평가에 관한 사항
4. 품질검사를 대행하는 건설기술용역사업자의 품질시험에 대한 적정성에 관한 사항
5. 〈삭제〉
6. 그 밖에 평가기관의 업무수행에 필요한 사항

제27조(자문위원회 구성 및 운영 등) ① 평가기관의 장은 품질검사를 대행하는 건설기술용역사업자의 평가를 위하여 필요하면 영 제44조제1항제3호에 따른 세부분야에 따라 5인 이상 15인 이내의 전문가로 구성된 자문위원회를 구성하여 운영할 수 있다. 이 경우 자문위원회의 위원장은 평가기관의 장이 지정한다.

② 자문위원회는 다음 각 호의 사항에 대하여 자문한다.

1. 품질검사를 대행하는 건설기술용역사업자에 대한 조사결과 해석에 관한 사항
2. 이의 또는 불만처리의 최종해석 및 분쟁조정 사항

3. 그 밖에 평가기관의 장이 필요하다고 인정하는 사항

③ 평가기관의 장은 제2항의 자문결과에 따라 필요한 조치를 취하여야 한다.

④ 평가기관의 장은 자문위원에게 예산의 범위에서 소정의 수당을 지급할 수 있다.

제28조(평가인력의 관리) ① 평가기관의 장은 평가업무의 원활한 수행을 위하여 5인 이상의 평가사를 소속 직원으로 확보하여야 한다.

② 평가사의 자격기준은 별표8에 따른다.

③ 평가기관의 장은 품질검사를 대행하는 건설기술용역사업자에 대한 기술적·전문적 평가를 위해 별표8의 자격기준을 충족하는 외부인력을 평가사로 활용할 수 있다.

④ 평가기관의 장은 평가사를 등록 관리하여야 하며 인적정보를 최신상태로 유지하여야 한다.

제29조(교육훈련) 평가기관의 장은 품질검사를 대행하는 건설기술용역사업자의 기술력 향상을 위해 품질책임자, 책임기술인, 시험·검사자에게 교육 프로그램을 제공할 수 있다.

제30조(세부운영지침) ① 평가기관의 장은 품질검사를 대행하는 건설기술용역사업자 평가업무와 관련된 업무수행을 위하여 필요한 경우 세부운영지침을 작성·운영할 수 있다.

② 제1항에 따른 세부운영지침은 국토교통부장관의 승인을 받은 후 공고하여야 한다.

제3편 레미콘·아스콘 품질관리

제1장 생산공장 및 공사현장 품질관리

제31조(부실공사 방지를 위한 성실의무) ① 생산자는 부실공사를 방지하기 위하여 불량자재가 생산되지 않도록 품질관리를 하여야 하며, 발주청 등의 공장점검 등에 적극 협조하여야 한다.

② 수요자, 공급원 승인권자, 공사감독자는 불량자재가 반입되지 않도록 자재의 생산·공급 및 시공과정에 대하여 법령 등에서 정한 사항에 따라 성실하게 품질관리 업무를 이행하여 부실공사가 발생하지 않도록 하여야 한다.

③ 발주청은 자재의 품질확보를 위하여 공사감독자, 생산자, 수요자 및 공급원 승인권자를 대상으로 년 1회 이상 품질관리 교육을 실시할 수 있다.

제32조(자재공급원 승인 등) ① 수요자가 자재를 공급받고자 하는 공장(이하 "자재공급원"이라 한다.)을 선정하고자 할 때는 공급원 승인권자에게 자재공급원 승인 요청을 하여야 한다.

② 공급원 승인권자는 다음 각 호에 따라 자재공급원 승인 여부를 결정하여야 한다.

1. 제33조에 따른 사전점검 실시대상인 경우에는 공사감독자가 보고한 점검표의 내용을 검토·확인하여 적정한 품질관리가 가능한지 여부를 판단하고, 사전점검 시에는 골재시험 항목에 대하여 기록내용 확인을 위한 시험을 병행

2. 제33조에 따른 사전점검 실시대상이 아닌 경우에는 다음 각 목의 사항을 서면검토 후 적정한 품질관리가 가능한지 여부를 판단하고 필요한 경우에만 시험 또는 확인
   가. KS규격 표시인증 공장여부 또는 적정 품질관리 가능 여부
   나. 공장의 제조설비 및 기술인력, 시험장비 등 자재의 품질확보를 위해 필요한 사항
   다. 현장까지의 운반거리 및 운반시간을 고려한 자재의 품질변화 가능성(초기경화 진행, 온도저하 등)
   라. 사용 가능한 플랜트 믹서 및 운반차의 형식 · 용량 · 대수
   마. 폐자재 재생설비 구비 또는 적정 처리계획 여부
   바. 골재의 종류 및 규격별 품질시험 성적서 내용과 해당공사 시방규정과 부합여부
      (1) 레미콘 : 밀도, 흡수율, 입도, 조립률, 0.08mm체 통과량, 입자모양판정 실적율, 안정성, 알칼리골재반응, 염분함유량(NaCl), 마모감량 등
      (2) 아스콘 : 밀도, 흡수율, 입도, 마모율, 안정성, 편장석율 등
   사. 레미콘 · 아스콘 공장에서 생산자재별로 다음에서 정하는 사항에 대하여 항상 품질확인 등이 가능한 지 여부.
      (1) 레미콘 : 공기량, 슬럼프, 염화물이온량(Cl-), 일일 현장배합설계 등
      (2) 아스콘 : 안정도, 흐름값, 공극률, 포화도, 역청함유량, 입자피막정도, 혼합물온도, 골재간극률, 일일 현장배합설계 등
   아. 골재는 공급규격 및 품질, 공급가능 물량 등을 확인하여 해당공사 시방규정에 적합한 골재를 계속 사용 가능한지 여부

③ 수요자로부터 자재공급원 승인신청을 받은 공급원 승인권자는 제2항에 따른 사항이 확인되면 특별한 사유가 없는 한 10일 이내에 승인 여부를 회신하고, 그 결과를 발주청에 보고하여야 한다.

④ 공급원 승인권자는 다음의 경우에는 공급원 승인을 거부하거나 취소할 수 있다.

1. 공장 정기점검을 정당한 사유 없이 거부할 때
2. 공장 점검시 지적사항을 정당한 이유없이 계속 시정하지 아니하여 불량자재가 생산될 우려가 있을 때
3. 배합비 조작 등 자재공급원 승인내용과 실제 납품 사실이 다른 경우
4. 공급물량을 속여서 납품한 사실이 확인 된 경우
5. 최근 2년간 「건설기술진흥법」 제57조 등 관계법령을 위반하여 불량자재를 공급 한 사실이 있는 경우
6. 그 밖에 불량자재가 생산될 우려가 있다고 보는 정당한 사유가 있을 때

⑤ 자재공급원 승인이 곤란한 경우에는 그 사유를 명확히 하여 수요자에게 알려주어야 한다.

⑥ 공급원 승인권자는 자재공급원 승인과 관련하여 제출받은 내용을 공장별로 기록 · 정리하고 모니터링하여 사후 자재공급원 승인 업무 등에 활용할 수 있다.

제33조(자재공급원의 사전점검) ① 수요자는 레미콘 총 설계량이 1천

세제곱미터 이상이거나 아스콘의 총 설계량이 2천톤 이상인 건설공사에 대하여 자재공급원 승인요청을 하려면 공사감독자와 합동으로 사전점검을 실시하고 그 결과를 공급원 승인권자에게 보고하여야 한다

② 제1항에 따른 사전점검은 별지 제8호 서식의 레미콘공장 사전점검표 또는 별지 제9호 서식의 아스콘공장 사전점검표에 따라 실시한다.

제34조(자재공급원의 정기점검) ① 수요자는 발주청이 발주한 공사 중 레미콘 총 설계량이 3천세제곱미터 이상이거나 아스콘 총 설계량이 5천톤 이상인 건설공사에 대하여 자재공급원을 정기 점검하여야 한다. 다만, 발주청이 자재 사용량과 구조물의 중요 여부를 판단하여 정기점검이 불필요하다고 판단한 때에는 생략할 수 있다.

② 수요자는 자재공급원에 대하여 별지 제8호 서식의 레미콘공장 정기점검표 또는 별지 제9호 서식의 아스콘공장 정기점검표에 따라 반기별 한 차례(자재사용시기가 특정 반기에 집중되어 있는 경우 년 한차례) 이상 정기점검을 실시하고 그 결과를 공사감독자에게 보고해야 한다.

③ 공사감독자는 제2항에 따라 보고받은 점검결과를 확인하여 발주청 및 공급원 승인권자에게 보고하여야 한다.

④ 발주청 또는 공급원 승인권자가 필요하다고 인정하는 때에는 제2항에 따른 정기점검 중 연 1회는 감독자 및 수요자와 합동으로 정기점검을 실시하게 할 수 있다.

⑤ 발주청 또는 공급원 승인권자는 점검결과를 공장별로 기록 · 정리하고 모니터링하여 사후 자재공급원 승인 또는 공장 지도점검 업무에 활용할 수 있다.

⑥ 지방국토관리청장은 제3항에 따라 공사감독자가 보고한 정기점검 결과를 자재 공급원별로 정리하여 해당 반기가 끝나는 달의 다음달까지 별지 제10호 서식에 따라 국토교통부장관에게 보고하여야 한다.

제34조의2(자재공급원의 사전점검 및 정기점검 항목 제외) 제33조 및 제34조에 따른 점검에 있어 「산업표준화법」에 따른 사후관리를 위한 정기점검을 받은 지 3개월 이내이고, 별지 제8호 서식의 점검표의 점검항목이 「산업표준화법」에 따른 정기점검항목과 중복되는 경우, 공사감독자가 품질관리 지장 여부를 판단하여 점검표의 점검항목에서 제외할 수 있다

제35조(자재공급원의 특별점검) ① 발주청 또는 공급원 승인권자는 다음 각 호의 어느 하나에 해당하는 경우에 특별점검을 실시한다.

1. 수요자가 불량자재 공급 등으로 사회적 물의를 야기한 생산자로부터 자재를 공급받아야 하는 경우로서 발주청 또는 공급원 승인권자가 필요하다고 인정하는 경우
2. 공급원 승인권자가 감독자 또는 수요자로부터 생산자의 불량 자재 폐기 사실이 허위임을 통보받은 경우
3. 발주청이 자체공사에 대한 시공실태 점검결과 자재의 품질에 문제가 있다고 판단되는 등 특별점검이 필요하다고 인정되는 경우
4. 원자재 수급 곤란으로 불량자재 생산이 우려되어 특별점검이 필요하다고 인정되는 경우

② 발주청 또는 공급원 승인권자가 특별점검을 실시하는 경우에는 공사감독자, 수요자 등으로 점검반을 구성하여 운영한다.

③ 특별점검에 필요한 점검방법, 점검서식 등은 사전점검 및 정기점검을 준용할 수 있다

제36조(관급자재의 품질관리 등) 발주청 또는 공급원 승인권자는 사용될 자재가 관급인 경우에는 이 지침에 준하여 사전점검 및 정기점검 등 품질관리를 할 수 있으며, 다음 각 호의 어느 하나에 해당되는 경우 그 사유를 명시하여 조달청에 관급자재를 공급하는 생산자 변경 등 필요한 조치를 요청할 수 있다.

1. 제32조제4항 각 호의 어느 하나에 해당되는 때
2. 단, 구간 또는 단일 구조물에 사용되는 자재가 다수의 생산자로부터 자재를 공급받아 향후 하자관계가 불분명해 질 우려가 있을 때
3. 가까운 곳에 생산자가 있음에도 장거리 생산자로부터 자재를 공급받는 경우로서 품질관리에 지장을 초래하는 경우

제37조(자재공급원의 품질관리 확인) ① 공사감독자 또는 수요자는 불량자재 생산을 방지하기 위하여 생산 전, 생산 또는 공급과정에서 다음 각 호의 사항을 확인할 수 있다.

1. 골재(잔골재, 굵은골재) 등 원자재에 대한 품질의 적합성 여부(골재의 품질시험과 일일 현장배합설계 등에 대한 확인 포함)
2. 시방규정에 적합한 골재(품질, 공급규격 등)를 계속 사용 가능한지 여부
3. 품질시험 · 검사를 할 수 있는 시험장비의 비치 및 관련자격을 소지한 기술인력의 상주 여부

② 공사감독자 또는 수요자가 제1항에 의한 공장품질관리 확인을 실시하여 품질확보에 문제가 있다고 판단되는 경우에는 시정을 요구할 수 있으며, 생산자는 정당한 사유가 없는 한 이에 따라야 한다.

③ 수요자는 생산자와 자재공급에 대한 계약을 하는 경우 공장품질관리 확인, 생산자 책임 및 의무 등 품질관리에 관한 제반사항을 자재공급계약서에 명시하여 분쟁이 발생되지 않도록 하여야 한다.

제38조(시공 품질관리 시험 · 검사 등) ① 레미콘 및 아스콘에 관한 다음 각 호의 사항에 대한 시험항목, 시험빈도(횟수) 및 방법 등에 관한 품질확인 방법은 이 업무지침, 한국산업표준, 「건설기술진흥법」 제44조에 따른 설계 및 시공기준 등을 검토하여 작성한 해당공사 시방규정에 따른다.

1. 레미콘 : 슬럼프, 공기량, 염화물이온량(Cl-), 강도 등
2. 아스콘 : 온도, 마샬 안정도, 흐름값, 공극률, 포화도, 역청함유량, 추출입도, 포설두께, 밀도 등

② 생산자가 고로슬래그 미분말, 플라이애시 중 한 종류의 혼화재를 단위결합재량 대비 10퍼센트를 초과 사용하여 레미콘을 제조하고자 하는 경우에는 별표9에 따라 품질관리를 실시하여야 한다. 다만, 다음 각 호의 어느 하나에 해당하는 경우에는 해당 건설공사의 수요자와 생산자가 협의하여 품질관리기준을 달리 할 수 있다.

1. 고로슬래그 미분말, 플라이애시 이외에 실리카퓸 등의 혼화재를 사용하고자 하는 경우
2. 고로슬래그 시멘트, 플라이애시시멘트 등 혼합시멘트를 사용하

고자 하는 경우

3. 다성분계 콘크리트를 제조하고자 하는 경우
4. 별표9에서 규정한 혼화재 치환율의 범위 이외의 경우
5. 콘크리트표준시방서에서 규정하는 일반콘크리트 이외의 프리스트레스트 콘크리트 · 매스콘크리트 · 경량골재콘크리트 · 해양콘크리트 · 수중콘크리트 · 프리플레이스콘크리트 · 숏크리트 · 철골철근콘크리트 · 포장콘크리트 등 특수콘크리트를 사용하고자 하는 경우

③ 공사감독자와 수요자는 자재가 현장에 반입되면 납품서에 다음 각 호의 사항을 확인 또는 기재하여야 한다. 이 경우, 제34조에 따른 레미콘 정기점검 실시대상 건설공사의 공사감독자와 수요자는 레미콘 공장 운전실에서 출력된 자동계량기록지 등 레미콘 생산정보를 확인하여야 하며, 확인 방법에 대해서는 수요자와 생산자가 협의하여 정할 수 있다.

1. 운반차 번호
2. 생산 · 도착시각 및 타설완료시각
3. 규격 및 용적
4. 인수자
5. 그 밖에 지정사항 등

④ 공사감독자와 수요자는 자재가 공사현장에 반입되어 시공완료가 될 때까지 별지 제11호 서식의 레미콘 시공품질관리 점검표 또는 별지 제12호 서식의 아스콘 시공품질관리 점검표를 기록, 비치하여야 한다.

⑤ 제1항부터 제3항까지에 따른 현장반입 자재의 모든 시험은 수요자가 직접 실시하거나 「건설기술진흥법」 제26조에 따른 품질검사를 대행하는 건설기술용역사업자에 의뢰하여 실시하여야 하며, 현장 시험과정에는 공사감독자가 입회하여 시료 채취 위치를 결정하고 시험방법의 적절성을 확인하여야 한다. 이 경우 공사감독자와 수요자는 현장 시험과정의 적절성을 확인 할 수 있는 증빙을 사진촬영 등 식별가능한 정보로 기록관리 하여야 하며, 시험과정의 적절성 확인에 대한 시험종목 등에 대하여는 이 지침 별표2의 건설공사 품질시험기준에 따른다.

⑥ 품질시험 · 검사성과는 규칙 별지 제42호 서식에 따른 품질검사대장에 기록 및 관리하여야 한다.

⑦ 수요자는 시공상세도에 따라 시공이음으로 경계가 구분되지 않거나 구획을 나누어 타설할 수 없는 경우를 제외하고는 공사감독자의 승인을 얻어 하나의 구조물 또는 부위에 2개 이상의 공장에서 생산한 레미콘을 혼용하여 타설할 수 있다.

제39조(점검결과에 대한 조치) ① 공급원 승인권자는 사전점검, 정기점검, 특별점검 및 자재공급원 품질관리 확인과정에서 지적된 사항에 대하여 생산자로 하여금 시정토록 요구하여야 한다.

② 공급원 승인권자는 생산자가 제1항에 따라 요구된 시정사항을 이행하지 않는 경우 품질에 영향을 미치는 정도를 감안하여 자재공급원 승인거부, 자재공급 일시중단, 자재공급원 승인취소 등 적정한 조치를 취하여야 한다.

③ 공급원 승인권자는 제1항의 점검과정에서 지적된 내용이 KS표

시인증 심사기준에 관련된 사항으로서 공급원 승인취소 사유에 해당되면 산업통상자원부 국가기술표준원에 통보하여야 한다.

제40조(기록물 보관 등) ① 공사감독자와 수요자는 자재의 시공과 관련된 다음 각 호의 서류를 건설공사 현장에 비치하고 발주청 또는 관계기관의 요구가 있는 경우 제출하여야 하며, 건설공사를 준공한 때는 감리전문회사 및 시공사가 이를 보관하여야 한다. 다만, 관계 법령 및 계약내용 등에 서류의 비치 및 보관에 대하여 규정하고 있는 경우에는 그 내용에 따를 수 있다

1. 자재공급원 승인 관련 서류
2. 자재 시공품질관리 점검표
3. 자재 품질시험 · 검사대장

② 공사감독자와 수요자는 제1항 각 호의 서류를 「건설공사 사업관리방식 검토기준 및 업무 수행지침서」의 서류와 중복되는 경우 별도로 작성하지 아니할 수 있다.

③ 공사감독자와 수요자는 제1항의 서류가 건설공사 준공시 발주청에 인계할 문서의 목록에 포함할지 여부를 발주청과 협의하고 협의된 내용에 따라야 한다.

제41조(불량 자재의 처리 등) ① 공사감독자와 수요자는 다음 각 호의 어느 하나에 해당하는 불량자재가 발생한 경우 즉시 반품하여야 한다.

1. 슬럼프(Slump) 측정결과 해당공사 시방기준에 벗어나는 경우
2. 공기량 측정결과 해당공사 시방기준에 벗어나는 경우
3. 염화물이온량(Cl-) 측정결과 해당공사 시방기준에 벗어나는 경우
4. 레미콘 생산 후 해당공사 시방기준에 규정된 시간을 경과하는 경우
5. 아스콘 온도측정 결과 해당공사 시방기준 온도에 미달될 경우
6. 마샬 안정도 측정결과 해당공사 시방기준에 벗어나는 경우
7. 역청함유량 및 추출입도 측정결과 해당공사 시방기준에 벗어나는 경우
8. 재료 분리 등으로 사용이 불가능하다고 판단될 경우
9. 그 밖에 불량자재 사용으로 향후 하자발생이 예상되는 등 품질관리상 사용이 적정하지 않다고 판단될 경우

② 공사감독자와 수요자는 불량한 자재가 다른 현장에서 사용되지 않도록 별지 제13호 서식의 불량자재폐기 확약서를 생산자에게 징구하여 준공시까지 보관하여야 한다.

③ 생산자는 제2항에 따라 불량자재폐기 확약서를 제출한 경우에는 제출후 다음 각 호의 서류를 3년간 비치하고 불량자재가 유통되지 않도록 하여야 한다.

1. 불량자재폐기 확인 및 기록유지
2. 불량자재의 발생원인 분석, 재발방지 대책 및 기록

④ 공급원 승인권자는 생산자가 제3항의 규정에 의한 불량자재폐기 확약서 내용을 이행하지 아니하여 민원 등 문제가 발생한 경우에는 산업통상자원부 국가기술표준원에 즉시 그 내용을 통보하여야 한다.

⑤ 불량자재가 사용되어 시공된 부위는 재시공함을 원칙으로 한다. 다만, 발주청의 승인을 받아 안전진단 등을 실시하고 구조물의

안전에 이상이 없다고 판명된 경우는 그 결과에 따를 수 있다.

⑥ 수요자의 사정으로 자재가 반품되어 다른 현장으로 전용(轉用)하여 사용할 경우, 제38조에 따른 시험·검사를 실시하여야 한다.

제2장 레미콘 현장배치플랜트 설치 및 관리

제42조(현장배치플랜트의 설치방법) 현장배치플랜트를 설치하려는 시공자는 「건축법」 제20조 및 같은 법 시행령 제15조에 따른 가설건축물 축조신고 등을 하여야 한다.

제43조(현장배치플랜트의 설치조건) ① 건설공사에 소요되는 레미콘을 레미콘 전문제조업자가 생산·공급할 수 없는 다음 각 호에 해당하는 경우에는 해당 건설공사의 시공자는 현장배치플랜트 설치하여 레미콘소요량을 전량 공급할 수 있다. 이 경우 해당 레미콘전문제조업자의 중소기업자단체가 「대·중소기업 상생협력 촉진에 관한 법률」 제32조에 따라 사업조정을 신청하는 경우에는 관할지역의 시·도지사는 이를 기각한다.

1. 콘크리트를 비비기 시작하고 나서 90분 이내에 트럭믹서로 배출지점까지 운반이 불가능한 지역인 벽지지역·도서지역·교통체증지역 등
2. 압축강도가 40MPa이상이거나 슬럼프가 50㎜이하인 레미콘이 사용되는 경우
3. 콘크리트표준시방서에서 규정하는 일반콘크리트 이외의 프리스트레스트 콘크리트·매스콘크리트·경량골재콘크리트·해양콘크리트·수중콘크리트·프리팩트콘크리트·숏크리트·철골철근콘크리트등 특수콘크리트를 시공하는 경우
4. 공공공사의 발주기관의 장이 상기 각 호의 경우 이외에 주변의 레미콘전문제조업자로부터 소요 품질의 레미콘을 공급받을 수 없어 레미콘의 품질확보를 위해서는 현장배치플랜트 설치가 불가피하다고 판단하여 계약서에 명시하는 경우

② 레미콘수요량이 급격히 증가하여 주변의 레미콘전문제조업자가 해당 건설공사에 소요되는 량을 충분히 생산·공급할 수 없는 다음 각 호에 해당하는 경우에는 해당 건설공사의 시공자는 현장배치플랜트를 설치하여 레미콘소요량의 일부를 공급할 수 있다. 이 경우 시공자는 「대·중소기업 상생협력 촉진에 관한 법률」 제32조에 따른 사업조정신청에 관계없이 제1항의 규정에 해당되지 않는 일반레미콘의 소요량의 2분의1을 주변의 레미콘전문제조업자가 공급할 수 있도록 협조하여야 한다.

1. 레미콘 수요성수기에 건설공사를 하는 경우
2. 대규모 구조물공사로 레미콘 수요량이 급격히 증가하는 경우

③ 현장배치플랜트에서 생산되는 레미콘은 해당 건설공사 현장이외의 장소로 반출하여 사용할 수 없다.

제44조(공동협력) ① 해당 건설공사의 발주자는 시공자가 제43조제2항에 따라 일반레미콘의 소요량의 50퍼센트를 주변의 레미콘전문제조업자로부터 공급받도록 최대한 협조하여야 한다.

② 관할 시·도지사는 레미콘전문제조업자의 중소기업자단체로부터 「대·중소기업 상생협력 촉진에 관한 법률」 제32조에 따른 사

업조정신청을 받은 경우에는 해당 건설공사의 레미콘소요량의 50퍼센트를 주변의 레미콘전문제조업자가 공급하도록 즉시 조정하여 시공자의 해당건설공사 추진에 차질이 없도록 최대한 협조하여야 한다.

제45조(품질관리) ① 해당 건설공사에 소요되는 레미콘을 적기에 공급하기 위하여 시공자가 현장배치플랜트를 설치하는 경우 시공자는 영 제95조에 따라 실시하는 품질시험내용을 문서화하여 기록을 유지한다.

② 해당 건설공사의 발주자는 레미콘의 품질확보를 위하여 제1항에 따라 실시된 품질시험 내용을 점검하고 이에 대하여 지도할 수 있으며, 이 업무지침에 따라 품질관리를 할 수 있다.

제4편 철강구조물 제작공장 인증 세부기준 및 절차

제46조(공장인증 세부기준) ① 철강구조물제작공장 인증의 세부기준은 별표10과 같다.

② 공장인증을 받은 철강구조물제작공장 실태조사 세부기준은 별표11과 같다.

제47조(공장인증의 신청) 공장인증을 신청하고자 하는 자(이하 "신청자"라 한다)는 법 제58조 및 같은 규칙 제54조제1항 별지 제44호 서식의 공장인증신청서를 작성하여 심사기관의 장에게 제출하여야 한다.

제48조(재심사) ① 신청자는 공장인증 심사결과 별표10의 공장인증 세부기준 중에서 어느 하나가 부적합한 것으로 심사된 경우 이를 보완하여 심사기관의 장에게 재심사를 신청할 수 있다.

② 제1항에 따라 신청자가 재심사를 신청하면 심사기관의 장은 신청일로부터 14일 이내에 재심사하여 그 결과를 신청자에게 통지하고 국토교통부장관에게 보고하여야 한다.

③ 제1항에 따른 재심사 신청이 60일 이내에 이루어지지 않을 경우 심사기관의 장은 신청서를 반려한다.

제49조(실태조사) ① 공장인증을 받은 자는 영 제96조제7항에 따라 실태조사를 위하여 별지 제14호 서식인 실태조사신청서를 작성하여 심사기관의 장에게 신청하여야 한다.

② 심사기관의 장은 실태조사 신청을 받으면 조사반을 구성하여 그 중 한명을 조사반장으로 지명하고 실태조사를 실시한 후, 그 결과를 신청자에게 통지하고 영 제96조제7항에 따라 국토교통부장관에게 보고하여야 한다.

③ 실태조사 결과 부적합 사항이 발생한 경우, 심사기관의 장은 해당 공장에 보완요청하고 인증공장은 1개월 이내에 보완하여 그 결과를 심사기관의 장에게 제출하여야 한다.

④ 심사기관의 장은 14일 이내에 해당공장에 방문 또는 서면으로 확인조사를 실시하고 그 결과 적합한 경우 영 제96조제7항에 따라 국토교통부장관에게 보고하여야 한다. 확인조사 결과가 부적합인 경우 제3항에 따라 인증공장에 재보완 요청한다.

⑤ 인증공장이 보완을 거부하거나 또는 총 2회에 걸친 보완 결과가 부적합한 경우, 심사기관의 장은 국토교통부장관에게 보고하고

국토교통부장관은 법제58조제2항에 따라 시정에 필요한 조치를 명하여야 한다.

제50조(이의제기) ① 신청자가 공장인증 심사결과 및 실태조사 결과에 대하여 이의를 제기할 때에는 심사 및 조사결과를 통지받은 날로부터 14일 이내에 심사기관의 장에게 이의제기 사항을 서면으로 제출하여야 한다.

② 심사기관의 장은 이의제기가 된 사항에 대하여 타당성 여부를 검토하여 필요한 경우 현장방문 등 이의제기 사항에 대해 확인하고 이의제기 접수일로부터 20일 이내에 그 결과를 신청자에게 통지하고 국토교통부장관에게 보고하여야 한다.

제51조(공장심사 기준의 적용 등) ① 같은 공장이 교량 및 건축분야의 인증을 동시에 신청한 경우 별표10의 공장인증 세부기준을 각각 구분하여 심사하되 공장개요, 기술인력, 제작 및 시험설비 부문의 심사기준이 동일한 경우에는 중복부분을 생략할 수 있다.

② 공장인증심사의 적합판정은 해당 공장이 신청한 분야 및 등급에 대하여 별표10 공장인증 세부기준의 판정기준점과 항목별 필수점을 동시에 만족하는 경우로 한다.

③ 실태조사의 적합판정은 해당 공장이 신청한 분야 및 등급에 대하여 별표11 철강구조물제작공장 인증의 실태조사 세부기준의 판정기준점과 항목별 필수점을 동시에 만족하는 경우로 한다

제52조(인력편성) 심사기관의 장은 철강구조물제작공장 인증업무 수행을 위하여 별표12와 같이 인력을 편성하고 운영하여야 한다.

제52조의1(교육훈련) 심사기관의 장은 철강구조물 제작의 품질 향상을 위해 공장에 소속되어 품질관리 업무를 수행하는 건설기술인에게 교육프로그램을 제공할 수 있다.

제53조(세부운영지침) 심사기관의 장은 인증심사의 항목별 평가를 위한 세부지침, 공장인증, 실태조사 등에 따른 수수료 및 납부절차 등 전문·기술적 심사업무수행에 필요한 기준을 정하여 국토교통부장관의 승인을 받아 공고한다.

제5편 가설기자재 품질관리

제54조(부실공사 방지를 위한 성실의무) ① 시공자, 공급원 승인권자, 공사감독자는 부실공사가 발생하지 않도록 불량자재 반입을 철저히 차단하는 등 성실하게 품질관리 업무를 이행하여야 한다.

② 가설기자재의 자재별(종별), 시험종목, 시험방법, 시험빈도는 별표2와 같다

③ 별표2에서 명시되지 아니한 가설기자재에 대해서는 시방서 등 설계도서에 제시된 시험종목·방법 및 빈도에 따른다.

④ 발주자가 공사의 종류·규모 및 중요성, 현지실정 등을 감안하여 특히 필요하다고 인정하면 별표2의 시험빈도를 조정할 수 있다.

제55조(재검토기한) 국토교통부장관은 「훈령·예규 등의 발령 및 관리에 관한 규정」에 따라 이 고시에 대하여 2020년 7월 1일 기준으로 매 3년이 되는 시점(매 3년째의 6월 30일까지를 말한다)마다 그 타당성을 검토하여 개선 등의 조치를 하여야 한다.

부칙 〈제2015-474호, 2015.6.30〉

제1조(시행일) 이 기준은 고시한 날부터 시행한다.

제2조(다른 고시의 폐지) 다음 각 호의 고시는 폐지한다.

1. 「건설공사 품질관리 지침」(국토교통부 고시 제2014-303호)
2. 「품질시험비 산출 단위량 기준」(국토교통부 고시 제2013-357호),
3. 「레미콘·아스콘 품질관리 지침」(국토교통부 고시 제2014-300호)
4. 「레미콘 현장배치플랜트 설치 및 관리에 관한 지침」(국토교통부 고시 제2014-454호)
5. 「철강구조물 제작공장 인증심사 세부기준 및 절차」(국토교통부 고시 제2014-293호)

제3조(경과조치) 이 지침 시행일 전에 계약을 체결하여 수행중인 건설공사는 종전의 규정을 적용한다.

부칙 〈제2017-450호, 2017.7.1〉

제1조(시행일) 이 고시는 발령한 날부터 시행한다.

제2조(가설기자재 품질관리의 적용례) 제54조 개정규정은 이 고시가 시행된 날 이후 입찰공고(발주자가 발주청이 아닌 경우에는 건설공사의 허가·인가·승인 등을 말한다)하는 건설공사부터 적용한다.

부칙 〈제2020-720호, 2020.10.13〉

제1조(시행일) 이 고시는 발령한 날부터 시행한다.

제2조(품질관리계획서의 적용례) 제7조 개정규정은 이 고시가 시행된 날 6개월 이후 입찰공고(발주자가 발주청이 아닌 경우에는 건설공사의 허가·인가·승인 등을 말한다)하는 건설공사부터 적용한다.

제3조(자재공급원 승인의 적용례) 제32조제4항제5호의 개정규정은 이 고시가 시행된 날 2년 이후 입찰공고(발주자가 발주청이 아닌 경우에는 건설공사의 허가·인가·승인 등을 말한다)하는 건설공사부터 적용한다.

부칙 〈제2022-30호, 2022.1.18〉

이 고시는 발령한 날부터 시행한다.

[별표 1]

품질관리계획서 작성기준(제7조제1항 관련)

항목	내용
1. 일반사항	○ 품질관리계획서의 작성 근거(영 제89조제1항의 각 호 등)를 명시하여야 한다. ○ 품질관리계획서의 제정 및 개정현황 등을 작성하여야 한다. ○ 그 밖에 필요한 사항
2. 적용범위 및 인용표준	○ 건설공사의 현장 특성 때문에 이 작성기준의 일부를 적용할 수 없는 경우에는 상세한 사유를 명시하여야 한다. ○ KS Q ISO 9001:2015(품질경영시스템-요구사항)를 참조하여 작성하여야 한다.
3. 용어 정의	○ 품질관리계획서 작성에 사용하는 용어는 건설공사 품질관리 업무지침 제2조 및 KS Q ISO 9000:2015(품질경영시스템-기본사항과 용어)를 참조하여 작성하여야 한다.
4. 조직 상황 4.1 건설공사의 정보	○ 건설공사의 정보는 다음 각 호의 사항을 포함하여 문서화된 정보로 유지하여야 한다. 1. 공사명, 공사금액, 공사기간, 공사위치, 관련주체, 공종 현황, 계약 특이사항 등 계약 일반현황에 관한 요약 정보
4.2 이해관계자의 요구와 기대관리	○ 건설공사 요구사항과 적용되는 법적 및 규제적 요구사항을 충족하는 공사목적물을 완성하기 위하여 이해관계자 및 이해관계자 요구사항을 파악하고 관리 하여야 한다. ○ 이해관계자의 요구와 기대관리절차에는 다음 각 호의 사항을 포함하여 문서화된 정보를 유지하고 보유하여야 한다. 1. 건설공사와 관련되는 이해관계자 파악 2. 건설공사와 관련되는 이해관계자의 요구사항 파악 3. 이해관계자 및 이해관계자와 관련되는 요구사항에 대한 정보를 모니터링 하고 검토 관리하는 방법 ※ 이해관계자란 의사결정 또는 활동에 영향을 줄 수 있거나, 영향을 받을 수 있거나 또는 영향을 받는다고 생각하는 사람 또는 조직을 말한다.

항목	내용
4.3 프로세스 관리	○ 건설공사 전반의 프로세스를 파악하여 프로세스의 순서와 상호작용을 결정하고 문서화된 정보로 유지하여야 한다. (예 : 프로세스 맵핑) ○ 건설공사 수행을 위하여 결정한 프로세스에 대하여 다음 각 호의 사항을 실행하여야 한다. 1. 요구되는 입력과 프로세스로부터 기대되는 출력의 결정 2. 프로세스의 효과적 운용고- 관리를 위하여 필요한 기준과 방법의 결정과 적용(모니터링, 측정 및 관련 성과지표를 포함) 3. 프로세스에 필요한 자원의 결정과 자원의 가용성 보장 4. 프로세스에 대한 책임과 권한의 부여 5. 파악된 리스크와 기회의 조치 6. 프로세스의 평가, 프로세스의 결과 달성을 위한 모든 변경사항의 실행 7. 프로세스의 개선 8. 그 밖에 필요한 사항
5. 리더십 5.1 품질방침	○ 현장 최고책임자는 건설공사의 목적과 발주자의 기대 및 요구에 적절한 현장의 품질방침을 정하고, 이용 가능하도록 문서화된 정보로 유지하여야 한다. ○ 품질방침은 다음 각 호의 사항에 대한 의지표명을 포함하여야 한다. 1. 건설공사 요구사항과 적용되는 법적 및 규제적 요구사항 충족시킴. 2. 리스크와 기회를 결정하그 처리. 3. 필요한 자원 지원 및 인원을 적극 참여시키고, 지휘하고 지원. 4. 고객만족을 위해 노력. 5. 품질확보를 위한 지속적 개선 6. 그 밖에 필요한 사항 ○ 품질방침은 공사수행 구성원에게 의사소통 및 이해되며 적용하고 있다는 것을 문서화된 정보로 보유하여야 한다.

항목	내용
5.2 책임 및 권한	○ 품질관리계획을 수립, 실행 및 유지할 수 있도록 본사 조직과 연계된 현장 조직을 구성하여야 한다. ○ 현장 단위조직 및 공사수행 구성원의 책임과 권한은 다음 각 호의 사항을 포함하여 문서화된 정보로 유지하여야 한다. 1. 품질관리, 공사, 공무, 관리 등 개별 단위조직에 대한 활동의 계획, 실행 및 유지, 모니터링 2. 건설공사에 영향을 미치는 발주자, 공사감독자 또는 건설사업관리기술자, 하도급자 등 모든 조직과의 의사소통, 그리고 공사 관련자간 공유영역에서 일어나는 문제의 해결 3. 내·외부 점검 및 결과 조치(내부심사, 품질관리 적절성 확인 등) 4. 시정조치의 관리 5. 그 밖에 필요한 사항 ○ 책임과 권한은 단위 조직 및 구성원들에게 의사소통 및 이해되고 있다는 것을 문서화된 정보로 보유하여야 한다.
6. 기획 6.1 리스크 및 기회관리	○ 발주자 및 건설공사 요구사항, 적용되는 법적 및 규제요구사항, 이해관계자의 이슈 등을 고려하여 리스크와 기회를 결정하여야 한다. ○ 리스크 관리 절차에는 다음 각 호의 사항을 포함하여 문서화된 정보로 유지하고 보유하여야 한다. 1. 리스크와 기회 파악 2. 파악된 리스크와 기회를 조치하고 효과성 평가 3. 그 밖에 필요한 사항
6.2 품질목표 관리	○ 건설공사 요구사항과 발주자의 기대 및 요구사항을 달성하기 위하여 현장의 품질목표를 수립하고 관리하여야 한다. ○ 품질목표관리 절차에는 다음 각 호의 사항을 포함하여 문서화된 정보를 유지하고 보유하여야 한다. 1. 품질목표 일반사항 가. 현장 품질방침과 일관성이 있어야 함. 나. 측정 가능해야 함. 다. 적용되는 요구사항이 고려되어야 함.

항목	내용
6.2 품질목표 관리	라. 공사목적물의 적합성과 고객만족 증진과 관련되어야 함. 마. 모니터링 되어야 함. 바. 의사소통 되어야 함. 사. 필요에 따라 갱신되어야 함. 아. 지속적 개선 결과를 반영 함. 2. 품질목표 추진계획의 수립 가. 품질목표 달성대상 결정과 달성을 위한 일정계획 나. 품질목표 달성을 위한 필요한 자원, 책임자 지정, 완료시기 다. 달성도 확인 주기 및 결과 평가방법 라. 그 밖에 필요한 사항 3. 그 밖에 필요한 사항
6.3 품질관리 계획의 변경관리	○ 현장 내부심사 및 경영검토, 지속적 개선 등의 결과로 품질관리계획의 변경이 필요한 경우에는 계획적인 방식으로 수행되어야 한다. ○ 품질관리계획의 변경관리절차에는 다음 각 호의 사항을 고려하여 수행하고 문서화된 정보를 유지하고 보유하여야 한다. 1. 변경의 목적과 잠재적결과 2. 품질관리계획서 작성기준 3. 자원의 사용 가능성 4. 책임과 권한의 부여 또는 재부여 5. 그 밖에 필요한 사항
7. 지원 7.1 자원관리	○ 품질관리계획서 및 건설공사 요구사항을 충족시키기 위하여 필요한 자원을 확보하여야 한다. ○ 자원관리 절차에는 다음 각 호의 사항을 포함하여 문서화된 정보를 유지하고 보유하여야 한다. 1. 인적자원의 관리 가. 품질관리계획서의 효과적인 실행, 프로세스의 운용과 관리에 필요한 인원(관련 법령, 발주자 요구 등)의 결정 및 관리에 관한 사항 나. 그 밖에 필요한 사항

항목	내용
7. 지원 7.1 자원관리	2. 기반구조 및 작업환경의 관리 가. 건설공사의 성공적인 수행을 위한 기반구조와 작업환경의 확보 및 유지관리에 관한 사항 나. 필요한 성능의 지속적인 유지관리 사항 다. 그 밖에 필요한 사항 ※ 기반구조란 건물 및 연관된 유틸리티, 장비(하드웨어, 소프트웨어 포함), 운송자원, 정보통신기술 등을 말한다.
7.2 모니터링 자원 및 측정자원의 관리	○ 공사 목적물이 건설공사 요구사항에 적합한지를 검증하기 위해 필요한 모니터링 자원 및 측정자원을 관리하여야 한다. ○ 모니터링 자원 및 측정자원의 관리절차에는 다음 각 호의 사항을 포함하여 문서화된 정보를 유지하고 보유하여야 한다. 1. 필요한 검사 및 시험, 모니터링에 사용될 장비 및 각 장비의 관리기준(정밀·정확도) 결정과 확보에 관한 사항 2. 규정된 주기 또는 사용전에 교정 실시, 교정성적서의 검토와 사용 여부의 판단, 교정 상태의 식별 표시 방법 3. 장비별 고유의 식별, 취급, 유지보전 및 보관방법 4. 성능저하를 발견하기 위한 적정한 점검주기, 점검기준 및 점검방법 5. 장비가 장비의 관리기준에서 벗어난 것으로 판명된 경우 이전의 검사 및 시험과 모니터링 결과에 대한 유효성 평가 및 필요한 경우 적절한 조치방법 6. 그 밖에 필요한 사항
7.3 조직의 지식관리	○ 공사 목적물 완성에 필요한 건설공사 요구사항과 적용되는 법적 및 규제적 요구사항 등의 필요한 지식을 정하고 관리하여야 한다. ○ 지식관리절차에는 다음 각 호의 사항을 포함하여 문서화된 정보를 유지하고 보유하여야 한다. 1. 필요한 지식의 파악 및 결정 2. 정해진 지식(내부 및 외부)의 유지관리 및 이용 가능한 방법. 3. 신규 지식 및 요구 지식이 적용될 경우 입수 또는 이용방법

항목	내용
7.3 조직의 지식관리	4. 그 밖에 필요한 사항 ※ 지식이란 건설공사 수행을 위하여 활용되고 공유되는 정보이다(예: 계약서, 시방서, 적용 코드 및 표준, 사내표준, 적용 법규, 공법, 유사공사들의 우수/실패 사례 등)
7.4 역량/적격성 관리	○ 품질관리계획서 및 건설공사 요구사항을 수행하는 인원에 대하여 필요한 역량/적격성을 결정하고 제공하여야 한다. ○ 역량/적격성관리절차에는 다음 각 호의 사항을 포함하여 문서화된 정보를 유지하고 보유하여야 한다. 1. 해당 업무수행에 요구되는 적절한 학력, 교육훈련, 숙련도, 경험, 관련법령 등의 역량/적격성 결정 및 관리에 관한 사항 2. 결정된 역량/적격성이 있음을 보장하는 방법에 관한 사항 3. 역량/적격성이 보장된 인원의 배치에 관한 사항 4. 그 밖에 필요한 사항 ○ 교육훈련관리 절차에는 다음 각 호의 사항을 포함하여 문서화된 정보를 유지하고 보유하여야 한다. 1. 교육훈련의 필요성 파악 가. 건설공사 수행과 관련된 법령 및 품질관리계획의 요구사항 나. 작업방법 및 절차, 검사 및 시험방법, 측량기법, 적용되는 신기술 또는 신공법 다. 품질관리에 관한 사항 라. 그 밖에 필요한 사항 2. 자체교육, 위탁교육 등 교육훈련계획의 수립 3. 교육훈련의 실시 4. 교육훈련결과의 보고 5. 교육훈련의 효과성 평가 6. 그 밖에 필요한 사항
7.5 의사소통 관리	○ 품질관리계획의 이행과 건설공사 운영과 관련하여 다음 각 호의 사항을 위한 내부 및 외부에서의 효과적인 의사소통방안을 결정하여 실행하여야 한다. 1. 건설공사와 관련된 요구사항 및 정보의 교환

항목	내용
	2. 공사 관계자간의 조직적 및 기술적 연계성 3. 부적합 사항, 부적합 공사 등 당면한 문제의 해결 4. 민원, 발주자, 공사감독자 또는 건설사업관리기술인을 포함한 건설공사 관계자의 불평 해결, 이에 대한 후속활동 5. 비상시 대비 및 대응 6. 공사관련자 회의체 구성 7. 그 밖에 필요한 사항
7.5 의사소통 관리	○ 의사소통관리절차에는 다음 각 호의 사항을 포함하여 문서화된 정보를 유지하고 보유하여야 한다. 1. 의사소통 내용 2. 의사소통 시기 3. 의사소통 대상 4. 의사소통 방법 5. 의사소통 담당자 6. 그 밖에 필요한 사항
7.6 문서화된 정보 및 정보의 관리	○ 건설공사 요구사항과 적용되는 법적 및 규제적 요구사항, 품질관리계획서를 충족시키고 적합성 증거로 제공하기 위하여 다음 각 호의 문서화된 정보를 작성하거나 보유 및 관리하여야 한다. 1. 품질관리계획서, 시공계획서, 작업절차서 등 내부의 문서화된 정보 2. 계약문서, 설계도서, 법규, 기술시방 등 외부의 문서화된 정보 3. 적합하다는 증거로 작성되는 문서화된 정보 4. 그 밖에 필요한 문서화된 정보 ○ 문서화된 정보절차에는 다음 각 호의 사항을 포함하여 문서화된 정보를 유지하고 보유하여야 한다. 1. 작성, 검토, 승인, 식별 및 내용(예: 제목, 날짜, 작성자, 문서번호 등) 2. 형식(예: 언어, 소프트웨어 버전, 그래픽) 3. 매체(예: 종이, 전자매체) 4. 그 밖에 필요한 사항

항목	내용
7.6 문서화된 정보 및 정보의 관리	○ 문서화된 정보관리절차에는 다음 각 호의 사항을 포함하여 문서화된 정보를 유지하고 보유하여야 한다. 1. 배포, 접근, 검색 및 사용에 관한 방법 2. 가독성 보존을 포함하는 보관 및 보존방법 3. 변경관리(예: 버전관리) 방법 4. 법적 및 규제 요구사항을 충족하는 보유 및 폐기방법 5. 외부의 문서화된 정보 식별 및 관리방법 6. 의도하지 않은 수정으로부터 보호방법 7. 그 밖에 필요한 사항
8. 운용 8.1 건설공사 요구사항 검토 및 준비	○ 계약문서, 설계도서, 관련된 법규정 등에 따른 건설공사 요구사항을 검토하고 건설공사 수행을 준비하여야 한다. ○ 건설공사 요구사항 검토 및 준비절차에는 다음 각 호의 사항을 포함하여 문서화된 정보를 유지하고 보유하여야 한다. 1. 건설공사 요구사항의 검토 가. 검토시기, 방법 및 책임자 지정 나. 상충되거나 모호한 요구사항, 현장 실정과 부합되지 않는 요구사항의 해결방법 다. 그 밖에 필요한 사항 2. 사전 준비 가. 건설공사와 관련된 인허가계획 및 이행 나. 건설공사와 관련된 표지판 설치계획 및 이행 다. 측량기준점 보호 및 확인측량(필요한 경우에만 해당한다) 라. 가설시설물 설치계획 및 이행 마. 현지여건 조사 바. 그 밖에 필요한 사항
8.2 건설공사 요구사항 변경	○ 설계변경을 포함한 계약변경 사항을 관리하여야 한다. ○ 건설공사 요구사항 변경관리 절차에는 다음 각 호의 사항을 포함하여 문서화된 정보를 유지하고 보유하여야 한다. 1. 계약변경의 요청 및 처리방법 2. 관련 문서화된 정보의 수정과 관련 인원의 변경 요구사항 인식 방법 3. 그 밖에 필요한 사항

항목	내용
8.3 설계관리	○ 설계시공 일괄입찰 등의 건설공사에 대해 설계책임이 있는 경우에 한정하여 설계를 관리하여야 한다. ○ 설계관리 절차에는 다음 각 호의 사항을 포함하여 문서화된 정보를 유지하고 보유하여야 한다. 1. 설계계획의 수립 및 관리 2. 설계입력 요구사항의 결정 3. 설계관리(검토, 검증, 실현성 확인)의 수행 4. 설계출력의 입력 요구사항 충족 5. 설계변경의 식별, 검토 및 관리 6. 그 밖에 필요한 사항
8.4 기자재 구매관리	○ 품질 요구사항을 충족하는 주요 기자재가 건설공사 진행에 따라 적기에 투입 되도록 관리하여야 한다. ○ 기자재 구매관리 절차에는 다음 각 호의 사항을 포함하여 문서화된 정보를 보유하고 유지하여야 한다. 1. 기자재 수급계획 수립 2. 구매할 기자재명, 규격, 납기, 검사기준 및 관련 구매정보를 포함한 발주서 작성방법 3. 발주 방법 4. 구매한 기자재의 검사 및 시험, 또는 검증, 유지관리 방법 5. 부적합 기자재의 처리방법 6. 제작품 구매의 경우, 검증방법 및 출하방법을 발주서에 명시 7. 그 밖에 필요한 사항
8.5 외부에서 제공되는 프로세스 관리	○ 건설공사 요구사항에 적합성에 영향을 미치는 공종의 일부 또는 전부를 하도급 처리할 경우, 하도급 공종의 품질을 보장하기 위한 관리를 하여야 한다. ○ 하도급 공종을 관리하기 위한 절차에는 다음 각 호의 사항을 포함하여 문서화된 정보를 유지하고 보유하여야 한다. 1. 하도급 계획 수립 2. 하도급 계약 요구사항을 충족시킬 능력을 근거로 한 하도급업체의 평가 및 선정(필요한 경우) 3. 하도급 계약과 관련된 요구사항의 결정(요구되는 절차, 사용되는 기자재와 장비에 관련된 보고 및 승인에 대한 사항, 인력의 자격 인정에 대한 사항 및 그 밖의 필요한 사항) 4. 하도급 계약체결 방법(필요한 경우) 5. 하도급자에게 제공하는 교육훈련, 품질관련 절차서, 기자재, 정보 등 하도 급자에 대한 지원업무 범위 6. 하도급된 공종에 대한 검사 및 시험, 검증과 모니터링 방법 7. 필요한 기록의 종류, 기록의 제출 시기 및 방법 8. 그 밖에 필요한 사항
8.6 공사관리	○ 공사 목적물이 건설공사 요구사항을 충족하도록 건설공사 전반에 대해 계획을 수립하고 관리하여야 한다. ○ 건설공사관리 절차에는 다음 각 호의 사항을 포함하여 문서화된 정보를 유지하고 보유하여야 한다. 1. 시공관리(시공계획을 포함한다) 2. 필요한 경우 작업절차 또는 작업지침의 수립 3. 공사진도관리(필요한 경우 부진공정 만회대책 및 수정 공정계획을 포함한다) 4. 시공상세도, 준공도의 관리 5. 요구되는 자격 및 역량 있는 인원 선정관리 6. 그 밖에 필요한 사항
8.7 중점품질 관리	○ 품질관리가 소홀해지기 쉽거나 하자 발생빈도가 높으며, 부적합 공사로 판명될 경우 시정이 어렵고 많은 노력과 경비가 소요되는 공종 또는 부위에 대하여 중점 품질관리를 하여야 한다. ○ 중점 품질관리 절차에는 다음 각 호의 사항을 포함하여 문서화된 정보를 유지하고 보유하여야 한다. 1. 중점 품질관리 대상의 결정 2. 작업에 이용되는 장비에 대한 기준 및 승인 3. 작업자에 대한 자격기준 및 자격인정 4. 작업방법 결정 및 모니터링 방법 5. 그 밖에 필요한 사항

항목	내용
8.8 식별 및 추적관리	○ 건설공사 수행의 모든 단계에서 기자재와 공사 목적물에 대한 식별 및 추적이 가능하도록 관리하여야 한다. ○ 식별 및 추적관리 절차에는 다음 각 호의 사항을 포함하여 문서화된 정보를 유지하고 보유하여야 한다. 1. 식별 대상의 결정 및 식별방법 2. 추적 요구사항을 고려한 추적 대상의 파악, 추적의 범위, 정도 및 방법 3. 기자재와 공사 목적물에 대한 검사 및 시험 상태의 식별방법 4. 그 밖에 필요한 사항
8.9 고객 또는 외부 공급자의 재산관리	○ 건설공사에 투입되는 고객 또는 외부공급자의 재산이 있는 경우 재산이 건설공사 진행에 따라 적기에 투입되도록 관리하여야 한다. ○ 고객 또는 외부공급자의 재산관리 절차에는 다음 각 호의 사항을 포함하여 문서화된 정보를 유지하고 보유하여야 한다. 1. 재산의 파악 및 수급계획 2. 재산의 검사 및 시험방법과 검증결과 부적합한 경우 처리하기 위한 방법 3. 보관시 재산의 손상, 분실되거나 사용하기에 부적절한 것으로 판명된 경우, 보고를 포함한 처리방법 4. 재산의 입체 또는 대체 사용이 필요한 경우, 그 처리방법 5. 잉여 재산의 처리방법 6. 그 밖에 필요한 사항 ※ 고객 또는 외부공급자의 재산은 고객 또는 조직의 일부분이 아닌 공급자가 지급하는 재산(예: 자재, 부품, 공구 및 장비, 고객 부동산, 지적 소유권 및 개인정보 등)
8.10 보존관리	○ 건설공사를 수행할 때부터 공사 목적물을 인계할 때까지 기자재 및 공사 목적물이 분실, 손상 또는 열화되지 않도록 보존 관리하여야 한다. ○ 기자재 및 공사 목적물 보존관리 절차에는 다음 각 호의 사항을 포함하여 문서화된 정보를 유지하고 보유하여야 한다.

항목	내용
8.10 보존관리	1. 기자재의 운반 및 투입에 있어 필요한 특별한 취급방법 2. 기자재의 고유한 특성의 유지를 위한 보관장소 및 보관방법, 반입과 반출방법 3. 공사 목적물의 인계전까지 품질보호를 위한 보호방안 4. 화재 및 보안관리 사항 5. 그 밖에 필요한 사항
8.11 검사 및 시험, 모니터링	○ 공사 목적물이 건설공사 요구사항을 충족하고 있다는 것을 검증하기 위하여 투입되는 자재, 시공공정 및 공사 목적물과 관련된 특성을 검사, 시험 및 모니터링하여야 한다. ○ 검사, 시험 및 모니터링관리 절차에는 다음 각 호의 사항을 포함하여 문서화 된 정보를 유지하고 보유하여야 한다. 1. 적절한 공정단계에서 검사 및 시험 계획(ITP)의 수립 2. 각 단계에서의 검사 및 시험 항목, 합격판정기준, 빈도, 사용되는 장비 및 기법, 책임자 역할 3. 검증시기, 장소 및 방법 4. 발주자, 공사감독자 또는 건설사업관리기술인의 입회시기, 방법 등(필요한 경우에만 해당한다) 5. 검사 및 시험, 모니터링의 실시 및 결과 보고방법 6. 검사 또는 시험을 외부에 의뢰하는 방법 및 결과 검토방법 7. 그 밖에 필요한 사항
8.12 부적합 공사의 관리	○ 의도하지 않은 자재의 사용이나 의도하지 않은 후속공정의 진행 및 공사 목적물의 인계를 방지하기 위하여 품질기준에 적합하지 않은 부적합 공사를 관리하여야 한다. ○ 부적합 공사의 관리 절차에는 다음 각 호의 사항을 포함하여 문서화된 정보를 유지하고 보유하여야 한다. 1. 부적합 공사 특성에 따른 식별방법 2. 부적합 공사의 상태에 대한 문서화 3. 부적합의 검토와 분석, 부적합 원인의 결정 4. 유사한 부적합의 존재 여부 또는 잠재적인 발생 여부 결정

항목	내용
8.12 부적합 공사의 관리	5. 현상사용, 보완시공 또는 재시공 등 부적합 공사에 대한 조치의 결정 및 실행 6. 부적합 공사의 처리방안 결정시 발주자, 공사감독자 또는 건설사업관리기술인 등 관련된 권한을 가진 자의 승인 방법 7. 보완시공 및 재시공시 품질 요구사항에 따른 재검사의 실시 방법 8. 취해진 모든 조치의 효과성 검토 9. 그 밖에 필요한 사항
8.13 공사준공 및 인계	ㅇ발주자 요구사항, 법적 규제적 요구사항, 품질관리계획서 및 기타 계약 요구 사항을 충족하여 공사 목적물이 완공되었음을 입증하는데 필요한 문서화된 정보를 파악, 확보하여 준공검사를 신청하여야 하며, 공사 준공시 완공된 시설물과 함께 인계할 준비를 하여야 한다. ㅇ공사준공 및 인계 절차에는 다음 각 호의 사항을 포함하여 문서화된 정보를 유지하고 보유하여야 한다. 1. 공사준공의 관리 가. 필요시 시운전을 위한 계획 및 시운전 절차 수립 나. 준공검사의 신청 다. 부적합공사에 대한 처리(해당하는 경우에 한한다) 라. 준공도면의 검토 및 제출 마. 준공표지의 설치 바. 그 밖에 필요한 사항 2. 시설물 및 공사관련 문서 및 기록의 인계 관리 가. 시설물 인계 계획의 수립 나. 본사로 이관될 현장문서 및 기록의 파악 및 인계 다. 건설사업관리기술인 또는 발주자에게 인계할 현장 문서 및 기록의 파악 및 인계 라. 그 밖에 필요한 사항
9. 성과관리 9.1 고객만족	ㅇ발주자 및 이해관계자의 요구 및 기대가 어느 정도 충족되었는지에 대한 인식을 모니터링 하여야 한다.

항목	내용
9. 성과관리 9.1 고객만족	ㅇ요구 및 기대관리 절차에는 다음 각 호의 사항을 포함하여 문서화된 정보를 유지하고 코유하여야 한다. 1. 정보수집 방법 2. 모니터링(설문조사, 피드백, 미팅, 칭찬, 클레임 등) 및 검토 방법 3. 그 밖에 필요한 사항
9.2 분석 및 평가	ㅇ품질관리계획의 적절성 및 효과성을 실증하고 품질관리계획을 지속적으로 개선하기 위하여 필요한 데이터를 선정하여 분석하고 평가하여야 한다. ㅇ분석 및 평가 절차에는 다음 각 호의 사항을 포함하여 분석하고 평가한 문서화된 정보를 유지하고 보유하여야 한다. 1. 건설공사 수행과 관련된 발주자와 이해관계자의 만족도 조사 2. 주요자재의 품질경향 3. 부적합 공사의 발생 빈도 및 특성 4. 내부심사 결과 및 품질관리 적절성 확인 등의 결과 5. 그 밖에 필요한 사항
9.3 내부심사	ㅇ품질관리계획의 적합성, 이행성, 효과성을 결정하기 위하여 년 1회 이상 건설공사 수행에 대한 내부심사를 현장 자체적으로 수행하여야 한다. ㅇ내부심사 절차에는 다음 각 호의 사항을 포함하여 문서화된 정보를 유지하고 보유하여야 한다. 1. 심사주기, 심사범위, 심사기준, 역량/적격성에 적합한 심사자 선정을 포함한 심사 계획의 수립 2. 심사 수행방법 및 심사결과 보고 3. 필요한 경우 부적합 사항의 시정조치 수행 4. 취해진 후속조치의 검증 및 검증결과의 보고 5. 그 밖에 필요한 사항
9.4 경영검토	ㅇ품질관리계획의 적절성, 충족성 및 효과성을 실증하고 건설공사 운영과 관련 된 개선사항의 결정과 조치를 위하여 년 1회 이상 건설공사 운영성과를 현장 자체적으로 검토하여야 한다.

항목	내용
9.4 경영검토	○ 경영검토 절차에는 다음 각 호의 사항을 포함하여 문서화된 정보를 유지하고 보유하여야 한다. 1. 전년도 건설공사 경영검토에 따른 조치 결과(해당되는 경우) 2. 건설공사 수행에 영향을 줄 수 있는 외부 및 내부 이슈의 변경사항 3. 자원의 충족성 4. 파악된 리스크와 관련하여 취해진 조치의 효과성 5. 문제점, 애로사항의 개선 사항 6. 품질관리계획의 성과 및 효과성 정보 가. 고객 만족 및 발주자와 관련 이해관계자로부터의 피드백(불만사항 포함) 나. 현장 품질목표의 달성 정도 다. 부적합 공사의 발생 빈도 및 특성과 시정조치 사항 라. 검사 및 시험, 모니터링 및 측정결과 마. 현장 내부심사 및 품질관리 적절성 확인 등 내·외부의 결과 바. 외부공급자의 성과 7. 검토결과에 따른 후속조치 방법 8. 그 밖에 필요한 사항
10. 개선 10.1 부적합 및 시정조치	○ 건설공사 운영성과 검토 결과에 따라 근본 원인을 제거할 필요가 있는 부적합 또는 잠재적인 부적합을 발견한 경우, 재발방지를 목적으로 시정조치를 취하여야 한다. ○ 부적합 및 시정조치관리 절차에는 다음 각 호의 사항을 포함하여 문서화된 정보를 유지하고 보유하여야 한다. 1. 부적합 공사, 발주자 및 이해관계자의 불만 등 부적합의 검토와 분석 2. 부적합 원인의 결정 3. 유사한 부적합의 존재 여부 또는 잠재적인 발생 여부 결정 4. 필요한 모든 조치의 결정 및 실행 5. 취해진 모든 시정조치의 효과성 검토

항목	내용
10. 개선 10.1 부적합 및 시정조치	6. 필요한 경우, 결정된 리스크와 기회 갱신 7. 필요한 경우, 품질관리계획의 변경 8. 그 밖에 필요한 사항
10.2 지속적 개선	○ 품질관리계획의 적절성, 충족성, 효과성을 지속적으로 개선하여야 한다. ○ 지속적 개선관리 절차에는 요구 또는 기회를 결정하기 위하여 다음 각 호의 사항을 고려하여 문서화된 정보를 유지하고 보유하여야 한다. 1. 분석 및 평가의 결과 2. 건설공사 경영검토 결과 3. 그 밖에 필요한 사항

[별표 2]

건설공사 품질시험기준(제8조제1항 관련)

1. 공 통

가. 토공사 및 기초공사

종별	시험종목	시험방법	시험빈도	비고
성토용 흙	함수비	KS F 2306	· 토취장마다 · 재질변화시마다	
	입도	KS F 2302		
	세립토 비율	KS F 2309		
	밀 도	KS F 2308		
	액성한계 · 소성한계	KS F 2303		
	노상토지지력비(CBR)	KS F 2320		
	다짐	KS F 2312		
	유기물 함량	KS F 2104	· 필요시	
	토질조사	보링 등		
	투수	KS F 2322	· 토취장마다 · 재질변화시마다	· 흙댐, 용수로, 배수로용 일반 성토 및 표토 · 공종에 따라
	직접전단	KS F 2343		
	3축압축	KS F 2346		
터파기	토질조사	보링 등	· 필요시	
	지지력 - 확대기초	KS F 2444	· 필요시	
	지지력 - 말뚝기초 - 정재하	KS F 2445		
	지지력 - 말뚝기초 - 동재하	KS F 2591		
지반조사 (연약지반등)	토질조사	보링 등	· 1개지구마다 3개소 이상	
	함수비	KS F 2306		
	입도	KS F 2302		
	밀도	KS F 2308		
	액성한계 · 소성한계	KS F 2303		
	세립토 비율	KS F 2309		

종별	시험종목	시험방법	시험빈도	비고
지반조사 (연약지반등)	흙의 압밀시험	KS F 2316	· 보링개소마다	
	1축 압축강도	KS F 2314		
	3축 압축시험	KS F 2346		
	표준관입시험	KS F 2307		
	흙의 투수시험	KS F 2322	· 필요시	
	점성토의 현장베인 전단시험	KS F 2342		
	압밀배수조건하의 직접전단시험	KS F 2343		
	동적콘관입시험	KS F 2592		
	유기물 함량	KS F 2104		
되메우기 및 구조물 뒷채움	다짐	KS F 2312	· 재질 변화시마다	
	현장밀도	KS F 2311	· 독립구조물 : 개소별 3층마다 · 연속구조물 : 3층마다, 50미터마다 · 관로매설물 : 3층마다, 100미터마다	
	평판재하	KS F 2310	· 현장밀도시험불가능시	
	입도	KS F 2302	· 토질변화시마다	
	함수비	KS F 2306 또는 급속 함수량 측정방법	· 현장밀도시험의 빈도	
말뚝 - 콘크리트 널말뚝 (KS F 4208)	겉모양 및 모양	KS F 4208	· 제조회사마다 · 1,000개 마다	
	치수			
	굽힘강도			

종별		시험종목	시험방법	시험빈도	비고
말뚝	원심력 콘크리트 말뚝 (KS F 4301)	겉모양 및 모양	KS F 4301	· 제조회사마다 · 200개 마다	
		치수			
		몸체 및 이음부의 휨강도			
		철근의 배치			
	프리텐션 방식 원심력PC 말뚝 (KS F 4303)	겉모양 및 모양	KS F 4303	· 제조회사마다 · 200개 마다	
		치수			
		몸체 및 이음부의 휨강도			
		PC강재 및 철근배치			
	프리텐션 방식 원심력 고강도 콘크리트 말뚝 (KS F 4306)	겉모양 및 모양	KS F 4306	· 제조회사마다 · 200개 마다	
		치수			
		몸체 및 이음부의 휨강도			
		몸체의 축력 휨강도			
		몸체의 전단 강도			
		PC강재 및 철근 배치			
	프리텐션 방식 진동PC말뚝 (KS F 4307)	겉모양 및 모양	KS F 4307	· 제조회사마다 · 200개마다	
		치수			
		몸체 및 이음부의 휨강도			
		PC강재 및 철근 배치			
	강관말뚝 (KS F 4602)	화학성분	KS F 4602	· 제조회사마다 · 200개마다	
		모양,치수,질량			
		인장시험	KS B 0802		
		편평시험	KS F 4602		
		용접부의 비파괴검사	KS B 0845 또는 KS B 0817	· 10이음당 1회	

종별		시험종목	시험방법	시험빈도	비고
말뚝	H형강 말뚝 (KS F 4603)	화학성분	KS F 4603	· 제조회사마다 · 200개마다	
		탄소당량			
		항복점 또는 항복강도,인장강도 및 연신율	KS B 0802		
		샤르피 흡수에너지	KS B 0810		
		모양,치수,질량	KS F 4603		
	열간 압연강 널말뚝 (KS F 4604)	화학성분	KS F 4604	· 제조회사마다 · 1,000개 마다	
		항복점 또는 내력, 인장강도 및 연신율	KS B 0802		
		이음인장강도(직선형 강 널말뚝)			
		모양,치수, 단위질량	KS F 4604		
샌드매트 및 샌드드레인용 모래		투수계수	KS F 2322	· 골재원마다 · 1,000세제곱미터마다	D15, D85는 입경가적곡선에서 통과백분율이 15%, 85%에 해당되는 입경을 말함.
		0.08밀리미터 통과량	KS F 2502		
		D15	KS F 2502		
		D85	KS F 2502		
케이슨 채움재용 철강슬래그 (KS F 2579)		겉모양	KS F 2579	· 제조회사별 · 케이슨 1개마다	
		발색판정 (고로슬래그 사용시)	KS F 2535		
		수침팽창비 (제강슬래그 사용시)	KS F 2580		
		입도	KS F 2502		
		표건밀도	KS F 2503		
		단위용적질량	KS F 2505		
		수중단위용적질량			

나. 철근콘크리트공사

종별	시험종목	시험방법	시험빈도	비고
콘크리트용 골재 (KS F 2527)	절대 건조 밀도 및 흡수율	KS F 2503, 2504	· 골재원마다 · 1,000세제곱미터마다	순환골재 포함
	입도, 조립률	KS F 2502, 2527		
	0.08밀리미터 체 통과량	KS F 2511		
	입자모양판정 실적률	KS F 2505		
	굵은 골재의 마모율	KS F 2508		
	알칼리 골재 반응	KS F 2545 또는 KS F 2546	· 골재원마다 · 6개월 1회 이상	
	석탄 및 갈탄 함유량	KS F 2513	· 골재원마다 · 1년 1회 이상	
	안정성	KS F 2507	· 골재원마다 · 1년 1회 이상	
	염화물 함유량	KS F 2515	· 공급회사별 · 1일 3회 이상	바다모래인 경우
	잔골재의 표면수량	KS F 2509	· 1일 1회 이상	
도자기질 타일시멘트 (KS L 1592)	위치교정도	KS L 1592	· 제조회사별 · 300톤마다 · 제조일부터 3월이 되어 재질의 변화가 있다고 인정되는 때	
	개방시간			
	압축강도			
	흡수율			
	전단접착강도			
	길이변화율			
	보수율			
	실내공기 오염물질 방출량 (총휘발성유기화합물, 톨루엔, 폼알데하이드)	KS M 1998 또는 실내공기질 공정시험기준 (환경부고시)	· 필요시	실내에 시공되는 타일 시멘트 2종에 한함.

종별	시험종목	시험방법	시험빈도	비고
포틀랜드 시멘트 (KS L 5201)	화학성분	KS L 5120	· 제조회사별 · 300톤마다 · 제조일부터 3월이 되어 재질의 변화가 있다고 인정되는 때	수화열의 경우 1,3,5종은 제외
	분말도	KS L 5106		
	안정도	KS L 5107		
	응결 시간	KS L 5108		
	압축강도	KS L 5105		
	수화열	KS L 5121		
백색 포틀랜드 시멘트 (KS L 5204)	화학분석	KS L 5120	· 제조회사별 · 300톤마다 · 제조일부터 3월이 되어 재질의 변화가 있다고 인정되는 때	
	분말도	KS L 5106		
	안정도	KS L 5107		
	응결시간	KS L 5108		
	압축강도	KS L ISO 679		
	백색도	KS L 5113		
고로 슬래그 시멘트 (KS L 5210)	화학 분석	KS L 5120	· 제조회사별 · 300톤마다 · 제조일부터 3월이 되어 재질의 변화가 있다고 인정되는 때	
	분말도	KS L 5106		
	안정도	KS L 5107		
	응결시간	KS L 5108		
	압축강도	KS L ISO 679		
메이슨리 시멘트 (KS L 5219)	분말도	KS L 5112	· 제조회사별 · 300톤마다 · 제조일부터 3월이 되어 재질의 변화가 있다고 인정되는 때	
	안정도	KS L 5107		
	응결시간	KS L ISO 9597		
	압축강도	KS L 5219		
	모르타르 공기량			
	보수성			
	오염			

종별	시험종목	시험방법	시험빈도	비고
플라이애시 시멘트 (KS L 5211)	비표면적	KS L 5106	· 제조회사별 · 300톤마다 · 제조일부터 3월이 되어 재질의 변화가 있다고 인정되는 때	
	응결	KS L ISO 9597		
	안정도	KS L 5107 또는 KS L ISO 9597		
	압축 강도	KS L ISO 679		
	화학성분	KS L 5120		
포틀랜드 포졸란 시멘트 (KS L 5401)	화학분석	KS L 5120	· 제조회사별 · 300톤마다 · 제조일부터 3월이 되어 재질의 변화가 있다고 인정되는 때	
	비표면적	KS L 5106		
	안정도	KS L 5107		
	응결시간	KS L 5108		
	압축강도	KS L ISO 679		
물 (수질검사)	현탁 물질의 양	KS F 4009 부속서 A,B	· 음용수가 아닌 경우 · 취수원이 달라질 때마다 · 수질변화시	상수돗물 이외의 물
	용해성 증발 잔류물의 양			
	염소이온량			
	시멘트 응결시간의 차			
	모르타르의 압축강도비			
	염소이온량			회수수
	시멘트 응결시간의 차			
	모르타르의 압축강도비			
	슬러지수의 농도		· 생산개시전 일 1회 이상	
콘크리트용 화학혼화제 (KS F 2560)	감수율	KS F 2560	· 제조회사별 · 제품규격별 · 3개월이상 저장하여 재질의 변화가 있다고 인정되는 때마다	동결융해 시험 및 길이 변화시험은 필요시
	블리딩양의 비	KS F 2414		
	응결시간의 차	KS F 2560		
	압축강도의 비	KS F 2405		
	길이변화비	KS F 2424		
	동결융해에 대한 저항성	KS F 2456		
	경시변화량	KS F 2560		
	전체 알칼리량	KS I 3206 또는 KS F 2560		
	적외선 흡수스펙트럼	KS M 0024		

종별	시험종목	시험방법	시험빈도	비고
철근콘크리트용 방청제 (KS F 2561)	부식상황	KS F 2561	· 제조회사별 · 3개월이상 저장하여 재질의 변화가 있다고 인정되는 때마다	
	방청률			
	콘크리트의 응결시간차			
	콘크리트의 압축강도비			
콘크리트 양생용 액상피막 형성제 (KS F 2540)	피막의 성질	KS F 2540	· 제조회사별 · 3개월이상 저장하여 재질의 변화가 있다고 인정되는 때마다	
	컨시스턴시			
	저장안정도			
	건조시간			
	습기유지			
콘크리트용 팽창재 (KS F 2562)	산화마그네슘, 강열감량	KS L 5120	· 제조회사별 · 3개월이상 저장하여 재질의 변화가 있다고 인정되는 때마다	
	비표면적	KS L 5207		
	1.2밀리미터체 잔류율	KS F 2562		
	응결	KS L 5207		
	팽창성(길이변화율)	KS F 2562		
	압축강도	KS F 2562		
콘크리트 혼입용 방수재 (KS F 4926)	응결 시간 차	KS F 4926	· 제조회사별 · 3개월이상 저장하여 재질의 변화가 있다고 인정되는 때마다	
	경시변화에 따른 공기량변화			
	길이 변화율			
	동결 융해에 대한 저항성			
	탄산화 깊이비			
	압축 강도비			
	물흡수 계수비			
	투수비			
	염소이온 침투깊이			
숏크리트용 급결제 (KS F 2782)	압축강도	KS F 2782	· 제조회사별 · 3개월이상 저장하여 재질의 변화가 있다고 인정되는 때마다	
	응결시간			

종별	시험종목	시험방법	시험빈도	비고
콘크리트용 강섬유 (KS F 2564)	치수(형상비, 허용오차)	KS F 2564	· 제조회사별 · 제품규격별	
	겉모양			
	인장강도	KS F 2565		
	분산성	KS F 2564		
	굽힘정도			
플라이 애시 (KS L 5405)	이산화규소	KS L 5405	· 제조회사별 · 3개월이상 저장하여 재질의 변화가 있다고 인정되는 때마다	
	수분			
	강열 감량			
	밀도	KS L 5110		
	분말도	KS L 5405		
	플로값 비			
	활성도 지수			
콘크리트용 고로슬래그 미분말 (KS F 2563)	밀도	KS L 5110	· 제조회사별 · 3개월이상 저장하여 재질의 변화가 있다고 인정되는 때마다	
	비표면적	KS L 5106		
	활성도 지수	KS F 2563 부속서 A		
	플로값 비			
	산화마그네슘(MgO)	KS L 5120		
	삼산화황 정량방법(SO3)			
	강열 감량			
	염화물 이온	KS F 2515		
콘크리트용 실리카 퓸 (KS F 2567)	비표면적	KS A 0094	· 제조회사별 · 3개월이상 저장하여 재질의 변화가 있다고 인정되는 때마다	
	활성도지수	KS F 2567		
	이산화규소(SiO2)	KS L 5120		
	산화마그네슘(MgO)			
	삼산화황(SO3)			
	염화물 이온			
	강열 감량			
	45μ m체에 남은 양	KS L 5112		

종별	시험종목	시험방법	시험빈도	비고
굳지 아니한 콘크리트 (레미콘포함)	배합설계	콘크리트표준시방서	· 재료가 다른 각 배합마다	
	현장배합수정		· 작업개시전 1회	
	온도	온도계에 의함	· 150세제곱미터 마다	
	슬럼프 또는 슬럼프플로	KS F 2402 또는 KS F 2594	· 배합이 다를 때마다 · 콘크리트 1일 타설량이 150세제곱미터 미만인 경우 : 1일 타설량마다 · 콘크리트 1일 타설량이 150세제곱미터 이상인 경우 : 150세제곱미터 마다	
	공기량	KS F 2421 또는 KS F 2409 또는 KS F 2449		
	염화물 함유량	KS F 4009 부속서 A		
	단위수량	한국콘크리트학회 제규격 (KCI-RM101)	· 필요시	정전용량법 또는 단위용적질량법 또는 고주파가열법
굳은 콘크리트 (레미콘포함)	압축 강도	KS F 2403 KS F 2405 콘크리트표준시방서	· 배합이 다를 때마다 · 레미콘은 KS F 4009, 레미콘이 아닌 콘크리트는 KCS 14 20 10	
	휨 강도	KS F 2408		콘크리트포장
철근콘크리트용 봉강 (KS D 3504)	화학성분	KS D 3504	· 제조회사별 · 제품규격별 50톤마다	
	항복점 또는 항복강도			
	인장강도			
	연신율			
	굽힘성			
	겉모양, 치수, 무게			
	탄소당량		· 제조회사별 · 제품규격별 50톤마다	용접용 경우

종별	시험종목	시험방법	시험빈도	비고
철근콘크리트용 재생봉강 (KS D 3527)	항복점 또는 항복강도	KS D 3527	· 제조회사별 · 제품규격별 10톤마다	
	인장강도			
	연신율			
	굽힘성			
	겉모양, 치수, 무게			
에폭시 피복철근 (KS D 3629)	피복두께	KS D 3629	· 제조회사별 · 제품규격별 50톤마다	철근은 KS D 3504의 이형철근에 따름
	핀홀			
	굽힘성			
	열특성(피복경화)			
	콘크리트에 대한 부착력			
	겉모양, 치수, 무게			
철근콘크리트용 아연도금 봉강 (KS D 3613)	항복점 또는 항복강도	KS D 3613	· 제조회사별 · 제품규격별 50톤마다	
	인장강도			
	연신율			
	굽힘성			
	겉모양, 치수, 무게			
	아연도금 부착량	KS D 0201		
PC강선 및 PC강연선 (KS D 7002)	겉모양 및 치수	KS D 7002	· 제조회사별	
	0.2% 영구연신율에 대한 하중			
	인장하중			
	연신율			
	릴랙세이션			
PC 강봉 (KS D 3505)	겉모양 및 치수	KS D 3505	· 제조회사별	
	화학성분(P,S,Cu)			
	0.2% 항복강도			
	인장강도			
	연신율			
	릴랙세이션			

종별	시험종목		시험방법	시험빈도	비고
PC경강선 (KS D 7009)	겉모양 및 치수		KS D 7009	· 제조회사별	
	0.2% 영구연신율에 대한 하중				
	인장하중				
	연신율				
	릴랙세이션				
경강선 (KS D 3510)	겉모양		KS D 3510	· 제조회사별	
	지름				
	인장강도				
	감기성능				
	비틀림 특성				
	굽힘성				
연강선재 (KS D 3554)	겉모양		KS D 3554	· 제조회사별	
	치수				
	화학성분				
용접철망 및 철근격자	겉모양, 치수, 무게		KS D 7017	· 제조회사별	단면수축율은 철근격자일 경우
	항복점 또는 0.2%항복강도				
	인장강도				
	연신율				
	단면수축율				
	굽힘성				
	용접점 전단강도				
	용접점의 박리				
철근 이음	겹침 이음	위치	육안관찰 및 스케일에 의한 측정	가공 및 조립시	
		이음길이			

종별	시험종목		시험방법	시험빈도	비고
철근 이음	가스 압접 이음	위치	육안관찰 및 스케일에 의한 측정	· 전체 개소	
		외관검사			
		초음파탐사검사	KS B 0839	· 1검사 로트에 30개소이상	1검사 로트는 1조의 작업반이 하루에 시공하는 압접개소의 수량
		일방향 인장시험	KS B 0554	· 1검사 로트에 3개 이상	
		굽힘시험		· 제품규격별 1,000개소마다 (단, 1,000개 미만은 1회)	
		저사이클반복시험		· 제품규격마다	
		고사이클반복시험		· 제품규격마다	
	기계적 이음	위치	육안 관찰, 필요에 따라 스케일, 버니어켈리퍼스 등에 의한 측정	· 전체 개소	
		외관검사			
		인장응력 (일방향 인장 시험)	KS D 0249	· 제조회사별 · 제품 규격별 1,000개소 1회 : 2개채취	철근체결 후 시험
		잔류변형량 (정적 내력시험)		· 제품규격별 · 제조회사별	
	용접 이음	외관검사	육안관찰 및 스케일에 의한 측정	· 모든 이음마다	
		용접부 내부결함	KS B 0845 또는 KS B 0896	· 500개소 마다	
		인장시험	KS B 0802, 0833		
배치플랜트	계량기의 눈금점검, 자동계량장치점검		영점검사와 눈금의 정상작동여부	· 공사시작 전 및 공사 중 1회/6개월 이상	
	믹서성능 시험	가경식믹서	KS F 2455, KS B ISO 18650-2		
		강제혼합믹서	KS F 2455, KS B ISO 18650-2		

종별	시험종목	시험방법	시험빈도	비고
그라우트	컨시스턴시	KS F 2432	· 당일 작업개시전, 1회/일 이상 · 품질변화가 인정될 때	· 비팽창성 타입은 팽창률 시험 생략 · 염화물함유량은 프리스트레스트 콘크리트 (PSC)에 한함.
	압축강도	KS F 2426		
	염화물함유량	KS F 4009 부속서 A 또는 KS F 2715		
	블리딩률 및 팽창률	KS F 2433	· 공종개시전 1회 · 재료 · 배합의 변경시 마다 · 품질변화가 인정될 때	
수경성시멘트 무수축 그라우트 (KS F 4044)	유하시간	KS F 4044	· 제조회사별	
	플로			
	응결시간			
	블리딩률			
	팽창 높이			
	압축 강도			
	염화물 함유량			
조립용 콘크리트 벽판 (KS F 4722)	겉모양, 치수	KS F 4722	· 제조회사별 · 제품규격별	
	단열성			
	차음성			
	방수성			
	면내 전단 강도			
	내화성			
	콘크리트 강도			
조립용 콘크리트 바닥판 (KS F 4726)	겉모양, 치수	KS F 4726	· 제조회사별 · 제품규격별	
	단열성			
	차음성			
	방수성			
	내분포압성			
	내국압성			
	콘크리트 강도			

종별	시험종목		시험방법	시험빈도	비고
조립용 콘크리트 지붕판 (KS F 4729)	겉모양,치수		KS F 4729	· 제조회사별 · 제품규격별	
	단열성				
	차음성				
	방수성				
	내분포압성				
	내국압성				
	콘크리트 강도				
경량기포 콘크리트 패널 (ALC패널) (KS F 4914)	ALC	절건밀도	KS F 4914	· 제조회사별 · 제품규격별	
		압축강도			
		길이변화율			
	방청제	방청성능			
	패널	겉모양, 치수			
		굽힘강도			
		단열성			
PC조립식 구조접합부	접합부 결함 (초음파 탐상)		해당 공사시방서	· 층별 5개소	

다. 철강구조물공사

종별	시험종목	시험방법	시험빈도	비고
강재 (용접부 반입검사)	용접부의 내부결함	KS B 0845	· 맞이음부재 총연장의 5/100 또는 10이음에 대하여 1장	
		KS B 0896	· 완전 용입부위의 20개소에 대하여 1개소	
	표면결함검사	육안검사	· 전용접부위에 대하여 무작위 추출하여 10% 이상	
	스터드용접부의 검사	용접후 마무리 높이 및 기울기검사(금속제 곧은자, 한계게이지, 콘벡스롤)	· 100개 또는 주요부재 1개에 용접한 숫자 중 작은 쪽을 1개 검사로트로 하여 1개 검사로트마다 1개씩 검사	
		타격구부림 검사	· 100개 또는 주요부재 1개에 용접한 숫자중 작은 쪽을 1개 검사로트로 하여 1개 검사로트마다 1개씩 검사	스터드가 기울어져 있는 경우에는 축에서 축길이를 측정함
강교용접	맞이음의 내부 결함 (위상배열 초음파 탐상검사, 방사선투과검사, 초음파탐상검사)	KS B 0845 KS B 08096 KS B ISO 135888	· 인장, 교번부 : 시·종점부에 대해 300mm 이상 위상배열 초음파 탐상검사 또는 각각 1매의 방사선투과검사, 나머지부 초음파탐상검사 · 압축부, 전단부 : 용접길이의 50% 초음파탐상검사	

종별	시험종목	시험방법	시험빈도	비고
강교용접	필렛 용접: 균열(자분탐상법 또는 침투액탐상법)	KS D 0213 KS B 0816	· 매용접길이 3미터당 300밀리미터	
	필렛 용접: 용접비이드의 외관 및 형상	육안검사 등	· 주부재의 이음마다	
일반 구조용 압연 강재 (KS D 3503)	모양, 치수, 무게, 겉모양	KS D 3051 KS D 3052 KS D 3500 KS D 3502	· 제조회사별 · 제품규격별 50톤마다	
	화학성분	KS D 3503		
	항복점 또는 항복강도			
	인장강도			
	연신율			
	굽힘성			
용접 구조용 압연강재 (KS D 3515)	겉모양, 치수, 무게	KS D 3052 KS D 3500 KS D 3502	· 제조회사별 · 제품규격별 50톤마다	
	화학성분	KS D 3515		
	탄소당량 또는 용접균열감수성			
	항복점 또는 항복강도			
	인장강도			
	연신율			
	샤르피 흡수에너지			
용접구조용 내후성 열간압연 강재 (KS D 3529)	겉모양, 모양, 치수, 무게	KS D 3502 KS D 3500	· 제조회사별 · 제품규격별 50톤마다	
	화학성분	KS D 3529		
	탄소당량 또는 용접균열감수성			
	항복점 또는 항복강도			
	인장강도			
	연신율			
	샤르피 흡수에너지			

종별	시험종목	시험방법	시험빈도	비고
일반구조용 경량 형강 (KS D 3530)	겉모양, 치수, 무게	KS D 3530	· 제조회사별 · 제품규격별 50톤마다	
	화학성분			
	항복점			
	인장강도			
	연신			
열간 압연 연강판 및 강대 (KS D 3501)	겉모양, 치수, 무게	KS D 3501	· 제조회사별 · 제품규격별 50톤마다	
	화학성분			
	인장강도			
	연신율			
	굽힘성			
일반구조용 용접 경량 H형강 (KS D 3558)	겉모양, 치수	KS D 3558	· 제조회사별 · 제품규격별 50톤마다	
	화학성분			
	인장강도			
	항복점			
	연신율			
일반 구조용 탄소강관 (KS D 3566)	겉모양, 치수, 무게	KS D 3566	· 제조회사별 · 제품규격별 100톤마다 또는 KS D 3566	
	화학성분			
	인장강도			
	항복점 또는 항복강도			
	연신율			
	굽힘성			
	평평성			
	용접부 인장강도			
일반구조용 각형강관 (KS D 3568)	겉모양, 치수, 무게	KS D 3568	· 제조회사별 · 제품규격별 100톤마다 또는 KS D 3568	굽힘성 시험은 필요시
	화학성분			
	인장강도			
	항복점 또는 항복강도			
	연신율			
	굽힘성			

종별	시험종목	시험방법	시험빈도	비고
건축구조용 탄소 강관 (KS D 3632)	겉모양, 치수, 무게	KS D 3632	· 제조회사별 · 제품규격별 100톤마다 또는 KS D 3632	
	화학성분			
	탄소당량 또는 용접균열감수성			
	인장강도			
	항복점 또는 내력			
	항복비			
	연신율			
	편평성			
	샤르피 흡수에너지			
	용접부 인장강도			
건축구조용 압연강재 (KS D 3861)	겉모양, 모양, 치수, 무게	KS D 3861	· 제조회사별 · 제품규격별 50톤마다	
	화학성분			
	탄소당량 또는 용접균열감수성			
	항복점 또는 내력			
	인장강도			
	항복비			
	연신율			
	샤르피 흡수에너지			
	두께 방향 특성	KS D 0276		
	초음파 탐상	KS D 0040		
교량구조용 압연강재 (KSD 3868)	겉모양, 모양, 치수, 무게	KS D 3500	· 제조회사별 · 제품규격별 50톤마다	
	화학성분	KS D 3868		
	탄소당량 또는 용접균열감수성			
	항복점 또는 항복 강도			
	인장강도			
	연신율			
	샤르피 흡수에너지			

종별	시험종목	시험방법	시험빈도	비고
건축구조용 고성능 압연강재 (KS D 5994)	겉모양, 모양, 치수, 무게	KS D 3500	· 제조회사별 · 제품규격별 50톤마다	
	화학성분	KS D 5994		
	탄소당량 또는 용접 균열감수성			
	항복점 또는 항복 강도			
	인장 강도			
	연신율			
	샤르피 흡수 에너지			
	두께방향특성	KS D 0276		
	초음파 탐상	KS D 0040		
용접구조용 고항복점 강판 (KS D 3611)	겉모양, 모양, 치수, 무게	KS D 3611	· 제조회사별 · 제품규격별 50톤마다	
	화학성분			
	탄소당량 또는 용접 균열감수성			
	내력			
	인장강도			
	연신율			
	굽힘성			
	샤르피 흡수 에너지			
압력용기용 강판 (KS D 3521)	겉모양	KS D 3500	· 제조회사별 · 제품규격별 50톤마다	
	모양, 치수, 무게	KS D 3521		
	화학성분			
	탄소당량 또는 용접 균열감수성			
	항복점 또는 항복강도			
	인장 강도			
	연신율			
	굽힘성			
	샤르피 흡수 에너지			

종별	시험종목	시험방법	시험빈도	비고
압력용기용 강판 (제1부:두꺼운 판재) (KS D 3853)	겉모양	KS D 3500	· 제조회사별 · 제품규격별 50톤마다	
	모양, 치수, 질량	KS D 3853		
	화학성분			
	탄소당량 또는 용접 균열감수성			
	항복점 또는 내력			
	인장 강도			
	연신율			
	굽힘성			
	샤르피 흡수 에너지			
저온 압력 용기용 탄소강 강판 (KS D 3541)	겉모양, 모양, 치수, 무게	KS D 3500	· 제조회사별 · 제품규격별 50톤마다	
	화학 성분	KS D 3541		
	항복점 또는 항복 강도			
	인장 강도			
	연신율			
	굽힘성			
	샤르피 흡수 에너지			
고내후성 압연강재 (KS D 3542)	겉모양, 치수, 무게	KS D 3542	· 제조회사별 · 제품규격별 50톤마다	
	화학성분			
	인장시험			
	굽힘성			
조립용 형강 (KS D 3593)	겉모양, 치수	KS D 3593	· 제조회사별 · 제품규격별 15톤마다	
	화학성분			
	인장강도			
	항복점			
	0.2% 항복강도			
	연신율			

종별	시험종목		시험방법	시험빈도	비고
건축 구조용 표면처리 경량형강 (KS D 3854)	겉모양, 치수, 무게		KS D 3854	· 제조회사별 · 제품규격별 50톤마다	
	화학성분				
	항복점				
	인장강도				
	연신율				
	도금의 부착량				
구조용 고장력 탄소강 및 저합금강 주강품 (KS D 4102)	겉모양, 치수		KS D 0402	· 제조회사별 · 제품규격별 100톤마다	
	화학성분		KS D 0401		
	항복점 또는 내구력				
	인장강도				
	연신율				
	단면수축률				
	경도				
	건전성			· 필요시	
마찰접합용 고장력 6각볼트, 6각너트, 평와셔의 세트 (KS B 1010)	겉모양, 치수		KS B 1010	· 제조회사별 · 제품규격마다	
	나사				
	볼트 시험편	항복강도			
		인장강도			
		연신율			
		단면 수축률			
	볼트 제품	최소 인장하중			
		경도			
	너트	경도			
		보증하중			
	와셔	경도			
	세트	토크계수값			

종별		시험종목	시험방법	시험빈도	비고
구조물용 토크-전단형 고장력 볼트, 6각너트, 평와셔의 세트 (KS B 2819)	겉모양, 치수		KS B 2819	· 제조회사별 · 제품규격마다	
	나사				
	볼트 시험편	항복강도			
		인장강도			
		연신율			
		단면 수축률			
	볼트 제품	최소 인장하중			
		경도			
	너트	경도			
		보증하중			
	와셔	경도			
	세트	체결 축력			

라. 가설기자재

종별		시험종목	시험방법	시험빈도	비고
강재 파이프서포트		평누름에 의한 압축 하중	KS F 8001 또는 산업안전보건법에 따른 안전인증기준	· 제품규격마다 (3개) · 공급자마다	최대사용 길이가 4000mm를 초과하는 제품과 알루미늄합금재 제품은 「방호장치 안전인증 고시」의 시험방법 적용
강관 비계용 부재	비계용 강관	인장 하중	KS F 8002	· 제품규격마다 (3개) · 공급자마다	
	강관 조인트	휨 하중			
		인장 하중			
		압축 하중			
조립형 비계 및 동바리 부재	수직재	압축 하중	KS F 8021 또는 산업안전보건법에 따른 안전인증기준	· 제품규격마다 (3개) · 공급자마다	안전인증기준의 종별 명칭은 시스템비계 또는 시스템동바리 임
	수평재	휨 하중			
	가새재	압축 하중			
	트러스	휨 하중			
	연결 조인트	압축 하중			
		인장 하중			
일반 구조용 압연 강재 (KS D 3503) * 흙막이용 자재로 제한		치수	KS D 3503	· 제품규격마다 · 공급자마다	· 공사시방서(또는 설계도서)에 명시된 제품과 동등 이상 여부 확인 · 치수는 두께만 시험
		인장 강도			
		항복 강도			
		연신율			
용접 구조용 압연강재 (KS D 3515) * 흙막이용 자재로 제한		겉모양, 치수, 무게	KS D 3515	· 제품규격마다 · 공급자마다	· 공사시방서(또는 설계도서)에 명시된 제품과 동등 이상 여부 확인 · 치수는 두께만 시험
		항복점 또는 항복강도			
		인장강도			
		연신율			

종별	시험종목	시험방법	시험빈도	비고
일반구조용 용접 경량 H형강 (KS D 3558) * 흙막이용 자재로 제한	치수	KS D 3558	· 제품규격마다 · 공급자마다	· 공사시방서(또는 설계도서)에 명시된 제품과 동등 이상 여부 확인 · 치수는 평판부분의 두께만 시험
	인장 강도			
	항복 강도			
	연신율			
일반구조용 각형강관 (KS D 3568) * 거푸집 및 동바리 구조물에 사용하는 멍에 또는 장선용 자재로 제한	치수	KS D 3568	· 제품규격마다 · 공급자마다	· 공사시방서(또는 설계도서)에 명시된 제품과 동등 이상 여부 확인 · 치수는 평판부분의 두께만 시험
	인장 강도			
	항복 강도			
	연신율			
열간압연강 널말뚝 (KS F 4604)	인장 강도	KS F 4604	· 제품규격마다 · 공급자마다	· 치수는 평판부분의 두께만 시험
	항복 강도			
	연신율			
	모양, 치수, 단위질량			
복공판	외관상태 및 성능	공사시방서에 따름	· 제품규격별 200개 마다 (단, 200개 미만은 1회) · 공급자마다 · 설치후 1년 이내 마다	· 국가건설기준 코드의 설계하중 기준에 만족
콘크리트 거푸집용 합판 (KS F 3110)	겉모양 및 치수	KS F 3110	· 제품규격별	강재틀 합판 거푸집 (KS F 8006) 제외
	휨강성 변형량			
	도막 및 피복재와 바탕합판의 접착성 (표면가공 거푸집용 합판에 한함)			
	함수율	KS F 3110	· 필요시	
	밀도			
	접착성			
	폼알데하이드 방출량	KS M 1998		

마. 기타

종별	시험종목		시험방법	시험빈도	비고
석재	밀도 및 흡수율		KS F 2518	· 골재원마다 · 재질 변화시마다	
	압축강도		KS F 2519		
토목섬유 매트	지반 보강용	인장강도, 인장변형률	KS K ISO 10319	· 제조회사별 · 제품규격마다 · 20,000제곱미터 마다	기타 용도의 지오텍스타일 및 관련제품은 KS K 0920, 0922, 0923, 0924, 0926, 0938 참조
		수직 투수계수	KS K ISO 11058		
		봉합강도	KS K ISO 10321		
	배수용	인장강도	KS K ISO 10319		
		수직 투수계수	KS K ISO 11058		
토목섬유 (배수용)	인장강도, 신도		KS K ISO 10319	· 제조회사별 · 제품규격마다 · 20,000제곱미터 마다	
	투수계수		KS K ISO 11058		
	유효구멍크기		KS K ISO 12956		
	내약품성 (액체저항성)		KS K ISO TR 12960	· 흙의 pH가 4 미만 또는 9를 초과하는 경우	시험후 인장강도≥ 50%
토목용 부직포 섬유 (KS K 2630)	겉모양		KS K 2630	· 제조회사별 · 제품규격마다 · 20,000제곱미터 마다	시험방법은 국가기술표준원에서 개정 검토중으로 개정이후 개정된 시험방법에 따름
	무게		KS K ISO 9864		
	인장강도 및 신도		KS K 0743		
	봉합강도		KS K ISO 13935-2		
	투수계수		KS K ISO 11058		
	나비		KS K ISO 22198		
	길이		KS K ISO 22198		
	두께		KS K ISO 9863-1		
	조성섬유		KS K 0210		
드레인보드 (Drain Board)	인장강도 및 신도		KS K ISO 10319	· 제조회사별 · 제품규격마다 · 20,000제곱미터 마다	
	배수성능		KS K ISO 11058 또는 KS K ISO12958		
	질량		KS K ISO 9864		
	유효구멍크기		KS K 0754 또는 KS K ISO 12956		

종별	시험종목		시험방법	시험빈도	비고
드레인보드 (Drain Board)	내약품성(액체저항성)		KS K ISO TR 12960 또는 해당 공사시방서	· 흙의 pH가 4 미만 또는 9를 초과하는 경우	시험후 인장강도≥ 50%
상수도용 도복장강관 (KS D 3565)	치수, 무게		KS D 3565	· 제조회사별 · 제품규격마다	상수도용관
	화학성분				
	인장강도				
	항복점 또는 항복강도				
	연신율				
	편평성				
	비파괴 검사특성 또는 수압시험특성				
	도복장 및 그 방법				
수도용 플라스틱 배관 (KS M 3408-2)	내압시험		KS M 3408-2	· 제조회사별 · 제품규격마다	상수도용관
	용해시험				
	파단점 신장률				
	종축 복귀성				
	산화유도시간				
	용융질량흐름지수				
수도용 경질폴리염화비닐관 (KS M 3401)	겉모양, 치수		KS M 3401	· 제조회사별 · 제품규격마다	상수도용관
	경질 (VP)	인장항복강도	KS M 3401		
		내수압성			
		편평성			
		비카트 연화온도			
		열간내압크리프성	KS M ISO 1167		
		용출성	KS M 3401		
		불투명성	KS M ISO 7686		

종별	시험종목		시험방법	시험빈도	비고
수도용 경질폴리염화비닐관 (KS M 3401)	경질 (IWVP, ISO 4422-2)	내수압성	KS M 3401	· 제조회사별 · 제품규격마다	상수도용관
		비카트 연화온도			
		열간내압크리프성	KS M ISO 1167		
		용출성	KS M 3401		
		불투명성	KS M ISO 7686		
		외부 충격 내구성	KS M 3401		
		종축 복귀성	KS M ISO 2505-1, KS M ISO 2505-2		
		파괴인성	KS M ISO 11673		
	내충격 경질 (HIVP)	인장항복강도	KS M 3401		
		내수압성			
		편평성			
		내충격성			
		비카트 연화온도			
		열간내압크리프성	KS M ISO 1167		
		용출성	KS M 3401		
일반용 경질폴리염화비닐관 (KS M 3404)	겉모양, 치수		KS M 3404	· 제조회사별 · 제품규격마다	하수도용관
	경질 (VG1, VG2)	인장항복강도	KS M 3404		
		내수압성			
		접합부 내수압성			
		편평성			
		침지성			
		비카트연화온도			
		정량(납)	KS M 3211		
	건물내 배수용 경질 (IDVP)	비카트연화온도	KS M 3404		
		수밀성			
		기밀성			
		냉열반복유하성			
		외부충격내구성 (회전법)			
		외부충격내구성 (계단법)			
		종축복귀성	KS M ISO 2505-1, KS M ISO 2505-2		
		디클로로메탄 저항성	KS M ISO 9852		

종별	시험종목		시험방법	시험빈도	비고
일반용 경질폴리 염화비닐관 (KS M 3404)	매설 하배수 관용 경질 (ISVP)	비카트연화온도	KS M 3404	· 제조회사별 · 제품규격마다	하수도용관
		편평 밀봉성			
		곡관 밀봉성			
		열간 내압 내크리프성			
		외부충격내구성(회전법)			
		종축복귀성	KS M ISO 2505-1, KS M ISO 2505-2		
		디클로로메탄 저항성	KS M ISO 9852		
	물 수송용 경질 (IWVP)	비카트연화온도	KS M 3404		
		열간 내압 내크리프성			
		외부충격내구성 (회전법)			
		종축복귀성	KS M ISO 2505-1, KS M ISO 2505-2		
		파괴인성	KS M ISO 11673		
일반용 폴리에틸렌관 (KS M 3407)	치수		KS M 3407	· 제조회사별 · 제품규격마다	하수도용관
	인장시험				
	수압시험				
	침지시험				
	회분시험				
철근콘크리트관 (KS F 4402)	겉모양 및 모양		KS F 4402	· 모든 제품마다	하수도용관
	치수			· 제조회사별 · 종류 및 호칭별 200개 또는 그 단수마다	
	외압강도				
	내압강도				
	수밀성				

종별	시험종목		시험방법	시험빈도	비고
원심력 철근콘크리트관 (KS F 4403)	겉모양 및 모양		KS F 4403	· 모든 제품마다	하수도용관
	치수			· 제조회사별 · 제품규격마다	
	외압강도				
	내압강도				
	방균성능(방균관)			· 12개월마다	
코어식 프리스트레스트 콘크리트관 (KS F 4405)	겉모양 및 모양		KS F 4405	· 모든 제품마다	하수도용관
	치수			· 제조회사별 · 종류 및 호칭별 50개 또는 그 단수마다	
	내압강도(압력관)				
	외압강도(압력관)				
프리스트레스트콘크리트 실린더관 (KS F 4406)	겉모양 및 모양		KS F 4406	· 모든 제품마다	하수도용관
	치수			· 제조회사별 · 제품규격마다	
	내압강도				
하수도용 콘크리트 맨홀 블록 (KS F 4012)	겉모양 및 모양		KS F 4012	· 모든 제품마다	
	치수			· 제조회사별 · 종류 및 호칭별 200개 또는 그 단수마다	
	연결부위 모양		KS F 4012		
	압축강도		KS F 2405		
	맨홀 연직구체의 외압강도		KS F 4012		
	수밀성		KS F 4012		
수도용 경질 폴리염화비닐 이음관 (KS M 3402)	겉모양, 모양 및 치수		KS M 3402	· 제조회사별 · 제품규격마다	
	경질 (TS)	인장항복강도	KS M 3402		
		내수압성			
		편평성			
		비카트연화온도	KS M ISO 2507-1, KS M ISO 2507-2		
		용출성	KS M 3402		

<table>
<tr><th>종별</th><th colspan="2">시험종목</th><th>시험방법</th><th>시험빈도</th><th>비고</th></tr>
<tr><td rowspan="13">수도용 경질 폴리염화비닐 이음관 (KS M 3402)</td><td rowspan="7">경질 (IWPS, ISO 4422-3)</td><td>인장항복강도</td><td rowspan="2">KS M 3402</td><td rowspan="13">· 제조회사별
· 제품규격마다</td><td rowspan="13"></td></tr>
<tr><td>내수압성</td></tr>
<tr><td>비카트연화온도</td><td>KS M ISO 2507-1,
KS M ISO 2507-2</td></tr>
<tr><td>용출성</td><td>KS M 3402</td></tr>
<tr><td>압착성</td><td>KS M ISO 9853</td></tr>
<tr><td>열간내압크리프성</td><td>KS M 3402</td></tr>
<tr><td>열이완성</td><td>KS M ISO 580</td></tr>
<tr><td rowspan="6">내충격성 경질 (HITS)</td><td>인장항복강도</td><td rowspan="4">KS M 3402</td></tr>
<tr><td>내수압성</td></tr>
<tr><td>편평성</td></tr>
<tr><td>내충격성</td></tr>
<tr><td>비카트연화온도</td><td>KS M ISO 2507-1,
KS M ISO 2507-2</td></tr>
<tr><td>용출성</td><td>KS M 3402</td></tr>
<tr><td rowspan="10">배수용 경질 염화비닐 이음관 (KS M 3410)</td><td colspan="2">겉모양, 모양 및 치수</td><td>KS M 3410</td><td rowspan="10">· 제조회사별
· 제품규격마다</td><td rowspan="10"></td></tr>
<tr><td rowspan="6">DV</td><td>인장항복강도</td><td rowspan="4">KS M 3410</td></tr>
<tr><td>내수압성</td></tr>
<tr><td>편평성</td></tr>
<tr><td>침지성</td></tr>
<tr><td>비카트연화온도</td><td>KS M ISO 2507-1,
KS M ISO 2507-2</td></tr>
<tr><td>정량(납)</td><td>KS C IEC 62321</td></tr>
<tr><td rowspan="3">IDDV (ISO 3633)</td><td>비카트연화온도</td><td>KS M ISO 2507-1,
KS M ISO 2507-2</td></tr>
<tr><td>수밀성</td><td>KS M 3410</td></tr>
<tr><td>열이완성</td><td>KS M ISO 580</td></tr>
<tr><td rowspan="3">상수도용 도복장 강관 이형관 (KS D 3578)</td><td colspan="2">겉모양, 치수</td><td>KS D 3578</td><td rowspan="3">· 제조회사별
· 제품규격마다</td><td rowspan="3"></td></tr>
<tr><td colspan="2">용접부 품질(방사선 투과)</td><td>KS B 0845</td></tr>
<tr><td colspan="2">내면도장의 용출성능</td><td>KS I 3225</td></tr>
</table>

종별	시험종목	시험방법	시험빈도	비고
수도용 폴리에틸렌 분체라이닝 강관 (KS D 3619)	겉모양, 모양 및 치수	KS D 3619	· 제조회사별 · 제품규격마다	
	피막 및 피막 두께			
	핀홀시험			
	당김강도시험			
	굽힘시험			
	편평시험			
	충격시험			
	내식성시험			
	용출시험			
발포 중심층을 갖는 공압출 염화비닐관 (KS M 3413)	겉모양, 모양, 치수, 색	KS M 3413	· 제조회사별 · 제품규격마다	
	편평시험			
	낙추충격			
	내열성시험			
	내전압시험			
	내연성시험			
	마찰계수시험			
	내약품성시험			
	아세톤침적시험			
경질 폴리염화비닐 시트 (KS M 3501)	겉모양, 치수	KS M ISO 11833-1	· 제조회사별 · 제품규격마다	
	인장항복응력	KS M ISO 527-2		
	인장 파괴시 변형			
	인장 탄성률	KS M ISO 527-1,2		
	노치있는 시험편의 샤르피 충격강도	KS M ISO 179-1		
	비카트 연화온도	KS M ISO 306		
	가열치수 변화, 적층성	KS M 3501		
	전광선 투과율	KS M ISO 13468-1		
	내약품성	KS M ISO 11833-1		

종별	시험종목	시험방법	시험빈도	비고
경질 폴리염화비닐 시트 (KS M 3501)	노치없는 시험편의 샤르피 충격강도	KS M ISO 179-1	· 필요시	
	하중변형온도	KS M ISO 75-2		
	크리프 탄성율	KS M ISO 899-2		
	굴곡강도	KS M ISO 178		
	볼압입강도	ISO 2039-1		
	체적저항률	IEC 60093		
수도용 고무 (KS M 6613)	겉모양, 치수	KS M 6613	· 제조회사별 · 제품규격마다	
	경도	KS M 6784		
	인장시험	KS M 6782		
	영구 신장률	KS M 6518		
	노화시험	KS M 6788		
	영구 압축 줄음률	KS M 6791		
	용해 시험	KS M 6613		
	유리황 분석	KS M 6519		
	내구성 시험	KS M 6613	· 필요시	
철선 (KS D 3552)	겉모양, 치수, 무게	KS D 3552	· 제조회사별 · 제품규격마다	
	굽힘시험(용접철망용)			
	비틀림시험			
	인장시험	KS B 0802		
염화비닐 피복철선 (KS D 7036)	겉모양	KS D 7036	· 제조회사별 · 제품규격마다	
	인장강도	KS B 0802		
	내후성	KS F 2274		
	감기성	KS D 0201		
	박리시험	KS D 7036		
	지름, 최소피막두께			
연강용 피복아크 용접봉 (KS D 7004)	인장, 충격시험(용착금속)	KS B 0821	· 제조회사별 · 제품규격마다	
	수소량(용착금속)	KS D 0064		
	굽힘시험(용접이음쇠) 표면굽힘	KS B 0832		
	굽힘시험(용접이음쇠) 뒷면굽힘			

종별	시험종목	시험방법	시험빈도	비고
체인링크 철망 (KS D 7018)	겉모양, 치수	KS D 7018	· 제조회사별 · 제품규격마다	
	아연 부착량	KS D 0201		
	알루미늄 부착량	KS D 0229		
	알루미늄 피복최소두께			
	피복의 밀착성	KS D 7036		
콘크리트 구조물 보수용 폴리머시멘트모르타르 (KS F 4042)	시멘트 혼화용 폴리머 고형분	KS F 4916	· 제조회사별 · 제조일부터 3월이 되어 재질의 변화가 있다고 인정되는 때 · 300톤마다	
	휨, 압축, 부착강도	KS F 4041		
	내알칼리성			
	중성화 저항성			
	투수량	KS F 4916		
	물흡수 계수	KS F 2609		
	습기투과 저항성	KS F 4716		
	염화물 이온 침투 저항성	KS F 2711		
	길이변화율	KS F 2424		
콘크리트 구조물 보수용 에폭시 수지모르타르 (KS F 4043)	겉모양	KS F 4043	· 제조회사별 · 제조일부터 3월이 되어 재질의 변화가 있다고 인정되는 때 · 300톤마다	
	휨, 압축, 부착강도	KS F 4043		
	투수	KS F 4043, F 2451		
	염화물 이온 침투저항성	KS F 2711		
	길이변화율	KS F 2424		
콘크리트 구조물 보수용 에폭시수지 (KS F 4923)	점성 점도	KS M 3705	· 제조회사별 · 제품규격마다	
	점성 틱소트로픽 인덱스			
	점성 슬럼프	KS F 4923		
	접착강도	KS F 4923		
	경화수축률 액비중	KS M 3705		
	경화수축률 고체비중	KS M ISO 1183-3		
	경화수축률 경화수축률	KS F 4923		
	가열변화	KS F 4923		
	인장강도	KS M ISO 527-1		
	인장파괴시 신장률			
	압축강도 (경질형 에폭시수지)	KS M ISO 844		

종별	시험종목		시험방법	시험빈도	비고
콘크리트 보호용 도막재 (KS F 4936)	도막형성후의 겉모양	촉진내후성시험 후	KS F 4936	· 제조회사별 · 제품규격마다	
		내알칼리성시험 후			
		내염수성시험 후			
		온·냉반복시험 후	KS F 4715		
	염화물 이온 침투저항성		KS F 4936 KS F 2711		
	중성화 깊이		KS F 4936		
	투습도				
	내투수성				
	부착강도				
	균열대응성				
알루미늄 및 알루미늄 합금 압출형재 (KS D 6759)	겉모양 및 치수		KS D 6759	· 제조회사별 · 제품규격마다 · 1m당 3kg이하 : 1톤 또는 그 끝수마다 · 1m당 3kg초과 : 2톤 또는 그 끝수마다	
	굽힘시험		KS B 0804		
	인장강도		KS B 0802		
	항복강도				
	연신율				
	경도		KS B 0811		
	도전율		KS D 0240		
알루미늄 및 알루미늄 합금 봉 및 선(KS D 6763)	치수		KS D 6763	· 제조회사별 · 제품규격마다 · 1m당 3kg이하 : 1톤 또는 그 끝수마다 · 1m당 3kg초과 : 2톤 또는 그 끝수마다	
	압축시험(세로)				
	인장강도		KS B 0802		
	항복강도				
	연신율				
	굽힘시험(밀착굽힘)		KS B 0804		

2. 토 목

가. 도로공사

(1) 흙 및 혼합골재

종별	시험종목	시험방법	시험빈도	비고
노체	다짐	KS F 2312	· 토질변화시마다	급속함수량측정기사용불가
	함수비	KS F 2306 또는 급속함수량 측정방법	· 포설후 다짐전 2,000세제곱미터마다	
	현장밀도	KS F 2311	· 2000세제곱미터마다 (폭이 넓은 광활한 지역의 성토작업시) · 층별 450미터마다 (층다짐시 : 2차로기준)	급속함수량측정기 사용가능
	평판재하	KS F 2310	· 3층 포설후 150미터마다 (층다짐시 : 2차로기준) · 2,000세제곱미터마다(폭이 넓은 광활한 지역의 성토작업시	· 재료최대치수가 37.5미리m 이상인 경우 · 현장밀도시험 불가능시
노상	다짐	KS F 2312	· 토질변화시마다	급속함수량측정기 사용불가
	함수비	KS F 2306 또는 급속함수량 측정방법	· 포설 후 다짐 전 1,000세제곱미터마다	
	현장밀도	KS F 2311	· 1,000세제곱미터마다 (폭이 넓은 광활한 지역의 성토작업시) · 층별 400미터마다	급속함수량측정기 사용가능
	평판재하	KS F 2310	· 2층 포설 후 200미터마다 (층다짐시 : 2차로기준) · 1,000세제곱미터마다(폭이 넓은 광활한 지역의 성토작업시)	· 재료 최대치수가 37.5㎜ 이상인 경우 · 현장밀도시험 불가능시

종별	시험종목	시험방법	시험빈도	비고
노상	프루프롤링 (Proof rolling)	5톤 이상의 복륜하중(타이어접지압 0.55MPa (5.6kg/㎠ 이상)통과	· 노상완성 후 전구간에 걸쳐 3회 이상	
동상방지층 및 보조기층	골재의 0.08밀리미터체 통과량	KS F 2511	· 골재원마다 · 재질변화시마다	
	골재의 밀도 및 흡수율	KS F 2503		
	마모	KS F 2508		
	노상토지지력비 (CBR)	KS F 2320		
	다짐	KS F 2312	· 골재원마다 · 재질변화시마다	급속함수량시험기 사용불가
	체가름	KS F 2502	· 골재원마다 · 1,000세제곱미터마다	
	두께	KS F 2367	· 1일 1회 이상	
	함수비	KS F 2306 또는 급속함수량 측정방법	· 골재원마다 · 포설 후 다짐 전 500세제곱미터마다	
	현장밀도	KS F 2311	· 500세제곱미터마다(폭이 넓은 광활한 지역의 성토작업시) · 층별 200미터마다 : 2차로기준	급속함수량측정기 사용가능
	평판재하	KS F 2310	· 선택층 및 보조기층 완성 후 100미터마다 : 2차로기준 · 500세제곱미터마다(폭이 넓은 광활한 지역의 성토작업시)	현장밀도시험 불가능시
	모래당량시험	KS F 2340	· 골재원마다 · 재질변화시마다	

종별	시험종목		시험방법	시험빈도	비고
동상방지층 및 보조기층	프루프롤링 (Proof rolling)		5톤 이상의 복륜하중(타이어접지압 0.55MPa (5.6kg/㎠ 이상)통과	· 완성 후 전구간에 걸쳐 3회 이상	
시멘트안정처리기층	체가름		KS F 2502	· 골재원마다 · 재질변화시마다	급속함수량측정기 사용불가
	밀도 및 흡수율	굵은골재	KS F 2503		
		잔골재	KS F 2504		
	안정성		KS F 2507		
	마모		KS F 2508		
	연석량		KS F 2516		
	점토덩어리 함유량		KS F 2512		
	0.08밀리미터체 통과량		KS F 2511		
	모래당량		KS F 2340		
	배합설계		시방규정	· 재료가 다른 배합마다	
	다짐		KS F 2312	· 재질변화시마다	
	시멘트 함유량		KS F 2327		
	압축강도		KS F 2328	· 1일 1회 이상	
	함수비		KS F 2306	· 골재원마다 · 재질변화시마다 · 500세제곱미터마다(폭이 넓은 광활한 지역의 성토작업시)	500세제곱미터마다 하는 경우에는 급속함수량측정기 사용가능
	현장밀도		KS F 2311	· 층별 200미터마다 : 2차로기준 · 500세제곱미터마다(폭이 넓은 광활한 지역의 성토작업시)	급속함수량측정기 사용가능
입도조정기층	밀도		KS F 2308	· 골재원마다 · 재질변화시마다	흙
	밀도 및 흡수율		KS F 2503		굵은 골재

종별	시험종목	시험방법	시험빈도	비고
입도조정기층	안정성	KS F 2507	· 골재원마다 · 재질변화시마다	급속함수량측정기 사용불가
	마모	KS F 2508		
	노상토지지력비(CBR)	KS F 2320		
	다짐	KS F 2312		
	모래당량	KS F 2340		
	체가름	KS F 2502	· 골재원마다 · 재질변화시마다 · 1,000세제곱미터마다	
	0.08밀리미터체통과량	KS F 2511		
	함수비	KS F 2306 또는 급속함수량 측정방법	· 골재원마다 · 재질변화시마다 · 포설 후 다짐 전 500세제곱미터마다	
	현장밀도	KS F 2311	· 500세제곱미터마다(폭이 넓은 광활한 지역의 성토작업시) · 층별 200미터마다 : 2차로기준	급속함수량측정기 사용가능
	평판재하	KS F 2310	· 500세제곱미터마다(폭이 넓은 광활한 지역의 성토작업시) · 층별 200미터마다 : 2차로기준	현장밀도시험 불가능시
	프루프롤링(Proof rolling)	5톤 이상의 복륜하중(타이어접지압 0.55MPa (5.6kg/㎠ 이상)통과	· 기층완성 후 전구간에 걸쳐 3회 이상	

(2) 아스팔트 포장

종별	시험종목		시험방법	시험빈도	비고
아스팔트 혼합물용 골재 (KS F 2357)	부순굵은 골재	입도	KS F 2502	· 골재원마다 · 재질이 변할 때마다 · 공사개시전 1회	
		절건 밀도	KS F 2503		
		흡수율			
		안정성	KS F 2507		
		편장석률	KS F 2575		
		마모율	KS F 2507		
		파쇄면 비율	KS F 2357		
	잔골재	입도	KS F 2502		
		절건 밀도	KS F 2504		
		흡수율			
		안정성	KS F 2507		
		모래당량	KS F 2340		
		잔골재 공극률	KS F 2384		
아스팔트 콘크리트용 순환골재 (KS F 2572)	구재 아스팔트 함량		KS F 2354	· 제조회사마다 · 500톤마다	
	씻기시험에서 손실되는 양		KS F 2511		
	구재 아스팔트 침입도		KS F 2381 KS M 2252		
플랜트	계량기의 눈금점검, 자동계량장치 점검		영점검사와 눈금의 정상 작동여부	· 작업개시전 1회 · 필요시마다	
	아스팔트의 온도		KS F 2356	· 1시간에 1회 이상	가열시
	골재의 온도				가열후
	골재의 체가름		KS F 2502	· 1일 1회 이상	가열 전·후
아스팔트 포장용 채움재 (KS F 3501)	수분 함량		KS F 3501	· 제조회사마다 · 반입시마다	
	입도				
	소성지수		KS F 2303		
	흐름시험		KS F 3501		
	침수팽창		KS F 3501		
	박리 저항성		KS F 3501		

종별	시험종목		시험방법	시험빈도	비고
도로포장용 아스팔트 (KS M 2201)	침입도		KS M 2252	· 2,000톤마다 · 장기저장으로 재질의 변화가 있다고 판단되는 때 · 제조회사별	
	연화점		KS M 2250		
	신도		KS M 2254		
	톨루엔가용분		KS M 2201		
	인화점		KS M 2010		
	박막가열	질량 변화율	KS M 2258		
		침입도 잔류율			
	증발	질량 변화율			
		후의 침입도비			
	밀도				
컷백 아스팔트 (KS M 2202)	인화점		KS M ISO 2592	· 제조회사별 · 제품규격마다 · 반입시마다	
	점도		KS M 2013		
	증류 시험, 증류 찌끼		KS M 2257		
	증류찌끼 시험	침입도	KS M 2257		
		신도	KS M 2254		
		톨루엔가용분	KS M 2201		
블론 아스팔트 (KS M 2204)	침입도		KS M 2252	· 제조회사별 · 제품규격마다 · 반입시마다	
	연화점		KS M 2250		
	신도		KS M 2254		
	증발질량 변화율		KS M 2255		
	침입도지수		KS M 2252		
	톨루엔 가용분		KS M 2204		
	인화점		KS M 2010		

종별	시험종목		시험방법	시험빈도	비고
유화 아스팔트 (KS M 2203)	앵글러도(점도)		KS M 2203	· 제조회사별 · 제품규격마다 · 반입시마다	종류, 용도별 구분적용
	체잔류분 질량				
	부착도				
	골재 피막도				
	조립도 골재혼합성				
	밀입도 골재 혼합성				
	흙덩어리 골재 혼합성 질량				
	시멘트 혼합성 질량				
	입자의 전하				
	증발잔류분 질량				
	증발 잔류물	침입도			
		신도			
		톨루엔 가용분 질량			
	저장안정도				
	동결안정도				
플랜트 혼합물	혼합물 온도		온도계에 의함	· 운반차량마다	
	역청함유량		KS F 2354	· 1일 1회 이상	
	체가름		KS F 2502		
	마샬안정도		KS F 2337		
	피막박리		KS F 2355	· 필요시마다	
혼합물의 포설	밀도		KS F 2353	· 1일 1회 이상 · 포설 1층당 30아르마다	
	두께		KS F 2367		
	평탄성	종방향	KS F 2373	· 차로마다 전구간	7.6m 측정기
			3.0m 측정기	· 차로마다 전구간	7.6m 측정기사용 불가능시
		횡방향	직선자	· 200미터마다	측정기사용 불가능시

(3) 기 타

종별	시험종목		시험방법	시험빈 도	비고
콘크리트 포장	평탄성	종방향	KS F 2373	· 차로마다 전구간	7.6m 측정기 또는 IRI
			3.0m 측정기	· 차로마다 전구간	7.6m 측정기 사용 불가능시
		횡방향	직선자	· 200미터마다	측정기 사용 불가능시
미끄럼방지 포장용 골재	흡수율		KS F 2503	· 골재원마다 · 재질이 변할 때마다	
	입도		KS F 2502		
	마모율		KS F 2508		
	유해물 함유량		KS F 2515		
	점토,점토괴,연한석편				
미끄럼방지 포장(수지)	프라이머	밀도(23℃)	KS M ISO 2811-1	· 제조회사별 · 제품규격 마다	
		점도(25℃)	KS M ISO 2555		
		VOC 함량			
		가사시간(25℃)	AASHTO T237		
	레진	밀도(23℃)	KS M ISO 2811-1		
		점도(25℃)	KS M ISO 2555		
		VOC 함량			
		건조시간(경화,25℃)	KS M 5000		
		가사시간(25℃)	AASHTO T237		
		인장강도	KS M ISO 527-1		
		신율			
		촉진내후성(300시간)	KS M 5000		

종별	시험종목		시험방법	시험빈 도	비고
미끄럼방지 포장(수지)	슬러리	흡수율	KS F 2476	· 제조회사별 · 제품규격 마다	
		마모율(50만회)	EN 1436, EN 13197		
		미끄럼저항	ASTM E303		
		건조시간(고화,25℃)	KS M 5000		
		압축강도(24시간)	ASTM C109		
		접착강도(20℃)	KS F 2476		
콘크리트 포장용 신축이음 채움재 (줄눈판) (KS F 2538)	치수, 단위무게		KS F 2471	· 제조회사별 · 제품규격마다	
	압축력				
	돌출				
	돌출의 회복				
	흡수율				
	아스팔트 함유량				
	노화시험				
콘크리트 포장용 주입줄눈재	아스팔트계	콘칩입도	ASTM D 6690	· 제조회사별 · 제품규격마다	
		흐름성			
		접착성			
		원상회복률			
		노화시험후회복률			
		아스팔트 호환성			
	실리콘계	유동성	ASTM D 2202		
		성형율	ASTM C 1183		
		불 점착성	ASTM C 679		
		접착성	ASTM D 5893		
		경도	ASTM C 661		
		흐름성	ASTM D 5893		
		최대신장율	ASTM D 412(C)		
		인장력			
		촉진내후성	ASTM C 793		
		복원력	ASTM D 5893		
		줄눈움직임허용치	ASTM C 7 19-93		

종별	시험종목		시험방법	시험빈 도	비고
포장용 콘크리트 평판 (KS F 4001)	모르타르층 평판	모양 및 치수	KS F 4001	· 제조회사별 · 종류 및 호칭을 달리할 때 1,000개 또는 그 단수마다	
		휨강도 하중			
		휨강도			
		흡수율			
		투수계수			
		표면층 두께			
	인조석 층평판	모양 및 치수			
		휨강도 하중			
		휨강도			
		흡수율			
		표면층 두께			
투수성 아스팔트 혼합물 (KS F 2385)	안정도		KS F 2385	· 제조회사별 · 1일 1회 이상	
	흐름값				
	공극률				
	투수계수				
보·차도용 콘크리트 인터로킹 블록 (KS F 4419)	보통 블록	겉모양 및 치수	KS F 4419	· 제조회사별 · 10,000개 미만: 5개 · 10,000개 이상 100,000개 미만: 10개 · 100,000개 초과: 50,000개마다 5개씩 추가	
		휨강도			
		흡수율			
		유색층 두께			
	투수성 블록	겉모양 및 치수			
		휨강도			
		투수계수			
		유색층 두께			
보차도 포장용 판석 (KS F 2530-1)	겉모양, 모양 및 치수		KS F 2530-1	· 제조회사별 · 10,000개 미만: 5개 · 10,000개 이상 100,000개 미만: 10개 · 100,000개 초과: 50,000개마다 5개씩 추가	
	휨강도				
	흡수율				

종별	시험종목		시험방법	시험빈 도	비고
콘크리트 경계블록 (보·차도용) (KS F 4006)	겉모양, 모양 및 치수		KS F 4006	· 제조회사별 · 호칭 및 길이를 달리할 때 1,000매 또는 그 단수마다	
	휨강도				
	흡수율				
	표면층 두께				
도로표지용 도료 (KS M 6080)	1종 (상온형), 2종 (수용성), 3종 (가열형)	용기내에서의 상태	KS M 5000-2011	· 제조회사별 · 제품규격마다	
		불점착 건조성	KS M 6080		
		열안정성			
		도막의 겉모양			
		45도,0도 확산반사율			
		은폐율			
		블리딩성, 내마모성			
		촉진 내후성			
		내수성, 내알칼리성			
		냉동안정성			
		비휘발분	KS M ISO 3251		
		안료분	KS M 5000-2111		
		내세척성	KS M 5000-3351		
		색상	KS M 5000-3011		
		납, 카드뮴	KS M 6080		
	4종 (융착식)	밀도, 연화점	KS M 6080		
		불점착 건조성			
		도막의 겉모양			
		황색도	KS M 5000-3211		
		45도,0도 확산반사율	KS M 5000-3121		
		내마모성, 압축강도	KS M 6080		
		내알칼리성			

종별	시험종목			시험방법	시험빈 도	비고
도로표지용 도료 (KS M 6080)	4종 (융착식)		비휘발분	KS M ISO 3251		
			촉진내후성	KS M 6080		
			납, 카드뮴			
			비휘발전색제분			
			색상	KS M 5000-3011		
			열안정성	KS M 6080		
			유리알 함유량			
			유리알 겉모양, 모양			
도로표지 도료용 유리알 (KS L 2521)	밀도, 입도			KS F 4419	· 제조회사별 · 제품규격마다	
	겉모양					
	굴절률, 내구성					
교량지지용 탄성받침 (KS F 4420)	재료		인장강도	KS M 6518	· 제조회사별 · 제품규격마다	
			파단신장률			
			인열저항	KS M ISO 34-1,2		
			영구압축줄음	KS M 6518		
			촉진노화			
			오존저항			
	완제품	전단응력	대기온도	KS F 4420		
			저온			
			노화후			
		전단부착	대기온도			
			노화후			
		압축강도				
		반복압축재하				
		정적회전	복원모멘트			
			편심재하			
		오존저항				

종별	시험종목			시험방법	시험빈 도	비고
교량 지지용 포트받침 (KS F 4424)	고무판		인장강도	KS F 4424	· 제조회사별 · 제품규격마다	
			신장률			
			경도			
		노화후	경도변화			
			인장강도변화율			
			신장률 변화율			
		압축영구줄음율				
		오존균열시험				
	PTPE판		인장강도			
			신장률			
			밀도			
	완제품		재하시험			
			내구성시험			
교량용 신축 이음장치	고무		인장시험	KS F 4425	· 제조회사별 · 제품규격마다	
			경도시험			
			인열시험			
			노화시험			
			압축영구 줄음율 시험			
			오존균열 시험			
	강재		항복점 또는 내력	KS D 3503		
			인장강도			
			연신율			
			굽힘성			
	제품		수축신장시험	KS F 4425		
			피로반복시험			
PC콘	인장 및 압축			해당 공사시방서	· 제조회사별 · 제품규격마다	

종별		시험종목	시험방법	시험빈도	비고
폴리염화비닐 지수판 (KS M 3805)		겉모양, 치수	KS M 3805	· 제조회사별 · 제품규격마다	
		밀도			
		경도			
		인장강도 및 인장변형			
		노화성			
		내약품성			
		유연온도			
이중벽 고밀도 폴리에틸렌관 (KS M 3500)		겉모양, 치수	KS M 3500	· 제조회사별 · 제품규격마다	
		원강성계수			
		편평시험			
		연결부 수밀시험			
		회분			
터널용 방수시트	합성고분자계	겉모양, 치수	KS F 4911	· 제조회사별 · 제품규격마다 · 7,000제곱미터마다 · 재질변화시마다	
		인장성능			
		인열성능			
		온도 의존성			
		가열신축성상			
		열화처리후의 인장성능			
		신장시의 열화성상			
		접합성상			
		접합인장성능 (복합시트 경우)			
	개량아스팔트	겉모양	KS F 4917		
		치수 및 제품의 단위 면적무게			
		인장강도			
		신장률			
		항장적			

종별		시험종목	시험방법	시험빈도	비고
터널용 방수시트	개량아스팔트	인열성능	KS F 4917	· 제조회사별 · 제품규격마다 · 7,000제곱미터마다 · 재질변화시마다	
		내열성능			
		내피로성능			
		치수안정성			
		접합성능			
		내움푹패임 성능			
		굴곡성능 (무처리, 가열후)			
교면용 방수시트 (KS F 4931)		전단 접착 성능	KS F 4931	· 제조회사별 · 제품규격별	
		인장 접착 강도			
		내투수성			
		내열 치수 안정성			
		저온 굴곡성			
		접합 강도			
		내피로성			
		내균열성			
		염화 이온 침투	KS F 2711		
		인장 성능	KS F 4917		
		내움푹 패임 성능			
		치수			
교면용 도막 방수재 (KS F 4932)		겉모양	KS F 4932	· 제조회사별 · 제품규격별	
		전단 접착 성능			
		인장 접착 강도			
		내투수성			
		내열 치수 안정성			
		내피로성			
		내균열성			
		작업성	KS M 5000-2421		
		불휘발분	KS M ISO 3251		
		지촉 건조 시간	KS M 5000-2511		
		인장 성능	KS F 3211		
		염화 이온 침투 저항성	KS F 2711		
		내움푹 패임 성능	KS F 4917		

나. 수공구조물공사

종별	시험종목	시험방법	시험빈도	비고
흙댐, 용수로, 배수로용 일반성토 및 표토	함수비	KS F 2306 또는 급속함수량 측정방법	· 함수량 변화시마다	
	다짐	KS F 2312	· 토질변화시마다	급속함수량 측정기 사용불가
	현장밀도	KS F 2311	· 토량 10,000세제곱 미터마다 · 매층마다 · 용 · 배수로의 간선은 길이 200미터마다	급속함수량 측정기 사용가능
	투수	KS F 2322	· 토질변화시마다	
축제성 토공	다짐	KS F 2312	· 재질변화시마다	급속함수량 측정기 사용불가
	현장밀도 또는 포화도(점질토)	KS F 2311	· 각 층별 1회 이상 · 층별 500미터마다. 다만, 토량이 1,000세제곱미터 미만인 공사는 1회 이상	급속함수량측정기 사용가능
	함수비	KS F 2306 또는 급속함수량 측정방법	· 강우 후 또는 함수량 변화시마다	
	투수	KS F 2322	· 토질변화시마다	
흙댐의 중심점토	함수비	KS F 2306 또는 급속함수량 측정방법	· 토량 300세제곱 미터마다	
	다짐	KS F 2312	· 토질변화시마다	급속함수량 측정기 사용불가
	현장밀도	KS F 2311	· 토량 300세제곱 미터마다 · 매층마다	급속함수량 측정기 사용가능
	투수	KS F 2322	· 토질변화시마다	

종별	시험종목	시험방법	시험빈도	비고
호안용 블록 (콘크리트 및 모르터)	압축강도	KS F 2405 또는 시편제작	· 5,000매마다	· 시편을 채취하여 시험 (1:1:1비율로 제작)
아연도 철선 (돌망태 포함)	모양, 치수	해당 공사시방서	· 제조회사별 · 제품규격별 10톤마다	
	겉모양			
	아연 부착량			
	알루미늄 피복 두께			

3. 건 축

가. 조적공사

종별	시험종목	시험방법	시험빈도	비고
콘크리트벽돌 (KS F 4004)	겉모양	KS F 4004	· 제품 100,000매당	
	치수			
	기건 비중			
	압축 강도			
	흡수율			
점토벽돌 (KS L 4201)	겉모양	KS L 4201	· 제품 50,000매당	
	치수			
	흡수율			
	압축강도			
내화 점토질 벽돌 (KS L 3201)	모양, 치수	KS L 3104	· 제품 30,000매당	
	내화도	KS L 3113		
	압축 강도	KS L 3115-1		
	잔존 선팽창 수축률	KS L 3117		
	하중 연화점	KS L 3119		
고알루미나질 내화벽돌 (KS L 3205)	모양, 치수	KS L 3104	· 제품 30,000매당	
	내화도	KS L 3113		
	압축 강도	KS L 3115-1		
	잔존 선팽창 수축률	KS L 3117		
	화학 성분	KS L ISO 26845		
내화단열벽돌 (KS L 3301)	열전도율	KS L 3121	· 제품 30,000매당	
	겉모양	KS L 3301		
	재가열수축률 2%를 초과하지 않는 온도	KS L 3303		
	부피비중	KS L 3304		
	압축강도	KS L 3305		
연소재벽돌 (KS L 8520)	겉모양 및 치수	KS L 8520	· 제품 10,000매당	
	압축강도			
	흡수율			
속빈콘크리트블록 (KS F 4002)	겉모양 및 치수	KS F 4002	· 제품 10,000매당	
	기건비중			
	압축 강도			
	흡수율			
치장콘크리트 블록 (KS F 4038)	겉모양 및 치수	KS F 4038	· 제품 3,000매당	
	압축강도			
	흡수율			
	투수성			
경량기포 콘크리트블록 (KS F 2701)	겉모양 및 치수	KS F 2701	· 제품 1,000매당	
	절건비중			
	압축강도			
	단열성 시험	KS F 2277		
속빈유리블록 (KS F 4903)	겉모양 및 치수	KS F 4903	· 제품 1,000매당	
	비틀림			
	압축강도			
	열 충격성			
	알칼리 용출량	KS L 2301		
	열관류 저항	KS F 2277		

나. 방수공사

종별	시험종목	시험방법	시험빈도	비고
시멘트계 액체형 방수제 (KS F 4925)	안정성	KS F 4925	· 제조회사별 · 제품규격별	
	투수비			
	부착 강도			
	물흡수 계수	KS F 2609		
	응결 시간	KS L 5103		
	압축 강도	KS L 5105		
건설용 도막방수재 (KS F 3211)	인장 성능	KS F 3211	· 제조회사별 · 제품규격별	
	인열 성능			
	온도 의존성			
	가열 신축 성상			
	열화처리 후 인장성능			
	신장시 열화 성상			
	부착 성능			
	내피로 성능			
	흘러내림 저항			
	고형분			
폴리우레아 수지 도막 방수재 (KS F 4922)	도포 작업성, 지촉 건조 시간	KS F 4922	· 제조회사별 · 제품규격별	
	겉모양			
	인장 성능			
	인열 성능			
	온도 의존성			
	가열 신축 성상			
	열화처리 후 인장성능			
	신장시 열화 성상			
	부착 성능			
	내피로성			
	고형분	KS M ISO 3251		
아스팔트 펠 트 (KS F 4901)	겉모양, 치수 및 질량	KS F 4901	· 제조회사별 · 제품규격별	
	제품 단위면적질량			
	원지 단위면적질량			
	원지에 대한 아스팔트 침투율			
	인장 성능			
	굴곡 성능			
	아스팔트 침투 상황			
	가열 감량			
아스팔트 루 핑 (KS F 4902)	겉모양, 치수 및 질량	KS F 4902	· 제조회사별 · 제품규격별	
	제품 단위면적질량			
	원지 단위면적질량			
	원지에 대한 아스팔트 침투율			
	피복물의 단위면적질량			
	피복물의 회분			
	인장 성능			
	굴곡 성능			
	아스팔트 침투 상황			
	내열 성능			
아스팔트 싱글 (KS F 4750)	겉모양 및 치수	KS F 4750	· 제조회사별 · 제품규격별	
	제품 단위 질량			
	심재 단위 질량			
	피복물의 단위면적질량			
	아스팔트 단위면적질량			
	심재에 대한 아스팔트 침투율			
	인열 성능			
	아스팔트 침투 상황			
	굴곡 성능			
	내열 성능			
	표면 광물질 손실량			
	촉진 내후 성능	KS F 2274		

종별	시험종목	시험방법	시험빈도	비고
합성 고분자계 방수시트 (KS F 4911)	겉모양, 치수	KS F 4911	· 제조회사별 · 제품규격별	
	인장 성능			
	인열 성능			
	온도 의존성			
	가열신축성상			
	열화처리후의 인장성능			
	신장시의 열화성상			
	접합성상			
	접합인장성능(복합시트 경우)			
개량 아스팔트 방수시트 (KS F 4917)	겉모양	KS F 4917	· 제조회사별 · 제품규격별	
	치수 및 제품의 단위면적무게			
	인장 강도			
	신장률			
	항장적			
	인열 성능			
	내열 성능			
	내피로성능			
	치수안정성			
	접합 성능			
	내움푹패임 성능			
	굴곡성능(무처리,가열후)			
수팽창성 벤토나이트 방수시트 (KS M 3736)	겉모양 및 치수	KS M 3736	· 제조회사별 · 제품규격별 · 5,000제곱미터 마다	
	단위면적무게			
	낙구 충격성			
	벤토나이트 혼합물 부피 팽창률			
	누수(정수압)			
	인장강도, 신장률 및 인열 강도			

종별	시험종목	시험방법	시험빈도	비고
자착식형 고무화 아스팔트 방수시트 (KS F 4934)	겉모양 및 치수	KS F 4934	· 제조회사별 · 제품규격별	
	인장 성능			
	인열 성능			
	온도 의존성			
	굴곡저항 성능			
	접합안정 성능			
	부착 성능			
	내움푹 패임 성능			
	내피로성			
규산질계 분말형 도포방수재 (KS F 4918)	겉모양	KS F 4918	· 제조회사별 · 제품규격별	
	부착강도			
	내잔갈림성			
	흡수량			
	압축강도			
	부착강도	KS F 4715		
시멘트 혼입 폴리머계 방수재 (KS F 4919)	겉모양	KS F 4919	· 제조회사별 · 제품규격별	
	내잔갈림성			
	흡수량			
	인장강도, 신장률			
	내투수성			
	습기 투과성			
	내균열성			
	내알칼리성			
	부착강도	KS F 4715		
액상형 흡수방지재 (KS F 4930)	침투 깊이	KS F 4930	· 제조회사별 · 제품규격별	
	내투성 성능			
	염화이온 침투 저항성능			
	내흡수 성능	KS F 2609		
	용출저항 성능	KS F 4811		
	인화점	KS M 2010		

종별	시험종목		시험방법	시험빈도	비고
콘크리트용 에폭시수지계 방수 · 방식재 (KS F 4921)	도료	혼합성	KS F 4921	· 제조회사별 · 제품규격별	
		용기내 상태	KS M 5000-2011		
		도포 작업성	KS M 5000-2421		
		경화 건조 시간	KS M 5000-2511		
		고형분	KS M 5000-2111, 2112, KS M ISO3251		
		에폭시수지 성분 함량	KS M 5000-4332		
	도막	겉모양	KS F 4921		
		저온 · 고온 반복			
		부착강도	KS F 4716		
		내충격성			
		투수성	KS F 4925		
		용출성(탁도,색도,냄새 등)	KS D 8502		
방수공사용 아스팔트 (KS F 4052)	침입도		KS M 2252	· 제조회사별 · 제품규격별	
	인화점		KS M 2010		
	연화점		KS M 2250		
	증발질량 변화율		KS M 2255		
	트리클로로에탄 가용분		KS M 2256		
	침입도지수		KS M 2252		

다. 단열 · 보온공사

종별	시험종목	시험방법	시험빈도	비고
발포폴리 스티렌단열재 (KS M 3808)	겉모양, 치수, 밀도	KS M 3808	· 시공면적 1,000제곱미터 마다 · 1,000매마다	
	굴곡 강도			
	흡수량			
	연소성			
	초기 열전도율	KS L 9016		
	장기 열전도율	KS M ISO 11561		
	압축 강도	KS M ISO 844		
발포폴리 에틸렌보온재 (KS M 3862)	겉모양 및 치수	KS M 3862	· 시공면적 1,000제곱미터 마다 · 1,000매마다	
	인장 강도			
	흡수량			
	두께 수축률			
	열전도율	KS L 9016		
인조광섬유 단열재 (KS L 9102)	겉모양, 치수, 밀도	KS L 9102	· 시공면적 1,000제곱미터 마다 · 1,000매마다	
	열간 수축 온도			
	섬유 평균 굵기(미네랄울)			
	입자 함유율(미네랄울)			
	열 전도율	KS L 9016		
방수성펄라이트 보온재 (KS F 4714)	겉모양 및 치수	KS F 4714	· 시공면적 1,000제곱미터 마다 · 1,000매마다	
	밀도			
	휨 강도			
	선 수축률			
	발수도			
	열전도율	KS L 9016		
경질폴리우레탄폼 단열재 (KS M 3809)	겉모양 및 치수	KS M 3809	· 시공면적 1,000제곱미터 마다 · 1,000매마다	
	흡수량			
	투습계수			
	녹			

종별	시험종목	시험방법	시험빈도	비고
경질폴리우레탄폼 단열재 (KS M 3809)	겉보기 밀도	KS M ISO 845	· 시공면적 1,000제곱미터마다 · 1,000매마다	
	열전도율	KS L 9016		
	굴곡 강도	KS M ISO 1209-1		
	압축 강도	KS M ISO 844		
	연소성	KS M ISO 9772		
단열 모르타르 (KS F 4040)	열전도율	KS L 9016	· 시공면적 1,000제곱미터마다	
	부착강도	KS F 4716		
	길이 변화율	KS F 2424		

라. 유리공사

종별	시험종목		시험방법	시험빈도	비고
강화유리 (KS L 2002)	겉모양 및 치수		KS L 2002	· 제조회사별 · 제품규격별	무늬, 플로트, 열선반사 강화유리
	만곡				
	낙구 충격 파괴 강도				
	파쇄시험				
	쇼트백 충격 특성				
	내광성, 내마모성, 내산성		KS L 2014	· 제조회사별 · 제품규격별	열선반사강화유리
	내알칼리성				
복층유리 (KS L 2003)	겉모양 및 치수		KS L 2003	· 제조회사별 · 제품규격별	단열, 태양열 차폐 복층유리
	이슬점				
	봉착의 가속 내구성				
	광학박막성능의 가속내구성				
	열 관류 저항(단열성)		KS L 2525		
	태양열 제거율(차폐성)		KS L 2514		태양열 차폐 복층유리
망판 유리 (KS L 2006)	겉모양 및 치수		KS L 2006	· 제조회사별 · 제품규격별	
	방화성				
접합유리 (KS L 2004)	평면접합 유리	겉모양 및 치수	KS L 2004	· 제조회사별 · 제품규격별	
		만곡, 내열성			
		낙구 충격시험			
		쇼트백 충격 특성			
		내광성	KS L 2007		
	곡면접합 유리	겉모양	KS L 2004	· 제조회사별 · 제품규격별	
		내열성			
		쇼트백 충격특성			
		내광성	KS L 2007		

종별	시험종목		시험방법	시험빈도	비고
열선흡수 판유리 (KS L 2008)	플로트 판유리, 마판유리	겉모양, 치수	KS L 2012	· 제조회사별 · 제품규격별	
		기포, 이물질			
		점상 결점 밀집도			
		선상 · 대상 결점			
		흠, 파상, 잔금			
		절단면 결점			
	태양열 취득율(5㎜)		KS L 2008, L 2514		
	망판유리 선판유리	겉모양 및 치수	KS L 2006		
		방화성			
열선반사 유리 (KS L 2014)	겉모양 및 치수		KS L 2014	· 제조회사별 · 제품규격별	
	내광성, 내산성				
	내마모성, 내알칼리성				
	태양열 차폐성		KS L 2514		
배강도유리 (KS L 2015)	겉모양 및 치수		KS L 2015	· 제조회사별 · 제품규격별	
	휨, 표면압축응력				

마. 창호공사

종별	시험종목		시험방법	시험빈도	비고
창호 목제 틀재 (KS F 3108)	겉모양 및 치수		KS F 3108	· 제조회사별 · 제품규격별	
	휨 강도				
	함수율		KS F 2199		
	방부, 방충 처리		KS M 1701		
문세트 (KS F 3109)	치수		KS F 3109, KS F 1515	· 제조회사별 · 제품규격별	
	비틀림 강도		KS F 3109		
	연직 하중 강도		KS F 2631		
	개폐력		KS F 2237		
	개폐 반복성		KS F 4534		
	내충격성		KS F 2236		
	내풍압성		KS F 2296		
	기밀성		KS F 2292		
	수밀성		KS F 2293		
	방음성		KS F 10140-1		
	단열성		KS F 2278		
	내화성		KS F 2268-1		
	차연성		KS F 2846		
창세트 (KS F 3117)	치수		KS F 3117, KS F 1515	· 제조회사별 · 제품규격별	
	개폐력		KS F 2237		
	개폐 반복성	스윙 창세트	KS F 3109		
		슬라이딩 창세트	KS F 4534		
	내풍압성		KS F 2296	· 제조회사별 · 제품규격별	목제 창세트는 제외
	기밀성		KS F 2292		
	수밀성		KS F 2293		
	손잡이대 강도 (슬라이딩 창세트)		KS F 2239		
	방음성		KS F 10140-1		
	단열성		KS F 2278		

종별	시험종목		시험방법	시험빈도	비고
창세트 (KS F 3117)	함수율		KS F 2199	· 제조회사별 · 제품규격별	목제 창세트에만 적용
합성수지 창호형형재 (KS F 5602)	겉모양, 치수 및 질량		KS F 5602	· 제조회사별 · 제품규격별	
	저온 추 낙하 강도				
	가열 변형				
	가열 신축성				
	냉열 반복				
	색차		KS M ISO 147282		
	경도		KS M ISO 2039-2		
	인장강도 및 신장률		KS M ISO 527-1		
	굴곡 탄성률		KS M ISO 178		
	충격 강도		KS M ISO 179-1		
	비카 연화 연도		KS M ISO 306		
	내연소성(흰색형재)		KS M 3015		
	내후성	샤르피 충격강도	KS F 2274 KS M ISO 179-1		
		변퇴색	KS F 2274, KS F 5602		
경첩 (KS F 4519)	겉모양		KS F 4519	· 제조회사별 · 제품규격별	
	인장 내구성				
	내구성		KS F 2275		

바. 마감공사(지붕 · 목공사 포함)

종별	시험종목		시험방법	시험빈도	비고
보통합판 (KS F 3101)	겉모양 및 치수		KS F 3101	· 제조회사별 · 제품규격별	
	접착력	인장전단			
		침지박리			
	함수율				
	밀도				
	붕소 화합물 흡수량				
	폭심, 페니트로티온 흡수량				
	흡습성				
	난연성				
	폼알데하이드 방산량		KS M 1998		
구조용 집성재 (KS F 3021)	겉모양 및 치수		KS F 3021	· 제조회사별 · 제품규격별	
	접착 강도				
	휨성능				
	인장성능				
	함수율		KS F 2199		
플로어링 보드 (KS F 3103)	겉모양 및 치수		KS F 3103	· 제조회사별 · 제품규격별	
	함수율				
	휨강도				
	방부 처리	침윤도			
		흡수량			
천연무늬목 치장마루판 (KS F 3111)	겉모양, 치수 및 직각도		KS F 3111	· 제조회사별 · 제품규격별	
	습열성				
	내한성				
	내열성				
	내오염성				
	내산성				
	내알칼리성				
	내시너성				
	내마모성				
	내변퇴색성				
	도막 밀착력(테이프시험)				

종별	시험종목		시험방법	시험빈도	비고
천연무늬목 치장마루판 (KS F 3111)		접착성	KS F 3101		
		함수율			
		흡수 두께 팽창률	KS F 3200		
		치수 변화율	KS F 3126		
		휨 강도, 습윤시 휨 강도	KS F 3200		
		평면 인장 강도	KS F 3104		
		실내공기 오염물질 방출량 (총휘발성유기화합물, 톨루엔, 폼알데하이드)	KS M 1998 또는 실내공기질 공정시험기준 (환경부고시)	· 필요시	
섬유판 (KS F 3200)	연질판	겉모양,치수,직각도	KS F 3200	· 제조회사별 · 제품규격별	용도 및 접착제 등에 따라 구분 적용
		밀도			
		함수율			
		휨 강도			
		흡수 두께 팽창률			
		단열성(열저항)	KS F 2277		
		난연성	KS F 2271	· 필요시	
	중밀도판	겉모양,치수,직각도	KS F 3200 KS F 3200	· 제조회사별 · 제품규격별	
		밀도, 함수율			
		휨 강도			
		습윤시 휨강도			
		흡수 두께 팽창률			
		박리 강도			
		나사못 유지력			
		폼알데하이드방산량	KS M 1998		
		난연성	KS F 2271	· 필요시	
	경질판	겉모양,치수,직각도	KS F 3200	· 제조회사별 · 제품규격별	
		밀도, 함수율			
		휨파괴 하중	KS F 2263		
섬유판 (KS F 3200)	경질판	휨 강도, 흡수율	KS F 3200	· 제조회사별 · 제품규격별	용도 및 접착제 등에 따라 구분 적용
		흡수 길이 변화율			
		못 역인발 저항			
		평면 인장 강도	KS F 3200		
		내충격성			
		내산성,내알칼리성			
		내오염성			
		내변퇴색성	KS M 3072		
		내긁힘성	KS F 3200		
		도막부착성			
		내세척성			
		내후성	KS F 2274		
		난연성	KS F 2271	· 필요시	
파티클보드 (KS F 3104)	바탕, 단판 붙임	겉모양,치수,직각도	KS F 3104	· 제조회사별 · 제품규격별	접착제 종류에 따라 구분 적용
		밀도, 함수율			
		휨강도			
		습윤시 휨 강도			
		흡수 두께 팽창률			
		박리 강도			
		나사못 유지력			
		폼알데하이드방산량	KS M 1998		
		난연성	KS F 2271	· 필요시	
		단열성(열저항)	KS F 2277	· 필요시	
	치장	겉모양,치수,직각도	KS F 3104	· 제조회사별 · 제품규격별	
		밀도			
		함수율			
		휨강도			
		습윤시 휨 강도			
		흡수 두께 팽창률			
		박리 강도			
		나사못 유지력			

종별		시험종목	시험방법	시험빈도	비고
파티클보드 (KS F 3104)	치장	폼알데하이드방산량	KS M 1998	· 제조회사별 · 제품규격별	접착제 종류에 따라 구분 적용
		평면 인장 강도	KS F 3104		
		내충격성			
		내산성			
		내알칼리성			
		내오염성			
		내변퇴색성	KS M 3072		
		내긁힘성	KS F 3104		
		난연성	KS F 2271	· 필요시	
		단열성(열저항)	KS F 2277		
석고보드 (KS F 3504)	석고 보드 (GB-R)	겉모양, 치수	KS F 3504	· 제조회사별 · 제품규격별	
		함수율			
		휨 파괴 하중			
		연소성능	KS F 3504		
		단열성	KS F 2277 -부속서 B		
		실내공기 오염물질 방출량(총휘발성유기화합물, 톨루엔, 폼알데하이드)	KS M 1998 또는 실내공기질 공정시험 기준 (환경부고시)	· 필요시	
	방수 석고 보드 (GB-S)	겉모양, 치수	KS F 3504	· 제조회사별 · 제품규격별	
		함수율, 흡수성			
		흡수시 내박리성			
		휨 파괴 하중			
		연소성능	KS F 3504		
		단열성	KS F 2277 -부속서 B		
		실내공기 오염물질 방출량(총휘발성유기화합물, 톨루엔, 폼알데하이드)	KS M 1998 또는 실내공기질 공정시험 기준 (환경부고시)	· 필요시	

종별		시험종목	시험방법	시험빈도	비고
석고보드 (KS F 3504)	방화 석고 보드 (GB-F)	겉모양, 치수	KS F 3504	· 제조회사별 · 제품규격별	
		함수율			
		휨 파괴 하중			
		내충격성			
		내화염성, 연소성능			
		단열성	KS F 2277 -부속서 B		
		단위면적당 질량	KS F 3504		
		실내공기 오염물질 방출량(총휘발성유기화합물, 톨루엔, 폼알데하이드)	KS M 1993 또는 실내공기질 공정시험 기준 (환경부고시)	· 필요시	
	석고 라스 보드 (GB-L)	겉모양, 치수	KS F 3504	· 제조회사별 · 제품규격별	
		함수율			
		휨 파괴 하중			
		실내공기 오염물질 방출량(총휘발성유기화합물, 톨루엔, 폼알데하이드)	KS M 1993 또는 실내공기질 공정시험 기준 (환경부고시)	· 필요시	
	치장 석고 보드 (GB-D)	겉모양, 치수	KS F 3504	· 제조회사별 · 제품규격별	
		함수율			
		휨 파괴 하중			
		내충격성			
		연소성능	KS F 3504		
		단열성	KS F 2277 -부속서 B		
		내변퇴색성	KS M 3072, KS F 3504		
		실내공기 오염물질 방출량(총휘발성유기화합물, 톨루엔, 폼알데하이드)	KS M 1993 또는 실내공기질 공정시험 기준 (환경부고시)	· 필요시	

종별	시험종목		시험방법	시험빈도	비고
이중바닥재 (KS F 4760)	겉모양 및 치수		KS F 4760	· 제조회사별 · 제품규격별	
	직각도, 평탄도				
	국부 압축 저항성				
	내충격성				
	내연소성				
	대전성				
	누설 저항성				
	방식 성능	도막 밀착성	KS F 4760		
		도막 내식성	KS D 9502		
섬유강화 시멘트판 (KS L 5114)	파형 시멘트판	겉모양 및 치수	KS L 5114	· 제조회사별 · 제품규격별	종류에 따라 구분적용
		휨파괴하중			
		흡수율			
		투수성			
	평형 슬레이트	겉모양 및 치수	KS L 5114	· 제조회사별 · 제품규격별	
		휨강도	KS F 2263		
		흡수율	KS L 5114		
		투수성			
		흡수에 의한 길이변화율			
	펄라이트판	겉모양 및 치수	KS L 5114	· 제조회사별 · 제품규격별	
		부피 비중			
		휨강도	KS F 2263		
		투수성	KS L 5114		
		흡수에 의한 길이변화율			
		열전도율	KS L 9016		

종별	시험종목		시험방법	시험빈도	비고
섬유강화 시멘트판 (KS L 5114)	규산칼슘판	겉모양 및 치수	KS L 5114	· 제조회사별 · 제품규격별	종류에 따라 구분적용
		부피 비중			
		휨강도	KS F 2263		
		흡수에 의한 길이변화율	KS L 5114		
		열전도율	KS L 9016		
	슬래그 석고판	겉모양 및 치수	KS L 5114	· 제조회사별 · 제품규격별	
		부피비중			
		휨강도	KS F 2263		
		투수성	KS L 5114		
		흡수에 의한 길이변화율			
PVC계 바닥재 (KS M 3802)	바닥 타일	겉모양 및 치수	KS M 3802	· 제조회사별 · 제품규격별	
		압입량			
		잔류 압입률			
		가열에 의한 길이변화율			
		흡수에 의한 길이변화율			
		가열 감량률			
		긁기시험			
		오염성			
	바닥 시트	겉모양 및 치수	KS M 3802	· 제조회사별 · 제품규격별	
		압입량			
		잔류 압입률			
		가열에 의한 길이변화율			
		가열 감량률			
		오염성			

종별	시험종목	시험방법	시험빈도	비고
PVC계 바닥재 (KS M 3802)	박리강도	KS M 3802	· 필요시	
	퇴색성	KS M ISO 4892-4		
	미끄럼성	KS F 2602, KS M 3802 -부속서 A		
	마모성	KS F 2811, KS F 2813		
	난연성	KS F 2271		
도자기질 타일 (KS L 1001)	겉모양 및 치수 (모자이크 타일 제외)	KS L 1001	· 제조회사별 · 제품규격별	종류 및 용도에 따라 구분적용
	뒤틀림			
	치수의 불규칙도			
	흡수율	KS L 1001		
	내균열성(시유타일)	KS L 1001		
	내마모성(바닥타일)			
	꺾임 강도			
	동결 융해(외장,바닥타일)			
	내약품성			
	첨지의 접착성, 박리성, 재질 및 개구율(구성타일)			
점토기와 (KS F 3510)	겉모양 및 치수	KS F 3510	· 제조회사별 · 제품규격별 · 3,000개 마다	
	흡수율			
	휨 파괴 하중			
	내동해성			
건조 시멘트 모르타르 (KS L 5220)	압축강도(7,28일)	KS L ISO 679	· 제조회사별 · 제품규격별 · 제조일부터 3개월이 되어 재질의 변화가 있다고 인정되는 때	
	보수성	KS L 5219		
	공기량	KS L 3136		
	모래의 함량	KS F 2502		
	모래의 최대크기			

종별	시험종목		시험방법	시험빈도	비고
시멘트계 자기 수평 모르타르 (KS F 4041)	플로값		KS F 4041	· 제조회사별 · 제품규격별 · 제조일부터 3개월이 되어 재질의 변화가 있다고 인정되는 때	
	응결시간		KS L 5103		
	휨강도		KS F 2408		
	압축강도		KS L 5105		
	부착강도		KS F 4041		
	내충격성		KS F 4041		
	길이변화율		KS F 2424		
	내마모성		KS F 4041, KS F 2813		
주차장 바닥용 표면마감재 (KS F 4937)	부착 성능		KS F 4937	· 제조회사별 · 제품규격별	
	윤하중 저항 성능				
	수밀성				
	내충격성				
	오염물질 방출량		KS I ISO 16000-3, 16000-6		
시멘트계 바탕바름재 (KS F 4716)	연도변화		KS F 4716, KS L 5207	· 제조회사별 · 제품규격별	
	부착 강도		KS F 4716		
	내잔갈림성				
	내충격성				
	온냉 반복 저항성				
	습기 투과성		KS F 2607		
	물흡수 계수		KS F 2609		
얇은 마무리용 벽바름재 (KS F 4715)	외장 얇은 바름재	저온 안정성	KS F 4715	· 제조회사별 · 제품규격별	
		내잔갈림성			
		부착 강도			
		온냉 반복 저항성			
		내세척성			
		내충격성			
		내알칼리성			
		물흡수 계수	KS F 2609		
		내후성	KS F 2274		
		습기 투과	KS F 2607		

종별	시험종목		시험방법	시험빈도	비고
얇은 마무리용 벽바름재 (KS F 4715)	내장 얇은 바름재	저온 안정성	KS F 4715	· 제조회사별 · 제품규격별	
		내잔갈림성			
		부착 강도			
		내세척성			
		내충격성			
		내알칼리성			
		가요성			
		내변퇴색성	KS M 3072		
		연소성능	KS F ISO 5660-1 KS F 2271		

사. 도장공사

종별	시험종목		시험방법	시험빈도	비고
수성도료 (KS M 6010)	1종	열 안정성	KS M 6010	· 제조회사별 · 제품규격별	
		적신 도막 은폐율			
		안료분	KS M 5000-2111		
		촉진내후성	KS M 5000-3231		
	1,2종	냉동 안정성	KS M 6010		
		주도	KS M 5000-2122		
		비휘발분	KS M ISO 3251		
		건조시간	KS M 5000-2511		
		확산 반사율(45°, 0°)	KS M 5000-3121		
		은폐율	KS M ISO 2814		
		내세척성	KS M 5000-3351		
		내알칼리성	KS M 6010, KS M ISO 2812-1		
		용기내 상태	KS M 5000-2011		
	2종	광택	KS M ISO 2813	· 제조회사별 · 제품규격별	
		저장 안정성	KS M 5000-2021, 2031		
		냄새	KS M 5000-2041		
		내곰팡이성	KS M 5000-3431		
	3종	연마용이성	KS M 6010	· 제조회사별 · 제품규격별	
		부착강도			
		저온 안정성			
		상도 적합성			
		비휘발분	KS M ISO 3251		
		건조시간	KS M 5000-2511		
		용기내 상태	KS M 5000-2011		
		내수성	KS M 6010 KS M ISO 2812-1, 2		
		내알칼리성			

종별		시험종목	시험방법	시험빈도	비고
유성도료 (KS M 6020)	1종	색상	KS M ISO 3668	· 제조회사별 · 제품규격별	1종 조합도료 (1급, 2급)
		용기내 상태	KS M 5000-2011		
		안료분	KS M ISO 14680-1		
		비휘발 전색제	KS M 5000-2112		
		광택	KS M ISO 2813		
		은폐율	KS M ISO 2814		
		확산 반사율(45°, 0°)	KS M 5000-3121		
		건조 시간	KS M 5000-2511, 2512		
		내 굴곡성	KS M 5000-1519		
		촉진 내후성	KS M 5000-3231, 3211		
	2종	비휘발분	KS M ISO 3251	· 제조회사별 · 제품규격별	2종 자연 건조형 에나멜 유광(1급, 2급), 반광, 무광
		용기내 상태	KS M 6020		
		희석 안정성, 내수성			
		내휘발유성,나이프시험			
		비휘발 전색제분	KS M 5000-2112		
		은폐율	KS M ISO 2814		
		광택	KS M ISO 2813		
		확산 반사율(45°, 0°)	KS M 5000-3121		
		건조 시간, 재도장시험	KS M 5000-2511		
		내굴곡성	KS M ISO 1519		
		저장성	KS M 5000-2021		
		촉진 내후성	KS M 5000-3231		
	3종	내수성	KS M 6020	· 제조회사별 · 제품규격별	3종 알루미늄 도료
		용기내 상태	KS M 5000-2011		
		고착 건조 시간	KS M 5000-2511		
		광택	KS M ISO 2813		
		은폐율	KS M ISO 2814		
		비휘발분	KS M ISO 3251		
		촉진내후성	KS M 5000-3231		
		내굴곡성	KS M ISO 1519		
유성도료 (KS M 6020)	4종	희석 안정성	KS M 6020	· 제조회사별 · 제품규격별	4종 아크릴 도료
		내수성, 내알칼리성			
		비휘발분	KS M ISO 3251		
		비휘발 전색제분	KS M 5000-2112		
		은폐율	KS M ISO 2814		
		광택	KS M ISO 2813		
		건조시간(지촉, 경화)	KS M 5000-2511		
		용기내 상태	KS M 5000-2011		
		재도장	KS M 5000-2511		
		촉진 내후성	KS M 5000-3231, 3031		
방청도료 (KS M 6030)	1종	비휘발분	KS M 6030	· 제조회사별 · 제품규격별	1종 알키드 프라이머
		상도적합성			
		건조 시간(고화)			
		중금속 함량(납)			
		중금속 함량(6가 크로뮴)			
		밀착성			
		내굴곡성			
		사이클부식성			
	4종	비휘발분	KS M 6030	· 제조회사별 · 제품규격별	4종 에칭 프라이머
		상도적합성			
		건조 시간(고화)			
		중금속 함량(납)			
		중금속 함량(6가 크로뮴)			
		밀착성			
		내굴곡성			
		내수성			
		내염수분무성			

종별	시험종목		시험방법	시험빈도	비고
래커도료 (KS M 6040)	1,2,3 종	연마 용이성	KS M 6040	· 제조회사별 · 제품규격별	1종 (래커 프라이머) 2종 (래커 퍼티) 3종 (래커 서페이서)
		상도 적합성			
		블리딩			
		내충격성	KS M 6040, M ISO 6272-2		
		내수성	KS M 6040, M ISO 2812-1,2		
		고화 건조 시간	KS M 5000-2511		
		내굴곡성	KS M 5000-3331		
		비휘발분	KS M ISO 3251		
		용기내 상태	KS M 5000-2011		
	4,5 종	연마 용이성	KS M 6040	· 제조회사별 · 제품규격별	4종 (목재용 우드실러) 5종 (목재용 샌딩실러)
		상도 적합성			
		고화 건조 시간	KS M 5000-2412		
		비휘발분	KS M ISO 3251		
		용기내 상태	KS M 5000-2011		
	6,7 종	내블로킹성	KS M 6040	· 제조회사별 · 제품규격별	6종 (마감용 투명래커) 7종 (상도마감용 레커 애나멜)
		블리딩			
		내수성, 내휘발유성	KS M 6040, M ISO 2812-1, 2		
		가열 안정성	KS M 6040, M 5000-3021		
		투명성	KS M 5000-2051		
		고화 건조 시간	KS M 5000-2511		
		은폐율	KS M ISO 2814		
		광택	KS M ISO 2813		
		비휘발분	KS M ISO 3251		
		용기내 상태	KS M 5000-2011		

종별	시험종목		시험방법	시험빈도	비고
바니시 (KS M 6050)	저온 안정성(1종, 2종)		KS M 6050	· 제조회사별 · 제품규격별	
	내수성	1종, 2종	KS M 6050		
		3종	KS M ISO 2812-1,2		
	건조시간		KS M 5000-2511		
	비점착 시간				
	인화점		KS M 5000-6011		
	드레프트시험		KS M 5000-2251		
	가스시험		KS M 5000-2241		
	스키닝		KS M 5000-2021		
	내곰팡이성		KS M 5000-3431		
	비휘발분		KS M ISO 3251		
	산값		KS M 5000-4122		
	로진 및 유도체		KS M 5000-2611		
도료용 희석제 (KS M 6060)	비휘발성 물질		KS M 6060	· 제조회사별 · 제품규격별	
	증류시험 (초류점, 유출량, 유출온도)		KS M 5000-6022		
	인화점		KS M 5000-6011		
	아닐린점	1종	KS M 5000-6032		
		2종	KS M 5000-6031		
	캐톤 및 에스테르		KS M 5000-6131		
	겉모양		KS M 5000-2051		
	점적 시험		KS M 5000-6051		
	구리 부식성		KS M 5000-6111		
	산 값		KS M 5000-6141		
다채무늬 도료 (KS M 6090)	도료	용기내 상태	KS M 5000-2011	· 제조회사별 · 제품규격별	
		도장작업성	KS M 5000-2411, 2412		
		주도(KU)	KS M 5000-2122		
		비휘발분(%)	KS M ISO 3251		
		건조시간(고화)	KS M 5000-2511		
	도막	도막 외관	KS M 6090		
		내광성(수은램프법)	KS F 3111		
		내알칼리성	KS M ISO 2812-1		
		내세척성	KS M 5000-3351		
	폼알데하이드 방산량		KS M 6090		

종별	시험종목		시험방법	시험빈도	비고
굽도리 모르타르면 페인트	주도(KU)		KS M 5000-2122	· 제조회사별 · 제품규격별	
	연화도(N.S)		KS M 5000-2141		
	비휘발분(%)		KS M ISO 3251		
	건조시간(고화)		KS M 5000-2512		
	붓 작업성		KS M 5000-2411		
	광택(60°)		KS M ISO 2813		
	내수성 및 내알칼리성		주택건설전문시방서		
낙서방지용 페인트	도막의 상태		KS M 5000-2421	· 제조회사별 · 제품규격별	
	용기내 상태		KS M 5000-2011		
	안료분(%)		KS M 5000-2111		
	주도(KU)		KS M 5000-2122		
	연화도(N.S)		KS M 5000-2141		
	비휘발문(%)		KS M ISO 3251		
	건조시간(경화)		KS M 5000-2512		
	붓작업성		KS M 5000-2411		
	광택(60°)		KS M ISO 2813		
	내구성 및 내알칼리성		LH 전문시방서		
	내오염성		LH 전문시방서		
에폭시 바닥마감재	하도	비휘발분(혼합)	KS M ISO 3251	· 제조회사별 · 제품규격별	
		지촉건조시간	KS M 5000-2512		
		경화건조시간	KS M 5000-2512		
		도막의 상태	KS M 5000-2421		
		상도 적합성	KS M 5507		
		주도(주제)	KS M 5000-2122		
		가사시간	LH 전문시방서		

종별	시험종목		시험방법	시험빈도	비고
에폭시 바닥마감재	중상도	비휘발분(혼합)	KS M ISO 3251	· 제조회사별 · 제품규격별	
		용기내 상태(주제)	KS M 5000-2011		
		연화도(주제)	KS M 5000-2141		
		주도(주제)	KS M 5000-2122		
		지촉건조	KS M 5000-2512		
		경화건조	KS M 5000-2512		
		가사시간	LH 전문시방서		
		내수성(168hr)	LH 전문시방서		
		내알카리성(168hr)	LH 전문시방서		
		부착강도	KS F 4715		
		내마모성	LH 전문시방서		
		도막의 상태	KS M 5000-2421		
		광택(60°)	KS M ISO 2813		
		내충격성	LH 전문시방서		
조합페인트 목재 프라이머 (KS M 5318)	점착성		KS M 5318	· 제조회사별 · 제품규격별	
	리프팅				
	실링성(충전성)				
	내수성				
	나이프시험				
	안료분		KS M 5000-2111		
	불휘발 전색제분		KS M 5000-2112		
	확산 반사율		KS M 5000-3121		
	주도		KS M 5000-2122		
	건조 시간(지촉, 경화)		KS M 5000-2511		
	연화도		KS M ISO 1524		
	수분		KS M 5000-2261		
	용기내 상태		KS M 5000-2011		
	색상		KS M 5000-3011		

종별	시험종목		시험방법	시험빈도	비고
조합페인트 목재 프라이머 (KS M 5318)	저장 안정성	용기에 찼을 때	KS M 5000-2031	· 제조회사별 · 제품규격별	
		차지 않았을 때	KS M 5000-2031, KS M 5000-2021		
	붓칠 작업성		KS M 5000-2411		
	스프레이 작업성		KS M 5000-2412		
	내굴곡성 시험		KS M 5000-3331		
	은폐율		KS M ISO 2814		

아. 기타

종별	시험종목		시험방법	시험빈도	비고
열경화성 수지 고압 화장판 (KS M 3803)	일반용	겉모양	KS M 3332	· 제조회사별 · 제품규격마다	
		내열수성			
		내끓임성			
		내열성			
		내오염성			
		내광성			
		내시가레트성			
		내마모성			
		치수변화율			
		내충격성			
		굴곡강도			
		파단변형량			
		탄성률			
		인장강도			
	수직면용	겉모양	KS M 3332	· 제조회사별 · 제품규격마다	
		내오염성			
		내광성			
		내마모성			
		치수변화율			
		내충격성			
		인장강도			
	포스트 포밍용	겉모양	KS M 3332	· 제조회사별 · 제품규격마다	
		내오염성			
		내광성			
		내마모성			
		치수변화율			
		내충격성			
		굴곡성형성			

종별	시험종목	시험방법	시험빈도	비고
도자기질타일용 접착제 (KS L 1593)	겉모양	KS L 1593	· 제조회사별 · 제품규격별	
	저장 안정성			
	혼합 종결 확인 용이성			
	접착강도			
	내열성			
	미끄럼 저항성			
	가사 시간 및 부착가능 시간			
	실내공기 오염물질 방출량 (총휘발성유기화합물, 톨루엔, 폼알데하이드)	KS M 1998 또는 실내공기질 공정시험 기준 (환경부고시)	· 필요시	· 실내에 시공되는 경우에 한함
비닐계 바닥재용 접착제 (KS F 3218)	도포성	KS F 3218	· 제조회사별 · 제품규격별	
	인장 접착 강도(바닥 타일)			
	90도 박리 접착 강도 (바닥 시트)			
	비중	KS M 3705		
	실내공기 오염물질 방출량	KS F 3218, KS M 1998		
수도용 경질 염화비닐관용접착제 (KS M 3409)	접착력	KS M 3409	· 제조회사별 · 제품규격별	
	건조 감량			
	점도			
초산비닐수지 에멀션목재 접착제 (KS M 3700)	목재 오염성	KS M 3700	· 제조회사별 · 제품규격별	
	접착력			
	요소수지 혼화성			
	조막성			
	겉모양	KS M 3704		
	점도			
	회분			
	pH	KS M 3705		
	증발 찌꺼기			

[별표 3]

품질관리 적절성 확인기준 및 요령(제10조제1항 관련)

항목	확인기준	확인요령
1. 일반사항	품질관리계획서 작성 근거 명시 및 검토 · 승인 여부	○ 품질관리계획서의 작성 근거(영 제89조제1항의 각 호 등)를 명시하였는지 확인. ○ 품질관리계획서의 제정 및 개정현황 등을 작성하였는지 확인. ○ 품질관리계획서를 공사감독자 또는 건설사업관리기술인의 검토와 발주자에게 승인을 받고, 관련근거를 문서화된 정보로 보유하고 있는지 확인(품질관리계획서 변경도 동일).
2. 적용범위 및 인용표준	품질관리계획서 작성기준 준수 및 적용범위 여부	○ 품질관리계획서 작성기준[별표1]에 따라 모든 항목과 내용이 작성되었는지 확인. ○ 건설공사의 현장 특성 때문에 품질관리계획서 작성기준[별표1]의 일부를 제외하였다면 제외한 사유가 명시 되었는지와 사유가 타당한지 확인.
3. 용어 정의	품질관리계획서 작성 용어 준수 여부	○ 품질관리계획서 작성에 사용하는 용어는 건설공사 품질관리 업무지침 제2조 및 KS Q ISO 9000:2015 (품질경영시스템-기본사항과 용어)를 참조하여 작성하였는지 확인.
4. 조직 상황 4.1 건설공사의 정보	발주자 요구사항의 결정 및 충족 여부	○ 건설공사와 관련된 일반현황과 계약내용에 대한 요약정보가 문서화된 정보로 유지하고 있는지 확인.
4.2 이해관계자의 요구와 기대 관리	이해관계자의 요구와 기대 파악 여부	○ 건설공사와 관련되는 이해관계자를 파악하고 문서화된 정보로 유지하고 있는지 확인. ○ 건설공사와 관련되는 이해관계자의 요구사항과 적용되는 법적 및 규제적 요구사항을 파악 및 결정하고 문서화된 정보로 보유하고 있는지 확인. ○ 이러한 요구사항에 대한 정보를 모니터링하고 검토하여 반영하고 있는지 확인.

항목	확인기준	확인요령
4.3 프로세스 관리	건설공사의 프로세스 결정 및 운영 여부	○ 건설공사 전반의 프로세스를 정하고 상호관계를 명시하였는지 확인. ○ 프로세스별로 요구되는 입력과 출력이 결정되었는지 확인. ○ 프로세스별로 필요한 기준 및 방법(모니터링, 측정 및 관련 성과지표를 포함), 자원의 결정, 프로세스 평가 및 개선 등을 결정하고 운영하는지 확인.
5. 리더십 5.1 품질방침	품질방침의 수립 여부	○ 현장 최고책임자가 건설공사의 목적과 발주자의 기대 및 요구에 적절한 품질방침을 수립하고, 이용 가능하도록 문서화된 정보로 유지하고 있는지를 확인. ○ 수립된 품질방침에는 건설공사 요구사항과 적용되는 법적 및 규제적 요구사항 충족시킴, 리스크와 기회를 결정하고 처리, 필요한 자원 지원 및 인원을 적극 참여시키고, 지휘하고 지원함, 고객만족을 위해 노력, 품질확보를 위한 지속적으로 개선하겠다는 의지표명이 포함되어 있는지 확인.
	공사 참여자의 동기부여 여부	○ 품질방침의 주기적인 교육, 사무실 및 현장 게시 등을 통해 공사수행 구성원들에게 의사소통되고 이해하고 있는지를 확인 ○ 품질방침이 소통·이해·적용되고 있는지를 문서화된 정보로 보유하고 있는지 확인.
5.2 책임과 권한	조직편성 및 적정인력 배치 여부	○ 본사 조직과 연계된 현장 조직을 구성하였는지 확인. ○ 계약 및 법적요구 인원을 포함하여 원활한 공사수행을 위한 적정인력이 배치되어 있는지 확인
	각 조직 인원의 업무분장 실시 여부	○ 현장 각 조직과 조직 구성원 개개인에 대하여 책임 및 권한(업무분장)이 명확히 부여되어 문서화된 정보로 보유하고 운영되고 있는지 확인 ○ 조직 구성원 개개인의 책임과 권한은 의사소통 되었는지 문서화된 정보로 보유하고 있는지 확인 ○ 조직 구성원의 변경시 책임과 권한이 변경(개정)관리되고 있는지 확인

항목	확인기준	확인요령
6. 기획 6.1 리스크 및 기회관리	리스크 파악 및 관리여부	○ 발주자 및 건설공사 요구사항, 적용되는 법적 및 규제요구사항, 이해관계자의 이슈 등에 대하여 리스크와 기회를 파악하여 문서화된 정보로 유지하고 있는지 확인. ○ 파악된 리스크는 조치되고 결과에 대하여 효과성을 평가하고 문서화된 정보로 보유하는지 확인.
6.2 품질목표 관리	품질목표 수립 여부	○ 품질목표는 품질방침과 일관성이 있고 측정 가능하도록 설정되어 있는지 확인. ○ 품질목표는 공사목적물의 적합성과 고객만족 증진과 관련된 내용으로 설정되어 있는지 확인. ○ 품질목표는 지속적 개선 결과를 반영하여 설정되고 문서화된 정보로 유지하고 있는지 확인
	품질목표 추진계획의 수립 및 실행 여부	○ 품질목표 추진계획에 달성대상의 결정과 달성을 위한 일정계획, 필요한 자원, 책임자 지정, 완료시기, 달성도 확인주기 등을 수립하여 문서화된 정보로 유지하고 있는지 확인. ○ 품질목표 추진계획에 따른 달성 결과를 평가하고, 필요한 경우 변경하고 문서화된 정보로 보유하고 있는지 확인.
	공사참여자의 동기부여 여부	○ 품질목표의 주기적인 교육, 사무실 및 현장 게시 등을 통해 공사수행 구성원들에게 의사소통되고 이해하고 있는지를 확인 ○ 품질목표가 소통·이해·적용되고 있는지를 문서화된 정보로 보유하고 있는지 확인.
6.3 품질관리 계획의 변경관리	품질관리계획서 변경 관리 여부	○ 품질관리계획서가 변경된 경우, 품질관리계획서 작성기준에 적합하게 변경하고 문서화된 정보를 보유하는지 확인. ○ 품질관리계획서가 변경된 경우, 공사감독자 또는 건설사업관리기술인의 검토와 발주자에게 승인을 받았는지 확인.

항목	확인기준	확인요령
7. 지원 7.1 자원관리	품질관리(검사, 시험 등) 업무수행자의 적격인력 배치 여부	○ 관련법령 및 설계도서에서 정한 품질관리 업무를 수행하는 건설기술인이 배치기준에 맞게 배치되어 있는지 확인 ○ 품질관리업무를 수행하는 건설기술인이 시험·검사를 포함한 전반적인 품질관리를 주관할 수 있도록 공사·공무부문과 독립(예 : 겸임금지, 조치요구권 부여 등)되어 있는지 확인
	기반구조 및 작업환경의 확보 및 유지 여부	○ 공사수행을 위한 적절한 기반구조(건물 및 연관된 유틸리티, 장비, 운송자원, 정보통신기술 등)와 작업환경이 확보 및 유지 관리되고 있음을 문서화된 정보로 유지하고 보유하고 있는지 확인 ※ 기반구조란 건물 및 연관된 유틸리티, 장비(하드웨어, 소프트웨어 포함), 운송자원, 정보통신기술 등을 말한다.
7.2 모니터링 자원 및 측정자원의 관리	모니터링 자원 및 측정자원 확보, 교정검사 및 유지관리 여부	○ 검사 및 시험, 측정에 필요한 각 장비의 관리기준(정밀·정확도)을 결정하여 장비를 확보하고 문서화된 정보로 유지하고 있는지 확인 ○ 대여받아 사용하거나, 하도급사 또는 개인이 사용하는 장비를 포함하여 정해진 주기로 교정검사를 받고 있는지를 확인 ○ 교정성적서의 결과값을 장비관리기준과 비교 검토한 결과를 문서화된 정보로 보유하고 있는지 확인. ○ 장비가 관리기준을 벗어난 경우, 이전 검사 및 시험과 모니터링 결과에 대한 유효성 평가가 실시되고 문서화된 정보로 보유하고 있는지를 확인 ○ 장비에 교정검사필증을 부착하였는지를 확인 ○ 보유한 장비는 식별 관리되고 취급과 유지보전을 위한 적절한 보관환경에서 관리되고 있는지를 확인 ○ 장비에 대한 주기적인 점검을 실시하고 문서화된 정보로 보유하고 있는지 확인
7.3 조직의 지식관리	지식 결정 및 관련조직과 공유 여부	○ 건설공사 수행에 필요한 지식(계약서, 건설기준, 적용 코드 및 표준, 사내표준, 적용 법규, 공법, 유사공사들의 우수/실패 사례 등)을 파악하여 문서화된 정보로 유지하고 활용하고 있는지 확인. ○ 파악된 지식은 유지 · 관리되고 관련 조직과 공유되고 있는지 확인.
7.4 역량/적격성 관리	품질에 영향을 미치는 인원의 역량/적격성 보유 여부	○ 해당 업무수행에 필요한 학력, 교육훈련, 숙련도, 경험, 관련법령 등을 근거로 역량/적격성 기준을 결정하고 문서화된 정보로 유지하고 있는지 확인. ○ 공사수행에 배치된 인원들에 대하여 역량/적격성 기준에 적정한지 평가하고 문서화된 정보를 보유하는지 확인
	품질에 영향을 미치는 업무를 수행하는 모든 종사자의 교육훈련 실시 여부	○ 모든 공사참여자(하도급자, 기능공 포함)에 대해 교육훈련의 필요성을 파악하여 문서화된 정보로 보유하고 있는지를 확인 ○ 법적 정기교육을 포함한 교육훈련계획을 수립하여 문서화된 정보로 보유하고 있는지를 확인 ○ 교육훈련계획에 다라 교육훈련이 실시되고 교육훈련결과(교육내용 포함)를 보고하고 문서화된 정보로 보유하고 있는지 확인 ○ 실시한 교육훈련에 대하여 효과성은 평가하고 문서화된 정보로 보유하고 있는지 확인.
7.5 의사소통관리	품질관리계획의 이행과 건설공사 운영을 위한 내·외부 의사소통의 적절성 여부	○ 품질관리계획의 이행과 건설공사 운영에 관련된 모든 사항에 대하여 내·외부 의사소통 방안이 결정되고 문서화된 정보로 유지하고 실행 되고 있는지를 확인 ○ 의사소통 방안에는 의사소통 내용, 시기, 대상, 방법, 담당자 등이 포함되었는지 확인. ○ 필요한 경우 의사소통은 내부 및 외부 관계자로부터의 의견접수, 검토, 전달, 문서화 및 회신이 포함되어 문서화된 정보로 보유하고 있는지를 확인
	이해관계자 불만 및 부적합 공사에 대한 처리 여부	○ 건설공사와 관련되는 이해관계자의 불만 사항이 관련자와 의사소통 및 처리하고 문서화된 정보를 보유하고 있는지 확인 ○ 부적합 사항 및 부적합 공사에 대하여 관련자와 의사소통 및 처리하고 문서화된 정보를 보유하고 있는지 확인

항목	확인기준	확인요령
7.6 문서화된 정보 및 정보의 관리	품질관리계획을 운영하는 방식의 적절성	○ 현장 품질문서(품질계획서, 절차서, 지침서 등)가 등록되고 관련업무 담당에게 배포하여 문서화된 정보로 유지하고 활용되고 있는지를 확인 ○ 효력이 상실된 구문서는 폐기하고 문서화된 정보로 보유하며, 보관이 필요한 경우 식별 관리하고 있는지를 확인
	고객문서와 자료의 비치 및 관리 상태	○ 발주자/건설사업관리기술인 문서(계약문서, 설계도서, 지시서 등)와 자료(법령, 건설기준 등)가 파악되고, 최신본으로 보유하고 관리됨을 문서화된 정보로 보유하고 있는지 확인
	문서화된 정보의 보유 상태	○ 문서화된 정보가 유형별로 식별되고 검색 및 사용이 용이한지를 확인 ○ 문서화된 정보의 보유기간이 법적 및 규제적 요구사항을 충족하도록 정하여 문서화된 정보로 보유되고 보관장소 및 관리책임자를 지정하여 양호한 상태로 관리되고 있는지를 확인 ○ 문서화된 정보를 폐기할 경우, 절차에 따라 이행하고 문서화된 정보로 보유하고 있는지 확인 ○ 현장에서 관리할 문서화된 정보의 보유 목록이 정해지고 문서화된 정보로 보유하고 있는지를 확인
8. 운용 8.1 건설공사 요구사항 검토 및 준비	설계도서, 법규 및 시방서 등의 시공전 검토여부	○ 설계도서·법규·건설기준, 표준 등을 포함한 건설공사 수행과 관련된 요구사항을 검토하여 문서화된 정보로 보유하고 있는지 확인 ○ 검토결과에 따라 필요한 경우, 후속조치를 취하고 문서화된 정보를 보유하고 있는지를 확인
8.2 건설공사 요구사항 변경	계약변경(설계변경 포함) 관리의 적절성	○ 설계변경을 포함한 계약변경의 요청 및 처리가 문서화된 정보로 보유하고 있는지를 확인 ○ 계약변경이 발생한 경우 관련 문서화된 정보가 수정되고 관련 인원이 변경된 요구사항을 인식하고 있는지를 확인
8.3 설계관리	설계계획의 수립 여부 및 적절성	○ 설계계획이 적절히 수립되고 문서화된 정보로 보유하고 있는지를 확인 ○ 설계변경시 참여하는 현장내 인원간의 기술적인 정보공유가 적절히 이루어지고 있는지를 확인
	설계입력 기준의 적절성과 설계출력물의 관리 여부	○ 설계입력 요구사항이 결정되어 문서화된 정보로 보유되고 있는지를 확인 ○ 설계출력물에는 건설공사 수행을 위한 각종 정보가 제시되어 문서화된 정보로 보유하고 있는지를 확인
	설계검토, 설계검증 및 설계타당성 확인의 실시여부 및 방법의 적절성	○ 적절한 설계단계에서 설계에 대한 체계적인 검토가 실시되고 검토된 결과는 필요한 경우 조치되고 문서화된 정보로 보유하고 있는지를 확인 ○ 설계검증, 설계실현성 확인이 실시되고, 결과는 필요한 경우 조치되고 문서화된 정보로 보유하고 있는지를 확인
8.4 기자재 구매관리	기자재 수급계획의 수립, 검증, 식별, 보관, 재고관리 및 주기적인 점검실시 여부	○ 기자재수급계획을 수립하여 문서화된 정보로 보유하고 있는지를 확인 ○ 기자재 구매발주시 명확한 구매정보(기준)가 발주서로 제공되고 문서화된 정보로 보유하고 있는지를 확인 ○ 구매한 기자재의 검사 및 시험 또는 검증되고 식별, 재고관리, 주기적인 점검 등의 유지관리가 되고 문서화된 정보로 보유하고 있는지를 확인 ○ 제작품의 경우, 발주서에 검증계획 및 운반방법이 명시되어 있는지 확인.
8.5 외부에서 제공되는 프로세스 관리	하도급에 대한 선정 및 평가 여부	○ 하도급계획이 수립되고 문서화된 정보로 보유하고 있는지 확인 ○ 하도급업체 선정 및 평가결과에 따라 하도급업체가 선정되고 선정 또는 평가내용은 문서화된 정보로 보유하고 있는지를 확인(필요한 경우) ○ 선정된 하도급업체는 관련 이해관계자에게 의사소통되고 문서화된 정보로 보유하고 있는지 확인
	하도급에 대한 계약 및 이행상태 관리 여부	○ 하도급 계약요구사항이 명확히 결정되고 계약체결시 전달되고 있는지를 확인 ○ 하도급된 공종에 대한 검사 및 시험, 검증과 모니터링이 실시되고 문서화된 정보로 보유하고 있는지를 확인
8.6 공사관리	공종의 파악 및 계획의 수립과 이행 여부	○ 공종과 공정이 파악·관리되고 공종별로 특성에 맞는 시공계획을 수립하여 문서화된 정보로 유지하고 있는지를 확인 ○ 공사 진도관리를 위한 계획을 수립하고 이행하여 문서화된 정보로 유지 및 보유하고 있는지를 확인

항목	확인기준	확인요령
8.6 공사관리	작업방법 수립 및 적격 인원 투입여부	○ 작업에 필요한 작업절차 또는 작업지침을 수립하여 문서화된 정보로 유지하고 절차 또는 지침에 따라 이행하여 문서화된 정보로 보유하고 있는지 확인. ○ 작업에 투입되는 인원은 요구되는 자격 및 역량을 파악하여 문서화된 정보로 유지하고, 파악된 자격 및 역량에 근거하여 투입하고 문서화된 정보로 보유하고 있는지 확인
	시공상세도, 준공도의 관리 여부	○ 시공상세도, 준공도의 작성기준이 설정되고 권한을 가진 자에 의해 작성·검토·승인되고 있는지를 확인 ○ 승인된 시공상세도, 준공도는 검색이 용이하도록 보관 관리하고 있는지를 확인 ○ 작업자는 최신본의 도면을 사용하여 작업하고 있고, 구도면은 회수 하여 관리하고 있는지 확인.
8.7 중점품질 관리	중점품질관리 대상의 관리 여부	○ 중점품질관리 대상이 공사 특성에 맞게 지정하여 문서화된 정보로 유지하고 있는지를 확인 ○ 사용장비에 대한 명확한 기준이 설정되고 권한을 가진 자에 의해 장비사용을 승인하고 문서화된 정보로 유지 및 보유하고 있는지를 확인 ○ 작업자의 자격기준이 작업특성에 맞게 설정되고 자격기준에 적합여부를 평가하고 배치하고 문서화된 정보로 유지 및 보유하고 있는지를 확인 ○ 작업방법의 수립·사용되고 공정변수에 대한 모니터링(감시) 결과가 문서화된 정보로 유지 및 보유하고 있는지를 확인
8.8 식별 및 추적관리	식별 및 추적관리 대상 파악 및 이행 여부	○ 식별 및 추적관리 대상과 방법을 현장특성에 맞게 정하여 문서화된 정보로 유지하고 있는지를 확인 ○ 식별 및 추적방법에 따른 식별이 실시되고 추적이 가능하도록 문서화된 정보를 보유하고 있는지를 확인
	검사 및 시험상태(검사대기, 검사중, 부적합) 식별 여부	○ 검사 및 시험에 관하여 자재, 공정의 적합 또는 부적합을 나타내는 적정한 검사단계별(검사대기·검사중·부적합) 식별이 이루어지고 있는지를 확인 ○ 식별표시 및 제거의 권한을 가진 자가 지정되어 있는지를 확인

항목	확인기준	확인요령
8.9 고객 또는 외부공급자의 재산 관리	재산 수급계획의 수립, 식별, 검증, 보관(분실, 손상관리 포함), 재고관리의 적정 수행 여부	○ 재산을 파악하여 수급계획을 문서화된 정보로 유지 및 보유하고 있는지를 확인 ○ 재산이 검사 및 시험, 또는 검증되고 식별, 재고관리, 주기적인 점검 등이 실시되고 문서화된 정보로 보유하고 있는지를 확인 ○ 재산의 입체 또는 대체 사용이 필요한 경우 적절히 처리되고 문서화된 정보로 보유하고 있는지를 확인 ○ 잉여 재산의 처리 사항이 문서화된 정보로 보유하고 있는지를 확인
8.10 보존관리	기자재, 기 시공부위 및 완성된 시설물의 보존상태	○ 시공에 사용될 자재의 운반, 사용 등에 있어 자재의 특성별로 취급 되고 적절한 환경에서 보관하고 있는지를 확인 ○ 장기 보관시 열화나 손상이 되는 자재는 적정한 주기로 점검하고 문서화된 정보로 보유하고 있는지를 확인 ○ 기 시공부위의 품질상태를 유지하기 위한 보호방안을 수립하여 이행하고 문서화된 정보로 유지 및 보유하고 있는지를 확인
8.11 검사 및 시험, 모니터링	검사 및 시험계획에 대한 항목, 합격판정기준, 빈도 등의 적절성	○ 검사 및 시험계획서(ITP)에 검사 및 시험대상의 항목, 합격판정기준, 빈도, 사용장비, 기법, 발주자/건설사업관리기술인의 입회시기·장소·방법이 등이 건설공사 요구사항, 법적 및 규제적 요구사항에 적합 하게 수립되어 문서화된 정보로 유자하고 있는지 확인
	자재 및 공정 검사의 적기 실시 여부와 검사 및 시험결과에 대한 기록의 적절성	○ 검사 및 시험계획서(ITP)에 따라 검사 또는 시험을 적기에 누락 없이 실시하여 문서화된 정보를 보유하고 있는지를 확인 ○ 검사 및 시험결과에는 측정값이 기록되고 검사기준에 따른 합격, 불합격 여부를 명확히 하여 문서화된 정보로 보유하고 있는지를 확인 ○ 합격판정 전에 자재의 사용 또는 후속공정이 진행되지 않도록 관리 하고 있는지를 확인 ○ 검사 또는 시험을 품질검사를 대행하는 건설기술용역사업자에게 의뢰 하는 경우, 건설기술진흥법령에서 정한 품질검사의뢰서 및 품질검사성적서를 문서화된 정보로 보유하고 있는지 확인. ○ 검사 또는 시험의 결과가 건설공사 요구사항에 적합한지 검토하고 있는지를 확인

항목	확인기준	확인요령
8.12 부적합 공사의 관리	부적합 공사(자재 포함) 발생에 대한 처리방법 및 이행의 적절성	○ 부적합한 공사(자재·공정 등) 특성에 적합하게 식별 및 관리되고 있는지 확인. ○ 부적합한 내용이 부적합보고서 등으로 문서화된 정보로 유지하고 있는지를 확인. ○ 부적합한 내용을 검토·분석하여 원인을 명확히 결정하고, 이와 유사한 부적합이 존재 또는 발생 가능성이 있는지를 검토하고 있는지 확인. ○ 부적합 공사 발생시 발주자(건설사업관리기술인)와 협의를 통해 적절한 조치방안을 마련·이행하고 있는지를 확인 ○ 부적합한 자재 또는 공정이 적절하게 처리되고 있는지(재검사 여부, 현상사용시 권한 가진 자의 승인 여부 포함)를 확인 ○ 유사한 부적합이 지속적으로 발생하고 있는지 확인.
8.13 공사준공 및 인계	공사준공 및 인계 관리의 적절성 여부	○ 공사준공을 위한 제반사항을 준비하고 있는지를 확인 ○ 완성된 시설물의 인계계획을 수립하여 실시하고 문서화된 정보로 유지 및 보유하고 있는지를 확인. ○ 건설사업관리기술인 및 발주자, 본사에 인계할 문서화된 정보의 대상목록을 파악·관리되고 있는지를 확인
9. 성과관리 9.1 고객만족	요구 및 기대에 대한 모니터링 실시 여부	○ 발주자 및 이해관계자의 요구 및 기대에 대한 충족 여부를 모니터링 하는 방법을 문서화된 정보로 유지하고 있는지 확인. ○ 요구 및 기대에 대한 모니터링을 실시하고 문서화된 정보로 보유하고 있는지 확인.
9.2 분석 및 평가	발주자와 이해관계자의 만족도 조사에 대한 분석의 실시 여부	○ 발주자와 이해관계자의 만족 또는 불만족을 포함한 건설공사 수행의 만족도를 분석하여 활용하고 문서화된 정보로 보유하고 있는지를 확인
	품질개선을 위한 데이터의 분석 및 활용에 대한 이행 여부	○ 주요자재의 품질경향, 부적합 공사의 발생빈도 및 특성, 내·외부 점검결과 등을 분석하여 활용하고 문서화된 정보로 보유하고 있는지를 확인
9.3 내부심사	품질관리계획의 적합성, 효과성, 이행성 등에 대한 내부심사 실시 여부	○ 내부심사 계획을 현장에 배치된 품질관리 건설기술인이 수립하고 이행하여 문서화된 정보로 유지 및 보유하고 있는지를 확인 ○ 내부심사를 수행하는 심사자의 역량/적격성 기준을 정하고, 평가하여 문서화된 정보로 유지 및 보유하고 있는지 확인. ○ 심사자의 역량/적격성에 적합한 자가 내부심사를 실시하였는지 확인. ○ 내부심사는 계획된 주기로 실시하고 심사결과보고서는 문서화된 정보로 보유하고 있는지를 확인 ○ 심사체크리스트 및 심사내용이 구체적으로 작성하였는지 확인. ○ 심사결과 부적합한 사항이 있는 경우 시정 또는 시정조치 되고 문서화된 정보로 보유하고 있는지를 확인 ○ 취해진 후속조치에 대하여 유효성을 검증하고 문서화된 정보로 보유하고 있는지 확인
9.4 경영검토	품질관리계획의 운영전반에 대한 성과검토 실시 여부	○ 건설공사 경영검토가 계획된 주기로 실시되고 검토보고서를 문서화된 정보로 보유하고 있는지 확인 ○ 다음 사항을 검토하고 검토내용은 문서화된 정보로 보유하고 있는지를 확인. · 전년도 건설공사 경영검토에 따른 조치 결과(해당되는 경우) · 건설공사 수행과 관련된 외부 및 내부 이슈의 변경사항 · 자원의 충족여부 · 파악된 리스크와 관련하여 취해진 조치의 효과성 · 문제점 및 애로사항의 개선 사항 · 품질관리계획의 성과 및 효과성 정보 등 ○ 품질관리계획의 성과 및 효과성 정보에는 고객 만족 및 발주자와 관련 이해관계자로부터의 피드백(불만사항 포함), 현장 품질목표의 달성 정도, 부적합 공사의 발생 빈도 및 특성과 시정조치 사항, 검사·시험·모니터링·측정결과, 내부심사 및 품질관리 적절성 확인 등 내·외부의 점검결과, 외부공급자의 성과 등이 포함되어 있는지를 확인. ○ 검토결과에 따라 필요시 후속조치를 실시하고, 문서화된 정보로 보유하고 있는지를 확인

항목	확인기준	확인요령
10.개선 10.1 부적합 및 시정조치	품질관리계획 운영과 관련하여 취해진 부적합 및 시정조치의 적절성 여부	○ 실제 또는 잠재적인 부적합 사항은 근본원인을 파악하고, 근본원인을 고려한 시정과 재발방지 대책을 수립하여 이행하고 문서화된 정보를 유지 및 보유하고 있는지를 확인 ○ 취해진 시정조치의 효과성을 검토하고 문서화된 정보를 보유하고 있는지를 확인 ○ 부적합 및 시정조치 결과가 품질관리계획서 변경 또는 결정된 리스크와 기회를 갱신하여야 하는지 검토하고 이행하여 문서화된 정보로 보유하고 있는지를 확인.
10.2 지속적 개선	지속적인 개선계획 수립 및 개선활동 실시 여부	○ 지속적 개선을 위하여 분석 및 평가 결과, 경영검토 결과를 반영하여 지속적 개선계획을 수립하여, 문서화된 정보로 보유하고 있는지를 확인. ○ 지속적 개선계획에 따라 개선활동을 실시하고, 문서화된 정보로 보유하고 있는지 확인.

[별표 4]

품질시험비 산출 단위량 기준(제9조제1항 관련)

1. 공통

가. 토공사 및 기초공사

종별	시험종목	인력(시간)						공공요금		
		시험관리		시험				전기	상수도	가스
		특급	중급	특급	고급	중급	초급	Kwh	m³	m³
성토용흙	함수비	0.1	0.1				0.2	33.5		
	입도	0.1	0.4	3.4		4.4		204.5	0.7	
	세립토비율	0.1	0.1		0.5	0.6		50.5	0.8	
	밀도	0.1	0.2	0.4	0.3	0.8		133.5	0.2	1.0
	액성한계	0.1	0.4	0.3	0.7	0.8		49.4	0.1	
	소성한계 *	0.1	0.4	0.2	0.3	0.3		48.5	0.1	
	노상토지지력비(CBR)	0.1	0.4		6.5	7.0		297.1	5.9	
	다짐	0.1	0.4		3.0	4.0		255.9	0.3	
	유기물 함량	0.1	0.1				0.1	62.3		
	토질조사	0.1	0.4	1.0		4.0		80.7	0.6	
	투수(정수위)	0.1	0.4		3.0	6.0		57.8	0.1	
	투수(변수위) *	0.1	0.4		3.0	8.0				
	직접전단	0.1	0.4		4.0	2.5		57.8	0.1	
	3축압축(UU)	0.1	0.4		6.0	4.5		69.6	0.2	
	3축압축(CU) *	0.1	0.4		7.5	5.0				
	3축압축(CD) *	0.1	0.4		10.5	7.0				
터파기	토질조사	0.1	0.4	1.0		4.0		16.0	1.0	
	지지력 확대기초	0.1	0.4	10.0		7.0				
	지지력/말뚝기초/정재하	0.1	0.4	2.1	25.7	44.2	24.8	81.0		
	지지력/말뚝기초/동재하	0.1	0.4	2.6	9.4	1.8	1.7	9.0		

종별	시험종목	인력(시간)						공공요금		
		시험관리		시험				전기	상수도	가스
		특급	중급	특급	고급	중급	초급	Kwh	m³	m³
지반조사 (연약지반 등)	토질조사	0.1	0.4	1.0		4.0		16.0	1.0	
	함수비	0.1	0.1				0.2	33.5		
	입도	0.1	0.4	3.4		4.4		128.6	0.7	
	밀도	0.1	0.2	0.4	0.3	0.8		34.0	0.2	1.0
	액성한계	0.1	0.4	0.3	0.7	0.8		49.4	0.1	
	소성한계 *	0.1	0.4	0.2	0.3	0.3		48.5	0.1	
	세립토비율	0.1	0.1		0.5	0.6		44.5	0.2	
	흙의 압밀시험	0.1	0.4	6.0		7.3		142.8	0.3	
	1축 압축강도	0.1	0.4		2.5	3.0		40.5	0.1	
	3축압축(UU)	0.1	0.4		6.0	4.5		69.6	0.2	
	3축압축(CU) *	0.1	0.4		7.5	5.0				
	3축압축(CD) *	0.1	0.4		10.5	7.0				
	표준관입시험	0.1	0.4	1.0	6.0	6.0				
	투수(정수위)	0.1	0.4		3.0	6.0		57.8	0.1	
	투수(변수위) *	0.1	0.4		3.0	8.0				
	점성토의 현장베인전단 시험	0.1	0.4	5.0		2.5				
	압밀배수조건하의 직접 전단 시험	0.1	0.4		4.0	2.5		4.0	0.2	
	동적콘관입시험	0.1	0.4	2.0		6.2	18.0			
	유기물함량	0.1	0.1				0.1	45.5		
되메우기 및 구조물 뒷채움	다짐	0.1	0.4		3.0	4.0		147.9	0.1	
	현장밀도	0.1	0.2			1.5	2.0	121.9	0.1	
	평판재하(성토체)	0.1	0.4		4.0	4.0				
	입도	0.1	0.4	3.4		4.4		204.5	0.7	
	함수비	0.1	0.1				0.2	33.5		

종별	시험종목	인력(시간)						공공요금		
		시험관리		시험				전기	상수도	가스
		특급	중급	특급	고급	중급	초급	Kwh	m³	m³
콘크리트 널말뚝	겉모양 및 모양	0.1	0.1				0.1			
	치수	0.1	0.1				0.1			
	굽힘강도	0.1	0.1		2.0	2.0		3.8		
원심력철근콘크리트 말뚝	겉모양 및 모양	0.1	0.1				0.1			
	치수	0.1	0.1				0.1			
	몸체 및 이음부의 휨강도	0.1	0.2			0.2				
	철근의 배치	0.1	0.2	0.3	0.5					
프리텐션 방식 원심력 PC말뚝	겉모양 및 모양	0.1	0.1				0.1			
	치수	0.1	0.1				0.1			
	몸체 및 이음부의 휨강도	0.1	0.2			0.2				
	PC강재 및 철근배치	0.1	0.2	0.3	0.5					
프리텐션 방식원심력고강도 콘크리트 말뚝	겉모양 및 모양	0.1	0.1				0.1			
	치수	0.1	0.1				0.1			
	몸체 및 이음부의 휨강도	0.1	0.2			0.2				
	몸체의 축력 휨강도	0.1	0.2				0.1			
	몸체의 전단 강도	0.1	0.2				0.1			
	PC강재 및 철근배치	0.1	0.2	0.3	0.5					
프리텐션 방식 진동 PC말뚝	겉모양 및 모양	0.1	0.1				0.1			
	치수	0.1	0.1				0.1			
	몸체 및 이음부의 휨강도	0.1	0.2			0.2				
	PC강재 및 철근배치	0.1	0.2	0.3	0.5					
강관말뚝	화학성분	0.1	0.2	0.3	0.5			12.0		
	모양, 치수, 질량	0.1	0.1				0.1			
	인장시험	0.1	0.2			0.8	0.8	9.0		
	편평시험	0.1					0.1			
	용접부의 비파괴검사									

종별	시험종목	인력(시간)						공공요금		
		시험관리		시험				전기	상수도	가스
		특급	중급	특급	고급	중급	초급	Kwh	m³	m³
H형강 말뚝	화학성분	0.1	0.2	0.3	0.5			3.6		
	탄소당량	0.1	0.2		0.5			3.6		
	항복점또는항복강도, 인장강도및연신율	0.1	0.2				0.1	27.0		
	샤르피 흡수에너지	0.1	0.4	0.2	0.3					
	모양,치수,질량	0.1	0.1				0.1	5.0		
열간 압연강 널말뚝	화학성분	0.1	0.2	0.3	0.5					
	항복점또는내력, 인장강도및연신율	0.1	0.2				0.1	27.0		
	이음인장강도 (직선형 강널말뚝)	0.1	0.2			0.8	0.8	9.0		
	모양, 치수, 단위질량	0.1	0.1				0.1	5.0		
용접용 열간 압연강 널말뚝	화학성분	0.1	0.2	0.3	0.5			3.6		
	탄소당량	0.1	0.2		0.5			3.6		
	항복점또는내력, 인장강도및연신율	0.1	0.2				0.1	27.0		
	이음인장강도 (직선형 강널말뚝)	0.1	0.2			0.8	0.8	9.0		
	샤르피 흡수에너지	0.1	0.4	0.2	0.3					
	모양,치수,단위질량	0.1	0.1				0.1	5.0		
샌드매트 및 샌드드레인 용 모래	투수계수	0.1	0.2		3.0	3.0		168.5	0.5	
	0.08mm 통과량	0.1	0.2			0.5		145.9	0.7	
	D15	0.1	0.2			2.0		32.1	0.1	
	D85	0.1	0.2			2.0		32.1	0.1	
케이슨 채움재용 철강 슬래그	겉모양	0.1	0.1				0.1			
	수침팽창비 (제강슬래그 사용시)	0.1	0.4		7.0		10.0	113.9	0.2	
	입도	0.1	0.4			2.0		32.1	0.1	
	표건밀도	0.1	0.2			3.0		157.0	0.1	
	단위용적질량	0.1	0.2			0.5	0.5	10.0		
	수중단위용적질량	0.1	0.2			1.5		15.0	0.1	

나. 철근콘크리트공사

종별	시험종목	인력(시간)						공공요금		
		시험관리		시험				전기	상수도	가스
		특급	중급	특급	고급	중급	초급	Kwh	m³	m³
콘크리트용 골재	절대 건조 밀도 및 흡수율	0.1	0.2		0.5		0.8	48.1	0.1	
	입도,조립률	0.1	0.2		0.5	0.5	0.5	20.3	0.1	
	0.08mm 체 통과량	0.1	0.1		0.2	0.2		42.9	0.2	
	잔골재의 유기 불순물	0.1	0.2		0.3	0.2		21.6	0.2	
	점토 덩어리	0.1	0.1		0.2	0.2	0.6	42.9	0.2	
	굵은 골재의 마모율	0.1	0.2		0.3		1.0	42.3	0.1	
	알칼리 골재 반응 시험 (모르타르바법)	0.1	0.4	4.5		6.5		249.6	0.1	
	알칼리골재 반응 시험 (화학적)*	0.1	0.4	4.0		6.0				
	알칼리 골재 반응 시험 (ASTM C1260) *	0.1	0.4	4.5		6.5				
	석탄 및 갈탄 함유량	0.1	0.4		0.5	1.5		39.1	0.2	
	안정성	0.1	0.4		1.0	2.0		146.6	0.4	
	염화물 함유량	0.1	0.2		0.2	0.4		23.3	0.3	
	잔골재의 표면수량	0.1	0.1		0.3	1.0		17.4	0.2	
콘크리트용 부순골재	절대 건조 밀도 및 흡수율	0.1	0.2		0.5		0.8	43.7	0.1	
	입도,조립률	0.1	0.2		0.5	0.5	0.5	20.3	0.1	
	0.08mm 체 통과량	0.1	0.1		0.2	0.2		42.9	0.2	
	입자모양판정 실적률	0.1	0.2		0.2	0.2		22.3		
	굵은 골재의 마모율	0.1	0.2		0.3		1.0	42.3	0.1	
	알칼리 골재 반응 시험 (모르타르바법)	0.1	0.4	4.5		6.5		249.6	0.1	
	알칼리골재 반응 시험 (화학적)*	0.1	0.4	4.0		6.0				
	알칼리 골재 반응 시험 (ASTM C1260)*	0.1	0.4	4.5		6.5				
	안정성	0.1	0.4		1.0	2.0		95.4	0.2	

종별	시험종목	인력(시간)						공공요금		
		시험관리		시험				전기	상수도	가스
		특급	중급	특급	고급	중급	초급	Kwh	m³	m³
콘크리트용 순환골재	절대 건조 밀도 및 흡수율	0.1	0.2		0.5		0.8	43.7	0.1	
	입도	0.1	0.2		0.5	0.5	0.5	13.5	0.1	
	0.08mm 체 통과량	0.1	0.1		0.2	0.2		42.9	0.2	
	입자모양판정 실적률	0.1	0.2		0.2	0.2		22.3		
콘크리트용 순환골재	굵은 골재의 마모율	0.1	0.2		0.3		1.0	42.3	0.1	
	점토덩어리량	0.1	0.1		0.2	0.2	0.6	42.9	0.2	
	이물질함유량/유기이물질	0.1	0.4		1.5	2.5		51.5	0.2	
	이물질함유량/무기이물질	0.1	0.1		0.3	0.4		32.3	0.3	
	알칼리 골재 반응 시험 (모르타르바법)	0.1	0.4	4.5		6.5		249.6	0.1	
	알칼리 골재 반응 시험 (화학적)*	0.1	0.4	4.0		6.0				
	알칼리 골재 반응 시험 (ASTM C1260) *	0.1	0.4	4.5		6.5				
	굵은 골재의 안정성	0.1	0.4		1.0	2.0		165.0	0.4	
콘크리트용 고로슬래그 골재	화학분석	0.1	0.2			0.2	0.2			
	절대 건조 밀도 및 흡수율	0.1	0.2		0.5		0.8	60.0	0.1	
	단위용적질량	0.1	0.1				0.2	11.3	0.1	
	수중침지	0.1	0.4		0.8	0.7		30.8	0.4	
	입도	0.1	0.2		0.5	0.5	0.5	13.5	0.1	
콘크리트용 동슬래그 골재	산화칼슘(CaO)	0.1	0.2		0.3					
	황(S)	0.1	0.2		0.3					
	삼산화황(SO3)	0.1	0.2		0.2					
	모든 철(FeO)	0.1	0.2		0.3					
	염화물량(NaCl)	0.1	0.2		0.2	0.4		18.0	0.1	
	절대 건조 밀도 및 흡수율	0.1	0.2		0.5		0.8	60.0	0.1	
	단위용적질량	0.1	0.1				0.2	15.0	0.1	
	입도 시험	0.1	0.2		0.5	0.5	0.5	8.7	0.1	
	알칼리실리카 반응	0.1	0.4	4.0		6.0		63.0	3.1	

종별	시험종목	인력(시간)						공공요금		
		시험관리		시험				전기	상수도	가스
		특급	중급	특급	고급	중급	초급	Kwh	m³	m³
콘크리트용 연슬래그 골재	유해물질 용출량	0.1	0.2	0.5	1.0	0.6		8.0	2.0	1.0
	산화칼슘(CaO)	0.1	0.2		0.3			15.1	0.1	
	황(S)	0.1	0.2		0.3			15.1	0.1	
	삼산화황(SO3)	0.1	0.2		0.2			15.1	0.1	
	철(FeO)	0.1	0.2		0.3			15.1	0.1	
	염화물량(NaCl)	0.1	0.2		0.2	0.4		9.5	1.1	
	절건 밀도 및 흡수율	0.1	0.2		0.5		0.8	30.1	0.1	
	단위용적질량	0.1	0.1				0.2	15.0	0.1	
	입도	0.1	0.2		0.5	0.5	0.5	8.7	0.1	
콘크리트용 페로니켈 슬래그 잔골재	산화칼슘(CaO)	0.1	0.2		0.3			15.1	0.1	
	산화마그네슘(MgO)	0.1	0.4		0.3			15.1	0.1	
	황(S)	0.1	0.2		0.3			15.1	0.1	
	모든 철(FeO)	0.1	0.2		0.3			15.1	0.1	
	금속 철(FeO)	0.1	0.2		0.3			15.1	0.1	
	절대건조건밀도 및 흡수율	0.1	0.2		0.5		0.8	30.1	0.1	
	단위용적질량	0.1	0.1				0.2	15.0	0.1	
	입도	0.1	0.2		0.5	0.5	0.5	8.7	0.1	
	알칼리 골재 반응 시험 (모르타르바법)	0.1	0.4	4.5		6.5		63.0	3.1	
	알칼리 골재 반응 시험 (화학적)*	0.1	0.4	4.0		6.0				
	알칼리 골재 반응 시험 (ASTM C1260)*	0.1	0.4	4.5		6.5				
콘크리트용 전기로 산화 슬래그 잔골재	화학분석	0.1	0.5		0.5			15.1	0.1	
	절건 밀도 및 흡수율	0.1	0.2		0.5		0.8	30.1	0.1	
	단위용적질량	0.1	0.1				0.2	15.0	0.1	
	입도	0.1	0.2		0.5	0.5	0.5	0.7	0.1	

종별	시험종목	인력(시간)						공공요금		
		시험관리		시험				전기	상수도	가스
		특급	중급	특급	고급	중급	초급	Kwh	m³	m³
콘크리트용 전기로 산화 슬래그 잔골재	알칼리 골재 반응 시험 (모르타르바법)	0.1	0.4	4.5		6.5		63.0	3.1	
	알칼리 골재 반응 시험 (화학적)*	0.1	0.4	4.0		6.0				
	알칼리 골재 반응 시험 (ASTM C1260)*	0.1	0.4	4.5		6.5				
프리캐스트 콘크리트용 바텀애시 골재	삼산화황(SO3)	0.1	0.2		0.2			11.7	0.1	
	염화물량(NaCl 환산량)	0.1	0.2		0.2	0.4		19.7	0.9	
	점토덩어리	0.1	0.1		0.2	0.2	0.6	46.3	1.2	
	연한 석편	0.1	0.4			1.5	1.5	33.8	1.1	
	강열감량	0.1	0.2			0.6		8.7	1.0	
	유기불순물	0.1	0.2		0.3	0.2		20.5	1.6	
	절건밀도,흡수율/굵은골재	0.1	0.2		0.5		0.8	30.1	0.1	
	절건밀도,흡수율/잔골재	0.1	0.2		0.5		0.8	30.1	0.1	
	마모율	0.1	0.2		0.3		1.0	43.9	1.6	
	입도 및 조립률	0.1	0.2		0.5	0.5	0.5	8.7	0.1	
구조용 경량골재	흡수율	0.1	0.2		0.5		0.8	30.1	0.1	
	굵은골재의 부립율	0.1	0.2			0.7	1.0	75.0	0.1	
	입도,조립률	0.1	0.2		0.5	0.5	0.5	8.7	0.1	
	강열감량	0.1	0.2			0.6		8.7	1.0	
	단위용적질량	0.1	0.1				0.2	15.0	0.1	
	점토 덩어리	0.1	0.1		0.2	0.2	0.6	46.3	1.2	
	유기 불순물	0.1	0.2		0.3	0.2		20.5	1.6	
	염화물량	0.1	0.2		0.2	0.4		19.7	0.9	
	안전성	0.1	0.4		1.0	2.0		170.7	1.0	
	콘크리트/압축강도	0.1	0.2			0.7	0.3	20.5		
	콘크리트/인장강도	0.1	0.4			0.9	0.4	21.5	0.5	

종별	시험종목	인력(시간)						공공요금		
		시험관리		시험				전기	상수도	가스
		특급	중급	특급	고급	중급	초급	Kwh	m³	m³
구조용 경량골재	콘크리트/단위용적질량	0.1	0.2			0.5	0.2		0.1	
	콘크리트/건조수축	0.1	0.4		1.3	0.4		2866.3	0.1	
	콘크리트/팝아웃	0.1	0.4		2.6			112.0	0.1	
	콘크리트/동결융해시험	0.1	0.4		1.5	1.8		3274.9	2.6	
도자기질 타일시멘트	위치교정도	0.1	0.1				0.1	0.6	0.1	
	개방시간	0.1	0.1				0.1	0.8	0.1	
	압축강도	0.1	0.1				0.3	246.4	0.1	
	흡수율	0.1	0.1				0.2	293.5	0.1	
	전단접착강도	0.1	0.1				0.2	61.2	0.1	
	길이변화율	0.1	0.1		0.3	0.3		100.0	0.2	
	보수율	0.1	0.1				0.1	0.5	0.1	
	실내공기 오염물질 방출량	0.1	0.4		5.0	3.0	0.5	995.0	0.1	
포틀랜드 시멘트	화학성분	0.1	0.5		0.5			6.0	0.1	
	분말도	0.1	0.2		0.3	1.0		2.5		
	안정도	0.1	0.2		0.3	0.4		53.7	0.1	
	응결시간	0.1	0.2		0.2	0.2		13.7	0.1	
	압축강도	0.1	0.2		0.4	0.5		118.2	0.1	
	수화열	0.1	0.2			0.5	1.0	3.0	2.0	
백색 포틀랜드 시멘트	화학분석	0.1	0.5		0.5			1.1	2.0	
	분말도	0.1	0.2		0.3	1.0		1.0	0.5	
	안정도	0.1	0.2		0.3	0.4		40.9	0.3	
	응결시간	0.1	0.2		0.2	0.2		10.1	0.1	
	압축강도	0.1	0.2		0.4	0.5		593.3	0.1	
	백색도	0.1	0.2			0.3	0.4	1.5	1.1	
고로 슬래그 시멘트	화학 분석	0.1	0.5		0.5			1.1	2.0	
	분말도	0.1	0.2		0.3	1.0		2.0	2.0	
	안정도	0.1	0.2		0.3	0.4		41.3	0.6	
	응결시간	0.1	0.2		0.2	0.2		13.7	0.4	
	압축강도	0.1	0.2		0.4	0.5		764.7	0.4	

종별	시험종목	인력(시간)						공공요금		
		시험관리		시험				전기	상수도	가스
		특급	중급	특급	고급	중급	초급	Kwh	m³	m³
메이슨리 시멘트	분말도	0.1	0.2		0.3	1.0		1.0	1.0	
	안정도	0.1	0.2		0.3	0.4		61.0	0.4	
	응결시간	0.1	0.2		0.2	0.2		13.7	0.4	
	압축강도	0.1	0.2		0.4	0.5		137.4	0.6	
	모르타르 공기량	0.1	0.2		0.3	1.0		1.0	0.6	
	보수성	0.1	0.2		0.3	2.0		3.0	2.0	
	오염	0.1	0.2			0.5	1.0	3.0	2.0	
플라이 애시 시멘트	비표면적	0.1	0.2			1.0		3.0	2.0	
	응결시간	0.1	0.2		0.2	0.2		13.7	0.3	
	안정도	0.1	0.2		0.3	0.4		41.5	0.6	
	압축강도	0.1	0.2		0.4	0.5		92.8	0.4	
	화학성분	0.1	0.5		0.5			1.6	2.0	
포틀랜드 포졸란 시멘트	화학분석	0.1	0.5		0.5			0.5	1.0	
	비표면적	0.1	0.2			1.0		1.0	1.0	
	안정도	0.1	0.2		0.3	0.4		41.0	0.3	
	응결시간	0.1	0.2		0.2	0.2		10.3	0.3	
	압축강도	0.1	0.2		0.4	0.5		92.8	0.4	
물 (수질검사)	현탁 물질의 양	0.1	0.2		0.2		0.2	31.0	2.0	
	용해성 증발 잔류물의 양	0.1	0.2		0.2	0.3		30.3	0.6	
	염소이온량	0.1	0.2		0.5	0.4		30.5	0.6	
	시멘트 응결시간의 차	0.1	0.2		0.5	0.5		15.5	0.4	
	모르타르 압축강도비	0.1	0.2		0.5	0.5		776.4	0.6	
	슬러지수의 농도	0.1	0.2		0.2	0.2		31.5	2.0	
콘크리트용 화학혼화제	재료의혼합(믹싱) *	0.1	0.4	3.0	3.0	5.0	5.0			
	감수율	0.1	0.1				0.1	1.0	0.6	
	블리딩양의 비	0.1	0.2		0.5			1.0	0.4	
	응결시간의 차	0.1	0.2	0.6		1.0		1.0	0.6	
	압축강도의 비	0.1	0.2			1.3		92.9	0.4	

종별	시험종목	인력(시간)						공공요금		
		시험관리		시험				전기	상수도	가스
		특급	중급	특급	고급	중급	초급	Kwh	m³	m³
콘크리트용 화학혼화제	길이변화비	0.1	0.2		0.9	0.2	0.4	2847.8	1.0	
	동결융해에 대한 저항성	0.1	0.4		0.9	1.0		3319.5	3.1	
	경시변화량	0.1	0.2			1.0		15.6	1.1	
	전체 알칼리량	0.1	0.2			0.3		6.0	4.0	
	적외선 흡수 스펙트럼	0.1	0.2			0.3		6.0	6.0	6.0
철근콘크리트용 방청제	부식상황	0.1	0.4		1.0	2.0	0.5	52.5	1.1	
	방청률	0.1	0.4		1.0	2.8	0.5	154.5	2.1	
	콘크리트의 응결시간차	0.1	0.2	0.6		1.0		1.0	0.6	
	콘크리트의 압축강도비	0.1	0.2			1.3		136.5	0.6	
콘크리트 양생용 액상피막 형성제	피막의 성질	0.1	0.4		0.6		0.6	1.6	0.7	
	컨시스턴시	0.1	0.4			0.5	0.5	3.1	0.7	
	저장안정도	0.1	0.4		2.0	0.3		541.5	1.0	
	건조시간	0.1	0.2		0.4		0.3	12.9	0.9	
	습기유지	0.1	0.4		0.8	1.0		166.8	0.9	
콘크리트용 팽창재	산화마그네슘, 강열감량	0.1	0.2			0.7	0.7	0.8	1.0	
	비표면적	0.1	0.2		0.3	0.6		1.6	1.1	
	1.2mm체 잔류율	0.1	0.2		0.2	0.2		31.5	1.1	
	응결	0.1	0.2		0.1	0.1		10.4	0.7	
	팽창성(길이변화율)	0.1	0.2		0.4	1.7		2311.2	0.2	
	압축강도	0.1	0.2		0.5	0.7		781.8	0.2	
콘크리트 혼입용 방수재	응결 시간 차	0.1	0.2	0.6		1.0		1.1	0.1	
	경시변화에 따른 공기량 변화	0.1	0.1				0.2	2.9	0.1	
	길이 변화율	0.1	0.2		0.9	0.2	0.4	1174.7	0.1	
	동결 융해에 대한 저항성	0.1	0.4		0.9	1.0		5500.4	0.2	
	탄산화 깊이비	0.1	0.4		1.0	1.0		2155.5	0.1	
	압축강도비	0.1	0.2			1.3		843.6	0.4	
	물흡수 계수비	0.1	0.2		0.5	0.5		1227.5	0.1	
	투수비	0.1	0.4			1.0	1.0	1228.5	0.1	
	염소이온 침투깊이	0.1	0.4		0.8	0.8		1239.6	0.1	

종별	시험종목	인력(시간)						공공요금		
		시험관리		시험				전기	상수도	가스
		특급	중급	특급	고급	중급	초급	Kwh	m³	m³
숏크리트용 급결제	압축강도	0.1	0.1			0.6	0.7	802.3	0.1	
	응결시간	0.1	0.2		0.4		0.3	32.0	0.1	
콘크리트용 강섬유	치수(형상비,허용오차)	0.1	0.1		0.6					
	겉모양	0.1	0.1		0.6					
	인장강도	0.1	0.2		0.3	1.2		5.0		
	굽힘정도	0.1	0.2			0.4		4.8		
플라이 애시	이산화규소	0.1	0.1	0.3			0.3	14.5		
	수분	0.1	0.1				0.2	5.8		
	강열감량	0.1	0.1				0.2	6.7		
	밀도	0.1	0.2		0.2	0.1		0.9	0.1	
	분말도	0.1	0.2		0.3	0.9		15.5	0.1	
	플로값 비	0.1	0.2		0.3	0.6		0.6	0.1	
	활성도 지수	0.1	0.2		0.3	0.6		337.6	0.1	
콘크리트용 고로슬래그 미분말	밀도	0.1	0.2			0.2	0.2	0.9	0.1	
	비표면적	0.1	0.2				1.2			
	활성도 지수	0.1	0.4			0.6	2.1	832.8	0.1	
	플로값 비	0.1	0.2			0.3	0.3	0.6	0.1	
	산화마그네슘(MgO)	0.1	0.2				1.4	0.2		
	삼산화황 정량방법(SO3)	0.1	0.2				1.4	12.0		
	강열감량	0.1	0.2			0.2	0.2	6.7		
	염화물 이온	0.1	0.2		0.5		0.5	39.0	0.1	
콘크리트용 실리카 퓸	비표면적	0.1	0.2				1.2			
	활성도 지수	0.1	0.4			0.6	2.1	793.5	0.1	
	이산화규소(SiO2)	0.1	0.2			0.5	0.5			
	산화마그네슘(MgO)	0.1	0.2				1.4	0.2		
	삼산화황(SO3)	0.1	0.2				1.4	12.0		
	염화물 이온	0.1	0.2		0.5		0.5	39.0	0.1	

종별	시험종목	인력(시간)						공공요금		
		시험관리		시험				전기	상수도	가스
		특급	중급	특급	고급	중급	초급	Kwh	m³	m³
콘크리트용 실리카 퓸	강열감량	0.1	0.2			0.2	0.2	6.7		
	45㎛체에 남은 양	0.1	0.2			0.4	0.3	45.0	0.1	
굳지 아니한 콘크리트(레미콘 포함)	배합설계	0.1	0.4	8.0	16.0	24.0	24.0	1052.6	0.3	
	현장배합수정	0.1	0.4			1.5	1.5	60.0	0.1	
	온도	0.1	0.1				0.5			
	슬럼프 또는 슬럼프 플로	0.1	0.1				0.1		0.1	
	공기량	0.1	0.2			0.3	0.2		0.2	
	용적	0.1	0.1			0.5			0.2	
	염화물 함유량	0.1	0.2			0.2		35.0	0.5	
	단위수량	0.1	0.1				0.2		0.1	
	압축강도(3개한조)	0.1	0.1			0.1	0.2	0.9		
	공시체제작	0.1	0.2			1.0	1.0			
철근콘크리트용 봉강	화학성분	0.1	0.2		0.1	0.2	0.4	3.7		
	항복점 또는 항복강도	0.1	0.2		0.2	0.3	0.3	6.4		
	인장강도	0.1	0.2		0.2	0.3	0.3	4.9		
	연신율	0.1	0.2		0.2	0.3	0.3	6.4		
	굽힘성	0.1	0.2			0.1	0.1	4.7		
	겉모양,치수,무게	0.1					0.1	0.1		
철근콘크리트용 재생봉강	항복점 또는 항복강도	0.1	0.2		0.2	0.3	0.3	6.4		
	인장강도	0.1	0.2		0.2	0.3	0.3	4.9		
	연신율	0.1	0.2		0.2	0.3	0.3	6.4		
	굽힘성	0.1	0.2			0.1	0.1	4.7		
	겉모양,치수,무게	0.1					0.1	0.1		
에폭시 피복철근	피복두께	0.1	0.2			0.5				
	핀홀	0.1	0.2			0.5				
	굽힘성	0.1	0.4			1.0	1.0	4.5		
	열특성(피복경화)	0.1	0.2			0.5		0.2		
	콘크리트에 대한 부착력	0.1	0.4		3.0		4.4	265.3	0.1	
	겉모양,치수,무게	0.1	0.4		0.2	0.5				

종별	시험종목	인력(시간)						공공요금		
		시험관리		시험				전기	상수도	가스
		특급	중급	특급	고급	중급	초급	Kwh	m³	m³
철근콘크리트용 아연도금 봉강	항복점 또는 항복강도	0.1	0.2		0.2	0.3	0.3	4.3		
	인장강도	0.1	0.2		0.2	0.3	0.3	3.7		
	연신율	0.1	0.2		0.2	0.3	0.3	4.3		
	굽힘성	0.1	0.2			0.1	0.1	0.8		
	겉모양,치수,무게	0.1					0.1	0.1		
	아연도금 부착량	0.1	0.2		0.3	1.0	1.1	1.1	0.2	
PC강선 및 PC강연선	겉모양 및 치수	0.1					0.1			
	0.2%영구연신율에 대한 하중	0.1	0.2			0.1	0.1	1.1		
	인장하중	0.1	0.2			0.1	0.1	1.3		
	연신율	0.1	0.2			0.1	0.1	6.1		
	릴랙세이션	0.1	0.1	0.4		1.5	2.7	3753.8		
PC강봉	겉모양 및 치수	0.1					0.1			
	화학성분(P,S,Cu)	0.1	0.2		0.4		0.3	3.8		
	0.2% 항복강도	0.1	0.2			0.1	0.1	6.1		
PC강봉	인장강도	0.1	0.2			0.1	0.1	4.7		
	연신율	0.1	0.2			0.1	0.1	6.1		
	릴랙세이션	0.1	0.1	0.4		1.5	2.7	3753.8		
PC경강선	겉모양 및 치수	0.1					0.1			
	0.2%영구연신율에 대한 하중	0.1	0.2			0.1	0.1	6.1		
	인장하중	0.1	0.2			0.1	0.1	4.7		
	연신율	0.1	0.2			0.1	0.1	6.1		
	릴랙세이션	0.1	0.1	0.4		1.5	2.7	3753.8		
경강선	겉모양	0.1					0.1			
	지름	0.1	0.1				0.1			
	인장강도	0.1	0.2			0.1	0.1	3.3		
	감기성능	0.1	0.1				0.2	0.9		
	비틀림 특성	0.1	0.1				0.2	3.0		
	굽힘성	0.1	0.1			0.1	0.3	5.8		

종별	시험종목	인력(시간)						공공요금		
		시험관리		시험				전기	상수도	가스
		특급	중급	특급	고급	중급	초급	Kwh	m³	m³
연강선재	겉모양	0.1					0.1			
	치수	0.1					0.1			
	화학성분	0.1	0.2		0.4		0.3	0.7		
용접철망 및 철근격자	겉모양,치수,무게	0.1					0.1	0.1		
	항복점 또는 0.2%항복강도	0.1	0.2			0.1	0.1	3.2		
	인장강도	0.1	0.2			0.1	0.1	2.9		
	연신율	0.1	0.2			0.1	0.1	3.2		
	단면수축율	0.1	0.1			0.2		1.5		
	굽힘성	0.1	0.1			0.2		2.8		
	용접점 전단강도	0.1	0.1			0.2		2.7		
	용접점의 박리	0.1	0.1			0.2		0.5		
철근 이음	가스압접이음/외관검사	0.1	0.1				0.2			
	가스압접이음/인장시험	0.1	0.2			0.8	0.8			
	기계적이음/외관검사	0.1	0.1				0.2			
	기계적이음/인장시험	0.1	0.2			0.8	0.8			
	용접이음/외관검사	0.1	0.1				0.2			
	용접이음/인장시험	0.1	0.2			0.8	0.8			
배치플랜트	계량기의눈금점검, 자동계량장치점검	0.1	0.4		1.0					
	믹서성능시험/가경식믹서	0.1	0.4	2.0		5.4			0.2	
	믹서성능시험/강제혼합믹서	0.1	0.4	2.0		5.4			0.2	
그라우트	컨시스턴시	0.1	0.1				0.1		0.2	
	블리딩률 및 팽창률	0.1	0.1		0.2	0.2			0.2	
	압축강도	0.1	0.2		0.3	0.4		37.3	0.2	
	염화물 함유량	0.1	0.2		0.3	2.0		15.0	0.1	

종별	시험종목	인력(시간)						공공요금		
		시험관리		시험				전기	상수도	가스
		특급	중급	특급	고급	중급	초급	Kwh	m³	m³
수경성 시멘트 무수축 그라우트	유하시간	0.1	0.1				0.1		0.2	
	플로	0.1	0.1				0.2	0.2	0.2	
	응결시간	0.1	0.2			0.1	0.2	22.2	0.2	
	블리딩률 및 팽창률	0.1	0.1		0.2	0.2			0.1	
	팽창높이	0.1	0.2			1.0	0.6	454.5	0.2	
	압축강도	0.1	0.2		0.3	0.4		36.2	0.2	
	염화물 함유량	0.1	0.2		0.3	2.0		157.5	0.2	
조립용 콘크리트 벽판	단열성	0.1	0.2	0.3	2.0	2.0		3150.0	1.0	
	내화성	0.1	0.4		2.5	4.0		264.0	20.0	160.0
	콘크리트 강도	0.1	0.1			0.2	0.3			
조립용 콘크리트 바닥판	단열성	0.1	0.2	0.3	2.0	2.0		3150.0	1.0	
	내화성	0.1	0.4		2.5	4.0		264.0	20.0	160.0
	콘크리트 강도	0.1	0.1			0.2	0.3			
조립용 콘크리트 지붕판	단열성	0.1	0.2	0.3	2.0	2.0		3150.0	1.0	
	내화성	0.1	0.4		2.5	4.0		264.0	20.0	160.0
	콘크리트 강도	0.1	0.1			0.2	0.3			
경량기포 콘크리트 패널 (ALC패널)	ALC/절건밀도	0.1	0.1				0.2			
	ALC/압축강도	0.1	0.2			0.3	0.4	40.0		
	ALC/길이변화율	0.1	0.2			0.5	0.5	37.0	0.2	
	방청제/방청성능	0.1	0.1			0.1		0.4	0.2	

다. 철강구조물공사

종별	시험종목	인력(시간)						공공요금		
		시험관리		시험				전기	상수도	가스
		특급	중급	특급	고급	중급	초급	Kwh	m³	m³
일반 구조용 압연강재	겉모양, 치수, 무게	0.1					0.1	0.1		
	화학성분	0.1	0.2			0.2	0.3	3.7		
	항복점 또는 항복강도	0.1	0.1			0.2	0.1	5.4		
	인장강도	0.1	0.1			0.2	0.1	5.9		
	연신율	0.1	0.1			0.2	0.1	7.2		
	굽힘성	0.1	0.1			0.2	0.1	4.5		
용접구조용 압연강재	겉모양, 치수, 무게	0.1					0.1	0.1		
	화학성분	0.1	0.2			0.2	0.3	3.7		
	탄소당량 또는 용접 균열감수성	0.1	0.4		0.5		0.5	10.6		
	항복점 또는 항복강도	0.1	0.1			0.2	0.1	5.4		
	인장강도	0.1	0.1			0.2	0.1	5.9		
	연신율	0.1	0.1			0.2	0.1	7.2		
	샤르피 흡수에너지	0.1	0.4		0.5			1.1		
용접구조용 내후성 열간압연 강재	겉모양, 치수, 무게	0.1					0.1	0.1		
	화학성분	0.1	0.2			0.2	0.3	3.7		
	탄소당량 또는 용접 균열감수성	0.1	0.4		0.5		0.5	10.6		
	항복점 또는 항복강도	0.1	0.1			0.2	0.1	5.4		
	인장강도	0.1	0.1			0.2	0.1	5.9		
	연신율	0.1	0.1			0.2	0.1	7.2		
	샤르피 흡수에너지	0.1	0.4		0.5			1.1		
일반구조용 경량 형강	겉모양, 치수, 무게	0.1					0.1	0.1		
	화학성분	0.1	0.2			0.2	0.3	3.7		
	항복점	0.1	0.1			0.2	0.1	10.0		
	인장강도	0.1	0.1			0.2	0.1	5.9		
	연신	0.1	0.1			0.2	0.1	7.2		

종별	시험종목	인력(시간) 시험관리 특급	시험관리 중급	시험 특급	시험 고급	시험 중급	시험 초급	공공요금 전기 Kwh	상수도 m³	가스 m³
열간 압연 연강판 및 강대	겉모양, 치수, 무게	0.1					0.1	0.1		
열간 압연 연강판 및 강대	화학성분	0.1	0.2			0.2	0.3	3.3		0.5
열간 압연 연강판 및 강대	인장강도	0.1	0.1			0.2	0.1	3.9		
열간 압연 연강판 및 강대	연신율	0.1	0.1			0.2	0.1	5.2		
열간 압연 연강판 및 강대	굽힘성	0.1	0.1			0.2	0.1	4.3		
일반구조용 용접 경량 H형강	겉모양, 치수	0.1					0.1	6.1		
일반구조용 용접 경량 H형강	화학성분	0.1	0.2			0.2	0.3	3.3		0.5
일반구조용 용접 경량 H형강	인장강도	0.1	0.1			0.2	0.1	4.4		
일반구조용 용접 경량 H형강	항복점	0.1	0.1			0.2	0.1	5.2		
일반구조용 용접 경량 H형강	연신율	0.1	0.1			0.2	0.1	5.2		
일반 구조용 탄소강관	겉모양, 치수, 무게	0.1					0.1	0.1		
일반 구조용 탄소강관	화학성분	0.1	0.2			0.2	0.3	3.3		0.5
일반 구조용 탄소강관	인장강도	0.1	0.1			0.2	0.1	4.4		
일반 구조용 탄소강관	항복점 또는 항복강도	0.1	0.1			0.2	0.1	5.9		
일반 구조용 탄소강관	연신율	0.1	0.1			0.2	0.1	5.2		
일반 구조용 탄소강관	굽힘성	0.1	0.1			0.2	0.1	4.5		
일반 구조용 탄소강관	편평성	0.1	0.1				0.2	4.6		
일반 구조용 탄소강관	용접부 인장강도	0.1	0.2			0.8	0.8	4.4		
일반구조용 각형강관	겉모양, 치수, 무게	0.1					0.1	0.1		
일반구조용 각형강관	화학성분	0.1	0.2			0.2	0.3	3.3		0.5
일반구조용 각형강관	인장강도	0.1	0.1			0.2	0.1	4.4		
일반구조용 각형강관	항복점 또는 항복강도	0.1	0.1			0.2	0.1	5.9		
일반구조용 각형강관	연신율	0.1	0.1			0.2	0.1	5.2		
일반구조용 각형강관	굽힘성	0.1	0.1			0.2	0.1	4.3		

종별	시험종목	인력(시간) 시험관리 특급	시험관리 중급	시험 특급	시험 고급	시험 중급	시험 초급	공공요금 전기 Kwh	상수도 m³	가스 m³
건축구조용 탄소강관	겉모양, 치수, 무게	0.1					0.1	0.1		
건축구조용 탄소강관	화학성분	0.1	0.2			0.2	0.3	4.1		0.5
건축구조용 탄소강관	탄소당량 또는 용접 균열감수성	0.1	0.4		0.5		0.5	2.5		
건축구조용 탄소강관	인장강도	0.1	0.1			0.2	0.1	5.6		
건축구조용 탄소강관	항복점 또는 내력	0.1	0.1			0.2	0.1	8.5		
건축구조용 탄소강관	항복비	0.1	0.2			0.8	0.8	5.0		
건축구조용 탄소강관	연신율	0.1	0.1			0.2	0.1	7.5		
건축구조용 탄소강관	편평성	0.1	0.1				0.2	5.6		
건축구조용 탄소강관	샤르피 흡수에너지	0.1	0.4		0.5			3.2		
건축구조용 탄소강관	용접부 인장강도	0.1	0.2			0.8	0.8	5.6		
건축구조용 압연강재	겉모양, 모양, 치수, 무게	0.1					0.1	0.1		
건축구조용 압연강재	화학성분	0.1	0.2			0.2	0.3	4.1		0.5
건축구조용 압연강재	탄소당량 또는 용접 균열감수성	0.1	0.4		0.5		0.5	6.3		
건축구조용 압연강재	항복점 내력	0.1	0.1			0.2	0.1	7.5		
건축구조용 압연강재	인장강도	0.1	0.1			0.2	0.1	5.6		
건축구조용 압연강재	항복비	0.1	0.2			0.8	0.8	3.0		
건축구조용 압연강재	연신율	0.1	0.1			0.2	0.1	7.5		
건축구조용 압연강재	샤르피 흡수에너지	0.1	0.4		0.5			1.2		
건축구조용 압연강재	두께 방향 특성	0.1	0.2			0.6		2.5		
건축구조용 압연강재	초음파 탐상	0.1	0.4			2.3	2.5	12.0		
고내후성 압연강재	겉모양, 치수, 무게	0.1					0.1	0.1		
고내후성 압연강재	화학성분	0.1	0.2			0.2	0.3	3.3		0.5
고내후성 압연강재	인장시험	0.1	0.1			0.2	0.1	3.9		
고내후성 압연강재	굽힘성	0.1	0.1			0.2	0.1	3.7		

종별	시험종목	인력(시간) 시험관리 특급	시험관리 중급	시험 특급	시험 고급	시험 중급	시험 초급	공공요금 전기 Kwh	상수도 m³	가스 m³
조립용 형강	겉모양, 치수	0.1					0.1			
	화학성분	0.1	0.2			0.2	0.3	6.5		
	인장강도	0.1	0.1			0.2	0.1	7.6		
	항복점	0.1	0.1			0.2	0.1	10.5		
	0.2% 항복강도	0.1	0.2			0.8	0.8	9.0		
	연신율	0.1	0.1			0.2	0.1	10.5		
건축구조용 표면처리 경량형강	겉모양, 치수, 무게	0.1					0.1	4.6		
	화학성분	0.1	0.2			0.2	0.3	5.1		
	항복점	0.1	0.1			0.2	0.1	6.3		
	인장강도	0.1	0.1			0.2	0.1	4.8		
	연신율	0.1	0.1			0.2	0.1	6.3		
	도금의 부착량	0.1	0.4			1.0	1.0	2.7	0.1	
구조용 고장력 탄소강 및 저합금강 주강품	겉모양, 치수	0.1					0.1			
	화학성분	0.1	0.2			0.2	0.3	5.2		
	항복점 또는 내구력	0.1	0.1			0.2	0.1	12.0		
	인장강도	0.1	0.1			0.2	0.1	7.0		
	연신율	0.1	0.1			0.2	0.1	12.0		
	단면수축률	0.1	0.2			0.5	0.5	2.3		
	경도	0.1	0.2			0.6	0.6	0.6		
마찰접합용 고장력 6각볼트, 6각너트, 평와셔의 세트	겉모양, 치수	0.1					0.1	1.0		
	나사	0.1	0.1				0.1			
	볼트시험편/항복강도	0.1	0.1			0.2	0.1	12.0		
	볼트시험편/인장강도	0.1	0.1			0.2	0.1	12.0		
	볼트시험편/연신율	0.1	0.1			0.2	0.1	12.0		
	볼트시험편/단면 수축률	0.1	0.2			0.5	0.5	5.0		
	볼트제품/최소인장하중	0.1	0.2			0.7	0.7	10.0		
	볼트제품/경도	0.1	0.2			0.6	0.6	4.0		
	너트/경도	0.1	0.2			0.6	0.6	4.0		
	너트/보증하중	0.1	0.1				0.1	9.9		
	와셔/경도	0.1	0.2			0.6	0.6	4.0		
	세트/토크계수값	0.1	0.2			0.4	0.3	1.0		

종별	시험종목	인력(시간) 시험관리 특급	시험관리 중급	시험 특급	시험 고급	시험 중급	시험 초급	공공요금 전기 Kwh	상수도 m³	가스 m³
구조물용 토크-전단형 고장력 볼트, 6각너트, 평와셔의 세트	겉모양, 치수	0.1					0.1	1.0		
	나사	0.1	0.1				0.1			
	볼트시험편/항복강도	0.1	0.1			0.2	0.1	12.0		
	볼트시험편/인장강도	0.1	0.1			0.2	0.1	12.0		
	볼트시험편/연신율	0.1	0.1			0.2	0.1	12.0		
	볼트시험편/단면 수축률	0.1	0.2			0.5	0.5	5.0		
	볼트제품/최소인장하중	0.1	0.2			0.7	0.7	10.0		
	볼트제품/경도	0.1	0.2			0.6	0.6	4.0		
	너트/경도	0.1	0.2			0.6	0.6	4.0		
	너트/보증하중	0.1	0.1				0.1	9.9		
	와셔/경도	0.1	0.2			0.6	0.6	4.0		
	세트/체결축력	0.1	0.2			0.4	0.3	1.0		
강재 파이프 서포트	평누름에 의한 압축하중		0.4			0.5	1.2	7.0		
강관 비계용 부재	비계용강관/인장강도		0.4			0.5	1.2	7.0		
	강관조인트/휨정하중		0.4			0.8	1.6	7.0		
	강관조인트/인장하중		0.4			0.5	1.2	7.0		
	강관조인트/압축강도		0.4			0.5	1.2	7.0		
조립형 비계 및 동바리 부재	수직재/압축강도		0.4			0.5	1.2	7.0		
	수평재/휨강도		0.4			0.5	1.5	7.0		
	가새재/압축강도		0.4			0.2	1.2	7.0		
	트러스/휨하중		0.4			0.8	1.5	7.0		
	연결조인트/압축하중		0.4			0.5	1.2	7.0		
	연결조인트/인장하중		0.4			0.5	1.2	7.0		
복공판	외관상태		0.1				0.1	0.1		
	하중강도		0.4			2.2	2.0	12.0		

라. 기타

종별	시험종목	인력(시간) 시험관리 특급	시험관리 중급	시험 특급	시험 고급	시험 중급	시험 초급	공공요금 전기 Kwh	상수도 m^3	가스 m^3
석재	밀도 및 흡수율	0.1	0.2		0.5	1.0		40.5	0.6	
	압축강도	0.1	0.2	0.1	0.1	0.4	0.1	26.3		
토목섬유 매트	지반보강용/인장강도, 인장변형률	0.1	0.4		0.7			1.0		
	지반보강용/수직 투수계수	0.1	0.4		0.7	0.2			0.3	
	지반보강용/봉합강도	0.1	0.4		0.3			1.0		
	배수용/인장강도	0.1	0.4		0.4			1.0		
	배수용/수직 투수계수	0.1	0.4		0.7	0.2			0.3	
토목섬유 (배수용)	인장강도, 신도	0.1	0.4		0.4			1.0		
	투수계수	0.1	0.4		0.7	0.2			0.3	
	유효구멍크기	0.1	0.4		1.7	1.7		20.0		
	내약품성(액체저항성)	0.1	0.4		0.1			9.0		
토목용 부직포 섬유	겉모양	0.1	0.2		0.3		0.4			
	무게	0.1	0.1				0.1	2.0		
	인장강도 및 신도	0.1	0.4		0.4			2.0		
토목용 부직포 섬유	봉합강도	0.1	0.4		0.3			2.0		
	투수계수	0.1	0.4		0.7	0.2		2.0	6.0	
	두께	0.1	0.1				0.1			
드레인 보드	인장강도 및 신도	0.1	0.4		0.4			30.0		
	배수성능	0.1	0.4		0.7	0.2				
	질량	0.1	0.1				0.1			
	유효구멍크기	0.1	0.4		1.7	1.7		20.0		
	내약품성(액체저항성)	0.1	0.4		0.1					
상수도용 도복장강관	치수, 무게	0.1	0.2			0.5	0.1			
	화학성분	0.1	0.2	0.4		0.1		2.7	1.0	1.0
	인장강도	0.1	0.2			0.4		6.0		

종별	시험종목	인력(시간) 시험관리 특급	시험관리 중급	시험 특급	시험 고급	시험 중급	시험 초급	공공요금 전기 Kwh	상수도 m^3	가스 m^3
상수도용 도복장강관	항복점 또는 항복강도	0.1	0.2			0.1		10.0		
	연신율	0.1	0.2			0.1		10.0		
	편평성	0.1	0.4			1.0	1.2	9.0		
	비파괴 검사특성 또는 수압시험특성	0.1	0.4			1.0	1.5	10.5	4.0	
	도복장 및 그 방법	0.1	0.2		0.2					
수도용 플라스틱 배관	내압시험	0.1	0.4		2.5	2.5	3.0	8.0	3.0	
	용해시험	0.1	0.4		0.3	0.6		1.0	2.8	
	파단점 신장률	0.1	0.2			0.1		10.0		
	종축 복귀성	0.1	0.1				0.1	1.0		
	산화유도시간	0.1	0.2			0.1		10.0		3.0
	용융질량흐름지수	0.1	0.2			0.2		1.2		
수도용 경질폴리염화비닐관	겉모양, 치수	0.1	0.1				0.1			
	경질(VP)/인장항복강도	0.1	0.2			0.1		10.0		
	경질(VP)/내수압성	0.1	0.2		0.2	0.3		9.0	4.0	
	경질(VP)/편평성	0.1	0.2			0.2		13.0		
	경질(VP)/비카트연화온도	0.1	0.1			0.3		3.0	0.5	
	경질(VP)/열간내압크리프성	0.1	0.4		0.2			8.0	3.0	
	경질(VP)/용출성	0.1	0.4		0.5	0.5		8.0	2.8	
	경질(VP)/불투명성	0.1	0.4		0.1	0.3		1.4		
	경질(IWVP)/내수압성	0.1	0.2		0.2	0.3		8.0	3.0	
	경질(IWVP)/비카트 연화온도	0.1	0.1			0.3		3.0	0.5	
	경질(IWVP)/열간내압크리프성	0.1	0.4		0.2			8.0	3.0	
	경질(IWVP)/용출성	0.1	0.4		0.5	0.5		8.0	2.8	
	경질(IWVP)/불투명성	0.1	0.4		0.1	0.3		1.4		
	경질(IWVP)/외부충격내구성	0.1	0.2			0.1	0.2	0.7		
	경질(IWVP)/종축복귀성	0.1	0.1				0.1	1.0		

종별	시험종목	인력(시간)						공공요금		
		시험관리		시험				전기	상수도	가스
		특급	중급	특급	고급	중급	초급	Kwh	m³	m³
수도용 경질폴리염화비닐관	내충격경질(HIVP)/인장항복강도	0.1	0.2			0.1		10.0		
	내충격경질(HIVP)/내수압성	0.1	0.2		0.2	0.3		8.0	3.0	
	내충격경질(HIVP)/내충격성	0.1	0.2			0.1		3.0		
	내충격경질(HIVP)/비카트연화온도	0.1	0.1			0.3		3.0	0.5	
	내충격경질(HIVP)/열간내압크리프성	0.1	0.4		0.2			8.0	3.0	
	내충격경질(HIVP)/용출성	0.1	0.4		0.5	0.5		8.0	2.8	
일반용 경질폴리염화비닐관	겉모양, 치수	0.1	0.1				0.1			
	경질/인장항복강도	0.1	0.2			0.1		10.0		
	경질/내수압성	0.1	0.2		0.2	0.3		8.0	3.0	
	경질/접합부 내수압성	0.1	0.2		0.2			8.0	3.0	
	경질/편평성	0.1	0.2			0.2		13.0		
	경질/침지성	0.1	0.2			0.5	0.5	11.3	0.2	
	경질/비카트연화온도	0.1	0.1			0.3		6.5	0.5	
	경질/정량(납)	0.1	0.2			0.1		7.0	1.0	1.0
	건물내배수용경질/비카트연화온도	0.1	0.1			0.3		6.5	0.5	
	건물내배수용경질/수밀성	0.1	0.4		0.2			8.0	3.0	
	건물내배수용경질/기밀성	0.1	0.4		0.2			8.0	3.0	
	건물내배수용경질/냉열반복유하성	0.1	0.2			0.4	0.5	11.0		
	건물내배수용경질/외부충격내구성(회전법)	0.1	0.2			0.1	0.2	1.2		
	건물내배수용경질/외부충격내구성(계단법)	0.1	0.2			0.1	0.2	2.5		

종별	시험종목	인력(시간)						공공요금		
		시험관리		시험				전기	상수도	가스
		특급	중급	특급	고급	중급	초급	Kwh	m³	m³
일반용 경질폴리염화비닐관	건물내배수용경질/종축복귀성	0.1	0.1				0.1	1.0		
	매설하배수관용경질/비카트연화온도	0.1	0.1			0.3		6.5	0.5	
	매설하배수관용경질/편평밀봉성	0.1	0.2			1.5	1.9	7.0		
	매설하배수관용경질/곡관밀봉성	0.1	0.2			1.5	1.9	9.0		
	매설하배수관용경질/열간내압내크리프성	0.1	0.4		0.2			8.0	3.0	
	매설하배수관용경질/외부충격내구성(회전법)	0.1	0.2			0.1	0.2	1.2		
	매설하배수관용경질/종축복귀성	0.1	0.1				0.1	1.0		
	물수송용경질/비카트연화온도	0.1	0.1			0.3		6.5	0.5	
	물수송용경질/열간내압내크리프성	0.1	0.4		0.2			8.0	3.0	
	물수송용경질/외부충격내구성(회전법)	0.1	0.2			0.1	0.2	1.2		
	물수송용경질/종축복귀성	0.1	0.1				0.1	1.0		
일반용 폴리에틸렌관	치수	0.1	0.2			0.1	0.1			
	인장시험	0.1	0.2			0.3		10.0		
	수압시험	0.1	0.4		0.1	0.1		4.1	3.0	
	침지시험	0.1	0.2			0.5	0.5	12.5	0.2	
	회분시험	0.1	0.2			0.3	0.3	15.0		
철근 콘크리트관	겉모양 및 모양	0.1					0.1			
	치수	0.1	0.1				0.1			
	외압강도	0.1	0.2				0.3	12.0		
	내압강도	0.1	0.2				0.3	12.0		
	수밀성	0.1	0.4		0.2			8.0	3.0	

종별	시험종목	인력(시간)						공공요금		
		시험관리		시험				전기	상수도	가스
		특급	중급	특급	고급	중급	초급	Kwh	m³	m³
원심력 철근 콘크리트관	겉모양 및 모양	0.1					0.1			
	치수	0.1	0.1				0.1			
	외압강도	0.1	0.2				0.3	12.0		
	내압강도	0.1	0.2				0.3	12.0		
	방균성능(방균관)	0.1	0.4			0.7	0.6	8.0		
코어식프리스트레스트 콘크리트관	겉모양 및 모양	0.1					0.1			
	치수	0.1	0.1				0.1			
	내압강도(압력관)	0.1	0.2				0.3	12.0		
	외압강도(압력관)	0.1	0.2				0.3	12.0		
프리스트레스트콘크리트 실린더관	겉모양 및 모양	0.1					0.1			
	치수	0.1	0.1				0.1			
	내압강도	0.1	0.2				0.3	12.0		
하수도용 콘크리트 맨홀 블록	겉모양 및 모양	0.1	0.1				0.1			
	치수	0.1	0.1				0.1			
	연결부위 모양	0.1	0.1				0.1			
	압축강도	0.1	0.1				0.3	12.0		
	맨홀 연직구체의 외압강도	0.1	0.1				0.2	12.0		
	수밀성	0.1	0.4		0.2			8.0	3.0	
상·하수도·전기·통신용 맨홀뚜껑 및 틀	겉모양, 치수, 무게	0.1					0.1	1.0		
	정하중	0.1	0.4		0.5	1.0	1.2	12.0		
	흑연구상화율	0.1	0.4		0.5	1.2	1.0	8.5		
	화학분석	0.1	0.4		0.5	1.1	1.0	7.5	1.0	1.0
수도용 경질 폴리염화비닐 이음관	겉모양, 모양 및 치수	0.1	0.2			0.1	0.1			
	경질(TS)/인장항복강도	0.1	0.2			0.3		5.1		
	경질(TS)/내수압성	0.1	0.4		0.1	0.1		4.1	3.0	
	경질(TS)/편평성	0.1	0.2			0.4		6.9		
	경질(TS)/비카트연화온도	0.1	0.2			0.2		1.9	0.5	

종별	시험종목	인력(시간)						공공요금		
		시험관리		시험				전기	상수도	가스
		특급	중급	특급	고급	중급	초급	Kwh	m³	m³
수도용 경질 폴리염화비닐 이음관	경질(TS)/용출성	0.1	0.4		0.5	0.5		8.0	2.8	
	경질(IWTS)/인장항복강도	0.1	0.2			0.3		5.1		
	경질(IWTS)/내수압성	0.1	0.4		0.1	0.1		4.1	3.0	
	경질(IWTS)/비카트 연화온도	0.1	0.2			0.2		1.9	0.5	
	경질(IWTS)/용출성	0.1	0.4		0.5	0.5		8.0	2.8	
	경질(IWTS)/압착성	0.1	0.1				0.3	12.0		
	경질(IWTS)/ 열간내압크리프성	0.1	0.4		0.2			8.0	3.0	
	경질(IWTS)/열이완성	0.1	0.2			0.3		3.0		
	내충격성경질(HITS)/ 인장항복강도	0.1	0.2			0.3		5.1		
	내충격성경질(HITS)/내수압성	0.1	0.4		0.1	0.1		4.1	3.0	
	내충격성경질(HITS)/편평성	0.1	0.2			0.4		13.0		
	내충격성경질(HITS)/ 비카트연화온도	0.1	0.2			0.2		1.9	0.5	
	내충격성경질(HITS)/용출성	0.1	0.4		0.5	0.5		8.0	2.8	
배수용 경질 염화비닐 이음관	겉모양, 모양 및 치수	0.1	0.2			0.1	0.1	0.3		
	DV/인장항복강도	0.1	0.2			0.3		5.1		
	DV/내수압성	0.1	0.4		0.1	0.1		4.1	3.0	
	DV/편평성	0.1	0.2			0.4		6.9		
	DV/침지성	0.1	0.2			0.5	0.5	11.3	0.2	
	DV/비카트연화온도	0.1	0.2			0.2		6.5	0.5	
	DV/정량(납)	0.1	0.2			0.1		7.0	1.0	1.0
	IDDV/비카트연화온도	0.1	0.2			0.2		6.5	0.5	
	IDDV/수밀성	0.1	0.4		0.2			8.0	3.0	
	IDDV/열이완성	0.1	0.2			0.3		3.0		
상수도용 도복장 강관 이형관	겉모양, 치수	0.1	0.1				0.1			

종별	시험종목	인력(시간)						공공요금		
		시험관리		시험				전기	상수도	가스
		특급	중급	특급	고급	중급	초급	Kwh	m³	m³
수도용 에폭시 수지분체 내외면 코팅강관	겉모양, 모양 및 치수	0.1	0.4			0.3	0.3			
	도막두께	0.1	0.1				0.1			
	핀홀시험	0.1	0.4		0.9	1.1	1.2	9.8		
	굽힘시험	0.1	0.4		0.5	1.0	0.9	11.0		
	편평시험	0.1	0.4		0.5	0.6	0.5	9.0		
	충격시험	0.1	0.4		0.5	0.6	0.5	3.0		
	용출성능	0.1	0.4		1.3	3.5	4.0	10.5	5.6	
수도용 폴리에틸렌 분체라이닝 강관	겉모양, 모양 및 치수	0.1	0.4			0.3	0.3	1.0		
	피막 및 피막 두께	0.1	0.1				0.1			
	핀홀시험	0.1	0.4		0.9	1.1	1.2	9.8		
	당김강도시험	0.1	0.4		0.5	1.1	1.0	5.5		
	굽힘시험	0.1	0.4		0.5	1.0	0.9	11.0		
	편평시험	0.1	0.4		0.5	0.6	0.5	9.0		
	충격시험	0.1	0.4		0.5	0.6	0.5	3.0		
	내식성시험	0.1	0.1				0.4	10.0		
	용출시험	0.1	0.4		1.3	3.5	4.0	13.0	5.6	
발포중심층을 갖는 공압출 염화비닐관	겉모양, 모양, 치수, 색	0.1	0.2			0.1	0.1			
	편평시험	0.1	0.2			0.2		6.7		
	낙추충격	0.1	0.2			0.1		1.6		
	내열성시험	0.1	0.1			0.1	0.1	7.5		
	내전압시험	0.1	0.1				0.2	6.0		
	내연성시험	0.1	0.2			0.4		5.6	0.1	2.0
	마찰계수시험	0.1	0.2			0.4		7.0		
	내약품성시험	0.1	0.2			0.3	0.2	5.0	0.2	
	아세톤침적시험	0.1	0.2			0.6	0.1	6.0	0.2	

종별	시험종목	인력(시간)						공공요금		
		시험관리		시험				전기	상수도	가스
		특급	중급	특급	고급	중급	초급	Kwh	m³	m³
경질폴리염화비닐시트	겉모양, 치수	0.1	0.4	0.1	0.1					
	인장항복응력	0.1	0.4		0.1	0.3		0.9		
	인장 파괴시 변형	0.1	0.4		0.1	0.3		0.9		
	인장탄성률	0.1	0.4		0.1	0.3		0.9		
	노치있는 시험편의 샤르피 충격강도	0.1	0.4		0.1	0.1		1.0		
	비카트 연화온도	0.1	0.4		0.1	0.5		6.5		
	가열치수 변화, 적층성	0.1	0.4		0.2	1.0		6.5		
	전광선 투과율	0.1	0.4		0.1	0.3		0.6		
	내약품성	0.1	0.4		0.1	3.0		8.0		
	노치없는 시험편의 샤르피 충격강도	0.1	0.4		0.2			2.0		
	하중변형온도	0.1	0.4		0.1	0.5		6.5		
	크리프 탄성율	0.1	0.4	0.1	0.3			3.0		
	밀도	0.1	0.4		0.1	0.1		0.4		
	굴곡강도	0.1	0.4		0.1	0.3		0.4		
	볼압입강도	0.1	0.4		0.2			1.0		
	체적저항률	0.1	0.2			0.5		0.5		
수도용 고무	겉모양, 치수	0.1	0.4		0.2					
	경도	0.1	0.1				0.1	0.5		
	인장시험	0.1	0.1				0.1	1.3		
	영구 신장률	0.1	0.1				0.1	1.8		
	노화시험	0.1	0.4		0.3			5.0		
	영구 압축 줄음률	0.1	0.1		0.1	0.2		0.8		
	용해시험	0.1	0.4		0.6			15.0	2.0	1.0
	유리황 분석	0.1	0.4	0.2	3.2			3.0	5.0	

종별	시험종목	인력(시간) 시험관리 특급	시험관리 중급	시험 특급	시험 고급	시험 중급	시험 초급	공공요금 전기 Kwh	상수도 m³	가스 m³
철선	겉모양, 치수, 무게	0.1	0.1			0.2	0.3	0.6		
	굽힘시험(용접철망용)	0.1	0.1			0.1	0.1	4.7		
	비틀림시험	0.1	0.4		0.4	1.0	0.7	6.0		
	인장시험	0.1	0.1		0.2			3.8		
염화비닐 피복철선	겉모양	0.1					0.1			
	인장강도	0.1	0.1		0.2			6.3		
	내후성	0.1	0.4		1.0	2.5	2.5	670.0	15.0	
	감기성	0.1	0.1			0.1	0.1	7.5		
	박리시험	0.1	0.1			0.1	0.1	1.0		
	지름, 최소피막두께	0.1	0.1			0.2	0.2			
회 주철품	겉모양, 치수, 무게	0.1	0.2			0.5		1.0		
	인장강도	0.1	0.1			0.1	0.1	4.8		
	경도	0.1	0.2			0.5	0.3	1.2		
	화학성분	0.1	0.4		0.5			0.6		
구상 흑연 주철품	겉모양, 치수, 무게	0.1	0.2			0.5		1.0		
	인장시험	0.1	0.1			0.1	0.1	4.8		
	충격시험	0.1	0.2			0.5		2.7		
	경도	0.1	0.2			0.5	0.3	0.8		
	흑연구상화율	0.1	0.4		0.4	1.0	1.0	10.5	1.0	
	화학성분	0.1	0.4		0.5			4.5		
연강용 피복아크 용접봉	인장, 충격시험(용착금속)	0.1	0.4		0.7	1.0	1.0	6.6		
	수소량(용착금속)	0.1	0.4		0.6	1.0	1.0	51.0	1.0	
	굽힘시험 (용접이음쇠) / 표면굽힘	0.1	0.4		0.6	1.0	1.0	5.3		
	굽힘시험 (용접이음쇠) / 뒷면굽힘	0.1	0.4		0.6	1.0	1.0	5.3		

종별	시험종목	인력(시간) 시험관리 특급	시험관리 중급	시험 특급	시험 고급	시험 중급	시험 초급	공공요금 전기 Kwh	상수도 m³	가스 m³
체인링크 철망	겉모양, 치수	0.1	0.2			0.3	0.3			
	아연부착량	0.1	0.2			0.4	0.3	2.8		
	알루미늄 부착량	0.1	0.2			0.4	0.3	2.8		
	알루미늄 피복최소두께	0.1	0.1			0.1	0.1	12.0		
	피복의 밀착성	0.1	0.1			0.1	0.1	1.8		
콘크리트구조물 보수용 폴리머시멘트모르타르	몰탈배합	0.1	0.2			2.0				
	시멘트혼화용폴리머 고형분	0.1	0.2			0.2		0.6	0.1	
	휨, 압축, 부착강도	0.1	0.2		0.3	1.5		593.7	0.1	
	내알칼리성	0.1	0.4		0.5	1.5		1567.9	0.1	
	중성화 저항성	0.1	0.4		1.0	1.5		1966.3	0.1	
	투수량	0.1	0.2		0.3	0.4		1051.9	0.1	
	물흡수 계수	0.1	0.4		0.2	0.8		1006.2	0.1	
	습기투과 저항성	0.1	0.4	1.2		2.0		1396.1	0.1	
	염화물 이온 침투 저항성	0.1	0.4	1.5		3.5		1288.0	0.1	
	길이변화율	0.1	0.2		0.5	0.5		1276.2	0.1	
콘크리트 구조물 보수용 에폭시수지 모르타르	겉모양	0.1	0.2			0.5				
	작업가능시간	0.1	0.2			1.8		0.1	0.1	
	휨, 압축, 부착강도	0.1	0.2		0.3	1.5		338.7	0.1	
	투수	0.1	0.2		0.3	0.4		801.9	0.1	
	염화물 이온 침투 저항성	0.1	0.4	1.5		3.5		1038.0	0.1	
	길이변화율	0.1	0.2		0.5	0.5		1026.2	0.1	
콘크리트 구조물 보수용 에폭시 수지	점성/점도	0.1	0.2	1.0		1.5				
	점성/틱소트로픽 인덱스	0.1	0.2	2.0		4.0				
	점성/슬럼프	0.1	0.2	1.0		1.5				
	접착강도	0.1	0.2	1.0		1.6				
	경화수축률/경화수축률	0.1	0.2		0.6	0.7				
	가열변화	0.1	0.2	1.0	3.0	3.0				

종별	시험종목	인력(시간)						공공요금		
		시험관리		시험				전기	상수도	가스
		특급	중급	특급	고급	중급	초급	Kwh	m³	m³
콘크리트 구조물 보수용 에폭시 수지	인장강도	0.1	0.1				0.2			
	인장파괴시 신장률	0.1	0.1				0.1			
	압축강도 (경질형 에폭시수지)	0.1	0.1				0.2			
콘크리트 보호용 도막제	도막형성후의겉모양/촉진내후성시험후	0.1	0.4		2.0	3.0				
	도막형성후의겉모양/내알칼리성시험후	0.1	0.4		0.3	3.0				
	도막형성후의겉모양/내염수성시험후	0.1	0.4		0.3	3.0				
	도막형성후의겉모양/온·냉반복시험후	0.1	0.4		0.3	2.0				
	염화물 이온 침투 저항성	0.1	0.4		2.0	2.0				
	중성화 깊이	0.1	0.2		1.0	1.5				
	투습도	0.1	0.4		1.0	3.0				
	내투수성	0.1	0.4		0.5	1.5				
	부착강도	0.1	0.2		1.0	3.0				
	균열대응성	0.1	0.4		2.5	1.0				
알루미늄 및 알루미늄 합금 압출형재	겉모양 및 치수	0.1	0.2			0.5				
	굽힘시험	0.1	0.2			0.6	0.6	5.0		
	인장강도	0.1	0.2			0.8	0.8	6.3		
	항복강도	0.1	0.2			0.8	0.8	6.3		
	연신율	0.1	0.2			0.8	0.8	6.3		
	경도	0.1	0.4	0.1	0.3			1.0		
	도전율	0.1	0.4		1.0	2.0	2.0	5.0		
알루미늄 및 알루미늄 합금 봉 및 선	치수	0.1	0.2			0.5				
	압축시험(세로)	0.1	0.2			0.8	0.8			
	인장강도	0.1	0.2			0.8	0.8	6.3		
	항복강도	0.1	0.2			0.8	0.8	6.3		
	연신율	0.1	0.2			0.8	0.8	6.3		
	굽힘시험(밀착굽힘)	0.1	0.2			0.6	0.6	3.5		

2. 토목

가. 도로공사

(1) 흙 및 혼합골재

종별	시험종목	인력(시간)						공공요금		
		시험관리		시험				전기	상수도	가스
		특급	중급	특급	고급	중급	초급	Kwh	m³	m³
노체	다짐	0.1	0.4		3.0	4.0		56.9	0.2	
	함수비	0.1	0.1				0.2	28.9	0.2	
	현장밀도	0.1	0.2			1.5	2.0	16.6	0.1	
	평판재하	0.1	0.4		4.0	4.0				
노상	다짐	0.1	0.4		3.0	4.0		51.0	0.2	
	함수비	0.1	0.1				0.2	28.0	0.2	
	현장밀도	0.1	0.2			1.5	2.0	11.7	0.1	
	평판재하	0.1	0.4		4.0	4.0				
	프루프롤링	0.1	0.2		3.0	3.0				
동상방지층 및 보조기층	골재의 0.08 밀리미터 체 통과량	0.1	0.1		0.2	0.2		49.0	0.2	
	골재의 밀도 및 흡수율	0.1	0.2		0.5		0.8	25.0	0.1	
	마모	0.1	0.2		0.3		1.0	45.9	1.6	
	노상토지지력비(CBR)	0.1	0.4		6.5	7.0		60.9	1.2	
	다짐	0.1	0.4		3.0	4.0		36.3	0.2	
	체가름	0.1	0.4	3.4		4.4		9.8	0.1	
	두께	0.1	0.1	0.9		3.8	1.5			
	함수비	0.1	0.1				0.2	28.0	0.2	
	현장밀도	0.1	0.2			1.5	2.0	11.7	0.1	
	평판재하	0.1	0.4		4.0	4.0				
	모래당량시험	0.1	0.4		0.5	2.1		21.5	1.1	
	프루프롤링	0.1	0.2		3.0	3.0				

종별	시험종목	인력(시간)						공공요금		
		시험관리		시험				전기	상수도	가스
		특급	중급	특급	고급	중급	초급	Kwh	m³	m³
시멘트안정처리기층	체가름	0.1	0.4	3.4		4.4		12.8	0.1	
	밀도 및 흡수율/굵은골재	0.1	0.2		0.5		0.8	25.0	0.1	
	밀도 및 흡수율/잔골재	0.1	0.2		0.5		0.8	37.5	0.2	
	안정성	0.1	0.4		1.0	2.0		75.7	1.1	
	마모	0.1	0.2		0.3		1.0	32.3	1.6	
	연석량	0.1	0.2		0.5	0.5		31.1	1.0	
	점토덩어리 함유량	0.1	0.1		0.2	0.2	0.6	36.3	1.3	
	0.08 밀리미터 체 통과량	0.1	0.1		0.2	0.2		43.0	1.2	
	모래당량	0.1	0.4		0.5	2.1		32.0	1.6	
시멘트안정처리기층	배합설계	0.1	0.4	6.0	12.0	15.0		167.4	0.5	
	다짐	0.1	0.4		3.0	4.0		36.3	0.2	
	시멘트 함유량	0.1	0.4		6.0		7.0	52.0		
	압축강도	0.1	0.2		0.2		0.1	12.0		
	함수비	0.1	0.1				0.2	12.0	0.2	
	현장밀도	0.1	0.2			1.5	2.0	10.0	0.1	
입도조정기층	밀도	0.1	0.2		0.5		0.8	30.8	0.2	
	밀도 및 흡수율	0.1	0.2		0.5		0.8	27.5	0.1	
	안정성	0.1	0.4		1.0	2.0		91.3	0.3	
	마모	0.1	0.2		0.3		1.0	48.0	0.1	
입도조정기층	노상토지지력비(CBR)	0.1	0.4		6.5	7.0		60.9	1.2	
	다짐	0.1	0.4		3.0	4.0		36.3	0.2	
	모래당량	0.1	0.4		0.5	2.1		52.5	0.2	
	체가름	0.1	0.4	3.4		4.4		28.4	0.1	
	0.08밀리미터체 통과량	0.1	0.1				0.2	47.0	0.2	
	함수비	0.1	0.1				0.2	28.0	0.2	
	현장밀도	0.1	0.2			1.5	2.0	11.7	0.1	
	평판재하	0.1	0.4		4.0	4.0				
	프루프롤링	0.1	0.2		3.0	3.0				

(2) 아스팔트 포장

종별	시험종목	인력(시간)						공공요금		
		시험관리		시험				전기	상수도	가스
		특급	중급	특급	고급	중급	초급	Kwh	m³	m³
아스팔트 혼합물용 골재	부순굵은골재/입도	0.1	0.2		0.5		0.8	17.2	0.1	
	부순굵은골재/절건밀도	0.1	0.2		0.5		0.8	38.1	0.1	
	부순굵은골재/흡수율	0.1	0.1			0.1	0.1	38.1	0.1	
	부순굵은골재/안정성	0.1	0.4		1.0	2.0		75.3	0.2	
	부순굵은골재/편장석률	0.1	0.2		0.5			42.2	0.2	
	부순굵은골재/마모율	0.1	0.2		0.3		1.0	43.8	0.1	
	부순굵은골재/파쇄면비율	0.1	0.1				0.1	30.7	0.4	
	잔골재/입도	0.1	0.2		0.5	0.5	0.5	17.1	0.1	
	잔골재/절건밀도	0.1	0.2		0.5		0.8	29.3	0.1	
	잔골재/흡수율	0.1	0.1			0.1	0.1	26.6	0.1	
	잔골재/안정성	0.1	0.4		1.0	2.0		64.6	0.8	
	잔골재/모래당량	0.1	0.4		0.5	2.1		31.7	1.4	
	잔골재/잔골재 공극률	0.1	0.2		0.3	0.3		30.5	0.1	
아스팔트 콘크리트용 순환골재	구재 아스팔트 함량	0.1	0.4	1.1		1.8	2.0	43.3	4.0	
	씻기시험에서 손실되는 양	0.1	0.2			0.3	0.7	38.5	1.6	
	구재 아스팔트 침입도	0.1	0.4	1.8		6.8	3.0	5.5	1.0	
아스팔트 콘크리트	배합설계	0.1	0.4		22.0	30.0	42.0	20.0	20.0	
	기층용·중간층용/다짐횟수(회)	0.1	0.2			1.0	0.5	2.0		
	기층용·중간층용/안정도	0.1	0.2	0.5		1.7	1.4	15.3	0.3	
	기층용·중간층용/흐름값	0.1	0.2	0.5		1.7	1.4	15.3	0.3	
	기층용·중간층용/변형강도	0.1	0.2		0.8			2.5	0.1	
아스팔트 콘크리트	기층용·중간층용/공극률	0.1	0.2	0.8		1.3	1.7	43.5	0.5	
	기층용·중간층용/포화도	0.1	0.2	0.8		1.3	1.7	35.0	0.7	
	기층용·중간층용/간극율	0.1	0.2	0.8		1.3	1.7	35.0	0.7	
	표층용/다짐횟수	0.1	0.2			1.0	0.5	7.0		
	표층용/안정도	0.1	0.2	0.5		1.7	1.4	15.3	0.3	

종별	시험종목	인력(시간)						공공요금		
		시험관리		시험				전기	상수도	가스
		특급	중급	특급	고급	중급	초급	Kwh	m³	m³
아스팔트 콘크리트	표층용/흐름값	0.1	0.2	0.5		1.7	1.4	15.3	0.3	
	표층용/변형강도	0.1	0.2		0.8			2.5	0.1	
	표층용/공극률	0.1	0.2	0.8		1.3	1.7	43.5	0.5	
	표층용/포화도	0.1	0.2	0.8		1.3	1.7	35.0	0.7	
	표층용/간극율	0.1	0.2	0.8		1.3	1.7	35.0	0.7	
	표층용/인장강도비(TSR)	0.1	0.2	1.8		4.1	2.8	86.7	0.5	
	표층용/동적안정도	0.1	0.4	1.6	3.9	2.0	3.3	47.5		
	기층용 · 중간층용 · 표층용 /간접인장강도	0.1	0.2			1.1	0.5	15.2		
	기층용 · 중간층용 · 표층용 /터프니스	0.1	0.2			0.2	0.3	1.0		
	기층용 · 중간층용 · 표층용 /아스팔트추출후침입도	0.1	0.2			5.0	2.5	9.0		
플랜트	계량기의눈금점검, 자동계량장치점검	0.1	0.4		1.0					
	아스팔트의 온도	0.1	0.4		0.7	1.0		35.0	1.2	
	골재의 온도	0.1	0.2	0.2		0.5	1.0	7.5	1.2	
	골재의 체가름	0.1	0.1			2.0		9.4	1.1	
아스팔트 포장용 채움재	수분함량	0.1	0.1				0.1	50.9	1.0	
	입도	0.1	0.1			0.9		41.2	0.4	
	액성지수	0.1	0.2		0.2			68.9	0.1	
	소성지수	0.1	0.2		0.1			51.5	0.6	
	흐름시험	0.1	0.2			1.0	2.0	68.9	0.4	
	침수팽창	0.1	0.2			0.5	0.7	83.9	0.4	
	박리 저항성	0.1	0.1			0.1	0.2	3.8	0.4	
도로포장용 아스팔트	침입도	0.1	0.2			0.5	0.4	4.7	0.4	
	연화점	0.1	0.2			0.1		8.5	0.7	
	신도	0.1	0.2			0.2	0.2	6.4	0.7	

종별	시험종목	인력(시간)						공공요금		
		시험관리		시험				전기	상수도	가스
		특급	중급	특급	고급	중급	초급	Kwh	m³	m³
도로포장용 아스팔트	톨루엔가용분	0.1	0.4			0.7	0.7	6.6	1.2	
	인화점	0.1	0.2			0.5	0.5	5.1	0.8	
	박막가열/질량 변화율	0.1	0.4			0.2	0.3	14.1	0.6	
	박막가열/침입도 잔류율	0.1	0.2				0.1	24.0	0.8	
	증발/질량 변화율	0.1	0.4			0.2	0.3	18.0	0.6	
	증발/후의 침입도비	0.1	0.2				0.1	24.0	0.8	
	밀도	0.1	0.2			0.5	0.3	6.7	1.1	
컷백 아스팔트	인화점	0.1	0.2			0.5	0.5	19.1	0.8	
	점도	0.1	0.2			0.4	0.5	3.6	0.6	
	증류시험,증류찌끼	0.1	0.2			0.7	0.6	8.3	1.1	
	증류찌끼시험/침입도	0.1	0.2				0.1	5.2	0.7	
	증류찌끼시험/신도	0.1	0.2			0.2	0.2	6.4	0.7	
	증류지끼시험/톨루엔가용분	0.1	0.4			0.7	0.7	6.6	1.2	
블론 아스팔트	침입도	0.1	0.2				0.1	6.8	1.1	
	연화점	0.1	0.2			0.1		7.8	1.1	
	신도	0.1	0.2			0.2	0.2	11.1	0.2	
	증발질량 변화율	0.1	0.4			0.2	0.3	6.1	0.1	
	침입도지수	0.1	0.2				0.1	12.0		
	톨루엔가용분	0.1	0.4			0.7	0.7	8.4	0.3	
	인화점	0.1	0.2			0.5	0.5	8.4	0.3	
유화 아스팔트	앵글러도(점도)	0.1	0.2			0.4	0.5	9.0		
	체잔류분 질량	0.1	0.2			0.3	0.4	21.0		
	부착도	0.1	0.1			0.4	0.4	12.0	0.3	
	골재 피막도	0.1	0.1			2.0	1.0			
	조립도 골재혼합성	0.1	0.1			0.5	0.5			
	밀입도 골재혼합성	0.1	0.1			0.5	0.5			
	흙덩어리 골재 혼합성 질량	0.1	0.1			0.7	0.5			

종별	시험종목	인력(시간)						공공요금		
		시험관리		시험				전기	상수도	가스
		특급	중급	특급	고급	중급	초급	Kwh	m³	m³
유화 아스팔트	시멘트 혼합성 질량	0.1	0.1			0.7	0.5			
	입자의 전하	0.1	0.4			0.1	0.1	68.0	0.3	
	증발잔류분 질량	0.1	0.2			0.8	1.1	21.0		
	증발잔류물/침입도	0.1	0.2				0.1	12.0		
	증발잔류물/신도	0.1	0.2			0.2	0.2	12.0	0.3	
	증발잔류물/톨루엔가용분질량	0.1	0.4			0.7	0.7	12.0		
	저장안정도	0.1	0.2			0.3	0.3	68.0	0.3	
	동결안정도	0.1	0.2			1.5	0.5			
플랜트 혼합물	혼합물온도	0.1	0.1		0.7	1.0		12.0		
	역청함유량	0.1	0.2	1.1		1.8	2.0	79.3	0.5	
	체가름	0.1	0.2	1.1		2.5	2.2	9.3	0.1	
	마샬안정도	0.1	0.2	0.5		1.9	1.3	15.5	0.2	
	피막박리	0.1	0.2		2.1	3.7	3.2	37.2	0.2	
혼합물의 포설	밀도	0.1	0.2		1.6		1.0	60.4	0.1	
	두께	0.1	0.1			1.0	0.1			
	평탄성/종방향	0.1	0.4			1.0				
	평탄성/횡방향	0.1	0.2			0.5				

(3) 기타

종별	시험종목	인력(시간)						공공요금		
		시험관리		시험				전기	상수도	가스
		특급	중급	특급	고급	중급	초급	Kwh	m³	m³
콘크리트 포장	평탄성/종방향	0.1	0.4			1.0				
	평탄성/횡방향	0.1	0.1			0.5				
미끄럼방지 포장용골재	흡수율	0.1	0.1			0.1	0.1	28.7	0.4	
	입도	0.1	0.2		0.5	0.5	0.5	13.4	0.6	
	마모율	0.1	0.2		0.3		1.0	33.6	0.6	
	유해물함유량	0.1	0.4		0.5	0.5		18.0	0.1	
	점토, 점토괴, 연한석편	0.1	0.2			0.1	0.2	31.2	1.1	
미끄럼방지 포장 (수지)	프라이머/밀도(23℃)	0.1	0.2		0.1			0.1		
	프라이머/점도(25℃)	0.1	0.2		1.4			2.0		
	프라이머/VOC 함량	0.1	0.2		2.8			3.0		
	프라이머/가사시간(25℃)	0.1	0.2		0.1					
	레진/밀도(23℃)	0.1	0.2		0.1			0.1		
	레진/점도(25℃)	0.1	0.2		1.4			2.0		
	레진/VOC 함량	0.1	0.2		2.8			3.0		
	레진/건조시간(경화.25℃)	0.1	0.2		0.1					
	레진/가사시간(25℃)	0.1	0.2		0.1					
	레진/인장강도	0.1	0.2		1.0			18.0		
	레진/신율	0.1	0.2		0.3					
	레진/촉진내후성(300시간)	0.1	0.2		3.0			150.0		
	슬러리/흡수율	0.1	0.2		0.2		0.2	12.3	0.1	
	슬러리/마모율(50만회)	0.1	0.2		4.0			2400.0		
	슬러리/미끄럼 저항	0.1	0.2		0.8		0.4		0.1	
	슬러리/건조시간(고화.25℃)	0.1	0.2		0.1					
	슬러리/압축강도(24시간)	0.1	0.2		0.2		0.2	5.6		
	슬러리/접착강도(20℃)	0.1	0.2		4.7	0.4	0.3	31.0	0.5	

종별	시험종목	인력(시간)						공공요금		
		시험관리		시험				전기	상수도	가스
		특급	중급	특급	고급	중급	초급	Kwh	m³	m³
콘크리트 포장용 신축이음 채움재 (줄눈판)	치수, 단위무게	0.1	0.2		0.3			1.0		
	압축력	0.1	0.2			0.1		0.7		
	돌출	0.1	0.2			0.1		0.6		
	돌출의 회복	0.1	0.2			0.1		0.1		
	흡수율	0.1	0.2		0.2	0.2		5.0	0.1	
	아스팔트 함유량	0.1	0.4		0.5	1.5				
포장용 콘크리트 평판	모르타르층평판/모양및치수	0.1	0.2		0.2	0.1				
	모르타르층평판/휨강도 하중	0.1	0.2			0.3	0.4	3.3		
	모르타르층평판/휨강도	0.1	0.2			0.3	0.1	2.5		
	모르타르층평판/흡수율	0.1	0.2			0.2	0.1	42.1	0.1	
	모르타르층평판/투수계수	0.1	0.2		1.5	0.7	1.9		0.6	
	모르타르층평판/표면층 두께	0.1	0.2			0.1				
	인조석층평판/모양및치수	0.1	0.2		0.2	0.1				
	인조석층평판/휨강도 하중	0.1	0.2			0.3	0.4	2.4		
	인조석층평판/휨강도	0.1	0.2			0.3	0.1	4.6		
	인조석층평판/흡수율	0.1	0.2			0.2	0.1	30.2		
	인조석층평판/표면층 두께	0.1	0.2			0.1				
투수성 아스팔트 혼합물	안정도	0.1	0.2	0.5		1.7	1.4	7.6		
	흐름값	0.1	0.2	0.5		1.7	1.4	7.6		
	공극률	0.1	0.2	0.8		1.3	1.7	30.3	0.1	
	투수계수	0.1	0.2		3.0	3.0		1.1	0.6	
보·차도용 콘크리트 인터로킹 블록	보통블록/겉모양 및 치수	0.1	0.1			0.2				
	보통블록/휨강도	0.1	0.2			1.0		3.4	1.0	
	보통블록/흡수율	0.1	0.2			0.7		64.6	0.6	
	보통블록/유색층 두께	0.1	0.1				0.1			

종별	시험종목	인력(시간)						공공요금		
		시험관리		시험				전기	상수도	가스
		특급	중급	특급	고급	중급	초급	Kwh	m³	m³
보·차도용 콘크리트 인터로킹 블록	투수성블록/겉모양 및 치수	0.1	0.1			0.2				
	투수성블록/휨강도	0.1	0.2			1.0		3.7	1.0	
	투수성블록/투수계수	0.1	0.4		1.0	2.0			0.6	
	투수성블록/유색층 두께	0.1	0.1				0.1			
보차도 포장용 판석	겉모양, 모양 및 치수	0.1	0.1			0.2				
	휨강도	0.1	0.2			1.0		10.9		
	흡수율	0.1	0.2			0.7		44.5	0.6	
콘크리트 경계블록 (보차도용)	겉모양, 모양 및 치수	0.1	0.1			0.2				
	휨강도	0.1	0.2			1.0		13.4		
	흡수율	0.1	0.2			0.7		43.2	0.6	
	표면층 두께	0.1	0.1			0.1	0.2			
도로표지용 도료	1종,2종,3종/용기내에서의 상태	0.1	0.1				0.1	0.2	0.1	
	1종,2종,3종/불점착 건조성	0.1	0.1				0.1	0.2	0.1	
	1종,2종,3종/열안정성	0.1	0.2	0.1		0.5		420.0		
	1종,2종,3종/도막의 겉모양	0.1	0.1				0.1	168.1	0.1	
	1종,2종,3종/45도,0도 확산반사율	0.1	0.2			0.1		9.0	0.1	
	1종,2종,3종/은폐율	0.1	0.2			0.1		9.0	0.1	
	1종,2종,3종/블리딩성, 내마모성	0.1	0.1				0.1	0.2	0.1	
	1종,2종,3종/내마모성	0.1	0.2	0.1						
	1종,2종,3종/촉진내후성	0.1	0.2	0.2		0.1		760.0	3.0	
	1종,2종,3종/내수성	0.1	0.2			0.1		24.0	0.5	
	1종,2종,3종/내알칼리성	0.1	0.2			0.1		24.0	0.5	
	1종,2종,3종/냉동안정성	0.1	0.2			0.1		128.0	0.1	
	1종,2종,3종/비휘발분	0.1	0.2			0.1		9.0	0.1	
	1종,2종,3종/안료분	0.1	0.2			0.3		14.0		

종별	시험종목	인력(시간)						공공요금		
		시험관리		시험				전기	상수도	가스
		특급	중급	특급	고급	중급	초급	Kwh	m³	m³
도로표지용 도료	1종,2종,3종/내세척성	0.1	0.2			0.1		5.5	0.1	
	1종,2종,3종/색상	0.1	0.1				0.1	0.2	0.1	
	1종,2종,3종/납,카드뮴	0.1	0.2			0.8		4.0	1.0	
	4종/밀도,연화점	0.1	0.2			0.1		5.5		
	4종/불점착 건조성	0.1	0.1				0.1	0.2	0.1	
	4종/도막의 겉모양	0.1	0.1				0.1	1.1	0.1	
	4종/황색도	0.1	0.2		0.1			0.1		
	4종/45도0도 확산반사율	0.1	0.2			0.1		0.1		
	4종/내마모성,압축강도	0.1	0.2	0.1						
	4종/내알칼리성	0.1	0.2			0.1		0.5		
	4종/비휘발분	0.1	0.2			0.1		0.1		
	4종/촉진내후성	0.1	0.2	0.2		0.1		1.0		1.0
	4종/납,카드뮴	0.1	0.2			0.8		1.0		
	4종/비휘발 전색제분	0.1	0.2		0.1			0.1		
	4종/색상	0.1	0.1				0.1	0.1		
	4종/열안정성	0.1	0.2	0.1		0.5				
	4종/유리알 함유량	0.1	0.2		0.1			0.1		
	4종/유리알 겉모양,모양	0.1	0.2		0.1			0.1		
도로표지 도료용 유리알	밀도,입도	0.1	0.2			1.0				
	겉모양	0.1	0.2			1.0				
	굴절률,내구성	0.1	0.2			1.0				
교량지지용 탄성반침	재료/인장강도	0.1	0.1				0.1			
	재료/파단신장률	0.1	0.1				0.1			
	재료/인열저항	0.1	0.1				0.1			
	재료/영구압축줄음	0.1	0.2			0.2	0.2			
	재료/촉진노화	0.1	0.2			0.5				
	재료/오존저항	0.1	0.2				1.5			
	완제품/오존저항	0.1	0.2				1.5			

종별	시험종목	인력(시간)						공공요금		
		시험관리		시험				전기	상수도	가스
		특급	중급	특급	고급	중급	초급	Kwh	m³	m³
교량지지용 포트반침	고무판/인장강도	0.1	0.1				0.1			
	고무판/신장률	0.1	0.2			0.2				
	고무판/경도	0.1	0.2			0.1				
	고무판/노화후/경도변화	0.1	0.2			0.1				
	고무판/노화후/인장강도변화율	0.1	0.2				0.1			
	고무판/노화후/신장률변화율	0.1	0.2				0.1			
	고무판/압축영구줄음율	0.1	0.2			0.2	0.2			
	고무판/오존균열시험	0.1	0.2			0.1	0.3			
	PTPE판/인장강도	0.1	0.1				0.1			
	PTPE판/신장률	0.1	0.2			0.2				
	PTPE판/밀도	0.1	0.2			0.2				
	완제품/재하시험	0.1	0.2			0.1				
교량용 신축 이음장치	고무/인장시험	0.1	0.1				0.1			
	고무/경도시험	0.1	0.2			0.1				
	고무/인열시험	0.1	0.2	0.1						
	고무/노화시험	0.1	0.2	0.1						
	고무/압축영구줄음율시험	0.1	0.2			0.2	0.2			
	고무/오존균열시험	0.1	0.2			0.1	0.3			
	강재/항복점 또는내력	0.1	0.2	0.1						
	강재/인장강도	0.1	0.1				0.1			
	강재/연신율	0.1	0.2	0.1						
	강재/굽힘성	0.1	0.2	0.1						
PC관	인장 및 압축	0.1	0.2	0.1						
폴리염화비닐지수관	밀도	0.1	0.1				0.2	0.3		
	경도	0.1	0.1				0.2			
	인장강도 및 인장변형	0.1	0.2			0.3	0.2	1.8		
	노화성	0.1	0.2			0.1	1.0	30.3		
	내약품성	0.1	0.2			0.1	2.5	1009.8	0.8	
	유연온도	0.1	0.2			1.0	1.0	1.5		

종별	시험종목	인력(시간)						공공요금		
		시험관리		시험				전기	상수도	가스
		특급	중급	특급	고급	중급	초급	Kwh	m³	m³
이중벽 고밀도 폴리 에틸렌관	겉모양,치수	0.1	0.2			0.1				
	원강성계수	0.1	0.2			0.2		0.3		
	편평시험	0.1	0.2			0.5		0.8		
	연결부 수밀시험	0.1	0.4		2.0	2.0	2.0			
	회분	0.1	0.2			5.0		20.0		
터널용 방수시트	합성고분자계/겉모양,치수	0.1	0.1				0.1			
	합성고분자계/인장성능	0.1	0.2			0.2	0.2	3.1		
	합성고분자계/인열성능	0.1	0.2			0.2	0.3	1.1		
	합성고분자계/온도의존성	0.1	0.2			0.4	0.7	13.0		
	합성고분자계/가열신축성상	0.1	0.2		0.2		0.2	192.5		
	합성고분자계/ 열화처리후의인장성능	0.1	0.2		0.8		1.0	475.0		
터널용 방수시트	합성고분자계/신장시열화성상	0.1	0.2		0.2		0.2	26.0		
	합성고분자계/접합성상	0.1	0.2			0.2	0.5	9.0		
	합성고분자계/접합인장성능 (복합시트경우)	0.1	0.1				0.1	9.0		
	개량아스팔트/겉모양	0.1	0.1				0.1			
	개량아스팔트/치수및 제품의단위면적무게	0.1	0.1				0.1			
	개량아스팔트/인장강도	0.1	0.2			0.2	0.2	104.0		
	개량아스팔트/신장률	0.1	0.2			0.2	0.3			
	개량아스팔트/항장적	0.1	0.2		0.3	0.4				
	개량아스팔트/인열성능	0.1	0.2			0.2	0.3	2.0		
	개량아스팔트/내열성능	0.1	0.2		0.1	0.2		11.0		
	개량아스팔트/내피로성능	0.1	0.2		0.3		0.8	195.0		
	개량아스팔트/치수안정성	0.1	0.2		1.0		1.0	194.0		
	개량아스팔트/접합성능	0.1	0.2			0.2	0.5	2.0		
	개량아스팔트/ 내움푹 패임성능	0.1	0.2		0.1		0.2			
	개량아스팔트/굴곡성능 (무처리,가열후)	0.1	0.2		0.4	0.5		16.0		

종별	시험종목	인력(시간)						공공요금		
		시험관리		시험				전기	상수도	가스
		특급	중급	특급	고급	중급	초급	Kwh	m³	m³
교면용 방수시트	전단접착성능	0.1	0.2		0.2	0.2				
	인장접착강도	0.1	0.2		0.3	0.4		8.0		
	내투수성	0.1	0.4		0.5	1.2				
	내열치수안정성	0.1	0.2		0.4	0.3		206.0		
	저온굴곡성	0.1	0.2		0.5	0.5		17.0		
	접합강도	0.1	0.2			0.1		1.1		
	내피로성	0.1	0.2		0.2	0.3		141.5		
	내균열성	0.1	0.2		0.2			2.0		
	염화이온침투	0.1	0.4		1.5	5.0		22.0	2.0	
	인장성능	0.1	0.2		0.8	0.7		99.0		
	내움푹패임성능	0.1	0.1		0.1	0.1				
	치수	0.1					0.1			
교면용도막 방수재	겉모양	0.1					0.1			
	전단접착성능	0.1	0.2		0.2	0.2		103.0	3.0	
	인장접착강도	0.1	0.2		0.3	0.4		8.0		
	내투수성	0.1	0.4		0.5	1.2		5.0		
	내열치수안정성	0.1	0.2		0.4	0.3		6.5		
	내피로성	0.1	0.2		0.2	0.3		141.5		
	내균열성	0.1	0.2		0.2			2.0		
	작업성	0.1	0.1				0.1			
교면용도막 방수재	불휘발분	0.1	0.1		0.2	0.3		7.5		
	지촉건조시간	0.1	0.1				0.1			
	인장성능	0.1	0.2		0.8	0.7		99.0		
	염화이온침투저항성	0.1	0.4		1.5	5.0		11.5	2.0	
	내움푹패임성능	0.1	0.1		0.1	0.1				

나. 수공구조물공사

종별	시험종목	인력(시간)						공공요금		
		시험관리		시험				전기	상수도	가스
		특급	중급	특급	고급	중급	초급	Kwh	m³	m³
흙댐,용수로, 배수로용 일반성토 및 표토	함수비	0.1	0.1				0.2	33.5		
	다짐	0.1	0.4		3.0	4.0		255.9	0.4	
	현장밀도	0.1	0.2			1.5	2.0	121.9	0.1	
	투수	0.1	0.4		3.0	6.0		80.8	0.6	
축제 성토공	다짐	0.1	0.4		3.0	4.0		53.1	0.2	
	현장밀도 또는 포화도	0.1	0.2			1.5	2.0	18.5	0.1	
	함수비	0.1	0.1				0.2	33.5		
	투수	0.1	0.4		3.0	6.0		80.8	0.6	
흙댐의 중심점토	함수비	0.1	0.1				0.2	33.5		
	다짐	0.1	0.4		3.0	4.0		53.1	0.2	
	현장밀도	0.1	0.2			1.5	2.0	18.5	0.1	
	투수	0.1	0.4		3.0	6.0		80.8	0.6	
호안용블록 (콘크리트및 모르터)	압축강도	0.1	0.2		0.2	0.5		3.7	0.6	
아연도철선 (돌망태포함)	모양,치수	0.1	0.1			0.5		0.1		
	겉모양	0.1	0.1			0.5		0.1		
	아연부착량	0.1	0.2		0.4	1.0		2.7	0.1	
	알루미늄피복두께	0.1	0.2			0.5				

3. 건축

가. 조적공사

종별	시험종목	인력(시간)						공공요금		
		시험관리		시험				전기	상수도	가스
		특급	중급	특급	고급	중급	초급	Kwh	m³	m³
콘크리트 벽돌	겉모양	0.1	0.1				0.2			
	치수	0.1	0.1				0.2			
	기건비중	0.1	0.2		0.2		0.2			
	압축강도	0.1	0.2			0.8		2.9	0.6	
	흡수율	0.1	0.2			1.0		212.0	0.4	
점토벽돌	겉모양	0.1	0.1				0.2			
	치수	0.1	0.1				0.2			
	흡수율	0.1	0.2			1.0		159.1	0.3	
	압축강도	0.1	0.2			0.8		110.2	0.8	
내화점토질 벽돌	모양,치수	0.1	0.1				0.2			
	겉보기기공률,부피비중	0.1	0.1			0.3				
	내화도	0.1	0.2		0.2		0.1			
	압축강도	0.1	0.2			0.8		0.5	0.5	
	잔존선팽창수축률	0.1	0.2		0.2		0.2			
고알루미나 질내화벽돌	모양,치수	0.1	0.1				0.2			
	내화도	0.1	0.2		0.2		0.1			
	겉보기기공률,부피비중	0.1	0.1			0.3				
	압축강도	0.1	0.2			0.8		0.5	0.5	
	잔존선팽창수축률	0.1	0.2		0.2		0.2			
	화학성분	0.1	0.2			0.1		28.6	0.1	
내화단열 벽돌	겉모양	0.1	0.1				0.2			
	부피비중	0.1	0.1			0.3				
	압축강도	0.1	0.2			0.8		0.5	0.5	

종별	시험종목	인력(시간) 시험관리 특급	시험관리 중급	시험 특급	시험 고급	시험 중급	시험 초급	공공요금 전기 Kwh	상수도 m³	가스 m³
연소재벽돌	겉모양및치수	0.1	0.1				0.2			
	압축강도	0.1	0.2			0.8		2.9	0.7	
	흡수율	0.1	0.2			1.0		78.1	0.6	
속빈 콘크리트 블록	겉모양및치수	0.1	0.1			0.2				
	기건비중	0.1	0.2			0.5				
	압축강도	0.1	0.2			0.6		2.9	0.5	
	흡수율	0.1	0.2			0.9		166.6	0.4	
치장 콘크리트 블록	겉모양및치수	0.1	0.1			0.2				
	압축강도	0.1	0.2			0.6		2.9	0.7	
	흡수율	0.1	0.2			0.9		166.6	0.5	
	투수성	0.1	0.1				0.2		0.3	
경량기포 콘크리트 블록	겉모양및치수	0.1	0.1			0.2				
	절건비중	0.1	0.2			0.2	0.2	255.6	0.1	
	압축강도	0.1	0.2			0.6		144.8	0.4	
	단열성시험	0.1	0.2		0.8		1.0			
속빈 유리블록	겉모양및치수	0.1	0.1			0.2				
	비틀림	0.1	0.1				0.1			
	압축강도	0.1	0.2			0.6		216.3	0.4	
	열충격성	0.1	0.2			0.1			0.1	
	알칼리용출량	0.1	0.2			0.1				

나. 방수공사

종별	시험종목	인력(시간) 시험관리 특급	시험관리 중급	시험 특급	시험 고급	시험 중급	시험 초급	공공요금 전기 Kwh	상수도 m³	가스 m³
시멘트계 액체형 방수재	안정성	0.1	0.2		0.2	0.2		252.7	0.4	
	투수비	0.1	0.4		0.5	0.7		464.1	0.3	
	부착강도	0.1	0.2		0.2	0.1		336.2	0.1	
	물흡수계수	0.1	0.4		0.5	0.5		801.7	0.4	
	응결시간	0.1	0.2		0.5	0.6		17.0	0.1	
	압축강도	0.1	0.1		0.1	0.1		675.8	0.1	
건설용 도막방수재	인장성능	0.1	0.1		0.2	0.1		225.7		
	인열성능	0.1	0.1		0.2	0.1		225.4		
	온도의존성	0.1	0.2		0.4	0.4		225.7		
	가열신축성상	0.1	0.2		0.3	1.0		218.6		
	열화처리후인장성능	0.1	0.2		0.3	2.5		1256.7		
	신장시열화성상	0.1	0.2		0.3	0.5		1035.5		
	부착성능	0.1	0.2		0.3	1.7		459.5	8.8	
	내피로성능	0.1	0.4		0.3	1.5		14.9		
	흘러내림저항	0.1	0.2			0.2	0.2			
	고형분	0.1	0.1			0.3		6.3		
폴리우레아 수지도막 방수재	도포작업성,지촉건조시간	0.1	0.1				0.1	1.3		
	겉모양	0.1	0.1				0.1			
	인장성능	0.1	0.1		0.2	0.1		163.0		
	인열성능	0.1	0.1		0.2	0.1		163.0		
	온도의존성	0.1	0.2		0.4	0.4		163.0		
	가열신축성상	0.1	0.2		0.3	1.0		218.6		
	열화처리후인장성능	0.1	0.2		0.3	2.5		1262.7		
	신장시열화성상	0.1	0.2		0.3	0.5		1066.7		
	부착성능	0.1	0.2		0.3	1.7		319.2	17.5	
	내피로성	0.1	0.4		0.3	1.5		14.9		
	고형분	0.1	0.1			0.3		5.0		

종별	시험종목	인력(시간)						공공요금		
		시험관리		시험				전기	상수도	가스
		특급	중급	특급	고급	중급	초급	Kwh	m³	m³
아스팔트 펠트	겉모양,치수및질량	0.1	0.2				0.3			
	제품단위면적질량	0.1	0.1				0.1			
	원지단위면적질량	0.1	0.2		0.1				4.0	4.0
	원지에 대한 아스팔트 침투율	0.1	0.2		0.1			0.1	2.7	3.0
	인장성능	0.1	0.2		0.1	0.1		0.1	2.6	2.0
	굴곡성능	0.1	0.1		0.1		0.1	0.3	2.7	3.0
	아스팔트 침투상황	0.1	0.2		0.1					
	가열감량	0.1	0.2			0.1		5.5	0.8	0.8
아스팔트 루핑	겉모양,치수및질량	0.1	0.2				0.3			
	제품단위면적질량	0.1	0.1				0.1			
	원지단위면적질량	0.1	0.2		0.1				4.0	4.0
	원지에대한아스팔트 침투율	0.1	0.2		0.1				2.7	3.0
	피복물의 단위면적질량	0.1	0.2		0.1				4.0	4.0
	피복물의 회분	0.1	0.2		0.1				0.1	0.3
	인장성능	0.1	0.2		0.1	0.1			2.6	2.0
	굴곡성능	0.1	0.1		0.1		0.1		2.7	3.0
아스팔트 루핑	아스팔트 침투상황	0.1	0.2		0.1					
	내열성능	0.1	0.2		0.2			2.0	2.7	3.0
아스팔트 싱글	겉모양및치수	0.1	0.2				0.3			
	제품단위질량	0.1	0.1				0.1			
	심재단위질량	0.1	0.2		0.2		0.1	1.3	4.0	4.0
	피복물의 단위면적질량	0.1	0.2		0.1			0.3	4.0	4.0
	아스팔트 단위면적질량	0.1	0.1				0.1	0.1	4.0	4.0
	심재에대한아스팔트침투율	0.1	0.2			0.2		0.2	2.7	3.0
	인열성능	0.1	0.2			0.2	0.1	0.1	2.7	3.0
	아스팔트 침투 상황	0.1	0.2		0.1					

종별	시험종목	인력(시간)						공공요금		
		시험관리		시험				전기	상수도	가스
		특급	중급	특급	고급	중급	초급	Kwh	m³	m³
아스팔트 싱글	굴곡성능	0.1	0.1		0.1		0.1	0.5	1.4	3.0
	내열성능	0.1	0.2		0.2			112.9	2.7	3.0
	촉진 내후 성능	0.1	0.2		0.2	0.1	0.3	0.1		
	촉진 내후 성능	0.1	0.2		1.0	0.2	0.1	556.0		
합성 고분자계 방수시트	겉모양,치수	0.1	0.1				0.1			
	인장성능	0.1	0.2			0.2	0.2	9.8		
	인열성능	0.1	0.2			0.2	0.3	7.8		
	온도의존성	0.1	0.2			0.4	0.7	17.3		
	가열신축성상	0.1	0.2		0.2		0.2	265.7		
	열화처리후의인장성능	0.1	0.2		0.8		1.0	706.3		
	신장시의 열화성상	0.1	0.2		0.2		0.2	254.2		
	접합성상	0.1	0.2			0.2	0.5	497.7		
	접합인장성능(복합시트경우)	0.1	0.1				0.1	448.3		
개량 아스팔트 방수시트	겉모양	0.1	0.1				0.1			
	치수 및 제품의 단위 면적 무게	0.1	0.1				0.1			
	인장강도	0.1	0.2			0.2	0.2	459.2		
	신장률	0.1	0.2			0.2	0.3	636.8		
	항장적	0.1	0.2		0.3	0.4		0.2		
	인열성능	0.1	0.2			0.2	0.3	5.2		
	내열성능	0.1	0.2		0.1	0.2		12.7		
	내피로성능	0.1	0.2		0.3		0.8	101.0		
	치수안정성	0.1	0.2		1.0		1.0	385.5		
	접합성능	0.1	0.2			0.2	0.5	146.8		
	내움푹패임성능	0.1	0.2		0.1		0.2			
	굴곡성능(무처리,가열후)	0.1	0.2		0.4	0.5		8.7		

종별	시험종목	인력(시간)						공공요금		
		시험관리		시험				전기	상수도	가스
		특급	중급	특급	고급	중급	초급	Kwh	m³	m³
수팽창성 벤토나이트 방수시트	겉모양및치수	0.1	0.1				0.1			
	단위면적무게	0.1	0.1				0.1			
	낙구충격성	0.1	0.2		0.1	0.2		0.1		
	벤토나이트 혼합물 부피팽창률	0.1	0.1			0.1	0.1		0.6	
	누수(정수압)	0.1	0.2		0.2	0.3			0.8	
	인장강도, 신장률 및 인열강도	0.1	0.2			0.2	0.2	3.2		
자착식형 고무화 아스팔트 방수시트	겉모양및치수	0.1	0.1				0.1			
	인장성능	0.1	0.2			0.2	0.2	9.8		
	인열성능	0.1	0.2			0.2	0.3	7.8		
	온도의존성	0.1	0.2			0.4	0.7	33.8		
	굴곡저항성능	0.1	0.2		0.3		0.2	9.8		
	접합안정성능	0.1	0.2			1.0	1.0	264.9	1.0	
	부착성능	0.1	0.2		0.6			8.0		
	내움폭패임성능	0.1	0.2		0.1		0.2	24.0	1.0	
	내피로성	0.1	0.2		0.3		0.8	271.2		
규산질계 분말형 도포방수재	겉모양	0.1					0.1			
	부착강도	0.1	0.2		0.2	0.1		495.1	0.2	
	내잔갈림성	0.1	0.2		0.3	0.5		516.2	0.2	
	흡수량	0.1	0.2		0.2	0.2		806.7	0.2	
	압축강도	0.1	0.1		0.2	0.1		40.5	0.2	
시멘트혼입 폴리머계 방수재	겉모양	0.1					0.1			
	내잔갈림성	0.1	0.2		0.3	0.5		516.2	0.2	
	흡수량	0.1	0.2		0.2	0.2		515.5	0.2	
	인장강도,신장률	0.1	0.1		0.1	0.1		439.4	0.1	
	내투수성	0.1	0.4		0.3	0.3		808.4	0.5	
	습기투과성	0.1	0.4		0.3	3.0		490.5	0.1	
	내균열성	0.1	0.4		0.5	1.0		707.7		
	내알칼리성	0.1	0.2		0.1	0.1		434.4	0.1	
	부착강도	0.1	0.2		0.2	0.1		1209.7	0.2	

종별	시험종목	인력(시간)						공공요금		
		시험관리		시험				전기	상수도	가스
		특급	중급	특급	고급	중급	초급	Kwh	m³	m³
액상형 흡수방지재	침투깊이	0.1	0.2		0.2	0.2		504.5	0.5	
	내투수성능	0.1	0.2		0.5	1.5		505.5	0.5	
	염화이온침투 저항성능	0.1	0.4		2.0	2.0		506.0	1.5	
	내흡수 성능	0.1	0.2		1.2		0.3	506.0	1.5	
	용출저항성능	0.1	0.2	1.0	4.0			3.0	2.0	
	인화점	0.1	0.2		0.2			1.0	0.5	0.7
콘크리트용 에폭시수지계 방수·방식재	도료/혼합성	0.1	0.2		0.1					
	도료/용기내상태	0.1	0.2		0.1					
	도료/도포작업성	0.1	0.2		0.1					
	도료/경화건조시간	0.1	0.2		0.1					
	도료/고형분	0.1	0.2		0.1					
	도료/에폭시수지성분함량	0.1	0.2		0.1					
	도막/겉모양	0.1	0.2		0.1	0.2				
	도막/저온·고온 반복	0.1	0.2		0.3	0.3		638.5		
	도막/부착강도	0.1	0.2		0.3	0.3		336.1		
	도막/내충격성	0.1	0.2		0.2		0.2	504.1	0.2	
	도막/투수성	0.1	0.2		0.3		0.2	672.0	0.1	
	도막/용출성(탁도,색도,냄새등)	0.1	0.2		7.0			19.0	0.2	
방수공사용 아스팔트	침입도	0.1	0.2			0.5	0.4	5.2	0.3	0.3
	인화점	0.1	0.2			0.5	0.5	5.5	0.3	
	연화점	0.1	0.2			0.1		4.9	0.8	1.8
	증발질량 변화율	0.1	0.4			0.2	0.3	5.5	0.5	
	트리클로로에탄 가용분	0.1	0.4			1.0	0.5	4.7	0.7	1.8
	침입도지수	0.1	0.2				0.1	7.5	1.0	

다. 단열 · 보온공사

종별	시험종목	인력(시간)						공공요금		
		시험관리		시험				전기	상수도	가스
		특급	중급	특급	고급	중급	초급	Kwh	m³	m³
발포 폴리스티렌 단열재	겉모양,치수,밀도	0.1	0.1				0.1			
	굴곡강도	0.1	0.2		0.2	0.3		1.6		
	흡수량	0.1	0.2		0.1	0.1		1.6	0.6	
	연소성	0.1	0.2		0.5	0.3		3.3		0.5
	초기 열전도율	0.1	0.2		0.4	0.4		4.2		
	장기 열전도율	0.1	0.2		12.3			4.2		
	압축강도	0.1	0.2		0.1	0.2		1.6		
발포 폴리에틸렌 보온재	겉모양및치수	0.1	0.2		0.1	0.1				
	인장강도	0.1	0.2			0.4		1.7		
	흡수량	0.1	0.2			0.4		3.0	0.3	
	열전도율	0.1	0.2		0.3	0.3		10.5		
규산칼슘 보온재	겉모양,치수 및 무게	0.1	0.2		0.1					
	밀도	0.1	0.2			0.4	0.1	0.2		
	휨강도	0.1	0.2		0.2	0.3		3.0		
	선수축률	0.1	0.2		0.8			5.0		
	열전도율	0.1	0.2		0.3	0.3		5.0		
인조광섬유 단열재	겉모양,치수,밀도	0.1	0.1				0.1	0.1		
	열간수축온도	0.1	0.2		0.8			5.0		
	입자 함유율(미네랄 울)	0.1	0.2		0.5			5.0		
	열전도율	0.1	0.2		0.5	0.6		10.5		
방수성 펄라이트 보온재	겉모양및치수	0.1	0.2		0.1	0.1				
	밀도	0.1	0.2			0.4	0.1	0.2		
	휨강도	0.1	0.2		0.2	0.3		3.0		
	선수축률	0.1	0.2		0.8			5.0		
	열전도율	0.1	0.2		0.3	0.3		5.0		

종별	시험종목	인력(시간)						공공요금		
		시험관리		시험				전기	상수도	가스
		특급	중급	특급	고급	중급	초급	Kwh	m³	m³
경질 폴리우레탄 폼단열재	겉모양및치수	0.1	0.1				0.1			
	흡수량	0.1	0.2		0.1	0.1		3.0	0.3	
	투습계수	0.1	0.2		3.0	1.0		103.0		
	녹	0.1	0.2		4.0			6.0	1.0	
	겉보기밀도	0.1	0.1			0.1	0.1	0.2		
	열전도율	0.1	0.2		0.5	0.6		10.5		
	굴곡강도	0.1	0.2		0.2	0.3		1.7		
	압축강도	0.1	0.2		0.1	0.2		1.7		
	연소성	0.1	0.2		0.5	0.3		3.0		0.5
단열 모르타르	열전도율	0.1	0.2		0.5		0.5	3.0		
	부착강도	0.1	0.2		0.5	0.5		1.7		
	길이변화율	0.1	0.2		0.4	0.3		84.0	0.4	

라. 유리공사

종별	시험종목	인력(시간)						공공요금		
		시험관리		시험				전기	상수도	가스
		특급	중급	특급	고급	중급	초급	Kwh	m³	m³
강화유리	겉모양 및 치수	0.1	0.1				0.1			
	만곡	0.1	0.1				0.1			
	낙구충격파괴강도	0.1	0.2			0.5				
	파쇄시험	0.1	0.2				0.2			
	쇼트백 충격 특성	0.1	0.2			1.0		1.5		
	내광성,내마모성,내산성	0.1	0.2			1.0				
	내알칼리성	0.1	0.2			1.0				
복층유리	겉모양 및 치수	0.1	0.1				0.1			
	이슬점	0.1	0.2				0.4			
	봉착의 가속 내구성	0.1	0.2				1.0			
	광학박막 성능의 가속 내구성	0.1	0.2				1.0			
	열 관류저항(단열성)	0.1	0.1				0.1	1.0		
	태양열 제거율(차폐성)	0.1	0.2	2.5		3.0	3.5			
망판유리	겉모양 및 치수	0.1	0.1				0.1			
접합유리	평면접합유리/겉모양및치수	0.1	0.1				0.1			
	평면접합유리/만곡	0.1	0.1				0.1	2.0		
	평면접합유리/내열성	0.1	0.2				0.3	2.0		
	평면접합유리/낙구충격시험	0.1	0.2			0.5				
	평면접합유리/쇼트백 충격 특성	0.1	0.2			1.0		1.5		
	평면접합유리/내광성	0.1	0.2			1.0		500.0		
	곡면접합유리/겉모양	0.1	0.1				0.1			
	곡면접합유리/내열성	0.1	0.2				0.3	2.0		
	곡면접합유리/쇼트백충격특성	0.1	0.2			1.0		1.5		
	곡면접합유리/내광성	0.1	0.2			1.0				

종별	시험종목	인력(시간)						공공요금		
		시험관리		시험				전기	상수도	가스
		특급	중급	특급	고급	중급	초급	Kwh	m³	m³
열선흡수판유리	플로트판유리,마판유리/겉모양,치수	0.1	0.1				0.1			
	플로트판유리,마판유리/기포,이물질	0.1	0.2				0.3			
	플로트판유리,마판유리/점상결점밀집도	0.1	0.1				0.1			
	플로트판유리,마판유리/선상대상 결점	0.1	0.1				0.1			
	플로트판유리,마판유리/흠,파상,잔금	0.1	0.2			0.2	0.3			
	플로트판유리,마판유리/절단면결점	0.1	0.1				0.1			
	태양열취득율(5mm)	0.1	0.2	2.0		3.5	4.0			
	망판유리선판유리/겉모양 및 치수	0.1	0.1				0.1			
열선반사유리	겉모양및치수	0.1	0.1				0.1			
	내광성,내산성	0.1	0.2			1.0				
	내마모성,내알칼리성	0.1	0.2			1.0				
	태양열 차폐성	0.1	0.2	2.5		3.0	3.5			
배강도유리	겉모양및치수	0.1	0.1				0.1			
	휨	0.1	0.1				0.1			
	표면압축응력	0.1	0.2				1.0			

마. 창호공사

종별	시험종목	인력(시간)						공공요금		
		시험관리		시험				전기	상수도	가스
		특급	중급	특급	고급	중급	초급	Kwh	m³	m³
창호목재 틀재	겉모양및치수	0.1	0.2		0.5					
	휨강도	0.1	0.2		0.1	0.1		4.6		
	함수율	0.1	0.2			0.3		1.0		
문세트	치수	0.1					0.1			
	비틀림강도	0.1	0.2		0.1		0.1	496.8		
	연직하중강도	0.1	0.2		0.1		0.1	496.8		
	개폐력	0.1	0.2		0.3		0.3			
	개폐반복성	0.1	0.2	1.3	0.8	0.8		425.0		
	내충격성	0.1	0.2		0.3	0.1	0.2			
	내풍압성	0.1	0.2	5.5	2.4	4.5	2.5	499.8		
	기밀성	0.1	0.2	5.5	2.4	4.5	2.5	499.8		
	수밀성	0.1	0.2	5.5	2.4	4.5	2.5	499.8		
	방음성	0.1	0.2	5.5	2.4	4.5	2.5	25.0		
	단열성	0.1	0.2	4.0	3.0		0.5	767.0		
	내화성	0.1	0.2	4.0	2.9		0.6	451.0		
	차연성	0.1	0.2	0.9	2.0		0.6	451.0		
창세트	치수	0.1					0.1			
	개폐력	0.1	0.2		0.3		0.3			
	개폐반복성/스윙창세트	0.1	0.2	1.3	0.8	0.8		452.0		
	개폐반복성/슬라이딩창세트	0.1	0.2	1.3	0.8	0.8		452.0		
	내풍압성	0.1	0.2	5.5	2.4	4.5	2.5	499.8		
	기밀성	0.1	0.2	5.5	2.4	4.5	2.5	499.8		
	수밀성	0.1	0.2	5.5	2.4	4.5	2.5	499.8		
	손잡이대강도(슬라이딩창세트)	0.1	0.2		0.3		0.3			
	방음성	0.1	0.2	5.5	2.4	4.5	2.5	25.0		
	단열성	0.1	0.2	4.0	3.0		0.5	767.0		
	함수율	0.1	0.1				0.2	1.0		

종별	시험종목	인력(시간)						공공요금		
		시험관리		시험				전기	상수도	가스
		특급	중급	특급	고급	중급	초급	Kwh	m³	m³
합성수지 창호형형재	겉모양,치수및질량	0.1	0.2		0.2					
	저온추낙하강도	0.1	0.2		0.3					
	가열변형	0.1	0.2		0.6					
	가열신축성	0.1	0.2		0.2					
	냉열반복	0.1	0.2		0.1					
	색차	0.1	0.1				0.2			
	경도	0.1	0.1				0.1			
	인장강도및신장률	0.1	0.2		0.3					
	굴곡탄성률	0.1	0.2		0.1					
합성수지 창호형형재	충격강도	0.1	0.2		0.9					
	비카연화연도	0.1	0.1		0.2					
	내연소성(흰색형재)	0.1	0.2		0.3					
	내후성/샤르피충격강도	0.1	0.2		0.4					
	내후성/변퇴색	0.1	0.2		1.3					
경첩	겉모양	0.1	0.1				0.1			
	인장내구성	0.1	0.2		0.2	0.2	0.1	95.0		
	내구성	0.1	0.2		0.3	0.4	0.1	199.8		

바. 마감공사(지붕 · 목공사 포함)

종별	시험종목	인력(시간)						공공요금		
		시험관리		시험				전기	상수도	가스
		특급	중급	특급	고급	중급	초급	Kwh	m³	m³
보통합판	겉모양및치수	0.1	0.1		0.3	0.2	0.1			
	접착력/인장전단	0.1	0.1	2.0	0.8	0.6	0.4	45.4	0.3	
	접착력/침지박리	0.1	0.1		0.6	0.4	0.2	20.0	0.1	
	함수율	0.1	0.1	0.3	0.5	0.5		8.6	0.1	
	밀도	0.1	0.1		0.3	0.1	0.1	4.8	0.1	
	흡습성	0.1	0.2	0.5				20.0	0.1	
	난연성	0.1	0.2	6.0				19.0		15.0
	폼알데하이드 방산량	0.1	0.2		1.5	1.0	0.5	8.0	0.1	
구조용 집성재	겉모양및치수	0.1	0.2	0.3						
	접착강도	0.1	0.2	0.5				8.0	0.1	
	휨성능	0.1	0.1				0.2	4.1		
	인장성능	0.1	0.2	1.4	0.4		0.4	6.0		
	함수율	0.1	0.2			0.1	0.2	8.6	0.1	
플로어링 보드	겉모양및치수	0.1	0.2			0.3				
	함수율	0.1	0.2			0.1	0.2	8.6	0.1	
	휨강도	0.1	0.2	0.3	0.3	0.4		8.0		
	방부처리/침윤도	0.1	0.2	0.5						
	방부처리/흡수량	0.1	0.2	2.0						
천연무늬목 치장마루판	겉모양,치수및직각도	0.1	0.1			0.1	0.1			
	습열성	0.1	0.1	0.1		0.3	0.1	2.2	0.5	
	내한성	0.1	0.1	0.3		0.3	0.1	11.3	0.5	
	내열성능	0.1	0.1	0.2		0.5	0.1	13.1	0.5	
	내오염성	0.1	0.1			0.2	0.1			
	내산성	0.1	0.1	0.1		0.4	0.1		6.0	
	내알칼리성	0.1	0.1	0.1		0.3	0.1		6.0	
	내시너성	0.1	0.1	0.1		0.5	0.1		6.0	
천연무늬목 치장마루판	내마모성,내알칼리성	0.1	0.2	0.7	0.5	0.4	0.2	4.5	1.0	
	내변퇴색성	0.1	0.2		1.0	0.5		110.5		
	도막 밀착력(테이프시험)	0.1	0.1	0.1	0.1			312.0		
	접착성	0.1	0.2	1.0	0.1	0.2	0.5	4.9	0.1	
	함수율	0.1	0.1	0.1	0.2	0.2	0.1	29.7	0.1	
천연무늬목 치장마루판	흡수두께팽창률	0.1	0.1	0.3		0.1		7.2	0.6	
	치수변화율	0.1	0.2	2.0		0.1	0.2	67.1	0.4	
	휨강도,습윤시휨강도	0.1	0.1	0.2	0.2	0.2	0.1	10.7	0.1	
	평면인장강도	0.1	0.1		0.1	0.2		5.7		
	실내공기오염물질 방출량	0.1	0.4		5.0	3.0	2.5	10.0	0.1	
섬유판	연질판/겉모양,치수,직각도	0.1	0.1	0.1	0.2	0.1	0.1			
	연질판/밀도	0.1	0.1		0.1	0.1	0.1	0.1		
	연질판/함수율	0.1	0.1		0.4		0.2	8.6	0.1	
	연질판/휨강도	0.1	0.1		0.2	0.1		6.0		
	연질판/흡수두께팽창률	0.1	0.1		0.1	0.2	0.2	4.0	0.6	
	연질판/단열성(열저항)	0.1	0.2	0.5				17.9		
	연질판/난연성	0.1	0.2	6.0				19.0		15.0
	중밀도판/겉모양,치수,직각도	0.1	0.1	0.1	0.2	0.1	0.1	1.0		
	중밀도판/밀도,함수율	0.1	0.1		0.1	0.1	0.1	1.1		
	중밀도판/휨강도	0.1	0.1		0.2	0.1		2.5		
	중밀도판/습윤시 휨강도	0.1	0.1	0.2	0.1	0.2	0.1	6.4		
	중밀도판/흡수두께팽창률	0.1	0.1		0.1	0.2	0.2	4.0	1.0	
	중밀도판/박리강도	0.1	0.1	0.5			0.2	3.5		
	중밀도판/나사못유지력	0.1	0.1	0.4	0.4			2.5		
	중밀도판/폼알데하이드방산량	0.1	0.2		1.5	1.0	0.5	65.0		
	중밀도판/난연성	0.1	0.2	6.0				19.0		15.0
	경질판/겉모양,치수,직각도	0.1	0.1	0.1	0.2	0.1	0.1	1.0		

종별	시험종목	인력(시간)						공공요금		
		시험관리		시험				전기	상수도	가스
		특급	중급	특급	고급	중급	초급	Kwh	m³	m³
섬유판	경질판/밀도,함수율	0.1	0.1		0.4		0.2	1.1		
	경질판/휨파괴하중	0.1	0.1	0.2	0.1	0.2	0.1	1.0		
	경질판/휨강도,흡수율	0.1	0.1	0.3	0.2	0.3	0.1	3.5	1.0	
	경질판/흡수길이변화율	0.1	0.2	0.1		0.1	0.2	7.0	0.5	
	경질판/못 역인발 저항	0.1	0.2	1.3	0.8		0.8	4.0		
	경질판/평면인장강도	0.1	0.1		0.1	0.2	0.1	2.5		
	경질판/내충격성	0.1	0.1		0.3	0.5	0.2	3.0		
	경질판/내산성,내알칼리성	0.1	0.2	0.1		0.3	0.2	2.0		
	경질판/내오염성	0.1	0.1			0.2	0.1	2.0		
	경질판/내변퇴색성	0.1	0.1	0.2	1.0	0.5	0.2	31.8		
	경질판/내긁힘성	0.1	0.1			1.0	0.4	3.0		
	경질판/도막부착성	0.1	0.2			1.0	0.2	3.0		
	경질판/내세척성	0.1	0.2				0.4	3.0		
	경질판/내후성	0.1	0.2				3.0	286.0		
	경질판/난연성	0.1	0.2	6.0				19.0		15.0
파티클 보드	바탕,단판붙임/겉모양,치수,직각도	0.1	0.1	0.1	0.2	0.1	0.1	1.0		
	바탕,단판붙임/밀도	0.1	0.1		0.1	0.1	0.1	1.1		
	바탕,단판붙임/함수율	0.1	0.1		0.4		0.2	1.1		
	바탕,단판붙임/휨강도	0.1	0.1	0.3	0.3			2.5		
	바탕,단판붙임/습윤시휨강도	0.1	0.1	0.2	0.1	0.2	0.1	6.4		
	바탕,단판붙임/흡수두께팽창률	0.1	0.1		0.1	0.2	0.2	4.0	1.0	
	바탕,단판붙임/박리강도	0.1	0.1		0.3		0.5	3.5		
	바탕,단판붙임/나사못유지력	0.1	0.1	0.4		0.5		2.5		
	바탕,단판붙임/폼알데하이드방산량	0.1	0.2		1.5	1.0	0.5	65.0		
	바탕,단판붙임/난연성	0.1	0.2	3.0		1.0		19.0		15.0
	바탕,단판붙임/단열성(열저항)	0.1	0.2		1.0	5.3		200.0	2.0	

종별	시험종목	인력(시간)						공공요금		
		시험관리		시험				전기	상수도	가스
		특급	중급	특급	고급	중급	초급	Kwh	m³	m³
파티클 보드	치장/겉모양,치수,직각도	0.1	0.1	0.1	0.2	0.1	0.1	1.0		
	치장/밀도	0.1	0.1		0.1	0.1	0.1	1.0		
	치장/함수율	0.1	0.1		0.4		0.2	1.1	1.6	
	치장/휨강도	0.1	0.1	0.3	0.3			2.5		
	치장/습윤시휨강도	0.1	0.1	0.2	0.1	0.2	0.1	6.4		
	치장/흡수두께팽창률	0.1	0.1		0.1	0.2	0.2	4.0	1.0	
	치장/박리강도	0.1	0.1		0.3		0.5	3.5		
	치장/나사못유지력	0.1	0.1	0.4		0.5		2.5		
	치장/폼알데하이드방산량	0.1	0.2		1.5	1.0	0.5	5.0	1.0	
	치장/평면인장강도	0.1	0.1		0.1	0.2	0.1	4.5		
	치장/내충격성	0.1	0.1			0.1	0.2	5.0		
	치장/내산성	0.1	0.1			0.1	0.1	5.0	1.0	
	치장/내알칼리성	0.1	0.1			0.1	0.1	5.0	1.0	
	치장/내오염성	0.1	0.1			0.1	0.2	5.0	1.0	
	치장/내변퇴색성	0.1	0.1	0.2	1.0	0.5	0.2	7.3	1.0	
	치장/내긁힘성	0.1	0.1			0.4		7.3		
	치장/난연성	0.1	0.2	3.0		1.0		15.0		
	치장/단열성(열저항)	0.1	0.2		1.0	5.3		3.0		
석고보드	석고보드/겉모양,치수	0.1	0.1				0.1			
	석고보드/함수율	0.1	0.1				0.1	0.1	1.0	
	석고보드/휨파괴하중	0.1	0.1		0.2	0.2		3.5		
	석고보드/연소성능	0.1	0.2	1.0	10.0	7.0	3.0	30.0		
	석고보드/단열성	0.1	0.2			0.6		3.0		
	석고보드/실내공기오염물질방출량	0.1	0.4		5.0	3.0	2.5	50.0	6.0	
	방수석고보드/겉모양,치수	0.1	0.1				0.1			
	방수석고보드/함수율,흡수성	0.1	0.1				0.3	3.0	1.3	

종별	시험종목	인력(시간)						공공요금		
		시험관리		시험				전기	상수도	가스
		특급	중급	특급	고급	중급	초급	Kwh	m³	m³
석고보드	방수석고보드/흡수시내박리성	0.1	0.1		0.2	0.1		0.4	2.0	
	방수석고보드/휨파괴하중	0.1	0.1		0.2	0.2		4.5		
	방수석고보드/연소성능	0.1	0.2	1.0	10.0	7.0	3.0	30.0		
	방수석고보드/단열성	0.1	0.2			0.6		3.0		
	방수석고보드/실내공기오염물질방출량	0.1	0.4		5.0	3.0	2.5	50.0	6.0	
	방화석고보드/겉모양,치수	0.1	0.1				0.1			
	방화석고보드/함수율	0.1	0.1				0.1	0.1	2.0	
	방화석고보드/휨파괴하중	0.1	0.1		0.2	0.2		3.5		
	방화석고보드/내충격성	0.1	0.1		0.3	0.3				
	방화석고보드/내화염성, 연소성능	0.1	0.2	1.0	10.0	7.0	3.0			
	방화석고보드/단열성	0.1	0.2			0.6		3.0		
	방화석고보드/단위면적당질량	0.1	0.1				0.1	15.1		
	방화석고보드/실내공기오염물질방출량	0.1	0.4		5.0	3.0	2.5	50.0	6.0	
	석고라스보드/겉모양,치수	0.1	0.1				0.1			
	석고라스보드/함수율	0.1	0.1				0.1	0.1	2.0	
	석고라스보드/휨파괴하중	0.1	0.1		0.2	0.2		3.5		
	석고라스보드/실내공기오염물질방출량	0.1	0.4		5.0	3.0	2.5	50.0	6.0	
	치장석고보드/겉모양,치수	0.1	0.1				0.1			
	치장석고보드/함수율	0.1	0.1				0.1	0.1	2.0	
	치장석고보드/휨파괴하중	0.1	0.1		0.2	0.2		4.0		
	치장석고보드/내충격성	0.1	0.1		0.3	0.3				
	치장석고보드/연소성능	0.1	0.2	1.0	10.0	7.0	3.0			
	치장석고보드/단열성	0.1	0.2			0.6				
	치장석고보드/내변퇴색성	0.1	0.1			2.0		9.6		
	치장석고보드/실내공기오염물질방출량	0.1	0.4		5.0	3.0	2.5			

종별	시험종목	인력(시간)						공공요금		
		시험관리		시험				전기	상수도	가스
		특급	중급	특급	고급	중급	초급	Kwh	m³	m³
이중 바닥재	겉모양 및 치수	0.1	0.1				0.1			
	직각도,평탄도	0.1	0.1				0.1			
	국부 압축 저항성	0.1	0.2		0.6		0.8			
	내충격성	0.1	0.1				0.1			
	내연소성	0.1	0.1			0.4				
	대전성	0.1	0.4	8.0		12.0	12.0			
	누설저항성	0.1	0.4	7.0		8.0	10.0			
	방식성능/도막밀착성	0.1	0.1				0.1			
	방식성능/도막내식성	0.1	0.2		0.7		0.8			
섬유강화 시멘트판	파형시멘트판/겉모양및치수	0.1	0.1				0.1			
	파형시멘트판/휨파괴하중	0.1	0.2			0.4	0.3			
	파형시멘트판/흡수율	0.1	0.1		0.2	0.2		37.5	0.4	
	파형시멘트판/투수성	0.1	0.1		0.1	0.2				
	평형슬레이트/겉모양및치수	0.1	0.1				0.1			
	평형슬레이트/휨강도	0.1	0.1		0.2	0.2		2.1		
	평형슬레이트/흡수율	0.1	0.1		0.2	0.2		37.5	0.4	
	평형슬레이트/투수성	0.1	0.1		0.1	0.2				
	평형슬레이트/흡수에의한 길이변화율	0.1	0.2	0.1	0.1	0.1	0.3	7.8	0.4	
	펄라이트판/겉모양및치수	0.1	0.1				0.1			
	펄라이트판/부피비중	0.1	0.2		0.1	0.2		2.6	0.3	
	펄라이트판/휨강도	0.1	0.1		0.2	0.2		2.1		
	펄라이트판/투수성	0.1	0.1		0.1	0.2				
	펄라이트판/흡수에의한길이변화율	0.1	0.2	0.1	0.1	0.1	0.3	7.8	0.4	
	펄라이트판/열전도율	0.1	0.1		0.6	0.7		3.0	0.4	

종별	시험종목	인력(시간)						공공요금		
		시험관리		시험				전기	상수도	가스
		특급	중급	특급	고급	중급	초급	Kwh	m³	m³
섬유강화 시멘트판	규산칼슘판/겉모양및치수	0.1	0.1				0.1			
	규산칼슘판/부피비중	0.1	0.2		0.1	0.2		2.6	0.3	
	규산칼슘판/휨강도	0.1	0.1		0.2	0.2		2.1		
	규산칼슘판/흡수에의한길이변화율	0.1	0.2	0.1	0.1	0.1	0.3	7.8	0.4	
	규산칼슘판/열전도율	0.1	0.1		0.6	0.7		3.0	0.4	
	슬래그석고판/겉모양및치수	0.1	0.1				0.1			
	슬래그석고판/부피비중	0.1	0.2		0.1	0.2		2.6	0.3	
	슬래그석고판/휨강도	0.1	0.1		0.2	0.2		2.1		
	슬래그석고판/투수성	0.1	0.1		0.1	0.2		3.0		
	슬래그석고판/흡수에의한길이변화율	0.1	0.2	0.1	0.1	0.1	0.3	7.8	0.4	
PVC계 바닥재	바닥타일/겉모양및치수	0.1	0.2		0.1	0.1		5.0	0.8	
	바닥타일/압입량	0.1	0.2		0.1	0.2		1.0		
	바닥타일/잔류압입률	0.1	0.2		0.1	1.2		0.5		
	바닥타일/가열에의한길이변화율	0.1	0.2		0.1	3.6		17.0		
	바닥타일/흡수에의한길이변화율	0.1	0.2		0.2	3.8		120.0	0.1	
	바닥타일/가열감량률	0.1	0.2		0.1	3.4		16.0		
	바닥타일/긁기시험	0.1	0.2		0.5	1.0		0.1		
	바닥타일/오염성	0.1	0.2		0.2	1.0				
	바닥시트/겉모양및치수	0.1	0.2		0.1	0.1				
	바닥시트/압입량	0.1	0.2		0.1	0.2		1.0		
	바닥시트/잔류압입률	0.1	0.2		0.1	1.2		0.5		
	바닥시트/가열에의한길이변화율	0.1	0.2		0.1	3.6		17.0		
	바닥시트/가열감량률	0.1	0.2		0.1	3.4		16.0		
	바닥시트/오염성	0.1	0.2		0.2	1.0				
	미끄럼성	0.1	0.1			0.5				
	난연성	0.1	0.4	2.0			1.0	1.0		0.5

종별	시험종목	인력(시간)						공공요금		
		시험관리		시험				전기	상수도	가스
		특급	중급	특급	고급	중급	초급	Kwh	m³	m³
도자기질 타일	겉모양및치수(모자이크타일제외)	0.1	0.1			0.1	0.1			
	뒤틀림	0.1	0.1				0.1	0.8		
	치수의불규칙도	0.1	0.1				0.1	0.8		
	흡수율	0.1	0.1		0.5		0.1	34.8	0.6	
	내균열성(시유타일)	0.1	0.2	0.3			0.1	4.4	0.4	
	내마모성(바닥타일)	0.1	0.2	0.2			0.3	1.0	1.0	
	꺾임강도	0.1	0.1	0.1		0.3	0.3	1.1		
	동결융해(외장,바닥타일)	0.1	0.2	0.8	1.3	0.4	0.9	209.9	1.0	
	내약품성	0.1	0.2		0.5		0.5	4.9	0.2	
	침지의접착성,박리성,재질및개구율(구성타일)	0.1	0.1				0.2			
점토기와	겉모양및치수	0.1	0.1				0.2			
	흡수율	0.1	0.1		0.2		0.1	52.4	1.0	
	휨파괴하중	0.1	0.2		0.2		0.2	2.8	1.0	
	내동해성	0.1	0.4		2.0	0.4	1.9	105.6	10.0	
건조시멘트 모르타르	압축강도(7,28일)	0.1	0.2		0.3	0.4		36.3	0.4	
	보수성	0.1	0.4		0.3	0.9		0.1	0.5	
	공기량	0.1	0.2		0.2	0.3			0.3	
	모래의함량	0.1	0.2		0.2	0.1		14.6		
	모래의 최대크기	0.1	0.2		0.3	0.3		29.0	0.4	
시멘트계 자기수평 모르타르	플로값	0.1	0.1				0.1	0.3	0.4	
	응결시간	0.1	0.2		0.4	0.4		4.3	1.1	
	휨강도	0.1	0.2		0.1	0.2		30.9	0.4	
	압축강도	0.1	0.2		0.3	0.4		30.9	0.4	
	부착강도	0.1	0.2		0.5	0.5		106.5	0.8	
	내충격성	0.1	0.2		0.3	0.3				
	길이변화율	0.1	0.2		0.4	0.3		4.0	0.4	
	내마모성	0.1	0.4		2.3	0.5		5.0	1.3	

종별	시험종목	인력(시간)						공공요금		
		시험관리		시험				전기	상수도	가스
		특급	중급	특급	고급	중급	초급	Kwh	m³	m³
주차장 바닥용 표면마감재	부착성능	0.1	0.1				0.1	55.8	0.8	
	윤하중저항성능	0.1	0.2		13.7			3000.0		
	수밀성	0.1	0.2		2.4			45.0	1.0	
	내충격성	0.1	0.2		0.4	0.9		5.0		
	오염물질방출량	0.1	0.2		2.0	2.0		53.0	50.0	100.0
시멘트계 바탕바름재	연도변화	0.1	0.1				0.1	1.3	0.3	
	부착강도	0.1	0.2		0.1	0.1		79.6	0.6	
	내잔갈림성	0.1	0.1				0.1	26.5	1.0	
	내충격성	0.1	0.1				0.1	1.0	1.0	
	온냉반복저항성	0.1	0.2	7.2		5.0		346.7	1.5	
	습기투과성	0.1	0.2		2.8	2.3	2.4	299.7	1.8	
	물흡수계수	0.1	0.2		0.7	0.5	1.3	91.3	1.7	
얇은 마무리용 벽바름재	외장/저온안정성	0.1	0.2		1.3	0.1		13.5	0.2	
	외장/내잔갈림성	0.1	0.1				0.1	1.0	1.0	
	외장/부착강도	0.1	0.2		0.1	0.1		54.3	0.6	
	외장/온냉반복저항성	0.1	0.2	7.2		5.0		172.1	2.0	
	외장/내세척성	0.1	0.2		0.1	0.1		2.0	0.3	
	외장/내충격성	0.1	0.1				0.1			
	외장/내알칼리성	0.1	0.1		0.1	0.1		2.0	0.3	
	외장/가요성	0.1	0.1				0.1			
	외장/물흡수계수	0.1	0.2		0.7	0.5	1.3	2.0	1.0	
	외장/내후성	0.1	0.2		1.0	2.0		25.5	3.0	5.0
	외장/습기투과	0.1	0.2		2.8	2.3	2.4	136.0	2.0	
	내장/저온안정성	0.1	0.2		1.3	0.1		13.0	0.6	3.0
	내장/내잔갈림성	0.1	0.1				0.1			
	내장/부착강도	0.1	0.2		0.1	0.1		54.3	0.6	

종별	시험종목	인력(시간)						공공요금		
		시험관리		시험				전기	상수도	가스
		특급	중급	특급	고급	중급	초급	Kwh	m³	m³
얇은 마무리용 벽바름재	내장/내세척성	0.1	0.2		0.1	0.1		2.0	0.3	
	내장/내충격성	0.1	0.1				0.1			
	내장/내알칼리성	0.1	0.1		0.1	0.1		2.0	0.3	
	내장/가요성	0.1	0.1				0.1			
	내장/내변퇴색성	0.1	0.2		1.0	2.0		6.3	3.0	
	내장/연소성능	0.1	0.2		2.0	2.0		7.0	1.0	10.0
	내장/가요성	0.1	0.1				0.1			

사. 도장공사

종별	시험종목	인력(시간) 시험관리 특급	시험관리 중급	시험 특급	시험 고급	시험 중급	시험 초급	공공요금 전기 Kwh	상수도 m3	가스 m3
수성도료	1,2종/열안정성	0.1	0.2			0.5		293.4		
	1,2종/냉동안정성	0.1	0.2			0.5		220.7		
	1,2종/적신도막은폐율	0.1	0.2			0.1	0.5	134.6	0.1	
	1,2종/주도	0.1	0.1			0.2	0.2	1.0	0.1	
	1,2종/비휘발분	0.1	0.1			0.1	0.3	8.5	0.3	
	1,2종/안료분	0.1	0.2			0.2	0.1	12.5		
	1,2종/건조시간	0.1	0.1			0.2			0.1	
	1,2종/확산반사율	0.1	0.2			0.1	0.1	9.0	0.1	
	1,2종/광택	0.1	0.1			0.2	0.2	1.0	0.1	
	1,2종/은폐율	0.1	0.1			0.2	0.4	9.0	0.1	
	1,2종/내세척성	0.1	0.2			0.1	0.1	23.7	0.1	
	1,2종/내알칼리성	0.1	0.2			0.2	0.2	18.0	0.5	
	1,2종/촉진내후성	0.1	0.4	0.2		0.3	1.1	1069.2	4.3	
	1,2종/저장안정성	0.1	0.2	0.2		0.3		552.0		
	1,2종/냄새	0.1	0.1				0.1		0.1	
	1,2종/내곰팡이성	0.1	0.2	0.5		0.7	0.1	1008.0	0.3	
	1,2종/용기내상태	0.1	0.1				0.1	0.2	0.1	
	3종/연마용이성	0.1	0.1				0.1	0.2	0.1	
	3종/부착강도	0.1	0.2			1.0	0.2	2.5	0.1	
	3종/저온안정성	0.1	0.2	0.1		0.3		14.0	0.3	
	3종/상도적합성	0.1	0.1				0.1	0.2	0.1	
	3종/비휘발분	0.1	0.1			0.1	0.3	8.5	0.1	
	3종/건조시간	0.1	0.1			0.2			0.1	
	3종/용기내상태	0.1	0.1				0.1	0.2	0.1	
	3종/내수성	0.1	0.2				0.1		0.5	
	3종/내알칼리성	0.1	0.2			0.2	0.2	18.0	0.5	

종별	시험종목	인력(시간) 시험관리 특급	시험관리 중급	시험 특급	시험 고급	시험 중급	시험 초급	공공요금 전기 Kwh	상수도 m3	가스 m3
유성도료	1종/색상	0.1	0.2	0.1				0.2	0.1	
	1종/용기내상태,안료분	0.1	0.2			0.2	0.1	9.9	0.1	
	1종/비휘발전색제	0.1	0.2				0.1	19.0	0.1	
	1종/광택	0.1	0.1			0.2	0.2	1.0	0.1	
	1종/은폐율	0.1	0.1			0.2	0.4	9.0	0.1	
	1종/확산반사율	0.1	0.1			0.2	0.2	9.0	0.1	
	1종/건조시간	0.1	0.1			0.2			0.1	
	1종/내굴곡성	0.1	0.1				0.1			
	1종/촉진내후성	0.1	0.4	0.1		0.3	1.1	752.3	3.5	
	2종/비휘발분	0.1	0.1			0.2	0.2	8.5	0.1	
	2종/용기내상태	0.1	0.1				0.1	0.2	0.1	
	2종/희석안정성,내수성	0.1	0.1				0.1	0.2	0.1	
	2종/내휘발유성	0.1	0.2	0.1			0.2	9.0	0.5	
	2종/나이프시험	0.1	0.1				0.1	9.0	0.8	
	2종/비휘발전색제분	0.1	0.2				0.1	19.0	0.1	
	2종/은폐율	0.1	0.1			0.2	0.4	9.0	0.1	
	2종/광택	0.1	0.1			0.2	0.2	1.0	0.1	
	2종/확산반사율	0.1	0.1			0.2	0.2	9.0	0.1	
	2종/건조시간,재도장시험	0.1	0.1				0.1		0.1	
	2종/굴곡성	0.1	0.1				0.1			
	2종/저장성	0.1	0.2	0.2		0.3	0.3	384.0		
	2종/촉진내후성	0.1	0.4	0.1		0.3	1.1	939.2	3.0	
	3종/내수성	0.1	0.1				0.1	18.0	0.5	
	3종/용기내상태	0.1	0.1				0.1	0.2	0.1	
	3종/고착건조시간	0.1	0.1			0.2			0.1	
	3종/광택	0.1	0.1			0.2	0.2	1.0	0.1	
	3종/은폐율	0.1	0.1			0.2	0.4	9.0	0.1	

종별	시험종목	인력(시간)						공공요금		
		시험관리		시험				전기	상수도	가스
		특급	중급	특급	고급	중급	초급	Kwh	m3	m3
유성도료	3종/비휘발분	0.1	0.1			0.2	0.2	9.8	0.1	
	3종/촉진내후성	0.1	0.4	0.1		0.3	1.1	548.8	0.6	
	3종/내굴곡성	0.1	0.1				0.1			
	4종/희석안정성	0.1	0.1				0.1	0.2	0.1	
	4종/내수성,내알칼리성	0.1	0.2	0.2		0.2		18.0	1.0	
	4종/비휘발분	0.1	0.1			0.2	0.2	15.2	0.1	
	4종/비휘발전색제분	0.1	0.2				0.1	19.0	0.1	
	4종/은폐율	0.1	0.1			0.2	0.4	9.0	0.1	
	4종/광택	0.1	0.1			0.2	0.2	1.0	0.1	
	4종/건조시간	0.1	0.1			0.2			0.2	
	4종/용기내상태	0.1	0.1				0.1	0.2	0.1	
	4종/재도장	0.1	0.1				0.1		0.1	
	4종/촉진내후성	0.1	0.4	0.1		0.3	1.1	740.0	0.1	
방청도료	1종/굴곡성	0.1	0.1				0.1			
	1종/안료분	0.1	0.2	0.1		0.1		14.0		
	1종/순광명단분	0.1	0.2	0.2		0.3		3.0	0.5	
	1종/순산화철분	0.1	0.2	0.1		0.4		8.0		
	1종/비휘발전색제분	0.1	0.2	0.1		0.1		19.0	0.1	
	1종/건조시간	0.1	0.1			0.2			0.1	
	1종/희석안정성	0.1	0.1				0.1	0.2	0.1	
	1종/용기내상태	0.1	0.1				0.1	0.2	0.1	
	2종/굴곡성	0.1	0.1				0.1			
	2종/내수성	0.1	0.1			0.1		24.0	0.5	
	2종/안료분	0.1	0.2	0.1		0.1		14.0		
	2종/비휘발분	0.1	0.2	0.1		0.1		19.0	0.1	
	2종/건조시간	0.1	0.1			0.2			0.2	
	2종/희석안정성	0.1	0.1				0.1	0.2	0.1	

종별	시험종목	인력(시간)						공공요금		
		시험관리		시험				전기	상수도	가스
		특급	중급	특급	고급	중급	초급	Kwh	m3	m3
방청도료	2종/용기내상태	0.1	0.1				0.1	0.2	0.1	
	2종/안료조성/크롬산,아연화	0.1	0.2	0.1		0.1		3.0	0.5	
	2종/안료조성/적색 산화철	0.1	0.1				0.2	3.0	0.5	
	2종/안료조성/이산화티탄	0.1	0.2			0.2		3.0	0.5	
	3종/굴곡성	0.1	0.1				0.1			
	3종/접착력	0.1	0.2	0.1		0.1		48.1	0.1	
	3종/내수성	0.1	0.1			0.1		24.0	0.5	
	3종/안료분	0.1	0.2	0.1		0.1		14.0		
	3종/안료분석/금속아연분	0.1	0.2		0.1	0.1		3.0	0.5	
	3종/안료분석/아연화분	0.1	0.2	0.1				3.0	0.5	
	3종/비휘발전색제분	0.1	0.2	0.1		0.1		9.0	0.1	
	3종/로진및그유도체	0.1	0.2	0.1		0.1			0.5	
	3종/건조시간	0.1	0.1			0.2			0.1	
	3종/용기내상태	0.1	0.1				0.1	0.2	0.1	
	4종/안료중산화아연	0.1	0.2	0.3				3.0	0.5	
	4종/인산(첨가제)	0.1	0.2	0.1		0.1		3.0	0.5	
	4종/내충격성	0.1	0.1				0.2			
	4종/비휘발분	0.1	0.2	0.1		0.1		9.0	0.1	
	4종/안료분	0.1	0.2	0.1		0.1		14.0		
	4종/안료중크롬산	0.1	0.1				0.2	3.0	0.5	
	4종/용기내상태	0.1	0.1				0.1	0.2	0.1	
	4종/가사시간	0.1	0.1				0.2		0.1	
	4종/고착건조	0.1	0.1			0.2			0.1	
	4종/내굴곡성	0.1	0.1				0.1			
	4종/내염수성	0.1	0.2	0.1		0.1		96.0	0.5	
	4종/내후성	0.1	0.2	9.0					0.5	
	5종/내굴곡성	0.1	0.1				0.1			

종별	시험종목	인력(시간)						공공요금		
		시험관리		시험				전기	상수도	가스
		특급	중급	특급	고급	중급	초급	Kwh	m3	m3
방청도료	5종/내염수성	0.1	0.2	0.1		0.1		96.0	0.5	
	5종/사삼산화납	0.1	0.1				0.1	3.0	0.5	
	5종/크롬산아연	0.1	0.1				0.2	3.0	0.5	
	5종/안료분	0.1	0.2	0.1		0.1		14.0		
	5종/비휘발분	0.1	0.2	0.1		0.1		9.0	0.1	
	5종/경화건조시간	0.1	0.1			0.2			0.1	
	5종/용기내상태	0.1	0.1				0.1	0.2	0.1	
	6종/가사시간	0.1	0.1				0.2		0.1	
	6종/내충격성,냉열반복	0.1	0.2	0.1		0.1		15.0		
	6종/내알칼리성,내휘발유성	0.1	0.2	0.2		0.1		84.1	0.4	
	6종/내산성,내유성,내습성	0.1	0.2	0.4		0.1		84.2	0.6	
	6종/에폭시수지검출	0.1	0.2	0.5		0.1		4.0	0.3	
	6종/용기내상태	0.1	0.1				0.1	0.2	0.1	
	6종/고착건조시간	0.1	0.1			0.2			0.1	
	6종/내굴곡성	0.1	0.1				0.1			
	6종/염수분무	0.1	0.2	0.2		0.1		300.0	0.8	
	6종/비휘발분	0.1	0.2	0.1		0.1		9.0	0.1	
래커도료	1,2,3종/연마용이성	0.1	0.1				0.1	0.2	0.1	
	1,2,3종/상도적합성	0.1	0.1				0.1	0.2	0.1	
	1,2,3종/블리딩	0.1	0.1				0.1	0.2	0.1	
	1,2,3종/내충격성	0.1	0.2	0.1		0.1				
	1,2,3종/내수성	0.1	0.1	0.1		0.2		2.0	0.5	
	1,2,3종/고화건조시간	0.1	0.1			0.2			0.1	
	1,2,3종/내굴곡성	0.1	0.1			0.2				
	1,2,3종/비휘발분	0.1	0.1				0.2	9.0	0.1	
	1,2,3종/용기내상태	0.1	0.1				0.1	0.2	0.1	

종별	시험종목	인력(시간)						공공요금		
		시험관리		시험				전기	상수도	가스
		특급	중급	특급	고급	중급	초급	Kwh	m3	m3
래커도료	4,5종/연마용이성	0.1	0.1				0.1	0.2	0.1	
	4,5종/상도적합성	0.1	0.1				0.1	0.2	0.1	
	4,5종/고화건조시간	0.1	0.1			0.2			0.1	
	4,5종/비휘발분	0.1	0.1				0.2	9.0	0.1	
	4,5종/용기내상태	0.1	0.1				0.1	0.2	0.1	
	6,7종/내블로킹성	0.1	0.1				0.1	0.2	0.1	
	6,7종/블리딩	0.1	0.1				0.1	0.2	0.1	
	6,7종/내수성,내휘발유성	0.1	0.1				0.1	2.0	3.6	
	6,7종/가열안정성	0.1	0.2	0.2		0.7		4.0	0.5	
	6,7종/투명성	0.1	0.1				0.1	0.2	0.1	
	6,7종/고화건조시간	0.1	0.1			0.2			0.1	
	6,7종/은폐율	0.1	0.2	0.1		0.1		9.0	0.1	
	6,7종/광택	0.1	0.2			0.1		1.0	0.1	
	6,7종/비휘발분	0.1	0.1				0.2	9.0	0.1	
	6,7종/용기내상태	0.1	0.1				0.1	0.2	0.1	
바니시	저온안정성(1종,2종)	0.1	0.2	0.1				72.0		
	내수성(1종,2종)	0.1	0.1				0.2		0.5	
	내수성(3종)	0.1	0.1				0.2		0.5	
	건조시간	0.1	0.1				0.2		0.1	
	비점착시간	0.1	0.2			0.5			0.1	
	인화점	0.1	0.2	0.1		1.0		2.5	0.1	
	드레프트시험	0.1	0.2	0.1					0.1	
	가스시험	0.1	0.2	0.1						0.1
	스키닝	0.1	0.1				0.1	96.0	0.1	
	내곰팡이성	0.1	0.2	1.5				672.0		
	비휘발분	0.1	0.2	0.1		0.1		9.0	0.1	
	산값	0.1	0.2	0.1		0.5			1.0	
	로진및유도체	0.1	0.2	0.1		0.5			0.5	

종별	시험종목	인력(시간)						공공요금		
		시험관리		시험				전기	상수도	가스
		특급	중급	특급	고급	중급	초급	Kwh	m3	m3
도료용 희석제	비휘발성물질	0.1	0.1	0.1		0.1		30.0	0.1	
	증류시험(초류점,유출량,유출온도)	0.1	0.1			0.1		3.5		
	인화점	0.1	0.1	0.1		0.1		2.5	0.1	
	아닐린점(1종)	0.1	0.1			0.1				
	아닐린점(2종)	0.1	0.1			0.1				
	캐톤및에스테르	0.1	0.2	0.4		1.4				
	겉모양	0.1					0.1			
	점적시험	0.1	0.1				0.1			
	구리부식성	0.1	0.1	0.1		0.1		2.0		
	산값	0.1	0.2	0.1		0.1			1.0	
다채무늬 도료	도료/용기내상태	0.1	0.1				0.1	0.2	0.1	
	도료/도장작업성	0.1					0.1	0.2	0.1	
	도료/주도	0.1	0.2	0.1		0.2		1.0	0.1	
	도료/비휘발분	0.1	0.1	0.1		0.1		9.0	0.1	
	도료/건조시간(고화)	0.1	0.1			0.2			0.1	
	도막/도막외관	0.1					0.1	0.2	0.1	
	도막/내광성(수은램프법)	0.1	0.2	0.3				144.0	0.3	
	도막/내알칼리성	0.1	0.2	0.1					0.5	
	도막/내세척성	0.1	0.2		0.1			9.0	0.1	
	폼알데하이드 방산량	0.1	0.2	0.5				560.0	0.1	
굽도리 모르타르면 페인트	주도	0.1	0.1				0.1	1.0	0.1	
	연화도	0.1	0.1				0.1	0.2	0.1	
	비휘발분	0.1	0.1			0.1	0.1	8.5	0.3	
	건조시간(고화)	0.1					0.1		0.1	
	붓 작업성	0.1					0.1	0.2	0.1	
	광택	0.1	0.1			0.1	0.1	1.0	0.1	
	내수성 및 내알칼리성	0.1	0.1			0.4	0.4	56.0	0.5	

종별	시험종목	인력(시간)						공공요금		
		시험관리		시험				전기	상수도	가스
		특급	중급	특급	고급	중급	초급	Kwh	m3	m3
낙서방지용 페인트	도막의상태	0.1					0.1	0.2	0.1	
	용기내상태	0.1					0.1	0.2	0.1	
	안료분	0.1	0.2			0.2	0.1	12.5		
	주도	0.1	0.1				0.1	1.0	0.1	
	연화도	0.1	0.1				0.1	0.2	0.1	
	비휘발분	0.1	0.1			0.1	0.1	8.5	0.3	
	건조시간(경화)	0.1					0.1		0.1	
	붓작업성	0.1					0.1	0.2	0.1	
	광택	0.1	0.1			0.1	0.1	1.0	0.1	
	내구성및내알칼리성	0.1	0.2	0.2		0.1	0.5	62.0	0.5	
	내오염성	0.1	0.2	0.2		0.1	0.5	96.0	0.1	
에폭시바닥 마감재	하도/비휘발분(혼합)	0.1	0.1			0.1	0.5	8.5	0.3	
	하도/지촉건조시간	0.1	0.1			0.3	0.5		0.1	
	하도/경화건조시간	0.1	0.1			0.3	0.5		0.1	
	하도/도막의상태	0.1	0.1			0.1		0.2	0.1	
	하도/상도적합성	0.1	0.1			0.1	0.5	0.2	0.1	
	하도/주도(주제)	0.1	0.1			0.3	0.5	1.0	0.1	
	하도/가사시간	0.1	0.2			0.7	0.5		0.1	
	중상도/비휘발분(혼합)	0.1	0.1			0.1	0.5	8.5	0.3	
	중상도/용기내상태(주제)	0.1	0.1			0.1		0.2	0.1	
	중상도/연화도(주제)	0.1	0.2			0.2	0.5	0.2	0.1	
	중상도/주도(주제)	0.1	0.1			0.3	0.5	1.0	0.1	
	중상도/지촉건조	0.1	0.1			0.3	0.5		0.1	
	중상도/경화건조	0.1	0.1			0.3	0.5		0.1	
	중상도/가사시간	0.1	0.2			0.7	0.5		0.1	
	중상도/내수성	0.1	0.2	0.1		0.7	0.5	84.1	0.4	

종별	시험종목	인력(시간)						공공요금		
		시험관리		시험				전기	상수도	가스
		특급	중급	특급	고급	중급	초급	Kwh	m3	m3
에폭시바닥 마감재	중상도/내알칼리성	0.1	0.2	0.1		0.7	0.5	84.1	0.2	
	중상도/부착강도	0.1	0.2			1.3	0.5	2.5		
	중상도/내마모성	0.1	0.2	0.3		0.5	0.5	2.9		
	중상도/도막의상태	0.1	0.1			0.1		0.2	0.1	
	중상도/광택	0.1	0.1			0.1	0.5	1.0	0.1	
	중상도/내충격성	0.1	0.2			0.3	0.5			
반광택방청 에나멜	실크스크린작업성	0.1	0.1				0.1	0.2	0.1	
	침지성	0.1	0.1				0.1		0.5	
	재도장성	0.1	0.1				0.1	0.2	0.1	
	내수성	0.1	0.2	0.3				9.0	0.5	
	내휘발유성	0.1	0.2	0.3				9.0	0.5	
	비휘발분	0.1	0.2	0.1		0.1		9.0	0.1	
	안료분	0.1	0.2			0.1		14.0		
	비휘발분전색제분	0.1	0.1		0.1		0.1	19.0	0.1	
	프탈산무수물분	0.1	0.1		0.1		0.1	3.0	0.5	
	지방산분	0.1	0.1		0.1		0.1	3.0	0.5	
	불비누화물분	0.1	0.1		0.1		0.1	3.0	0.5	
	로진정성	0.1	0.1		0.1		0.1		0.5	
	페놀정성	0.1	0.1		0.1		0.1	3.0	0.5	
	전납분	0.1	0.2	0.2		2.0		3.0	0.5	
	전크롬산분	0.1	0.2	0.2		2.0		3.0	0.5	
	광명단분	0.1	0.2	0.2		2.0		3.0	0.5	
	아연화분	0.1	0.2	0.2		2.0		3.0	0.5	
	탄산칼슘	0.1	0.2	0.2		2.0		3.0	0.5	
	수분	0.1	0.1		0.1		0.1	2.0	0.5	
	점도	0.1	0.2	0.1		0.2		1.0	0.1	
	비중	0.1	0.1				0.1	0.2	0.1	

종별	시험종목	인력(시간)						공공요금		
		시험관리		시험				전기	상수도	가스
		특급	중급	특급	고급	중급	초급	Kwh	m3	m3
반광택방청 에나멜	인화점	0.1	0.1			0.1	0.1	2.5	0.1	
	건조시간	0.1	0.2				0.1		0.1	
	광택	0.1	0.1			0.1	0.1	1.0	0.1	
	연화도	0.1	0.1				0.1		0.1	
	은폐율	0.1	0.1			0.1	0.1	9.0	0.1	
	색상	0.1	0.1				0.1	0.2	0.1	
	용기내상태	0.1	0.1				0.1	0.2	0.1	
	저장안정성(용기에찼을때)	0.1	0.1				0.1	384.0		
	저장안정성(차지않았을때)	0.1	0.1				0.1	384.0		
	희석안정성	0.1	0.1				0.1	0.2	0.1	
	붓작업성	0.1	0.1				0.1	0.2	0.1	
	스프레이작업성	0.1	0.1				0.1	1.1	0.1	
	롤러작업성	0.1	0.1				0.1	0.2	0.1	
	냄새	0.1	0.1				0.1	0.2	0.1	
	굴곡성	0.1	0.1				0.1			
	나이프시험	0.1	0.1				0.1			
	내염수분무성	0.1	0.2	0.5		0.1		492.0	2.0	
	촉진내후성	0.1	0.2	0.3		0.3		806.0	3.0	
	특수용의 용제분석	0.1	0.2	2.5				3.0	0.1	
조합페인트 목재 프라이머	점착성	0.1	0.2			0.5		0.2	0.1	
	리프팅	0.1	0.2			0.1		0.2	0.1	
	실링성(충전성)	0.1	0.2			1.0		0.2	0.1	
	내수성	0.1	0.2	0.1		0.1		18.0	0.5	
	나이프시험	0.1	0.2	0.1		0.1				
	안료분	0.1	0.2	0.1		1.0		14.0		
	불휘발전색제분	0.1	0.2	0.1		1.5		19.0	0.1	

종별	시험종목	인력(시간)						공공요금		
		시험관리		시험				전기	상수도	가스
		특급	중급	특급	고급	중급	초급	Kwh	m3	m3
조합페인트 목재 프라이머	확산반사율	0.1	0.2	0.1		0.1		9.0	0.1	
	주도	0.1	0.2	0.1		0.5		1.0	0.1	
	건조시간(지촉,경화)	0.1	0.2	0.1		0.5			0.2	
	연화도	0.1	0.2			0.3		0.2	0.1	
	수분	0.1	0.2	0.1		1.0		2.0	0.5	
	용기내상태	0.1	0.2			0.1		0.2	0.1	
	색상	0.1	0.2			0.1		0.2	0.1	
	저장안정성(용기에찼을때)	0.1	0.2	0.3		0.5		384.0		
	저장안정성(차지않았을때)	0.1	0.2	0.3		0.5		384.0		
	붓칠작업성	0.1	0.2			1.0		1.1	0.1	
	스프레이작업성	0.1	0.2			0.5		0.2	0.1	
	내굴곡성시험	0.1	0.2	0.1		0.1				
	은폐율	0.1	0.2	0.1				9.0	0.1	

아. 기타

종별	시험종목	인력(시간)						공공요금		
		시험관리		시험				전기	상수도	가스
		특급	중급	특급	고급	중급	초급	Kwh	m3	m3
유리섬유 강화 플라스틱제 정화조	내압강도	0.1	0.2		1.0	1.0	1.0			
	칸막이 강도	0.1	0.1				0.1			
	접축재 강도	0.1	0.1				0.1			
	재하 강도	0.1	0.1				0.1			
	수밀성	0.1	0.1				0.1			
	강성	0.1	0.1			0.1	0.1			
	용량	0.1	0.1				0.1			
	소음	0.1	0.1				0.1			
	경도	0.1	0.1				0.1			
	내약품성	0.1	0.2			0.1	0.1			
열경화성 수지 고압화장판	일반용/겉모양	0.1					0.1			
	일반용/내열수성	0.1	0.2		0.5		0.2			
	일반용/내끓임성	0.1	0.2		0.7		0.7			
	일반용/내열성	0.1	0.2		0.4		0.3			
	일반용/내오염성	0.1	0.2		0.1	0.3				
	일반용/내광성	0.1	0.2		0.1	0.2				
	일반용/내시가레트성	0.1	0.2		0.7		0.7			
	일반용/내마모성	0.1	0.2	0.2	1.2					
	일반용/치수변화율	0.1	0.2			0.1				
	일반용/내충격성	0.1	0.2			0.1	0.4			
	일반용/굴곡강도	0.1	0.2			0.2	0.2			
	일반용/파단변형량	0.1	0.2			0.2	0.2			
	일반용/탄성률	0.1	0.2			0.2	0.2			
	일반용/인장강도	0.1	0.2			0.2	0.2			
	수직면용/겉모양	0.1					0.1			

종별	시험종목	인력(시간)						공공요금		
		시험관리		시험				전기	상수도	가스
		특급	중급	특급	고급	중급	초급	Kwh	m3	m3
열경화성 수지 고압화장판	수직면용/내오염성	0.1	0.2		0.1	0.3				
	수직면용/내광성	0.1	0.2		0.1	0.2				
	수직면용/내마모성	0.1	0.2	0.2	1.2					
	수직면용/치수변화율	0.1	0.2			0.1				
	수직면용/내충격성	0.1	0.2			0.1	0.4			
	수직면용/인장강도	0.1	0.2			0.2	0.2			
	포스트포밍용/겉모양	0.1					0.1			
	포스트포밍용/내오염성	0.1	0.2		0.1	0.3				
	포스트포밍용/내광성	0.1	0.2		0.1	0.2				
	포스트포밍용/내마모성	0.1	0.2	0.2	1.2			9.0		
	포스트포밍용/치수변화율	0.1	0.2			0.1		32.0		
	포스트포밍용/내충격성	0.1	0.2			0.1	0.4			
	포스트포밍용/굴곡성형성	0.1	0.2			0.2	0.2			
도자기질 타일용 접착제	겉모양	0.1	0.1				0.5			
	저장안정성	0.1	0.1		0.3	0.1	1.0	552.0		
	혼합종결확인용이성	0.1	0.1				0.1			
	접착강도	0.1	0.2			0.5	0.5	564.0		
	내열성	0.1	0.2		0.3	0.1		21.0		
	미끄럼 저항성	0.1	0.2		0.5		0.1			
	가사시간및 부착가능시간	0.1	0.2		0.1	0.2				
	실내공기오염물질 방출량	0.1	0.4		5.0	3.0	2.5	150.0		
벽용 보드류 접착제	작업성	0.1	0.2		0.2		0.1			
	맞붙임 가능 시간	0.1	0.2		0.5		0.1	74.5		
	사용가능시간	0.1	0.2		0.5		0.1	5.0		
	접착강도 시험방법	0.1	0.2		0.3		0.1	74.5		
	비중	0.1	0.1				0.2			
	실내공기오염물질 방출량	0.1	0.4		5.0	3.0	2.5	8.0		

종별	시험종목	인력(시간)						공공요금		
		시험관리		시험				전기	상수도	가스
		특급	중급	특급	고급	중급	초급	Kwh	m3	m3
천장용 보드류 접착제	맞붙임 가능 시간	0.1	0.2		0.5		0.1	74.5		
	작업성	0.1	0.2		0.2		0.1			
	늘어짐	0.1	0.2		0.3			144.0		
	접착강도/마스틱상 접착제	0.1	0.2		0.5			144.0		
	접착강도/ 페이스트 상접착제	0.1	0.2		0.5			144.0		
	비중	0.1	0.1				0.2	1.5		
	사용가능시간	0.1	0.2		0.5		0.1	5.0		
	실내공기오염물질 방출량	0.1	0.4		5.0	3.0	2.5	8.0		
비닐계 바닥재용 접착제	도포성	0.1	0.2		0.2		0.1			
	인장 접착강도(바닥타일)	0.1	0.2		0.5		0.5	105.5		
	90도 박리 접착 강도 (바닥시트)	0.1	0.2		0.3		0.3	106.0		
	비중	0.1	0.2		0.2	0.5				
	실내공기오염물질 방출량	0.1	0.4		5.0	3.0	2.5	56.0		20.0
수도용 경질 염화비닐관용 접착제	접착력	0.1	0.2	0.1	0.7		0.3	8.4	0.1	
	건조감량	0.1	0.2		0.2		0.2	6.2	0.1	
	점도	0.1	0.1		0.1	0.4	0.2	4.7		
초산 비닐수지 에멀션목재 접착제	목재 오염성	0.1	0.1		0.1		0.3		5.0	
	접착력	0.1	0.2		0.3		0.5	12.6	0.1	
	요소수지 혼화성	0.1	0.1			0.3	0.3			
	조막성	0.1	0.1			0.1	0.2	1.0		
	겉모양	0.1	0.2			0.1				
	점도	0.1	0.2			0.4	0.3	4.3		
	회분	0.1	0.2			0.3	0.3	19.7		
	pH	0.1	0.2			0.3		1.8		
	증발 찌꺼기	0.1	0.2			0.3	0.2	6.2		

종별	시험종목	인력(시간)						공공요금		
		시험관리		시험				전기	상수도	가스
		특급	중급	특급	고급	중급	초급	Kwh	m3	m3
요소수지 목재접착제	겉모양	0.1	0.2			0.1				
	보존성	0.1	0.2			0.2		10.0		
	물 혼화성	0.1	0.2			1.0		10.0		
	아세트산비닐 혼화성	0.1	0.2			1.0				
	유리 폼알데하이드	0.1	0.2			4.0				
	압축 전단 접착 강도	0.1	0.2		0.1	2.0		2.3		
	합판 접착 강도	0.1	0.2		0.3	2.0		2.3		
	겔화시간	0.1	0.2		0.2	0.3		2.0		
	불휘발분	0.1	0.2		0.1	0.1		3.3		
	pH	0.1	0.2			0.3		0.5		
	점도	0.1	0.2			0.4	0.3	0.8		
황동 논슬립	겉모양및치수	0.1	0.2		0.2	0.2		1.0		
	화학성분시험	0.1	0.2		1.0	1.0		9.5		

[별표 5]

품질관리규정 작성기준(제13조제1항 관련)

항목	내용
1. 책임 및 권한	○ 최고경영자는 시험조직을 갖추고 구성원에 대한 책임과 권한을 규정할 것 ○ 최고경영자는 품질관리규정이 항상 이행되고 준수됨을 보장하기 위하여 품질책임자를 임명할 것.
2. 문서관리	○ 시험·검사와 관련된 문서의 작성, 검토, 승인, 등록, 이용, 변경 및 폐기를 포함한 문서관리절차를 갖출 것.
3. 기록관리	○ 시험·검사와 관련된 기록의 수집, 식별, 보관, 보호, 열람 및 처분을 포함한 기록관리절차를 갖출 것.
4. 교육훈련 및 자격부여	○ 교육훈련계획 수립, 실시 및 기록유지를 포함한 교육훈련 절차를 갖출 것 ○ 책임기술인과 시험·검사자의 분야별 자격기준 및 자격부여 절차를 갖출 것 - 책임기술인 및 시험·검사자는 영 별표5의 등록요건에 따른 국가기술자격을 갖추고, 법 제21조제1항에 따라 신고한 자로서, 업무수행에 적절한 자로 자격부여 하여야 한다.
5. 숙련도관리	○ 시험·검사자에 대한 숙련도평가절차를 갖출 것 비고 : 숙련도평가는 시험·검사자간 비교시험, 책임기술인에 의한 시험·검사자의 수행능력평가 등 조직규모에 적절한 방법으로 할 수 있음.
6. 신청서 관리	○ 품질시험 의뢰신청서의 접수, 검토, 보완, 변경 및 반려를 포함한 신청서검토절차를 갖출 것.

항목	내용
7. 시료 및 환경조건관리	○ 시험·검사를 위해 제공된 시료의 수령, 봉인확인, 취급, 보호, 보관 및 처분을 포함한 시료관리절차를 갖출 것. - 시료의 수령시 발주자 또는 건설사업관리를 수행하는 건설기술용역사업자의 봉인 또는 확인을 거친 시료임이 확인되는 사진을 기록으로 남길 것 - 시료의 수령시 시료량을 정확히 기록하고 시험한 시료량과 남은 시료량을 기록할 것 ○ 시험·검사결과에 영향을 미칠 수 있는 환경조건의 관리기준 설정, 관리, 측정 및 기록을 포함한 환경조건관리절차를 갖출 것 비고 : 시험·검사의 품질에 영향을 미치는 지역은 접근 및 이용을 통제할 수 있음
8. 구매관리	○ 시험·검사와 관련된 시약, 소모품과 장비의 구매, 수령, 검사 및 보관을 포함한 구매관리절차를 갖출 것
9. 장비관리	○ 시험·검사와 관련된 장비의 식별, 취급, 운송, 보관, 교정, 보정, 점검, 사용 및 유지관리를 포함한 장비관리절차를 갖출 것 ○ 장비의 사용에 관한 지침(장비제조자가 제공한 매뉴얼 포함)을 갖추고 권한을 부여받은 자가 조작할 것
10. 시험·검사의 실시	○ 시험·검사자 지정, 시험장비 선정, 시험일정관리, 고객의 시험·검사과정입회, 원시데이터 및 시험·검사일지 관리, 시험결과 보고 등을 포함한 시험검사 실시 절차를 갖출 것 ○ 시험·검사항목별로 시험·검사방법을 정하고 문서화할 것 - 시험·검사항목별로 시험·검사프로세스(절차)를 갖출 것. 다만 KS 등의 표준을 최신본으로 보유·관리하는 경우는 예외로 한다. ○ 시험·검사일지 및 원시데이터(Raw data)를 기록으로 유지할 것 - 원시데이터는 수기 또는 시험장비의 출력물로 기록한다. 다만, 시험 · 검사장비에서 출력되는 원시데이터가 전자적으로 기록관리가 가능한 경우는 연결된 컴퓨터 등에 원시데이터를 저장할 것 - 시험 · 검사 종목별로 시험 · 검사과정에 대해 품질검사의뢰자의 정보(접수번호, 의뢰자, 현장명 등)가 포함된 전, 후의 사진을 기록으로 남길 것

항목	내용
11. 시험·검사 결과의 검증	○ 시험·검사가 유효한 방법 및 품질관리규정에 적합하게 실시되었는지 여부를 확인하기 위한 검증절차를 갖출 것
12. 시험·검사성적서 발급	○ 성적서의 작성, 검토, 승인 및 발행을 포함한 시험·검사성적서관리절차를 갖출 것 - 성적서의 책임기술인, 시험·검사자 서명은 수기서명 또는 공인된 전자결재일 것 - 시험 · 검사의 일부 또는 전부를 위탁하여 성적서를 발행하여서는 아니된다. ○ 성적서를 수정하여 발급할 필요가 있는 경우 수정된 성적서임을 표시하고 대체하는 원본에 대한 설명을 포함할 것
13. 부적합사항의 관리	○ 부적합 사항의 발견, 시정조치 및 예방조치를 포함한 부적합관리절차를 갖출 것 비고 : 부적합 사항은 숙련도 평가, 장비의 점검 및 교정, 시료 수령, 환경조건 측정, 구매품 검사, 시험·검사결과의 검증 단계에서 발견할 수 있음.

[별표 6]

품질검사를 대행하는 건설기술용역업자 시험장비 보유기준(제16조제1항 관련)

세부분야	시험분야	필수장비	선택장비
일반분야	인장·압축·휨시험	만능시험기(용량 5톤), 만능시험기(용량 100톤 이상)	압축시험기(용량30톤), 휨인성시험기, 치공구(지그), 가설기자재 만능시험기(높이 4m이상, 폭 1m이상)
	골재시험	항온항습장치, 건조로, 저울, 체가름시험기, 마모시험기, 모래당량 시험용기구, 단위중량 시험용기구, 안정성 시험용기구, 유기불순물 시험용기구, 비중 시험용기구, 자동염화물함량 측정장치	씻기분석 시험용기구, 골재형상시험기, 알칼리골재반응시험장치, 잔골재 공극률시험기, 채움재 공극률시험기, 석재 충격강도시험기, 골재파쇄시험기, 모래상대밀도시험기
	지반조사	오거보링기계, 정적 콘 관입시험기, 동적 콘 관입시험기, 앵커인발시험기	탄성파시험기, 정재하강도시험기, 암석용 삼축압축시험기, 대형직접전단시험기, 암석 절리면 전단강도 시험기, 보링기계
	토질시험	건조로, 저울, 체가름시험기, 항온수조, 액성한계시험기, 소성한계시험기, 수축한계시험기, 비중 시험용기구, 자동다짐기, 실내CBR시험기, 현장CBR시험기, 현장밀도시험기, 평판재하시험기, 투수시험기, 압밀시험기, 전단시험기, 일축압축시험기, 삼축압축시험기	-
	시멘트 시험	모르타르혼합기, 항온수조, 전기로, 화학저울(감도 0.1mg 및 0.01g), 분말도시험기, 시멘트안정도 시험장치, 응결시간측정기, 플로테이블, 주도시험기	몰탈 인장시험기, 수화열시험기, 몰탈 투수시험기, 타일인발시험기
	콘크리트 시험	슬럼프 시험용기구, 공기량시험기, 블리딩시험기, 동결융해시험기, 동탄성계수측정기, 씻기분석 시험용기구〈삭제〉, 믹서, 코어채취기, 컨시스턴시시험기	반발경도시험기, 콘크리트 균열측정현미경, 콘크리트 초음파측정기, 콘크리트 수화열 측정기, 철근탐상기, 복합열화시험기, 콘크리트투수압시험장치, pH측정기, 전위차 측정기
	아스팔트 시험	신도시험기, 침입도시험기, 휴롤점도계, 박막가열오븐, 항온수조, 인화점시험기	연화점시험기, 입자전하시험기, 플롯시험기, 앱슨장치, 엥글러점도계
	아스팔트 콘크리트 시험	마샬안정도시험기, 항온수조, 밀도 시험용기구, 아스팔트함량시험기, 코어채취기, 평탄성시험기, 미끄럼저항시험기, 피막박리시험기, 자동다짐기, 믹서	최대이론밀도시험기, 변형강도시험기, 간접인장강도시험기, 잔골재 공극률시험기, 채움재 공극률시험기, 벤켈만 빔 시험기, 아스팔트 증발감량시험기, 아스팔트콘크리트투수시험기, 항온항습기(-18~+60℃)
	환경시험	열전도율시험기, 양생수조, 함수율측정기	음향시험 장치, 바닥충격음 시험장치, 풍동시험, 소음 측정기
	그밖의 장비	이동시험차, 탄소 및 유황함량 분석장치	수직가열장치, 수평가열장치, 기둥가열장치, 가스유해성시험기, 콘칼로리메타시험기, 성분분석기, 연소성시험기, 화학분석시험기, 발광분광분석기, 목재 수분측정기
토목분야	인장·압축·휨시험	만능시험기(용량 5톤), 만능시험기(용량 100톤 이상)	압축시험기(용량30톤), 휨인성시험기, 치공구(지그), 가설기자재 만능시험기(높이 4m이상, 폭 1m이상)
	골재시험	항온항습장치, 건조로, 저울, 체가름시험기, 마모시험기, 모래당량 시험용기구, 단위중량 시험용기구, 안정성 시험용기구, 유기불순물 시험용기구, 비중 시험용기구, 자동염화물함량 측정장치	씻기분석 시험용기구, 골재형상시험기, 알칼리골재반응시험기, 잔골재 공극률시험기, 채움재 공극률시험기, 석재 충격강도시험기, 골재파쇄시험기, 모래상대밀도시험기

세부분야	시험분야	필수장비	선택장비
토목분야	지반조사	오거보링기계, 정적 콘 관입시험기, 동적 콘 관입시험기	보링기계, 탄성파시험기, 점재하강도시험기, 암석용 삼축압축시험기, 대형직접전단시험기, 앵커인발시험기, 암석 절리면 전단강도 시험기
	토질시험	건조로, 저울, 체가름시험기, 항온수조, 액성한계시험기, 소성한계시험기, 수축한계시험기, 비중시험용기구, 자동다짐기, 실내CBR시험기, 현장CBR시험기, 현장밀도시험기, 평판재하시험기, 투수시험기, 압밀시험기, 전단시험기, 일축압축시험기	삼축압축시험기
	시멘트 시험	모르타르혼합기, 항온수조, 전기로, 화학저울(감도 0.1mg 및 0.01g), 분말도시험기, 시멘트안정도 시험장치, 응결시간측정기, 플로테이블, 주도시험기	몰탈 인장시험기, 수화열시험기, 몰탈 투수시험기, 타일인발시험기
	콘크리트 시험	슬럼프 시험용기구, 공기량시험기, 블리딩시험기, 씻기분석시험용기구〈삭제〉, 믹서, 코어채취기, 컨시스턴시시험기	반발경도시험기, 콘크리트 균열측정현미경, 콘크리트 초음파측정기, 콘크리트 수화열 측정기, 철근탐사기, 복합열화시험기, 콘크리트투수압시험장치, pH측정기, 전위차 측정기, 동결융해시험기, 동탄성계수측정기
	아스팔트 시험	신도시험기, 침입도시험기, 휴롤점도계, 박막가열오븐, 항온수조, 인화점시험기	연화점시험기, 입자전하시험기, 플롯시험기, 앱슨장치, 엥글러점도계
	아스팔트 콘크리트 시험	마샬안정도시험기, 항온수조, 밀도 시험용기구, 아스팔트함량시험기, 코어채취기, 평탄성시험기, 미끄럼저항시험기, 피막박리시험기, 자동다짐기, 믹서	최대이론밀도시험기, 변형강도시험기, 간접인장강도시험기, 잔골재 공극률시험기, 채움재 공극률시험기, 벤켈만 빔 시험기, 아스팔트 증발감량시험기, 아스팔트콘크리트투수시험기, 항온항습기(-18~+60℃)
	그밖의 장비	이동시험차, 탄소 및 유황함량분석장치	음향시험 장치, 풍동시험장치, 소음 측정기, 화학분석시험기, 발광분광분석기, 목재 수분측정기

세부분야	시험분야	필수장비	선택장비
건축분야	인장·압축·휨시험	만능시험기(용량 5톤), 만능시험기(용량 100톤 이상)	압축시험기(용량30톤), 치공구(지그), 가설기자재 만능시험기(높이 4m이상, 폭 1m이상)
	골재시험	항온항습장치, 건조로, 저울, 체가름시험기, 마모시험기, 모래당량 시험용기구, 단위중량 시험용기구, 안정성 시험용기구, 유기불순물 시험용기구, 비중시험용기구, 자동염화물함량 측정장치	씻기분석 시험용기구, 알칼리골재반응시험기, 석재 충격강도시험기, 골재파쇄시험기 등
	지반조사 및 토질시험	평판재하시험기, 앵커인발시험기	-
	시멘트 시험	모르타르혼합기, 항온수조, 전기로, 화학저울,(감도 0.1mg 및 0.01g), 분말도시험기, 시멘트안정도 시험장치, 응결시간측정기, 플로테이블, 주도시험기	몰탈 인장시험기, 수화열시험기, 몰탈 투수시험기, 타일인발시험시
	콘크리트 시험	슬럼프 시험용기구, 공기량시험기, 블리딩시험기, 컨시스턴시시험기, 씻기분석 시험용기구〈삭제〉, 믹서, 코어채취기	반발경도시험기, 콘크리트 균열측정현미경, 콘크리트 초음파측정기, 콘크리트 수화열 측정기, 철근탐사기, 복합열화시험기, 콘크리트투수압시험장치, pH측정기, 전위차 측정기, 동결융해시험기, 동탄성계수측정기,
	환경시험	열전도율시험기, 양생수조, 함수율측정기	음향시험 장치, 바닥충격음 시험장치, 풍동시험장치, 소음 측정기
	그밖의 장비	이동시험차, 탄소 및 유황함량분석장치	수직가열장치, 수평가열장치, 기둥가열장치, 가스유해성시험기, 콘칼로리메타시험기, 성분분석기, 연소성시험기, 화학분석시험기, 발광분광분석기, 목재 수분측정기

세부분야	시험분야	필수장비	선택장비
특수분야(골재)	-	항온항습장치, 건조로, 저울, 체가름시험기, 마모시험기, 모래당량 시험용기구, 단위중량 시험용기구, 안정성 시험용기구, 유기불순물 시험용기구, 비중시험용기구, 자동염화물함량 측정장치, 씻기분석 시험용기구	골재형상시험기, 알칼리골재반응시험장치, 잔골재 공극률시험기, 채움재 공극률시험기, 석재충격강도시험기, 골재파쇄시험기, 모래상대밀도시험기
특수분야(콘크리트)	-	슬럼프 시험용기구, 저울, 체가름시험기, 마모시험기, 모래당량 시험용기구, 단위중량 시험용기구, 안정성 시험용기구, 유기불순물 시험용기구, 비중 시험용기구, 자동염화물함량 측정장치, 씻기분석 시험용기구〈삭제〉, 공기량시험기, 압축시험기(100톤 이상)	반발경도시험기, 콘크리트 균열측정현미경, 콘크리트 초음파측정기, 콘크리트 수화열 측정기, 철근탐사기, 복합열화시험기, 콘크리트투수압시험장치, pH측정기, 전위차 측정기, 동결융해시험기, 블리딩시험기, 동탄성계수측정기, 믹서, 코어채취기, 컨시스턴시시험기, 모르타르혼합기, 항온수조, 전기로, 화학저울(감도 0.1mg 및 0.01g), 분말도시험기, 시멘트안정도 시험장치, 응결시간측정기, 플로테이블, 주도시험기, 몰탈 인장시험기, 수화열시험기, 몰탈 투수시험기, 타일인발시험기
특수분야(아스팔트콘크리트)	-	마샬안정도시험기, 믹서, 침입도시험기, 항온수조, 아스팔트 함량시험기, 저울, 코어채취기, 피막박리시험기, 자동다짐기, 체가름시험기, 밀도 시험용기구, 신도시험기, 휴롤점도계, 박막가열오븐, 인화점시험기	최대이론밀도시험기, 변형강도시험기, 간접인장강도시험기, 잔골재 공극률시험기, 채움재 공극률시험기, 벤켈만 빔 시험기, 아스팔트 증발감량시험기, 아스팔트콘크리트투수시험기, 항온항습기(-18~+60℃), 신도시험기, 침입도시험기, 휴롤점도계, 박막가열오븐, 항온수조, 인화점시험기, 연화점시험기
특수분야(철강재)	-	만능시험기(용량 100톤 이상), 탄소 및 유황함량 분석장치, 저울, 두께측정기	치공구(지그), 경도시험기, 굽힘시험기, 샤르피충격시험기, 도막두께측정기, 가설기자재 만능시험기(높이 4m이상, 폭 1m이상)

세부분야	시험분야	필수장비	선택장비
특수분야(섬유)	-	광학현미경, 진탕기, 두께측정기, 중량측정기, 만능시험기(용량 5톤), 수직투수시험기, 수평투수시험기, 유효구멍측정기, 내후성시험기, 항균방미 시험장치, 항온수조, 마모시험기, 파열강도시험기, 구멍막힘시험기(크로킹시험기)	배수성능시험기
특수분야(용접)	방사선비파괴검사	감마선조사기 또는 엑스선발생장치	캠브리지게이지, 필렛용접게이지, 합금성분측정기
	초음파비파괴검사	초음파탐상장치	위상배열초음파탐상장치, 캠브리지게이지, 필렛용접게이지, 합금성분측정기
	자기비파괴검사	자분탐상장비	캠브리지게이지, 필렛용접게이지, 합금성분측정기
	침투비파괴검사	침투탐상검사약품	캠브리지게이지, 필렛용접게이지, 합금성분측정기
특수분야(말뚝재하)	정재하시험	정재하시험기(용량 500톤 이상), 자동화 계측시스템(로드셀, LVDT), 토목구조기술사 또는 건축구조기술사의 구조검토를 거친 500톤이상 재하대	건전도시험기, 연직도시험기
	동재하시험	동재하시험기	

비고 : 1. 일반, 토목 및 건축분야가 특수 분야의 시험ㆍ검사를 하려는 경우에는 해당 특수 분야의 필수장비를 갖추어야 한다. 이 경우 해당 특수 분야의 필수장비 중 일반, 토목 및 건축분야의 필수장비와 중복되는 것은 이를 갖춘 것으로 본다.

2. 필수장비 외의 장비로 시험·검사를 하려는 경우에는 해당 선택장비를 반드시 갖추어야 하며, 이때 선택장비에 규정된 목록 이외의 건설분야 유사 시험·검사장비도 활용할 수 있다.

[별표 7]

소요인원 및 평가일수(제19조제1항 관련)

구분	등록 평가			적정성 평가		
	소요인원		평가일수	소요인원		평가일수
	선임평가사	평가사		선임평가사	평가사	
종합분야	1인	1인	2일	1인	1인	2일
일반분야	1인	1인	2일	1인	1인	2일
토목분야	1인	1인	1.5일	1인	1인	1.5일
건축분야	1인	1인	1.5일	1인	1인	1.5일
특수분야	1인	1인	1일	1인	1인	1일

비고
1. 품질검사를 대행하는 건설기술용역사업자가 시험·검사 수행을 위해 다수의 지사·지원을 보유하고 있는 경우에는 모든 지사·지원에 대해 평가하고 평가일수를 지사·지원별로 분야에 따라 평가일수를 추가한다.

[별표 8]

평가사 자격기준(제28조제2항 관련)

선임평가사	평가사
· 건설부문 KS Q ISO 9001 선임심사원 이상의 자격을 가진 자	· 건설부문 KS Q ISO 9001 심사원 이상의 자격을 가진 자
· 건설부분 KS Q ISO /IEC 17025 KOLAS 선임평가사 이상의 자격을 가진 자	· 건설부분 KS Q ISO /IEC 17025 KOLAS 선임평가사 이상의 자격을 가진 자
· 「건설기술진흥법」의 특급기술인에 해당하는 자로서 시험·검사분야 10년 이상 경험이 있는 자	· 「건설기술진흥법」의 고급기술인에 해당하는 자로서 시험·검사분야 5년 이상 경험이 있는 자
· 건설분야 학사 이상 또는 기사 이상의 자격 소지자로서 평가기관에서 5년 이상 평가업무에 종사한 자	· 건설분야 학사 이상 또는 기사 이상의 자격 소지자로서 평가기관에서 1년 이상 평가업무에 종사한 자

※ 비고 : 특급기술인, 고급기술인는 「건설기술진흥법 시행령」 별표1 에 의한 구분이다.

[별표 9]

혼화재를 사용한 레미콘의 품질관리(제38조제2항 관련)

구분	품질관리 기준
품질	· 혼화재를 사용한 레미콘은 KS F 4009 레디믹스트 콘크리트 5. 품질에 정한 바에 따른 워커빌리티·강도·내구성을 가져야 한다.
재료	1. 시멘트는 KS L 5201(포틀랜드 시멘트)에 적합한 1종 보통포틀랜드 시멘트를 사용하여야 한다. 2. 고로슬래그 미분말은 KS F 2563(콘크리트용 고로슬래그 미분말)에 적합한 것이어야 한다. 3. 플라이애시는 KS L 5405(플라이애시)에 적합한 것이어야 한다. 4. 그 밖의 재료는 KS F 4009 레디믹스트콘크리트 3. 재료에 따른다.
배합	1. 레미콘의 배합은 KS F 4009 레디믹스트 콘크리트 7. 배합에 따른다. 2. 혼화재의 사용량, 단위수량 및 단위포틀랜드 시멘트량은 다음 각 목에서 정한 바에 따른다. 가. 혼화재의 종류 및 사용량은 사용목적에 따라 다음 범위로 한다. 1) 고로슬래그 미분말의 치환율 10퍼센트 이상 50퍼센트 이하 2) 플라이애시의 치환율 10퍼센트 이상 25퍼센트 이하 나. 레미콘의 단위수량은 원칙적으로 185kg/m³ 이하로 하며, 소요되는 강도, 내구성, 수밀성, 균열저항성 및 작업에 적합한 워커빌리티를 갖는 범위 내에서 단위수량을 가능한 적게 하도록 한다. 다. 단위 보통포틀랜드 시멘트량은 원칙적으로 200kg/m³ 이상으로 하되, 이 외의 경우에는 구입자와 협의하여 정한다.
제조	· 레미콘의 제조는 KS F 4009 레디믹스트 콘크리트 8. 제조에 따르며, 고로슬래그 미분말 및 플라이애시의 저장은 다음 각 호에 따른다. 1. 저장설비는 방습적인 구조를 갖추고 품종별로 구분하여 저장할 수 있는 것이어야 하며, 원칙적으로 사일로에 저장하되 항시 시료를 채취할 수 있는 구조이어야 한다. 2. KS 인증제품이 아닌 혼화재를 사용하는 경우 플라이애시는 강열감량, 고로슬래그 미분말은 비표면적(분말도)을 매 입고 시 마다 자체시험 또는 외부시험을 통하여 확인하여야 한다.
타설	· 레미콘의 타설은 콘크리트 표준시방서 제2장 3.4에 따르며, 타설 시 콘크리트의 온도는 섭씨 10도 이상 이어야 한다.

구분	품질관리 기준
양생, 탈형	1. 레미콘의 양생, 거푸집의 탈형은 콘크리트 표준시방서 제2장 3.5, 4장 3.5에 따른다. 2. 기초, 보옆, 기둥 및 벽의 측벽 거푸집 해체는 구조물과 동일조건에서 양생한 현장양생공시체의 콘크리트 압축강도가 5MPa 이상에 도달하였음을 압축강도 시험에 의해 확인된 경우에 해체할 수 있다. 다만, 다음 각 목의 어느 하나에 해당하는 경우에는 압축강도 시험에 따른 확인없이 거푸집 해체가 가능하다. 가. 평균 외기온도가 섭씨 20도 이상이며 콘크리트의 재령이 5일 이상 나. 평균 외기온도가 섭씨 10도 이상 섭씨 20도 미만이며 콘크리트 재령이 8일 이상
품질관리 및 검사	1. 사용재료의 시험·검사확인은 콘크리트 표준시방서 제2장 2.6에 따른다. 2. 고로슬래그 미분말 및 플라이애시에 대한 품질시험·검사는 다음 표에 따라 실시하며, 혼화재의 저장기간이 3개월 이상 경과한 경우 품질시험·검사를 재실시 한다.

구분	항목	시험·검사방법	시기·회수	판정기준
고로슬래그 미분말	고로슬래그 미분말의 종류	제조회사의 성적서 또는 납품서에 의한 확인	공사시작전	시방내용 또는 공사감리자의 승인을 받은 것일 것
	밀도 비표면적 활성도지수 플로값비 산화마그네슘 삼산화황 강열감량 염화물이온	제조회사의 성적서에 의한 확인 또는 KS F 2563의 방법	공사시작전및 공사중 1회/월 이상 및 3개월이상 저장한 경우	KS F 2563(콘크리트용 고로슬래그 미분말)에 적합할 것
플라이애시	플라이애시의 종류	제조회사의 성적서또는 납품서에 의한 확인	공사시작전	시방내용 또는 공사감리자의 승인을 받은 것일 것
	이산화규소 수분 강열감량 밀도 분말도 플로값비 활성도지수	제조회사의 성적서에 의한 확인 또는 KS L 5405의 방법	공사시작전및 공사중 1회/월 이상 및 3개월이상 저장한 경우	KS L 5405(플라이애시)에 적합할 것

구분	품질관리 기준
	3. 현장품질관리는 제10조(시공 품질관리 시험·검사 등)에 따르며, 고로슬래그 미분말 및 플라이애시의 치환율은 다음 표에 따라 검사를 실시한다.

항목	시험방법	시기	판정기준
고로슬래그 미분말 또는 플라이애시의 치환율	배합표 및 콘크리트의 제조관리기록에 따른 확인	① 타설 초기 ② 타설중에 품질에 변화가 발견될 때	혼화재 사용량의 차이가 ±2% 범위이내일 것.

※ 치환율의 범위 등 이 지침에서 규정하지 않는 사항은 KS F 4009 레디믹스트 콘크리트, 콘크리트 표준시방서 및 해당 기관의 전문시방서 등에 따른다.

[별표 10]

철강구조물 제작공장 인증의 세부기준(제46조제1항 관련)

1. 공장개요

구분	항 목		단위	배 점	교량분야 상한점	교량분야 필수점	건축분야 상한점	건축분야 필수점
가. 공장개요	(1)	공장부지 면적	m²	1/1,000m²	1급 60 2급 30 3급 20 4급 10	1급 30	1급 50 2급 24 3급 15 4급 10	1급 30
	(2)	제품가공 작업장 면적	m²	1/100m²	1급 75 2급 50 3급 30 4급 10	1급 50 2급 40 3급 20 4급 5	1급 75 2급 50 3급 30 4급 10	1급 40 2급 30 3급 10 4급 4
	(3)	가조립장 면적	m²	1/100m²	1급 30 2급 20 3급 10 4급 5	1급 20 2급 15 3급 7		
	(4)	연간 가공실적	톤	1/150톤/년	1급 75 2급 50 3급 20 4급 10	1급 32	1급 75 2급 50 3급 20 4급 10	1급 32
	판정 기준점				1급 160 2급 98 3급 39 4급 15		1급 129 2급 67 3급 25 4급 11	
비고	* 3항(가조립장 면적) : 건축분야 제외							

2. 기술인력

구분	항목		단위	배점	교량분야 상한점	교량분야 필수점	건축분야 상한점	건축분야 필수점
가. 관리 기술인	(1) 강구조 관련 기술인	특급	자격	10/자격	1급 110 2급 75 3급 40 4급 25	1급 40 2급 30 3급 10 4급 5	1급 110 2급 75 3급 40 4급 25	1급 40 2급 30 3급 10 4급 5
		고급		7/자격				
		중급		5/자격				
		초급		3/자격				
	(2) 용접기술인	특급	자격	10/자격	1급 110 2급 70 3급 40 4급 20	1 급 40 2 급 30 3 급 10 4 급 5	1급 110 2급 70 3급 40 4급 20	1급 30 2급 20 3급 10 4급 5
		고급		7/자격				
		중급		5/자격				
		초급		3/자격				
	(3) 비파괴검사 기술인	특급	자격	10/자격	1급 50 2급 40 3급 20 4급 10	1급 10 2급 5	1급 50 2급 40 3급 20 4급 10	1급 8 2급 5
		고급		7/자격				
		중급		5/자격				
		초급		3/자격				
	(4) 비파괴검사 기능자 (UT, RT)		자격	5/자격				
	(5) 비파괴검사 기능자 (MT, PT)		자격	3/자격				
	(6) 품질관리 담당자		인	2/인	1급 10 2급 8 3급 6 4급 4	1급 6 2급 4 3급 2 4급 1	1급 10 2급 8 3급 6 4급 4	1급 4 2급 3 3급 2 4급 1
	판정 기준점				1급 132 2급 91 3급 38 4급 19		1급 110 2급 65 3급 27 4급 15	
비고	* 1항~3항 : 필수점을 만족하는 경우에 한하여 기술사 5점/인, 기사 3점/인, 산업기사 2점/인 가산가능((3)항에서 외주인력일 경우 가산점 불인정) * 3항~5항 : 3항과 4, 5항은 동일인 불인정(단 4항과 5항은 인정)							
나. 기능자	(1) 용접관련 기능자 · 기능장 · 기능사		자격	2/자격 1.5~0.8/자격	1급 90 2급 65 3급 20 4급 10	1급 40 2급 25 3급 6 4급 2	1급 65 2급 40 3급 20 4급 10	1급 25 2급 15 3급 4 4급 2
	(2) 강구조 제작 관련 기능자		자격	2/자격 0.5/인	1급 30 2급 25 3급 20 4급 10		1급 30 2급 25 3급 20 4급 10	
	판정 기준점				1급 59 2급 42 3급 13 4급 7		1급 42 2급 27 3급 11 4급 7	

3. 제작 및 시험설비

구분	항목	단위	배점	교량분야 상한점	교량분야 필수점	건축분야 상한점	건축분야 필수점
가. 제작용 설비기기	(1) 원형 또는 밴드절단기 · H형강절단폭: 650㎜이상 450㎜이상 기타	대	10/대 8/대 5/대	1급 25 2급 20 3급 15 4급 10		1급 30 2급 25 3급 15 4급 10	1급 10 2급 8
	(2) · 이동식 자동가스절단기 · 개선가공 전용기 · 대형 자동가스절단기 · NC형 대형가스절단기	대	5/대 10/대 10/대 10/대	1급 50 2급 45 3급 30 4급 15	1급 40 2급 15	1급 60 2급 45 3급 30 4급 15	1급 35 2급 15
	(3) · 직립 천공기 · 레이디알천공기 · 거더 레이디알천공기 · 자석식 전기천공기 · 3방향 다축천공기(H형강용) · NC형 겐트리천공기	대	2/대 3/대 3/대 2/대 10/대 10/대	1급 50 2급 45 3급 30 4급 15	1급 30 2급 12	1급 60 2급 40 3급 25 4급 15	1급 20 2급 10
	(4) · 프레스(100톤 이상) · 플랜지 교정기	대	5/대	1급 10 2급 10 3급 10 4급 5	1급 5 2급 5	1급 10 2급 10 3급 10 4급 5	1급 5
	(5) · 쇼트 블라스트 머신 · 그리트 블라스트 머신 · 블라스트 자동화설비	대	5/대 5/대 10/대	1급 30 2급 20 3급 10 4급 5	1급 5 2급 5	1급 30 2급 20 3급 10 4급 5	1급 5 2급 5
	(6) · 페이싱머신 · 밀링머신	대	5/대	1급 10 2급 10 3급 5 4급 5		1급 15 2급 10 3급 10 4급 10	〈삭제〉 〈삭제〉
	(7) · 벤딩로울러 · 밴더 · 절단기 · 천공기 · 프레스	대	1/대	1급 5 2급 5 3급 5 4급 5		1급 5 2급 5 3급 5 4급 5	〈삭제〉 〈삭제〉
	판정 기준점			1급 116 2급 72 3급 45 4급 26		1급 122 2급 78 3급 35 4급 18	

구분		항 목	단위	배점	교량분야 상한점	교량분야 필수점	건축분야 상한점	건축분야 필수점
나. 용접용 설비기기	(1)	반자동 아크용접기	대	2/대	1급 110 2급 80 3급 40 4급 15	1급 54 2급 39 3급 11 4급 2	1급 110 2급 90 3급 50 4급 20	1급 50 2급 35 3급 11 4급 2
	(2)	자동 용접기	대	5/대				
	(3)	온도조절기 부착 건조기	kg	1/25kg	1급 15 2급 7 3급 6 4급 4	1급 10 2급 5 3급 3 4급 2	1급 20 2급 15 3급 10 4급 5	1급 10 2급 5 3급 3 4급 2
	(4)	아크 에어 가우징 AC 아크 에어 가우징 DC	대	1/대 2/대	1급 10 2급 6 3급 4 4급 2	1급 6 2급 4	1급 10 2급 8 3급 4 4급 2	1급 5 2급 4
	(5)	하향 용접용 회전장치	대	5/대	1급 20 2급 15 3급 10 4급 5	〈삭제〉 〈삭제〉	1급 20 2급 15 3급 10 4급 5	1급 10 2급 5
	판정 기준점				1급 102 2급 67 3급 26 4급 9		1급 106 2급 73 3급 30 4급 11	
비고	* 나.(5)항(하향용접용 회전장치) : 제작물 이송과 회전이 자동화된 설비는 5점/대 가산							
다. 기중기	(1)	천정주행 크레인 ·30톤 이상 ·15톤이상 30톤미만 ·3톤이상 15톤미만	대	30/대 15/대 8/대	1급 80 2급 50 3급 30 4급 20	1급 50 2급 50 3급 15 4급 8	1급 80 2급 40 3급 30 4급 20	1급 50 2급 30 3급 8
	(2)	기타 크레인 및 지게차	톤	1/톤	1급100 2급 50 3급 20 4급 10	1급 40 2급 30	1급 50 2급 30 3급 20 4급 10	1급 20 2급 10
	판정 기준점				1급 117 2급 79 3급 29 4급 19		1급 88 2급 49 3급 20 4급 8	
비고	* 1항(천정주행 크레인) : 전자석 부착장비는 10/대 가산							

구분		항 목	단위	배점	교량분야 상한점	교량분야 필수점	건축분야 상한점	건축분야 필수점
라. 시험 검사 설비기기	(1)	초음파 탐상기	대	10/대	1급 40 2급 20 3급 10 4급 5	1급 20 2급 10	1급 40 2급 20 3급 10 4급 5	1급 20 2급 10
	(2)	자분탐상 장치 침투탐상 용구	대 세트	2/대 1/세트				
	(3)	전 류 계	대	1/대	1급 3 2급 3 3급 2 4급 2	1급 2 2급 2 3급 1 4급 1	1급 3 2급 3 3급 2 4급 2	1급 2 2급 2 3급 1 4급 1
	(4)	도막 게이지	개	2/개	1급 4 2급 4 3급 4 4급 4	1급 2 2급 2 3급 2 4급 2	1급 4 2급 4 3급 4 4급 4	1급 2 2급 2 3급 2 4급 2
	(5)	광파기	대	10/대	1급 10 2급 10	1급 10 2급 10		
	판정 기준점				1급 39 2급 21 3급 8 4급 6		1급 23 2급 13 3급 8 4급 6	
비고	* 2항 : 침투탐상 용구는 최대 5세트만 인정하고 초과분은 불인정							

4. 품질관리실태

구분	항 목		단위	배점	교량분야 상한점	교량분야 필수점	건축분야 상한점	건축분야 필수점
가. 종합관리	(1)	경영자, 관리자의 품질확보에 대한 관리방침과 그 상황	-	5점	1급 5 2급 5 3급 5 4급 5	1급 4 2급 3 3급 2 4급 2	1급 5 2급 5 3급 5 4급 5	1급 4 2급 3 3급 2 4급 2
	(2)	관리조직 및 품질시스템의 확립상태	-	5점	1급 5 2급 5 3급 5 4급 5	1급 4 2급 3 3급 2 4급 2	1급 5 2급 5 3급 5 4급 5	1급 4 2급 3 3급 2 4급 2
	(3)	교육 및 품질향상 개선에 대한 활동상황	-	8점	1급 8 2급 8 3급 8 4급 8	1급 6 2급 5 3급 4 4급 3	1급 8 2급 8 3급 8 4급 8	1급 6 2급 5 3급 4 4급 3
	(4)	사외 교육실시 현황	인/일	0.5/인/일	1급 12 2급 10 3급 8 4급 7	1급 10 2급 5 3급 4 4급 3	1급 12 2급 10 3급 8 4급 7	1급 10 2급 5 3급 4 4급 3
	(5)	사내 교육실시 현황	회/년	0.5/회/년	1급 6 2급 5 3급 4 4급 3	1급 3 2급 2 3급 1 4급 1	1급 6 2급 5 3급 4 4급 3	1급 3 2급 2 3급 1 4급 1
	(6)	제작회의 및 제작후 품평회의	회/년	0.5/회/년	1급 5 2급 5 3급 4 4급 3	1급 4 2급 3 3급 2 4급 2	1급 5 2급 5 3급 4 4급 3	1급 4 2급 3 3급 2 4급 2
	판정 기준점				1급 36 2급 29 3급 24 4급 22		1급 36 2급 29 3급 24 4급 22	
나. 제작기술	(1)	관리기술인의 기술, 지식수준	-	8점	1급 8 2급 8 3급 8 4급 8	1급 6 2급 4 3급 2 4급 2	1급 8 2급 8 3급 8 4급 8	1급 6 2급 4 3급 2 4급 2
	(2)	제작도 작성, 검토 상황과 내용	-	6점	1급 6 2급 6 3급 6 4급 6	1급 4 2급 4 3급 2 4급 2	1급 6 2급 6 3급 6 4급 6	1급 4 2급 4 3급 2 4급 2
	(3)	시공계획서의 정비상황과 내용	-	7점	1급 7 2급 7 3급 7 4급 7	1급 6 2급 5 3급 3 4급 2	1급 7 2급 7 3급 7 4급 7	1급 6 2급 5 3급 3 4급 2
	(4)	기술관련 도서의 활용상태	-	7점	1급 7 2급 7 3급 7 4급 7	1급 6 2급 5 3급 3 4급 2	1급 7 2급 7 3급 7 4급 7	1급 6 2급 5 3급 3 4급 2
	판정 기준점				1급 25 2급 23 3급 19 4급 15		1급 25 2급 23 3급 19 4급 15	
다. 제작상황 및 품질관리	(1)	강재의 보관, 취급상황	-	5점	1급 5 2급 5 3급 5 4급 5	1급 4 2급 3 3급 2 4급 1	1급 5 2급 5 3급 5 4급 5	1급 4 2급 3 3급 2 4급 1
	(2)	용접재료, 고력볼트 및 도료등 부자재의 보관 취급상황	-	9점	1급 9 2급 9 3급 9 4급 9	1급 8 2급 6 3급 4 4급 3	1급 9 2급 9 3급 9 4급 9	1급 8 2급 6 3급 4 4급 3
	(3)	볼트 천공구멍 가공 마찰면 처리상황	-	6점	1급 6 2급 6 3급 6 4급 6	1급 4 2급 4 3급 2 4급 2	1급 6 2급 6 3급 6 4급 6	1급 4 2급 4 3급 2 4급 2

구분	항 목		단위	배점	교량분야 상한점	교량분야 필수점	건축분야 상한점	건축분야 필수점
다. 제작상황 및 품질관리	(4)	절단, 개선가공 스칼럽 가공상황	-	7점	1급 7 2급 7 3급 7 4급 7	1급 6 2급 5 3급 3 4급 2	1급 7 2급 7 3급 7 4급 7	1급 6 2급 5 3급 3 4급 2
	(5)	용접공 자격과 작업내용의 상황	-	9점	1급 9 2급 9 3급 9 4급 9	1급 7 2급 5 3급 3 4급 2	1급 9 2급 9 3급 9 4급 9	1급 7 2급 5 3급 3 4급 2
	(6)	가용접 조립상황 및 그 검사실시 상황	-	10점	1급 10 2급 10 3급 10 4급 10	1급 8 2급 6 3급 4 4급 3	1급 10 2급 10 3급 10 4급 10	1급 8 2급 6 3급 4 4급 3
	(7)	용접외관 및 받침쇠, 엔드탭의 처리상황	-	10점	1급 10 2급 10 3급 10 4급 10	1급 8 2급 6 3급 4 4급 3	1급 10 2급 10 3급 10 4급 10	1급 8 2급 6 3급 4 4급 3
	(8)	제품검사 실시 기록 상황	-	9점	1급 9 2급 9 3급 9 4급 9	1급 8 2급 6 3급 4 4급 3	1급 9 2급 9 3급 9 4급 9	1급 8 2급 6 3급 4 4급 3
	(9)	외주제품의 관리상황	-	5점	1급 5 2급 5 3급 5 4급 5	1급 4 2급 3 3급 2 4급 1	1급 5 2급 5 3급 5 4급 5	1급 4 2급 3 3급 2 4급 1
	(10)	불량처리 시스템과 그 실시 상황	-	5점	1급 5 2급 5 3급 5 4급 5	1급 4 2급 3 3급 2 4급 1	1급 5 2급 5 3급 5 4급 5	1급 4 2급 3 3급 2 4급 1
	(11)	비파괴검사 실시 시스템의 상황과 기록 취급상황	-	8점	1급 8 2급 8 3급 8 4급 8	1급 7 2급 5 3급 3 4급 2	1급 8 2급 8 3급 8 4급 8	1급 7 2급 5 3급 3 4급 2
	(12)	검사장비의 정비 및 활용 상황	-	9점	1급 9 2급 9 3급 9 4급 9	1급 8 2급 6 3급 4 4급 3	1급 9 2급 9 3급 9 4급 9	1급 8 2급 6 3급 4 4급 3
	(13)	가조립 상황 및 그 검사 실시 상황	-	10점	1급 10 2급 10 3급 9 4급 9	1급 8 - - -		
	(14)	용접방법 시험시행 실적	건	1/건/년	1급 10 2급 10 3급 8 4급 6	1급 4 2급 3 3급 2 4급 1	1급 10 2급 10 3급 8 4급 6	1급 4 2급 3 3급 2 4급 1
	(15)	제작공정 관련 개선적용 시험 시행사례	건	1/건/년	1급 10 2급 10 3급 8 4급 6	1급 8 2급 6 3급 4 4급 3	1급 10 2급 10 3급 8 4급 6	1급 8 2급 6 3급 4 4급 3
	(16)	용접공 기량시험 시행	건	0.5/건/년	1급 10 2급 10 3급 8 4급 6	1급 3 2급 2 3급 1 4급 1	1급 10 2급 10 3급 8 4급 6	1급 3 2급 2 3급 1 4급 1
	판정 기준점				1급: 116 2급: 98 3급: 77 4급: 63		1급: 107 2급: 96 3급: 71 4급: 60	
비고	* 13항(가조립 상황 및 그 검사실시 상황) : 건축분야 제외							
라. 작업환경	(1)	공장 정리정돈 상태	-	6점	1급 6 2급 6 3급 6 4급 6	1급 4 2급 3 3급 2 4급 2	1급 6 2급 6 3급 6 4급 6	1급 4 2급 3 3급 2 4급 2
	(2)	작업장의 환경관리 상태	-	6점	1급 6 2급 6 3급 6 4급 6	1급 4 2급 3 3급 2 4급 2	1급 6 2급 6 3급 6 4급 6	1급 4 2급 3 3급 2 4급 2
	(3)	안전관리 시스템과 그 실시 상황	-	6점	1급 6 2급 6 3급 6 4급 6	1급 4 2급 3 3급 2 4급 2	1급 6 2급 6 3급 6 4급 6	1급 4 2급 3 3급 2 4급 2
	판정 기준점				1급: 15 2급: 13 3급: 12 4급: 12		1급: 15 2급: 13 3급: 12 4급: 12	

[별표 11]

철강구조물 제작공장 실태조사 세부기준(제72조제2항 관련)

주요 심사항목	세부 심사항목	1차	2차	3차
공장 개요	가. 공장부지 면적	○		
	나. 제품가공 작업장 면적	○		
	다. 가조립장 면적	○		
	라. 연간가공실적	○		
기술인력	가. 관리기술인	○	○	○
	나. 기능자	○	○	○
제작 및 시험설비	가. 제작용 설비기기		○	
	나. 용접용 설비기기			○
	다. 크레인 설비기기			○
	라. 시험검사 설비기기	○		
품질관리실태	가. 종합관리	○	○	○
	나. 제작기술	○	○	○
	다. 제작 상황 및 품질관리	○	○	○
	라. 작업환경	○	○	○

비고 : 심사 세부항목, 상한점, 필수점 및 판정기준점은 별표9에 따른다.

[별표 12]

철강구조물 제작공장 인증업무의 인력편성(제52조 관련)

구분	자격	인원
가. 관리책임자	1) 토목·건축·기계분야 박사학위를 취득한 자로서 철강구조물제작공장 인증업무 실무경력 5년 이상인 자 2) 토목·건축·기계분야 석사 이상의 학위를 취득한 자로서 품질경영체제(KS Q ISO 9001) 인증기관 실무경력 5년 이상인 자 3) 품질경영체제(KS Q ISO 9001) 검증심사원 이상의 자격을 취득한 자로서 철강구조물제작공장 인증업무 운영관련 실무경력 7년 이상인 자 4) 건설기술진흥법 시행령 제4조관련 별표1의 건설기술인의 범위 중 특급기술인	1명
나. 심사기관 소속 심사자	1) 토목·건축·기계분야 석사 이상의 학위를 취득한 자로서 철강구조물제작공장 인증업무 실무경력 5년 이상인 자 2) 토목·건축·기계분야 학사 이상의 학위를 취득한 자로서 철강구조물제작공장 인증업무 실무경력 7년 이상인 자 3) 품질경영체제(KS Q ISO 9001) 심사원 이상의 자격을 취득한 자로서 철강구조물제작공장 인증업무 실무경력 5년 이상인 자 4) 건설기술진흥법 시행령 제4조관련 별표1의 건설기술인의 범위 중 고급기술인 이상인 자	4명 이상

※ 외부심사자는 심사기관에서 정한 규정에 따른다.

[별지 제1호 서식]

품질관리계획서 검토 · 승인서

1. 개 요

공 사 명			
발 주 자			
건설사업관리 기술인			
시 공 자			
착 공 일		준공예정일	
공사위치			
공사금액		도급금액	
품질관리계획서 문서번호			

(주) 1. 검토결과 시정요구 사항이 있는 경우는 조치확인을 완료한 후 승인을 요청한다.
2. 이 요령의 검토사항은 일반적인 사항에 대한 것이므로 해당 공사의 규모, 특성, 중요도 등에 따라 필요한 검토사항을 추가하여 사용할 수 있다.
3. 발주자 중 발주청이 아닌 자는 미리 인·허가기관에 제출하여 검토 받는다.

2. 결 과

판 정	[ ] 적정 [ ] 조건부적정(사유 :) [ ] 부적정 (사유 :)
승 인 자	소속 및 직위 : 성명 : (서명 또는 인) 일자 : 년 월 일

3. 검토의견

검 토 자	소속 및 직위 : 성명 : (서명 또는 인) 일자 : 년 월 일
조치 확인자	소속 및 직위 : 성명 : (서명 또는 인) 일자 : 년 월 일

품질관리계획 작성기준	만 족	시정요구	조치확인
1. 일반사항			
2. 적용범위 및 인용표준			
3. 용어 정의			
4. 조직상황			
4.1 건설공사의 정보			
4.2 이해관계자의 요구와 기대관리			
4.3 프로세스 관리			
5. 리더십			
5.1 품질방침			
5.2 책임과 권한			
6. 기획			
6.1 리스크 및 기회관리			
6.2 품질목표관리			
6.3 품질관리계획의 변경관리			
7. 지원			
7.1 자원관리			
7.2 모니터링 자원 및 측정자원의 관리			
7.3 조직의 지식관리			
7.4 역량/적격성관리			
7.5 의사소통관리			
7.6 문서화된 정보 및 정보의 관리			
8. 운용			
8.1 건설공사 요구사항 검토 및 준비			
8.2 건설공사 요구사항 변경			
8.3 설계관리			
8.4 기자재 구매관리			
8.5 외부에서 제공되는 프로세스관리			
8.6 공사관리			
8.7 중점품질관리			
8.8 식별 및 추적관리			
8.9 고객 또는 외부공급자의 재산관리			
8.10 보존관리			
8.11 검사 및 시험, 모니터링			
8.12 부적합 공사의 관리			
8.13 공사준공 및 인계			
9. 성과관리			
9.1 고객만족			
9.2 분석 및 평가			
9.3 내부심사			
9.4 경영검토			
10. 개선			
10.1 부적합 및 시정조치			
10.2 지속적 개선			

210mm×297mm[백상지(80g/㎡) 또는 중질지(80g/㎡)]

4. 시정요구 사항

□ 품질관리계획서

요구사항	시 정 내 용

□ 기타 절차서 및 지침서, 시험계획서 등

문서명	시 정 내 용

210㎜×297㎜[백상지(80g/㎡) 또는 중질지(80g/㎡)]

5. 검토사항

항 목 및 검 토 사 항	검 토 내 용 (품질관리계획서 관련 조항 기술)
1. 일반사항 ○ 품질관리계획서의 작성 근거(영 제89조제1항의 각 호 등)를 명시하고 있는지? ○ 품질관리계획서의 제정 및 개정현황을 작성하고 있는지 확인.	
2. 적용범위 및 인용표준 ○ 건설공사의 현장 특성 때문에 이 작성기준의 일부를 적용하지 않은 경우에는 제외기준과 사유를 명시하고 있는지?	
3. 용어 정의 ○ 품질관리계획서 작성에 사용한 용어는 건설공사 품질관리 업무지침 제2조 및 KS Q ISO 9000:2015(품질경영시스템-기본사항과 용어)를 참조하였는지?	
4. 조직 상황 **4.1 건설공사의 정보** ○ 건설공사와 관련된 공사개요 등 계약 일반현황에 관한 요약 정보를 문서화된 정보로 유지하고 있는지?	
4.2 이해관계자의 요구와 기대관리 ○ 건설공사와 관련되는 이해관계자 파악 및 이해관계자 요구사항을 파악하여 문서화된 정보로 정하고 있는지? ○ 이해관계자 및 이해관계자 요구사항에 대한 정보를 모니터링하고 검토 관리하는 방법을 문서화된 정보로 정하고 있는지? ※ 이해관계자란 의사결정 또는 활동에 영향을 줄 수 있거나, 영향을 받을 수 있거나 또는 영향을 받는다고 생각하는 사람 또는 조직을 말한다.	

항 목 및 검 토 사 항	검 토 내 용 (품질관리계획서 관련 조항 기술)
4.3 프로세스 관리 ○ 건설공사 전반의 프로세스를 파악하여 프로세스의 순서와 상호작용을 결정하고 문서화된 정보로 정하고 있는지? (예, 프로세스 맵핑) ○ 파악된 각각의 프로세스에 대하여 다음 각 호의 사항을 문서화된 정보로 정하고 있는지? ■ 요구되는 입력과 프로세스로부터 기대되는 출력의 결정 ■ 프로세스의 효과적 운용과 관리를 위한 필요한 기준과 방법의 결정과 적용(모니터링, 측정 및 관련 성과지표를 포함) ■ 프로세스에 필요한 자원의 결정과 자원의 가용성 보장 ■ 프로세스에 대한 책임과 권한의 부여 ■ 파악된 리스크와 기회의 조치 ■ 프로세스의 평가, 프로세스의 결과 달성을 위한 모든 변경사항의 실행	
5. 리더십 **5.1 품질방침** ○ 현장 최고책임자는 건설공사의 목적과 발주자의 기대 및 요구에 적절한 현장의 품질방침을 정하고, 문서화된 정보로 정하고 있는지? ○ 품질방침은 다음 각 호의 사항에 대한 의지표명을 포함하여 문서화된 정보로 정하고 있는지? ■ 건설공사 요구사항과 적용되는 법적 및 규제적 요구사항 충족시킴. ■ 리스크와 기회를 결정하고 처리. ■ 필요한 자원 지원 및 인원을 적극 참여시키고, 지휘하고 지원. ■ 고객만족을 위해 노력. ■ 품질확보를 위한 지속적 개선 ○ 품질방침이 공사수행 구성원에게 의사소통 및 이해되며 적용하도록 정한 방법을 정하고 있는지?	

항 목 및 검 토 사 항	검 토 내 용 (품질관리계획서 관련 조항 기술)
5.2 책임 및 권한 ○ 품질관리계획을 수립, 실행 및 유지할 수 있도록 본사 조직과 연계된 현장 조직을 구성하고 있는지? ○ 현장 단위조직 및 공사수행 구성원의 책임과 권한에 다음 각 호의 사항을 문서화된 정보로 정하고 있는지? ■ 개별 단위조직에 대한 활동의 계획, 실행 및 유지, 모니터링 ■ 건설공사 관련 모든 조직과의 의사소통, 공사 관련자간 공유영역에서 일어나는 문제의 해결 ■ 내·외부 점검 및 결과 조치(심사, 품질관리 적절성 확인 등) ■ 시정조치의 관리	
6. 기획 **6.1 리스크 및 기회관리** ○ 발주자 및 건설공사 요구사항, 적용되는 법적 및 규제요구사항, 이해관계자의 이슈 등을 고려하여 다음 각 호의 사항을 포함하여 문서화된 정보로 정하고 있는지? ■ 리스크와 기회 파악 ■ 파악된 리스크와 기회를 조치하고 효과성 평가	
6.2 품질목표관리 ○ 건설공사 요구사항과 발주자의 기대 및 요구사항을 달성하기 위하여 현장의 품질목표를 수립하고 관리하는 방법을 정하고 있는지? ○ 품질목표는 현장 품질방침과 일관성이 있고, 공사목적물의 적합성과 고객만족 증진과 관련되어 있으며, 측정 가능하도록 정하고 있는지? ○ 품질목표는 공사수행 구성원들에게 의사소통되고, 모니터링 및 필요에 따라 갱신하는 방법을 정하고 있는지? ○ 품질목표를 달성하기 위하여 다음 각 호의 사항을 포함한 품질목표 추진계획을 수립하도록 문서화된 정보로 정하고 있는지? ■ 품질목표 달성대상 결정과 달성을 위한 일정계획 ■ 품질목표 달성을 위한 필요한 자원, 책임자 지정, 완료시기 ■ 달성도 확인 주기 및 결과 평가방법	

항 목 및 검 토 사 항	검 토 내 용 (품질관리계획서 관련 조항 기술)
6.3 품질관리계획의 변경관리 ○ 현장 내부심사 및 경영검토, 지속적 개선 등의 결과를 근거로 품질관리계획를 변경하도록 정하고 있는지? ○ 품질관리계획의 변경은 다음 각 호의 사항을 고려하여 변경계획을 수립하고 이행하는 방법을 문서화된 정보로 정하고 있는지? ■ 변경의 목적과 잠재적 결과 ■ 품질관리계획서 작성기준 ■ 자원의 사용 가능성 ■ 책임과 권한의 부여 또는 재부여	
7. 자원 **7.1 자원관리** ○ 품질관리계획서의 효과적인 실행, 프로세스의 운용과 관리에 필요한 인원(관련 법령, 발주자 요구 등)의 결정 및 관리에 관한 방법을 정하고 있는지? ○ 건설공사의 성공적인 수행을 위한 기반구조와 작업환경의 결정, 확보, 유지관리에 관한 방법을 정하고 있는지? ※ 기반구조란 건물 및 연관된 유틸리티, 장비(하드웨어, 소프트웨어 포함), 운송자원, 정보통신기술 등을 말한다.	
7.2 모니터링 자원 및 측정자원의 관리 ○ 모니터링 자원 및 측정자원의 관리는 임대 또는 대여하여 사용하거나, 하수급자 또는 개인이 사용하는 장비를 포함하도록 정하고 있는지? ○ 모니터링 자원 및 측정자원의 관리 방법은 다음 각 호의 사항을 문서화된 정보로 정하고 있는지? ■ 필요한 검사 및 시험, 모니터링에 사용될 장비 및 각 장비의 관리기준(정밀·정확도) 결정과 확보에 관한 사항 ■ 규정된 주기 또는 사용전에 교정 실시, 교정성적서의검토와 사용여부의 판단, 교정 상태의 식별 표시 방법	

항 목 및 검 토 사 항	검 토 내 용 (품질관리계획서 관련 조항 기술)
■ 장비별 고유의 식별, 취급, 유지보전 및 보관방법 ■ 성능저하를 발견하기 위한 적정한 점검주기, 점검기준 및 점검방법 ■ 장비가 장비의 관리기준에서 벗어난 것으로 판명된 경우 이전의 검사 및 시험과 모니터링 결과에 대한 유효성 평가 및 필요한 경우 적절한 조치방법	
7.3 조직의 지식관리 ○ 공사목적물 완성에 필요한 지식을 관리하는 방법에는 다음 각 호의 사항을 문서화된 정보로 정하고 있는지? ■ 필요한 지식의 파악 및 결정 ■ 정해진 지식(내부 및 외부)의 유지관리 및 이용 방법. ■ 신규 지식 및 요구 지식이 적용될 경우 입수 또는 이용방법 ※ 지식이란 건설공사 수행을 위하여 활용되고 공유되는 정보이다 (예: 계약서, 건설기준, 적용 코드 및 표준, 사내표준, 적용 법규, 공법, 유사공사들의 우수/실패 사례 등)	
7.4 역량/적격성관리 ○ 품질관리계획서 및 건설공사 요구사항을 수행하는 인원의 역량/적격성관리에 대하여 다음 각 호의 사항을 문서화된 정보로 정하고 있는지? ■ 역량/적격성이 필요한 업무 결정 ■ 해당 업무수행에 요구되는 적절한 학력, 교육훈련, 숙련도, 경험, 관련법령 등의 역량/적격성 기준결정 ■ 결정된 역량/적격성이 있음을 보장하는 방법 ■ 역량/적격성이 보장된 인원의 배치 ○ 교육훈련방법에는 다음 각 호의 사항을 문서화된 정보로 정하고 있는지? ■ 교육훈련의 필요성 파악(건설공사 수행과 관련된 법령 및 품질관리계획의 요구사항, 작업방법 및 절차 검사 및 시험방법, 측량기법, 적용되는 신기술 또는 신공법, 품질관리에 관한 사항 등)	

항 목 및 검 토 사 항	검 토 내 용 (품질관리계획서 관련 조항 기술)
▪ 자체교육, 위탁교육 등 교육훈련계획의 수립 ▪ 교육훈련의 실시 ▪ 교육훈련결과의 보고 ▪ 교육훈련의 효과성 평가	
7.5 의사소통관리 ○ 품질관리계획의 이행 및 건설공사 운영과 관련하여 다음 각 호의 사항을 위한 내부 및 외부에서의 효과적인 의사소통방안(시기, 대상, 방법, 담당자)을 문서화된 정보로 정하고 있는지? ▪ 건설공사와 관련된 요구사항 및 정보의 교환 ▪ 공사 관계자간의 조직적 및 기술적 연계성 ▪ 부적합 사항, 부적합 공사 등 당면한 문제의 해결 ▪ 민원, 발주자, 공사감독자 또는 건설사업관리기술인를 포함한 건설공사 관계자의 불평 해결, 이에 대한 후속활동 ▪ 비상시 대비 및 대응 ▪ 공사관련자 회의체 구성 등	
7.6 문서화된 정보 및 정보의 관리 ○ 품질관리계획서(필요시 절차서, 지침서 등), 시공계획서, 작업절차서 등 내부의 문서화된 정보와 계약문서, 설계도서, 법규, 건설기준 등 외부의 문서화된 정보를 관리하도록 정하고 있는지? ○ 문서화된 정보의 유지를 위하여 다음 각 호의 사항을 문서화된 정보로 정하고 있는지? ▪ 작성, 검토, 승인, 식별 및 내용 (예: 제목, 날짜, 작성자, 문서번호 등) ▪ 형식(예: 언어, 소프트웨어 버전, 그래픽) ▪ 매체(예: 종이, 전자 매체) ○ 문서화된 정보의 보유를 위하여 다음 각 호의 사항을 문서화된 정보로 정하고 있는지? ▪ 배포, 접근, 검색 및 사용에 관한 방법 ▪ 가독성 보존을 포함하는 보관 및 보존방법	

항 목 및 검 토 사 항	검 토 내 용 (품질관리계획서 관련 조항 기술)
▪ 변경관리(예: 버전관리) 방법 ▪ 법적 및 규제 요구사항을 충족하는 보유 및 폐기방법 ▪ 외부의 문서화된 정보 식별 및 관리방법 ▪ 의도하지 않은 수정으로부터 보호방법	
8. 운용 8.1 건설공사 요구사항 검토 및 준비 ○ 건설공사 수행과 관련된 요구사항을 검토하는 시기, 방법 및 책임자를 정하고 있는지? ○ 상충되거나 모호한 요구사항, 현장 실정과 부합되지 않는 요구사항의 해결방법을 정하고 있는지? ○ 건설공사 수행과 직접적으로 관련된 제반 준비사항에 대한 관리방법을 정하고 있는지?	
8.2 건설공사 요구사항 변경 ○ 설계변경을 포함한 계약변경의 요청 및 처리방법을 정하고 있는지? ○ 계약이 변경되는 경우, 관련 문서가 수정되고 관련 인원이 변경된 요구사항을 인식하도록 하는 방법을 정하고 있는지?	
8.3 설계관리 ○ 설계관리에는 다음 각 호의 사항을 문서화된 정보로 정하고 있는지? ▪ 설계계획의 수립 및 관리방법 ▪ 설계입력 요구사항의 문서화된 정보 유지방법 ▪ 설계관리(검토, 검증, 실현성 확인)의 수행방법 ▪ 설계출력의 입력요구사항 충족의 문서화된 정보의 보유방법 ▪ 설계변경의 식별, 검토 및 관리방법	
8.4 기자재 구매관리 ○ 기자재 구매관리 방법에는 다음 각 호의 사항을 문서화된 정보로 정하고 있는지?	

항 목 및 검 토 사 항	검 토 내 용 (품질관리계획서 관련 조항 기술)
■ 기자재 수급계획 수립 ■ 구매할 기자재명, 규격, 납기, 검사기준 및 관련 구매정보를 포함한 발주서 작성 방법 ■ 발주 방법 ■ 구매한 기자재의 검사 및 시험, 또는 검증, 유지관리 방법 ■ 부적합 기자재의 처리 방법 ■ 제작품 구매의 경우, 검증방법 및 출하방법을 발주서에 명시	
8.5 외부에서 제공되는 프로세스관리 ○ 하도급된 공종을 관리하는 방법에는 다음 각 호의 사항을 문서화된 정보로 정하고 있는지? ■ 하도급 계획 수립방법 ■ 하도급 계약 요구사항을 충족시킬 능력을 근거로 한 하도급 업체의 평가 및 선정방법(필요한 경우) ■ 하도급 계약과 관련된 요구사항의 결정방법(요구되는 절차, 사용되는 기자재와 장비에 관련된 보고 및 승인에 대한 사항, 인력의 자격 인정에 대한 사항 및 그 밖의 필요한 사항) ■ 하도급 계약체결 방법(필요한 경우) ■ 하도급자에게 제공하는 교육훈련, 품질관련 절차서, 기자재, 정보 등 하도급자에 대한 지원업무 범위 ■ 하도급된 공종에 대한 검사 및 시험, 검증과 모니터링 방법 ■ 필요한 기록의 종류, 기록의 제출 시기 및 방법	
8.6 공사관리 ○ 건설공사를 관리하는 방법에는 다음 각 호의 사항을 문서화된 정보로 정하고 있는지? ■ 시공계획 수립 및 관리방법 ■ 필요한 경우 작업절차 또는 작업지침의 수립방법 ■ 공사진도관리방법(필요한 경우 부진공정 만회대책 및 수정 공정계획 포함) ■ 시공상세도, 준공도의 작성 및 관리방법 ■ 요구되는 자격 및 역량 있는 인원 선정방법	

항 목 및 검 토 사 항	검 토 내 용 (품질관리계획서 관련 조항 기술)
8.7 중점품질관리 ○ 부적합 공사로 판명될 경우 시정이 어렵고 많은 노력과 경비가 소요되는 공종 또는 부위의 중점 품질관리방법에는 다음 각 호의 사항을 문서화된 정보로 정하고 있는지? ■ 중점 품질관리 대상의 결정 ■ 작업에 이용되는 장비에 대한 기준 및 승인 방법 ■ 작업자에 대한 자격기준 및 자격인정 방법 ■ 작업방법 및 모니터링 방법	
8.8 식별 및 추적관리 ○ 기자재와 공사 목적물에 대한 식별 및 추적방법에는 다음 각 호의 사항을 문서화된 정보로 정하고 있는지? ■ 식별 대상의 결정 및 식별방법 ■ 추적 요구사항을 고려한 추적 대상의 파악, 추적의 범위, 정도 및 방법 ■ 기자재와 공사 목적물에 대한 검사 및 시험 상태의 식별방법 ○ 선정된 식별대상 및 추적대상과 방법은 적절하게 정하고 있는지?	
8.9 고객 또는 외부공급자의 재산관리 ○ 고객 또는 외부공급자의 재산이 있는 경우, 재산을 관리하는 방법에는 다음 각 호의 사항을 문서화된 정보로 정하고 있는지? ■ 재산의 파악 및 수급계획 방법 ■ 재산의 검사 및 시험 방법과 검증결과 부적합한 경우 처리하기 위한 방법 ■ 보관시 재산의 손상, 분실되거나 사용하기에 부적절한 것으로 판명된 경우, 보고를 포함한 처리 방법 ■ 재산의 입체 또는 대체 사용이 필요한 경우, 그 처리방법 ■ 잉여 재산의 처리방법 ※ 고객 또는 외부공급자의 재산은 고객 또는 조직의 일부분이 아닌 공급자가 지급하는 재산(예: 자재, 부품, 공구 및 장비, 고객 부동산, 지적 소유권 및 개인정보 등)	

항 목 및 검 토 사 항	검 토 내 용 (품질관리계획서 관련 조항 기술)
8.10 보존관리 ○ 건설공사를 수행할 때부터 공사 목적물을 인계할 때까지 기자재 및 공사 목적물이 분실, 손상 또는 열화되지 않도록 보존관리하여야 한다. ○ 기자재 및 공사 목적물을 보존하는 관리방법은 다음 각 호의 사항을 문서화된 정보로 정하고 있는지? ■ 기자재의 운반 및 투입에 있어 필요한 특별한 취급방법 ■ 기자재의 품질유지를 위한 보관장소 및 보관방법, 반입과 반출방법 ■ 공사 목적물의 인계전까지 품질보호를 위한 보호방안 ■ 화재 및 보안관리	
8.11 검사 및 시험, 모니터링 ○ 투입되는 자재, 시공공정 및 공사 목적물과 관련된 특성을 검사, 시험 및 모니터링하는 방법에는 다음 각 호의 사항을 문서화된 정보로 정하고 있는지? ■ 적절한 공정단계에서 검사 및 시험 계획(ITP)의 수립 방법 ■ 각 단계에서의 검사 및 시험 항목, 합격판정기준, 빈도, 사용되는 장비 및 기법 ■ 검증시기, 장소 및 방법 ■ 발주자, 공사감독자 또는 건설사업관리기술인의 입회시기, 방법 등(필요한 경우에만 해당한다) ■ 검사 및 시험, 모니터링의 실시 및 결과 보고 방법 ■ 검사 및 시험을 외부에 의뢰하는 방법 및 결과의 검토 방법 ○ 수립된 검사 및 시험계획(항목, 판정기준, 빈도 등)은 관련 법령 또는 발주자 요구사항이 반영되었는지?	
8.12 부적합 공사의 관리 ○ 품질기준에 적합하지 않은 부적합 공사를 관리하는 방법에는 다음 각 호의 사항을 문서화된 정보로 정하고 있는지? ■ 부적합 공사 특성에 따른 식별방법 ■ 부적합 공사의 상태에 대한 문서화 방법 ■ 부적합의 검토와 분석, 부적합 원인의 결정 방법 ■ 유사한 부적합의 존재 또는 잠재적인 발생 여부 확인 방법 ■ 현상사용, 보완시공 또는 재시공 등 부적합 공사에 대한 조치의 결정 및 실행 방법 ■ 부적합 공사의 처리방안 결정 방법 ■ 보완시공 및 재시공시 품질 요구사항에 따른 재검사의 실시 방법 ■ 취해진 모든 조치의 효과성 검토방법	
8.13 공사준공 및 인계 ○ 공사 목적물이 완공되었음을 입증하는 방법에는 다음 각 호의 사항을 문서화된 정보로 정하고 있는지? ■ 필요시 시운전을 위한 계획 및 시운전 절차 수립 방법 ■ 준공검사 신청 방법 ■ 필요시 부적합공사에 대한 처리 방법 ■ 준공도면의 검토 및 제출 방법 ■ 준공표지의 설치 방법 ○ 공사 목적물이 완공되었음이 입증되어 인계하는 방법에는 다음 각 호의 사항을 문서화된 정보로 정하고 있는지? ■ 시설물 인계 계획의 수립 방법 ■ 본사로 이관될 현장문서 및 기록의 파악 및 인계 방법 ■ 건설사업관리기술인 또는 발주자에게 인계할 현장문서 및 기록의 파악 및 인계 방법	
9. 성과관리 **9.1 고객만족** ○ 발주자 및 이해관계자의 요구 및 기대를 관리하는 방법에는 다음 각 호의 사항을 문서화된 정보로 정하고 있는지? ■ 정보 수집 방법 ■ 모니터링(설문조사, 피드백, 미팅, 칭찬, 클레임 등) 및 검토 방법	

항 목 및 검 토 사 항	검 토 내 용 (품질관리계획서 관련 조항 기술)
9.2 분석 및 평가 ○ 품질관리계획의 지속적 개선을 위한 분석 및 평가 방법에는 다음 각 호의 데이터를 문서화된 정보로 정하고 있는지? ■ 발주자 및 이해관계자의 만족도 조사 결과 ■ 주요자재의 품질경향 ■ 부적합 공사의 발생 빈도 및 특성 ■ 내부심사 결과 및 품질관리 적절성 확인 등의 결과	
9.3 내부심사 ○ 건설공사 수행에 대한 내부심사를 현장 자체적으로 년 1회 이상 수행하도록 정하고 있는지? ○ 내부심사 방법에는 다음 각 호의 사항을 문서화된 정보로 정하고 있는지? ■ 심사주기, 심사범위, 심사기준, 역량/적격성에 적합한 심사자 선정을 포함한 심사 계획의 수립 방법 ■ 심사 수행방법 및 심사결과 보고 방법 ■ 필요한 경우 부적합 사항의 시정조치 수행 방법 ■ 취해진 후속조치의 검증 및 검증결과의 보고 방법	
9.4 경영검토 ○ 건설공사 운영과 관련된 개선사항의 결정과 조치를 위하여 년 1회 이상 현장 자체적으로 건설공사 운영성과를 검토하도록 정하고 있는지? ○ 건설공사 경영검토 방법에는 다음 각 호의 사항을 문서화된 정보로 정하고 있는지? ■ 전년도 건설공사 경영검토에 따른 조치 결과(해당되는 경우) ■ 건설공사 수행에 영향을 줄 수 있는 외부 및 내부 이슈의 변경 사항 ■ 자원의 충족성 ■ 파악된 리스크와 관련하여 취해진 조치의 효과성 ■ 문제점, 애로사항의 개선 사항	

항 목 및 검 토 사 항	검 토 내 용 (품질관리계획서 관련 조항 기술)
■ 품질관리계획의 성과 및 효과성 정보 • 고객 만족 및 발주자와 관련 이해관계자로부터의 피드백 (불만사항 포함) • 현장 품질목표의 달성 정도 • 부적합 공사의 발생 빈도 및 특성과 시정조치 사항 • 검사 및 시험, 모니터링 및 측정결과 • 현장 내부심사 및 품질관리 적절성 확인 등 내·외부의 결과 • 외부공급자의 성과 ○ 건설공사 경영검토결과에 따라 후속조치를 하도록 정하고 있는지?	
10. 개선 **10.1 부적합 및 시정조치** ○ 건설공사 운영성과 검토 결과, 부적합 또는 잠재적인 부적합이 발견된 경우, 시정조치를 하는 방법을 정하고 있는지? ○ 건설공사 수행과정에서 부적합 공사, 발주자 및 이해관계자의 불만 등이 발생한 경우, 시정조치 방법에는 다음 각 호의 사항을 문서화된 정보로 정하고 있는지? ■ 부적합 원인의 결정 ■ 유사한 부적합의 존재 여부 또는 잠재적인 발생 여부 결정 ■ 필요한 모든 조치의 결정 및 실행 ■ 취해진 모든 시정조치의 효과성 검토 ■ 필요한 경우, 결정된 리스크와 기회 갱신 ■ 필요한 경우, 품질관리계획의 변경	
10.2 지속적 개선 ○ 품질관리계획을 지속적으로 개선하기 위하여 요구 또는 기회를 결정하는 방법에는 다음 각 호의 사항을 문서화된 정보로 정하고 있는지? ■ 분석 및 평가의 결과 ■ 건설공사 경영검토 결과	

비고 : 각 항목에서 검토사항을 추가할 필요가 있을 경우 추가·검토할 수 있음

[별지 제2호 서식]

품질관리 적절성 확인점검표

1. 점검개요 점검일 년 월 일

공사명			
발주자			
시공자			
착공일		준공예정일	
공사위치			
공사금액		도급금액	
공사감독자/ 건설사업 관리기술인	소속: 성명: (서명 또는 인)		
입회자	현장대리인: 성명 (서명 또는 인)		
공사개요			
첨부 (참고자료)			
점검자	소속 및 직위 성명: (서명 또는 인)		
	소속 및 직위 성명: (서명 또는 인)		
	소속 및 직위 성명: (서명 또는 인)		

2. 품질관리계획에 대한 점검사항

점검항목	점검사항	점검내용	결과
1. 일반사항	가. 품질관리계획서 작성 근거 명시 및 검토·승인여부 ○ 품질관리계획서의 작성 근거(영 제89조 제1항의 각 호 등)를 명시하였는지 확인. ○ 품질관리계획서의 제정 및 개정현황 등을 작성하였는지 확인. ○ 품질관리계획서를 공사감독자 또는 건설사업관리기술인의 검토와 발주자에게 승인을 받고, 관련근거를 문서화된 정보로 보유하고 있는지 확인(품질관리계획서 변경도 동일).		
2. 적용범위 및 인용표준	가. 품질관리계획서 작성기준 준수 및 적용범위 여부 ○ 품질관리계획서 작성기준[별표1]에 따라 모든 항목과 내용이 작성되었는지 확인. ○ 건설공사의 현장 특성 때문에 품질관리계획서 작성기준[별표1]의 일부를 제외하였다면 제외한 사유가 명시 되었는지와 사유가 타당한지 확인.		
3. 용어 정의	가. 품질관리계획서 작성 용어 준수 여부 ○ 품질관리계획서 작성에 사용하는 용어는 건설공사 품질관리 업무지침 제2조 및 KS Q ISO 9000:2015 (품질경영시스템-기본사항과 용어)를 참조하여 작성하였는지 확인.		
4. 조직 상황 4.1 건설공사의 정보	가. 발주자 요구사항의 결정 및 충족 여부 ○ 건설공사와 관련된 일반현황과 계약내용에 대한 요약정보가 문서화된 정보로 유지하고 있는지 확인.		

점검항목	점검사항	점검내용	결과
4.2 이해 관계자의 요구와 기대 관리	가. 이해관계자의 요구와 기대 파악 여부 ○ 건설공사와 관련되는 이해관계자를 파악하고 문서화된 정보로 유지하고 있는지 확인. ○ 건설공사와 관련되는 이해관계자의 요구사항과 적용되는 법적 및 규제적 요구사항을 파악 및 결정하고 문서화된 정보로 보유하고 있는지 확인. ○ 이러한 요구사항에 대한 정보를 모니터링하고 검토하여 반영하고 있는지 확인.		
4.3 프로세스 관리	가. 건설공사의 프로세스 결정 및 운영 여부 ○ 건설공사 전반의 프로세스를 정하고 상호관계를 명시하였는지 확인. ○ 프로세스별로 요구되는 입력과 출력이 결정되었는지 확인. ○ 프로세스별로 필요한 기준 및 방법(모니터링, 측정 및 관련 성과지표를 포함), 자원의 결정, 프로세스 평가 및 개선 등을 결정하고 운영하는지 확인.		
5. 리더십 5.1 품질방침	가. 품질방침의 수립 여부 ○ 현장 최고책임자가 건설공사의 목적과 발주자의 기대 및 요구에 적절한 품질방침을 수립하고, 이용 가능하도록 문서화된 정보로 유지하고 있는지를 확인. ○ 수립된 품질방침에는 건설공사 요구사항과 적용되는 법적 및 규제적 요구사항 충족시킴, 리스크와 기회를 결정하고 처리, 필요한 자원 지원 및 인원을 적극 참여시키고, 지휘하고 지원함, 고객만족을 위해 노력, 품질확보를 위한 지속적으로 개선하겠다는 의지표명이 포함되어 있는지 확인. 나. 공사 참여자의 동기부여 여부 ○ 품질방침의 주기적인 교육, 사무실 및 현장 게시 등을 통해 공사수행 구성원들에게 의사소통 되고 이해하고 있는지를 확인 ○ 품질방침이 소통·이해·적용되고 있는지를 문서화된 정보로 보유하고 있는지 확인.		

점검항목	점검사항	점검내용	결과
5.2 책임과 권한	가. 조직편성 및 적정인력 배치 여부 ○ 본사 조직과 연계된 현장 조직을 구성하였는지 확인. ○ 계약 및 법적요구 인원을 포함하여 원활한 공사 수행을 위한 적정인력이 배치되어 있는지 확인 나. 각 조직 인원의 업무분장 실시 여부 ○ 현장 각 조직과 조직 구성원 개개인에 대하여 책임 및 권한(업무분장)이 명확히 부여되어 문서화된 정보로 보유하고 운영되고 있는지 확인 ○ 조직 구성원 개개인의 책임과 권한은 의사소통 되었는지 문서화된 정보로 보유하고 있는지 확인 ○ 조직 구성원의 변경시 책임과 권한이 변경(개정) 관리되고 있는지 확인		
6. 기획 6.1 리스크 및 기회관리	가. 리스크 파악 및 관리여부 ○ 발주자 및 건설공사 요구사항, 적용되는 법적 및 규제요구사항, 이해관계자의 이슈 등에 대하여 리스크와 기회를 파악하여 문서화된 정보로 유지하고 있는지 확인. ○ 파악된 리스크는 조치되고 결과에 대하여 효과성을 평가하고 문서화된 정보로 보유하는지 확인.		
6.2 품질목표 관리	가. 품질목표 수립여부 ○ 품질목표는 품질방침과 일관성이 있고 측정 가능하도록 설정되어 있는지 확인. ○ 품질목표는 공사목적물의 적합성과 고객만족 증진과 관련된 내용으로 설정되어 있는지 확인. ○ 품질목표는 지속적 개선 결과를 반영하여 설정되고 문서화된 정보로 유지하고		

점검항목	점검사항	점검내용	결과
	있는지 확인 나. 품질목표 추진계획의 수립 및 실행 여부 ○ 품질목표 추진계획에 달성대상의 결정과 달성을 위한 일정계획, 필요한 자원, 책임자 지정, 완료시기, 달성도 확인주기 등을 수립하여 문서화된 정보로 유지하고 있는지 확인. ○ 품질목표 추진계획에 따른 달성 결과를 평가하고, 필요한 경우 변경하고 문서화된 정보로 보유하고 있는지 확인. 다. 공사참여자의 동기부여 여부 ○ 품질목표의 주기적인 교육, 사무실 및 현장 게시 등을 통해 공사수행 구성원들에게 의사소통 되고 이해하고 있는지를 확인 ○ 품질목표가 소통·이해·적용되고 있는지를 문서화된 정보로 보유하고 있는지 확인.		
6.3 품질관리 계획의 변경관리	가. 품질관리계획서 변경 관리 여부 ○ 품질관리계획서가 변경된 경우, 품질관리계획서 작성기준에 적합하게 변경하고 문서화된 정보를 보유하는지 확인. ○ 품질관리계획서가 변경된 경우, 공사감독자 또는 건설사업관리기술인의 검토와 발주자에게 승인을 받았는지 확인.		
7. 자원 7.1 자원관리	가. 품질관리(검사, 시험 등) 업무수행자의 적격인력 배치 여부 ○ 관련법령 및 설계도서에서 정한 품질관리 업무를 수행하는 건설기술인가 배치기준에 맞게 배치되어 있는지 확인 ○ 품질관리업무를 수행하는 건설기술인이 시험·검사를 포함한 전반적인 품질관리를 주관할 수 있도록 공사·공무부문과 독립(예 : 겸임금지, 조치요구권 부여 등)되어 있는지 확인		

점검항목	점검사항	점검내용	결과
	나. 기반구조 및 작업환경의 확보 및 유지 여부 ○ 공사수행을 위한 적절한 기반구조(건물 및 연관된 유틸리티, 장비, 운송자원, 정보통신기술 등)와 작업환경이 확보 및 유지 관리되고 있음을 문서화된 정보로 유지하고 보유하고 있는지 확인 ※ 기반구조란 건물 및 연관된 유틸리티, 장비(하드웨어, 소프트웨어 포함), 운송자원, 정보통신기술 등을 말한다.		
7.2 모니터링 자원 및 측정자원의 관리	가. 모니터링 자원 및 측정자원 확보, 교정검사 및 유지관리 여부 ○ 검사 및 시험, 측정에 필요한 각 장비의 관리기준(정밀·정확도)을 결정하여 장비를 확보하고 문서화된 정보로 유지하고 있는지 확인 ○ 대여받아 사용하거나, 하도급사 또는 개인이 사용하는 장비를 포함하여 정해진 주기로 교정검사를 받고 있는지를 확인 ○ 교정성적서의 결과값을 장비관리기준과 비교 검토한 결과를 문서화된 정보로 보유하고 있는지 확인. ○ 장비가 관리기준을 벗어난 경우, 이전 검사 및 시험과 모니터링 결과에 대한 유효성 평가가 실시되고 문서화된 정보로 보유하고 있는지를 확인 ○ 장비에 교정검사필증을 부착하였는지를 확인 ○ 보유한 장비는 식별 관리되고 취급과 유지보전을 위한 적절한 보관환경에서 관리되고 있는지를 확인 ○ 장비에 대한 주기적인 점검을 실시하고 문서화된 정보로 보유하고 있는지 확인		

점검항목	점검사항	점검내용	결과
7.3 조직의 지식관리	가. 지식 결정 및 관련조직과 공유 여부 ○ 건설공사 수행에 필요한 지식(계약서, 건설기준, 적용 코드 및 표준, 사내표준, 적용 법규, 공법, 유사공사들의 우수/실패사례 등)을 파악하여 문서화된 정보로 유지하고 활용하고 있는지 확인. ○ 파악된 지식은 유지 · 관리되고 관련 조직과 공유되고 있는지 확인.		
7.4 역량/적격성관리	가. 품질에 영향을 미치는 인원의 역량/적격성 보유여부 ○ 해당 업무수행에 필요한 학력, 교육훈련, 숙련도, 경험, 관련법령 등을 근거로 역량/적격성 기준을 결정하고 문서화된 정보로 유지하고 있는지 확인. ○ 공사수행에 배치된 인원들에 대하여 역량/적격성 기준에 적정한지 평가하고 문서화된 정보를 보유하는지 확인 나. 품질에 영향을 미치는 업무를 수행하는 모든 종사자의 교육훈련 실시 여부 ○ 모든 공사참여자(하도급자, 기능공 포함)에 대해 교육훈련의 필요성을 파악하여 문서화된 정보로 보유하고 있는지를 확인 ○ 법적 정기교육을 포함한 교육훈련계획을 수립하여 문서화된 정보로 보유하고 있는지를 확인 ○ 교육훈련계획에 따라 교육훈련이 실시되고 교육훈련결과(교육내용 포함)를 보고하고 문서화된 정보로 보유하고 있는지 확인 ○ 실시한 교육훈련에 대하여 효과성은 평가하고 문서화된 정보로 보유하고 있는지 확인.		
7.5 의사소통 관리	가. 품질관리계획의 이행과 건설공사 운영을 위한 내·외부 의사소통의 적절성 여부 ○ 품질관리계획의 이행과 건설공사 운영에 관련된 모든 사항에 대하여 내·외부 의사소통 방안이 결정되고 문서화된 정보로 유지하고 실행되고 있는지를 확인 ○ 의사소통 방안에는 의사소통 내용, 시기, 대상, 방법, 담당자 등이 포함되었는지 확인. ○ 필요한 경우 의사소통은 내부 및 외부 관계자로부터의 의견접수, 검토, 전달, 문서화 및 회신이 포함되어 문서화된 정보로 보유하고 있는지를 확인 나. 이해관계자 불만 및 부적합 공사에 대한 처리 여부 ○ 건설공사와 관련되는 이해관계자의 불만사항이 관련자와 의사소통 및 처리하고 문서화된 정보를 보유하고 있는지 확인 ○ 부적합 사항 및 부적합 공사에 대하여 관련자와 의사소통 및 처리하고 문서화된 정보를 보유하고 있는지 확인		
7.6 문서화된 정보 및 정보의 관리	가. 품질관리계획을 운영하는 방식의 적절성 ○ 현장 품질문서(품질계획서, 절차서, 지침서 등)가 등록되고 관련업무 담당에게 배포하여 문서화된 정보로 유지하고 활용되고 있는지를 확인 ○ 효력이 상실된 구문서는 폐기하고 문서화된 정보로 보유하며, 보관이 필요한 경우 식별 관리하고 있는지를 확인 나. 고객문서와 자료의 비치 및 관리 상태 ○ 발주자 및 건설사업관리기술인의 문서(계약문서, 설계도서, 지시서 등)와 자료(법령, 건설기준 등)가 파악되고, 최신본으로 보유하고 관리됨을 문서화된 정보로 보유하고 있는지 확인		

점검항목	점검사항	점검내용	결과
	다. 문서화된 정보의 보유 상태 ○ 문서화된 정보가 유형별로 식별되고 검색 및 사용이 용이한지를 확인 ○ 문서화된 정보의 보유기간이 법적 및 규제적 요구사항을 충족하도록 정하여 문서화된 정보로 보유되고 보관장소 및 관리책임자를 지정하여 양호한 상태로 관리되고 있는지를 확인 ○ 문서화된 정보를 폐기할 경우, 절차에 따라 이행하고 문서화된 정보로 보유하고 있는지 확인 ○ 현장에서 관리할 문서화된 정보의 보유목록이 정해지고 문서화된 정보로 보유하고 있는지를 확인		
8. 운용 8.1 건설공사 요구사항 검토 및 준비	가. 설계도서, 법규 및 건설기준 등의 시공전 검토여부 ○ 설계도서·법규·건설기준, 표준 등을 포함한 건설공사 수행과 관련된 요구사항을 검토하여 문서화된 정보로 보유하고 있는지 확인 ○ 검토결과에 따라 필요한 경우, 후속조치를 취하고 문서화된 정보를 보유하고 있는지를 확인		
8.2 건설공사 요구사항 변경	가. 계약변경(설계변경 포함) 관리의 적절성 ○ 설계변경을 포함한 계약변경의 요청 및 처리가 문서화된 정보로 보유하고 있는지를 확인 ○ 계약변경이 발생한 경우 관련 문서화된 정보가 수정되고 관련 인원이 변경된 요구사항을 인식하고 있는지를 확인		

점검항목	점검사항	점검내용	결과
8.3 설계관리	가. 설계계획의 수립 여부 및 적절성 ○ 설계계획이 적절히 수립되고 문서화된 정보로 보유하고 있는지를 확인 ○ 설계변경시 참여하는 현장내 인원간의 기술적인 정보공유가 적절히 이루어지고 있는지를 확인 나. 설계입력 기준의 적절성과 설계출력물의 관리 여부 ○ 설계입력 요구사항이 결정되어 문서화된 정보로 보유되고 있는지를 확인 ○ 설계출력물에는 건설공사 수행을 위한 각종 정보가 제시되어 문서화된 정보로 보유하고 있는지를 확인 다. 설계검토, 설계검증 및 설계타당성 확인의 실시여부 및 방법의 적절성 ○ 적절한 설계단계에서 설계에 대한 체계적인 검토가 실시되고 검토된 결과는 필요한 경우 조치되고 문서화된 정보로 보유하고 있는지를 확인 ○ 설계검증, 설계실현성 확인이 실시되고, 결과는 필요한 경우 조치되고 문서화된 정보로 보유하고 있는지를 확인		
8.4 기자재 구매관리	가. 기자재 수급계획의 수립, 검증, 식별, 보관, 재고관리 및 주기적인 점검실시 여부 ○ 기자재수급계획을 수립하여 문서화된 정보로 보유하고 있는지를 확인 ○ 기자재 구매발주시 명확한 구매정보(기준)가 발주서로 제공되고 문서화된 정보로 보유하고 있는지를 확인 ○ 구매한 기자재의 검사 및 시험 또는 검증되고 식별, 재고관리, 주기적인 점검 등의 유지관리가 되고 문서화된 정보로 보유하고 있는지를 확인 ○ 제작품의 경우, 발주서에 검증계획 및 운반방법이 명시되어 있는지 확인.		

점검항목	점검사항	점검내용	결과
8.5 외부에서 제공되는 프로세스 관리	가. 하도급에 대한 선정 및 평가 여부 ○ 하도급계획이 수립되고 문서화된 정보로 보유하고 있는지 확인 ○ 하도급업체 선정 및 평가결과에 따라 하도급업체가 선정되고 선정 또는 평가내용은 문서화된 정보로 보유하고 있는지를 확인(필요한 경우) ○ 선정된 하도급업체는 관련 이해관계자에게 의사소통되고 문서화된 정보로 보유하고 있는지 확인 나. 하도급에 대한 계약 및 이행상태 관리 여부 ○ 하도급 계약요구사항이 명확히 결정되고 계약체결시 전달되고 있는지를 확인 ○ 하도급된 공종에 대한 검사 및 시험, 검증과 모니터링이 실시되고 문서화된 정보로 보유하고 있는지를 확인		
8.6 공사관리	가. 공종의 파악 및 계획의 수립과 이행 여부 ○ 공종과 공정이 파악·관리되고 공종별로 특성에 맞는 시공계획을 수립하여 문서화된 정보로 유지하고 있는지를 확인 ○ 공사 진도관리를 위한 계획을 수립하고 이행하여 문서화된 정보로 유지 및 보유하고 있는지를 확인 나. 작업방법 수립 및 적격 인원 투입여부 ○ 작업에 필요한 작업절차 또는 작업지침을 수립하여 문서화된 정보로 유지하고 절차 또는 지침에 따라 이행하여 문서화된 정보로 보유하고 있는지 확인. ○ 작업에 투입되는 인원은 요구되는 자격 및 역량을 파악하여 문서화된 정보로 유지하고, 파악된 자격 및 역량에 근거하여 투입하고 문서화된 정보로 보유하고 있는지 확인		

점검항목	점검사항	점검내용	결과
	다. 시공상세도, 준공도의 관리 여부 ○ 시공상세도, 준공도의 작성기준이 설정되고 권한을 가진 자에 의해 작성·검토·승인되고 있는지를 확인 ○ 승인된 시공상세도, 준공도는 검색이 용이하도록 보관 관리하고 있는지를 확인 ○ 작업자는 최신본의 도면을 사용하여 작업하고 있고, 구도면은 회수하여 관리하고 있는지 확인.		
8.7 중점품질 관리	가. 중점품질관리 대상의 관리 여부 ○ 중점품질관리 대상이 공사 특성에 맞게 지정하여 문서화된 정보로 유지하고 있는지를 확인 ○ 사용장비에 대한 명확한 기준이 설정되고 권한을 가진 자에 의해 장비사용을 승인하고 문서화된 정보로 유지 및 보유하고 있는지를 확인 ○ 작업자의 자격기준이 작업특성에 맞게 설정되고 자격기준에 적합여부를 평가하고 배치하고 문서화된 정보로 유지 및 보유하고 있는지를 확인 ○ 작업방법의 수립·사용되고 공정변수에 대한 모니터링(감시) 결과가 문서화된 정보로 유지 및 보유하고 있는지를 확인		
8.8 식별 및 추적관리	가. 식별 및 추적관리 대상 파악 및 이행 여부 ○ 식별 및 추적관리 대상과 방법을 현장특성에 맞게 정하여 문서화된 정보로 유지하고 있는지를 확인 ○ 식별 및 추적방법에 따른 식별이 실시되고 추적이 가능하도록 문서화된 정보를 보유하고 있는지를 확인		

점검항목	점검사항	점검내용	결과
	나. 검사 및 시험상태(검사대기, 검사중, 부적합) 식별 여부 ○ 검사 및 시험에 관하여 자재, 공정의 적합 또는 부적합을 나타내는 적정한 검사단계별(검사대기·검사중·부적합) 식별이 이루어지고 있는지를 확인 ○ 식별표시 및 제거의 권한을 가진 자가 지정되어 있는지를 확인		
8.9 고객 또는 외부공급자의 재산 관리	가. 재산 수급계획의 수립, 식별, 검증, 보관(분실, 손상관리 포함), 재고관리의 적정 수행 여부 ○ 재산을 파악하여 수급계획을 문서화된 정보로 유지 및 보유하고 있는지를 확인 ○ 재산이 검사 및 시험, 또는 검증되고 식별, 재고관리, 주기적인 점검 등이 실시되고 문서화된 정보로 보유하고 있는지를 확인 ○ 재산의 입체 또는 대체 사용이 필요한 경우 적절히 처리되고 문서화된 정보로 보유하고 있는지를 확인 ○ 잉여 재산의 처리 사항이 문서화된 정보로 보유하고 있는지를 확인		
8.10 보존관리	가. 기자재, 기 시공부위 및 완성된 시설물의 보존상태 ○ 시공에 사용될 자재의 운반, 사용 등에 있어 자재의 특성별로 취급되고 적절한 환경에서 보관하고 있는지를 확인 ○ 장기 보관시 열화나 손상이 되는 자재는 적정한 주기로 점검하고 문서화된 정보로 보유하고 있는지를 확인 ○ 기 시공부위의 품질상태를 유지하기 위한 보호방안을 수립하여 이행하고 문서화된 정보로 유지 및 보유하고 있는지를 확인		

점검항목	점검사항	점검내용	결과
8.11 검사 및 시험, 모니터링	가. 검사 및 시험계획에 대한 항목, 합격판정기준, 빈도 등의 적절성 ○ 검사 및 시험계획서(ITP)에 검사 및 시험대상의 항목, 합격판정기준, 빈도, 사용장비, 기법, 발주자/건설사업관리기술인의 입회시기·장소·방법이 등이 건설공사 요구사항, 법적 및 규제적 요구사항에 적합하게 수립되어 문서화된 정보로 유지하고 있는지 확인 나. 자재 및 공정 검사의 적기 실시 여부와 검사 및 시험결과에 대한 기록의 적절성 ○ 검사 및 시험계획서(ITP)에 따라 검사 또는 시험을 적기에 누락 없이 실시하여 문서화된 정보를 보유하고 있는지를 확인 ○ 검사 및 시험결과에는 측정값이 기록되고 검사기준에 따른 합격, 불합격 여부를 명확히 하여 문서화된 정보로 보유하고 있는지를 확인 ○ 합격판정 전에 자재의 사용 또는 후속공정이 진행되지 않도록 관리하고 있는지를 확인 ○ 검사 또는 시험을 품질검사를 대행하는 건설기술 용역사업자에게 의뢰하는 경우, 건설기술진흥법령에서 정한 품질검사의뢰서 및 품질검사성적서를 문서화된 정보로 보유하고 있는지 확인. ○ 검사 또는 시험의 결과가 건설공사 요구사항에 적합한지 검토하고 있는지를 확인		
8.12 부적합 공사의 관리	가. 부적합 공사(자재 포함) 발생에 대한 처리방법 및 이행의 적절성 ○ 부적합한 공사(자재·공정 등) 특성에 적합하게 식별 및 관리되고 있는지 확인. ○ 부적합한 내용이 부적합보고서 등으로 문서화된 정보로 유지하고 있는지를 확인.		

점검항목	점검사항	점검내용	결과
	○ 부적합한 내용을 검토·분석하여 원인을 명확히 결정하고, 이와 유사한 부적합이 존재 또는 발생 가능성이 있는지를 검토하고 있는지 확인. ○ 부적합 공사 발생시 발주자 및 건설사업관리기술인과 협의를 통해 적절한 조치 방안을 마련·이행하고 있는지를 확인 ○ 부적합한 자재 또는 공정이 적절하게 처리되고 있는지(재검사 여부, 현상사용시 권한 가진 자의 승인여부 포함)를 확인 ○ 유사한 부적합이 지속적으로 발생하고 있는지 확인.		
8.13 공사준공 및 인계	가. 공사준공 및 인계 관리의 적절성 여부 ○ 공사준공을 위한 제반사항을 준비하고 있는지를 확인 ○ 완성된 시설물의 인계계획을 수립하여 실시하고 문서화된 정보로 유지 및 보유하고 있는지를 확인. ○ 발주자 및 건설사업관리기술인, 본사에 인계할 문서화된 정보의 대상목록을 파악·관리되고 있는지를 확인		
9. 성과관리 9.1 고객만족	가. 요구 및 기대에 대한 모니터링 실시 여부 ○ 발주자 및 이해관계자의 요구 및 기대에 대한 충족여부를 모니터링 하는 방법을 문서화된 정보로 유지하고 있는지 확인. ○ 요구 및 기대에 대한 모니터링을 실시하고 문서화된 정보로 보유하고 있는지 확인.		
9.2 분석 및 평가	가. 발주자와 이해관계자의 만족도 조사에 대한 분석의 실시 여부 ○ 발주자와 이해관계자의 만족 또는 불만족을 포함한 건설공사 수행의 만족도를 분석하여 활용하고 문서화된 정보로 보유하고 있는지를 확인		

점검항목	점검사항	점검내용	결과
	나. 품질개선을 위한 데이터의 분석 및 활용에 대한 이행 여부 ○ 주요자재의 품질경향, 부적합 공사의 발생빈도 및 특성, 내·외부 점검결과 등을 분석하여 활용하고 문서화된 정보로 보유하고 있는지를 확인		
9.3 내부심사	가. 품질관리계획의 적합성, 효과성, 이행성 등에 대한 내부심사 실시 여부 ○ 내부심사 계획을 현장에 배치된 품질관리자가 수립하고 이행하여 문서화된 정보로 유지 및 보유하고 있는지를 확인 ○ 내부심사를 수행하는 심사자의 역량/적격성 기준을 정하고, 평가하여 문서화된 정보로 유지 및 보유하고 있는지 확인. ○ 심사자의 역량/적격성에 적합한 자가 내부심사를 실시하였는지 확인. ○ 내부심사는 계획된 주기로 실시하고 심사결과보고서는 문서화된 정보로 보유하고 있는지를 확인 ○ 심사체크리스트 및 심사내용이 구체적으로 작성하였는지 확인. ○ 심사결과 부적합한 사항이 있는 경우 시정 또는 시정조치 되고 문서화된 정보로 보유하고 있는지를 확인 ○ 취해진 후속조치에 대하여 유효성을 검증하고 문서화된 정보로 보유하고 있는지 확인		
9.4 경영검토	가. 품질관리계획의 운영전반에 대한 성과검토 실시 여부 ○ 건설공사 경영검토가 계획된 주기로 실시되고 검토보고서를 문서화된 정보로 보유하고 있는지 확인 ○ 다음 사항을 검토하고 검토내용은 문서화된 정보로 보유하고 있는지를 확인.		

점검항목	점검사항	점검내용	결과
	· 전년도 건설공사 경영검토에 따른 조치결과(해당되는 경우) · 건설공사 수행과 관련된 외부 및 내부 이슈의 변경사항 · 자원의 충족여부 · 파악된 리스크와 관련하여 취해진 조치의 효과성 · 문제점 및 애로사항의 개선 사항 · 품질관리계획의 성과 및 효과성 정보 등 ○ 품질관리계획의 성과 및 효과성 정보에는 고객 만족 및 발주자와 관련 이해관계자로부터의 피드백(불만사항 포함), 현장 품질목표의 달성 정도, 부적합 공사의 발생 빈도 및 특성과 시정조치 사항, 검사·시험·모니터링·측정결과, 내부심사 및 품질관리 적절성 확인 등 내·외부의 점검결과, 외부공급자의 성과 등이 포함되어 있는지를 확인. ○ 검토결과에 따라 필요시 후속조치를 실시하고, 문서화된 정보로 보유하고 있는지를 확인		
10. 개선 10.1 부적합 및 시정조치	가. 품질관리계획 운영과 관련하여 취해진 부적합 및 시정조치의 적절성 여부 ○ 실제 또는 잠재적인 부적합 사항은 근본원인을 파악하고, 근본원인을 고려한 시정과 재발방지 대책을 수립하여 이행하고 문서화된 정보를 유지 및 보유하고 있는지를 확인 ○ 취해진 시정조치의 효과성을 검토하고 문서화된 정보를 보유하고 있는지를 확인 ○ 부적합 및 시정조치 결과가 품질관리계획서 변경 또는 결정된 리스크와 기회를 갱신하여야 하는지 검토하고 이행하여 문서화된 정보로 보유하고 있는지를 확인.		

점검항목	점검사항	점검내용	결과
10.2 지속적 개선	가. 지속적인 개선 계획 수립 및 개선활동 실시 여부 ○ 지속적 개선을 위하여 분석 및 평가 결과, 경영검토 결과를 반영하여 지속적 개선계획을 수립하여, 문서화된 정보로 보유하고 있는지를 확인. ○ 지속적 개선계획에 따라 개선활동을 실시하고, 문서화된 정보로 보유하고 있는지 확인.		

3. 품질시험계획에 대한 점검사항

점검사항	점검내용	결과
가. 품질시험·검사에 필요한 관련 자료의 구비·활용 여부		
나. 품질시험계획 내용의 적절성 여부 1) 주요 자재의 검사포함 여부 2) 주요 공정의 검사포함 여부		
다. 품질관리 관련 법령·규정, 품질시험계획에 필요한 품질관리를 수행하는 건설기술인, 시설 및 장비 등의 적정 확보 여부		
라. 품질시험계획에 따른 품질시험·검사의 적기, 적정빈도 실시 여부		
마. 품질시험·검사 성과의 기록유지 여부		
바. 품질시험·검사 장비의 관리 여부 1) 교정검사 실시 및 교정 상태의 식별 표시 2) 검사장비·측정장비 및 시험장비의 적정관리		
사. 부적합품 및 부적합공정 처리 등의 적정 여부		

비고

가. 품질관리계획 수립대상 공사에는 품질관리계획에 대한 점검사항을 적용하며, 품질시험계획에 대한 점검사항을 포함하여 점검할 수 있다.

나. 품질시험계획 수립대상 공사에는 품질시험계획에 대한 점검사항을 적용한다.

다. 이 점검표는 일반적인 공통사항에 대한 것이므로 해당 공사의 규모·특성·중요도 등에 따라 필요한 부분을 추가·수정 또는 삭제하여 사용할 수 있다.

라. 점검내용란에는 점검시 확인한 문서화된 정보를 상세히 기록하여야 한다.

[별지 제3호 서식]

품질검사를 대행하는 건설기술용역사업자 평가계획서

신청자	기관명		법인등록번호	
	대표자		주　소	
	담당자		연락처	

평가분야, 평가종류 및 기간	
평 가 분 야	
평 가 종 류	[ ] 등록평가 [ ] 적정성평가 [ ] 재평가 [ ] 기타 (　　　)
평 가 기 간	년　　월　　일 ~　　　년　　월　　일 (　　　일간)

평 가 반 명 단				
구 분	성 명	소 속	평가분야	비고
반장				
반원				

평 가 일 정			
평가일자	평가자	평가항목	비고

위와 같이 품질검사를 대행하는 건설기술용역사업자 평가계획을 알려드립니다.

년　　월　　일

평 가 반 장 :

210㎜×297㎜[백상지(80g/㎡) 또는 중질지(80g/㎡)]

[별지 제4호 서식]

청렴서약 및 이해관계확인서

기관명		대 표 자	
평가사			

(평가사)
- 위 기관에 대한 평가를 수행함에 있어 평가계획서를 준수하고, 어떠한 상황에서도 공명정대하게 평가를 수행하겠으며, 발견된 부적합사항을 묵인 또는 은폐하거나, 이와 관련하여 금품수수 및 향응 등 평가원으로서의 품위를 손상하는 행위를 하지 않을 것과 평가를 통하여 알게 된 모든 기밀사항을 누설하지 않을 것을 서약합니다.
- 위 기관에 대한 평가를 수행함에 있어 ① 위 기관의 경영진과 친분관계(친인척 등)가 없으며, ② 위 기관의 경영진으로 활동했던 적이 없으며, ③ 위 기관에 연구, 자문 또는 자체평가를 제공한 적이 없으며, ④ 위 기관의 주식 보유 등 재정적 이해관계가 없음을 확인합니다.

(관계자)
- 위 평가사의 평가수행과 관련하여 평가가 능률적으로 진행될 수 있도록 성실하게 임하겠으며, 발견된 부적합사항을 묵인 또는 은폐하고자, 평가사에게 금품수수 및 향응제공 등의 품위를 손상하는 행위를 하지 않을 것을 서약합니다.
- 위 평가사는 ① 우리 기관의 경영진과 친분관계(친인척 등)가 없으며, ② 우리 기관의 경영진으로 활동했던 적이 없으며, ③ 우리 기관의 연구, 자문 또는 자체평가를 제공한 적이 없으며, ④ 우리 기관의 주식 보유 등 재정적 이해관계가 없음을 확인합니다.

년 월 일

평 가 사 : 소속 직급 성명 (서명)
소속 직급 성명 (서명)
소속 직급 성명 (서명)

관 계 자 : 소속 직급 성명 (서명)
소속 직급 성명 (서명)
소속 직급 성명 (서명)

[별지 제5호 서식]

품질검사를 대행하는 건설기술용역사업자 평가보고서

신청자	기관명		법인등록번호	
	대표자		주 소	
	담당자		연락처	
평가분야, 평가종류 및 기간				
평 가 분 야				
평 가 종 류	[ ] 등록평가 [ ] 적정성평가 [ ] 재평가 [ ] 기타 ( )			
평 가 기 간	년 월 일 ~ 년 월 일 (일간)			
평가 결과				
종합 판정	[ ] 등록증 발급 추천 [ ] 전문기관 자격 유지 [ ] 시정조치 요구 (건) [ ] 등록기준 미달 ( )건			

위와 같이 품질검사를 대행하는 건설기술용역사업자 평가결과를 보고합니다.

년 월 일

반장 소속 : 성명 : (서명 또는 인)
반원 소속 : 성명 : (서명 또는 인)
반원 소속 : 성명 : (서명 또는 인)

붙 임	□ 부적합보고서 ( )매 □ 기술인력 관리 현황	□ 시설 및 장비 관리 현황 □ 품질관리규정 운영 현황

210㎜×297㎜[백상지(80g/㎡) 또는 중질지(80g/㎡)]

[별지 제6호 서식]

<table>
<tr><th colspan="5">품질검사를 대행하는 건설기술용역사업자 부적합보고서</th></tr>
<tr><td>기 관 명</td><td colspan="2"></td><td>발행번호</td><td></td></tr>
<tr><td>평가종류</td><td colspan="4">[ ] 등록평가 [ ] 적정성평가 [ ] 재평가 [ ] 기타 ( )</td></tr>
<tr><td>부적합
내 용</td><td colspan="4"></td></tr>
<tr><td>시정조치
기 한</td><td colspan="4">부적합보고서 발행 후 1개월 이내</td></tr>
<tr><td>평 가 사</td><td colspan="2">성명 : (서명 또는 인)</td><td>평가 반장</td><td>성명 : (서명 또는 인)</td></tr>
<tr><td>회사확인</td><td colspan="4">직책 : 성명: (서명 또는 인) 일자 :</td></tr>
<tr><td rowspan="5">시정조치
결 과</td><td colspan="4">※ 부적합사항에 대한 원인분석, 시정, 재발방지대책을 포함하여 작성(여백이 부족한 경우 첨부)</td></tr>
<tr><td>원인
분석</td><td colspan="3"></td></tr>
<tr><td>시 정</td><td colspan="3"></td></tr>
<tr><td>재발방지
대책</td><td colspan="3"></td></tr>
<tr><td>작 성 자</td><td colspan="3">직책 : 성명: (서명 또는 인) 일자 :</td></tr>
<tr><td rowspan="3">시정조치
결과확인</td><td colspan="4">[ ] 적합 [ ] 부적합 판정</td></tr>
<tr><td colspan="4">[확인 내용]</td></tr>
<tr><td>평가반장</td><td colspan="3">성명 : (서명 또는 인) 일자 :</td></tr>
</table>

210㎜×297㎜[백상지(80g/㎡) 또는 중질지(80g/㎡)]

[별지 제7호 서식]

<table>
<tr><th colspan="5">품질검사를 대행하는 건설기술용역사업자 확인보고서</th></tr>
<tr><td rowspan="3">신청자</td><td>기관명</td><td></td><td>법인등록번호</td><td></td></tr>
<tr><td>대표자</td><td></td><td>주 소</td><td></td></tr>
<tr><td>담당자</td><td></td><td>연락처</td><td></td></tr>
<tr><th colspan="5">평가분야, 평가종류 및 기간</th></tr>
<tr><td colspan="2">평 가 분 야</td><td colspan="3"></td></tr>
<tr><td colspan="2">평 가 종 류</td><td colspan="3">[ ] 등록평가 [ ] 적정성평가 [ ] 재평가 [ ] 기타 ( )</td></tr>
<tr><td colspan="2">평 가 기 간</td><td colspan="3">년 월 일 ~ 년 월 일 (일간)</td></tr>
<tr><th colspan="5">평가 결과</th></tr>
<tr><td colspan="2">종합
판정</td><td colspan="3">[ ] 등록증 발급 추천 [ ] 전문기관 자격 유지
[ ] 시정조치 요구 (건) [ ] 등록기준 미달 ( )건
[ ] 기타( )</td></tr>
<tr><td colspan="5">위와 같이 부적합사항 조치내용 확인결과를 보고합니다.
년 월 일
확인자 소속 : 성명 : (서명 또는 인)</td></tr>
<tr><td colspan="2">붙 임</td><td colspan="3">[ ] 부적합보고서 ( )매</td></tr>
</table>

210㎜×297㎜[백상지(80g/㎡) 또는 중질지(80g/㎡)]

[별지 제8호 서식]

레미콘공장 사전(정기) 점검표

공 장 명	(대표 :)			점 검 일 자	년 월 일
공장위치	시(도) 군 리 면(동) 번지			공사명	
점 검 자 (발주청 관계자)	소속 직위(급) 성명 (서명 또는 인)				
점 검 자 (공사감독자)	소속 직위(급) 성명 (서명 또는 인)				
점 검 자 (시공자)	소속 직위(급) 성명 (서명 또는 인)				
수 검 자 (공장관계자)	소속 직위(급) 성명 (서명 또는 인)				
운반가능 시간	타설 현장까지의 거리/시간 ( )km / ( )분		KS 인증	[ ] 인증 [ ] 미인증	
일최대생산량	m³/일		전년도 생산량	m³/년	
운반시설	형식 : 용량 : 대수 :		폐레미콘 재생설비	[ ] 구비 [ ] 미구비	
중요시험설비 비치 및 관리 상태	[ ] 적 정 [ ] 부적정 - 부적정 사유기재	품질시험 기술인	성 명 : 자격보유종목 : 교육이수 현황 - 이수교육명 - 교육기관 및 기간		

점검부위	점 검 항 목	점검결과	조치결과
골재 저장 설비	1. 1일 최대출하량 이상의 골재를 저장할 수 있으며, 규격별로 저장용량이 표시되어 있는가?		
	2. 적당한 배수시설이 설치되어 있는 등 저장시설 바닥의 배수는 용이한가?		
	3. 바닥은 토사가 골재에 혼입되지 않도록 콘크리트 등 강성 바닥으로 되어 있는가?		
	4. 규격별 골재의 혼입을 방지하기 위한 칸막이가 설치되어 있는가?		
	5. 우수, 빙설, 직사광선에 보호될 수 있는 시설이 설치되어 있는가?		
	6. 함수율 관리를 위한 살수장치가 설치되어 있는가?(하절기)		
옥외시험 및 검사	1. 레미콘의 슬럼프, 공기량, 염화물이온량(Cl^-) 등 품질시험을 실시한 결과는 적정한가?		
	2. 운반차의 드럼내 잔수를 폐레미콘 재생설비에서 제거후 레미콘을 적재하고 있는가?		
시멘트 저장 설비	1. 사일로는 방습을 위한 보호시설이 되어 있는가?		
	2. 종류별 · 제조사별로 보관하고 식별표시는 되어 있는가?		
	3. 투입구는 풍화방지를 위한 장치가 되어 있는가?		

점검부위	점 검 항 목	점검결과	조치결과
혼화 재료 저장 설비	1. 혼화제는 직사광선, 동해 또는 우수의 침입에 의해 변질되지 않도록 저장되어 있는가?		
	2. 종류별 · 제조사별로 보관하고 식별표시는 하고 있는가?		
	3. 혼화제는 희석시 침전되지 않도록 교반기를 설치하고 가동되는가?		
	4. 혼화재 사일로는 방습을 위한 보호시설이 되어 있는가?		
	5. 플라이애쉬, 고로슬래그 미분말 사이로내 시료채취구 설치 여부		
운반장치	1. 골재 저장장치 하부 개폐장치가 닫힌 상태에서 belt conveyer 부분으로 우수 등이 침투되어 누수되는 곳은 없는가?(포화상태의 골재 투입여부 확인)		
	2. 잔골재·굵은골재 운반용 belt conveyer 등 시설이 파손되어 운반중 재료손실이 발생할 부분은 없는가?		
	3. 옥외에 설치된 운반장치는 우수로부터 보호되어 있는가?		
회수수 처리시설 및 폐레미콘 처리시설	1. 회수수를 집수하기 위한 시설주변에 이물질 등이 투입될 가능성은 없는가?		
	2. 회수수 설비 내 불순물은 없으며, 교반기는 정상적으로 작동하고 있는가?		
	3. 폐레미콘 처리시설이 설치되어 있고 적정하게 가동하여 사용하고 있는가?		

점검부위	점 검 항 목	점검결과	조치결과
믹서 등 기계장치	1. 교반날개 끝부분과 믹서내벽과의 간격이 20㎜ 이하인가?(믹서 확인이 불가한 경우, 정기적으로 점검·관리하고 있는지 기록으로 확인)		
	2. 믹서 및 호퍼에서 재료의 누출은 없는가?		
	3. 점검구는 개폐가 용이한가?		
	4. 시멘트, 물, 골재, 혼화재료 계량장치는 교정필증이 부착되어 있는가?		
	5. 기계실내 누유, 누수 등이 발생하여 믹서 내로 투입되는 곳은 없는가?		
운전실	1. 입력한 배합대로 생산하고 일일 현장배합표와 일치하는가?(자동계량기록지 출력물과 현장배합표를 상호 비교)		
	2. 골재의 표면수율(일 2회 이상 또는 150m³ 마다), 골재입도(일 1회 이상)를 측정하여 일일 현장배합으로 보정하고 있는가?		
	3. 원자재의 밀도변화, 골재의 조립율 변동 등 변화에 따라 시방배합을 보정하고 있는가?		
	4. 〈삭 제〉		
	5. 계량조에는 믹서로 배출 후 영점 관리가 되고 있는가?		
	6. 계량기 교정검사에 따른 보정값을 반영하고 있는가?		
	7. 각 재료별 계량오차의 허용범위 내에서 계량되고 작동상태는 정상적인가?		
	8. 정하중검사(년 2회 이상), 동하중검사(일 1회 이상)를 실시하고 있는가?		

점검부위	점 검 항 목	점검결과	조치결과
시험실	1. 시험기구의 교정관리는 규정대로 실시하고 있는가?		
	2. 각종 시험기구의 설치 및 작동상태는 정상적인가?(마모시험기 철구무게, 체가름 시험기 고정상태, 양생수조 온도 등)		
	3. 공장 품질관리 업무를 수행하는 건설기술인은 자체시험항목에 대한 KS규정에 의한 시험방법을 숙지하고 있는가?		
품질관리 기록 등	1. 레미콘 생산시 공장의 품질관리 직원이 상주하여 품질관리업무를 수행하고 있는가?		
	2. 상시 레미콘의 압축강도, 슬럼프, 공기량, 염화물이온량(Cl^-) 등 품질시험을 실시하고 기록은 유지하고 있는가?		
	3. 골재 시험항목에 대하여 정기적으로 자체시험 또는 품질검사전문기관에 의한 시험을 실시하고 기록은 유지하고 있는가?(필요시 기록내용 확인을 위한 시험병행) ※ 밀도, 흡수율, 입도, 조립률, 0.08mm체 통과량, 입자모양판정 실적율, 염분함유량(NaCl), 마모감량은 월 1회 이상 또는 골재원 변경시마다, 안정성과 알칼리골재반응 시험은 년 1회 이상 또는 골재원 변경시 마다 실시		
	4. 원자재는 승인된 자재를 사용하고 있는가?		
	5. 해당공사 시방규정에 적합한 골재를 계속 사용 할 수 있는가?		
	6. 시멘트의 검사항목에 대하여 입고시 제조사의 시험성적서를 관리하고, 월 1회(KS제품은 2월 1회) 이상 자체시험 또는 건설기술진흥법상 품질검사전문기관에 의한 시험(분말도)을 실시하고 기록은 유지하고 있는가?		

점검부위	점 검 항 목	점검결과	조치결과
품질관리 기록 등	7. 〈삭 제〉		
	8. 혼화재(플라이애쉬, 고로슬래그, 팽창재, 실리카퓸 등)에 대해 제조사 시험성적서가 관리되고 있으며, 월 1회(KS제품은 2월 1회) 이상 자체시험 또는 건설기술진흥법상 품질검사전문기관에 의한 시험(강열감량, 분말도)을 실시하고 기록은 유지하고 있는가?		
	9. 혼화재(플라이애쉬, 고로슬래그, 팽창재, 실리카퓸 등) 사용시 공급원 승인권자와 혼화재 품질 등에 관하여 협의후 사용하는가?(계약서, 납품서 등의 비치 및 기록 확인, 혼화재 품질시험 기록 확인)		
	10. 혼화재료의 반입시기를 기록하고 유지하고 있는가?		
	11. 혼화제 저장설비에 대해 주기적으로 청소를 실시하고 기록은 유지하고 있는가?		
	12. 믹서의 혼합시간 결정시험은 제대로 하고 있는가?		
	13. 11번에서 결정된 근거대로 믹서의 혼합시간이 준수·관리되고 있으며, 생산기록지에 표기되고 있는가?		
	14. 사용수(년 1회 이상)와 회수수(일 1회 이상)의 수질검사를 실시하고 기록은 유지하고 있는가?(단, 회수수는 고형분율에 대해 검사를 실시함)		
	15. 회수수 설비에 대한 점검을 실시하고 기록은 유지하고 있는가?		

점검부위	점 검 항 목	점검결과	조치결과
품질관리 기록 등	16. 혼합골재를 사용하는 경우 혼합하는 골재의 종류, 혼합비율, 혼합방법을 명시하고 정기적으로(월 1회 이상) 품질시험을 실시하고 기록은 유지하고 있는가?		
	17. 운반차(트럭 애지테이터)에 대한 성능시험을 주기적으로 실시하고 기록은 유지하고 있는가?		
	18. 운반차(트럭 애지테이터)의 운전요원에 대해 주기적으로 교육훈련을 실시하고 기록은 유지하고 있는가?		
	19. 원자재 및 제품 품질시험 등은 원시데이터(Raw data : 최종시험 결과가 도출되기까지의 중간과정을 기록한 기록지)가 관리되고 있는가?		
기타	기타 품질관리에 영향을 미치는 사항		
종합의견			

※ 점검표 작성요령

1) 점검결과 및 조치결과는 점검자 책임하에 실제 점검한 내용을 구체적으로 작성하고 공장내에서 즉시 확인이 가능한 사항 등에 대하여 불필요한 증빙서류를 요구하지 말것.
2) 필요시 점검결과 등의 작성란 크기조정을 위한 서식조정 가능(종에서 횡으로 조정)

210㎜×297㎜[백상지(80g/㎡) 또는 중질지(80g/㎡)]

[별지 제9호 서식]

아스콘공장 사전(정기) 점검표

공 장 명	(대표 :)		점 검 일 자	년 월 일
공장위치	시(도) 군 면(동) 리 번지		공사명	
점 검 자 (발주청 관계자)	소속 직위(급) 성명 (서명 또는 인)			
점 검 자 (공사감독자)	소속 직위(급) 성명 (서명 또는 인)			
점 검 자 (시공자)	소속 직위(급) 성명 (서명 또는 인)			
수 검 자 (공장 관계자)	소속 직위(급) 성명 (서명 또는 인)			
운반가능 시간	포설 현장까지의 거리/시간 ( )km / ( )분		KS 인증	[ ] 인증 [ ] 미인증
일최대생산량	톤/일		전년도 생산량	톤/년
운반시설	형식 : 용량 : 대수 :		폐아미콘 자생설비 구비 또는 처리계획 조정여부	[ ] 구비 또는 적정 [ ] 미구비 또는 부적정 - 부적정 사유 기재
중요시험설비 비치 및 관리 상태	[ ] 적 정 [ ] 부적정 - 부적정 사유기재	품질 시험 기술인	성 명 : 자격보유종목 : 교육이수 현황 - 이수교육명 - 교육기관 및 기간	

점검부위	점 검 항 목	점검결과	조치결과
골재저장 설 비	1. 1일 최대출하량 이상의 골재를 저장할 수 있으며, 규격별로 저장용량이 표시되어 있는가?		
	2. 적당한 배수시설이 설치되어 있으며, 바닥의 배수는 용이한가?		
	3. 바닥은 토사가 골재에 혼입되지 않도록 콘크리트 등 강성 바닥으로 되어 있는가?		
	4. 규격별 골재의 혼입을 방지하기 위한 칸막이 설치는 적정한가?		
	5. 우수, 빙설에 보호될 수 있는 시설이 설치되어 있는가?		
아스팔트 저장설비	1. 자기온도계에는 교정필증이 부착되어 있는가?		
	2. 종류별·제조사별로 보관하며 식별표시하고 있는가?		
채 움 재 저장설비	1. 사일로는 방습을 위한 보호시설이 되어 있는가?		
	2. 종류별·제조사별로 보관하고 식별표시는 되어 있는가?		
	3. 투입구는 풍화 방지를 위한 장치가 되어 있는가?		
콜드빈 (Cold bin)	1. 골재공급시 이물질 등의 혼입을 방지하기 위한 장치를 설치하고 관리하는가?		
	2. 옥외에 설치된 운반장치는 우수로부터 보호되어 있는가?		

점검부위	점 검 항 목	점검결과	조치결과
드라이어 및 스크린	1. 드라이어 출구에 부착된 자기온도계에는 교정필증이 부착되어 있는가?		
	2. 예비 스크린은 종류별로 보유하고 관리되고 있는가?		
하트빈 (Hot bin)	1. 각 빈에 시료 채취장치를 설치하고 있는가?		
	2. Overflow pipe가 설치되어 있는가?		
	3. 자기온도계에는 교정필증이 부착되어 있는가?		
믹서	1. 출구 부분에서 재료나 혼합물이 새는 경우는 없는가?		
	2. 믹서 내부로 구리스 등 이물질의 혼입 요인은 없는가?(믹서 확인이 불가한 경우, 정기적으로 점검·관리하고 있는지 기록으로 확인)		
계량장치	아스팔트, 골재, 채움재 계량장치에 교정필증이 부착되어 있는가?		
운전실	1. 입력한 배합대로 생산하고 일일 현장배합표와 일치하는가?		
	2. 골재를 콜드빈(cold bin)에서 채취하여 일1회 이상 입도시험을 실시하고 입도 변화에 따른 보정을 실시하고 있는가?		
	3. 골재를 하트빈(hot bin)에서 채취하여 일 1회 이상 입도시험을 실시하고 입도 변화에 따른 하트빈별 배합비를 보정하고 있는가?		

점검부위	점 검 항 목	점검결과	조치결과
운전실	4. 하트빈, 드라이어 출구, 아스팔트 저장소에 부착된 자기온도계는 정상적이며 교정검사를 주기적으로 실시하는가?		
	5. 골재 공급상태는 모니터로 확인이 되는가?		
	6. 계량기별로 하중검사를 정해진 방법에 따라 년 1회 이상 실시하고 있는가?		
	7. 계량기 교정검사에 따른 보정값을 반영하고 있는가?		
	8. 계량정도는 각 재료별 계량오차의 허용범위 내에 계량되고 작동상태는 정상적인가?		
	9. 계량조에서 믹서로 배출 후 영점 관리가 되고 있는가?		
시험실	1. 시험기구의 교정관리는 규정대로 실시하고 있는가?		
	2. 각종 시험기구의 설치 및 작동상태는 정상적인가?(마모시험기 철구무게, 체가름시험기 고정상태, 다짐시험기 받침, 항온수조 온도 등)		
	3. 공장 품질관리 업무를 수행하는 건설기술인은 자체시험항목에 대한 KS규정에 의한 시험방법을 숙지하고 있는가?		

점검부위	점 검 항 목	점검결과	조치결과
품질관리 기록 등	1. 아스콘 생산시 공장에 품질관리 직원이 상주하여 품질관리업무를 수행하고 있는가?		
	2. 아스콘 안정도, 흐름값, 공극률, 포화도 검사 등 품질시험을 실시하고 기록은 유지하고 있는가?		
	3. 골재 시험항목(밀도, 흡수율, 입도, 마모율, 안정성, 편장석율 등)에 대하여 월1회 이상 자체시험을 실시하고 기록은 유지하고 있는가?(필요시 품질시험 병행)		
	4. 콜드빈 유출량(하트빈 골재사용) 시험을 골재 변경시 또는 반기별 1회 이상 실시하는가?(보정 포함)		
	5. 원자재는 승인된 자재를 사용하고 있는가?		
	6. 아스콘 생산 전에 배합설계시의 골재 품질과 동일여부를 확인하여 상이할 경우 시방규정에 맞도록 골재 합성비율을 재조정 및 재배합을 하고 있는가?		
	7. 아스팔트의 시험항목에 대한 제조사의 시험성적서가 관리되고 있으며, 월 1회(KS제품의 경우 2월 1회) 이상 자치시험 또는 건설기술진흥법상 품질검사전문기관에 의한 시험(침입도 등)을 실시하고 기록은 유지하고 있는가?		
	8. 채움재의 검사항목에 대하여 제조공장의 시험성적서를 재료 입고시 마다 확인하고 있거나 또는 자체 검사를 실시하는가?		

점검부위	점 검 항 목	점검결과	조치결과
품질관리 기록 등	9. 믹서의 혼합조건(혼합량, 혼합시간, 혼합온도), 혼합성능을 정하는 시험혼합을 실시하고 있는가?		
	10. 9번에서 결정된 근거대로 혼합조건을 준수하고 있는가?		
	11. 채움재의 반입량, 반입일 등 기록은 유지하고 있는가?		
	12. 폐아스콘을 재생하여 사용하는 경우 공급원 승인권자와 협의한 후 배합설계 등 품질에 대한 기록은 유지하고 있는가(폐아스콘 재생설비를 갖춘 공장만 해당)		
	13. 회수 더스트를 채움재로 재활용하는 경우 공급원 승인권자와 협의한 후 회수 더스트 품질기준에 따라 시험을 실시하고 기록은 유지하고 있는가?		
기타	기타 품질관리에 영향을 미치는 사항		
종합의견			

210㎜×297㎜[백상지(80g/㎡) 또는 중질지(80g/㎡)]

[별지 제10호 서식]

레미콘(아스콘) 공장 정기점검 결과 보고

(청)

1) 총 괄

구분	점검 공장수	지적 공장수	관련 지적건수				
			계	자재관리	공정관리	품질관리	설비관리
계							
상반기							
하반기							

2) 지적사항

번호	공장명	공사명	공장위치	지적유형	지적내용	조치결과
1				자재관리		
				공정관리		
				품질관리		
				설비관리		
2				자재관리		
				공정관리		
				품질관리		
				설비관리		
3				자재관리		
				공정관리		
				품질관리		
				설비관리		

[별지 제11호 서식]

레미콘 시공품질관리 점검표

공 사 명		점 검 일 자	년 월 일
자재공급 공 장 명		자 재 반입량	
공사감독자	소속	성명	서명
시 공 자	소속	성명	서명
시공위치	구조물명:	부위:	

시공 장비 점검결과

장 비 명	규 격	사용대수	점검결과	조치내용
1. 펌프카				
2. 진동기				
3. 양생기				
4. 기타				

품질관리 점검내용

원재료 점검내용	점검결과	조치내용
1. 콘크리트의 종류		
2. 시멘트의 종류		
3. 혼화제의 종류		
4. 혼화재의 종류		
5. 일일배합표 확인		
6. 기타		

품질시험 구분	시방기준	총검사횟수	합격횟수	불합격횟수	조치내용
1. 슬럼프시험					
2. 공기량시험					
3. 염화물이온량(Cl-)					
4. 공시체 강도시험					
5. 기타					

※ 작성요령
- 자재의 규격별, 시설물 타설 위치별 등등 공사감독자가 구분할 필요가 있는지를 판단하여 현장여건에 맞추어 조정 작성가능
- 검사결과는 검사횟수를 기재하며 총검사수 및 합격·불합격 횟수를 기재
- 조치내용은 불합격 자재에 대한 조치내용임.

[별지 제12호 서식]

아스콘 시공품질관리 점검표

현 장 명		점 검 일 자	년 월 일
자재공급 공 장 명		자 재 반입량	
공사감독자	소속	성명	서명
시 공 자	소속	성명	서명
시공위치			

시공장비 점검결과

점 검 항 목	규격	사용대수	점검결과	조치내용
1. 마카담로라				
2. 타이어로라				
3. 탄뎀로라				
4. 휘니셔				
5. 기타				

품질관리 점검내용

점검	품질시험 구분	시방기준	총검사 횟수	합격횟수	불합격 횟수	조치내용
플랜트 혼합물	1. 안정도					
	2. 흐름도					
	3. 공극률					
	4. 포화도					
	5. 역청함유량					
	6. 체가름(입도)					
	7. 기타					
포설시 품질관리	1. 혼합물 온도					
	2. 혼합물 밀도					
	3. 포설 두께					
	4. 시공 조인트					
	5. 기타					

※ 작성요령
- 자재의 규격별, 시설물 포설 위치별 등등 공사감독자가 구분할 필요가 있는지를 판단하여 현장여건에 맞추어 조정 작성가능
- 조치내용은 불합격 자재에 대한 조치내용임

[별지 제13호 서식]

불량자재폐기 확약서

□ **불량자재 내역**

운반차 번호	
자재명 및 규격	
반 품 현 장	
반 품 일 시	
반품 지시자	공사감독자 ○ ○ ○ 또는 현장 품질관리 업무를 하는 건설기술인 ○ ○ ○ (서명 또는 인)
반 품 사 유 (구체적으로 기재)	

상기와 같이 반품 지시된 불량자재는 폐기처리 할 것을 확약합니다.

년 월 일

□ **확인자**

구분(직책)	성 명	전화번호	주 소	서명 또는 인
운전기사				
공장 품질관리책임자				

※ 첨부 : 레미콘 · 아스콘 납품서(구입자용) 첨부

210㎜×297㎜[백상지(80g/㎡) 또는 중질지(80g/㎡)]

[별지 제14호 서식]

실태조사 신청서

신청인	회사명		법인 등록번호	
	대표자		사업자 등록번호	
	주 소	(전화:)		
공 장 명				
공장소재지		(전화:)		
보유업종 및 등록번호		건 설 부 문	기 타	
공장 인증현황	인증 일자		인증분야 및 등급	
조사요청일		년 월 일(부터) ※ 참고사항이며 확정은 협의 후 결정합니다.		

건설기술진흥법 제58조제2항 및 같은법 시행령 제96조제7항에 따라 철강구조물제작 인증공장의 실태조사를 신청합니다.

년 월 일

신청인 : (서명 또는 인)

한국건설기술연구원장 귀하

	수 수 료
1. 공장기술인력현황을 기재한 서류 1부 2. 공장규모 및 설비현황을 기재한 서류 1부 3. 그 밖에 국토교통부장관이 필요하다고 인정한 서류	건설기술진흥법 시행규칙 별표9에 따른 수수료

건설공사 안전관리 업무수행 지침

국토교통부고시 제2021-1087호

일부개정 2021.9.16

제1장 총칙

제1조(목적) 이 지침은 건설기술진흥법령에서 위임한 건설공사 참여자의 안전관리체계, 역할 및 업무범위를 체계적으로 정립하고, 건설현장 안전관리, 건설공사 참여자의 안전관리 수준 평가, 스마트 안전관리 보조 · 지원에 관한 사항을 규정함으로써 건설공사의 품질 및 안전 확보에 기여함을 목적으로 한다.

제2조(정의) 이 지침에서 사용되는 용어의 뜻은 다음과 같다.

1. "건설공사"란 「건설산업기본법」 제2조제4호에 따른 건설공사를 말한다.
2. "안전관리 참여자"란 건설공사의 계획에서부터 준공까지 안전관리업무를 수행하는 발주자, 시공자, 설계자, 건설사업관리기술인을 말한다.
3. "발주자"란 건설공사를 시공자에게 도급하는 자를 말한다. 다만, 수급인으로서 도급받은 건설공사를 하도급하는 자는 제외한다.
4. "발주청"이란 「건설기술진흥법」(이하 "법"이라 한다) 제2조제6호 및 「건설기술진흥법 시행령」(이하 "영"이라 한다) 제3조 각 호에 해당하는 기관의 장을 말한다.
5. "설계자"란 법 제2조제9호에 따른 건설엔지니어링사업자 중 설계용역을 영업의 목적으로 하는 자를 말한다.(발주청이 시행하는 건설공사에 대하여 「건축사법」 제2조제3호에 따른 설계를 수행하는 자를 포함한다)
6. "시공자"란 「건설산업기본법」 제2조제7호 또는 「주택법」 제9조에 따라 면허를 받거나 등록을 하고 건설업 또는 주택건설업을 영위하는 건설사업자 또는 주택건설등록업자를 말한다.
7. "건설안전점검기관"이란 「시설물의 안전 및 유지관리에 관한 특별법」(이하 "시설물안전법"이라 한다; 제28조에 따라 등록한 안전진단전문기관과 「국토안전관리원법」에 따른 국토안전관리원(이하 "관리원"이라 한다)을 말한다.
8. "건설사업관리기술인"이란 법 제26조에 따른 건설사업관리용역사업자에 소속되어 건설사업관리 업무를 수행하는 자(「건축법」 제2조제15호, 「건축사법」 제2조제4호, 「주택법」 제43조제1항에 따른 공사감리 수행자를 포함한다)를 말한다.
9. "안전관리계획서"란 법 제62조에 따라 수립하는 건설공사 안전관리계획을 말한다.
10. "안전관리비"란 「건설기술진흥법 시행규칙」(이하 "규칙"이라 한다) 제60조제1항에 따른 안전관리에 필요한 비용을 말한다.
11. "안전점검"이란 영 제100조에 따른 자체안전점검, 정기안전점검 및 정밀안전점검 등을 말한다.

12. “초기점검”이란 영 제98조제1항제1호에 따른 건설공사에 대하여 해당 건설공사를 준공(임시사용을 포함한다)하기 전에 영 제100조제1항제3호에 따른 정기안전점검 수준 이상의 안전점검을 실시하는 것을 말한다.
13. “초기치”란 초기점검 시 구하는 향후 점검 · 진단에 필요한 구조물에 대한 안전성평가의 기준이 되는 값을 말한다.
14. “공사재개 전(前) 안전점검”이란 영 제100조제1항제4호에 따라 영 제98조제1항 각 호의 건설공사가 시행 도중에 중단되어 1년 이상 방치된 시설물이 있는 경우에는 그 공사를 다시 시작하기 전에 그 시설물에 대하여 영 제100조제1항제1호에 따라 시행하는 정기안전점검 수준의 안전점검을 말한다.
15. “보수”란 구조물에 작용한 위해요인에 의해 발생된 내구성, 방수성 등 내력이외의 기능상 결함을 치유하여 기능을 회복시키는 것을 말한다.
16. “보강”이란 설계하중 이상의 하중 등 위해요인에 의해 손상된 구조물의 내력저하를 증진시키는 것을 말한다.
17. “안전점검종합보고서(이하 “종합보고서”라 한다)”란 영 제100조제1항 각 호에 따라 실시한 안전점검의 내용 및 그 조치사항이 작성된 보고서를 말한다.
18. “시스템”이란 시설물안전법 제7조제1호, 제2호 및 제3호에 따른 1종 시설물, 2종 시설물 및 3종 시설물에 관한 시설물의 기본현황, 상세제원, 안전점검 및 정밀안전진단 이력, 보수 · 보강이력 등의 정보를 관리하는 관리원이 운영하는 전산시스템(http://www.fms.or.kr)을 말한다.
19. “대가”란 건설공사 안전점검 업무를 수행하는데 필요한 비용을 말한다.
20. “실비정액가산 방식”이란 직접인건비, 직접경비, 제경비, 기술료, 추가업무비용, 부가가치세 및 손해배상보험(공제)료 등을 합산하여 대가를 산출하는 방식을 말한다.
21. “공사비요율에 의한 방식”이란 순공사비에 일정 요율을 곱하여 산출한 금액에 추가조사에 필요한 금액과 부가가치세를 합산하여 대가를 산출하는 방식을 말한다.
22. “순공사비”란 전체 공사비에서 일반관리비, 이윤, 공사손해보험료, 부가가치세를 제외한 공사비를 말하며, 지급자재비는 순공사비에 포함한다.
23. “안전교육”이란 영 제103조에 따라 시공 중인 공사 목적물의 안전과 작업자의 안전을 위해 공법의 이해, 세부 시공순서 및 안전시공절차 이해 등을 목적으로 실시하는 교육을 말한다.
24. “건설사고”란 영 제4조의2에 따른 건설사고를 말한다.
25. “중대건설현장사고”란 법 제67조제3항 및 영 제105조제3항에 따른 건설사고를 말한다.
26. “위험요소(Hazard)”란 건설현장과 주변 건축물 등의 안전을 저해하는 요소를 의미한다.
27. “위험성(Risk)”이란 사고의 발생빈도(L : Likelihood)와 심각성(S : Severity)의 조합을 말한다.
28. “저감대책(Alternative)”이란 위험요소를 저감시키고 위험성을

낮출 수 있는 방안으로 유사 원인에 의해서 발생하는 사고를 예방할 수 있는 재발방지대책 등을 말한다.

29. “설계 안전성 검토(Design for Safety)”란 위험요소를 설계단계에서 사전에 발굴하여 사업추진 단계별로 위험요인을 제거·저감할 수 있도록 체크리스트를 작성하는 것을 말한다.

30. “안전관리문서”란 건설공사의 계획부터 준공까지 건설안전을 확보하기 위해 발주자, 설계자, 시공자 및 건설사업관리기술인이 작성한 문서를 말한다.

31. “건설안전정보시스템”이란 법 제62조제14항, 영 제101조의3에 따른 건설공사 참여자의 안전관리 수준의 평가 업무 및 건설안전 업무를 위하여 공단이 구축·운영하는 전산시스템(www.cosmis.or.kr)을 말한다.

32. “안전관리 수준 평가”란 법 제62조제14항 및 영 제101조의3에 따라 실시하는 건설공사 참여자(법 제62조제13항 각 호의 자를 말한다)의 안전관리 수준에 대한 평가를 말한다.

33. “위험요소 프로파일(Hazard Profile)”이란 건설공사의 위험요소를 발굴하여 공종별 위험요소를 분류한 기본표준자료를 말한다.

34. “설계안전검토보고서”란 대상 공사에 대하여 설계단계에서 도출한 위험요소를 발굴하여 별지 제1호 서식에 따라 위험요소, 위험성, 저감대책을 작성한 보고서를 말한다.

35. “적정성 검토기관”(이하 “검토기관”이라 한다)이란 영 제117조제1항제13호에 따른 안전관리계획서 검토결과 및 안전점검결과의 적정성 검토에 관한 사무를 국토교통부장관으로부터 위탁 받은 기관으로서 관리원을 말한다.

36. “평가기관”이란 영 제117조제1항제14호에서 규정한 안전관리 수준평가의 시행 및 그 결과의 공개에 관한 사무를 국토교통부장관으로부터 위탁 받은 기관으로서 관리원을 말한다.

37. “건설공사 안전관리 종합정보망”(이하 “종합정보망”이라 한다)이란 법 제62조제14항, 영 제101조의3에 따른 건설공사 참여자의 안전관리 수준의 평가업무와 법 제62조제15항, 영 제101조의4에 따라 건설사고 통계 등 건설안전에 필요한 자료를 효율적으로 관리하고 공동활용을 촉진하기 위하여 국토교통부가 구축하고 관리원이 운영하는 시스템(www.csi.go.kr)을 말한다.

38. “무선안전장비”란 법 제2조제12호에 따른 장비를 말한다.

39. “융·복합건설기술”이란 사물인터넷(IOT), 빅데이터, 인공지능(AI) 및 실시간 모니터링 기술 등을 기존 건설기술에 활용하여 자동화하는 기술을 말한다.

40. “스마트 안전관리장비”란 무선안전장비, 융·복합건설기술을 활용한 스마트 안전장비 및 안전관리시스템을 구축·운영하여 건설현장의 안전관리를 강화할 수 있는 장비를 말한다.

41. “스마트 안전관리 보조·지원”이란 「건설기술진흥법」 제62조의3제1항에 따라 국토교통부장관이 건설공사 참여자에게 스마트 안전관리장비 비용의 전부 또는 일부를 예산 범위에서 보조하거나 그 밖에 필요한 지원을 하는 것(이하 “보조·지원”이라 한다)을 말한다.

42. “스마트 안전관리 보조·지원 사업”이란 건설공사 참여자에게

스마트 안전관리장비에 대한 보조 · 지원에 관하여 장비 대여 및 비용 지원, 설치 · 교육 및 기술지원 등을 하는 사업(이하 "보조 · 지원 사업"이라 한다)을 말한다.

제3조(적용범위) 이 지침은 법 제62조제1항에 따라 안전관리계획을 수립하는 건설공사, 제14항에 따라 건설공사 참여자의 안전관리 수준을 평가하는 건설공사 및 법 제67조제1항에 따라 건설사고 사실을 통보하여야 하는 건설공사에 적용한다.

제2장 건설공사 참여자 안전관리업무

제1절 발주자의 안전관리 업무

제4조(사업관리 단계) ① 발주자는 사업 전 단계에 대하여 이 지침에서 제시한 건설공사 안전관리 참여자의 업무가 제대로 이행되고 있는 지를 총괄하여야 한다.

② 발주자는 사업계획단계에서 해당 건설공사에서 중점적으로 관리해야 할 위험요소 및 저감대책을 관련 전문가의 자문, 유사 건설공사의 안전관리문서 검토, 종합정보망에서 제공하는 건설공사 위험요소 프로파일 확인 등을 통해 사전에 발굴해야 한다.

제5조(설계발주 단계) ① 발주청은 설계 발주단계에서 건설안전을 고려한 설계가 될 수 있도록 제4조에 따라 발굴한 해당 건설공사의 위험요소 및 저감대책을 바탕으로 설계서(과업지시서)의 설계조건을 작성하여야 하며, 필요한 경우 외부 전문가의 도움을 받아 설계조건을 작성할 수 있다.

② 발주청은 설계자로 하여금 다음 각 호의 내용이 포함된 문서를 제출하도록 설계성과 납품 품목에 명시하여야 한다.

1. 별지 제1호 서식에 따라 작성된 설계안전검토보고서
2. 설계에서 잔존하여 시공단계에서 반드시 고려해야 하는 위험요소, 위험성, 저감대책에 관한 사항

제6조(설계시행 단계) ① 설계 시행단계에서 발주청은 관리원에 시공과정의 안전성 확보를 고려하여 설계가 적정하게 이루어졌는지의 여부를 검토하게 하여야 한다.

② 발주청은 법 제62조제18항 및 영 제75조의2제5항에 따라 제1항에 따른 검토결과를 국토교통부장관에게 제출할 때 종합정보망에 업로드 해야 한다.

③ 발주청의 설계 안전성 검토 절차는 다음 각 호와 같다.

1. 설계안전검토보고서는 설계도면과 시방서, 내역서, 구조 및 수리계산서가 완료된 시점에서 제출하는 것을 원칙으로 하나 시기는 발주청이 별도로 정할 수 있다.
2. 설계 안정성 검토(검토결과인 설계안전검토보고서를 포함한다)를 의뢰받은 관리원은 의뢰받은 날로부터 20일 이내에 발주청에게 검토 결과를 통보하여야 한다.
3. 발주청은 제2호에 따른 검토 결과를 참고하여 제13조에 따라 제출받은 설계안전검토보고서를 심사한 후 승인 여부를 설계자에게 통보하여야 한다.
4. 발주청은 제3호에 따른 심사과정에서 시공과정의 안전성을 확

보하기 위하여 설계 내용에 개선이 필요하다고 인정하는 경우에는 설계자로 하여금 설계도서의 보완 · 변경 등 필요한 조치를 하여야 한다.

5. 발주청이 관리원에 설계의 안전성 검토를 의뢰하는 경우에는 검토비용을 부담하여야 한다.

제7조(설계완료 단계) 발주청은 최종 설계성과 납품 품목으로 다음 각 호의 내용이 포함된 문서가 있는 지를 확인하고, 시공자에게 전달하기 위해 관련 문서를 정리하여야 한다.

1. 제5조제2항 각 호의 내용이 포함된 문서
2. 설계에 가정된 각종 시공법과 절차에 관한 사항

제8조(공사발주 및 착공 이전 단계) ① 발주청은 설계에서 도출된 위험요소, 위험성, 저감대책을 반영하여 시공자가 안전관리계획서를 작성하도록 제7조 각 호의 정보를 제공하여야 한다.

② 발주자(발주자가 발주청이 아닌 경우 인 · 허가기관의 장을 의미한다)는 영 제98조에 따라 안전관리계획을 검토하고 시공자에게 그 결과를 제출받은 날부터 20일 이내에 통보하여야 한다.

③ 발주자는 시공자가 안전관리계획서를 작성하거나 변경하는 경우 건설공사 감독자 또는 건설사업관리기술인으로 하여금 안전관리계획서의 적정성을 검토하고, 그 결과를 서면으로 보고하게 하여야 한다. 또한 발주자는 건설공사 감독자 또는 건설사업관리기술인이 서면으로 보고한 안전관리계획서의 지적사항에 대해 확인하고, 필요시 시공자에게 시정 · 보완토록 하여야 한다.

④ 발주자(발주자가 발주청이 아닌 경우 인 · 허가기관의 장을 의미한다)는 영 제98조제7항에 따른 안전관리계획서 사본 및 검토결과와 제9항에 따른 적정성 검토결과에 대한 수정이나 보완조치를 국토교통부장관에게 제출하여야 하고, 이 때 종합정보망에 업로드하여야 한다.

⑤ 발주자는 본 지침 제3장, 법 제63조, 규칙 제60조에 따라 안전관리비를 공사금액에 계상하여야 한다.

제9조(공사시행 단계) ① 발주자는 법 제62조, 영 제99조에 따른 안전관리계획을 시공자가 제대로 이행하는지 여부를 확인하여야 한다. 다만, 해당 건설공사에 감독권한 대행 등 건설사업관리를 시행하는 경우에는 건설사업관리기술인으로 하여금 안전관리계획의 이행여부를 확인하여 보고하도록 할 수 있다.

② 발주자(발주청이 아닌 경우에는 인 · 하가기관의 장을 의미한다)는 영 제100조의2에 따라 안전점검 수행기관을 지정 · 관리하여야 하며, 이를 위한 방법 및 절차는 지침 제3장 제1절을 따른다.

③ 발주자는 안전관리비가 사용기준에 맞게 사용되었는지 확인하여야 한다. 다만, 해당 건설공사에 감독권한 대행 등 건설사업관리를 시행하는 경우에는 건설사업관리기술인으로 하여금 안전관리활동실적에 따른 정산자료의 적정성을 검토하여 보고하도록 할 수 있다.

④ 발주청은 시공자, 건설사업관리기술인과 함께 제1항 및 제2항에 따른 안전관리계획 이행여부, 안전관리비 집행실태 등을 확인하고 공종별 위험요소와 그 저감대책을 발굴 및 보완하는 등 안전관리 실태를 확인하기 위한 회의를 정기적으로 개최하여야 한다. 다

만, 구체적인 회의 방법 및 시기는 발주청이 시공자 및 건설사업관리기술인과 협의하여 별도로 정할 수 있다.

제10조(공사완료 단계) ① 발주자는 향후 유사 건설공사의 안전관리와 유지관리에 유용한 정보제공을 위해 해당 건설공사가 준공되면 안전관리 참여자가 작성한 안전관리문서를 취합하여 시설물안전법 제9조에 따라 설계도서의 일부로 보관하여야 한다.

② 발주자는 준공시 시공자로부터 다음 각 호의 안전관련 문서를 제출 받아 국토교통부장관(또는 관리원)에게 제출하여야 한다. 이때 종합정보망을 통하여 온라인으로 제출할 수 있다.

1. 설계단계에서 넘겨받거나 시공단계에서 검토한 위험요소, 위험성, 저감대책에 관한 사항
2. 건설사고가 발생한 현장의 경우 사고 개요, 원인, 재발방지대책 등이 포함된 사고조사보고서
3. 시공단계에서 도출되어 유지관리단계에서 반드시 고려해야 하는 위험요소, 위험성, 저감대책에 관한 사항

제2절 설계자의 안전관리 업무

제11조(설계발주 단계) 설계자는 발주청이 제5조제1항에 의해 설계서(과업지시서)의 설계조건에서 명시한 안전관리 부문의 요구사항을 확인하고 검토하여야 한다.

제12조(설계시행 단계) ① 설계자는 설계서(과업지시서)의 설계조건을 바탕으로 표준시방서, 설계기준을 활용하여(필요시 관리원에서 제공하는 위험요소 프로파일을 참조할 수 있다) 설계과정 중에 건설안전에 치명적인 위험요소를 도출하고 이를 제거, 감소할 수 있는 저감대책을 고려해야 한다.

② 설계자는 설계 시 건설안전을 고려한 설계가 되도록 다음 각 호의 기준을 준수하여야 한다.

1. 설계에서 가정한 시공법 및 절차에 의해 발생하는 위험요소가 회피, 제거, 감소되도록 한다.
2. 시공단계에서 시설물의 안전한 설치 및 해체를 고려해야 한다.

③ 설계자는 설계에 가정된 시공법과 절차, 남아있는 위험요소의 유형, 통제하기 위한 수단을 안전관리문서로 정리하여야 한다.

④ 다수의 공종별 설계자가 참여한 경우 대표 설계자는 동일한 위험요소 도출 및 평가기준을 적용하여야 하며, 건설안전을 고려한 설계를 협의하기 위해 공종별 설계자와 회의를 개최하여야 한다.

⑤ 설계자는 건설신기술 또는 특허공법 등이 건설공사에 적용되는 경우 반드시 신기술개발자 또는 특허권자로부터 위험요소, 위험성, 저감대책에 대한 검토서를 제출 받아 검토한 후 보고서에 첨부하여야 한다.

⑥ 설계자는 건설안전을 저해하는 위험요소를 고려한 설계를 위해 시공 및 안전분야 전문가의 자문 등을 통해 시공방법 및 절차를 명확히 이해하여야 하며, 시공법과 절차에 대한 이해가 부족하거나, 건설안전에 관한 전문성이 부족한 경우 관련 건설안전 전문가를 설계과정 중에 참여하도록 할 수 있다.

⑦ 설계자는 도출된 건설안전 위험요소 및 위험성을 평가하여 별지 제1호 서식에 따라 위험요소, 위험성, 저감대책 형태로 설계안

전검토보고서를 작성하여야 하며, 법 제39조제3항 및 영 제57조에 따른 건설사업관리 대상 설계용역인 경우에는 설계단계 건설사업관리기술인에게 검토를 받아야 한다.

제13조(설계완료 단계) 설계자는 최종 설계성과 납품 품목의 하나로 제7조 각 호의 내용이 포함된 문서를 건설사업관리기술인에게 확인(설계단계의 건설사업관리 용역이 발주된 사업에 한한다)받고, 이를 발주청에게 제출하여 승인을 받아야 한다.

제3절 시공자의 안전관리 업무

제14조(일반사항) ① 시공자는 법 제62조와 영 제98조 및 제99조에 따라 착공 전에 안전관리계획을 수립하여야 한다.

② 시공자는 작업공종에 따라 공종별 안전관리계획서를 작성하여 착공 전 또는 해당 공종 착수 전에 건설사업관리기술인의 검토를 거쳐 발주자에게 승인을 받고 작업현장에 비치하여야 한다.

③ 시공자는 안전관리계획서에 따라 건설현장의 안전관리업무를 수행하여야 하며, 안전관리계획서 이행여부에 관하여 건설사업관리기술인에게 서면으로 보고하여야 한다.

④ 시공자는 법 제62조제11항에 따라 가설구조물 설치를 위한 공사를 할 때에는 가설구조물의 구조적 안전성을 확인하기에 적합한 분야의 「국가기술자격법」에 따른 기술사에게 확인을 받아야 한다.

⑤ 시공자는 안전관리비가 해당 목적에만 사용되도록 관리하여야 하며, 분기별 안전관리비 사용현황을 공사 진척에 따라 작성하여야 하고, 건설사업관리기술인에게 안전관리 활동실적에 따른 안전관리비 집행실적을 정기적으로 보고하여야 한다.

⑥ 시공자는 법 제62조제5항에 따라 건설공사 중 실시한 안전점검 결과를 종합정보망을 통해 국토교통부 장관에게 제출하여야 한다.

제15조 (설계의 안전성 검토 대상 공사) ① 영 제75조의2에 따라 설계의 안전성 검토를 시행해야하는 공사의 경우, 시공자는 안전관리계획을 수립할 때 다음 각 호의 사항을 확인하여 그 대책을 포함시켜야 한다.

1. 설계에 가정된 각종 시공법과 절차이 관한 사항
2. 설계에서 잔존하여 시공단계에서 반드시 고려해야 하는 위험요소, 위험성, 저감대책에 관한 사항
3. 설계에서 확인하지 못한 위험요소, 위험성, 저감대책에 관한 사항

② 시공자는 건설공사가 준공되면, 향후 유사 건설공사의 안전관리와 유지관리에 유용한 정보제공을 위해 제10조제2항 각 호의 내용을 중심으로 안전관리문서를 작성하여 건설사업관리기술인의 검토 후 발주자에게 제출하여야 한다.

제4절 건설사업관리기술인의 안전관리 업무

제16조(일반사항) 건설사업관리기술인은 국토교통부장관이 고시한 「건설공사 사업관리방식 검토기준 및 업무수행지침」에 따라 안전관리 업무를 수행하여야 한다.

제17조(설계의 안전성 검토 대상 공사) ① 영 제75조의2에 따라 설계의 안전성 검토를 시행해야하는 공사의 경우, 건설사업관리기술인은 안전관리계획서 상에 설계단계에서 넘겨받거나 시공단계에서 검토

한 위험요소, 위험성, 저감대책에 관한 사항들이 반영되어 있는지 검토 · 확인하여야 하며, 보완해야 할 사항이 있는 경우에는 시공자로 하여금 이를 보완토록 해야 한다.

② 건설사업관리기술인은 향후 유사 건설공사의 안전관리와 유지관리에 유용한 정보제공을 위해 해당 건설공사가 준공되면, 시공자가 작성한 제10조제2항 각 호의 사항들에 대한 안전관리문서의 적정성을 검토한 후, 발주자에게 제출하여야 한다.

제3장 건설현장 안전관리

제1절 건설공사 안전점검

제18조(안전점검의 종류 및 절차) ① 시공자는 공사 목적물 및 주변의 안전을 확보하기 위하여 다음 각 호의 안전점검을 실시하여야 한다.

1. 자체안전점검
2. 정기안전점검
3. 정밀안전점검
4. 초기점검
5. 공사재개 전 안전점검

② 영 제100조제3항에 따라 시공자가 정기안전점검 또는 정밀안전점검 등의 실시를 건설안전점검기관에 의뢰하고자 하는 때에는 영 제100조의2에 따라 발주자(발주자가 발주청이 아닌 경우에는 인 · 허가기관의 장을 말한다. 이하 이 조에서 같다)가 안전점검 수행기관을 지정하고, 이를 시공자에게 통보하여야 한다.

③ 영 제100조의2제2항에 따라 발주자는 안전점검 수행기관의 명부를 작성하는 경우에는 연 1회 이상 정기적으로 인터넷 홈페이지에 20일 이상 공개모집하여야 한다. 이 경우 발주자는 공사규모 및 종류별로 안전점검 수행기관이 영 제100조제1항 각 호의 기준에 따라 실시한 정기안전점검 등의 수행실적 및 수행기관의 신용도 등을 차등하여 모집할 수 있다.

④ 모집공고에 응하려는 안전점검 수행기관은 별지 제7호 서식의 안전점검 수행기관 등록 신청서를 제출하여야 한다.

⑤ 발주자는 공고에 응하여 제4항에 따라 신청서를 작성 · 제출한 안전점검 수행기관을 별지 제8호 서식의 안전점검 수행기관 등록명부에 작성 · 관리하고, 이를 발주자의 인터넷 홈페이지를 통해 공개하여야 한다.

⑥ 안전점검 수행기관을 지정받고자 하는 시공자는 발주자가 승인한 안전관리계획의 안전점검비용을 첨부하여 별지 제9호 서식의 신청서를 발주자에게 제출하여야 한다.

⑦ 발주자는 제6항에 따라 시공자로부터 신청서를 제출받은 날로부터 7일 이내에 발주자의 인터넷 홈페이지 등을 통해 안전점검 수행기관의 지정공고를 하여야 한다.

⑧ 제7항에 따른 지정공고에는 다음 각 호의 사항을 포함하여야 한다.

1. 접수기간 · 수행기관 지정방법 · 사업내역 · 제출서류
2. 안전점검 수행기관 세부평가기준
3. 발주자가 승인한 안전관리계획의 안전점검대상 및 안전점검비용

4. 사공자가 제출한 주요공정계획서, 착공예정일
5. 발주자가 관리하고 있는 안전점검 수행기관 등록명부 중에서 안전점검 수행기관을 지정한다는 내용
6. 기타 안전점검기관 지정에 필요한 유의사항

⑨ 발주자는 안전점검에 참여하는 기술인의 실적·업무중첩도와 수행기관의 실적·신용도·업무중첩도 및 가격 등의 평가항목에 대하여 세부평가기준을 정하여야 한다. 다만, 이 경우 기술인의 실적·업무중첩도와 수행기관의 실적·업무중첩도는 영 제100조제1항 각 호의 기준에 따라 실시한 안전점검에 한하며, 발주자가 승인한 안전관리계획의 안전점검비용이 1억원 미만인 경우에는 일부 평가항목을 생략하여 기준을 정할 수 있다.

⑩ 안전점검 수행기관으로 지정받고자 하는 자는 제8항에 따라 발주자가 지정공고한 수행기관 지정방법에 따라 서류 등을 제출하여야 한다.

⑪ 발주자는 안전점검 수행기관 지정신청을 한 자에 대하여 세부평가기준에 따라 평가하여 안전점검 수행기관으로 지정한 후, 별지 10호 서식의 지정 통보서를 시공자에게 송부하여야 한다.

⑫ 발주자는 제10항에 따라 안전점검 수행기관이 제출한 지정신청서 및 서류의 내용 등을 필요한 사항에 대하여 관계기관에 사실을 조회할 수 있으며, 안전점검 수행기관의 제출서류 등이 거짓 또는 그 밖의 부정한 방법으로 작성된 것으로 판명된 때에는 안전점검 수행기관 등록명부에서 제외하고 안전점검 수행기관 지정결정을 취소하여야 한다. 이 경우 발주청 또는 인허가기관의 장이 안전점검 수행기관 지정결정을 취소한 때에는 차순위자를 안전점검 수행기관으로 지정하여야 한다.

⑬ 제11항 규정에 의한 당해 안전점검 수행기관의 평가점수가 동일한 경우에는 추첨을 통해 안전점검 수행기관을 지정한다.

⑭ 시공자는 제11항에 따라 지정 통보서를 받은 날로부터 7일 이내에 해당 안전점검 수행기관과 계약을 체결하고 그 결과를 발주자에게 통보하여야 하며, 안전점검 수행기관의 귀책사유로 안전점검 계약이 체결되지 아니한 경우에는 발주자에게 안전점검 수행기관의 지정을 재신청하여야 한다. 이 경으 발주자는 차순위자를 안전점검 수행기관으로 지정한다.

⑮ 제3항부터 제14항까지 규정한 업무내용 외에 안전점검 수행기관 지정에 관하여 필요한 사항은 발주자가 정할 수 있다.

제19조(설계도서 등의 보관) 시공자는 안전점검에 활용할 수 있도록 다음 각 호의 자료를 정리·보관하여야 한다.

1. 설계도서 : 설계도면, 내역서, 공사시방서, 구조계산서, 지질조사서, 수리·수문계산서, 종합보고서 터널해석 보고서 등
2. 시공관련도서 : 계측보고서, 시공계획서, 시공상세도, 안전관리계획서, 공사기록, 공사일지, 설계변경 관련서류, 각종 안전점검 보고서, 보수·보강 실시보고서, 사고관련 기록 등
3. 사진 : 주요 공사사진, 인근구조물 현황사진, 비디오테이프
4. 품질관리기록 : 품질관리계획서에 의한 품질시험기록, 부적합 보고서 등

제20조(안전점검의 계획수립) ① 시공자는 규칙 별표7에 따른 “안전관

리계획의 수립기준"에 따라 자체안전점검 및 정기안전점검 계획을 수립한다.

② 자체안전점검 및 정기안전점검 계획을 수립하는 경우에는 안전점검을 효과적이고 안전하게 수행하기 위해서 다음 각 호의 사항을 고려하여야 한다.

1. 이미 발생된 결함의 확인을 위한 기존 점검자료의 검토
2. 점검 수행에 필요한 인원, 장비 및 기기의 결정
3. 작업시간
4. 현장기록 양식
5. 비파괴 시험을 포함한 각종시험의 실시목록
6. 붕괴우려 등 특별한 주의를 필요로 하는 부재의 조치사항
7. 수중조사 등 그 밖의 특기사항

제21조(안전점검의 실시시기) ① 시공자는 자체안전점검 및 정기안전점검의 실시시기 및 횟수를 다음 각 호의 기준에 따라 안전점검계획에 반영하고 그에 따라 안전점검을 실시하여야 한다.

1. 자체안전점검 : 건설공사의 공사기간동안 매일 공종별 실시
2. 정기안전점검 : 구조물별로 별표1의 정기안전점검 실시시기를 기준으로 실시. 다만, 발주청 또는 인·허가기관의 장은 안전관리계획의 내용을 검토할 때 건설공사의 규모, 기간, 현장여건에 따라 점검시기 및 횟수를 조정할 수 있다.

② 정밀안전점검은 정기안전점검결과 건설공사의 물리적·기능적 결함 등이 발견되어 보수·보강 등의 조치를 취하기 위하여 필요한 경우에 실시한다.

③ 초기점검은 영 제98조제1항제1호에 따른 건설공사를 준공하기 전에 실시한다.

④ 공사재개 전 안전점검은 영 제98조제1항에 따른 건설공사를 시행하는 도중 그 공사의 중단으로 1년 이상 방치된 시설물이 있는 경우 그 공사를 재개하기 전에 실시한다.

제22조(자체안전점검의 실시) ① 안전관리담당자와 수급인 및 하수급인으로 구성된 협의체는 건설공사의 공사기간 동안 해당 공사 안전총괄책임자의 총괄하에 분야별 안전관리책임자의 지휘에 따라 해당 공종의 시공상태를 점검하고 안전성 여부를 확인하기 위하여 해당 건설공사 안전관리계획의 자체안전점검표에 따라 자체안전점검을 실시하여야 한다.

② 점검자는 점검시 해당 공종의 전반적인 시공 상태를 관찰하여 사고 및 위험의 가능성을 조사하고, 지적사항을 안전점검일지에 기록하며, 지적사항에 대한 조치 결과를 다음날 자체안전점검에서 확인해야 한다.

제23조(정기안전점검의 실시) ① 시공자가 정기안전점검을 실시하고자 할 때는 영 제100조의2에 따라 발주자(발주자가 발주청이 아닌 경우에는 인·허가기관의 장을 말한다)가 지정한 건설안전점검기관에 의뢰하여야 한다.

② 정기안전점검은 해당 건설공사를 발주·설계·시공 또는 건설사업관리용역사업자와 그 계열회사(「독점규제 및 공정거래에 관한 법률」 제2조제3호에 따른 계열회사를 말한다)인 건설안전점검기관에 의뢰하여서는 아니된다. 다만, 발주청이 시설물안전법 제28조에

따라 안전진단전문기관으로 등록된 경우에는 정기안전점검을 실시할 수 있다.

③ 정기안전점검 대상 건설공사가 「산업안전보건법 시행령」 제42조제3항에 따른 유해 · 위험방지계획서 작성대상인 경우에는 시공자는 정기안전점검 실시시기를 사전에 한국산업안전보건공단에 통보하여 정기안전점검과 동시에 실시할 수 있다.

④ 정기안전점검을 실시하는 경우 다음 각 호의 사항을 점검하여야 한다.

1. 공사 목적물의 안전시공을 위한 임시시설 및 가설공법의 안전성
2. 공사목적물의 품질, 시공상태 등의 적정성
3. 인접건축물 또는 구조물 등 공사장주변 안전조치의 적정성
4. 영 제98조제1항제5호 각 목에 해당하는 건설기계의 설치(타워크레인 인상을 포함한다) · 해체 등 작업절차 및 작업 중 건설기계의 전도 · 붕괴 등을 예방하기 위한 안전조치의 적절성
5. 이전 점검에서 지적된 사항에 대한 조치사항

⑤ 건설공사의 공종별 세부점검사항은 해당 공사시방서 및 관련시방서를 참조하여 현장의 상황 및 시공조건에 따라 점검목적을 달성할 수 있는 사항으로 정하고 정해진 점검항목으로 세부 안전점검표를 작성한다.

⑥ 안전점검을 실시한 건설안전점검기관은 안전점검실시결과를 발주자, 해당 건설공사의 허가 · 인가 · 승인 등을 한 행정기관의 장(발주자가 발주청이 아닌 경우에 한정한다), 시공자에게 통보하여야 하며, 점검결과를 통보 받은 발주자 또는 행정기관의 장은 시공자에게 보수 · 보강 등 필요한 조치를 요청할 수 있다.

제24조(정밀안전점검의 실시) ① 시공자는 정기안전점검 결과 건설공사의 물리적 · 기능적 결함 등이 있는 경우에는 보수 · 보강 등의 필요한 조치를 취하기 위하여 건설안전점검기관에 의뢰하여 정밀안전점검을 실시하여야 한다.

② 정밀안전점검은 정기안전점검에서 지적된 점검대상물에 대한 문제점을 파악할 수 있도록 수행되어야 하며, 육안검사 결과는 도면에 기록하고, 부재에 대한 조사결과를 분석하고 상태평가를 하며, 구조물 및 가설물의 안전성 평가를 의해 구조계산 또는 내하력시험을 실시하여야 한다.

③ 점검과정에서 필요한 경우에는 구조물의 종류에 따라 점검대상물 하부 점검용 장비, 비계, 작업선과 같은 특수장비 및 잠수부와 같은 특수기술자를 활용하여야 한다.

④ 정밀안전점검 완료 보고서에는 다음 각 호의 사항이 포함되어야 한다.

1. 물리적 · 기능적 결함 현황
2. 결함원인 분석
3. 구조안전성 분석결과
4. 보수 · 보강 또는 재시공 등 조치대책

제25조(초기점검의 실시) ① 시공자는 영 제98조제1항제1호에 따른 건설공사를 준공(임시사용을 포함한다)하기 전에 문제점 발생부위 및 붕괴유발부재 또는 문제점 발생 가능성이 높은 부위 등의 중점유지관리사항을 파악하고 향후 점검 · 진단시 구조물에 대한 안전

성평가의 기준이 되는 초기치를 확보하기 위하여 「시설물의 안전점검 및 정밀안전진단 실시 등에 관한 지침」에 따른 정밀점검 수준의 초기점검을 실시하여야 한다.

② 초기점검에는 별표3에 따른 기본조사 이외에 공사목적물의 외관을 자세히 조사하는 구조물 전체에 대한 외관조사망도 작성과 초기치를 구하기 위하여 필요한 별표3의 추가조사 항목이 포함되어야 한다.

③ 초기점검은 준공 전에 완료되어야 한다. 다만, 준공 전에 점검을 완료하기 곤란한 공사의 경우에는 발주자의 승인을 얻어 준공 후 3개월 이내에 실시할 수 있다.

제26조(공사재개 전 안전점검의 실시) ① 시공자는 건설공사의 중단으로 1년 이상 방치된 시설물의 공사를 재개하는 경우 건설공사를 재개하기 전에 영 제100조제1항제4호에 따라 해당 시설물에 대한 안전점검을 실시하여야 한다.

② 제1항에 따른 안전점검은 정기안전점검의 수준으로 실시하여야 하며, 점검결과에 따라 적절한 조치를 취한 후 공사를 재개하여야 한다.

제27조(안전점검에서의 현장조사 및 실내분석) ① 현장조사는 다음 각 호와 같이 육안검사, 기본조사, 추가조사로 구분하며, 해당 조사항목 및 시험 세부사항은 별표3과 같다.

1. 육안검사 : 구조물의 균열, 재료분리 여부, 콜드조인트 등의 발생여부를 육안으로 면밀히 확인하는 것
2. 기본조사 : 비파괴시험장비로 실시하는 콘크리트 강도시험 및 철근배근 탐사 등
3. 추가조사 : 구조안전성 평가 및 보수·보강 판단에 필요한 지질·지반조사, 강재조사, 지하공동탐사, 콘크리트 제체시추조사, 수중조사, 콘크리트 물성시험 등

② 안전점검을 실시하는 자는 다음 각 호에 따라 현장조사를 실시하여야 한다.

1. 정기안전점검 시에는 육안검사, 기본조사를 실시하고 필요할 경우 추가조사를 수행한다.
2. 정밀안전점검 및 초기점검 시에는 육안검사, 기본조사를 수행하며, 추가조사항목은 시공자가 건설안전점검기관과 협의하여 정하도록 한다. 다만, 초기점검 시에는 향후의 유지관리 및 점검·진단에 필요한 구조물 전체에 대한 외관 조사망도 작성 및 교량의 실응답, 터널의 배면공동상태, 댐의 기준점 및 변위측량, 건축물의 주요외부기둥의 기울기 및 주요바닥부재의 처짐 등의 초기치를 얻기 위한 추가조사를 실시하여야 한다.

③ 안전점검을 실시하는 자는 다음 각 호에 따라 실내분석을 실시하여야 한다.

1. 정기안전점검 시에는 육안검사 자료를 도면으로 작성하고, 기본조사 자료를 평가한다.
2. 정밀안전점검 시에는 육안검사, 기본조사 및 추가조사 실시결과를 분석하고 필요한 구조계산을 실시한 후 보수·보강방안을 제시한다.

제28조(안전점검 장비) ① 안전점검을 실시하고자 할 때에는 다음 각

호의 기준에 따라 장비를 선정하여 사용하여야 한다.

1. 자체안전점검 : 육안조사를 기본으로 하고 자체안전점검표의 점검항목에 따라 필요한 장비를 사용하여 점검
2. 정기안전점검 : 슈미트해머 등 콘크리트 강도조사장비, 철근탐사기 등 기본조사에 필요한 장비를 사용하여 점검
3. 정밀안전점검 : 기본조사 및 추가조사항목에 필요한 장비를 사용하여 점검
4. 초기점검 : 정기안전점검에 필요한 기본장비 및 초기치를 얻기 위한 추가조사항목에 필요한 장비

② 안전점검 책임기술자는 안전점검시 구조부재에 접근할 필요가 있을 경우, 안전하게 점검작업을 실시할 수 있도록 사전에 현장조사를 하여 구조물의 형상이나 주위환경 등을 고려한 고소차 등 적합한 점검용 장비를 선정하여야 한다.

제29조(안전점검시의 안전관리) ① 안전점검 책임기술자는 점검 기구와 장비를 적절히 운용하고 안전관리 위한 계획을 수립하여야 한다.

② 안전점검 책임기술자 및 참여기술자는 안전모, 작업복, 작업화, 필요한 경우 청각, 시각 및 안면보호장비 등을 포함한 개인용 보호장구를 항상 착용하여야 하며 장구 및 기계를 항상 최적의 상태로 정비하여야 한다.

③ 밀폐된 공간에서 점검할 경우에는 유해물질 및 가스와 산소결핍 등에 대한 조사를 하고 그에 대한 대책을 사전에 마련하여야 한다.

제30조(중대한 결함에 대한 조치) 안전점검을 실시하는 자는 현장에서의 안전점검 기간 동안 중대한 결함이 발견된 경우에는 즉시 발주자 및 안전총괄책임자에게 통보하여야 하며, 발주자 및 안전총괄책임자는 다음 각 호와 같은 조치를 취하여야 한다.

1. 발견된 결함에 대한 신속한 평가 및 응급조치
2. 필요시 정밀안전점검 실시
3. 그 밖에 필요한 사항

제31조(안전점검 보고서의 작성 및 제출) ① 시공자에게 정기안전점검을 의뢰받은 건설안전점검기관은 별표1에 따라 정기안전점검을 실시하고 다음 각 호의 기준에 따라 정기안전점검 보고서를 작성하여 제출하여야 한다.

1. 타워크레인 정기안전점검 보고서는 2회(타워크레인 설치작업 시, 타워크레인 해체작업 시) 작성하여 제출하되, 타워크레인 인상작업 시 실시한 정기안전점검 결과는 해체작업 시 정기안전점검 보고서에 포함하여 작성한다.
2. 타워크레인 이외의 정기안전점검 보고서는 별표1에 따라 정기안전점검 실시 후 작성한다.
3. 정기안전점검 대상이 다수인 건설현장에서는 정기안전점검 실시시기가 서로 비슷한 경우 정기안전점검 보고서를 통합하여 작성할 수 있다.
4. 제1호부터 제3호까지 규정한 기준 외에 정기안전점검 보고서 작성에 관하여는 발주청 또는 인·허가기관의 장과 시공자가 협의하여 정할 수 있다.

② 정기안전점검 및 정밀안전점검 보고서에는 점검대상물의 결함에 대한 설명과 결함부위의 개략도, 결함부위사진, 기본조사 결과,

추가조사 결과가 포함되어야 한다.

③ 제2항에 따른 개략도와 결함부위사진은 구조물 결함의 위치와 특성을 설명하는 보충 수단으로서 결함의 형태와 치수가 명확히 표기되어야 하며, 보고서에 포함된 모든 자료에는 근거가 명확하도록 점검일시와 현장시험 및 실내분석 기록과 결과자료가 첨부되어야 한다.

④ 시공자가 건설공사를 준공한 때에는 영 제100조제1항 각 호에 따라 실시한 안전점검의 주요내용에 대한 요약 및 보수·보강 등 조치사항, 조치사항의 이행여부 및 이행 적정성 등을 작성한 종합보고서를 발주자에게 제출하여야 한다.

⑤ 안전점검을 실시한 건설안전점검기관은 영 제100조제4항에 따라 안전점검 실시 결과를 안전점검 완료 후 30일 이내에 발주자, 해당 건설공사의 허가·인가·승인 등을 한 행정기관의 장(발주자가 발주청이 아닌 경우에 한정한다), 시공자에게 통보해야 한다.

⑥ 제5항에 따라 안전점검 결과를 통보받은 시공자는 통보받은 날로부터 15일 이내에 안전점검 결과를 국토교통부장관에게 종합정보망을 이용하여 제출해야 한다

⑦ 정기안전점검 보고서, 정밀안전점검 보고서 별표4에 따른 목차를 참조하여 작성하여야 한다.

제32조(안전점검의 결과분석 및 평가) ① 자체안전점검은 해당 건설공사의 안전관리계획에 포함된 자체안전점검 안전점검표에 따라 평가하며, 점검결과 지적사항이 있을 경우에는 별지 제3호 서식에 기록하여 조치토록하고 다음날 점검시 조치사항을 확인한다.

② 정기안전점검은 공사목적물에 대한 육안검사 및 기본조사 자료에 따라 평가하며, 책임기술자는 육안검사 및 기본조사부터 발견된 데이터를 근거로 결함의 범위 및 정도를 기록하고 점검대상물의 안전, 시공상태 등을 평가하여 차후 정기 및 정밀안전점검의 기초자료로서 활용 할 수 있도록 한다.

③ 정밀안전점검시에는 정기안전점검을 통하여 나타난 결함의 범위 및 정도에 따라 정밀한 육안조사와 기본조사 및 필요한 추가조사를 실시하고 구조해석 등을 하여 구조안전성을 평가하며, 평가결과에 따라 구조물의 물리적·기능적 결함에 대한 보수·보강이나 재시공과 같은 대책을 제시하여야 한다.

④ 제3항에 따른 구조안전성 평가를 하는 경우는 부재별 상태평가, 재료시험결과 및 각종 계측, 측정, 조사 및 재하시험 등을 통하여 얻은 결과를 분석하고 이를 바탕으로 구조적 특성에 따른 이론적 계산과 해석을 통하여 구조물의 안전성과 부재의 내하력 등을 평가한다.

⑤ 초기점검시에는 준공 후 시설물의 사용기간 동안 지속적으로 실시되는 유지관리활동 및 점검·진단의 기초자료를 얻기 위하여 상세한 육안점검에 의해 구조물 전체에 대한 외관조사망도를 작성하고 향후의 점검·진단시 안전성평가의 기준이 되는 초기치를 측정하여야 한다. 이 경우 건설안전점검기관은 육안검사와 현장조사결과에 따라 붕괴유발부재와 향후 문제점이 발생하기 쉬운 부위를 파악하여 시설물의 유지관리담당자가 효율적인 유지관리를 할 수 있는 방안을 제시하여야 한다.

⑥ 공사재개 전 안전점검시에는 시공된 부분에 대해 상세한 육안검사 및 기본조사를 실시하여 공사계속 여부를 판정하여야 하며 문제점이 있을 경우 건설안전점검기관은 대책을 제시하여야 한다.

제33조(사후조치 및 보수 · 보강) ① 시공자는 자체안전점검 실시 결과를 작성하고 지적사항에 대한 조치사항을 기록하여야 한다.

② 시공자는 정기 · 정밀 안전점검을 실시하여 지적된 사항을 별지 제3호 서식에 따라 작성하여 조치사항을 기록하고 발주자(건설사업관리기술인 또는 감독)의 확인을 받아야 한다.

③ 점검결과에 의한 보수 · 보강 방법 및 수준은 구조물의 결함정도, 구조물의 중요도, 사용환경조건 및 경제성 등에 따라 정하여야 하며, 보수 · 보강이 불가능할 경우에는 재시공을 하여야 한다.

④ 보수작업 시에는 결함의 원인, 보수의 범위 및 규모, 환경조건, 경제성 등을 고려하여야 하며, 보강작업은 구조안전성 평가 결과와 내력저하 정도, 경제성을 검토하여 실시하도록 하며 보강을 하여도 구조물의 안전성 확보가 곤란하다고 판단되는 경우에는 재시공한다.

제34조(보수 · 보강의 필요성 판단) 보수 · 보강의 필요성은 균열 등 발생된 결함의 허용기준과 내구성, 방수성, 내력저하 정도에 대한 분석과 구조해석 결과에 따라 각종 관련시방서, 설계 지침 및 기준 등을 참조하여 안전점검책임기술자가 작성한 자료를 바탕으로 발주자가 판단하여야 한다.

제2절 안전점검 종합보고서 작성 세부기준 등

제35조(종합보고서의 작성 및 제출) ① 시공자는 건설공사를 준공한 때에는 별표5에 따른 목차를 참조하여 작성한 종합보고서를 발주자에게 제출하여야 한다.

② 시설물안전법에 따른 1종 시설물 및 2종 시설물에 관한 건설공사의 발주자(발주자가 발주청이 아닌 경우에는 인 · 허가기관의 장을 말한다)는 해당 건설공사의 준공 후 3개월 이내에 종합보고서를 관리원에 제출하여야 한다.

③ 발주자(시설물안전법에 따른 1종 시설물 및 2종 시설물에 관한 건설공사의 발주자는 제외한다)는 필요시 관리원으로 하여금 종합보고서를 보존 및 관리하게 할 수 있다.

제36조(제출방법) ① 발주자 또는 시공자는 종합보고서를 콤팩트디스크(이하 "CD"라 한다)로 제작하여 제출하여야 한다. 다만 시설물안전법에 따른 1종 시설물 및 2종 시설물에 관한 건설공사의 발주자는 안전점검종합보고서를 시스템을 통해 온라인으로 제출하여야 한다.

② 제1항에 따라 시스템을 통해 종합보고서를 제출하는 경우 시스템 상의 온라인 제출 방법 및 절차에 따른다.

제37조(CD 제작 매체) ① 제36조에 따라 종합보고서를 기록 · 제출하는 CD는 다음 각 호의 요건을 갖추어야 한다.

1. CD의 종류 : 이미지 데이터 기록이 가능한 CD
2. CD의 규격 : 직경 12센티미터, CD-ROM, 650메가바이트 이상 및 74분 이상

② CD 수록 형식은 MS-Windows 환경에서 지원이 가능하여야 하며 싱글 세션으로 제작하되, CD의 파일명 및 폴더명이 식별 가능

한 문자체계를 유지하도록 제작되어야 한다.

제38조(문서 형식) 종합보고서의 문서부분은 이미지 데이터 형식으로 국제전신전화 자문위원회(CCITT) Group 4에 따른 TIFF 표준 형식으로 제작하여야 한다. 다만, 최저해상도는 300dpi 이상, 색도는 모노, 스캐닝 축척은 1:1로 하여야 한다.

제39조(문서 파일명 및 색인 부여 등) 문서의 내용 식별 및 수록내용 색인을 위해 데이터 파일명, 폴더명 및 색인파일 등을 다음 각 호와 같이 작성하여야 한다.

1. CD명은 "DOCCD일련번호(2자리 숫자)"로 하여 제작하되, 문서별로 폴더를 생성하고 폴더명을 문서명과 일치시킨다.
2. 파일명은 TIFF 표준 형식으로 "일련번호(4자리 숫자).TIF"로 하여 해당 폴더에 위치시켜야 한다.
3. 문서량이 많은 경우 여러 장의 CD에 수록하며 하나의 문서 폴더가 한 장의 CD에 수록될 수 없는 경우에는 동일한 이름의 여러 CD에 수록하여야 한다.
4. CD의 루트 디렉토리에는 별표6에 따른 공사개요, 시설물개요 등에 관한 정보를 입력한 구성파일(MASTER.XML)과 색인에 관한 정보를 입력한 색인파일(DOCINDEX.XML)을 수록하여야 한다.

제40조(접수 및 확인) 발주자 또는 관리원은 종합보고서를 제출받은 경우 이 지침에 따라 적정하게 제출되었는지를 확인하여 접수하여야 한다.

제41조(관리) 종합보고서를 제출받은 발주자 또는 관리원은 종합보고서의 원활한 관리를 위하여 다음 각 호의 조치를 취하여야 한다.

1. 종합보고서의 접수 · 확인, 보존 및 열람 · 사본발급 요청에 대한 조치
2. 종합보고서에 의한 통계자료의 유지와 자료 신뢰성 확보를 위한 지속적인 시스템 운영 및 개선
3. 그 밖에 종합보고서의 보존과 관리에 필요한 사항

제42조(보존) ① 발주자(제35조에 따라 관리원에 종합보고서를 제출한 발주자를 제외한다)는 종합보고서를 해당 공사의 하자담보책임기간만료일까지 보존하여야 한다.

② 관리원은 제35조에 따라 제출받은 종합보고서를 시설물의 존속기간까지 보존하여야 한다.

③ 관리원은 종합보고서를 항온 · 항습기 등 부대시설을 갖춘 장소에 보존하여야 하며 종합보고서 별로 등록번호, 등록일자, 제출자, 발주자(관리주체) 등의 내용이 검색 가능하도록 전산화하여 보존하여야 한다.

④ 관리원은 종합보고서의 보존을 위하여 관리책임자를 지정하여 파일 등이 손상 · 분실되지 않도록 하고, 지진 등 자연재해의 피해가 최소화되도록 보안시설 등을 갖추어 수시로 보존상태 확인 등 필요한 조치를 하여야 한다.

제43조(열람 및 교부) ① 시설물의 관리주체는 시설물의 안전 및 유지관리를 위하여 필요한 경우에는 발주자 또는 관리원에 종합보고서의 열람이나 그 사본의 교부를 요청할 수 있다. 이 경우 요청을 받은 발주자 또는 관리원은 특별한 사유가 없으면 요청에 따라야 한다.

② 제1항에 따라 사본을 발급할 때에는 소정의 수수료를 징수할

수 있다.

③ 발주자 또는 관리원은 종합보고서를 열람하였거나 사본을 발급하였을 때에는 열람 또는 발급일자, 열람 또는 발급 요청자, 열람 또는 발급내용 등을 기록하여 관리하여야 한다.

제44조(미제출자에 대한 조치) ① 발주자 및 관리원은 제35조에 따라 종합보고서를 제출하지 아니한 제출의무자에게 종합보고서를 제출토록 고지하여야 한다.

② 관리원은 제출의무자가 종합보고서를 시설물 준공 후 3개월 이내에 제출하지 않은 경우에는 그 현황을 제45조에 따라 국토교통부장관에게 제출하여야 한다.

제45조(보존 및 관리현황 보고) ① 관리원은 매 분기 말에 해당하는 달의 다음달 20일까지 제출받은 종합보고서의 보존 및 관리에 관한 현황을 국토교통부장관에게 보고하여야 한다.

② 제1항에 따른 현황 자료에는 제44조제2항에 따른 종합보고서 미제출자 현황을 포함하여야 한다.

제3절 건설공사 안전관리비 계상 및 사용기준

제46조(안전관리계획의 작성 및 검토 비용) ① 규칙 제60조제1항제1호에 따른 안전관리계획의 작성 및 검토 비용 계상은 별표7의 내역에 대해 「엔지니어링산업 진흥법」 제31조제2항에 따른 「엔지니어링사업대가의 기준」 제3조제1호의 실비정액가산방식을 적용하며 직접인건비, 직접경비, 제경비 및 기술료로 구성된다.

② 직접인건비는 발주자 또는 건설사업관리기술인이 확인한 투입인원수를 적용하여 계상하며, 직접경비는 인쇄비, 제경비는 직접인건비의 110~120%, 기술료는 직접인건비에 제경비(손해배상보험료 또는 손해배상공제료는 제외함)를 합한 금액의 20~40%를 적용한다.

제47조(건설공사 안전점검 비용) ① 규칙 제60조제2항제2호에 따른 안전점검 비용 계상에 적용하는 요율은 별표8과 같다. 다만, 공사의 특성 및 난이도에 따라 10%의 범위에서 가산할 수 있다.

② 규칙 제60조제1항제2호에 따른 건설공사 안전점검 비용의 계상은 공사비 요율에 의한 방식을 적용한다.

③ 영 제100조제1항제2호에 따른 정밀안전점검 비용은 「엔지니어링사업대가의 기준」을 적용하여 산출한 금액으로 한다.

④ 영 제100조제1항제3호에 따른 안전점검(초기점검) 비용 계상시에는 향후의 유지관리, 점검ㆍ진단을 하기 위한 기초자료로서 구조물 전체에 대한 외관 조사망도 작성 및 구조안전성평가의 기준이 되는 초기치를 구하는데 필요한 추가항목에 대한 비용을 별도 계상하여야 한다.

⑤ 별표8의 안전점검대가요율에 포함되지 않는 건설공사의 안전점검비용은 「엔지니어링사업대가의 기준」을 적용하여 산출한 금액으로 한다.

⑥ 공사비 요율에 의한 방식으로 안전점검대가 요율 계상시 시설물 규격이 최소규격보다 작은 경우 또는 두 기준규격의 중간인 경우에는 다음 보간식을 이용하여 해당 안전점검대가 요율을 계상한다. 이때 사용되는 두 기준점은 가장 인접한 두 점을 사용하여야 하며, 원점 등을 사용하여서는 안 된다.

$$y = y_1 + \frac{(y_2 - y_1)}{(x_2 - x_1)}(x - x_1)$$

여기서, x : 해당 규격, x_1 : 작은 규격, x_2 : 큰 규격

y : 해당공사비요율, y_1 : 작은 규격 요율, y_2 : 큰 규격 요율

⑦ 공사비 요율에 의한 방식으로 안전점검대가 요율 계상시 시설물 규격이 최대규격보다 큰 경우에는 다음 보간식을 이용하여 해당 안전점검대가 요율을 계상한다.

$$y = y_2 + \frac{(y_2 - y_1)}{(x_2 - x_1)}(x - x_2)$$

여기서, x : 해당 규격, x_1 : 작은 규격, x_2 : 큰 규격

y : 해당공사비요율, y_1 : 작은 규격 요율, y_2 : 큰 규격 요율

⑧ 제27조제1항제3호 및 별표3의 추가조사에 소요되는 비용은 「엔지니어링사업대가의 기준」을 적용하여 산출한 금액으로 한다. 추가조사 항목에 대한 기준은 시설물안전법 제21조에 따라 고시한 「시설물의 안전 및 유지관리 실시 등에 관한 지침」 별표26을 적용한다.

제48조(발파 · 굴착 등의 건설공사로 인한 주변 건축물 등의 피해방지대책 비용) 규칙 제60조제1항제3호에 따른 발파 · 굴착 등의 건설공사로 인한 주변 건축물 등의 피해방지대책 비용 계상은 별표7에 따라 건설공사로 인하여 불가피하게 발생할 수 있는 공사장 주변 건축물 등의 피해를 최소화하기 위한 사전보강, 보수, 임시이전 등에 필요한 비용으로 토목 · 건축 등 관련 분야의 설계기준을 적용한다.

제49조(공사장 주변의 통행안전관리대책 비용) 규칙 제60조제2항제4호에 따른 공사장 주변의 통행안전관리대책 비용 계상은 별표7에 따라 공사시행 중의 통행안전 및 교통소통을 위한 시설의 설치 및 유지관리 비용으로 토목 · 건축 등 관련 분야의 설계기준을 적용한다.

제50조(공사시행 중 구조적 안전성 확보 비용) 공사시행중의 구조적 안전성 확보를 위하여 규칙 제60조제1항제5호와 제6호에 따라 계상되어야 하는 계측장비, 폐쇄회로 텔레비전 등의 설치 · 운영 비용과 가설구조물의 구조적 안전성 확인을 위해 필요한 비의 계상은 「엔지니어링사업대가의 기준」을 적용하여 산출한 금액으로 한다.

제51조(적용절차) ① 건설공사의 발주자는 건설공사 계약을 체결할 때에 「예정가격작성기준」(계약예규)에 따라 건설공사의 안전관리에 필요한 안전관리비를 공사원가계산서에 안전관리비 항목으로 계상하여야 하며, 비용을 확정하기 어려운 주변 건축물 등의 피해방지대책 비용 및 통행안전관리대책 비용 등은 발주자 또는 건설사업관리기술인이 확인한 안전관리 활동 실적에 따라 정산할 수 있도록 계상한다. 다만 공사 중 설계변경 등에 의해 안전관리비를 변경 · 추가할 필요가 있는 경우에는 건설사업자 또는 주택건설등록업자가 안전관리비 내역을 작성하여 건설사업관리기술인의 검토 · 확인 후 발주자의 승인 후 비용 계상을 하여야 한다.

② 발주자와 계약을 체결하기 위해 입찰에 참가하는 건설사업자 또는 주택건설등록업자는 입찰금액 산정 시 발주자가 제1항에 따라 공사원가계산서에 계상한 안전관리비를 조정 없이 반영하여야 한다.

③ 발주자는 제1항에 따라 계상한 안전관리비와 관련하여 다음 각

호의 사항을 입찰공고 등에 명시하여 입찰에 참가하고자 하는 자가 미리 열람할 수 있도록 하여야 한다.

1. 공사원가계산서에 계상된 안전관리비
2. 입찰참가자가 입찰금액 산정시 안전관리비는 제1호에 따른 금액을 조정 없이 반영하여야 한다는 사항
3. 안전관리비는 규칙 제60조에 따라 사후정산을 하게 된다는 사항

제52조(사용기준) ① 건설사업자 또는 주택건설등록업자는 별표7에 따라 안전관리비를 사용하여야 한다.

② 건설사업자 또는 주택건설등록업자는 안전관리비 사용내역에 대하여 필요시 발주자 또는 건설사업관리기술인의 확인을 받아야 한다.

제53조(정산) 건설사업자 또는 주택건설등록업자는 안전관리비를 해당 목적에만 사용하여야 하며, 실제로 납부, 지출, 부담한 객관적인 서류를 근거로 정산하도록 한다.

제54조(추가조정 등) 발주자는 건설사업자 또는 주택건설등록업자가 해당 목적 이외에 사용하거나 사용하지 않은 안전관리비에 대하여 이를 계약금액에서 감액조정하거나 반환을 요구할 수 있다.

제4절 안전관리계획서 검토 결과 및 안전점검결과의 적정성 검토

제55조(일반사항) 검토기관은 건설공사의 안전을 확보하기 위하여 법 제62조제10항에 따라 제출받은 안전관리계획서 및 계획서 검토결과와 안전점검결과의 적정성을 검토할 수 있다.

제56조(적정성 검토 대상) ① 적정성 검토 대상은 다음 각 호와 같다.

1. 발주청 또는 인·허가기관의 장이 안전관리계획서 검토결과에 대하여 부실의 우려가 있다고 인정하여 검토를 의뢰하는 경우
2. 건설사고가 자주 발생하여 국토교통부장관이 종합정보망을 통해 연 1회 이상 공개한 공종이 포함된 경우
3. 건설사고가 발생한 현장의 시공자가 타 현장의 안전관리계획 또는 안전점검결과를 제출한 경우
4. 건설사고가 발생한 현장의 안전관리계획을 검토하거나 안전점검을 실시한 건설안전점검기관이 타 현장의 안전관리계획 또는 안점검점결과를 제출한 경우
5. 안전관리계획 또는 안전점검 적정성 검토 결과 "부적정" 통보를 받은 시공자나 건설안전점검기관이 타 현장의 안전관리계획 또는 안전점검결과를 제출한 경우

② 제1항제3호부터 제5호에 따라 적정성 검토 대상이 되는 경우 적용기간은 사유가 발생된 날로부터 2년이 경과된 날까지로 한다.

제57조(적정성 검토 실시) ① 검토기관은 제56조에 따라 검토대상으로 확인된 안전관리계획서 및 검토결과와 안전점검결과에 대하여 적정성 검토를 실시할 수 있다. 다만, 안전관리계획서 검토 결과 또는 안전점검 결과에 대하여 자문 등 이해관계가 있는 사람으로 하여금 적정성 검토를 하게 하여서는 아니 된다.

② 검토기관은 제출된 안전관리계획서 및 검토결과와 안전점검결과를 적정성 검토 자료로 활용할 수 있으며, 필요한 경우 발주청 또는 인·허가기관의 장 및 안전관리계획서 검토 또는 안전점검 실시자 등에게 관련 자료를 요구할 수 있다.

③ 검토기관은 적정성 검토 결과를 다음 각 호의 구분에 따라 판정한다.

1. 적정 : 안전에 필요한 조치가 구체적이고 명료하게 작성되어 건설공사의 시공상 안전성이 충분히 확보되어 있다고 인정될 경우
2. 조건부 적정 : 안전성 확보에 치명적인 영향을 미치지는 아니하지만 일부 미비점 등이 있는 경우
3. 부적정 : 시공 시 안전사고가 발생할 우려가 있거나 계획 또는 점검결과에 근본적인 결함이 있다고 인정될 경우

제58조(적정성 검토 결과의 통보 및 조치 등) ① 검토기관이 적정성 검토를 완료한 때에는 적정성 검토결과를 해당 발주청 또는 인·허가기관의 장에게 통보하여야 한다.

② 적정성 검토 결과를 "조건부 적정" 또는 "부적정" 으로 통보받은 발주청 및 인·허가기관의 장은 시공자에게 지적내용에 대한 수정이나 보완을 명해야 한다.

③ 제2항에 따른 적정성 검토결과를 통보받은 발주청 또는 인·허가기관의 장은 결과를 통보받은 날로부터 7일 이내에 그 결과에 대하여 1회에 한하여 이의신청을 할 수 있다.

④ 제3항에 따른 이의신청을 하는 경우 항목별 이의제기의견서 및 이의신청 사유를 증빙할 수 있는 자료를 제출하여야 한다.

⑤ 검토기관은 제3항 및 제4항에 따른 이의신청이 있을 경우 발주청 또는 인·허가기관의 장이 제기한 이의신청에 대한 재평가를 이의신청을 받은 날로부터 10일 이내에 실시하고 그 결과를 해당 발주청 또는 인·허가기관의 장에게 통보하여야 한다. 다만, 이의신청의 이유 없음이 명백한 경우에는 재평가를 실시하지 않을 수 있으며 해당 발주청 또는 인·허가기관의 장에게 이를 즉시 통보하여야 한다.

⑥ 발주청 및 인허가기관의 장은 수정이나 보완조치를 완료한 경우 7일 이내에 검토기관에 조치결과를 제출하여야 하고, 이 때 종합정보망을 통해 온라인으로 제출하여야 한다.

⑦ 국토교통부장관은 안전점검결과 적정성 검토 결과가 연2회 이상 "부적정"으로 판정된 건설안전점검기관에 대하여는 영 제100조의3제3항에 따라 발주청 및 인·허가기관의 장에게 연2회 이상 "부적정"으로 판정된 날로부터 1년간 안전점검 수행기관 등록 명부에서 제외를 요청할 수 있다.

제5절 건설사고의 신고 및 조사

제59조(일반사항) 건설사고 및 중대건설현장사고가 발생한 경우 법 제67조 및 제68조, 같은 법 시행령 제105조 및 제106조 등에서 정하고 있는 건설공사 참여자, 발주청 및 인·허가기관의 장의 사고신고, 사고조사, 건설사고조사위원회의 운영 등 세부적인 사항은 이 절에서 정하는 바에 따른다.

제60조(최초사고신고) 건설공사 참여자는 건설사고가 발생한 것을 알게 된 즉시 필요한 조치를 취하고 2시간 이내에 다음 각 호의 사항을 발주청 및 인·허가기관의 장에게 통보하여야 한다. 다만, 천재지변 등 부득이한 사유가 발생한 경우에는 그 사유가 소멸된 때를 기준으로 지체 없이 보고하여야 한다.

1. 사고발생 일시 및 장소(현장주소)
2. 사고발생 경위
3. 피해사항(사망자수, 부상자수)
4. 공사명
5. 그 밖의 필요한 사항 등

제61조(사고조사 등) ① 건설공사 참여자로부터 법 제67조제1항에 따라 건설사고 발생을 통보받은 발주청 및 인·허가기관의 장은 24시간 이내에 다음 각 호의 사항을 국토교통부장관에게 제출하여야 하며, 그 결과를 보관·관리하여야 한다.

1. 제60조 각 호의 사항
2. 공사현황
3. 사고원인 및 사고 발생 후 조치사항
4. 향후 조치계획 및 재발방지대책
5. 그 밖의 필요한 사항 등

② 국토교통부장관은 중대건설현장사고가 발생하여 법 제67조제3항에 따라 사고 경위 및 사고 원인 등을 파악하기 위해 조사가 필요하다고 판단되는 경우에는 「건설사고조사위원회 운영규정」(이하 "운영규정"이라 한다) 제2조제4항 및 「건설기술진흥법령에 따른 위탁업무 수행기관 등 지정」에 따른 관리원으로 하여금 운영규정 제18조제2항제3호에 따른 초기현장조사를 실시하게 할 수 있다.

③ 국토교통부장관은 제2항에 따라 초기현장조사를 실시한 결과 사고 경위 및 사고 원인 등을 명확히 파악하기 위해 조사가 필요하다고 판단되는 경우에는 상세조사(이하 "상세현장조사"라 한다)를 실시하거나, 법 제67조제5항에 따라 건설사고조사위원회로 하여금 정밀조사(이하 "정밀현장조사"라 한다)를 하게 할 수 있다.

④ 제2항 및 제3항에 따른 조사의 대상은 관리원이 국토교통부장관의 승인을 받아 정한다.

⑤ 발주청 및 인·허가기관의 장은 제3항에 따라 관리원이 조사를 실시하지 않은 중대건설현장사고에 대하여 자체적으로 상세현장조사 또는 정밀현장조사를 실시할 수 있다.

⑥ 제5항에 따라 발주청 및 인·허가기관의 장이 상세현장조사를 실시하는 경우에는 조사를 완료한 날로부터 7일 이내에 제1항 각 호의 사항을 포함한 결과보고서를 작성하여 국토교통부장관에게 제출하여야 한다. 정밀현장조사를 실시하는 경우에는 운영규정에 따른다.

제62조(건설사고조사위원회 구성·운영) ① 국토교통부장관, 발주청 및 인·허가기관의 장은 중대건설현장사고의 조사를 위하여 필요하다고 인정하는 경우에는 법 제68조에 따른 건설사고조사위원회를 구성하여 정밀현장조사를 하게 할 수 있다.

② 건설사고조사위원회는 제1항에 따른 정밀현장조사를 완료하였을 때에는 별지 제2호 서식을 활용하여 사고조사보고서를 작성하고, 그 결과를 국토교통부장관에게 제출하여야 하며, 유사한 사고의 예방을 위한 자료로 활용될 수 있도록 필요한 조치를 하여야 한다.

③ 발주청 및 인·허가기관의 장, 법 제58조에 따른 건설사고조사위원회 및 관리원은 사고조사를 위하여 필요하다고 인정되는 경우에는 건설사업자 및 주택건설등록업자 등에게 관련 자료의 제출을

요청할 수 있으며, 중대건설현장사고의 조사에 필요한 세부사항은 '건설사고조사위원회 운영규정'을 따른다.

제63조(제출방법) 제60조, 제61조 및 제62조에 따른 건설사고 신고 및 조사결과를 제출할 경우에는 관리원에서 운영하는 종합정보망(www.csi.go.kr)의 사고신고시스템 또는 전화 · 팩스를 활용하여 제출하여야 한다.

제64조(건설사고통계) 건설공사 참여자, 관련협회, 중앙행정기관 또는 지방자치 단체의 장은 국토교통부장관이 법 제62조제16항에 따라 종합정보망의 구축 · 운영을 위하여 건설사고 통계를 요청하는 경우 그 요청에 따라야 하며, 발주청 및 인 · 허가기관의 장이 건설사고 통계를 종합정보망에 입력하는 경우 제출한 것으로 본다.

제4장 건설공사 참여자의 안전관리 수준 평가

제1절 일반사항

제65조(평가대상 등) ① 건설공사 참여자의 안전관리 수준 평가는 평가기관이 총공사비(전기 · 소방 · 통신 공사비는 제외하되, 관급자재비를 포함한 공사예정금액을 말한다)가 200억원 이상인 건설공사(다만, 「국유재산법」 제2조제2호에 따른 기부채납 건설공사는 제외한다)에 참여하는 다음 각 호의 건설공사 참여자를 대상으로 실시한다.

1. 공기가 50% 이상의 건설공사 현장을 보유한 발주청
2. 영 제44조제1항제2호다목에 따라 등록한 건설사업관리용역사업자의 현장과 본사(법 제39조제2항에 따른 감독 권한대행 업무를 포함한 건설사업관리를 수행하는 건설사업관리용역사업자에 한한다)
3. 건설사업자 및 주택건설등록업자의 현장과 본사

② 공동도급건설공사의 건설사업관리용역사업자 및 시공자의 안전관리 수준 평가는 공동이행방식인 경우에는 공동수급체의 대표자에 대하여 실시하고, 분담이행방식인 경우에는 건설공사를 분담하는 업체별로 실시한다.

③ 평가기관이 평가단계에서 공동수급체의 대표자 부재 등으로 건설사업관리용역사업자 및 시공자의 안전관리 수준 평가가 불가하다고 판단한 경우에는 공동수급체 중 참여율이 차순위인 수급체의 대표자에 대하여 실시할 수 있다.

제66조(평가시기) ① 발주청에 대한 안전관리 수준 평가시기는 발주청과 협의하여 결정하며, 횟수는 회계연도 별로 1회로 한다.

② 건설사업관리용역사업자 및 시공자의 안전관리 수준 평가시기 및 횟수는 다음 각 호와 같다.

1. 현장평가는 공기가 50% 진행되었을 때부터 1회 실시한다.
2. 본사평가는 현장평가 대상 건설공사를 보유한 건설사업관리용역사업자 및 시공자를 대상으로 회계연도 별로 1회 실시한다.
3. 제1호에도 불구하고 국토교통부장관이 필요하다고 인정하는 경우에는 공기가 50%에 이르지 않아도 안전관리 수준 평가를 실시 할 수 있다. 이 경우 결과를 최종 안전관리 수준 평가결과에 최대 50%까지 반영할 수 있다.

제67조(평가준비) ① 평가기관은 「건설산업기본법」 제24조제3항에 따른 건설산업종합정보망에 등록된 공사정보를 확인하여 당해 연도 안전관리 수준 평가대상을 국토교통부장관에게 통보하여야 한다.

② 국토교통부장관은 제1항에 따라 통보받은 안전관리 수준 평가대상을 참고하여 제65조에 따라 평가대상을 선정하고, 그 선정사실을 해당 건설공사 참여자에게 통보하여야 한다.

제2절 안전관리 수준 평가

제68조(평가기준) 안전관리 수준 평가의 기준은 건설공사 참여자별로 별표9, 별표11 및 별표13의 안전관리 수준 확인방법을 각각 따른다.

제69조(평가방법 등) ① 안전관리 수준 평가방법은 건설공사 참여자별로 별표10, 별표12 및 별표14의 안전관리 수준 평가표에 따라 본사와 각 현장에 대해 각각 실시하고, 평가점수는 별표15에 따라 산정하며 건설사업관리용역사업자 및 시공자는 다음 각 호와 같이 산정한다.

1. 건설사업관리용역사업자는 본사 20%, 각 현장점수의 평균을 80%의 비율로 합산하여 평가한다.
2. 시공자는 본사 30%, 각 현장점수의 평균을 70%의 비율로 합산하여 평가한다.

② 이 지침에서 정하지 않은 안전관리 수준 평가의 평가기준, 평가방법 등에 관해서는 평가기관이 국토교통부장관의 승인을 거쳐 정할 수 있다.

③ 평가기관은 안전관리 수준평가에 필요한 자료를 건설공사 참여자에게 요청할 수 있다.

④ 제3항에 따라 자료의 제출을 요청받은 자는 특별한 사유가 없는 한 요청을 받은 날로부터 20일 이내에 자료를 제출하여야 한다.

⑤ 평가기관은 건설공사 참여자에게 요청한 자료를 제출하지 않은 안전관리 수준 평가항목에 대해서는 최하점수를 부여할 수 있다.

⑥ 평가기관은 당해 연도 9월 말일까지 안전관리 수준 평가를 하여야 한다.

⑦ 평가기관은 별지 제4호 서식부터 별지 제6호 서식에 따라 작성한 안전관리 수준평가 결과를 기록·관리하여야 한다.

제3절 평가결과의 공개

제70조(평가결과의 통보 및 이의제기 등) ① 평가기관이 안전관리 수준 평가를 완료한 때에는 별표10, 별표12 및 별표14에 따라 작성된 평가결과를 해당 건설공사 참여자에게 통보하여야 한다.

② 제1항에 따른 안전관리 수준 평가결과를 통보받은 건설공사 참여자는 그 결과를 통보받은 날로부터 10일 이내에 평가기관에게 그 결과에 대한 이의를 신청할 수 있다 다만, 이의신청은 1회에 한한다.

③ 건설공사 참여자가 제2항에 따른 이의신청을 할 경우에는 안전관리 수준 평가표의 세부항목별로 이의제기 의견서를 작성하여 제출하여야 한다.

④ 평가기관은 제2항 및 제3항에 따른 이의신청이 있을 경우 건설

공사 참여자가 제기한 이의신청에 대한 재평가를 1개월 이내에 실시하고 그 결과를 당해 건설공사 참여자에게 통보하여야 한다. 다만, 이의신청이 이유 없음이 명백한 경우에는 재평가를 실시하지 않을 수 있으며 당해 건설공사 참여자에게 이를 즉시 통보하여야 한다.

제71조(평가결과의 통보 및 공개) ① 평가기관은 안전관리 수준 평가가 완료된 경우 그 결과를 당해 연도 11월 말일까지 국토교통부장관에게 통보하여야 한다.

② 국토교통부장관은 안전관리 수준 평가결과를 건설안전정보시스템 등을 이용하여 공개할 수 있다.

③ 국토교통부장관은 안전관리 수준 평가결과를 중앙행정기관 또는 타 발주청이 요청할 때에 제공할 수 있다.

제4절 우수건설안전관리 참여자 선정

제72조(우수건설안전관리 참여자 선정) ① 제71조제1항에 따라 안전관리 수준 평가결과를 통보받은 국토교통부장관은 우수건설안전관리 참여자를 별표16에 따른 공사구분별로 선정할 수 있다.

② 국토교통부장관은 제1항에 따라 우수건설안전관리 참여자를 선정 할 경우에는 매년 12월 말일까지 그 결과를 공개하여야 한다.

제5장 스마트 안전관리 보조 · 지원

제1절 스마트 안전관리 보조 · 지원 사업 계획

제73조(사업시행기관) 국토교통부장관은 영 제117조제15의2호에 따라 스마트 안전관리 보조 · 지원 사업의 시행을 관리원에 위탁한다.

제74조(보조 · 지원의 사업 및 예산) ① 관리원은 매년 보조 · 지원 사업 계획을 수립하고 예산을 편성 · 운영하여야 한다.

② 관리원은 보조 · 지원 사업을 효율적으로 수행하기 위하여 건설사고 예방 효과 등 사업성과를 분석하고, 필요한 경우 다음 연도 보조 · 지원 사업 계획에 반영할 수 있다.

제75조(보조 · 지원 사업 계획 수립 및 승인) ① 관리원은 다음 각 호의 사항을 포함하여 보조 · 지원 사업 계획을 수립하고 국토교통부장관에게 제출하여야 한다.

1. 보조 · 지원 사업의 목적 · 주체 · 기간
2. 보조 · 지원 사업의 예산 편성 · 집행 계획
3. 보조 · 지원 대상품목의 종류 · 내용 · 규격 · 성능, 비교 및 선정 사유 등
4. 보조 · 지원의 자격요건 및 보조 · 지원 장비의 선정 기준에 관한 사항
5. 보조 · 지원 장비의 설치지원 및 기술지도 등 관리 · 감독 계획
6. 보조 · 지원의 신청 · 선정, 취소 · 제한, 설치 · 반납, 환수 · 반환에 관한 사항
7. 제80조제1항제2호에 따른 스마트안전관리보조지원운영위원회의 구성 · 운영 계획
8. 그 밖에 보조 · 지원 사업의 관리 · 운영 등에 필요한 사항

② 국토교통부장관은 관리원으로부터 제출받은 보조 · 지원 사업

계획을 검토하고 승인하여야 한다.

제76조(보조 · 지원 사업 계획의 공고) 관리원은 국토교통부장관으로부터 승인을 받은 보조 · 지원 사업 계획과 보조 · 지원의 자격요건, 대상품목 등에 대한 정보를 관리원 홈페이지 및 인터넷 등에 공고하여야 한다.

제2절 보조 · 지원의 자격요건 및 대상품목, 절차 · 방법

제77조(보조 · 지원의 자격요건) ① 건설공사 참여자는 스마트 안전관리장비 등에 대한 보조 · 지원을 받을 수 있다.

② 제1항에도 불구하고 다음 각 호의 어느 하나에 해당하는 자는 보조 · 지원 대상자에서 제외한다.

1. 법 제2조제6호에 따른 발주청
2. 「독점규제 및 공정거래에 관한 법률」 제14조제1항 및 같은 법 시행령 제15조제2항에 따른 상호출자제한기업집단 소속회사
3. 법 제62조의3제3항 및 제4항에 따라 보조 · 지원의 취소와 제한을 받은 자

제78조(보조 · 지원의 품목) 영 제101조의7에 따라 보조 · 지원하는 품목은 다음 각 호의 어느 하나에 해당하며 제76조에 따라 공고한 스마트 안전관리장비(이하 "지원 장비"이라 한다)를 말한다.

1. 가설구조물, 지하구조물 및 지반 등의 붕괴 방지를 위한 스마트 계측기
2. 건설기계 · 장비의 접근 위험 경보장치 및 자동화재 감지센서
3. CCTV 등 실시간 모니터링이 가능한 안전관리시스템
4. 스마트 안전관제시스템
5. 그 밖에 국토교통부장관이 건설사고 예방을 위하여 스마트 안전관리 보조 · 지원이 필요하다고 인정하는 사항

제79조(보조 · 지원의 신청) ① 보조 · 지원을 받고자 하는 자는 지원장비 설치계획 등을 포함한 별지 제11호 서식의 신청서(이하 "지원신청서"라 한다)를 신청기간 내에 관리원에 제출하여야 한다.

② 제1항에 따라 지원신청서가 제출되면 관리원은 제77조에 따른 자격요건을 확인하여 지원신청서를 접수하여야 한다.

제80조(보조 · 지원의 심사 및 대상선정) ① 관리원은 접수된 지원신청서의 지원 장비 설치계획 등을 검토하고 그 결과가 타당한 경우 다음 각 호에 따라 보조 · 지원을 받는 자(이하 "지원선정자"라 한다)를 선정하여야 한다.

1. 관리원은 지원선정자를 선정할 때에 효율적인 보조 · 지원을 위하여 지원신청자의 규모 및 위험공종 등을 고려하여 지원선정자의 우선순위를 정할 수 있다.
2. 관리원은 지원신청서의 내용심사와 지원선정자 선정 등 보조 · 지원 사업 운영과 관련하여 스마트안전관리보조지원운영위원회(이하 "스마트운영위원회"라 한다)를 구성 · 운영할 수 있으며, 스마트운영위원회의 구성 · 운영방법에 관한 사항은 따로 정할 수 있다.
3. 관리원은 제1호 및 제2호에 따른 지원선정자의 선정 등에 관한 사항을 국토교통부장관과 사전에 협의하여야 한다.

② 관리원은 제1항에 따라 선정된 지원선정자에게 선정 내용 및

지원 절차에 대해 지체 없이 통보하여야 한다.

③ 지원선정자가 지원 장비 설치계획을 변경하려는 경우에는 관리원에 변경 승인을 신청하여야 한다. 이 경우 관리원은 지원변경신청서를 제1항에 따라 검토·심사하고 그 결과를 지원선정자에게 통보하여야 한다.

제3절 보조·지원의 관리 및 감독

제81조(보조·지원 장비의 설치 및 관리) ① 관리원은 지원선정자에게 지원 장비에 대한 설치·사용 및 관리에 필요한 사항을 보조·지원하고 기술지도하여야 한다. 이 경우 관리원은 지원 장비의 생산업체에 지원선정자에게 기술지원을 하도록 요청할 수 있다.

② 제1항에 따른 보조·지원, 기술지도 등을 받은 자(이하 "지원받은자"라 한다)는 제1항에 따른 기술지도 등에 따라야 하며, 지원기간이 종료되어 반납할 때까지 지원 장비가 분실 또는 파손되지 않도록 관리하여야 한다.

③ 지원받은자는 지원 장비가 분실 또는 파손이 된 경우에는 관리원에 그 사실을 지체 없이 알려야 한다.

④ 지원받은자는 공사기간이 종료되거나 지원기간이 종료된 후 14일 이내에 관리원에 지원 장비를 반납(지원기간 중에도 지원 장비 일부 또는 전부를 반납 할 수 있다)하여야 한다.

제82조(보조·지원의 관리 및 감독) ① 관리원은 지원받은자의 건설공사현장을 방문하여 지원 장비가 건설사고 예방 목적 및 설치계획에 따라 사용·관리되는지 주기적으로 확인하여야 한다.

② 관리원은 지원받은자에게 제1항에 따라 확인한 결과에 대한 시정요구 등을 할 수 있으며, 건설사고 예방 효과 및 지원 장비의 사용·관리현황 등에 대한 자료제출을 요청할 수 있다.

③ 관리원은 제81조제3항에 따른 사실을 알게 된 경우에는 지원받은자에게 파손된 장비를 반납 받아 교체해 줄 수 있다.

④ 관리원은 제3항에 따라 반납된 지원 장비에 대하여 검수 등을 하여야 하며, 지원받은자의 귀책사유에 의해 지원 장비가 분실되거나 파손된 경우에는 교체·수리비용 등을 지원받은자에게 청구할 수 있다.

⑤ 국토교통부장관은 관리원과 지원받은자를 대상으로 스마트 안전관리 보조·지원 사업과 관련하여 운영·관리 실태를 점검할 수 있으며, 관리 부실 또는 개선 필요사항에 대해서는 시정명령 등의 조치를 요청할 수 있다.

제83조(보조·지원의 취소 및 제한) ① 관리원은 다음 각 호에 해당하는 경우에는 스마트 안전관리의 보조·지원을 전부 또는 일부를 취소하여야 한다.

1. 거짓이나 부정한 방법으로 보조·지원을 받는 경우 : 전부
2. 건설사고 예방의 목적에 맞게 사용되지 아니한 경우 : 전부
3. 지원받은자가 법에 따른 안전관리 의무를 위반하여 건설사고를 발생시킨 경우로써 해당 시설 및 장비의 중대한 결함이나 관리상 중대한 과실로 인하여 건설종사자 등이 사망하는 경우 : 전부 또는 일부
4. 규칙 제59조의3제2항에 따른 제한 기간 내에 신청하여 지원선정

자로 선정된 경우이거나 제85조제2항에 따른 지원신청 참여 제한, 시정요구에 응하지 않은 경우 : 전부 또는 일부

② 관리원은 제1항에 따라 보조 · 지원의 전부 또는 일부가 취소된 자에 대해서는 규칙 제59조의3제2항 각 호에 따른 기간 동안에는 보조 · 지원을 제한하여야 한다.

③ 제1항에 따른 취소 절차 및 방법 등의 세부 사항은 관리원이 따로 정하는 바에 따른다.

제84조(보조 · 지원의 환수 및 반환) ① 관리원은 제83조제1항에 따라 보조 · 지원이 취소된 경우 지원받은자에게 지원 장비를 반납할 것을 통보하고 보조 · 지원비용을 환수하여야 한다. 이 경우 보조 · 지원비용은 지원 장비의 사용기간에 따른 환수비율로 정하고 이에 관한 사항은 관리원이 따로 정할 수 있다.

② 제1항에 따라 지원 장비 반납 통보를 받은 자는 그 통보일로부터 1개월 이내에 보조 · 지원비용을 관리원에 반환하여야 한다.

③ 관리원은 제2항에도 불구하고, 보조 · 지원비용을 반환하여야 하는 자로부터 다음 각 호의 어느 하나에 해당하는 사항이 발생하여 보조 · 지원비용 반환기한 연장 또는 분할납부 등을 승인해 줄 것을 서면으로 요청받은 경우 스마트운영위원회 심사를 거쳐 승인 여부를 결정할 수 있다. 이 경우 반환기한 연장은 그 승인일로부터 1개월, 분할납부 기한은 그 승인일로부터 1년 이내의 기간으로 한다.

1. 천재지변, 화재 또는 도난으로 재산에 심한 손실을 입은 경우
2. 보조 · 지원비용 반환 통보를 받은 자 또는 그 동거가족의 질병이나 중상해로 6개월 이상 장기치료가 필요한 경우
3. 그 밖에 분할납부가 필요하다고 스마트운영위원회에서 인정하는 경우

④ 관리원은 제1항에 따른 보조 · 지원비용의 환수에 대한 처리절차 및 방법 등 세부 사항을 따로 정할 수 있다.

제85조(보조 · 지원의 부정수급 확인 및 조치) ① 관리원은 보조 · 지원 사업을 수행함에 있어 허위서류 제출 등 부정수급 방지를 위해 필요하다고 인정할 때에는 관계인에게 관련 자료 제출을 요청할 수 있다. 이 경우 자료 제출을 요청받은 자는 정당한 사유 없이 자료 제출을 거부할 수 없다.

② 관리원은 제1항에 따라 제출된 자료가 위조 또는 변조된 자료이거나 기타 부정수급 확인을 위해 추가 조사가 필요한 경우에는 해당 관계자에게 지원신청 참여 제한 또는 시정요구를 할 수 있으며. 이에 응하지 않은 경우에는 보조 · 지원의 취소 및 제한 등의 조치를 할 수 있다.

③ 관리원은 제1항 및 제2항에 따른 부정수급 확인 및 조치를 위해 필요한 사항을 따로 정하여 운영할 수 있다.

제86조(보조 · 지원 장비의 유지관리) ① 관리원은 보조 · 지원 사업의 원활한 운영과 지원 장비의 체계적인 유지관리를 위해 매년 지원 장비에 대한 유지관리계획을 수립하여야 한다.

② 관리원은 보유하고 있는 지원 장비 수를 지속적으로 확인하고 관리하여야 하며, 지원 장비의 분실 · 파손 발생 여부 등 유지관리에 관한 정보는 상시 기록하고 보관하여야 한다.

제6장 보칙

제87조(재검토기한) 국토교통부장관은 이 고시에 대하여「훈령 · 예규 등의 발령 및 관리에 관한 규정」에 따라 2022년 1월 1일 기준으로 매 3년이 되는 시점(매 3년째의 12월 31일까지를 말한다)마다 그 타당성을 검토하여 개선 등의 조치를 하여야 한다.

부칙 〈제2016-718호, 2016.10.31〉

제1조(시행일) 이 지침은 고시한 날부터 시행한다.

제2조(기존 고시의 폐지) 이 지침 시행 이전의 "건설공사 안전관리 지침(국토교통부 고시 제2014-302호)"은 폐지한다.

부칙 〈제2017-797호, 2017.11.30〉

이 고시는 발령한 날부터 시행한다. 다만, 제55조 및 별표9부터 별표14까지의 개정 규정은 2018년 1월 1일부터 시행한다.

부칙 〈제2018-532호, 2018.8.27〉

제1조(시행일) 이 고시는 발령한 날부터 시행한다.

제2조(안전관리비의 적용례) 제51조제2항 및 제3항의 개정규정은 이 지침 시행 이후 입찰공고(발주자가 발주청이 아닌 경우에는 건설공사의 허가 · 인가 · 승인 등을 말한다)하는 건설공사부터 적용한다.

부칙 〈제2019-769호, 2019.12.16〉

제1조(시행일) 이 고시는 발령한 날부터 시행한다.

부칙 〈제2020-47호, 2020.1.23〉

제1조(시행일) 이 고시는 발령한 날부터 시행한다.

부칙 〈제2021-194호, 2021.6.29〉

제1조(시행일) 이 고시는 발령한 날부터 시행한다.

부칙 〈제2021-1087호, 2021.9.16〉

이 고시는 2021년 9월 17일부터 시행한다.

[별표 1]

정기안전점검 실시시기

건설공사 공 종		정기안전점검 점검차수별 점검시기				
		1차	2차	3차	4차	5차
교 량		가시설공사 및 기초공사 시공시 (콘크리트 타설전)	하부공사 시공시	상부공사 시공시	-	-
터 널		갱구 및 수직구 굴착 등 터널굴착 초기단계 시공시	터널굴착 중기단계 시공시	터널 라이닝콘크리트 치기 중간 단계 시공시	-	-
댐	콘크리트댐	유수전환시설공사 시공시	굴착 및 기초공사 시공시	댐 축조공사 시공시(하상기초 완료 후)	댐 축조공사 중기단계 시공시	댐 축조공사 말기단계 시공시
댐	필댐	유수전환시설공사 시공시	굴착 및 기초공사 시공시	댐 축조공사 초기단계 시공시	댐 축조공사 중기단계 시공시	댐 축조공사 말기단계 시공시
하천	수문	가시설공사 완료시 (기초 및 철근콘크리트공사 시공전)	되메우기 및 호안 공사 시공시	-	-	-
하천	제방	하천바닥 파기, 누수방지, 연약지반 보강, 기초처리공사 완료시	본체 및 비탈면 흙쌓기공사 시공시	-	-	-
하구둑		배수갑문 공사중	제체 공사중	-	-	-
상하수도	취수시설, 정수장,취수 가압펌프장, 하수처리장	가시설공사 및 기초공사 시공시 (콘크리트 타설전)	구조체공사 초·중기단계 시공시	구조체공사 말기단계 시공시	-	-
상하수도	상수도 관로	총공정의 초·중기 단계 시공시	총공정의 말기단계 시공시	-	-	-

건설공사 공 종		정기안전점검 점검차수별 점검시기				
		1차	2차	3차	4차	5차
항만	계류시설	기초공사 및 사석공사 시공시	제작 및 거치공사, 항타공사 시공시	철근콘크리트공사 시공시	속채움 및 뒷채움공사, 매립공사 시공시	-
항만	외곽시설 (갑문,방파제, 호안)	가시설공사 및 기초공사, 사석공사 시공시	제작 및 거치공사 시공시	철근콘크리트공사 시공시	속채움 및 뒷채움공사 시공시	-
건축물	건축물	기초공사 시공시 (콘크리트 타설전)	구조체공사 초·중기단계 시공시	구조체공사 말기단계 시공시	-	-
건축물	리모델링 또는 해체공사	총공정의 초·중기 단계 시공시	총공정의 말기단계 시공시	-	-	-
지하차도,지하상가, 복개구조물		토공사 시공시	총공정의 중기단계 시공시	총공정의 말기단계 시공시	-	
도로·철도·항만 또는 건축물의 부대시설	옹벽	가시설공사 및 기초공사 시공시 (콘크리트 타설전)	구조체공사 시공시	-	-	-
도로·철도·항만 또는 건축물의 부대시설	절토 사면	발파 및 굴착 시공시	비탈면 보호공 시공시	-	-	-
10미터 이상 굴착하는 건설공사		가시설공사 및 기초공사 시공시 (콘크리트 타설전)	되메우기 완료후	-	-	-
폭발물을 사용하는 건설공사		총공정의 초·중기 단계 시공시	총공정의 말기단계 시공시	-	-	-
건설기계		천공기 (높이 10미터 이상)	천공기 조립완료 후 최초 천공 작업시	천공 작업 말기 단계시	-	-
건설기계		항타 및 항발기	항타·항발기 조립 완료 후 최초 항타·항발 작업시	항타·항발 작업 말기단계시	-	-
건설기계		타워크레인	타워크레인 설치 작업시	타워크레인 인상 시마다	타워크레인 해체작업시	-

건설공사 공 종	정기안전점검 점검차수별 점검시기				
	1차	2차	3차	4차	5차
가설 구조물 (시행령 제101조의 2)	높이가 31미터 이상인 비계	비계 최초 설치 완료시	비계 최고 높이 설치 완료단계시	-	-
	작업발판 일체형 거푸집	최초 설치 완료시	설치 말기단계시	-	-
	높이가 5미터 이상인 거푸집 및 동바리	설치 높이가 가장 큰 구간 설치 완료시	타설 단면이 가장 큰 구간 설치 완료시	-	-
	터널 지보공	지보공 설치 초기 단계시	지보공 설치 말기단계시	-	-
	높이가 2미터 이상인 흙막이 지보공	지보공 최초 설치 완료시	지보공 설치 완료 말기단계시	-	-
	브라켓 비계	브라켓 최초 설치 완료시	브라켓 비계 설치시	-	-
	작업발판 및 안전시설물 일체화 가설구조물(10m이상)	최초 설치 완료시	가설 구조물 사용 말기단계시	-	-
	현장 조립 복합가설구조물	조립·설치 최초 완료시	가설 구조물 사용 말기단계시	-	-

※ [별표 1]에서 정의하고 있는 건설공사 종류 이외의 안전관리계획 수립대상 건설공사의 정기안전점검은 시공자가 정기안전점검 차수별 점검시기를 정하여 건설사업관리기술자의 확인·검토를 득한 후 발주자의 승인을 받아 시행한다. 이때 점검차수는 최소 2회 이상 실시하여야 한다.

[별표 2]

건설안전점검기관 확인사항

1. 건설안전점검기관 자격유무

o 영 제100조제2항에 따른 건설안전점검기관 여부
- 시설물안전법 제28조에 따라 등록한 안전진단전문기관
- 국토안전관리원

o 영 제100조제2항의 단서조항에 해당여부
- 발주자가 시설물안전법 제28조에 따라 등록된 안전진단전문기관인 경우에는 정기안전점검만을 시행할 수 있음

o 영 제100조제3항의 제외기관 해당여부
- 건설사업자 또는 주택건설등록업자가 안전점검 실시를 건설안전점검기관에 의뢰하고자 하는 때에는 해당 건설공사를 발주·설계·시공 또는 건설사업관리용역사업자와 동일계열회사(「독점규제 및 공정거래에 관한 법률」 제2조제3호에 따른 계열회사를 말한다)인 건설안전점검기관에 의뢰해서는 아니됨.

o 건설안전점검기관의 영업정지 등에 따른 자격 유지여부

o 건설안전점검기관의 점검장비 보유여부
- 보유장비 : 시설물안전법 시행규칙 제23조 및 별표5에 따른 진단장비

2. 건설안전점검기관의 직무분야 등록여부

공사중 안전점검(정기, 초기, 정밀 안전점검 등)의 아래 해당분야에서 실시 여부

직무 분야		실시 대상 시설물
1. 토목 분야	가. 교량 및 터널분야	교량, 터널, 지하차도, 복개구조물 및 지하역사
	나. 수리시설 분야	댐, 하구둑, 수문, 제방, 상하수도, 공업용수도, 공공하수처리시설
	다. 항만분야	갑문시설, 계류시설 및 해저송유관시설
2. 건축분야		공동주택, 공동주택 외의 건축물(지상역사를 포함) 및 지하도상가
3. 종합분야		토목 및 건축분야 시설물

비고
1. 직무분야 : 시설물안전법 제28조 및 시설물안전법 시행령 제23조제1항에 따른 등록분야를 말함
2. 시설물안전법 시행령 별표1의 2종시설물에 해당하는 옹벽 및 절토사면의 안전점검은 토목분야 기술자가 실시하여야 한다.

3. 건설안전점검기관의 해당직무분야 안전점검책임기술자 등 기술자 보유여부

o 영 별표1에 따르는 해당분야 특급기술자

o 해당직무분야(시설물안전법 시행령 별표9)에 대한 시설물안전법 시행령 제9조에 따른 안전점검 및 정밀안전진단 교육 이수자

o 안전점검책임기술자는 안전점검을 실시함에 있어서 필요한 경우에는 시설물안전법 시행령 별표11의 기술인력의 등록요건란에 규정된 자격요건을 갖춘 자로 하여금 자신의 감독 하에 안전점검을 하게 할 수 있다.

4. 안전점검 실시계획의 적정성 검토

안전관리계획서와 다음 각 호 사항에 대한 적합여부를 검토한다.

o 안전점검 세부시행계획

o 장비 및 인원 투입 계획

o 안전점검비용 사용 및 정산 계획 등

[별표 3]

안전점검 현장조사의 조사항목 및 세부시험 종류

1. 안전점검 현장조사 항목

① 육안검사 : 균열, 재료분리, 누수, 콜드조인트 발생여부 등

② 기본조사

1. 콘크리트 비파괴강도 (시설물별 5개소 이상 실시)
2. 철근탐사 (시설물별 3개소 이상 실시)
3. 간단히 측정할 수 있는 구조부재의 변위
4. 점검계획 수립시 정한 점검항목

③ 추가조사

1. 구조물 전체에 대한 외관 조사망도 작성
2. 지질조사 : 시추, 시굴, 코어채취, 공내시험, 암반강도시험 등
3. 지반조사 및 탐사 : 시추 또는 오거보링, 공내시험, 시료채취, 토질시험, GPR 탐사, 지하공동, 지층분석 등
4. 콘크리트 제체 시추조사 : 시추, 공내시험, 시편채취, 강도시험, 물성시험 등
5. 수중조사 : 조사선에 의한 교대·교각기초, 댐·항만 등의 수중조사 등
6. 콘크리트 재료시험 : 코어채취, 강도, 성분, 공기량, 염화물함유량 시험 등
7. 강재 비파괴시험 : UT, RT
8. 구조물의 조사에 필요한 가설재의 설치 및 해체 등
9. 교량 및 터널점검차 : 교량의 상부구조 조사 및 터널 내부조사 등을 위한 차량 및 조종원(운전수, 조수)

10. 비파괴재하시험 : 정적 또는 동적 재하시험
11. 구조·지반·수리해석
12. 구조안전성 평가 등 전문기술을 요하는 경우의 전문가 자문
13. 마감재의 해체 및 복구 : 구조물의 육안점검과 접근통로를 위한 기둥, 벽의 미장재, 천정의 부분해체 및 복구
14. 전기 및 기계설비에 대한 조사·시험(건축물 제외)
15. 계측 및 측량 : 구조물의 상태 및 변위를 파악하기 위하여 계측·측량기를 사용하여 실시하는 토압측정, 변위측량 등
16. 그 밖에 점검을 효과적으로 수행하기 위하여 필요한 조사

2. 기본조사 및 추가조사를 위한 각종시험

① 콘크리트 시험

1. 반발경도 : 반발경도시험(Rebound Test)은 콘크리트의 경도를 측정하여 콘크리트의 강도를 추정하는데 사용된다.
2. 초음파법(Ultrasonic Techniques) : 콘크리트 내부의 결함, 균열깊이, 강도 및 품질상태를 검사하는데 사용한다.
3. 자기법(Magnetic Methods) : 자기법은 주로 철근의 피복두께, 위치 및 직경 확인에 사용된다.
4. 레이다법(Radar Techniques) : 지표면 침투 레이다(GPR : Ground-Penetrating Radar)는 구조물 공동 및 지하매설물 등을 발견하기 위하여 사용된다.
5. 방사선법(Radiography Test) : 감마광선은 콘크리트를 투과할 수 있으므로 필름을 방사선에 노출되게 함으로써 콘크리트 검사에 사용할 수 있다.

② 강재시험

1. 방사선투과시험(Radiographic Test) : 용접 또는 주조의 슬래그 함침(Slag Inclusion)이나 간극과 같은 결함을 쉽게 찾아낼 수 있는 방법이다.
2. 자분탐상시험(Magnetic Particle Test) : 염료침투방법과 같이 표면이나 표면부근의 결함을 찾을 때에 쓰인다.
3. 침투탐상시험(Liquid Penetrant Test) : 염료침투방법을 사용한 점검은 가장 보편적으로 사용되는 방법이다. 이 방법은 비록 구조물 표면의 결함에만 한정되지만 저가로 쉽게 사용할 수 있다.
4. 초음파 탐상시험(Ultrasonic Test) : 내부 결함을 찾기 위하여 재료내의 소리에 대한 진동 특성을 이용하여 점검하는 방법이다.

③ 실내시험 : 구조물로부터 재료의 일부를 채취하여 실시하는 시험은 특정부분에 대한 자료가 필요하거나 구조안전성 평가에 유용할 경우 사용한다. 현장시험 결과 및 조사된 사항을 보완하기 위하여 다음과 같이 표준화된 실내시험을 실시할 수 있으며 이들 시험은 KS기준에 준하며, KS기준에 없는 시험은 ASTM이나 AASHTO 등의 기준을 적용할 수 있다.

1. 콘크리트시험 : 강도, 수분함량, 공기량, 염화물 함유량 등을 측정
2. 강재시험 : 강도 등을 측정
3. 토질시험 : 입도, 함수비, 애터버그 한계(Atterberg's Limit), 투수, 다짐, 압밀, 압축시험 등

④ 시험결과의 해석 및 평가 : 콘크리트 및 강재시험, 실내시험 결과는 경험이 있는 자에 의하여 해석되고 평가되어야 하며 이전에 같은 시험이 실시된 경우에는 시험결과를 비교하여 차이점을 분석·평가하여야 하며, 같은 재료 특성을 평가하는데 다른 형식의 시험방법이 사용되는 경우에는 각 시험결과를 비교하여 차이점을 파악하여야 한다. 필요한 경우 기존자료와 현장계측자료를 토대로 예상되는 문제점을

분석하기 위하여 모델링(Modelling)을 통하여 이론적 해석을 할 수 있다.

⑤ 시험보고서 : 콘크리트 및 강재시험, 실내시험 결과는 점검대상물 안전평가에 필요한 자료의 일부로 사용하며, 시험결과는 책임시험자가 서명한 시험기관의 정식 공문으로 제출하여야 한다.

[별표 4]

안전점검 종류에 따른 보고서 목차

Ⅰ. 정기안전점검 보고서

1. 서 두 : 보고서의 표지 다음에는 정기안전점검의 개략을 알 수 있도록 다음의 서류를 붙인다.
   - 제출문
   - 참여기술진 명단
   - 보고서 목차
   - 점검대상물 위치도
   - 점검대상물의 전경사진
   - 정기안전점검 실시결과 요약문

2. 정기안전점검의 개요 : 정기안전점검의 범위와 과업내용 등 정기안전점검 계획 및 실시와 관련된 주요사항을 기술한다.
   - 점검대상물의 개요
   - 점검의 범위
   - 사용장비
   - 정기안전점검 수행 일정

3. 점검대상물의 평가 : 과업 내용에 의거하여 실시한 조사, 시험 및 측정의 결과분석을 통하여 점검 대상 구조물의 안전상태를 평가하고 결과를 작성한다.
   - 주요 부재별 외관조사 결과의 분석

- 조사, 시험 및 측정자료 검토
- 인접건축물 또는 구조물 등 공사장주변 안전조치의 적정성
- 임시시설 및 가설공법의 안전성
- 건설공사 안전관리 검토
- 기본조사 결과 및 분석

4. 종합결론
   - 정기안전점검 결과의 종합결론
   - 시공시 특별 관리가 필요한 사항
   - 그 밖에 필요한 사항

5. 부 록
   - 결함부위 사진
   - 균열부위 조사도
   - 측정 및 시험성과표
   - 그 밖에 참고자료

Ⅱ. 정밀안전점검 보고서

1. 서 두 : 보고서의 표지 다음에는 정밀안전점검의 개략을 알 수 있도록 다음의 서류를 붙인다.
   - 제출문
   - 참여기술진 명단
   - 보고서 목차
   - 점검대상물의 위치도
   - 점검대상물의 전경사진
   - 정밀안전점검 실시결과 요약문

2. 정밀안전점검의 개요 : 정밀안전점검의 범위와 과업내용 등 정밀안전점검 계획 및 실시와 관련된 주요사항을 기술한다.
   - 정밀안전점검의 목적
   - 점검대상물의 개요
   - 정밀안전점검의 범위 및 과업내용
   - 사용장비 및 시험
   - 정밀안전점검 수행 일정

3. 점검대상물의 안전상태 평가 : 과업내용에 의거 실시한 조사, 시험 및 측정의 결과분석과 점검대상물의 안전상태 평가 결과를 작성한다.
   - 해당 부재의 외관검사 결과 및 분석
   - 비파괴시험 결과 및 분석
   - 주요 부재의 평가

4. 점검대상물의 구조안전성 평가 : 과업내용에 의거 실시한 조사결과를 분석하고, 구조계산을 통하여 구조물의 내하력 등을 검토하여 점검대상물의 구조적·기능적 안정성을 평가한다.
   - 비파괴 재하시험 결과 및 분석
   - 지형, 지질, 지반 및 토질조사 등 결과 및 분석
   - 점검대상물의 변위 및 거동 등의 측정결과 및 분석
   - 구조, 수문, 수리 및 지반 등의 해석결과 및 분석
   - 부재별 내하력 평가
   - 구조물 안전성 평가의 결론

5. 보수·보강방법 : 점검대상물의 상태평가와 안전성평가 결과에 따라 손상 및 결함이 있는 부위 또는 부재에 대하여 적용할 보수·보강방법

을 제시한다.

- 보수·보강방법에 대한 개요, 시공방법, 시공시 주의사항 등

6. 종합결론 및 건의사항
   - 정밀안전점검 결과의 종합결론
   - 공사중 특별 관리가 요구되는 사항
   - 그 밖에 필요한 사항

7. 부 록
   - 결함부위 사진
   - 균열 및 기능저하 부위 조사도
   - 측정, 시험성과표
   - 구조안전성 평가자료
   - 그 밖에 참고자료

[별표 5]

안전점검종합보고서 목차

1. 서 두 : 보고서의 표지에는 기 실시한 안전점검의 개략을 알 수 있도록 다음의 사항을 기술한다.
   - 제출문
   - 참여기술진 명단
   - 보고서 목차
   - 점검대상물의 위치도
   - 점검대상물의 전경사진

2. 기 실시한 안전점검의 요약 : 기 실시한 안전점검의 범위와 과업내용 등 주요사항을 기술한다.
   - 점검대상물의 개요
   - 각 차수별 안전점검 실시현황 (점검기관명, 책임기술자명, 점검기간, 점검비용)
   - 기 실시한 안전점검의 주요내용

3. 기 실시한 안전점검에 의한 조치사항 및 보수·보강 실시결과 확인·검토
   - 안전점검에 의한 조치 결과의 확인
   - 보수·보강 작업의 실시 및 작업결과의 확인
   - 조치결과 및 보수·보강작업의 적정성 평가
   - 기타 사항

4. 종합결론 및 건의사항
   - 종합결론
   - 미 조치사항 목록
   - 유지관리시 특별한 관리가 요구되는 사항
   - 기타 필요한 사항

5. 부 록
   - 확인 사진
   - 그 밖에 참고자료

[별표 6]

건설공사의 안전점검종합보고서 구성파일 및 색인파일 내용

1. 구성파일(MASTER.XML) 내용

항목	태 그	내 용	예
1	〈master〉〈/master〉	태그 사이에 항목2~27을 입력함.	
2	〈type〉〈/type〉	건설공사의 안전점검종합보고서로 명시	〈type〉안전점검종합보고서〈/type〉
3	〈version〉〈/version〉	제작시 사용한 MASTER.XML의 버전	〈version〉1.0〈/version〉
4	〈const_info〉〈/const_info〉	태그 사이에 항목5~9를 입력함.	
5	〈const_nm〉〈/const_nm〉	공사명	〈const_nm〉XXX건설공사〈/const_nm〉
6	〈req_nm〉〈/req_nm〉	발주자명	〈req_nm〉OOO〈/req_nm〉
7	〈const_ymd_from〉〈/const_ymd_from〉	공사시작일	〈const_ymd_from〉20020101〈/const_ymd_from〉
8	〈const_ymd_to〉〈/const_ymd_to〉	공사종료일	〈const_ymd_to〉20040410〈/const_ymd_to〉
9	〈cpl_ymd〉〈/cpl_ymd〉	준공일 또는 사용승인일	〈cpl_ymd〉20040415〈/cpl_ymd〉
10	〈facil_info〉〈/facil_info〉	태그 사이에 항목11~12를 입력함.	
11	〈facil_no〉〈/facil_no〉	시설물번호	〈facil_no〉XX2004-9999999〈/facil_no〉
12	〈facil_nm〉〈/facil_nm〉	시설물명	〈facil_nm〉XXX시설물〈/facil_nm〉
13	〈cd_info〉〈/cd_info〉	태그 사이에 항목14~15를 입력함.	
14	〈dwg_cd_cnt〉〈/dwg_cd_cnt〉	도면용 CD 개수(해당없을 경우 0으로 입력)	〈dwg_cd_cnt〉0〈/dwg_cd_cnt〉

항목	태 그	내 용	예
15	〈doc_cd_cnt〉 〈/doc_cd_cnt〉	문서용 CD 개수	〈doc_cd_cnt〉3〈/doc_cd_cnt〉
16	〈dwg_cd_info〉 〈/dwg_cd_info〉	태그 사이에 항목17~21을 입력함.	
17	〈dwg_cd_no〉 〈/dwg_cd_no〉	도면용 CD 일련번호	〈dwg_cd_no〉〈/dwg_cd_no〉
18	〈dwg_cd_file_cnt〉 〈/dwg_cd_file_cnt〉	해당 CD에 수록된 이미지화일 개수	〈dwg_cd_file_cnt〉 〈/dwg_cd_file_cnt〉
19	〈dwg_kind_info〉 〈/dwg_kind_info〉	태그 사이에 항목20~21을 입력함.	
20	〈dwg_kind_nm〉 〈/dwg_kind_nm〉	서브-디렉토리명(도면종류명)	〈dwg_kind_nm〉 〈/dwg_kind_nm〉
21	〈dwg_kind_cnt〉 〈/dwg_kind_cnt〉	서브-디렉토리에 수록된 이미지 파일의 개수	〈dwg_kind_cnt〉 〈/dwg_kind_cnt〉
22	〈doc_cd_info〉 〈/doc_cd_info〉	태그 사이에 항목23~27을 입력함.	
23	〈doc_cd_no〉 〈/doc_cd_no〉	문서용 CD 일련번호	〈doc_cd_no〉01〈/doc_cd_no〉
24	〈doc_cd_file_cnt〉 〈/doc_cd_file_cnt〉	해당 CD에 수록된 이미지화일 개수	〈doc_cd_file_cnt〉1670 〈/doc_cd_file_cnt〉
25	〈doc_kind_info〉 〈/doc_kind_info〉	태그 사이에 항목26~27을 입력함.	
26	〈doc_kind_nm〉 〈/doc_kind_nm〉	서브-디렉토리명(문서종류명)	〈doc_kind_nm〉안전점검종합보고서〈/doc_kind_nm〉
27	〈doc_kind_cnt〉 〈/doc_kind_cnt〉	서브-디렉토리에 수록된 이미지 파일의 개수	〈doc_kind_cnt〉1670 〈/doc_kind_cnt〉

〈비고〉

1. 별표6의 3.구성파일 작성예시를 참조하되, 위의 세부내용을 만족하도록 한다.
2. 건설공사의 안전점검종합보고서와 관련한 도면이 본 보고서와 별도로 존재하는 경우 반드시 도면과 문서를 분리하여 사본을 제작하여야 하며, 관련 도면이 없는 경우 항목 14은 0으로, 항목 16~21은 공란으로 둔다. 단, 본 보고서 내에 삽입된 도면의 경우는 문서로 본다.
3. 구성파일의 시작부분에는 반드시 "〈?xml version="1.0" encoding="ks_c_5601" ?〉" 을 입력 하여야 하며, XML 인코딩을 ks_c_5601(완성형 한글)이 아닌 경우 해당 문자세트를 명시한다.
4. 항목 3의 경우 본 고시에 따른 제작 시에는 반드시 "1.0"을 기재하여야 한다.
5. 항목 10~12은 공사에 포함된 모든 1, 2종 시설물에 대해 반복 작성되어야 하며, 시설물번호는 공단 전산시스템에서 시설물관리대장입력 후 자동 부여되는 번호를 말한다. 1, 2종 시설물이 아닌 경우에는 시설물번호를 생략하고 태그만 기재한다.
6. 항목 16~27은 각각 해당되는 내용이 다수일 경우 해당되는 만큼 반복하여 작성하여야 한다.
7. 항목 17, 23의 CD 일련번호는 두 자리 정수로 입력하여야 한다.
8. 구성화일(MASTER.XML)은 제출되는 모든 도면용 CD 및 문서용 CD의 루트 디렉토리에 수록되어야 한다.

2. 색인화일 (DWGINDEX.XML/DOCINDEX.XML) 내용

항목	태 그	내 용	예
1	〈index〉〈/index〉	태그 사이에 항목2~9을 입력함.	
2	〈type〉〈/type〉	도면은 dwg, 문서는 doc로 입력	〈type〉doc〈/type〉
3	〈version〉〈/version〉	제작시 사용한 INDEX.XML의 버전	〈version〉1.0〈/version〉
4	〈kind_info〉 〈/kind_info〉	태그 사이에 항목5~9을 입력함.	
5	〈kind_nm〉 〈/kind_nm〉	서브-디렉토리명 (도면/문서종류명)	〈kind_nm〉안전점검종합보고서 〈/kind_nm〉
6	〈title_info〉 〈/title_info〉	태그 사이에 항목7~9을 입력함.	
7	〈level〉〈/level〉	해당목차의 레벨을 명시함.	〈level〉1〈/level〉
8	〈title〉〈/title〉	해당목차의 제목을 명시함.	〈title〉1. 일반사항〈/title〉
9	〈file_from〉 〈/file_from〉	시작이미지파일명을 명시함.	〈file_from〉0006〈/file_from〉

〈비고〉

1. 색인파일명은 도면의 경우 DWGINDEX.XML로 문서의 경우 DOCINDEX.XML로 명기한다.
2. 별표6의 4. 색인파일 작성예를 참고하되, 위의 세부내용을 만족하도록 한다.
3. 색인파일의 시작부분에는 반드시 "〈?xml version="1.0" encoding="ks_c_5601" ?〉" 을 입력 하여야 하며, XML 인코딩을 ks_c_5601(완성형 한글)이 아닌 경우 해당 문자세트를 명시한다.
4. 항목 3의 경우 본 고시에 따른 제작 시에는 반드시 "1.0"을 기재하여야 한다.
5. 항목 4~9은 CD에 포함된 모든 도면/문서종류에 대해 반복 작성되어야 하며, 6~9는 해당 종류별로 각각의 목차에 대해 해당되는 만큼 반복하여 작성하여야 한다.
6. 항목 7의 레벨은 해당 목차의 레벨을 말하며, 예를 들어 표지, 목차, 1장 등의 경우 레벨을 1로, 1.1, 1.2, 2.1 등의 경우 레벨을 2로, 1.1.1, 1.1.2 등의 경우 레벨을 3으로 하여 해당 도면/문서종류에 명시된 목차와 동일하게 6~9를 반복 작성하여야 한다.
7. 항목 9의 시작이미지파일명은 4자리 정수로 0001로 시작하는 연속된 정수로 입력하여야 한다.

3. 구성화일 (MASTER.XML) 작성예시

```
〈?xml version="1.0" encoding="ks_c_5601" ?〉
〈master〉
  〈type〉건설공사의 안전점검종합보고서〈/type〉
  〈version〉1.0〈/version〉
  〈const_info〉
    〈const_nm〉XXX건설공사〈/const_nm〉
    〈req_nm〉OOO〈/req_nm〉
    〈const_ymd_from〉20020101〈/const_ymd_from〉
    〈const_ymd_to〉20040410〈/const_ymd_to〉
    〈cpl_ymd〉20040415〈/cpl_ymd〉
  〈/const_info〉
  〈facil_info〉
    〈facil_no〉XX2004-9999991〈/facil_no〉
    〈facil_nm〉XX1 시설물〈/facil_nm〉
  〈/facil_info〉
  〈facil_info〉
    〈facil_no〉XX2004-9999992〈/facil_no〉
    〈facil_nm〉XX2 시설물〈/facil_nm〉
  〈/facil_info〉
  〈facil_info〉
    〈facil_no〉XX2004-9999993〈/facil_no〉
    〈facil_nm〉XX3 시설물〈/facil_nm〉
  〈/facil_info〉
  〈facil_info〉
    〈facil_no〉XX2004-9999994〈/facil_no〉
    〈facil_nm〉XX4 시설물〈/facil_nm〉
  〈/facil_info〉
  〈facil_info〉
    〈facil_no〉XX2004-9999995〈/facil_no〉
    〈facil_nm〉XX5 시설물〈/facil_nm〉
  〈/facil_info〉
  〈facil_info〉
    〈facil_no〉XX2004-9999996〈/facil_no〉
    〈facil_nm〉XX6 시설물〈/facil_nm〉
```

```
〈/facil_info〉
〈facil_info〉
    〈facil_no〉XX2004-9999997〈/facil_no〉
    〈facil_nm〉XX7 시설물〈/facil_nm〉
〈/facil_info〉
〈facil_info〉
    〈facil_no〉XX2004-9999998〈/facil_no〉
    〈facil_nm〉XX8 시설물〈/facil_nm〉
〈/facil_info〉
〈facil_info〉
    〈facil_no〉XX2004-9999999〈/facil_no〉
    〈facil_nm〉XX9 시설물〈/facil_nm〉
〈/facil_info〉
〈cd_info〉
    〈dwg_cd_cnt〉0〈/dwg_cd_cnt〉
    〈doc_cd_cnt〉1〈/doc_cd_cnt〉
〈/cd_info〉
〈dwg_cd_info〉
                〈dwg_cd_no〉〈/dwg_cd_no〉
    〈dwg_cd_file_cnt〉〈/dwg_cd_file_cnt〉
    〈dwg_kind_info〉
            〈dwg_kind_nm〉〈/dwg_kind_nm〉
            〈dwg_kind_cnt〉〈/dwg_kind_cnt〉
    〈/dwg_kind_info〉
〈/dwg_cd_info〉
    〈doc_cd_info〉
        〈doc_cd_no〉01〈/doc_cd_no〉
        〈doc_cd_file_cnt〉102〈/doc_cd_file_cnt〉
        〈doc_kind_info〉
                〈doc_kind_nm〉건설공사의 안전점검종합보고서
                                        〈/doc_kind_nm〉
                〈doc_kind_cnt〉102〈/doc_kind_cnt〉
        〈/doc_kind_info〉
    〈/doc_cd_info〉
〈/master〉
```

4. 문서 색인화일 (DOCINDEX.XML) 작성예시

```
〈?xml version="1.0" encoding="ks_c_5601"?〉
〈index〉
    〈type〉doc〈/type〉
    〈version〉1.0〈/version〉
    〈kind_info〉
        〈kind_nm〉건설공사의 안전점검종합보고서〈/kind_nm〉
        〈title_info〉
                〈level〉1〈/level〉
                〈title〉표지〈/title〉
                〈file_from〉0001〈/file_from〉
        〈/title_info〉
```

〈title_info〉
〈level〉1〈/level〉
〈title〉제출문〈/title〉
〈file_from〉0003〈/file_from〉
〈/title_info〉
〈title_info〉
〈level〉1〈/level〉
〈title〉요약문〈/title〉
〈file_from〉0004〈/file_from〉
〈/title_info〉
〈title_info〉
〈level〉1〈/level〉
〈title〉목차〈/title〉
〈file_from〉0016〈/file_from〉
〈/title_info〉
〈title_info〉
〈level〉1〈/level〉
〈title〉제1장 개요〈/title〉
〈file_from〉0019〈/file_from〉
〈/title_info〉
〈title_info〉
〈level〉1〈/level〉
〈title〉제2장 대상 건축물 현황〈/title〉
〈file_from〉0023〈/file_from〉
〈/title_info〉
〈title_info〉
〈level〉1〈/level〉
〈title〉제3장 현장조사 내용〈/title〉
〈file_from〉0033〈/file_from〉
〈/title_info〉
〈title_info〉
〈level〉1〈/level〉
〈title〉제4장 일반관리사항〈/title〉
〈file_from〉0086〈/file_from〉
〈/title_info〉

〈title_info〉
〈level〉1〈/level〉
〈title〉제5장 종합평가〈/title〉
〈file_from〉0086〈/file_from〉
〈/title_info〉
〈title_info〉
〈level〉1〈/level〉
〈title〉부록〈/title〉
〈file_from〉0089〈/file_from〉
〈/title_info〉
〈title_info〉
〈level〉2〈/level〉
〈title〉1. 참고 사진〈/title〉
〈file_from〉0090〈/file_from〉

〈/title_info〉
〈title_info〉
〈level〉2〈/level〉
〈title〉2. 균열 및 성능저하부 보수안〈/title〉
〈file_from〉0092〈/file_from〉
〈/title_info〉
〈title_info〉
〈level〉2〈/level〉
〈title〉3. 시험성적서〈/title〉
〈file_from〉0102〈/file_from〉
〈/title_info〉

〈/kind_info〉
〈/index〉

[별표 7]

안전관리비 계상 및 사용기준

항 목	내역
1. 안전관리 계획의 작성 및 검토 비용	가. 안전관리계획 작성 비용 1) 안전관리계획서 작성 비용 (공법 변경에 의한 재작성 비용 포함) 2) 안전점검 공정표 작성 비용 3) 안전관리에 필요한 시공 상세도면 작성 비용 4) 안전성계산서 작성 비용(거푸집 및 동바리 등) ※ 기 작성된 시공 상세도면 및 안전성계산서 작성 비용은 제외한다. 나. 안전관리계획 검토 비용 1) 안전관리계획서 검토 비용 2) 대상시설물별 세부안전관리계획서 검토 비용 - 시공상세도면 검토 비용 - 안전성계산서 검토 비용 ※ 기 작성된 시공 상세도면 및 안전성계산서 작성 비용은 제외한다.
2. 영 제100조 제1항제1호 및 제3호에 따른 안전점검 비용	가. 정기안전점검 비용 영 제100조제1항제1호에 따라 본 지침 별표1의 건설공사별 정기안전점검 실시시기에 발주자의 승인을 얻어 건설안전점검기관에 의뢰하여 실시하는 안전점검에 소요되는 비용 나. 초기점검 비용 영 제98조제1항제1호에 해당하는 건설공사에 대하여 해당 건설공사를 준공(임시사용을 포함)하기 직전에 실시하는 영 제100조제1항제3호에 따른 안전점검에 소요되는 비용 ※ 초기점검의 추가조사 비용은 본 지침 [별표8] 안전점검 비용요율에 따라 계상되는 비용과 별도로 비용계상을 하여야 한다.

항 목	내역
3. 발파 · 굴착 등의 건설공사로 인한 주변 건축물 등의 피해방지대책 비용	가. 지하매설물 보호조치 비용 1) 관매달기 공사 비용 2) 지하매설물 보호 및 복구 공사 비용 3) 지하매설물 이설 및 임시이전 공사 비용 4) 지하매설물 보호조치 방안 수립을 위한 조사 비용 ※ 공사비에 기 반영되어 있는 경우에는 계상을 하지 않는다. 나. 발파·진동·소음으로 인한 주변지역 피해방지 대책 비용 1) 대책 수립을 위해 필요한 계측기 설치, 분석 및 유지관리 비용 2) 주변 건축물 및 지반 등의 사전보강, 보수, 임시이전 비용 및 비용 산정을 위한 조사비용 3) 암파쇄방호시설(계획절토고가 10m 이상인 구간) 설치, 유지관리 및 철거 비용 4) 임시방호시설(계획절토고가 10m 미만인 구간) 설치, 유지관리 및 철거 비용 ※ 공사비에 기 반영되어 있는 경우에는 계상을 하지 않는다. 다. 지하수 차단 등으로 인한 주변지역 피해방지 대책 비용 1) 대책 수립을 위해 필요한 계측기의 설치, 분석 및 유지관리 비용 2) 주변 건축물 및 지반 등의 사전보강, 보수, 임시이전 비용 및 비용 산정을 위한 조사비용 3) 급격한 배수 방지 비용 ※ 공사비에 기 반영되어 있는 경우에는 계상을 하지 않는다. 라. 기타 발주자가 안전관리에 필요하다고 판단되는 비용

항 목	내역
4. 공사장 주변의 통행안전 및 교통소통을 위한 안전시설의 설치 및 유지관리 비용	가. 공사시행 중의 통행안전 및 교통소통을 위한 안전시설의 설치 및 유지관리 비용 1) PE드럼, PE휀스, PE방호벽, 방호울타리 등 2) 경관등, 차선규제봉, 시선유도봉, 표지병, 점멸등, 차량 유도등 등 3) 주의 표지판, 규제 표지판, 지시 표지판, 휴대용 표지판 등 4) 라바콘, 차선분리대 등 5) 기타 발주자가 필요하다고 인정하는 안전시설 6) 현장에서 사토장까지의 교통안전, 주변시설 안전대책시설의 설치 및 유지관리 비용 7) 기타 발주자가 필요하다고 인정하는 안전시설 ※ 공사기간 중 공사장 외부에 임시적으로 설치하는 안전시설만 인정된다. 나. 안전관리계획에 따라 공사장 내부의 주요 지점별 건설기계·장비의 전담유도원 배치 비용 다. 기타 발주자가 안전관리에 필요하다고 판단되는 비용
5. 공사시행 중 구조적 안전성 확보 비용	가. 계측장비의 설치 및 운영 비용 나. 폐쇄회로 텔레비전의 설치 및 운영 비용 다. 가설구조물 안전성 확보를 위해 관계전문가에게 확인받는데 필요한 비용 라. 「전파법」 제2조제1항제5호 및 제5호의2에 따른 건설공사 현장의 안전관리체계 구축 · 운용에 사용되는 무선설비의 구입 · 대여 · 유지에 필요한 비용과 무선통신의 구축 · 사용 등에 필요한 비용

[별표 8]

안전점검 대가 요율

건설공사 종류		규 격	전체 요율(%)	정기안전점검 요율(%)	초기점검 요율(%)
교량		100m	0.66	0.44	0.22
		300m	0.29	0.20	0.09
		500m	0.20	0.14	0.06
		1,000m	0.11	0.08	0.03
		2,000m	0.08	0.06	0.02
		4,000m	0.05	0.04	0.01
		8,000m	0.03	0.021	0.009
터널		300m	0.37	0.26	0.11
		500m	0.30	0.21	0.09
		1,000m	0.18	0.10	0.08
		2,000m	0.11	0.07	0.04
		4,000m	0.08	0.05	0.03
댐		-	0.15	0.11	0.04
하천	수 문	-	4.86	2.78	2.08
	제 방	1,000m	0.45	0.28	0.17
		2,000m	0.27	0.15	0.12
		4,000m	0.18	0.10	0.08
	부속시설 (통문, 호안포함)	-	4.86	2.78	2.08
하 구 둑		-	0.17	0.10	0.07
수도	취수시설,	-	0.33	0.22	0.11
	취수가압펌프장	-	0.36	0.23	0.13
	정수장, 배수지	-	0.08	0.05	0.03
	상수도 관로	-	0.08	0.05	0.03
공공하수처리시설		-	0.08	0.05	0.03
항만	계류시설	1만톤급	0.12	0.08	0.04
		5만톤급	0.10	0.06	0.04
		20만톤급	0.06	0.04	0.02
	갑문시설	-	0.17	0.12	0.05
건 축 물		5,000m²	0.52	0.35	0.17
		10,000m²	0.34	0.24	0.10
		30,000m²	0.16	0.11	0.05
		50,000m²	0.13	0.09	0.04
		100,000m²	0.11	0.08	0.03
옹 벽		100m	3.63	2.06	1.57
		200m	2.59	1.47	1.12
		500m	1.91	1.08	0.83
절토사면		200m	0.99	0.56	0.43
		400m	0.71	0.40	0.31
		800m	0.45	0.26	0.19

※ 1. 정기안전점검 대가 요율은 별표 1. 건설공사별 정기안전점검 실시시기의 각 차수별 점검비용과 영 제101조제1항에 따른 종합보고서의 작성비용을 포함한다
2. 영 제98조제1항 및 [별표 1]에 따라 실시하는 정기안전점검 중 위의 표에서 나타내지 않은 경우에는 시공자가 안전점검 비용을 제47조제5항에 따라 산출하여 건설사업관리기술자의 확인·검토를 득한 후 발주자의 승인을 받아 계상한다.

[별표 9]

발주청 안전관리 수준 확인방법

평가 항목			확인방법
대분류(배점)	중분류(배점)	소분류(배점)	
A. 안전한 공사조건의 확보 및 지원(40)	1. 안전한 공사발주체계의 운영(18)	1.1 발주시 적정한 공사기간의 산정 및 집행 (3)	- 관련 근거자료(계약서 등) - 공기산정 기준 및 근거 관련 지침/규정 등
		1.2 공사 기획단계에서의 개략사전안전평가 이행 (3)	- 관련 자료 - 위원회 평가표 및 회의록 등 - 관련 지침/규정 등
		1.3 공사 설계단계에서의 사전안전평가 이행 여부 (2)	- 설계안전 검토보고서(DFS) 및 관련 자료 등
		1.4 공사현장의 제반 정보(지반, 지하매설물 등)의 조사 및 제공 이행 (3)	- 관련 근거자료 - 관련 지침/규정 등
		1.5 발주 시 건설사업관리 기술자의 안전분야 비용 추가 지원 (3)	- 관련 근거자료(계약서 등) - 공기산정기준 및 산정근거 등
		1.6 가설구조물의 안전설계지침의 이행 (2)	- 관련 근거자료
		1.7 분리발주 공사에 대한 시공자의 공사 및 안전관리 비용의 계상(2)	- 관련 근거자료(계약서 등) - 관련 문서 및 지침/규정 등
	2. 합리적인 수급자지원 및 평가체계의 운영(22)	2.1 발주자에 기인한 공사조건의 변경에 따른 합리적인 공사기간 조정(2)	- 관련 근거자료(계약서 등) - 관련 문서 및 지침/규정 등
		2.2 발주자에 기인한 공사조건의 변경에 따른 합리적인 공사비 조정(3)	- 관련 근거자료(계약서 등) - 관련 문서 및 지침/규정 등
		2.3 적정 안전비용 계상 유무(5)	- 관련 근거자료(계약서 등)

평가 항목			확인방법
대분류(배점)	중분류(배점)	소분류(배점)	
A. 안전한 공사조건의 확보 및 지원(40)	2. 합리적인 수급자지원 및 평가체계의 운영(22)	2.4 공사내용 변경시 안전비용의 합리적인 증감(3)	- 관련 근거자료(계약서 등)
		2.5 사내 안전기준의 제정 및 이행(3)	- 관련 근거자료 - 관련 문서 및 지침/규정 등
		2.6 공중의 안전확보를 위한 기준 및 대책의 이행 수준(3)	- 관련 근거자료 - 관련 문서 및 지침/규정 등
		2.7 정기적 시공자 안전활동 평가 및 결과의 활용(3)	- 관련 근거 및 확인 자료 - 관련 문서 및 지침/구정 등
B. 안전경영 시스템의 구축 및 운영(38)	1. 안전방침 및 조직화(30)	1.1 기관경영평가 지표에 안전지표의 선정(2)	- 관련 근거자료
		1.2 문서화 된 안전방침 설정 및 공유(3)	- 관련 근거자료 - 관련 문서 및 지침/구정 등
		1.3 현장 안전관리규정의 제정 및 공유(3)	- 관련 근거자료 - 관련 문서 및 지침/규정 등
		1.4 합리적이고 명확한 구성원의 안전에 대한 책임 규정(3)	- 관련 근거자료 - 관련 문서 및 지침/규정 등
		1.5 안전전담부서의 위상 및 권한(4)	- 관련 근거자료(조직도 등) - 관련 문서 및 지침/규정 등
		1.6 안전전담인력의 관리 수준(4)	- 관련 근거자료(건설기술자 경력증명서 등)
		1.7 안전전담부서의 운영 등에 대한 지원체계(5)	- 관련 근거 및 확인 자료
		1.8 외부전문가 확보와 운영체계 및 이행 수준(2)	- 관련 근거자료 - 관련 문서 및 지침/구정 등
		1.9 긴급 상황에 대한 대응계획 수립 및 실시 여부(4)	- 관련 근거자료(메뉴얼 등)

평가 항목			확인방법
대분류(배점)	중분류(배점)	소분류(배점)	
	2. 안전성과의 측정, 감사 및 개선 (8)	2.1 안전 목표의 달성도에 대한 평가 및 환류 수준(4)	- 관련 근거 및 확인 자료 - 관련 문서 및 지침/규정 등
		2.2 자체 안전점검 결과의 피드백 및 공유(4)	- 관련 근거 및 확인 자료
C. 현장의 법적 요건준수 및 자원안전관리시스템 운영수준(15)	1. 현장의 법적요건관리 (6)	1.1 법정 안전점검 결과의 확인 (3)	- 관련 근거자료 - 관련 문서 및 지침/규정 등
		1.2 사고조사 및 재발방지 대책의 이행 수준 (3)	- 관련 근거 및 확인 자료 - 관련 문서 및 지침/규정 등
	2. 현장의 자원안전관리체제 (9)	2.1 신규공종 착수 전 안전시공보고회의(사전위험성평가) 이행 (4)	- 관련 근거 및 확인 자료(회의록 및 기타자료 등)
		2.2 현장 출입자 보안관리 시스템의 운영 (1)	- 관련 근거 및 확인 자료
		2.3 위험작업의 작업허가제도 운영(3)	- 관련 근거 및 확인 자료 - 관련 문서 및 지침/규정 등
		2.4 건설기계의 반입허가제도 운영(1)	- 관련 근거 및 확인 자료
D. 수급자의 안전관리 수준(7)	1. 수급자의 안전관리 수준평가 결과(7)	1.1 건설사업관리기술자의 안전관리수준평가 결과 (3)	- 건설사업관리기술자의 안전관리수준평가 결과
		1.2 시공자의 안전관리수준평가 결과 (4)	- 시공자의 안전관리수준평가 결과

[별표 10]

발주청 안전관리 수준 평가표(체크리스트)

평가 항목			세부기준	여부	점수	비고
대분류(배점)	중분류(배점)	소분류(배점)				
A. 안전한 공사조건의 확보 및 지원(40)	1. 안전한 공사발주체계의 운영(18)	1.1 발주시 적정한 공사기간의 산정 및 집행(3)	공사의 발주시 총 공사기간만 명시(1)	☐		
			공사의 발주시 총 공사기간에 계략적인 사항(공사 불가능 일수 등)이 반영(1)	☐		
			공사의 발주시 총 공사기간이 자체 지침/규정(공사 불가능 일수, 공사 종류 및 규모, 기타 사항 등) 등에 의해 반영(1)	☐		
		1.2 공사 기획단계에서의 개략사전안전평가 이행(3)	기획단계에서 개략 안전평가 실시 여부(1)	☐		
			기획단계에서 안전평가를 자체 지침/규정에 따라 실시 여부(2)	☐		
		1.3 공사 설계단계에서의 사전안전평가 이행 여부(2)	설계단계에서 안전평가(DFS)를 이행하였는가?(2)	☐		
		1.4 공사현장의 제반 정보(지반, 지하매설물 등)의 조사 및 제공 이행(3)	공사현장의 제반 정보(지반, 지하매설물 등)조사 및 제공(1)	☐		
			공사현장의 제반 정보(지반, 지하매설물 등)조사 및 제공을 자체 지침/규정에 따라 실시(2)	☐		
		1.5 발주 시 건설사업관리 기술자의 안전분야 비용 추가 지원(3)	발주 시 현장의 안전관리 강화를 위한 법에서 정한기준 건설사업관리 기술자 외의 안전분야 담당자 비용을 추가 지원(1)	☐		
			발주 시 현장의 안전관리 강화를 위한 법에서 정한기준 건설사업관리기술자 외의 안전분야 담당자 비용을 자체 지침/규정에 따라 추가 지원(2)	☐		
		1.6 가설구조물의 안전설계지침의 이행(2)	설계시 가설구조물에 대한 설계 여부(2)	☐		
		1.7 분리발주 공사에 대한 시공자의 공사 및 안전관리 비용의 계상(2)	발주시 분리발주 공사에 대한 시공자의 공사 및 안전관리 비용 계상(1)	☐		
			발주시 자체 지침/규정에 따른 분리발주 공사에 대한 시공자의 공사 및 안전관리 비용 계상(1)	☐		

평가 항목			세부기준	여부	점수	비고
대분류(배점)	중분류(배점)	소분류(배점)				
A. 안전한 공사조건의 확보 및 지원(40)	2. 합리적인 수급자지원 및 평가체계의 운영(22)	2.1 발주자에 기인한 공사조건의 변경에 따른 합리적인 공사기간 조정(2)	발주자에 기인한 공사조건 변경시 공사기간 조정 여부(1)	☐		
			발주자에 기인한 공사조건 변경시 자체 지침/규정에 따른 공사기간 조정 여부(1)	☐		
		2.2 발주자에 기인한 공사조건의 변경에 따른 합리적인 공사비 조정(3)	발주자에 기인한 공사조건 변경시 관련 공사비 조정 여부(1)	☐		
			발주자에 기인한 공사조건 변경시 자체 지침/규정에 따른 관련 공사비 조정 여부(2)	☐		
		2.3 적정 안전비용 계상 유무(5)	안전확보에 소요되는 안전비용이 법정요율로 공사비용과 별도로 계상(2)	☐		
			안전확보에 소요되는 안전비용이 법정요율 이상으로 공사비용과 별도로 계상(3)	☐		
		2.4 공사내용 변경시 안전비용의 합리적인 증감(3)	공사내용의 변경에 따라 법정요율로 안전비용 조정 여부(1)	☐		
			공사내용의 변경에 따라 법정요율 이상으로 안전비용 조정 여부(2)	☐		
		2.5 사내 안전기준의 제정 및 이행(3)	설정된 자체 안전기준 없이 안전점검 등을 수행(1)	☐		
			설정된 자체 안전기준에 따라 안전점검 등을 수행(2)	☐		
		2.6 공중의 안전 확보를 위한 기준 및 대책의 이행 수준(3)	현장 주변의 공중을 위한 안전조치 이행 여부(1)	☐		
			현장 주변의 공중을 위한 안전조치가 자체 지침/규정에 따라 이행되고 있는지 여부(2)	☐		
		2.7 정기적 시공자 안전활동 평가 및 결과의 활용(3)	시공자의 안전활동이 부정기적으로 평가(1)	☐		
			시공자의 안전활동이 자체 지침/규정에 따라 정기적으로 평가(1)	☐		
			시공자의 정기적인 안전활동 평가결과의 보상 여부(1)	☐		

평가 항목			세부기준	여부	점수	비고
대분류(배점)	중분류(배점)	소분류(배점)				
B. 안전경영 시스템의 구축 및 운영(38)	1. 안전 방침 및 조직화(30)	1.1 기관경영평가 지표에 안전지표의 선정(2)	기관 내부 경영평가 지표에 안전관련 지표가 반영(1)	☐		
			기관 경영평가 지표에 안전관련 지표가 반영(1)	☐		
		1.2 문서화 된 안전방침 설정 및 공유(3)	기관의 현장 안전방침 및 메뉴얼 유무(1)	☐		
			기관의 현장 안전방침 및 메뉴얼이 구성원사이에서 공유(2)	☐		
		1.3 현장 안전관리규정의 제정 및 공유(3)	현장의 안전관리규정 제정(1)	☐		
			현장의 안전관리규정의 활용 실적(2)	☐		
		1.4 합리적이고 명확한 구성원의 안전에 대한 책임 규정(3)	구성원의 안전에 대한 역할 및 책임이 규정되어 있음(1)	☐		
			구성원의 안전에 대한 역할 및 책임에 대한 수행 실적(2)	☐		
		1.5 안전전담부서의 위상 및 권한(4)	안전전담부서 없이 겸업으로 운영되고 있음 (1)	☐		
			규정에 따라 안전전담부서가 지정되어 위상과 권한이 일반부서와 동등하게 운영(1)	☐		
			규정에 따라 안전전담부서가 지정되어 위상이 일반부서보다 상위에 위치하여 운영(2)	☐		
		1.6 안전전담인력의 관리 수준(4)	안전전담부서/요원을 기술자격의 요건 없이 운영(1)	☐		
			안전전담부서/요원 중 자격을 갖춘 전담인력이 있음(1)	☐		
			안전전담부서/요원 중 자격을 갖춘 전담인력이 과반이상 있음(2)	☐		
		1.7 안전전담부서의 운영 등에 대한 지원체계(5)	자체 규정에 의한 안전전담부서 근무자 인센티브 실시여부(2)	☐		
			안전전담부서 전년대비 인력확충 실적여부(3)	☐		

평가 항목			세부기준	여부	점수	비고
대분류(배점)	중분류(배점)	소분류(배점)				
B. 안전경영 시스템의 구축 및 운영(38)	1. 안전 방침 및 조직화(30)	1.8 외부전문가 확보와 운영 체계 및 이행 수준(2)	외부 안전전문가/기관 활용(1)	☐		
			외부 안전전문가/기관을 자체 지침/규정에 따라 활용(1)	☐		
		1.9 긴급상황에 대한 대응계획 수립 및 실시 여부(4)	규정에 따른 긴급상황(현장 재난 및 사고) 대응훈련 계획 수립 여부(2)	☐		
			규정에 따른 긴급상황(현장 재난 및 사고) 대응 훈련실시 여부(2)	☐		
	2. 안전성과의 측정, 감사 및 개선(8)	2.1 안전 목표의 달성도에 대한 평가 및 환류 수준(4)	안전목표 달성율을 주기적으로 측정하고 있는가(1)	☐		
			안전목표 달성율을 측정하기 위한 내부절차가 수립되어 측정되는가(2)	☐		
			안전목표의 달성율이 계획대비 초과 달성되고 있는가(1)	☐		
		2.2 자체 안전점검 결과의 피드백 및 공유(4)	자체 안전점검을 시행하고 있는가(1)	☐		
			자체 안전점검결과에 대해 개선 및 조치사항을 확인하고 있는가(2)	☐		
			자체 안전점검결과의 실적이 구성원과 공유가 되고 있는가(1)	☐		
C. 현장의 법적 요건준수 및 자원안전관리 시스템 운영수준(15)	1. 현장의 법적요건관리(6)	1.1 법정 안전점검 결과의 확인(3)	법정 안전점검의 이행 여부를 확인하고 있음(1)	☐		
			법정 안전점검의 이행 여부를 자체 지침/규정에 따라 확인하고 있음(2)	☐		
		1.2 사고조사 및 재발방지 대책의 이행 수준(3)	사고조사 및 조치결과를 확인하고 있음(1)	☐		
			사고조사 및 조치결과를 자체 지침/규정에 따라 확인하고 있음(1)	☐		
			자체 지침/규정에 따라 확인된 결과를 문서화하여 구성원과 공유하고 있음(1)	☐		
	2. 현장의 자원안전관리 체제(9)	2.1 신규공종 착수 전 안전시공보고회의(사전위험성평가) 이행(4)	신규공종 착수전 안전시공보고회에서 위험성평가를 실시하고 있음(2)	☐		
			신규공종 착수전 자체 지침/규정에 따라 안전시공보고회를 통하여 위험성평가를 실시하고 있음(2)	☐		

평가 항목			세부기준	여부	점수	비고
대분류(배점)	중분류(배점)	소분류(배점)				
C. 현장의 법적 요건준수 및 자원안전관리 시스템 운영수준(15)	2. 현장의 자원안전관리 체제(9)	2.2 현장 출입자 보안관리 시스템의 운영(1)	현장 출입자에 대하여 출입관리를 하고 있음(1)	☐		
		2.3 위험작업의 작업허가제도 운영(3)	위험작업에 대하여 별도의 허가를 하고 있음(1)	☐		
			위험작업에 대하여 자체 지침/규정에 따라 별도의 허가를 하고 있음(2)	☐		
		2.4 건설기계의 반입허가제도 운영(1)	건설기계의 현장반입에 허가를 하고 있음(1)	☐		
D. 수급자의 안전관리 수준(7)	1. 수급자의 안전관리 수준평가 결과(7)	1.1 건설사업관리기술자의 안전관리수준평가 결과(3)	건설사업관리기술자의 안전관리수준평가 결과가 평균 수준 이상임(1)	☐		
			건설사업관리기술자의 안전관리수준평가 결과가 상위 30% 이내임(1)	☐		
			건설사업관리기술자의 안전관리수준평가 결과가 상위 15% 이내임(1)	☐		
		1.2 시공자의 안전관리수준평가 결과(4)	시공자의 안전관리수준평가 결과가 평균 수준 이상임(1)	☐		
			시공자의 안전관리수준평가 결과가 상위 30% 이내임(1)	☐		
			시공자의 안전관리수준평가 결과가 상위 15% 이내임(2)	☐		

평가담당 소속 : 성명 : (서명)

[별표 11]

건설사업관리용역사업자 안전관리 수준 확인방법

- 본사 -

평가항목			확인방법
대분류(배점)	중분류(배점)	소분류(배점)	
A. 안전경영 방침 및 조직(System Part) (25)	1. 본사 안전경영 방침(12)	1.1 안전경영 방침 및 이행(10)	- 안전경영방침 및 매뉴얼 - 안전경영방침 및 매뉴얼 내 책임, 권한 등의 정의 확인 - 안전경영방침 및 매뉴얼 수립에 관한 구성원의 회의 및 교육실적 확인 - 안전경영방침 및 매뉴얼 개정이력 확인
		1.2 안전경영목표 설정추진 및 활동계획(2)	- 안전활동 계획수립 관련 문서 확인
	2. 본사 안전관리조직(13)	2.1 안전전담 조직의 구성 및 위상(13)	- 안전전담조직 구성여부 - 전담조직 구성원의 자격여부 - 전담조직 구성원의 책임, 권한 등의 정의 확인 - 전담조직 책임자 직위 확인
B. 관련법에 따른 안전책무(Mandatory Part)(31)	1. 안전점검 지원(10)	1.1 현장 안전점검지원 및 실적(10)	- 현장안전점검(지원)에 대한 계획 및 절차 수립 확인 - 안전점검(지원) 실적 확인 - 안전점검 실적의 관리현황 확인 - 시공자 안전업무 이행 유무를 확인하는 절차 및 방법(안전점검 매뉴얼 등)
	2. 안전교육 지원(9)	2.1 안전교육 실시 및 지원(9)	- 안전경영방침 및 매뉴얼 내 안전교육에 관한 사항 확인 - 신규전입자 교육체계 수립 및 시행 확인 - 안전교육 실적의 관리현황 확인 - 사내 건설안전교육 후속 평가체계 확인
	3. 비상사태 대비계획 및 훈련(12)	3.1 비상사태에 대한 대비 계획 및 운영(12)	- 비상(재난)발생 매뉴얼 수립 확인 - 비상연락망 구축 확인 - 비상(재난)발생 매뉴얼의 개정이력 - 비상(재난)발생 훈련의 시행 확인 - 훈련 결과에 대한 조치 및 개선사항 확인

평가항목			확인방법
대분류(배점)	중분류(배점)	소분류(배점)	
C. 자발적 활동 (Voluntary Part) (15)	1. 자발적 안전활동 시스템(7)	1.1 안전활동을 위한 의사소통, 참여, 협의(7)	- 안전활동 관련 내부 의사소통 체계 확인 - 안전경영 관련 회의록
	2. 자발적 안전활동평가(8)	2.1 자발적으로 실시한 재해예방활동 평가 결과(8)	- KOSHA18001, OHSAS18001 인증서 - 전년도(최근년도) 안전관리 수준평가 결과
D. 유해 위험요소 확인 및 제거 지원활동 (Technical Part)(8)	1. 위험분석 및 위험 예지활동지원(8)	1.1 수행 공종별 위험분석 지원 시스템 및 절차 확보(8)	- 위험분석 매뉴얼 수립 확인 - 별도 기술지원 조직구성 확인 - 기술지원 실적 확인(개선사항 등의 내용 확인) - 기술지원 실적 관리현황
E. 사후관리 (Audit & Management Part)(21)	1. 기록관리 및 성과 모니터링(10)	1.1 기록관리 및 성과 모니터링(10)	- 안전성과 측정체계 수립 확인 - 안전성과측정 시 부적합 사항에 대한 조치 여부 확인 - 안전성과측정 결과의 구성원 공유 확인
	2. 사건조사, 시정조치 및 예방조치(11)	2.1 사건조사, 시정조치 및 예방조치(11)	- 사고처리 절차 수립 확인 - 사고처리 보고서 확인 - 사고사례 공유 확인 - 사고 조치완료 결과 문서 확인

- 현장 -

평가항목			확인방법
대분류(배점)	중분류(배점)	소분류(배점)	
A. 안전경영 방침 및 조직 (System Part) (13)	1. 현장 안전경영 방침(9)	1.1 안전경영 방침 및 이행(9)	- 현장안전경영방침 및 매뉴얼 수립확인 - 방침 및 매뉴얼 내 역할, 책임 등의 정의 확인 - 안전활동 추진계획 수립 확인 - 현장안전경영방침 및 매뉴얼에 대한 구성원 교육 및 회의 실적 확인
	2. 현장 안전관리 조직(4)	2.1 현장관리 조직의 구성(4)	- 현장안전담당 건설사업관리기술자 선임 확인(현장 조직도 등) - 안전 담당 기술자의 자격여부 확인
B. 관련법에 따른 안전책무 (Mandatory Part) (39)	1. (시공자에 대한) 안전관리계획 및 안전점검검토(15)	1.1 안전관리계획의 검토확인(5)	- 안전관리계획서 검토 공문 등 - 안전관리계획서 보완 지시 공문 등
		1.2 안전점검 이행여부 검토(10)	- 시공사의 안전점검 실적에 대한 검토 및 확인 문서의 관리 현황 - 분기별 안전관리실적보고서 관리현황 - 시공사의 자체안전점검 실적에 대해 확인, 검토 문서 - 정기 · 정밀안전점검 수행결과 문서의 검토 여부 확인
	2. (시공자에 대한) 안전교육(13)	2.1 안전교육 실시 및 관리(13)	- 시공자 대상의 안전교육을 수행한 교육일지 등 확인 - 주기적 (1회/월 이상)교육 수행 확인 - 시공자의 안전교육수행일지 확인 문서 - 안전교육 수행문서 관리현황 - 안전교육 후속 평가체계 수립 확인
	3. 비상사태 대비 계획 및 훈련(11)	3.1 비상사태에 대한 대비계획 및 절차(6)	- 비상(재난)대응 매뉴얼 수립 확인 - 비상연락체계 수립 확인 - 비상(재난)대응 매뉴얼 개정이력 확인
		3.2 비상사태에 대한 대응 훈련 및 운영(5)	- 비상상황 훈련 수행 보고서 확인

평가항목			확인방법
대분류(배점)	중분류(배점)	소분류(배점)	
C. 자발적 활동 (Voluntary Part) (13)	1. 자발적 안전활동 시스템(13)	1.1 안전활동을 위한 의사소통, 참여, 협의(7)	- 현장 구성원간의 의사소통체계 확인 - 안전경영 회의록 - 회의록 공유 현황 확인
		1.2 안전관리 시스템의 개선 노력(6)	- 자발적 안전활동에 대해 본사 및 발주청의 실시 지시서 등 확인 - 자발적 안전활동 결과 문서 확인 - 안전 자문위원단 구성여부 확인
D. 유해위험요인 확인 및 제거 지원활동 (Technical Part) (13)	1. 위험분석 및 위험예지활동 지원(9)	1.1 수행 공종별 위험분석 지원 시스템 및 절차 확보(7)	- 공종별 위험분석 매뉴얼, 가이드 수립 확인 - 위험분석 결과물 내 F/B내용 유무확인 - 정량적, 구체적 대책 수립여부 확인
		1.2 현장 지원 및 지원 시스템 개선실적(2)	- 위험분석 결과물의 관리현황
	2. 기술적 지원(4)	2.1 안전 전담 부서 또는 관련 부서 (기술부서 등)의 현장 지원 시스템(2)	- 취약공종의 안전에 대한 기술지원 시스템 구축 확인
		2.2 현장 지원 실적(2)	- 취약공종에 대한 안전 기술지원 실적확인
E. 사후관리 (Audit & Management part) (22)	1. 성과측정 및 모니터링(10)	1.1 성과측정 및 모니터링(10)	- 안전성과 측정체계 수립 확인 - 안전성과 측정 결과 내 부적합 사항 도출 확인 - 안전성과의 구성원 공유여부 확인
	2. 사건조사, 시정조치 및 예방조치(9)	2.1 사건조사, 시정조치 및 예방조치(9)	- 사고/사건 처리 절차 수립 확인 - 사고/사건 보고서 및 회의록 확인 - 사고/사건에 대한 구성원 공유여부 확인
	3. 기록관리(3)	3.1 기록관리(3)	- 안전문서 작성에 관한 회의록 등 - 기록연한에 대한 회의록 등

[별표 12]

건설사업관리용역사업자 안전관리 수준 평가표(체크리스트)

- 본사 -

평가 항목			세부기준 및 방법(배점)	여부	점수	비교
대분류(배점)	중분류(배점)	소분류(배점)				
A. 안전경영 방침 및 조직 (System Part)(25)	1. 본사 안전경영방침 (12)	1.1 안전경영 방침 및 이행 (10)	CEO의 승인을 받은 문서화 된 안전방침 및 매뉴얼이 있는가?(3)	☐		
			안전방침 및 매뉴얼은 아래 사항을 명확하게 정의하는가?(2) 1.책임 2.권한 3.직원간의 상호관계	☐		
			모든 구성원(CEO포함)은 작업활동, 책임, 권한과 관련하여 안전방침 및 매뉴얼을 잘 이해하고 있는가?(3)	☐		
			안전방침 및 매뉴얼은 주기적으로 검토되어 그 조직에게 항상 알맞게 유지되고 있습니까?(2)	☐		
		1.2 안전경영 목표 설정추진 및 활동계획(2)	안전경영목표를 달성하기 위한 문서화된 안전활동 추진계획이 수립되었는가?(2)	☐		
	2. 본사 안전관리조직 (13)	2.1 안전전담 조직의 구성 및 위상(13)	안전방침 및 매뉴얼을 수립하고 수행하고 유지하는 독립적인 전담조직이 있는가?(5)	☐		
			안전경영활동 추진계획이 실행되기 위해서 능력과 자격을 갖춘 직원을 결정해서 배치했는가?(3)	☐		
			안전경영활동과 일련의 과정을 관리하고 수행하고 확인하는 인원에 대한 역할, 책임, 권한이 정의되어 있는가?(2)	☐		
			안전전담 부서의 책임자는 임원급으로 회사의 경영방침에 안전방침을 적극적으로 반영하고 있는가?(3)	☐		

평가 항목			세부기준 및 방법(배점)	여부	점수	비교
대분류(배점)	중분류(배점)	소분류(배점)				
B. 관련법에 따른 안전책무 (Mandatory Part) (31)	1. 안전점검 지원(10)	1.1 현장 안전점검지원 및 실적(10)	현장별 안전점검지원에 대한 계획 및 절차가 문서화되고 정기적으로 수립되고 있는가?(3)	☐		
			현장별 안전경영활동 추진계획에 따라 안전조치 및 점검 지원을 하였는가?(3)	☐		
			현장별 안전점검 지원 실적이 관리되고 있는가?(2)	☐		
			현장별 시공자 안전관리업무의 법적 사항에 대한 검토를 지원하였는가?(2)	☐		
	2. 안전교육 지원(9)	2.1 안전교육 실시 및 지원(9)	안전교육은 안전방침 및 매뉴얼과 관련된 법적 요구사항이 반영되고 있는가?(3)	☐		
			작업을 시작하기 전에 필요한 위험성 평가를 할 수 있도록 신규전입자 안전교육이 있는가?(2)	☐		
			안전교육 기록을 유지하고 있습니까?(1)	☐		
			교육이 실시 된 후 교육효과의 후속 작업관련 평가가 있는가?(3)	☐		
	3. 비상사태 대비계획 및 훈련(12)	3.1 비상사태에 대한 대비계획 및 운영(12)	발생 가능한 위험성에 대한 비상사태 대응 절차가 있는가?(3)	☐		
			비상사태 발생 시 비상연락체계가 구축되어 있는가?(3)	☐		
			비상사태 대비 및 대응 계획은 정기적으로 검토되는가?(2)	☐		
			정기적으로 비상사태 대응 훈련이 실시되고 있는가?(2)	☐		
			비상사태 대응 훈련 후 그 결과에 대해 F/B 하였는가?(2)	☐		

평가 항목			세부기준 및 방법(배점)	여부	점수	비교
대분류(배점)	중분류(배점)	소분류(배점)				
C. 자발적 활동 (Voluntary Part) (15)	1. 자발적 안전활동 시스템(7)	1.1 안전활동을 위한 의사소통, 참여, 협의(7)	구성원간 안전경영관련 내부 의사소통 절차가 있는가?(3)	☐		
			안전경영 관련 회의는 문서화 되어 있는가?(2)	☐		
			각종 안전관련 회의는 계획된 주기에 따라 실시되고 있는가?(2)	☐		
	2. 자발적 안전활동평가(8)	2.1 자발적으로 실시한 재해예방활동 평가 결과 (8)	공인된 인증을 가지고 있는가?(3) (KOSHA 18001, OHSAS 18001 등)	☐		
			안전관리 수준평가 결과 활용(5)	☐		
D. 유해 위험요소 확인 및 제거 지원활동 (Technical Part) (8)	1. 위험분석 및 위험예지활동지원 (8)	1.1 수행 공종별 위험분석 지원 시스템 및 절차 확보 (8)	수행 공종별 위험 분석 지원 시스템과 문서화된 절차를 갖추고 있는가?(2)	☐		
			현장의 기술적 문제를 지원할 별도의 조직을 갖추고 있는가?(2)	☐		
			추가위험요인 및 반복지적사항에 대한 F/B이 되어 있는가?(2)	☐		
			현장에 대한 지원 실적이 충분하며, 관리되고 있는가?(2)	☐		
E. 사후관리 (Audit & Management Part)(21)	1. 기록관리 및 성과 모니터링(10)	1.1 기록관리 및 성과 모니터링(10)	안전성과를 정기적으로 측정하기 위한 기준 및 절차가 수립되어 있는가?(4)	☐		
			부적합 사항에 대한 모니터링 및 기록 관리는 실시하고 있는가?(3)	☐		
			안전성과의 측정결과는 구성원들에게 공유되고 있는가?(3)	☐		
	2. 사건조사, 시정조치 및 예방조치(11)	2.1 사건조사, 시정조치 및 예방조치(11)	사건, 사고처리에 대한 절차가 수립되어 있는가?(4)	☐		
			사건 사고 원인에 대한 조치는 되고 있는가?(3)	☐		
			사고/사건 조사는 문서화 되어 결과가 구성원에게 공유 되었는가?(2)	☐		
			예방 및 시정조치의 완료는 문서화되고 있는가?(2)	☐		

평가담당 소속 : 성명 : (서명)

- 현장 -

평가 항목			세부기준 및 방법(배점)	여부	점수	비교
대분류(배점)	중분류(배점)	소분류(배점)				
A. 안전경영 방침 및 조직 (System Part)(13)	1. 현장 안전경영 방침(9)	1.1 안전경영 방침 및 이행(9)	현장 책임건설사업관리기술자의 승인을 받은 현장 안전경영방침이 문서화 되어 있는가?(3)	☐		
			현장 구성원에 대한 역할, 책임, 권한이 정의되어 있는가?(2)	☐		
			안전경영목표를 달성하기 위한 문서화된 안전활동 추진계획을 수립하였는가?(2)	☐		
			현장의 모든 구성원은 안전경영방침 및 안전경영매뉴얼을 잘 이해하고 있는가?(2)	☐		
	2. 현장 안전관리 조직(4)	2.1 현장관리 조직의 구성(4)	시공자의 안전 관리자를 지도 · 감독하기 위한 현장 안전담당 건설사업관리기술자를 지정하였는가?(2)	☐		
			지정된 안전담당자는 안전 관련 자격을 보유하고 있는가?(2)	☐		
B. 관련법에 따른 안전책무 (Mandatory Part) (39)	1. (시공자에 대한) 안전관리계획 및 안전점검검토(15)	1.1 안전관리계획의 검토확인 (5)	시공자가 작성한 안전관리계획 적정성을 검토확인 하였는가?(3)	☐		
			안전관리계획에서 수정 보완하여야 할 점이 있는 경우 보완하도록 지시하였는가?(2)	☐		
		1.2 안전점검 이행여부 검토 (10)	안전점검에 대한 검토 · 확인을 문서화하여 기록 · 관리하고 있는가?(3)	☐		
			시공사로 하여금 분기별 안전관리 실적보고서 (안전관리 조직표, 안전보건 관리체제, 재해발생, 안전교육 실적표, 안전관리비 사용내역 등)를 관리하고 있는가?(3)	☐		
			시공자의 자체안전점검 실시 여부를 확인하였는가?(2)	☐		
			시공자가 실시하는 정기 · 정밀 안전점검에 대한 확인하였는가?(2)	☐		

평가 항목			세부기준 및 방법(배점)	여부	점수	비교
대분류(배점)	중분류(배점)	소분류(배점)				
B. 관련법에 따른 안전책무 (Mandatory Part) (39)	2. (시공자에 대한) 안전교육(13)	2.1 안전교육 실시 및 관리(13)	시공자(안전관리책임자, 안전관리자 등)에 대한 안전교육을 실시하고 있는가?(3)	☐		
			안전교육은 안전방침 및 매뉴얼에 모든 관련된 법적 요구사항이 반영되고 있는가?(2)	☐		
			교육받은 시공자가 현장 근로자에게 안전교육을 실시 및 지원하고 있는지 확인 검토하였는가?(2)	☐		
			안전교육 기록을 관리하고 있는가?(2)	☐		
			교육이 실시 된 후 교육효과를 측정하기 위해 작업관련 평가기준이 있는가?(4)	☐		
	3. 비상사태 대비 계획 및 훈련(11)	3.1 비상 사태에 대한 대비계획 및 절차(6)	발생 가능한 위험성에 대한 비상사태 대응 절차를 수립하였는가?(2)	☐		
			비상사태 발생 시 비상연락체계를 관계자(발주자, 시공자, 건설사업관리기술자 등)를 포함하여 수립하였는가?(2)	☐		
			비상사태 대비 및 대응 계획은 정기적으로 수립하였는가?(2)	☐		
		3.2 비상 사태에 대한 대응 훈련 및 운영 (5)	정기적으로 비상사태 대응 훈련을 실시하였는가?(3)	☐		
			주요 위험요소를 반영하여 수립된 비상사태 대응 계획에 따라 실행하였는가?(1)	☐		
			비상사태 대응 훈련 후 그 결과에 대해 F/B하였는가?(1)	☐		

평가 항목			세부기준 및 방법(배점)	여부	점수	비교
대분류(배점)	중분류(배점)	소분류(배점)				
C. 자발적 활동 (Voluntary Part) (13)	1. 자발적 안전활동 시스템(13)	1.1 안전활 동을 위한 의사소통, 참여, 협의(7)	구성원간(시공자, 건설사업관리기술자, 협력회사 등) 안전경영관련 내부 의사소통 절차가 있는가?(2)	☐		
			안전경영 관련 회의는 문서화 되어 있는가?(2)	☐		
			각종 안전관련 회의는 계획된 주기에 따라 실시되고 있는가?(2)	☐		
			안전보건 회의 결과는 전 구성원에게 공유되고 있는가?(1)	☐		
		1.2 안전관리 시스템의 개선 노력(6)	자발적인 안전관리 활동을 지원하는 문서화된 절차를 가지고 있는가?(3)	☐		
			자발적인 안전관리 활동 실적이 충분한가?(2)	☐		
			안전관리활동 개선을 위해 내·외부 안전 자문위원을 확보하고 운영하고 있는가?(1)	☐		
D. 유해위험요인 확인 및 제거 지원활동 (Technical Part) (13)	1. 위험분석 및 위험예지활동 지원(9)	1.1 수행 공종별 위험분석 지원 시스템 및 절차 확보(7)	수행 공종별 위험 분석 시스템과 문서화된 절차를 갖추고 있으며, 주기적으로 개선하고 있는가?(3)	☐		
			추가위험요인 및 반복지적사항에 대한 F/B이 되어 있는가?(2)	☐		
			위험을 제거 및 감소시키기 위한 적절한 대책이 정량적이고 구체적으로 수립되어 있는가?(2)	☐		
		1.2 현장 지원 및 지원 시스템 개선실적(2)	위험 분석 조치 실적이 충분하며, 시스템으로 관리되고 있는가?(2)	☐		
	2. 기술적 지원(4)	2.1 안전전담 부서 또는 관련부서 (기술부서 등)의 현장 지원 시스템(2)	취약공종(가설구조물, 굴착공사 등)에 안전성을 기술적으로 지원할 시스템을 갖추고 있는가?(2)	☐		
		2.2 현장 지원 실적(2)	취약공종(가설구조물, 굴착공사 등)에 대한 기술 지원을 하였는가?(2)	☐		

평가 항목			세부기준 및 방법(배점)	여부	점수	비교
대분류(배점)	중분류(배점)	소분류(배점)				
E. 사후관리 (Audit & Management part) (22)	1. 성과측정 및 모니터링(10)	1.1 성과측정 및 모니터링 (10)	안전성과를 정기적으로 측정하기 위한 절차가 수립되어 있는가?(5)	☐		
			부적합 사항에 대한 모니터링 및 기록관리는 실시하고 있는가?(3)	☐		
			성과측정 활동을 현장관리 조직원들이 공유 및 인지하고 있는가?(2)	☐		
	2. 사건조사, 시정조치 및 예방조치(9)	2.1 사건조사, 시정조치 및 예방조치(9)	사건, 사고처리에 대한 문서화 된 절차가 수립되어 있는가?(4)	☐		
			사건 사고 원인에 대한 조치가 되었는지 검토확인 하였는가?(2)	☐		
			사고/사건 조사는 문서화 되어 결과가 구성원에게 공유되도록 지도하였는가?(1)	☐		
			예방 및 시정조치의 완료는 문서화 되었는지 검토하였는가?(1)	☐		
			사고의 근본원인에 대한 사항들은 자체 회의 등을 통해서 확인되고 관리되어지도록 지도하였는가?(1)	☐		
	3. 기록관리(3)	3.1 기록관리(3)	법적 필요 요건에 따라서 안전문서가 작성되도록 지도하였는가?(2)	☐		
			문서와 기록에 보존 연한이 명기되도록 지도하였는가?(1)	☐		

평가담당 소속 : 성명 : (서명)

[별표 13]

시공자 안전관리 수준 확인방법

- 본사 -

평가항목			확인방법
대분류(배점)	중분류(배점)	소분류(배점)	
A. 안전경영 방침 및 조직 (System Part)(43)	1. 안전경영 시스템(31)	1.1 안전에 관한 방침 수립(8)	- 안전방침 및 매뉴얼 수립 확인 - 안전방치 및 매뉴얼에 관한 구성원 교육 및 회의 실적 확인 - 본사 내 조직별 안전목표 수립 확인 - 안전방침 및 매뉴얼 개정이력 확인
		1.2 CEO의 안전의식 및 안전활동(6)	- 사고보고서 확인(CEO 확인여부) - CEO 안전교육 이수 확인 - CEO 현장안전활동 실적 확인
		1.3 안전계획 수립 및 안전기준 설정(4)	- 사고 및 재난대응 매뉴얼 수립 확인 - 고령자, 외국인 근로자 안전대책 수립 확인
		1.4 안전계획의 실행 및 운영(5)	- 현장에 대한 본사의 안전활동 지원 실적 확인 - 사고사례 공유여부 확인 - 전사 구성원에 대한 안전교육 실시 확인 - 현장 안전활동에 대해 점검, 확인 문서 등
		1.5 성과측정, 모니터링, 개선(8)	- 안전활동에 대한 성과측정 체계 수립 확인 - 성과측정 결과에 대한 부적합 사항 도출여부 확인 - 사고처리 보고서 관리현황 - 평가당해년도 안전활동 계획 수립 확인(전년도 대비)
	2. 본사 안전관리조직 (12)	2.1 안전전담 조직의 적정 구성 여부(7)	- 본사 안전전담조직 구성 확인 - 전담조직 구성원의 책임, 역할 등의 정의 확인 - 현장안전관리자 배치에 관한 관리 현황 - 전담조직 구성원의 전문교육 계획 및 실시 확인
		2.2 안전전담 부서의 독립성(5)	- 안전전담부서(본사조직도)의 독립성 확인 - 전담부서의 책임자의 직위 확인

평가항목			확인방법
대분류(배점)	중분류(배점)	소분류(배점)	
B. 관련법에 따른 안전책무 (Mandatory Part)(16)	1. 안전점검 지원(8)	1.1 현장 안전점검에 대한 계획 및 문서화된 절차(2)	- 안전점검 매뉴얼 수립 확인 - 현장 안전점검계획 수립 확인
		1.2 안전점검 지원 및 개선 실적(6)	- 안전점검(지원)실적 관리현황 - 안전점검 조치사항에 대한 관리현황
	2. 안전교육 지원(8)	2.1 현장 안전교육 실시 및 지원에 대한 문서화된 절차(3)	- 안전교육 실시(지원)에 대한 절차 수립 확인
		2.2 현장 안전교육에 대한 모니터링 및 개선 실적(5)	- 현장 안전교육 모니터링 절차 확인 - 안전교육 실시(지원) 수행 결과 관리현황
C. 건설재해 예방을 위한 자발활동(Voluntary Part)(13)	1. 안전한 공사조건 확보 활동(5)	1.1 공사 수주 활동시 안전한 공사조건 확보 노력도(2)	- 공사 입찰 전 안전에 대한 사전검토 실적 확인
		1.2 협력회사 선정시 안전관리 수준(지표)의 반영(3)	- 협력회사 안전관리 수준 평가체계 수립, 실시 확인
	2. 자발적인 예방 활동(5)	2.1 안전관리 시스템의 개선 노력(2)	- 자발적인 안전활동 실적 확인
		2.2 관련 국가기관에서 행한 재해예방활동 평가 결과(3)	- KOSHA 18001, OSHAS 18001 인증서 - 산업재해예방활동 실적서
	3. 성과체계, 협력회사 안전 지원(3)	3.1 성과체계에 안전관리 수준 반영(3)	- 사내 인사규정 내 건설안전 관련 평가항목 확인 - 사내 성과금 및 보수규정 내 건설안전 관련 평가항목 확인
D. 유해위험 요인 제거 활동(Technical Part)(10)	1. 위험분석 및 위험예지 활동 지원(5)	1.1 수행 공종별 위험분석 지원 시스템 및 절차 확보(매뉴얼 등)(3)	- 위험성평가 매뉴얼 수립 및 개정이력 확인 - 별도의 기술지원 조직 구성 확인
		1.2 현장 지원 및 지원 시스템 개선 실적(2)	- 기술지원 실적 관리현황
	2. 가설 구조물 안전성 확보 지원(5)	2.1 안전 전담 부서 또는 관련 부서(기술부서 등)의 현장 지원 시스템(2)	- 가설구조물 기술지원 시스템 구축 확인
		2.2 현장 지원 실적(3)	- 가설구조물 기술지원 실적 확인

평가항목			확인방법
대분류(배점)	중분류(배점)	소분류(배점)	
E. 사후관리 (Audit & Management Part)(18)	1. 안전감사 (5)	1.1 안전감사 시스템(2)	- 안전감사 시스템 구축 확인 - 내 · 외부 안전감사 시스템 구축 및 시행확인
		1.2 안전감사의 실시 및 개선(3)	- 안전감사 시행 결과 확인 - 시정 및 조치실적 확인 - 감사결과에 대한 CEO 승인 확인
	2. 안전 지표의 상대적 수준 및 개선 수준 (13)	2.1 공표된 안전지표의 상대적 평가(9)	- 평가기관 일괄 확인
		2.2 안전지표의 개선도(4)	- 평가기관 일괄 확인

- 현장 -

평가항목			확인방법
대분류(배점)	중분류(배점)	소분류(배점)	
A. 안전경영 방침 및 조직 (System Part)(22)	1. 안전총괄 책임자의 안전활동(18)	1.1 안전총괄 책임자의 현장 안전경영 방침(6)	- 총괄책임자의 승인을 받은 현장안전경영방침 및 매뉴얼 수립 확인 - 현장 조직별 안전목표 수립 확인 - 현장안전경영방침 및 매뉴얼 개정이력 확인
		1.2 안전총괄 책임자의 안전활동(6)	- 안전교육 이수 확인 - 안전점검 실시 확인 - 관련회의 참석자 명단 등
		1.3 안전관리 담당자 및 분야별 안전관리책임자 안전능력 개발 노력도(6)	- 분야별 안전관리책임자 및 안전관리담당자들의 안전자격증 취득 확인 - 분야별 안전관리책임자의 전문안전교육 이수 확인 - 안전관리담당자의 전문안전교육 이수 확인
	2. 현장 안전관리 조직(4)	2.1 안전전담 조직의 적정 구성 여부(4)	- 건설기술진흥법에 따른 안전조직 구성 확인 - 담당자의 책임과 권한 등의 정의 확인
B. 관련법에 따른 안전책무 (Mandatory Part)(20)	1. 안전관리 계획 및 안전점검(6)	1.1 안전관리계획의 적절성 및 공종별 안전성 검토결과(4)	- 안전관리계획서 승인공문 등(발주청, 감리단) - 안전관리계획서 내 확인
		1.2 자체 안전점검의 규정 및 실시 실적(2)	- 자체안전점검 수행결과 확인
	2. 안전 관리비 (4)	2.1 안전관리비 반영 및 적정 사용 여부(4)	- 건설기술진흥법에 의한 안전관리비 수립 확인 - 안전관리비 지출내역 확인(항목별 사용여부)
	3. 안전관리 구성원의 직무와 안전교육(10)	3.1 분야별 안전관리책임자의 업무수행(2)	- 자재 적격사항 확인 - 분야별 안전관리책임자의 안전점검 수행 확인
		3.2 안전관리담당자의 업무수행(2)	- 안전관리담당자의 안전점검 수행 확인 - 타 법에 대한 업무수행 확인
		3.3 안전교육시설의 적절성(2)	- 안전전용 교육장 구비 여부 확인 - 시청각시설 구비 여부 확인

평가항목			확인방법
대분류(배점)	중분류(배점)	소분류(배점)	
B. 관련법에 따른 안전책무 (Mandatory Part)(20)	3. 안전관리 구성원의 직무와 안전교육(10)	3.4 안전교육 실적(4)	- 분야별 안전관리책임자의 교육실적 확인 - 안전관리담당자의 교육실적 확인 - 안전교육 내용 확인(공법 및 시공순서, 주의사항 등) - 안전교육 실적의 관리현황 확인
C. 건설재해 예방을 위한 자발적 활동 (Voluntary Part)(19)	1. 안전한 공사조건 확보 활동(9)	1.1 안전한 공사조건 확보 노력도(3)	- 설계도서 사전검토 실적 확인
		1.2 협력회사 안전관리 수준(지표)의 개선(6)	- 협력회사 안전관리 수준평가 체계수립 확인 - 협력회사 안전관리 수준평가 수행실적 확인
	2. 자발적인 예방 활동(10)	2.1 자발적인 안전사고 예방 활동(4)	- 자발적 안전활동에 대한(발주청, 본사) 지시문 등 확인 - 자발적 안전활동 실적 확인
		2.2 협력회사 근로자 작업환경 개선 활동(6)	- 협력회사 근로자 환경개선에 대한(발주청, 본사) 지시문 등 확인 - 협력회사 근로자 환경개선 실적 확인
D. 유해위험 요인제거 (Technical Part)(33)	1. 위험분석 및 위험예지활동 지원(15)	1.1 공종별 위험성 평가 및 개선실적 (물적&인적)(5)	- 공종별 위험성평가 매뉴얼 보유 및 수립 확인 - 공종별 위험성평가 실적 및 공유현황 확인 - 구성원 참석여부 확인 - 위험성평가 내 위험요소 조치사항 등 확인
		1.2 위험예지 활동(10)	- 위험예지 활동 절차 수립 확인 - 위험예지 활동 참석 및 수행결과의 구성원 공유 확인 - 위험예지 활동 결과 내 개선사항 도출 등 확인 - 위험예지 활동 결과의 관리현황 확인 - 구급장비 보유 확인
	2. 가설 구조물 안전성 확보(10)	2.1 계획 및 기준에 따른 검토 결과의 적절성(2)	- 가설구조물 설계 검토 수행실적 확인
		2.2 시공상세도, 작업절차서 등 관련 서류와 시공 일치도 확인 실적(8)	- 시공상세도 및 구조계산서 검토관련 수행실적 확인 - 가설구조물의 시공상태 점검 수형실적 확인 (검측체크 등) - 가설구조물 작업절차서(매뉴얼 등)의 보유 및 수립 확인 - 가설구조물 해체 작업관련 안전성검토 수행실적 확인

평가항목			확인방법
대분류(배점)	중분류(배점)	소분류(배점)	
D. 유해위험 요인제거 (Technical Part)(33)	3. 안전시설(8)	3.1 설치 기준에 적합한 안전시설 설치(4)	- 안전시설에 대한 설치계획서(절차서) 수립 확인 - 안전시설에 대한 점검 등 수행실적 확인
		3.2 사용 가설자재의 관리도(4)	- 가설재 검증절차 확인 - 가설재 폐기절차 및 반출내역 관리현황 확인
E. 사후관리(Audit & Management Part)(6)	1. 성과측정 및 사고조사(6)	1.1 성과측정 및 사고조사(6)	- 안전성과 측정체계 및 실시 확인 - 사고관련 구성원 공람여부 확인

[별표 14]

시공자 안전관리 수준 평가표(체크리스트)

- 본사 -

평가항목			세부기준 및 방법(배점)	여부	점수	비고
대분류(배점)	중분류(배점)	소분류(배점)				
A. 안전경영 방침 및 조직(System Part)(43)	1. 안전경영 시스템(31)	1.1 안전에 관한 방침 수립(8)	최고 경영자의 승인을 받은 문서화된 안전방침 및 매뉴얼이 설정되어 있는가?(3)	☐		
			모든 구성원들이 안전방침 및 매뉴얼을 공유 및 숙지하고 있으며, 안전방침을 이해하기 위해 노력하고 있는가?(2)	☐		
			본사 조직별로 안전에 관한 목표가 수립되고 실행 및 유지되고 있는가? (2)	☐		
			안전방침 및 매뉴얼이 회사의 프로젝트 특성과 사고사례를 반영하여 주기적으로 개선되고 있는가?(1)	☐		
		1.2 CEO의 안전의식 및 안전활동(6)	CEO는 회사의 재해수준과 사고사례를 보고받고 재발방지를 위해 적기에 조치를 취하고 있는가?(2)	☐		
			CEO는 주기적으로 안전에 관한 교육(사업주 교육)을 이수하고 있는가?(2)	☐		
			CEO는 주기적으로 현장을 방문하여 안전활동을 실시하고 있는가?(2)	☐		
		1.3 안전계획 수립 및 안전기준 설정(4)	사고예방에 대한 세부계획이 수립되어 시행되고 있는가?(2)	☐		
			고령자, 외국인 근로자 등과 같은 취약계층 근로자에 대한 별도의 안전계획을 수립하여 운영하고 있는가?(2)	☐		
		1.4 안전계획의 실행 및 운영(5)	안전계획의 실행, 관리 및 개선을 위해 필요한 자원(인적, 물적, 재정적 자원)이 제공되고 있는가?(2)	☐		
			모든 구성원들에게 자사와 타사의 동일 또는 유사 사고사례를 공유하고 있는가?(1)	☐		
			모든 구성원들에 대해 안전교육을 주기적으로 실시하그 있는가?(1)	☐		
			현장의 안전계획이 적절하게 수행되고 있는지 주기적으로 확인하고 있는가?(1)	☐		

평가항목			세부기준 및 방법(배점)	여부	점수	비고
대분류(배점)	중분류(배점)	소분류(배점)				
A. 안전경영 방침 및 조직(System Part)(43)	1. 안전경영 시스템(31)	1.5 성과측정, 모니터링, 개선(8)	안전경영목표가 달성되고 있는지 정기적으로 모니터링하고 성과를 측정하고 있는가?(2)	☐		
			성과측정 결과 부적합 사항에 대해 근본원인을 파악하고 시정조치 또는 예방조치를 취하고 있는가?(2)	☐		
			사업장에서 발생하는 사고를 정확히 조사하고, 기록을 보관하고 있는가?(2)	☐		
			성과측정 결과를 반영하여 차년도 안전방침 및 매뉴얼, 목표, 안전활동 추진계획이 수립되고 있는가?(2)	☐		
	2. 본사 안전관리조직(12)	2.1 안전전담 조직의 적정 구성 여부(7)	현장 지원에 적합한 안전전담 조직이 구성되어 있는가?(2)	☐		
			조직표에 따라 업무 담당자에게 안전에 관한 책임과 권한이 명확하게 설정되어 있는가?(1)	☐		
			현장 구성원들의 의견을 충분히 인지하고, 필요 시기에 전문 안전관리자를 적절하게 현장에 배치하고 있는가?(2)	☐		
			안전전담 조직 구성원의 전문성을 향상시키기 위한 활동이 문서화되어 있으며, 실행되고 있는가?(2)	☐		
		2.2 안전전담 부서의 독립성(5)	타 부서의 관리를 받지 않는 별도의 독립적인 안전전담 부서가 운영되고 있는가?(3)	☐		
			안전전담 부서의 책임자는 임원급으로 회사의 경영방침에 안전방침을 적극적으로 반영하고 있는가?(2)	☐		
B. 관련법에 따른 안전책무(Mandatory Part)(16)	1. 안전점검 지원(8)	1.1 현장 안전점검에 대한 계획 및 문서화된 절차(2)	안전점검 내용이 매뉴얼화 되어 있으며, 정기적으로 개선되고 있는가?(1)	☐		
			현장 안전점검 계획이 문서화되고, 정기적으로 수립되고 관리되고 있는가?(1)	☐		
		1.2 안전점검 지원 및 개선 실적(6)	전 현장에 대한 안전점검 지원실적이 관리되고 있는가?(4)	☐		
			안전점검 지원 후 현장의 안전관리 개선실적이 관리되고 있는가?(2)	☐		

평가항목			세부기준 및 방법(배점)	여부	점수	비고
대분류(배점)	중분류(배점)	소분류(배점)				
B. 관련법에 따른 안전책무 (Mandatory Part)(16)	2. 안전교육 지원(8)	2.1 현장 안전교육 실시 및 지원에 대한 문서화된 절차(3)	현장 안전교육 실시와 지원에 대한 문서화된 절차가 있는가?(3)	☐		
		2.2 현장 안전교육에 대한 모니터링 및 개선 실적(5)	현장 안전교육을 주기적으로 모니터링하고 있는가?(3)	☐		
			공종별, 현장별 특성에 맞도록 안전교육을 지원하고, 기록 관리하고 있는가?(2)	☐		
C. 건설재해 예방을 위한 자발활동 (Voluntary Part) (13)	1. 안전한 공사조건 확보 활동(5)	1.1 공사 수주 활동시 안전한 공사조건 확보 노력도(2)	공사 수주시 공사조건의 안전을 사전 검토한 실적이 관리되고 있는가?(2)	☐		
		1.2 협력회사 선정시 안전관리 수준(지표)의 반영(3)	협력회사 안전관리 수준을 기록 · 관리 · 반영하고 있는가?(3)	☐		
	2. 자발적인 예방 활동(5)	2.1 안전관리 시스템의 개선 노력(2)	자발적인 안전관리 활동 실적이 기록 · 관리·반영되고 있는가?(2)	☐		
		2.2 관련 국가기관에서 행한 재해예방활동 평가 결과(3)	공인된 인증을 가지고 있는가? (KOSHA 18001, OSHAS 18001 등) (1)	☐		
			건설업체의 산업재해예방활동 실적 평가(고용노동부 장관 고시 2014-20호) 결과(2)	☐		
	3. 성과체계, 협력회사 안전 지원(3)	3.1 성과 체계에 안전관리 수준 반영(3)	인사 체계에 개인의 안전관리 수준평가를 반영하고 있는가?(2)	☐		
			성과금 및 보수체계에 안전관리 수준평가 결과를 반영하고 있는가?(1)	☐		
D. 유해위험 요인 제거 활동(Technical Part)(10)	1. 위험분석 및 위험예지활동 지원(5)	1.1 수행 공종별 위험분석 지원 시스템 및 절차 확보(매뉴얼 등)(3)	공종별 위험 분석 지원 시스템과 문서화된 절차를 갖추고 있으며, 주기적으로 개선하고 있는가?(1)	☐		
			현장의 기술적 문제 지원 업무를 수행하는 별도의 조직을 갖추고 있는가?(2)	☐		
		1.2 현장 지원 및 지원 시스템 개선 실적(2)	현장의 위험공종에 대한 기술적 지원 실적이 기록 · 관리되고 있는가?(2)	☐		

평가항목			세부기준 및 방법(배점)	여부	점수	비고
대분류(배점)	중분류(배점)	소분류(배점)				
D. 유해위험 요인 제거 활동(Technical Part)(10)	2. 가설구조물 안전성 확보 지원(5)	2.1 안전 전담 부서 또는 관련 부서(기술부서 등)의 현장 지원 시스템(2)	가설 구조물(구조물공사, 굴착공사 등)의 구조 안전성을 기술적으로 지원할 시스템을 갖추고 있는가?(2)	☐		
		2.2 현장 지원 실적(3)	가설 구조물(구조물공사, 굴착공사 등)의 안전성 확보를 위해 기술지원을 수행하고 있는가?(3)	☐		
E. 사후관리 (Audit & Management Part)(18)	1. 안전 감사(5)	1.1 안전감사 시스템(2)	정기적으로 안전경영시스템과 안전활동을 감사할 문서화된 시스템을 가지고 있는가?(1)	☐		
			독립성을 갖는 내부 및 외부 감사원에 의해 회사의 안전경영체계가 올바르게 실행 및 관리되고 있는지 심사하고 있는가?(1)	☐		
		1.2 안전 감사의 실시 및 개선(3)	정기적 및 비정기적으로 공사위험도를 고려하여 감사를 실시하고, 감사결과를 기록 보존하고 있는가?(1)	☐		
			감사결과는 신속하게 모든 관련자에게 전달되며, 시정 및 예방조치가 취해졌는가?(1)	☐		
			감사결과는 적기에 CEO에 보고되고, CEO는 적절한 시간 내에 후속조치를 취했는가?(1)	☐		
	2. 안전 지표의 상대적 수준 및 개선 수준(13)	2.1 공표된 안전지표의 상대적 평가(9)	환산재해율이 모집단의 평균 이상임(3)	☐		
			환산재해율이 모집단의 상위 30% 이내임(3)	☐		
			환산재해율이 모집단의 상위 10% 이내임(3)	☐		
		2.2 안전지 표의 개선도(4)	환산 재해율의 개선도(4)	☐		

평가담당 소속 : 성명 : (서명)

- 현장 -

평가항목			세부기준 및 방법(배점)	여부	점수	비고
대분류(배점)	중분류(배점)	소분류(배점)				
A. 안전경영 방침 및 조직(System Part) (22)	1. 안전총괄 책임자의 안전활동(18)	1.1 안전총괄 책임자의 현장 안전경영 방침(6)	안전총괄책임자의 승인을 받은 현장 안전방침 및 매뉴얼이 설정되고 문서화되어 있으며, 모든 구성원이 공유 및 숙지하고 있는가?(2)	☐		
			현장 조직별로 안전에 관한 목표가 수립되고 실행 및 유지되고 있는가?(2)	☐		
			총괄책임자의 안전방침 및 매뉴얼, 세부계획이 모니터링되고 있으며, 해당 프로젝트 특성과 사고사례를 반영하여 주기적으로 개선되고 있는가?(2)	☐		
		1.2 안전총괄 책임자의 안전활동(6)	안전총괄책임자는 안전에 관한 교육을 이수하고 있는가?(2)	☐		
			안전총괄책임자는 주기적으로 현장 안전점검을 실시하고 있는가?(2)	☐		
			안전총괄책임자는 노사협의체, 위험성평가 회의 등 안전관련 회의에 참여하고 있는가?(2)	☐		
		1.3 안전관리 담당자 및 분야별 안전관리책임자 안전능력 개발 노력도(6)	분야별 안전관리책임자와 안전관리담당자들 안전관련 자격증을 갖고 있는가?(2)	☐		
			분야별 안전관리책임자들은 개인의 안전능력 향상을 위해 노력한 실적이 있는가?(2)	☐		
			안전관리담당자들은 개인의 안전능력 향상을 위해 노력한 실적이 있는가?(2)	☐		
	2. 현장 안전관리 조직(4)	2.1 안전전담 조직의 적정 구성 여부(4)	공사에 적합한 안전전담 조직이 구성되어 있는가?(2)	☐		
			조직표에 따라 업무 담당자에게 안전에 관한 책임과 권한이 명확하게 설정되어 있는가?(2)	☐		

평가항목			세부기준 및 방법(배점)	여부	점수	비고
대분류(배점)	중분류(배점)	소분류(배점)				
B. 관련법에 따른 안전책무 (Mandatory Part)(20)	1. 안전관리 계획 및 안전점검(6)	1.1 안전관리 계획의 적절성 및 공종별 안전성 검토결과(4)	안전관리계획서는 수립기준에 맞게 작성되고 있는가?(2)	☐		
			안전관리계획서는 현장의 해당 공종이 모두 포함되도록 작성 및 유지관리 되고 있는가?(2)	☐		
		1.2 자체 안전점검의 규정 및 실시 실적(2)	현장 자체 안전점검은 진행 중인 공사에 맞게 계획 및 실시되고 기록·관리되고 있는가?(2)	☐		
	2. 안전관리비(4)	2.1 안전 관리비 반영 및 적정 사용 여부(4)	공사규모에 따라 적정 안전관리비가 계상되어 있는가?(2)	☐		
			안전관리비 사용이 법령에 따라 사용되고 있는가?(2)	☐		
	3. 안전관리 구성원의 직무와 안전교육(10)	3.1 분야별 안전관리책임자의 업무수행(2)	각종 자재 등의 적격품 사용 여부를 확인하고 있는가?(1)	☐		
			자체안전점검 실시를 확인하고 점검 결과에 따라 조치를 하고 있는가?(1)	☐		
		3.2 안전관리담당자의 업무수행(2)	자체 안전점검 실시를 수행하고 결과에 따라 조치를 취하고 있는가?(1)	☐		
			타 법에서 정한 안전관리자의 업무를 수행하고 있는가?(1)	☐		
		3.3 안전교육 시설의 적절성 (2)	출력인원을 수용할 수 있는 교육장 규모를 갖추고, 안전교육 전용으로 사용되는 별도의 시설을 구비하고 있는가?(1)	☐		
			시청각 시설 등 교육에 적합한 시설을 갖추고 있는가?(1)	☐		
		3.4 안전교육 실적(4)	분야별 안전관리책임자가 공사 착수 전에 공사작업자를 대상으로 안전교육을 실시하고 있는가?(1)	☐		
			안전관리 담당자가 공사 착수 전에 공사작업자를 대상으로 안전교육을 실시하고 있는가?(1)	☐		
			안전교육은 당일 작업의 공법 이해, 시공상세 도면에 따른 세부 시공순서 및 시공기술상의 주의사항 등을 포함하고 있는가?(1)	☐		
			안전교육 내용이 기록 및 관리되고 있는가?(1)	☐		

평가항목			세부기준 및 방법(배점)	여부	점수	비고
대분류(배점)	중분류(배점)	소분류(배점)				
C. 건설재해 예방을 위한 자발적 활동 (Voluntary Part)(19)	1. 안전한 공사조건 확보 활동(9)	1.1 안전한 공사조건 확보 노력도(3)	안전한 공사조건을 확보하기 위해 검토된 실적이 있으며 관리되고 있는가?(3)	☐		
		1.2 협력회사 안전관리 수준(지표)의 개선(6)	협력회사 안전관리 수준평가 체계가 있는가?(4)	☐		
			협력회사 안전관리 수준평가 실적이 관리되고 있는가?(2)	☐		
	2. 자발적인 예방 활동(10)	2.1 자발적인 안전사고 예방 활동 (4)	현장 각 구성원의 자발적인 안전관리 활동을 지원하는 문서화된 절차를 가지고 있는가?(2)	☐		
			자발적인 안전사고 예방활동 실적이 있는가?(2)	☐		
		2.2 협력회사 근로자 작업 환경 개선 활동 (6)	협력회사 근로자의 작업 환경 개선 활동을 지원하는 문서화된 절차를 가지고 있는가?(3)	☐		
			자발적인 환경 개선 활동 실적이 있는가?(3)	☐		
D. 유해위험 요인제거 (Technical Part)(33)	1. 위험분석 및 위험예지활동 지원(15)	1.1 공종별 위험성 평가 및 개선실적(물적&인적)(5)	공종별 위험분석(위험성 평가)에 관한 지침 및 절차가 문서화되어 있는가?(1)	☐		
			지침과 절차에 의한 위험성 평가가 실시되고 구성원에게 공유되고 있는가?(1)	☐		
			공종별 위험성 평가에 구성원들이 실질적으로 참여하고 있는가?(1)	☐		
			공종별 위험성 평가에 기초한 조치계획의 적용여부를 확인·기록하고 있는가?(2)	☐		
		1.2 위험예지 활동(10)	위험예지 활동에 관한 지침 및 절차가 문서화되어 있는가?(2)	☐		
			위험예지 활동에 구성원들이 실질적으로 참여하며 공유되어 있는가?(2)	☐		
			위험예지 활동의 성과를 주기적으로 평가하며 개선하고 있는가?(2)	☐		
			위험예지 활동의 성과를 기록·보관하고 있는가?(2)	☐		
			구급장비를 현장에 비치하며, 구성원이 구급장비의 위치와 사용법을 숙지하고 있는가?(2)	☐		

평가항목			세부기준 및 방법(배점)	여부	점수	비고
대분류(배점)	중분류(배점)	소분류(배점)				
D. 유해위험 요인제거 (Technical Part)(33)	2. 가설 구조물 안전성 확보(10)	2.1 계획 및 기준에 따른 검토 결과의 적절성 (2)	가설 구조물이 현장 조건에 맞게 계획 및 설계되었는지 확인하고 기록 · 관리되고 있는가?(2)	☐		
		2.2 시공상세도, 작업절차서 등 관련 서류와 시공 일치도 확인 실적(8)	시공상세도가 계산서와 일치하는지 확인하고, 기록 · 관리하고 있는가?(2)	☐		
			시공상세도가 설치 상태와 일치하는지 확인하고, 기록 · 관리하고 있는가?(2)	☐		
			작업절차서에 따라 시공되었는지 확인하고, 기록 · 관리하고 있는가?(2)	☐		
			가설 구조물 해체 순서와 안전성에 대해 검토하고 기록 · 관리하고 있는가?(2)	☐		
	3. 안전시설(8)	3.1 설치 기준에 적합한 안전시설 설치 (4)	안전시설 설치 계획 및 설치 절차를 문서화하고 기록 · 관리하고 있는가?(2)	☐		
			안전시설 설치 절차에 따라 실시되어 있는가?(2)	☐		
		3.2 사용 가설자재의 관리도 (4)	검정 받은 가설재를 사용하는지 확인 · 기록 · 관리하고 있는가?(2)	☐		
			사용 가설재(검증을 받은 혹은 받지 않은 자재 모두 포함)의 관리 상태를 확인하고 불량 가설재 폐기(자율폐기)기준을 준수하고 있는가?(2)	☐		
E. 사후관리 (Audit & Management Part) (6)	1. 성과측정 및 사고조사(6)	1.1 성과측정 및 사고조사(6)	현장의 안전경영목표가 달성되고 있는지 정기적으로 모니터링하고 성과를 측정하고 있는가?(4)	☐		
			사업장에서 발생하는 사고를 정확히 조사 · 기록하며 결과를 작업자를 포함한 모든 구성원에게 알리고 있는가?(2)	☐		

평가담당 소속 : 성명 : (서명)

[별표 15]

안전관리 수준 평가 점수 산정 방법

1. 발주청

- 본사 평가 비중 = 100%

2. 건설사업관리용역사업자

- 본사 및 현장 평가 비중

(본사 : 현장 = 20% : 80%)

$$현장점수 = \frac{\Sigma(개별\ 현장점수)}{평가\ 현장\ 수}$$

3. 시공자

- 본사 및 현장 평가 비중

(본사 : 현장 = 30% : 70%)

$$현장점수 = \frac{\Sigma(개별\ 현장점수)}{평가\ 현장\ 수}$$

[별표 16]

공사구분 분류기준

대분류	공사 구분	비고
토목	교통시설	
	수자원시설	
	기타토목	
건축	주거	
	비주거	

※ 공사구분은 종합심사낙찰제 공사구분 기준 적용을 원칙으로 한다.

[별지 제1호 서식]

설계안전검토보고서

공사명		공사비	
공사기간		공사종류	

설계자	회사명		Sheet 작성일	
			Sheet 작성자	
	담당부서		설계반영 여부	
			설계반영 담당	
발주자	기관명			
	담당부서		담당자	
시공자	회사명			
	담당부서		담당자	
사업관리 · 감독	회사명			
	담당부서		담당자	

No	공종명 (A영역)	Hazard (B영역)	Risk					위험요소 저감대책 (H영역)	위험요소 관리주체 (I영역)	위험요소 저감대책가정 /제3자에 의한 저감대책	잔여 위험요소		
			물적피해 (사고결과_ 사고유발원인) (C영역)	인적 피해 (D영역)	발생 빈도 (E영역)	심각성 (F영역)	위험 등급 (G영역)				Yes /No	위험 요소 보유자	안전 관리 문서
										(J영역)			

[별지 제2호 서식]

건설 사고조사 보고서

○○○공사 ○○○ 사고

건 설 사 고 조 사 보 고 서

20 . .

○○발주처

목 차

1. 개 요
2. 현장조사내용
3. 시험결과
4. 사고원인 분석
5. 결론
6. 현장조치결과, 권고 및 향후조치
7. 부록

---

1. 개 요

1) 목적

2) 현장정보

○ 계약주체

○ 계약내용

○ 현장관계자 정보

○ 공사추진상황

3) 사고정보

○ 사고의 유형

○ 사고의 전개

4) 피해상황

○ 인적피해

○ 구조물손실

○ 공기지연

○ 장비손실

○ 피해금액

2. 현장조사내용

1) 조사관정보

2) 조사방법

3) 조사활동 현황

4) 현장의 관리체계

5) 문서의 점검

6) 현장점검사항

3. 시험결과

○ 위원회가 필요시 요청한 시험결과에 대한 결과 수록

4. 사고원인분석

○ 가설의 수립

○ 가설의 증명 및 사고원인 분석

5. 결론

○ 설계과정

○ 시공과정

6. 현장조치결과, 권고 및 향후 조치

7. 부록

[별지 제3호 서식]

(자체 · 정기 · 정밀)안전점검 지적사항 조치확인

공 사 명	
현 장 소 재 지	
점 검 일 시	
점검기관(책임자)	
대 상 공 종	
점 검 항 목	
지 적 사 항	
조 치 일 시	
조 치 자	(인)
조 치 사 항	
발주자(건설사업관리자)확인	(인)

[별지 제4호 서식]

발주청 안전관리 수준 평가 총괄표

공사비 단위: 백만원

순위	공사명	공사개요	공사구분	공사비	공사기간	발주자	대표자	평점	비고

210mm×297mm(인쇄용지(2급) 60g/㎡)

[별지 제5호 서식]

건설사업관리용역사업자 안전관리 수준 평가 총괄표

공사비 단위: 백만원

순위	공사명	공사개요	공사구분	공사비	공사기간	건설사업관리용역사업자	대표자	평점	비고
				백만원					
				백만원					
				백만원					
				백만원					
				백만원					
				백만원					
				백만원					
				백만원					
				백만원					
				백만원					
				백만원					

210mm×297mm [백상지(80g/㎡)]

[별지 제6호 서식]

시공자 안전관리 수준 평가 총괄표

공사비 단위: 백만원

순위	공사명	공사개요	공사구분	공사비	공사기간	시공자	대표자	평점	비고

210mm×297mm(인쇄용지(2급) 60g/㎡)

[별지 제7호 서식]

안전점검 수행기관 등록 신청서

※ 색상이 어두운 난은 신청인이 작성하지 아니하며, [ ]에는 해당하는 곳에 √표를 합니다. (앞쪽)

접수번호	접수일자	처리기간	공고마감후 15일

신청인	상호		
	대표자	생년월일	성별
	사무소 소재지	전화번호	
신청분야	토목분야 [ ] 건축분야 [ ] 종합분야 [ ]		

「건설기술진흥법 시행령」 제100조의2조제1항 및 「건설공사 안전관리 업무수행지침」 제18조제4항에 따라 안전점검 수행기관의 등록을 신청합니다.

년 월 일

신청인 (서명 또는 인)

발주청 (인·허가기관의 장) 귀하

신청인(대표자) 제출서류	1. 안전진단전문기관등록증 2. 등록분야별 기술인력 및 장비의 보유현황과 그 기술인력에 관한 건설기술인 경력증명서 각 1부 3. 안전점검 수행기관의 정기안전점검 등 수행실적 및 수행기관의 신용도를 증명하는 서류 각 1부 4. 기타 발주청 및 인허가기관의 장이 안전점검 수행기관의 명부를 작성하는데 필요한 서류 각 1부	수수료 없음

처리절차

신청서 작성 → 접수 → 첨부서류 검토 → 기안·결재 → 등록결과 통보

신고인 처리기관(발주청 또는 인·허가기관)

210㎜×297㎜[백상지(80g/㎡) 또는 중질지(80g/㎡)]

[별지 제8호 서식]

(3쪽 중 제1쪽)

안전점검 수행기관 등록부

전문분야(세부분야)	( )		등록번호	
상호 또는 법인명			성명(대표자)	
소속 국가명			등록일	
사무실	소재지	(전화)	확보 구분	
	순사무실 면적	㎡	입주 연월일	
자본금(필요시)	납입자본금	변경 연월일	실질자본금	
	• 금액 • 외국인 투자율 • 외국인 투자금액			

장비 보유 현황

취득일	품명	규격	수량	처분일	취득일	품명	규격	수량	처분일

상훈(필요시)

연월일	종류	상훈기관	공적 내용	용역명(필요시)	비고

제재

연월일	종류	제재기관	사유 및 기간	용역명(필요시)	비고

210mm×297mm[백상지(80g/㎡)]

(3쪽 중 제2쪽)

기술인 현황

등재 연월일	기술인 수			변경 내용	기록자
	계	특급	고급 이하		

210mm×297mm[백상지(80g/㎡)]

(3쪽 중 제3쪽)

기록 변경사항

변경일	변경 사항	변경 내용	기록자

210mm×297mm[백상지(80g/㎡)]

[별지 제9호 서식]

안전점검 수행기관 지정 신청서

1. 공 사 명			
2. 시 공 사			
3. 발 주 자			
4. 건설사업관리기술자			
5. 공사개요			
공 사 비		공사기간	
현장주소			
공사내용			
6. 안전점검 신청 개요			
안전점검 종류	정기점검[ ] 정밀안전점검[ ] 초기점검[ ] 공사재개 전 안전점검[ ]		
안전점검 내용	※ 건설공사 안전관리 업무수행 지침 별표 1 참고		
안전점검 비용			

「건설기술진흥법 시행령」 제100조의2조제2항 및 「건설공사 안전관리 업무수행지침」 제18조제6항에 따라 안전점검 수행기관의 지정을 신청합니다.

년 월 일

신고인 (서명 또는 인)

발주청 (인 · 허가기관의 장) 귀하

첨부서류	안전관리계획서 中 안전점검비 산출내역	수수료 없음

처리절차

신청서 → 접수 → 검토 → 수리 → 통보

신고인 / 발주청 또는 인 · 허가기관

210mm×297mm[백상지(80g/㎡)]

[별지 제10호 서식]

발신기관명

수신자 건설사업자 또는 주택건설등록업자
(경유)
제 목 안전점검 수행기관 지정 통보서

「건설기술진흥법 시행령」 제100조의2조제3항 및 「건설공사 안전관리 업무수행지침」 제18조제11항에 따라 안전점검 수행기관의 지정을 통보합니다.

1. 현 장 명					
2. 시 공 사					
3. 안전점검 수행기관 개요					
안전점검 수행기관	상호		대표자	소재지	
전문분야			전화번호		
4. 안전점검 지정 현황					
안전점검 종류	정기점검[ ] 정밀안전점검[ ] 초기점검[ ] 공사재개 전 안전점검[ ]				
건설공사 종류	※ 건설공사 안전관리 업무수행 지침 별표 1 참고				

발신기관의 장 직인

기안자 직위(직급) 서명 검토자 직위(직급)서명 결재권자 직위 (직급)서명
협조자
시행 처리과-일련번호(시행일자) 접수 처리과명-일련번호(접수일자)
우 주소 / 홈페이지 주소
전화( ) 전송( ) / 기안자의 공식전자우편주소 / 공개구분

210mm×297mm[백상지(80g/㎡)]

[별지 제11호 서식]

(2쪽 중 제1쪽)

스마트 안전관리장비 보조 · 지원(변경)신청서

※ 뒤쪽의 신청 안내를 참고하시기 바라며, 색상이 어두운 란은 신청인이 적지 않습니다.

접수번호	접수일	발급일	처리기간

신 청 자	성 명		생년월일	
	전자우편주소		휴대전화번호	
	주 소			
신청업체	업체명(대표자)		전화번호	
	사업자등록번호		FAX 번호	
	업체주소			
현장정보	현 장 명		공사금액	원
	현장주소			
	고위험공종 여부	[ ] 굴착공사 [ ] 철골공사	[ ] 철근콘크리트공사	[ ] 기타
	시공능력평가결과	위	공사잔여기간	개월
신 청 지원장비	품 목 명 (장비수)		설치시기	. . ~ . . (개월)

「건설기술진흥법 시행령」 제62조의3 및 「건설공사 안전관리 업무수행 지침」 제79조에 따라 위와 같이 스마트 안전관리장비 보조 · 지원을 신청합니다.

년 월 일

신청인 (서명 또는 인)

국토안전관리원장 귀하

첨부서류	스마트 안전관리장비 설치계획서

처리절차

신청서 작성	→	접수 및 자격요건 확인	→	심사	→	대상 선정	→	통 보
신청인		국토안전관리원		국토안전관리원		국토안전관리원		국토안전관리원

210mm×297mm[백상지(80g/㎡)]

(2쪽 중 제2쪽)

(첨부) 스마트 안전관리장비 설치계획서

※ 장비 설치위치를 명확히 알 수 있도록 작성

스마트 안전장비 설치 배치도 또는 평면도

스마트 안전장비 설치 단면도

210mm×297mm[백상지(80g/㎡)]

[부록]

설계(안)의 건설안전 위험성 평가기법

1. 설계자는 건설안전에 치명적인 위험요소의 유형과 수준을 설계과정 중에서 〈그림 1〉과 같은 위험성 평가절차를 통해 지속적으로 도출할 필요가 있다. 하지만 여기서 제시된 설계(안)의 건설안전 위험성 평가기법은 참고자료로써의 의미를 가진다.
2. 발주자는 설계서(과업지시서)의 설계조건을 중심으로 설계(안)에 존재하는 주요 위험요소를 아래의 표에서 보는 바와 같은 건설안전 위험성 평가표에 도면검토, 각종 지침, 자유로운 토론을 통해 확인하여 표시하여야 한다.

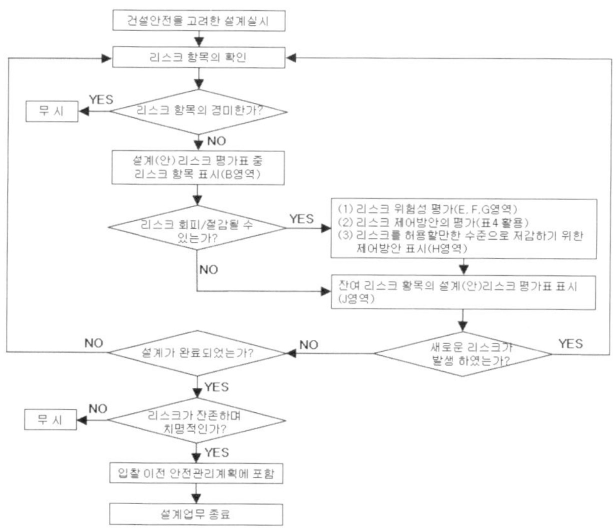

〈그림 1〉 설계(안)의 건설안전 위험성 평가절차

3. 각 공종별 HRA(Hazard, Risk, Alternative)는 표4에 아래와 같이 표시한다.
   (1) A영역은 해당 건설공사의 설계 패키지나 공종을 의미하며, B영역은 해당 설계패키지 또는 공종에 존재하는 위험요소를 말한다.
   (2) C영역은 해당 위험요소로 인해 발생할 수 있는 물적피해를 기록하며, D영역은 인적피해를 기록한다.
   (3) 위험요소의 발생빈도(E영역)와 사고심각성(F영역)에 따른 위험등급(G영역)은 아래의 표1, 표2에서 보는 바와 같이 H, M, L의 간단한 정성적 기준으로서 평가하여야 한다.
   (4) E영역과 F영역에 의해 위험등급이 H인 경우는 설계 패키지의 위험요소 수준이 치명적이므로 관련 설계요소에 대해 설계(안)이 반드시 수정되어야만 한다는 것을 의미한다. 또한 L은 설계(안) 수정에 대해 가장 낮은 우선순위를 나타낸다.

표 1. 발생빈도와 사고심각성

발생빈도(Likelihood, L)		사고심각성(Severity, S)	
High(H)	빈번히 발생함	High(H)	사망, 장기적인 장애를 일으키는 부상, 질병
Medium(M)	발생가능성 있음	Medium(M)	단기적인 장애를 일으키는 부상, 질병
Low(L)	거의 발생하지 않음	Low(L)	상해가 없거나 응급처지 수준의 상해

표 2. 위험성 결정 기준

심각성(S) \ 발생빈도(L)	High(H)	Medium(M)	Low(L)
High(H)	H	H	M
Medium(M)	H	M	L
Low(L)	M	L	L

(5) 각 설계 패키지 또는 공종에 존재하는 위험요소 저감대책을 결정하기전에 표3과 같이 안전관리, 미, 기능, 기술, 비용, 시간 및 환경측면으로 구분하여 적정성을 평가한다. 다양한 측면에서 저감대책 대안평가가 이루어지기 위해서는 아래 표와 같은 양식을 활용하고, 평가결과를 기록한다. 저감대책 대안평가를 통해 결정된 사항을 H영역에 기록한다.

1) A영역에서는 해당 위험요소를 제어하기 위한 모든 대안이 기입된다.

2) B영역에서는 안전관리, 미, 기능, 기술, 비용, 시간 및 환경의 다양한 요인들에 대해 각 대안의 적절성에 대한 내용과 점수가 기록된다. 점수는 A: 바람직, B: 받아들임적절, C: 받아들일수 없음을 기준으로 부여된다.

3) C영역에서는 해당 위험요소 제어방안의 각종 대안 중 선택된 대안이 표시된다.

4) D영역에서는 선택한 위험요소 제어방안의 승인과 대안평가가 적절하게 수행되었다는 점을 나타내기 위해 해당 건설공사의 설계에 대한 책임을 가진 자들이 서명한다.

표 3. 위험요소 저감대책 대안 평가

No			평가 관점과 주요 목적 (A영역)				
Hazard							
Risk(물적)							
Option 1							
Option 1							
B영역		안전관리	미	기능	기술	비용	시간	환경
	대안 1							
		평가	평가	평가	평가	평가	평가	평가
	대안 2							
		평가	평가	평가	평가	평가	평가	평가
평가 : A - 바람직 B - 받아들임 C - 받아들일 수 없음								
결정(C영역)	대안 1		대안 2					
서명(D영역)	설계자	(인)	총괄책임자	(인)				

(7) 각 설계 패키지에 잔존하여 시공단계에서 반드시 고려해야 하는 저감대책은 시공자가 인식할 수 있도록 J영역에 표시한다.

(8) 평가결과는 위험요소 제어방안을 강구함에 있어 참고될 수 있는 우선순위만을 의미할 뿐, 모든 설계 패키지 또는 공종에 존재하는 위험요소는 적정수준으로 최대한 저감되어야 한다.

표 4. 설계안전검토보고서

No	공종명 (A영역)	Hazard (B영역)	Risk					위험요소 저감대책 (H영역)	위험요소 관리주체 (I영역)	위험요소 저감대책가정/제3자에 의한 저감대책	잔여 위험요소		
			물적피해 (사고결과_사고유발원인) (C영역)	인적피해 (D영역)	발생빈도 (E영역)	심각성 (F영역)	위험등급 (G영역)			(J영역)	Yes/No	위험요소 보유자	안전관리문서

환경관리비의 산출기준 및 관리에 관한 지침

국토교통부고시 제2018-528호

제정 2018.8.30

제1장 총칙

제1조(목적) 이 지침은 「건설기술진흥법」 제66조 및 같은 법 시행령 제104조, 같은 법 시행규칙 제61조에 따라 건설공사의 환경관리비의 산출 및 관리에 관한 기준을 정함을 목적으로 한다.

제2조(적용범위) 이 지침은 「건설기술진흥법」(이하 "법"이라 한다) 제2조제1호에 따른 건설공사에 적용한다.

제3조(정의) ①이 지침에서 사용하는 용어의 뜻은 다음과 같다.

1. "환경관리비"란 건설공사로 인한 환경 훼손 및 오염의 방지 등 환경관리를 위해 공사비에 반영하는 비용을 말하며, '환경보전비'와 '폐기물 처리비'로 구분한다.
2. "환경보전비"란 건설공사 작업 중에 건설현장 주변에 입히는 환경피해를 방지할 목적으로 환경관련 법령에서 정한 기준을 준수하기 위해 환경오염 방지시설 설치 등에 소요되는 비용(해당시설 설치 및 운영에 직접 투입되는 작업비용 포함)을 말한다.
3. "폐기물 처리비"란 건설공사현장에서 발생하는 폐기물의 처리에 필요한 비용을 말한다.
4. "시공자"란 「건설산업기본법」 제2조제7호에 따른 건설업자 또는 「주택법」 제4조에 따라 주택건설사업 등록을 한 자를 말한다.

제2장 건설공사 환경관리

제4조(환경관리) ①시공자는 건설공사로 인한 환경피해를 최소화하기 위하여 환경훼손 및 오염의 방지 등 건설공사 환경관리를 위한 조치를 취하여야 한다.

제5조(환경오염 방지시설) ①환경오염 방지시설은 건설공사 작업 중 주변에 입히는 환경피해를 방지할 목적으로 환경관련 법령에서 정한 기준을 준수하기 위해 설치하는 임시시설로서 건설현장에서는 여건에 맞게 적정시설을 설치·운영하여야 한다.

1. 비산먼지 방지시설: 세륜시설(세륜장의 포장 및 침전물 보관시설을 포함한다), 살수시설, 살수차량, 방진덮개(도로 등의 절토 및 성토 경사면 사용분을 포함한다), 방진벽, 방진망, 방진막, 진공청소기, 간이칸막이, 이송설비 분진억제시설, 집진시설(이동식, 분무식을 포함한다), 기계식 청소장비 등 「대기환경보전법」의 규정을 준수하기 위한 시설
2. 소음·진동 방지시설: 방음벽(이동 및 설치 비용을 포함한다), 방음막, 소음기, 방음덮개, 방음터널, 방음림, 방음언덕, 흡음장치 및 시설, 탄성지지시설, 제진시설, 방진구시설, 방진고무, 배관진동절연장치 등 「소음·진동관리법」의 규정을 준수하기 위한 시설

3. 폐기물 처리시설: 소각시설, 쓰레기슈트, 폐자재 수거박스, 폐기물 보관시설(덮개 및 배수로를 포함한다), 건설폐기물 처리시설(파쇄·분쇄시설 및 탈수건조시설을 포함한다) 등 「건설폐기물의 재활용촉진에 관한 법률」 및 「폐기물관리법」의 규정을 준수하기 위한 시설

4. 수질오염 방지시설: 오폐수처리시설[수질 자동측정시스템(TMS)를 포함한다], 가배수로, 임시용 측구, 절성토면 비닐덮개, 침사 및 응집시설, 오탁방지막, 오일펜스, 유화제, 흡착포, 단독정화조, 이동식 간이화장실(정화조를 포함한다) 등 「수질 및 수생태계 보전에 관한 법률」, 「지하수법」, 「하수도법」 및 「화학물질관리법」의 규정을 준수하기 위한 시설

②사용하고자 하는 시설이 환경오염방지시설에 포함되더라도, 주목적이 공사현장 운영, 공사의 원활한 수행, 근로자의 안전 및 보건 등을 위한 경우에는 주목적에 적합한 항목으로 계상하여야 한다.

제3장 환경관리비 산출기준 및 사용 관리

제6조(환경보전비 산출기준) ①환경보전비는 별표1과 같이 직접공사비와 간접공사비를 병행하여 계상한다.

②공사의 발주자는 별표2의 환경보전비 중 직접공사비 부분 산출기준에 따라 환경오염방지시설의 설치·운영·철거에 드는 손료, 공공요금, 재료비, 노무비의 합계를 직접공사비의 경비 항목으로 반영하고, 직접공사비에 포함되지 않은 시험검사비, 점검비, 교육·지도·훈련비, 인·허가비, 안내표지 설치·철거비, 환경관리비 사용계획 작성비 등은 간접공사비의 경비 항목으로 반영한다. 다만, 환경 피해 예방을 위해 시급한 환경오염방지시설 설치가 요구되는 경우 등 발주자가 필요성을 인정한 경우에는 간접공사비를 활용하여 정산할 수 있다.

1. 직접공사비에 반영되는 환경보전비는 표준시장단가, 표준품셈 또는 견적 등에 따라 산출한다.
2. 간접공사비에 반영되는 환경보전비는 직접공사비에 별표3의 환경보전비 중 간접공사비 부분 최저요율을 곱하여 산출된 금액 이상으로 계상한다.

③하나의 사업장 내에 건설공사 종류가 둘 이상인 경우에는 이 중 공사금액이 큰 공사종류를 적용한다. 다만 분리발주한 공사의 경우에는 각각의 공사종류에 따라 적용한다.

④환경오염 방지시설의 일부 공종단가가 세부공종별로 분류되어 작성되지 아니하고 총계방식(1식 단가)으로 작성하는 경우에는 세부품목 또는 비목을 확인 할 수 있는 단가산출서, 수량산출서 등을 작성하여야 한다.

제7조(폐기물 처리비의 산출기준 등) ①폐기물을 건설공사현장에서 분리·선별, 운반, 상차하고, 폐기물처리업체가 폐기물을 수집·운반, 보관, 중간처리, 최종처리하기 위한 비용과 해당 건설공사현장에서 폐기물을 재활용하기 위한 비용을 폐기물 처리비로 계상한다.

②폐기물 처리비는 철거 대상 구조물을 실측하여 폐기물의 예상발생량을 산출하거나 설계도서 등에 따라 산출한다. 실측 또는 설계도

서로 폐기물 처리비를 산출하는 것이 곤란한 경우에는 운반거리, 폐기물의 성질·상태, 지역여건 및 정부가 공인한 물가조사기관에서 조사·공표한 가격 등을 고려하여 비용을 산출한다.

③「건설폐기물의 재활용촉진에 관한 법률」 제15조제1항 및 「건설폐기물의 재활용촉진에 관한 법률 시행령」 제11조에 따라 건설폐기물의 발생량 중 위탁처리하는 건설폐기물의 양이 100톤 이상인 건설공사를 발주하는 발주자는 건설공사와 건설폐기물 처리용역을 각각 분리하여 발주하여야 한다.

제8조(환경관리비의 사용계획) ①시공자는 「건설기술진흥법 시행규칙」 제61조제2항에 따라 '환경관리비의 사용계획서'를 작성하여 환경오염 방지시설 중 최초의 시설을 설치하기 전까지 발주자에게 제출하고, 발주자 또는 건설사업관리용역업자는 사용계획을 확인하여야 한다.

②시공자는 제1항에 따라 수립한 환경보전비의 사용계획 및 건설폐기물의 처리계획에 변경사유가 발생하였을 경우에는 변경이 필요한 부분의 이행전 변경 사용계획서를 발주자에게 제출하고, 발주자 또는 건설사업관리용역업자는는 변경 계획을 확인하여야 한다.

③제1항부터 제2항에 따른 환경관리비의 사용 또는 변경사용 계획서는 별지 제1호 서식에 따른다.

제9조(환경관리비에 대한 추가 계상 등) ①건설공사현장에 환경오염 방지시설을 추가로 설치하거나 총계방식(1식 단가)의 내용이 변경되는 경우 또는 폐기물 수량이 증가하는 경우 시공자는 발주자 또는 건설사업관리용역업자와 협의를 거쳐 환경관리비의 추가 계상 등을 발주자에게 요청할 수 있다.

②시공자가 환경관리비의 추가 계상 등을 발주자에게 요청할 경우 발주자는 그 내용을 확인하고 필요할 경우 설계변경 등 조치를 취하여야 한다.

제10조(정산) ①발주자 및 건설사업관리용역업자는 환경관리비 사용내역을 수시 확인할 수 있으며, 시공자는 이에 따라야 한다.

②시공자는 환경관리비 중 간접공사비의 사용내역(수량 및 비용)에 대하여 공사기성 또는 준공 검사시 발주자 또는 건설사업관리용역업자의 확인을 받아야 한다.

제11조(재검토기한) 국토교통부장관은 「훈령·예규 등의 발령 및 관리에 관한 규정」(대통령훈령 334호)에 따라 이 고시에 대하여 2019년 1월 1일 기준으로 매 3년이 되는 시점(매 3년째의 12월 31일까지를 말한다)마다 그 타당성을 검토하여 개선 등의 조치를 하여야 한다.

부칙 〈제2018-528호, 2018.8.30〉

제1조(시행일) 이 고시는 2019. 1. 1부터 시행한다.

제2조(적용례) 이 고시는 시행일 이후에 발주하는 건설공사 현장에 대하여 적용한다.

[별표 1]

환경보전비의 구성요소

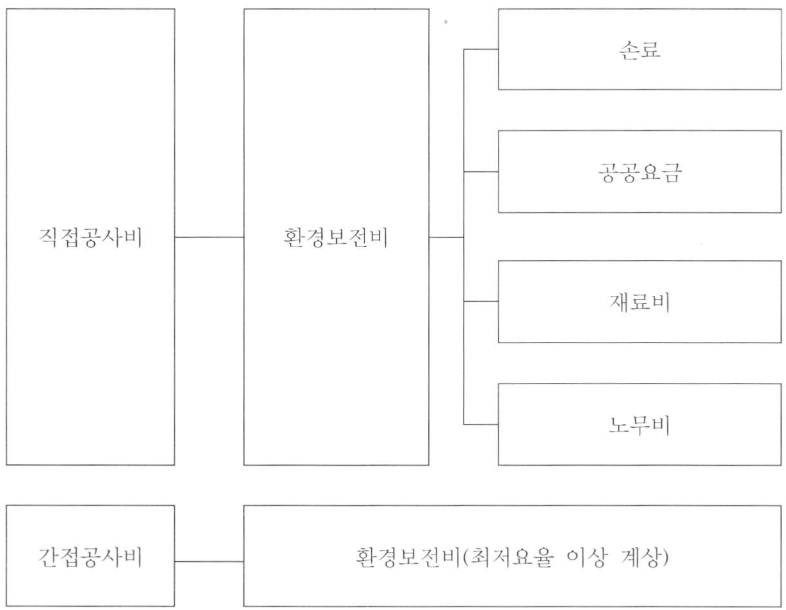

※ 환경보전비는 총공사비 계상시에 경비항목으로 반영한다.

[별표 2]

환경보전비 중 직접공사비 부분 산출기준

1. 손료 : 환경오염 방지시설의 설치 및 운영에 따른 손료는 산출방식을 별도로 정하고 있는 경우를 제외하고는 표준품셈에 따르되, 그 외의 환경오염 방지시설의 설치 및 운영에 따른 손료(損料)는 다음의 계산식에 따라 산출한다.

$$\frac{(\text{상각률} + \text{수리율})^{1)} \times \text{설비가격}^{2)}}{\text{연간표준설비가동시간}^{3)} \times \text{내용연수}^{4)}} \times \text{설비가동시간}$$

   1) 상각률 및 수리율은 표준품셈에 따르되, 표준품셈에 정하고 있지 않은 경우에는 발주자가 해당 시설의 특성을 고려하여 정한다.
   2) 설비가격은 구입가격을 말한다.
   3) 연간표준설비가동시간은 표준품셈에 따르되, 그 밖의 경우 1천시간을 표준으로 한다.
   4) 내용연수는 기계류는 5년, 초자류(硝子類) 및 금속류는 3년으로 한다.
2. 공공요금 : 전력 · 상수도 등 공공요금은 정부가 고시하는 금액을 적용한다.
3. 재 료 비 : 재료비는 정부가 공인한 물가조사기관에서 조사 · 공표한 가격을 적용한다.
4. 노 무 비 : 노무비는 「통계법」 제27조제1항에 따라 대한건설협회 및 한국엔지니어링협회가 조사 · 공표하는 노임단가를 적용한다.

[별표 3]

환경보전비 중 간접공사비 부분 최저요율

공사의 종류		최저 요율
토목	도로	0.9%
	플랜트	0.4%
	지하철	0.5%
	철도	1.5%
	상하수도	0.5%
	항만 (오탁방지막 또는 준설토방지막을 설치하는 경우)	0.8% (1.8%)
	댐	1.1%
	택지개발	0.6%
	그 밖의 토목공사	0.8%
건축	주택(재개발 및 재건축)	0.7%
	주택(신축)	0.3%
	그 밖의 건축공사	0.5%

[별지 제1호 서식]

환경관리비 사용(변경) 계획서

공사감독(또는 건설사업관리기술자) 경유 (서명 또는 인)

공 사 명			
소 재 지			
발 주 자		공 사 기 간	
회 사 명		대 표 자	
공사금액	원	환경관리비	원

환경관리비 산출(변경) 내역

항 목	산출(변경) 내용	금액	비고
총 계			
환경관리비(직접공사비)			
1) 환경보전비			
a. 비산먼지 방지시설			
b. 소음·진동 방지시설			
c. 폐기물 처리시설			
d. 수질오염 방지시설			
2) 폐기물 처리비			
a. 폐기물 분리·선별 및 배출			
b. 현장재활용			
c. 폐기물처리 용역			
· 건설폐기물처리			분리발주공사 작성 제외
· 사업장폐기물처리			
· 지정폐기물처리			철거대상시설에서 발생하는 폐석면 등
2. 환경보전비(간접공사비)			

「건설기술진흥법」 제66조제3항 및 같은 법 시행규칙 제61조의3항의 규정에 의하여 해당건설공사의 환경관리비 사용계획서를 위와 같이 제출합니다.

년 월 일

첨부서류 : 환경관리비 세부사용 계획서
환경관리비 산출근거(단가산출서 및 수량산출서)

현장대리인 성명 (서명 또는 인)

발주자 귀하

210㎜×297㎜[백상지(80g/㎡)]

[별지 제2호 서식]

환경관리비 세부 사용계획서

항 목	규격	단위	수량	단가	금액	기간	비고
총 계							
1. 환경관리비(직접공사비)							
1) 환경보전비							
a. 비산먼지 방지시설							
…							
b. 소음 · 진동 방지시설							
…							
c. 폐기물 처리시설							
…							
d. 수질오염 방지시설							
…							
2) 폐기물 처리비							
a. 폐기물 분리 · 선별 및 배출							
…							
b. 현장재활용							
…							
c. 폐기물처리 용역							
· 건설폐기물처리							분리발주공사 작성 제외
…							
· 사업장폐기물처리							
…							
· 지정폐기물처리							철거대상시설에서 발생하는 폐석면 등
…							
2. 환경관리비(간접공사비)							
a. 환경관리활동							
…							
b. 시험검사비							
…							
c. 교육 · 지도 · 훈련비							
…							
d. 기타							
…							

210㎜×297㎜[백상지(80g/㎡)]

건설엔지니어링 및 시공 평가지침

국토교통부고시 제2021-1198호

일부개정 2021.10.28

제1장 총칙

제1조(목적) 이 지침은 「건설기술진흥법」 제50조제6항, 같은 법 시행령 제84조제4항 및 같은 법 시행규칙 제44조제7항에 따른 건설엔지니어링 평가, 시공평가 및 종합평가의 세부 평가기준, 방법 등을 정하는 것을 목적으로 한다.

제2조(정의) 이 지침에서 정하는 용어의 정의는 다음 각 호와 같다.

1. "평가기관"이란 「건설기술진흥법 시행령」(이하 "영"이라 한다) 제117조제1항제9호에 따라 종합평가 업무 등을 국토교통부장관으로부터 위탁받은 기관을 말한다.
2. "건설엔지니어링평가"란 「건설기술진흥법」(이하 "법"이라 한다) 제50조제1항에 따라 발주청이 그가 발주한 건설엔지니어링사업에 대하여 그 업무 수행에 대해 평가하는 것을 말한다.
3. "시공평가"란 법 제50조제2항에 따라 발주청이 그가 발주한 건설공사에 대하여 시공의 적정성에 대해 평가하는 것을 말한다.
4. "종합평가"란 평가기관이 제2호 및 제3호에 따른 평가결과와 영 제84조제1항에서 정한 사항 등을 종합하여 건설엔지니어링사업자 및 건설사업자별로 평가하는 것을 말한다.
5. "책임건설사업관리기술인"이란 발주청과 체결된 감독 권한대행 등 건설사업관리 용역 계약에 따라 건설엔지니어링사업자를 대표하여 현장에 상주하면서 해당 공사 전반에 관한 건설사업관리 업무를 총괄하는 자를 말한다.
6. "분야별 건설사업관리기술인"이란 책임건설사업관리기술인을 보좌하는 건설사업관리기술인으로서 담당 건설사업관리업무에 대하여 책임건설사업관리기술인과 연대하여 책임을 지는 자를 말한다.
7. "기술지원건설사업관리기술인"이란 「건설기술진흥법 시행규칙」(이하 "규칙"이라 한다) 제34조제1항에 따라 건설엔지니어링사업자에 소속되어 상주건설사업관리기술인(이하 "상주기술인"이라 한다)의 업무를 지원하는 자를 말한다.
8. "건설엔지니어링 및 시공평가시스템"(이하 "평가관리시스템"이라 한다)은 건설엔지니어링평가, 시공평가 및 종합평가와 관련된 정보체계를 구축하기 위하여 평가기관이 건설엔지니어링평가, 시공평가 및 종합평가 등에 관한 정보를 종합적으로 관리하는 시스템을 말한다.

제2장 건설엔지니어링 및 시공 평가

제1절 일반사항

제3조(일반사항) ① 공동도급 건설엔지니어링 및 시공 평가는 다음 각 호에 따라 평가를 실시한다.

1. 공동이행방식인 경우에는 공동수급체의 대표자에 대하여 평가를 실시하고 참여한 구성원에 대하여는 공동수급체 대표자가 받은 평가 결과를 적용한다.
2. 분담이행방식인 경우에는 분담하는 업체별로 평가를 실시한다.
3. 주계약자관리방식인 경우에는 주계약자는 전체 건설공사에 대하여 평가를 실시하고 참여한 구성원은 그 계약유형에 따라 공동이행방식인 경우에는 제1호를 적용하고 분담이행방식인 경우에는 제2호를 적용하여 평가를 실시한다.
4. 혼합방식인 경우에는 혼합된 공동이행방식과 분담이행방식에 대하여 각각 제1호와 제2호를 적용하여 평가를 실시한다.

② 공동수급체 대표자의 폐업 등의 사유로 대표자에 대한 건설엔지니어링평가 또는 시공평가가 불가하다고 판단되는 경우에는 공동수급체 중 참여율이 차순위인 수급체의 대표자에 대하여 건설엔지니어링평가 또는 시공평가를 실시할 수 있다.

③ 발주청이 건설엔지니어링 및 시공평가를 직접 실시할 수 없는 경우에는 평가기관에 의뢰할 수 있다. 이 경우 평가에 소요되는 비용은 평가를 의뢰하는 발주청이 부담하여야 한다.

④ 제3항에 따라 평가기관에 평가를 의뢰하는 경우에는 다음 각 호의 기한까지 의뢰하여야 한다.

1. 기본설계 : 해당 기본설계용역의 완료 1개월 전까지
2. 실시설계 : 규칙 별지 제34호 서식의 실시설계용역 과정은 해당 실시설계용역의 완료 1개월 전까지, 실시설계용역 결과는 해당 건설공사를 착공한 날부터 4개월이 되는 날까지 의뢰 하여야 하며, 다만, 건설공사착공이 장기간 지연되는 등 발주청이 필요하다고 판단되는 경우에는 과정과 결과평가를 통합하여 실시할 수 있다.
3. 기본설계와 실시설계를 동시에 시행한 용역 : 제2호를 준용
4. 감독 권한대행 등 건설사업관리용역 및 시공 : 해당 건설공사의 준공일까지

제4조(평가위원회) ① 발주청은 건설엔지니어링평가 및 시공평가의 공정성과 전문성을 확보하기 위하여 위원장 1인을 포함한 5인 이상의 위원으로 다음 각 호의 위원회를 구성하여야 한다.

1. 건설엔지니어링평가위원회
2. 시공평가위원회

② 건설엔지니어링평가위원회의 위원(이하 "건설엔지니어링평가위원"이라 한다.) 및 시공평가위원회의 위원(이하 "시공평가위원"이라 한다)은 관계 공무원(해당 발주청 또는 법 제2조제6호에 따른 발주청에 소속된 직원 중 건설엔지니어링이나 건설공사 업무의 지도·감독 및 지원업무를 담당하는 자) 및 외부 전문가로 구성하되, 과반수의 외부 전문가를 포함하여야 한다. 다만, 발주청이 평가의 공정성과 객관성을 확보한 경우는 그러하지 아니하며, 제12조제2항에 따

른 건설사업관리용역에 대한 중간평가는 건설엔지니어링평가위원회를 3명 이상 5명 이하의 해당 발주청 소속직원으로 구성하여 실시할 수 있다.

③ 건설엔지니어링평가위원회는 영 제82조제1항에 따른 평가대상에 대하여 다음 각 호와 같이 구분하여 평가하여야 한다.

1. 설계용역평가
2. 감독 권한대행 등 건설사업관리용역평가

④ 설계용역평가를 위한 건설엔지니어링평가위원회는 다음 각 호와 같이 구성한다.

1. 기본설계 : 설계 감독자 또는 해당용역의 설계용역 업무의 지도 · 감독 및 지원업무를 담당하는자를 포함 자체 · 외부위원 등 5인 이상
2. 실시설계 : 실시설계 과정은 기본설계와 같고, 실시설계 결과는 설계 감독자 또는 해당용역의 설계용역 업무의 지도 · 감독 및 지원업무를 담당하는자, 해당 건설공사 업무의 지도 · 감독 및 지원업무를 담당하는 자, 공사 감독자(또는 공사 관리관) 포함 자체 · 외부위원 등 5인 이상

⑤ 평가위원회는 2건 이상의 평가를 동시에 실시할 수 있다.

⑥ 위원장은 각 평가위원회의 위원 중에서 호선한다.

⑦ 위원장은 평가업무를 주관하며, 평가가 명확하고 공정하게 이루어질 수 있도록 노력하여야 한다.

⑧ 평가위원은 위원장에게 협력하여 성실하게 평가업무를 수행하여야 하고, 평가수행 과정에서 알게 된 사실을 누설하거나 일체의 금품수수, 향응 등을 받아서는 아니 된다.

⑨ 발주청은 외부 평가위원 선정시 평가대상 관련자 또는 이해관계자를 제척하여야 하며 제8항을 위반한 평가위원을 해촉할 수 있다.

⑩ 발주청은 건설엔지니어링평가위원회 또는 시공평가위원회에 참석한 위원에게 예산의 범위 내에서 수당과 여비 등을 해당기관의 규정에 따라 지급 할 수 있다.

⑪ 이 조에서 정한 사항 외에 각 평가위원회의 세부운영방법 등은 해당 발주청에서 정하는 바에 따른다.

제5조(평가결과의 통보 및 이의제기 등) ① 발주청이 건설엔지니어링평가 또는 시공평가를 완료한 때에는 별지 제1호, 제2호, 제3호, 제4호, 제8호, 제9호의 서식에 따라 작성된 평가결과를 해당 건설엔지니어링사업자 또는 건설사업자에게 즉시 통보하여야 한다. 제10조제5항, 제14조제8항 및 제18조제8항에 따라 평가점수를 다시 산정하여 평가결과가 변경된 때에도 같다.

② 제1항에 따른 건설엔지니어링평가 또는 시공평가 결과를 통보받은 건설엔지니어링사업자 또는 건설사업자는 그 결과를 통보받은 날로부터 10일 이내에 발주청에게 그 결과에 대한 이의신청을 할 수 있다. 다만, 이의신청은 1회에 한한다.

③ 건설엔지니어링사업자 또는 건설사업자가 제2항에 따른 이의신청을 할 경우에는 세부평가항목별로 이의제기 의견서를 작성하여 제출하여야 한다.

④ 발주청은 제2항 및 제3항에 따른 이의신청이 있을 경우 재평가위원회를 구성하여 건설엔지니어링사업자 또는 건설사업자가 제기한

이의신청에 대한 재평가를 이의신청을 받은 날로부터 14일 이내에 실시하고 그 결과를 해당 건설엔지니어링사업자 또는 건설사업자에게 통보하여야 한다. 다만, 이의신청의 이유 없음이 명백한 경우에는 재평가를 실시하지 않을 수 있으며 해당 건설엔지니어링사업자 또는 건설사업자에게 이를 즉시 통보하여야 한다.

⑤ 제4항에 따른 재평가위원회는 위원장 1인을 포함하여 5명 이상의 위원으로 구성하여야 하며, 이때 이의신청 대상에 기존 평가위원회에 참석한 위원이 과반수가 되어서는 아니 된다.

제6조(평가결과의 제출 및 관리) ① 건설엔지니어링평가 또는 시공평가를 실시한 발주청은 평가자료를 기록하고 보관·관리하여야 한다.

② 설계용역평가를 실시한 발주청은 다음 각 호의 평가결과를 평가완료 후 15일 이내에 평가관리시스템을 이용하여 평가기관에 제출하여야 한다.

1. 별지 제1호 서식에 따른 설계용역평가 위원별 평가표
2. 별지 제1호 서식에 따른 설계용역평가 결과표

③ 감독 권한대행 등 건설사업관리용역평가를 실시한 발주청은 다음 각 호의 평가결과를 평가완료 후 15일 이내에 평가관리시스템을 이용하여 평가기관에 제출하여야 한다.

1. 별지 제2호 서식에 따른 평가위원별 감독 권한대행 등 건설사업관리용역 평가표
2. 별지 제3호 서식에 따른 평가위원별 감독 권한대행 등 건설사업관리용역 참여기술인 평가표
3. 별지 제4호 서식에 따른 감독 권한대행 등 건설사업관리용역 평가 결과표

④ 시공평가를 실시한 발주청은 다음 각 호의 평가결과를 평가완료 후 15일 이내에 평가관리시스템을 이용하여 평가기관에 제출하여야 한다.

1. 별지 제8호 서식에 따른 시공평가 위원별 평가표
2. 별지 제9호 서식에 따른 시공평가 결과표

⑤ 평가를 실시한 발주청이 제2항부터 제4항까지의 규정에 따른 평가결과를 평가기관에 제출할 경우 위원별 및 항목별로 구분하여 평가관리시스템에 입력하여야 한다.

⑥ 평가기관은 제2항부터 제4항까지의 구정에 따라 제출받은 건설엔지니어링평가 및 시공 평가결과를 평가관리시스템을 활용하여 기록·관리하여야 하며, 발주청은 각각의 평가에 대하여 별지 제13호 서식부터 별지 제15호까지의 서식에 따다 기록·관리 하여야 한다.

⑦ 발주청 및 평가기관은 건설엔지니어링 및 시공 평가결과를 중앙행정기관 또는 다른 발주청이 요청할 때 특별한 사유가 없는 한 이에 응하여야 한다.

⑧ 평가기관은 통합 관리된 평가결과를 해당 건설엔지니어링사업자 및 해당 공사 건설사업자가 요청할 때 제공할 수 있다.

제2절 설계용역평가

제7조(평가대상) 설계용역평가는 영 제82조제1항제1호에 해당하는 계약금액(부가가치세 포함)이 「국가를 당사자로 하는 계약에 관한 법률」 제4조제1항에 따라 고시하는 금액 이상인 다음 사업에 대하여

실시한다.

1. 기본설계용역 사업
2. 실시설계용역 사업
3. 기본설계용역 및 실시설계용역을 동시에 시행하는 사업

제8조(평가시기) 설계용역평가의 시기는 다음 각 호와 같다.

1. 기본설계 : 해당 기본설계용역이 완료된 날로부터 1개월 이내
2. 실시설계 : 별지 제1호 서식의 실시설계용역 과정은 해당 실시설계용역의 완료 1개월 이내, 실시설계용역 결과는 해당 건설공사를 착공한 날부터 6개월 이내 시행한다. 다만, 건설공사착공이 장기간 지연되는 등 발주청이 필요하다고 판단되는 경우에는 과정과 결과평가를 통합하여 실시할 수 있다.
3. 기본설계와 실시설계를 동시에 시행한 용역 : 제2호를 준용

제9조(평가방법) ① 발주청은 설계용역평가에 앞서 시공자 및 건설사업관리용역사업자가 제출한 설계용역에 관한 검토보고서를 참조할 수 있다.

② 발주청이 설계용역평가를 하고자 하는 경우에는 별지 제1호 서식에 따른 평가자료를 해당 건설엔지니어링사업자로 하여금 작성·제출토록 하여야 한다.

③ 제2항에 따라 평가자료의 작성·제출을 요청받은 자는 특별한 사유가 없으면 발주청의 요청을 받은 날로부터 20일 이내에 평가자료를 작성·제출하여야 한다.

④ 별지 제1호 서식 실시설계 과정의 경우 서면으로 실시할 수 있다.

⑤ 설계용역평가 배점 비중은 별표1을 따른다. 다만, 발주청은 설계용역의 특성을 고려하여 ±10%범위 내에서 배점 비중을 조정할 수 있다.

⑥ 평가에 쓰이는 각종 수치는 소수점 둘째 자리로 하고 소수점 셋째 자리에서 반올림한다.

제10조(세부평가기준) ① 설계용역평가는 별표7의 세부분야에 따라 분류한 후 별표1에 따라 별지 제1호 서식을 활용하여 수행한다.

② 각 세부평가항목별 평가는 절대평가로 하며, 별표1의 2의 세부평가 기준을 준수하여 수행하여야 한다.

③ 제9조제2항에 따라 발주청이 설계용역사업자에게 요청한 자료를 제출하지 않은 평가항목에 대해서는 최하등급을 부여한다.

④ 발주청은 다음 각 호에 따라 평가점수를 재산정할 수 있으며, 기한은 평가일 이후 3년까지로 한다.

1. 제9조제2항에 따라 제출된 자료의 허위사실이 확인된 경우 : 관련 항목에 최하등급을 부여
2. 건설엔지니어링사업자가 건설엔지니어링평가위원에게 금품, 향응 등을 제공한 사실이 확인된 경우 : 해당 건설엔지니어링평가 전체 항목에 최하등급을 부여

제3절 감독 권한대행 등 건설사업관리용역평가

제11조(평가대상) 감독 권한대행 등 건설사업관리용역평가는 영 제82조제1항제2호에 해당하는 감독 권한대행 등 건설사업관리용역 사업에 대하여 실시한다.

제12조(평가시기) ① 발주청은 해당 건설공사가 공사기간(평가시점 공

사계약서의 기간을 말한다. 이하 제16조제1항에서 같다)을 기준으로 90퍼센트 이상 진척되었을 때부터 해당 건설공사의 준공(평가시점 공사계약서의 준공일을 말한다. 이하 제16조제1항에서 같다) 후 60일까지 평가를 실시하여야 한다. 다만, 용역기간이 4년을 초과하는 경우에는 용역의 착수 후 3년마다 평가를 하고 그 결과를 준공 후 최종 용역평가결과에 반영할 수 있다.

② 발주청은 영 제83조제1항의 단서에 따라 3년마다 평가(이하 "중간평가"라 한다)를 실시할 수 있다. 다만, 저가낙찰로 부실우려가 있거나 안전사고가 발생한 현장 등 발주청이 필요하다고 판단할 때에는 해당 용역의 규모, 특성 및 공사여건 등을 감안하여 중간평가를 매년 시행 할 수 있다.

제13조(평가방법) ① 발주청은 감독 권한대행 등 건설사업관리용역 평가를 하고자 하는 경우에는 별지 제6호 및 별지 제7호 서식에 따른 평가자료를 건설엔지니어링사업자 및 책임건설사업관리기술인으로 하여금 작성 · 제출토록 하여야 한다.

② 제1항에 따라 평가자료의 작성 · 제출을 요청받은 자는 특별한 사유가 없으면 발주청의 요청을 받은 날로부터 20일 이내에 평가자료를 작성 · 제출하여야 한다.

③ 발주청은 감독 권한대행 등 건설사업관리용역평가를 위해 현장점검을 하는 경우 그 시기를 정하여 건설엔지니어링평가위원회, 건설엔지니어링사업자 및 책임건설사업관리기술인에게 통보하고 실시하여야 한다.

④ 발주청은 감독 권한대행 등 건설사업관리용역평가 시 별지 제4호 서식에 따라 다음과 같이 구분하여 평가한다.

1. 건설사업관리용역사업자 평가 : 100점
2. 용역 후 참여기술인 평가 : 100점(가 · 감점 별도 가산)

⑤ 각 세부 항목별 평가는 5단계(100%, 90%, 80%, 70%, 60%)로 구분하여 절대평가로 한다.

⑥ 평가 항목별 평가점수는 소수점 둘째 자리로 하고 소수점 셋째 자리에서 반올림한다.

제14조(세부평가기준) ① 감독 권한대행 등 건설사업관리용역평가는 별표7의 세부분야에 따라 분류한 후 실시하며, 제13조제4항제1호에 따른 건설사업관리용역사업자에 대한 평가는 별지 제2호 서식에 따라 평가하되, 참여기술인 평가점수는 제13조제4항제2호 및 제3조제1항에 따라 평가된 책임건설사업관리기술인, 분야별 건설사업관리기술인, 기술지원건설사업관리기술인의 평균점수를 반영한다.

② 제13조제4항제2호에 따른 참여기술인에 대한 평가의 대상은 직위(책임, 분야별, 기술지원)별로 대상공사의 공종이나 특성에 적합한 주된 분야의 기술인 각 1인을 건설사업관리용역사업자가 선정하여 별지 제3호 서식에 따라 평가한다. 다만, 용역기간이 1년 이상인 경우 참여기간이 3개월 이내인 참여기술인은 평가에서 제외한다.

③ 제12조제2항에 따른 중간평가는 다음 각 호의 기준에 따라 평가한다.

1. 건설사업관리용역사업자에 대한 중간평가는 제1항을 적용하여 평가한다.
2. 참여기술인에 대한 중간평가는 제2항을 적용하여 별지 제5호 서

식에 따라 평가한다.

④ 발주청은 제3항제2호에 따른 참여기술인의 중간평가 결과, 평가점수가 70점 미만인 기술인은 "교체" 철수시켜야 한다.

⑤ 제3항에 따른 중간평가를 시행하였을 경우, 건설사업관리용역사업자 및 참여기술인에 대한 중간평가 결과를 해당 용역평가 결과에 최대 50퍼센트까지 반영할 수 있다.

⑥ 발주청은 필요하다고 인정되는 경우 별지 제2호 및 제3호 서식의 세부평가항목별 배점을 ±30퍼센트 범위 내에서 조정할 수 있다.

⑦ 제13조제2항에 따라 발주청이 건설사업관리용역사업자에게 요청한 자료를 제출하지 않은 평가항목에 대해서는 최하등급을 부여한다.

⑧ 발주청은 다음 각 호에 따라 평가점수를 재산정할 수 있으며, 기한은 평가일 이후 3년까지로 한다.

1. 제13조제2항에 따라 제출된 자료의 허위사실이 확인된 경우 : 관련 항목에 최하등급을 부여
2. 건설엔지니어링사업자가 건설엔지니어링평가위원에게 금품, 향응 등을 제공한 사실이 확인된 경우 : 해당 용역평가 전체 항목에 최하등급을 부여

제4절 시공평가

제15조(평가대상) 시공평가는 영 제82조제2항에 따른 총공사비(관급자재비를 포함한 공사예정금액) 100억원 이상인 건설공사를 대상으로 실시한다. 다만, 단순·반복적인 공사로서 규칙 제32조 각 호에서 정하는 건설공사는 제외한다.

제16조(평가시기) ① 발주청은 해당 공사가 공사기간을 기준으로 공정률이 90퍼센트 이상 진척 되었을 때부터 해당 공사의 준공 후 60일까지 시공평가를 실시하여야 한다.

② 발주청은 해당 공사의 규모, 특성 및 공사여건 등을 감안하여 필요하다고 인정하는 경우에는 공사의 공기가 90퍼센트에 이르지 아니한 때에 평가를 실시할 수 있으며, 그 결과를 시공평가 결과에 최대 50퍼센트까지 반영할 수 있다.

제17조(평가방법) ① 평가기관은 「건설산업기본법」 제24조제3항에 따른 건설산업종합정보망에 등록된 공사정보를 반기별로 확인하여 시공평가 대상 여부를 다음 달 말일까지 관련 발주청에 확인 요청하여야 한다.

② 발주청은 제1항에 따라 요청받은 시공평가 대상을 참고하여 제15조 및 제16조에 따라 평가대상을 선정하고, 그 선정사실을 해당 건설사업자와 평가기관에게 통보하여야 한다. 이 경우, 발주청은 시공평가에 필요한 자료를 건설사업자에게 요청하여야 한다.

③ 제2항에 따라 시공평가 대상으로 선정된 것을 통보받은 건설사업자는 해당 건설공사의 시공평가에 필요한 자료를 별표2 및 별표3을 참고하여 작성하고 통보받은 날로부터 20일 이내 발주청에 제출하여야 한다.

④ 발주청은 제3항에 따라 제출받은 시공평가 자료를 공사감독자 또는 감독 권한을 대행하는 건설사업관리기술인(이하 "감독자"라 한다)에게 사실관계를 검토하도록 통보하여야 한다.

⑤ 제4항에 따라 시공평가 자료에 대한 검토를 통보받은 감독자는

제18조제1항의 시공평가 세부평가기준에 따라 검토하고, 그 결과를 통보받은 날로부터 7일 이내 발주청에 제출하여야 한다.

⑥ 발주청은 제3항 및 제5항에 따라 건설사업자 및 감독자가 제출한 시공평가에 관한 자료를 확인하여 시공평가위원회에 시공평가 자료로 제출하여야 한다.

⑦ 발주청은 설계변경 등으로 해당 건설공사의 정보가 변경된 경우에는 즉시 평가관리시스템과 건설산업종합정보망에 변경된 정보를 입력하여야 한다.

제18조(세부평가기준) ① 시공평가는 별표8의 공사구분에 따라 분류한 후 별표2 및 별표3에 따라 수행한다.

② 발주청은 별표2 및 별표3이 해당 건설공사의 특성상 적용하기 곤란하다고 인정되는 경우에는 법 제5조에 따른 지방건설기술심의위원회 또는 법 제6조에 따른 기술자문위원회의 심의를 거쳐 별표2 및 별표3을 변경할 수 있다. 다만, 배점은 ±20퍼센트 범위 내에서 조정할 수 있다.

③ 발주청은 제2항에 따라 별표2 및 별표3을 변경한 경우에는 관련 건설사업자에게 변경사항을 통보하고 인터넷 홈페이지 등에 공개하여야 한다.

④ 별표3에 따른 평가항목 중 표본추출을 통해 점수를 부여하는 항목은 항목 당 20개 이상의 표본을 추출하는 것을 원칙으로 하며, 공종별로 고르게 표본을 추출하여야 한다.

⑤ 표본선정은 평가 착수 전에 별지 제10호 서식에 따라 평가위원 전원의 서명을 통해 확정한다.

⑥ 평가에 쓰이는 각종 수치는 소수점 둘째자리로 하고 소수점 셋째 자리에서 반올림한다.

⑦ 제17조제3항에 따라 발주청이 건설사업자에게 요청한 자료를 제출하지 않은 평가항목에 대해서는 최하점수를 부여한다.

⑧ 발주청은 건설업자가 시공평가위원에게 금품, 향응 등을 제공하여 해당 위원이 평가기간 중에 제4조제8항에 따라 해촉되었거나, 평가완료 후에 해당 평가대상 공사와 관련하여 건설업자가 시공평가위원에게 금품, 향응 등을 제공한 사실이 확인된 경우에는 해당 공사의 시공평가 점수에서 10점을 감점한다.

제3장 종합평가

제1절 일반사항

제19조(평가대상) ① 종합평가는 발주청에서 평가관리시스템을 통해 건설엔지니어링평가 또는 시공평가 결과를 제출한 건설엔지니어링 또는 건설공사에 대하여 다음 각 호에 따라 실시한다.

1. 설계용역: 직전연도에 평가결과를 제출한 경우
2. 감독 권한대행 등 건설사업관리용역 및 건설공사: 해당 건설공사가 직전연도에 준공되고 평가연도 3월 말일까지 평가결과를 제출한 경우

② 제1항의 건설엔지니어링 또는 건설공사가 공동도급인 경우에는 다음 각 호에 따라 종합평가를 실시한다.

1. 공동이행방식 및 주계약자관리방식인 경우에는 공동수급체의 대

표자에 한하여 실시한다.

2. 분담이행방식인 경우에는 모든 구성원에 대하여 실시한다.
3. 혼합방식인 경우에는 혼합된 공동이행방식과 분담이행방식에 대하여 각각 제1호와 제2호를 적용하여 평가를 실시한다.

③ 평가기관은 제1항에 따른 종합평가를 다음 각 호와 같이 구분하여 평가하여야 한다.

1. 건설엔지니어링 종합평가
2. 시공 종합평가

제20조(평가시기) 평가기관은 제19조제1항에 따른 종합평가 대상에 대하여 매년 7월 말일까지 종합평가를 실시하여야 한다.

제21조(평가준비) ① 평가기관은 건설엔지니어링 및 시공 종합평가를 위해 필요한 자료를 제출하도록 업체 및 해당 현황 관리기관에 통보하여야 한다.

② 평가기관은 영 제84조제1항에 따른 각 호의 사항을 평가하기 위하여 다음 각 호의 자료를 발주청, 관계기관 등에게 요청할 수 있다.

1. 건설공사의 하자
2. 「하도급거래 공정화에 관한 법률」의 위반여부
3. 기술개발투자 실적

③ 제1항 및 제2항에 따라 자료제출을 요청받은 자는 특별한 사유가 없는 한 이에 응하여야 한다.

④ 평가기관은 건설엔지니어링 및 시공 종합평가를 위하여 필요하다고 인정하는 경우 소속직원으로 하여금 건설엔지니어링 또는 시공결과를 확인하거나 검토하게 할 수 있다.

제22조(평가결과 공개 및 이의제기 등) ① 평가기관이 제20조에 따라 건설엔지니어링 또는 시공 종합평가를 완료한 때에는 그 결과를 평가관리시스템에 등재하여 해당 건설엔지니어링사업자 또는 건설사업자가 열람하게 할 수 있다.

② 제1항에 따라 건설엔지니어링 또는 시공 종합평가 결과를 열람한 건설엔지니어링사업자 또는 건설사업자는 열람이 가능한 날로부터 10일 이내에 이의신청을 할 수 있다. 다만, 이의신청은 1회에 한한다.

③ 제2항에 따라 이의신청을 접수한 평가기관은 이의신청을 접수받은 날로부터 14일 이내에 재평가를 실시하고 그 결과를 해당 건설엔지니어링사업자 또는 건설사업자에게 즉시 통보하여야 한다. 다만, 이의신청에 대하여 별도 평가위원회를 구성하여 평가위원의 3분의 2가 이의신청의 이유 없음이 명백하다고 판정할 경우에는 재평가를 실시하지 않을 수 있으며 해당 건설엔지니어링사업자 또는 건설사업자에게 이를 통보하여야 한다.

④ 평가기관은 건설엔지니어링 및 시공 종합평가 결과를 평가관리시스템을 활용하여 기록·관리하여야 하며, 매년 8월 말일까지 국토교통부장관에게 보고하여야 한다.

⑤ 평가기관은 건설엔지니어링 및 시공 종합평가 결과를 평가관리시스템 또는 인터넷 홈페이지 등을 통하여 매년 8월 말일까지 공개할 수 있다.

제23조(우수건설엔지니어링사업자 및 우수건설사업자 등의 선정) ① 제22조제4항에 따라 건설엔지니어링 또는 시공 종합평가 결과를 보고받

은 국토교통부장관은 영 제85조제1항 및 규칙 제45조에 따라 우수건설엔지니어링사업자 및 우수건설기술인을 별표7에 따른 건설엔지니어링분류 및 세부분야분류별로 선정할 수 있으며, 우수건설사업자를 별표8에 따른 공사구분별로 선정할 수 있다.

② 국토교통부장관은 제1항에 따라 우수건설엔지니어링사업자, 우수건설사업자 또는 우수건설기술인을 선정 할 경우에는 영 제84조제3항에 따라 매년 9월 말일까지 그 결과를 인터넷 홈페이지 등에 공개하여야 한다.

제2절 건설엔지니어링 종합평가

제24조(평가방법 및 세부평가기준) ① 건설엔지니어링 종합평가는 별표7의 건설엔지니어링분류 및 세부분야분류에 따라 건설엔지니어링사업자 및 참여기술인별로 실시한다.

② 평가기관은 발주청이 제출한 건설엔지니어링평가 점수에 대하여 별표7의 세부분야에 따라 분류한 후 별표4의 금액 가중치를 적용하여 건설엔지니어링사업자 및 참여기술인별 건설엔지니어링평가 평균점수를 산정하여야 한다.

③ 평가기관은 제21조제1항 및 제3항에 따라 제출된 자료를 별표5에 따라 평가하여야 한다.

④ 평가기관은 제2항 및 제3항의 결과를 아래 산식에 따라 합산하여 별지 제14호 서식에 따라 건설엔지니어링사업자 종합평가 점수를 산출하여야 한다.

(산식) 건설엔지니어링 종합평가 점수 = (업체별 건설엔지니어링평가 점수[100점만점]×90%) + 제3항에 따른 평가점수(10점만점)

⑤ 평가기관은 제2항의 결과에 따라 건설사업관리용역 참여기술자별 평가점수를 산정하며, 별지 제15호 서식을 활용하여 평가하여야 한다.

⑥ 평가기관은 별지 제14호 및 제15호 서식에 따라 작성한 건설엔지니어링 종합평가 결과와 평가자료를 평가관리시스템을 이용하여 기록·관리하여야 한다.

제3절 시공 종합평가

제25조(평가방법 및 세부평가기준) ① 시공 종합평가는 별표8의 공사구분 분류에 따라 건설사업자별로 실시하여야 한다.

② 평가기관은 발주청이 제출한 시공평가점수에 대하여 별표8의 공사구분에 따라 분류한 후 별표4의 금액 가중치를 적용하여 건설사업자별 시공평가 평균점수를 산정하여야 한다.

③ 평가기관은 제21조제1항부터 제3항까지에 따라 제출된 자료를 별표6에 따라 평가하여야 한다.

④ 평가기관은 제2항 및 제3항의 결과를 합산하여 시공 종합평가 점수를 산출하여야 한다.

⑤ 평가기관은 별지 제16호 서식에 따라 작성한 시공 종합평가 결과와 평가자료를 평가관리시스템을 이용하여 기록·관리하여야 한다.

제4장 건설엔지니어링능력평가 등

제1절 건설엔지니어링능력평가

제26조(일반사항) 법 제69조제1항에 따라 설립된 건설엔지니어링사업자단체(이하 "협회"라 한다)는 발주청이 건설엔지니어링사업자를 적정하게 선정할 수 있도록 하기 위하여 건설엔지니어링사업자의 신청이 있는 경우 그 건설엔지니어링사업자의 건설엔지니어링 실적 및 재무상태 등에 따라 건설엔지니어링능력을 평가하여 공시할 수 있다.

제27조(평가방법 및 세부평가기준) 건설엔지니어링능력의 평가는 별표9의 건설엔지니어링능력 평가표에 의해 아래 산식에 따라 합산하여 점수를 산정한다.

(산식) 건설엔지니어링능력평가 = 경영능력평가 ± 신인도평가 (가 · 감점) + 기술능력평가

제2절 기타

제28조(재검토 기한) 국토교통부장관은 「훈령 · 예규 등의 발령 및 관리에 관한 규정」(대통령 훈령 334호)에 따라 이 고시에 대하여 2021년 6월 31일 기준으로 매 3년이 되는 시점(매 3년째의 12월 31일까지를 말한다)마다 그 타당성을 검토하여 개선 등의 조치를 하여야 한다.

부칙 〈제2015-505호, 2015.7.10〉

제1조(시행일) 이 지침은 고시한 날부터 시행한다.

제2조(기존 고시의 폐지) 이 기준 시행 이전의 "감독 권한대행 등 건설사업관리용역평가 시행지침(국토교통부 고시 제2014-295호)", "건설공사 시공 및 종합평가 지침(국토교통부 고시 제2014-977호)은 폐지한다.

제3조(적용례) 이 지침은 시행일 이후 최초로 준공되는 건설기술용역 및 건설공사부터 적용한다.

제4조(경과조치) 이 지침 시행 당시 종전의 규정에 따라 발주청이 시행한 용역평가 또는 시공평가는 이 지침에 따라 평가한 것으로 본다.

부칙 〈제2017-531호, 2017.7.31〉

제1조(시행일) 이 고시는 발령한 날부터 시행한다.

제2조(종합평가대상의 적용례) 제19조의 개정규정에 따라 종합평가대상에 포함되는 건설기술용역 또는 건설공사 중 이전 고시에 따라 종합평가를 실시한 경우에는 종합평가대상에서 제외한다.

부칙 〈제2019-636호, 2019.11.13〉

제1조(시행일) 이 고시는 발령한 날부터 시행한다.

제2조(시공평가 가점의 적용례) [별표6], [별표7]의 품질관리자 및 안전 · 보건관리자의 정규직 채용 비율에 대한 가점은 2019년 12월 1일 이후에 실시하는 평가부터 적용한다.

부칙 〈제2021-1198호, 2021.10.28〉

제1조(시행일) 이 고시는 발령한 날부터 준공되는 용역부터 시행한다.

제2조(경과조치) 이 고시 시행 당시 종전의 규정에 따라 발주청이 시행한 건설엔지니어링평가 또는 시공평가는 이 고시에 따라 평가한 것으로 본다.

[별표 1]

설계용역평가 기준

1. 설계용역평가 항목 및 배점

가. 배점비중

구분		배점	배점비중
기본설계와 실시설계 개별발주	기본설계	100점	100%
	실시설계	100점	과정평가 40%
		100점	결과평가 60%
기본설계와 실시설계 통합발주	기본설계	100점	30%
	실시설계	100점	과정평가 30%
		100점	결과평가 40%

나. 항목 및 배점

평가항목		배점		
대분류	중분류	기본설계	실시설계 (과정)	실시설계 (결과)
A1. 과정에 대한 이해도	A11. 조사준비	10~20	10~30	-
	A12. 과업과정에 대한 이해도			
A2. 효율적인 업무추진	A21. 발주자와의 의사소통	30~40	50~60	-
	A22. 사업추진의 적정성			
	A23. 과업기간 준수 노력도			
	A24. 상생협력 및 동반성장			
A3. 참여기술인 적정성	A31. 참여기술인 참여도 및 노력도	10~20	20~30	-
	A32. 참여기술인 투입			
B1. 과업이행결과 적정성	B11. 설계 성과품	20~30	-	60~70
	B12. 성과품 오류 수정 및 지원 적정성			
B2. 과업이행내용 충실성	B21. 성능향상 노력도	10~20	-	30~40
	B22. 공사관리 지원 효율성			
합 계		100	100	100

2. 설계용역평가 세부평가기준

가. 기본설계

평가항목			세부평가기준
대분류	중분류	정의	
A1. 과정에 대한 이해도	A11. 조사준비	◦ 용역수행에 요구되는 기초자료 및 관련계획 조사의 충실성을 평가하는 항목으로, 사전조사·지반조사 및 관련계획 현황조사 충실성 등으로 평가할 수 있다.	A111. 사전조사 충실성 : 기존조사 자료 및 주변현황(지형, 교통, 지장물 등) 등에 대한 충실한 검토여부
			A112. 지반조사 충실성 : 구조물과 조사의 부합여부 등 지반상태에 대한 충실한 검토여부
			A113. 관련계획 현황조사 : 관련계획의 주요내용 검토 적정성 및 상위계획과의 부합성 검토여부
	A12. 과업과정에 대한 이해도	◦ 과업과정 전반에 대한 업체의 이해도를 평가하는 항목으로, 과업지시내용과 설계내용 부합성, 관련법규 및 설계기준 준수로 평가할 수 있다. 단, 건축분야는 기본설계 단계에서 '설계공모 구현을 위한 노력' 항목으로 평가할 수 있다.	A121. 과업지시내용과 설계내용의 부합성 : 과업지시서 내용과 설계내용의 부합성 및 과업수행계획의 충실이행 여부, 수요기관 자체 지침서 등 준수여부
			A122. 관련법규, 설계기준에 대한 이해 : 설계관련 법령 및 설계기준 등 제기준에 대한 준수 여부
			A123. (건축)설계공모 구현을 위한 노력 : 설계공모 대비 기본설계의 주요내용(디자인 개념, 주요자재 사양 등) 구현 노력, 수요기관 자체 지침서 등 준수여부
A2. 효율적인 업무추진	A21. 발주자와의 의사소통	◦ 성공적인 용역완수를 위해 발주자와의 지속적인 업무협의 노력도 및 협의 결과 반영 적정성을 평가하는 항목으로, 주요보고회 등 운영 및 대응노력, 업무협의 및 보고일정 준수, 협의결과 반영 적정성 등으로 평가할 수 있다.	A211. 주요보고회, 토론회 등의 운영 및 대응 노력 : 공식적인 문서로 요청된 주요 보고회 및 토론회(착수보고회 등) 개최 및 결과(지적사항 등)에 대한 검토·반영노력
			A212. 주요 업무협의 및 보고 일정준수 : 발주기관과의 적정한 업무협의 및 조치계획 수립, 관련 보고일정 준수 등
			A213. 협의결과에 대한 반영 적정성 발주기관과 업무협의를 통해 도출된 결과(지적사항 등)의 설계반영 적정성

평가항목			세부평가기준
대분류	중분류	정의	
A2. 효율적인 업무추진	A22. 사업추진의 적정성	◦ 효율적인 사업추진을 위해 관계기관, 주민 등 다양한 이해관계자와의 의견조율 적정성을 평가하는 항목으로, 인허가 및 민원, 관련 대관업무 대처 적정성 등으로 평가할 수 있다.	A221. 인허가 협의의 적정성 : 인허가를 위해 지자체 등 관계기관과의 적극적인 협의 노력
			A222. 주요민원에 대한 의견청취 및 협의 : 주민 등 이해당사자와의 문제발생시 민원에 대한 대응 적정성
			A223. 대관업무에 대한 대처능력 : 관계행정기관의 질의 및 요청사항 등에 대한 적극적인 대처
	A23. 과업기간 준수 노력도	◦ 과업기간 내 용역을 완료하기 위한 노력도를 평가하는 항목으로, 설계단계별 일정준수 노력도, 과업기간 지체 여부 등으로 평가할 수 있다. ◦ 단, 과업기간 지체여부의 평가시 발주기관이 승인한 지체일정은 제외한 후 평가한다.	A231. 단계별 설계일정 준수 노력도 : 설계단계별 일정(자문, 심의, 설계VE, 성과품 제출 등) 및 보고·지시사항 요구기한 준수 노력
			A232. 과업기간 지체여부 : 과업기간 대비 실제 업무기간의 지체여부
	A24. 상생협력 및 동반성장	◦ 용역추진과정에 포함된 하도급사 및 전문분야와의 충실한 계약이행 및 효율적인 협업노력을 평가하는 항목으로, 하도급계획 이행의 충실성, 공종별 전문분야와의 협업 및 조정 등으로 평가할 수 있다.	A241. 하도급 계획 이행의 충실성 : 하도급계획의 충실이행 여부 및 계약의 적정성
			A242. 공종별 전문분야 협업 및 조정 : 공종별 전문분야와의 효율적인 협업 노력 및 계약 현황 등
A3. 참여기술인 적정성	A31. 참여기술인 참여도 및 노력도	◦ 효율적인 용역수행을 위한 참여기술인의 공식적인 회의·심의 등 참여 적극성 및 업무처리 노력도를 평가하는 항목으로, 공식적인 업무 회의 및 심의 등 참여도 및 업무처리 적극성 등으로 평가할 수 있다.	A311. 참여기술인 회의 및 심의 등 참여도 : 참여기술인의 공식적인 업무 회의 및 심의(설계VE 등), 토론회 등 적극 참여 노력도
			A312. 참여기술인 업무처리 노력도 : 참여 기술인의 효율적인 업무처리를 위한 적극성과 노력도
	A32. 참여기술인 투입	◦ 성공적인 용역수행에 요구되는 참여기술인의 전문성과 참여기술인 운영의 적정성을 평가하는 항목으로, 투입 참여기술인의 관련 지식 및 협업조정 전문성, 참여기술인 교체의 적정성 등으로 평가할 수 있다. ◦ 단, 질병·퇴사 등의 사유로 발주자의 사전승인을 득하지 못한 참여기술인의 교체에 대해서는 적정한 것으로 평가할 수 있다.	A321. 투입 참여기술인 전문성 : 과업내용, 수요기관 요청사항(인허가 포함), 관련법규 및 시공방법 등에 충분한 지식이 확보되고, 전문분야와의 협업·조정 전문성이 확보된 참여기술인 투입 여부
			A322. 참여기술인 교체 적정성 : 참여기술인 교체 빈도, 경력 및 자격 여부 등을 종합적으로 검토하여 적정한 참여 기술인 교체가 이루어졌는지 여부

평가항목			세부평가기준
대분류	중분류	정의	
B1. 과업이행 결과 적정성	B11. 설계 성과품	◦ 용역수행결과인 설계성과품의 적정성을 평가하는 항목으로, 구조 및 수리계산서의 적정성, 설계도면간 불일치 발생여부 등으로 평가할 수 있다.	B111. 구조 및 수리계산서의 적정성 및 충실성 : 구조 및 수리계산서의 적정성 및 충실성 : 구조 및 수리계산서의 오류여부, 설계조건의 명확성, 계산과정 등의 명확한 수록 여부
			B112. 설계도면간 내용 불일치 발생여부 : 위치도 및 종·평면도 등 도면의 적정성, 구조계산 결과의 정확한 반영 여부 등
	B12. 성과품 오류 수정 적정성	◦ 용역준공의 결과인 성과품 내 오류에 대한 대처 적극성을 평가하는 항목으로, 성과품 오류 문제 확인, 오류에 대한 수정 적정성 등으로 평가할 수 있다.	B121. 기본설계성과품 오류로 인한 문제 확인 : 기본설계 오류로 인해 발생한 문제 여부
			B122. 오류에 대한 수정 적정성 : 발생한 오류에 대한 적합한 수정여부
B2. 과업이행 내용 충실성	B21. 성능향상 노력도	◦ 성과품의 품질 향상 및 성능확보를 위한 용역수행 업체의 노력도를 평가하는 항목으로, 구조형식 및 공법의 적정성, VE·기술심의 결과 반영 적정성, 신기술·신공법 검토여부 등으로 평가할 수 있다.	B211. 구조형식 및 공법의 적정성 : 구조형식의 적정성(경제성, 시공성, 안전성, 경관 등) 및 비교안의 검토여부 등
			B212. 기본설계VE, 기술심의 등 결과반영 적정성 : 성과품 품질향상을 위한 활동(기본설계 VE, 기술심의 등)의 결과에 대한 조치 적극성 및 반영 여부
			B213. 신기술 · 신공법 적용에 따른 품질향상 노력 : 공사비 절감, 시공성 및 유지관리성 제고 등을 위한 신기술·신공법 검토
			B214. 친환경 설계 적용여부 : 건설폐자재 활용 등 친환경적 설계요소 검토
	B22. 공사관리 지원 효율성	◦ 용역추진내용이 효율적인 공사관리 지원이 가능한지 여부를 평가하는 항목으로, 공사비 준수 여부, 주요 자재 및 장비 사용성 검토 결과의 적정성 여부 등으로 평가할 수 있다. ◦ 단, 공사비 준수 여부 평가시 수요기관의 요청, 민·관원 등 기타요인에 따라 변경된 공사비를 반영하여 평가하여야 한다.	B221. 공사비 준수 : 목표공사비(건축) 또는 기획단계 공사비(토목) 대비 설계완료시점에서 산정된 공사비의 적정성 여부
			B222. 주요 자재 및 장비 사용성 : 특수재료 포함 주요자재의 조건 타당성 및 주요 투입장비의 가용성 등의 검토 결과 적정성

1. 발주청은 발주청 및 용역사업의 특성 등을 고려하여 중분류 평가항목에 대한 하위 세부평가항목을 중분류의 정의에 따라 별도로 정하여 평가할 수 있다.
2. 각 세부항목별 평가는 5단계(우수 1.0, 양호 0.9, 보통 0.8, 미흡 0.7, 불량 0.6)의 가중치로 평가한다.

나. 실시설계 과정평가

평가항목			세부평가기준
대분류	중분류	정의	
A1. 과정에 대한 이해도	A11. 조사준비	◦ 용역수행에 요구되는 기초자료 및 관련계획 조사의 충실성을 평가하는 항목으로, 사전조사·지반조사 및 관련계획 현황조사 충실성 등으로 평가할 수 있다.	A111. 사전조사 충실성 : 기존조사 자료 및 주변현황(지형, 교통, 지장물 등) 등에 대한 충실한 검토여부
			A112. 지반조사 충실성 : 구조물과 조사의 부합여부 등 지반상태에 대한 충실한 검토여부
			A113. 관련계획 현황조사 : 관련계획의 주요내용 검토 적정성 및 상위계획과의 부합성 검토여부
	A12. 과업과정에 대한 이해도	◦ 과업과정 전반에 대한 업체의 이해도를 평가하는 항목으로, 과업지시내용과 설계내용 부합성, 관련법규 및 설계기준 준수로 평가할 수 있다.	A121. 과업지시내용과 설계내용의 부합성 : 과업지시서 내용과 설계내용의 부합성 및 과업수행계획의 충실이행 여부, 수요기관 자체 지침서 등 준수여부
			A122. 관련법규, 설계기준에 대한 이해 : 설계관련 법령 및 설계기준 등 제기준에 대한 준수 여부
A2. 효율적인 업무추진	A21. 발주자와의 의사소통	◦ 성공적인 용역 완수를 위해 발주자와의 지속적인 업무협의 노력도 및 협의 결과 반영 적정성을 평가하는 항목으로, 주요보고회 등 운영 및 대응노력, 업무협의 및 보고일정 준수, 협의결과 반영 적정성 등으로 평가할 수 있다.	A211. 주요보고회, 토론회 등의 운영 및 대응 노력 : 공식적인 문서로 요청된 주요 보고회 및 토론회(착수보고회 등) 개최 및 결과(지적사항 등)에 대한 검토·반영노력
			A212. 주요 업무협의 및 보고 일정준수 : 발주기관과의 적정한 업무협의 및 조치계획 수립, 관련 보고일정 준수 등
			A213. 협의결과에 대한 반영 적정성 : 발주기관과 업무협의를 통해 도출된 결과(지적사항 등)의 설계반영 적정성
	A22. 사업추진의 적정성	◦ 사업지연요인 사전예방을 위해 관계기관, 주민 등 다양한 이해관계자와의 의견조율 적정성을 평가하는 항목으로, 인허가 및 민원, 관련 대관업무 대처 적정성 등으로 평가할 수 있다.	A221. 인허가 협의의 적정성 : 인허가를 위해 지자체 등 관계기관과의 적극적인 협의 노력
			A222. 주요민원에 대한 의견청취 및 협의 : 주민 등 이해당사자와의 문제발생시 민원에 대한 대응 적정성
			A223. 대관업무에 대한 대처능력 : 관계행정기관의 질의 및 요청사항 등에 대한 적극적인 대처

<table>
<tr><th colspan="3">평가항목</th><th rowspan="2">세부평가기준</th></tr>
<tr><th>대분류</th><th>중분류</th><th>정의</th></tr>
<tr><td rowspan="4">A2.
효율적인
업무추진</td><td rowspan="2">A23.
과업기간 준수
노력도</td><td rowspan="2">◦ 과업기간 내 용역을 완료하기 위한 노력도를 평가하는 항목으로, 설계단계별 일정준수 노력도, 과업기간 지체 여부 등으로 평가할 수 있다.
◦ 단, 과업기간 지체여부의 평가시 발주기관이 승인한 지체일정은 제외한 후 평가한다.</td><td>A231. 단계별 설계일정 준수 노력도 : 설계단계별 일정(자문, 심의, 설계VE, 성과품 제출 등) 및 보고·지시사항 요구기한 준수 노력</td></tr>
<tr><td>A232. 과업기간 지체여부 : 과업기간 대비 실제 업무기간의 지체여부</td></tr>
<tr><td rowspan="2">A24.
상생협력
및 동반성장</td><td rowspan="2">◦ 용역추진과정에 포함된 하도급사 및 전문분야와의 충실한 계약이행 및 효율적인 협업노력을 평가하는 항목으로, 하도급계획 이행의 충실성, 공종별 전문분야와의 협업 및 조정 등으로 평가할 수 있다.</td><td>A241. 하도급 계획 이행의 충실성 : 하도급계획의 충실이행 여부 및 계약의 적정성</td></tr>
<tr><td>A242. 공종별 전문분야 협업 및 조정 : 공종별 전문분야와의 효율적인 협업 노력 및 계약 현황 등</td></tr>
<tr><td rowspan="4">A3.
참여기술인
적정성</td><td rowspan="2">A31.
참여기술인 참여도
및 노력도</td><td rowspan="2">◦ 효율적인 용역수행을 위한 참여기술인의 공식적인 회의·심의 등 참여 적극성 및 업무처리 노력도를 평가하는 항목으로, 공식적인 업무 회의 및 심의 등 참여도 및 업무처리 적극성 등으로 평가할 수 있다.</td><td>A311. 참여기술인 회의 및 심의 등 참여도 : 참여기술인의 공식적인 업무 회의 및 심의(설계VE 등), 토론회 등 적극 참여 노력도</td></tr>
<tr><td>A312. 참여기술인 업무처리 노력도 : 참여 기술인의 효율적인 업무처리를 위한 적극성과 노력도</td></tr>
<tr><td rowspan="2">A32.
참여기술인 투입</td><td rowspan="2">◦ 성공적인 용역수행에 요구되는 참여기술인의 전문성과 참여기술인 운영의 적정성을 평가하는 항목으로, 투입 참여기술인의 관련 지식 및 협업 조정 전문성, 참여기술인 교체의 적정성 등으로 평가할 수 있다.
◦ 단, 질병·퇴사 등의 사유로 발주자의 사전승인을 득하지 못한 참여기술인의 교체에 대해서는 적정한 것으로 평가할 수 있다.</td><td>A321. 투입 참여기술인 전문성 : 과업내용, 수요기관 요청사항(인허가 포함), 관련법규 및 시공방법 등에 충분한 지식이 확보되고, 전문분야와의 협업·조정 전문성이 확보된 참여기술인 투입 여부</td></tr>
<tr><td>A322. 참여기술인 교체 적정성 : 참여기술인 교체 빈도, 경력 및 자격 여부 등을 종합적으로 검토하여 적정한 참여 기술인 교체가 이루어졌는지 여부</td></tr>
</table>

1. 발주청은 발주청 및 용역사업의 특성 등을 고려하여 중분류 평가항목에 대한 하위 세부평가항목을 중분류의 정의에 따라 별도로 정하여 평가할 수 있다.
2. 각 세부항목별 평가는 5단계(우수 1.0, 양호 0.9, 보통 0.8, 미흡 0.7, 불량 0.6)의 가중치로 평가한다.

다. 실시설계 결과평가

평가항목			세부평가기준
대분류	중분류	정의	
B1. 과업이행 결과 적정성	B11. 설계 성과품	◦ 용역수행결과인 설계성과품의 적정성을 평가하는 항목으로, 구조 및 수리계산서·공사시방서·설계예산서·수량산출서·전문분야 성과품의 적정성, 설계도면 및 설계도서간 내용 불일치 발생여부 등으로 평가할 수 있다.	B111. 구조 및 수리계산서의 적정성 및 충실성 : 구조 및 수리계산서의 오류여부, 설계조건의 명확성, 계산과정 등의 명확한 수록 여부
			B112. 설계도면간 내용 불일치 발생 여부 : 위치도 및 종·평면도 등과 구조계산서, 시공상세도면 등과의 내용 불일치 여부
			B113. 공사시방서의 적정성 및 충실성 : 설계도면, 구조계산서 등에 부합되는 설계 및 공사사항 반영 적정성, 시방서 내 공종별 규정사항 기술 여부 등
			B114. 설계예산서의 적정성 및 충실성 : 품셈기준, 단가(수량)산출서, 관급자재 등의 구성 적정성 및 일치성
			B115. 수량산출서의 적정성 및 충실성 : 수량산출내역의 적정성 및 오기여부 등
			B116. 설계도서간 내용 불일치 발생 여부 : 설계도면, 수량내역서, 시방서 등 설계도서간 내용 불일치 여부
			B117. 전문분야 성과품 적정성 : 전문분야(기계, 조경, 구조 설계, 견적 등) 성과품 품질의 적정성
	B12. 성과품 오류 수정 적정성	◦ 용역준공의 결과인 성과품 내 오류에 대한 적극적인 대응 여부를 평가하는 항목으로, 설계오류에 대한 AS 적극도 및 후속업무 지원 노력도 등으로 평가할 수 있다.	B121. 설계오류 AS 대응 적정성 : 시공단계에서 검토되는 실시설계 성과품 주요 오류사항에 대한 업체의 AS 대응 적정성

평가항목			세부평가기준
대분류	중분류	정의	
B2. 과업이행 내용 충실성	B21. 성능향상 노력도	◦ 성과품의 품질 향상 및 성능확보를 위한 용역수행업체의 노력도를 평가하는 항목으로, 구조형식 및 공법의 적정성, VE·기술심의 결과 반영 적정성, 신기술·신공법 검토여부 등으로 평가할 수 있다.	B211. 구조형식 및 공법의 적정성 : 구조형식의 적정성(경제성, 시공성, 안전성, 경관 등) 및 비교안의 검토여부 등
			B212. 실시설계VE, 기술심의 등 결과 반영 적정성 : 성과품 품질향상을 위한 활동(실시설계 VE, 기술심의 등)의 결과에 대한 조치 적극성 및 반영 여부
			B213. 신기술·신공법 적용에 따른 품질향상 노력 : 공사비 절감, 시공성 및 유지관리성 제고 등을 위한 신기술·신공법 검토
			B213. 친환경 설계 적용 여부 : 건설폐자재 활용 등 친환경적 설계요소 검토
			B214. 에너지 절감 및 유지관리 대책 적정성 : 에너지 절감 및 유지관리 대책 수립의 적정성
	B22. 공사관리 지원 효율성	◦ 용역추진내용이 효율적인 공사관리 지원이 가능한지 여부를 평가하는 항목으로, 공사기간 및 공사비 준수 여부, 설계안전성(DFS) 검토결과의 적정성, 주요 자재 및 장비 사용성 검토 결과의 적정성 여부 등으로 평가할 수 있다. ◦ 단, 공사비 준수 여부 평가시 수요기관의 요청, 민·관원 등 기타요인에 따라 변경된 공사비를 반영하여 평가하여야 한다.	B221. 공정 및 공사기간 산정의 적정성 : 주요일정계획(마일스톤) 수립 및 공기산정 근거의 적정성, 공정계획에 따른 자재 및 장비 수급 계획의 적정성 등
			B221. 공사비 준수 : 목표공사비(건축) 또는 기본설계 단계 공사비(토목) 대비 설계완료시점에서 산정된 공사비의 적정성 여부
			B221. 설계 안전성 확보 : 실시설계 단계에서 현장 내 발생가능한 위험요인에 대한 사전검토 및 대책수립 노력도(DFS) 및 안전 확보를 위한 관련 회의 준비 충실성 및 결과(지적사항 등) 반영의 적정성 등
			B222. 주요 자재 및 장비 사용성 : 특수재료 포함 주요자재의 조건 타당성 및 주요 투입장비의 가용성 등의 검토 결과 적정성

1. 발주청은 발주청 및 용역사업의 특성 등을 고려하여 중분류 평가항목에 대한 하위 세부평가항목을 중분류의 정의에 따라 별도로 정하여 평가할 수 있다.
2. 각 세부항목별 평가는 5단계(우수 1.0, 양호 0.9, 보통 0.8, 미흡 0.7, 불량 0.6)의 가중치로 평가한다.

[별표 2]

시공평가표

평가항목			배점	평가등급			
대분류 (배점)	중분류 (배점)	세분류		우수 (×1.0)	보통 (×0.8)	미흡 (×0.6)	불량 (×0.4)
Ⅰ. 공사관리 (65)	1.품질관리 (12)	1.1 품질관리계획 및 품질시험계획의 적정성 및 적기제출	3	적기제출 및 매우 적정	적기제출 및 적정	지연제출 또는 1차 보완	미제출 또는 2차이상 보완
		1.2 품질관리자 및 품질시험시설의 적정 여부	3	매우 적정	적정	부적정	매우 부적정
		1.3 품질관리의 적정성	6	문서에 의한 지적건수 1건 미만 (연평균)	문서에 의한 개선지적 1건 이상 (연평균)	시정명령	과태료, 과징금, 벌점 부과 등
	2.공정관리 (6)	2.1 공정관리계획 적정성 및 적기 제출	2	적기제출 및 매우 적정	적기제출 및 적정	지연제출 또는 1차 보완	미제출 또는 2차이상 보완
		2.2 계약공기 준수여부	4	공기 단축	예정공기 준수	1%이하 지연	1%초과 지연
	3.시공관리 (20)	3.1 현장인력 배치의 적정 여부	3	매우 적정	적정	부적정	매우 부적정
		3.2 시공계획서의 적정성 및 적기 제출	3	적기제출 및 매우 적정	적기제출 및 적정	지연제출 또는 1차 보완	미제출 또는 2차이상 보완
		3.3 세부공종별 시공계획서의 이행 여부	6	없음	문서에 의한 개선지적	시정명령	과태료, 과징금, 벌점 부과 등
		3.4 민원발생 건수	2	없음	1건 이하 (연평균)	2건 이하 (연평균)	2건 초과 (연평균)
		3.5 시공상세도 작성의 충실도 및 이행여부	4	100% 작성	95%이상 작성	90%이상 작성	90% 미만 작성 또는 이와 관련 행정처분을 받은 경우
		3.6 설계도서 사전 검토의 적정성	2	매우 적정	적정	미흡	미실시

평가항목			배점	평가등급			
대분류 (배점)	중분류 (배점)	세분류		우수 (×1.0)	보통 (×0.8)	미흡 (×0.6)	불량 (×0.4)
Ⅰ. 공사관리 (65)	4.하도급 관리 (6)	4.1 하도급 계약의 적정성	3	없음	1건	2건	3건 이상
		4.2 하도급 관리의 적정성	3	없음	1건	2건	3건 이상
	5.안전관리 (15)	5.1 안전관리계획의 적정성 및 적기제출	3	적기제출 및 매우 적정	적기제출 및 적정	지연제출 또는 1차 보완	미제출 또는 2차이상 보완
		5.2 안전관리조직 구성의 적정 여부	2	매우 적정	적정	부적정	매우 부적정
		5.3 안전관리의 적정성	4	없음	문서에 의한 개선지적	시정명령, 과태료,	과징금, 벌점 부과 등
		5.4 당해 현장의 재해율(%)	6	0.5배 이하	0.8배 이하	1.0배 이하	1.0배 초과
	6.환경관리 (6)	6.1 환경관리계획 이행의 적정성	3	100% 이행	90%이상 이행	80%이상 이행	80%미만 이행
		6.2 환경관리의 적정성	3	없음	문서에 의한 개선지적	시정명령, 과태료,	과징금, 벌점 부과 등
Ⅱ. 목적물의 품질 및 성능 (35)	7.시공품질 (18)	7.1 공사 완성도	5	95% 이상 만족	90% 이상 만족	80% 이상 만족	80% 미만 만족
		7.2 주요 공종 시설물의 도면, 시방서 준수비율	9	없음	1점 이하 (연평균)	2점 이하 (연평균)	2점 초과 (연평균)
		7.3 공사중지 및 재시공 여부	4	없음	1건 이하 (연평균)	2건 이하 (연평균)	2건 초과 (연평균)
	8.구조안전성 (13)	8.1 목적물 손상 및 결함,구조안전 조치 여부	5	주요부재에 전반적으로 문제점이 거의 없는 상태	주요부재에 경미한 손상, 결함이 발생한 상태	구조안전을 고려한 정밀안전점검을 실시	구조안전 확보를 위한 보강 등을 실시
		8.2 중대건설현장 사고 등의 발생 여부	8	미발생	중대결함 등 발생하였으나, 적절히 보수·보강	중대결함 등 발생후 적절한 보수·보강 미흡	시설물붕괴나 전도 등 발생
	9.창의성 (4)	9.1 설계도서 사전검토를 통한 사용성 및 유지보수성 향상여부	4	10건 이상	3건 이상	2건 이하	없음

평가항목			배점	평가등급			
대분류 (배점)	중분류 (배점)	세분류		우수 (×1.0)	보통 (×0.8)	미흡 (×0.6)	불량 (×0.4)
(가점) (3.5)		공사 특성 및 난이도 등에 따른 보정	1.5				
		시공자 제안으로 인한 공사비 절감비율	1.0	1/1000 초과	0.3/1000~ 1/1000 이하	0.3/1000 미만	실적없음 0점처리 (가점없음)
		품질관리자의 정규직 채용 비율	0.5	정규직 비율이 60% 이상인 경우	정규직 비율이 40% 이상인 경우	정규직 비율이 20% 이상인 경우	정규직 비율이 20% 미만인 경우 0점처리(가점없음)
		안전·보건관리자의 정규직 채용 비율	0.5	정규직 비율이 60% 이상인 경우	정규직 비율이 40% 이상인 경우	정규직 비율이 20% 이상인 경우	정규직 비율이 20% 미만인 경우 0점처리(가점없음)
(감점) (-10)		평가위원에게 금품·향응 제공	-10				

[별표 3]

시공평가 세부평가기준

1. 세부기준 및 방법

평가 항목			세부기준 및 방법
대분류	중분류	세분류	
Ⅰ. 공사 관리	1. 품질 관리	1.1 품질관리계획 및 품질시험계획의 적정성 및 적기수립	- 발주자의 요구 또는 건설기술진흥법 시행령 제90조에 의한 적기 제출 및 승인, 관련 계획의 적정성 여부 평가 ※ 제출일을 기준으로 하되, 발주자의 보완 요청이 있는 경우는 최종제출일을 기준으로 함 ※ 건설기술진흥법 시행령 제90조제1항 : 건설공사 착공(건설공사 현장의 부지정리 및 가설사무소의 설치 등의 공사 준비는 착공으로 보지 아니한다) 전에 발주자에게 승인을 받아야 한다. ※ 건설사업관리기술자(감리자) 또는 감독자의 적기 미확인 시, 평가자가 사유 확인 후, 시공자 귀책 여부를 판단하여 평가 ※ 적정성은 관련 기준을 만족한 경우 적정, 다수 항목이 기준 이상을 만족하는 경우는 매우적정(세분류 2.1, 3.2, 6.1 적용)
		1.2 품질관리자 및 품질시험시설의 적정 여부	- 건설공사 품질관리를 위한 시설 및 품질관리자 배치기준 부합 여부 ※ 발주청이 승인한 경우 조정된 투입시기 및 인원을 기준으로 함 ※ 건설기술진흥법 제55조 참조
		1.3 품질관리의 적정성	- 외부점검기관(발주청 포함)의 개선 지적건수로 평가 - 문서에 의한 개선 지적건수를 대상으로 함(동일건 재발송은 제외) ※ 건수는 연평균 건수임(전체 건수/공사기간, 반올림) ※ 외부점검기관은 건설기술진흥법 제54조에 따른 국토교통부장관 또는 관련 정부부처, 지자체장을 말함 - 품질관리의 부적합 관련하여 시정명령을 받은 경우에는 '미흡', 벌점 등 행정조치를 받은 경우에는 '불량'으로 평가 ※ 벌칙 관련 규정 - 건설기술진흥법 제80조(시정명령) 제2호 : 건설기술진흥법 제55조제1항 및 제2항에 따른 품질관리계획 또는 품질시험계획을 성실히 이행하지 아니하거나 품질시험 또는 검사를 성실하게 수행하지 아니한 경우 - 건설기술진흥법 제88조(벌칙) 제3호 : 건설기술진흥법 제55조제1항 및 제2항에 따른 품질관리계획 또는 품질시험계획을 성실히 이행하지 아니하거나 품질시험 또는 검사를 하지 아니한 건설업자 또는 주택건설등록업자 - 국토교통부 벌점측정기준 1.12 및 1.13항에 해당되는 경우 ※ 발주자는 필요시 기술자문위원회(지방건설기술심의위원회)의 심의를 거쳐 공사 기간 전체에 대하여 품질관리계획 및 품질시험계획의 이행여부를 참고해 이행건수 비율을 측정하여 품질관리의 적정성을 평가할 수 있음
	2. 공정 관리	2.1 공정관리계획 적정성 및 적기제출	- 계약(발주자의 요청사항)에 따라 적기 제출 및 승인, 관련 계획의 적정성 여부 평가 ※ 제출일을 기준으로 하되, 발주자의 보완 요청이 있는 경우는 최종제출일을 기준으로 함 ※ 적기 미승인시 평가자가 사유 확인 후 평가
		2.2 계약공기 준수여부	- 계약공기를 기준으로 하되, 불가항력 또는 발주자의 사정으로 인한 공기가 연장된 경우는 변경된 공기를 기준으로 함 ※ 평가시점에서 준공되지 않은 경우에는 계획공기대비 진도율로서 평가

평가 항목			세부기준 및 방법
대분류	중분류	세분류	
Ⅰ. 공사관리	3. 시공관리	3.1 현장인력 배치의 적정 여부	- 현장대리인 및 배치기술자 기준 만족 여부 ※ 건설산업기본법 시행령 35조, 건설기술자의 현장배치기준 등 참조 ※ 발주자의 요구사항이 있는 경우, 해당 사항의 만족 여부 함께 고려
		3.2 시공계획서의 적정성 및 적기수립	- 계약문서와 관련규정에 따른 시공계획서의 적기 제출 및 승인, 관련 계획의 적정성 여부 평가 ※ 총괄계획서 및 공종별 계획서를 모두 포함 ※ 제출일을 기준으로 하되, 발주자의 보완 요청이 있는 경우는 최종제출일을 기준으로 함 ※ 건설사업관리자(감리자) 또는 감독자의 적기 미확인 시, 평가자가 사유 확인 후, 시공자 귀책 여부를 판단하여 평가 ※ 세부공종별 계획서를 포함하여 총 지연 기간을 합산한 수치로 평가
		3.3 세부공종별 시공계획서의 이행 여부	- 시공계획서의 이행 관련하여 발주기관 및 외부점검기관의 문서에 의한 개선 지적이나 시정명령 등 행정조치를 받은 결과로 평가 - 현지 시정 이상의 지적(동일건 재발송은 제외) ※ 외부점검기관은 건설기술진흥법 제54조에 따른 국토교통부장관 또는 관련 정부부처, 지자체장을 말함 ※ 발주자는 필요시 기술자문위원회(지방건설기술심의위원회)의 심의를 거쳐 운영지침에 의거하여 제출된 시공계획서 중 일부항목을 표본추출하여 계획대비 이행건수 비율을 측정하여 이행여부를 평가할 수 있음
		3.4 민원발생 건수	- 시공자 귀책에 의한 민원 발생 건수로 평가 ※ 건수는 연평균 건수임(전체 건수/공사기간, 반올림) ※ 발주처나 시공사에 서류로 접수된 시공관련 민원건수를 대상으로 함.
		3.5 시공상세도 작성의 충실도 및 이행여부	- 공사기간 전체를 대상으로 표본추출을 통하여 시방서, 발주청 작성 기준 등 관련 기준에 따라 작성 이행된 건수 비율로 평가 - 공사마다 내용이 상이하므로 공통항목 표본추출 제외 ※ 이행건수 비율 = 작성 이행 건수 / 표본추출 건수 (관련 벌칙 규정) ※ 건설산업기본법 제82조(영업정지 등) 제1항제6호의나 : 건설기술진흥법 제48조제41항에 따른 시공상세도면의 작성의무를 위반하거나 건설사업관리를 수행하는 건설기술자 또는 공사감독자의 검토와 확인을 받지 아니하고 시공한 경우 - 국토교통부 벌점측정기준 1.8항에 해당되는 경우, 불량으로 평가
		3.6 설계도서 사전 검토의 적정성	- 시공자가 설계도서의 사전 검토를 통하여 아래와 같은 수정사항 등을 발견하여 이의 수정을 발주자에게 서면 요청한 사항에 대하여 평가 ① 설계도서의 내용이 현장 조건과 일치하는지 여부 ② 설계도서대로 시공할 수 있는지 여부 ③ 그 밖에 시공과 관련된 사항 ※ 해당 공종의 시공 착수 전에 발견한 사항으로 한정한다 ※ 관련 규정 - 건설기술진흥법 제48조제2항 : 설계도서를 제출받은 건설기술용역업자, 건설업자 또는 주택건설등록업자는 해당 건설공사를 시공하기 전에 설계도서를 검토하고 그 결과를 발주청에 보고하여야 한다. - 시행규칙 제41조 : 법 제48조제2항에 따라 건설사업관리용역업자, 건설업자 또는 주택건설등록업자가 설계도서에 대하여 검토하여야 할 사항 참조

평가 항목			세부기준 및 방법
대분류	중분류	세분류	
Ⅰ. 공사 관리	4. 하도급 관리	4.1 하도급 계약의 적정성	- 하도급계약의 부적정에 의한 발주청의 재발주 요청 건수 및 타절 발생 건수로 평가
		4.2 하도급 관리의 적정성	- 하도급거래공정화에 관한 법률 및 건설산업기본법의 하도급 관련 규정 위반(공사비 지불, 재하도급 등) 건수 ※ 공사비 지불기간 : 건설산업기본법 제34조 및 하도급거래공정화에 관한 법률 제13조 참조
	5. 안전 관리	5.1 안전관리계획의 적정성 및 적기제출	- 발주청의 요구 또는 건설기술진흥법 시행령 제98조 안전관리계획의 수립에 의한 (총괄 및 세부공종별) 안전관리계획서의 적기 제출 및 승인, 관련 계획의 적정성 여부 평가 ※ 제출일을 기준으로 하되, 발주자의 보완 요청이 있는 경우는 최종제출일을 기준으로 함 ※ 건설기술진흥법 제98조2항에 의거, 안전관리계획서는 공사감독자 또는 건설사업관리기술자의 검토 및 확인을 받아 건설공사 착공(건설공사현장의 부지정리 및 가설사무소의 설치 등의 공사준비는 착공으로 보지 아니한다)전에 발주자에게 제출되어야 한다. ※ 대상시설물별 세부안전관리계획의 제출 : 발주청 요구기간내 또는 공사 수행전 제출 ※ 건설사업관리자(감리자) 또는 감독자의 적기 미확인시, 사유 확인후 시공자 귀책 여부를 판단하여 평가 ※ 세부공종별 계획서를 포함하여 총 지연 기간을 합산한 수치로 평가
		5.2 안전관리조직 구성의 적정 여부	- 건설기술진흥법 제64조에 규정된 건설공사 안전관리조직의 조건 만족 여부(①~④ 모두 만족) ① 해당 건설공사의 시공 및 안전에 관한 업무를 총괄하여 관리하는 안전총괄책임자 ② 토목·건축·전기·기계·설비 등 건설공사의 각 분야별 시공 및 안전관리를 지휘하는 분야별 안전관리책임자 ③ 건설공사현장에서 직접 시공 및 안전관리를 담당하는 안전관리담당자 ※ 발주청이 승인한 경우 조정된 사항을 조직 구성의 기준으로 함 ④ 수급인과 하수급인으로 구성된 협의체의 구성원
		5.3 안전관리의 적정성	- 안전관리대책, 안전시설 설치, 안전관리 관련하여 시정명령 등 행정조치를 받은 결과로 평가 (관련 벌칙 규정) ※ 건설기술진흥법 제80조(시정명령) 제3호 : 건설기술진흥법 제62조제1항 및 제2항에 따른 안전관리계획을 성실하게 수행하지 아니한 경우 ※ 건설기술진흥법 제88조(벌칙) 제6호 : 건설기술진흥법 제62조제1항 및 제2항에 따른 안전관리계획을 수립 및 이행하지 아니하거나 안전점검을 하지 아니한 건설업자 또는 주택건설등록업자 - 국토교통부 벌점측정기준 1.10 및 1.11항에 해당되는 경우 ※ 발주자는 필요시 기술자문위원회(지방건설기술심의위원회)의 심의를 거쳐 안전관리계획(공종별 포함)의 이행여부를 공사기간 전체를 대상으로 표본추출(운영지침 참고)하여 이행건수 비율을 측정하여 평가할 수 있음
		5.4 당해 현장의 재해율(%)	- 현장 단위의 환산재해율을 계산하여 평균환산재해율 대비 비율로 평가(소수 세째자리 반올림) ※ 산업안전보건법의 환산재해율 기준 준용 ※ 평가 시점에서 가장 최근의 한국산업안전보건공단 평균환산재해율을 기준으로 평가 ※ 공사기간 전체를 산출 대상으로 함

대분류	중분류	세분류	세부기준 및 방법
Ⅰ. 공사 관리	6. 환경 관리	6.1 환경관리계획 이행의 적정성	- 환경영향평가를 통한 변경된 사업내용의 이행여부를 공사기간 전체를 대상으로 표본추출하여 이행건수 비율을 측정하여 평가함 - 공사마다 내용이 상이하므로 공통항목 표본추출 제외 ※ 이행건수 비율 = 이행 건수 / 표본추출 수 - 환경영향평가법 제19조(협의내용의 이행 등) 기준 참조 ※ 환경영향평가 협의대상공사가 아닌 경우, 발주자는 승인된 환경관리계획를 토대로 공사기간 전체를 대상으로 표본추출하여 이행건수 비율을 측정하여 평가함
		6.2 환경관리의 적정성	- 환경관리대책, 소음진동, 분진, 폐기물 처리, 재활용 등과 관련하여 시정명령 등 행정조치를 받은 결과로 평가
Ⅱ. 목적물의 품질 및 성능	7. 시공 품질	7.1 공사 완성도	- 준공 검사에서 건설사업관리자(감리자)가 지적한 하자 보고서를 토대로 평가 - 준공 이전에 평가할 경우에는 중간시점의 하자검토보고서 및 평가자의 판단에 따른 공사 전반에 걸친 완성도를 평가(평가사유를 명기) - 해당 공사의 주요 공종을 구분하고, 각 공종별로 완성도를 우수, 보통, 미흡, 불량 등급으로 평가한 후, 이를 공종별 공사비를 가중치로 하여 평가 ※ 발주자는 필요시 기술자문위원회(지방건설기술심의위원회)의 심의를 거쳐 자체 개발한 품질지수나 체크리스트 등을 활용하여 평가할 수 있음.
		7.2 주요 공종 시설물의 도면, 시방서 준수비율	- 부실시공관련 벌점 부과 점수로 평가 ※ 국토교통부 벌점측정기준 가운데 1.1내지 1.7, 1.15내지 1.18에 해당하는 벌점을 대상으로 함. ※ 연평균 벌점부과점수로 평가(전체 벌점부과점수/공사기간, 반올림) ※ 발주자는 필요시 기술자문위원회(지방건설기술심의위원회)의 심의를 거쳐 주요 공종 시설물을 대상으로 표본추출을 통하여 도면 시방서 등 관련 기준에 따라 적절히 시공된 건수 비율을 측정하여 평가할 수 있음
		7.3 공사중지 및 재시공 여부	- 공사중지 및 재시공된 건수를 평가 ※ 발주자가 설계도면 또는 시방서에 따라 시공되지 않은 부분을 부실시공으로 규정하고, 공사중지나 철거 후 일괄 재시공토록 지적한 건수를 평가 ※ 건수는 연평균 건수임(전체건수/공사기간, 반올림) ※ 관련 규정 - 건설기술진흥법 제40조(건설사업관리 중 공사중지 명령 등) ① 제39조제2항에 따라 건설사업관리를 수행하는 건설기술용역업자는 건설업자가 건설공사의 설계도서 · 시방서, 그 밖의 관계 서류의 내용과 맞지 아니하게 그 건설공사를 시공하는 경우에는 재시공·공사중지 명령이나 그 밖에 필요한 조치를 할 수 있다.

평가 항목			세부기준 및 방법
대분류	중분류	세분류	
Ⅱ. 목적물의 품질 및 성능	8. 구조 안전성	8.1 목적물 손상 및 결함, 구조안전조치 여부	- 목적물의 점검 및 현장확인 등을 통하여 제시된 결과로 평가 ※ 점검(안전점검, 정기안전점검 등) 및 현장확인 결과, 주요부재에 문제점이 거의 없는 경우, 경미한 손상이나 결함 발생 경우, 구조안전성 확보를 위한 정밀안전점검을 실시한 경우, 구조안전 확보를 위한 보강을 실시한 경우로 분류하여 평가 - 필요시 준공시점에서 무작위 비파괴시험, 코어 채취 등을 실시하여 직접 평가 가능
		8.2 중대건설현장 사고 등의 발생 여부	- 중대사고의 발생 여부 및 그 피해, 보수의 정도를 평가 ※ 관련 규정 - 시설물이 붕괴되거나 전도되어 재시공이 필요하거나 국토교통부장관 등의 사고조사가 필요하다고 판단되는 중대건설현장 사고가 발생한 건설공사(건설기술진흥법 제67조 및 동법 시행규칙 62조 규정 참조) - 건설공사 현장에서 시설물의 안전관리에 관한 특별법 시행령 제12조제1항 각 호에 따른 중대한 결함이 발생한 건설공사 - 재난및안전관리기본법 제3조제1호나목에 따른 화재 · 붕괴 · 폭발 등의 재난이 발생한 건설공사
	9. 창의성	9.1 설계도서 사전검토를 통한 사용성 및 유지보수성 향상여부	- 공사비 증감이 수반되지는 않으나 설계개선 및 신기술 신공법 적용 등으로 구조물의 내구성 및 사용성과 유지보수성을 향상시킨 건수로 평가
(가점)		공사 특성 및 난이도 등에 따른 보정	(첨부) 평가표 참조, 최대 1.5점
		시공자 제안으로 인한 공사비 절감비율	- 시공사 제안에 의한 개선사항 중 발주청이 채택하여 공사비 절감된 비율(신기술/신공법 적용 포함) ※ 절감 비율 = 공사 기간 중 절감 총액 / 최종 설계변경된 공사금액 ※ 단, 절감실적이 없을 경우 0점 처리
		품질관리자의 정규직 채용 비율	(첨부) 평가표 참조, 최대 0.5점
		안전 · 보건관리자의 정규직 채용 비율	(첨부) 평가표 참조, 최대 0.5점

주 : 발주자가 필요시 기술자문위원회(지방건설기술심의위원회)의 심의를 거쳐 시공계획서의 이행여부 등을 표본추출을 통하여 평가할 경우, 100% 이행시 우수(×1.0), 90%이상 보통(×0.8), 80%이상 미흡(×0.6), 80% 미만 이행시 불량(×0.4)으로 평가하는 것을 기준으로 하되, 행정처분에 의한 평가등급과의 형평성을 고려하여 평가등급을 조정해야 한다.

2. (가점) 공사 특성 및 난이도 등에 따른 보정 (최대 1.5점)

1) 구조물의 특수성에 대응 (최대 1점)

※ 아래 사항에 해당되는 사항이 있는 경우, 각각 0.5점을 가점한다.

- 교량 · 터널 · 항만 · 댐 · 건축물 등 공중의 이용편의와 안전을 도모하기 위하여 특별히 관리할 필요가 있거나 구조상 유지관리에 고도의 기술이 필요하다고 인정하여 "시설물의 안전관리에 관한 특별법" 시행령 별표1에서 규정하고 있는 1종 시설물

가. 도로교량
- · 상부구조형식이 현수교, 사장교, 아치교 및 트러스교인 교량
- · 최대 경간장 50미터 이상의 교량(한 경간 교량은 제외한다)
- · 연장 500미터 이상의 교량
- · 폭 12미터 이상이고 연장 500미터 이상인 복개구조물

나. 철도교량
- · 고속철도 교량, 도시철도의 교량 및 고가교, 상부구조형식이 트러스교 및 아치교인 교량, 연장 500미터 이상의 교량

다. 도로터널
- · 연장 1천미터 이상의 터널, 3차로 이상의 터널, 터널구간의 연장이 500미터 이상인 지하차도

라. 철도터널
- · 고속철도 터널, 도시철도 터널, 연장 1천미터 이상의 터널

마. 갑문시설

바. 계류시설
- · 20만톤급 이상 선박의 하역시설로서 원유부이(BUOY)식 계류시설(부대시설인 해저송유관을 포함한다)
- · 말뚝구조의 계류시설(5만톤급 이상의 시설만 해당한다)

사. 다목적댐, 발전용댐, 홍수전용댐 및 총저수용량 1천만톤 이상의 용수전용댐

아. 공동주택 외의 건축물
- · 21층 이상 또는 연면적 5만제곱미터 이상의 건축물
- · 연면적 3만제곱미터 이상의 철도역시설 및 관람장
- · 연면적 1만제곱미터 이상의 지하도상가(지하보도면적을 포함한다)

자. 하구둑

차. 포용조수량 8천만톤 이상의 방조제

카. 특별시 및 광역시에 있는 국가하천의 수문 및 통문(通門)

타. 국가하천에 설치된 높이 5미터 이상인 다기능 보

파. 상수도
- · 광역상수도, 공업용수도, 1일 공급능력 3만톤 이상의 지방상수도

2) 도시 등의 작업 환경, 사회 조건 등에 대한 대응(최대 0.5점)

※ 아래 사항에 해당하는 경우 0.5점을 가점한다.

가. 소음진동관리법 시행규칙 제18조제1항 및 [별표7]과 관련하여 총동력 합계 5,000마력 이상인 사업장

나. 소음진동관리법 시행규칙 제26조관련 [별표11]에 규정된 소음진동규제지역에서 시행되는 건설공사

3. 환산재해율 산정방법

1) 산정방법

- 환산재해율 = $\dfrac{\text{환산 재해자 수}}{\text{상시 근로자 수}} \times 100$

- 상시근로자수 = $\dfrac{\text{평가대상 공사금액} \times \text{노무비율}}{\text{건설업 월 평균임금} \times 12}$

2) 재해자수 산정기간

- 환산재해자수는 시공평가 현장의 전체 공사기간에 산업재해를 입은 근로자 수의 합계로 산출

3) 산정원칙

- 당해 업체의 소속 재해자 수에 하도급업체 소속재해자수를 합산하여 산정
- 공동이행방식, 분담이행방식 모두 개별적으로 소속 재해자수를 합계
- 장비임대 및 설치, 해체, 물품납품 등에 관한 계약을 체결한 사업주의 소속근로자가 당해 건설공사와 관련된 업무수행중에 재해를 입은 경우 시공회사 재해자수에 합산함.

4) 사망재해 재해자수 산정

- 가중치 부여
  · 가중치는 일반재해자의 5배
  · 평가 시점의 사망자만 고려
- 가중치 미부여
  · 고혈압 등 개인지병에 의한 경우

4. (가점) 품질관리자의 정규직 채용 비율 및 안전 · 보건관리자의 정규직 채용 비율

1) 평가방법

- 정규직 채용 비율은 아래 식에 따라 산출하되, 소수점 첫째 자리에서 반올림한다.

$$\text{정규직 채용비율(\%)} = \frac{\text{정규직 기술자 수}}{\text{평가대상 기술자 수}} \times 100$$

- 평가 대상 기술자 수는 「건설기술진흥법」 및 「산업안전보건법」에서 정한 기준에 따른 기술자 수로 하되, 계약조건에서 기술자 수를 별도로 정하였을 경우에는 계약조건에 따른 기술자 수로 한다.
- 정규직 기술자 수는 모든 선임된 기술자 중 비정규직 기술자를 제외한 기술자 수이며, 정규직과 비정규직을 구분하는 방법은 다음과 같다.
  가. 근로계약서 상 근로기간을 정하는 계약 또는 현장 단위 계약은 비정규직
  나. 연봉제 근로계약을 체결하면서 근로계약기간을 1년으로 정한 경우에는 비정규직
  다. 선임기간 중 고용형태가 비정규직에서 정규직으로 변경된 경우에는 정규직, 정규직에서 비정규직으로 변경된 경우에는 비정규직
  라. 선임된 기술자가 다른 기술자로 변경된 경우에는 후임 기술자의 고용형태에 따름
- 위의 구분 방법에도 불구하고 정규직 기술자 중에서 다음의 조건을 만족하는 기술자만을 정규직 기술자 수에 반영한다.
  가. 공사 기간이 2년 미만인 경우: 선임 후 공사 기간의 1/2을 초과하여 근무한 기술자

나. 공사 기간이 2년 이상인 경우: 선임 후 1년 이상 근무한 기술자

다. 다만, 선임된 기술자가 다른 기술자로 변경된 경우에는 1인이 변경 전·후 기간 동안 근무한 것으로 간주

- 예시

가. 법에서 정한 기준이 2명이고, 전체 공사기간 동안 정규직 2명과 비정규직 1명을 선임했을 경우 → 평가 대상 2명, 정규직 2명

나. 법에서 정한 기준이 3명이고, 전체 공사기간 동안 정규직 1명과 비정규직 4명을 선임했을 경우 → 평가 대상 3명, 정규직 1명

다. 공사기간이 1년6개월이고 법에서 정한 기준이 1명이며, 선임 기술자가 다음 표와 같을 경우 → 평가 대상 1명, 정규직 1명

선임 기술자	고용형태 / 근무기간	정규직 기술자 수	비 고
기술자1	비정규직 / 1년 → 정규직 / 6개월	1	고용형태가 정규직으로 변경됨
기술자2	정규직 / 8개월	0	공사 기간의 1/2 미만

라. 공사기간이 3년이고 법에서 정한 기준이 2명이며, 선임 기술자가 다음 표와 같을 경우 → 평가 대상 2명, 정규직 1명

선임 기술자	고용형태 / 근무기간	정규직 기술자 수	비 고
기술자1	비정규직 / 3년	0	
기술자2 (선임)	정규직 / 2년	0	후임 기술자가 비정규직
기술자3 (후임)	비정규직 / 1년		
기술자4	정규직 / 1년1개월	1	1년 이상 근무

2) 평가자료

- 기술자의 정규직 여부는 4대보험 자격취득신고서 및 근로계약서 등으로 확인한다.

[별표 4]

금액 가중치 적용방법

1) 용역규모를 고려한 객관성 있는 평가가 되도록 용역금액을 가중치로 적용한다.

2) 용역금액을 가중치로 반영하는 방법(일례)

○ A업체가 받은 용역평가점수 현황

용역명	용역규모(억원)	용역평가점수
OOOO 국도 확장공사	20	90
OOOO 교량 신설공사	30	85
OOOO고속도로 확장공사	50	95

⇨ A업체의 용역평가평균점수 = $\frac{(20\times 90점)+(30\times 85점)+(50\times 95점)}{(20+30+50)}$ = 91점

[별표 5]

건설엔지니어링 종합평가 세부평가기준

<table>
<tr><th>평가
항목</th><th>평가요소</th><th>세부평가
요소</th><th>배점
(안)</th><th>평가방법</th></tr>
<tr><td>1.
하도급
거래
공정화
평가</td><td>하도급
위반건수</td><td>최근 1년간
하도급
위반건수</td><td>최대
-1.0</td><td>최근 1년간 「하도급거래 공정화에 관한 법률」에 따른 하도급 위반 건수 또는 시정명령을 받은 횟수마다 0.2점씩을 곱하여 감점</td></tr>
<tr><td rowspan="2">2.
신인도
평가</td><td>행정제재
사항</td><td>최근 1년간
영업정지
기간 월수</td><td>최대
-1.0</td><td>최근 1년간 법 제31조 및 제32조에 의해 영업정지처분 또는 과징금 처분을 받은 경우 영업정지기간 월수 × 0.1점 감점하며, 영업정지기간이 1월 미만인 경우 1월로 계산</td></tr>
<tr><td>벌점</td><td>누계평균
벌점</td><td>-1.0</td><td>건설엔지니어링업무와 관련하여 법 제53조제1항 및 영 제87조제5항에 의해 벌점을 받은 경우 누계평균벌점으로 계산하며, 아래의 기준에 따라 감점
<table>
<tr><td>누계
평균
벌점</td><td>20점
이상</td><td>15점이상
20점미만</td><td>10점이상
15점미만</td><td>5점이상
10점미만</td><td>1점이상
5점미만</td></tr>
<tr><td>점수</td><td>1.0</td><td>0.8</td><td>0.6</td><td>0.4</td><td>0.2</td></tr>
</table></td></tr>
<tr><td rowspan="2">3.
기술
능력
평가</td><td>기술개발
실적</td><td>신기술,
특허,
실용신안</td><td>2.0</td><td>신기술 0.2점/건, 특허 0.12점/건, 실용신안 0.06점/건
- 개발실적은 건설신기술, 특허, 실용신안을 대상으로 인정하되, 건설신기술은 건설엔지니어링사업자(대표자 포함, 소속직원 제외) 명의로 지정되어 보호기간 내에 있는 경우에 한하여 인정하고, 특허 및 실용신안은 건설엔지니어링사업자(대표자 포함, 소속직원 제외)가 최초 출원인으로 등록된 경우에 한하여 출원일로부터의 경과 기간에 따라 차등하여 합산한 후 인정
<table>
<tr><td>구 분</td><td>5년미만</td><td>5년이상
10년미만</td><td>10년이상
20년미만</td></tr>
<tr><td>특 허</td><td>100%</td><td>80%</td><td>60%</td></tr>
<tr><td>실용신안</td><td>100%</td><td>80%</td><td>-</td></tr>
</table>
- 기술개발실적이 동일내용으로 각각 받은 경우 가장 점수가 높은 1건만 인정
- 기술개발실적은 2인이상이 최초 출원시 공동으로 출원한 경우 해당점수를 출원자의 수로 나누어 인정</td></tr>
<tr><td>기술개발
투자</td><td>최근3년간
기술개발
투자액
비율(%)</td><td>8.0</td><td>최근 3년간의 기술개발투자액 비율(%) = 건설기술개발투자액 / 건설부문 총매출액
- 기술개발투자액은 조세특례제한법 시행령 별표 6에 규정된 비용중 실제로 사용된 금액으로 함(재무제표상의 연구개발비, 교육훈련비 등)
※주) 참조
<table>
<tr><td>비율</td><td>1.50%
이상</td><td>1.50%
미만
1.25%
이상</td><td>1.25%
미만
1.00%
이상</td><td>1.00%
미만
0.75%
이상</td><td>0.75%
미만
0.50%
이상</td></tr>
<tr><td>점수</td><td>8.0</td><td>7.2</td><td>6.4</td><td>5.6</td><td>4.8</td></tr>
</table></td></tr>
</table>

※ 기간산정은 종합평가시점의 전년도 말일까지를 기준으로 한다.

[별표 6]

시공종합평가 세부평가기준

1. 건설공사 하자 관련 평가방법

- 최근 2년간 해당 건설업자가 준공한 시공평가대상 공사의 평균하자발생비율에 대하여 다음 점수를 감점

평균하자발생비율 (최근 2년간 하자보수보증금 인출 합계 / 하자보수보증금 합계)	감점점수
집행실적이 없는 경우	0
100분의 5 이하인 경우	0.5
100분의 5를 초과하는 경우에는 그 초과하는 100분의 5마다	0.5

2. 하도급거래 공정화에 관한 법률 위반 여부 평가방법

- 최근 3년 이내에 해당 건설업자가 「하도급거래 공정화에 관한 법률」에 따른 시정명령을 받은 횟수를 평가대상 공사건수 합으로 나눈 평균횟수마다 0.5점씩을 곱하여 감점

3. 기술개발투자 실적 평가방법

- 최근 1년 이내에 해당 건설업자가 건설기술개발 투자비를 영 제26조제2항에 따른 권고금액 이상 투자한 경우에는 0.5점을 가점

※ 비고
1. 기간산정은 종합평가시점의 전년도 말일까지를 기준으로 한다.

[별표 7]

건설엔지니어링 분류기준

1. 건설엔지니어링분류

가. 설계용역

나. 감독 권한대행 등 건설사업관리용역

2. 세부분야분류

세부분야	적용범위	비고
도로 및 교통시설	- 도로 - 공항 - 지하철 - 철도	- 도로 및 철도의 교량, 터널 등 포함
수자원시설	- 항만 및 어항 - 간척 - 하천 - 상수도시설 - 댐	- 외곽 및 계류시설, 선박통제시설 등 포함 - 방조제, 배수지, 정수장, 종합치수공사 등 포함
단지개발	- 택지개발 - 공업용지조성 - 매립 - 공원 - 조경시설 - 농지정리 - 관개수로 - 단지 및 도시계획	- 복원 및 매립지 조성, 치산 등 포함 - 용도지역, 지구단위계획 등 포함

세부분야	적용범위	비고
건축시설	- 공동주택 - 공용청사 - 교육연구시설 - 병원 - 집회장 - 관람장 - 전시장 - 운수시설 - 판매시설	- 차량기지, 화물주차장, 전동차 검수기지, 군사시설, 철도역사 등 포함 - 해당공사 구분이 곤란한 경우 건축법 시행령 제3조의4의 용도별 건축물의 종류 기준 준용
환경 및 산업설비시설	- 폐기물처리시설 - 폐수종말처리시설 - 하수종말처리시설 - 하수관거시설 - 발전시설 - 송전시설 - 변전시설 - 통신시설 - 가스저장·배송시설 - 유류저장·배송시설	- 종말처리장, 집단에너지, 증기배관, 차집관로 등 포함

※ 적용시 유의사항
1. 공종이 복합된 공사의 세부분야 분류는 주공종을 기준으로 분류하여 적용
2. 해당공사가 위의 세부분야 분류표에 없는 경우에는 가장 유사한 세부분야를 적용
3. 건설산업기본법 제2조제4호 규정에 의한 건설공사에 해당되는 경우 적용

[별표 8]

공사구분 분류기준

대분류	공사 구분	비고
토목	교통시설	
	수자원시설	
	기타토목	
건축	주거	
	비주거	

※ 공사구분은 종합심사낙찰제 공사구분 기준 적용을 원칙으로 한다.

[별표 9]

건설엔지니어링능력평가 세부평가기준

<table>
<tr><th>평가
항목</th><th>평가요소</th><th>세부평가요소</th><th>배점
(안)</th><th>평가방법</th></tr>
<tr><td>1.
경영
능력
평가[1]</td><td>재정상태</td><td>전년도
신용평가
등급 또는
재무평가</td><td>40</td><td>업체별 아래 (1),(2),(3)중 업체가 선택한 방법으로 반영
※주1) 참조
(1) 종합평가방법(신용평가등급과 재무평가로 각각 평가하여 7:3의 비율로 합산하여 평가하는 방법)
(2) 신용평가
<table>
<tr><td>회사채</td><td>BBB-이상</td><td>BBB-미만
B-이상</td><td>CCC+
이하</td><td>미제출</td></tr>
<tr><td>기업
어음</td><td>A3-이상</td><td>A3-미만
B-이상</td><td>C이하</td><td>미제출</td></tr>
<tr><td>기업
신용</td><td>BBB-이상</td><td>BBB-미만
B-이상</td><td>CCC+
이하</td><td>미제출</td></tr>
<tr><td>점수</td><td>40</td><td>34</td><td>28</td><td>0</td></tr>
</table>
(3) 재무평가 : (가) + (나)
(가) 자기자본비율 = 자기자본 / 총자본
<table>
<tr><td>등급</td><td>기준비율
100%이상</td><td>기준비율
100%미만
75%이상</td><td>기준비율
75%미만
50%이상</td><td>기준비율
50%미만
25%이상</td><td>기준비율
25%미만</td></tr>
<tr><td>점수</td><td>20</td><td>18</td><td>16</td><td>14</td><td>12</td></tr>
</table>
(나) 유동비율 = 유동자산 / 유동부채
<table>
<tr><td>등급</td><td>기준비율
125%이상</td><td>기준비율
125%미만
100%이상</td><td>기준비율
100%미만
75%이상</td><td>기준비율
75%미만
50%이상</td><td>기준비율
50%미만</td></tr>
<tr><td>점수</td><td>20</td><td>18</td><td>16</td><td>14</td><td>12</td></tr>
</table></td></tr>
<tr><td>2.
신인도
평가[2]</td><td>건설
엔지니어
링업
영위기간</td><td>평가시점 기준
건설엔지니
어링업
영위기간</td><td>5</td><td>
<table>
<tr><td>기간</td><td>5년
이상</td><td>3년 이상
5년 미만</td><td>1년 이상
3년 미만</td><td>1년 미만</td></tr>
<tr><td>점수</td><td>5</td><td>4</td><td>3</td><td>1</td></tr>
</table></td></tr>
</table>

<table>
<tr><th>평가
항목</th><th>평가요소</th><th>세부평가요소</th><th>배점
(안)</th><th>평가방법</th></tr>
<tr><td>2.
신인도
평가[2]</td><td>상생협력
지수</td><td>최근
1년간
하도급
업체 지원
우수업체</td><td>15</td><td>1. 대기업 평가기준
하도급대금 지급시기의 적정성(발주자로부터 준공금 또는 기성금을 받은 날 기준, 사업별 평균)
※주2) 참조
- 하도급거래 공정화에 관한 법률 제13조 기준
<table>
<tr><td>기간</td><td>없음 또는 평균
15일 이내</td><td>평균
15~20일</td><td>평균
20~25일</td><td>평균
25일 이상</td></tr>
<tr><td>점수</td><td>5</td><td>4</td><td>3</td><td>2</td></tr>
</table>
하도급실적
(원사업자 총기성액 대비 하도급 기성실적 비율)
<table>
<tr><td>비율</td><td>10% 이상</td><td>5% 이상~10% 미만</td><td>5% 미만</td></tr>
<tr><td>점수</td><td>5</td><td>4</td><td>3</td></tr>
</table>
하도급 업체 기성지급 조정 신청횟수
(사업별 평균)
<table>
<tr><td>횟수</td><td>없음</td><td>1~2회</td><td>3~4회</td><td>5회 이상</td></tr>
<tr><td>점수</td><td>5</td><td>4</td><td>3</td><td>2</td></tr>
</table>
2. 중소기업 평가기준
하도급대금 지급시기의 적정성(발주자로부터 준공금 또는 기성금을 받은 날 기준, 사업별 평균)
※주2) 참조
- 하도급거래 공정화에 관한 법률 제13조 기준
<table>
<tr><td>기간</td><td>평균
15일 이내</td><td>없음 또는 평균
15~20일</td><td>평균
20~25일</td><td>평균
25일 이상</td></tr>
<tr><td>점수</td><td>5</td><td>4</td><td>3</td><td>2</td></tr>
</table>
하도급 업체 기성지급 조정 신청횟수
(사업별 평균)
<table>
<tr><td>횟수</td><td>없음</td><td>1~2회</td><td>3~4회</td><td>5회 이상</td></tr>
<tr><td>점수</td><td>5</td><td>4</td><td>3</td><td>2</td></tr>
</table>
(재무제표상의 연구개발비, 교육훈련비 등)
※주3) 참조
<table>
<tr><td>비율</td><td>3%
이상</td><td>3.0% 미만
2.5% 이상</td><td>2.5% 미만
2.0% 이상</td><td>2.0% 미만
1.5% 이상</td><td>1.5%
미만</td></tr>
<tr><td>점수</td><td>5</td><td>4</td><td>3</td><td>2</td><td>1</td></tr>
</table></td></tr>
</table>

평가항목	평가요소	세부평가요소	배점(안)	평가방법
	우수건설엔지니어링사업자	전년도 우수 건설엔지니어링사업자 지정	1	건설기술진흥법 제51조 규정에 의한 우수건설엔지니어링사업자로 지정된 자 가점
2. 신인도 평가[2]	고용유지	평가시점 기준 전년도 고용유지율(%)	10	고용유지율(%) = 해당 연도 정직원수 / 전년도 정직원수 - 해당 연도 재무제표 작성 시점 기준 - 고용기간이 3개월이하인 경우는 제외 비율: 100% 이상 / 90% 이상 100% 미만 / 85% 이상 90% 미만 / 80% 이상 85% 미만 / 80% 미만 점수: 10 / 9 / 8 / 7 / 6
	부도	발생여부	-1	최근 3년 이내에 부도가 발생한 건설엔지니어링업자인 경우
3. 기술능력평가	기술능력생산	전년도 기술인 1인당 평균생산액	30	1인당 기술능력생산액 = 전년도 건설부문 총매출액 / 보유기술인수 (전년도 12월 31일 기준 상시근무자 기준, 단, 12월 31일 입사자, 비상근임원, 일용 및 임시고용원 건설업이외 타산업종사자 제외) - 기술인수는 건설기술진흥법상 건설기술인으로 초급/기타 1, 중급 1.1, 고급1.2, 특급 1.3 배함 순위비율: 1.3억 이상 / 1.3억 미만 1.1억 이상 / 1.1억 미만 0.9억 이상 / 0.9억 미만 0.7억 이상 / 0.7억 미만 점수: 30 / 27 / 24 / 21 / 18

주1) 경영능력평가 평가방법 및 세부기준

1. 재정상태 건실도의 평가는 신용평가등급 또는 재무평가로 평가하며 다음과 같이 적용한다.
   1) 신용평가등급은 회사채에 대한 신용평가등급, 기업어음에 대한 신용평가등급 또는 기업신용평가등급을 적용한다.
   2) 신용평가등급에 의한 평가는 「신용정보의 이용 및 보호에 관한 법률」 제4조 제1항제1호 또는 제4호의 업무를 영위하는 신용정보업자가 입찰공고일 이전 가장 최근에 평가하여 사업수행능력평가(수행실적평가)서 제출마감일까지 조달청에 통보(국가종합전자조달시스템에 등록)한 유효기간 내에 있는 『회사채에 대한 신용평가등급』, 『기업어음에 대한 신용평가등급』, 『기업신용평가등급』 중에서 가장최근의 등급으로 심사하며, 같은 종류의 신용평가 등급인 경우에도 가장 최근의 등급에 의한다. 또한 합병한 업체에 대하여는 합병 후 새로운 신용평가등급으로 심사하여야 하고, 그 전까지는 합병대상업체 중 가장 낮은 신용평가등급을 적용한다.
   3) 합병한 업체에 대하여는 합병 후 새로운 신용평가등급으로 심사하며 합병 후의 새로운 신용평가등급이 없는 경우에는 합병대상업체 중 가장 낮은 신용평가등급을 받은 업체의 신용평가등급으로 평가한다.
   4) 재무평가 기준비율은 최근년도에 관련협회에서 발행한 "기업경영분석" 자료를 적용하되, 관련협회의 "기업경영분석"자료가 없는 경우에는 한국은행 발행 자료를 적용할 수 있다.
   5) 기준비율 적용 업종은 엔지니어링산업 진흥법령과 건설기술관리법령에 따른 건설엔지니어링사업자 사업수행능력 평가기준이나 건설엔지니어링 관련 법령에서 정한 업종을 적용한다.
   6) 업체별 경영상태 평가는 최근에 업종전체평균비율이 산정된 연도(이하 "직전회계연도"라 한다)의 업체 정기결산서로 평가하며, 관련협회에서 조사·통보한 경영상태가 있는 경우에는 관련협회에서 확인하여 조사·통보한 자료로 평가한다.
   7) 관련협회가 있으나 협회에 경영상태를 신고하지않은 업체는 "6)"과 동일한 내용과 기준으로 평가하며, 해당업체가 작성한 정기결산서를 공인회계사가 감사보고서 작성절차에 따라 확인한 검토보고서를 제출받아 평가하고 외감법의 적용을 받는 업체는 감사인의 감사보고서를 제출받아 평가한다. 다만, 소기업의 경우 기업진단보고서, 관할세무서에 제출된 세무사 확인 재무제표나 관할세무서장이 발급하는 재무제표 증명서류로 평가할 수 있다.
   8) 재무비율에 따른 평가는 직전 회계연도 정기결산서(건설엔지니어링 업종이 아니거나 다른 엔지니어링 면허 등의 보유 여부와 관계없이 세법 등 관련법령에 따라 제출된 정기결산서를 말한다. 이하 같다)로 평가한다.
   9) 직전 회계연도 이후 새로 설립되거나 설립 등기한 업체(합병이나 분할합병으로 신설된 경우는 제외한다. 이하 "신설업체"라 한다)는 최초결산서(신설업체의 설립일이나 등기일을 기준으로 작성한 결산서로서 외감법에 따라 작성된 감사보고서상의 재무제표를 말한다. 이하 같다)로 경영상태를 평가한다. 다만, 추정가격 5억 원 미만 용역의 제출서류는 "7)"의 단서 규정을 준용

한다.

10) 직전회계연도 이후 회계연도에 합병한 경우에는 관련협회에서 확인한 합병 대상업체(합병으로 존속하거나 소멸하는 업체를 말한다. 이하 같다)의 직전 회계연도 정기결산서의 합(合)으로 평가하며, 동 평가금액은 합병으로 존속하는 업체의 합병 후 경영상태 평가를 할 때 직전회계연도 정기결산서로 보며, 이 경우 최초결산서는 합하지 아니한다. 다만, 합병 대상업체가 모두 신설업체인 경우에는 최초결산서의 합으로 평가하며, 동 평가금액은 합병으로 존속하는 업체의 합병 후 경영상태 평가를 할 때 최초결산서로 본다.

11) 직전회계연도 이후 회계연도에 상법 제530조의2제2항에 따라 분할 합병한 경우에는 "10)"에도 불구하고 분할되는 업체를 제외한 합병 대상업체의 직전 회계연도 정기결산서의 합으로 평가한다. 다만, 합병 대상업체가 모두 신설업체인 경우에는 분할되는 업체를 제외한 합병 대상업체의 최초결산서의 합으로 평가한다.

주2) 상생협력지수 평가방법 및 세부기준

1. 하도급대금 지급시기의 적정성

1) 하도급거래 공정화에 관한 법률 제13조제3항에 따라 건설엔지니어링의 경우 원사업자가 발주자로부터 제조·수리·시공 또는 용역수행행위의 완료에 따라 준공금 등을 받았을 때에는 하도급대금을, 제조·수리·시공 또는 용역수행행위의 진척에 따라 기성금 등을 받았을 때에는 수급사업자가 제조·수리·시공 또는 용역수행한 부분에 상당하는 금액을 그 준공금이나 기성금 등을 지급받은 날부터 15일(하도급대금의 지급기일이 그 전에 도래하는 경우에는 그 지급기일) 이내에 하수급사업자에게 지급하도록 하는 기준과, '건설엔지니어링 하도급 관리지침'상 수급사업자가 하도급대금 지급 내역(수령자, 지급액, 지급일)이 5일 이내에 발주청에 통보된 업체별 하도급대금 지급 및 수령실적 자료로 평가한다.

2. 하도급실적

1) '건설엔지니어링 하도급 관리지침'상 건설엔지니어링과 관련된 하도급 실적(원도급용역명, 원도급기성금액, 하도급용역명, 기성금액)이 발주청을 거쳐 국토교통부에 통보된 업체별 하도급 실적 자료로 평가한다.

[별표 10]

공사금액 가중치 적용방법

1) 공사규모를 고려한 객관성 있는 평가가 되도록 공사금액을 가중치로 적용한다.

2) 공사금액을 가중치로 반영하는 방법(일례)

○ A업체가 받은 시공평가점수 현황

공사명	공사규모(억원)	시공평가점수
OOOO 국도 확장공사	200	90
OOOO 교량 신설공사	300	85
OOOO고속도로 확장공사	500	95

⇨ A업체의 시공평가평균점수 = $\frac{(200\times90\text{점})+(300\times85\text{점})+(500\times95\text{점})}{(200+300+500)}$ = 91점

[별지 제1호 서식]

설계용역 평가양식

1. 설계용역 자체평가서 양식

<table>
<tr><th colspan="2">구분</th><th rowspan="2">평가대상자 기술내용</th></tr>
<tr><th>대분류</th><th>중분류</th></tr>
<tr><td rowspan="2">A.1.
과정에 대한 이해도</td><td>A.1.1.
조사 준비</td><td>① 해당 사업에 대한 설계를 수행하기 위해 자료 조사 및 주변 현황(지형, 교통, 지장물 등)을 검토하여 반영하였는지 여부 제시
<table><tr><th>구분</th><th>사전조사 검토사항</th><th>증빙서류</th></tr><tr><td></td><td>·</td><td></td></tr></table>
* 증빙서류로 환경성조사, 영향 평가 등 근거 자료 또는 별첨 자료로 제시
② 해당 사업과 관련된 지역개발 계획 및 상위계획을 충분히 검토 및 인지하여 설계에 반영하였는지 여부 제시
<table><tr><th>구분</th><th>계획 관련 검토사항</th><th>증빙서류</th></tr><tr><td></td><td>·</td><td></td></tr></table>
* 증빙서류로 계획 관련 근거 자료 제시 또는 별첨 자료로 제시
③ 공정한 평가를 위한 평가대상자 의견
<table><tr><td>※ 평가위원의 공정한 평가를 위하여 확인해야 할 사항을 사실관계 등 부연 설명 등 서술문 형식으로 작성</td></tr></table></td></tr>
<tr><td>A.1.2.
과업 과정에 대한 이해도</td><td>① 과업지시내용과 현 단계 설계 주요내용의 부합성 여부를 판단할 수 있는 근거자료 제시(단, 발주기관의 요청에 따른 변경 제외)
<table><tr><th>구분</th><th>과업과정 이해도 검토사항</th><th>증빙서류</th></tr><tr><td></td><td>·</td><td></td></tr></table>
* 증빙서류 : 과업지시 내용과 현 단계 설계의 비교가 가능하도록 주요 입면, 평면, 주요 설계내용 등(증빙서류 분량은 최대 A4용지 4페이지 미만, A4 한 매는 2페이지 산정)
② 공정한 평가를 위한 평가대상자 의견
<table><tr><td>※ 평가위원의 공정한 평가를 위하여 확인해야 할 사항을 사실관계 등 부연 설명 등 서술문 형식으로 작성</td></tr></table></td></tr>
</table>

<table>
<tr><th colspan="2">구분</th><th rowspan="2">평가대상자 기술내용</th></tr>
<tr><th>대분류</th><th>중분류</th></tr>
<tr><td rowspan="2">A.2.
효율적인 업무 추진</td><td>A.2.1.
발주자와의 의사소통</td><td>① 해당 사업을 수행함에 있어 주요 업무협의 및 보고일정을 준수하였는지 여부 제시
<table><tr><th>구분</th><th>주요업무 협의 및 보고명</th><th>계획일시</th><th>납품일시</th><th>증빙서류</th></tr><tr><td></td><td>·</td><td></td><td></td><td></td></tr></table>
* 증빙서류는 업무협의 및 보고 공문, 회의록(참석자 서명 수록) 등 공문서로 제한
② 설계감독관 등 수요기관 담당자와의 협의사항에 대한 설계 반영결과 제시
<table><tr><th>구분</th><th>협의 결과</th><th>설계 반영사항</th><th>증빙서류</th></tr><tr><td></td><td>·</td><td>·</td><td></td></tr></table>
* 증빙서류는 협의결과 반영사항 일람표(개선사항이 포함된 설계도서명(도면번호 등 포함)을 기재한 리스트), 회의록(참석자 서명 수록) 등 공문서로 제한
③ 공정한 평가를 위한 평가대상자 의견
<table><tr><td>※ 평가위원의 공정한 평가를 위하여 확인해야 할 사항을 사실관계 등 부연 설명 등 서술문 형식으로 작성</td></tr></table></td></tr>
<tr><td>A.2.2
사업 추진의 적정성</td><td>① 주민 등 이해당사자와의 문제발생시 민원에 대한 대응사항 제시
<table><tr><th>구분</th><th>민원사항 대응 결과</th><th>증빙서류</th></tr><tr><td></td><td>·</td><td></td></tr></table>
* 증빙서류로 주민설명회 개최 회의결과(참석자 서명 포함), 민원 대응관련 공문 등 공문서로 제한
② 관계행정기관의 질의 및 요청사항 등에 대한 적극적인 대처 여부 제시
<table><tr><th>구분</th><th>관계행정기관 대처사항</th><th>증빙서류</th></tr><tr><td></td><td>·</td><td></td></tr></table>
* 증빙서류로 관계행정기관과의 협의사항 검토 공문 등 공문서로 제한
③ 공정한 평가를 위한 평가대상자 의견
<table><tr><td>※ 평가위원의 공정한 평가를 위하여 확인해야 할 사항을 사실관계 등 부연 설명 등 서술문 형식으로 작성</td></tr></table></td></tr>
</table>

구분 대분류	구분 중분류	평가대상자 기술내용
A.2. 효율적인 업무추진	A.2.3. 과업기간 준수 노력도	① 과업기간 지체여부에 대한 비율 평가결과 제시 설계기간 지체율 [ ] % = ([ ] + [ ]) / [ ] × 100% * 설계기간 지체율 = 계획설계 지체기간(일수) + 기본설계 지체기간(일수) / 기본설계까지 용역기간(일수) × 100% ** 지체기간은 과업일정표 상의 납품 예정일과 실제 납품일의 차이를 의미하며 설계일정표가 변경된 경우에는 변경된 과업일정표를 기준으로 산정 ② 공정한 평가를 위한 평가대상자 의견 ※ 평가위원의 공정한 평가를 위하여 확인해야 할 사항을 사실관계 등 부연 설명 등 서술문 형식으로 작성
	A.2.4. 상생협력 및 동반성장	① 하도급 계획 이행의 적정성 및 계약현황을 평가할 수 있는 근거자료 제시 (표: 구분 | 하도급 계약 사항 | 증빙서류 / - | · | -) * 증빙서류는 하도급 현황(계약 건을 확인할 수 있는 관련자료, 계획 대비 계약금액 등) 관련 근거자료 제시 ② 공정한 평가를 위한 평가대상자 의견 ※ 평가위원의 공정한 평가를 위하여 확인해야 할 사항을 사실관계 등 부연 설명 등 서술문 형식으로 작성
A.3. 참여기술인 적정성	A.3.1. 참여기술인 참여도 및 노력도	① 공식적인 업무회의(기본설계 VE, 기술심의 등), 착수보고회등 각종 심의 등에 책임기술인의 참여여부 책임기술인 참석비율 [ ] % = [ ] / [ ] × 100% * 참석비율 = 참여횟수 / 개최횟수 × 100% ② 각종 회의 등의 책임기술인 참여 현황 (표: 구분 | 회의명 | 책임기술인 참여 여부 | 증빙서류 / - | · | - | -) * 증빙서류는 참여기술인명부, 회의록(참석자 서명 수록), 회의결과 보고서로 제한
		③ 공정한 평가를 위한 평가대상자 의견 ※ 평가위원의 공정한 평가를 위하여 확인해야 할 사항을 사실관계 등 부연 설명 등 서술문 형식으로 작성
A.3. 참여기술인 적정성	A.3.2. 참여기술인 투입	① 해당 사업에 대한 충분한 사전지식이 확보된 참여기술인의 전문분야 대상 협업·조정 전문성 여부 (표: 구분 | 개최 회의명 | 회의일시 | 책임기술인 참여여부 | 증빙서류 / - | · | - | - | -) * 증빙서류는 회의참석 참여기술인 명부, 회의록(참석자 서명수록) 등으로 제한 ② 참여기술인 교체 시기 및 빈도, 자격여부 등에 대한 종합적 검토 결과 제시 (표: 구분 | 참여기술인 교체 사항 | 증빙서류 / - | · | -) * 증빙서류는 교체시기 및 교체된 참여기술인의 자격 적정성을 검토할 수 있는 공문서 등으로 제한 ③ 공정한 평가를 위한 평가대상자 의견 ※ 평가위원의 공정한 평가를 위하여 확인해야 할 사항을 사실관계 등 부연 설명 등 서술문 형식으로 작성
B.1. 과업이행 결과의 적정성	B.1.1. 설계성과품	① 설계도면(위치도 및 종·평면도 등)의 내용 적정성(구조계산 결과의 정확한 반영 등) 여부 제시 (표: 항목 | 설계도면 내용 | 도면간 불일치 사항 | 도면번호 (적용도면) / - | · | · | -) * 검토도면은 설계반영사항을 평가위원이 알기 쉽도록 표기 ② 공정한 평가를 위한 평가대상자 의견 ※ 평가위원의 공정한 평가를 위하여 확인해야 할 사항을 사실관계 등 부연 설명 등 서술문 형식으로 작성

<table>
<tr><th colspan="2">구분</th><th rowspan="2">평가대상자 기술내용</th></tr>
<tr><th>대분류</th><th>중분류</th></tr>
<tr><td>B.1. 과업 이행 결과의 적정성</td><td>B.1.2. 성과품 오류 수정 적정성</td><td>① 기본설계 성과품의 오류에 대한 문제 확인 및 수정여부
| 항목 | 도면 내 오류내용 | 오류 수정사항 | 수정도면번호 (적용도면) |
| | · | · | |
* 검토도면은 설계반영사항을 평가위원이 알기 쉽도록 표기
② 공정한 평가를 위한 평가대상자 의견
※ 평가위원의 공정한 평가를 위하여 확인해야 할 사항을 사실관계 등 부연 설명 등 서술문 형식으로 작성</td></tr>
<tr><td rowspan="2">B.2. 과업 이행 내용의 충실성</td><td>B.2.1. 성능 향상 노력도</td><td>① 구조형식 및 공법의 경제성, 시공성, 안전성, 경관 등 적정성 및 대안검토 여부 제시
| 구분 | 검토사항 | 검토결과 | 증빙서류 |
| | · | · | |
* 증빙서류로 회의록(검토자 서명 수록) 또는 공식적 보고서 별첨 자료로 제시
② 기본설계 VE, 기술심의 등을 통해 협의된 내용의 설계 반영 여부 제시
| 구분 | 지적 및 협의사항 결과 | 설계 개선 및 반영사항 | 증빙서류 |
| | · | · | |
* 증빙서류는 개선사항 일람표(개선사항이 포함된 설계도서명(도면번호 등 포함)을 기재한 리스트), 결과보고서, 회의록(참석자 서명 수록)으로 제한
③ 공정한 평가를 위한 평가대상자 의견
※ 평가위원의 공정한 평가를 위하여 확인해야 할 사항을 사실관계 등 부연 설명 등 서술문 형식으로 작성</td></tr>
<tr><td>B.2.2. 공사 관리 지원 효율성</td><td>① 기획단계 공사비 대비 설계 완료시점에서 산정된 공사비의 변경비율(단, 수요기관 요청, 민관원 등 기타요인에 따라 변경된 공사비 반영)
공사비 변경비율 [ ] % = ([ ] - [ ]) / [ ] × 100%</td></tr>
</table>

<table>
<tr><th colspan="2">구분</th><th rowspan="2">평가대상자 기술내용</th></tr>
<tr><th>대분류</th><th>중분류</th></tr>
<tr><td>B.2. 과업 이행 내용의 충실성</td><td>B.2.2. 공사 관리 지원 효율성</td><td>* 공사비 변경비율 = (|현 단계의 공사비-기획단계 공사비|)/기획단계 공사비 × 100%
** 증빙서류는 공사비 내역서, 변경내역 및 사유서, 공사비 절감방안으로 제한
② 공정한 평가를 위한 평가대상자 의견
※ 평가위원의 공정한 평가를 위하여 확인해야 할 사항을 사실관계 등 부연 설명 등 서술문 형식으로 작성</td></tr>
</table>

210mm×297mm(백상지 80g/㎡(재활용품))

2. 설계용역평가 위원별 평가표(기본설계용역)

평가위원 : (서명)

용 역 명				
도급방법	[ ]단독 [ ]공동 [ ]분담 [ ]혼합		세부분야	[ ]도로 및 교통시설 [ ]수자원시설 [ ]단지개발 [ ]건축시설 [ ]환경 및 산업설비시설
용역기간	. . . ~ . . .		용역금액(원)	
건설 엔지니어링 사업자	구분	업체명	사업자등록번호	용역금액(원)
	대표사			
	구성사			
적용비율	%	평가 연월일	. .	평가점수 점

평가항목 대분류	평가항목 중분류	배점	평가점수	비고
A1. 과정에 대한 이해도	A11. 조사준비	10~20		
	A12. 과업과정에 대한 이해도			
A2. 효율적인 업무 추진	A21. 발주자와의 의사소통	30~40		
	A22. 사업추진의 적정성			
	A23. 과업기간 준수 노력도			
	A24. 상생협력 및 동반성장			
A3. 참여기술인 적정성	A31. 참여기술인 참여도 및 노력도	10~20		
	A32. 참여기술인 투입			
B1. 과업이행결과 적정성	B11. 설계 성과품	20~30		
	B12. 성과품 오류 수정 및 지원 적정성			
B2. 과업이행내용 충실성	B21. 성능향상 노력도	10~20		
	B22. 공사관리 지원 효율성			
합 계		100		

1. 발주청은 발주청 및 용역사업의 특성 등을 고려하여 중분류 평가항목에 대한 하위 세부평가항목을 별도로 정하여 평가할 수 있다.
2. 그 밖에 평가에 필요한 세부평가기준 등은 국토교통부장관이 정하여 고시하는 바에 따라 발주청이 정할 수 있다.

210mm×297mm[백상지 80g/m²(재활용품)]

3. 설계용역평가 위원별 평가표(실시설계용역 과정)

평가위원 : (서명)

용 역 명				
도급방법	[ ]단독 [ ]공동 [ ]분담 [ ]혼합		세부분야	[ ]도로 및 교통시설 [ ]수자원시설 [ ]단지개발 [ ]건축시설 [ ]환경 및 산업설비시설
용역기간	. . . ~ . . .		용역금액(원)	
건설 엔지니어링 사업자	구분	업체명	사업자등록번호	용역금액(원)
	대표사			
	구성사			
적용비율	%	평가 연월일	. .	평가점수 점

평가항목 대분류	평가항목 중분류	배점	평가점수	비고
A1. 과정에 대한 이해도	A11. 조사준비	10~30		
	A12. 과업과정에 대한 이해도			
A2. 효율적인 업무 추진	A21. 발주자와의 의사소통	50~60		
	A22. 사업추진의 적정성			
	A23. 과업기간 준수 노력도			
	A24. 상생협력 및 동반성장			
A3. 참여기술인 적정성	A31. 참여기술인 참여도 및 노력도	20~30		
	A32. 참여기술인 투입			
합 계		100		

1. 발주청은 발주청 및 용역사업의 특성 등을 고려하여 중분류 평가항목에 대한 하위 세부평가항목을 별도로 정하여 평가할 수 있다.
2. 그 밖에 평가에 필요한 세부평가기준 등은 국토교통부장관이 정하여 고시하는 바에 따라 발주청이 정할 수 있다.

210mm×297mm[백상지 80g/m²(재활용품)]

4. 설계용역평가 위원별 평가표(실시설계용역 결과)

평가위원 :　　　　　　(서명)

용 역 명					
도급방법	[ ]단독 [ ]공동 [ ]분담 [ ]혼합		세부분야	[ ]도로 및 교통시설 [ ]수자원시설 [ ]단지개발 [ ]건축시설 [ ]환경 및 산업설비시설	
용역기간	. . . ~ . . .		용역금액(원)		
건설 엔지니어링 사업자	구분	업체명	사업자등록번호	용역금액(원)	
	대표사				
	구성사				
적용비율	%	평가 연월일	. .	평가점수	점

평가항목		배점	평가점수	비고
대분류	중분류			
B1. 과업이행결과 적정성	B11. 설계 성과품	60~70		
	B12. 성과품 오류 수정 및 지원 적정성			
B2. 과업이행내용 충실성	B21. 성능향상 노력도	30~40		
	B22. 공사관리 지원 효율성			
합 계		100		

1. 발주청은 발주청 및 용역사업의 특성 등을 고려하여 중분류 평가항목에 대한 하위 세부평가항목을 별도로 정하여 평가할 수 있다.
2. 그 밖에 평가에 필요한 세부평가기준 등은 국토교통부장관이 정하여 고시하는 바에 따라 발주청이 정할 수 있다.

210mm×297mm[백상지 80g/㎡(재활용품)]

5. 설계용역평가 결과표(기본설계용역)

평가담당자 :　　　　　　(서명)

용 역 명					
도급방법	[ ]단독 [ ]공동 [ ]분담 [ ]혼합		세부분야	[ ]도로 및 교통시설 [ ]수자원시설 [ ]단지개발 [ ]건축시설 [ ]환경 및 산업설비시설	
용역기간	. . . ~ . . .		용역금액(원)		
건설 엔지니어링 사업자	구분	업체명	사업자등록번호	용역금액(원)	
	대표사				
	구성사				
적용비율	%	평가 연월일	. .	평가점수	점

평가항목		배점	위원별 평가점수					합계	평균
대분류	중분류		위원	위원	…	…	위원		
A1. 과정에 대한 이해도	A11. 조사준비								
	A12. 과업과정에 대한 이해도								
A2. 효율적인 업무 추진	A21. 발주자와의 의사소통								
	A22. 사업추진의 적정성								
	A23. 과업기간 준수 노력도								
	A24. 상생협력 및 동반성장								
A3. 참여기술인 적정성	A31. 참여기술인 참여도 및 노력도								
	A32. 참여기술인 투입								
B1. 과업이행결과 적정성	B11. 설계 성과품								
	B12. 성과품 오류 수정 및 지원 적정성								
B2. 과업이행내용 충실성	B21. 성능향상 노력도								
	B22. 공사관리 지원 효율성								
합 계									

1. 발주청은 발주청 및 용역사업의 특성 등을 고려하여 중분류 평가항목에 대한 하위 세부평가항목을 별도로 정하여 평가할 수 있다.
2. 그 밖에 평가에 필요한 세부평가기준 등은 국토교통부장관이 정하여 고시하는 바에 따라 발주청이 정할 수 있다.

210mm×297mm[백상지 80g/㎡(재활용품)]

6. 설계용역평가 결과표(실시설계 과정평가)

평가담당자 : (서명)

용 역 명				
도급방법	[ ]단독 [ ]공동 [ ]분담 [ ]혼합	세부분야	[ ]도로 및 교통시설 [ ]수자원시설 [ ]단지개발 [ ]건축시설 [ ]환경 및 산업설비시설	
용역기간	. . . ~ . . .	용역금액(원)		
건설 엔지니어링 사업자	구분	업체명	사업자등록번호	용역금액(원)
	대표사			
	구성사			
적용비율	%	평가 연월일	. .	평가점수 점

평가항목		배점	위원별 평가점수					합계	평균
대분류	중분류		위원	위원	…	…	위원		
A1. 과정에 대한 이해도	A11. 조사준비								
	A12. 과업과정에 대한 이해도								
A2. 효율적인 업무 추진	A21. 발주자와의 의사소통								
	A22. 사업추진의 적정성								
	A23. 과업기간 준수 노력도								
	A24. 상생협력 및 동반성장								
A3. 참여기술인 적정성	A31. 참여기술인 참여도 및 노력도								
	A32. 참여기술인 투입								
합 계									

1. 발주청은 발주청 및 용역사업의 특성 등을 고려하여 중분류 평가항목에 대한 하위 세부평가항목을 별도로 정하여 평가할 수 있다.
2. 그 밖에 평가에 필요한 세부평가기준 등은 국토교통부장관이 정하여 고시하는 바에 따라 발주청이 정할 수 있다.

210mm×297mm[백상지 80g/㎡(재활용품)]

7. 설계용역평가 결과표(실시설계 결과평가)

평가담당자 : (서명)

용 역 명				
도급방법	[ ]단독 [ ]공동 [ ]분담 [ ]혼합	세부분야	[ ]도로 및 교통시설 [ ]수자원시설 [ ]단지개발 [ ]건축시설 [ ]환경 및 산업설비시설	
용역기간	. . . ~ . . .	용역금액(원)		
건설 엔지니어링 사업자	구분	업체명	사업자등록번호	용역금액(원)
	대표사			
	구성사			
적용비율	%	평가 연월일	. .	평가점수 점

평가항목		배점	위원별 평가점수					합계	평균
대분류	중분류		위원	위원	…	…	위원		
B1. 과업이행결과 적정성	B11. 설계 성과품								
	B12. 성과품 오류 수정 및 지원 적정성								
B2. 과업이행내용 충실성	B21. 성능향상 노력도								
	B22. 공사관리 지원 효율성								
합 계									

1. 발주청은 발주청 및 용역사업의 특성 등을 고려하여 중분류 평가항목에 대한 하위 세부평가항목을 별도로 정하여 평가할 수 있다.
2. 그 밖에 평가에 필요한 세부평가기준 등은 국토교통부장관이 정하여 고시하는 바에 따라 발주청이 정할 수 있다.

210mm×297mm[백상지 80g/㎡(재활용품)]

평가위원별 감독 권한대행 등 건설사업관리용역 평가표

1. 건설사업관리용역 평가표

【 평가자 : 소속　　　　성명　　　　(인)】

<table>
<tr><td rowspan="2">① 평가자</td><td>소 속</td><td>직 급</td><td>성 명</td><td rowspan="2">② 평가대상기간
(평가일)</td><td colspan="2" rowspan="2"></td></tr>
<tr><td></td><td></td><td></td></tr>
<tr><td>③ 용 역 명</td><td colspan="2"></td><td>⑦ 건설사업관리용역사업자</td><td></td><td>⑪ 시 공 사</td><td></td></tr>
<tr><td>④ 용 역 기 간</td><td colspan="2"></td><td>⑧ 대 표</td><td></td><td>⑫ 공 사 기 간</td><td></td></tr>
<tr><td>⑤ 용 역 비</td><td colspan="2"></td><td>⑨ 연 락 처</td><td></td><td>⑬ 공 사 금 액</td><td></td></tr>
<tr><td>⑥ 책임기술인명</td><td colspan="2"></td><td>⑩ 세 부 분 야</td><td>[ ]도로 및 교통시설
[ ]수자원시설
[ ]단지개발 [ ]건축시설
[ ]환경 및 산업설비시설</td><td>⑭ 수 급 형 태</td><td>[ ]단독 [ ]공동 [ ]분담
[ ]기타( )</td></tr>
<tr><td rowspan="2">⑮ 평가점수</td><td colspan="3">⑯ 건설사업관리용역사업자 평가점수(80점)</td><td colspan="2">⑰ 참여기술인 평가점수(20점)</td><td>⑱ 총 점</td></tr>
<tr><td colspan="3"></td><td colspan="2"></td><td></td></tr>
</table>

① 평가위원별 기재(소속, 직급, 성명)
② 평가대상기간 및 평가표를 작성한 년월일을 기재
③ 계약서상 해당 건설사업관리용역명을 기재
④ 전체 건설사업관리용역기간을 기재
⑤ 건설사업관리용역비를 기재
⑥ 책임기술인명을 기재
⑦ 건설사업관리용역사업자 명칭을 기재
⑧~⑩ 건설사업관리용역사업자의 대표자 성명, 연락처 및 세부분야를 기재
⑪~⑬ 시공업체의 명칭(복수인 경우 모두 기재), 전체 공사기간 및 공사금액을 기재
⑭ 수급형태 선택
⑮ 평가점수를 기재
⑯ 건설사업관리용역사업자 평가점수×0.8
⑰ 참여기술인 평균점수×0.2(공동도급시 공동도급사에도 공히 적용)

210mm×297mm[백상지 80g/㎡(재활용품)]

(4쪽 중 제2쪽)

2. 평가위원별 평가표

【 평가자 : 소속 성명 (인) 】

<table>
<tr><th>구 분</th><th>평가 항목</th><th>세부기준</th><th>평 가 방 법</th><th>평가점수</th><th>비 고</th></tr>
<tr><td rowspan="3">1. 건설 사업 관리 기술인 조직 및 운영 체계 (30점)</td><td>1) 건설사업 관리단 조직 (10점)</td><td>① 상주기술인 및 기술지원기술인 배치의 적정성 /건설사업관리 기술인 교체의 적정성 (10점)</td><td><table><tr><th>항목 \ 점수</th><th>1.0</th><th>0.9</th><th>0.8</th><th>0.7</th><th>0.6</th></tr><tr><td>건설사업관리기술인 배치의 적정성</td><td></td><td></td><td></td><td></td><td></td></tr><tr><td>건설사업관리기술인 교체의 적정성</td><td></td><td></td><td></td><td></td><td></td></tr></table>* 10 × (Σ해당점수 ÷ 2) = 평가점수</td><td></td><td></td></tr>
<tr><td>2) 건설사업 관리업무 지원 시스템 (10점)</td><td>① 전산프로그램 (전산공정관리 등) 및 장비, 전산기술 조직의 활용 및 실적 (10점)</td><td><table><tr><th>항목 \ 점수</th><th>1.0</th><th>0.9</th><th>0.8</th><th>0.7</th><th>0.6</th></tr><tr><td>전산프로그램 및 장비 활용실적</td><td></td><td></td><td></td><td></td><td></td></tr><tr><td>전산기술조직의 활용 및 실적</td><td></td><td></td><td></td><td></td><td></td></tr></table>* 10 × (Σ해당점수 ÷ 2) = 평가점수</td><td></td><td></td></tr>
<tr><td>3) 건설사업 관리기술인 기술교육 (10점)</td><td>② 건설사업관리 기술인에 대한 교육계획의 수립 및 실시여부 (성공·실패사례 전파 등) (10점)</td><td><table><tr><th>항목 \ 점수</th><th>1.0</th><th>0.9</th><th>0.8</th><th>0.7</th><th>0.6</th></tr><tr><td>교육계획의 적정성[1)]
(횟수, 내용등)</td><td></td><td></td><td></td><td></td><td></td></tr><tr><td>계획의 이행실적</td><td></td><td></td><td></td><td></td><td></td></tr></table>[1)] 교육계획이 없는 경우 0점 처리
* 10 × (Σ해당점수 ÷ 2) = 평가점수</td><td></td><td></td></tr>
</table>

210mm×297mm[백상지 80g/㎡(재활용품)]

<table>
<tr><th>구분</th><th>평가 항목</th><th>세부기준</th><th>평가내용</th><th>평가점수</th><th>비 고</th></tr>
<tr><td rowspan="3">2. 건설사업관리 현장업무 지원체계[1] (20점)</td><td>1) 본사내 현장점검 조직구성 및 운영(5점)</td><td>① 점검인원 및 활동실적(5점)</td><td>
<table>
<tr><th>항목 \ 점수</th><th>1.0</th><th>0.9</th><th>0.8</th><th>0.7</th><th>0.6</th></tr>
<tr><td>인원의 적정성</td><td></td><td></td><td></td><td></td><td></td></tr>
<tr><td>활동실적</td><td></td><td></td><td></td><td></td><td></td></tr>
</table>
* 5.0 × (Σ해당점수÷2) = 평가점수</td><td></td><td></td></tr>
<tr><td>2) 품질관리 계획에 의한 활동 여부(5점)</td><td>① ISO획득여부 (2점)
② 품질관리 활동 실적 (3점)</td><td>
<table>
<tr><th>항목 \ 점수</th><th>1.0</th><th>0.9</th><th>0.8</th><th>0.7</th><th>0.6</th></tr>
<tr><td>①ISO</td><td>유</td><td colspan="4">없는 경우 0점 처리</td></tr>
<tr><td>②전담조직 활동실적</td><td></td><td></td><td></td><td></td><td></td></tr>
</table>
* (2 × ①해당점수) + (3 × ②해당점수) = 평가점수</td><td></td><td></td></tr>
<tr><td>3) 건설사업 관리 활동에 대한 문제점 및 개선방안 제시(10점)</td><td>① 현장의 품질, 공정, 안전·환경, 계약관리, 민원사항 등에 대한 지원의 충실성(10점)</td><td>
<table>
<tr><th>항목 \ 점수</th><th>1.0</th><th>0.9</th><th>0.8</th><th>0.7</th><th>0.6</th></tr>
<tr><td>지원의 충실성</td><td></td><td></td><td></td><td></td><td></td></tr>
<tr><td>회사의 벌점
(평가기준중 벌점누계)</td><td>0</td><td>2.0이하</td><td>2.0초과
4.0이하</td><td>4.0초과</td><td>6.0 초과
10.0이하</td></tr>
</table>
* 10 × (Σ해당점수÷2) = 평가점수(벌점 10.0초과시 0점 처리)</td><td></td><td></td></tr>
</table>

[1] 해당 현장에 대한 실적에 따라 평가

210mm×297mm[백상지 80g/㎡(재활용품)]

(4쪽 중 제4쪽)

<table>
<tr><th>구분</th><th>평가 항목</th><th>세부기준</th><th>평가방법</th><th>평가점수</th><th>비고</th></tr>
<tr><td rowspan="3">3.기술 지원 체계 (50점)</td><td>1) 설계도서 및 시공계획 검토(20점)</td><td>① 기술검토 활동실적 (20점)</td><td><table><tr><th>항목 \ 점수</th><th>1.0</th><th>0.9</th><th>0.8</th><th>0.7</th><th>0.6</th></tr><tr><td>기술검토 전담조직 인원</td><td></td><td></td><td></td><td></td><td></td></tr><tr><td>활동실적</td><td></td><td></td><td></td><td></td><td></td></tr></table>
* 20 × (Σ해당점수÷2) = 평가점수</td><td></td><td></td></tr>
<tr><td>2) 설계변경 검토 및 운영체계 (20점)</td><td>① 설계변경 검토결과의 적정성 및 신속성 (20점)</td><td><table><tr><th>항목 \ 점수</th><th>1.0</th><th>0.9</th><th>0.8</th><th>0.7</th><th>0.6</th></tr><tr><td>설계변경 검토의 적정성</td><td></td><td></td><td></td><td></td><td></td></tr><tr><td>설계변경 검토의 신속성</td><td></td><td></td><td></td><td></td><td></td></tr></table>
* 20 × (Σ해당점수÷2) = 평가점수</td><td></td><td></td></tr>
<tr><td>3) 건설사업 관리단의 지원요청에 대한 대응 (10점)</td><td>① 기술지원의 신속성 및 정확성(10점)</td><td><table><tr><th>항목 \ 점수</th><th>1.0</th><th>0.9</th><th>0.8</th><th>0.7</th><th>0.6</th></tr><tr><td>기술지원의 신속성</td><td></td><td></td><td></td><td></td><td></td></tr><tr><td>기술지원의 정확성</td><td></td><td></td><td></td><td></td><td></td></tr></table>
* 10 × (Σ해당점수÷2) = 평가점수</td><td></td><td></td></tr>
</table>

210mm×297mm[백상지 80g/㎡(재활용품)]

[별지 제3호 서식] 〈개정 2021. 0. 00〉

평가위원별 감독 권한대행 등 건설사업관리용역 참여기술인 평가표

1. 참여기술인 평가표 【 평가자 : 소속 성명 (인)】

①평가자	소 속	직 급	성 명	②평가대상기간 (평가일)	

③용 역 명		⑧참여기술인	성 명		⑪자격 및 자격증번호	
④용역기간			직 위		⑫시 공 사	
⑤평가대상기간			등 급		⑬공 사 기 간	
⑥용 역 비		⑨주민등록생년월일(성별)			⑭공 사 금 액	
⑦건설엔지니어링사업자		⑩연 락 처			⑮공사전체 공정률	

⑯평가점수	서류평가(80점)	현장시공상태(20점)	가·감점	합 계

①평가위원별 기재(소속, 직급, 성명)
②평가대상기간 및 평가표를 작성한 년월일을 기재
③계약서상 해당 건설사업관리용역명을 기재
④전체 건설사업관리용역기간을 기재
⑤전체 건설사업관리용역기간중 평가대상기간을 기재
⑥건설사업관리용역비를 기재
⑦건설엔지니어링사업자 명칭을 기재. 복수의 건설엔지니어링사업자인 경우 공동도급여부, 공동도급의 종류(공동이행, 분담이행 등), 대표사, 수급체 등을 구체적으로 기재
⑧~⑩참여기술인의 성명, 직위(책임기술인, 분야별 기술인, 기술지원기술인), 등급, 주민등록생년월일 및 연락처를 기재
⑪참여기술인의 기술자격의 종류와 자격증번호를 기재
⑫~⑭시공업체의 명칭(복수인 경우 모두 기재), 전체 공사기간 및 공사금액을 기재
⑮작성일 기준 공정율을 기재
⑯평가점수를 기재
※ 참여기술인의 평가는 책임기술인, 분야별 기술인, 기술지원기술인별로 평가하되 건설사업관리 참여기간이 3개월 이내인 건설사업관리기술인의 평가는 제외함

2. 세부평가내용

구 분		평가 항목	배점	건설사업관리기술인별 평가대상			비 고
				책임기술인	분야별 기술인	기술지원기술인	
1. 일반행정 업무 (35점)		1) 건설사업관리기술인 근무성실도	2	○	○	×	※평가대상이 아닌 항목의 배점은 다른평가 항목에 배분
		2) 발주청 지시사항이행 충실도	3	○	○	○	
		3) 건설사업관리업무 관련 문서관리	10	○	○	○	
		4) 건설사업관리업무보고	15	○	○	○	
		5) 건설사업관리업무 수행계획	5	○	○	○	
2. 시공관리업무 (40점)	2-1. 품질관리 (15점)	1) 품질관리 및 품질시험계획	5	○	○	○	
		2) 사용자재의 적정성 검토	5	○	○	×	
		3) 시험·검사 성과처리	5	○	○	×	
	2-2. 공정관리 (10점)	1) 공정관리계획	3	○	○	○	
		2) 공사진도관리	4	○	○	○	
		3) 부진공정 만회대책/수정공정계획	3	○	○	○	
	2-3. 안전·환경관리 (10점)	1) 안전관리계획	2	○	○	○	
		2) 안전교육 및 안전점검	2	○	○	○	
		3) 안전관리보고 및 안전관리비 사용	2	○	○	×	
		4) 공사장주변 안전관리	2	○	○	○	
		5) 환경관리	2	○	○	○	
	2-4. 계약 관리(5점)	1) 계약내용이행의 충실성 등	5	○	○	○	
3. 기술적업무(25점)		1) 설계도서 검토	10	○	○	○	
		2) 시공계획 검토	5	○	○	○	
		3) 발주청에 대한 자문의 충실성	4	○	×	○	
		4) 유관기관 의견조정	3	○	○	○	
		5) 예산절감 활동	3	○	×	○	
소 계[1]		(1+2+3)×0.8	80	○	○	○	
4. 가·감점							
5. 현장시공상태			20	○	○	○	
합 계[2]							

[1] 소계는 1.~3.에 대한 평가점수를 합하여 기재

[2] 합계는 소계에 0.8을 곱한 값과 4. 및 5.에 대한 평가점수를 합하여 기재

3. 평가위원별 평가표

【 평가자 : 소속　　　　　성명　　　　　(인) 】

<table>
<tr><th>구분</th><th>평가 항목</th><th>세부기준</th><th>내 용</th><th>평가점수</th><th>비고</th></tr>
<tr><td rowspan="3">1.
일반
행정
업무
(35점)</td><td>1) 건설사업관리 기술인 근무성실도 (2점)</td><td>① 해당 건설사업 관리기술인 근무상태(2점)</td><td>
<table>
<tr><td colspan="2">구분 ＼ 점수</td><td>1.0</td><td>0.9</td><td>0.8</td><td>0.7</td><td>0.6</td></tr>
<tr><td rowspan="2">건설사업관리 기술인별 결근일수</td><td>평가기간 1년 미만</td><td>0일</td><td>1일</td><td>2일</td><td>3일</td><td>4일 이상</td></tr>
<tr><td>평가기간 1년 이상</td><td>0일</td><td>1~2일</td><td>3~4일</td><td>5~6일</td><td>7일 이상</td></tr>
</table>
* 2 × (건설사업관리기술자별 해당 점수) = 평가점수
* 발주청 승인없이 현장을 이석한 경우 2회당 1일로 산정</td><td></td><td>※특이사항, 주관적 평가요소가 있는 경우 평가사유 등을 반드시 기재</td></tr>
<tr><td>2) 발주청 지시사항 이행 충실도 (3점)</td><td>① 발주청 지시사항의 이행여부 및 신속성(3점)</td><td>
<table>
<tr><td>점수</td><td>1.0</td><td>0.9</td><td>0.8</td><td>0.7</td><td>0.6</td></tr>
<tr><td>미이행 건수</td><td>0건</td><td>1건</td><td>2~3건</td><td>4~5건</td><td>6건 이상</td></tr>
</table>
* 미이행 건수는 년평균 건수임
* 3× (미이행 건수에 대한 해당점수) - 전체 지연일수 × 0.01 = 평가점수
* 지연 혹은 미이행의 분류는 평가자가 판단
* 처리기한 명기가 안된 경우, 일반사항은 7일 중요사항은 14일을 기준으로 산정</td><td></td><td></td></tr>
<tr><td>3) 건설사업 관리 업무 관련 문서관리 (10점)</td><td>① 건설사업 관리 업무 기록여부와 내용 충실도 (10점)</td><td>
<table>
<tr><td>평가결과</td><td>극히양호</td><td>양호</td><td>보통</td><td>다소불량</td><td>불량</td></tr>
<tr><td>해당점수</td><td>1.0</td><td>0.9</td><td>0.8</td><td>0.7</td><td>0.6</td></tr>
</table>
* 10 × (해당 점수) = 평가점수

〈평가서류〉
○ 민원처리현황 및 처리실적
○ 품질관리 실적
○ 검측대장 정리실적
○ 실정보고 등 변경관련 서류
○ 지시사항 및 환경영향평가 등 이행실적 검토
○ 안전재해 대비 실적
○ 기성 및 준공관련 서류</td><td></td><td>○공사규모 특성 등을 고려하여 평가대상 건설사업관리기술인별 평가내용 선별 적용가능 (발주청에 제출한 건설사업관리보고서 수록내용 적극 활용)</td></tr>
</table>

<table>
<tr><th>구분</th><th>평가 항목</th><th>세부기준</th><th>평가내용</th><th>평가점수</th><th>비고</th></tr>
<tr><td rowspan="3">1.
일반
행정
업무
(35점)</td><td rowspan="2">4) 건설사업 관리 업무보고
(15점)</td><td>① 적기 제출여부
(3점)</td><td><table><tr><td>점 수</td><td>1.0</td><td>0.9</td><td>0.8</td><td>0.7</td><td>0.6</td></tr><tr><td>제출기한으로부터 지연일수의 합계</td><td>기한내</td><td>0~10일</td><td>11~19일</td><td>20~30일</td><td>30일초과</td></tr></table>* 3 × 해당점수 = 평가점수
* 미제출 1건이상시 0점 처리</td><td></td><td></td></tr>
<tr><td>② 내용의 충실성
(12점)</td><td><table><tr><td>평가결과</td><td>극히양호</td><td>양호</td><td>보통</td><td>다소불량</td><td>불량</td></tr><tr><td>해당점수</td><td>1.0</td><td>0.9</td><td>0.8</td><td>0.7</td><td>0.6</td></tr></table>* 12 × (해당 점수) = 평가점수

가. 중간보고서인 경우
○ 책임·분야별 건설사업관리기술인의 업무일지
○ 품질시험·검사 및 자재관리 사항
○ 검측 및 관리현황 등을 검토하여 평가
○ 예상현안, 민원사항과 처리대책

나. 최종보고서인 경우
○ 기술검토
○ 공사추진 상황
○ 우수시공 및 실패 시공사례
○ 예산절감 등 관리상태 등을 평가</td><td></td><td>○공사규모 특성 등을 고려하여 평가대상 건설사업관리기술인별 평가내용 선별 적용가능</td></tr>
<tr><td>5) 건설사업 관리 업무 수행계획
(5점)</td><td>① 계획서 작성의 충실성 및 시행여부, 공사추진의 적정성(5점)</td><td>○ 건설사업관리업무 수행계획서 작성의 충실성
○ 계획내용의 시행여부
○ 공사추진의 적정성</td><td></td><td>○공사규모 특성 등을 고려하여 평가대상 건설사업관리기술인별 평가내용 선별 적용가능</td></tr>
</table>

<table>
<tr><th colspan="2">구분</th><th>평가 항목</th><th>세부기준</th><th>평가내용</th><th>평가점수</th><th>비고</th></tr>
<tr><td rowspan="6">2.
시공
관리
업무
(40점)</td><td rowspan="3">2-1.
품질
관리
(15점)</td><td>1) 품질관리 및 품질시험계획 (5점)</td><td>① 계획수립의 충실성 및 이행여부 (5점)</td><td>○ 계획수립의 충실성
○ 계획의 이행 여부</td><td></td><td rowspan="6">○공사규모 특성 등을 고려하여 평가대상 건설사업관리기술인별 평가내용 선별 적용가능</td></tr>
<tr><td>2) 사용자재의 적정성 검토 (5점)</td><td>① 자재공급원 승인의 적정성, 사용자재의 적합성, 자재의 보관·관리·운용의 적정성 (5점)</td><td>○ 주요자재 공급원 승인의 적정성
○ 사용자재의 적합성
○ 자재의 보관·관리·운용의 적정성</td><td></td></tr>
<tr><td>3) 시험·검사 성과 처리 (5점)</td><td>① 각종 시험 및 검측에 대한 신속한 조치 및 결과 처리(5점)</td><td>○ 조치의 신속성
○ 시험·검측 결과 처리의 적정성</td><td></td></tr>
<tr><td rowspan="3">2-2.
공정
관리
(10점)</td><td>1) 공정관리계획 (공정표 포함) (3점)</td><td>① 공정표 및 공정계획 검토의 충실성 및 적용기법의 적정성 (3점)</td><td>○ 계획검토의 적정성
○ 적용기법의 적정성</td><td></td></tr>
<tr><td>2) 공사진도 관리 (4점)</td><td>① 공정현황보고 정확성 및 기일엄수 여부(4점)</td><td>○ 공정현황보고의 정확성
○ 공정보고 기일엄수 여부</td><td></td></tr>
<tr><td>3) 부진공정 만회대책 및 수정공정계획 (3점)</td><td>① 추진계획 대비 실적 지연여부, 만회대책 및 수정공정계획의 적정성, 공정관리 및 공기만회 노력의 충실성(3점)</td><td>○ 추진계획 대비 실적 지연여부
○ 만회대책 및 수정 공정계획의 적정성
○ 공정관리 및 공기 만회 노력의 충실성</td><td></td></tr>
</table>

구분		평가 항목	세부기준	평가내용	평가점수	비고
2. 시공 관리 업무 (40점)	2-3. 안전·환경 관리 (10점)	1) 안전관리계획 (2점)	① 안전관리 계획수립의 적정성 및 이행여부(2점)	○ 계획수립의 적정성 ○ 계획의 이행여부		○공사규모 특성 등을 고려하여 평가대상 건설사업관리기술인별 평가내용 선별 적용가능
		2) 안전교육 및 안전점검 (2점)	① 안전점검 및 안전교육 실시 (2점)	○ 공정별 안전점검, 자체안전점검, 정기안전 점검시기, 내용, 실시계획 및 점검결과 조치의 적정성 ○ 안전교육 계획표, 교육의 종류, 내용 등의 적정성		
		3) 안전관리보고 및 안전관리비 사용(2점)	① 사고처리 등 안전관리 보고의 적정성, 안전관리비 사용의 적정성(2점)	○ 사고처리 등 안전관리 보고의 적정성 ○ 안전관리비 사용의 적정성		
		4) 공사장주변 안전관리 (2점)	① 공사장주변의 안전관리, 주변 교통에 대한 대책 및 관리 (2점)	○ 공사 중 지하매설물의 방호, 인접시설물의 보호 등의 적정성 ○ 교통안전시설 설치 및 교통소통 계획의 적정성		
		5) 환경관리 (2점)	① 환경오염(소음, 분진, 수질)에 대한 예방조치(2점)	○ 소음·분진발생, 수질오염, 토사유출에 대한 대책·방지 및 관리의 적정성 ○ 환경과 관련한 민원발생 여부 및 조치의 적정성		
	2-4. 계약 관리등 (5점)	1) 계약내용 이행의 충실성 등 (5점)	① 과업지시서 이행의 충실성, 설계변경 검토의 적정성, 준공검사 관련 서류작성 등의 충실성, 하도급 계약검토의 충실성, 공사현장 사후 관리의 적정성(5점)	○ 과업지시서 이행의 충실성 ○ 설계변경 검토의 적정성 ○ 준공검사 관련서류작성 등의 충실성 ○ 하도급 계약검토의 충실성 ○ 공사현장 사후관리의 적정성		

<table>
<tr><th>구분</th><th>평가 항목</th><th>세부기준</th><th>평가내용</th><th>평가점수</th><th>비고</th></tr>
<tr><td rowspan="6">3.
기술적
업무
(25점)</td><td rowspan="2">1) 설계도서 검토
(10점)</td><td>① 설계도서와 시공(준공)상의 문제점을 검토한 실적 및 문제점 처리(3점)
② 시공상세도 검토 실적(2점)</td><td>○ 설계도서와 시공(준공)상의 문제점을 검토한 실적 및 문제점 처리
○ 시공상세도 검토 실적</td><td></td><td rowspan="7">○공사규모 특성 등을 고려하여 평가대상 건설사업관리기술인별 평가내용 선별 적용가능</td></tr>
<tr><td>③ 시공자 제출서류에 대한 검토의 충실성, 신속성, 적정성(5점)</td><td>○ 자재수급 상황
○ 설계변경 여건
○ 현장확인 측량등 결과
○ 품질관리계획 등을 검토평가</td><td></td></tr>
<tr><td>2) 시공계획 검토
(5점)</td><td>① 공법 개선 실적, 계획 변경(3점)
② 지장물 및 기존 구조물의 철거 등 검토(2점)</td><td>○ 공법 개선실적, 계획변경
○ 지장물 및 기존 구조물의 철거 등 검토</td><td></td></tr>
<tr><td>3) 발주청에 대한 자문의 충실성
(4점)</td><td>① 발주청 자문요구에 대한 의견제시의 신속성, 정성
(4점)</td><td>○ 발주청 자문요구에 대한 의견제시의 신속성 자문내용의 적정성</td><td></td></tr>
<tr><td>4) 유관기관 의견 조정(3점)</td><td>① 관계자(설계자, 시공자, 발주청 등) 합동회의 등에서 의견수렴 및 조정의 적정성
(3점)</td><td>○ 유관기관 의견조정의 적정성</td><td></td></tr>
<tr><td>5) 예산절감활동
(3점)</td><td>① 계약공사의 예산절감활동
(3점)</td><td><table><tr><td>평가결과</td><td>극히양호</td><td>양호</td><td>보통</td><td>다소불량</td><td>불량</td></tr><tr><td>해당점수</td><td>1.0</td><td>0.9</td><td>0.8</td><td>0.7</td><td>0.6</td></tr></table>* 3 × (해당 점수) = 평가점수</td><td></td></tr>
<tr><td colspan="4">소 계</td><td>Σ평가점수
(1.~3.)</td></tr>
</table>

구분	평가 항목	세부기준	평가내용	평가점수	비고
4. 가감점[1] (±5점)	1) 가점 (+5점)	① 기술개발보상실적 (+3점)	* 국가를(지방자치단체를) 당사자로 하는 계약에 관한 법률 시행령 제65조제4항(제74조제5항)에 의한 기술보상 실적 건당 1.5점		
		② 신기술·특수공법 도입(+2점)	* 건(착수 후 설계변경하여 적용된 건수)당 1점씩 가점		
	2) 감점 (-5점)	① 벌점 (-3점)	* 평가대상 기간중 벌점 합계가 4.0점을 초과하는 경우 -3점, 1.0점 초과 3.0점 이하인 경우 -2점, 1.0점인 경우 -1점		
		② 재해발생 (-2점)	* 중대건설현장사고, 중대재해[2] -1점/건		

[1] ±5점의 범위안에서 발주청은 가감점 항목을 추가 또는 조정할 수 있음. 다만, 가점과 감점을 상계한 점수는 5점을 넘을 수 없음

[2] 중대건설현장사고는 「건설기술진흥법」 제67조제1항, 중대재해는 「산업안전보건법」 제2조제7호의 규정에 따름

<table>
<tr><th>구분</th><th>평가 항목</th><th>세부기준</th><th>평가내용</th><th>평가점수</th><th>비고</th></tr>
<tr><td rowspan="5">5. 현장 시공 상태 (20)</td><td>1) 구조물 등 규격관리 (5점)</td><td>구조물 규격 불량률 (5점)</td><td>* 극히양호 5.0, 양호 4.0, 보통 3.0, 다소불량2.0, 불량 0</td><td></td><td></td></tr>
<tr><td rowspan="2">2) 시설물 등의 균열 및 마무리 시공상태 (7점)</td><td>① 주요부위 균열 및 재료분리(3점)
② 기타부위 균열 및 재료분리(2점)</td><td rowspan="2">| 구 분 | 1.0 | 0.9 | 0.8 | 0.7 | 0.6 |
| ① | 극히양호 | 양호 | 보통 | 다소불량 | 불량 |
| ② | 극히양호 | 양호 | 보통 | 다소불량 | 불량 |
| ③ | 극히양호 | 소수 | 보통 | 다소불량 | 불량 |

* 3×①해당점수 +2×②해당점수 + 2×③해당점수 = 평가점수</td><td rowspan="2"></td><td rowspan="2">○시설물의 안전관리에 관한 특별법에 의한 1,2종시설물 대상, 또는 발주청에서 필요시 평가대상 시설물을 추가할 수 있다</td></tr>
<tr><td>③ 콘크리트등 재료분리 및 면 마무리 상태 (2점)</td></tr>
<tr><td>3) 내구성 및 배수·방수 상태(3점)</td><td>배수·방수 상태 (3점)</td><td>* 극히양호 3.0, 양호 2.4, 보통 1.8, 다소불량 1.2, 불량 0</td><td></td><td></td></tr>
<tr><td>4) 기타하자, 부실시공 (5점)</td><td>하자, 부실시공 발생여부 (5점)</td><td>* 3건이하 또는 총공사비의 0.1%미만 : 5.0점,
6건이하 또는 총공사비의 0.3%미만 : 4.0점
9건이하 또는 총공사비의 0.5%미만 : 3.0점
12건이하 또는 총공사비의 0.8%미만 : 2.0점
12건초과 또는 총공사비의 0.8%이상 : 0.0점</td><td></td><td></td></tr>
<tr><td colspan="4">〈합 계〉</td><td></td><td></td></tr>
</table>

[별지 제4호 서식] 〈개정 2021. 0. 00〉 (2쪽 중 제1쪽)

감독 권한대행 등 건설사업관리용역 평가 결과표

발주청 :

용역명			용역기간	
세부분야	[ ]도로 및 교통시설 [ ]수자원시설 [ ]단지개발 [ ]건축시설 [ ]환경 및 산업설비시설		수급형태	[ ]단독 [ ]공동 [ ]분담 [ ]기타(　　)
건설엔지니어링 사업자	대표자	(회사명/사업자등록번호/소재지/지분율(%)/용역금액(백만원)) 순으로 작성		
	수급체			
	수급체			
용역금액	천만원(낙찰률　%)		평가연월일	

1. 건설엔지니어링사업자

평가항목		배점	평점			
			위원	………	위원	평균
총계		100				
회사	소계[(①+②+③)×80%]	80				
	① 건설사업관리기술인 조직 및 운영체계	30				
	② 건설사업관리현장 업무지원체계	20				
	③ 기술지원체계	50				
④ 참여기술인 평가(점수×20%)		20	※ 책임기술인, 분야별 기술인, 기술지원기술인 평균점수			

2. 참여기술인

2.1 책임기술인(※참여기간이 3개월 이내인 기술인은 제외)

성명	생년월일
주소	
직무 분야	등급
직책	용역 참여기간　　～　　(　개월)

평가항목		배점	평점			
			위원	………	위원	평균
총계		100				
서류평가	소계[(⑤+⑥+⑦)×80%]	80				
	⑤ 일반행정 업무 처리 내용	35				
	⑥ 시공관리 업무 내용	40				
	⑦ 기술적 업무 수행 내용	25				
⑧ 현장 시공 상태		20				
⑨ 가감점(기술개발, 신기술, 벌점 및 재해 발생 등)		±5				

210mm×297mm[백상지 80g/m²(재활용품)]

(2쪽 중 제2쪽)

2.2 분야별기술인(※참여기간이 3개월 이내인 기술인은 제외)

성명	생년월일
주소	
직무 분야	등급
직책	용역 참여기간 ～　　(　개월)

평가항목		배점	평점			
			위원	………	위원	평균
총계		100				
서류평가	소계[(⑤+⑥+⑦)×80%]	80				
	⑤ 일반행정 업무 처리 내용	35				
	⑥ 시공관리 업무 내용	40				
	⑦ 기술적 업무 수행 내용	25				
⑧ 현장 시공 상태		20				
⑨ 가감점(기술개발, 신기술, 벌점 및 재해 발생 등)		±5				

2.3 기술지원기술인(※참여기간이 3개월 이내인 기술인은 제외)

성명	생년월일
주소	
직무 분야	등급
직책	용역 참여기간 ～　　(　개월)

평가항목		배점	평점			
			위원	………	위원	평균
총계		100				
서류평가	소계[(⑤+⑥+⑦)×80%]	80				
	⑤ 일반행정 업무 처리 내용	35				
	⑥ 시공관리 업무 내용	40				
	⑦ 기술적 업무 수행 내용	25				
⑧ 현장 시공 상태		20				
⑨ 가감점(기술개발, 신기술, 벌점 및 재해 발생 등)		±5				

210mm×297mm[백상지 80g/m²(재활용품)]

[별지 제5호 서식] 〈개정 2021. 0. 00〉

참여기술인 중간평가표

1. 상주기술인 평가표

<table>
<tr><td rowspan="4">①평가자</td><td>구 분</td><td>소 속</td><td colspan="2">직 급</td><td colspan="2">성 명</td><td rowspan="4">② 평가대상기간
(평가일)</td><td rowspan="4" colspan="2"></td></tr>
<tr><td>평가자</td><td></td><td colspan="2"></td><td colspan="2"></td></tr>
<tr><td>· · ·</td><td></td><td colspan="2"></td><td colspan="2"></td></tr>
<tr><td>평가자</td><td></td><td colspan="2"></td><td colspan="2"></td></tr>
<tr><td colspan="2">③용 역 명</td><td></td><td rowspan="3" colspan="2">⑧상주기술인</td><td>성 명</td><td colspan="2"></td><td>⑪자격 및 자격증번호</td><td></td></tr>
<tr><td colspan="2">④용역기간</td><td></td><td>직 위</td><td colspan="2"></td><td>⑫시 공 사</td><td></td></tr>
<tr><td colspan="2">⑤평가대상기간</td><td></td><td>등 급</td><td colspan="2"></td><td>⑬공 사 기 간</td><td></td></tr>
<tr><td colspan="2">⑥용 역 비</td><td></td><td colspan="3">⑨주민등록생년월일(성별)</td><td colspan="2"></td><td>⑭공 사 금 액</td><td></td></tr>
<tr><td colspan="2">⑦건설엔지니어링사업자</td><td></td><td colspan="3">⑩연 락 처</td><td colspan="2"></td><td>⑮공사전체 공정률</td><td></td></tr>
<tr><td colspan="2" rowspan="2">⑯평가점수</td><td colspan="2">서류평가(80점)</td><td colspan="3">현장시공상태(20점)</td><td colspan="2">가·감점</td><td>합 계</td></tr>
<tr><td colspan="2"></td><td colspan="3"></td><td colspan="2"></td><td></td></tr>
</table>

①발주청에서 구성한 평가단 구성원 전체 기재(소속, 직급, 성명)
②평가대상기간 및 평가표를 작성한 년월일을 기재
③계약서상 해당 건설사업관리용역명을 기재
④전체 건설사업관리용역기간을 기재
⑤전체 건설사업관리용역기간중 평가대상기간을 기재
⑥건설사업관리용역비를 기재
⑦건설엔지니어링사업자 명칭을 기재. 복수의 건설엔지니어링사업자인 경우 공동도급여부, 공동도급의 종류(공동이행, 분담이행 등), 주관사, 보조회사 등을 구체적으로 기재
⑧~⑩상주기술인의 성명, 직위(책임기술인, 분야별 기술인), 등급, 주민등록생년월일 및 연락처를 기재
⑪상주기술인의 기술자격의 종류와 자격증번호를 기재
⑫~⑭시공업체의 명칭(복수인 경우 모두 기재), 전체 공사기간 및 공사금액을 기재
⑮작성일 기준 공정율을 기재
⑯평가점수를 기재

※ 상주기술인의 평가는 책임기술인, 분야별 기술인별로 평가하되 건설사업관리 참여기간이 3개월 이내인 건설사업관리기술인의 평가는 제외함

2. 기술지원기술인 평가표

①평가자	구 분	소 속	직 급	성 명	② 평가대상기간 (평가일)	
	평가자					
	· · ·					
	평가자					

③용 역 명		⑧기술지원 기술인	성 명		⑪자격 및 자격증번호	
④용역기간			직 위		⑫시 공 사	
⑤평가대상기간			등 급		⑬공 사 기 간	
⑥용 역 비		⑨주민등록생년월일(성별)			⑭공 사 금 액	
⑦건설엔지니어링사업자		⑩연 락 처			⑮공사전체 공정률	

⑯평가점수	서류평가(80점)	현장시공상태(20점)	가·감점	합 계

①발주청에서 구성한 평가단 구성원 전체 기재(소속, 직급, 성명)
②평가대상기간 및 평가표를 작성한 년월일을 기재
③계약서상 해당 건설사업관리용역명을 기재
④전체 건설사업관리용역기간을 기재
⑤전체 건설사업관리용역기간중 평가대상기간을 기재
⑥건설사업관리용역비를 기재
⑦건설엔지니어링사업자 명칭을 기재. 복수의 건설엔지니어링사업자인 경우 공동도급여부, 공동도급의 종류(공동이행, 분담이행 등), 주관사, 보조회사 등을 구체적으로 기재
⑧~⑩기술지원기술인의 성명, 직위, 등급, 주민등록생년월일 및 연락처를 기재
⑪기술지원기술인의 기술자격의 종류와 자격증번호를 기재
⑫~⑭시공업체의 명칭(복수인 경우 모두 기재), 전체 공사기간 및 공사금액을 기재
⑮작성일 기준 공정율을 기재
⑯평가점수를 기재

3. 세부평가내용

[상주기술인]

구 분		평가 항목	배점	건설사업관리기술인별 평가대상		비 고
				책임기술인	분야별 기술인	
1. 일반행정 업무 (25점)		1) 건설사업관리기술인 근무성실도	2	○	○	
		2) 발주청 지시사항이행 충실도	3	○	○	
		3) 건설사업관리업무보고	5	○	○	
		4) 건설사업관리업무 수행계획	5	○	○	
		5) 행정능력 발주청 평가	10	○	○	
2. 시공 관리 업무 (35점)	품질관리 (10점)	1) 계획수립 및 시험·검사활동	5	○	○	
		2) 품질관리 적정성 발주청 평가	5	○	○	
	공정관리 (10점)	1) 계획수립·관리(만회대책포함)	5	○	○	
		2) 공정관리 적정성 발주청 평가	5	○	○	
	안전·환경 관리 (15점)	1) 안전관리 계획 및 시행	5	○	○	
		2) 환경관리 계획 및 시행	5	○	○	
		3) 안전,환경 적정성 발주청 평가	5	○	○	
3. 기술적업무 (20점)		1) 설계도서 검토	5	○	○	
		2) 시공계획 검토	5	○	○	
		3) 유관기관 의견조정	5	○	○	
		4) 기술능력 발주청 평가	5	○	○	
4. 현장시공상태			20	○	○	
5. 가·감 점			±5	○	○	
합 계						

[기술지원기술인]

구 분	평가 항목	배점	비 고
1. 일반행정 업무(15점)	1) 건설사업관리기술인 근무성실도	5	
	2) 발주청 지시사항이행 충실도	5	
	3) 기술지원기술인 검토의견 제출시기	5	
2. 시공관리업무(15점)	1) 월별 현장점검 업무	10	
	2) 준공(기성) 검사 업무	5	
3. 기술적업무(30점)	1) 기술검토 처리	10	
	2) 상주기술인의 시공계획 검토에 대한 지도	10	
	3) 상주기술인의 시공상세도 검토에 대한 지도	5	
	4) 민원처리 지원	5	
4. 현장시공상태(20점)		20	
5. 발주청 평가(20점)		20	
소 계		100	
6. 가·감 점		±5	
합 계			

4. 평가자별 평가표

〔평가자 : 소속 성명 (인)〕

[상주기술인]

<table>
<tr><th>구분</th><th>평가 항목</th><th>세부기준</th><th>내 용</th><th>평가점수</th><th>비고</th></tr>
<tr><td rowspan="2">1.
일반
행정
업무
(25점)</td><td>1) 건설사업관리
기술인
근무성실도
(2점)</td><td>① 해당 건설사업
관리 기술인
근무상태
(2점)</td><td>
<table>
<tr><th colspan="2">점수 / 구분</th><th>1.0</th><th>0.9</th><th>0.8</th><th>0.7</th><th>0.6</th></tr>
<tr><td rowspan="2">건설사업
관리기술인별
결근일수</td><td>평가기간
1년미만</td><td>0 일</td><td>1일</td><td>2일</td><td>3일</td><td>4일이상</td></tr>
<tr><td>평가기간
1년이상</td><td>0~1일</td><td>2~3일</td><td>4~5일</td><td>6~7일</td><td>8일이상</td></tr>
</table>
* 2 × (해당 점수) = 평가점수</td><td></td><td>※특이사항,
주관적
평가요소가
있는 경우
평가사유 등을
반드시 기재</td></tr>
<tr><td>2) 발주청
지시사항
이행 충실도
(3점)</td><td>① 발주청
지시사항의
이행여부 및
신속성
(3점)</td><td>
<table>
<tr><th>점수</th><th>1.0</th><th>0.9</th><th>0.8</th><th>0.7</th><th>0.6</th></tr>
<tr><td>미이행 건수</td><td>0건</td><td>1건</td><td>2~3건</td><td>4~5건</td><td>6건이상</td></tr>
</table>
* 미이행 건수는 년평균 건수임
* 3× (미이행 건수에 대한 해당점수) - 전체 지연일수 ×0.01 = 평가점수
* 지연 혹은 미이행의 분류는 평가자가 판단
* 처리기한 명기가 안된 경우, 일반사항은 7일 중요사항은 14일을 기준으로 산정</td><td></td><td></td></tr>
</table>

<table>
<tr><th>구분</th><th>평가 항목</th><th>세부기준</th><th>평가내용</th><th>평가점수</th><th>비고</th></tr>
<tr><td rowspan="2">1.
일반
행정
업무
(25점)</td><td rowspan="2">3) 건설사업관리
업무 보고
(5점)</td><td>① 적기 제출여부
(2점)</td><td>
<table>
<tr><td>점 수</td><td>1.0</td><td>0.9</td><td>0.8</td><td>0.7</td><td>0.6</td></tr>
<tr><td>제출기한으로부터
지연일수의 합계</td><td>기한내</td><td>0~5일</td><td>6~10일</td><td>11~15일</td><td>16일초과</td></tr>
</table>
* 2 × 해당점수 = 평가점수
* 미제출시 0점 처리</td><td></td><td></td></tr>
<tr><td>② 내용의 충실성
(3점)</td><td>
<table>
<tr><td>평가결과</td><td>극히양호</td><td>양호</td><td>보통</td><td>다소불량</td><td>불량</td></tr>
<tr><td>해당점수</td><td>1.0</td><td>0.9</td><td>0.8</td><td>0.7</td><td>0.6</td></tr>
</table>
* 3 × (해당 점수) = 평가점수

가. 중간보고서인 경우
○ 책임·분야별 건설사업관리기술인의 업무일지
○ 품질시험·검사 및 자재관리 사항
○ 검측 및 관리현황 등을 검토하여 평가
○ 예산현안, 민원사항과 처리대책

나. 최종보고서인 경우
○ 기술검토
○ 공사추진 상황
○ 우수시공 및 실패 시공사례
○ 예산절감 등 관리상태 등을 평가</td><td></td><td>○공사규모 특성 등을 고려하여 평가대상 건설사업관리 기술인별 평가내용 선별 적용가능</td></tr>
</table>

<table>
<tr><th>구분</th><th colspan="2">평가 항목</th><th>세부기준</th><th>평가방법</th><th>평가점수</th><th>비고</th></tr>
<tr><td rowspan="2">1.
일반
행정
업무
(25점)</td><td colspan="2">4) 건설사업관리 업무 수행계획(5점)</td><td>① 계획서작성의 충실성 및 시행여부, 공사추진의 적정성 (5점)</td><td>○ 건설사업관리업무 수행계획서 작성의 충실성
○ 계획내용의 시행여부
○ 공사추진의 적정성</td><td></td><td>○공사규모 특성 등을 고려하여 평가대상 건설사업관리 기술인별 평가내용 선별 적용가능</td></tr>
<tr><td colspan="2">5) 행정능력 발주청평가 (10점)</td><td>① 관련법령에 따른 업무협의와 현장추진 능력(10점)</td><td><table><tr><td>평가결과</td><td>극히양호</td><td>양호</td><td>보통</td><td>다소불량</td><td>불량</td></tr><tr><td>해당점수</td><td>1.0</td><td>0.9</td><td>0.8</td><td>0.7</td><td>0.6</td></tr></table>* 10 × (해당 점수) = 평가점수</td><td></td><td></td></tr>
<tr><td rowspan="2">2.
시공
관리
업무
(35점)</td><td rowspan="2">2-1.
품질
관리
(10점)</td><td>1) 품질계획수립 및 시험·검사활동 (5점)</td><td>① 계획수립의 충실성
② 자재의 적정성, 승인, 시험등 품질확보 등 (5점)</td><td>○ 계획수립의충실성
○ 계획의 이행 여부
○ 주요자재 공급원 승인의 적정성
○ 사용자재의 적합성
○ 시험·검측 결과 처리의 적정성</td><td></td><td rowspan="2">○공사규모 특성 등을 고려하여 평가대상 건설사업관리 기술인별 평가내용 선별 적용가능</td></tr>
<tr><td>2) 품질관리 적정성 발주청 평가 (5점)</td><td>① 품질관련 업무추진과 활동능력 평가 (5점)</td><td><table><tr><td>평가결과</td><td>극히양호</td><td>양호</td><td>보통</td><td>다소불량</td><td>불량</td></tr><tr><td>해당점수</td><td>1.0</td><td>0.9</td><td>0.8</td><td>0.7</td><td>0.6</td></tr></table>* 5 × (해당 점수) = 평가점수</td><td></td></tr>
</table>

<table>
<tr><th colspan="2">구분</th><th>평가 항목</th><th>세부기준</th><th>평가내용</th><th>평가점수</th><th>비고</th></tr>
<tr><td rowspan="5">2.
시공
관리
업무
(35점)</td><td rowspan="2">2-2.
공정
관리
(10점)</td><td>1) 공정관리
계획수립·
관리(5점)</td><td>① 공정표 및 공정계획
② 공사진도관리 등
(5점)</td><td>○ 계획검토의 적정성
○ 적용기법의 적정성
○ 공정현황보고의 정확성
○ 공정보고 기일엄수 여부
○ 만회대책 및 수정 공정계획의 적정성
○ 공정관리 및 공기 만회 노력의 충실성</td><td></td><td rowspan="2">○공사규모 특성 등을 고려하여 평가대상 건설사업관리 기술인별 평가내용 선별 적용가능</td></tr>
<tr><td>2) 공정관리
적정성
발주청 평가
(5점)</td><td>① 공정관리 업무추진과 활동능력 평가
(5점)</td><td><table><tr><td>평가결과</td><td>극히양호</td><td>양호</td><td>보통</td><td>다소불량</td><td>불량</td></tr><tr><td>해당점수</td><td>1.0</td><td>0.9</td><td>0.8</td><td>0.7</td><td>0.6</td></tr></table>* 5 × (해당 점수) = 평가점수</td><td></td></tr>
<tr><td rowspan="3">2-3.
안전·
환경
관리
(15점)</td><td>1) 안전관리
계획 및 시행
(5점)</td><td>① 안전관리계획 수립의 적정성 및 이행여부
② 안전점검 및 안전교육 실시(5점)</td><td>○ 계획수립의 적정성 및 이행여부
○ 각종 안전점검(자체, 정기 등) 실시 및 조치
○ 안전교육 계획, 내용, 시행 등의 적정성</td><td></td><td rowspan="3"></td></tr>
<tr><td>2) 환경관리
계획 및 시행
(5점)</td><td>① 환경오염(소음, 분진, 수질)에 대한 예방조치(5점)</td><td>○ 소음·분진발생, 수질오염, 토사유출에 대한 대책·방지 및 관리의 적정성
○ 환경영향평가 협의내용 이행상태 등</td><td></td></tr>
<tr><td>3) 안전·환경
적정성
발주청 평가
(5점)</td><td>① 안전·환경관리 업무추진과 활동능력 평가(5점)</td><td><table><tr><td>평가결과</td><td>극히양호</td><td>양호</td><td>보통</td><td>다소불량</td><td>불량</td></tr><tr><td>해당점수</td><td>1.0</td><td>0.9</td><td>0.8</td><td>0.7</td><td>0.6</td></tr></table>* 5 × (해당 점수) = 평가점수</td><td></td></tr>
</table>

<table>
<tr><th>구분</th><th>평가 항목</th><th>세부기준</th><th>평가내용</th><th>평가점수</th><th>비고</th></tr>
<tr><td rowspan="5">3.
기술적
업무
(20점)</td><td rowspan="2">1) 설계도서 검토
(5점)</td><td>① 설계도서와 시공(준공)상의 문제점을 검토한 실적 및 문제점 처리(2점)
② 시공상세도 검토 실적(1점)</td><td>○ 설계도서와 시공(준공)상의 문제점을 검토한 실적 및 문제점 처리
○ 시공상세도 검토 실적</td><td></td><td rowspan="5">○공사규모 특성 등을 고려하여 평가대상 건설사업관리 기술인별 평가내용 선별 적용가능</td></tr>
<tr><td>③ 시공자 제출서류에 대한 검토의 충실성, 신속성, 적정성(2점)</td><td>○ 자재수급 상황
○ 설계변경 여건
○ 현장확인 측량 등 결과
○ 품질관리계획 등을 검토평가</td><td></td></tr>
<tr><td>2) 시공계획 검토
(5점)</td><td>① 공법 개선 실적, 계획 변경 (3점)
② 지장물 및 기존 구조물의 철거 등 검토(2점)</td><td>○ 공법 개선실적, 계획변경
○ 지장물 및 기존 구조물의 철거 등 검토</td><td></td></tr>
<tr><td>3) 유관기관 의견 조정(5점)</td><td>① 관계자(설계자, 시공자, 발주청 등) 합동회의 등에서 의견수렴 및 조정의 적정성 (5점)</td><td>○ 유관기관 의견조정의 적정성</td><td></td></tr>
<tr><td>4) 기술능력 발주청 평가
(5점)</td><td>① 관련법령과 시방규정 등을 바탕으로 한 기술검토 및 업무추진 능력(5점)</td><td><table><tr><td>평가결과</td><td>극히양호</td><td>양호</td><td>보통</td><td>다소불량</td><td>불량</td></tr><tr><td>해당점수</td><td>1.0</td><td>0.9</td><td>0.8</td><td>0.7</td><td>0.6</td></tr></table>* 5 × (해당 점수) = 평가점수</td><td></td></tr>
<tr><td>4.
현장 시공
상태(20)</td><td colspan="3">【별지 제3호 서식】 3.평가위원별 평가표의 5.현장시공상태 내용과 동일</td><td></td><td></td></tr>
<tr><td>5.
가감점
(±5점)</td><td colspan="3">【별지 제3호 서식】 3.평가위원별 평가표의 4.가감점 내용과 동일</td><td></td><td></td></tr>
</table>

[기술지원기술인]

<table>
<tr><th>구분</th><th>평가 항목</th><th>세부기준</th><th>내 용</th><th>평가점수</th><th>비고</th></tr>
<tr><td rowspan="3">1.
일반
행정
업무
(15점)</td><td>1) 건설사업관리 기술인 근무성실도 (5점)</td><td>① 기술지원 기술인 근무상태 (5점)</td><td>
<table>
<tr><th>구분 \ 점수</th><th>1.0</th><th>0.9</th><th>0.8</th><th>0.7</th><th>0.6</th></tr>
<tr><td>현장에서 각종 검사, 점검 및 암판정 요청에 대한 이행기간 미준수 건수</td><td>0건</td><td>1~2</td><td>3~4</td><td>5~6</td><td>7건 이상</td></tr>
</table>
* 5× (미준수 건수에 대한 해당점수) = 평가점수</td><td></td><td></td></tr>
<tr><td>2) 발주청 지시사항이행 충실도(5점)</td><td>① 발주청 지시사항의 이행여부 및 신속성(5점)</td><td>
<table>
<tr><th colspan="2">구분 \ 점수</th><th>1.0</th><th>0.9</th><th>0.8</th><th>0.7</th><th>0.6</th></tr>
<tr><td>미이행 건수</td><td>3</td><td>0건</td><td>1건</td><td>2건</td><td>3건</td><td>4건 이상</td></tr>
<tr><td>지연건수</td><td>2</td><td>0건</td><td>1건</td><td>2건</td><td>3건</td><td>4건 이상</td></tr>
</table>
* 3× (미이행 건수에 대한 해당점수) + 2×(지연건수에 대한 해당점수) = 평가점수</td><td></td><td></td></tr>
<tr><td>3) 기술지원 기술인 검토의견 제출시기(5점)</td><td>① 기술지원 기술인 검토의견 제출시기(5점)</td><td>
<table>
<tr><th>구분 \ 점수</th><th>1.0</th><th>0.9</th><th>0.8</th><th>0.7</th><th>0.6</th></tr>
<tr><td>검토의견 제출시기 미준수 건수</td><td>0건</td><td>1</td><td>2</td><td>3</td><td>4건 이상</td></tr>
</table>
* 5× (미준수 건수에 대한 해당점수) = 평가점수
* 처리기한 명기가 안된 경우, 일반사항은 7일 중요사항은 14일을 기준으로 산정</td><td></td><td></td></tr>
</table>

<table>
<tr><th>구분</th><th>평가 항목</th><th>세부기준</th><th>평가내용</th><th>평가점수</th><th>비고</th></tr>
<tr><td rowspan="2">2.
시공
관리
업무
(15점)</td><td>1) 월별 현장 점검 현황(10점)</td><td>① 현장점검 빈도 및 점검내용(10점)</td><td><table><tr><td>평가결과</td><td>극히양호</td><td>양호</td><td>보통</td><td>다소불량</td><td>불량</td></tr><tr><td>해당점수</td><td>1.0</td><td>0.9</td><td>0.8</td><td>0.7</td><td>0.6</td></tr></table>* 10 × (해당 점수) = 평가점수</td><td></td><td>- 암판정, 준공(기성)검사는 제외한다.</td></tr>
<tr><td>2) 준공(기성)검사 처리(5점)</td><td>① 준공(기성)검사 처리기간 단축(5점)</td><td><table><tr><td>점 수</td><td>1.0</td><td>0.9</td><td>0.8</td><td>0.7</td><td>0.6</td></tr><tr><td>4일 이내 미처리 건수</td><td>0</td><td>1</td><td>2</td><td>3</td><td>4</td></tr></table>* 5 × (4일 이내 미처리 건수에 대한 점수) = 평가점수</td><td></td><td></td></tr>
<tr><td rowspan="2">3.
기술적
업무
(30점)</td><td>1) 기술검토 처리(10점)</td><td>① 기술검토 처리기간 (낙석·산사태 및 수해 등 사전검토 처리포함) (5점)

② 기술검토 적정성 및 충실성(5점)</td><td><table><tr><td>점 수</td><td>1.0</td><td>0.9</td><td>0.8</td><td>0.7</td><td>0.6</td></tr><tr><td>기술검토 처리기간 미준수</td><td>0</td><td>1~2</td><td>3~4</td><td>5~6</td><td>7건이상</td></tr></table>* 5 × (기술검토 처리기간 미준수 건수에 대한 점수) = 평가점수<table><tr><td>평가결과</td><td>극히양호</td><td>양호</td><td>보통</td><td>다소불량</td><td>불량</td></tr><tr><td>해당점수</td><td>1.0</td><td>0.9</td><td>0.8</td><td>0.7</td><td>0.6</td></tr></table>* 5 × (해당 점수) = 평가점수</td><td></td><td></td></tr>
<tr><td>2) 상주기술인 시공계획 검토에 대한 지도(10점)</td><td>① 상주기술인 시공계획 검토에 대한 지도(10점)</td><td><table><tr><td>점 수</td><td>1.0</td><td>0.9</td><td>0.8</td><td>0.7</td><td>0.6</td></tr><tr><td>대상건수에 대한 지도건수 비율</td><td>90% 이상</td><td>85-90% 미만</td><td>80-85% 미만</td><td>75-80% 미만</td><td>75% 미만</td></tr></table>* 10 × (대상건수에 대한 지도건수 비율에 대한 점수) = 평가점수</td><td></td><td></td></tr>
</table>

<table>
<tr><th>구분</th><th>평가 항목</th><th>세부기준</th><th>평가내용</th><th>평가점수</th><th>비고</th></tr>
<tr><td rowspan="2">4.
기술적
업무
(30점)</td><td>3) 상주기술인 시공상세도 검토에 대한 지도(5점)</td><td>① 시공상세도 검토·승인 (5점)</td><td><table><tr><td>점 수</td><td>1.0</td><td>0.9</td><td>0.8</td><td>0.7</td><td>0.6</td></tr><tr><td>대상건수에 대한 지도건수 비율</td><td>90% 이상</td><td>85-90% 미만</td><td>80-85% 미만</td><td>75-80% 미만</td><td>75% 미만</td></tr></table>* 5 × (대상건수에 대한 지도건수 비율에 대한 점수) = 평가점수</td><td></td><td></td></tr>
<tr><td>4) 민원처리 지원 (5점)</td><td>① 민원처리 지원(5점)</td><td><table><tr><td>점 수</td><td>1.0</td><td>0.9</td><td>0.8</td><td>0.7</td><td>0.6</td></tr><tr><td>대상건수에 대한 지도건수 비율</td><td>90% 이상</td><td>85-90% 미만</td><td>80-85% 미만</td><td>75-80% 미만</td><td>75% 미만</td></tr></table>* 5 × (대상건수에 대한 지도건수 비율에 대한 점수) = 평가점수</td><td></td><td></td></tr>
<tr><td>5.
현장
시공
상태
(20)</td><td colspan="3">【별지 제3호 서식】 3.평가위원별 평가표의 5.현장시공상태 내용과 동일</td><td></td><td></td></tr>
<tr><td>6.
발주청
평가
(20점)</td><td colspan="2">- 발주청의 정성적 평가(20점)</td><td><table><tr><td>평가결과</td><td>극히양호</td><td>양호</td><td>보통</td><td>다소불량</td><td>불량</td></tr><tr><td>해당점수</td><td>1.0</td><td>0.9</td><td>0.8</td><td>0.7</td><td>0.6</td></tr></table>* 20 × (해당 점수) = 평가점수</td><td></td><td></td></tr>
<tr><td>7.
가감점
(±5점)</td><td colspan="3">【별지 제3호 서식】 3.평가위원별 평가표의 4.가감점 내용과 동일</td><td></td><td></td></tr>
<tr><td colspan="4">소 계</td><td></td><td></td></tr>
</table>

[별지 제6호 서식] 〈개정 2021. 0. 00〉

건설사업관리용역사업자 기초평가자료 제출서식

① 용역명		⑤ 건설사업관리용역 사업자명		⑨ 작성일	
② 용역기간		⑥ 대표		⑩ 시공사	
③ 용역비		⑦ 연락처		⑪ 공사기간	
④ 책임기술인명		⑧ 세부분야		⑫ 공사금액	

본사는 위와 같은 공사의 건설사업관리용역사업자로서 건설사업관리용역평가를 위한 기초자료를 소정의 양식에 의거 제출하며, 기초자료의 내용이 사실과 같음을 확인합니다.

제출일시 :

회 사 명 :

대　　표 :　　　　　　　　　　(인)

①계약서상 해당 건설사업관리용역명을 기재　　②전체 건설사업관리용역기간을 기재

③건설사업관리용역비를 기재　　④책임기술인명을 기재

⑤건설엔지니어링사업자 명칭을 기재. 복수의 건설엔지니어링사업자인 경우 공동도급여부, 공동도급의 종류(공동이행, 분담이행 등), 주관사, 보조회사 등을 구체적으로 기재

⑥~⑧건설엔지니어링사업자의 대표자 성명, 연락처 및 세부분야(등록번호 포함)을 기재

⑨평가자료 작성일을 기재　　⑩~⑫시공업체의 명칭(복수인 경우 모두 기재), 전체 공사기간 및 공사금액을 기재

<table>
<tr><th>항 목</th><th colspan="5">보 고 내 용</th><th>비 고</th></tr>
<tr><td rowspan="9">1) 건설사업관리기술인 배치현황</td><td>구분</td><td>성 명</td><td>등 급</td><td>해당공종 경력</td><td>비 고</td><td rowspan="9"></td></tr>
<tr><td rowspan="5">상주 기술인</td><td></td><td></td><td></td><td></td></tr>
<tr><td></td><td></td><td></td><td></td></tr>
<tr><td></td><td></td><td></td><td></td></tr>
<tr><td></td><td></td><td></td><td></td></tr>
<tr><td></td><td></td><td></td><td></td></tr>
<tr><td rowspan="3">기술 지원 기술인</td><td></td><td></td><td></td><td></td></tr>
<tr><td></td><td></td><td></td><td></td></tr>
<tr><td></td><td></td><td></td><td></td></tr>
<tr><td rowspan="8">2) 건설사업관리기술인 교체현황</td><td colspan="2">교체기술인</td><td colspan="2">교체사유</td><td>교체일자</td><td rowspan="8"></td></tr>
<tr><td colspan="2"></td><td colspan="2"></td><td></td></tr>
<tr><td colspan="2"></td><td colspan="2"></td><td></td></tr>
<tr><td colspan="2"></td><td colspan="2"></td><td></td></tr>
<tr><td colspan="2"></td><td colspan="2"></td><td></td></tr>
<tr><td colspan="2"></td><td colspan="2"></td><td></td></tr>
<tr><td colspan="2"></td><td colspan="2"></td><td></td></tr>
<tr><td colspan="2"></td><td colspan="2"></td><td></td></tr>
</table>

<table>
<tr><th>항 목</th><th colspan="4">보 고 내 용</th><th>비 고</th></tr>
<tr><td rowspan="6">3) 건설사업관리업무 지원시스템</td><td>항 목</td><td colspan="3">내 용</td><td rowspan="6"></td></tr>
<tr><td>본사 정보망 구축내용</td><td colspan="3"></td></tr>
<tr><td>현장내 정보망 구축여부</td><td colspan="3"></td></tr>
<tr><td>공정관리 전산프로그램</td><td colspan="3"></td></tr>
<tr><td>현장내 전산장비</td><td colspan="3"></td></tr>
<tr><td>본사내 전산기술조직</td><td colspan="3"></td></tr>
<tr><td rowspan="5">4) 건설사업관리기술인 기술교육[1)]</td><td colspan="2">교육계획내용</td><td>계획일자</td><td>실시일자</td><td rowspan="5"></td></tr>
<tr><td colspan="2"></td><td></td><td></td></tr>
<tr><td colspan="2"></td><td></td><td></td></tr>
<tr><td colspan="2"></td><td></td><td></td></tr>
<tr><td colspan="2"></td><td></td><td></td></tr>
</table>

1) 해당 현장에 대한 교육만 해당

<table>
<tr><th>항 목</th><th colspan="2">보 고 내 용</th><th>비 고</th></tr>
<tr><td>5) 본사내 현장점검 전담조직인원 및 활동실적[1)]</td><td colspan="2"></td><td></td></tr>
<tr><td>6) ISO획득 및 품질관리 전담조직 활동실적[1)]</td><td colspan="2"></td><td></td></tr>
<tr><td>7) 건설사업관리 활동에 대한 개선방안 등 제시실적[1)]</td><td colspan="2"></td><td></td></tr>
<tr><td rowspan="5">8) 회사의 벌점</td><td>벌점 부과 사유</td><td>벌점</td><td rowspan="5"></td></tr>
<tr><td></td><td></td></tr>
<tr><td></td><td></td></tr>
<tr><td></td><td></td></tr>
<tr><td>벌점 합계</td><td></td></tr>
</table>

[1)] 해당 현장에 대한 실적만 해당

항 목	보고내용	비 고
9) 기술검토 전담조직 활동실적[1]		
10) 설계변경 검토실적[1]		
11) 기술지원 실적 (외부전문가 활용실적 포함)[1]		

[1] 해당 현장에 대한 실적만 해당

[별지 제7호 서식] 〈개정 2021. 0. 00〉

건설사업관리용역 참여기술인 기초평가자료 제출서식

① 용 역 명		⑥참여기술인		⑩작 성 일	
② 용역기간		⑦주민등록생년월일(성별)		⑪시 공 사	
③ 평가대상기간		⑧연 락 처		⑫공사기간	
④ 용 역 비		⑨등급 및 자격증번호		⑬공사금액	
⑤ 건설엔지니어링사업자				⑭공사전체 공정률	

본인은 위와 같은 공사의 참여기술인으로서 건설사업관리용역평가의 기초자료를 소정의 양식에 의거 제출합니다.

제출 일시 :

작성자 : (인)

당회사는 위와 같은 공사의 참여기술인 기초평가자료가 사실과 같음을 확인합니다.

제출 일시 :

확인자[1] : (인)

---

①계약서상 해당 건설사업관리용역명을 기재 ②전체 건설사업관리용역기간을 기재

③전체 건설사업관리용역기간중 평가대상기간을 기재 ④건설사업관리용역비를 기재

⑤건설엔지니어링사업자 명칭을 기재. 복수의 건설엔지니어링사업자인 경우 공동도급여부, 공동도급의 종류(공동이행, 분담이행 등), 주관사, 보조회사 등을 구체적으로 기재

⑥~⑧참여기술인의 성명, 주민등록생년월일 및 연락처를 기재

⑨참여기술인의 등급 및 기술인격자인 경우 기술인격의 종류와 자격증번호를 기재 ⑩작성기준일자를 기재

⑪~⑬시공업체의 명칭(복수인 경우 모두 기재), 전체 공사기간 및 공사금액을 기재 ⑭작성일 기준 공정율을 기재

[1] 건설엔지니어링사업자 대표 또는 그 위임을 받은 자가 서명 또는 날인

항 목	보고내용[1]					비 고
1) 근무상태	성 명		결 근 일			
	합 계					
2) 발주청 지시사항의 이행여부 및 신속성	지시일	지시사항[2]	이행일자	지연일수	미이행	
	계	-	-	일	건	

[1] 보고내용은 평가대상 기간에 해당하는 내용으로 작성. 다만, 보고내용에 포함되지 않은 정성적 평가내용(내용의 충실도, 적정성 등) 및 현장확인이 필요한 사항(현장주변 안전관리, 환경관리의 적정성 등)은 평가자가 직접 관련서류 검토 또는 현장점검을 통해 평가

[2] 발주청 지시사항 전체를 기록

<table>
<tr><th>항 목</th><th colspan="3">보 고 내 용 [1]</th><th>비 고</th></tr>
<tr><td rowspan="19">3) 건설사업관리 업무 기록여부와 내용충실도</td><td colspan="2">항 목</td><td>기록여부</td><td rowspan="19"></td></tr>
<tr><td colspan="2">문서접수 및 발송대장</td><td></td></tr>
<tr><td colspan="2">민원처리부</td><td></td></tr>
<tr><td colspan="2">품질시험계획</td><td></td></tr>
<tr><td colspan="2">품질시험·검사성과 총괄표</td><td></td></tr>
<tr><td colspan="2">시험·검사실적 보고서</td><td></td></tr>
<tr><td colspan="2">검측대장</td><td></td></tr>
<tr><td colspan="2">발생품(잉여자재) 정리부</td><td></td></tr>
<tr><td colspan="2">안전보건 관리체제</td><td></td></tr>
<tr><td colspan="2">재해 발생현황</td><td></td></tr>
<tr><td colspan="2">안전교육 실적표</td><td></td></tr>
<tr><td colspan="2">협의내용 등의 관리대장</td><td></td></tr>
<tr><td colspan="2">사후 환경영향조사 결과보고서</td><td></td></tr>
<tr><td colspan="2">공사 기성부분 검사원</td><td></td></tr>
<tr><td colspan="2">건설사업관리기술인(기성부분, 준공) 건설사업관리조서</td><td></td></tr>
<tr><td colspan="2">공사 기성부분 내역서</td><td></td></tr>
<tr><td colspan="2">공사 기성부분 검사조서</td><td></td></tr>
<tr><td colspan="2">준공검사원</td><td></td></tr>
<tr><td colspan="2">준공검사조서</td><td></td></tr>
<tr><td></td><td colspan="2">※ 발주청에서 항목을 추가·삭제한 경우 그에 따라 작성</td><td></td><td></td></tr>
<tr><td rowspan="5">4) 건설사업관리 보고서 적기제출여부</td><td>제출기한</td><td>실제출일</td><td>지연일수</td><td rowspan="5"></td></tr>
<tr><td></td><td></td><td></td></tr>
<tr><td></td><td></td><td></td></tr>
<tr><td></td><td></td><td></td></tr>
<tr><td>지연일수의 합계</td><td>-</td><td>일</td></tr>
</table>

항 목	보 고 내 용[1]						비 고
	계획상 보고일(A)	실제 보고일 (B)	지연일수 (B-A)	예정공정율[1] (C)	실제공정율[2] (D)	차이(%) (D-C)	
5) 공정현황보고 기일엄수 및 추진계획대비 실적 지연여부							

[1] · [2] 계획상 월별 보고일(A)를 기준으로 작성

항 목	보 고 내 용[1]					비 고
6) 안전교육 실시여부	교육종류	계획일자	실시일자	지연일수	교육내용[1]	
	지연일수의 합계		-		일	

항 목	보 고 내 용[1]						비 고
7) 안전점검 실시여부	점검종류	계획일자	실시일자	지연일수	점검내용[2]	조치내용[3]	
	공정별 안전점검						
	자체 안전점검						
	정기 안전점검						
	지연일수의 합계		-			일	

[1] . [2] . [3] 요약한 내용으로 작성

<table>
<tr><th>항 목</th><th colspan="5">보 고 내 용 [1]</th><th>비 고</th></tr>
<tr><td rowspan="6">8) 설계도서와 시공사의 문제점을 검토한 실적 및 문제점 처리</td><td colspan="2">검토실적내용[1]</td><td colspan="3">문제점 처리내용[2]</td><td rowspan="6"></td></tr>
<tr><td colspan="2"></td><td colspan="3"></td></tr>
<tr><td colspan="2"></td><td colspan="3"></td></tr>
<tr><td colspan="2"></td><td colspan="3"></td></tr>
<tr><td colspan="2"></td><td colspan="3"></td></tr>
<tr><td colspan="2"></td><td colspan="3"></td></tr>
<tr><td rowspan="14">9) 시공자 제출 서류에 대한 검토의 신속성</td><td>항 목</td><td>제출일자</td><td>검토일자</td><td colspan="2">지연일수</td><td rowspan="14"></td></tr>
<tr><td>지급자재 수급요청서 및 대체사용 신청서</td><td></td><td></td><td colspan="2"></td></tr>
<tr><td>주요기자재 공급원 승인요청서</td><td></td><td></td><td colspan="2"></td></tr>
<tr><td>각종 시험성적표</td><td></td><td></td><td colspan="2"></td></tr>
<tr><td>설계변경 여건보고</td><td></td><td></td><td colspan="2"></td></tr>
<tr><td>준공기한 연기신청서</td><td></td><td></td><td colspan="2"></td></tr>
<tr><td>기성·준공검사원</td><td></td><td></td><td colspan="2"></td></tr>
<tr><td>하도급 통지 및 승인요청서</td><td></td><td></td><td colspan="2"></td></tr>
<tr><td>안전관리 추진실적 보고서</td><td></td><td></td><td colspan="2"></td></tr>
<tr><td>확인측량 결과 보고서</td><td></td><td></td><td colspan="2"></td></tr>
<tr><td>물공량 확정보고서/물가 변동지수 조정율 계산서</td><td></td><td></td><td colspan="2"></td></tr>
<tr><td>품질관리계획서 또는 품질시험계획서</td><td></td><td></td><td colspan="2"></td></tr>
<tr><td>기타 실정보고 등 관련 시공자 제출서류[3]</td><td></td><td></td><td colspan="2"></td></tr>
<tr><td colspan="3">지연일수의 합계</td><td colspan="2">일</td></tr>
</table>

1) . 2) 요약한 내용으로 작성

3) 기타항목을 발주청이 사전에 정하여 통보

<table>
<tr><th>항 목</th><th colspan="3">보 고 내 용</th><th>비 고</th></tr>
<tr><td>10) 공법개선 실적</td><td colspan="3"></td><td></td></tr>
<tr><td rowspan="5">11) 발주청 자문요구에 대한 의견제시의 신속성</td><td>자문요구 내용[1]</td><td>요구일자</td><td>의견제시일자</td><td rowspan="5"></td></tr>
<tr><td></td><td></td><td></td></tr>
<tr><td></td><td></td><td></td></tr>
<tr><td></td><td></td><td></td></tr>
<tr><td></td><td></td><td></td></tr>
<tr><td rowspan="8">12) 예산절감 현황</td><td colspan="2">예산절감 내용[2]</td><td>절감액</td><td rowspan="5"></td></tr>
<tr><td colspan="2"></td><td></td></tr>
<tr><td colspan="2"></td><td></td></tr>
<tr><td colspan="2"></td><td></td></tr>
<tr><td colspan="2"></td><td></td></tr>
<tr><td colspan="2"></td><td></td><td rowspan="3"></td></tr>
<tr><td colspan="2"></td><td></td></tr>
<tr><td colspan="2"></td><td></td></tr>
</table>

[1] . [2] 요약한 내용으로 작성

<table>
<tr><th>항 목</th><th colspan="3">보 고 내 용</th><th>비 고</th></tr>
<tr><td rowspan="16">14) 가 · 감점</td><td>항 목</td><td colspan="2">내 용</td><td rowspan="16"></td></tr>
<tr><td>기술개발 보상실적</td><td colspan="2"></td></tr>
<tr><td>신기술, 특수
공법의 도입</td><td colspan="2"></td></tr>
<tr><td rowspan="6">벌점</td><td>벌점부과사유</td><td>벌점</td></tr>
<tr><td></td><td></td></tr>
<tr><td></td><td></td></tr>
<tr><td></td><td></td></tr>
<tr><td></td><td></td></tr>
<tr><td>벌점합계</td><td></td></tr>
<tr><td rowspan="6">재해발생</td><td>사고·재해내용</td><td>중대사고·
재해여부</td></tr>
<tr><td></td><td></td></tr>
<tr><td></td><td></td></tr>
<tr><td></td><td></td></tr>
<tr><td></td><td></td></tr>
<tr><td></td><td></td></tr>
</table>

[별지 제8호 서식] 〈개정 2021. 0. 00〉

평가위원별 시공평가 결과표

평가위원 : (서명)

공사명		구 분	업체명	사업자등록번호	지분율	공사금액
		대표사				
		구성사				
공사개요	공사구분	소 재 지			총공사비	
		현 공 정	%		공사기간	

대분류(배점)	중분류(배점)	세분류	배점	우수(×1.0)	보통(×0.8)	미흡(×0.6)	불량(×0.4)	점수	평가사유
Ⅰ. 공사관리(65)	1.품질관리(12)	1.1 품질관리계획 및 품질시험계획의 적정성 및 적기제출	3						
		1.2 품질관리자 및 품질시험시설의 적정 여부	3						
		1.3 품질관리의 적정성	6						
	2.공정관리(6)	2.1 공정관리계획 적정성 및 적기제출	2						
		2.2 계약공기 준수여부	4						
	3.시공관리(20)	3.1 현장인력 배치의 적정 여부	3						
		3.2 시공계획서의 적정성 및 적기제출	3						
		3.3 세부공종별 시공계획서의 이행 여부	6						
		3.4 민원발생 건수	2						
		3.5 시공상세도 작성의 충실도 및 이행여부	4						
		3.6 설계도서 사전 검토의 적정성	2						
	4.하도급관리(6)	4.1 하도급 계약의 적정성	3						
		4.2 하도급 관리의 적정성	3						
	5.안전관리(15)	5.1 안전관리계획의 적정성 및 적기제출	3						
		5.2 안전관리조직 구성의 적정 여부	2						
		5.3 안전관리의 적정성	4						
		5.4 당해 현장의 재해율(%)	6						
	6.환경관리(6)	6.1 환경관리계획 이행의 적정성	3						
		6.2 환경관리의 적정성	3						
Ⅱ. 목적물의 품질 및 성능(35)	7.시공품질(18)	7.1 공사 완성도	5						
		7.2 주요 공종 시설물의 도면, 시방서 준수비율	9						
		7.3 공사중지 및 재시공 여부	4						
	8.구조안전성(13)	8.1 목적물 손상 및 결함,구조안전 조치 여부	5						
		8.2 중대건설현장 사고 등의 발생 여부	8						
	9.창의성(4)	9.1 설계도서 사전검토를 통한 사용성 및 유지보수성 향상여부	4						
(가점)(3.5)		공사 특성 및 난이도 등에 따른 보정	1.5						
		시공자 제안으로 인한 공사비 절감비율	1.0				실적없음 0점처리		
		품질관리자의 정규직 채용 비율	0.5						
		안전·보건관리자의 정규직 채용 비율	0.5						
(감점)(-10)		평가위원에게 금품·향응 제공	-10						
합 계									

210mm×297mm[백상지 80g/㎡(재활용품)]

[별지 제9호 서식] 〈개정 2021. 0. 00〉

시공평가 결과표

공사명		구 분	업체명	사업자등록번호	지분율	공사금액
		대표사				
		구성사				
공사개요	공사구분	소 재 지			총공사비	
		현 공 정	%		공사기간	

대분류(배점)	중분류(배점)	세분류	배점	위원별 평가점수					합계	평균
Ⅰ. 공사관리(65)	1.품질관리(12)	1.1 품질관리계획 및 품질시험계획의 적정성 및 적기제출	3							
		1.2 품질관리자 및 품질시험시설의 적정 여부	3							
		1.3 품질관리의 적정성	6							
	2.공정관리(6)	2.1 공정관리계획 적정성 및 적기제출	2							
		2.2 계약공기 준수여부	4							
	3.시공관리(20)	3.1 현장인력 배치의 적정 여부	3							
		3.2 시공계획서의 적정성 및 적기제출	3							
		3.3 세부공종별 시공계획서의 이행 여부	6							
		3.4 민원발생 건수	2							
		3.5 시공상세도 작성의 충실도 및 이행여부	4							
		3.6 설계도서 사전 검토의 적정성	2							
	4.하도급관리(6)	4.1 하도급 계약의 적정성	3							
		4.2 하도급 관리의 적정성	3							
	5.안전관리(15)	5.1 안전관리계획의 적정성 및 적기제출	3							
		5.2 안전관리조직 구성의 적정 여부	2							
		5.3 안전관리의 적정성	4							
		5.4 당해 현장의 재해율(%)	6							
	6.환경관리(6)	6.1 환경관리계획 이행의 적정성	3							
		6.2 환경관리의 적정성	3							
Ⅱ. 목적물의 품질 및 성능(35)	7.시공품질(18)	7.1 공사 완성도	5							
		7.2 주요 공종 시설물의 도면, 시방서 준수비율	9							
		7.3 공사중지 및 재시공 여부	4							
	8.구조안전성(13)	8.1 목적물 손상 및 결함,구조안전 조치 여부	5							
		8.2 중대건설현장 사고 등의 발생 여부	8							
	9.창의성(4)	9.1 설계도서 사전검토를 통한 사용성 및 유지보수성 향상여부	4							
(가점)(3.5)		공사 특성 및 난이도 등에 따른 보정	1.5							
		시공자 제안으로 인한 공사비 절감비율	1.0							
		품질관리자의 정규직 채용 비율	0.5							
		안전·보건관리자의 정규직 채용 비율	0.5							
(감점)(-10)		평가위원에게 금품·향응 제공	-10							
합 계										

발주청 평가담당자 (서명) 평가확인자 (서명)

210mm×297mm[백상지 80g/㎡(재활용품)]

[별지 제10호 서식] 〈개정 2021. 0. 00〉

표본추출 항목 선정 및 점수

공 사 명		건설사업자 (대표사)	
소 재 지		사업자등록번호	
공사기간		공사구분	

평가항목			표본추출 항목	가부	백분율
대분류	소분류	세부평 가항목			
			추가 사용		
			추가 사용		

20 년 월 일

평가위원 성 명 : (인)
평가위원 성 명 : (인)
평가위원 성 명 : (인)
평가위원 성 명 : (인)
평가위원 성 명 : (인)

210mm×297mm[백상지 80g/㎡(재활용품)]

[별지 제11호 서식] 〈개정 2021. 0. 00〉

설계용역 평가 총괄표

발주기관명:　　　　　　　　　　　　　　　　　　　　　　비용 단위: 백만원

순위	용역명	용역개요	용역구분	용역비	용역기간	용역사업자	대표자	평점	비고

[별지 제12호 서식] 〈개정 2021. 0. 00〉

감독 권한대행 등 건설사업관리용역 평가 총괄표

발주기관명: 비용 단위: 백만원

순위	용역명	용역개요	용역구분	용역비	용역기간	용역사업자	대표자	평점	비고

[별지 제13호 서식] 〈개정 2021. 0. 00〉

시공평가 총괄표

발주기관명: 비용 단위: 백만원

순위	공사명	공사개요	공사구분	공사비	공사기간	시공회사	대표자	평점	비고

[별지 제14호 서식] 〈개정 2021. 0. 00〉

건설엔지니어링사업자 종합평가 총괄표

<table>
<tr><td colspan="3">■ 용역분류</td><td colspan="8">[ ]설계용역 [ ]감독 권한대행 등 건설사업관리용역</td></tr>
<tr><td rowspan="3">순위</td><td rowspan="3">세부분야</td><td rowspan="3">건설엔지니어링
사업자</td><td rowspan="3">용역금액
(백만원)</td><td rowspan="3">대상
건수</td><td rowspan="3">A.
용역평가
평균점수</td><td colspan="4">B. 영84조에 관한 평가점수</td><td rowspan="3">종합평가점수
(A×0.9+B)</td></tr>
<tr><td colspan="2">신인도 평가</td><td rowspan="2">하도급
거래 위반</td><td rowspan="2">기술개발
투자실적</td></tr>
<tr><td>행정제재사항</td><td>벌점</td></tr>
<tr><td></td><td></td><td></td><td></td><td></td><td></td><td></td><td></td><td></td><td></td><td></td></tr>
</table>

[별지 제15호 서식] 〈개정 2021. 0. 00〉

감독 권한대행 등 건설사업관리용역 참여기술인 종합평가 총괄표

■ 세부분야분류 □ 도로 및 교통시설, □ 수자원시설, □ 단지개발, □ 건축시설, □ 환경 및 산업설비시설

순위	용역개요				참여기술자				평가점수	비고
	용역명	용역기간	용역비(백만원)	건설엔지니어링 사업자	직책 주[1]	등급 주[2]	성명	생년월일		
		~								
		~								
		~								
		~								
		~								
		~								
		~								
		~								

주[1] 직책란은 책임기술인, 분야별 기술인, 기술지원기술인로 구분하여 적습니다.

주[2] 등급란은 특급, 고급, 중급, 초급으로 구분하여 적습니다.

[별지 제16호 서식] 〈개정 2021. 0. 00〉

시공 종합평가 총괄표

순위	공사 구분	건설사업자	공사금액 (백만원)	대상 건수	A. 시공평가 평균점수	B. 영84조에 관한 평가점수			종합평가점수 (A×0.9+B)
						건설공사하자	하도급 거래 위반	기술개발투자 실적	

대형공사 등의 입찰방법 심의기준

국토교통부고시 제2021-938호

일부개정 2021.7.2

제1조(목적) 이 심의기준은 「건설기술진흥법 시행령」 제6조제5호제다목과 바목, 제17조제2항제2호제다목과 바목 및 제18조제4항제2호제나목에 따라 중앙건설기술심의위원회, 지방건설기술심의위원회 및 특별건설기술심의위원회의 입찰방법 및 실시설계적격자 또는 낙찰자결정방법을 심의하기 위한 기준 및 절차 등을 규정함을 목적으로 한다.

제2조(적용범위) 이 심의기준의 적용범위는 중앙건설기술심의위원회, 지방건설기술심의위원회 및 특별건설기술심의위원회(이하 "위원회"라 한다)에서 다음 각 호의 공사에 대한 입찰방법 및 실시설계적격자 또는 낙찰자결정방법(이하 "낙찰자결정방법"이라 한다)을 심의할 때 적용한다.

1. 총공사비 추정가격이 300억원 이상인 신규복합공종 공사(이하 "대형공사"라 한다)
2. 총공사비 추정가격이 300억원 미만인 신규복합공종공사 중 대안입찰 또는 일괄입찰로 집행함이 유리하다고 인정하는 공사(이하 "특정공사"라 한다)
3. 상징성 · 기념성 · 예술성이 필요하다고 인정되거나 난이도가 높은 기술이 필요한 시설물로서 기본설계 기술제안입찰 또는 실시설계 기술제안입찰로 집행하려는 공사
4. 공기단축이 필요한 공사 중 일괄입찰로 집행하는 것이 유리하다고 인정되는 공사(이하 "공기단축공사"라 한다)
5. 설계와 시공단계까지 적용 가능한 스마트 건설기술을 일괄적으로 적용하려는 공사로서 일괄입찰 또는 기본설계 기술제안입찰로 집행하는 것이 유리하다고 인정되는 공사(이하 "스마트건설공사"라 한다)
6. 일괄 · 대안 · 기술제안 입찰방법 심의대상시설(이하"심의대상시설")의 성능개선을 위해 개량(건축물의 리모델링을 포함한다.), 증설확장, 일부개축이 필요한 공사 중 일괄입찰 또는 기본설계 기술제안입찰로 집행하는 것이 유리하다고 인정되는 공사(이하 "성능개선공사"라 한다.)

제3조(집행기본계획서 제출) ① 발주청장은 해당 연도 이후에 집행할 공사 중 제2조 각 호에 해당하는 공사의 경우 다음 각 호의 순서에 따라 집행기본계획서(별지 제1호 및 제1호의2서식)를 작성하여 해당 연도의 1월 15일까지 국토교통부장관, 시 · 도지사 및 국방부장관(이하 "위원회 주관 행정기관의 장"이라 한다)에게 제출하여야 한다. 다만, 공사의 미확정 등 그 기한 내에 제출할 수 없는 특별한 사유가 있으면 그 사유가 없어진 후 지체 없이 제출하여야 한다.

1. 「건설기술진흥법 시행령」(이하 "영"이라 한다) 제69조에 따라

건설공사기본계획을 수립·고시한 후 기본설계서 작성 전에 설계·시공일괄입찰(이하 "일괄입찰"이라 한다)로 집행할 공사와 일괄입찰로 발주하지 아니할 공사(이하 "기타공사"라 한다)로 구분하여 제출

2. 기타공사로 의결된 공사 중 기본설계 기술제안입찰로 집행하려는 공사는 기본설계서를 작성한 후에 제출
3. 기타공사로 의결된 공사 중 대안입찰 또는 실시설계 기술제안입찰로 집행하려는 공사는 실시설계서를 작성한 후에 제출

② 발주청장은 집행기본계획서 작성 시 제5조제1항제1호부터 제4호의 입찰방법을 선택하는 경우 다음 각 호의 사항을 검토하여 정한다.

1. 별표1의 일괄·대안·기술제안 입찰방법 심의대상시설(이하 "심의대상시설")에 적합한지 여부
2. 별표2부터 별표4까지를 검토하여 적합한 입찰방식을 선정하여 구체적인 제안사유를 별지 제1호의2서식에 명시
3. 다른 법률에 따른 분리 도급(발주) 대상에 해당하는 공사가 포함되어 있는지 여부를 검토하여 별지 제1호의2서식에 명시

③ 발주청장은 제2항에 따라 제5조제1항제1호부터 제4호의 입찰방법 중 하나를 선택하는 경우 공사의 목적 및 특성 등을 고려하여 제5조의2제3항 각 호의 낙찰자결정방법 중 하나의 방법을 택하여 집행기본계획서에 명시하여야 한다. 이 때 별표5를 검토하여 구체적인 제안사유를 별지 제1호의2서식에 명시하여야 한다.

④ 발주청장은 총공사비 추정가격이 1,000억원 이상인 공사의 입찰방법에 대한 심의를 요청하는 경우에는 공사의 연속성과 효율성을 저해하지 않는 범위에서 분할시공 가능 여부를 검토한 후 별지 제1호의3서식을 작성하여 제출하여야 한다.

⑤ 발주청장은 집행기본계획서 작성 시 입찰참가자들간의 공정한 경쟁을 위해 입찰예정공사의 물량과 입찰예정시기의 적정성을 검토하여야 한다.

⑥ 발주청장은 대안입찰 또는 실시설계 기술제안입찰로 심의를 요청하려면 대안구간 또는 제안대상구간이 시·종점부에 위치하는 등 원안구간과 분할할 수 있고 원안구간의 규모가 종합심사낙찰공사 발주대상인 경우 원안구간을 분할하여 발주하는 방안을 먼저 검토하여 제출하여야 한다.

⑦ 발주청장은 별표1의 심의대상 시설에 해당하지 아니하나 다음 각 호의 어느 하나에 해당하는 경우에는 집행기본계획서 제출 전에 중앙건설기술심의위원회와 협의하여야 한다.

1. 공기단축이 주된 사유인 경우
2. 특수한 현장여건으로 신기술·신공법이 현저히 필요한 경우
3. 상징성·기념성·예술성 및 난이도 높은 기술·공법이 현저히 필요한 경우
4. 설계와 시공단계에 스마트 건설기술을 적용하려는 경우
5. 시설물의 성능개선을 위한 개량, 증설확장, 일부개축이 필요한 공사

제4조(위원회 심의요청) ① 위원회 주관 행정기관의 장은 발주청장으로부터 제3조에 따른 집행기본계획서를 받은 때에는 건설기술심의

요청서(별지 제2호 서식)를 작성하여 위원회에 입찰방법에 대한 심의를 요청하여야 한다.

② 위원회 주관 행정기관의 장은 발주청장이 제출한 집행기본계획서의 제출시기가 맞지 않거나 검토사항이 누락되는 등 건설기술심의 요청이 곤란한 때에는 발주청에 기본계획서를 반려하거나 보완을 요구할 수 있다.

③ 위원회 주관 행정기관의 장은 발주청장으로부터 받은 집행기본계획서 중 기타공사에 대해서는 「국가를 당사자로 하는 계약에 관한 법률 시행규칙」 제79조제1항 단서 및 「지방자치단체를 당사자로 하는 계약에 관한 법률 시행규칙」 제79조제1항 단서에 따라 심의를 생략할 수 있다.

제5조(심의기준 등) ① 위원회는 제2항 및 제3항의 심의방법에 따라 다음 각 호를 심의하여야 한다.

1. 일괄입찰
   가. 심의대상시설에 해당하는 공종이 계약단위 공구를 기준으로 해당 총공사비의 50%이상을 차지하는 경우
   나. 공사기간이 촉박하여 공기단축이 필요한 공사
   다. 설계와 시공단계에 스마트 건설기술을 적용하려는 공사
2. 대안입찰 : 심의대상시설에 해당하는 공종이 계약단위 공구를 기준으로 당해 총공사비의 40%이상을 차지하는 경우
3. 기본설계 기술제안입찰
   가. 심의대상에 해당하는 공종이 계약단위 공구를 기준으로 해당 총공사비의 40%이상을 차지하거나 200억원(추정가격) 이상인 경우
   나. 공사기간이 촉박하여 공기단축이 필요한 공사
   다. 설계와 시공단계까지 스마트 건설기술을 적용하려는 공사
   라. 시설물의 성능개선을 위한 개량, 증설확장, 일부개축이 필요한 공사
4. 실시설계 기술제안입찰 : 심의대상에 해당하는 공종이 계약단위 공구를 기준으로 해당 총공사비의 30%이상을 차지하거나 200억원(추정가격) 이상인 경우
5. 설계 · 시공 분리입찰 : 제1호부터 제4호까지에 해당되지 않는 공사

② 제1항제1호부터 제4호까지의 입찰방법심의는 발주청이 제출한 집행기본계획서와 별지 제1호의2서식에 따라 제출한 자료를 토대로 다음 각 호의 사항에 대하여 입찰방법의 적정성을 검토하여야 한다.

1. 별표1의 심의대상시설에 적합한지 여부 또는 제3조제7항에 해당하여 중앙건설기술심의위원회와 협의 완료되었는지 여부
2. 발주청이 구체적으로 제시한 입찰방법 제안사유가 별표2부터 별표4까지에 부합하는지 여부
3. 입찰방법을 통한 사업효과와 발주청의 사업관리능력이 적정한지 여부
4. 분리 도급(발주) 대상 해당여부에 대한 발주청 검토의견이 적정한지 여부

③ 위원회는 제2항에 따라 입찰방법을 검토한 결과, 발주청이 제시

한 입찰방법이 공사의 특성, 현지 여건, 공사관리 역량상 적합하지 않다고 판단하면 발주청이 제시한 입찰방법이 아닌 기타공사로 결정할 수 있다.

④ 위원회는 제1항제1호부터 제4호까지의 입찰방법 심의 시 입찰참가자들간의 공정한 경쟁을 위하여 필요한 경우 입찰예정공사의 물량과 입찰예정시기를 조정하도록 발주청장에게 권고할 수 있다.

제5조의2(낙찰자결정방법 심의 등) ① 위원회는 제5조제1항제1호부터 제4호까지의 입찰방법 심의 시 제2항 및 제3항의 심의방법에 따라 해당 공사의 낙찰자결정방법을 심의하여야 한다.

② 위원회는 발주청이 제출한 집행기본계획서와 별지 제1호의2서식에 따라 제출한 자료를 토대로 공사목적, 기술적 난이도, 규모 등 공사특성과 예산확보, 사업관리역량 등 발주청 여건을 고려하여 다음 각 호의 사항에 대하여 적절한 낙찰자결정방법을 검토하여야 한다.

1. 별표5의 낙찰자결정방법 심의기준에 적합한지 여부
2. 발주청이 구체적으로 제시한 낙찰자결정방법 제안사유가 타당한지 여부
3. 낙찰자결정방법을 통한 사업효과와 발주청의 사업관리능력이 적정한지 여부 등

③ 위원회는 제2항에 따라 낙찰자결정방법을 검토한 결과 다음 각 호의 방법 중 해당 공사에 가장 적합하다고 판단하는 하나의 방법으로 결정할 수 있다.

1. 설계적합 최저가 방식
2. 입찰가격 조정 방식
3. 설계점수 조정 방식
4. 가중치 기준 방식
5. 확정가격 최상설계 방식(제5조제1항제1호의 입찰방법인 경우에만 해당)

제6조(입찰방법 심의결과의 통보 등) ① 위원회 주관 행정기관의 장은 위원회의 심의가 완료되면 다음 각 호의 구분에 따라 해당 중앙관서의 장에게 공사별로 심의결과를 통보하여야 한다.

1. 매년 1월 15일까지 제출된 집행기본계획서 등의 경우 : 매년 2월 20일까지
2. 매년 1월16일 이후에 제출된 집행기본계획서 등의 경우 : 심의를 완료한 후 10일 이내

② 각 중앙관서의 장은 특별한 사유가 없으면 제1항에 따라 통보된 심의결과에 따라 집행기본계획서 등을 조정하여야 한다.

제7조(공고 등) 위원회 주관 행정관서의 장은 위원회가 심의를 완료한 때에는 일괄입찰 및 대안입찰, 기본설계기술제안입찰, 실시설계기술제안입찰의 방법으로 집행할 공사와 해당 공사의 낙찰자결정방법을 별지 제4호 서식에 따라 신문 또는 지정정보처리장치(국가종합전자조달시스템 : http://www.g2b.go.kr)에 공고하여야 한다.

제8조(심의운영 · 관리 등) ① 위원은 가능한 공공기관, 학계, 업계 등의 전문가로 균형 있게 구성하여야 한다.

② 위원회는 심의관리대장 및 심의 회의록(서면으로 제출한 별지 제3호 서식 심의의견서 등으로 갈음 가능)을 작성하고 당해 건설공

사의 입찰 결과 등에 대한 기록을 유지 · 관리하여야 한다.

③ 발주청은 입찰방식을 제5조제1항제1호부터 제4호까지 중 어느 하나로 추진할 경우, 영 제86조에 따른 사후평가 시 입찰방식의 효과를 분석하기 위하여 다음 각 호의 발주청 제시 설계내용과 낙찰 설계내용을 비교한 정량적 추정치 산정 결과서(공사비 및 유지관리비 절감, 공기단축, 품질향상 효과, 스마트 건설기술 적용 효과)를 실시설계 완료 후 작성 보관하여야 한다.

1. 일괄입찰일 경우, 발주청이 제시한 기본계획 내용과 비교
2. 기본설계 기술제안일 경우, 발주청이 제시한 기본설계 내용과 비교
3. 대안입찰 또는 실시설계 기술제안일 경우, 발주청이 제시한 실시설계 내용과 비교

제9조(재검토기한) 국토교통부장관은 「훈령 · 예규 등의 발령 및 관리에 관한 규정」에 따라 이 심의기준에 대하여 2021년 7월 2일 기준으로 매 3년이 되는 시점(매 3년째의 12월 31일까지를 말한다)마다 그 타당성을 검토하여 개선 등의 조치를 하여야 한다.

부칙 〈제2008-94호, 2008.4.23〉

이 기준은 공고한 날부터 시행한다.

부칙 〈제2008-868호, 2009.1.2〉

①(시행일) 이 심의기준은 고시한 날로부터 적용한다.

②(적용례) 고시일 이전에 적용하던 국토해양부 공고 제2008-94호(2008.4.23)의 "대형공사입찰방법 심의기준"은 폐지한다.

부칙 〈제2009-718호, 2009.8.21〉

이 기준은 고시한 날부터 시행한다.

부칙 〈제2009-1237호, 2009.12.29〉

(시행일) 이 심의기준은 2010. 1. 1.부터 시행한다.

부칙 〈제2010-978호, 2010.12.24〉

제1조(시행일) 이 심의기준은 2011. 1. 1.부터 시행한다.

제2조(적용례) 종전 기준에 따라 제5조제1항제1호부터 제4호까지 중 어느 하나로 입찰방법 심의된 공사 중 아직 입찰공고가 되지 않은 공사에 대하여 발주청장은 개정된 기준에 따라 입찰방법 재 심의를 요청할 수 있다.

부칙 〈제2013-61호, 2013.4.12〉

이 고시는 발령한 날부터 시행한다.

부칙 〈제2013-458호, 2013.7.22〉

이 고시는 발령한 날부터 시행한다.

부칙 〈제2014-277호, 2014.5.23〉

이 심의기준은 고시한 날부터 시행한다.

부칙 〈제2015-623호, 2015.8.25〉

이 심의기준은 고시한 날부터 시행한다.

부칙 〈제2016-1045호, 2016.12.27〉

제1조(시행일) 이 심의기준은 2017년 1월 1일부터 시행한다.

부칙 〈제2017-926호, 2017.12.22〉

이 고시는 발령한 날부터 시행한다.

부칙 〈제2019-91호, 2019.2.25〉

이 고시는 발령한 날부터 시행한다.

부칙 〈제2021-938호, 2021.7.2〉

제1조(시행일) 이 고시는 발령한 날부터 시행한다.

제2조(적용례) 종전 기준에 따라 제5조제1항제1호부터 제4호까지 중 어느 하나로 입찰방법 심의된 공사 중 아직 입찰공고가 되지 않은 공사에 대하여 발주청장은 개정된 기준에 따라 입찰방법 재심의를 요청할 수 있다.

[별표 1]

일괄·대안·기술제안 입찰방법 심의대상시설

분 야	심의대상 시설기준
토 목	■ 도로 · 철도교량(연장 500m 이상 또는 경간장 2개 이상이 50m 이상, 교각 높이가 70m 이상) 및 특수교량(현수교, 사장교, 아치교, 트러스교 등), 폭 12m 이상이고 연장 500m 이상인 복개구조물 ■ 터널(연장 1,000m 이상 또는 방재 2등급), 하저 및 해저터널, 3차로 이상의 터널, 터널구간의 연장이 300m 이상인 지하차도 ■ 교량 · 터널 등이 연속적으로 이어지는 구조물(연장의 합이 1,000m 이상), 단일사업으로 연장이 15㎞ 이상인 대형 도로 · 철도시설(도로 4차로 및 철도 복선 이상) ■ 다목적댐, 발전용댐, 홍수전용댐 및 용수전용댐(총저수용량 1천만톤 이상), 배수갑문, ■ 상수도(광역상수도, 공업용수도, 1일 공급능력 3만톤 이상의 지방상수도 등) ■ 공항(활주로, 여객·화물터미널 등) ■ 항만(계류시설, 외곽시설, 연면적 3만 제곱미터 이상의 항만배후시설), 높이(기초 포함) 30m 이상 및 설계파랑 5.0m 이상 해상구조물, 연면적 1만㎡ 이상인 다중이용시설 등 ■ 철도(철도차량기지, 노반 · 궤도 · 시스템 복합공정시설) ■ 통제센터와 연계된 통합시스템이 필요한 지능형교통체계시설 ■ 하천시설(국가하천에 설치된 높이 5미터 이상인 다기능 보, 특별시 및 광역시에 있는 국가하천의 수문 및 통문, 배수펌프장, 하구둑, 포용조수량 8천만톤 이상의 방조제, 강변여과 취수시설(10만톤/일 이상), 하수저류터널(연장 1,000m 이상) 등
건 축	■ 50층 이상이거나 높이가 200m 이상인 공동주택 ■ 21층 이상 또는 연면적 3만㎡ 이상(막구조, 돔구조는 바닥면적 1만㎡ 이상)인 다중이용건축물(철도역시설 및 관람장 포함) ■ 신기술, 신공법 적용이 필요한 공동주택(16층 이상 또는 연면적 10만㎡ 이상) ■ 연면적 3만㎡ 이상인 공용청사 ■ 연면적 1만㎡ 이상의 지하도상가(지하보도면적 포함)
플랜트	■ 고도처리방식에 의한 정수장, 하수·폐수(1만톤/일 이상) 처리시설, 하수 · 폐수(1만톤/일 이상)처리 관로시설(연장 15km 이상) ■ 폐기물(쓰레기, 슬러지 등) 소각시설(30톤/일 이상), 쓰레기 자동집하시설, 슬러지 건조 및 매립시설 ■ 가스공급시설, 바이오가스 공급시설(연료전지 및 수소연료) ■ 열병합발전설비, 집단에너지시설 등

[별표 2]

발주공사유형별 대상공사 선정기준 및 검토항목

발주공사유형	대상공사 선정기준	검토항목
1. 여러 공종(토목, 건축, 기계, 전기 등)이 포함된 복합공사로서 설계와 시공의 동시입찰이 필요한 경우	1) 공사의 특성상 복잡한 고난도·고기술이 요구되는 때 2) 복합공종으로서 설계·시공 분리 발주시, 빈번한 설계변경이 예상되는 때 3) 공종간 연계에 따른 성능보증 책임을 명확히 할 수 없는 경우	■ 공종의 복잡성 및 분할 정도 ■ 고난이도 기술 및 공법의 적용 필요성 ■ 설계 · 시공 분리발주시, 설계변경이 예상되는 공종과 공사비(설계 · 시공 분리입찰 발주시와 비교하여 유·불리 사항 비교) ■ 설계변경에 따른 발주자의 책임에 대한 사전검토 여부 ■ 하자발생에 따른 책임소재 불분명 사항 ■ 적용공법에 따른 공종간의 연계성 변화 정도 ■ 공종간의 연계성에 따른 효율보증 검증용이 정도 ■ 법적 운영기준 초과에 따른 부과금 발생시 책임소재가 불분명 사항
2. 성능확보를 위하여 기자재 공급자가 직접 설계와 시공을 하여야 하는 경우	1) 설비의 규모, 용량에 따라 시설물의 설계가 변경되어지는 때 2) 시공자의 전적인 책임하에 공급된 기자재의 성능 및 품질보증이 요구되는 때	■ 기계설비의 규모·용량에 따라 설계변경이 필요한 부분과 규모 ■ 설계 · 시공 분리입찰로 할 경우 성능확보 및 보증 요구가 곤란한 사유 ■ 기자재 공급자가 시공능력을 갖추고 있는지 여부

발주공사유형	대상공사 선정기준	검토항목
3. 설계VE, 신기술·신공법의 적용으로 경제적인 대안의 활용이 필요한 경우	1) 경제적인 대안을 통해 가장 우수하고 유리한 목적물을 얻고자 하는 때 2) 신기술·신공법의 적용으로 고난이도 기술 발전 유도가 가능할 때 3) 공기단축, 공사비 절감이 가능한 여러 대안이 존재하는 경우	■ 신기술·신공법의 적용 필요성 ■ 해외 신기술 국내 도입 필요성 ■ 적용가능한 신기술·신공법의 정량적 추정치 비교(공기분석, 유지관리를 포함한 경제성, 품질 등) ■ 원안과 예측 가능한 대안의 정량적 추정치 검토(유지관리를 포함한 경제성, 품질, 성능 등)
4. 상징성·예술성·창의성이 요구되는 경우	1) 가격 외에 시공자의 기술 및 창의적 요소 반영이 요구되는 때 2) 국가, 지역적으로 명소화에 필요한 시설물 획득이 필요할 때	■ 상징성·예술성·창의성이 특별히 필요한지 구체적 사유 ■ 설계경기 등 다른 다양한 발주방식 활용이 가능한지 여부 ■ 준공 또는 공사중인 현장주변의 사례 및 조화 적정성

[별표 3]

공기단축공사 및 성능개선공사의 선정기준 및 검토항목

발주공사유형	대상공사 선정기준	검토항목
공사기간이 촉박하여 공기단축이 필요한 경우	1) 국제적 대형행사, 대형국책사업, 수해복구 등 일반적인 공법으로는 준공기한을 맞추기 어려울 때 2) 군사적 목적 등 국가안보상 공기단축이 요구되는 때	1) 공기단축의 필요성 및 공기단축의 정도(준공시점 설정사유, 발주청 사유로 늦어진 공기 만회를 위해 추진하는지 여부 등) 2) 예산확보여부 및 연차별 투자계획 3) Fast-Track 실시 및 가능성 여부 4) 설계 · 시공 분리입찰로 시행시 공기내 준공 불가능 여부(세부적인 공기산출 내역제출, 실적공정 자료 포함)
시설물의 성능개선을 위한 개량, 증설 확장, 일부개축이 필요한 공사	1) 시간의 경과에 따른 노후화 등으로 인하여 시설의 성능이 저하되어 성능개선을 검토할 필요가 있는 경우 2) 기후, 환경 및 기술수준의 변화 등 시설에 요구되는 성능에 대한 기준이 설계 당시의 기준보다 상향되어 성능개선을 검토할 필요가 있는 경우 3) 시설의 수요 또는 서비스 수준의 상향 요구가 증가되어 용량 및 서비스 수준의 확대 등 성능개선을 검토할 필요가 있는 경우 4) 관계 법령에 따라 시설의 성능개선을 검토할 필요가 있는 경우	1) 시설 수명이 국가회계기준에 관한 규칙에 따른 내용연수에 도래했는지 여부 2) 시간의 경과에 따라 노후화 등으로 성능등급 또는 안전등급이 C등급 이하로 성능개선을 검토할 필요가 있는지 여부(단 지하차도의 경우 D등급 이하) 3) 관계법령에따라 시행한 성능평가 결과에 기반하여 유지관리 시행시 성능개선 유형에 해당하는지 여부 4) 각종 시설물의 기준변화에 따라 성능개선이 반드시 필요하다고 인정되는지 여부 5) 주변 여건 및 교통 수요 변화로 인해 시설 규모 확장등의 개선이 필요한지 여부

[별표 3의 2]

스마트 건설공사의 선정기준과 검토항목

① 선정기준 및 검토항목

발주공사유형	대상공사 선정기준	검토항목
설계와 시공단계에 스마트 건설기술을 적용하려는 경우	1) BIM기반 스마트 설계기술을 설계와 시공단계에 적용하는 경우 2) 시공 과정에 자동화된 건설기계 운용 및 통합 관제, 공정 및 현장관리 등 고도화 기술을 적용하는 경우 3) 대상시설의 유지관리 과정에서 시설물 점검 · 진단의 자동화, 디지털트윈 기반 유지관리기술을 채택하기 위해 설계와 시공단계에 기술 적용이 필요한 경우	1) 스마트 건설기술 적용 필요성(해당기술 채택 사유) 2) 설계에 제시된 스마트 건설기술이 시공단계에 적용하는지 여부 3) 스마트 건설기술의 활용시 예상되는 변화 및 효과 검토(공기 단축, 공사비 절감, 품질, 안전, 유지관리 경제성 등) 4) 시설물 유지관리 고도화 및 디지털트윈 기반 유지관리를 위해 설계 및 시공과정에 이를 고려해야 할 필요성 5) 설계와 시공 분리발주시, 해당 스마트 건설기술 적용이 불리한 지 여부

② 스마트 건설기술의 주요 대상기술

스마트 건설	■ BIM기반 스마트 설계(지형 · 지반 모델링 자동화, BIM설계 자동화) ■ 건설기계 자동화 및 관제(건설기계 자동화, 건설기계 통합 운영 및 관제) ■ 공정 및 현장관리 고도화(시공 정밀제어 및 자동화, ICT기반 현장 안전사고 예방기술, BIM기반 공사관리, 모듈화 또는 프리패브방식에 의한 시공) ■ 시설물 점검 · 진단 자동화(IoT 센서 기반 시설물 모니터링 기술, 드론 · 로봇 기반 시설물 진단) ■ 디지털트윈 기반 유지관리(시설물 정보통합 및 표준화, AI기반 최적 유지관리)

[별표 4]

대상공사 선정기준별 우선 입찰방식(안)

발주공사 유형별 대상공사 선정기준	발주방식 (우선순위)			
	기본계획완료 후		실시설계완료 후	
	일괄	기본설계 기술제안	대안	실시설계 기술제안
Ⅰ. 여러 공종의 복합공사로 설계·시공의 일괄시행이 필요한 경우				
1) 복잡한 고난도·고기술이 요구	○	△	○	△
2) 분리발주시, 빈번한 설계변경 예상	○	○	△	△
3) 연계공종간 책임이 불분명	○	○	△	△
Ⅱ. 기자재 공급자가 직접 설계와 시공을 하여야 하는 경우				
1) 설비규모, 용량에 따라 시설물의 설계가 변경되어지는 때	△	○	△	○
2) 시공자의 전적인 책임하에 공급된 기자재의 성능과 품질보증이 요구	△	○	△	○
Ⅲ. 설계VE, 신기술·신공법 적용등 경제적인 대안이 필요				
1) 경제적인 목적물을 얻고자 하는 때	△	○	△	○
2) 신기술·신공법 적용으로 기술 발전 유도가 가능	○	△	○	△
3) 공기, 공사비 절감이 가능한 여러 대안이 존재하는 경우	△	○	△	○
Ⅳ. 상징성·예술성·창의성이 요구되는 경우				
1) 가격 외에 시공자 기술, 창의적 요소 반영이 필요	△	○	△	○
2) 국가, 지역적 명소화에 필요한 시설물 획득이 필요	△	○	△	○
Ⅴ. 공사기간이 촉박하여 공기단축이 필요한 경우	○	△	-	○
Ⅵ. 설계와 시공·유지관리에 스마트 건설기술을 적용하는 경우	○	○	-	-

* (검토시기) 발주청이 입찰방법 심의 요청전 공사수행방식 결정시 활용하고, 입찰방법 심의시 발주청 결정사항에 대해 적절여부 검토

* (평가기준) 별표2 및 별표3의 발주공사유형 및 선정기준 중 발주공사에 해당되는 사항을 선정하여 발주방식 우선 순위에 따라 "○"와 "△"로 구분 후, "○"가 많은 발주방식을 우선 적용

발주방식 우선 순위를 달리할 경우, 발주청은 현장여건 및 사업여건과 발주방식간의 장·단점을 구체적으로 설명

[별표 5]

실시설계적격자 또는 낙찰자결정방법 선정기준

① 낙찰자 결정방법 종류

종 류		낙찰자 결정방법
설계적합최저가방식		■ 설계 적합자 중 최저가 입찰자
종합평가방식	입찰가격조정	■ 입찰가격을 설계점수로 나누어 조정된 수치가 가장 낮은 자
	설계점수조정	■ 설계점수를 입찰가격으로 나누어 조정된 점수가 가장 높은 자
	가중치기준	■ 설계점수와 가격점수에 가중치를 부여하여 각각 평가한 결과를 합산한 점수가 가장 높은 자
확정가격최상설계방식 (일괄입찰만 적용)		■ 계약금액을 확정하고 기본설계서만 제출하도록 한 경우 설계점수가 가장 높은 자

② 낙찰자 결정방법별 적용기준

- 낙찰자 결정방법은 공사목적, 기술적 난이도, 규모 등 공사특성과 예산확보, 사업관리역량 등 발주청 여건을 고려하여 아래 기준에 따라 적합한 방법을 선정
- 낙찰자 결정방법에 관한 사항은 「국가를 당사자로 하는 계약에 관한 법률 시행령」 같은 법 시행규칙 및 「(계약예규) 일괄입찰 등에 의한 낙찰자 결정기준」을 따름

(1) 설계적합 최저가방식 :
- 설계기준이 정형화되어 있고 비용절감이 요구되는 공사
- 단순반복 공사 등 시공사례가 많은 공사
- 기술적 난이도가 높지 않은 공사

(2) 입찰가격 조정/설계점수 조정방식 : 비교적 정형화된 설계기준에 따라 시설물을 설계·시공하는 공사에 있어 비용절감, 고품질의 우수한 목적물을 얻고자 하는 경우

(3) 가중치 기준방식 : 시설물의 사용 목적 상 창의적인 설계가 필요하거나 난이도가 높은 기술을 요하는 공사로서 비용절감 뿐만 아니라 고품질의 목적물을 얻고자 하는 경우

(4) 확정가격 최상설계방식 : 정해진 예산 범위 내에서 최상의 시설물을 얻고자 하는 경우로서, 고난이도 기술·공법이 현저히 필요한 공사 또는 창의성·예술성 등이 특별히 요구되는 국가 랜드마크 시설 공사

[별지 제1호 서식]

집 행 기 본 계 획 서

구 분	내 용
① 발주기관	
② 공사명	
③ 공사 개요	
④ 총공사비(추정금액)	
⑤ 공사기간	
⑥ 공사위치	
⑦ 입찰예정시기	
⑧ 입찰방법	
⑨ 낙찰자결정방법	
⑩ 제안사유	
⑪ 사업효과	
⑫ 심의개최 요청시기	

【작성요령】

① 발주기관명, 담당부서, 전화번호 명시

② 공사명을 명시하되, 약칭을 쓰지 말 것

③ 공사전체 내역 및 구조물(교량, 터널 등) 현황, 건축물 연면적 등 입찰방법 제안사유와 관련되는 주요 공사내역을 명시

④ 추정금액 명시(단위: 억 원) : 보상비 제외, 부가세 포함

⑤ 공사 시작년도 및 완료년도 명시

⑥ 공사위치 명시

⑦ 설계공모, 기본설계, 실시설계, 공사에 대한 입찰예정시기를 년, 월로 명시

- 일괄입찰 및 대안입찰의 경우 공사입찰 예정시기만 기재

⑧ 발주기관에서 검토한 입찰방법 명시
다만, 대안입찰(또는 기술제안입찰)의 경우에는 대안입찰(또는 기술제안입찰)에 부칠 사항 또는 범위를 명시

⑨ 발주기관에서 검토한 낙찰자결정방법 명시

⑩ 입찰방법 제안 핵심사유를 개략적으로 명시

⑪ 사업을 통해 얻고자 하는 기대효과를 개략적으로 명시
(일괄, 대안, 기본설계기술제안, 실시설계기술제안 입찰의 경우 해당 입찰방법을 통해 얻고자하는 기대효과를 추가적으로 명시)

[별지 제1호의2서식]

집행기본계획서 세부현황

1. 위치도 또는 도면

2. 공사개요

- ○ 공 사 명 :
- ○ 노 선 명 :
- ○ 위 치 :
- ○ 공사개요 : 도로축조 : L= km, B= m
- ○ 공사기간 :
- ○ 총공사비 추정금액 : 억원 (보상비 제외)
  - 주요 공종별 물량 및 공사비
    - · 00교(길이=2000m): 00억원
    - · 00터널(길이=4000m) : 00억원
    - · 기 타 : 00억원
- ○ 교 통 량 : 대/일(목표년도 년도)

3. 사업 필요성 및 효과

4. 추진경위

○ 예비타당성조사, 타당성조사, 기본계획, 기본설계 등 사항을 구체적으로 기재하되 기본설계 등을 완료한 경우에는 그 사유를 명확히 기재

5. 기타 참고사항 : 노선개요, 신기술 등 입찰방법 심의에 필요한 사항

210mm×297mm[백상지(80g/㎡) 또는 중질지(80g/㎡)]

6. 입찰방법 및 낙찰자결정방법 제안사유

<table>
<tr><td>입찰방법</td><td>* 기타, 일괄, 대안, 기본설계 기술제안, 실시설계 기술제안 중 택일
* 대안입찰의 경우에는 대안입찰에 부칠 사항 또는 범위
* 기술제안입찰의 경우에는 기술제안이 필요한 구간, 공종 또는 분야</td></tr>
<tr><td>입찰방법 심의요청 근거규정</td><td>* 입찰방법 심의대상시설, 발주공사유형별 선정기준에 관한 근거규정 명시</td></tr>
<tr><td>공사의 목적 및 특성</td><td></td></tr>
<tr><td>입찰방법을 통한 사업효과</td><td>○ 일괄의 경우
- 기본계획 수립한 시설물(추정공사비)과 입찰시 예상되는 시설물과의 경제성, 품질 등 비교 제시
- 기타공사 대비 공사기간 단축 예측치 비교 제시
○ 대안의 경우
- 실시설계 내용과 대안예상 시설물과의 경제성, 품질 등 비교 제시
○ 기술제안의 경우
- 공기단축, 사업관리, LCC, 사업비, 성능개선 등의 기대효과를 원설계와 비교제시</td></tr>
<tr><td>입찰방법별 장단점 비교</td><td><table><tr><td>검토항목</td><td>심의요청 입찰방법</td><td>타 입찰방법1</td><td>타 입찰방법2</td></tr><tr><td>1.</td><td></td><td></td><td></td></tr><tr><td>2.</td><td></td><td></td><td></td></tr></table>○ 추진가능한 다른 입찰방법과 비교하여 심의요청하는 입찰방법이 필요한 사유를 검토항목별로 명확하게 기재하며, 아래 사항을 포함하여 검토항목을 구성할 것
- 신기술·신공법 필요성 : 일반적인 공법으로 시공가능한지 여부 등
- 개선된 설계안 도출가능성 : 원안설계(일괄입찰의 경우 기본계획)와 비교검토하여 더 나은 안이 도출될 수 있는지 여부
- 별표2 내지 별표3의2 의 발주공사유형별 검토항목 중 입찰방법을 제안하는 핵심적인 사유 : 사유별 구체적 비교검토
- 사업추진 소요예상기간 분석 비교</td></tr>
<tr><td>입찰방법 제안사유</td><td>* 아래 "입찰방법 제안사유 작성방법"을 참고하여 구체적으로 작성</td></tr>
<tr><td>사업추진간 타 기관 등과의 협의필요사항</td><td>○ 사업추진간 민원발생가능성, 타 기관과 협의가 필요한 사항들을 기재하고, 해당 사항에 대한 처리계획을 작성</td></tr>
<tr><td>심의대상시설 발주실적 (최근 10년간)</td><td>○ 심의요청 대상시설이 포함한 건설공사의 발주실적과 입찰방식 표기
○ 과거 일괄·대안공사 시행의 경우
- 해당공사 입찰방법 심의시 제시하였던 사업일정 계획과 실제 집행일정의 비교제시(계획대비 지연된 경우 사유제시)</td></tr>
<tr><td colspan="2">발주공사유형별 검토항목(별표 2, 3, 3의2)별 검토의견(구체적 근거 제시)</td></tr>
</table>

입찰방법 관련 총괄검토의견	* "별표" 대상공사 선정기준별 검토의견을 토대로 발주청의 총괄 검토의견 기재
1. --	
2. --	
낙찰자결정방법	* 설계적합최저가방식, 입찰가격조정방식, 설계점수조정방식, 가중치기준방식, 확정가격최상설계방식 중 택일
낙찰자결정방법 제안사유	
낙찰자결정방법 관련 총괄검토의견	

※ 입찰방법 제안사유 작성방법
- ○ 국토교통부 장관이 고시한 「대형공사 등의 입찰방법 심의기준」을 참고하여 제안사유를 구체적으로 기재
- ○ 일괄입찰(기본설계 기술제안입찰)방법 공사에 대한 개략개요를 판단할 수 있는 기본구상, 예비타당성조사, 타당성조사 또는 기본계획(기본설계 기술제안의 경우 기본설계)에 대한 내용을 요약하여 아래 표와 함께 별도 첨부

공종	기본계획 또는 기본설계		일괄입찰 또는 기술제안 필요 사유	사업비 (억 원)
	내용	반영사유		

- ○ 대안입찰(실시설계 기술제안입찰)방법 공사에 대한 전체적인 개요를 판단하고 대안(기술제안)부분의 원안설계에 대하여 비교 검토할 수 있도록 실시설계(기술제안)에 대한 내용을 요약하여 아래 표와 함께 별도 첨부

공종	실시설계		대안 또는 기술제안 필요 사유	사업비 (억 원)
	설계내용	반영사유		

- ○ 대안입찰방법의 경우 대안구간과 원안구간을 분할하여 발주하는 방안 검토결과를 총괄 검토의견난에 기재
- ○ 공기단축을 사유로 입찰방법을 제안하는 경우 패스트트랙(Fast-track) 실시 여부 및 이에 따른 설계 · 시공 분리입찰과의 공기비교표, 공기단축을 위한 예산확보 여부를 구체적으로 작성하여 별도 첨부
- ○ 스마트 건설공사의 경우 기존 건설기술과 효과를 비교한 자료를 작성하여 별도 첨부

7. 대형공사 입찰방법 심의 자체 평가표("예시")

입찰방식 : 일괄(심의 대상시설 : 4,000m 터널)

발주공사 유형	대 상 공 사 선 정 기 준	평가기준 평점	평가기준 가중치(%)	자체평가(%) A (100)	B (90)	C (80)	D (70)	E (60)	미제출 (0)	평가 점수
여러공종이 포함된 복합공사로 설계시공 일괄시행이 필요	1) 공사의 특성상 복잡한 고난도·고기술 요구	60	50		✔					27.0
	2) 복합공종으로 분리발주시, 빈번한 설계변경 예상		30		✔					16.2
	3) 공종간 연계에 따른 성능보증 책임 명확		20	✔						12.0
			100							55.2
공급자의 직접 설계·시공이 필요	시공자의 전적인 책임하에 공급된 기자재의 성능 및 품질보증 요구	30	100			✔				24.0
상징성·예술성·창의성 요구	1) 가격 외에 시공자의 기술 및 창의적 요소 반영 요구	10	50		✔					4.5
	2) 국가, 지역적으로 명소화에 필요한 시설물 획득 필요		50		✔					4.5
			100							9.0
평 점										88.2
감 점 (총공사비 300억원 미만, -5점)		-5								-
최종평점		100								88.2

* (평가방법) 별표2 및 별표3, 별표3의 2의 발주공사유형 및 선정기준 중 발주공사에 해당되는 사항을 선정하여 평가배점 및 가중치를 정하여 자체평가서 작성.
* (평가기준) 자체평가 결과, 최종평점이 80점 이상인 경우에만 일괄, 대안, 기본설계 기술제안입찰, 실시설계 기술제안입찰으로 입찰방법 심의요청

등급	자 체 평 가 기 준
A	선정기준에서 요구하는 내용을 충분히 만족시킨 경우
B	선정기준에서 요구하는 내용을 상당수준 만족시킨 경우
C	선정기준에서 요구하는 내용을 일정수준 만족시킨 경우
D	선정기준에서 요구하는 내용을 만족시키지 못하거나 추가적인 보완이 필요한 경우
E	선정기준에서 요구하는 내용이 상당부분 결여되어 있거나 부족한 경우

8. 분리 도급(발주) 검토

○ 심의요청한 전체공사 중 다른 법률에 따른 분리 도급(발주) 여부를 검토해야 하는 공사 포함 여부:

○ 분리 도급(발주) 예외 해당 여부:

※ 심의요청한 전체공사 중 분리 도급(발주) 예외에 해당되지 않아 분리 도급(발주)해야 하는 공사가 포함된 경우 분리 도급(발주) 해당부분의 공사는 입찰방법 심의대상에서 제외됨

○ 분리 도급(발주) 예외에 해당하는 경우 구체적 근거 및 사유:

[별지 제1호의3서식]

대형공사 분할시공(불가능 사유)검토서

1. 공사명 :

2. 사업(공사)개요

○ 도로축조 : L=　　km, B=　　m(왕복 ○차로)

- ○○교 L = 2000m
- ○○터널 L = 4000m
- 일반구간 L = 1000m

※ 공사 규모를 상세히 기재

3. 공사추정금액 :　억원 (보상비 제외)

○ 주요 공종별 물량 및 공사비

- ○○교(길이=2000m):　억원
- ○○터널(길이=4000m) : 억원
- 기　　타 :　억원

4. 공사 위치 및 평면도

○ 별도 붙임

5. 분할 시공 불가능 사유서

※ 분할 발주가 불가능한 사유를 구체적으로 작성

붙임 : 관련증빙 자료

[별지 제2호 서식]

건 설 기 술 심 의 요 청 서

의안번호	제　　호
구　　분	입찰방법 및 실시설계적격자 또는 낙찰자결정방법 심의

건명	○○○○ 건설공사 등　건

발 주 청	
제출년월일	20 .　.　.

1. **심의주문**

   대형공사 등의 입찰방법 및 실시설계적격자 또는 낙찰자 결정방법(안)을 다음과 같이 심의·의결한다.

2. **제안사유**

   ○○ 시행부서 등에서 집행계획인 ○○공사 등 ( )건 입찰방법 및 실시설계적격자 또는 낙찰자 결정방법 심의

3. **관련규정**

   - 입찰방법 심의기준 등 심의위원이 참고할 규정을 기재

4. **입찰방법 및 실시설계적격자 또는 낙찰자 결정방법 심의요청 사항(총괄표)**

공사명	공사개요	총공사비 추정금액 (억원)	발주기관	입찰방법		실시설계적격자 또는 낙찰자 결정방법		입찰 예정
				심의 요청	심의 의결	심의 요청	심의 의결	
1.								
2.								

[작성요령]

별지 제1호 서식의 작성요령 등 참조

5. **건별 설명자료 따로붙임(00공사 예시참조)**

   ※ 건별설명 자료는 붙임 예시를 참조하여 공사의 특성에 따라 조정사용 가능

붙임 : 건별 설명자료

1. ○○ 건설공사

1. 위치도 또는 도면

2. 사업개요 :

○ 노 선 명 :

○ 위 치 :

○ 공사개요 : 도로축조 : L= km, B= m

○ 공사예정기간 :

○ 총공사비 추정금액 : 억원 (보상비 제외)

- 주요 공종별 물량 및 공사비
- 추정금액이 1,000억원 이상인 경우, 공사의 연속성, 하자보수의 명확성 등을 검토하여 공사의 효율성을 저해하지 않은 범위내에서 분할하여 시행할 수 있는지 여부에 대한 검토내용

○ 교 통 량 : 대(목표년도 년도)

3. 사업 필요성 및 효과

4. 추진경위

○ 예비타당성조사, 타당성조사, 기본설계 등 사항을 구체적으로 기재하되 기본설계 등을 완료한 경우는 그 사유를 명확히 기재

5. 기타 참고사항 : 노선개요, 신기술, 스마트 건설기술 등 입찰방법 심의에 필요한 사항

6. 입찰방법 및 낙찰자 결정방법 제안 사유(○○ 발주청) :

○ 입찰방법 : 사유를 구체적으로 명확하게 기재

○ 낙찰자 결정방법 : 사유를 구체적이고 명확하게 기재

[별지 제3호 서식]

(앞쪽)

심의 의견서

- '00년, 제00차 중앙건설기술심의위원회 -

대형공사 등의 입찰방법 및 낙찰자결정방법 심의 안건에 대한 심의의견을 아래와 같이 제출합니다.

심의안건				심의요청	
발주기관		공사비		입찰예정	
공사개요					
심의대상 시설기준	내 용				
	충족여부	[ ]매우충족 (200%이상) [ ]충족 [ ]미달 [ ]ㅁ매우미달 (50%미만)			
공사기간 단축 필요성	공사종류	[ ]국제행사 [ ]국책사업 [ ]수해복구 [ ]국가안보 [ ]기타			
	필요성 정도	[ ]매우필요 [ ]필요 [ ]보통 [ ]해당없음			
	사유				
고난도/고기술	필요성 정도	[ ]매우필요 [ ]필요 [ ]보통 [ ]해당없음			
	사유				
신기술/신공법	필요성 정도	[ ]매우필요 [ ]필요 [ ]보통 [ ]해당없음			
	사유				
상징성, 예술성 창의성 등	필요성 정도	[ ]매우필요 [ ]필요 [ ]보통 [ ]해당없음			
	사유				
스마트 건설기술	필요성 정도	[ ]매우필요 [ ]필요 [ ]보통 [ ]해당없음			
	사유				
기타 검토사항 · 설계변경 빈번 · 보증책임불명확 · 자재공급자 일괄시행 필요 · 공사비 절감	필요성 정도	[ ]매우필요 [ ]필요 [ ]보통 [ ]해당없음			
	사유				

210mm×297mm[백상지(80g/㎡) 또는 중질지(80g/㎡)]

(뒤쪽)

【심의의결】	입찰방법	[ ]요청안 [ ]요청안이 아닌 기타공사 [ ]재심의
	낙찰자 결정방법	[ ]설계적합최저가 [ ]입찰가격조정 [ ]설계점수조정 [ ]가중치기준 [ ]확정가격최상설계

【심의의견】

○ 분리 도급(발주)에 대한 발주청 검토의견 적정 여부
(기타공사로 의결된 경우 작성 불필요)

[ ]적정, [ ]부적정, [ ]기타의견

20 . . .

중앙건설기술심의위원 (서명 또는 인)

[별지 제4호 서식]

국토교통부 공고 제20 – 호

「국가를 당사자로 하는 계약에 관한 법률 시행령」 제80조제3항 및 제99조제3항의 규정에 따라 대안입찰 및 일괄입찰의 방법과 기본설계 기술제안입찰 및 실시설계 기술제안입찰 방법에 의하여 집행할 대형공사 등과 그 실시설계적격자 또는 낙찰자 결정방법을 다음과 같이 공고 합니다.

20 년 월 일

국토교통부장관

○ 심의의결내용

번호	공사명	공사개요	총공사비 추정금액 (억원)	발주기관	입 찰 방 법		실시설계적격자 또는 낙찰자 결정방법		입찰 예정일
					심의 요청	심의 의결	심의 요청	심의 의결	
1									
2									
3									

건설공사 사후평가 시행지침

국토교통부고시 제2021-993호

일부개정 2021.7.30

제1장 총칙

제1조(목적) 이 지침은 「건설기술진흥법 시행령」 제86조제6항부터 제7항까지 및 「건설기술진흥법 시행규칙」 제46조에 따라 발주청이 시행한 건설공사의 사후평가를 실시함에 있어 공사종류 및 규모 등에 따른 사후평가의 시점, 내용, 방법, 대가기준 등에 관하여 필요한 사항을 정하는 것을 목적으로 한다.

제2조(적용범위) 이 지침은 「건설기술진흥법」(이하 "법"이라 한다) 제2조제6호에 따른 발주청이 발주하는 총공사비 300억원 이상의 건설공사를 대상으로 한다. 다만, 다음 각 호와 같이 건설공사의 특성상 평가가 곤란하거나 평가에 실익이 없는 건설공사는 평가 대상에서 제외한다.

1. 「국가재정법」 제38조제2항 각 호의 건설공사
2. 기숙사 등 단독주택, 공동주택, 고등 교육시설, 도서관, 의료시설, 연수원의 신·증축사업 등 사업효과가 국지적이고 정형화된 건설공사
3. 「군사기지 및 군사시설 보호법」 제2조제1호와 제2호에 명시되어 있는 군사기지 및 군사시설 등 국가안보에 관계되거나 보안을 요하는 국방 관련 사업

제3조(용어의 정의) 이 지침에서 사용하는 용어의 뜻은 다음과 같다.

1. "사후평가"란 향후 건설공사 시행의 효율성을 도모하기 위해 타당성 조사 등 건설공사를 계획하는 과정과 공사완료후의 공사비, 공사기간, 수요, 효과 등에 대한 예측치와 실제치를 종합적으로 분석·평가하는 것을 말한다.
2. "사후평가서"란 「건설기술진흥법 시행령」(이하 "영"이라 한다) 제86조제2항에서 명시하고 있는 평가내용을 수록한 사후평가결과보고서와 사후평가표를 말한다.
3. "평가지표"란 건설공사 사후평가를 수행함에 있어 다음과 같은 평가분야에 대한 평가항목을 측정하기 위한 기준을 말한다.
   가. 사업수행성과 : 건설사업 추진기간, 비용 등의 효율성과 적절성을 평가하는 것으로 사업비, 사업기간, 안전, 변경, 재시공 부분의 성과를 평가
   나. 사업효율 : 건설공사 시행 전후의 수요와 기대효과의 비교를 통해 사업 전반의 효율성을 평가
   다. 파급효과 : 건설사업 수행이 해당 지역의 경제와 주민 생활에 미친 영향 등을 평가
4. "전체공사"란 「국가재정법」 제38조 또는 영 제81조에 의한 예비타당성 조사 또는 타당성 조사를 실시한 단위 건설공사를 말한다.
5. "관계 기관의 장"이란 「시설물의 안전 및 유지관리에 관한 특별

법」 제2조제3호에 명시된 공공관리주체의 장을 의미하며, 중앙행정기관이나 지방자치단체의 소속 기관일 경우는 소속 상급기관인 중앙행정기관의 장이나 지방자치단체의 장을 말한다.

6. "선형공사"란 평면선형설계를 하는 도로 및 철도시설물을 포함한 공사를 말한다.
7. "비선형공사(I)"란 주택단지공사 및 산업단지공사 등을 말한다.
8. "비선형공사(II)"란 제3조제7호에서 정의한 비선형공사를 제외한 공항, 항만, 댐 및 상하수도공사를 말한다.
9. "기타공사"란 제3조제6호에서 제8호까지 정의한 공사를 제외한 모든 공사를 말한다.
10. "전문관리기관"이라 함은 법 제52조의2제2항 및 영 제86조의2제2항에 따라 건설공사의 사후평가에 관한 업무를 효율적으로 추진하기 위해 국토교통부장관이 지정한 기관(한국건설기술연구원)을 말한다.

제2장 건설공사 사후평가 내용, 절차 및 방법 등

제4조(사후평가의 내용) 발주청은 다음 각 호의 내용을 포함하여 사후평가를 실시하여야 한다.

1. 예상 공사비 및 공사기간과 실제 소요된 공사비 및 공사기간의 비교 · 분석
2. 공사기획시 예측한 수요 및 기대효과와 공사 완료후의 실제 수요 및 공사효과의 비교 · 분석
3. 당해 건설공사의 문제점과 개선방안
4. 주민의 호응도 및 사용자 만족도
5. 건설공사 시행단계별 발생되는 건설정보의 내용 및 조치계획
6. 일괄입찰 및 대안입찰(이하 "일괄 · 대안입찰"이라 한다) 방식으로 수행한 경우 건설공사의 추진성과
7. 공사비, 공사기간, 효과 등 당해 건설공사에 대한 전반적인 평가, 당해 건설공사에 따른 주변환경의 변화 및 영향, 재원조달의 타당성 등 기타 발주청에서 필요하다고 인정하는 사항

제5조(평가시기 및 방법) ① 제4조에 규정된 건설공사의 사후평가는 평가지표별로 다음 각 호와 같이 구분하여 실시한다.

1. 사업수행성과 평가 : 전체공사 준공 이후 60일 이내
2. 사업효율 및 파급효과 평가 : 건설공사의 특성에 따라 전체공사의 준공 이후 5년 이내에 실시

② 발주청은 사후평가를 실시함에 있어서 제1항제1호의 사업수행성과 평가는 별표2 및 별표3의 양식을, 제1항제2호의 사업효율 및 파급효과 평가는 별표4 또는 별표5의 양식을 각각 활용하여 사후평가를 실시하여야 한다.

③ 전문관리기관은 제2조에 따른 건설공사의 사후평가 대상이 되는 공사현황을 파악하여 발주청에 매년 2월갈까지 통보하여야 한다.

④ 전문관리기관은 「건설산업기본법」 제24조에 따라 구축된 "건설산업지식정보시스템" 등을 통해서 제3항의 공사현황을 파악할 수 있다.

제6조(건설사업 시행단계별 자료 수집 및 관리) ① 발주청은 법 제46조

에 따른 건설공사의 시행과정에 따라 건설공사를 시행한 경우 다음 각 호의 시행단계별 자료의 수집 · 관리 및 수행내용 작성 등을 하여야 한다.

1. 타당성조사단계
   가. 영 제81조에 따른 타당성조사 결과
   나. 별표1의 건설사업 추진단계별 수행내용 중 타당성조사단계 부분
   다. 「건설기술진흥법 시행규칙」(이하 "규칙"이라 한다) 제39조 제1항의 건설공사 수요예측과 관련된 자료
2. 설계단계
   가. 영 제71조부터 제73조까지에 따른 기본설계 · 실시설계의 설계도서 및 공사비 증가 등에 대한 조치 관련 자료
   나. 별표1의 건설사업 추진단계별 수행내용 중 설계단계 부분
3. 시공단계
   가. 영 제78조제1항에 따른 준공보고서
   나. 제4조제6호에 따른 일괄 · 대안입찰 공사의 추진성과
   다. 별표1의 건설사업 추진단계별 수행내용 중 시공단계 부분

② 발주청은 제1항 각 호의 항목 중 별표1의 건설사업 추진단계별 수행내용은 최종 준공일로부터 60일 이내에 작성하여야 한다.

③ 발주청은 「국가재정법」 제50조에 의해 총사업비관리를 관리함에 있어서 제2조의 사후평가 대상이 되는 건설공사에 대해 수요예측재조사 및 타당성재조사가 시행되었을 경우, 별표6의 수요예측재조사 및 타당성재조사 수행관리 현황표를 수요예측재조사 및 타당성재조사 시행 후 60일 이내에 작성하여야 한다.

④ 발주청은 규칙 제46조의 규정에 의거 건설공사의 시행단계별 자료는 단계별 용역 및 시공 등이 준공된 후 60일 이내에 건설공사 지원통합정보체계(건설사업정보포털시스템) 내의 "건설공사 사후평가시스템"에 입력하여야 한다.

제7조(사업수행성과 평가) ① 발주청은 제6조제1항 각 호에 따라 수집 · 관리된 자료를 활용하여 별표2의 사업수행성과 평가표를 최종 준공일로부터 60일 이내에 작성하여야 한다.

② 발주청은 일괄입찰 또는 대안입찰 방식으로 수행한 건설공사의 경우 별표3의 일괄 · 대안입찰 집행 추진성과 평가표를 작성하여 제6조제1항제3호 나목의 추진성과를 평가하고, 최종 준공일로부터 60일 이내에 사후평가위원회의 심의를 받아야 한다.

제8조(사업효율 및 파급효과 평가) ① 발주청은 제5조제1항제2호의 사업효율 및 파급효과 평가를 실시함에 있어서 총공사비 500억원 미만의 건설공사는 평가 대상에서 제외한다.

② 발주청은 제1항의 건설공사를 제외한 건설공사는 별표4의 사업효율 및 파급효과 평가표의 양식을 활용하여 전체공사의 준공 이후 5년 이내에 평가를 실시하여야 한다.

③ 발주청은 사후평가 대상이 되는 단위 건설공사만으로는 사업효율 및 파급효과가 충분히 발현되지 않아 평가하기가 어려운 경우, 제2항의 규정에도 불구하고 다음 각 호와 같이 별도의 평가단위별로 사업효율 및 파급효과 평가를 실시할 수 있다.

1. 「도로법」 제2조제5호 도로 관리청의 관할 구역 내의 동일 노선

으로써 수요나 기대효과(B/C 분석) 등 사업효율성이 연계된 건설공사
2. 「철도의 건설 및 철도시설 유지관리에 관한 법률」 제7조에 의해 수립·고시된 철도건설기본계획 내의 동일 노선으로써 수요나 기대효과(B/C 분석) 등 사업효율성이 연계된 건설공사. 다만, 「지방자치법」 제2조제1항제1호 지방자치단체 행정구역내의 건설공사
3. 지구단위의 토지 및 주택 건설공사
4. 「산업입지 및 개발에 관한 법률」 제2조제8호에 따른 산업단지를 조성하기 위한 건설공사

④ 발주청은 제3항과 같이 사업효율 및 파급효과 평가를 실시하고자 할 때에는 사전에 관계 기관의 장과 협의를 실시하여야 하고, 별표5의 사업효율 및 파급효과 평가표의 양식을 활용하여 다음 각 호와 같이 평가를 실시하여야 한다.

1. 사업효율 및 파급효과 평가 (분리평가 - 1차)
   가. 평가시기 : 전체공사 준공 이후 5년 이내
   나. 평가항목 : 민원, 하자, 예측수요와 실측수요 차이 원인 분석 및 예측편익과 실측편익의 차이 원인 분석
2. 사업효율 및 파급효과 평가 (분리평가 - 2차)
   가. 평가시기 : 제3항 각 호의 별도 평가단위별 최종 건설공사 준공 이후 5년 내지 10년 이내
   나. 평가항목 : 수요, 기대효과(B/C 분석), 지역경제, 환경

⑤ 발주청이 필요하다고 인정하는 경우 제2항 또는 제4항에 따른 사업효율 및 파급효과 평가 이외에도 적기로 판단되는 시점에 추가로 평가를 실시할 수 있다.

제3장 건설공사 사후평가 수행주체

제9조(평가 수행주체 및 평가결과 작성 · 관리) ① 발주청은 제4조에 규정된 내용에 대해 제7조 및 제8조와 같이 사후평가를 실시하도록 하여야 한다. 다만, 사후평가를 수행함에 있어 전문인력 부족 등 발주청이 직접 사후평가를 수행하기 곤란한 경우에는 외부전문기관에 사후평가업무의 전부 또는 일부를 수행토록 할 수 있다.

② 제1항의 "외부전문기관"이란 건설공사 사후평가 대상 사업과 이해관계가 없는 다음 각 호의 기관을 말한다.

1. 국가 및 지방자치단체의 출연연구기관 또는 출연연구원
2. 법 제26조 및 영 별표5에 따른 설계 등 업무를 수행 할 수 있는 건설엔지니어링사업자
3. 기타 건설공사 사후평가 업무의 수행경력이 있거나, 이와 유사한 업무를 수행한 경력이 있는 기관으로서 발주청이 인정하는 기관

③ 삭제

③ 발주청은 사후평가를 실시한 경우 "사후평가결과보고서" 및 별표1부터 별표6까지 및 별표8의 양식중에서 해당하는 항목이 포함된 "사후평가서"를 작성 · 관리하여야 한다.

④ 제3항에 따른 사후평가결과보고서에는 제4조 각 호의 항목에

대한 평가결과가 포함되어야 한다.

⑤ 관계 기관의 장은 시설물 정비계획 수립 등 정책목적 달성을 위해 필요한 경우, 발주청을 대신하여 제8조제4항제2호에 따른 사업효율 및 파급효과 평가를 실시할 수 있다.

제4장 건설공사 사후평가 용역대가의 산정

제10조(용역대가 산정 적용범위) 건설공사 사후평가 용역대가의 산정은 발주청에서 제9조제2항에서 명시한 외부전문기관에 사후평가 업무의 전부 또는 일부를 위탁하는 경우에 한하여 적용한다.

제11조(용역대가 산정방법) ① 건설공사 사후평가 용역대가 구성항목은 직접인건비, 직접경비, 제경비, 기술료 및 부가가치세로 한다.

② 직접인건비는 당해 업무에 직접 종사하는 기술자의 인건비이며, 기술자에게 지급되는 기본급, 제수당, 상여금 및 퇴직급여충당금, 회사가 부담하는 산업재해보상보험료 등을 포함한 것으로써 다음 각 호와 같이 산출한다.

1. 직접인건비는 소요인력 수에 「엔지니어링사업대가의 기준」 제12조의 규정에 따라 한국엔지니어링협회가 조사·공표하는 최근 엔지니어링업체 임금실태 조사보고서의 건설부문 노임단가와 보정계수를 곱하여 산정한다.
2. 소요인력은 당해 사후평가용역 업무에 직접 종사하는 기술자의 투입된 인력을 말하며, 소요인력 수는 별표7에 제시된 시설물 유형별 소요인력 기준을 활용하여 산정하고, 각 업무별·등급별 소요인력 수는 소수점 둘째자리에서 반올림하여 합산한다.
3. 보정계수는 건설공사의 특성에 따른 업무량의 변화를 반영하는 계수를 말하며, 보정계수의 적용은 건설공사 유형별로 해당되는 보정계수를 곱하여 적용한다.

③ 직접경비는 당해 업무 수행에 필요한 인쇄비 등 실제 소요비용으로써 다음 각 호와 같이 산출한다.

1. 인쇄비는 조달청 또는 각 발주청의 인쇄기준을 적용하여 산정한다.
2. 자문비 및 전산처리비 등 기타 업무 수행에 필요한 비용은 그 실비를 반영할 수 있다.

④ 제경비는 직접인건비 및 직접경비에 포함되지 아니한 간접경비를 말하며 임원·서무·경리직원 등의 급여, 사무실비, 사무용 소모품비, 비품비, 기계기구의 수선 및 상각비, 통신운반비, 회의비, 공과금, 운영활동 비용 등을 포함한 것으로써 직접인건비의 110%를 적용하여 산출한다.

⑤ 기술료는 엔지니어링사업자가 개발·보유한 기술의 사용 및 축적을 위한 대가이며, 조사연구비, 기술개발비, 기술훈련비 및 이윤 등을 포함한 것으로써 직접인건비에 제경비를 합한 금액의 20%를 적용한다.

⑥ 부가가치세는 부가가치세법에서 정하는 바에 따라 산출한다.

⑦ 발주청은 건설공사의 특성에 따라 제시된 기본업무는 추가, 생략, 변경할 수 있으며, 기본업무별 업무정의의 변동이 있는 경우에는 소요인력 수를 조정할 수 있다.

제5장 건설공사 사후평가위원회

제12조(사후평가위원회) ① 법 제52조제2항에 따라 사후평가서의 적정성에 관한 자문을 위하여 발주청에 사후평가위원회를 둔다.

② 사후평가위원회의 위원은 중앙심의위원회, 지방심의위원회, 특별심의위원회, 다른 발주청의 사후평가위원회 또는 관계 시민단체가 추천하는 사람 및 해당 분야의 전문가 중에서 발주청이 임명 또는 위촉한다.

③ 발주청은 제2항의 사후평가위원회의 위원에 대한 추천을 국토교통부장관에게 요청할 수 있으며, 국토교통부장관은 발주청의 사후평가위원회의 위원 추천에 대한 요청이 있을 경우 요청받은 날로부터 60일 이내에 요청인원의 최대 3배수(15인 미만)의 전문가를 발주청에 추천 할 수 있다.

④ 제2항에 따라 발주청이 임명 또는 위촉한 사후평가위원회의 위원은 다음 각 호와 같이 구성한다.

1. 총공사비 500억원 이상 건설공사의 경우에는 외부전문가 3인 이상을 포함하여 7인 이상 위원으로 구성한다.
2. 제8조제1항에 의한 사업효율 및 파급효과 평가를 실시하지 않는 총공사비 500억원 미만 건설공사의 경우에는 외부전문가 1인 이상을 포함하여 5인 이상의 위원으로 구성한다.

⑤ 발주청은 사후평가위원회를 구성함에 있어 당해 건설공사와 관련된 건설엔지니어링(하도급포함), 자문, 연구, 건설공사를 시행한 기관 등 당해 건설공사와 이해관계가 있는 자를 배제하여야 한다.

⑥ 발주청은 사후평가위원회의 자문을 받은 때에는 특별한 사유가 없는 한 그 결과를 제1항에 따른 사후평가서에 반영하는 등 필요한 조치를 하여야 하며, 별표8의 건설공사 사후평가위원회 의견 반영 결과 및 위원별 의견서를 작성·관리하여야 한다.

⑦ 사후평가위원회는 다음 각 호의 사항을 심의한다.

1. 제4조에 따른 조사·분석의 결과에 관한 사항
2. 제4조에 따른 조사·분석에 필요한 객관적이고 투명한 평가지표 및 측정방법에 관한 사항
3. 영 제81조제7항에 따른 수요예측과 이용실적의 차이에 대한 분석결과의 적정성 검토
4. 제7조제2항에 따른 별표3의 일괄·대안입찰 집행 추진성과 평가표
5. 그 밖에 영 제86조제2항에 따른 사후평가서의 적정성에 관하여 발주청이 요청하는 사항

⑧ 발주청은 사후평가위원회의 일괄·대안입찰 집행 추진성과 평가표 심의가 완료된 날로부터 20일 이내에 법 제5조에 따라 구성된 건설기술심의위원회 주관 행정기관의 장(이하 "국토교통부장관, 국방부장관 또는 시·도지사"라고 한다)에게 일괄·대안입찰 집행 추진성과 평가표와 사후평가위원회 심의결과를 제출하여야 한다.

⑨ 발주청은 일괄·대안입찰 집행 추진성과 평가표에 대한 사후평가위원회 심의결과 일괄·대안입찰 방식이 목적달성에 미흡하다고 의결된 때에는 향후 유사한 공사를 일괄·대안입찰 방식으로 추진하여서는 아니된다.

⑩ 제2항부터 제9항까지의 규정 외에 사후평가위원회의 구성 및 운영 등에 관하여 필요한 사항은 발주청이 정한다.

제6장 건설공사 사후평가 결과 입력, 공개 및 활용

제13조(사후평가서 결과 입력 및 공시) ① 발주청은 제9조제3항의 "사후평가서"를 영 제41조에 따라 구축된 건설공사지원통합정보체계(건설사업정보포털시스템) 내의 "건설공사 사후평가시스템"에 다음 년도 2월말까지 입력하여야 한다.

② 발주청은 제1항에 따라 입력이 완료되었을 때에는 별표2 사업수행성과표와 별표4 또는 별표5 사업효율 및 파급효과 평가표를 발주청 홈페이지 또는 관보에 게재하는 등 일반인이 알 수 있도록 공시하여야 한다.

제14조(사후평가결과 활용) ① 발주청은 건설공사를 시행하고자 하는 경우에는 제13조에 따른 "건설공사 사후평가시스템"에 접속하여 유사한 공사가 있는지 확인하여야 한다.

② 제1항에 의한 유사한 공사가 있는 경우 발주청은 영 제68조제1항제7호에 따라 기본구상 마련에 사후평가결과보고서의 관련내용을 참고하여 시행하고자 하는 건설공사에 반영하여야 한다.

③ 발주청은 제9조제3항의 사후평가서를 축적 · 분석하는 등 사후평가 결과를 활용하여 건설공사의 소요기간 및 비용의 기준을 정할 수 있다.

④ 국토교통부장관은 전문관리기관에게 발주청의 사후평가 결과 및 활용실적을 분석하도록 하여 건설공사의 목적물별 · 시행과정별 표준적인 소요기간과 투자비용 기준을 정할 수 있다.

⑤ 국토교통부장관, 국방부장관 또는 시 · 도지사가 건설공사의 입찰방법을 심의하고자 하는 경우에는 제12조제8항에 따라 발주청에서 제출한 일괄 · 대안입찰 집행 추진성과 평가표와 사후평가위원회 심의결과를 건설기술심의위원회 심의위원에게 사전에 배포하여 입찰방법을 심의할 때 참고할 수 있도록 하여야 한다.

⑥ 국토교통부장관은 전문관리기관에게 건설공사의 사후평가에 대한 평가항목, 측정방법, 수행절차 및 결과활용 등에 대한 활용 가이드라인을 마련하도록 할 수 있으며, 발주청은 시설물 유형에 맞게 세부적인 사항을 따로 정하여 사후평가 내용을 효율적으로 활용할 수 있도록 조치할 수 있다.

제15조(세부시행기준) 이 지침을 운영함에 있어 필요한 세부사항은 발주청이 그 기준을 정할 수 있다.

제7장 행정사항

제16조(재검토기한) 국토교통부장관은 이 고시에 대하여 「훈령 · 예규 등의 발령 및 관리에 관한 규정」에 따라 2022년 1월 1일을 기준으로 매 3년이 되는 시점(매 3년째의 12월 31일까지를 말한다)마다 그 타당성을 검토하여 개선 등의 조치를 하여야 한다.

부칙 〈제2007-694호, 2008.1.3〉

제1조(시행일) 이 지침은 고시한 날부터 시행한다.

제2조(경과조치) 건설공사 사후평가와 관련하여 이 지침 시행당시 종전의 규정에 의하여 사후평가가 시행중에 있거나, 외부전문기관에 사후평가의 전부 또는 일부를 의뢰한 경우에는 종전 지침(건설교통부고시 제2006-163호)에 의한다.

부칙 〈제2008-72호, 2008.4.23〉

이 지침은 고시한 날부터 시행한다.

부칙 〈제2009-759호, 2009.8.24〉

이 지침은 고시한 날부터 시행한다.

부칙 〈제2010-14호, 2010.1.15〉

제1조(시행일) 이 지침은 고시한 날부터 시행한다.

제2조(경과조치) 건설공사 사후평가와 관련하여 이 지침 시행당시 종전의 규정에 따라 사후평가가 시행중에 있거나, 외부전문기관에 사후평가의 전부 또는 일부를 의뢰한 경우에는 종전 지침(국토해양부고시 제2009-759호)에 따른다.

부칙 〈제2011-495호, 2011.9.5〉

제1조(시행일) 이 지침은 고시한 날부터 시행한다.

제2조(경과조치) 건설공사 사후평가와 관련하여 이 지침 시행당시 종전의 규정에 의하여 사후평가가 시행중에 있거나, 외부전문기관에 사후평가의 전부 또는 일부를 의뢰한 경우에는 종전 지침(국토해양부고시 제2010-1033호)에 의한다.

부칙 〈제2012-535호, 2012.8.20〉

(영구임대주택의 표준임대보증금 및 표준임대료 등 40개 국토해양부 고시 일부개정)

제1조(시행일) 이 고시는 발령한 날부터 시행한다.

부칙 〈제2013-191호, 2013.4.30〉

제1조(시행일) 이 지침은 고시한 날부터 시행한다.

부칙 〈제2014-284호, 2014.5.23〉

제1조(시행일) 이 지침은 고시한 날부터 시행한다.

제2조(경과조치) 건설공사 사후평가와 관련하여 이 지침 시행당시 종전의 규정에 의하여 사후평가가 시행중에 있거나, 외부전문기관에 사후평가의 전부 또는 일부를 의뢰한 경우에는 종전 지침(국토교

통부고시 제2013-191호)에 의한다.

제3조(사후평가 자료 입력에 대한 특례) 제11조제1항에 의한 자료 입력의 시행일 등에 대하여는 국토교통부장관이 "건설공사지원통합정보시스템(건설사업정보포탈시스템)" 갱신작업 이후 따로 고시한다.

부칙 〈제2015-441호, 2015.6.30〉

이 지침은 고시한 날부터 시행한다.

부칙 〈제2018-545호, 2018.9.7〉

이 지침은 고시한 날부터 시행한다.

부칙 〈제2021-993호, 2021.7.30〉

제1조(시행일) 이 고시는 발령한 날부터 시행한다.

제2조(사후평가에 관한 일반적 경과조치) 건설공사 사후평가와 관련하여 이 고시 시행당시 종전의 규정에 의하여 사후평가가 시행 중에 있거나, 외부전문기관에 사후평가의 전부 또는 일부를 의뢰한 경우에는 종전의 규정에 따른다.

[별표 1]

건설사업 추진단계별 수행내용

(1) 타당성조사 단계

① 일반사항

타당성조사 용역명	용역기간 (개월)	용역비 (백만원)	타당성조사 용역회사명 (대표자 성명)	발주관 서명
	년 월 일 ~ 년 월 일 (개월)			

② 비용-편익분석 결과

구 분	편 익(단위: 백만원)				비 용(단위: 백만원)	
도로부문	직접 편익		통행시간 감소편익		공사비용	
			차량운행비용 절감편익		용지보상비	
			교통사고 감소편익		유지관리비	
			대기오염 발생량 감소편익		기타( )	
			온실가스 발생량 감소편익			
			차량소음 발생량 감소편익			
	간접 편익		지역개발 등 효과			
			시장권의 확대			
			지역 산업구조 개편 등			
	기타( )					
계	**편익 총합**				**비용 총합**	
철도부문	철도 이용자 편익		철도이용자 통행시간 절감편익		공사비용	
			철도화물 통행시간 절감편익		차량구입비	
			통행시간 신뢰성 향상 편익		용지보상비	
			선택 가치 편익		운영비	
			교통쾌적성 편익		기타( )	
	타수단 이용자 편 익		차량운행비 절감편익			
			교통사고 감소편익			
			도로-철도간 전환수요에 의한 도로통행시간 절감편익			
	비사용자 편익		대기오염 발생량 감소편익			
			온실가스 발생량 감소편익			
			차량소음 발생량 감소편익			
			주차공간 설치비 절감편익			
	기타( )					
계	**편익 총합**				**비용 총합**	
공항부문	이용자 편익	승객	승객 통행시간 절감편익		투자비(혹은 건설비)	
		화주	화물 통행시간 절감편익		연구개발비	
		항공사	항공기 운항비용 절감편익		운영 및 유지보수비	
	지역주민 편익		토지 조성편익		기타( )	
			소음 절감편익			
			환경오염 절감편익			
	기타( )					
계	**편익 총합**				**비용 총합**	
항만부문	이용자 편익		선박대기비용 절감효과 편익		투자비	
			선박재항비용 절감효과 편익			
			하역비용 절감효과 편익			
			내륙운송비용 절감효과 편익			
			화물운송시간가치 절감효과 편익			
			토지조성효과 편익			
	지역사회 편익		건설부문의 고용·소득증대 편익		운영 및 유지보수비	
			관련산업의 고용·소득증대 편익			
			지역산업의 안정·발전 편익			
			산업의 국제 경쟁력 제고 편익			
			환적화물 유치효과 편익			
	공공부문 편익		지방세·국세의 증가 편익		기타( )	
			환경비용 절감 효과 편익			
	기타( )					
계	**편익 총합**				**비용 총합**	

구분		편익(단위: 백만원)		비용(단위: 백만원)	
수자원부문	다목적댐	홍수조절편익		공사비	
		용수공급편익		보상비	
		전력공급편익		기타비용	
		관개용수공급편익		운영비	
		기타(　　　)		기타(　　　)	
	치수사업	홍수조절편익		공사비	
				보상비	
				기타(　　　)	
		기타(　　　)		공사관리비 및 기타비용	
				운영 및 유지보수비	
				기타(　　　)	
	광역상수도사업	용수공급편익		공사비	
				보상비	
				기타(　　　)	
		기타(　　　)		공사관리비 및 기타비용	
				운영 및 유지보수비	
				기타(　　　)	
계		**편익 총합**		**비용 총합**	
기타 부문				투자비(혹은 건설비)	
				보상비	
				운영 및 유지보수비	
				기타(　　　)	
계		**편익 총합**		**비용 총합**	

③ 예측수요

㉮ 전체 예측수요

부문	기준년도 예측수요	공용개시년도 예측수요	목표연도 예측수요	작성항목
도로부문				교통량(OD)
철도부문				여객통행량, 물동량
공항부문				여객수, 물동량
항만부문				물동량(컨테이너물동량, 비컨테이너물동량)
수자원부문				용수수요량
기타부문				

㉯ 사회경제지표 및 활용된 통계자료

부문		기준년도 예측수요	공용개시년도 예측수요	목표연도 예측수요	작성항목
사회경제지표	인구수				영향권내 시군단위
	자동차 보유대수				영향권내 시군단위
	교통량(항만물동량)				주변도로 상시지점 등
	기타				
수요예측에 활용된 통계자료		*(작성예시) 2006년 국가교통DB 적용*			

㉰ 경쟁노선(경쟁시설) 예측수요

구분	구간명(시설명)	해당 건설공사 수행여부	해당 건설공사 수행여부에 따른 수요			작성항목
			기준년도 예측수요	공용개시년도 예측수요	목표연도 예측수요	
경쟁노선(경쟁시설) 예측수요	○○-△△	시행				교통량, 물동량, 용수수요량 등
		미시행				
	□□-▲▲	시행				
		미시행				

㉣ 수요예측에 반영된 관련 계획

구분	반영된 계획명	반영계획 추진단계 ('○' 표시)		승인이전 관련계획 반영 사유[주2)]
		승인이전	승인[주1)]	
수요예측에 반영된 관련계획	○○계획			
	△△계획			
	ㅁㅁ계획			

주 1) 택지개발계획의 경우 '실시계획 승인' 단계를 의미하며, 산업단지개발계획은 '개발계획 및 실시계획 승인' 단계, 관광지 및 관광단지개발사업은 '조성계획 승인' 단계, 기타 개발계획은 '실시계획 승인'에 준하는 단계를 의미함

2) 중앙정부 주도로 계획된 행정중심복합도시나 혁신도시, 그리고 도청 이전 등과 같은 계획의 경우 타 개발계획에 비해 실현가능성이 높으므로 실시계획 승인 이전 단계라도 반영할 필요가 있음(※출처 : '예비타당성조사 수행을 위한 일반지침 수정·보완 연구(제5판))

주) 타당성조사용역 완료후, '타당성조사용역업체'가 해당되는 사업부문만 작성하되 기타 시설물의 경우 양식에 준해서 편익, 비용 및 수요 등 기재

④ 타당성조사 완료후 건설사업 수행내용

※ 「건설기술진흥법 시행령」 제81조제3항에 의거 기본설계를 포함한 타당성조사를 실시한 경우 기본설계 완료후 작성함(발주청 작성)

예비타당성조사단계		타당성조사단계			증감율 및 변동사유		
총 공사비 (백만원)	추정 공사기간	총 공사비 (백만원)	추정 공사기간	공사비 증가한도액 (백만원)	공사비 증감율	공사기간 증감율	비고
	○년 ○○개월		○년 ○○개월				

주) ① 예비타당성조사를 실시하지 않은 경우 '예비타당성조사단계' 부분과 '사업수행성과' 부분 작성 제외

② '총공사비'는 설계용역비, 감리비, 용지비, 보상비 등이 포함되지 않은 금액이며, 총공사비가 확정되지 아니한 경우에는 추정된 공사비의 총액을 말함

③ 증감율 및 변동사유 작성방법

- 공사비(기간) 증감율 =

$$\frac{\text{타당성조사단계에서 추정공사비(기간)} - \text{예비타당성조사단계에서 추정한 공사비(기간)}}{\text{예비타당성조사단계에서 추정한 공사비(기간)}}$$

- '비고'란 작성은 비용이나 기간의 증가 또는 감소 등 변동이 있을 경우 그 사유를 기재

(2) 설계 단계

① 기본설계 완료후 건설사업 수행내용

※ 「건설기술진흥법 시행령」 제71조제1항에 의거 기본설계를 실시하지 않을 경우에는 작성하지 않음

사업명	기본설계				공사비 증가시 재검증		증감율 및 변동사유				
	용역비 (백만원)	수행기간	추정 공사비 (백만원)	추정 공사기간	실시여부 (○, ×)	미실시時 사유	기본 설계비 증감율	기본 설계기간 증감율	공사비 증감율	공사기간 증감율	비고
		년 월 일 - 년 월 일		○년 ○○개월							

② 실시설계 완료후 건설사업 수행내용

사업명	실시설계				공사비 증가시 재검증		증감율 및 변동사유				
	용역비 (백만원)	수행기간	추정 공사비 (백만원)	추정 공사기간	실시여부 (○, ×)	미실시時 사유	실시 설계비 증감율	실시 설계기간 증감율	공사비 증감율	공사기간 증감율	비고
		년 월 일 - 년 월 일		○년 ○○개월							

주) ① 기본설계 및 실시설계 수행기간은 관계기간 협의, 환경영향평가, 교통영향 평가 등에 소요된 기간을 제외한 기간임

② '공사비 증가시 재검증 실시여부 및 미실시時 사유' 작성은 기본 또는 실시설계 단계에서 추정공사비가 타당성조사단계에서 명시한 공사비 증가한도액을 초과하였을 경우에만 작성함(근거조항: 「건설기술진흥법 시행령」 제72조 및 제73조제4항)

③ 증감율 및 변동사유 작성방법

- 기본(실시)설계비 증감율 = $\frac{\text{기본(실시)설계용역 준공금액} - \text{기본(실시)설계용역 계약금액}}{\text{기본(실시)설계용역 계약금액}}$
- 기본(실시)설계기간 증감율 = $\frac{\text{기본(실시)설계용역 실제수행기간} - \text{기본(실시)설계용역 계약당시 수행기간}}{\text{기본(실시)설계용역 계약당시 수행기간}}$
- 기본설계완료후 공사비(기간) 증감율 = $\frac{\text{기본설계단계에서 추정공사비(기간)} - \text{타당성조사단계에서 추정한 공사비(기간)}}{\text{타당성조사단계에서 추정한 공사비(기간)}}$
- 실시설계완료후 공사비(기간) 증감율 = $\frac{\text{실시설계단계에서 추정공사비(기간)} - \text{기본설계단계에서 추정한 공사비(기간)}}{\text{기본설계단계에서 추정한 공사비(기간)}}$
- '비고'란 작성은 비용이나 기간의 증가 또는 감소 등 변동이 있을 경우 그 사유를 기재

(3) 시공 단계

① 시공 완료후 건설사업 수행내용(안전, 변경, 재시공, 공사기간, 공사비 증감율)

<table>
<tr><th rowspan="3">사업명</th><th colspan="2">일반사항</th><th colspan="7">안전, 변경, 재시공 및 증감율</th></tr>
<tr><th rowspan="2">공사비
(계약시점)</th><th rowspan="2">공사기간
(계약시점)</th><th colspan="2">안전</th><th>변경</th><th colspan="2">재시공</th><th rowspan="2">공사비
증감율</th><th rowspan="2">공사기간
증감율</th></tr>
<tr><th>강도율</th><th>재해율</th><th>설계변경
공사비 계수</th><th>총재시공
비용계수</th><th>재시공
시간계수</th></tr>
<tr><td></td><td>백만원</td><td>년 월 일 -
년 월 일</td><td></td><td></td><td></td><td></td><td></td><td></td><td></td></tr>
</table>

주) 안전, 변경, 재시공 및 증감율 작성방법

- 안전(강도율) = $\frac{\text{근로손실일수}}{\text{연간근로시간수}} \times 1,000$
- 안전(재해율) = $\frac{\text{재해건수}}{\text{연간근로자수}} \times 100$
- 변경(설계변경 공사비 계수) = $\frac{\text{설계변경을 통해 증가된 비용}}{\text{실제 총공사비}}$

(물가변동에 의한 계약금액 조정에 따른 증감액 제외)

- 재시공(총재시공 비용계수) = $\frac{\text{재시공 비용}}{\text{실제 총공사비}}$
- 재시공(재시공 시간계수) = $\frac{\text{재시공에 소요된 기간}}{\text{실제 총공사기간}}$
- 공사비 증감율 = $\frac{\text{건설공사(시공) 준공금액} - \text{건설공사(시공) 계약금액}}{\text{건설공사(시공) 계약금액}}$

(물가변동에 의한 계약금액 조정에 따른 증감액 제외)

- 공사기간 증감율 = $\frac{\text{실제공사기간} - \text{계약당시 공사기간}}{\text{계약당시 공사기간}}$

② 공사비·공사기간 변경요인 세부내용

<table>
<tr><th>분야</th><th>요인</th><th>설명</th><th>공사비 변경</th><th>공사기간 변경</th></tr>
<tr><td rowspan="2">계획 관련 변경</td><td>정책 및 사업계획 변경</td><td>정책/제도적 변화(건설법규, 설계기준, 안전/품질/환경 지침 변경 등), 발주청 내부상황 변경, 재정상태의 변화, 사업계획 변경(추가공사 발생, 특정공종 삭제, 공정계획/시공방법 변경, 계획고 변경, 사업예산 조정) 등</td><td>○○백만원</td><td>○○일</td></tr>
<tr><td>보상업무 관련 변경</td><td>건설공사 수행 중 보상업무 일정계획 변동(지연 등)에 따른 변경</td><td>○○백만원</td><td>○○일</td></tr>
<tr><td rowspan="3">설계/ CM/ 감리 관련 변경</td><td>설계서 결함</td><td>설계서 불분명/누락/오류, 설계서 간 상호모순, 시공성 결여 등</td><td>○○백만원</td><td>○○일</td></tr>
<tr><td>현장상태와 설계서의 상이</td><td>지질, 용수, 암선, 지하매설물 등</td><td>○○백만원</td><td>○○일</td></tr>
<tr><td>컨설턴트 역할 미흡</td><td>참여주체 간 의사소통/조정 오류, 경험 부족, 업무 지연 등</td><td>○○백만원</td><td>○○일</td></tr>
<tr><td rowspan="4">시공 관련 변경</td><td>현장여건에 따른 변경</td><td>안전시설 보강, 사면안정, 연약지반 처리/심도 변경, 토공 운반거리(토취장, 사토장), 가시설계획 변경 등</td><td>○○백만원</td><td>○○일</td></tr>
<tr><td>공사계약 관련 변경</td><td>낙찰차액 감액, 공사예비비 반영, 산출내역서 상의 단가 과다/과소 계상, 원가계산 착오로 공사비 과다 계상, 준공 정산 등</td><td>○○백만원</td><td>○○일</td></tr>
<tr><td>소요자재 수급 관련 변경</td><td>관급자재 등 공급 지연, 자재 수량/단가 변경, 관급-사급자재 변경 등</td><td>○○백만원</td><td>○○일</td></tr>
<tr><td>공법 변경, 신기술/신공법 활용</td><td>공사비 절감, 공기 단축에 효과적인 신기술/신공법 활용</td><td>○○백만원</td><td>○○일</td></tr>
</table>

분야	요인	설명	공사비 변경	공사기간 변경
외부 요인에 의한 변경	관계기관 협의, 법정경비 반영	문화재 발굴, 폐기물 처리, 교통영향평가, 환경영향평가, 안전점검, 법정보험 등 관계기관(경찰청, 환경청, 문화재청, 소방청, 기타 유관기관) 협의결과 반영	○○백만원	○○일
	민원	수혜구역 조정, 환경 개선, 주민 숙원사업, 제3자의 간섭, 기타 민원 등	○○백만원	○○일
	불가항력	악천후, 천재지변 등	○○백만원	○○일
기타 요인		*별도 기입	○○백만원	○○일
합계			○○백만원	○○일

주) ① 공사비·공사기간은 변경 요인별 증감된 공사비·공사기간 기재
- '공사비 변경'은 백만원 단위(국가를 당사자로 하는 계약에 관한 법률 시행령 제64조의 '물가변동에 의한 계약금액의 조정'은 제외)로 작성
- '공사기간 변경'은 일 단위로 작성
- 차수별 설계변경 내용을 종합하여, 공사 준공 이후 최종 변경 내용으로 건설엔지니어링사업자(감리·CM)가 작성

② '기타요인'은 제시된 요인 이외의 추가 요인이 있을 경우, 구체적인 내용과 변경 내용 기재

③ 공사비·공사기간 증감 사유에 대해 필요한 경우 별도로 세부적인 현황, 사유 및 조치내용 등을 수록하여 향후 공사 수행에 참고가 될 수 있도록 함

[별표 2]

사업수행성과 평가표

(1) 건설공사 개요

관리번호	발주기관명-평가년도-공사명		
준 공 일		평 가 일	

공사개요(공구별 또는 공종별 분할발주된 경우 각각의 공사)	
공 사 명	
공사규모	
공사성격	□ 신규 □ 개보수·현대화 □ 확장·증설 □ 기타
공사비지급방식	□ 총액계약 □ 단가계약 □ 실비정산 □ 기타
발주기관	 평가담당자(부서/직위/성명)
위 치	
공사개요	
입찰·계약 방식	
도급방법	□ 단독 □ 공동도급(공동이행방식, 분담이행방식, 주계약자관리방식)
계약성질	□ 장기계속공사 □ 장기계속공사→계속비 전환공사(전환시점 :) □ 기타공사( )
입찰방식	□ 적격심사 □ 최저가 □ 턴키 □ 대안 □ 기타( )
계약방식	□ 제한 □ 일반경쟁 □ 지명경쟁 □ 수의 □ 기타( )

사업 참여자

구 분	건설(용역)업체명	대 표	발주청		비 고
			부서	담당자	
예비타당성조사					
타당성조사					
기본설계					
실시설계					
시 공					
감 리					
기 타					

※ 공동수급자 및 하도급자도 명시할 것

(2) 건설사업 수행성과평가

가. 정량적 성과평가

평가항목 \ 사업단계		예비타당성 조사	타당성 조사	기본설계	실시설계	보상※	시공
용역비 및 공사비 (단위: 백만원)	계약금액						
	추정공사비					-	-
	추정공사기간	0년 00개월	0년 00개월	0년 00개월	0년 00개월	-	-
	준공금액						
공 정	계약공기	0년 00개월	0년 00개월	0년 00개월	0년 00개월	년 월 일	년 월 일 - 년 월 일 (0년 00개월)
	실제공기	-	-	-	-	년 월 일	년 월 일 - 년 월 일 (0년 00개월)
설계변경 (물가변동 금액 제외)	건 수	-	-	-	-	-	
	증 감 액	-	-	-	-	-	
	계약자 귀책금액	-	-	-	-	-	
재시공 금액		-	-	-	-	-	

※ 보상란의 '계약금액'에는 '당초 보상추정금액'을 '준공금액'에는 '실집행보상비'를 기재, '계약공기'에는 '보상시작시점'을, '실제공기'에는 '보상완료시점'을 기재
※ 시공란의 '계약공기'에는 계약상의 최초 착공일과 계약상의 최후 착공일을 기재하고, 실제공기는 계약상의 최초 착공일과 실제 공사준공일을 기재

나. 사업수행평가 (종합)

평가분야	평가항목	평가지표	평가결과
사업 수행성과	사 업 비	사업비 증감율	계획 : 000억원→실제 : 000억원(증감율 %)
		보상비 증감율	계획 : 000억원→실제 : 000억원(증감율 %)
	사업기간	사업기간 증감율	계획 : 0년00월→실제 : 0년00월(증감율 %)

[별표 3]

일괄·대안입찰 집행 추진성과 평가표

공사명				
발주청			담당자 및 연락처	담당자 : 연락처 :
시공회사	○○회사 : 00 %(도급비율) ○○회사 : 00 %(도급비율) ○○회사 : 00 %(도급비율)	입찰방법 및 의결일시	※ 입찰방법을 기재 ※ 입찰방법심의 의결 일자	
공사금액	당초금액 : 원 최종금액 : 원 증 감 액 : 원	공사기간	계약공사기간 : 00년 00월 실제공사기간 : 00년 00월 증 감 기 간 : 00년 00월	
일괄방법을 통한 사업효과 (집행기본계획서 제출시 제시한 사업효과)		평가결과		
① 경제성 효과 등		※ 공사완료 후 추진성과 평가결과		
② 공기단축 효과 등				
③ 품질향상 효과 등				
④ 기술향상 효과 등 기타				
종합평가 의견				

붙임 : 1. 설명자료 및 산출근거 등

OO년 OO월 OO일

* 작성요령
1. 발주기관의 장은 「대형공사 등의 입찰방법 심의기준」 제8조제3항에 따른 정량적 추정치 산정 결과서를 기준으로 평가한다. 공사시행 과정에서 변경된 경우에는 변경 결과와도 비교평가 하여야 한다.
2. 발주청은 사후평가위원회 심의위원 요청시 관련 내용을 충분히 설명하여야 한다.
3. 종합평가의견에는 그 목표가 최종적으로 달성되었는지 여부 등을 기입한다.
4. 항목별 설명자료 및 산출근거와 공사시행 결과에 대한 각종 증빙자료 등은 붙임자료로 제출하여야 한다.

210mm×297mm (일반용지 60g/㎡(재활용품))

[별표 4]

사업효율 및 파급효과 평가표(통합평가)

관리번호	발주기관명-평가년도-공사명		
준 공 일		평 가 일	

공사개요(공구별 또는 공종별 분할발주된 경우 각각의 공사)		
공 사 명		
공사규모		
위 치		
공사개요		
발주기관		
	평가담당자(부서/직위/성명)	

평가분야	평가항목		평가지표	평가결과
사업효율	수 요		수요	계획 : 000 → 실제 : 000 (증감율 %)
	기대효과		B/C 비율	계획 : 000 → 실제 : 000 (증감율 %)
파급효과	주민의 호응도 및 사용자 만족도	민원	다수민원 발생 건수	
			다수민원 처리 건수	
		하자	하자 발생 건수	
			하자 처리 건수	
		지역 경제	인구 수	
			종사자 수	
			지역 총 생산	
			지가 상승율	
		환경	-	

※ 주요사항 기타(반드시 기록)

※당해 건설공사 시행과정이나 유지관리 업무를 시행하면서 발생되는 문제점 등을 기술할 것
※특히 평가항목 중 수요, 기대효과가 계획과 상이할 경우 그 원인을 자세히 기술할 것

주) ① 평가분야 중, '파급효과' 부분의 제시한 평가지표에 대해서는 기본적으로 측정하되, 발주청에서 필요하다고 판단시에는 세부적인 평가항목을 추가하여 측정할 수 있다.
② '다수민원'은 민원 처리에 관한 법률 제2조제6호에서 명시한 '다수인관련민원'을 말함
③ '환경'에 대한 측정은 환경영향평가법 시행령 [별표1]의 '2.환경영향평가'에서 제시한 항목 3개 이상을 발주청에서 선정하여 측정하되 사후환경영향조사 대상사업인 경우에는 사후환경영향조사로 갈음할 수 있다.

[별표 5]

사업효율 및 파급효과 평가표(분리평가-1단계)

① 공사개요

관리번호	발주기관명-평가년도-공사명		
준 공 일		평 가 일	

공사개요(공구별 또는 공종별 분할발주된 경우 각각의 공사)		
공 사 명		
공사규모		
위 치		
공사개요		
발주기관		
	평가담당자(부서/직위/성명)	

② 사업효율 및 파급효과(분리평가-1단계)

평가분야	평가항목		평가지표	평가결과
사업효율	예측수요(편익) 대비 실측수요(편익) 차이발성 원인분석			
	수요 및 편익 부분의 예측 대비 실측치 격차 완화 대책			
파급효과	주민의 호응도 및 사용자 만족도	민원	다수민원 발생 건수	
			다수민원 처리 건수	
		하자	하자 발생 건수	
			하자 처리 건수	

주) ① '예측수요(편익) 대비 실측수요(편익) 차이발생 원인' 부분은 별도의 보고서로 작성하여 제출하되, 가급적 정량적으로 평가하여 제출
② '수요 및 편익 부분의 예측 대비 실측치 격차 완화 대책' 부분은 '예측수요(편익) 대비 실측수요(편익) 차이발생 원인' 부분과 연계하여 별도의 보고서로 작성 · 제출
③ '다수민원'은 민원 처리에 관한 법률 제2조제6호에서 명시한 '다수인관련민원'을 말함

③ 사업효율 및 파급효과(분리평가-2단계) 실시시점 및 수행주체

구분		공사명	공사규모	준공예정시기
별도의 평가단위에 속해 있는 공사명		공사명 1		0000 년도
		공사명 2		0000 년도
		공사명 3		0000 년도
		공사명 4		0000 년도
		공사명 5		0000 년도
사업효율 및 파급효과 (분리평가 -2단계)	실시시점			
	협의일시	년 월 일		
	평가수행주체	발주청 ( )	관계 기관의 장 ( )	

주) ① '별도의 평가단위에 속해 있는 공사명'은 모두 작성하되, 공사명이 확정되지 않은 상태일 경우 노선명, 지구명 등으로 기재함
② '실시시점'은 별도의 평가단위에 속해 있는 공사명 중 준공예정시기가 가장 늦은 건설공사 준공예정시기로부터 5년 내지 10년 이내 시점으로 설정함
③ '협의일시'는 '사업효율 및 파급효과 (분리평가 -1단계)' 평가 시행전에 제8조제4항에 의한 발주청과 관계 기관의 장과 협의를 통해 최종 결정된 날짜를 기재함
④ '평가수행주체'는 위 ③의 협의를 통해 최종 결정된 사항을 'O' 표시로 기재함

사업효율 및 파급효과(분리평가-2단계)

관리번호	발주기관명-평가년도-공사명		
준 공 일		평 가 일	

공사개요(공구별 또는 공종별 분할발주된 경우 각각의 공사)		
공 사 명		
공사규모		
위 치		
공사개요		
발주기관		
평가수행기관	평가담당자(부서/직위/성명)	

평가분야	평가항목	평가지표		평가결과
사업효율	수 요	수요		계획 : 000 → 실제 : 000 (증감율 %)
	기대효과	B/C 비율		계획 : 000 → 실제 : 000 (증감율 %)
파급효과	주민의 호응도 및 사용자 만족도	지역 경제	인구 수	
			종사자 수	
			지역 총 생산	
			지가 상승율	
		환경	-	

※ 주요사항 기타(반드시 기록)

※당해 건설공사 시행과정이나 유지관리 업무를 시행하면서 발생되는 문제점 등을 기술할 것
※특히 평가항목 중 수요, 기대효과가 계획과 상이할 경우 그 원인을 자세히 기술할 것

주) ① 평가분야 중, '파급효과' 부분의 제시한 평가지표에 대해서는 기본적으로 측정하되, 발주청에서 필요하다고 판단시에는 세부적인 평가항목을 추가하여 측정할 수 있다.
② '환경'에 대한 측정은 환경영향평가법 시행령 [별표1]의 '2.환경영향평가'에서 제시한 항목 3개 이상을 발주청에서 선정하여 측정하되 사후환경영향조사 대상사업인 경우에는 사후환경영향조사로 갈음할 수 있다.

[별표 6]

수요예측재조사 및 타당성재조사 수행관리 현황표

① 수요예측재조사 및 타당성재조사 실시여부

㉠ 수요예측재조사 실시여부 (○, ×)						㉡ 타당성재조사 실시여부 (○, ×)					
타당성 조사 완료 단계	기본 계획 완료 단계	기본 설계 완료 단계	실시 설계 완료 단계	시공 중	기타	타당성 조사 완료 단계	기본 계획 완료 단계	기본 설계 완료 단계	실시 설계 완료 단계	시공 중	기타

주) '기타' 항목은 타당성조사, 기본 및 실시설계 완료단계가 아닌 착수이전 이나 타당성조사나 설계기간 중에 실시한 경우를 말하며, 이 경우 해당 단계를 서술할 것

② 수요예측재조사 실시사유 및 변동사항

※ 위 '① 수요예측재조사 및 타당성재조사 실시여부'에서 수요예측재조사를 실시하지 않았을 경우에는 작성하지 않음

구분	㉠ 수요예측재조사 실시내용				㉡ 수요예측 재조사 실시사유	㉢ 수요예측 재조사 실시 후 변동사항		㉣ 비고
	시행시기 (단계)	실시주체 (용역업체명)	수행기간	용역비 (백만원)		당초	변경	
1차			년 월 일 - 년 월 일					
2차			년 월 일 - 년 월 일					

주 1) '㉠ 수요예측재조사 실시내용'에서 '시행시기(단계)'는 위 '① 수요예측재조사 및 타당성재조사 실시여부'에서 수요예측재조사를 실시한 단계를 말함

2) '㉡ 수요예측재조사 실시사유'는 총사업비관리지침에서 명시된 아래와 같은 사유의 해당 사유의 번호를 기재함

1. 당해 사업 수요에 직접 관련되는 대규모 국제행사, 신도시 개발계획, 주변 택지개발 계획 등이 취소 또는 변경된 경우
2. 당해 사업과 경쟁관계가 될 수 있는 대체교통수단의 건설이 추진되어 당해 사업의 수요에 중대한 변화가 예상되는 경우
3. 도로사업, 철도사업 중 당해 사업구간의 전·후 연결구간에 대한 확장 또는 신설 계획이 취소·변경되는 경우
4. 수요예측 방법의 변화 등으로 현저한 수요의 감소가 발생할 것으로 예상되는 경우
5. 민간투자사업으로 추진되는 사업이 재정투자사업으로 사업추진 방식이 변경되어 수요예측치에 대한 재검토가 필요하다고 인정되는 경우
6. 총사업비관리지침 제4조제1항의 규정에 따른 사업추진 단계에서 예비타당성조사 이후 5년이 경과하여 기본설계가 실시되거나 실시설계 완료 이후 5년이 경과하여 착공되는 등 이전 단계(이전단계를 거치지 아니한 경우 그 이전 단계) 완료 후 다음 단계의 착수까지 5년 이상이 경과하여 추진되는 사업의 경우
7. 기타(수요예측시 전제된 인구·자동차 보유대수·교통량·항만 물동량 등의 사회·경제적 지표가 크게 변동하는 경우 등)

3) '㉢ 수요예측재조사 실시후 변동사항'은 변동된 수요(교통량, 물동량 등)를 기재함

4) '㉣ 비고'에는 수요예측재조사 실시후 조치사항을 서술함

③ 타당성재조사 실시사유 및 변동사항

※ 위 '① 수요예측재조사 및 타당성재조사 실시여부'에서 타당성재조사를 실시하지 않았을 경우에는 작성하지 않음

구분	㉠ 타당성재조사 실시내용				㉡ 타당성재조사 실시사유	㉢ 타당성재조사 실시 후 변동사항		㉣ 비고
	시행시기 (단계)	실시주체 (용역업체명)	수행기간	용역비 (백만원)		당초	변경	
1차			년 월 일 - 년 월 일					
2차			년 월 일 - 년 월 일					

주 1) '㉠ 타당성재조사 실시내용'에서 '시행시기(단계)'는 위 '① 수요예측재조사 및 타당성재조사 실시여부'에서 타당성재조사를 실시한 단계를 말함

2) '㉡ 타당성재조사 실시사유'는 총사업비관리지침에서 명시된 아래와 같은 사유

의 해당 사유의 번호를 기재함

1. 총사업비가 「국가재정법」 제38조, 같은 법 시행령 제13조 및 「예비타당성조사 운용지침」에 따른 예비타당성조사의 대상규모에 미달하여 예비타당성조사를 실시하지 않았으나 사업추진 과정에서 총사업비가 예비타당성조사의 대상규모로 증가한 사업
2. 예비타당성조사의 대상사업 중 예비타당성조사를 거치지 아니하고 예산 또는 기금운용계획에 반영되어 추진중인 사업
3. 물가 또는 지가상승분을 제외한 사업물량 또는 토지 등의 규모 증가로 인하여 총사업비가 예비타당성조사 등 기획재정부장관과 협의를 거쳐 확정된 총사업비 또는 예비타당성조사를 거치지 아니한 경우에는 예산이 반영된 시점에서의 최초 총사업비 또는 이전에 타당성 재조사를 거친 경우 그 타당성 재조사 결과의 총사업비를 기준으로 100분의 20이상 증가한 사업
4. 총사업비관리지침 제39조제2항에 따라 중앙관서의 장으로부터 타당성 재조사의 시행을 요구 받은 사업 및 총사업비관리지침 제40조에 따라 수요예측 재조사의 시행 결과 그 예측치가 예비타당성조사, 기본계획 또는 타당성조사 등 최초의 수요예측치 대비 100분의 30 이상 감소한 것으로 확인된 사업
5. 기획재정부 예산낭비신고센터에 예산낭비 사례로 접수된 사업으로서 중복투자 등으로 인한 예산낭비의 개연성이 크다고 기획재정부장관이 인정한 사업
6. 감사원의 감사결과에 따라 감사원이 타당성 재조사를 요청하는 사업 또는 국회가 그 의결로 타당성 재조사를 요구하는 사업
7. 기타 다음 각 목의 경우 등 기획재정부장관 또는 중앙관서의 장이 타당성 재조사가 필요하다고 인정하는 사업
   가. 예비타당성조사를 거쳤으나 타당성이 미흡한 것으로 분석된 사업이 재차 예비타당성조사 등을 거치지 아니하고 추진 중인 경우
   나. 「국가통합교통체계효율화법」 제18조에 의한 타당성 평가 결과와 「국가재정법」 제38조에 따른 예비타당성조사 결과 간에 현저한 차이가 발생하여 「국가통합교통체계효율화법」 제19조제3항에 따라 교통시설 개발사업 시행자가 국토교통부장관과의 협의를 거쳐 기획재정부장관에게 필요한 조치를 요구한 경우

3) 'ⓒ 타당성재조사 실시후 변동사항'은 변동된 B/C 값을 기재함
4) 'ⓔ 비고'에는 타당성재조사 실시후 조치사항을 서술함

[별표 7]

건설공사 사후평가용역 소요인력 산정기준

(1) 선형공사(도로 및 철도공사)

① 소요인력 기준

기본업무 내용	등급별 소요인력				비고
	특급	고급	중급	초급	
1. 사업현황 및 관련자료 조사	2.8	4.4	8.8	30.0	
2. 사업수행성과 분석	2.2	4.0	16.0	36.0	
3. 수요예측 및 기대효과 비교 · 분석	6.6	13.4	25.0	48.0	
4. 사업의 파급효과 분석	2.0	4.0	6.0	10.0	
5. 주민호응도 및 이용자 만족도 조사 · 분석	5.6	11.4	22.0	52.0	
6. 건설공사 문제점 및 개선방안	5.4	10.0	24.0	38.0	
7. 종합평가	1.6	3.4	7.0	10.0	
8. 성과품(보고서 등) 작성	1.2	4.2	6.0	12.0	
소 계	27.4	54.8	114.8	236	

② 보정계수

㉮ 거리 보정계수

- 다음 식과 같이 거리보정계수를 적용한다. 단, 사업연장 10km이하는 10km를, 150km이상은 150km를 적용한다.

$$거리보정계수 = \left(\frac{사업연장}{45km}\right)$$

㉯ 평가분야 보정계수

- 공사의 유형에 따라 각기 다른 보정계수를 적용한다.

구분	일반도로 (국도, 지방도, 시군구도)	고속국도 복선철도	단선철도
평가분야 보정계수	1.0	0.75	0.5

㉰ 통합발주 보정계수

- 2개 이상의 건설공사 사후평가 대상공사를 통합하여 평가를 시행할 경우에는 다음과 같이 통합발주 보정계수를 적용한다.

구분	단독발주	2건이상
통합발주 보정계수	1.0	1.1

(2) 비선형공사 I (주택단지 및 산업단지공사)

① 소요인력 기준

기본업무 내용	등급별 소요인력				비고
	특급	고급	중급	초급	
1. 사업현황 및 관련자료 조사	1.4	2.2	4.4	15.0	
2. 사업수행성과 분석	1.1	2.0	8.0	18.0	
3. 수요예측 및 기대효과 비교·분석	3.3	6.7	12.5	24.0	
4. 사업의 파급효과 분석	1.0	2.0	3.0	5.0	
5. 주민호응도 및 이용자 만족도 조사·분석	2.8	5.7	11.0	26.0	
6. 건설공사 문제점 및 개선방안	2.7	5.0	12.0	19.0	
7. 종합평가	0.8	1.7	3.5	5.0	
8. 성과품(보고서 등) 작성	0.6	2.1	3.0	6.0	
소 계	13.7	27.4	57.4	118.0	

② 보정계수

㉮ 면적 보정계수

- 주택(산업)단지는 다음 식과 같이 면적보정계수를 적용한다. 단, 사업면적 70만m^2 이하는 70만m^2, 3,000만m^2 이상은 3,000만m^2 적용한다.

$$면적보정계수 = \left(\frac{사업면적}{기준면적}\right)^{0.6}$$

- 주택(산업)단지 사업면적은 사업지구 총 사업면적 적용을 원칙으로 한다. 다만, 동일사업이라도 지구경계 및 생활권의 분리, 공구별 공사의 진행의 차이 등으로 지구특성을 반영하여 사후평가가 필요한 경우에는 공구별로 사후평가를 수행할 수 있다.
- 기준면적: 주택단지(100만m^2), 산업단지(330만m^2)

㉯ 통합발주 보정계수

- 2개 이상의 건설공사 사후평가 대상공사를 통합하여 평가를 시행할 경우에는 다음과 같이 통합발주 보정계수를 적용한다.

구분	단독발주	2건 이상	
		동일지역 공사	타 지역 공사
통합발주 보정계수	1.0	0.7	1.0

※ 단지공사와 연결된 도로, 도시기반시설물 공사의 경우 동일 시군구가 아니라도 동일지역으로 본다.

(3) 비선형공사 Ⅱ(공항, 항만, 댐 및 상하수도공사)

① 소요인력 기준

기본업무 내용	등급별 소요인력				비고
	특급	고급	중급	초급	
1. 사업현황 및 관련자료 조사	1.4	2.2	4.4	15.0	
2. 사업수행성과 분석	1.1	2.0	8.0	18.0	
3. 수요예측 및 기대효과 비교·분석	3.3	6.7	12.5	24.0	
4. 사업의 파급효과 분석	1.0	2.0	3.0	5.0	
5. 주민호응도 및 이용자 만족도 조사·분석	2.8	5.7	11.0	26.0	
6. 건설공사 문제점 및 개선방안	2.7	5.0	12.0	19.0	
7. 종합평가	0.8	1.7	3.5	5.0	
8. 성과품(보고서 등) 작성	0.6	2.1	3.0	6.0	
소 계	13.7	27.4	57.4	118.0	

② 보정계수

㉮ 면적 보정계수

- 다음 식과 같이 면적보정계수를 적용한다. 단, 사업면적 35만m^2 이하는 35만m^2, 600만m^2 이상은 600만m^2 적용한다.

$$\text{면적보정계수} = \left(\frac{\text{사업면적}}{600{,}000m^2}\right)^{0.6}$$

㉯ 평가분야 보정계수

구분	공항	항만, 댐 및 상하수도
평가분야 보정계수	1.3	1.0

㉰ 통합발주 보정계수

- 2개 이상의 건설공사 사후평가 대상공사를 통합하여 평가를 시행할 경우에는 다음과 같이 통합발주 보정계수를 적용한다.

구분	단독발주	2건 이상
통합발주 보정계수	1.0	1.1

(4) 기타공사

① 소요인력 기준

기본업무 내용	등급별 소요인력				비고
	특급	고급	중급	초급	
1. 사업현황 및 관련자료 조사	1.4	2.2	4.4	15.0	
2. 사업수행성과 분석	1.1	2.0	8.0	18.0	
3. 수요예측 및 기대효과 비교·분석	3.3	6.7	12.5	24.0	
4. 사업의 파급효과 분석	1.0	2.0	3.0	5.0	
5. 주민호응도 및 이용자 만족도 조사·분석	2.8	5.7	11.0	26.0	
6. 건설공사 문제점 및 개선방안	2.7	5.0	12.0	19.0	
7. 종합평가	0.8	1.7	3.5	5.0	
8. 성과품(보고서 등) 작성	0.6	2.1	3.0	6.0	
소 계	13.7	27.4	57.4	118.0	

② 보정계수

㉮ 공사규모 보정계수

- 다음 식과 같이 공사규모(공사비) 보정계수를 적용한다. 단, 총공사비 500억원 이하는 500억원을, 2조원 이상은 2조원을 적용한다.

공사규모보정계수 = $0.3706 + [2 \times 10^{-6} \times$ 총공사비(백만원)$]$

㉯ 통합발주 보정계수

- 2개 이상의 건설공사 사후평가 대상공사를 통합하여 평가를 시행할 경우에는 다음과 같이 통합발주 보정계수를 적용한다.

구분	단독발주	2건 이상
통합발주 보정계수	1.0	1.1

[별표 8]

(1) 건설공사 사후평가위원회 의견 반영결과 양식

건설공사 사후평가위원회 의견 반영결과

□ 건설공사명 (사후평가 용역명) : ______________ (______________)

□ 위원의견 반영 총괄

위원 의견	반영	부분반영	미반영	비고
총 ____ 건	____ 건	____ 건	____ 건	

□ 의견 종합

위원명	순번	위원 의견	유형	반영 여부	반영내용 (미반영시, 사유기재)	비고
	1					
	2					
	3					
	1					
	2					
	3					

* '유형'에는 아래의 해당되는 사항의 번호를 기재하도록 하며 중복표기 가능
  ① 사후평가 관련 법·제도에서 명시한 평가 항목, 수행절차 및 방법의 적절성에 대한 의견
  ② 사업수행성과(공사비, 공사기간, 안전, 변경, 재시공)의 분석방법 및 결과의 적절성에 대한 의견
  ③ 사업효율(수요, B/C 등)의 분석방법 및 결과의 적절성에 대한 의견
  ④ 파급효과(민원, 하자, 지역경제, 환경 등)의 분석방법 및 결과의 적절성에 대한 의견
  ⑤ 건설공사 사후평가 제도개선에 대한 의견
  ⑥ 당해 건설공사 시행과정이나 시설물 공용상 문제점에 대한 개선 의견
  ⑦ 기타, 수요증진방안, 발주청 요청사항 등에 대한 의견
* '반영여부'는 반영, 부분반영, 미반영으로 표시
* '비고'란은 반영 또는 부분반영되었을 경우, 반영된 '사후평가서' 페이지를 기재

(2) 건설공사 사후평가위원회 위원별 의견서 양식

건설공사 사후평가위원회 위원 의견서

□ 건설공사명 (사후평가 용역명) : ____________ (____________)

□ 위원 성명 : ____________(인)

□ 분야 : ________(아래 해당되는 분야 번호 기재)

* 공통분야 : ①제도·정책·건설관리, ②교통, ③환경, ④건축설비, ⑤토목일반

* 시설분야 : ⑥도로, ⑦철도, ⑧공항, ⑨항만/해안, ⑩수자원(댐, 상하수도 등), ⑪건축/단지조성, ⑫플랜트/환경시설

순번	검토의견	의견 유형	비고

* '의견 유형'에는 아래의 해당되는 사항의 번호를 기재하도록 하며 중복표기 가능

① 사후평가 관련 법·제도에서 명시한 평가 항목, 수행절차 및 방법의 적절성에 대한 의견

② 사업수행성과(공사비, 공사기간, 안전, 변경, 재시공)의 분석방법 및 결과의 적절성에 대한 의견

③ 사업효율(수요, B/C 등)의 분석방법 및 결과의 적절성에 대한 의견

④ 파급효과(민원, 하자, 지역경제, 환경 등)의 분석방법 및 결과의 적절성에 대한 의견

⑤ 건설공사 사후평가 제도개선에 대한 의견

⑥ 당해 건설공사 시행과정이나 시설물 공용상 문제점에 대한 개선 의견

⑦ 기타, 수요증진방안, 발주청 요청사항 등에 대한 의견

* '비고'란은 '사후평가서' 페이지 등을 기재

공공 건설공사의 공사기간 산정기준

국토교통부고시 제2021-1080호

제정 2021.9.8

제1장 총칙

제1조(목적) 이 고시는 「건설기술진흥법」 제45조의2제2항에 따라 발주청이 적정 공사기간 산정 및 조정 등과 관련된 업무를 원활하게 수행하기 위하여 필요한 사항을 정하는 것을 목적으로 한다.

제2조(정의) 이 기준에서 사용하는 용어는 다음과 같다.

1. "건설공사"란 「건설산업기본법」 제2조제4호에 따른 건설공사를 말한다.
2. "발주청"이란 「건설기술진흥법」 제2조제6호에 따른 발주청을 말한다.
3. "설계자"란 기본설계 또는 실시설계용역계약의 계약상대자를 말한다.
4. "시공자"란 공사계약의 계약상대자를 말한다.
5. "공사기간"이란 「국가를 당사자로 하는 계약에 관한 법률 시행령」 제36조제7호에 따른 계약의 착수일부터 완료일까지 기간 또는 「지방자치단체를 당사자로 하는 계약에 관한 법률 시행령」 제36조제7호 따른 계약의 이행예정기간을 말한다.
6. "준비기간"이란 설계도서 검토, 하도급업체의 선정, 측량, 현장사무소 · 세륜시설 · 가설건물의 설치, 주요 건설자재 · 장비 및 공장제작 조달 등 공사의 착공 준비에 필요한 기간을 말한다.
7. "법정공휴일"이란 「관공서의 공휴일에 관한 규정」 제2조 및 제3조에 따른 공휴일 및 대체공휴일을 말한다.
8. "정리기간"이란 준공검사 준비, 시설물 인수 등을 위한 행정절차 및 청소 등 현장 정리에 소요되는 기간을 말한다.
9. "보증이행업체"란 「국가를 당사자로 하는 계약에 관한 법률 시행규칙」 제66조제3항에 따른 보증이행업체를 말한다.
10. "시공조건"이란 공사기간에 영향을 미치는 제약조건을 말한다.
11. "가이드라인"이란 정부, 지자체 등 공공기관에서 건설공사의 적정 공사기간을 산정할 수 있도록 국토교통부장관이 마련한 「적정 공사기간 확보를 위한 가이드라인」(이하 "가이드라인"이라 한다)을 말한다.

제3조(공사기간 산정 시 주의사항) ① 발주청은 건설공사의 공사기간 산정 및 조정에 관하여 이 고시에 따라 업무를 처리하며, 적정 공사기간을 확보하여야 한다.

② 발주청은 공사기간을 산정할 때 공사 목적물의 품질 및 공사의 안전성 · 경제성 등을 확보하면서 해당 공사의 규모, 특성, 지역여건, 자연조건, 법정근로시간 및 그 밖에 제반여건을 고려하여야 한다.

③ 발주청은 공사기간 산정 시에 가이드라인을 참고하여 공사기간을 부당하게 삭감하거나 과잉 계상하지 않도록 한다.

제4조(공사기간의 결정 절차) ① 발주청은 설계자로 하여금 이 고시에 따라 공사기간을 산정하고 그 산정근거를 명시하도록 하여야 하며, 공사기간에 영향을 미칠 수 있는 요소들을 고려하여 발주청에 설계 성과품의 일부로 제출하도록 하여야 한다.

② 발주청은 건설공사의 입찰공고를 하기 전에 공사기간의 적정성을 검토하여야 하며, 발주청이 필요하다고 인정하는 경우에는 전문가의 공사기간 적정성에 대한 자문을 받을 수 있다.

③ 발주청은 총 공사비 100억원 이상(시 · 군 · 구는 50억원 이상) 건설공사는 「건설기술진흥법 시행령」 제17조부터 제19조까지에 따른 지방심의위원회, 특별심의위원회 또는 기술자문위원회의 공사기간 적정성 심의를 받아야 한다. 다만, 지방심의위원회 또는 기술자문위원회가 설치되어 있지 아니한 발주청은 전문가 자문으로 대체할 수 있다.

제5조(공사기간 산정근거 등의 명시) ① 발주청은 공공 공사를 입찰할 때에는 공사기간 산정근거를 입찰에 관한 서류에 명시하여야 한다. 다만, 설계 · 시공일괄입찰 및 대안입찰, 기술제안입찰의 경우에는 입찰참가자가 실시설계서에 포함하여 제출하여야 한다.

② 건설공사의 입찰참가자는 입찰에 관한 서류에 명시된 공사기간의 산정근거를 검토하여 입찰에 참가하여야 한다.

제2장 공사기간의 산정

제6조(공사기간 산정) 공사기간은 준비기간과 비작업일수, 작업일수, 정리기간을 포함하여 산정한다.

공사기간 = 준비기간 + 비작업일수 + 작업일수 + 정리기간

제7조(준비기간 산정) 발주청은 해당 공사의 내용에 적합한 준비기간을 산정하여야 한다.

제8조(비작업일수) ① 비작업일수는 건설현장의 공사 진행이 불가능한 날짜를 말하며, 제9조에 따른 법정공휴일수와 제10조에 따른 기상조건으로 인한 비작업일수의 합계에서 중복일수를 제외하여 산출한다. 이 경우 중복일수 산정은 소수점 첫째자리에서 반올림한다.

② 비작업일수는 주공정(critical path) 및 주공정에 영향을 미치는 공종에 대하여 검토하며, 월별 비작업일수가 주 40시간 근무제에 따른 비작업일수보다 작을 경우에는 주 40시간 근무제에 따른 비작업일수를 적용한다.

제9조(법정공휴일 수 계산) 법정공휴일 수는 해당 공사의 착수 예정일 기준으로 산출하고 계약의 착수일 기준으로 재산출할 수 있다.

제10조(기상조건으로 인한 비작업일수) ① 건설공사의 주공정(critical path)에 영향을 미치는 기상조건을 반영하여 비작업일수를 산출한다. 이 경우 해당 지역에 대한 기상정보는 최근 5년 또는 최근 10년 동안의 통계를 활용할 수 있다.

② 공사의 품질 확보 및 현장 근로자의 안전을 확보하기 위하여 관계 법령과 기준(건설기준, 산업안전보건 및 환경기준)에서 공종별로 작업을 제한하고 있는 기상조건을 반영하여 비작업일수를 산출한다.

제11조(작업일수) ① 작업일수는 해당 공사의 공종별 수량을 시공하는데 필요한 총 작업일수를 말한다.

② 작업일수의 산정은 주공정(critical path)을 구성하는 작업량 기준으로 산출하거나 과거의 실적자료 · 경험치, 동종시설 사례 등을 활용하여 산출(단, 실적자료를 활용하는 경우「근로기준법」에 따른 근로시간을 기준으로 보정하여 활용한다)하며, 현장여건 및 공사규모, 지질조건, 기상 · 기후조건 등에 따라 조정하여 적용한다.

③ 작업일수 산정 시 건설현장 근로자의 작업조건이 법정 근로시간(1일 8시간, 주 40시간)을 준수하는 것을 원칙으로 한다. 다만, 연속작업 등이 필요한 경우에는 근로기준법에 따라 근로시간을 연장할 수 있고, 교대근무 및 주 · 야간 공사로 구분하여 산출한다.

제12조(정리기간 산정) 정리기간은 공사 규모 및 시설물 특성 등을 고려하여 산출한다.

제13조(공사여건 등에 따른 보정) ① 발주청은 제6조부터 제12조까지에 따라 산정한 공사기간에 공사여건 등에 따라 공사일수를 가감할 수 있다.

② 공사의 규모 및 성격(고속/일반, 단선/복선, 구조형식, 신설/확장/개량 등), 지역여건(산지/농경지/도심지/도서지역, 군작전지구 등 보안구역) 등을 고려하여 추가 공사기간을 반영할 수 있다.

제14조(공사기간 적정성 검토) ① 발주청은 제6조부터 제12조까지에 따라 산정한 공사기간을 실적 공기와 비교하여 타당성을 검토할 수 있다. 이 경우 실적공기는 최근 5년간 준공된 동종 또는 유사공사의 실제 공사기간의 평균값을 활용하되, 제7조의 준비기간과 제12조의 정리기간을 합산하여야 한다.

제15조(시공조건 정보제공) 발주청은 해당 공사와 관련된 행정절차나 인 · 허가 및 용지 보상, 문화재 시발굴 등 해당 공사의 착공 및 진행에 차질이 예상되는 경우 그 진행현황 정보를 건설공사의 입찰 참가자에게 제공하여야 한다.

제3장 공사기간의 조정

제16조(공사기간의 연장) ① 발주청은 다음 각 호의 사유가 계약기간 내에 발생한 경우 시공자로부터 공사기간(장기계속공사의 경우에는 연차별 공사기간을 말한다. 이하 이 조에서 같다) 연장 요청을 받아, 이를 검토하여야 한다.

1. 시공자의 책임이 아닌 사유로 공사수행이 지연되는 경우(문화재 시발굴로 인한 공사중지를 포함한다)
2. 설계변경(시공자의 책임 없는 사유)으로 인하여 준공기한 내 계약을 이행할 수 없는 경우
3. 발주청의 책임 있는 사유로 공사기간이 연장된 경우
4. 천재 · 지변 등 불가항력(태풍 · 홍수, 폭염, 기타 악천후, 전쟁 또는 사변, 지진, 화재, 전염병, 폭동 등 시공자의 통제범위를 벗어난 사태의 발생)의 사유로 인하여 공사이행에 직접적인 영향을 미친 경우로서 계약당사자 누구의 책임에도 속하지 아니하는 경우
5. 공사기간에 영향을 미치는 법령의 제 · 개정으로 준공기한 내 계약을 이행할 수 없는 경우
6. 시공자의 부도 등으로 보증기관이 보증이행업체를 지정하여 보

증 시공할 경우

② 발주청은 제1항에 따라 계약기간 연장의 요구가 있는 경우 즉시 그 사실을 조사·확인하고 공사가 적절히 이행될 수 있도록 계약기간의 연장 및 계약금액의 조정 등 필요한 조치를 하여야 한다.

③ 제1항에 따라 계약기간 연장의 요구가 있는 경우 발주청과 시공자가 연장기간 산정에 대한 근거자료를 바탕으로 협의하여 결정한다. 다만 상호간에 협의가 이루어지지 아니하는 경우에는 다음 각 호에 따라 조정하여야 한다.

1. 「건설기술진흥법」 제5조 및 제6조에 따라 건설기술심의위원회 또는 기술자문위원회가 설치된 발주청은 해당 위원회의 자문 결과를 토대로 협의·조정한다.
2. 제1호의 건설기술심의위원회 또는 기술자문위원회가 설치되어 있지 아니한 발주청은 전문가 자문회의를 개최하여 그 결과를 토대로 협의·조정한다.

④ 시공자는 제1항에 따라 공사기간의 변경이 필요한 경우에는 지체 없이 발주청에 보고하여야 하며, 공사기간 연장이 예상되는 시점부터 투입인력, 제경비 투입계획 등을 면밀히 분석하여 현장 운용계획을 수립하여 시행하여야 한다.

제17조(공사기간의 단축) ① 발주청은 공사기간을 단축할 경우 시공자에게 사유를 통보하고 단축가능 기간을 협의하여야 한다.

② 제1항에 따라 발주청은 시공자에게 서면으로 통보하고, 시공자가 제출한 공사기간 단축계획서(안전대책 등)를 검토하여야 한다.

③ 발주청은 공사기간 단축계획에 따라 공사기간 단축에 따른 증가비용에 대하여 계약금액 조정 등 필요한 조치를 하여야 한다.

제18조(공사기간 산정근거에 따른 계약변경 등) ① 제5조제1항에 따라 입찰 관련 서류에 명시한 공사기간 산정근거 중 비작업일수가 당초와 차이가 발생하여 공사수행이 지연되는 경우 계약기간 및 계약금액을 조정할 수 있다.

② 제1항에 따라 계약기간을 변경할 경우 제16조제4항에 따라 처리하여야 한다.

제19조(세부시행기준) ① 발주청은 공사특성 및 지역여건 등을 반영하여 공사기간의 산정 및 조정에 관한 세부기준을 정하여 운영할 수 있다.

② 발주청은 공사기간 산정 세부기준 및 실적자료를 축적하고, 국토교통부장관이 요청하는 경우 관련 자료를 제출하여야 한다.

제20조(재검토기한) 국토교통부장관은 이 고시에 대하여 「훈령·예규 등의 발령 및 관리에 관한 규정」에 따라 2022년 1월 1일을 기준 으로 매 3년이 되는 시점(매 3년째의 6월 30일까지를 말한다)마다 그 타당성을 검토하여 개선 등의 조치를 하여야 한다.

부칙 〈제2021-1080호, 2021.9.8〉

제1조(시행일) 이 고시는 2021년 9월 17일부터 시행한다.

제2조(일반적 적용례) 이 고시는 이 고시 시행 이후 최초로 입찰공고하는 건설엔지니어링부터 적용한다.

제3조(다른 훈령의 폐지) 「공공 건설공사의 공사기간 산정기준(국토교통부 훈령 제1140호, 2019.1.1.)」은 폐지한다.

국토교통부 주요 훈령 및 고시·지침

2. 고시

| 설계 |

1. 건설엔지니어링사업자 사업수행능력 세부평가기준
2. 건설엔지니어링 대가 등에 관한 기준
3. 설계공모, 기본설계 등의 시행 및 설계의 경제성 등 검토에 관한 지침
4. 설계 · 건설사업관리 용역손해배상보험 또는 공제 업무요령

건설엔지니어링사업자 사업수행능력 세부평가기준

국토교통부고시 제2022-234호

일부개정 2022.4.28

제1조(목적) 이 기준은 「건설기술진흥법 시행규칙」(이하 "규칙"이라한다) 제28조제1항 별표2에서 별표4까지의 건설엔지니어링사업자("설계 등 용역사업자", "건설사업관리용역사업자", "정밀안전점검 또는 정밀안전진단 용역사업자"를 말한다 이하 같다) 선정을 위한 사업수행능력 평가에 관한 세부기준을 정함을 목적으로 한다.

제2조(적용범위) 이 기준은 규칙 제28조제1항에 의하여 건설엔지니어링사업자의 사업수행능력을 평가하는 경우에 적용한다. 다만, 다른 법령에서 사업수행능력 평가기준을 따로 정하고 있는 경우에는 제외한다.

제3조(세부평가기준) ① 발주청은 별표1에서 별표3까지의 사업수행능력평가 세부평가항목 및 배점을 참고하여 사업분야별 세부평가기준을 정하여야 한다.

② 발주청은 용역특성에 맞도록 별표1에서 별표3까지 세부평가항목별 배점을 ±20퍼센트 범위내에서 조정할 수 있다.

③ 정밀안전점검 및 정밀안전진단 용역사업자를 선정하는 경우 발주청은 시설물통합정보관리체계(FMS) 등에서 공지되는 용역 수주실적 통계자료 등을 확인하여 경력 및 실적 등이 과도하게 제한되지 않도록 하여야 한다.

④ 발주청은 제1항에서 제3항까지의 규정에 따라 세부평가기준을 정하는 경우에는 조정 내용 및 사유를 명확히 하여야 하며, 경력 및 실적 등을 과도하게 제한하여서는 안되고 당해 용역규모의 동등 또는 그이상의 실적만을 인정하여서는 안된다.

⑤ 발주청은 특별한 사유가 없는 한 '공동계약운용요령'(기획재정부 계약예규) 등에서 정한 내용과 다르게 공동수급체 구성원 수를 제한하여서는 안된다.

제4조(세부평가기준 작성 절차) ① 발주청은 제3조에 따라 사업분야별 세부평가기준을 정하는 경우에는 다음 각 호의 절차에 따라야 한다.

1. 사업분야별 세부평가기준(안)을 작성한 후 그 내용을 최소 7일 이상 홈페이지 등을 통해 일반에 공개하여 의견수렴 과정을 거쳐야 한다.
2. 사업분야별 세부평가기준(안), 제1호의 의견수렴결과 및 검토보고서를 「건설기술진흥법」 제5조에 따른 건설기술심의위원회 또는 제6조에 따른 기술자문위원회에 제출하여 심의를 거쳐야 한다. 단, 지방자치단체는 지방건설기술심의위원회 심의를 거쳐야 한다.
3. 심의를 거쳐 정한 사업분야별 세부평가기준은 발주청 홈페이지 등을 통해 공고하여야 한다.

② 발주청은 공고된 세부평가기준을 변경하거나 당해용역의 특성

을 고려하여 일시적으로 기준을 변경할 경우에도 제1항과 동일한 절차를 거쳐야 한다. 다만, 심의가 불필요하거나 경미한 변경으로서 다음 각 호에 해당하는 경우에는 제1항제1호 및 제2호에 따른 절차를 생략할 수 있다.

1. 발주청이 이 기준 중의 일부 내용(의무사항 등)을 조정 또는 변경없이 사업분야별 세부평가기준(안)에 동일하게 명기하여 변경하는 경우
2. 사업분야별 세부평가기준(안)의 단순 오기나 누락된 부분을 정정하는 경우

③ 특별시, 광역시, 특별자치시, 도, 특별자치도에서 정한 기준을 소속 자치단체에서 그대로 준용하는 경우에는 제1항의 절차를 생략할 수 있다.

제5조(평가서류 제출 및 확인) ① 발주청은 평가서류를 서면외에 전자문서 형태로 제출받을 수 있다.

② 발주청은 사업수행능력 평가 시 관련서류의 사본 또는 입찰참여업체가 작성한 서류를 활용하여 평가한 후 입찰참가자로 선정된 업체에 한하여 국토교통부장관이 지정·고시하는 위탁업무 수행기관, 해당 전문기관 또는 발주청이 발행한 서류를 제출받거나, 건설엔지니어링 실적관리 수탁기관이 운영하는 실적관리시스템을 통해 관련내용의 진위여부 등을 확인할 수 있다.

③ 발주청은 사업수행능력평가에 필요한 자료 요구 시 해당 용역평가에 참 여하지 아니하는 기술인에 대해서는 인적사항 등 세부적인 실명자료를 요구할 수 없다.

④ 발주청은 설계 등 용역사업자 평가의 경우에는 다음 각 호의 사항을 추가로 이행하여야 한다.

1. 가격입찰 후 사업수행능력을 평가하는 경우 예정가격이하로서 최저가격으로 입찰한 자의 순으로 관련서류를 제출받아 평가할 수 있다.
2. 설계 등 용역사업자 선정을 위한 업무중복도 평가방법은 다음 각 목의 사항을 따른다
   가. 발주청은 업무중복도 평가를 위해 참여업체로부터 제출받은 평가자료를 7일 이상 홈페이지 등을 통해 일반에 공개하고 평가자료의 오류나 누락사항에 대한 의견을 수렴하여야 한다. (단, 실무기술인의 경우 의견수렴 절차를 생략한다.)
   나. 발주청은 1호에 따라 제시된 의견과 「건설기술진흥법 시행령」 제45조에 따른 건설엔지니어링관리시스템을 통하여 진행중인 용역의 참여기술인에 대한 오류, 누락사항 등을 확인하여야하며 확인결과 해당사항이 있을 경우 평가위원회에 보고하여야한다.
   다. 평가위원회는 제2호에 따라 오류, 누락사항 등을 보고받은 경우 해당 기술인의 업무중복도 평가점수를 0점 처리하여야 한다.

제6조(평가결과 공개 등) ① 발주청은 사업수행능력 평가 후 해당 용역사업자에게 개별 점수를 통보하여야한다.

② 발주청은 설계 등 용역 책임기술인의 기술능력 및 업무관리능력과 건설사업관리기술인의 업무수행능력 및 자질검증을 위한 면

접(발표)을 평가한 경우에는 낙찰자 선정 후 평가위원 명단, 위원별 평가사유서 및 평가결과를 홈페이지 등을 통해 일반에 공개하여야 한다.

제7조(이의제기) 사업수행능력평가서를 제출하여 평가결과에 이의가 있는 자는 「국가를 당사자로 하는 계약에 관한 법률」 제28조 또는 「지방자치단체를 당사자로 하는 계약에 관한 법률」 제34조에 근거하여 해당 발주청에 이의신청을 할 수 있다.

제8조(평가위원회 구성 · 운영) 발주청은 다음 각 호의 사항에 대해 심의하기 위하여 평가위원회(발주청 기술자문위원회 또는 지방건설기술심의위원회 위원과 발주청의 소속직원 중에서 3인 이상으로 구성한다)를 구성 · 운영하여야 하며 위원 과반수 찬성으로 결정한다.

1. 평가 진행 과정에서 평가기준의 누락, 오류, 불분명한 부분 등의 적용방법에 관한 사항 등
2. 그 밖에 발주청의 장이 필요하다고 판단되는 사항

제9조(재검토기한) 국토교통부장관은 「훈령 · 예규 등의 발령 및 관리에 관한 규정」에 따라 이 고시에 대하여 2020년 1월 1일 기준으로 매3년이 되는 시점(매 3년째의 12월 31일까지를 말한다)마다 그 타당성을 검토하여 개선 등의 조치를 하여야 한다.

부칙 〈제2015-471호, 2015.6.30〉

제1조(시행일) 이 기준은 고시한 날부터 시행한다.

제2조(경과조치) ① 이 기준 시행일 이전에 종전의 「건설기술관리법」에 따라 감리원 교육훈련을 받은 경우 개정규정에 따른 참여기술자 평가 시 건설기술자 교육훈련을 받은 것으로 본다.

② 이 기준 시행일 이전에 종전의 「건설기술관리법」에 따라 책임감리, 시공감리, 검측감리 용역을 수행한 경우 개정규정에 따른 평가 시 시공단계의 건설사업관리용역을 수행한 것으로 보며, 설계감리 용역을 수행한 경우 설계단계의 건설사업관리용역을 수행한 것으로 본다.

부칙 〈제2015-1097호, 2015.12.30〉

이 고시는 2016년 3월 1일부터 시행한다. 다만, 별표1의 첨부5 서식(해외설계용역 참여기술자확인서)은 고시한 날부터 시행한다.

부칙 〈제2016-1087호, 2016.12.29〉

이 고시는 2017년 4월 1일부터 시행한다.

부칙 〈제2017-867호, 2017.12.20〉

이 고시는 2018년 4월 1일부터 시행한다.

부칙 〈제2018-942호, 2018.12.26〉

제1조(시행일) 이 고시는 2019년 4월 1일부터 시행한다.

제2조(용역수행성과에 대한 적용례) [별표1] 나. 용역수행실적 중 "(4) 용역수행성과" 평가는 2021년 1월 1일부터 적용하되, 그 이전까지는 적용 여부를 발주청이 선택한다.

부칙 〈제2019-168호, 2019.4.10〉

이 고시는 발령한 날부터 시행한다.

부칙 〈제2019-960호, 2019.12.24〉

제1조(시행일) 이 고시는 2020년 4월 1일부터 시행한다.

제2조(업무중복도 평가검증 일원화 적용례) [부표1] 제13호에 따라 참여기술인 업무중복도 평가검증을 건설엔지니어링실적관리시스템(CEMS)으로 평가하는 규정은 2020년 6월 30일까지 CEMS 및 별도 증빙서류 등을 병행하여 평가할 수 있다.

제3조(활용실적 인정일 적용에 관한 경과조치) [별표1] 라. (3)활용실적 평가에서 신기술 활용실적 인정일 적용은 이 고시 시행일 이후에 신기술이 설계에 반영되어 준공된 용역사업부터 적용한다. 다만, 이 규정 시행일 이전에 신기술이 설계에 반영되어 이미 준공된 용역사업은 종전의 기준을 따른다.

부칙 〈제2019-1017호, 2019.12.31〉

제1조(시행일) 이 고시는 발령한 날부터 시행한다.

제2조(용역수행성과에 대한 적용례) [별표2] 나. 용역수행실적 중 "(2) 용역수행성과" 평가는 2021년 1월 1일부터 적용하되, 그 이전까지는 적용 여부를 발주청이 선택한다.

부칙 〈제2020-267호, 2020.3.10〉

제1조(시행일) 이 고시는 2020년 4월 1일부터 시행한다.

부칙 〈제2020-379호, 2020.5.7〉

제1조(시행일) 이 고시는 발령한 날부터 시행한다.

부칙 〈제2020-437호, 2020.6.4〉

제1조(시행일) 이 고시는 발령한 날부터 시행한다.

부칙 〈제2022-234호, 2022.4.28〉

제1조(시행일) 이 고시는 발령한 날부터 시행한다.

제2조(전차용역수행실적, 용역수행성과 및 업무중복도에 대한 적용례) [별표 1] 나. 용역수행실적 중 "(4) 용역수행성과", "마. 업무중복도" 평가와 [별표 2] 나. 용역수행실적 중 "(2) 용역수행성과"는 2022년 6월 1일 이후 입찰공고하는 사업부터 적용한다.

[별표 1]

설계 등 용역사업자 사업수행능력 세부평가항목 및 배점

1. 분야별 평가기준

평가항목	세부평가항목	배점	세 부 평 가 방 법
가. 참여기술인		[50]	- 참여기술인의 등급평가는 '건설기술인 등급인정 및 교육·훈련 등에 관한 기준'(국토부 고시)에 따라 등급별로 평가 ※ 다만, 개정규정에 따라 등급을 산정한 결과 종전 규정에 따른 등급보다 떨어지는 경우에는 건설기술진흥법 시행령 부칙 제9조(건설기술인 등급에 대한 경과조치)에 따른다. - '건설기술인 등급인정 및 교육·훈련 등에 관한 기준'(국토부 고시)에 따른 해당 전문분야 외의 분야에서 설계 등 용역업무를 수행한 자의 경력 및 실적평가는 당해 분야의 60%를 적용할 수 있음.(단, 전문분야가 같은 경우 기존에 수행한 사업분야가 입찰에 참여한 사업 분야와 다른 경우라도 경력과 실적 평가시 80~100%를 인정한다.) 또한, 책임기술인에 대해서는 해당 사업분야에 대한 최소한의 경력 및 실적보유조건을 별도로 제시할 수 있음(단, 분야별 참여기술인은 100%를 적용할 수 있음) - 참여기술인의 경력은 자격취득시기, 자격보유의 여부에 관계없이 해당 사업분야의 설계, 시공, 시험·검사(품질 시험·검사를 포함한다), 품질관리, 건설사업관리, 안전점검 및 정밀안전진단, 유지관리 또는 이와 관련된 감독·감리수행 등의 경력기간에 따라 평가 (단, 설계이외의 용역에 대해서는 유사정도를 고려하여 평가하고, 건설사업관리 용역 경력의 경우 경력 만점 기준의 50%에 해당하는 경력까지는 설계용역을 수행한 경력과 동일하게 인정한다.) - 참여기술인의 실적은 자격취득시기, 자격보유의 여부에 관계없이 해당 분야의 설계, 시공, 시험·검사(품질 시험·검사를 포함한다), 품질관리,건설사업관리, 안전점검 및 정밀안전진단, 유지관리 또는 이와 관련된 감독 등의 수행실적을 용역의 종류, 규모, 금액, 건수, 수행업무 및 전체 계약기간 중 실제 참여기간에 대한 비율로 평가

평가항목	세부평가항목	배점	세 부 평 가 방 법
가. 참여기술인		[50]	(단, 설계이외의 용역에 대해서는 유사정도를 고려하여 평가하고, 건설사업관리 용역 실적의 경우 실적 만점 기준의 50%에 해당하는 실적까지는 설계용역을 수행한 실적과 동일하게 인정하되, 구체적인 인정기준은 부표를 따른다.) - 일괄입찰(기본설계 및 실시설계), 대안입찰(대안설계) 및 기본설계기술제안 입찰공사(실시설계), 민간투자사업에 대한 참여기술인의 실적은 용역의 종류, 규모, 금액, 건수, 수행업무와 참여기간 비율을 적용하되, 낙찰되거나 설계보상 대상자로 결정된 경우에 한하여 인정 (단, 당해사업 해당 발주청의 확인을 득한 것에 한하여 인정한다.) - 건설기술진흥법(이하 법 이라 한다) 제21조의 규정에 의한 건설관련업체의 임·직원이 아닌 자 중 건설기술인 경력관리수탁기관에 신고한 특급기술인으로서 설계의 경제성을 검토하는 가치공학적 설계검토기술·견적전문기술·시방서 전문기술·기타 국토교통부장관이 정하는 특정분야기술인(이하 "계약직전문기술인")를 당해 용역의 분야별 책임기술인으로 참여시키고자 하는 때에는 해당 업체소속의 기술인과 동일하게 평가할 수 있음 (이 경우 계약직 전문기술인은 당해 업체소속의 기술인과 동일한 권한과 책임을 가지며 해당업체는 이를 확인하는 내용을 서면으로 제출하여야 함) - 참여기술인이 발주청·감독기관 또는 건설관련 업체의 임·직원으로서 해당 분야의 설계업무를 감독 또는 관리한 경우에는 이를 해당분야의 경력 및 실적으로 인정 - 발주청 · 감독기관의 경력과 실적은 책임기술인 또는 분야별 책임기술인 중 최대 1인에 한하여 인정하며,(공동계약의 경우 참여한 업체별로 1인까지 인정한다.) 분야별 참여기술인의 경력과 실적으로는 제한없이 인정 가능 - 참여기술인의 빈번한 이적사례 방지를 위해 이적기간에 따라 등급,경력 및 실적 평가점수를 모두 감점함 (단, 회사의 부도, 파산, 해산 등 부득이한 사유로 인한 이적과 이적 전 회사에서 5년 이상 장기 근속한 경우는 제외)

평가항목	세부평가항목	배점	세 부 평 가 방 법
가. 참여기술인	(1) 책임기술인	(15)	
	(가) 등급	3	- 등급에 따라 평가
	(나) 경력	4	- 경력기간에 따라 평가 (단, 최대 요구 기간은 15년이 넘지 않도록 한다)
	(다) 실적	5	- 용역의 종류, 건수, 금액 및 참여기간 등을 고려하여 평가 (단, 최대 요구 건수는 10건이 넘지 않도록 한다) * 공고일부터 10년(10년내 해외근무기간이 포함된 경우 해외근무기간의 1/2만큼 기준기간 연장)을 기준으로 하고 용역의 종류, 규모, 특성 등에 따라 실적건수 등을 정함
	(라) 기술능력 및 업무 관리능력	3	- 기술능력 및 업무관리능력은 발주청에서 정한 기준에 따라 업체가 제출한 평가서를 서면으로 제출받아 상대평가(평가서 미제출시 0점 처리) * (첨부1)은 예시로 활용 ※ 용역비 5억원 미만 용역은 기술능력 및 업무관리능력 평가를 생략. 다만, 「건설기술진흥법」에 따른 타당성 조사, 기본계획 등 고도의 기술력이 필요한 경우는 기술능력 및 업무관리능력 평가 가능 (기술능력 및 업무관리능력 평가를 생략한 경우 배점 3점은 책임기술인의 실적으로 대신한다.)
	(2) 분야별 책임기술인	(19)	
	(가) 등급	4	- 등급에 따라 평가(특급기술인과 고급기술인은 동일하게 평가)
	(나) 경력	7	- 경력기간에 따라 평가 (단, 최대 요구 기간은 10년이 넘지 않도록 한다)
	(다) 실적	8	- 용역의 종류, 건수, 금액 및 참여기간 등을 고려하여 평가 (단, 최대 요구 건수는 10건이 넘지 않도록 한다) * 공고일부터 10년(10년내 해외근무기간이 포함된 경우 해외근무기간의 1/2만큼 기준기간 연장)을 기준으로 하고 용역의 종류, 규모, 특성 등에 따라 실적건수 등을 정함

평가항목	세부평가항목	배점	세 부 평 가 방 법
가. 참여기술인	(3) 분야별 참여기술인	(14)	- 분야별 참여기술인 각 1인을 대상으로 평가
	(가) 등급	4	- 등급에 따라 평가(중급기술인 이상은 동일하게 평가)
	(나) 경력	5	- 경력기간에 따라 평가 (단, 최대 요구 기간은 5년이 넘지 않도록 한다)
	(다) 실적	5	- 용역의 종류, 건수, 금액 및 참여기간 등을 고려하여 평가 (단, 최대 요구 건수는 5건이 넘지 않도록 한다) * 공고일부터 10년(10년내 해외근무기간이 포함된 경우 해외근무기간의 1/2만큼 기준기간 연장)을 기준으로 하고 용역의 종류, 규모, 특성 등에 따라 실적건수 등을 정함
	(4) 참여기술인의 교육훈련, 전차 용역 수행실적	(2)	
	(가) 교육훈련	1	- 참여건설기술인이 최근 3년간 법 제20조제2항의 규정에 의한 교육훈련을 이수한 정도에 따라 평가 · 2주이상 교육을 이수한 경우 : (교육이수인원/평가대상인원)×1점 · 1주이상 2주미만 교육을 이수한 경우 : (교육이수인원/평가대상인원)×0.5점
	(나) 전차용역 수행실적	1	- 참여건설기술인의 전차용역 참여형태 및 참여기간에 따라 평가 · 사업책임기술인 : 0.5점 · 분야별 책임기술인 : 0.5점 * 용역의 종류, 규모, 특성 등에 따라 조정 가능 (당해용역과 관련된 전차용역이 없는 경우 전차용역 수행실적 평가 배점 1점은 참여기술인 교육훈련 배점에 합산한다.)
나. 용역수행실적		[15]	* 유사용역수행실적이라 함은 최근 5년간 당해 용역과 같거나 유사한 공종의 건설공사의 용역사업 중 준공된 실적을 말한다.
	(1) 유사용역 수행실적 건수	(6)	- 당해 용역과 같거나 유사한 시설물에 대한 용역수행실적에 따라 평가 (최근 5년간 기준)

평가항목	세부평가항목	배점	세 부 평 가 방 법
나. 용역수행실적	(1) 유사용역 수행실적 건수		- 해당분야 또는 유사한 공종의 건설공사의 설계·시공 일괄입찰 또는 대안입찰방식으로 참여하여 낙찰자로 결정된 경우와 「사회기반시설에 대한 민간투자법」에 의한 사업시행자가 발주한 설계용역을 수행한 경우에는 해당용역의 유사용역수행실적으로 인정 - 해당분야 또는 유사한 공종의 건설공사의 일괄입찰 또는 대안입찰방식으로 참여하여 설계보상 대상자로 결정된 경우에 유사용역 수행실적은 건수 및 금액에 대하여 낙찰자의 80%로 함 - 실적금액(설계·시공일괄입찰 또는 대안입찰, 사회기반시설에 대한 민간투자법에 의한 설계용역에 한함)의 계상은 계약금액에 엔지니어링사업대가 기준 중 건설부문 요율을 곱하여 산정한 금액 범위내에서 인정 - 외국 정부 및 공공기관에서 발주한 설계용역 및 설계·시공 일괄입찰(Design-Build방식 포함)을 수행한 경우에는, 해당분야의 유사용역실적(건수 및 금액)으로 인정한다. 단, 금액은 준공일 기준으로 한국화폐단위로 환산하여 산정한 금액으로 함
	(2) 유사용역 수행실적 금액	(6)	- 당해 용역과 같거나 유사한 시설물에 대한 용역수행실적에 따라 평가 (최근 5년간 기준)
	(3) 전차용역 수행실적	(1)	* 전차용역이라 함은 당해 용역의 前단계 용역을 말하며, 이를 수행한 용역사업자 및 참여기술인에 대하여 평가 - 업체의 전차용역 수행정도[용역의 종류, 용역수행 후 경과기간, 단독·공동·하도급여부, 당해용역이 전차용역에서 해당하는 비율(면적, 길이, 금액 등)]에 따라 평가 - 하나의 용역에서 여러 지구를 수행하거나 여러 사업분야가 복합된 경우에는 당해용역에서 수행하는 지구 또는 사업분야만 적용 - 발주청은 집행계획공고 또는 입찰공고 시 당해용역에 인정

평가항목	세부평가항목	배점	세 부 평 가 방 법
나. 용역수행실적	(3) 전차용역 수행실적		되는 전차용역 및 인정범위, 인정기준 등 세부기준을 제시하여야 함 (당해용역과 관련된 전차용역이 없는 경우 전차용역 수행실적 평가 배점1점은 유사용역수행실적 건수 또는 금액 배점에 합산한다.)
	(4) 용역수행 성과	(2)	- 업체가 해당 발주청에서 수행한 용역평가 결과(용역수행평가일로부터 최근 5년간 평균점수)에 따라 평가하며, 해당 발주청의 상위기관에서 수행한 용역평가 결과를 활용할 수 있음

용역평가 결과	95점 이상	95점 미만 92점 이상	92점 미만 89점 이상	89점 이상 86점 미만	86점 미만
점수	2점	1.8점	1.6점	1.4점	1.2점

평가항목	세부평가항목	배점	세 부 평 가 방 법
			* 용역평가는 「건설기술진흥법」 제50조에 따른 평가를 원칙으로 하되, 용역 특성을 반영하여 발주청에서 별도로 정한 평가의 결과를 활용할 수 있음 - 해당 발주청에서 발주한 용역 성과가 없는 업체에 대해서는 용역수행평가시 "1.8" 또는 "1.6"의 점수를 부여할 수 있으며, 발주청에서 집행계획공고 또는 입찰공고시 기준을 제시하여야 한다.
다. 신용도	(1) 영업정지(업무정지), 벌점 등	[10] (7)	- 용역업자가 건설기술진흥법 시행령 제44조제1항제2호 나목의 규정에 의한 설계 등 용역업무와 관련하여 최근 1년간 관계법령에 따라 입찰참가제한 또는 영업정지(과징금 부과처분 포함)을 받은 기간을 합산하여 합산기간 1월마다 0.2점씩 감점(1월 미만인 경우 1월로 계산) - 참여기술인이 건설기술진흥법 시행령 제44조제1항제2호 나목의 규정에 의한 설계 등 용역업무와 관련하여 최근 1년간 관계법령에 따라 기술자격정지 또는 업무정지를 받은 기간을 합산하여 합산기간 1월마다 0.2점씩 감점(1월 미만인 경우 1월로 계산)

평가항목	세부평가항목	배점	세 부 평 가 방 법
다. 신용도	(1) 영업정지 (업무정지), 벌점 등	(7)	- 용역업자 및 참여기술인이 「건설기술진흥법 시행령」 제87조에 따른 벌점을 받은 경우 같은법 시행령 별표8에서 정하는 기준에 따라 감점 * 점수계산은 참여용역업자 및 참여기술인의 누계평균 벌점에 따라 감점 - 공동이행방식으로 용역을 수행하는 경우에는 공동수급체의 구성원별 평가점수에 용역참여지분율을 곱하여 산정한 후 이를 합산
	(2) 재정상태 건실도	(3)	- 재정상태 건실도는 신용평가등급으로 평가 - 신용평가등급은 회사채에 대한 신용평가등급을 기준으로 하되, 기업어음 및 기업신용에 관한 신용등급도 활용(첨부2)할 수 있음. - 「신용정보의 이용 및 보호에 관한 법률」 제4조제1항제1호 또는 제4호의 업무를 영위하는 신용정보업자가 입찰공고일 기준으로 유효기간 내에 있는 회사채(기업어음 또는 기업신용)에 대한 신용평가등급(위의 신용정보업자가 신용평가등급, 등급평가일 및 등급유효기간 등을 명시하여 작성한 '신용평가등급확인서')을 기준으로 평가 - 합병한 업체에 대하여는 합병후 새로운 신용평가등급으로 심사하여야 하며 합병 후의 새로운 신용평가등급이 없는 경우에는 합병대상업체 중 가장 낮은 신용평가등급을 받은 업체의 신용평가등급으로 평가 - 공동이행방식으로 용역을 수행하는 경우에는 공동수급체의 구성원별 평가점수에 용역참여지분율을 곱하여 산정한 후 이를 합산

회사채	BBB-이상	BBB-미만 B-이상	CCC+ 이하	미제출
기업어음	A3-이상	A3-미만 B-이상	C이하	미제출
기업신용	BBB-이상	BBB-미만 B-이상	CCC+이하	미제출
점수	3.0	2.8	2.1	0

※ 소규모 용역에 대하여는 발주청별로 용역특성에 따라 신용평가등급의 만점기준을 하향 조정할 수 있음

평가항목	세부평가항목	배점	세 부 평 가 방 법
라. 기술개발 및 투자실적	(1)개발실적	[15] (2)	- 개발실적은 건설신기술, 특허, 실용신안을 대상으로 「건설기술진흥법」 제2조제2호에 따른 건설기술과 관련된 개발실적을 인정하되, 건설신기술은 용역사업자(대표자 포함, 소속직원 제외) 명의로 지정된 경우에 한하여 인정하고 특허 및 실용신안은 용역사업자(대표자 포함, 소속직원 제외)가 최초 출원인으로 등록된 경우에 한하여 인정 - 「건설기술진흥법」 제14조에 따라 지정된 건설신기술은 보호기간 내에 있는 경우 인정하며, 건설기술에 관한 특허 또는 실용신안은 특허등록결정 또는 실용신안(등록유지결정을 받은 경우에만 인정)을 받은 경우 출원일로부터의 경과기간에 따라 차등하여 합산한 후 평가 · 건설신기술 : 2.0점/건 · 건설기술에 관한 특허 : 1.0점/건 · 건설기술에 관한 실용신안 : 0.5점/건

경과기간	5년 미만	5년 이상 10년 미만	10년 이상 20년 미만
특 허	100%	80%	60%
실용신안	100%	80%	-

- 기술개발실적이 동일 내용으로 건설신기술, 특허 또는 실용신안을 각각 받은 경우 가장 점수가 높은 1건만 인정
- 기술개발실적은 2인 이상이 최초 출원시 공동으로 출원한 경우 해당 점수를 출원자의 수로 나누어 인정

평가항목	세부평가항목	배점	세 부 평 가 방 법
	(2)투자실적	(10)	- 건설기술개발 투자실적(재무재표상의 연구개발비, 교육훈련비 등)은 최근 3년간 건설부문 총매출액 합계에 대한 비율로 평가(다만, 회사 설립년수 부족으로 3년간 자료를 제출치 못하는 경우에는 제출된 년수를 기준으로 건설부문 총매출액 합계에 대한 비율로 평가) · 최근 3년간 기술개발투자실적의 건설부문 총매출액에 대한 비율(건설기술개발투자액/건설부문 총매출액)에 따라 계산

구분	1.50% 이상	1.50% 미만 1.25% 이상	1.25% 미만 1.00% 이상	1.00% 미만 0.75% 이상	0.75% 미만 0.50% 이상
점수	10.0	9.0	8.0	7.0	6.0

<table>
<tr><th>평가항목</th><th>세부평가항목</th><th>배점</th><th>세 부 평 가 방 법</th></tr>
<tr><td rowspan="2">라. 기술개발및투자실적</td><td>(2)투자실적</td><td>(10)</td><td>- 특허 또는 실용신안의 출원인(법인대표자와 법인과의 관계는 동일하게 인정)과 등록인이 상이한 경우와 사용권을 양수 또는 대여 받은 경우에는 이에 대한 비용을 투자실적으로 인정

- R&D 참여실적에 적용된 실적금액은 투자실적에 포함

- 해당 용역사업자인 경우 공인회계사 또는 세무사가 증명한 최근 3개년 투자실적 제출</td></tr>
<tr><td>(3)활용실적</td><td>(3)</td><td>- 「건설기술진흥법」 제14조에 따라 지정된 건설신기술, 건설기술에 관한 특허 또는 실용신안의 실제 활용실적 건수와 금액에 따라 평가

- 용역사업자가 건설신기술을 보호기간내 공공공사의 설계에 적용하고, 해당 설계용역이 입찰공고일 이전에 준공된 실적에 한하여 인정 (단, 이 경우 입찰공고일은 보호기간 내에 있어야 함)

- 건설기술에 관한 특허 및 실용신안은 최초 출원한 후 등록권리 만료기간내에 공공공사의 설계에 적용하고, 해당 설계용역이 입찰공고일 이전에 준공된 실적에 한하여 인정. 이 경우 입찰공고일 현재 용역사업자(대표자 포함, 소속직원 제외)가 최초 출원인으로 등록되어 있어야 함 (단, 특허 및 실용신안은 경과기간에 따라서 개발 실적에서 적용하는 가중치도 포함하여 계상)
· 건설신기술 : 1.0점/건
· 건설기술에 관한 특허 : 0.6점/건
· 건설기술에 관한 실용신안 : 0.3점/건

- 건설신기술의 활용실적은 건설기술진흥법 시행령 제34조제6항에 의해 제출된 활용실적에 대해 영 제117조제1항에 의해 지정·고시된 기관의 건설신기술 활용실적증명서를 제출한 경우에 한하여 적용

- 특허 및 실용신안의 활용실적은 발명진흥법 제52조에서 정한 전문기관의 특허 및 실용신안의 활용실적 증명서를 제출한 경우에 한하여 적용</td></tr>
</table>

<table>
<tr><th>평가항목</th><th>세부평가항목</th><th>배점</th><th>세 부 평 가 방 법</th></tr>
<tr><td>라. 기술개발및투자실적</td><td>(3)활용실적</td><td>(3)</td><td>· 활용실적에 따라 가중치 부여(건설신기술, 특허, 실용신안)
<table>
<tr><th rowspan="2">구분</th><th colspan="5">가중치</th></tr>
<tr><th>1.0</th><th>0.9</th><th>0.8</th><th>0.7</th><th>0.6</th></tr>
<tr><td>활용건수(건)</td><td>5 이상</td><td>5 미만
4 이상</td><td>4 미만
3 이상</td><td>3 미만
2 이상</td><td>2 미만
1 이상</td></tr>
<tr><td>활용금액(억원)</td><td>20 이상</td><td>20 미만
18 이상</td><td>18 미만
16 이상</td><td>16 미만
14 이상</td><td>14 미만
12 이상</td></tr>
</table>
· 활용실적에 따른 가중치는 활용건수, 활용금액 중 하나의 조건을 만족하면 인정</td></tr>
<tr><td>마. 업무중복도</td><td></td><td>[10]</td><td>- 용역기간에 대한 중복비율(=수행중인 다른 용역들의 중복기간합계/해당용역기간×100)에 따라 차등 평가

· 각 발주청은 건설엔지니어링관리시스템을 통해 공표되는 전문분야별 평균 업무중복도를 감안하고, 기존 용역평가결과 등을 분석하여 용역의 특성 등을 고려한 업무중복도 만점기준 및 차등폭을 정함
(단, 만점기준은 200~300%으로 한다.)
※ 업무중복도 세부평가기준 작성 사례
사례①) 전문분야별 평균 업무중복도 등을 고려하여 만점기준을 200% 이하로 설정하고 차등폭을 50%로 할 경우
사례②) 전문분야별 평균 업무중복도 등을 고려하여 만점기준을 250% 미만으로 설정하고 차등폭을 100%로 할 경우
사례③) 전문분야별 평균 업무중복도 등을 고려하여 만점기준을 300% 미만으로 설정하고 차등폭을 100%로 할 경우
<table>
<tr><th>사례</th><th>만점</th><th>만점×0.9</th><th>만점×0.8</th><th>만점×0.7</th><th>만점×0.6</th><th>…</th></tr>
<tr><td>①</td><td>200% 이하</td><td>200~250%</td><td>250~300%</td><td>300~350%</td><td>350~400%</td><td>…</td></tr>
<tr><td>②</td><td>250% 미만</td><td>250~350%</td><td>350~450%</td><td>450~550%</td><td>550~650%</td><td>…</td></tr>
<tr><td>③</td><td>300% 미만</td><td>300~400%</td><td>400~500%</td><td>500~600%</td><td>600~700%</td><td>…</td></tr>
</table></td></tr>
</table>

평가항목	세부평가항목	배점	세 부 평 가 방 법
마. 업무중복도		[10]	- 공고일 기준 잔여과업기간이 3개월 이상인 용역을 기준으로, 중복되는 잔여 과업기간을 합산하여 평가 - 이 법 및 다른 법령에서 명칭과 절차가 규정되어 있는 용역으로, 용역기간에 비해 기술인의 투입량이 많지 않은 사후환경조사용역, 사후지하안전영향조사용역, 사후모니터링, 해양환경조사 등은 중복도 평가에서 제외 - 이 법 및 다른 법령에서 명칭과 절차가 규정되어 있지 않은 용역으로 용역기간에 비해 기술인의 투입량이 많지 않은 사후관리용역 등은 발주청이 판단하여 중복도 평가에서 제외할 수 있음 - 당해용역 평가대상자(사업책임기술인, 분야별 책임기술인, 분야별 참여기술인, 실무기술인)가 다른 설계 등 용역의 사업책임기술인 또는 분야별 책임기술인, 분야별 참여기술인, 실무기술인으로 참여하고 있는 경우 중복기간을 산정하여 평가.(단, 공고일 현재 3개월 이상 용역중지중인 사업에 대하여는 중복기간에 미산입)
	(1) 책임기술인	(3)	- 참여기술인 중 책임기술인으로 등급 · 경력 · 실적 평가를 받은 기술인의 중복도로 평가
	(2) 분야별 책임기술인	(4)	- 참여기술인 중 분야별 책임기술인으로 등급 · 경력 · 실적 평가를 받은 기술인의 중복도로 평가 - 분야별 책임기술인 업무중복도는 업무 참여도를 고려하여 주공종 분야인 3~5분야에 참여하는 기술인(분야별 1인)에 대해서만 평가한다.
	(3) 분야별 참여기술인	(2)	- 참여기술인 중 분야별 참여기술인으로 등급 · 경력 · 실적 평가를 받은 기술인의 중복도로 평가 - 분야별 참여기술인 업무중복도는 업무 참여도를 고려하여 주공종 분야인 3~5분야에 참여하는 기술인(분야별 1인)에 대해서만 평가한다.

평가항목	세부평가항목	배점	세 부 평 가 방 법
마. 업무중복도	(4) 실무기술인	(1)	- 용역에 참여하지만, 등급 · 실적 · 경력 평가를 받지 않는 실무기술인의 중복도로 평가 - 실무기술인 업무중복도는 업무 참여도를 고려하여 주공종 분야인 3~5분야에 참여하는 기술인(해당분야 실무기술인 전체)에 대해서만 평가한다.

2. 가점 평가기준

평가항목	세부평가항목	세 부 평 가 방 법
가점	건설기술인 신규 고용	- 건설기술인 신규고용율에 따라 가점 부여 · 1% 이상 : 0.1점 · 2% 이상 : 0.2점 · 3% 이상 : 0.3점 * 건설기술인 신규 고용율 = 최근 1년간 건설기술인 신규 고용인원(입찰 공고일 전월 기준) / 직전년도 동기간 평균 고용인원 * 신규 건설기술인은 입찰공고일 현재 해당업체 재직 중인 자로 건설기술인 경력관리 수탁기관의 경력증명서에 최초로 입사 등록된 자(이전 건설분야 근무경력이 없는 자)에 한함 * 직전년도 동기간 평균 고용인원은 건설기술인 경력관리 수탁기관에 신고한 자로서 해당업체의 기술인 재직인원(월말 기준)을 월단위로 평균하여 산정 - 건설기술인 경력관리 수탁기관에서 확인한 후 발급한 자료로 평가 - 공동이행방식으로 용역을 수행하는 경우에는 공동수급체의 구성원별 평가점수에 용역참여지분율을 곱하여 산정한 후 이를 합산
	젊은 기술인 참여	- 건설기술인 경력관리 수탁기관의 경력증명서상 건설엔지니어링 업체에서 근무한 전체 경력이 5년 미만인 기술인이 당해 용역에 참여한 경우에는 전체 참여인원수에 대한 비율에 따라 가점 부여

당해 설계참여 인원비율 (당해 용역에 참여하는 근무경력 5년 미만 기술인/당해 용역 전체 참여인원수×100)	5% 이상	3% 이상	1% 이상
가점	0.2점	0.15점	0.1점

※ 비고 : 위 [별표1]의 사업수행능력 평가에 대한 일반사항 및 항목별 세부평가방법은 부표1에 따른다.

[부표 1]

설계 등 용역사업자 사업수행능력 평가에 대한 일반사항 및 세부평가방법

Ⅰ. 일반사항

1. 참여기술인의 경력 및 실적, 용역수행실적·신용도·기술개발 및 투자실적·업무중복도·해외 설계수행실적·전차용역 수행실적·참여건설기술인 해외용역 참여실적 등은 "국토교통부 장관의 위탁업무수행기관 등 지정"(국토부 고시)에 따른 위탁업무수행기관, 해당 전문기관 또는 해당 용역 발주청의 확인을 받아야 한다. 다만, 이 기준에서 별도로 세부사항을 정하는 경우에는 그 규정을 따른다.
2. 발주청은 이 기준을 적용함에 있어 기간의 계산은 입찰공고일을 기준으로 하며, 평가점수계산은 소수점 2째자리로 하고 소수점 3째자리에서 반올림한다.
3. 평가기준에 따른 평가결과는 평가항목별 점수에 가점과 감점을 합한 점수로 하되, 평가점수가 100점을 초과하는 경우에는 100점으로 하고, 100점 이하일 경우에는 원 점수를 그대로 사용한다.
4. 평가자료 제출시에 본 평가기준을 적용하여 과업에 참여하고자 하는 자는 스스로 사업수행능력을 평가한 자기평가서를 포함하여 제출할 수 있다.
5. 입찰 참여사는 사업수행능력평가에 필요한 증빙서류에 대한 확인각서(첨부 7)를 제출할 수 있으며, 이 경우 원본대조필 및 간인처리를 생략할 수 있다.

Ⅱ. 항목별 세부평가방법

1. 평가방법은 절대평가를 원칙으로 하며, 점수가 합리적 통계 등에 의하여 산정하기 곤란하거나 평가의 변별력이 필요한 경우에는 상대평가에 의한다.
2. 참여기술인에 대한 상대평가시 등급별 배분은 수(10%), 우(20%), 미(40%), 양(20%), 가(10%)로 하고, 점수는 수(100%), 우(90%), 미(80%), 양(70%), 가(60%)로 배분을 원칙으로 하되(첨부6 예시 참조), 필요한 경우 발주청에서 평가등급 및 등급별 배분, 점수 기준을 조정할 수 있다. 평가 결과 동점자 발생시 상위 등급을 부여할 수 있다.
3. 평가대상 사업에 대한 사업책임기술인, 분야별 책임기술인 및 분야별 참여기술인은 반드시 당해 용역수행에 참여하여야 하며, 당해 용역에 참여하지 아니하는 경우로서 그 건설기술인에 대한 평가가 업체선정의 중요한 요소인 경우에는 계약해제 또는 해지의 사유가 될 수 있으며, 발주청별로 차기용역 평가시 이를 감점할 수 있다.
4. 공동이행방식으로 용역을 수행할 경우에는 공동수급체 구성원별로 유사용역 수행실적·신용도·기술개발 및 투자실적·해외설계 수행실적·전차용역 수행실적에 용역참여 지분율을 곱하여 산정한 후 이를 합산하여 평가한다. 단 공동이행방식으로 수행시 사업수행능력평가 대상자에 해당되는 공동도급자의 참여기술인(사업책임기술인, 분야별 책임기술인, 분야별 참여기술인)은 지분율대로 참여하여야 하며, 지분율에 의해 산정시 소수점 이하는 반올림하여 조정할 수 있다.
5. 관계 법령에 따라 적법하게 하도급계약을 체결한 용역사업자의 경우에는 하도급을 받은 만큼 그 실적을 인정한다. 이 경우, 실적 건수의 산정은 해당 용역사업의 총용역비에 대한 하도급 계약금액 비율만큼 인정하도록 한다.
6. 용역수행실적(건설기술진흥법 제30조제2항에 따라 관리하는 실적을 말함) 및 신용도(영업정지·과징금·벌점에 한함)는 건설엔지니어링 실적관리 수탁기관이 발급한 시행규칙 제27조 별지 제31호서식의 "건설엔지니어링 실적 확인서"를 제출받아 평가한다. 다만, 건설엔지니어링 실적 확인서에 의한 평가는 2014년 5월 23일 이후 계약된 용역부터 적용하며 그 이전의 용역에 대하여도 건설엔지니어링관리시스템에 등재되었을 경우에는 적용할 수 있다.
7. 해외설계용역수행실적은 용역계약서류 또는 해당국 발주청의 확인서 등 사실여부를 판단할 수 있는 증빙서류를 해외건설협회가 확인한 후 발급한 실적(첨부 4)에 한하여 다음 각 호와 같이 평가한다.
   가. 해외설계용역실적의 인정범위는 건설공사에 대한 설계용역, 건설사업관리 용역이 포함된 설계용역에 대하여 당해 설계용역과 같거나 유사한 설계 등 용역에 해당하는 실적에 대하여 인정한다. 단, 해외 현지법인 또는 지사의 명의로 직접 계약하여 수행한 실적은 출자지분율을 곱하여 산정한 후 이를 합산한다.
   나. 해외설계용역비는 해당 국가의 발주기관과 준공금액을 준공일 기준으로 한국 화폐단위로 환산하여 산정한 금액으로 한다.
8. 참여건설기술인의 해외용역 참여실적은 용역계약서류 또는 해당국 발주청의 확인서 등 사실여부를 판단할 수 있는 증빙서류를 한국건설기술인협회가 확인한 후 발급한 실적(첨부 5)에 한하여 평가한다. 이 경우 해외설계용역 참여실적(해외 현지법인 또는 지사의 명의로 직접 계약하여 수행한 용역에 참여한 실적 포함)의 인정범위는 건설공사의 설계용역에 대하여 당해 설계용역과 같거나 유사한 설계 등 용역에 참여한 실적에 대하여 인정한다.
9. 건설사업관리 용역 실적을 설계 실적으로 인정하는 경우, 동일한 사업

에서 3년 이상 상주하여 근무한 건설사업관리 용역 실적은 설계 실적 2건으로 인정할 수 있으며, 비상주 또는 기술지원 기술인으로 근무한 건설사업관리 실적의 경우 설계 실적 0.1건 또는 0.2건으로 인정할 수 있다. (발주청에서 입찰공고시 인정 기준 제시)

10. 발주청은 집행계획공고 또는 입찰공고시 업무중복도 평가 대상인 주공종 분야(3~5분야)를 제시하여야 한다.
11. 업무중복도 평가에서 실무기술인은 용역에 참여하는 기술인 중 등급, 실적, 경력을 평가받지 않는 기술인을 의미하며, 입찰시 용역에 참여하는 모든 기술인을 제출하여야 한다.
12. 분야별 참여기술인, 실무기술인의 업무중복도는 2019년 4월 1일 이후 계약을 체결한 용역에 대해서만 산정한다.
13. 참여기술인(실무기술인을 포함)의 업무중복도는 입찰공고일 기준으로 건설엔지니어링관리시스템(CEMS)에 등재되어 있는 자료로만 평가한다.
14. 설계 등 용역사업자는 업무중복도 평가대상 실무기술인이 사업수행능력(PQ) 평가 이후 계약시까지 사망·질병·퇴직 등의 부득이한 사유로 당해 용역에의 참여가 불가한 경우에는 평가점수가 유지될 수 있는 실무기술인으로 교체할 수 있다. 이 경우, 교체로 인하여 당초 업무중복도 평가점수를 변동하지 아니한다.

첨부 1. 책임기술인 능력평가서 양식

용역

책임기술인 능력평가서

20 . .

업 체 명

210mm×297mm(일반용지 60g/㎡(재활용품))

1. 기술능력 평가서

1.1 당해 용역의 내용 및 이해도(1페이지 이내로 작성)

* 용역의 특성, 내용 및 범위, 용역 수행상 주안점 제시

1.2 당해 용역 관련 유사사업 제시(5건을 3페이지 이내로 작성)

구분	사업명	수행기간	시행청
1			
2			
3			
4			
5			

* 최근(공고일) 기준 10년내에 시행한 용역사업 중 유사사업을 제시하고, 사업별 세부내용은 사업명별로 아래에 기술할 것

1) 사업명 :

* 앞에서 제시된 용역수행상 주안점을 기준으로 사업별로 관련 경험을 제시

2) 사업명 :

1.3 용역 성공을 위한 요건 및 추가제안사항(1페이지 이내로 작성)

* 앞에서 제시된 용역 수행상 주안점 및 관련 유사경험을 토대로 당해 용역 성공을 위한 제안사항을 기술(착안사항 포함)

* 주요 제안사항
  - 관련 계획, 법령 등의 검토 및 설계적용사항(연계방안 등)
  - 설계방법(노선 등)에 따른 제안 및 고려사항
  - 현장조사시 주요 고려사항
  - 예상 문제점 및 처리대책(예상 민원 등 포함)
  - 사업효과 극대화 방안 등

2. 업무관리능력 평가서

2.1 당해 용역 관련 업무 수행범위(1페이지 이내로 작성)

* 당해 용역과 관련한 주요 업무, 작업수행내용을 기술
  - 조사항목 및 내용
  - 당해 용역 관련 각 분야(도로 등)별 주요 업무
  - 주요 업무별 특이사항(작업기간, 작업내용 등)

2.2 작업계획서(1페이지 이내로 작성)

* 2.1과 연계하여 용역의 일정계획 제시(각 업무별 선행 및 후행관계 등 명시)

2.3 품질보증체계 및 품질관리계획(2페이지 이내로 작성)

* 해당 사업수행조직내의 품질보증체계 및 품질관리계획을 명시(책임기술인이 고용된 회사의 품질보증체계와 연계하여 기술)

2.4 전문가 활용계획 등 추가 업무관리사항(1페이지 이내로 작성)

* 당해 용역 수행관련 필요한 전문가 기술 및 활용계획 제시
* 당해 용역 수행상 업무관리상 주안점(조직 및 업무간 연계 고려)

첨부 2. 신용평가등급의 기준

회사채에 대한 신용평가등급	기업어음에대한 신용평가등급	기업신용평가 등급
AAA	-	AAA (회사채에 대한 신용평가등급 AAA에 준하는 등급)
AA+, AA0, AA-	A1	AA+, AA0, AA- (회사채에 대한 신용평가등급 AA+, AA0, AA-에 준하는 등급)
A+	A2+	A+ (회사채에 대한 신용평가등급 A+에 준하는 등급)
A0	A20	A0 (회사채에 대한 신용평가등급 A0에 준하는 등급)
A-	A2-	A- (회사채에 대한 신용평가등급 A-에 준하는 등급)
BBB+	A3+	BBB+ (회사채에 대한 신용평가등급 BBB+에 준하는 등급)
BBB0	A30	BBB0 (회사채에 대한 신용평가등급 BBB0에 준하는 등급)
BBB-	A3-	BBB- (회사채에 대한 신용평가등급 BBB-에 준하는 등급)
BB+, BB0	B+	BB+, BB0 (회사채에 대한 신용평가등급 BB+, BB0에 준하는 등급)
BB-	B0	BB- (회사채에 대한 신용평가등급 BB-에 준하는 등급)
B+, B0, B-	B-	B+, B0, B- (회사채에 대한 신용평가등급 B+, B0, B-에 준하는 등급)
CCC+ 이하	C 이하	CCC+ 이하 (회사채에 대한 신용평가등급 CCC+에 준하는 등급)

첨부 3. 연구수행(참여) 실적증명서 양식

제2000 - ○○호

연구수행(참여)실적 증명서(안)

신 청 인	업체명 (상호)			대표자		
	영업소재지				전화	
	사업자번호				팩스	
	증명서용도			제출처		
연구수행 실적내용	사 업 명				과제유형	
	연구과제명				총연구기간	
	연 구 내 용 (요약)					
	기업부담금 내역	구 분	참여형태	연구수행(참여)기간	기업부담금(현금)	비고
		1차년도				
		2차년도				
		3차년도				
		4차년도				
		5차년도				
		합 계				

상기와 같이 연구개발과제를 수행(참여)하였음을 증명합니다.

년 월 일

국토교통과학기술진흥원장 (인)

첨부 4. 해외설계 수행실적증명서 양식

해외설계 수행실적확인서

Ⅰ. 일반적인 사항						발급번호	
1) 용 역 명	(국문) (영문)					2) 발주기관 (발 주 국)	
3) 발주기관 성격	정부( ), 공공기관( ), 민간( )		4) 계약주체	본사( ), 지사( ), 현지법인(, 지분율 %)			
5) 신 청 자 (대 표)	5-1)회 사 명		5-2)면허번호			5-3)대 표 자	
	5-4)영업소재지					5-5)전화번호	
6) 계약 및 준공	6-1) 계약일자		6-2) 착공일자			6-3) 준공일자	
	6-4) 계약금액			6-5) 준공금액			
7) 원·하도급 여부	원도급( ), 하도급( ) ※ 해당란에 ○ 표						
8) 공동도급여부	공동이행방식( ), 분담이행방식( ), 단독도급( ) ※ 해당란에 ○ 표						
9) 실적의 종류	개념설계( ), 기본설계( ), 실시설계( ), 감리( ), 건설관리( ), 타당성조사( ), 기타( )						

Ⅱ. 용역실적의 내용	* 공동수급체 구성원별로 구분 작성		
구 분	계약자 (대표)	계 약 자	계 약 자
1) 회 사 명			
2) 대 표	(인)	(인)	(인)
3) 준공금액	(지분 : %)	(지분 : %)	(지분: %)
4) 전체용역규모 (본란에는 주요 물량을 기재하고, 필요시 세부물량은 별지 제6호 서식을 활용)			
Ⅲ. 붙 임			
1) 기타 실적내용을 증명할 수 있는 서류			

위와 같이 용역 준공실적이 있음을 증명하여 주시기 바랍니다.

20 . . .

해외건설협회장 귀하

주 소 :
회사명 :
대 표 : (인)

확 인 자		
용 도	PQ, 입찰, 적격심사, 기타	위 내용을 증명함. 해 외 건 설 협 회 장(인)
용 역 명		
발 주 처		

첨부 5. 해외설계용역 참여기술인 확인서 양식

해외설계용역 참여기술인확인서

Ⅰ. 일반적인 사항						발급번호	
1) 신 청 인	1-1) 회 사 명					1-2) 대 표 자	
	1-3) 영업소재지					1-4) 면허번호	
Ⅱ. 해외설계용역							
1) 공 사 명	(국문) (영문)					2) 발주기관 (발 주 국)	
3) 계약 및 준공	3-1) 계약일자		3-2) 착공일자			3-3) 준공일자	
	3-4) 계약금액			3-5) 준공금액			
4) 공동도급여부	공동이행방식( ), 분담이행방식( ), 단독도급( ) ※ 해당란에 ○ 표						

Ⅲ. 참여기술인 현황	* 참여기술인별로 구분 작성				
구 분	성명	생년월일	자격종목	자격등록번호	참여기간
1) 사업책임기술인	○○○	○○.○○.○○	○○○○○기술사	○○○○○○○○	개월
2) ○○분야 책임기술인	○○○				개월
3) ○○분야 책임기술인	○○○				개월
4) ○○분야 책임기술인	○○○				개월
5) ○○분야 책임기술인	○○○				개월
Ⅳ. 붙 임					
1) 기타 실적내용을 증명할 수 있는 서류					

위와 같이 해외설계용역 참여기술인이 있음을 확인하여 주시기 바랍니다.

20 . . .

한국건설기술인협회장 귀하

주 소 :
회사명 :
대 표 : (인)

확 인 자		
용 도	PQ, 입찰, 적격심사, 기타	위 내용을 증명함. 한 국 건 설 기 술 인 협 회 장(인)
발 주 처		
공 사 명		

첨부 6. 설계등 용역 상대평가 등급배분 예시

상대평가 등급배분 및 평가방법

1. 신청자수별 평가등급 배분

업체수	등급					업체수	등급				
	수	우	미	양	가		수	우	미	양	가
2,3	1	1	(1)			22	2	5	9	4	2
4	1	2	1			23	2	5	9	5	2
5	1	2	1	1		24	2	5	10	5	2
6	1	2	1	1	1	25	3	5	10	5	2
7	1	2	2	1	1	26	3	5	10	5	3
8	1	2	3	1	1	27	3	5	11	5	3
9	1	2	3	2	1	28	3	6	11	5	3
10	1	2	4	2	1	29	3	6	11	6	3
11	1	2	5	2	1	30	3	6	12	6	3
12	1	3	5	2	1	31	3	6	13	6	3
13	1	3	5	3	1	32	3	7	13	6	3
14	1	3	6	3	1	33	3	7	13	7	3
15	2	3	6	3	1	34	3	7	14	7	3
16	2	3	6	3	2	35	4	7	14	7	3
17	2	3	7	3	2	36	4	7	14	7	4
18	2	4	7	3	2	37	4	7	15	7	4
19	2	4	7	4	2	38	4	8	15	7	4
20	2	4	8	4	2	39	4	8	15	8	4
21	2	4	9	4	2	40	4	8	16	8	4

첨부 7. 원본대조필 확인각서 양식 〈신 설〉

사업수행능력평가 원본대조필 확인각서

○ 용역명 :

위 용역의 입찰참가자격 사전심사에 참여함에 있어 사업수행능력평가서에 첨부된 모든 증빙자료(사본) 및 부본에 대하여 원본과 같음을 확인하며, 만약 당사와 관련된 모든 증빙자료(사본) 및 부본에 대하여 사실과 상이함이 발견될 경우 「건설기술진흥법」 제31조제1항 및 「국가를 당사자로 하는 계약에 관한 법」 제27조제1항에 따라 발주자로부터 어떠한 불이익도 감수함을 확약합니다.

20 . . .

주　　소 :
상　　호 :
대 표 자 :　　　　(인)
전화번호 :

주　　소 :
상　　호 :
대 표 자 :　　　　(인)
전화번호 :

○○○장 귀하

[별표 2]

건설사업관리용역사업자 사업수행능력 세부평가항목 및 배점

1. 분야별 평가기준

평가항목	세부평가항목	배 점	세 부 평 가 방 법
가. 참여기술인		60	
	(1) 책임건설사업관리기술인	[25] (21-23)	○ 시공단계의 건설사업관리를 포함하는 경우 「건설기술진흥법 시행규칙」 제35조제1항 각 호에 의한 책임건설사업관리기술인의 경력 및 배치기준에 부적합할 경우 실격처리함
	(가) 해당분야 경력	15 (11-13)	○ 경력기간에 따라 평가 ※ ( )의 배점은 면접을 평가하는 경우 적용한다
	(나) 직무분야 실적	9	○ 용역의 참여기간 등을 고려하여 평가 ※ 발주청은 용역특성 및 난이도 등을 감안하여 책임건설사업관리기술인의 현장경험 유무에 따라 차등 평가 할 수 있다.
	(다) 교육훈련	1	○ 책임건설사업관리기술인이 최근 3년간 「건설기술진흥법」 제20조제2항에 따른 건설기술인 교육훈련을 받거나 「국가기술자격법」에 의한 해당 분야의 기술자격 또는 「건축사법」에 의한 건축사 자격을 갖춘 경우 다음 기준에 따라 적용(기술자격은 최상위 1종목만 인정) - 교육훈련 : 2주이상(0.5점), 1주이상 2주미만(0.3점) - 기술자격 : 기술사·건축사(0.5점), 기사(0.3점), 산업기사(0.1점)
	(2) 분야별 건설사업관리기술인	[25] (23-24)	
	(가) 해당분야 경력	15 (13-14)	○ 경력기간에 따라 평가 ※ ( )의 배점은 면접을 평가하는 경우 적용한다.
	(나) 직무분야 실적	9	○ 용역의 참여기간 등을 고려하여 평가 ※ 발주청은 용역특성 및 난이도 등을 감안하여 분야별 건설사업관리기술인의 현장경험 유무에 따라 차등 평가 할 수 있다.
	(다) 교육훈련	1	○ 분야별 건설사업관리기술인이 최근 3년간 「건설기술진흥법」 제20조제2항에 따른 건설기술인 교육훈련을 받은 경우 다음 기준에 따라 적용 - 2주이상 교육을 이수한 경우 : 1점 - 1주이상 2주미만 교육을 이수한 경우 : 0.5점 ※ 설계단계의 건설사업관리를 포함하는 경우 설계단계에 참여하는 분야별 건설사업관리기술인의 교육훈련 평가방법은 책임건설사업관리기술인의 평가방법을 준용한다.
	(3) 기술지원 기술인	[10]	○ 시공단계의 건설사업관리를 포함하지 않는 경우 기술지원기술인 평가배점을 참여기술인의 다른 평가항목에 항목별 배점의 ±20% 범위에서 배분한다.
	(가) 등급	3	○ 기술인의 등급에 따라 평가
	(나) 해당분야경력	6	○ 경력기간에 따라 평가
	(다) 교육훈련	1	○ 기술지원기술인이 최근 3년간 「건설기술진흥법」 제20조제2항에 따른 건설기술인 교육훈련을 받거나 「국가기술자격법」에 의한 해당 분야의 기술자격 또는 「건축사법」에 의한 건축사 자격을 갖춘 경우 다음 기준에 따라 적용 (기술자격은 최상위 1종목만 인정) - 교육훈련 : 2주이상(0.5점), 1주이상 2주미만(0.3점) - 기술자격 : 기술사·건축사(0.5점), 기사(0.3점), 산업기사(0.1점) ※ 기술자격자 평가는 기술지원기술인 중 1인에 한하여 적용

<table>
<tr><th>평가항목</th><th>세부평가항목</th><th>배 점</th><th>세 부 평 가 방 법</th></tr>
<tr><td>가. 참여기술인</td><td>(4) 면접(발표)</td><td>(3~6)</td><td>○ 면접은 참여기술인의 업무수행능력을 평가하기 위하여 실시하며, 책임건설사업관리기술인 및 분야별 건설사업관리기술인 1인(주된 공종분야로서 참여기간이 가장 많은 자로하며, 사업단계에 따라 해당 분야의 참여기술인이 다를 경우 단계별 각 1인) 이상을 대상으로 한다.
- 용역비 규모에 따라 배점을 아래와 같이 차등적용하며, 참여업체의 등급을 판정한 후, 배점한도에 상대평가(첨부1) 가중치를 곱하여 평가점수 산정
<table><tr><td rowspan="2">구문</td><td colspan="3">용 역 비</td></tr><tr><td>20억원 미만</td><td>20억원 이상 30억원 미만</td><td>30억원 이상</td></tr><tr><td>책임건설사업 관리기술인</td><td>2점</td><td>3점</td><td>4점</td></tr><tr><td>분야별건설사업 관리기술인</td><td>1점</td><td>1.5점</td><td>2점</td></tr></table>
※ 면접평가는 「건설기술진흥법 시행규칙」 제28조제2항에 따른 기술인평가(SOQ) 또는 기술제안서평가(TP) 대상 이외의 용역에 대하여 적용한다.</td></tr>
<tr><td rowspan="3">나. 유사용역수행실적</td><td>(1) 유사용역 수행실적</td><td>10
[8]</td><td>○ 입찰공고일을 기준으로 최근 3년간 해당 건설사업관리용역의 건설공사와 같거나 유사한 공종의 건설공사에 대한 용역사업을 준공하였거나, 수행 중인 실적(전체 용역기간 중 최근 3년간 실제 용역을 수행한 개월 수에 따라 산정)을 인정

○ 산정방법 : 설계 및 시공 단계를 포함한 건설사업관리용역실적 × 1.0 + 설계단계의 건설사업관리용역실적(설계용역실적 70% 인정) × 0.7 또는 1.0 + 시공단계의 건설사업관리용역실적(건축법·주택법 감리실적 70% 인정) × 0.7 또는 1.0</td></tr>
<tr><td></td><td></td><td>※ 설계 또는 시공단계의 건설사업관리용역실적은 해당 단계를 포함하지 않는 건설사업관리를 시행하는 경우에는 인정하지 않으며, 각각 해당 단계에 국한하여 건설사업관리를 시행하는 경우에만 100% 인정하되, 설계 및 시공 단계를 같이 포함하는 건설사업관리를 시행하는 경우에는 70%를 인정한다.

※ 건축법·주택법에 따른 감리실적은 시공단계의 건설사업관리용역실적에 포함하고, 설계용역(타당성조사, 기본계획, 기본설계, 실시설계) 실적은 설계단계의 건설사업관리용역실적에 포함하여 산정하되 70%만 인정하며, 「건설기술진흥법 시행령」 제45조제1항제3호에 따른 건설사업관리용역 실적은 70%만 인정한다.</td></tr>
<tr><td>(2) 용역수행성과</td><td>[2]</td><td>○ 업체가 해당 발주청에서 수행한 용역평가 결과(용역수행평가일로부터 최근 5년간 평균점수)에 따라 평가하며, 해당 발주청의 상위기관에서 수행한 용역평가 결과를 활용할 수 있음
<table><tr><td>용역평가결과</td><td>95점 이상</td><td>95점 미만 92점 이상</td><td>92점 미만 89점 이상</td><td>89점 이상 86점 미만</td><td>86점 미만</td></tr><tr><td>점수</td><td>2점</td><td>1.8점</td><td>1.6점</td><td>1.4점</td><td>1.2점</td></tr></table>
* 용역평가는 「건설기술진흥법」 제50조에 따른 평가를 원칙으로 하되, 용역 특성을 반영하여 발주청에서 별도로 정한 평가의 결과를 활용할 수 있음

- 해당 발주청에서 발주한 용역 성과가 없는 업체에 대해서는 용역수행평가시 "1.8" 또는 "1.6"의 점수를 부여할 수 있으며, 발주청에서 집행계획공고 또는 입찰공고시 기준 제시하여야 한다.</td></tr>
</table>

<table>
<tr><th>평가
항목</th><th>세부평가항목</th><th>배 점</th><th>세 부 평 가 방 법</th></tr>
<tr><td rowspan="3">다.
신
용
도</td><td>(1) 영업(업무) 정지</td><td>15
[7]</td><td>○ 건설사업관리용역사업자(대표자 포함)가 건설사업관리(건축법·주택법상 감리포함) 업무와 관련하여 최근 1년간 영업정지(과징금 부과처분 포함)를 받은 기간을 합산하여 합산기간 1개월마다 0.2점씩 감점(1개월 미만인 경우 1개월로 계산)

○ 참여기술인이 건설사업관리(건축법·주택법상 감리포함) 업무와 관련하여 최근 1년간 관계법령에 따라 기술자격정지 또는 업무정지를 받은 기간을 합산하여 합산기간 1개월마다 0.2점씩 감점(1개월 미만인 경우 1개월로 계산)</td></tr>
<tr><td>(2) 벌점</td><td>[5]</td><td>○ 건설사업관리용역사업자가 「건설기술진흥법 시행령」 제87조에 따른 벌점을 받은 경우 같은 법 시행령 별표8에서 정하는 기준에 따라 감점

○ 참여기술인이 「건설기술진흥법 시행령」 제87조에 따른 벌점을 받은 경우 같은 법 시행령 별표8에서 정하는 기준에 따라 감점</td></tr>
<tr><td>(3) 재정상태 건실도</td><td>[3]</td><td>○ 재정상태 건실도는 신용평가등급을 기준으로 평가하며, 참여업체가 “신용평가등급확인서”를 제출하지 않은 경우 0점 처리

〈신용평가등급 기준〉
<table>
<tr><td>회사채</td><td>BBB-이상</td><td>BBB-미만
B-이상</td><td>CCC+
이하</td><td>미제출</td></tr>
<tr><td>기업어음</td><td>A3-이상</td><td>A3-미만
B-이상</td><td>C이하</td><td>미제출</td></tr>
<tr><td>기업신용</td><td>BBB-이상</td><td>BBB-미만
B-이상</td><td>CCC+이하</td><td>미제출</td></tr>
<tr><td>점수</td><td>3.0</td><td>2.8</td><td>2.1</td><td>0</td></tr>
</table>
※ 소규모 용역에 대하여는 발주청별로 용역특성에 따라 신용평가등급의 만점기준을 하향 조정할 수 있음</td></tr>
</table>

<table>
<tr><th>평가
항목</th><th>세부평가항목</th><th>배 점</th><th>세 부 평 가 방 법</th></tr>
<tr><td>라.
기
술
개
발
및
투
자
실
적</td><td>(1) 개발 · 활용 실적</td><td>10
[3]</td><td>1) 「건설기술진흥법」 제14조에 따라 지정된 건설신기술은 건설사업관리용역사업자가 보유하였거나 실제 활용한 실적(건수, 금액)에 따라 평가하고, 건설기술에 관한 특허는 실제 활용한 실적(건수, 금액) 및 출원일로부터의 경과기간에 따라 평가

2) 건설신기술은 건설사업관리용역사업자가 건설공사의 설계용역을 수행하면서 보호기간 내에 설계에 적용하여 보호기간 만료일 이후 3년 이내에 공사에 실제 활용된 실적과 건설사업관리(건축법·주택법상 감리포함) 용역을 수행하면서 설계에 적용되어 있거나, 직접 제안 또는 설계변경으로 보호기간 내에 적용한 건설신기술을 보호기간 만료일 이후 3년 이내에 공사에 실제 활용한 실적에 대하여 인정

3) 건설기술에 관한 특허는 건설사업관리용역사업자가 건설공사의 설계용역을 수행하면서 존속기간 내에 설계에 적용하여 공사에 실제 활용된 실적과 건설사업관리(건축법·주택법상 감리포함) 용역을 수행하면서 설계에 적용되어 있거나, 직접 제안 또는 설계변경으로 존속기간 내에 적용한 특허를 공사에 실제 활용한 실적에 대하여 인정하며, 최대 1점까지만 인정

4) 평가점수는 아래의 방법에 따라 산정한다.
○ 개발실적
- 건설신기술 : 기준점수 × 1/n (n=기술개발자수)
○ 활용실적
- 건설신기술 : 기준점수 × 사용실적에 따른 가중치
- 건설기술에 관한 특허 : 기준점수 × 사용실적에 따른 가중치 × 경과기간에 따른 가중치</td></tr>
</table>

평가항목	세부평가항목	배 점	세 부 평 가 방 법
라. 기술개발및투자실적	(1) 개발 · 활용 실적	10 [3]	○ 기준점수

구 분		기준점수
개발실적	건설신기술	2.0점/건당
활용실적	건설신기술	0.5점/건당
	건설기술에 관한 특허	0.3점/건당

○ 사용실적(건수, 금액)에 따른 가중치(건설신기술 및 특허에 적용)

구 분	가 중 치				
	1.0	0.9	0.8	0.7	0.6
실적건수(건)	5이상	5미만 4이상	4미만 3이상	3미만 2이상	2미만 1이상
실적금액(억원)	20이상	20미만 18이상	18미만 16이상	16미만 14이상	14미만 12이상

※ 공동이행방식으로 수행한 용역의 사용실적은 참여지분율을 곱하여 산정하며, 실적건수와 금액 중에서 한 가지 이상을 충족시켜야 함

○ 경과기간에 따른 가중치(특허에만 적용)

구 분	5년미만	5년이상 10년미만	10년이상 20년미만
인정률	100%	80%	60%

5) 동일한 내용으로 건설신기술, 특허를 각각 받은 경우의 활용실적은 점수가 높은 1건만 인정하며, 여러 건설신기술, 특허를 사용한 경우에는 건설신기술 또는 특허별로 4)에 따라 산정한 점수를 합산한다.

평가항목	세부평가항목	배 점	세 부 평 가 방 법
라. 기술개발및투자실적	(2) 투자실적	[7]	○ 최근 3년간 기술개발투자실적의 건설부문 총매출액에 대한 비율(건설기술개발투자액/건설부문 총매출액)에 따라 계산 - 다만, 회사 설립년수 부족으로 3년간 자료를 제출치 못하는 경우에는 제출된 년수를 기준으로 건설부문 총매출액 합계에 대한 비율로 평가

구분	1.5% 이상	1.50%미만 1.25%이상	1.25%미만 1.00%이상	1.00%미만 0.75%이상	0.75%미만 0.50%이상	0.5% 미만
점수	7	6.8	6.6	6.4	6.2	6.0

※ 건설기술연구개발사업 참여실적에 적용된 실적금액을 투자실적에 포함

평가항목	세부평가항목	배 점	세 부 평 가 방 법
마. 교체빈도		5	○ 시공단계의 건설사업관리를 포함하지 않는 경우 교체빈도 평가배점을 다른 평가항목에 항목별 배점의 ±20% 범위에서 배분한다.
	(1) 건설사업관리 용역사업자	[3]	○ 건설사업관리용역사업자 소속 전체 건설기술인 중 최근 1년간 건설사업관리(건축법·주택법상 감리포함) 용역의 시공단계에 배치된 기술인수에 대한 교체건수 합계의 비율(교체빈도율) ※ 기술지원기술인의 경우 교체 5건마다 1건으로 계산

교체빈도율(%)	5%미만	5%이상 10%미만	10%이상 15%미만	15%이상 20%미만	20%이상
점 수	3	2.5	2	1	0

평가항목	세부평가항목	배 점	세 부 평 가 방 법
	(2) 참여기술인	[2]	○ 상주기술인으로 최근 1년간 건설사업관리(건축법·주택법상 감리포함) 용역의 시공단계에 배치된 참여기술인의 교체 1회당 0.25점씩 감점 (기술지원기술인의 경우 1회당 0.1점씩 감점)

2. 가점 및 감점 평가기준

- 가점과 감점을 상계한 점수는 5점을 초과할 수 없음

<table>
<tr><th>평가
항목</th><th>세부평가항목</th><th>세부평가방법</th></tr>
<tr><td rowspan="2">가점</td><td>공사비절감 기여 기술인</td><td>○ 참여기술인이 최근 3년내(입찰 공고일 기준) 발주청이 시행하는 건설공사에 대해 제안하여 발주청으로부터 공사비 절감을 인정받은 경우 다음 기준에 따라 가점 부여
- 상주기술인 : 0.1점 × 가중치
- 기술지원기술인 : 0.1점 × 가중치

〈절감실적에 따른 가중치〉
<table><tr><td>가중치</td><td>1.0</td><td>0.8</td><td>0.5</td></tr><tr><td>절감금액</td><td>10억원 이상</td><td>10억원 미만
5억원 이상</td><td>5억원 미만
1억원 이상</td></tr><tr><td>절감비율</td><td>1.0% 이상</td><td>1.0% 미만
0.5% 이상</td><td>0.5% 미만
0.1% 이상</td></tr></table>
* 1인이 2건 이상 공사비 절감실적이 있을 경우 절감금액은 합산하고, 절감비율은 총공사비를 합한 금액에 대한 절감금액 합계의 비율에 따라 적용
* 해당 건설사업관리용역과 주된 공종이 같거나 유사한 경우 적용
* 상주기술인 및 기술지원기술인 각각 1인에 한하여 적용
* 절감금액 = 공사비절감금액 × 절감기여율
* 절감비율 = (공사비절감금액 × 절감기여율) / 총공사비
* 위의 절감금액 또는 절감비율 중 어느 하나에 해당되는 경우 인정</td></tr>
<tr><td>건설기술인 신규 고용</td><td>○ 건설기술인 신규고용율에 따라 가점 부여
· 1% 이상 : 0.1점
· 2% 이상 : 0.2점
· 3% 이상 : 0.3점

- 건설기술인 신규 고용율 = 최근 1년간 건설기술인 신규 고용인원(입찰 공고일 전월 기준) / 직전년도 동기간 평균 고용인원
- 신규 건설기술인은 입찰공고일 현재 해당업체 재직 중인 자로 건설기술인 경력관리 수탁기관의 경력증명서에 최초로 입사 등록된 자(이전 건설분야 근무경력이 없는 자)에 한함
- 직전년도 동기간 평균 고용인원은 건설기술인 경력관리 수탁기관에 신고한 자료서 해당업체의 기술인 재직인원(월말 기준)을 월단위로 평균하여 산정
○ 건설기술인 경력관리 수탁기관에서 확인한 후 발급한 자료로 평가
○ 공동이행방식으로 용역을 수행하는 경우에는 공동수급체의 구성원별 평가점수에 용역참여지분율을 곱하여 산정한 후 이를 합산</td></tr>
<tr><td>감점</td><td>부패행위 관련자</td><td>○ 입찰 공고일을 기준으로 최근 2년 내 해당 발주청에서 부패행위로 형사처벌 또는 건설기술진흥법령에 의한 행정처분을 받은 건설사업관리기술인과 부패행위 당시 그 건설사업관리기술인이 소속된 건설사업관리용역사업자는 감점(건설사업관리기술인 및 건설사업관리용역사업자의 감점처분 대상일은 건설사업관리기술인의 형사처벌일 또는 행정처분일이며, 동일 건으로 형사처벌과 행정처분을 받았을 경우 선행된 처벌(분)일을 적용함)

○ 감점적용 점수
- 부패행위로 인한 피해금액이 계약금액(총공사 부기금액)의 3%를 초과하거나 10억원 초과 : 5점 감점
- 부패행위로 인한 피해금액이 계약금액(총공사 부기금액)의 1%를 초과하거나 3% 이하 또는 3억원을 초과하거나 10억원 이하 : 3점 감점
- 부패행위로 인한 피해금액이 계약금액(총공사 부기금액)의 1% 이하이거나 3억원 이하 : 1점 감점

〈부패행위〉
건설사업관리기술인이 건설사업관리 업무를 수행함에 있어 그 지위 또는 권한을 남용하거나 법령을 위반하여, 자기 또는 제3자의 이익을 도모하는 행위를 하거나 발주청에 재산상 손해를 가하는 행위
※ 국토교통부 소속기관 발주청(지방항공청, 지방국토관리청, 국토관리사무소 등)은 부패행위 관련자를 통합관리하여 본 감점조항 공통적용</td></tr>
</table>

※ 비고 : 위 [별표2]의 "사업수행능력에 대한 평가방법 및 세부기준"은 [부표2]에 따른다.

[부표 2]

건설사업관리용역사업자 사업수행능력에 대한 평가방법 및 세부기준

Ⅰ. 일반사항

1. 참여기술인의 경력 및 실적은 건설기술인 경력관리 수탁기관의 확인을 받아야 하며, 유사용역수행실적, 신용도, 기술개발 및 투자실적, 교체빈도 등은 건설엔지니어링 실적관리 수탁기관 등 국토교통부장관이 지정·고시한 위탁업무 수행기관, 해당 현황 관리기관 또는 해당 용역 발주청의 확인을 받거나, 건설엔지니어링 실적관리 수탁기관이 운영하는 실적관리시스템을 통해 확인을 하여야 한다.
2. 발주청은 필요시 입찰참여 제한 PQ평가점수와 참여업체수를 조정할 수 있으며, 이 경우 입찰공고 시 이를 제시하여야 한다.
3. PQ평가에서 선정된 건설사업관리용역사업자와 관련하여 평가점수에 영향을 미치는 상이한 부분이 발견되어 해당 건설사업관리용역사업자를 입찰참가자 선정에서 제외하였을 경우에는 그 사유를 건설사업관리용역사업자에게 통보하여야 하며, 잔여 건설사업관리용역사업자만을 입찰에 참여할 자로 선정한다.
4. 발주청은 이 기준을 적용함에 있어 기간계산 및 평가기준일은 입찰공고일을 기준으로 하며, 평가점수계산은 소수점 2째자리까지로 하고 소수점 3째자리에서 반올림한다.
5. 평가기준에 따른 평가결과는 평가항목별 점수에 가점과 감점을 합한 점수로 하되, 평가점수가 100점을 초과하는 경우에는 100점으로 하고, 100점 이하일 경우에는 원 점수를 그대로 사용한다.
6. 발주청은 참여기술인, 유사용역수행실적, 기술개발실적 등 세부평가기준에 대하여 과도하게 경력 및 실적 등을 제한하는 기준을 작성하여서는 아니된다.
7. 발주청은 참여기술인이 다음의 사유 등으로 해당 용역에 참여하지 못하는 경우에 대하여는 계약취소(해지) 또는 기술인 교체 등 낙찰자 결정방법 등을 입찰공고 시 제시하여야 한다.
   가. 참여기술인을 2이상의 PQ에 응모하여 중복배치 허용기준을 벗어나는 것으로 계획하여 입찰에 참여한 경우
   나. PQ 참여기술인이 사망 등으로 해당 용역 착수시 참여하지 못하는 경우
   다. 그 밖에 발주청이 필요하다고 인정하는 사항
8. 발주청은 건설사업관리용역사업자로 하여금 건설사업관리용역 사업수행능력 평가에 참여하는 기술인의 참여 동의서를 제출하도록 하여야 하며, 과업에 참여하고자 하는 자는 본 평가기준을 적용하여 스스로 사업수행능력을 평가한 자기평가서를 포함하여 제출하여야 한다.
9. 발주청은 참여기술인의 업무중첩도를 확인하여 다음에 해당되는 경우 해당 건설사업관리용역사업자를 평가대상에서 실격 처리하여야 한다.
   가. 책임건설사업관리기술인 및 시공단계에 배치되는 분야별 건설사업관리기술인이 다른 건설사업관리용역(「주택법」 및 「건축법」에 따른 감리용역을 포함한다. 이하 나목 및 다목에서 같다) 및 설계용역에 중복 참여하는 경우
   나. 기술지원기술인이 다른 건설사업관리용역에 상주기술인으로 중복 배치되어 있거나, 다른 건설사업관리용역의 참여기술인 및 설계용역의 사업책임기술인 또는 분야별 책임기술인으로 총 10개 이상 중복 참여하는 경우
   다. 시공전 단계에 배치되는 분야별 건설사업관리기술인이 다른 건설사업관리용역에 상주기술인으로 중복 배치되어 있거나, 주된 공

종분야로서 참여기간이 가장 많은 1인이 다른 건설사업관리용역의 참여기술인 및 설계용역의 사업책임기술인 또는 분야별 책임기술인으로 중복 참여하는 경우(그 밖의 분야별 건설사업관리기술인은 총 3개 이상 중복 참여하는 경우 실격처리)

※ 다른 용역의 참여기간이 해당 용역의 배치기간과 중복되지 않는 경우 제외(다른 용역의 발주청장으로부터 해당 용역의 평가기준일 이전에 확정된 배치계획 등에 따라 확인받은 경우 또는 건설엔지니어링 실적관리 수탁기관에서 발급한 업무중복 현황확인서에 따라 확인받은 경우에만 인정하며, 발주청은 공사 및 건설사업관리용역 발주 여건을 고려하여 중복배치 제외기간을 정할 수 있다)

10. 「건설기술진흥법 시행규칙」 제35조제7항에 따라 3개월 이상 요양이 필요한 질병·부상으로 인하여 교체된 건설사업관리기술인은 철수일로부터 3개월 이내의 기간 동안 평가대상 용역에 참여할 수 없으며, 그 사실이 확인된 경우에는 평가대상에서 실격 처리하여야 한다.

11. 입찰 참여사는 사업수행능력평가에 필요한 증빙서류에 대한 확인각서(첨부 4)를 제출할 수 있으며, 이 경우 원본대조필 및 간인처리를 생략할 수 있다.

Ⅱ. 항목별 세부평가방법

1. 평가방법은 절대평가를 원칙으로 하며, 점수가 합리적 통계 등에 의하여 산정하기 곤란하거나 평가의 변별력이 필요한 경우에는 상대평가(첨부 1)에 의한다.
2. 참여기술인에 대한 상대평가시 등급별 배분은 수(10%), 우(20%), 미(40%), 양(20%), 가(10%)로 하고, 점수는 수(100%), 우(90%), 미(80%), 양(70%), 가(60%)로 배분을 원칙으로 하되(첨부1 예시 참조), 필요한 경우 발주청에서 평가등급 및 등급별 배분, 점수 기준을 조정할 수 있다. 평가 결과 동점자 발생시 상위 등급을 부여할 수 있다.
3. 참여기술인의 평가는 다음 각 목과 같이 적용한다.

가. 평가대상 참여기술인

1) 책임건설사업관리기술인 및 분야별 책임자급 건설사업관리기술인 전원을 평가하는 것을 원칙으로 하되, 발주청은 필요시 평가대상 기술인수를 조정할 수 있다.
2) 시공단계 참여기술인 중 안전관리담당자로 지정할 자는 「건설기술진흥법 시행령」 별표3 제2호나목4)에 따른 건설기술인 교육훈련을 받은 자가 반드시 평가에 참여하여야 하며, 교육훈련을 받은 실적이 없거나 정해진 기한이 경과되었음에도 교육훈련을 받지 않은 자가 참여하는 경우에는 실격 처리하여야 한다.
3) 기술지원기술인은 투입인원이 3인 이내일 경우 전원을 평가하고, 3인 초과 시 초과인원에 대하여는 발주청이 평가대상을 조정할 수 있다.
4) 평가대상에서 제외되는 건설사업관리기술인은 실제 배치 시 중복배치 허용기준에 위배되는 지 확인하여야 하며, 위배되는 경우 참여대상에서 제외하여야 한다.
5) 발주청은 해당공사에 적용되는 기술 또는 공법의 신규성, 친환경건설기법의 요구정도 및 공사수행의 난이도 등을 감안하여 참여 기술인 중 해당공사와 동등이상의 실적을 갖춘 자 또는 전문분야의 자격소지자를 참여시킬 필요가 있는 경우에는 참여기술인의 배점(60점) 범위 안에서 1점을 부여할 수 있다. 이 경우 발주청은 특정업체에 유리하게 평가되지 않도록 경력 및 자격자의 수요가 적정한지 여부를 확인하여야 한다.
6) 발주청은 필요시 참여업체 평가대상 기술인의 다른 현장 중복배

치여부 등을 확인하기 위하여 건설기술인 경력관리 수탁기관에 요청하여 검증할 수 있으며, 위반사실이 확인된 경우에는 해당 용역 평가대상에서 실격 처리하여야 한다.

나. 참여기술인의 경력은 자격취득시기, 자격보유 여부에 관계없이 해당 분야의 설계·시공·감독 또는 건설사업관리 수행 등의 경력 및 실적을 평가한다.

다. 해당분야 경력평가

1) 해당분야 경력이란 해당 건설사업관리용역과 주된 공종이 같거나 유사한 공종에서의 건설공사업무를 수행한 실적을 평가하되, 대상경력 및 인정율은 공사의 규모 및 공사의 특성을 고려하여 발주청에서 차등 적용할 수 있다.

2) 해당분야 이외의 건설공사업무 실적은 해당분야의 60%를 적용할 수 있다.

※ 건설공사업무 인정범위는 '건설기술인 등급인정 및 교육·훈련 등에 관한 기준'(국토교통부 고시) [별표 3] 제3호가목을 참조하여 결정

라. 직무분야 실적평가

직무분야 실적이란 참여기술인의 직무분야(「건설기술진흥법 시행령」 제4조 별표1 제3호 건설기술인의 직무분야 및 전문분야 중 "직무분야"를 말한다. 이하 같다)에 해당하는 건설공사업무를 수행한 경력을 말한다.

※ 직무분야 : 토목, 건축, 기계, 도시·교통, 환경 등

마. 「건설기술진흥법 시행규칙」 제35조제1항 각 호에 따른 "건설사업관리 경력"으로 인정되는 경력은 다음과 같다.

1) 「건설기술진흥법」 제39조에 따른 건설사업관리

2) 「주택법」 제24조에 따른 주택건설공사의 감리

3) 「건축법」 제25조에 따른 건축물의 공사감리

4) 「건설기술진흥법」 제2조제6호에 따른 발주청의 관리감독

5) 「해외건설 촉진법」 제2조에 따른 해외건설 엔지니어링활동 중 외국정부 및 공공기관에서 발주한 건설사업관리 및 감리

바. 참여기술인의 기술자격 평가를 위한 자격종목 등 기술자격자 인정 세부기준은 발주청이 정하여 입찰공고시 제시하여야 한다.

사. 기술지원기술인의 등급은 「건설기술진흥법 시행령」 제4조 별표1 제2호에 따른 건설기술인의 등급에 따라 차등 평가한다.

아. 평가기준일 이전에 해당 건설사업관리용역사업자 소속으로 「건설기술진흥법 시행규칙」 제21조에 따라 건설엔지니어링업 등록 등 업무 수탁기관에 등록되지 않은 건설기술인은 평가대상에서 제외한다.

4. 유사용역수행실적이란 입찰공고일을 기준으로 최근 3년간 해당 건설사업관리용역의 건설공사와 같거나 유사한 공종의 건설공사에 대한 용역사업을 준공하였거나 수행 중인 실적으로 발주청이 발주한 건설사업관리용역 및 설계용역, 「주택법」·「건축법」에 따라 건설엔지니어링사업자가 수행하는 감리용역 및 「건설기술진흥법 시행령」 제45조제1항제3호에 따른 건설사업관리용역 실적에 한하여 인정한다.

가. 해당공사가 복합공종으로 구성된 경우 주된 공종(금액)을 기준으로 평가한다.

나. 유사용역수행실적 이외의 해당 직무분야에 대한 용역실적은 해당 용역의 60%를 적용할 수 있다.

예시) 발주청에서 시행예정인 건설사업관리용역의 건설공사가 토목분야중 도로공사에 해당되고, 2개 건설사업관리업체(A, B)가 공동도급으로 입찰응모한 경우 유사용역실적 평가

- 공동도급업체 실적 및 용역참여 지분율

· 해당 도로공사 건설사업관리실적이 A사는 200억원, B사는 100억원이며, 용역참여지분율은 A사와 B사가 6 : 4로 하여 응모한 경우

- 산정방법

(200억원×0.6)+(100억원×0.4)=160억원

예시) 최근 3년간 실적계산

- 준공된 경우

A공사의 건설사업관리용역 착공일 2009. 3. 1, 준공일 2013.12.31일 경우 입찰공고일이 2014. 5. 1이면, 적용 건설사업관리기간은 2011. 5. 2부터 2013.12.31까지 금액계상[2011. 5. 2.부터 2013.12.31까지의 해당되는 건설사업관리비]

- 수행중인 경우

A공사의 건설사업관리용역 착공일 2012. 3. 2, 준공예정일 2014.12.31일 경우 입찰공고일이 2014. 5. 1이면, 적용기간은 2012. 3. 2부터 2014. 5. 1까지 금액계상[2012. 3. 2부터 2014. 5. 1까지의 선금급이나 기성금 수령에 관계없이 실제 적용기간 동안의 해당되는 건설사업관리비]

다. 외국 정부 및 공공기관에서 발주한 용역을 수행한 경우에는 해당 분야의 유사용역실적으로 인정한다. 단, 실적금액은 기성 및 준공일 기준으로 한국화폐단위로 환산하여 산정한 금액으로 한다.

5. 재정상태 건실도의 평가는 신용평가등급(첨부 2)으로 평가하며, 다음 각목에 따라 적용한다.

가. 신용평가등급은 회사채에 대한 신용평가등급을 기준으로 하되, 기업어음 및 기업신용에 관한 신용등급도 활용할 수 있다.

나. 「신용정보의 이용 및 보호에 관한 법률」 제4조제1항제1호의 업무를 영위하는 신용정보업자 또는 「자본시장과 금융투자업에 관한 법률」 제335조의3제1항의 신용평가업자가 입찰공고일 기준으로 유효기간 내에 있는 회사채(기업어음 또는 기업신용)에 대한 신용평가등급(위의 신용정보업자 또는 신용평가업자가 신용평가등급, 등급평가일 및 등급유효기간 등을 명시하여 작성한 '신용평가등급확인서')을 기준으로 평가하여야 한다.

다. 합병한 업체에 대하여는 합병후 새로운 신용평가등급으로 심사하여야 하며, 합병후의 새로운 신용평가등급이 없는 경우에는 합병대상업체 중 가장 낮은 신용평가등급을 받은 업체의 신용평가등급으로 평가하여야 한다.

6. 기술개발 및 투자실적은 다음 각 목과 같이 적용한다.

가. 개발·활용실적

1) 건설신기술 개발실적은 「건설기술진흥법」 제14조에 따라 건설사업관리용역사업자(대표자 포함, 소속직원 제외) 명의로 지정된 것으로 보호기간 내에 있는 경우에 한정하여 인정한다.

2) 활용실적은 해당 용역의 입찰공고일을 기준으로 보호기간이 만료된 이후 3년이 경과되지 않은 건설신기술과 존속기간이 만료되지 않은 건설기술에 관한 특허에 한정하여 인정하며, 전체 공사 중 해당 기술의 공사가 완료된 것으로 기성을 인정받은 경우 해당 건설신기술 및 특허를 활용한 것으로 본다.

3) 건설신기술의 활용실적은 「건설기술진흥법 시행규칙」 제10조제1항 및 제2항에 따라 제출된 활용실적에 대해 같은 법 시행령 제117조제1항에 의해 지정·고시한 기관의 신기술 활용실적 증명서를 제출한 경우에 한정하여 적용한다.

4) 특허의 활용실적은 「발명진흥법」 제52조에서 정한 전문기관의 특허 활용실적 증명서를 제출한 경우에 한정하여 적용한다.

나. 투자실적 평가

1) 건설기술개발투자액이란 재무제표상의 기술개발을 위한 연구개발비, 국·내외 교육훈련비, 그 밖의 기술개발에 투자한 비용을 말한다.

2) 타인이 보유한 특허 또는 실용신안에 대한 사용권을 양수 또는 대여받은 경우에는 이에 대한 비용을 기술개발투자실적으로 인정한다.

3) 건설기술연구개발사업투자비는 「건설기술진흥법」 제7조 및 「국가통합교통체계효율화법」 제98조, 「해양수산발전 기본법」 제33조에 따른 연구개발사업에 최근 3년 내에 투자한 비용을 말한다.

4) 해당 건설사업관리용역사업자인 경우 공인회계사 또는 세무사가 확인·분석·검토하여 증명한 투자실적을 제출한다.

7. 교체빈도의 평가는 다음 각 목과 같이 적용한다.

가. 건설사업관리용역사업자에 대해서는 최근 1년간 시공단계의 건설사업관리기술인(「주택법」 및 「건축법」에 따른 감리원 포함)로 배치된 소속 건설기술인의 교체건수를 합산하여 시공단계의 건설사업관리기술인(「주택법」 및 「건축법」에 따른 감리원 포함)로 배치된 전체 소속 건설기술인 수의 합계로 나누어 계산된 값으로 평가한다.

나. 참여기술인은 최근 1년간 참여한 건설사업관리용역의 시공단계 배치기간이 만료되기 이전에 교체된 경우 교체건수로 보며, 「건설기술진흥법 시행규칙」 제27조제2항에 따라 철수사유가 "완료"로 된 경우에 대하여는 교체로 보지 아니한다.

8. 공동도급으로 건설사업관리용역을 수행할 경우에는 공동수급체 구성원별로 유사용역수행실적, 신용도, 기술개발 및 투자실적, 교체빈도에 용역참여지분율을 곱하여 산정한 후 이를 합산하여 평가한다. 다만, 공동도급시 공동수급체 구성원별 PQ평가 대상 참여기술인은 지분율대로 참여(소수점 첫째자리에서 반올림)하되, 지분율의 ±10% 범위 내에서 조정할 수 있으며, 공동수급체 구성원별로 최소 1인 이상 참여하여야 한다.(이 경우 자격 등을 보완하기 위하여 건설공사 이외의 공종에 대해 분담이행방식으로 참여한 공동수급체 구성원에 대하여는 평가 시 이 기준을 적용하지 아니한다.)

9. 발주청은 건설사업관리용역의 특성에 맞도록 해당 건설공사와 같거나 유사한 공종의 인정범위 등을 정하고 참여기술인의 경력 및 실적, 유사용역수행실적, 신용도, 기술개발 및 투자실적에 대하여는 세부적으로 작성한 후 입찰공고 시 이를 제시하여야 한다.

10. 공사비 절감이란 건설공사를 시행함에 있어 구조물의 기능과 안전을 저해하지 않으면서, 자재 등의 재활용, 신공법·신기술의 적용 등 창의적인 사고를 통해서 참여기술인이 직접 제안하여 예산을 절감한 경우(해당 공사로 인한 참여기술인 절감 기여율의 합은 100%를 초과할 수 없다)로서 입찰공고일 이전에 발주청으로부터 절감실적을 인정받아 다음사항이 포함된 확인서류(첨부 3)를 발급 받은 경우에만 인정한다.

가. 건설사업관리용역 개요(용역명, 발주청, 공사개요, 회사명, 용역기간 등)

나. 건설사업관리기술인 현황(성명, 생년월일, 직무분야, 배치기간, 대상여부)

다. 공사비 절감현황(절감기여율, 절감금액)

라. 발주청 확인(절감인정일, 발급일, 기관명·날인)

〈첨부 1〉

상대평가 등급배분 및 평가방법

1. 신청자수 별 평가등급 배분

업체수	등급					업체수	등급				
	수	우	미	양	가		수	우	미	양	가
2,3	1	1	(1)			22	2	5	9	4	2
4	1	2	1			23	2	5	9	5	2
5	1	2	1	1		24	2	5	10	5	2
6	1	2	1	1	1	25	3	5	10	5	2
7	1	2	2	1	1	26	3	5	10	5	3
8	1	2	3	1	1	27	3	5	11	5	3
9	1	2	3	2	1	28	3	6	11	5	3
10	1	2	4	2	1	29	3	6	11	6	3
11	1	2	5	2	1	30	3	6	12	6	3
12	1	3	5	2	1	31	3	6	13	6	3
13	1	3	5	3	1	32	3	7	13	6	3
14	1	3	6	3	1	33	3	7	13	7	3
15	2	3	6	3	1	34	3	7	14	7	3
16	2	3	6	3	2	35	4	7	14	7	3
17	2	3	7	3	2	36	4	7	14	7	4
18	2	4	7	3	2	37	4	7	15	7	4
19	2	4	7	4	2	38	4	8	15	7	4
20	2	4	8	4	2	39	4	8	15	8	4
21	2	4	9	4	2	40	4	8	16	8	4

2. 평가등급별 가중치

평가등급	수	우	미	양	가
가중치	1.00	0.90	0.80	0.70	0.60

평가방법 : 각 평가요소별로 각각 신청자의 등급을 판정한 후, 평가요소의 배점 한도에 해당 가중치를 곱하여 평가점수 산정, 최종점수는 업체별 평가위원들의 평가점수 중 최고점과 최저점을 제외하고 산술 평균함

〈첨부 2〉

신용평가등급의 기준

회사채에 대한 신용평가등급	기업어음에 대한 신용평가등급	기업신용평가 등급
AAA	-	AAA (회사채에 대한 신용평가등급 AAA에 준하는 등급)
AA+, AA0, AA-	A1	AA+, AA0, AA- (회사채에 대한 신용평가등급 AA+, AA0, AA-에 준하는 등급)
A+	A2+	A+ (회사채에 대한 신용평가등급 A+에 준하는 등급)
A0	A20	A0 (회사채에 대한 신용평가등급 A0에 준하는 등급)
A-	A2-	A- (회사채에 대한 신용평가등급 A-에 준하는 등급)
BBB+	A3+	BBB+ (회사채에 대한 신용평가등급 BBB+에 준하는 등급)
BBB0	A30	BBB0 (회사채에 대한 신용평가등급 BBB0에 준하는 등급)
BBB-	A3-	BBB- (회사채에 대한 신용평가등급 BBB-에 준하는 등급)
BB+, BB0	B+	BB+, BB0 (회사채에 대한 신용평가등급 BB+, BB0에 준하는 등급)
BB-	B0	BB- (회사채에 대한 신용평가등급 BB-에 준하는 등급)
B+, B0, B-	B-	B+, B0, B- (회사채에 대한 신용평가등급 B+, B0, B-에 준하는 등급)
CCC+ 이하	C 이하	CCC+ 이하 (회사채에 대한 신용평가등급 CCC+에 준하는 등급)

〈첨부 3〉

건설공사 공사비 절감 확인서

<table>
<tr><td colspan="10">Ⅰ. 건설사업관리용역 개요</td></tr>
<tr><td>1)용역명</td><td colspan="4"></td><td colspan="2" rowspan="2">3)발주기관
(발주청)</td><td colspan="3" rowspan="2"></td></tr>
<tr><td>2)공사현장 위치</td><td colspan="4"></td></tr>
<tr><td rowspan="2">4)공사개요</td><td>4-1)공사규모</td><td colspan="8"></td></tr>
<tr><td>4-2)총공사비</td><td colspan="8"></td></tr>
<tr><td rowspan="2">5)건설사업 관리용역 사업자 (대표사)</td><td>5-1)회 사 명</td><td colspan="3"></td><td colspan="2">5-3)대표자</td><td colspan="3"></td></tr>
<tr><td>5-2)등록번호</td><td colspan="3"></td><td colspan="2">5-4)전화번호</td><td colspan="3"></td></tr>
<tr><td>6)용역기간</td><td colspan="9">20 . . . ~ 20 . . .</td></tr>
<tr><td>7)과업범위</td><td colspan="9">(건설사업관리용역이 공동도급일 경우 분담범위 및 업체명 명기)</td></tr>
<tr><td colspan="2">Ⅱ. 건설사업관리기술인 현황</td><td colspan="8">※ 공사비 절감기술인에 해당되는 기술인의 경우 대상여부 란에 ○표하고, 대상기술인의 절감기여율(%)에 따라 공사비 절감금액을 산정함(절감기여율의 합은 100%를 초과할 수 없음)</td></tr>
<tr><td>구 분</td><td>성 명</td><td>직무분야</td><td>생년월일</td><td>배치기간</td><td>대상 여부</td><td>절감 기여율(%)</td><td>절감금액 (백만원)</td><td>비고</td><td></td></tr>
<tr><td>합 계</td><td>인</td><td></td><td></td><td></td><td></td><td>100</td><td></td><td></td><td></td></tr>
<tr><td>1)책임</td><td></td><td></td><td></td><td></td><td></td><td></td><td></td><td></td><td></td></tr>
<tr><td rowspan="4">2)분야별</td><td></td><td></td><td></td><td></td><td></td><td></td><td></td><td></td><td></td></tr>
<tr><td></td><td></td><td></td><td></td><td></td><td></td><td></td><td></td><td></td></tr>
<tr><td></td><td></td><td></td><td></td><td></td><td></td><td></td><td></td><td></td></tr>
<tr><td></td><td></td><td></td><td></td><td></td><td></td><td></td><td></td><td></td></tr>
<tr><td rowspan="4">3)기술지원</td><td></td><td></td><td></td><td></td><td></td><td></td><td></td><td></td><td></td></tr>
<tr><td></td><td></td><td></td><td></td><td></td><td></td><td></td><td></td><td></td></tr>
<tr><td></td><td></td><td></td><td></td><td></td><td></td><td></td><td></td><td></td></tr>
<tr><td></td><td></td><td></td><td></td><td></td><td></td><td></td><td></td><td></td></tr>
<tr><td colspan="2">Ⅲ. 공사비절감 인정일</td><td colspan="8">년 월 일</td></tr>
<tr><td colspan="10">상기 건설사업관리용역의 참여기술인에 대한 공사비 절감 실적을 위와 같이 확인합니다.
년 월 일

발 주 기 관 장 [직인]</td></tr>
</table>

〈첨부 4〉 원본대조필 확인각서 양식 〈신설〉

사업수행능력평가 원본대조필 확인각서

○ 용역명 :

위 용역의 입찰참가자격 사전심사에 참여함에 있어 사업수행능력평가서에 첨부된 모든 증빙자료(사본) 및 부본에 대하여 원본과 같음을 확인하며, 만약 당사와 관련된 모든 증빙자료(사본) 및 부본에 대하여 사실과 상이함이 발견될 경우 「건설기술진흥법」 제31조제1항 및 「국가를 당사자로 하는 계약에 관한 법」 제27조제1항에 따라 발주자로부터 어떠한 불이익도 감수함을 확약합니다.

20 . . .

주 소 :
상 호 :
대 표 자 : (인)
전화번호 :

주 소 :
상 호 :
대 표 자 : (인)
전화번호 :

○○○장 귀하

[별표 3]

정밀안전점검 또는 정밀안전진단 용역사업자 사업수행능력 세부평가항목 및 배점

1. 분야별 평가기준

평가항목	세부평가항목	배점	세 부 평 가 방 법
가. 참여 기술인		[45]	
	(1) 책임기술인	(18)	
	(가) 등급	-	- 「시설물의 안전 및 유지관리에 관한 특별법 시행령」 제9조제1항에 따른 책임기술자의 자격을 갖춘 자여야 하며 미달 시 실격
	(나) 경력	8	- 해당 분야의 정밀안전점검 또는 정밀안전진단 경력기간에 따라 평가
	(다) 실적(건수) 실적(금액)	5 5	- 해당 분야의 용역 수행실적(건수)에 따라 평가 - 해당 분야의 용역 수행실적(금액)에 따라 평가 * 용역의 종류, 규모, 특성에 따라 세부배점기준을 차등하여 작성하고, 실적은 최근(공고일 기준) 7년 기준으로 한다.
	(2) 분야별 책임기술인	(18)	
	(가) 등급	2	- 자격 및 등급에 따라 평가. 단, 「시설물의 안전 및 유지관리에 관한 특별법 시행령」 제9조제2항에 따른 참여기술자의 자격을 갖춘 자여야 하며 미달 시 실격
	(나) 경력	6	- 해당 분야의 정밀안전점검 또는 정밀안전진단 경력기간에 따라 평가
	(다) 실적(건수) 실적(금액)	5 5	- 해당 분야의 용역 수행실적(건수)에 따라 평가 - 해당 분야의 용역 수행실적(금액)에 따라 평가 * 용역의 종류, 규모, 특성에 따라 세부배점기준을 차등하여 작성하고, 실적은 최근(공고일 기준) 7년 기준으로 한다.
	(3) 분야별 참여기술인	(9)	○ 분야별 참여기술인 각 1인을 대상으로 평가
	(가) 등급	2	- 자격 및 등급에 따라 평가. 단, 「시설물의 안전 및 유지관리에 관한 특별법 시행령」 제9조제2항에 따른 참여기술자의 자격을 갖춘 자여야 하며 미달 시 실격
	(나) 경력	3	- 해당 분야의 정밀안전점검 또는 정밀안전진단 경력기간에 따라 평가
	(다) 실적(건수)	4	- 해당 분야의 용역 수행실적(건수)에 따라 평가 * 용역의 종류, 규모, 특성에 따라 세부배점기준을 차등하여 작성하고, 실적은 최근(공고일 기준) 7년 기준으로 한다.
나. 유사용역 수행실적		[25]	
	(1) 건수 (2) 금액	(12) (13)	- 해당용역과 같거나 유사한 시설물에 대한 용역수행실적(건수, 금액)에 따라 평가(최근 5년간 기준) * 해당 용역의 규모, 특성 등에 따라 세부배점기준 작성
다. 신용도		[10]	
	(1) 점검 · 진단 실시결과 평가결과	(4)	- 평가결과 처분을 받은 날로부터 1년간 '미흡', '불량' 또는 '매우 불량' 처분을 받은 용역건에 대하여 '미흡' 처분은 0.3점 감점, '불량' 처분은 0.5점 감점, '매우 불량' 처분은 0.7점 감점
	(2) 업무정지	(3)	- 참여건설기술인이 정밀안전점검 또는 정밀안전진단 용역업무와 관련하여 최근 1년간 관계법령에 따라 기술자격정지 또는 업무정지를 받은 기간을 합산하여 합산기간 1월마다 0.2점씩 감점(1개월 미만인 경우 1개월로 계산)
	(3) 재정상태 건실도	(3)	- 신용평가등급으로 평가 * 첨부 참조
라. 기술개발 및 투자 실적		[10]	
	(1) 개발·사용 실적	(2)	1) 「건설기술진흥법」 제14조에 따라 지정된 건설신기술은 보호기간 내에 있는 경우 인정하고, 특허는 특허등록결정을 받은 경우 인정하되 사용실적(건수, 금액)에 따라 가중치를 부여하여 평가한다. 다만, 특허는 최대 1점까지만 인정한다. - 건설신기술 : 1.0점 / 건당 - 특허 : 0.6점 / 건당 2) 위 1)의 기술개발·사용실적이 동일 내용으로 건설신기술, 특허를 각각 받은 경우 가장 점수가 높은 1건만 인정 3) 위 1)의 기술개발·사용실적은 2인 이상이 최초 출원(신기술의 경우 '지정'을 말한다. 이하 같다)시 공동으로 출원한 경우 해당 점수를 출원자의 수로 나누어 인정

평가항목	세부평가항목	배점	세 부 평 가 방 법
	(2) 투자실적	(8)	- 최근3년간 기술개발투자실적의 건설부문 총매출액에 대한 비율(건설기술개발투자액/건설부문 총매출액)에 따라 계산
마. 업무 중첩도		[10]	
	(1) 책임기술인	(6)	- 수행중인 다른 용역과 중복되는 합계기간 및 참여정도에 따라 평가 * 공고일 기준 잔여과업기간이 1개월 이상인 용역을 기준으로, 중복되는 잔여 과업기간을 합산하여 평가
	(2) 분야별 책임기술인(또는 참여기술인)	(4)	- 수행중인 다른 용역과 중복되는 합계기간 및 참여정도에 따라 평가 * 공고일 기준 잔여과업기간이 1개월 이상인 용역을 기준으로, 중복되는 잔여 과업기간을 합산하여 평가 * 용역의 특성등에 따라 분야별 책임기술인(또는 참여기술인)에 가중치를 부여하여 산정

2. 가점 평가기준

평가항목	세부평가항목	세 부 평 가 방 법
가점	건설기술인 신규 고용	- 건설기술인 신규고용율에 따라 가점 부여 · 1% 이상 : 0.1점 · 2% 이상 : 0.2점 · 3% 이상 : 0.3점 * 건설기술인 신규 고용율 = 최근 1년간 건설기술인 신규 고용인원(입찰 공고일 전월 기준) / 직전년도 동기간 평균 고용인원 * 신규 건설기술인은 입찰공고일 현재 해당업체 재직 중인 자로 건설기술인 경력관리 수탁기관의 경력증명서에 최초로 입사 등록된 자(이전 건설분야 근무경력이 없는 자)에 한함 * 직전년도 동기간 평균 고용인원은 건설기술인 경력관리 수탁기관에 신고한 자료서 해당업체의 기술인 재직인원(월말 기준)을 월단위로 평균하여 산정 - 건설기술인 경력관리 수탁기관에서 확인한 후 발급한 자료로 평가 - 공동이행방식으로 용역을 수행하는 경우에는 공동수급체의 구성원별 평가점수에 용역참여지분율을 곱하여 산정한 후 이를 합산

※ 비고 : 위 [별표 3]의 사업수행능력에 대한 평가방법 및 세부기준은 [부표 3]에 따른다.

[부표 3]

정밀안전점검 또는 정밀안전진단 용역사업자 사업수행능력에 대한 평가방법 및 세부기준

Ⅰ. 일반사항

1. 발주청은 입찰공고기간 중 입찰희망자에게 평가세부기준을 반드시 배부하거나 공람토록 하여야 하며, 사업수행능력 평가 후 해당 용역사업자에게 개별 점수를 통보하고, 낙찰자 선정후 최종 평가결과를 공개하여야 한다.
2. 참여건설기술인의 경력 및 실적은 건설기술인 경력관리수탁기관의 확인을 받아야 하며, 유사용역수행실적·신용도·기술개발 및 투자실적·업무중첩도·해외유사용역수행실적 등은 각 현황관리기관, 해당 전문기관 또는 해당 용역 발주청의 확인을 받아야 한다.
3. 발주청은 사업수행능력(PQ) 평가시 관련서류의 사본 또는 입찰참여업체가 작성한 서류를 활용한 후 PQ평가에서 입찰참가자로 선정된 업체에 한하여 건설기술인 경력관리수탁기관, 현황관리기관 또는 발주청이 발행한 서류를 제출받아 관련내용의 진위여부 등을 확인할 수 있다.
4. 발주청은 세부평가기준을 정하거나 변경할 경우 다음 각 목의 사항에 대해 심의하기 위하여 「건설기술진흥법」 제5조 및 제6조에 규정된 건설기술심의위원회 또는 기술자문위원회의 심의를 거쳐야 한다. 다만, 특별시, 광역시, 특별자치시, 도, 특별자치도에서 정한 기준을 소속 자치단체에서 그대로 준용하는 경우에는 이를 생략할 수 있다.
   가. 세부평가기준(별표) 작성의 적정성
   나. 평가기준 적용의 적정성
   다. 기타 발주청의 장이 필요하다고 판단되는 사항
5. PQ평가에서 선정된 용역업체와 관련하여 평가점수에 영향을 미치는 상이한 부분이 발견되어 해당 업체를 입찰참가자 선정에서 제외하였을 경우 잔여 업체만을 입찰에 참여할 자로 선정한다.
6. 발주청은 이 기준을 적용함에 있어 기간의 계산은 입찰공고일을 기준으로 하며, 평가점수계산은 소수점 2째자리로 하고 소수점 3째자리에서 반올림한다.
7. 발주청은 이 기준에 의한 점수 이외에 관계법령 등에서 규정하는 사항에 따라 필요하다고 인정되는 경우 가점 또는 감점을 줄 수 있으며(가점과 감점을 상계한 점수는 3점을 초과하지 못함), 평가기준에 따른 평가결과는 평가항목별 점수에 가점과 감점을 합한 점수로 한다. 이 경우 평가점수가 100점을 초과하는 경우에는 100점으로 하고, 100점 이하일 경우에는 원 점수를 그대로 사용한다.
8. 발주청은 참여기술인, 유사용역수행실적 등의 세부평가기준에 대하여 과도하게 경력 및 실적 등을 제한하는 기준을 작성하여서는 아니된다.
9. 평가자료 제출시에 본 평가기준을 적용하여 과업에 참여하고자 하는 자는 스스로 사업수행능력을 평가한 자기평가서를 포함하여 제출할 수 있다.
10. 사업수행능력평가서를 제출하여 평가결과에 이의가 있는 자는 「국가를 당사자로 하는 계약에 관한 법률」 제28조에 근거하여 이의신청을 할 수 있다.
11. 입찰 참여사는 사업수행능력평가에 필요한 증빙서류에 대한 확인각서(첨부 2)를 제출할 수 있으며, 이 경우 원본대조필 및 간인처리를 생략할 수 있다.

Ⅱ. 항목별 세부평가방법

1. 평가방법은 절대평가를 원칙으로 하며, 점수가 합리적 통계 등에 의하여 산정하기 곤란하거나 평가의 변별력이 필요한 경우에는 상대평가

에 의한다.

2. 상대평가시 등급별 배분은 수(10%), 우(20%), 미(40%), 양(20%), 가(10%)로 하고, 점수는 수(100%), 우(90%), 미(80%), 양(70%), 가(60%)로 배분한다.

3. 참여기술인의 평가는 다음 각 목을 적용한다.

  가. 참여기술인의 평가는 「건설기술진흥법 시행령」 제4조 별표1의 기준에 따라 국가기술자격법에 의한 기술자격자와 학력 또는 경력에 의한 건설기술인을 등급별로 평가한다.

  나. 참여기술인의 경력은 자격취득시기, 자격보유의 여부에 관계없이 「시설물의 안전 및 유지관리에 관한 특별법」 제11조, 제12조 및 제13조에 따른 정밀안전점검, 정밀안전진단 및 긴급안전점검 등의 경력기간에 따라 평가하며, 참여기술인의 실적은 자격취득시기, 자격보유의 여부에 관계없이 「시설물의 안전 및 유지관리에 관리에 관한 특별법」 제11조, 제12조 및 제13조에 따른 정밀안전점검, 정밀안전진단 및 긴급안전점검 등의 수행실적을 용역의 종류, 규모, 금액, 건수, 수행업무 및 전체 계약기간 중 실제 참여기간에 대한 비율로 평가한다.

  다. 필요한 경우 해당 분야외의 분야에서 용역업무를 수행한 자의 경력 및 실적을 인정할 수 있다. 이 경우 평가요소별(경력, 실적) 해당 배점의 60%를 초과할 수 없으며, 분야는 정밀안전점검 및 긴급안전점검의 경우 토목, 건축분야를 말하며, 정밀안전진단의 경우 교량 및 터널, 수리시설, 항만, 건축분야를 말한다.

  라. 참여건설기술인이 관리주체의 임·직원으로서 정밀안전점검, 정밀안전진단 또는 긴급안전점검 등을 감독 또는 관리한 경우에는 이를 해당 분야의 경력 및 실적으로 인정할 수 있다.

  마. 평가대상사업에 대한 책임기술인 및 참여기술인은 반드시 해당 용역수행에 참여하여야 하며, 해당 용역에 참여하지 아니하는 경우로서 그 건설기술인에 대한 평가가 업체선정의 중요한 요소인 경우에는 계약해제 또는 해지의 사유가 될 수 있으며, 발주청별로 차기용역 평가시 이를 감점할 수 있다.

  바. 「건설기술진흥법」 제21조의 규정에 의한 건설관련업체의 임·직원이 아닌 자 중 건설기술인 경력관리수탁기관에 신고한 고급기술인으로서 「시설물의 안전 및 유지관리에 관한 특별법 시행령」 제10조제3항에 따른 전기·기계설비 또는 계측시설분야의 정밀안전진단을 실시할 수 있는 고급기술인(이하 "계약직전문기술인"이라 한다)을 당해 용역의 분야별 책임기술인으로 참여시키고자 하는 때에는 해당 업체소속의 기술인과 동일하게 평가할 수 있다. 이 경우 계약직전문기술인은 당해 업체소속의 기술인과 동일한 권한과 책임을 가지며 해당업체는 이를 확인하는 내용을 서면으로 제출하여야 한다.

  사. 참여건설기술인의 빈번한 이적사례 방지를 위해 이적기간에 따라 평가점수를 감점할 수 있다.

4. 유사용역수행실적이라 함은 최근 5년간 수행한 「시설물의 안전 및 유지관리에 관한 특별법」 제11조, 제12조 및 제13조에 따른 정밀안전점검, 정밀안전진단, 긴급안전점검 등의 용역사업 중 준공된 해당 분야 실적으로 다음 각 목을 적용한다.

  가. 해당 분야는 정밀안전점검의 경우 토목, 건축분야로 구분되고, 정밀안전진단의 경우 교량 및 터널, 수리시설, 항만, 건축분야로 구분

  나. 유사용역수행실적인 「시설물의 안전 및 유지관리에 관한 특별법」 상 FMS에 등록된 실적을 기준으로 하며, 공공·민간이 발주한 실적을 모두 포함

5. 점검·진단 실시 평가결과는 다음 각 호에 따른다.

가. 점검 · 진단 실시 평가결과는 「시설물의 안전 및 유지관리에 관한 특별법」 제18조에 따른 정밀안전점검 또는 정밀안전진단 실시결과에 대한 평가에 따라 '미흡', '불량' 또는 '매우 불량' 처분을 말한다.

나. 점검 · 진단 실시결과에 따른 처분 건수는 용역발주 단위로 계산한다.

6. 업무정지는 업체 및 참여기술인이 정밀안전점검 및 정밀안전진단용역 업무와 관련된 사유로 관계법령에 따라 처분을 받은 기간에 대하여 평가한다.

7. 재정상태 건실도는 신용평가등급으로 평가하며, 다음 각 목에 따라 적용한다.

가. 신용평가등급은 회사채에 대한 신용평가등급을 기준으로 하되, 기업어음 및 기업신용에 관한 신용등급도 활용(첨부)할 수 있다.

나. 신용정보의 이용 및 보호에 관한 법률 제4조제1항제1호의 업무를 영위하는 신용정보업자가 입찰공고일 기준으로 유효기간 내에 있는 회사채(기업어음 또는 기업신용)에 대한 신용평가등급(위의 신용정보업자가 신용평가등급, 등급평가일 및 등급유효기간 등을 명시하여 작성한 '신용평가등급확인서')을 기준으로 평가한다.

다. 합병한 업체에 대하여는 합병 후 새로운 신용평가등급으로 심사하며 합병 후의 새로운 신용평가등급이 없는 경우에는 합병대상 업체 중 가장 낮은 신용평가등급을 받은 업체의 신용평가등급으로 평가한다.

8. 기술개발 및 투자실적은 다음 각 목과 같이 적용한다.

가. 개발실적은 건설신기술, 특허를 대상으로 인정하되 건설신기술은 용역사업자(대표자 포함, 소속직원 제외) 명의로 지정된 경우에 한하여 인정하고 특허는 용역사업자(대표자 포함, 소속직원 제외)가 최초 출원인으로 등록된 경우에 한하여 인정한다.

나. 건설신기술의 활용실적은 「건설기술진흥법 시행규칙」 제10조제1항에 따라 제출된 활용실적에 대해 같은 법 시행령 제117조제1항에 따라 지정·고시된 기관의 신기술 활용실적증명서를 제출한 경우에 한정하여 적용한다.

다. 특허의 활용실적은 「발명진흥법」 제52조에서 정한 전문기관의 특허의 활용실적 증명서를 제출한 경우에 한정하여 적용한다.

라. 투자실적 평가

1) 건설기술개발 투자실적(재무재표상의 연구개발비, 교육훈련비 등)은 최근 3년간 건설부문 총매출액 합계에 대한 비율로 평가한다.(다만, 회사 설립년수 부족으로 3년간 자료를 제출치 못하는 경우에는 제출된 년수를 기준으로 건설부문 총매출액 합계에 대한 비율로 평가한다)

2) 특허의 출원인(법인대표자와 법인과의 관계는 동일하게 인정)과 등록인이 상이한 경우와 사용권을 양수 또는 대여 받은 경우에는 이에 대한 비용을 투자실적으로 인정한다.

3) 해당 용역사업자인 경우 공인회계사 또는 세무사가 증명한 최근 3개년 투자실적 제출

9. 공동이행방식으로 용역을 수행하는 경우에 유사용역수행실적, 신용도, 기술개발 및 투자 실적에 용역참여지분율을 곱하여 산정한 후 이를 합산하여 평가한다. 단, 공동이행방식으로 수행시 PQ평가대상자에 해당되는 공동도급자의 참여기술인은 지분율대로 참여하여야 하며, 지분율에 의해 산정 시 소수 이하는 반올림하여 조정할 수 있다.

10. 관계법령에 따라 적법하게 하도급계약을 체결한 용역사업자의 경우에는 하도급을 받은 만큼 그 실적을 인정한다.

11. 발주청은 정밀안전점검 및 정밀안전진단 용역의 특성에 맞도록 교량 및 터널, 수리시설, 항만, 건축분야 중 해당분야를 정하고 참여건설

기술인의 경력 및 실적·유사용역수행실적·신용도·기술개발 및 투자실적·업무중첩도에 대하여는 세부적으로 작성한 후 입찰공고시 이를 제시하여야 한다.

[첨부 1]

신용평가등급의 기준

회사채에 대한 신용평가등급	기업어음에 대한 신용평가등급	기업신용평가 등급
AAA	-	AAA (회사채에 대한 신용평가등급 AAA에 준하는 등급)
AA+, AA0, AA-	A1	AA+, AA0, AA- (회사채에 대한 신용평가등급 AA+, AA0, AA-에 준하는 등급)
A+	A2+	A+ (회사채에 대한 신용평가등급 A+에 준하는 등급)
A0	A20	A0 (회사채에 대한 신용평가등급 A0에 준하는 등급)
A-	A2-	A- (회사채에 대한 신용평가등급 A-에 준하는 등급)
BBB+	A3+	BBB+ (회사채에 대한 신용평가등급 BBB+에 준하는 등급)
BBB0	A30	BBB0 (회사채에 대한 신용평가등급 BBB0에 준하는 등급)
BBB-	A3-	BBB- (회사채에 대한 신용평가등급 BBB-에 준하는 등급)
BB+, BB0	B+	BB+, BB0 (회사채에 대한 신용평가등급 BB+, BB0에 준하는 등급)
BB-	B0	BB- (회사채에 대한 신용평가등급 BB-에 준하는 등급)
B+, B0, B-	B-	B+, B0, B- (회사채에 대한 신용평가등급 B+, B0, B-에 준하는 등급)
CCC+ 이하	C 이하	CCC+ 이하 (회사채에 대한 신용평가등급 CCC+에 준하는 등급)

[첨부 2] 원본대조필 확인각서 양식 〈신 설〉

사업수행능력평가 원본대조필 확인각서

○ 용역명 :

위 용역의 입찰참가자격 사전심사에 참여함에 있어 사업수행능력평가서에 첨부된 모든 증빙자료(사본) 및 부본에 대하여 원본과 같음을 확인하며, 만약 당사와 관련된 모든 증빙자료(사본) 및 부본에 대하여 사실과 상이함이 발견될 경우 「건설기술진흥법」 제31조제1항 및 「국가를 당사자로 하는 계약에 관한 법」 제27조제1항에 따라 발주자로부터 어떠한 불이익도 감수함을 확약합니다.

20 . . .

주 소 :
상 호 :
대 표 자 : (인)
전화번호 :

주 소 :
상 호 :
대 표 자 : (인)
전화번호 :

○○○장 귀하

건설엔지니어링 대가 등에 관한 기준

국토교통부고시 제2017-414호

일부개정 2017.6.20

제1장 총칙

제1조(목적) 이 기준은 「건설기술진흥법」(이하 "법"이라 한다) 제37조제1항에 따라 발주청이 건설엔지니어링사업자에게 실비정액가산방식으로 지급하는 건설엔지니어링 대가의 산정기준 및「건설기술진흥법 시행령」(이하 "영"이라 한다) 제52조제8항에 따라 낙찰자로 결정되지 아니한 건설엔지니어링사업자에 대해서 사업수행능력평가에 소요된 비용의 일부를 보상하기 위한 기준을 정하는 것을 목적으로 한다.

제2조(용어의 정의) 이 기준에서 사용되는 용어의 정의는 다음 각 호와 같다.

1. "설계용역"이란 법 제47조에 따른 건설공사의 타당성조사, 영 제69조에 따른 건설공사기본계획, 영 제71조에 따른 기본설계 및 영 제73조에 따른 실시설계를 말한다
2. "실비정액가산방식"이란 직접인건비, 직접경비, 제경비, 기술료, 추가업무비용, 부가가치세 및 손해배상보험(공제)료 등을 합산하여 대가를 산출하는 방식을 말한다.
3. "직접인건비"란 당해 용역 업무에 직접 종사하는 기술자의 인건비를 말한다.
4. "투입인원수"란 직접인건비를 산정하기 위해 당해 설계용역 업무에 직접 종사하는 건설기술자의 투입된 인원수를 말한다.
5. "공사비"란 발주청의 총예정금액(자재대를 포함한다) 중 용지비, 보상비, 법률수속비 및 부가가치세를 제외한 일체의 공사비를 말한다.
6. "총예정금액"이란 예정가격을 작성하는 공사의 경우에는 예정가격 결정의 근거가 되는 금액을 말하며, 예정가격을 작성하지 않은 경우에는 추정공사금액(타당성 조사 등에서 제시된 금액)을 말한다.
7. "기본업무"란 계약목적의 달성을 위하 계약상대자가 수행하여야 하는 업무로서 과업지시서에 기재된 업무를 말하며, 본 기준의 투입인원수 산정에 기초가 되는 업므이다.
8. "추가업무"란 기본업무 외에 계약목적의 달성을 위해 필요하여 과업지시서에 추가하여 지시 또는 승인한 업무를 말한다.
9. "기준인원수"란 기본업무별 1단위(용역일수, 개월수, 연장, 개소, 면적 등)에 적용되는 투입인원수로 전체 투입된 인원수를 산정하는 기준물량을 말하며, 기준인원수 1(인 · 일)은 1인이 8시간 동안 투입되어 수행한 하루 노동량을 기준한 것이다.
10. "적용수량 환산계수"란 투입인원수 산정에 필요한 기본업무별 1단위가 반복됨에 따라 나타나는 설계의 유사성, 반복성을 적

용수량에 반영하여 적정한 설계업무량을 산출하기 위한 계수이다.

11. “보정계수”란 적용수량과 함께 투입인원수를 산정하는데 있어서 건설공사의 특성에 따른 업무량의 변화를 반영하는 계수이다.
12. “공사난이도”란 총공사비의 변화, 평균건설사업관리기간 대비 증감에 따른 업무량의 변화, 시설물별로 건설사업관리 업무량의 증감에 밀접한 영향을 미치는 요인(구조물 비중 등) 등을 반영하여 적정한 업무량을 산정하기 위한 계수를 말한다.
13. “감독 권한대행 등 건설사업관리”란 법 제39조제2항에 따른 감독 권한대행 업무를 포함하는 건설사업관리를 말한다.

제3조(적용범위) 이 기준은 법 제2조제3호에 따른 건설엔지니어링(예정용역사업비가 「국가를 당사자로 하는 계약에 관한 법률」 제4조제1항에 따른 고시금액 이상인 용역을 말한다)에 대하여 적용하며 구체적인 적용범위는 각 장별로 다음 각 호와 같다.

1. 제2장 : 발주청이 법 제35조제2항에 따라 건설엔지니어사링사업자에게 다음 각 목의 어느 하나에 해당하는 설계용역을 위탁하는 경우에 적용한다.
   가. 도로(고속국도, 일반국도, 국가지원지방도로)
   나. 철도(노반, 궤도)(고속철도, 일반철도)
   다. 항만(접안시설, 외곽시설, 준설 및 매립 · 배후부지)
   라. 하천(하천개수, 생태하천)
   마. 댐(필댐, CFRD, 콘크리트댐, 복합댐)
   바. 상수도(광역상수도, 지방상수도)
2. 제3장 : 발주청이 법 제39조제1항에 따라 건설엔지니어링사업자에게 건설사업관리 용역을 위탁하는 경우에 적용하며, 영 제75조에 따라 발주청이 설계의 경제성 등 검토 실시에 따른 대가의 지급기준으로 적용할 수 있다.
3. 제4장 : 발주청이 영 제52조제8항에 따라 건설엔지니어링입찰에 참가한 자로 선정된 자 중 낙찰자로 결정되지 아니한 건설엔지니어링사업자에 대하여 예산이 정한 범위내에서 사업수행능력 평가에 든 비용의 일부를 보상하는 경우에 적용한다.

제2장 설계용역 대가기준

제4조(설계용역의 대가) 설계용역의 대가는 이 기준에서 정하는 투입인원수에 엔지니어링기술자의 기술등급별 노임단가(한국엔지니어링협회가 통계법에 따라 조사 · 공표한 임금 실태조사보고서에 따른다)를 곱하여 계산한다.

제5조(투입인원수의 산정) ① 전체 투입인원수의 산정은 다음 각 호에 의하여 산출하는 것을 원칙으로 한다.

1. 전체 투입인원수는 각 업무별, 등급별 투입인원수를 산정하여 합산한다.
2. 각 업무별, 등급별 투입인원수는 별표1에 정하는 분야별 투입인원수 산정기준을 활용하여 산정한다.
3. 산정방법은 각 업무별 적용수량(단위)에 환산계수를 곱하여 환산 적용수량을 산정한 후에 각 업무별 기준인원수와 보정계수

를 곱하여 산정한다. 각 업무별, 등급별 투입인원수는 소수점 둘째자리에서 반올림한다.

4. 각 업무별 투입인원수 산정시에 보정계수의 적용은 최대 3개 이내에서 곱하여 적용한다.
5. 제시된 업무 이외에 공사의 특성에 따라 필요한 경우에는 추가업무에 소요되는 인력을 계상하여 합산할 수 있다.

② 제1항에도 불구하고 공사의 특성에 따라 제시된 기본업무는 생략, 변경할 수 있으며, 기본업무별 업무정의의 변경이 있는 경우에는 투입인원수를 조정할 수 있다.

제3장 건설사업관리 대가기준

제6조(대가산출의 원칙) ① 대가는 다음 각 호에 의하여 산출하는 것을 원칙으로 한다.

1. 대가의 산출은 발주청이 사업의 특성과 수행하는 업무범위를 고려하여 실비정액가산방식으로 산출하는 것을 원칙으로 한다.
2. 보험료 또는 공제료는 영 제50조제4항의 규정에 따라 국토교통부장관이 정하여 고시한 「설계 · 건설사업관리 용역손해배상보험 또는 공제 업무요령」에 따라 계상한다.
3. 부가가치세는 부가가치세법에서 정하는 바에 따라 계상한다.

② 건설사업관리용역을 외국회사에 위탁한 경우에는 국제기준을 따르거나 외국의 예를 참조하여 산출할 수 있다.

제7조(대가의 조정) ① 발주청은 다음 각 호의 어느 하나에 해당하는 경우에는 대가를 조정할 수 있다.

1. 계약체결 후 90일 이상 경과하고 노임 및 물가변동으로 인하여 계약금액의 합계액이 3% 이상 증감된 경우. 단, 천재 · 지변 또는 원자재의 가격급등으로 인하여 당해 조정제한기간 내에 계약금액을 조정하지 아니하고는 계약이행이 곤란하다고 인정되는 경우에는 계약을 체결한 날 또는 직전 조정기준일부터 90일 이내에 계약금액을 조정할 수 있다.
2. 해당 공사의 세부설계 확정 또는 설계변경으로 추정공사금액 또는 공사계약금액(자재대를 포함한다)이 당초 금액보다 10% 이상 증감된 경우. 다만, 공사계약금액 변동분 중에서 물가변동으로 인한 부분은 제외하며, 공사계약금액이 증감된 경우 공사비는 당초 총예정금액을 기준으로 환산한 금액을 적용하여 조정한다.
3. 해당 용역기간의 변경으로 제9조제1항에 따라 산정한 총 건설사업관리기술자수가 증감된 경우
4. 제9조제2항에 따른 기술자수 조정으로 총 건설사업관리기술자수가 증감된 경우
5. 제9조제1항 단서에 따라 월별 건설사업관리일수가 추가된 경우
6. 발주청의 필요에 의하여 업무범위 및 내용의 변경, 추가업무가 있는 경우
7. 계약에 의하여 특별히 정한 경우

② 발주청은 건설사업관리용역 계약시 총예정금액이 확정되지 않아 추정공사금액을 적용하여 대가를 산출한 경우에는 시공이후단계의

대가에 대하여 추후 예정가격 결정의 근거가 되는 금액을 기준으로 계약내용을 변경하여야 함을 계약서류 등에 명기하여야 한다.

제8조(대가조정의 제한) ① 발주청은 건설엔지니어링사업자가 건설사업관리업무를 수행하면서 다음 각 호에 해당하는 경우에는 대가 중 직접인건비, 제경비, 기술료를 감액 조정할 수 없다.

1. 새로운 기술개발, 도입된 기술의 소화개량 또는 자체 노하우의 적용으로 공사비를 절감한 경우
2. 공사내용의 변동없이 신기술을 도입하여 공사비를 절감한 경우
3. 공사기간을 단축하여 공사비를 절감한 경우
4. 설계의 경제성 등 검토 결과의 제안을 채택하여 공사비를 절감한 경우

② 발주청은 건설사업관리기술자가 건설사업관리업무 수행기간 중 법에 따른 교육, 「민방위기본법」 또는 「향토예비군 설치법」에 따른 교육을 받는 기간과 「관공서의 공휴일에 관한 규정」에 따른 공휴일(일요일은 제외한다)에 대한 대가를 감액 조정할 수 없다.

제9조(건설사업관리기술자의 배치기준) ① 건설사업관리 업무에 배치하여야 하는 총 건설사업관리기술자수는 별표2에 의하여 산정하며 시공단계의 기술자수는 기술지원기술자수를 포함한다.

② 발주청은 해당 공사가 다음 각 호의 어느 하나에 해당되는 경우에는 「건설기술진흥법 시행규칙」 제35조에 따른 건설사업관리기술자 배치계획의 기술자수를 조정·배치하여야 한다.

1. 해당 공사내용 및 공사진척상황, 연도별 공사비 집행규모 등 현장실정에 따라 기술자 배치계획의 조정이 필요하다고 인정되는 경우와 동절기, 공사휴지기간 등 공사가 정상적으로 진행되지 못한다고 인정되는 경우. 이 경우 상주기술자는 최소 1명 이상을 배치하여야 한다.
2. 발주청은 공사예정가격의 70% 미만으로 낙찰된 공사의 경우, 부실공사 방지를 위해 다음 각 목에 따라 시공단계의 건설사업관리기술자수를 추가 배치하여야 하며, 추가 배치되는 기술자 중 1인은 발주청이 정하는 특정분야의 자격 및 경력을 갖춘 자로 배치하여야 한다.
   가. 낙찰률이 65%이상 70%미만 : 20% 추가
   나. 낙찰률이 60%초과 65%미만 : 30% 추가
   다. 낙찰률이 55%초과 60%미만 : 40% 추가
   라. 낙찰률이 55%이하 : 50% 추가

③ 발주청은 영 제55조제3항에 따라 통합 건설사업관리(발주청이 발주하는 2이상의 건설공사가 공종(工種)이 유사하고 공사현장이 인접(직선거리로 20km이내)하여 있는 경우에는 인접한 건설공사를 통합하여 감독 권한대행 등 건설사업관리 용역을 시행하는 것을 말한다. 이하 같다)를 시행하는 건설공사 중 1개 공사의 총공사비가 300억원 이상인 경우에는 해당 건설사업관리에 대하여 책임건설사업관리기술자 외의 기술자 중 1명을 특급기술자로 배치하여야 한다.

④ 발주청은 다음 각 호에 해당하는 공사로서 필요하다고 인정되는 경우에는 총 건설사업관리기술자수 내에서 특수한 자격 또는 기술을 가진 사람(건설기술자가 아닌 사람으로서 발주청이 사전에

승인한 사람을 포함한다)을 배치할 수 있다.

1. 신기술·특수공법이 포함된 공사
2. 터널·강교 등 주요시설물 및 특수분야에 대하여 특수한 자격 또는 기술을 가진 사람을 건설사업관리 업무에 참여하게 할 필요가 있는 공사

제10조(직접인건비 산출) ① 직접인건비는 해당 건설사업관리 업무에 종사하는 기술자의 급료에 제수당, 상여금, 퇴직적립금, 산재보험금 등을 포함한 것으로 제9조에 따른 총 건설사업관리기술자수에 건설사업관리기술자의 노임가격(일임금액)을 곱하여 산출한다. 다만, 1개월 건설사업관리일수가 22일을 초과하는 경우에는 「근로기준법」에 따른다.

② 건설사업관리기술자의 노임가격은 법 제69조에 따른 건설엔지니어링사업자단체가 통계법에 의하여 조사·공표한 노임가격을 적용한다. 다만, 제9조제4항에 따라 특수한 자격 또는 기술을 가진 사람을 배치하는 경우에는 해당 자격자 또는 기술자에 대하여 다른 법령 등에서 정한 노임가격을 적용할 수 있다.

제11조(직접경비) ① 직접경비는 건설사업관리 업무에 필요한 현장주재비, 숙박비, 출장여비, 특수자료비, 제출도서의 인쇄 및 복사비, 시험비 또는 조사비, 현지 차량운행비, 현장 운영경비(직접인건비에 포함되지 아니한 보조요원의 급여와 현장사무실의 운영비를 말한다), 건설사업관리 업무수행을 위한 사무공간 임대비(별도의 현장사무실 제공비용 제외) 등으로서 그 실제 소요비용으로 한다.

제12조(제경비) 제경비는 직접비(직접인건비 및 직접경비를 말한다)에 포함되지 아니하는 비용으로 임원, 서무, 경리직원의 급여, 사무실비(현장사무실을 제외한다), 광열수도비, 사무용 소모품비, 비품비, 기계기구의 수선 및 상각비, 통신운반비, 회의비, 공과금, 영업활동비용, 시스템 구축비, 소프트웨어 라이센스비 등을 포함한 것으로서, 직접인건비의 110~120%로 한다.

제13조(기술료) 기술료는 법인인 건설엔지니어링사업자가 개발·보유한 기술의 사용 및 기술축적을 위한 대가로 조사연구비, 기술개발비, 기술훈련비 및 이윤, 디지털 시각화 기술 등을 포함한 것으로써, 직접인건비에 제경비를 합한 금액의 20~40%로 한다.

제14조(추가업무비용) 추가업무비용은 발주청이 특별히 요구하는 경우에 소요되는 비용으로서, 다음 각 호의 비용에 대하여 실비로 별도 계상하여야 한다. 다만, 제4호의 비용은 일급방식(추가업무에 대하여 직접인건비에 직접경비를 포함하여 일당으로 지급하는 것을 말한다)으로 지급할 수 있다.

1. 특허, 노하우 등의 사용료
2. 모형제작비, 현장계측비
3. 해외 및 원격지 출장여비 및 경비
4. 국내외 설계자, 전문기술자(또는 전문기관)에 의한 자문비 또는 위탁비용
5. 사업정보관리시스템 개발비
6. 법률자문비
7. 건설사업관리백서 작성비
8. 그 밖에 계약특수조건, 과업지시서 등에서 정한 추가업무비용

제4장 사업수행능력평가 참가용역자 중 탈락자에 대한 보상기준

제15조(보상대상) 이 장은 영 제52조제8항에 의하여 비용의 일부를 보상받을 수 있는 자는 기술자평가 및 기술제안서평가 입찰에 참가한 자 중 낙찰자로 결정되지 아니한 자(이하 "탈락자"라 한다)로 한다.

제16조(탈락자 보상예산) 계약담당공무원은 영 제52조제8항에 규정한 탈락자에게 사업수행능력평가에 소요된 비용을 보상하기 위하여 탈락자 보상예산을 확보하여야 한다.

제17조(보상기준) 계약담당공무원은 탈락자 중 기술점수가 높은 순으로 최대 3인(탈락자가 3인 미만인 경우에는 모든 탈락자)을 선정하여 다음의 산식에 따라 기술제안서 평가에 대한 사업수행능력평가 보상비를 지급한다. 단, 기술자평가서 평가에 대한 사업수행능력평가 보상비는 다음 산식의 50%를 지급한다.

$$\text{예정가격} \times \left(0.3\% + \frac{\text{기술점수} - 85}{15} \times 0.3\%\right)$$

제18조(공동입찰시의 탈락자 보상) 계약담당공무원은 2인 이상이 공동으로 입찰하여 탈락자가 된 경우에는 제4조에 의해 산출된 금액을 공동입찰의 대표자에게 지급하여야 한다.

제19조(보상통지) ① 계약담당공무원은 탈락자가 확정되면 즉시 탈락자에게 사업수행능력평가 보상과 관련된 내용을 통지하여야 한다.
② 제1항의 통지에는 특별한 사유가 없는 한 통지일로부터 30일 이내에 탈락자의 사업수행능력평가 보상요청이 없으면 사업수행능력평가 보상금에 대한 권리를 포기한 것으로 간주한다는 내용이 포함되어야 한다.

제20조(입찰공고시 공고사항) 계약담당공무원은 영 제52조에 규정한 기술자평가 또는 기술제안서평가 용역의 입찰공고를 하는 경우에는 입찰공고에 제17조부터 제19조의 내용을 포함시켜야 한다.

제5장 보칙

제21조(세부시행기준 등) 이 기준을 운영함에 있어 필요한 세부사항에 대하여는 발주청이 따로 정할 수 있다.

제22조(재검토 기한) 국토교통부장관은 「훈령 · 예규 등의 발령 및 관리에 관한 규정」(대통령 훈령 334호)에 따라 이 고시에 대하여 2020년 7월 1일 기준으로 매 3년이 되는 시점(매 3년째의 6월 30일까지를 말한다)마다 그 타당성을 검토하여 개선 등의 조치를 하여야 한다.

부칙 〈제2015-472호, 2015.6.30〉

제1조(시행일) 이 기준은 고시한 날부터 시행한다.

제2조(고시의 폐지) 다음 각 호의 고시를 폐지한다.

1. 건설공사 설계용역 투입인원수 산정기준(국토교통부 고시 제2013-408호, 2013.7.8)
2. 건설사업 대가기준(국토교통부 고시 제2014-298호, 2014.5.23)
3. 사업수행능력평가 참가용역업자 중 탈락자에 대한 보상기준(국

토교통부 고시 제2014-269호, 2014.5.21)

제3조(적용례) 이 기준은 시행일 이후에 최초로 입찰공고하는 건설기술용역 및 건설사업관리용역부터 적용한다.

부칙 〈제2017-414호, 2017.6.20〉

이 고시는 발령한 날부터 시행한다.

부칙 〈제2020-496호, 2020.7.2〉

이 고시는 발령한 날부터 시행한다.

부칙 〈제2020-707호, 2020.10.6〉

제1조(시행일) 이 기준은 고시한 날부터 시행한다.

부칙 〈제2021-961호, 2021.7.14〉

이 기준은 고시한 날부터 시행한다.

[별표 1]

건설공사분야별 설계용역 투입인원수 산정기준
(도로, 철도, 항만, 하천, 댐, 상수도)

제1장 도로분야 설계용역의 투입인원수 산정기준

1-1 타당성조사

가. 투입인원수 산정기준

구분	업무구분		단위	기준인원수(인·일)					환산계수	보정계수		
				기술사	특급	고급	중급	초급		도로등급	공사성격	지역
조사	1. 과업착수준비		식	0.8	1.8	1.8	1.5	1.2	②			
	2. 관련계획조사 및 검토		km	1.0	2.0	3.4	2.8	1.5	①		●	●
	3. 현지조사 및 답사		km	0.4	1.0	1.5	1.3	1.0	①			●
	4. 교통량 및 교통시설 조사		km	1.3	2.8	3.0	3.5	4.2	①			●
	5. 수자원	1)수리·수문조사	km	0.3	0.9	1.3	1.3	0.8	①			●
		2)기상·해상조사	km	0.2	0.6	0.8	0.8	0.5	①			●
		3)선박운항조사	km(해상구간)	0.2	0.5	0.7	0.6	0.4	①			
	6.환경영향조사(문화재조사)		km	0.4	1.0	1.0	1.0	1.1	①			●
계획	1. 교통분석 및 평가		km	3.2	5.0	6.5	7.5	7.0	①	●		●
	2. 경제성 및 재무분석		km	2.5	4.0	5.0	7.0	4.0	①	●		
	3. 노선계획		Km	10.8	15.1	19.2	12.8	7.8	①	●	●	●
	4. 구조물계획	교량계획	개소	1.5	1.8	1.6	1.6	1.8	③	●	●	
		터널계획	개소	2.5	3.1	3.1	3.7	2.8	④	●	●	
	5. 관계기관 협의		km	0.7	1.0	1.3	1.0	0.7	①	●	●	●
설계	1. 노선설계		km	3.7	4.7	5.6	4.9	4.5	①	●	●	●
	2. 출입시설설계		개소	1.8	2.4	2.8	2.4	2.2				
	3. 교량설계		개소	1.0	1.8	2.0	1.7	1.6	③	●		
			100m	2.5	2.2	3.2	4.0	4.0		●		
	4. 터널설계		개소	1.0	1.2	1.4	1.8	1.2	④	●		
			km	1.6	1.5	2.0	2.7	2.5		●		
성과품작성	1. 타당성조사 보고서		km	2.6	5.6	6.7	5.0	4.0	①		●	●
	2. 보고서 별책부록		km	1.0	2.4	3.4	3.6	3.2	①		●	
	3. 타당성조사도면		Km	0.1	0.2	0.5	0.6	0.4	①	●	●	

[주] 교량이나 터널이 없는 경우에는 기준인원수에서 다음 기준인원수를 감하여야 한다.

※ 교량, 터널이 없는 경우 감소 기준인원수

구분	업무구분	단위	교량구조물 없을 때 감소 기준인원수(인 · 일)					터널설계 없을 때 감소 기준인원수(인 · 일)				
			기술사	특급	고급	중급	초급	기술사	특급	고급	중급	초급
조사	1. 과업착수준비	식			0.1					0.1		
계획	2. 경제성 및 재무분석	km				0.2	0.2				0.1	0.1
	5. 관계기관협의	km		0.1	0.1	0.1						
성과품 작성	1. 타당성조사 보고서	km	0.1	0.5	0.9	0.4	0.2	0.1	0.5	0.7	0.4	0.2
	2. 보고서별책부록	km		0.1	0.2	0.2				0.1	0.1	
	3. 설계도면	km			0.1	0.1						

나. 적용수량 환산계수 및 보정계수

구분	항목		세부내용
적용 수량 환산 계수	연장	① 총연장 (km)	1km 미만 : 총연장 그대로 적용 1km 이상 : 1+α ×(총연장 - 1) 조사·설계 단계 : α =0.5-(0.002×총연장) 계획단계 : α =0.6-(0.002×총연장) 성과품작성 단계 : α =0.4-(0.002×총연장) ※ 해상구간연장 적용시 총연장 대신 적용
		② 총연장 (식)	5km 미만 : 1 5km 이상 : 1 + (총연장-5)×0.05
		• 교량연장 및 터널 연장은 환산계수 없음	
	개소	③ 교량 개소	교량개소가 2개 이상일 때 유사구조물 개념을 반영한 교량유형별 환산교량개소산정 방법 환산교량개소 = 0.2+0.8×교량개소
		④ 터널 개소	터널개소가 2개 이상일 때 유사구조물 개념을 반영한 터널유형별 환산터널개소산정 방법 환산터널개소 = 0.2+0.7×터널개소
보정 계수	도로등급		일반국도 : 1.0, 고속국도 : 1.2, 지방도 이하 : 0.9 ※설계속도에 따라 타등급의 계수 준용가능
	공사성격		신설 : 1.0, 확장 : 1.1 ※공사성격 혼재시 해당구간의 연장을 기준으로 가중평균한 값 적용
	지역특성		지방 : 1.0, 도시 : 1.2 ※지방부와 도시부 혼재시 해당구간의 연장을 기준으로 가중평균한 값 적용

1-2 기본설계

가. 투입인원수 산정기준

구분	업무구분		단위	기준인원수(인 · 일)					환산계수	보정계수			
				기술사	특급	고급	중급	초급		도로등급	공사성격	지역	차로수
조사	1. 과업착수준비		식	2.0	5.1	5.8	4.6	2.5	②				
	2. 관련계획조사 및 검토		km	0.2	1.3	2.9	3.8	3.5	①		●	●	
	3. 현지조사 및 답사		km	0.9	3.1	4.8	5.1	4.5	①		●	●	●
	4. 교통량 및 교통시설 조사		km	4.6	9.9	12.5	13.9	15.5	①			●	
	5. 수자원	1) 수리 · 수문조사	km	0.3	1.3	2.0	2.3	1.5	①			●	
		2) 기상 · 해상조사	km	0.3	1.3	2.0	2.3	1.5	①			●	
		3) 선박운항조사	km (해상구간)	0.2	0.7	1.0	1.0	0.8	①				
	6. 환경영향조사(문화재조사)		km	0.2	0.8	1.0	1.3	1.0	①			●	
	7. 측량 성과검토		km	0.2	0.7	1.3	1.1	0.8	①		●	●	
	8. 지질 및 지반조사 성과검토		km	0.2	0.6	1.1	1.1	0.3	①		●	●	
	9. 지장물 및 구조물조사		km (터널제외)	0.0	2.3	4.1	5.4	4.5	①		●	●	●
	10. 토취장·골재원·사토장 조사		km	0.3	1.2	2.4	3.3	2.2	①			●	
	11. 용지조사		km (터널제외)	0.0	0.6	0.7	0.7	2.2	①		●	●	
계획	1. 전 단계 성과검토		km	1.6	2.8	3.6	3.4	1.8	①	●		●	
	2. 교통분석 및 평가		km	5.8	10.7	13.8	13.2	5.5	①	●		●	
	3. 전략환경영향평가 성과검토		km	0.2	0.2	0.5	0.5	0.5	①			●	
	4. 해상교통안전진단 검토		km (해상구간)	0.2	0.5	1.0	1.0	0.5	①				
	5. 재해영향평가 성과 검토		km (터널제외)	0.3	0.4	1.4	1.2	1.4	①			●	
	6. 경제성 및 재무분석		km	2.5	4.0	5.0	7.0	4.0	①	●			
	7. 노선선정		km	26.0	40.7	49.7	37.1	22.2	①	●	●	●	
	8. 수리·수문검토		개소(하천)	1.4	1.4	5.8	4.6	4.5					
	9. 관련규정의 적용		식	2.2	5.4	5.4	4.0	0.2	②	●		●	●
	10. 구조물 계획	1) 교량	개소	8.4	10.4	10.0	9.3	7.1	⑥	●	●		●
		2) 터널	개소	9.2	13.3	13.4	13.2	5.6	⑦	●	●		●
		3) 기타 구조물	km (도로연장)	1.2	1.5	4.0	5.0	3.0	⑥	●	●		

구분	업무구분		단위	기준인원수(인 · 일)					환산계수	보정계수			
				기술사	특급	고급	중급	초급		도로등급	공사성격	지역	차로수
계획	11. 설계기준 작성		식	4.3	6.2	6.8	5.9	1.7	②	●		●	●
	12. 관계기관 협의 및 민원검토		Km	4.0	7.2	8.3	7.1	4.2	①	●	●	●	
	13. 단계별 자문 및 방침자료 작성		회	4.6	8.7	9.7	8.7	7.0		●			
설계	1. 선형설계		Km	10.0	16.0	16.0	15.4	10.8	①	●	●	●	
	2. 토공설계		km (도로연장)	5.6	10.0	12.5	12.8	11.2	⑤		●	●	●
	3. 배수공 설계		km (도로연장)	2.9	3.9	5.8	5.2	2.7	⑤		●	●	●
	4. 포장공설계		식	6.1	6.3	9.4	7.9	2.9	②	●	●		●
	5. 출입시설 설계	1)평면교차	개소	2.0	2.9	3.6	3.9	3.3			●		
		2)입체교차		3.5	4.4	5.5	6.0	5.0					
	6. 부대시설설계		Km	1.6	3.3	4.4	4.1	3.8	①	●	●		●
	7. 교량설계		개소	2.2	2.1	2.1	0.7	0.2	⑥	●			●
			100m	2.5	3.8	8.9	8.8	6.0	③	●			●
	8. 터널설계		개소	10.0	10.8	30.0	27.0	20.0	⑦	●			●
			Km	2.0	4.8	5.4	5.8	3.0	④	●			●
성과품작성	1. 기본설계보고서		km	6.3	15.5	17.3	11.5	10.4	①		●	●	
	2. 지반조사보고서		km	0.0	3.4	4.8	4.5	0.4	①		●		
	3. 구조 및 수리계산서		개소 (교량,터널)	0.2	1.3	2.0	2.4	0.5	⑥⑦				●
	4. 터널해석보고서		개소	0.1	0.8	1.3	1.7	0.5	⑧				●
	5. 설계예산서		식	0.6	2.3	6.3	5.1	3.0	②	●			
	6. 단가 산출서		km	0.9	4.1	6.0	6.4	2.5	①	●	●	●	
	7. 수량 산출서		Km	0.8	2.3	6.4	6.3	7.0	①	●	●	●	
	8. 기본설계도면		Km	0.6	1.6	3.8	4.9	4.2	①	●	●		●

[주] 교량이나 터널이 없는 경우에는 기준인원수에서 다음 기준인원수를 감하여야 한다.

※ 교량, 터널이 없는 경우 감소 기준인원수

구분	업무구분	교량구조물 없을 때 감소 기준인원수(인 · 일)					터널설계 없을 때 감소 기준인원수(인 · 일)				
		기술사	특급	고급	중급	초급	기술사	특급	고급	중급	초급
조사	1. 과업착수준비	0.2	0.2	0.4	0.2		0.2	0.2	0.4	0.2	
	2. 관련계획 조사 및 검토		0.5	1.1							
	3. 현지조사 및 답사		0.4	0.6	0.6	0.5		0.6	0.8	0.7	0.7
	8. 지질 및 지반조사 성과검토							0.1	0.4	0.4	
	9. 지장물 및 구조물조사		0.4	0.8	0.8	0.3					
계획	1. 전 단계 성과검토	0.1	0.4	0.4	0.7	0.5	0.1	0.3	0.3	0.2	0.2
	9. 관련규정의 적용	0.4	1.0	1.3	0.5	0.1	0.4	0.9	1.1	0.5	0.1
	11. 설계기준 작성 및 기타	0.9	1.1	1.3	0.9		0.8	0.7	0.7	0.6	
	12. 관계기관 협의 및 민원 검토	1.0	1.4	2.4	2.5	0.8	0.3	0.7	0.6	1.3	0.5
설계	1. 선형 설계	2.3	3.1	2.6	2.8		1.8	1.8	0.9	1.3	
	4. 포장공 설계	1.8	1.8	2.8	2.3	0.8					
성과품 작성	1. 기본설계보고서	0.5	2.3	2.9	1.[illegible]	0.8	0.4	2.1	2.6	1.0	0.8
	3. 구조 및 수리계산서	0.1	0.8	1.3	1.7	0.5	0.1	0.5	0.7	0.7	
	5. 설계예산서		0.8	2.8	2.[illegible]			0.5	1.7	1.7	
	6. 단가산출서	0.3	1.0	1.6	1.7		0.2	1.0	1.4	1.4	1.4
	7. 수량산출서	0.1	0.8	1.3	1.7	1.7	0.2	0.4	1.0	1.2	1.3
	8. 기본설계도면	0.1	0.5	1.4	2.4		0.1	0.2	0.6	0.8	1.3

나. 적용수량 환산계수 및 보정계수

구분	항목		세부내용
적용수량 환산계수	연장	① 총연장 (km)	1km 미만 : 총연장 그대로 적용 1km 이상 : 1+α ×(총연장 - 1) 조사·설계 단계 : α =0.5-(0.005×총연장) 계획단계 : α =0.6-(0.005×총연장) 성과품작성 단계 : α =0.4-(0.005×총연장) ※ 해상구간연장 적용시 총연장 대신 적용
		② 총연장 (식)	5km 미만 : 1 5km 이상 : 1 + (총연장-5)×0.05
		③ 교량연장 (100m)	환산 교량연장 산식 : (a×A+b×B+c×C) 경간장 50m 이상 : a=1.0, A=교량연장 경간장 20~50m 미만 : b=0.9, B=교량연장 경간장 20m 미만 : c=0.7, C=교량연장

구분	항목		세부내용
적용수량 환산계수	연장	④ 터널연장 (km)	환산 터널연장 산식 : (a×G+b×H+c×I) 방재1등급 : a=1.0, G=터널연장 방재2등급 : b=0.9, H=터널연장 방재3등급 이하 : c=0.8, I=터널연장
		⑤ 도로연장 (km)	1km 미만 : 도로연장 그대로 적용 1km 이상 : 1+α ×(도로연장 - 1) (α = 조사, 설계 0.5, 계획 0.6, 성과품작성 0.4)
	개소	⑥ 교량개소	환산교량개소산식 : a×D'+b×E'+c×F' 경간장 50m 이상 : a=1.0 경간장 20~50m 미만 : b=0.9 경간장 20m 미만 : c=0.7 D, E, F : 해당경간장의 교량개소 (동일 경간장 범위의 교량개소가 2개 이상인 경우, 유사구조물 개념을 반영한 개소수 반영방법 : 환산교량개소D'(또는 E', F')= 0.2+0.8×교량개소)
		⑦ 터널개소	환산터널개소산식 : a×J'+b×K'+c×L' 방재1등급 : a=1.0 방재2등급 : b=0.9 방재3등급 : c=0.7 J, K, L : 해당 방재등급의 터널개소 (동일 방재등급의 터널개소가 2개 이상인 경우, 유사구조물 개념을 반영한 개소수 반영 방법 : 환산터널개소J'(또는 K', L')= 0.2+0.7×터널개소)
보정계수	도로등급		일반국도 : 1.0, 고속국도 : 1.3, 지방도 이하 : 0.8 ※설계속도에 따라 타등급의 계수 준용가능
	공사성격		신설 : 1.0, 확장 : 1.1 ※공사성격 혼재시 해당구간의 연장을 기준으로 가중평균한 값 적용
	지역특성		지방 : 1.0, 도시 : 1.3 ※지방부와 도시부 혼재시 해당구간의 연장을 기준으로 가중평균한 값 적용
	차로수		2차로 : 0.7, 4차로 : 1.0, 6차로 : 1.3, 8차로 이상 : 1.5 ※차로수 혼재시 해당구간의 연장을 기준으로 가중평균한 값 적용 ※확장시 차로수는 확장대상 차로수를 적용(2차로에서 4차로 확장시 2차로 적용)

1-3 실시설계

가. 투입인원수 산정기준

구분	업무구분		단위	기준인원수(인·일)					환산계수	보정계수			
				기술사	특급	고급	중급	초급		도로등급	공사성격	지역특성	차로수
조사	1. 과업착수준비		식	2.4	5.0	5.5	5.6	4.0	②				
	2. 현지 조사 및 답사		km	0.5	2.5	3.9	4.8	5.0	①		●	●	
	3. 측량 성과 검토		km	0.4	0.6	0.9	1.0	1.1	①		●		
	4. 지질 및 지반조사 성과검토		km	0.3	0.6	0.6	1.0	0.4	①		●		
	5. 지장물 및 구조물조사		km (터널제외)	0.0	2.1	3.1	3.9	5.2	①		●	●	
	6. 토취장·골재원·사토장 조사		km	0.3	1.2	2.4	3.3	2.2	①			●	
	7. 용지조사		km (터널제외)	0.0	1.0	1.3	1.3	3.1	①		●	●	
계획	1. 전 단계 성과검토		km	2.6	4.0	5.2	5.9	4.4	①				
	2. 관련규정의 적용		식	2.4	7.3	7.2	5.3	0.4	②	●			
	3. 환경영향평가 성과검토		km	0.7	2.6	5.7	0.7	0.3	①			●	
	4. 재해영향평가 성과검토		km (터널제외)	0.3	0.4	1.4	1.2	1.4	①			●	
	5. 수리·수문검토		개소(하천)	1.4	1.4	5.8	4.6	4.5					
	6. 연약지반처리계획		km (연약지반)	3.2	4.9	7.9	8.3	4.9	⑤	●	●	●	
	7. 구조물 계획	1) 교량계획	개소	4.4	7.7	10.4	9.2	4.3	⑦	●	●		●
			100m	1.2	2.3	3.5	2.8	0.4	③	●	●		●
		2) 터널계획	개소	6.3	12.6	14.0	24.1	6.1	⑧	●	●		●
		3) 기타구조물 계획	km (도로연장)	0.9	1.0	2.0	2.0	1.2	⑥	●	●		
		4) 지하차도계획	개소	7.8	15.3	18	27.1	7.2			●	●	●
	8. 설계기준 작성		식	3.9	4.1	5.4	5.9	0.7	②	●		●	
	9. 관계기관협의 및 민원검토		km	5.3	7.5	7.3	6.1	4.2	①	●	●	●	
	10. 단계별자문 및 방침자료작성		회	6.8	10.1	11.4	12.2	11.5		●			
설계	1. 설계 조건		식	5.2	9.3	9.7	9.0	1.3	②				
	2. 선형설계		km	4.4	5.3	7.6	9.0	5.2	①	●	●	●	
	3. 비탈면 안정공		km(도로연장)	0.8	1.8	2.9	4.1	3.4	⑥	●	●	●	
	4. 토공설계		km (도로연장)	3.3	8.9	16.6	21.8	22.6	⑥		●	●	●
		연약지반설계	km	3.2	6.9	8.4	13.5	14.5	⑤		●	●	●
	5. 배수공 설계		km (도로연장)	5.0	10.6	16.6	24.2	21.9	⑥		●	●	●
	6. 소구조물공 설계		km (도로연장)	0.3	0.7	1.4	1.7	2.0	⑥	●	●	●	

구분	업무구분		단위	기준인원수(인·일)					환산계수	보정계수			
				기술사	특급	고급	중급	초급		도로등급	공사성격	지역특성	차로수
설계	7. 포장공 설계		식	4.7	4.0	8.8	8.3	2.3	②	●	●		●
	8. 출입시설 설계	1)평면교차	개소	5.4	10.4	12.8	13.4	12.0			●		
		2)단순입체교차		11.0	20.8	25.8	27.0	24.0					
		3)인터체인지		※별도산정									
	9. 부대시설 설계		km	0.8	2.5	3.0	4.5	6.3	①	●	●		●
	10. 교량설계		개소	3.5	5.9	12.9	11.4	17.3	⑦	●			●
			100m	4.5	8.9	15.5	19.5	16.8	③	●			●
	11. 터널설계		개소	24.7	61.6	108.3	127.3	127.7	⑧	●			●
			km	5.9	9.7	24.9	26.9	41.1	④	●			●
	12. 지반설계			km	8.7	7.0	11.2	14.7	16.1	①	●	●	
		연약지반개량 설계	km (연약지반)	3.2	3.3	4.5	4.3	3.4	⑤	●	●		
	13. 하천설계(이설)		개소	2.6	3.9	7.3	8.2	7.4					
	14. 계측계획 및 기타		Km	0.8	4.5	1.0	1.7	1.0	①		●		
	15. 지하차도 설계		개소	20.2	45.6	86.8	94.3	100.7			●	●	●
			100m	7.1	13	24.5	28.9	31.2			●	●	●
성과품작성	1. 실시설계 보고서		km	8.4	17.1	24.0	16.4	9.5	①		●		
	2. 지질 및 지반조사 보고서		km	0.0	3.8	5.3	5.4	0.0	①		●		
	3. 구조 및 수리계산서		개소 (교량, 터널 지하차도)	0.5	4.0	8.0	16.5	0.0	⑦⑧				●
	4. 터널해석보고서		개소	0.0	1.8	4.4	12.6	0.0	⑧				●
	5. 설계예산서		식	2.1	9.8	17.5	21.0	1.6	②	●			
	6. 단가 산출서		km	0.9	5.4	8.0	8.6	2.5	①	●	●		
	7. 수량 산출서		Km	2.2	8.8	17.2	27.5	30.0	①	●	●		
	8. 실시설계도면		Km	5.0	5.6	9.3	20.0	18.0	①	●	●		●
	9. 공사시방서		식	2.2	6.8	9.4	7.5	7.0	②				
	10. 기타		Km	0.1	0.9	1.2	2.7	3.7	①				

[주1] 교량이나 터널이 없는 경우에는 기준인원수에서 다음에 제시된 기준인원수를 감하여야 한다.

※ 교량, 터널이 없는 경우 감소 기준인원수

구분	업무구분	단위	교량구조물 없을 때 감소 기준인원수(인·일)					터널설계 없을 때 감소 기준인원수(인·일)				
			기술사	특급	고급	중급	초급	기술사	특급	고급	중급	초급
조사	1. 과업착수준비	식	0.3	0.3	0.4	0.4		0.3	0.3	0.4	0.3	
	2. 현지 조사 및 답사	Km		0.4	0.6	0.6	0.6	0.0	0.5	0.7	0.7	0.8
	4. 지질 및 지반조사 성과검토	km						0.1	0.1	0.3	0.4	0.0
	5. 지장물 및 구조물조사	Km (터널연장 제외)		0.6	0.9	0.9	0.9					
계획	1. 전 단계 성과검토	km	0.2	0.6	0.6	1.2	1.3	0.3	0.5	0.5	0.5	0.6
	5. 관련규정의 적용	식	0.7	1.6	1.9	0.7	0.2	0.7	1.4	1.8	0.7	0.2
	3. 설계기준 작성 및 기타	식	0.9	0.9	1.4	1.3		0.8	0.6	0.8	0.9	0.0
	9. 관계기관 협의 및 민원 검토	km	1.3	1.5	2.0	2.1	0.8	0.4	0.8	0.5	1.1	0.5
설계	1. 설계 조건	식	1.9	2.8	2.9	2.8	0.0	1.4	1.7	1.6	1.9	0.0
	2. 선형설계	Km	0.3	0.5	0.6	0.7	0.0	0.3	0.3	0.0	0.0	0.0
	7. 포장공 설계	식	0.2	0.7	1.3	0.9	0.0					
	12. 지반설계	Km		0.7	1.1	0.9						
	14. 계측계획 및 기타	Km	0.1	1.1				0.3	0.7	1.0	0.7	1.0
성과품작성	1. 실시설계 보고서	km	0.8	2.8	4.3	2.3	1.1	0.8	2.6	3.8	2.0	1.1
	3. 구조 및 수리계산서	개소 (교량,터널 지하차도)	0.0	2.5	5.0	13.5	0.0	0.5	1.5	3.0	3.0	0.0
	4. 터널해석보고서	개소(터널)						0.0	1.8	4.4	12.6	0.0
	5. 설계예산서	식	0.2	3.3	7.8	8.8	0.0	0.2	2.0	4.2	5.9	0.0
	6. 단가 산출서	km	0.3	1.1	2.2	2.3	0.0	0.2	1.0	1.7	1.6	0.7
	7. 수량 산출서	Km	0.4	3.8	4.1	8.3	8.5	0.9	1.8	3.0	6.0	6.6
	8. 실시설계도면	Km	0.9	1.4	2.6	7.3	0.0	0.9	0.7	1.2	2.5	4.3

나. 적용수량 환산계수 및 보정계수

구분		항목	세부내용
적용수량 환산계수	연장	① 총연장 (km)	1km 미만 : 총연장 그대로 적용 1km 이상 : 1+α ×(총연장 - 1) 조사성과품작성 단계 : α =0.6-(0.005×총연장) 계획단계 : α =0.7-(0.005×총연장) 설계단계 : α =0.8-(0.005×총연장)
		② 총연장 (식)	5km 미만 : 1 5km 이상 : 1 + (총연장-5)×0.05
		③ 교량연장 (100m)	환산 교량연장 산식 : (a×A+b×B+c×C) 경간장 50m 이상 : a=1.0, A=교량연장 경간장 20~50m 미만 : b=0.9, B=교량연장 경간장 20m 미만 : c=0.7, C=교량연장
		④ 터널연장 (km)	환산 터널연장 산식 : (a×G+b×H+c×1) 방제1등급 : a=1.0, G=터널연장 방제2등급 : b=0.8, H=터널연장 방제3등급 이하 : c=0.7, I=터널연장
		⑤ 연약지반 연장(km)	1km 미만 : 연약지반연장 그대로 적용 1km 이상 : 1+α ×(연약지반연장 - 1) (α = 조사, 성과품작성 0.6, 계획 0.7, 설계 0.8)
		⑥ 도로연장 (km)	1km 미만 : 도로연장 그대로 적용 1km 이상 : 1+α ×(도로연장 - 1) (α = 조사, 성과품작성 0.6, 계획 0.7, 설계 0.8)
	개소	⑦ 교량개소	환산교량개소산식 : a×D'+b×E'+c×F' 경간장 50m 이상 : a=1.0 경간장 20~50m 미만 : b=0.8 경간장 20m 미만 : c=0.6 D, E, F : 해당경간장의 교량개소 (동일 경간장 범위의 교량개소가 2개 이상인 경우, 유사구조물 개념을 반영한 개소수 반영방법 : 환산교량개소D'(또는 E', F')= 0.2+0.8×교량개소)
		⑧ 터널개소	환산터널개소산식 : a×J'+b×K'+c×L' 방재1등급 : a=1.0 방재2등급 : b=0.9 방재3등급 : c=0.7 J, K, L : 해당 방재등급의 터널개소 (동일 방재등급의 터널개소가 2개 이상인 경우, 유사구조물 개념을 반영한 개소수 반영 방법 : 환산터널개소J'(또는 K', L')= 0.2+0.7×터널개소)
보정계수		도로등급	일반국도 : 1.0, 고속국도 : 1.3, 지방도 이하 : 0.7 ※설계속도에 따라 타등급의 계수 준용가능
		공사성격	신설 : 1.0, 확장 : 1.3, 단순확장 : 0.6, 시설개량 : 0.2 ※공사성격 혼재시 해당구간의 연장을 기준으로 가중평균한 값 적용
		지역특성	지방 : 1.0, 도시 : 1.4 ※지방부와 도시부 혼재시 해당구간의 연장을 기준으로 가중평균한 값 적용
		차로수	2차로 : 0.6, 4차로 : 1.0, 6차로 : 1.3, 8차로 이상 : 1.5 ※차로수 혼재시 해당구간의 연장을 기준으로 가중평균한 값 적용 ※확장시 차로수는 확장대상 차로수를 적용(2차로에서 4차로 확장시 2차로 적용)

※ 단순확장 : 기존 도로의 선형변화가 전체 연장의 20% 이내인 노선 확장사업(선형변화가 없는 양측확장이나 편측확장 포함)

※ 시설개량 : 기존 도로의 노선확장 없이 선형변화가 전체 연장의 20%이내인 사업

다. 출입시설(완전입체)의 투입인원수 산정기준 및 적용수량 환산계수

1) 출입시설(완전입체)의 투입인원수 산정기준

업무구분	단위	기준인원수(인 · 일)					환산계수	보정계수		
		기술사	특급	고급	중급	초급		도로등급	공사성격	지역특성
1. 조사	km	1.2	3.7	5.4	6.8	6.5	①		●	●
	km (터널 제외)	0.0	3.1	4.4	5.2	8.3	①		●	●
2. 계획	km	9.2	12.7	17.6	18.8	6.0	①	●	●	●
	km (도로연장)	0.6	0.7	1.3	1.3	0.8	①	●	●	●
3. 설계	km	24.1	41.3	60.3	81.7	78.5	①	●	●	●
4. 교량 계획 및 설계	개소	7.9	13.6	23.3	20.6	21.6	④	●		
	100m	5.7	11.2	19.0	22.3	17.2	②	●		
5. 터널 계획 및 설계	개소	31.0	74.2	122.3	151.4	133.8	⑤	●		
	km	5.9	9.7	24.9	26.9	41.1	③	●		

2) 출입시설 적용수량 환산계수 및 보정계수

구분	항목		세부내용
적용수량 환산계수	연장	① 출입시설 연장(km)	환산 출입시설 연장 산식 : α ×(출입시설 연장) 조사단계 : α =0.6-(0.005×출입시설연장) 계획단계 : α =0.7-(0.005×출입시설연장) 설계단계 : α =0.8-(0.005×출입시설연장) (출입시설 연장 = 3차로 이상 연장 + 0.6 × 2차로 이하 연장) * 출입시설 도로연장은 출입시설연장에서 교량 및 터널 연장 제외
		② 출입시설 교량연장 (km)	환산 교량연장 산식 : (a×A+b×B+c×C) 경간장 50m 이상 : a=1.1 경간장 20~50m 미만 : b=1.0 경간장 20m 미만 : c=0.8 (경간장별 교량연장 A, B, C는 차로수 보정을 수행한 후에 적용 : A(B, C) = 3차로 이상 교량연장 + 0.6 × 2차로 이하 교량 연장)
		③ 출입시설 터널연장 (km)	환산 터널연장 산식 : (0.7×터널연장) (터널연장 = 3차로 이상 연장 + 0.6 × 2차로 이상 연장)
	개소	④ 교량개소	환산교량개소산식 : a×D+b×E+c×F 경간장 50m 이상 : a=1.0 경간장 20~50m 미만 : b=0.8 경간장 20m 미만 : c=0.6 (경간장별 교량개소 D, E, F는 차로수 보정을 수행한 후에 적용 : D(E, F) = 3차로 이상 교량 개소 + 0.6 × 2차로 이하 교량 개소)
		⑤ 터널개소	환산 터널개소 산식 : (0.7×터널개소) (터널개소 = 3차로 이상 개소 + 0.6 × 2차로 이하 개소)
보정계수	도로등급		일반국도 : 1.0, 고속국도 : 1.3, 지방도 이하 : 0.7 ※설계속도에 따라 타등급의 계수 준용가능
	공사성격		신설 : 1.0, 확장 : 1.3, 단순확장 : 0.6
	지역특성		지방 : 1.0, 도시 : 1.4
	차로수		2차로 : 0.6, 4차로 : 1.0, 6차로 : 1.3, 8차로 이상 : 1.5

1-4 타당성조사 및 기본설계

가. 투입인원수 산정기준

구분	업무구분		단위	기준인원수(인 · 일)					환산계수	보정계수			
				기술사	특급	고급	중급	초급		도로등급	공사성격	지역	차로수
조사	1. 과업착수준비		식	2.0	5.1	5.8	4.6	2.5	②				
	2. 관련계획조사 및 검토		km	1.0	2.0	3.4	2.8	1.5	①		●	●	
	3. 현지조사 및 답사		km	0.9	3.1	4.8	5.1	4.5	①		●	●	●
	4. 교통량 및 교통시설 조사		km	4.6	9.9	12.5	13.9	15.5	①			●	
	5. 수자원	1) 수리 · 수문조사	km	0.3	1.3	2.0	2.3	1.5	①			●	
		2) 기상 · 해상조사	km	0.3	1.3	2.0	2.3	1.5	①			●	
		3) 선박운항조사	km (해상구간)	0.2	0.7	1.0	1.0	0.8	①				
	6. 환경영향조사(문화재조사)		km	0.2	0.8	1.0	1.3	1.0	①			●	
	7. 측량 성과검토		km	0.2	0.7	1.3	1.1	0.8	①		●	●	
	8. 지질 및 지반조사 성과검토		km	0.2	0.6	1.1	1.1	0.3	①		●	●	
	9. 지장물 및 구조물조사		km (터널제외)	0.0	2.3	4.1	5.4	4.5	①		●	●	●
	10. 토취장·골재원·사토장 조사		km	0.3	1.2	2.4	3.3	2.2	①			●	
	11. 용지조사		km (터널제외)	0.0	0.6	0.7	0.7	2.2	①		●	●	
계획	1. 교통분석 및 평가		km	8.7	16.0	20.7	19.8	8.2	①	●		●	
	2. 전략환경영향평가 성과검토		km	0.2	0.2	0.5	0.5	0.5	①			●	
	3. 해상교통안전진단 검토		km (해상구간)	0.2	0.5	1.0	1.0	0.5	①				
	4. 재해영향평가 성과 검토		km (터널제외)	0.3	0.4	1.4	1.2	1.4	①			●	
	5. 경제성 및 재무분석		km	2.5	4.0	5.0	7.0	4.0	①	●			
	6. 노선선정		km	26.0	40.7	49.7	37.1	22.2	①	●	●	●	
	7. 수리·수문검토		개소(하천)	1.4	1.4	5.8	4.6	4.5					
	8. 관련규정의 적용		식	2.2	5.4	5.4	4.0	0.2	②	●		●	●
	9. 구조물 계획	1) 교량	개소	8.4	10.4	10.0	9.3	7.1	⑥	●	●		●
		2) 터널	개소	9.2	13.3	13.4	13.2	5.6	⑦	●	●		●
		3) 기타 구조물	km (도로연장)	1.2	1.5	4.0	5.0	3.0	⑥	●	●		
	10. 설계기준 작성		식	4.3	6.2	6.8	5.9	1.7	②	●		●	●
	11. 관계기관 협의 및 민원검토		Km	4.0	7.2	8.3	7.1	4.2	①	●	●	●	
	13. 단계별 자문 및 방침자료작성		회	4.6	8.7	9.7	8.7	7.0		●			

구분	업무구분		단위	기준인원수(인 · 일)					환산계수	보정계수			
				기술사	특급	고급	중급	초급		도로등급	공사성격	지역	차로수
설계	1. 선형설계		Km	10.0	16.0	16.0	15.4	10.8	①	●	●	●	
	2. 토공설계		km (도로연장)	5.6	10.0	12.5	12.8	11.2	⑤		●	●	●
	3. 배수공 설계		km (도로연장)	2.9	3.9	5.8	5.2	2.7	⑤		●	●	●
	4. 포장공설계		식	6.1	6.3	9.4	7.9	2.9	②	●	●		●
	5. 출입시설 설계	1)평면교차	개소	2.0	2.9	3.6	3.9	3.3			●		
		2)입체교차		3.5	4.4	5.5	6.0	5.0					
	6. 부대시설설계		Km	1.6	3.3	4.4	4.1	3.8	①	●	●		●
	7. 교량설계		개소	2.2	2.1	2.1	0.7	0.2	⑥	●			●
			100m	2.5	3.8	8.9	8.8	6.0	③	●			●
	8. 터널설계		개소	10.0	10.8	30.0	27.0	20.0	⑦	●			●
			Km	2.0	4.8	5.4	5.8	3.0	④	●			●
성과품작성	1. 타당성조사 및 기본설계 보고서		km	7.9	18.6	20.4	13.4	11.7	①		●	●	
	2. 보고서별책부록		km	1.0	2.4	3.4	3.6	3.2	①		●		
	3. 지반조사보고서		km	0.0	3.4	4.8	4.5	0.4	①		●		
	4. 구조 및 수리계산서		개소(교량, 터널)	0.2	1.3	2.0	2.4	0.5	⑥⑦				●
	5. 터널해석보고서		개소	0.1	0.8	1.3	1.7	0.5	⑦				●
	6. 설계예산서		식	0.6	2.3	6.3	5.1	3.0	②	●			
	7. 단가 산출서		km	0.9	4.1	6.0	6.4	2.5	①	●	●	●	
	8. 수량 산출서		Km	0.8	2.3	6.4	6.3	7.0	①	●	●	●	
	9. 타당성조사및기본설계도면		Km	0.7	2.0	4.5	5.8	4.9	①	●	●		●

[주] 교량이나 터널이 없는 경우에는 기준인원수에서 다음의 기준인원수를 감하여야 한다.

※ 교량, 터널이 없는 경우 감소 기준인원수

구분	업무구분	단위	교량구조물 없을 때 감소 기준인원수(인 · 일)					터널설계 없을 때 감소 기준인원수(인 · 일)				
			기술사	특급	고급	중급	초급	기술사	특급	고급	중급	초급
조사	1. 과업착수준비	식	0.2	0.2	0.4	0.2		0.2	0.2	0.4	0.2	
	2. 관련계획 조사 및 검토	km		0.5	1.1							
	5. 현지조사 및 답사	km		0.4	0.6	0.6	0.5		0.6	0.8	0.7	0.7
	6. 지질 및 지반조사 성과검토	km							0.1	0.4	0.4	
	7. 지장물 및 구조물조사	km (터널연장 제외)		0.4	0.8	0.8	0.3					
계획	8. 관련규정의 적용	식	0.4	1.0	1.3	0.5	0.1	0.4	0.9	1.1	0.5	0.1
	10. 설계기준 작성	식	0.9	1.1	1.3	0.9		0.8	0.7	0.7	0.6	
	11. 관계기관 협의 및 민원 검토	Km	1.0	1.4	2.4	2.5	0.8	0.3	0.7	0.6	1.3	0.5
설계	1. 선형 설계	km	2.3	3.1	2.6	2.8		1.8	1.8	0.9	1.3	
	5. 포장공 설계	식	1.8	1.8	2.8	2.3	0.8					
성과품작성	1. 타당성조사 및 기본설계보고서	km	0.6	2.8	3.4	1.2	0.8	0.5	2.6	3.0	1.1	0.8
	2. 보고서 별책부록	km		0.1	0.2	0.2				0.1	0.1	
	4. 구조 및 수리계산서	개소	0.1	0.8	1.3	1.7	0.5	0.1	0.5	0.7	0.7	
	6. 설계예산서	식		0.8	2.8	2.1			0.5	1.7	1.7	
	7. 단가산출서	km	0.3	1.0	1.6	1.7		0.2	1.0	1.4	1.4	1.4
	8. 수량산출서	km	0.1	0.8	1.3	1.7	1.7	0.2	0.4	1.0	1.2	1.3
	9. 타당성조사및기본설계도면	km	0.1	0.5	1.4	2.4		0.1	0.2	0.6	0.8	1.3

나. 적용수량 환산계수 및 보정계수

구분	보정계수항목		세부내용
적용수량 환산계수	연장	① 총연장 (km)	1km 미만 : 총연장 그대로 적용 1km 이상 : 1+α ×(총연장 - 1) 조사설계 단계 : α =0.5-(0.005×총연장) 계획단계 : α =0.6-(0.005×총연장) 성과품작성 단계 : α =0.4-(0.005×총연장) ※ 해상구간연장 적용시 총연장 대신 적용
		② 총연장 (식)	5km 미만 : 1 5km 이상 : 1 + (총연장-5)×0.05
		③ 교량연장 (100m)	환산 교량연장 산식 : (a×A+b×B+c×C) 경간장 50m 이상 : a=1.0, A=교량연장 경간장 20~50m 미만 : b=0.9, B=교량연장 경간장 20m 미만 : c=0.7, C=교량연장
		④ 터널연장 (km)	환산 터널연장 산식 : (a×G+b×H+c×I) 방제1등급 : a=1.0, G=터널연장 방제2등급 : b=0.9, H=터널연장 방제3등급 이하 : c=0.8, I=터널연장
		⑤ 도로연장 (km)	1km 미만 : 도로연장 그대로 적용 1km 이상 : 1+α ×(도로연장 - 1) (α = 조사, 설계 0.5, 계획 0.6, 성과품작성 0.4)
	개소	⑥ 교량개소	환산교량개소산식 : a×D'+b×E'+c×F' 경간장 50m 이상 : a=1.0 경간장 20~50m 미만 : b=0.9 경간장 20m 미만 : c=0.7 D, E, F : 해당경간장의 교량개소 (동일 경간장 범위의 교량개소가 2개 이상인 경우, 유사구조물 개념을 반영한 개소수 반영방법 : 환산교량개소D'(또는 E', F')= 0.2+0.8×교량개소)
		⑦ 터널개소	환산터널개소산식 : a×J'+b×K'+c×L' 방재1등급 : a=1.0 방재2등급 : b=0.9 방재3등급 : c=0.7 J, K, L : 해당 방재등급의 터널개소 (동일 방재등급의 터널개소가 2개 이상인 경우, 유사구조물 개념을 반영한 개소수 반영 방법 : 환산터널개소J'(또는 K', L')= 0.2+0.7×터널개소)

구분	보정계수항목	세부내용
보정계수	도로등급	일반국도 : 1.0, 고속국도 : 1.3, 지방도 이하 : 0.8 ※설계속도에 따라 타등급의 계수 준용가능
	공사성격	신설 : 1.0, 확장 : 1.1 ※공사성격 혼재시 해당구간의 연장을 기준으로 가중평균한 값 적용
	지역특성	지방 : 1.0, 도시 : 1.3 ※지방부와 도시부 혼재시 해당구간의 연장을 기준으로 가중평균한 값 적용
	차로수	2차로 : 0.7, 4차로 : 1.0 6차로 : 1.3, 8차로 이상 : 1.5 ※차로수 혼재시 해당구간의 연장을 기준으로 가중평균한 값 적용 ※확장시 차로수는 확장대상 차로수를 적용(2차로에서 4차로 확장시 2차로 적용)

1–5 기본설계 및 실시설계

가. 투입인원수 산정기준

구분	업무구분	단위	기술사	특급	고급	중급	초급	환산계수	도로등급	공사성격	지역특성	차로수
			기준인원수(인 · 일)						보정계수			
조사	1. 과업착수준비	식	2.4	5.0	5.5	5.6	4.0	②				
	BIM 설계 적용시		6.4	13.3	14.6	14.9	10.6					
	2. 관련계획조사 및 검토	km	0.2	1.3	2.9	3.8	3.5	①		●	●	
	3. 현지 조사 및 답사	km	0.5	2.5	3.9	4.8	5.0	①		●	●	
	4. 교통량 및 교통시설 조사	km	4.6	9.9	12.5	13.9	15.5	①			●	
	5. 수자원 1) 수리 · 수문조사	km	0.3	1.3	2.0	2.3	1.5	①			●	
	5. 수자원 2) 기상 · 해상조사	km	0.3	1.3	2.0	2.3	1.5	①			●	
	5. 수자원 3) 선박운항조사	km (해상구간)	0.2	0.7	1.0	1.0	0.8	①				
	6. 환경영향조사(문화재조사)	km	0.2	0.8	1.0	1.3	1.0	①			●	
	7. 측량 성과 검토	km	0.4	0.6	0.9	1.0	1.1	①		●		
	BIM 설계 적용시		1	1.5	2.2	2.5	2.7					
	8. 지질 및 지반조사 성과검토	km	0.3	0.6	0.6	1.0	0.4	①		●		
	9. 지장물 및 구조물조사	km (터널제외)	0.0	2.1	3.1	3.9	5.2	①		●	●	
	10. 토취장·골재원·사토장 조사	km	0.3	1.2	2.4	3.3	2.2	①			●	
	11. 용지조사	km (터널제외)	0.0	1.0	1.3	1.3	3.1	①		●	●	
계획	1. 전 단계 성과검토	km	1.6	2.8	3.6	3.4	1.9	①	●		●	
	2. 교통분석 및 평가	km	5.8	10.7	13.8	13.2	5.5	①	●		●	
	3. 전략환경영향평가 성과검토	km	0.2	0.2	0.5	0.5	0.5	①			●	
	4. 해상교통안전진단 검토	km (해상구간)	0.2	0.5	1.0	1.0	0.5	①				
	5. 재해영향평가 성과 검토	km (터널제외)	0.3	0.4	1.4	1.2	1.4	①			●	
	6. 경제성 및 재무분석	km	2.5	4.0	5.0	7.0	4.0	①	●			
	7. 관련규정의 적용	식	2.4	7.3	7.2	5.3	0.3	②	●			
	8. 환경영향평가 성과검토	km	0.7	2.6	5.7	0.7	0.3	①			●	
	9. 수리·수문검토	개소(하천)	1.4	1.4	5.8	4.6	4.5					
	10. 노선선정	km	26.0	40.7	49.7	37.1	22.2	①	●	●	●	
	BIM 설계 적용시		28.1	44	53.8	40.1	24					
	11. 연약지반처리계획	km (연약지반)	3.2	4.9	7.9	8.3	4.9	⑤	●	●	●	
	12. 구조물계획 1) 교량계획	개소	4.4	7.7	10.4	9.2	4.3	⑦	●	●		●
		100m	1.2	2.3	3.5	2.8	0.4	③	●	●		●
	BIM 설계 적용시	개소	5.3	9.4	12.7	11.2	5.2	⑦	●	●		●
		100m	1.3	2.5	3.9	3.1	0.4	③	●	●		●
계획	12. 구조물계획 2) 터널계획	개소	6.3	12.6	14.0	24.1	6.1	⑧	●	●		●
	BIM 설계 적용시		7.3	14.7	16.3	28.1	7.1					
	3) 기타구조물계획	km (도로연장)	0.9	1.0	2.0	2.0	1.2	⑥	●	●		
	BIM 설계 적용시		1.6	1.8	3.7	3.7	2.2					
	4) 지하차도 계획	개소	7.8	15.3	18	27.1	7.2			●	●	●
	13. 설계기준 작성	식	3.9	4.1	5.4	5.9	0.7	②	●		●	
	14. 관계기관협의 및 민원검토	km	5.3	7.5	7.3	6.1	4.2	①	●	●	●	
	15. 단계별자문 및 방침자료작성	회	6.8	10.1	11.4	12.2	11.5		●			
	16. BIM 기반 각종 사전평가 성과 검토	식	1.9	3.3	4.5	4.2	2.4	①	●		●	
설계	1. 설계 조건	식	5.2	9.3	9.7	9.0	1.3	②				
	2. 선형설계	km	4.4	5.3	7.6	9.0	5.2	①	●	●	●	
	BIM 설계 적용시		5.1	6.2	8.8	10.5	6					
	3. 비탈면 안정공	km (도로연장)	0.8	1.8	2.9	4.1	3.4	⑥	●	●	●	
	BIM 설계 적용시		0.9	2.1	3.5	4.9	4.1					
	4. 토공설계 / BIM 설계 적용시	km (도로연장)	3.3	8.9	16.6	21.8	22.6	⑥		●	●	●
	연약지반설계	km	3.2	6.9	8.4	13.5	14.5	⑤		●	●	●
	5. 배수공 설계	km (도로연장)	5.0	10.6	16.6	24.2	21.9	⑥		●	●	●
	BIM 설계 적용시		5.4	11.5	18	26.2	23.7					
	6. 소구조물공 설계	km (도로연장)	0.3	0.7	1.4	1.7	2.0	⑥	●	●	●	
	BIM 설계 적용시		0.4	0.9	1.8	2.1	2.5					
	7. 포장공 설계	식	4.7	4.0	8.8	8.3	2.3	②	●	●		●
	BIM 설계 적용시		5.8	5.0	11.0	10.3	2.8					
	8. 출입 시설 설계 1)평면교차	개소	5.4	10.4	12.8	13.4	12.0			●		
	BIM 설계 적용시		6.4	12.5	15.3	16.1	14.4					
	2)입체교차		11.0	20.8	25.8	27.0	24.0					
	BIM 설계 적용시		13.8	26.1	32.3	33.8	30.1					
	3)인터체인지		※별도산정(실시설계단계 출입시설 산정기준 적용)									
	9. 부대시설 설계	km	0.8	2.5	3.0	4.5	6.3	①	●	●		●
	BIM 설계 적용시		0.9	2.9	3.4	5.2	7.3					
	10. 교량설계	개소	3.5	5.9	12.9	11.4	17.3	⑦	●			●
		100m	4.5	8.9	15.5	19.5	16.8	③	●			●
	BIM 설계 적용시	개소	3.7	6.4	13.9	12.3	18.7	⑦	●			●
		100m	4.8	9.6	16.7	21.0	18.1	③	●			●
	11. 터널설계	개소	24.7	61.6	108.3	127.3	127.7	⑧	●			●
		km	5.9	9.7	24.9	26.9	41.1	④	●			●
	BIM 설계 적용시	개소	25.7	64.2	112.9	132.7	133.1	⑧	●			●
		km	6.4	10.5	27.0	29.1	44.5	④	●			●

구분	업무구분		단위	기준인원수(인·일)					환산계수	보정계수			
				기술사	특급	고급	중급	초급		도로등급	공사성격	지역특성	차로수
설계	12. 지반설계		km	8.7	7.0	11.2	14.7		16.1	①	●	●	
		BIM 설계 적용시		9.0	7.3	11.6	15.3	16.7					
		연약지반개량설계	km (연약지반)	3.2	3.3	4.5	4.3	3.4	⑤	●	●		
	13. 하천설계(이설)		개소	2.6	3.9	7.3	8.2	7.4					
		BIM 설계 적용시		3.4	5.2	9.7	10.9	9.9					
	14. 계측계획 및 기타		Km	0.8	4.5	1.0	1.7	1.0	①		●		
	15. 지하차도 설계		개소	20.2	45.6	86.8	94.3	100.7			●	●	●
			100m	7.1	13	24.5	28.9	31.2			●	●	●
성과품 작성	1. 기본 및 실시설계 보고서		km	10.0	20.5	30.8	20.0	12.0	①		●		
		BIM 설계 적용시		15.2	31.3	47.0	30.5	18.3					
	2. 지질 및 지반조사 보고서		km	0.0	3.8	5.3	5.4	0.0	①		●		
		BIM 설계 적용시		0.0	4.9	6.8	6.9	0.0					
	3. 구조 및 수리계산서		개소(교량, 터널,지하차도)	0.5	4.0	8.0	16.5	0.0	⑦⑧				●
	4. 터널해석보고서		개소	0.0	1.8	4.4	12.6	0.0	⑧				●
	5. 설계예산서		식	2.1	9.8	17.5	21.0	1.6	②	●			
	6. 단가 산출서		km	0.9	5.4	8.0	8.6	2.5	①	●	●		
	7. 수량 산출서		Km	2.2	8.8	17.2	27.5	30.0	①	●	●		
		BIM 설계 적용시		1.5	6.2	12.0	19.3	21.0					
	8. 기본 및 실시설계도면		Km	5.5	6.0	10.0	22.0	20.5	①	●	●		●
		BIM 설계 적용시		4.4	4.8	8.0	17.6	16.4					
	9. 공사시방서		식	2.2	6.8	9.4	7.5	7.0	②				
	10. BIM 개방형 포맷 작성 및 데이터 검토		식	3.9	11.7	19.6	26.0	12.1	②				

[주] 교량이나 터널이 없는 경우에는 기준인원수에서 다음에 제시된 기준인원수를 감하여야 한다.

※ 교량, 터널이 없는 경우 감소 기준인원수

구분	업무구분	단위	교량구조를 없을 때 감소 기준인원수(인·일)					터널설계 없을 때 감소 기준인원수(인·일)				
			기술사	특급	고급	중급	초급	기술사	특급	고급	중급	초급
조사	1. 과업착수준비	식	0.3	0.3	0.4	0.4		0.3	0.3	0.4	0.3	
	2. 현지 조사 및 답사	Km		0.4	0.6	0.6	0.6	0.0	0.5	0.7	0.7	0.8
	3. 관련계획 조사 및 검토	Km		0.5	1.1							
	8. 지질 및 지반조사 성과검토	km						0.1	0.1	0.3	0.4	0.0
	9. 지장물 및 구조물조사	Km (터널연장 제외)		0.6	0.9	0.9	0.9					
계획	1. 전 단계 성과검토	km	0.2	0.6	0.6	1.2	1.3	0.3	0.5	0.5	0.5	0.6
	7. 관련규정의 적용	식	0.7	1.6	1.9	0.7	0.2	0.7	1.4	1.8	0.7	0.2
	12. 설계기준 작성	식	0.9	0.9	1.4	1.3		0.8	0.6	0.8	0.9	0.0
	13. 관계기관 협의 및 민원 검토	km	1.3	1.5	2.0	2.1	0.8	0.4	0.8	0.5	1.1	0.5
설계	1. 설계 조건	식	1.9	2.8	2.9	2.8	0.0	1.4	1.7	1.6	1.9	0.0
	2. 선형설계	Km	0.3	0.5	0.6	0.7	0.0	0.3	0.3	0.0	0.0	0.0
	7. 포장공 설계	식	0.2	0.7	1.3	0.9	0.0					
	12. 지반설계	Km		0.7	1.1	0.9						
	14. 계측계획 및 기타	Km	0.1	1.1				0.3	0.7	1.0	0.7	1.0
성과품 작성	1. 기본 및 실시설계 보고서	km	0.8	2.8	4.3	2.3	1.1	0.8	2.6	3.8	2.0	1.1
	3. 구조 및 수리계산서	개소 (교량,터널 지하차도)	0.0	2.5	5.0	13.5	0.0					
	4. 터널해석보고서	개소(터널)						0.0	1.8	4.4	12.6	0.0
	5. 설계예산서	식	0.2	3.3	7.8	8.8	0.0	0.2	2.0	4.2	5.9	0.0
	6. 단가 산출서	km	0.3	1.1	2.2	2.3	0.0	0.2	1.0	1.7	1.6	0.7
	7. 수량 산출서	Km	0.4	3.8	4.1	8.3	8.5	0.9	1.8	3.0	6.0	6.6
	8. 기본 및 실시설계도면	Km	0.9	1.4	2.5	7.3	0.0	0.9	0.7	1.2	2.5	4.3

[주] 계획단계는 LOD 200, 설계단계는 LOD 350 기준으로 산출된 인원수이며, LOD에 따라 업무별 기준인원수를 가감할 수 있다.

나. 적용수량 환산계수 및 보정계수

구분	항목		세부내용
적용수량 환산계수	연장	① 총연장 (km)	1km 미만 : 총연장 그대로 적용 1km 이상 : 1+α ×(총연장 - 1) 조사성과품작성 단계 : α =0.6-(0.005×총연장) 계획단계 : α =0.7-(0.005×총연장) 설계단계 : α =0.8-(0.005×총연장) ※ 해상구간연장 적용시 총연장 대신 적용
		② 총연장 (식)	5km 미만 : 1 5km 이상 : 1 + (총연장-5)×0.05
		③ 교량연장 (100m)	환산 교량연장 산식 : (a×A+b×B+c×C) 경간장 50m 이상 : a=1.0, A=교량연장 경간장 20~50m 미만 : b=0.9, B=교량연장 경간장 20m 미만 : c=0.7, C=교량연장
		④ 터널연장 (km)	환산 터널연장 산식 : (a×G+b×H+c×1) 방제1등급 : a=1.0, G=터널연장 방제2등급 : b=0.8, H=터널연장 방제3등급 이하 : c=0.7, I=터널연장
		⑤ 연약지반 연장(km)	1km 미만 : 연약지반연장 그대로 적용 1km 이상 : 1+α ×(연약지반연장 - 1) (α = 조사, 성과품작성 0.6, 계획 0.7, 설계 0.8)
		⑥ 도로연장 (km)	1km 미만 : 도로연장 그대로 적용 1km 이상 : 1+α ×(도로연장 - 1) (α = 조사, 성과품작성 0.6, 계획 0.7, 설계 0.8)
	개소	⑦ 교량개소	환산교량개소산식 : a×D'+b×E'+c×F' 경간장 50m 이상 : a=1.0 경간장 20~50m 미만 : b=0.8 경간장 20m 미만 : c=0.6 D, E, F : 해당경간장의 교량개소 (동일 경간장 범위의 교량개소가 2개 이상인 경우, 유사구조물 개념을 반영한 개소수 반영방법 : 환산교량개소D'(또는 E', F')= 0.2+0.8×교량개소)
		⑧ 터널개소	환산터널개소산식 : a×J'+b×K'+c×L' 방재1등급 : a=1.0 방재2등급 : b=0.9 방재3등급 : c=0.7 J, K, L : 해당 방재등급의 터널개소 (동일 방재등급의 터널개소가 2개 이상인 경우, 유사구조물 개념을 반영한 개소수 반영 방법 : 환산터널개소J'(또는 K', L')= 0.2+0.7×터널개소)

구분	항목	세부내용
보정계수	도로등급	일반국도 : 1.0, 고속국도 : 1.3, 지방도 이하 : 0.7 ※설계속도에 따라 타등급의 계수 준용가능
	공사성격	신설 : 1.0, 확장 : 1.3, 단순확장 : 0.6, 시설개량 : 0.2 ※공사성격 혼재시 해당구간의 연장을 기준으로 가중평균한 값 적용
	지역특성	지방 : 1.0, 도시 : 1.4 ※지방부와 도시부 혼재시 해당구간의 연장을 기준으로 가중평균한 값 적용
	차로수	2차로 : 0.6, 4차로 : 1.0 6차로 : 1.3, 8차로 이상 : 1.5 ※차로수 혼재시 해당구간의 연장을 기준으로 가중평균한 값 적용 ※확장시 차로수는 확장대상 차로수를 적용(2차로에서 4차로 확장시 2차로 적용)

※ 단순확장 : 기존 도로의 선형변화가 전체 연장의 20% 이내인 노선 확장사업(선형변화가 없는 양측확장이나 편측확장 포함)

※ 시설개량 : 기존 도로의 노선확장 없이 선형변화가 전체 연장의 20%이내인 사업

제2장 철도(노반)분야 설계용역의 투입인원수 산정기준

2-1 타당성조사

가. 투입인원수 산정기준

구분	업무구분		단위	기준인원수(인·일)					환산계수	보정계수		
				기술사	특급	고급	중급	초급		철도유형	공사성격	지역
조사	1. 과업착수준비		식	0.3	0.7	1.1	1.0	0.8	②	●		
	2. 관련계획 조사 및 검토		km	0.6	1.7	3.2	2.4	2.2	①			●
	3. 현지조사·답사		km	0.3	0.7	1.1	1.6	1.1	①			●
	4. 수자원	1) 수리·수문조사	km	0.6	1.0	2.8	1.8	1.8	①			●
		2) 기상조사	km	0.0	0.1	0.1	0.2	0.2	①			●
		3) 해상·선박운행 조사	km (해상구간)	0.0	0.1	0.2	0.2	0.2	①			
	5. 교통량 및 교통시설조사		km	1.4	2.0	4.8	3.4	3.2	①			●
	6. 환경영향조사(문화재조사)		km	0.1	0.3	0.3	0.7	0.4	①			●
	7. 지질·지반조사(폐광, 지하공동) 성과검토		km	0.0	0.2	0.7	0.8	0.6	①			
계획	1. 철도건설계획		식	0.2	0.2	0.3	0.2	0.1	②	●		
	2. 수송수요 예측 및 평가		km	1.5	2.8	5.1	5.1	3.3	①			
	3. 철도 시스템 검토		식	0.2	0.4	0.7	0.5	0.3	②	●		
	4. 건설기준·설계기준 검토		식	0.0	0.1	0.2	0.1	0.1	②	●		
	5. 노선선정(노선대안)		km	2.3	5.9	8.3	7.4	6.6	①	●	●	●
	6. 정거장 선정	1) 경유지 선정	개소	1.8	2.4	3.0	3.8	3.9		●		
		2) 위치 선정	개소	1.0	2.0	2.5	3.0	3.0		●		
	7. 구조물 계획	1) 교량	개소	1.3	2.6	4.2	4.1	0.6	④	●		
		2) 터널	개소	1.1	1.7	3.4	4.1	1.5	⑤			
	8. 열차운영계획 검토		km	0.2	0.7	0.9	0.8	0.7	①	●		
	9. 경제성 및 재무분석		km	1.3	2.5	3.9	4.0	3.4	①			
	10. 환경 및 교통영향성 평가결과 검토		km	0.8	1.4	2.8	0.8	0.3	①			●
	11. 관계기관 협의		km	0.2	0.5	0.9	0.8	0.5	①			
	12. 단계별 자문 및 방침자료 작성		회	2.4	6.7	9.0	9.3	7.7				
설계	1. 설계기준 설정		km	0.0	0.1	0.2	0.1	0.1	①	●		
	2. 노선설계(노선대안)		km	0.3	0.7	1.1	1.0	0.5	①	●		
	3. 구조물 설계	1) 토공설계	km	0.2	0.5	1.1	1.1	0.9	③	●		●
		2) 교량설계	개소	0.4	1.0	2.0	2.7	1.5	④	●		
			100m	1.2	2.2	3.2	4.0	2.0		●		
		3) 터널설계	개소	0.7	1.0	1.4	1.5	1.2	⑤	●		
			km	0.8	1.4	2.0	2.5	2.0		●		
		4) 정거장설계	개소	0.3	1.0	1.5	1.5	0.9		●		
성과품작성	1. 타당성조사 보고서		km	1.1	2.8	5.0	5.0	3.1	①		●	
	2. 보고서 별책부록		km	0.6	1.5	3.2	2.5	2.0	①			
	3. 타당성조사 도면		km	0.1	0.2	0.5	0.6	0.7	①		●	

[주] 교량이나 터널이 없는 경우에는 기준인원수에서 다음 기준인원수를 감하여야 한다.

※ 교량, 터널이 없는 경우 감소 기준인원수

구분	업무구분	단위	교량구조물 없을 때 감소 기준인원수(인·일)					터널설계 없을 때 감소 기준인원수(인·일)				
			기술사	특급	고급	중급	초급	기술사	특급	고급	중급	초급
조사	1. 과업착수준비	식		0.1	0.1			0.1	0.1	0.1		
	3. 수자원- 1) 수리·수문조사	km				0.1	0.1					
계획	5. 노선설계(노선대안)	km							0.1	0.1		
	11. 관계기관 협의	km			0.1	0.1	0.1		0.1	0.1	0.1	0.1
성과품작성	1. 타당성조사 보고서	km		0.1	0.4	0.2	0.1		0.1	0.3	0.2	0.1
	2. 보고서 별책부록	km			0.1					0.1		
	3. 타당성조사 도면	km			0.1	0.2	0.3			0.1	0.1	0.1

나. 적용수량 환산계수 및 보정계수

구분	항목		세부내용
적용수량 환산계수	연장	① 노선연장 (km)	1km 미만 : 노선연장 그대로 적용 1km 이상 : 1+α ×(노선연장 - 1) 조사설계단계 : α =0.5-(0.002×노선연장) 계획단계 : α =0.6-(0.002노선연장) 성과품작성단계 : α =0.4-(0.002×노선연장)
		② 노선연장 (식)	5km 미만 : 1 5km 이상 : (1+(노선연장-5)×0.05
		③ 토공연장 (km)	1km 미만 : 토공연장 그대로 적용 1km 이상 : 1+α ×(토공연장 - 1) (α = 조사, 설계 0.5, 계획 0.6, 성과품작성 0.4)
	개소	④ 교량개소	교량개소가 2개 이상일 때 유사구조물 개념을 반영한 교량유형별 환산교량개소산정 방법 환산교량개소 = 0.2+0.8×교량개소
		⑤ 터널개소	터널개소가 2개 이상일 때 유사구조물 개념을 반영한 터널유형별 환산터널개소산정 방법 환산터널개소 = 0.2+0.7×터널개소
보정계수	철도유형		고속철도 : 1.3, 일반철도(복선) : 1.0 일반철도(단선) : 0.8
	공사성격		신설 : 1.0, 개량 : 1.2
	지역특성		일반부 : 1.0, 도시부 : 1.3

2-2 타당성조사 및 기본계획

가. 투입인원수 산정기준

구분	업무구분		단위	기준인원수(인 · 일)					환산계수	보정계수		
				기술사	특급	고급	중급	초급		철도유형	공사성격	지역
조사	1. 과업착수준비		식	0.3	0.7	1.1	1.0	0.8	②	●		
	2. 관련계획 조사 및 검토		km	0.6	1.7	3.2	2.4	2.2	①			●
	3. 현지조사 · 답사		km	0.3	0.7	1.1	1.6	1.1	①			●
	4. 수자원	1) 수리 · 수문조사	km	0.6	1.0	2.8	1.8	1.8	①			●
		2) 기상조사	km	0.0	0.1	0.1	0.2	0.2	①			●
		3) 해상 · 선박운행 조사	km (해상구간)	0.0	0.1	0.2	0.2	0.2	①			
	5. 교통량 및 교통시설조사		km	1.4	2.0	4.8	3.4	3.2	①			●
	6. 환경영향조사(문화재조사)		km	0.1	0.3	0.3	0.7	0.4	①			●
	7. 지질·지반조사(폐광, 지하공동) 성과검토		km	0.0	0.2	0.7	0.8	0.6	①			
계획	1. 철도건설계획		식	0.2	0.2	0.3	0.2	0.1	②	●		
	2. 수송수요 예측 및 평가		km	1.9	3.4	6.2	6.2	4.1	①			
	3. 철도 시스템 검토		식	0.2	0.4	0.7	0.5	0.3	②	●		
	4. 건설기준 · 설계기준 검토		식	0.0	0.1	0.2	0.1	0.1	②	●		
	5. 노선선정(노선대안)		km	3.2	8.2	11.3	10.2	9.6	①	●	●	●
	6. 정거장 선정	1) 경유지 선정	개소	4.0	5.5	6.7	7.0	8.0		●		
		2) 위치선정	개소	1.8	2.4	3	3.8	3.9		●		
	7. 구조물계획	1) 교량	개소	1.3	2.6	4.2	4.1	0.6	④	●		
		2) 터널	개소	1.1	1.7	3.4	4.1	1.5	⑤			
		3) 입체교차시설	개소	0.6	1.1	1.6	1.9	1.5				
	8. 부대시설계획		km	0.2	0.6	0.7	0.7	0.4	①			
	9. 열차운영계획 검토		km	0.2	0.7	0.9	0.8	0.7	①	●		
	10. 경제성 및 재무분석		km	1.3	2.5	3.9	4.0	3.4	①			
	11. 환경 및 교통영향성 평가결과 검토		km	0.8	1.4	2.8	0.8	0.3	①			●
	12. 관계기관 협의		km	0.2	0.5	0.9	0.8	0.5	①			
	13. 단계별 자문 및 방침자료 작성		회	2.4	6.7	9.0	9.3	7.7				

구분	업무구분		단위	기준인원수(인 · 일)					환산계수	보정계수		
				기술사	특급	고급	중급	초급		철도유형	공사성격	지역
설계	1. 설계기준 설정		km	0.0	0.1	0.2	0.1	0.1	①	●		
	2. 노선설계(노선대안)		km	0.7	1.4	2.1	1.9	1.1	①	●		
	3. 구조물설계	1) 토공설계	km	1.1	3.9	5.5	5.7	4.8	③	●		●
		2) 교량설계	개소	0.5	1.2	2.6	3.7	2.6	④	●		
			100m	1.4	2.3	4.9	4.8	2.2		●		
		3) 터널설계	개소	0.7	1.0	2.1	2.0	1.4	⑤	●		
			km	0.8	1.4	3.1	3.3	2.1		●		
		4) 정거장설계	개소	0.3	1.0	1.5	1.5	0.9		●		
		5) 입체교차설계	개소	0.1	0.2	0.5	0.5	0.3				
성과품작성	1. 타당성조사 및 기본계획보고서		km	1.4	3.6	6.3	6.3	3.9	①		●	
	2. 보고서 별책부록		km	0.8	1.9	4.0	3.2	2.5	①			
	3. 타당성조사 및 기본계획도면		km	0.1	0.2	0.5	0.6	0.7	①		●	

[주] 교량이나 터널이 없는 경우에는 기준인원수에서 다음 기준인원수를 감하여야 한다.

※ 교량, 터널이 없는 경우 감소 기준인원수

구분	업무구분	단위	교량구조물 없을 때 감소 기준인원수(인 · 일)					터널설계 없을 때 감소 기준인원수(인 · 일)				
			기술사	특급	고급	중급	초급	기술사	특급	고급	중급	초급
조사	1. 과업착수준비	식		0.1	0.1			0.1	0.1	0.1		
	3. 수자원- 1) 수리 · 수문조사	km				0.1	0.1					
계획	5. 노선설계(노선대안)	km							0.1	0.1		
	12. 관계기관 협의	km			0.1	0.1	0.1		0.1	0.1	0.1	0.1
성과품작성	1. 타당성조사 및 기본계획보고서	km		0.1	0.4	0.2	0.1		0.1	0.3	0.2	0.1
	2. 보고서 별책부록	km			0.1					0.1		
	3. 타당성조사 및 기본계획도면	km			0.1	0.2	0.3			0.1	0.1	0.1

나. 적용수량 환산계수 및 보정계수

구분	항목		세부내용
적용수량 환산계수	연장	① 노선연장 (km)	1km 미만 : 노선연장 그대로 적용 1km 이상 : 1+α ×(노선연장 - 1) 조사설계단계 : α =0.5-(0.002×노선연장) 계획단계 : α =0.6-(0.002노선연장) 성과품작성단계 : α =0.4-(0.002×노선연장)
		② 노선연장 (식)	5km 미만 : 1 5km 이상 : (1+(노선연장-5)×0.05
		③ 토공연장 (km)	1km 미만 : 토공연장 그대로 적용 1km 이상 : 1+α ×(토공연장 - 1) (α = 조사, 설계 0.5, 계획 0.6, 성과품작성 0.4)
	개소	④ 교량개소	교량개소가 2개 이상일 때 유사구조물 개념을 반영한 교량유형별 환산교량개소산정 방법 환산교량개소 = 0.2+0.8×교량개소
		⑤ 터널개소	터널개소가 2개 이상일 때 유사구조물 개념을 반영한 터널유형별 환산터널개소산정 방법 환산터널개소 = 0.2+0.7×터널개소
보정계수	철도유형		고속철도 : 1.3, 일반철도(복선) : 1.0 일반철도(단선) : 0.8
	공사성격		신설 : 1.0, 개량 : 1.2
	지역특성		일반부 : 1.0, 도시부 : 1.3

2-3 기본설계

가. 투입인원수 산정기준

구분	업무구분		단위	기준인원수(인 · 일)					환산계수	보정계수		
				기술사	특급	고급	중급	초급		철도유형	공사성격	지역
조사	1. 과업착수준비		식	3.9	8.4	10.4	6.9	4.2	②	●		
	2. 관련계획 조사 및 검토		km	0.3	1.2	1.5	1.7	1.9	①			●
	3. 현지 조사 및 답사		km	0.8	1.5	2.1	3.7	2.9	①		●	●
	4. 수리 · 수문 조사	1) 수리 · 수문조사	km	1.3	1.4	3.7	2.4	2.1	①			●
		2) 기상조사	km	0.0	0.1	0.1	0.2	0.2	①			●
		3) 해상 · 선박운행 조사	km (해상구간)	0.0	0.1	0.2	0.2	0.2	①			
	5. 교통량 및 교통시설조사		km	0.1	0.4	0.8	0.4	0.3	①			●
	6. 환경영향조사(문화재조사) 성과 검토		km	0.4	0.4	0.4	1.5	1.0	①			●
	7. 측량 · 지질 및 지반조사 성과검토		km	0.2	0.5	0.9	1.0	0.7	①			
	8. 지장물 및 구조물조사		km (터널제외)	0.1	0.4	1.6	1.9	1.6	①			
	9. 토취장 · 골재원 · 사토장 조사		km	0.5	0.7	1.3	1.7	1.2	①			
	10. 용지조사		km (터널제외)	0.1	0.1	0.3	0.3	0.3	①			
계획	1. 전 단계 성과검토		km	2.5	4.0	7.1	6.1	2.8	①			
	2. 철도시스템 검토		식	0.2	0.4	0.7	0.5	0.3				
	3. 설계기준 검토		식	4.7	6.8	12.8	9.7	1.4	②	●		
	4. 노선선정	1) 노선대안	km	0.7	3.6	6.0	6.9	8.7	①	●	●	●
		2) 최적노선 선정	km	5.6	18.0	23.3	22.5	23.8	①	●	●	●
	5. 정거장 선정		개소	1.8	2.4	3	3.8	3.9		●		
	6. 주요 구조물 계획	1) 교량	100m	1.6	3.2	5.2	5.2	0.7	③	●		
		2) 터널	km	10.0	14.4	28.8	36.0	12.9	④	●		
		3) 기타구조물	개소	2.8	5.7	7.9	8.6	5.0		●		
	7. 열차운영계획 검토	1) 기초열차운영 (TPS)	식	0.4	1.2	1.6	1.6	1.6	②	●		
		2) 기본열차운영	km	1.4	2.6	3.2	3.4	3.4	①	●		
		3) 종합열차운행	km	3.3	4.7	5	5.5	6	①	●		
	8. 경제성 및 재무분석		km	0.7	1.5	2.3	2.4	2.0	①			

구분	업무구분		단위	기준인원수(인 · 일)					환산계수	보정계수		
				기술사	특급	고급	중급	초급		철도유형	공사성격	지역
계획	9. 환경 및 교통영향성 결과 검토		km	0.8	1.4	2.8	0.8	0.3	①			●
	10. 재해영향평가 검토		km (터널제외)	0.3	0.4	1.4	1.2	1.4	①			
	11. 수리, 수문검토		개소(하천)	1.4	1.4	5.8	4.6	4.5				
	12. 관계기관 협의 및 민원검토		km	4.2	12.2	18.6	20.1	12.9	①			
	13. 단계별 자문 및 방침자료작성		회	3.5	8.2	13.5	11.7	9.6				
설계	1. 철도설계		식	2.3	3.5	6.5	5.0	4.5	②	●		
	2. 노선설계		km	0.6	2.0	2.8	2.7	2.9	①	●		
	3. 토공설계		km(토공)	3.3	17.4	20.8	22.1	21.6	⑥	●		●
		연약지반처리대책	km (연약지반)	5.0	13.0	22.0	26.0	18.0	⑤			
	4. 정거장설계	1) 정거장 배선계획	개소	10.0	15.0	18.0	21.0	23.0		●		
		2) 시종착 배선계획	개소	23.0	35.0	42.0	47.0	52.0		●		
		3) 정거장 설계	개소	6.8	22.0	37.7	45.0	25.0		●		●
	5. 교량설계		100m	0.4	1.8	5.2	9.4	7.6	③	●		
			개소	2.2	6.3	13.2	18.6	13.4	⑦	●		
	6. 터널설계		km	11.2	17.6	43.4	46.4	29.4	④	●		
			개소	11.6	16.6	37.4	37.0	29.8	⑧			
	7. 입체교차설계		개소	0.9	2.9	5.1	7.1	6.0				
	8. 용 · 배수 설계		km	1.6	8.0	12.2	12.7	12.4	①			
	9. 공구분할		km	0.1	0.3	0.8	1.3	2.3	①			
	10. 인터페이스 설계		km	0.1	0.4	0.6	0.5	0.2	①			
성과품작성	1. 기본설계보고서		km	3.4	10.6	15.7	13.6	8.5	①		●	
	2. 지질 및 지반조사 보고서		km	0.0	1.9	4.2	3.8	0.0	①			
	3. 구조 및 수리계산서		개소	0.1	1.6	3.2	4.3	2.1	⑦⑧			
	4. 설계예산서		식	0.8	7.3	12.7	10.6	6.2	②			
	5. 수량산출서		km	0.7	1.4	4.3	7.5	6.1	①		●	
	6. 기본설계도면		km	0.1	0.5	1.1	1.6	2.4	①		●	

[주] 교량이나 터널이 없는 경우에는 기준인원수에서 다음에서 제시한 기준인원수를 감하여야 한다.

※ 교량, 터널이 없는 경우 감소 기준인원수

구분	업무구분	단위	교량구조물 없을 때 감소 기준인원수(인 · 일)					터널설계 없을 때 감소 기준인원수(인 · 일)				
			기술사	특급	고급	중급	초급	기술사	특급	고급	중급	초급
조사	1. 과업착수준비	식	1	1.7	2.3	1.1		1.1	1.7	1.7	0.9	
	3. 현지 조사 및 답사	km		0.1	0.3	0.3	0.2				0.1	0.1
	8. 지장물조사 검토	km (터널 제외)		0.1	0.5	0.6	0.5		0.1	0.5	0.6	0.5
계획	1. 전 단계 성과검토	km	0.4	0.7	1.5	1.7	0.9	0.5	0.6	1.4	1.3	0.6
	3. 설계기준 검토	식	1.5	2	5.2	3.9						
	6. 주요 구조물계획 (기타구조물)	개소	2	4.5	6.6	6.5	2.7					
	12. 관계기관 협의 및 민원검토	km	0.8	2.3	4.7	5.9	3.5	1	1.7	2.7	2.1	1.6
설계	1. 철도설계	식	0.5	0.7	1.3	1	1	0.3	0.4	0.7	0.5	0.5
	5. 정거장설계(3)정거장설계)	개소	1.3	2.7	5.3	8.1	4.4					
	7. 입체교차설계	개소	0.6	1.8	2.6	4.1	3.7					
성과품 작성	1. 기본설계보고서	km	0.7	1.2	2.9	1.8	1.4	0.4	0.9	2	1.3	1.2
	3. 구조 및 수리계산서	개소 (교량,터널)	0.1	1	2	2.9	1.5		0.4	1	1.4	0.5
	4. 설계예산서	식		1.3	1.1	1.3	0.7	0.2	1.2	1.6	1.6	0.3
	5. 수량산출서	km	0.1	0.2	0.4	1.4	1.3	0.1	0.2	0.6	0.4	0.8
	6. 기본설계도면	km		0.3	0.5	0.8	1.4		0.1	0.3	0.3	0.4

나. 적용수량 환산계수 및 보정계수

구분	항목		세부내용
적용수량 환산계수	연장	① 노선연장 (km)	1km 미만 : 노선연장 그대로 적용 1km 이상 : $1+\alpha$ ×(노선연장 - 1) 조사설계단계 : α =0.5-(0.005×노선연장) 계획단계 : α =0.6-(0.005×노선연장) 성과품작성단계 : α =0.4-(0.005×노선연장)

구분	항목		세부내용
적용 수량 환산 계수	연장	② 노선연장 (식)	5km 미만 : 1 5km 이상 : (1+(노선연장-5)×0.05
		③ 교량연장 (100m)	환산 교량연장 산식 : (a×A+b×B+c×C) 경간장 50m 이상 : a=1.0, A=교량연장 경간장 20~50m 미만 : b=0.9, B=교량연장 경간장 20m 미만 : c=0.7, C=교량연장
		④ 터널연장 (km)	환산 터널연장 산식 : (a×G+b×H+c×1) 방재1등급 : a=1.0, G=터널연장 방재2등급 : b=0.9, H=터널연장 방재3등급 이하 : c=0.7, I=터널연장
		⑤ 연약지반연장 (km)	1km 미만 : 연약지반연장 그대로 적용 1km 이상 : 1+α ×(연약지반연장 - 1) (α = 조사, 설계 0.5, 계획 0.6, 성과품작성 0.4)
		⑥ 토공연장 (km)	1km 미만 : 토공연장 그대로 적용 1km 이상 : 1+α ×(토공연장 - 1) (α = 조사, 설계 0.5, 계획 0.6, 성과품작성 0.4)
	개소	⑦ 교량개소	환산교량개소산식 : a×D'+b×E'+c×F' 경간장 50m 이상 : a=1.0 경간장 20~50m 미만 : b=0.9 경간장 20m 미만 : c=0.7 D, E, F : 해당경간장의 교량개소 (동일 경간장 범위의 교량개소가 2개 이상인 경우, 유사구조물 개념을 반영한 개소수 반영방법 : 환산교량개소D'(또는 E', F')= 0.2+0.8×교량개소)
		⑧ 터널개소	환산터널개소산식 : a×J'+b×K'+c×L' 방재1등급 : a=1.0 방재2등급 : b=0.9 방재3등급 : c=0.8 J, K, L : 해당 방재등급의 터널개소 (동일 방재등급의 터널개소가 2개 이상인 경우, 유사구조물 개념을 반영한 개소수 반영 방법 : 환산터널개소J'(또는 K', L')= 0.2+0.7×터널개소)
보정 계수	철도유형		고속철도 : 1.3, 일반철도(복선) : 1.0 일반철도(단선) : 0.8
	공사성격		신설 : 1.0, 개량 : 1.2
	지역특성		일반부 : 1.0, 도시부 : 1.3

2-4 실시설계

가. 투입인원수 산정기준

구분	업무구분		단위	기준인원수(인 · 일)					환산계수	보정계수		
				기술사	특급	고급	중급	초급		철도유형	공사성격	지역
조사	1. 과업착수준비		식	5.0	10.0	12.3	8.2	5.1	②	●		
	2. 현지 조사 및 답사		km	2.2	5.1	10.2	11.6	10.1	①		●	●
	3. 측량, 지질 및 지반조사 성과검토		km	0.7	1.4	2.1	2.4	1.8	①			
	4. 지장물, 구조물조사		km (터널제외)	1.6	3.2	5.6	6.6	5.0	①		●	●
	5. 토취장 · 골재원 · 사토장 조사		km	0.5	0.7	1.3	1.7	1.2	①			
	6. 용지조사		km (터널제외)	0.0	0.8	1.4	1.3	1.2	①		●	●
계획	1. 전 단계 성과검토		km	5.0	8.7	13.1	11.9	5.3	①			
	2. 설계기준 검토		식	16.7	24.9	53.8	48.3	7.4	②	●		
	3. 주요 구조물 계획	1) 교량	100m	1.3	2.5	3.8	3.9	0.8	③	●		
		2) 터널	km	6.2	6.6	21.3	19.8	7.1	④	●		
		3) 기타 구조물	개소	2.4	4.5	6.0	5.9	3.5		●		
	4. 환경 및 교통영향 검토		km	0.8	2.6	5.8	0.8	0.4	①			●
	5. 재해영향평가 검토		km (터널제외)	0.3	0.4	1.4	1.2	1.4	①			
	6. 수리, 수문검토		개소(하천)	7.5	11.4	23.5	21.7	16.8				
	7. 관계기관 협의 및 민원 검토		km	7.6	16.3	24.7	25.2	17.9	①			
	8. 단계별 자문 및 방침자료작성		회	6.6	15.1	24.2	19.7	19.6				
설계	1. 설계기준 검토		식	10.0	20.0	30.0	30.0	20.0	②	●		
	2. 토공설계	토공설계	km (토공연장)	11.8	50.5	61.4	66.7	65.7	⑥	●		
		연약지반	km (연약지반 연장)	10.1	27.6	45.9	53.3	36.8	⑤			
	3. 용·배수 설계		km (토공연장)	8.5	42.5	47.9	50.9	56.6	⑥	●		●

구분	업무구분	단위	기준인원수(인 · 일)					환산계수	보정계수		
			기술사	특급	고급	중급	초급		철도유형	공사성격	지역
설계	4. 교량설계	개소	13.5	29.0	64.4	84.8	52.9	⑦	●		
		100m	0.7	3.5	8.1	13.5	11.5	③	●		
	5. 터널설계	개소	28.0	38.3	76.5	80.7	58.0	⑧	●		
		km	8.3	12.0	39.0	35.2	24.2	④			
	6. 구조물공설계(입체교차시설) 설계	개소	2.4	7.6	12.9	17.7	15.1				
	7. 정거장 설계	개소	18.5	54.7	93.3	110.0	58.5		●		●
	8. 인터페이스설계	km	0.4	1.0	2.1	1.6	0.6	①			
성과품작성	1. 실시설계보고서	km	6.0	17.1	24.7	21.9	14.8	①		●	
	2. 지질 및 지반조사 보고서	km	0.0	2.6	5.9	5.9	0.0	①			
	3. 구조 및 수리계산서	개소(교량,터널)	0.1	2.0	5.0	11.5	5.0	⑦⑧			
	4. 설계예산서	식	3.4	12.3	25.5	18.4	9.8	②			
	5. 단가산출서	km	0.4	2.5	6.0	3.2	1.2	①			
	6. 수량산출서	km	2.0	4.1	11.9	20.2	17.3	①		●	
	7. 실시설계도면	km	0.8	1.6	3.2	4.7	6.0	①		●	
	8. 공사시방서	식	3.4	5.3	9.5	9.3	7.4	②			
	9. 기타	km	0.5	2.3	3.6	2.8	3.8	①			●

[주] 교량이나 터널이 없는 경우에는 기준인원수에서 다음 기준인원수를 감하여야 한다.

※ 교량, 터널이 없는 경우 감소 기준인원수

구분	업무구분	단위	교량구조물 없을 때 감소 기준인원수(인 · 일)					터널설계 없을 때 감소 기준인원수(인 · 일)				
			기술사	특급	고급	중급	초급	기술사	특급	고급	중급	초급
조사	1. 과업착수준비	식	0.3	0.3	0.4	0.4		0.3	0.3	0.1	0.3	
	2. 현지 조사 및 답사	km	0.3	0.8	1.6	1.1	0.8	0.2	0.2	0.2	0.4	0.3
	3. 측량, 지장물, 구조물조사	km(터널제외)	0.4	1.3	1.9	2.1	1.5	0.6	0.7	1.4	1.5	1
계획	1. 전 단계 성과검토	km	0.7	1.4	2.6	3.4	1.8	1.1	1.4	2.6	2.5	1
	2. 설계기준	식	7.9	10.4	24.8	25.3		2.9	4.2	11.7	13.9	6.8
	3. 주요 구조물 계획 (기타구조물)	개소	1.7	3.6	5	4.4	1.9					
	6. 수리, 수문검토	개소(하천)	2.3	4.2	9.1	11.7	7.3					
	7. 관계기관 협의 및 민원검토	km	1.4	3.1	6.3	7.4	4.8	1.8	2.3	3.6	2.7	2.2
설계	1. 설계조건	식	2	4.1	6	6.1	4.4	1	2.1	3.2	3.3	2.2
	7. 구조물공설계(입체교차시설) 설계	개소	1.4	4.2	5.8	9.3	8.3					
	8. 정거장 설계	개소	2.5	7.4	14.3	18.5	10.3					
성과품작성	1. 실시설계보고서	km	1.1	1.9	4.2	3.1	2.5	0.7	1.4	3.4	2.2	1.9
	3. 구조 및 수리계산서	개소(교량,터널)	0.1	1.2	2.7	6.9	3.2		0.5	1.4	3.3	1.1
	4. 설계예산서	식		1.7	1.2	1.2		0.8	1.7	3	2.9	
	5. 단가산출서	km		0.5	0.7	0.3	0.2	0.1	0.4	0.5	0.5	
	6. 수량산출서	km	0.4	0.8	1.4	3.6	3.2	0.3	0.7	1.6	1.4	2.4
	7. 실시설계도면	km	0.3	0.6	1.1	2	3.1	0.2	0.2	0.6	0.7	1
	8. 공사시방서	식	0.6	0.6	1.4	1.8	1.6	0.2	0.4	0.7	0.7	0.5
	9. 기타	km			0.2	0.2	0.3			0.2	0.2	0.3

나. 적용수량 환산계수 및 보정계수

구분	항목		세부내용
적용수량 환산계수	연장	① 노선연장 (km)	1km 미만 : 노선연장 그대로 적용 1km 이상 : 1+α ×(노선연장 - 1) 조사·성과품작성 단계 : α =0.6-(0.005×노선연장) 계획단계 : α =0.7-(0.005×노선연장) 설계단계 : α =0.85-(0.005×노선연장)
		② 노선연장 (식)	5km 미만 : 1 5km 이상 : (1+(노선연장-5)×0.05
		③ 교량연장 (100m)	환산 교량연장 산식 : (a×A+b×B+c×C) 경간장 50m 이상 : a=1.0, A=교량연장 경간장 20~50m 미만 : b=0.9, B=교량연장 경간장 20m 미만 : c=0.7, C=교량연장
		④ 터널연장 (km)	환산 터널연장 산식 : (a×G+b×H+c×1) 방재1등급 : a=1.0, G=터널연장 방재2등급 : b=0.9, H=터널연장 방재3등급 이하 : c=0.7, I=터널연장
		⑤ 연약지반 연장(km)	1km 미만 : 연약지반연장 그대로 적용 1km 이상 : 1+α ×(연약지반연장 - 1) (α = 조사, 성과품작성 0.6, 계획 0.7, 설계 0.85)
		⑥ 토공연장 (km)	1km 미만 : 토공연장 그대로 적용 1km 이상 : 1+α ×(토공연장 - 1) (α = 조사, 성과품작성 0.6, 계획 0.7, 설계 0.85)
	개소	⑦ 교량개소	환산교량개소산식 : a×D'+b×E'+c×F' 경간장 50m 이상 : a=1.0 경간장 20~50m 미만 : b=0.9 경간장 20m 미만 : c=0.7 D, E, F : 해당경간장의 교량개소 (동일 경간장 범위의 교량개소가 2개 이상인 경우, 유사구조물 개념을 반영한 개소수 반영방법 : 환산교량개소D'(또는 E', F')= 0.2+0.8×교량개소)
		⑧ 터널개소	환산터널개소산식 : a×J'+b×K'+c×L' 방재1등급 : a=1.0 방재2등급 : b=0.9 방재3등급 : c=0.8 J, K, L : 해당 방재등급의 터널개소 (동일 방재등급의 터널개소가 2개 이상인 경우, 유사구조물 개념을 반영한 개소수 반영 방법 : 환산터널개소J'(또는 K', L')= 0.2+0.7×터널개소)
보정계수	철도유형		고속철도 : 1.3, 일반철도(복선) : 1.0 일반철도(단선) : 0.8
	공사성격		신설 : 1.0, 개량 : 1.2
	지역특성		일반부 : 1.0, 도시부 : 1.3

2-5 기본설계 및 실시설계

가. 투입인원수 산정기준

구분	업무구분		단위	기준인원수(인·일)					환산계수	보정계수		
				기술사	특급	고급	중급	초급		철도유형	공사성격	지역
조사	1. 과업착수준비		식	5.0	10.0	12.3	8.2	5.1	②	●		
	2. 관련계획 조사 및 검토		km	0.3	1.2	1.5	1.7	1.9	①			●
	3. 현지 조사 및 답사		km	2.2	5.1	10.2	11.6	10.1	①		●	●
	4. 수리·수문조사	1) 수리·수문조사	km	1.3	1.4	3.7	2.4	2.1	①			●
		2) 기상조사	km	0.0	0.1	0.1	0.2	0.2	①			●
		3) 해상·선박운행 조사	km (해상구간)	0.0	0.1	0.2	0.2	0.2	①			
	5. 교통량 및 교통시설조사		km	0.1	0.4	0.8	0.4	0.3	①			●
	6. 환경영향조사(문화재조사) 성과 검토		km	0.4	0.4	0.4	1.5	1.0	①			●
	7. 측량, 지질 및 지반조사 성과검토		km	0.7	1.4	2.1	2.4	1.8	①			
	8. 지장물, 구조물조사		km (터널제외)	1.6	3.2	5.6	6.6	5.0	①		●	●
	9. 토취장·골재원·사토장 조사		km	0.5	0.7	1.3	1.7	1.2	①			
	10. 용지조사		km (터널제외)	0.1	0.8	1.4	1.3	1.2	①		●	●
계획	1. 전 단계 성과검토		km	2.5	4.0	7.1	6.1	2.8	①			
	2. 철도시스템 검토		식	0.2	0.4	0.7	0.5	0.3				
	3. 설계기준		식	16.7	24.9	53.8	48.3	7.4	②	●		
	4. 노선선정	1) 노선대안	km	0.7	3.6	6.0	6.9	8.7	①	●	●	●
		2) 최적노선 선정	km	5.6	18.0	23.3	22.5	23.8	①	●	●	●
	5. 정거장 선정		개소	1.8	2.4	3	3.8	3.9		●		
	6. 주요 구조물 계획	1)교량	100m	1.6	3.2	5.2	5.2	0.7	③	●		
		2)터널	km	10.0	14.4	28.8	36.0	12.9	④	●		
		3)입체교차시설	개소	2.8	5.7	7.9	8.6	5.0		●		
	7. 열차운영 계획 검토	1) 기초열차운영 (TPS)	식	0.4	1.2	1.6	1.6	1.6	②	●		
		2) 기본열차운영	km	1.4	2.6	3.2	3.4	3.4	①	●		
		3) 종합열차운행	km	3.3	4.7	5	5.5	6	①	●		
	8. 경제성 및 재무분석		km	0.7	1.5	2.3	2.4	2.0	①			
	9. 환경 및 교통영향 평가결과 검토		km	0.8	1.4	2.8	0.8	0.3	①			●
	10. 재해영향평가 검토		km	0.3	0.4	1.4	1.2	1.4	①			
	11. 수리, 수문검토		개소(하천)	7.5	11.4	23.5	21.7	16.8				
	12. 관계기관 협의 및 민원 검토		km	7.6	16.3	24.7	25.2	17.9	①			●
	13. 단계별 자문 및 방침자료작성		회	6.6	15.1	24.2	19.7	19.6				●

구분	업무구분		단위	기준인원수(인·일)					환산계수	보정계수		
				기술사	특급	고급	중급	초급		철도유형	공사성격	지역
설계	1. 설계기준 검토		식	10.0	20.0	30.0	30.0	20.0	②	●		
	2. 노선설계		km	0.6	2.0	2.8	2.7	2.9	①	●		
	3. 토공설계	토공설계	km	12.8	54.3	65.7	71.0	69.8	⑥	●		
		연약지반처리대책	km	12.1	33.0	55.0	63.8	44.0	⑤	●		
	4. 용·배수 설계		km (토공연장)	8.0	40.0	48.0	50.8	55.2	⑥	●		●
	5. 교량설계		개소	14.1	31.7	69.8	93.0	59.6	⑦	●		
			100m	0.8	4.2	10.6	18.3	15.2	③	●		
	6. 터널설계		개소	27.7	38.4	79.7	82.3	61.4	⑧	●		
			km	13.6	20.7	57.6	57.0	37.5	④	●		
	7. 입체교차 설계		개소	2.6	8.4	14.4	19.8	16.8				
	8. 정거장 설계	1) 정거장 배선계획	개소	10.0	15.0	18.0	21.0	23.0		●		
		2) 시종착 배선계획	개소	23.0	35.0	42.0	47.0	52.0		●		
		3) 정거장 설계	개소	18.5	54.7	93.3	110.0	58.5		●		●
	9. 공구분할		km	0.1	0.3	0.8	1.3	2.3	①			
	10. 인터페이스 설계		km	0.4	1.0	2.1	1.6	0.6	①			
성과품작성	1. 기본 및 실시설계보고서		km	7.5	22.1	32.2	28.4	18.6	①		●	
	2. 지질 및 지반조사 보고서		km	0.0	2.6	5.9	5.9	0.0	①			
	3. 구조 및 수리계산서		개소 (교량,터널)	0.1	2.5	5.7	11.5	5.0	⑦⑧			
	4. 설계예산서		식	3.4	12.3	25.4	18.3	9.8	②			
	5. 단가산출서		km	0.4	2.5	6.0	3.2	1.2	①			
	6. 수량산출서		km	2.0	4.1	11.9	20.2	17.3	①		●	
	7. 기본 및 실시설계도면		km	0.8	1.6	3.2	4.7	6.0	①		●	
	8. 공사시방서		식	3.4	5.3	9.5	9.3	7.4	②			
	9. 기타		km	0.5	2.3	3.6	2.8	3.8	①			●

[주] 교량이나 터널이 없는 경우에는 기준인원수에서 다음 기준인원수를 감하여야 한다.

※ 교량, 터널이 없는 경우 감소 기준인원수

구분	업무구분	단위	교량구조물 없을 때 감소 기준인원수(인·일)					터널설계 없을 때 감소 기준인원수(인·일)				
			기술사	특급	고급	중급	초급	기술사	특급	고급	중급	초급
조사	1. 과업착수준비	식	0.3	0.3	0.4	0.4		0.3	0.3	0.1	0.3	
	3. 현지 조사 및 답사	km	0.4	1.1	2.2	1.6	1.2	0.2	0.2	0.2	0.5	0.5
	8. 지장물, 구조물조사	km (터널제외)	0.2	0.6	1.4	1.6	1.6	0.3	0.5	1.2	1.2	0.8
계획	1. 전 단계 성과검토	km	0.7	1.4	2.6	3.4	1.8	1.1	1.3	2.6	2.5	1
	3. 설계기준	식	7.9	10.3	24.8	25		2.8	4.1	11.6	13.9	6.8
	6. 주요 구조물계획(입체교차시설)	개소	2	4.5	6.6	6.5	2.7					
	11. 수리, 수문검토	km	2.3	4.1	9	11.7	7.3					
	8. 관계기관 협의 및 민원 검토	km	2.8	6.2	12.8	15.2	9.8	3.6	4.6	7.4	5.4	4.6
설계	1. 설계조건	식	2	4.1	6	6.1	4.4	1	2.1	3.2	3.3	2.2
	7. 입체교차 설계	개소	1.6	5	6.9	11.1	9.9					
	8. 정거장 설계(3) 정거장 설계)	개소	2.9	8.8	17.2	22.1	12.2					
성과품작성	1. 기본 및 실시설계보고서	km	1.8	3.2	7.1	5	4.2	1.1	2.4	5.4	3.7	2.9
	3. 구조 및 수리계산서	개소 (교량,터널)	0.1	1.2	2.7	6.9	3.2		0.5	1.4	3.3	1.1
	4. 설계예산서	식		1.7	1.2	1.2		0.8	1.7	3	2.9	
	5. 단가산출서	km		0.4	0.7	0.3	0.2	0.1	0.4	0.5	0.5	
	6. 수량산출서	km	0.3	0.7	1.4	3.5	3.2	0.2	0.6	1.5	1.4	2.3
	7. 기본 및 실시설계도면	km	0.3	0.6	1.1	2	3.1	0.2	0.2	0.6	0.7	0.9
	8. 공사시방서	식	0.6	0.6	1.4	1.8	1.6	0.2	0.4	0.7	0.7	0.5
	9. 기타	km			0.2	0.2	0.3			0.2	0.2	0.3

나. 적용수량 환산계수 및 보정계수

구분	항목		세부내용
적용수량 환산계수	연장	① 노선연장 (km)	1km 미만 : 노선연장 그대로 적용 1km 이상 : 1+α ×(노선연장 - 1) 조사성과품작성 단계 : α =0.6-(0.005×노선연장) 계획단계 : α =0.7-(0.005×노선연장) 설계단계 : α =0.85-(0.005×노선연장)
		② 노선연장 (식)	5km 미만 : 1 5km 이상 : (1+(노선연장-5)×0.05
		③ 교량연장 (100m)	환산 교량연장 산식 : (a×A+b×B+c×C) 경간장 50m 이상 : a=1.0, A=교량연장 경간장 20~50m 미만 : b=0.9, B=교량연장 경간장 20m 미만 : c=0.7, C=교량연장
		④ 터널연장 (km)	환산 터널연장 산식 : (a×G+b×H+c×1) 방재1등급 : a=1.0, G=터널연장 방재2등급 : b=0.9, H=터널연장 방재3등급 이하 : c=0.7, I=터널연장
		⑤ 연약지반 연장 (km)	1km 미만 : 연약지반연장 그대로 적용 1km 이상 : 1+α ×(연약지반연장 - 1) (α = 조사, 성과품작성 0.6, 계획 0.7, 설계 0.85)
		⑥ 토공연장 (km)	1km 미만 : 토공연장 그대로 적용 1km 이상 : 1+α ×(토공연장 - 1) (α = 조사, 성과품작성 0.6, 계획 0.7, 설계 0.85)
	개소	⑦ 교량개소	환산교량개소산식 : a×D'+b×E'+c×F' 경간장 50m 이상 : a=1.0 경간장 20~50m 미만 : b=0.9 경간장 20m 미만 : c=0.7 D, E, F : 해당경간장의 교량개소 (동일 경간장 범위의 교량개소가 2개 이상인 경우, 유사구조물 개념을 반영한 개소수 반영방법 : 환산교량개소D'(또는 E', F')= 0.2+0.8×교량개소)
		⑧ 터널개소	환산터널개소산식 : a×J'+b×K'+c×L' 방재1등급 : a=1.0 방재2등급 : b=0.9 방재3등급 : c=0.8 J, K, L : 해당 방재등급의 터널개소 (동일 방재등급의 터널개소가 2개 이상인 경우, 유사구조물 개념을 반영한 개소수 반영 방법 : 환산터널개소J'(또는 K', L')= 0.2+0.7×터널개소)
보정계수	철도유형		고속철도 : 1.3, 일반철도(복선) : 1.0 일반철도(단선) : 0.8
	공사성격		신설 : 1.0, 개량 : 1.2
	지역특성		일반부 : 1.0, 도시부 : 1.3

제3장 철도궤도분야 설계용역의 투입인원수 산정기준

3-1 기본설계

가. 투입인원수 산정기준

구분	업무구분		단위	기준인원수(인·일) 기술사	특급	고급	중급	초급	환산계수	보정계수 철도유형	공사성격	지역특성
조사	1. 과업착수준비		식	3.0	4.4	7.2	4.5	3.6	②	●		
	2. 관련자료 조사		km	0.4	0.5	1.0	1.4	1.8	①		●	●
	3. 현지조사 및 답사		km	0.5	0.6	1.1	1.4	1.8	①		●	●
계획	1. 전단계성과 검토		km	0.2	0.3	1.1	2.1	1.5	①			
	2. 선형계획 검토		km	0.2	0.2	1.3	3.0	4.5	①	●		
	3. 정거장 배선 계획 검토	정거장배선계획	개소	1.3	2.2	4.5	6.7	9.1	⑥	●	●	
		시종착배선계획	개소	6.8	11.3	22.7	34.1	45.5	⑦	●	●	
	4. 궤도구조 계획	자갈궤도	km	0.1	0.1	0.3	0.4	0.7	③	●	●	●
		콘크리트궤도	km	0.3	0.4	0.9	1.4	2.0	④	●	●	●
	5. 관계기관 협의		km	0.1	0.2	0.4	0.6	0.8	①			
	6. 단계별 자문 및 방침자료 작성		회	1.0	2.3	4.6	5.8	5.8				
설계	1. 설계기준 설정		식	3.1	3.6	5.4	8.2	8.6	②	●		
	2. 궤도선형 설계		km	0.2	0.3	0.5	0.9	0.9	①	●		
	3. 자갈궤도 구조설계		km	0.0	0.2	0.5	0.7	0.8	③	●		
	4. 콘크리트궤도 구조설계		km	1.1	1.2	2.3	3.5	3.8	④	●		
	5. 레일장대화 설계	장대레일화 해석 등	km	0.1	0.5	1.0	1.1	1.2	①	●		
		자갈궤도 해석	km	0.0	0.0	0.1	0.2	0.2	③	●		
		콘크리트궤도 해석	km	0.1	0.1	0.3	0.3	0.3	④	●		
	6. 궤도재료 설계		km	0.2	0.3	0.5	0.7	0.7	①	●	●	●
	7. 궤도시공 설계	궤도부설설계 등	km	0.0	0.1	0.2	0.4	0.4	①	●	●	●
		자갈도상궤도 시공	km	0.0	0.0	0.0	0.1	0.1	③	●	●	●
		콘크리트도상궤도 시공	km	0.0	0.1	0.1	0.2	0.2	④	●	●	●
		궤도철거설계	km	0.0	0.1	0.3	0.4	0.4	⑤	●	●	●
	8. 궤도안전 및 부대시설 설계		km	0.1	0.1	0.3	0.3	0.4	①	●		
	9. 인터페이스 설계		km	0.3	0.3	0.5	0.6	0.7	①	●	●	
성과품작성	1. 기본설계보고서		km	0.2	0.8	1.3	1.3	2.1	①		●	
	2. 기본설계도면		km	0.2	0.3	0.7	0.9	1.2	①		●	
	3. 설계예산서		식	1.6	2.2	2.6	3.0	4.6	②			
	4. 단가산출서		km	0.2	0.2	0.3	0.4	0.7	①			
	5. 수량산출서	자갈궤도부설	km	0.0	0.0	0.0	0.1	0.1	③		●	
		콘크리트궤도부설	km	0.0	0.1	0.1	0.2	0.3	④		●	
		궤도철거	km	0.0	0.0	0.1	0.1	0.2	⑤		●	
	6. 선형 및 구조계산서		km	0.2	0.3	0.3	0.5	0.9	①			

나. 적용수량 환산계수 및 보정계수

구분		항목	세부내용
적용수량 환산계수	연장	① 노선연장 (km)	1km 미만 : 노선연장 그대로 적용 1km 이상 : 1+α ×(노선연장-1) 조사성과품작성단계 : α =0.5-(0.002×노선연장) 계획단계 : α =0.6-(0.002×노선연장) 설계단계 : α =0.7-(0.002×노선연장)
		② 노선연장 (식)	5km 미만 : 1 5km 이상 : 1 + (노선연장-5)×0.002
		③ 자갈궤도 연장 (km)	1km 미만 : 자갈궤도연장 그대로 적용 1km 이상 : 1+α ×(자갈궤도연장-1) 계획단계 : α =0.5-(0.003×자갈궤도연장) 설계단계 : α =0.6-(0.003×자갈궤도연장) 성과품작성단계 : α =0.4-(0.003×자갈궤도연장)
		④ 콘크리트 궤도연장 (km)	1km 미만 : 콘크리트궤도연장 그대로 적용 1km 이상 : 1+α ×(콘크리트궤도연장-1) 계획단계 : α =0.8-(0.002×콘크리트궤도연장) 설계단계 : α =0.9-(0.002×콘크리트궤도연장) 성과품작성단계 : α =0.7-(0.002×콘크리트궤도연장)
		⑤ 궤도철거 연장 (km)	1km 미만 : 궤도철거연장 그대로 적용 1km 이상 : 1+α ×(궤도철거연장-1) 설계단계 : α =0.5-(0.002×궤도철거연장) 성과품작성단계 : α =0.3-(0.002×궤도철거연장)
	개소	⑥ 정거장개소	환산정거장개소 1.2 미만 : 환산정거장개소 그대로 적용 환산정거장개소 1.2이상 : 0.2+0.5×환산정거장개소 환산정거장개소 = a×1+b×1.2+c×0.5 a : 여객용 정거장개소 b : 화물(여객+화물포함)용 정거장개소 c : 도시철도 정거장 개소
		⑦ 시종착개소	환산 시종착 정거장개소 = d×1+e×0.3 d : 일반철도 정거장개소 e : 도시철도 정거장개소
보정계수	철도유형		① 고속철도 : 1.3 ② 일반철도(복선) : 1 ③ 일반철도(단선) : 0.8
	공사성격		① 신설 : 1 ② 개량 : 1.2
	지역		① 일반부 : 1 ② 도시부 : 1.3

3-2 실시설계

가. 투입인원수 산정기준

구분	업무구분		단위	기준인원수(인·일)					환산계수	보정계수		
				기술사	특급	고급	중급	초급		철도유형	공사성격	지역특성
조사	1. 과업착수준비		식	5.9	8.3	13.2	8.4	6.9	②	●		
	2. 관련자료 조사 및 검토		km	0.4	0.5	1.0	1.4	1.8	①		●	●
	3. 현지조사 및 답사		km	0.5	0.5	1.5	2.0	2.7	①		●	●
계획	1. 전단계성과 검토		km	0.8	1.1	2.4	4.6	3.2	①			
	2. 선형계획 검토		km	0.9	0.9	3.0	5.4	8.0	①	●		
	3. 정거장 배선계획 검토	기초열차운행(TPS)	식	2.0	2.0	10.0	20.0	30.0	②	●	●	
		정거장배선계획	개소	1.9	3.2	6.5	9.7	13.0	⑥	●	●	
		시종착역배선계획	개소	9.8	16.3	32.5	48.8	65.0	⑦	●	●	
	4. 궤도구조 계획	자갈궤도	km	0.2	0.2	0.5	0.7	1.0	③	●	●	●
		콘크리트궤도	km	0.5	0.7	1.4	2.1	2.9	④	●	●	●
	5. 환경영향평가 결과 검토		km	0.2	0.3	0.5	0.3	0.6	①			●
	6. 관계기관 협의		km	0.3	0.4	0.7	1.0	1.2	①			
	7. 단계별 자문 및 방침자료 작성		회	1.8	3.4	5.4	7.9	7.2				
설계	1. 설계기준 설정		식	6.3	7.2	12.9	16.5	17.2	②	●		
	2. 궤도선형 설계		km	0.7	1.0	1.6	2.7	2.9	①	●		
	3. 자갈궤도 구조설계		km	0.3	0.5	0.9	1.3	1.4	③	●		
	4 콘크리트궤도 구조설계		km	2.0	2.3	4.4	6.0	6.6	④	●		
	5. 레일장대화 설계	장대레일화 해석 등	km	0.6	1.1	2.1	2.7	2.9	①	●		
		자갈궤도 해석	km	0.1	0.1	0.3	0.4	0.4	③	●		
		콘크리트궤도 해석	km	0.2	0.3	0.6	0.7	0.7	④	●		
	6. 궤도재료 설계		km	0.9	1.1	1.9	2.5	2.6	①	●	●	●
	7. 궤도시공 설계	궤도부설설계 등	km	0.4	0.8	1.2	2.0	2.1	①	●	●	●
		자갈도상궤도 시공	km	0.1	0.2	0.2	0.4	0.4	③	●	●	●
		콘크리트도상궤도 시공	km	0.2	0.4	0.5	0.7	0.8	④	●	●	●
		궤도철거설계	km	0.3	0.6	1.0	1.6	1.6	⑤	●	●	●
	8. 궤도안전 및 부대시설 설계		km	0.4	0.5	1.0	1.2	1.4	①	●		
	9. 인터페이스 설계		km	0.5	0.5	1.0	1.3	1.4	①	●	●	
성과품작성	1. 실시설계보고서		km	0.2	0.8	1.3	1.5	2.9	①		●	
	2. 공사 및 자재시방서 작성		식	3.1	3.8	4.5	6.0	9.6	②			
	3. 실시설계도면		km	0.3	0.4	0.8	1.0	1.8	①		●	
	4. 설계예산서		식	3.2	4.5	5.2	6.1	9.2	②			
	5. 단가산출서		km	0.4	0.5	0.6	0.8	1.4	①			
	6. 수량 산출서	자갈궤도부설	km	0.0	0.0	0.0	0.2	0.2	③		●	
		콘크리트궤도부설	km	0.0	0.2	0.2	0.4	0.6	④		●	
		궤도철거	km	0.0	0.0	0.2	0.2	0.4	⑤		●	
	7. 구조계산서		km	0.4	0.6	0.6	0.8	1.4	①			
	8. 선형 및 궤도연장계산서		km	0.3	0.3	0.4	0.7	1.1	①			
	9. 선로유지관리지침서		식	3.3	3.9	5.0	6.6	10.7	②			

나. 적용수량 환산계수 및 보정계수

구분	항목		세부내용
적용수량 환산계수	면적	①과업대상면적 (20,000㎡)	20,000㎡ 미만 : 1 20,000㎡ 이상 : 1+α ×(과업대상면적 - 1) 조사성과품작성단계 : α =0.4-(0.001×과업대상면적) 계획·설계단계 : α =0.5-(0.001×과업대상면적)
		②과업대상면적 (50,000㎡)	50,000㎡ 미만 : 1 50,000㎡ 이상 : 1+α ×(과업대상면적 - 1) 조사성과품작성단계 : α =0.3-(0.001×과업대상면적) 계획·설계단계 : α =0.4-(0.001×과업대상면적)
		③과업대상면적 (식)	50,000㎡ 미만 : 1 50,000㎡ 이상 : 1 + (과업대상면적-1)×0.05
	연장	④접안시설연장 (50m)	50m 미만 : 접안시설연장 그대로 적용 50m 이상 : 1+α ×(접안시설연장 - 1) 계획·설계단계 : α =0.9-(0.003×접안시설연장)
		⑤시설연장 (100m)	시설연장=(방파제+접안시설+호안)연장 100m 미만 : 시설연장 그대로 적용 100m 이상 : 1+α ×(시설연장 - 1) 계획·설계단계 : α =0.5-(0.0002×시설연장)
보정계수	항만유형 및 선박규모		① (접안시설)소형선부두 : 0.2 ② (접안시설,일반부두)5만톤이상 : 0.8 ③ (접안시설,일반부두)5만톤미만 : 0.7 ④ (접안시설,특수부두)컨테이너 4천TEU이상 : 1.0 ⑤ (접안시설,특수부두)컨테이너 4천TEU미만 : 0.9 ⑥ (특수부두)돌핀 : 1.0 ⑦ (접안시설,특수부두)기타 특수부두(자동차, 여객) : 0.7 ⑧ (외곽시설)방파제 : 0.7 ⑨ (외곽시설)호안(침수,접속,가호안등) : 0.4 ⑩ (외곽시설)기타외곽시설 : 0.5 ⑪ 준설및매립(항로준설,투기장) : 0.1 ⑫ 배후부지 : 0.3
	지역		① 동해 : 1.1 ② 서해 : 1.1 ③ 남해 : 1.0

4-2 기본계획

가. 투입인원수 산정기준

구분	업무구분		단위	기준인원수(인·일)					환산계수	보정계수		
				기술사	특급	고급	중급	초급		항만유형	지역	기본계획성격
조사	1. 과업착수준비		식	6.8	7.7	7.7	5.9	0.0	③			
	2. 관련계획 조사 및 검토		20,000㎡	0.3	0.5	0.5	0.5	0.0	①	●		
	3. 현지조사 및 답사		20,000㎡	0.7	0.7	1.1	0.1	0.0	①	●	●	●
	4. 기존 항만현황 조사		20,000㎡	0.8	1.5	1.5	1.5	1.5	①	●		
	5. 문헌조사	1) 기상자료 조사	20,000㎡	0.6	1.0	1.2	1.1	0.4	①			
		2) 지형조사	20,000㎡	2.4	4.2	5.0	4.4	1.6	①			
		3) 해양자료 조사	20,000㎡	0.3	0.3	0.7	0.5	0.5	①			
		4) 표사이동 조사	20,000㎡	0.2	0.2	0.5	0.3	0.3	①			
	6. 수심측량 성과 검토		20,000㎡	0.1	0.1	0.1	0.0	0.0	①	●		●
	7. 어업권 조사		20,000㎡	0.0	0.3	0.3	0.3	0.0	①	●		●
계획	1. 환경영향 및 교통영향 검토		20,000㎡	0.2	0.5	0.2	0.0	0.0	①	●		●
	2. 경제성 및 재무분석		100m	10.2	16.1	16.1	16.1	10.2	⑩	●		●
	3. 개발여건 전망 분석 (배후수송 계획)	1) 항만개발 여건 전망	20,000㎡	0.5	1.8	1.8	2.4	1.8	①	●		●
		2) 항만개발 수요 전망	50m	6.8	13.0	13.0	10.0	12.9	⑧	●		●
		3) 기타 항만개발 수요추정	50,000㎡	1.3	3.6	3.6	3.5	2.9	②	●		●
	4. 항만시설계획(평면배치계획)		100m	7.9	13.0	13.0	13.3	9.4	⑩	●		●
	5. 관계기관 협의		50,000㎡	1.8	2.7	2.7	2.7	2.7	②	●		●
	6. 단계별 자문 및 방침자료 작성		회	5.2	5.6	5.5	5.4	3.0				●
설계	1. 설계기준 설정		식	6.0	7.5	7.5	6.0	0.0	③	●		
	2. 외곽시설(방파제) 설계		50m	2.4	4.5	5.1	4.8	2.4	⑦	●	●	
	3. 외곽시설(호안) 설계		100m	1.7	2.9	3.3	3.3	1.7	⑨	●	●	
	4. 접안시설 설계			2.1	5.5	5.5	5.5	5.0	⑧	●	●	
	5. 연약지반 설계		10,000㎡	0.9	1.8	1.8	1.4	0.4	④	●	●	
	6. 배후부지 설계		50,000㎡	2.6	5.3	7.0	8.8	4.3	⑥	●	●	●
	7. 수역시설	1) 항만 수역시설	1,000㎡	0.3	0.6	0.7	0.5	0.0	⑤	●	●	
		2) 항로준설 수역시설 및 준설, 매립설계	10,000㎡	0.3	0.6	0.7	0.5	0.0	⑤	●	●	
	8. 공사시행방안		식	3.0	5.0	5.0	3.0	0.0	③	●		
성과품 작성	1. 기본계획보고서(별책부록, 도면 포함)		20,000㎡	2.7	4.4	6.1	7.8	7.3	①	●		●

나. 적용수량 환산계수 및 보정계수

구분	항목		세부내용
적용수량 환산계수	면적	① 과업대상면적 (20,000m²)	20,000m² 미만 : 1 20,000m² 이상 : 1+α ×(과업대상면적 - 1) 조사성과품작성단계 : α =0.4-(0.001×과업대상면적) 계획·설계단계 : α =0.5-(0.001×과업대상면적)
		② 과업대상면적 (50,000m²)	50,000m² 미만 : 1 50,000m² 이상 : 1+α ×(과업대상면적 - 1) 조사성과품작성단계 : α =0.3-(0.001×과업대상면적) 계획·설계단계 : α =0.4-(0.001×과업대상면적)
		③ 과업대상면적 (식)	50,000m² 미만 : 1 50,000m² 이상 : 1 + (과업대상면적-1)×0.05
		④ 연약지반면적 (10,000m²)	10,000m² 미만 : 연약지반면적 그대로 적용 10,000m² 이상 : 1+α ×(연약지반면적 - 1) 설계단계 : α =0.4-(0.001×연약지반면적)
		⑤ 수역시설면적	〈항만 수역시설〉 1,000m² 미만 : 수역시설면적 그대로 적용 1,000m² 이상 : 1+α ×(수역시설면적 - 1) 설계단계 : α =0.8-(0.003×수역시설면적)
			〈항로준설 수역시설〉 10,000m² 미만 : 수역시설면적 그대로 적용 10,000m² 이상 : 1+α ×(수역시설면적 - 1) 설계단계 : α =0.8-(0.003×수역시설면적)
		⑥ 배후부지면적 (50,000m²)	50,000m² 미만 : 1 50,000m² 이상 : 1+α ×(배후부지면적 - 1) 계획·설계단계 : α =0.4-(0.001×배후부지면적)
	연장	⑦ 방파제연장 (50m)	50m 미만 : 방파제연장 그대로 적용 50m 이상 : 1+α ×(방파제연장 - 1) 계획·설계단계 : α =0.7-(0.0002×방파제연장)
		⑧ 접안시설연장 (50m)	50m 미만 : 접안시설연장 그대로 적용 50m 이상 : 1+α ×(접안시설연장 - 1) 계획·설계단계 : α =0.9-(0.003×접안시설연장)
		⑨ 호안연장 (100m)	100m 미만 : 호안연장 그대로 적용 100m 이상 : 1+α ×(호안연장 - 1) 계획·설계단계 : α =0.5-(0.001×호안연장)
		⑩ 시설연장 (100m)	시설연장=(방파제+접안시설+호안)연장 100m 미만 : 시설연장 그대로 적용 100m 이상 : 1+α ×(시설연장 - 1) 계획·설계단계 : α =0.5-(0.0002×시설연장)

구분	항목	세부내용
보정계수	항만유형 및 선박규모	① (접안시설)소형선부두 : 0.2 ② (접안시설,일반부두)5만톤이상 : 0.8 ③ (접안시설,일반부두)5만톤미만 : 0.7 ④ (접안시설,특수부두)컨테이너 4천TEU이상 : 1.0 ⑤ (접안시설,특수부두)컨테이너 4천TEU미만 : 0.9 ⑥ (특수부두)돌핀 : 1.0 ⑦ (접안시설,특수부두)기타 특수부두(자동차, 여객) : 0.7 ⑧ (외곽시설)방파제 : 0.7 ⑨ (외곽시설)호안(침수,접속,가호안등) : 0.4 ⑩ (외곽시설)기타외곽시설 : 0.5 ⑪ 준설및매립(항로준설,투기장) : 0.1 ⑫ 배후부지 : 0.3
	지역	① 동해 : 1.1 ② 서해 : 1.1 ③ 남해 : 1.0
	기존계획 성격	① 신항 : 1.0 ② 기존항 : 0.4

4-3 기본설계

가. 투입인원수 산정기준

구분	업무구분		단위	기준인원수(인·일)					환산계수	보정계수			
				기술사	특급	고급	중급	초급		항만유형	지역	공사성격	수심
조사	1. 과업착수준비		식	6.8	7.7	7.7	5.9	0.0	③				
	2. 관련계획 조사 및 검토		20,000㎡	0.8	1.1.	1.1	0.7	0.0	①	●		●	
	3. 현지조사 및 답사		20,000㎡	1.0	1.6	2.3	0.6	0.0	①		●	●	
	4. 문헌조사	1) 해양자료 조사	20,000㎡	0.3	0.3	0.7	0.5	0.5	①				
		2) 표사이동 조사	20,000㎡	0.2	0.2	0.5	0.3	0.3	①				
	5. 측량 성과 검토		20,000㎡	0.1	0.2	0.2	0.0	0.0	①			●	
	6. 지질 및 지반조사 성과 검토		20,000㎡	1.4	1.4	0.7	0.7	0.0	①			●	
	7. 지장물 및 구조물 조사		20,000㎡	0.0	1.2	1.2	0.6	0.0	①			●	
	8. 재료원 조사		20,000㎡	0.5	1.5	1.5	1.5	0.0	①		●	●	
	9. 어업피해영향조사		20,000㎡	0.5	0.9	1.2	1.6	0.0	①		●	●	
	10. 용지조사		20,000㎡	0.0	0.3	0.3	0.6	0.0	①			●	
계획	1. 전단계 성과 검토		20,000㎡	2.1	4.0	4.0	3.7	3.5	①	●		●	
	2. 전략환경영향평가 성과 검토		20,000㎡	0.1	0.4	0.2	0.0	0.0	①			●	
	3. 해상교통안전진단 성과 검토		20,000㎡	0.1	0.2	0.2	0.0	0.0	①			●	
	4. 재해영향평가 성과검토		20,000㎡	0.1	0.2	0.2	0.0	0.0	①			●	
	5. 항만시설계획(평면배치계획)		100m	7.9	13.0	13.0	13.3	9.4	⑩	●		●	
	6. 구조물형식 결정		100m	16.1	23.2	25.6	26.1	17.8	⑩	●		●	
	7. 설계기준 작성		식	12.0	15.0	15.0	12.0	0.0	③	●			
	8. 관계기관 협의		50,000㎡	4.5	7.2	7.2	4.5	4.5	②	●		●	
	9. 단계별 자문 및 방침자료 작성		회	5.3	5.8	6.5	5.6	3.0				●	
	10. 해양공간적정성 평가 성과검토		20,000㎡	0.1	0.2	0.2	0.0	0.0	①			●	
설계	1. 외곽시설(방파제) 설계		50m	9.0	18.0	20.4	19.2	14.4	⑦	●	●		●
	2. 외곽시설(호안) 설계		100m	6.8	12.4	14.0	13.4	10.0	⑨	●	●		●
	3. 접안시설 설계		50m	8.8	20.0	24.5	21.7	21.7	⑧	●	●		●
	4. 연약지반 설계		10,000㎡	3.0	5.9	5.9	5.0	1.6	④	●	●		
	5. 배후부지 설계		50,000㎡	15.6	29.9	38.6	42.1	24.2	⑥	●	●	●	
	6. 수역시설	1) 항만 수역시설	1,000㎡	0.6	1.2	1.4	1.2	0.4	⑤	●	●		●
		2) 항로준설 수역시설 및 준설, 매립설계	10,000㎡	0.6	1.2	1.4	1.2	0.4	⑤	●	●		●
설계	7. 매몰 및 침식대책시설 설계		50m	0.4	0.7	0.8	1.1	1.9	⑪	●	●		●
	8. 기타시설 설계		20,000㎡	3.4	4.6	5.7	4.3	2.8	①	●	●	●	●
성과품 작성	1. 기본설계보고서		20,000㎡	3.2	5.9	7.6	8.2	5.9	①	●		●	
	2. 지질 및 지반조사 보고서		20,000㎡	0.6	1.1	1.1	1.3	1.4	①	●		●	
	3. 구조계산서 및 수리계산서		20,000㎡	1.5	2.5	3.1	4.8	6.2	①	●		●	
	4. 설계예산서		식	0.0	18.9	18.9	18.9	0.0	③	●			
	5. 단가산출서		20,000㎡	0.0	1.3	1.3	2.0	0.0	①	●		●	
	6. 수량산출서		20,000㎡	0.1	0.3	1.8	3.3	5.1	①	●		●	
	7. 기본설계도면		20,000㎡	0.5	0.6	1.1	2.8	4.5	①	●		●	

[주] 해양공간 적정성 평가 성과검토는 해당업무를 수행하는 경우에만 산정

나. 적용수량 환산계수 및 보정계수

구분	항목		세부내용
적용수량 환산계수	면적	① 과업대상면적 (20,000㎡)	20,000㎡ 미만 : 1 20,000㎡ 이상 : 1+α ×(과업대상면적 - 1) 조사·성과품작성단계 : α =0.4-(0.001×과업대상면적) 계획·설계단계 : α =0.5-(0.001×과업대상면적)
		② 과업대상면적 (50,000㎡)	50,000㎡ 미만 : 1 50,000㎡ 이상 : 1+α ×(과업대상면적 - 1) 조사·성과품작성단계 : α =0.3-(0.001×과업대상면적) 계획·설계단계 : α =0.4-(0.001×과업대상면적)
		③ 과업대상면적 (식)	50,000㎡ 미만 : 1 50,000㎡ 이상 : 1 + (과업대상면적-1)×0.05
		④ 연약지반면적 (10,000㎡)	10,000㎡ 미만 : 연약지반면적 그대로 적용 10,000㎡ 이상 : 1+α ×(연약지반면적 - 1) 설계단계 : α =0.4-(0.001×연약지반면적)
		⑤ 수역시설면적	〈항만 수역시설〉 1,000㎡ 미만 : 수역시설면적 그대로 적용 1,000㎡ 이상 : 1+α ×(수역시설면적 - 1) 설계단계 : α =0.8-(0.003×수역시설면적)
			〈항로준설 수역시설〉 10,000㎡ 미만 : 수역시설면적 그대로 적용 10,000㎡ 이상 : 1+α ×(수역시설면적 - 1) 설계단계 : α =0.8-(0.003×수역시설면적)
		⑥ 배후부지면적 (50,000㎡)	50,000㎡ 미만 : 1 50,000㎡ 이상 : 1+α ×(배후부지면적 - 1) 계획·설계단계 : α =0.4-(0.001×배후부지면적)

구분	항목		세부내용
적용수량 환산계수	면적	⑦ 방파제연장 (50m)	50m 미만 : 방파제연장 그대로 적용 50m 이상 : 1+α ×(방파제연장 - 1) 계획·설계단계 : α =0.7-(0.0002×방파제연장)
		⑧ 접안시설연장 (50m)	50m 미만 : 접안시설연장 그대로 적용 50m 이상 : 1+α ×(접안시설연장 - 1) 계획·설계단계 : α =0.9-(0.003×접안시설연장)
		⑨ 호안연장 (100m)	100m 미만 : 호안연장 그대로 적용 100m 이상 : 1+α ×(호안연장 - 1) 계획·설계단계 : α =0.5-(0.001×호안연장)
		⑩ 시설연장 (100m)	시설연장=(방파제+접안시설+호안)연장 100m 미만 : 시설연장 그대로 적용 100m 이상 : 1+α ×(시설연장 - 1) 계획·설계단계 : α =0.5-(0.0002×시설연장)
		⑪ 매몰 및 침식대책시설 연장(50m)	50m 미만 : 매몰 및 침식대책시설연장 그대로 적용 50m 이상 : 1+α ×(매몰 및 침식대책시설연장 - 1) 계획·설계단계 : α =0.8-(0.003×매몰 및 침식대책시설연장)
보정계수	항만유형 및 선박규모		① (접안시설)소형선부두 : 0.2 ② (접안시설,일반부두)5만톤이상 : 0.8 ③ (접안시설,일반부두)5만톤미만 : 0.7 ④ (접안시설,특수부두)컨테이너 4천TEU이상 : 1.0 ⑤ (접안시설,특수부두)컨테이너 4천TEU미만 : 0.9 ⑥ (특수부두)돌핀 : 1.0 ⑦ (접안시설,특수부두)기타 특수부두(자동차, 여객) : 0.7 ⑧ (외곽시설)방파제 : 0.7 ⑨ (외곽시설)호안(침수,접속,가호안등) : 0.4 ⑩ (외곽시설)기타외곽시설 : 0.5 ⑪ 준설및매립(항로준설,투기장) : 0.1 ⑫ 배후부지 : 0.3
	지역		① 동해 : 1.1, ②서해 : 1.1, ③남해 : 1.0 ④ 기타도서지역(제주도제외) : 1.2
	공사성격		① 신설 : 1.0, ②재개발 : 0.9, ③보수·보강 : 0.5
	수심		① 5m이하 : 0.7, ②5m초과~10m이하 : 0.8 ③ 10m초과~15m이하 : 0.9, ④ 15m초과~20m이하 : 1.0, ⑤20m초과 : 1.1

4-4 실시설계

가. 투입인원수 산정기준

구분	업무구분		단위	기준인원수(인·일)					환산계수	보정계수			
				기술사	특급	고급	중급	초급		항만유형	지역	공사성격	수심
조사	1. 과업착수준비		식	6.8	7.7	7.7	5.9	0.0	③				
	2. 현지조사 및 답사		10,000㎡	1.0	1.6	2.3	0.6	0.0	①		●	●	
	3. 측량 성과 검토		10,000㎡	0.1	0.2	0.2	0.0	0.0	①			●	
	4. 지질 및 지반조사 성과 검토		10,000㎡	1.4	1.4	0.7	0.7	0.0	①			●	
	5. 지장물 및 구조물 조사		10,000㎡	0.0	1.2	1.2	0.6	0.0	①			●	
	6. 재료원 조사		10,000㎡	0.5	1.5	1.5	1.5	0.0	①		●	●	
	7. 용지조사		10,000㎡	0.0	0.3	0.3	0.6	0.0	①			●	
계획	1. 전단계 성과 검토		10,000㎡	2.1	4.0	4.0	3.9	3.5	①	●		●	
	2. 환경영향평가 성과 검토		10,000㎡	0.1	0.4	0.2	0.0	0.0	①			●	
	3. 재해영향평가 성과 검토		10,000㎡	0.1	0.2	0.2	0.0	0.0	①			●	
	6. 구조물형식 결정		100m	9.8	14.0	15.4	15.9	10.8	⑩	●		●	
	7. 설계기준 작성		식	17.2	21.5	21.5	17.2	0.0	③	●			
	8. 관계기관 협의		50,000㎡	4.7	7.7	7.7	4.8	4.8	②	●		●	
	9. 단계별 자문 및 방침자료 작성		회	10.0	10.0	12.0	10.4	4.4				●	
	10. 각종 성과 검토	1) 해역이용협의 지원 및 검토	10,000㎡	0.1	0.2	0.2	0.0	0.0	①			●	
		2) 교통영향평가 성과검토	10,000㎡	0.1	0.2	0.2	0.0	0.0	①			●	
		3) 해상교통 안전성 평가 성과검토	10,000㎡	0.1	0.2	0.4	0.0	0.0	①			●	
		4) 해양공간 적정성 평가 성과검토	10,000㎡	0.1	0.2	0.2	0.0	0.0	①			●	
설계	1. 외곽시설(방파제) 설계		10m	3.8	7.1	8.8	8.0	5.6	⑦	●	●		●
	2. 외곽시설(호안) 설계		100m	16.0	28.3	34.4	31.4	22.7	⑨	●	●		●
	3. 접안시설 설계		10m	4.4	9.5	11.6	8.9	8.0	⑧	●	●		●
	4. 연약지반 설계		10,000㎡	7.2	13.0	13.3	11.9	2.4	④	●	●		
	5. 배후부지 설계		50,000㎡	40.8	72.4	96.8	114.4	65.6	⑥	●	●	●	
	6. 수역시설	1) 항만 수역시설	1,000㎡	1.7	2.7	3.0	2.4	0.6	⑤	●	●		●
		2) 항로준설 수역시설 및 준설, 매립설계	10,000㎡	1.7	2.7	3.0	2.4	0.6	⑤	●	●		●
	7. 매몰 및 침식대책시설 설계		10m	1.2	1.7	2.3	2.9	4.7	⑪	●	●		●
	8. 기타시설 설계		10,000㎡	5.0	6.8	8.4	6.3	4.1	①	●	●	●	●

구분	업무구분	단위	기준인원수(인·일)					환산계수	보정계수			
			기술사	특급	고급	중급	초급		항만유형	지역	공사성격	수심
성과품 작성	1. 실시설계보고서	10,000㎡	7.2	12.6	16.0	17.2	12.4	①	●		●	
	2. 지질 및 지반조사 보고서	10,000㎡	1.2	2.2	2.2	2.6	3.0	①	●		●	
	3. 구조계산서 및 수리계산서	10,000㎡	4.6	7.7	9.2	14.2	18.2	①	●		●	
	4. 설계예산서	식	0.0	39.7	52.8	32.9	0.0	③	●			
	5. 단가산출서	10,000㎡	0.0	3.4	3.4	4.7	0.0	①	●		●	
	6. 수량산출서	10,000㎡	0.2	1.0	5.0	9.2	14.4	①	●		●	
	7. 실시설계도면	10,000㎡	2.0	2.4	4.4	10.6	17.3	①	●		●	
	8. 공사시방서	식	19.0	47.4	47.4	37.8	0.0	③	●			

[주] 각종성과검토(해역이용협의 지원 및 검토, 교통영향평가 성과검토, 해상교통 안전성 평가 성과검토, 해양공간 적정성 평가 성과검토)는 해당업무를 수행하는 경우에만 산정

나. 적용수량 환산계수 및 보정계수

구분		항목	세부내용
적용수량 환산계수	면적	① 과업대상면적 (10,000㎡)	10,000㎡ 미만 : 1 10,000㎡ 이상 : 1+α ×(과업대상면적 - 1) 조사·성과품작성단계 : α =0.4-(0.001×과업대상면적) 계획·설계단계 : α =0.5-(0.001×과업대상면적)
		② 과업대상면적 (50,000㎡)	50,000㎡ 미만 : 1 50,000㎡ 이상 : 1+α ×(과업대상면적 - 1) 조사·성과품작성단계 : α =0.3-(0.001×과업대상면적) 계획·설계단계 : α =0.4-(0.001×과업대상면적)
		③ 과업대상면적 (식)	50,000㎡ 미만 : 1 50,000㎡ 이상 : 1 + (과업대상면적-1)×0.05
		④ 연약지반면적 (10,000㎡)	10,000㎡ 미만 : 연약지반면적 그대로 적용 10,000㎡ 이상 : 1+α ×(연약지반면적 - 1) 설계단계 : α =0.4-(0.001×연약지반면적)
		⑤ 수역시설면적	〈항만 수역시설〉 1,000㎡ 미만 : 수역시설면적 그대로 적용 1,000㎡ 이상 : 1+α ×(수역시설면적 - 1) 설계단계 : α =0.8-(0.003×수역시설면적)
			〈항로준설 수역시설〉 10,000㎡ 미만 : 수역시설면적 그대로 적용 10,000㎡ 이상 : 1+α ×(수역시설면적 - 1) 설계단계 : α =0.8-(0.003×수역시설면적)
		⑥ 배후부지면적 (50,000㎡)	50,000㎡ 미만 : 1 50,000㎡ 이상 : 1+α ×(배후부지면적 - 1) 계획·설계단계 : α =0.4-(0.001×배후부지면적)
	연장	⑦ 방파제연장 (10m)	10m 미만 : 방파제연장 그대로 적용 10m 이상 : 1+α ×(방파제연장 - 1) 계획·설계단계 : α =0.7-(0.0002×방파제연장)
		⑧ 접안시설연장 (10m)	10m 미만 : 접안시설연장 그대로 적용 10m 이상 : 1+α ×(접안시설연장 - 1) 계획·설계단계 : α =0.9-(0.003×접안시설연장)
		⑨ 호안연장 (100m)	100m 미만 : 호안연장 그대로 적용 100m 이상 : 1+α ×(호안연장 - 1) 계획·설계단계 : α =0.5-(0.001×호안연장)

구분	항목		세부내용
적용수량 환산계수	연장	⑩ 시설연장(100m)	시설연장=(방파제+접안시설+호안)연장 100m 미만 : 시설연장 그대로 적용 100m 이상 : 1+α ×(시설연장 - 1) 계획·설계단계 : α =0.5-(0.0002×시설연장)
		⑪ 매몰 및 침식대책 시설연장(10m)	10m 미만 : 매몰 및 침식대책시설연장 그대로 적용 10m 이상 : 1+α ×(매몰 및 침식대책시설연장 - 1) 계획·설계단계 : α =0.8-(0.003×매몰 및 침식대책시설연장)
보정계수	항만유형 및 선박규모		① (접안시설)소형선부두 : 0.2 ② (접안시설,일반부두)5만톤이상 : 0.8 ③ (접안시설,일반부두)5만톤미만 : 0.7 ④ (접안시설,특수부두)컨테이너 4천TEU이상 : 1.0 ⑤ (접안시설,특수부두)컨테이너 4천TEU미만 : 0.9 ⑥ (특수부두)돌핀 : 1.0 ⑦ (접안시설,특수부두)기타 특수부두(자동차, 여객) : 0.7 ⑧ (외곽시설)방파제 : 0.7 ⑨ (외곽시설)호안(침수,접속,가호안등) : 0.4 ⑩ (외곽시설)기타외곽시설 : 0.5 ⑪ 준설및매립(항로준설,투기장) : 0.1 ⑫ 배후부지 : 0.3
	지역		① 동해 : 1.1, ②서해 : 1.1, ③남해 : 1.0 ④ 기타도서지역(제주도제외) : 1.2
	공사성격		① 신설 : 1.0, ②재개발 : 0.9, ③보수·보강 : 0.5
	수심		① 5m이하 : 0.7, ②5m초과~10m이하 : 0.8 ③ 10m초과~15m이하 : 0.9 ④ 15m초과~20m이하 : 1.0, ⑤20m초과 : 1.1

4-5 기본 및 실시설계

가. 투입인원수 산정기준

구분	업무구분		단위	기준인원수(인·일)					환산계수	보정계수			
				기술사	특급	고급	중급	초급		항만유형	지역	공사성격	수심
조사	1. 과업착수준비		식	6.8	7.7	7.7	5.9	0.0	③				
	2. 관련계획 조사 및 검토		10,000㎡	0.4	0.7	0.7	0.4	0.0	①	●		●	
	3. 현지조사 및 답사		10,000㎡	1.0	1.6	2.3	0.6	0.0	①		●	●	
	4. 문헌조사	1) 해양자료 조사	10,000㎡	0.2	0.2	0.4	0.3	0.3	①				
		2) 표사이동 조사	10,000㎡	0.1	0.1	0.3	0.2	0.1	①				
	5. 측량 성과 검토		10,000㎡	0.1	0.2	0.2	0.0	0.0	①			●	
	6. 지질 및 지반조사 성과 검토		10,000㎡	1.4	1.4	0.7	0.7	0.0	①			●	
	7. 지장물 및 구조물 조사		10,000㎡	0.0	1.2	1.2	0.6	0.0	①			●	
	8. 재료원 조사		10,000㎡	0.5	1.5	1.5	1.5	0.0	①		●	●	
	9. 어업피해영향조사		10,000㎡	0.3	0.5	0.6	0.8	0.0	①		●	●	
	10. 용지조사		10,000㎡	0.0	0.3	0.3	0.6	0.0	①			●	
계획	1. 전단계 성과 검토		10,000㎡	2.1	4.0	4.0	3.9	3.5	①	●		●	
	2. 전략환경영향평가 및 환경영향평가 성과 검토		10,000㎡	0.1	0.5	0.3	0.0	0.0	①			●	
	3. 해상교통안전진단 성과 검토		10,000㎡	0.1	0.1	0.1	0.0	0.0	①			●	
	4. 재해영향평가 성과 검토		10,000㎡	0.1	0.2	0.2	0.0	0.0	①			●	
	5. 항만시설계획(평면배치계획)		100m	7.9	13.0	13.0	13.3	9.4	⑩	●		●	
	6. 구조물형식 결정		100m	16.1	23.2	25.6	26.1	17.8	⑩	●		●	
	7. 설계기준 작성		식	17.2	21.5	21.5	17.2	0.0	③	●			
	8. 관계기관 협의		50,000㎡	4.7	7.7	7.7	4.8	4.8	②	●		●	
	9. 단계별 자문 및 방침자료 작성		회	10.0	10.0	12.0	10.4	4.4				●	
	10. 각종 성과 검토	1) 해역이용협의 지원 및 검토	10,000㎡	0.1	0.2	0.2	0.0	0.0	①			●	
		2) 교통영향평가 성과검토	10,000㎡	0.1	0.2	0.2	0.0	0.0	①			●	
		3) 해상교통 안전성 평가 성과검토	10,000㎡	0.1	0.2	0.4	0.0	0.0	①			●	
		4) 해양공간 적정성 평가 성과검토	10,000㎡	0.1	0.2	0.2	0.0	0.0	①			●	

구분	업무구분		단위	기준인원수(인·일)					환산계수	보정계수			
				기술사	특급	고급	중급	초급		항만유형	지역	공사성격	수심
설계	1. 외곽시설(방파제) 설계		10m	4.7	8.9	11.1	10.1	7.0	⑦	●	●		●
	2. 외곽시설(호안) 설계		100m	20.7	36.5	44.5	40.7	29.3	⑨	●	●		●
	3. 접안시설 설계		10m	5.5	12.1	14.8	11.3	10.1	⑧	●	●		●
	4. 연약지반 설계		10,000㎡	8.8	16.4	16.8	15.0	3.0	④	●	●		
	5. 배후부지 설계		50,000㎡	52.6	93.8	125.5	148.4	85.1	⑥	●	●	●	
	6. 수역시설	1) 항만 수역시설	1,000㎡	1.9	3.1	3.5	2.7	0.7	⑤	●	●		●
		2) 항로준설 수역시설 및 준설, 매립설계	10,000㎡	1.9	3.1	3.5	2.7	0.7	⑤	●	●		●
	7. 매몰 및 침식대책시설 설계		10m	1.2	1.7	2.8	3.5	5.9	⑪	●	●		●
	8. 기타시설 설계		10,000㎡	6.3	8.7	10.8	8.0	5.2	①	●	●	●	●
성과품작성	1. 기본 및 실시설계보고서		10,000㎡	8.3	14.9	18.9	20.5	14.7	①	●		●	
	2. 지질 및 지반조사 보고서		10,000㎡	1.4	2.6	2.6	3.0	3.6	①	●		●	
	3. 구조계산서 및 수리계산서		10,000㎡	5.4	9.2	11.0	17.0	21.8	①	●		●	
	4. 설계예산서		식	0.0	39.7	52.8	32.9	0.0	③	●			
	5. 단가산출서		10,000㎡	0.0	4.0	4.0	5.6	0.0	①	●		●	
	6. 수량산출서		10,000㎡	0.2	1.2	6.0	11.0	17.2	①	●		●	
	7. 기본 및 실시설계도면		10,000㎡	2.4	2.8	5.3	12.7	20.8	①	●		●	
	8. 공사시방서		식	19.0	47.4	47.4	37.8	0.0	③	●			

[주] 각종성과검토(해역이용협의 지원 및 검토, 교통영향평가 성과검토, 해상교통 안전성 평가 성과검토, 해양공간 적정성 평가 성과검토)는 해당업무를 수행하는 경우에만 산정

나. 적용수량 환산계수 및 보정계수

구분		항목	세부내용
적용수량 환산계수	면적	① 과업대상면적 (10,000㎡)	10,000㎡ 미만 : 1 10,000㎡ 이상 : 1+α ×(과업대상면적 - 1) 조사성과품작성단계 : α =0.4-(0.001×과업대상면적) 계획·설계단계 : α =0.5-(0.001×과업대상면적)
		② 과업대상면적 (50,000㎡)	50,000㎡ 미만 : 1 50,000㎡ 이상 : 1+α ×(과업대상면적 - 1) 조사성과품작성단계 : α =0.3-(0.001×과업대상면적) 계획·설계단계 : α =0.4-(0.001×과업대상면적)
		③ 과업대상면적 (식)	50,000㎡ 미만 : 1 50,000㎡ 이상 : 1 + (과업대상면적-1)×0.05
		④ 연약지반면적 (10,000㎡)	10,000㎡ 미만 : 연약지반면적 그대로 적용 10,000㎡ 이상 : 1+α ×(연약지반면적 - 1) 설계단계 : α =0.4-(0.001×연약지반면적)
		⑤ 수역시설면적	〈항만 수역시설〉 1,000㎡ 미만 : 수역시설면적 그대로 적용 1,000㎡ 이상 : 1+α ×(수역시설면적 - 1) 설계단계 : α =0.8-(0.003×수역시설면적)
			〈항로준설 수역시설〉 10,000㎡ 미만 : 수역시설면적 그대로 적용 10,000㎡ 이상 : 1+α ×(수역시설면적 - 1) 설계단계 : α =0.8-(0.003×수역시설면적)
		⑥ 배후부지면적 (50,000㎡)	50,000㎡ 미만 : 1 50,000㎡ 이상 : 1+α ×(배후부지면적 - 1) 계획·설계단계 : α =0.4-(0.001×배후부지면적)
	연장	⑦ 방파제연장 (10m)	10m 미만 : 방파제연장 그대로 적용 10m 이상 : 1+α ×(방파제연장 - 1) 계획·설계단계 : α =0.7-(0.0002×방파제연장)
		⑧ 접안시설연장 (10m)	10m 미만 : 접안시설연장 그대로 적용 10m 이상 : 1+α ×(접안시설연장 - 1) 계획·설계단계 : α =0.9-(0.003×접안시설연장)
		⑨ 호안연장 (100m)	100m 미만 : 호안연장 그대로 적용 100m 이상 : 1+α ×(호안연장 - 1) 계획·설계단계 : α =0.5-(0.001×호안연장)

구분	항목		세부내용
적용수량 환산계수	연장	⑩ 시설연장(100m)	시설연장=(방파제+접안시설+호안)연장 100m 미만 : 시설연장 그대로 적용 100m 이상 : 1+α ×(시설연장 - 1) 계획·설계단계 : α =0.5-(0.0002×시설연장)
		⑪ 매몰 및 침식대책 시설연장(10m)	10m 미만 : 매몰 및 침식대책시설연장 그대로 적용 10m 이상 : 1+α ×(매몰 및 침식대책시설연장 - 1) 계획·설계단계 : α =0.8-(0.003×매몰 및 침식대책시설연장)
보정계수	항만유형		① (접안시설)소형선부두 : 0.2 ② (접안시설,일반부두)5만톤이상 : 0.8 ③ (접안시설,일반부두)5만톤미만 : 0.7 ④ (접안시설,특수부두)컨테이너 4천TEU이상 : 1.0 ⑤ (접안시설,특수부두)컨테이너 4천TEU미만 : 0.9 ⑥ (특수부두)돌핀 : 1.0 ⑦ (접안시설,특수부두)기타 특수부두(자동차, 여객) : 0.7 ⑧ (외곽시설)방파제 : 0.7 ⑨ (외곽시설)호안(침수,접속,가호안등) : 0.4 ⑩ (외곽시설)기타외곽시설 : 0.5 ⑪ 준설및매립(항로준설,투기장) : 0.1 ⑫ 배후부지 : 0.3
	지역		① 동해 : 1.1, ②서해 : 1.1, ③남해 : 1.0 ④ 기타도서지역(제주도제외) : 1.2
	공사성격		① 신설 : 1.0, ②재개발 : 0.9, ③보수·보강 : 0.5
	수심		① 5m이하 : 0.7, ②5m초과~10m이하 : 0.8 ③ 10m초과~15m이하 : 0.9 ④ 15m초과~20m이하 : 1.0, ⑤20m초과 : 1.1

제5장 하천분야 설계용역의 투입인원수 산정기준

5-1 하천개수 실시설계

가. 투입인원수 산정기준

구분	업무구분	단위	기준인원수(인·일)					환산계수	보정계수				
			기술사	특급	고급	중급	초급		지역	하천등급	연약지반	기본계획수립	기본계획변경
조사	1. 과업착수준비	식	1.0	1.5	4.0	4.5	3.0	②					
	2. 현장조사 및 기초자료조사	Km	0.5	0.8	1.8	2.2	1.6	①	●				
	3. 환경, 토질, 측량 성과품 검토	km	0.6	1.1	2.0	1.6	1.1	①					
	4. 관련계획 조사 및 검토	km	0.4	0.7	1.2	0.9	0.7	①	●				
계획	1. 기본계획 검토	식	3.7	8.1	12.5	14.9	9.0	②				●	
		Km	1.0	1.7	3.1	3.3	1.9	①				●	
	2. 기본계획 변경	Km	1.0	1.7	3.5	4.0	3.2	①				●	●
	3. 주요시설물 계획	Km	1.3	2.9	4.4	4.6	3.1	①	●				
	4. 수리검토	Km	1.6	3.1	4.6	5.8	3.5	①					
	5. 구조검토	Km	0.9	1.5	2.6	2.6	1.9	①		●			
	6. 시설물 안정검토	Km	1.7	3.1	4.0	5.3	3.6	①			●		
		Km (연약지반)	0.9	1.5	2.8	2.9	2.4	③					
	7. 교량계획	개소	3.8	6.8	9.3	8.3	3.9	⑤					
		100m	1.1	2.0	3.1	2.5	0.4	④					
	8. 관계기관 협의 및 주민의견 수렴	km	0.6	1.0	1.5	1.5	0.8	①	●				
	9. 단계별 자문 및 방침자료작성	회	1.1	1.7	2.7	3.0	2.2						
설계	1. 제방 및 호안설계	Km	2.7	4.9	7.8	10.0	6.0	①	●		●		
	2. 교량설계	개소	5.4	7.2	14.9	11.7	20.8	⑤					
		100m	5.4	10.6	18.4	23.2	20.0	④					
	3. 보 및 낙차공 설계	Km	1.4	3.1	5.0	5.3	3.4	①	●	●	●		
	4. 취, 배수시설설계	Km	2.2	5.5	7.1	8.5	5.6	①	●	●	●		
	5. 기타구조물설계	Km	1.9	4.3	6.0	6.3	4.6	①	●	●			
성과품작성	1. 실시설계 보고서	km	0.7	1.3	2.5	3.6	1.8	①					
	2. 설계예산서	식	1.8	1.8	3.4	3.4	3.6	②					
	3. 단가 산출서	km	0.6	1.1	2.3	2.7	2.1	①					
	4. 수량 산출서	Km	0.3	0.7	1.1	1.7	1.4	①					
	5. 실시설계도면	Km	0.3	0.7	1.8	3.2	2.9	①					
	6. 공사시방서	식	1.2	2.6	6.7	5.8	3.3	②					
	7. 기타	km	0.6	1.0	1.6	1.9	1.3	①					

나. 적용수량 환산계수 및 보정계수

구분		항목	세부내용
적용 수량 환산 계수	연장	① 축제(축보)연장 (km)	1km 미만 : 축제(축보)연장 그대로 적용 1km 이상 : 1+α ×(축제(축보)연장 - 1) 조사성과품작성 : α =0.6-(0.003×축제(축보)연장) 계획 : α =0.65-(0.003×축제(축보)연장) 설계 : α =0.7-(0.003×축제(축보)연장)
		② 축제(축보)연장 (식)	5km 미만 : 1 5km 이상 : 1+(축제(축보)연장-5)×0.05
		③ 연약지반연장 (km)	1km 미만 : 연약지반연장 그대로 적용 1km 이상 : 1+α ×(연약지반연장-1) (α = 조사성과품작성 0.6, 계획 0.65, 설계 0.7)
		④ 교량연장 (100m)	환산 교량연장 산식 : A×a+B×b+C×c+D×d (아래 표 참조)
	개소	⑤ 교량개소	환산 교량개소 산식 : A×a+B×b+C×c+D×d (아래 표 참조)
보정 계수		하천 등급	국가하천 : 1.0, 지방하천 : 1.1
		연약지반	유 : 1.2, 무 : 1.0
		지역특성	산지, 농경지 : 1.0, 도심지 : 1.3
		기본계획 경과년수	2년 미만 : 0.8 2년 이상 5년 미만 : 1.0 5년 이상 1.2
		기본계획 변경	유 : 1.3, 무 : 1.0 * 기본계획 변경업무는 기본업무로서 변경업무가 공식적으로 포함되는 경우를 '유'로 표현

④ 교량연장 (100m) — 환산 교량연장 산식 : A×a+B×b+C×c+D×d

통과하천	도로성격	가중치
국가하천	A.지방도, 2차로 이상	a : 1.0
	B.군도, 2차로 이하	b : 0.7
지방하천이하	C.지방도, 2차로 이상	c : 0.9
	D.군도, 2차로 이하	d : 0.63

⑤ 교량개소 — 환산 교량개소 산식 : A×a+B×b+C×c+D×d

통과하천	도로성격	가중치
국가하천	A.지방도, 2차로 이상	a : 1.0
	B.군도, 2차로 이하	b : 0.7
지방하천이하	C.지방도, 2차로 이상	c : 0.8
	D.군도, 2차로 이하	d : 0.56

5-2 생태하천 실시설계

가. 투입인원수 산정기준

구분	업무구분	단위	기준인원수(인·일)					환산계수	보정계수				
			기술사	특급	고급	중급	초급		지역	하천등급	연약지반	기본계획 경과년수	기본계획 변경
조사	1. 과업착수 준비	식	1.0	1.5	4.0	4.5	3.0	②					
	2. 현장조사 및 기초자료조사	km	0.5	0.8	1.6	1.8	1.6	①	●				
	3. 환경,토질,측량 성과품 검토	km	1.1	1.9	3.3	3.0	1.9	①					
	4. 관련계획 조사 및 검토	km	0.4	0.7	1.0	0.8	0.7	①	●				
	5. 경관조사 및 종합분석	km	0.3	0.4	0.8	0.8	0.4	①	●				
계획	1. 하천환경계획수립	km	1.7	3.0	5.0	5.6	3.7	①					
	2. 기본계획 변경	km	1.4	3.0	5.7	6.3	4.9	①				●	●
	3. 주요시설물 계획	km	3.9	8.1	10.8	12.9	10.2	①	●				
	4. 수리검토	km	2.3	4.7	6.9	8.5	6.6	①					
	5. 구조검토	km	1.6	2.4	5.6	6.4	3.2	①		●			
	6. 시설물 안정검토	km	3.4	5.6	7.2	9.3	5.7	①					
	7. 경관구상 계획 및 시행계획	km	0.8	1.7	3.4	6.3	4.9	①	●				
	8. 교량계획	개소	3.8	6.8	9.3	8.3	3.9	⑤					
		100m	1.1	2.0	3.1	2.5	0.4	④					
	9. 관계기관 협의 및 주민의견 수렴	km	0.6	1.0	1.5	1.5	0.8	①	●				
	10. 단계별 자문 및 방침자료작성	회	1.7	2.7	3.0	2.2	1.8						
설계	1. 제방 및 호안설계	km	2.0	3.7	5.7	7.6	4.2	③	●		●		
	2. 친환경제방 및 생태호안설계	km	2.8	4.6	7.9	9.8	6.6	①	●				
	3. 교량설계	개소	5.4	7.2	14.9	11.7	20.8	⑤					
		100m	5.4	10.6	18.4	23.2	20.0	④					
	4. 자연형 보 및 낙차공 설계	km	1.4	2.6	4.6	4.8	4.1	①	●	●			
	5. 취, 배수시설설계	km	2.2	5.5	7.1	8.5	5.6	③	●	●		●	
	6. 하천환경공사 시설물 설계	km	5.4	8.8	13.0	15.2	10.9	①	●				
	7. 기타구조물설계	km	2.3	4.9	7.6	8.0	6.4	①	●				
	8. 조경-경관 설계	km	1.5	2.9	8.0	8.9	7.2	①	●				
	9. 자연형하천의 유지관리계획	km	1.2	1.2	2.4	2.4	1.2	①					
성과품 작성	1. 실시설계 보고서	km	0.7	1.2	2.4	3.6	1.8	①					
	2. 설계예산서	식	1.6	1.8	3.6	3.6	3.2	②					
	3. 단가 산출서	km	0.6	1.0	2.0	2.5	2.0	①					
	4. 수량 산출서	km	0.3	0.6	1.0	1.5	1.2	①					
	5. 실시설계도면	km	0.3	0.6	1.6	2.9	2.7	①					
	6. 공사시방서	식	1.1	2.4	6.0	5.2	3.0	②					
	7. 기타	km	0.6	0.9	1.4	2.0	1.2	①					

나. 적용수량 환산계수 및 보정계수

<table>
<tr><th>구분</th><th colspan="2">항목</th><th>세부내용</th></tr>
<tr><td rowspan="5">적용
수량
환산
계수</td><td rowspan="4">연장</td><td>① 하천연장
(km)</td><td>1km 미만 : 하천연장 그대로 적용
1km 이상 : 1+α ×(하천연장 - 1)
조사성과품작성 : α =0.6-(0.003×하천연장)
계획 : α =0.65-(0.003×하천연장)
설계 : α =0.7-(0.003×하천연장)</td></tr>
<tr><td>② 하천연장
(식)</td><td>5km 미만 : 1
5km 이상 : 1+(하천연장-5)×0.05</td></tr>
<tr><td>③ 축제(축보)연장
(km)</td><td>1km 미만 : 축제(축보)연장 그대로 적용
1km 이상 : 1+α ×(축제(축보)연장 - 1)
조사성과품작성 : α =0.6-(0.003×축제(축보)연장)
계획 : α =0.65-(0.003×축제(축보)연장)
설계 : α =0.7-(0.003×축제(축보)연장)</td></tr>
<tr><td>④ 교량연장
(100m)</td><td>환산 교량연장 산식 : A×a+B×b+C×c+D×d<table><tr><th>통과하천</th><th>도로성격</th><th>가중치</th></tr><tr><td rowspan="2">국가하천</td><td>A.지방도, 2차로 이상</td><td>a : 1.0</td></tr><tr><td>B.군도, 2차로 이하</td><td>b : 0.7</td></tr><tr><td rowspan="2">지방하천이하</td><td>C.지방도, 2차로 이상</td><td>c : 0.9</td></tr><tr><td>D.군도, 2차로 이하</td><td>d : 0.63</td></tr></table></td></tr>
<tr><td>개소</td><td>⑤교량개소</td><td>환산 교량개소 산식 : A×a+B×b+C×c+D×d<table><tr><th>통과하천</th><th>도로성격</th><th>가중치</th></tr><tr><td rowspan="2">국가하천</td><td>A.지방도, 2차로 이상</td><td>a : 1.0</td></tr><tr><td>B.군도, 2차로 이하</td><td>b : 0.7</td></tr><tr><td rowspan="2">지방하천이하</td><td>C.지방도, 2차로 이상</td><td>c : 0.8</td></tr><tr><td>D.군도, 2차로 이하</td><td>d : 0.56</td></tr></table></td></tr>
<tr><td rowspan="5">보정
계수</td><td colspan="2">하천 등급</td><td>국가하천 : 1.1, 지방하천 : 1.0</td></tr>
<tr><td colspan="2">연약지반</td><td>유 : 1.2, 무 : 1.0</td></tr>
<tr><td colspan="2">지역특성</td><td>산지, 농경지 : 1.0, 도심지 : 1.3</td></tr>
<tr><td colspan="2">기본계획
경과년수</td><td>2년 미만 : 0.8
2년 이상 5년 미만 : 1.0
5년 이상 1.2</td></tr>
<tr><td colspan="2">기본계획
변경</td><td>유 : 1.3, 무 : 1.0</td></tr>
</table>

제6장 댐분야 설계용역의 투입인원수 산정기준

6-1 타당성조사

가. 투입인원수 산정기준

<table>
<tr><th rowspan="2">구분</th><th rowspan="2">업무구분</th><th rowspan="2">단위</th><th colspan="5">기준인원수(인·일)</th><th rowspan="2">환산
계수</th><th colspan="4">보정계수</th></tr>
<tr><th>기술사</th><th>특급</th><th>고급</th><th>중급</th><th>초급</th><th>댐
형식</th><th>여수로
형식</th><th>경과
년수</th><th>댐
연장</th></tr>
<tr><td rowspan="4">조
사</td><td>1. 과업착수준비</td><td>식</td><td>2.2</td><td>4.3</td><td>6.6</td><td>7.3</td><td>3.2</td><td>②</td><td></td><td></td><td></td><td></td></tr>
<tr><td>2. 현장조사 및 기초조사</td><td>천만톤</td><td>3.8</td><td>8.2</td><td>14.5</td><td>15.5</td><td>7.6</td><td>⑦</td><td></td><td></td><td></td><td></td></tr>
<tr><td>3. 환경, 토질, 측량, 보상 성과품 검토</td><td>천만톤</td><td>0.1</td><td>1.3</td><td>2.9</td><td>3.5</td><td>1.2</td><td>⑦</td><td></td><td></td><td></td><td></td></tr>
<tr><td>4. 관련계획 조사 및 검토</td><td>100㎢</td><td>6.0</td><td>10.6</td><td>18.3</td><td>16.1</td><td>8.4</td><td>①</td><td></td><td></td><td></td><td></td></tr>
<tr><td rowspan="15">계
획</td><td>1. 전단계 성과검토</td><td>100㎢</td><td>11.4</td><td>23.0</td><td>40.5</td><td>43.6</td><td>21.7</td><td>①</td><td></td><td></td><td></td><td></td></tr>
<tr><td rowspan="2">2. 수문.수리분석</td><td>100㎢</td><td>15.1</td><td>37.7</td><td>64.3</td><td>77.4</td><td>33.5</td><td>①</td><td></td><td></td><td>●</td><td></td></tr>
<tr><td>천만톤</td><td>2.6</td><td>7.1</td><td>12.4</td><td>15.0</td><td>6.5</td><td>⑦</td><td></td><td></td><td>●</td><td></td></tr>
<tr><td rowspan="2">3. 용수 수요분석 및 용수공급계획</td><td>100㎢</td><td>6.4</td><td>16.5</td><td>26.4</td><td>27.2</td><td>13.3</td><td>①</td><td></td><td></td><td>●</td><td></td></tr>
<tr><td>천만톤</td><td>3.2</td><td>8.2</td><td>13.2</td><td>13.6</td><td>6.6</td><td>⑦</td><td></td><td></td><td>●</td><td></td></tr>
<tr><td rowspan="2">4. 최적개발규모</td><td>10m</td><td>0.6</td><td>1.5</td><td>2.2</td><td>2.3</td><td>1.1</td><td>④</td><td></td><td></td><td>●</td><td></td></tr>
<tr><td>천만톤</td><td>3.0</td><td>7.3</td><td>11.9</td><td>12.3</td><td>5.9</td><td>⑦</td><td></td><td></td><td>●</td><td></td></tr>
<tr><td rowspan="2">5. 댐건설에 따른 영향 검토</td><td>10m</td><td>1.2</td><td>2.3</td><td>4.1</td><td>4.5</td><td>1.9</td><td>④</td><td></td><td></td><td>●</td><td></td></tr>
<tr><td>100㎢</td><td>0.2</td><td>0.5</td><td>0.9</td><td>1.0</td><td>0.4</td><td>①</td><td></td><td></td><td>●</td><td></td></tr>
<tr><td>6. 댐효용증진사업 시설계획</td><td>100㎢</td><td>5.7</td><td>14.6</td><td>23.6</td><td>28.0</td><td>13.3</td><td>①</td><td></td><td></td><td>●</td><td></td></tr>
<tr><td>7. 이설도로 및 이주대책</td><td>천만톤</td><td>1.4</td><td>3.9</td><td>6.5</td><td>7.2</td><td>3.3</td><td>⑦</td><td></td><td></td><td>●</td><td></td></tr>
<tr><td>8. 사업비 산출, 경제성, 비용배분</td><td>10m</td><td>2.3</td><td>5.1</td><td>9.5</td><td>9.5</td><td>5.1</td><td>④</td><td></td><td></td><td>●</td><td></td></tr>
<tr><td>9. 재개발사업 추진시 문제점 및 대책</td><td>천만톤</td><td>0.9</td><td>1.9</td><td>3.1</td><td>3.2</td><td>1.6</td><td>⑦</td><td></td><td></td><td>●</td><td></td></tr>
<tr><td>10. 관계기관 및 주민 의견수렴</td><td>천만톤</td><td>1.1</td><td>2.9</td><td>5.1</td><td>5.9</td><td>2.4</td><td>⑦</td><td></td><td></td><td>●</td><td></td></tr>
<tr><td>11. 단계별 자문 및 방침자료 작성</td><td>회</td><td>1.4</td><td>4.0</td><td>7.8</td><td>8.4</td><td>3.6</td><td></td><td></td><td></td><td>●</td><td></td></tr>
</table>

구분	업무구분		단위	기준인원수(인·일)					환산계수	보정계수			
				기술사	특급	고급	중급	초급		댐형식	여수로형식	경과년수	댐연장
설계	1. 설계기준 작성		식	1.4	2.8	3.8	3.8	1.4	②				
	2. 주요 구조물 배치 및 예비 설계	가설비 설계	10m	1.2	2.9	4.6	4.8	2.2	④	●			
		유수전환 설계	100㎢	4.7	10.9	18.1	20.3	9.1	①				
		여수로 설계	10m	1.5	3.6	6.0	6.8	3.2	④		●		
		댐 설계	10m	1.7	3.4	5.7	6.2	3.4	④	●			●
		취수 및 방류설비 설계	10m	0.7	1.7	2.7	2.7	1.1	④		●		
		발전 및 송배전 설비설계	100kw	0.3	0.9	1.7	1.7	0.6	⑥				
		진입도로 설계	km	0.9	1.4	3.8	3.8	1.9	⑤				
		배사설계	100㎢	1.9	3.9	6.6	7.6	2.9	①	●			
	3. 부대공사 설계	토목부대공사/ 전기·전자통신/ 조경 예비설계	10m	0.0	1.2	2.9	3.3	1.0	④				
		건축 예비설계	1,000㎡	0.6	3.0	5.1	6.8	2.6	③				
		기계 예비설계	천만톤	0.2	0.7	1.5	1.7	0.6	⑦				
성과품 작성	1. 타당성조사보고서 및 기타보고서		천만톤	0.7	3.2	4.9	5.9	2.2	⑦				
	2. 수리 및 구조 계산서	수리계산서	천만톤	0.0	0.3	0.8	0.8	0.3	⑦				
		구조계산서	10m	0.5	1.5	2.4	2.6	0.8	④				
	3. 설계예산서		식	1.8	5.6	9.6	10.5	4.9	②				
	4. 단가산출서		10m	0.6	1.8	2.5	3.2	1.5	④				
	5. 수량 산출서		10m	0.4	1.3	1.9	2.2	0.9	④				●
	6. 타당성조사도면		10m	0.4	1.3	2.1	2.4	1.4	④				●
	7. 기타		식	0.1	0.5	0.9	0.9	0.3	②				

나. 적용수량 환산계수 및 보정계수

구분	항목		세부내용
적용수량 환산계수	면적	① 유역면적 (100㎢)	100㎢ 미만 : 유역면적 그대로 적용 100㎢ 이상 : 1+α ×(유역면적-1) α =0.2-(0.001×유역면적)
		② 유역면적 (식)	100㎢ 미만 : 1 100㎢ 이상 : 1 + (유역면적-1)×0.002
		③ 건축면적 (1,000㎡)	1,000㎡ 미만 : 건축면적 그대로 적용 1,000㎡ 이상 : 1+α ×(건축면적-1) α =0.2-(0.02×건축면적)
	높이 / 연장	④ 댐높이 (10m)	40m 미만 : 댐높이 그대로 적용 40m 이상 : 4+α ×(댐높이-4) 조사·성과품작성단계 : α =0.6-(0.005×댐높이) 계획·설계단계 : α =0.7-(0.005×댐높이)
		⑤ 진입도로연장 (km)	1km 미만 : 진입도로연장 그대로 적용 1km 이상 : 1+α ×(진입도로연장-1) α =0.8-(0.005×진입도로연장)
	용량	⑥ 시설용량 (100kw)	1,000kw 미만 : 700kw 적용 1,000kw 이상 : 7+α ×(시설용량- 7) α =0.5-(0.002×시설용량)
		⑦ 저수용량 (천만톤)	5천만톤 미만 : 저수용량 그래로 적용 5천만톤 이상 : 5+α ×(저수용량-5) 조사·성과품작성단계 : α =0.3-(0.003×저수용량) 계획·설계단계 : α =0.3-(0.0025×저수용량)
보정계수	댐형식		① 필댐 : 0.9 ② CFRD : 1.0 ③ 콘크리트댐(복합댐) : 1.2
	여수로형식		① 필댐, CFRD : 1.0 ② 콘크리트댐(복합댐) : 0.9
	예비타당성조사 수립 경과연수		① 2년 미만 : 1.0 ② 2년 이상 5년 미만 : 1.1 ③ 5년 이상 : 1.2
	댐연장		① 300m이하 : 1.0 ② 300m초과~500m이하 : 1.1 ③ 500m초과 : 1.2

6-2 기본계획

가. 투입인원수 산정기준

구분	업무구분	단위	기준인원수(인·일) 기술사	특급	고급	중급	초급	환산계수	보정계수 댐형식	여수로형식	경과년수	댐연장
조사	1. 과업착수준비	식	2.4	4.6	7.1	7.8	3.4	②				
	2. 현장조사 및 기초조사	천만톤	4.3	8.7	15.5	16.6	8.2	⑦				
	3. 환경, 토질, 측량, 보상 성과품 검토	천만톤	0.4	1.7	3.3	3.9	1.6	⑦				
	4. 관련계획 조사 및 검토	100㎢	6.4	11.2	19.3	17.1	9.0	①				
계획	1. 전단계 성과검토	100㎢	12.1	24.3	42.7	45.9	22.9	①				
	2. 수문.수리분석	100㎢	16.1	39.8	67.9	81.6	35.5	①			●	
		천만톤	2.9	7.7	13.2	15.9	7.1	⑥			●	
	3. 용수 수요분석 및 용수공급계획	100㎢	6.8	17.4	27.8	28.7	14.0	①			●	
		천만톤	3.4	8.7	13.9	14.4	7.0	⑦			●	
	4. 최적개발규모	10m	0.7	1.6	2.4	2.5	1.2	④			●	
		천만톤	3.5	7.9	12.7	13.1	6.5	⑥			●	
	5. 댐건설에 따른 영향 검토	10m	1.4	2.5	4.4	4.8	2.1	④			●	
		100㎢	0.3	0.6	1.0	1.1	0.5	①			●	
	6. 댐효용증진사업 시설계획	100㎢	6.2	15.5	25.1	29.6	14.2	①			●	
	7. 이설도로 및 이주대책	천만톤	1.6	4.2	6.9	7.7	3.5	⑥			●	
	8. 사업비 산출, 경제성 비용배분	댐높이	2.5	5.5	10.2	10.1	5.5	④			●	
	9. 재개발사업 추진시 문제점 및 대책	천만톤	1.0	2.0	3.3	3.4	1.7	⑥			●	
	10. 관계기관 및 주민 의견수렴	천만톤	1.4	3.2	5.5	6.3	2.7	⑥			●	
	11. 단계별 자문 및 방침자료 작성	회	1.8	4.5	8.2	8.8	4.0				●	

구분	업무구분		단위	기준인원수(인·일) 기술사	특급	고급	중급	초급	환산계수	보정계수 댐형식	여수로형식	경과년수	댐연장
설계	1. 설계기준 작성		식	1.5	3.0	4.0	4.0	1.5	②				
	2. 주요구조물 배치 및 예비설계	가설비 설계	10m	1.3	3.1	4.9	5.1	2.4	④	●			
		유수전환 설계	100㎢	5.0	11.5	19.1	21.4	9.6	①				
		여수로 설계	10m	1.6	3.8	6.4	7.2	3.4	④		●		
		댐 설계	10m	1.8	3.6	6.1	6.6	3.6	④	●			●
		취수 및 방류설비 설계	10m	0.8	1.8	2.9	2.9	1.2	④		●		
		발전 및 송배전 설비설계	100kw	0.4	1.0	1.8	1.8	0.7	⑥				
		진입도로 설계	km	1.0	1.5	4.0	4.0	2.0	⑤				
		배사설계	100㎢	2.0	4.2	7.0	8.0	3.1	①	●			
	3. 부대공사 설계	토목부대공사/전기·전자통신/조경 예비설계	10m	0.3	1.5	3.2	3.6	1.3	④				
		건축 예비설계	1000m²	0.7	3.2	5.4	7.2	2.8	③				
		기계 예비설계	천만톤	0.3	0.8	1.6	1.8	0.7	⑥				
성과품작성	1. 기본계획보고서 및 기타보고서		천만톤	1.0	3.5	5.4	6.4	2.5	⑥				
	2. 수리 및 구조계산서	수리계산서	천만톤	0.1	0.4	0.9	0.9	0.4	⑥				
		구조계산서	10m	0.6	1.6	2.6	2.8	0.9	④				
	3. 설계예산서		식	1.9	5.9	10.2	11.1	5.2	②				
	4. 단가산출서		10m	0.7	1.9	2.7	3.4	1.6	④				
	5. 수량 산출서		10m	0.5	1.4	2.1	2.4	1.0	④				●
	6. 기본계획도면		10m	0.5	1.4	2.3	2.6	1.5	④				●
	7. 기타		식	0.2	0.6	1.0	1.0	0.4	②				

나. 적용수량 환산계수 및 보정계수

구분		항목	세부내용
적용수량 환산계수	면적	① 유역면적 (100㎢)	100㎢ 미만 : 유역면적 그대로 적용 100㎢ 이상 : 1+α ×(유역면적-1) α =0.2-(0.001×유역면적)
		② 유역면적 (식)	100㎢ 미만 : 1 100㎢ 이상 : 1 + (유역면적-1)×0.002
		③ 건축면적 (1,000㎡)	1,000㎡ 미만 : 건축면적 그대로 적용 1,000㎡ 이상 : 1+α ×(건축면적 - 1) α =0.2-(0.02×건축면적)
	높이 / 연장	④ 댐높이 (10m)	40m 미만 : 댐높이 그대로 적용 40m 이상 : 4+α ×(댐높이 - 4) 조사·성과품작성단계 : α =0.6-(0.005×댐높이) 계획·설계단계 : α =0.7-(0.005×댐높이)
		⑤ 진입도로연장 (km)	1km 미만 : 진입도로연장 그대로 적용 1km 이상 : 1+α ×(진입도로연장 - 1) α =0.8-(0.005×진입도로연장)
	용량	⑥ 시설용량 (100kw)	1,000kw 미만 : 700kw 적용 1,000kw 이상 : 7+α ×(시설용량 - 7) α =0.5-(0.002×시설용량)
		⑦ 저수용량 (천만톤)	5천만톤 미만 : 저수용량 그대로 적용 5천만톤 이상 : 5+α ×(저수용량 - 5) 조사·성과품작성단계 : α =0.3-(0.003×저수용량) 계획·설계단계 : α =0.3-(0.0025×저수용량)
보정계수	댐형식		① 필댐 : 0.9 ② CFRD : 1.0 ③ 콘크리트댐(복합댐) : 1.2
	여수로형식		① 필댐, CFRD : 1.0 ② 콘크리트댐(복합댐) : 0.9
	기본계획수립 경과연수		① 2년 미만 : 1.0 ② 2년 이상 5년 미만 : 1.1 ③ 5년 이상 : 1.2
	댐연장		① 300m이하 : 1.0 ② 300m초과~500m이하 : 1.1 ③ 500m초과 : 1.2

6-3 기본설계

가. 투입인원수 산정기준

구분	업무구분		단위	기준인원수(인·일)					환산계수	보정계수			
				기술사	특급	고급	중급	초급		댐형식	여수로형식	경과년수	댐연장
조사	1. 과업착수준비		식	2.4	4.6	7.1	7.8	3.4	②				
	2. 현장조사 및 기초조사		천만톤	4.3	8.7	15.5	16.6	8.2	⑦				
	3. 환경, 토질, 측량, 보상 성과품 검토		천만톤	0.8	2.1	3.9	4.6	2.0	⑦				
	4. 관련계획 조사 및 검토		100㎢	7.2	12.5	21.6	19.1	10.0	①				
계획	1. 전단계 성과검토 및 규모결정		100㎢	51.5	122.0	203.0	226.0	107.0	①			●	
			천만톤	9.2	20.0	32.8	33.8	16.4	⑦			●	
			10m	4.2	8.4	15.0	15.4	7.8	④			●	
	2. 관계기관 및 주민 의견수렴		천만톤	1.7	3.8	6.3	7.1	3.1	⑦				
	3. 단계별 자문 및 방침자료 작성		회	2.2	5.3	9.2	9.9	4.4					
설계	1. 설계기준 작성		식	2.4	4.9	7.3	6.5	2.7	②				
	2. 가설비		10m	3.5	8.1	12.6	12.6	5.9	④	●			
	3. 유수전환 설계		100㎢	16.7	38.5	63.7	71.5	32.1	①				
	4. 여수로 설계		10m	4.7	10.7	18.0	20.2	9.7	④		●		
	5. 댐 설계		10m	6.0	12.2	20.6	22.3	12.1	④	●			●
	6. 취수 및 방류설비 설계		10m	2.7	6.1	9.9	9.7	4.2	④		●		
	7. 발전 및 송배전설비 설계		100kw	1.4	3.4	6.0	6.3	2.6	⑥				
	8. 부대공사 설계	토목공사, 전기전자통신공사, 조경설계	10m	1.5	5.0	9.5	10.5	4.0	④				
		건축설계	1,000㎡	2.0	9.0	15.0	20.0	8.0	③				
		기계공사설계	천만톤	1.0	2.4	4.7	5.2	2.3	⑦				
	9. 진입도로설계		100m	1.9	4.2	7.6	8.3	3.5	⑤				
	10. 배사설계		100㎢	6.7	14.2	23.5	26.7	10.6	①	●			
성과품작성	1. 기본설계보고서 및 기타보고서		천만톤	1.0	3.5	5.4	6.4	2.5	⑦				
	2. 수리 및 구조계산서	수리계산서	천만톤	0.1	0.4	0.9	0.9	0.4	⑦				
		구조계산서	10m	0.8	2.0	3.3	3.5	1.2	④				
	3. 설계예산서		식	2.2	6.6	11.4	12.4	5.8	②				
	4. 단가산출서		10m	0.8	2.2	3.0	3.8	1.8	④				
	5. 수량산출서		10m	0.8	2.0	3.0	3.5	1.5	④				●
	6. 기본설계도면		10m	0.8	2.0	3.4	3.8	2.2	④				●
	7. 기타		식	0.2	0.6	1.0	1.0	0.4	②				

나. 적용수량 환산계수 및 보정계수

구분	항목		세부내용
적용수량 환산계수	면적	① 유역면적 (100㎢)	100㎢ 미만 : 유역면적 그대로 적용 100㎢ 이상 : 1+α ×(유역면적 - 1) α =0.2-(0.001×유역면적)
		② 유역면적 (식)	100㎢ 미만 : 1 100㎢ 이상 : 1 + (유역면적-1)×0.002
		③ 건축면적 (1,000㎡)	1,000㎡ 미만 : 건축면적 그대로 적용 1,000㎡ 이상 : 1+α ×(건축면적 - 1) α =0.2-(0.02×건축면적)
	높이 / 연장	④ 댐높이 (10m)	40m 미만 : 댐높이 그대로 적용 40m 이상 : 4+α ×(댐높이 - 4) 조사·성과품작성단계 : α =0.6-(0.005×댐높이) 계획·설계단계 : α =0.7-(0.005×댐높이)
		⑤ 진입도로연장 (km)	1km 미만 : 진입도로연장 그대로 적용 1km 이상 : 1+α ×(진입도로연장 - 1) α =0.8-(0.005×진입도로연장)
	용량	⑥ 시설용량 (100kw)	1,000kw 미만 : 700kw 적용 1,000kw 이상 : 7+α ×(시설용량 - 7) α =0.5-(0.002×시설용량)
		⑦ 저수용량 (천만톤)	5천만톤 미만 : 저수용량 그대로 적용 5천만톤 이상 : 5+α ×(저수용량 - 5) 조사·성과품작성단계 : α =0.3-(0.003×저수용량) 계획·설계단계 : α =0.3-(0.0025×저수용량)
보정계수	댐형식		① 필댐 : 0.9 ② CFRD : 1.0 ③ 콘크리트댐(복합댐) : 1.2
	여수로형식		① 필댐, CFRD : 1.0 ② 콘크리트댐(복합댐) : 0.9
	기본계획수립 경과연수		① 2년 미만 : 1.0 ② 2년 이상 5년 미만 : 1.1 ③ 5년 이상 : 1.2
	댐연장		① 300m이하 : 1.0 ② 300m초과~500m이하 : 1.1 ③ 500m초과 : 1.2

6-4 실시설계

가. 투입인원수 산정기준

구분	업무구분		단위	기준인원수(인·일)					환산계수	보정계수			
				기술사	특급	고급	중급	초급		댐형식	여수로형식	경과년수	댐연장
조사	1. 과업착수준비		식	3.1	5.9	9.1	9.8	4.4	②				
	2. 현장조사 및 기초조사		천만톤	7.0	13.6	23.6	24.9	12.7	⑦				
	3. 환경, 토질, 측량, 보상성과품 검토		천만톤	3.3	7.9	13.6	15.8	7.2	⑦				
	4. 관련계획 조사 및 검토		100㎢	9.1	15.7	27.1	24.0	12.7	①				
계획	1. 전단계 성과검토 및 규모결정		천만톤	15.1	33.0	55.6	59.1	28.7	⑦			●	
	2. 관계기관 및 주민 의견수렴		천만톤	3.4	7.8	12.8	14.4	6.3	⑦				
	3. 단계별 자문 및 방침자료 작성		회	4.8	10.0	17.5	18.5	8.8					
설계	1. 설계기준 작성		식	4.9	9.9	14.7	13.1	5.4	②				
	2. 가설비		10m	9.3	20.9	32.4	32.2	15.5	④	●			
	3. 유수전환 설계		100㎢	33.0	74.4	123.6	138.3	61.5	①				
	4. 여수로 설계		10m	7.9	18.1	30.5	34.1	16.2	④		●		
	5. 댐 설계		10m	9.6	19.9	33.3	36.5	19.1	④	●			●
	6. 취수 및 방류설비 설계		10m	5.2	11.3	18.0	17.7	8.2	④		●		
	7. 발전 및 송배전설비 설계		100kw	4.2	8.7	14.2	14.8	7.0	⑥				
	8. 부대공사 설계	토목공사, 전기전자통신공사, 조경설계	10m	6.3	14.3	25.2	26.8	12.7	④				
		건축설계	1,000㎡	9.9	22.6	42.6	46.5	20.8	③				
		기계공사설계	천만톤	2.7	6.2	12.0	13.0	5.9	⑦				
	9. 진입도로설계		100m	9.8	21.0	38.2	41.6	17.8	⑤				
	10. 배사설계		100㎢	13.4	28.4	47.0	53.4	21.2	①	●			
성과품작성	1. 실시설계보고서 및 기타보고서		천만톤	2.2	5.3	8.3	9.6	4.3	⑦				
	2. 수리 및 구조계산서	수리계산서	천만톤	0.5	1.2	2.1	2.3	1.0	⑦				
		구조계산서	10m	1.8	4.4	7.1	7.4	3.0	④				
	3. 지침서		10m	1.4	3.2	6.1	5.7	2.7	④				
	4. 설계예산서		식	7.3	19.3	33.3	33.9	17.1	②				
	5. 단가산출서		10m	2.1	5.7	8.4	9.4	4.7	④				
	6. 수량 산출서		10m	2.8	6.8	10.4	12.6	5.7	④				●
	7. 실시설계도면		10m	1.4	3.5	6.0	6.6	3.8	④				●
	8. 공사시방서		식	4.4	10.0	17.0	16.4	8.2	②				
	9. 기타		식	0.5	1.0	1.8	1.7	0.9	②				

나. 적용수량 환산계수 및 보정계수

구분	항목		세부내용
적용수량 환산계수	면적	① 유역면적 (100㎢)	100㎢ 미만 : 유역면적 그대로 적용 100㎢ 이상 : 1+α ×(유역면적 - 1) α =0.3-(0.002×유역면적)
		② 유역면적 (식)	100㎢ 미만 : 1 100㎢ 이상 : 1 + (유역면적-1)×0.002
		③ 건축면적 (1,000㎡)	1,000㎡ 미만 : 건축면적 그대로 적용 1,000㎡ 이상 : 1+α ×(건축면적 - 1) α =0.1-(0.001×건축면적)
	높이/연장	④ 댐높이 (10m)	40m 미만 : 댐높이 그대로 적용 40m 이상 : 4+α ×(댐높이 - 4) 조사·성과품작성단계 : α =0.7-(0.005×댐높이) 계획·설계단계 : α =0.8-(0.005×댐높이)
		⑤ 진입도로연장 (km)	1km 미만 : 진입도로연장 그대로 적용 1km 이상 : 1+α ×(진입도로연장 - 1) α =0.8-(0.005×진입도로연장)
	용량	⑥ 시설용량 (100kw)	1,000kw 미만 : 700kw 적용 1,000kw 이상 : 7+α ×(시설용량 - 7) α =0.5-(0.002×시설용량)
		⑦ 저수용량 (천만톤)	5천만톤 미만 : 저수용량 그대로 적용 5천만톤 이상 : 5+α ×(저수용량 - 5) 전단계 α =0.4-(0.0025×저수용량)
보정계수	댐형식		① 필댐 : 0.9 ② CFRD : 1.0 ③ 콘크리트댐(복합댐) : 1.2
	여수로형식		① 필댐, CFRD : 1.0 ② 콘크리트댐(복합댐) : 0.9
	기본계획수립 경과연수		① 2년 미만 : 1.0 ② 2년 이상 5년 미만 : 1.1 ③ 5년 이상 : 1.2
	댐연장		① 300m이하 : 1.0 ② 300m초과~500m이하 : 1.1 ③ 500m초과 : 1.2

제7장 상수도분야 설계용역의 투입인원수 산정기준

7-1 타당성조사

가. 투입인원수 산정기준

구분	업무구분	단위	기준인원수(인·일)					환산계수	보정계수				
			기술사	특급	고급	중급	초급		공사성격	지역특성	관경	수종	공사종류
조사	1. 과업착수준비	식	2.9	5.1	6.9	6.2	2.7	②					
	2. 기초조사	시설용량 (2만㎥/일)	3.1	5.4	8.4	6.2	3.4	①	●	●			
	3. 취정수시설 각종 조사 성과 검토	시설용량2 (2만㎥/일)	1.8	2.6	3.3	2.3	1.4	③					
	4. 관로시설 각종 조사 성과 검토	관로연장 (5km)	0.6	0.9	1.1	0.7	0.4	⑨					
계획	1. 기본사항의 결정	시설용량 (2만㎥/일)	6.2	9.7	9.7	8.4	4.4	①		●		●	●
	2. 용수공급방안 수립	시설용량 (2만㎥/일)	2.7	4.5	4.5	3.7	2.3	①		●		●	●
	3. 수원 선정 및 취수시설 계획	취수용량 (2만㎥/일)	1.3	2.5	2.3	1.9	1.0	④	●			●	
	4. 정수처리공정계획 및 정수장 위치 계획	정수용량 (2만㎥/일)	2.8	4.7	5.3	4.9	2.2	⑤	●			●	
	고도정수처리공정 선정	고도처리용량 (2만㎥/일)	0.6	1.1	1.4	1.1	0.6	⑥	●			●	
	5. 관로시설 계획	관로연장 (5km)	1.5	2.3	2.4	1.9	1.0	⑨	●	●	●		
	6. 배수지시설 계획	배수지용량 (2만톤)	0.9	1.2	1.2	0.9	0.7	⑧	●	●			
	7. 사업비산출, 경제성 비용배분	시설용량 (2만㎥/일)	2.8	6.3	12.0	12.0	6.3	①					
	8. 관계기관협의 및 주민의견 수렴	시설용량 (2만㎥/일)	0.6	0.9	1.1	0.9	0.4	①		●			●
	9. 단계별자문 및 방침자료작성	회	1.0	1.4	1.8	1.4	0.7						●

구분	업무구분	단위	기준인원수(인·일)					환산계수	보정계수				
			기술사	특급	고급	중급	초급		공사성격	지역특성	관경	수종	공사종류
설계	1. 취수, 정수, 배수시설, 가압장	정수용량 (2만㎥/일)	2.9	5.0	7.6	6.7	2.6	⑤	●			●	
	2. 관로	관로연장 (5km)	0.7	1.0	1.3	1.2	0.5	⑨		●	●		
	3. 터널	터널연장 (km)	2.3	3.4	5.2	5.0	2.1	⑩	●		●		
성과품작성	1. 타당성조사보고서	시설용량 (2만㎥/일)	8.3	13.1	13.2	9.4	5.2	①	●			●	●
	2. 지질 및 지반조사보고서	시설용량 (2만㎥/일)	0.1	0.3	0.3	0.1	0.1	①					●
	3. 수리 · 용량계산서	시설용량 (2만㎥/일)	0.3	0.4	0.4	0.3	0.1	①	●				●
	4. 타당성조사도면	시설용량 (2만㎥/일)	0.8	1.2	1.4	1.1	0.4	①					●
	5. 기타	식	0.5	0.8	0.9	0.6	0.4	②					

※ 고도공정 : 오존+GAC기준, 타방식은 발주처 자체 가중치적용

나. 적용수량 환산계수 및 보정계수

구분		항목	세부내용
적용수량 환산계수	용량	① 시설용량1 (2만㎥/일)	2만㎥/일 미만 : 시설용량1 그대로 적용 2만㎥/일 이상 : 1+α ×(시설용량1 - 1) 조사, 성과품작성단계 : α =0.4-(0.005×시설용량1) 계획 단계 : α =0.5-(0.005×시설용량1) ※ 시설용량1 : 취수·정수·고도처리·관로·가압장·배수지용량 값 중 가장 큰 값 적용, 단 배수지용량은 2배적용 / 관로용량을 적용할 경우 도수·배수·송수관로 용량의 가중평균값 적용
		② 시설용량1 (식단위)	5만㎥/일 이상 : 1+((시설용량1/5)-1)×0.05 5만㎥/일 미만 : 1
		③ 시설용량2 (2만㎥/일)	2만㎥/일 미만 : 시설용량2 그대로 적용 2만㎥/일 이상 : 1+α ×(시설용량2 - 1) 조사단계 : α =0.4-(0.003×시설용량2) ※ 시설용량2 : 취수·정수·고도처리·가압장·배수지용량 값 중 가장 큰 값 적용, 단 배수지용량은 2배적용
		④ 취수용량 (2만㎥/일)	2만㎥/일 미만 : 취수용량 그대로 적용 2만㎥/일 이상 : 1+α ×(취수용량 - 1) 계획단계 : α =0.7-(0.006×취수용량)
		⑤ 정수용량 (2만㎥/일)	2만㎥/일 미만 : 정수용량 그대로 적용 2만㎥/일 이상 : 1+α ×(정수용량 - 1) 계획,설계단계 : α =0.5-(0.006×정수용량)
		⑥ 고도처리용량 (2만㎥/일)	2만㎥/일 미만 : 고도처리용량 그대로 적용 2만㎥/일 이상 : 1+α ×(고도처리용량 - 1) 계획단계 : α =0.5-(0.006×고도처리용량)
		⑦ 가압장용량 (2만㎥/일)	타당성조사 단계 적용대상 없음
		⑧ 배수지용량 (2만톤)	2만톤 미만 : 배수지용량 그대로 적용 2만톤 이상 : 1+α ×(배수지용량 - 1) 계획단계 : α =0.7-(0.015×배수지용량)
	연장	⑨ 관로연장 (5km)	5km 미만 : 환산관로연장 그대로 적용 5km 이상 : 1+α ×(관로연장 - 1) 조사단계 : α =0.7-(0.01×관로연장) 계획, 설계단계 : α =0.9-(0.015×관로연장)
		⑩ 터널연장 (km)	1km 미만 : 터널연장 그대로 적용 1km 이상 : 1+α ×(터널연장 - 1) 설계단계 : α =0.5-(0.06×터널연장)

구분		항목	세부내용
보정계수	공사성격	신설·확장 : 1 단순확장(기존부지 노선활용) : 0.8 개량 : 0.7	
	지역특성	도심 : 1.1 일반 : 1 (도로구조 및 시설기준에 관한 규칙) · 도심이라 함은 ㅅ가지를 형성하고 있는 지역 · 일반이라 함은 도시지역 이외의 지역	
	관경	지름 1,500mm 이상 : 1.5 지름 1,000mm~1,500mm 미만 : 1.2, 지름 700mm~1,000mm 미만 : 1 지름 700mm미만 : 0.8 ※관경유형별 연장에 따라 가중평균값적용	
	수종	생활용수 : 1 공업용수 : 0.8	
	공사의 종류	정수·관로·고도처리·(배수시설) : 1, 정수·관로·(배수시설) : 0.7 정수·고도처리·(배수시설) : 0.8, 정수·(배수시설) : 0.6 관로·(배수시설) 지름 1,500mm 초과 : 0.7 관로·(배수시설) 지름 1,500mm 이하 : 0.5 고도처리·(배수시설) : 0.6	

7-2 기본설계

가. 투입인원수 산정기준

구분	업무구분	단위	기준인원수(인·일)					환산계수	보정계수				
			기술사	특급	고급	중급	초급		공사성격	지역특성	관경	수종	공사종류
조사	1. 과업착수준비	식	6.1	10.9	14.6	12.9	5.8	②					
조사	2. 기초조사	시설용량(2만㎥/일)	3.1	5.4	8.4	6.2	3.4	①	●	●			
조사	3. 취정수시설 각종 조사 성과 검토	시설용량2(2만㎥/일)	4.5	7.2	8.7	6.5	3.4	③					
조사	4. 관로시설 각종 조사 성과 검토	관로연장(5km)	1.5	2.4	3.1	2.2	1.1	⑨					
계획	1. 전 단계 성과검토	시설용량(2만㎥/일)	2.2	4.0	4.3	4.0	2.4	①					●
계획	2. 기본사항의 결정	시설용량(2만㎥/일)	6.9	10.8	10.8	9.5	5.0	①		●		●	●
계획	3. 용수공급방안 수립	시설용량(2만㎥/일)	3.3	5.3	5.3	4.3	2.8	①		●		●	●
계획	4. 수원 선정 및 취수시설 계획	취수용량(2만㎥/일)	2.6	4.3	4.1	3.4	2	④	●			●	
계획	5. 정수처리공정계획 및 정수장 위치 계획	정수용량(2만㎥/일)	10.1	15.9	18.8	17.0	8.4	⑤	●			●	
계획	고도정수처리공정 선정	고도처리용량(2만㎥/일)	2.4	3.8	4.6	4.1	2.2	⑥	●			●	
계획	6. 관로시설 계획	관로연장(5km)	5.3	8.5	8.7	7.3	3.9	⑨	●	●	●		
계획	7. 배수지시설 계획	배수지용량(2만톤)	2.0	2.7	2.7	2.1	1.3	⑧	●	●			
계획	8. 관계기관협의 및 주민의견 수렴	시설용량(2만㎥/일)	3.0	4.9	5.4	4.5	2.5	①		●			●
계획	9. 단계별자문 및 방침자료작성	회	1.3	2.2	2.6	2.3	1.0						●

구분	업무구분	단위	기준인원수(인·일)					환산계수	보정계수				
			기술사	특급	고급	중급	초급		공사성격	지역특성	관경	수종	공사종류
설계	1. 설계기준작성	식	1.6	2.5	3.5	3.4	1.5	②					
	2. 취수	취수용량 (2만㎥/일)	3.3	6.0	7.8	7.0	2.7	④	●				
	3. 정수(일반공정)	정수용량 (2만㎥/일)	19.5	29.4	41.6	38.0	17.4	⑤	●			●	
	4. 고도공정	고도처리용량 (2만㎥/일)	8.9	14.1	18.7	17.2	7.4	⑥	●				
	5. 가압장	가압장용량 (2만㎥/일)	3.1	5.2	6.3	5.2	2.5	⑦	●				
	6. 관로	관로연장 (5km)	3.8	5.6	7.2	6.4	3.0	⑨		●	●		
	7. 배수지	배수지용량 (2만톤)	2.6	4.7	6.6	6.6	2.3	⑧	●	●			
	8. 터널	터널연장 (km)	12.0	17.5	26.6	25.2	10.6	⑩	●		●		
성과품 작성	1. 기본설계보고서	시설용량 (2만㎥/일)	13.8	21.7	21.8	15.8	8.9	①	●			●	●
	2. 지질 및 지반조사보고서	시설용량 (2만㎥/일)	0.8	1.2	1.1	0.8	0.4	①					●
	3. 수리 · 용량계산서	시설용량 (2만㎥/일)	0.9	1.6	1.7	1.4	0.8	①	●				●
	4. 기본설계도면	시설용량 (2만㎥/일)	2.8	4.6	4.8	3.6	1.9	①					●
	5. 개략공사시방서 및 기타	식	1.8	2.9	3.2	2.1	1.5	②					

※ 고도공정 : 오존+GAC기준, 타방식은 발주처 자체 가중치적용

※ 설계단계의 2,취수 / 3.정수(일반공정) / 4.고도공정 / 5. 가압장 / 7.배수지 / 8.터널의 경우 설계대상이 2개 이상일 경우 개소당 용량별·연장별(터널)로 구분하여 각각 산정 후 이를 합산하여 투입인원수를 산정한다. 그 외 계획단계의 취수, 정수, 고도처리의 경우에는 개소를 구분하지 않고 총용량을 적용한다.

나. 적용수량 환산계수 및 보정계수

구분		항목	세부내용
적용수량 환산계수	용량	① 시설용량1 (2만㎥/일)	2만㎥/일 미만 : 시설용량1 그대로 적용 2만㎥/일 이상 : 1+α ×(시설용량1 - 1) 조사, 성과품작성단계 : α =0.4-(0.005×시설용량1) 계획 단계 : α =0.5-(0.005×시설용량1) ※ 시설용량1 : 취수·정수·고도처리·관로·가압장·배수지용량 값 중 가장 큰 값 적용, 단 배수지용량은 2배적용/ 관로용량을 적용할 경우 도수·배수·송수관로 용량의 가중평균값 적용
		② 시설용량1 (식단위)	5만㎥/일 이상 : 1+((시설용량1/5)-1)×0.05 5만㎥/일 미만 : 1
		③ 시설용량2 (2만㎥/일)	2만㎥/일 미만 : 시설용량2 그대로 적용 2만㎥/일 이상 : 1+α ×(시설용량2 - 1) 조사단계 : α =0.4-(0.005×시설용량2) ※ 시설용량2 : 취수·정수·고도처리·가압장·배수지용량 값 중 가장 큰 값 적용, 단 배수지용량은 2배적용
		④ 취수용량 (2만㎥/일)	2만㎥/일 미만 : 취수용량 그대로 적용 2만㎥/일 이상 : 1+α ×(취수용량 - 1) 계획, 설계단계 : α =0.7-(0.006×취수용량)
		⑤ 정수용량 (2만㎥/일)	2만㎥/일 미만 : 정수용량 그대로 적용 2만㎥/일 이상 : 1+α ×(정수용량 - 1) 계획, 설계단계 : α =0.5-(0.006×정수용량)
		⑥ 고도처리용량 (2만㎥/일)	2만㎥/일 미만 : 고도처리용량 그대로 적용 2만㎥/일 이상 : 1+α ×(고도처리용량 - 1) 계획, 설계단계 : α =0.5-(0.006×고도처리용량)
		⑦ 가압장용량 (2만㎥/일)	2만㎥/일 미만 : 가압장용량 그대로 적용 2만㎥/일 이상 : 1+α ×(가압장용량 - 1) 설계단계 : α =0.7-(0.006×가압장용량)
		⑧ 배수지용량 (2만톤)	2만톤 미만 : 배수지용량 그대로 적용 2만톤 이상 : 1+α ×(배수지용량 - 1) 계획, 설계단계 : α =0.7-(0.015×배수지용량)
	연장	⑨ 관로연장 (5km)	5km 미만 : 환산관로연장 그대로 적용 5km 이상 : 1+α ×(관로연장 - 1) 조사단계 : α =0.7-(0.01×관로연장) 계획, 설계단계 : α =0.9-(0.015×관로연장)
		⑩ 터널연장 (km)	1km 미만 : 터널연장 그대로 적용 1km 이상 : 1+α ×(터널연장 - 1) 설계단계 : α =0.5-(0.06×터널연장)

구분		항목	세부내용
보정계수	공사성격	신설·확장 : 1 단순확장(기존부지 노선활용) : 0.8 개량 : 0.7	
	지역특성	도심 : 1.1 일반 : 1 (도로구조 및 시설기준에 관한 규칙) · 도심이라 함은 시가지를 형성하고 있는 지역 · 일반이라 함은 도시지역 이외의 지역	
	관경	지름 1,500mm 이상 : 1.5 지름 1,000mm~1,500mm 미만 : 1.2, 지름 700mm~1,000mm 미만 : 1 지름 700mm미만 : 0.8 ※관경유형별 연장에 따라 가중평균값적용	
	수종	생활용수 : 1 공업용수 : 0.8	
	공사의 종류	정수·관로·고도처리·(배수시설) : 1, 정수·관로·(배수시설) : 0.7 정수·고도처리·(배수시설) : 0.8, 정수·(배수시설) : 0.6 관로·(배수시설) 지름 1,500mm 초과 : 0.7 관로·(배수시설) 지름 1,500mm 이하 : 0.5 고도처리·(배수시설) : 0.6	

7-3 실시설계

가. 투입인원수 산정기준

구분	업무구분	단위	기준인원수(인·일)					환산계수	보정계수				
			기술사	특급	고급	중급	초급		공사성격	지역특성	관경	수종	공사종류
조사	1. 과업착수준비	식	6.1	10.9	14.6	12.9	5.8	②					
	2. 기초조사	시설용량 (2만m³/일)	3.7	6.6	10.4	7.7	4.0	①	●	●			
	3. 취정수시설 각종 조사 성과 검토	시설용량2 (2만m³/일)	7.9	12.5	15.6	12.1	6.0	③					
	4. 관로시설 각종 조사 성과 검토	관로연장 (5km)	2.6	4.5	5.9	4.2	1.9	⑨					
계획	1. 전 단계 성과검토	시설용량 (2만m³/일)	4.6	8.1	8.8	8.0	4.9	①					●
	2. 기본사항의 결정	시설용량 (2만m³/일)	6.9	10.8	10.8	9.5	5.0	①		●		●	●
	3. 용수공급방안 수립	시설용량 (2만m³/일)	3.3	5.3	5.3	4.3	2.8	①		●		●	●
	4. 수원 선정 및 취수시설 계획	취수용량 (2만m³/일)	2.6	4.3	4.1	3.4	2	④	●			●	
	5. 정수처리공정계획 및 정수장 위치 계획	정수용량 (2만m³/일)	10.1	15.9	18.8	17.0	10.6	⑤	●			●	
	고도정수처리공정 선정	고도처리용량 (2만m³/일)	2.4	3.8	4.6	4.1	2.2	⑥	●			●	
	6. 관로시설 계획	관로연장 (5km)	6.3	10.1	10.4	8.7	4.6	⑨	●	●	●		
	7. 배수지시설 계획	배수지용량 (2만톤)	2.0	2.7	2.7	2.1	1.3	⑧	●	●			
	8. 관계기관협의 및 주민의견 수렴	시설용량 (2만m³/일)	11.7	17.3	19.4	15.9	9.1	①		●			●
	9. 단계별자문 및 방침자료작성	회	8.0	12.4	14.8	12.9	6.6						●
설계	1. 설계기준작성	식	3.2	5.1	7.1	6.8	3.1	②					
	2. 취수	취수용량 (2만m³/일)	13.2	22.1	28.4	25.6	11.8	④	●				
	3. 정수(일반공정)	정수용량 (2만m³/일)	68.2	101.3	142.2	131.4	60.9	⑤	●			●	
	4. 고도공정	고도처리용량 (2만m³/일)	31.5	49.0	64.7	60.0	26.8	⑥	●				

구분	업무구분	단위	기준인원수(인·일) 기술사	특급	고급	중급	초급	환산계수	보정계수 공사성격	지역특성	관경	수종	공사종류
설계	5. 가압장	가압장용량 (2만m³/일)	11.9	19.3	22.9	20.2	10.3	⑦	●				
	6. 관로	관로연장 (5km)	15.5	22.8	29.3	25.9	12.3	⑨		●	●		
	7. 배수지	배수지용량 (2만톤)	10.5	18.3	24.9	24.9	9.3	⑧	●	●			
	8. 터널	터널연장 (km)	40.0	58.4	88.8	84.0	35.6	⑩	●		●		
성과품작성	1. 실시설계보고서	시설용량 (2만m³/일)	2.8	4.4	4.1	2.7	1.6	①	●			●	●
	2. 지질 및 지반조사보고서	시설용량 (2만m³/일)	2.8	4.4	4.1	2.7	1.6	①					●
	3. 구조 및 수리 · 용량계산서	시설용량 (2만m³/일)	4.9	8.0	9.2	7.5	4.0	①	●				●
	4. 유지관리지침서	시설용량 (2만m³/일)	3.0	4.9	5.1	3.5	2.2	①	●			●	●
	5. 시공계획보고서	시설용량 (2만m³/일)	3.5	5.6	5.9	4.1	2.5	①	●				●
	6. 설계예산서	식	6.9	12.6	14.0	10.7	7.0	②					
	7. 단가산출서	시설용량 (2만m³/일)	6.6	11.8	13.1	10.2	5.8	①					●
	8. 수량산출서	시설용량 (2만m³/일)	10.2	16.3	16.8	12.4	8.0	①					●
	9. 실시설계도면	시설용량 (2만m³/일)	9.6	15.5	16.1	12.4	6.8	①					●
	10. 공사시방서	식	8.1	13.5	14.2	11.0	6.2	②					
	11. 기타	식	3.7	5.8	6.4	4.3	3.0	②					

※ 고도공정 : 오존+GAC기준, 타방식은 발주처 자체 가중치적용

※ 설계단계의 2,취수 / 3.정수(일반공정) / 4.고도공정 / 5. 가압장 / 7.배수지 / 8.터널의 경우 설계대상이 2개 이상일 경우 개소당 용량별·연장별(터널)로 구분하여 각각 산정 후 이를 합산하여 투입인원수를 산정한다. 그 외 계획단계의 취수, 정수, 고도처리의 경우에는 개소를 구분하지 않고 총용량을 적용한다.

나. 적용수량 환산계수 및 보정계수

구분		항목	세부내용
적용수량환산계수	용량	① 시설용량1 (2만m³/일)	2만m³/일 미만 : 시설용량1 그대로 적용 2만m³/일 이상 : 1+α ×(시설용량1 - 1) 조사, 성과품작성단계 : α =0.4-(0.005×시설용량1) 계획 단계 : α =0.5-(0.005×시설용량1) ※ 시설용량1 : 취수·정수·고도처리·관로·가압장·배수지용량 값 중 가장 큰 값 적용, 단 배수지용량은 2배적용 / 관로용량을 적용할 경우 도수·배수·송수관로 용량의 가중평균값 적용
		② 시설용량1 (식단위)	5만m³/일 이상 : 1+((시설용량1/5)-1)×0.05 5만m³/일 미만 : 1
		③ 시설용량2 (2만m³/일)	2만m³/일 미만 : 시설용량2 그대로 적용 2만m³/일 이상 : 1+α ×(시설용량2 - 1) 조사단계 : α =0.4-(0.005×시설용량2) ※ 시설용량2 : 취수·정수·고도처리·가압장·배수지용량 값 중 가장 큰 값 적용, 단 배수지용량은 2배적용
		④ 취수용량 (2만m³/일)	2만m³/일 미만 : 취수용량 그대로 적용 2만m³/일 이상 : 1+α ×(취수용량 - 1) 계획, 설계단계 : α =0.7-(0.005×취수용량)
		⑤ 정수용량 (2만m³/일)	2만m³/일 미만 : 정수용량 그대로 적용 2만m³/일 이상 : 1+α ×(정수용량 - 1) 계획, 설계단계 : α =0.5-(0.005×정수용량)
		⑥ 고도처리용량 (2만m³/일)	2만m³/일 미만 : 고도처리용량 그대로 적용 2만m³/일 이상 : 1+α ×(고도처리용량 - 1) 계획, 설계단계 : α =0.5-(0.005×고도처리용량)
		⑦ 가압장용량 (2만m³/일)	2만m³/일 미만 : 가압장용량 그대로 적용 2만m³/일 이상 : 1+α ×(가압장용량 - 1) 설계단계 : α =0.7-(0.005×가압장용량)
		⑧ 배수지용량 (2만톤)	2만톤 미만 : 배수지용량 그대로 적용 2만톤 이상 : 1+α ×(배수지용량 - 1) 계획, 설계단계 : α =0.7-(0.01×배수지용량)
	연장	⑨ 관로연장 (5km)	5km 미만 : 환산관로연장 그대로 적용 5km 이상 : 1+α ×(관로연장 - 1) 조사단계 : α =0.7-(0.01×관로연장) 계획, 설계단계 : α =0.9-(0.01×관로연장)
		⑩ 터널연장 (km)	1km 미만 : 터널연장 그대로 적용 1km 이상 : 1+α ×(터널연장 - 1) 설계단계 : α =0.5-(0.05×터널연장)

구분		항목 세부내용
보정계수	공사성격	신설·확장 : 1 단순확장(기존부지 노선활용) : 0.8 개량 : 0.7
	지역특성	도심 : 1.1 일반 : 1 (도로구조 및 시설기준에 관한 규칙) · 도심이라 함은 시가지를 형성하고 있는 지역 · 일반이라 함은 도시지역 이외의 지역
	관경	지름 1,500mm 이상 : 1.5 지름 1,000mm~1,500mm 미만 : 1.2, 지름 700mm~1,000mm 미만 : 1 지름 700mm미만 : 0.8 ※관경유형별 연장에 따라 가중평균값적용
	수종	생활용수 : 1 공업용수 : 0.8
	공사의 종류	정수·관로·고도처리·(배수시설) : 1, 정수·관로·(배수시설) : 0.7 정수·고도처리·(배수시설) : 0.8, 정수·(배수시설) : 0.6 관로·(배수시설) 지름 1,500mm 초과 : 0.7 관로·(배수시설) 지름 1,500mm 이하 : 0.5 고도처리·(배수시설) : 0.6

7-4 기본 및 실시설계

가. 투입인원수 산정기준

구분	업무구분	단위	기준인원수(인·일)					환산계수	보정계수				
			기술사	특급	고급	중급	초급		공사성격	지역특성	관경	수종	공사종류
조사	1. 과업착수준비	식	6.1	10.9	14.6	12.9	5.8	②					
	2. 기초조사	시설용량(2만m³/일)	3.7	6.6	10.4	7.7	4.0	①	●	●			
	3. 취정수시설 각종 조사 성과 검토	시설용량2(2만m³/일)	7.9	12.5	15.6	12.1	6.0	③					
	4. 관로시설 각종 조사 성과 검토	관로연장(5km)	2.6	4.5	5.9	4.2	1.9	⑨					
계획	1. 전 단계 성과검토	시설용량(2만m³/일)	2.2	4.0	4.3	4.0	2.4	①					●
	2. 기본사항의 결정	시설용량(2만m³/일)	6.9	10.8	10.8	9.5	5.0	①		●		●	●
	3. 용수공급방안 수립	시설용량(2만m³/일)	3.3	5.3	5.3	4.3	2.8	①		●		●	●
	4. 수원 선정 및 취수시설 계획	취수용량(2만m³/일)	2.6	4.3	4.1	3.4	2	④	●			●	
	5. 정수처리공정계획 및 정수장위치 계획	정수용량(2만m³/일)	10.1	15.9	18.8	17.0	8.4	⑤	●			●	
	고도정수처리공정 선정	고도처리용량(2만m³/일)	2.4	3.8	4.6	4.1	2.2	⑥	●			●	
	6. 관로시설 계획	관로연장(5km)	6.3	10.1	10.4	8.7	4.6	⑨	●	●	●		
	7. 배수지시설 계획	배수지용량(2만톤)	2.0	2.7	2.7	2.1	1.3	⑧	●	●			
	8. 관계기관협의 및 주민의견 수렴	시설용량(2만m³/일)	11.7	17.3	19.4	15.9	9.1	①		●			●
	9. 단계별자문 및 방침자료작성	회	8.0	12.4	14.8	12.9	6.6						●
설계	1. 설계기준작성	식	3.2	5.1	7.1	6.8	3.1	②					
	2. 취수	취수용량(2만m³/일)	16.8	28.2	36.5	32.9	15.0	④	●				
	3. 정수(일반공정)	정수용량(2만m³/일)	87.9	131.0	184.0	169.7	78.5	⑤	●			●	

구분	업무구분	단위	기준인원수(인·일) 기술사	특급	고급	중급	초급	환산계수	보정계수 공사성격	지역특성	관경	수종	공사종류
설계	4. 고도공정	고도처리용량 (2만m³/일)	40.4	63.2	83.6	77.6	34.4	⑥	●				
	5. 가압장	가압장용량 (2만m³/일)	15.2	24.7	29.3	25.9	13.1	⑦	●				
	6. 관로	관로연장 (5km)	20.1	29.6	38.1	33.6	16.0	⑨		●	●		
	7. 배수지	배수지용량 (2만톤)	13.3	23.1	31.9	31.9	11.6	⑧	●	●			
	8. 터널	터널연장 (1km)	52.0	75.9	115.4	109.2	46.2	⑩	●		●		
성과품작성	1. 기본 및 실시설계보고서	시설용량 (2만m³/일)	26.0	40.6	40.6	29.5	16.9	①	●			●	●
	2. 지질 및 지반조사보고서	시설용량 (2만m³/일)	2.8	4.4	4.1	2.7	1.6	①					●
	3. 구조 및 수리·용량계산서	시설용량 (2만m³/일)	4.9	8.0	9.2	7.5	4.0	①	●				●
	4. 유지관리지침서	시설용량 (2만m³/일)	3.0	4.9	5.1	3.5	2.2	①	●			●	●
	5. 시공계획보고서	시설용량 (2만m³/일)	3.5	5.6	5.9	4.1	2.5	①	●				●
	6. 설계예산서	식	8.8	16.3	18.1	13.8	9.0	②					
	7. 단가산출서	시설용량 (2만m³/일)	6.6	11.8	13.1	10.2	5.8	①					●
	8. 수량산출서	시설용량 (2만m³/일)	13.2	21.1	21.7	16.1	10.4	①					●
	9. 기본 및 실시설계도면	시설용량 (2만m³/일)	12.4	20.1	20.9	16.1	8.8	①					●
	10. 공사시방서	식	8.1	13.5	14.2	11.0	6.2	②					
	11. 기타	식	3.7	5.8	6.4	4.3	3.0	②					

※ 고도공정 : 오존+GAC기준, 타방식은 발주처 자체 가중치적용

※ 설계단계의 2.취수 / 3.정수(일반공정) / 4.고도공정 / 5. 가압장 / 7.배수지 / 8.터널의 경우 설계대상이 2개 이상일 경우 개소당 용량별·연장별(터널)로 구분하여 각각 산정 후 이를 합산하여 투입인원수를 산정한다. 그 외 계획단계의 취수, 정수, 고도처리의 경우에는 개소를 구분하지 않고 총용량을 적용한다.

나. 적용수량 환산계수 및 보정계수

구분		항목	세부내용
적용수량 환산계수	용량	① 시설용량1 (2만m³/일)	2만m³/일 미만 : 시설용량1 그대로 적용 2만m³/일 이상 : 1+α ×(시설용량1 - 1) 조사, 성과품작성단계 : α =0.4-(0.005×시설용량1) 계획 단계 : α =0.5-(0.005×시설용량1) ※ 시설용량1 : 취수·정수·고도처리·관로·가압장·배수지용량 값 중 가장 큰 값 적용, 단 배수지용량은 2배적용 / 관로용량을 적용할 경우 도수·배수·송수관로 용량의 가중평균값 적용
		② 시설용량1 (식단위)	5만m³/일 이상 : 1+((시설용량1/5)-1)×0.05 5만m³/일 미만 : 1
		③ 시설용량2 (2만m³/일)	2만m³/일 미만 : 시설용량2 그대로 적용 2만m³/일 이상 : 1+α ×(시설용량2 - 1) 조사단계 : α =0.4-(0.005×시설용량2) ※ 시설용량2 : 취수·정수·고도처리·가압장·배수지용량 값 중 가장 큰 값 적용, 단 배수지용량은 2배적용
		④ 취수용량 (2만m³/일)	2만m³/일 미만 : 취수용량 그대로 적용 2만m³/일 이상 : 1+α ×(취수용량 - 1) 계획, 설계단계 : α =0.7-(0.005×취수용량)
		⑤ 정수용량 (2만m³/일)	2만m³/일 미만 : 정수용량 그대로 적용 2만m³/일 이상 : 1+α ×(정수용량 - 1) 계획, 설계단계 : α =0.5-(0.005×정수용량)
		⑥ 고도처리용량 (2만m³/일)	2만m³/일 미만 : 고도처리용량 그대로 적용 2만m³/일 이상 : 1+α ×(고도처리용량 - 1) 계획, 설계단계 : α =0.5-(0.005×고도처리용량)
		⑦ 가압장용량 (2만m³/일)	2만m³/일 미만 : 가압장용량 그대로 적용 2만m³/일 이상 : 1+α ×(가압장용량 - 1) 설계단계 : α =0.7-(0.005×가압장용량)
		⑧ 배수지용량 (2만톤)	2만톤 미만 : 배수지용량 그대로 적용 2만톤 이상 : 1+α ×(배수지용량 - 1) 계획, 설계단계 : α =0.7-(0.01×배수지용량)
	연장	⑨ 관로연장 (5km)	5km 미만 : 환산관로연장 그대로 적용 5km 이상 : 1+α ×(관로연장 - 1) 조사단계 : α =0.7-(0.01×관로연장) 계획, 설계단계 : α =0.9-(0.01×관로연장)
		⑩ 터널연장 (km)	1km 미만 : 터널연장 그대로 적용 1km 이상 : 1+α ×(터널연장 - 1) 설계단계 : α =0.5-(0.05×터널연장)

구분		항목	세부내용
보정계수	공사성격	신설·확장 : 1 단순확장(기존부지 노선활용) : 0.8 개량 : 0.7	
	지역특성	도심 : 1.1 일반 : 1 (도로구조 및 시설기준에 관한 규칙) · 도심이라 함은 시가지를 형성하고 있는 지역 · 일반이라 함은 도시지역 이외의 지역	
	관경	지름 1,500mm 이상 : 1.5 지름 1,000mm~1,500mm 미만 : 1.2, 지름 700mm~1,000mm 미만 : 1 지름 700mm미만 : 0.8 ※관경유형별 연장에 따라 가중평균값적용	
	수종	생활용수 : 1 공업용수 : 0.8	
	공사의 종류	정수·관로·고도처리·(배수시설) : 1,　정수·관로·(배수시설) : 0.7 정수·고도처리·(배수시설) : 0.8,　정수·(배수시설) : 0.6 관로·(배수시설) 지름 1,500mm 초과 : 0.7 관로·(배수시설) 지름 1,500mm 이하 : 0.5 고도처리·(배수시설) : 0.6	

제8장 업무정의

8-1 도로분야 설계용역 업무정의

8-1-1 타당성조사

① 과업착수준비

과업착수준비는 착수준비, 과업수행계획서에 관한 업무를 말한다. 착수준비는 예정공정표, 사업책임기술자 선임 신고서가 포함된 착수보고서 작성 및 제출(도급내용조정, 과업지시서 숙지)업무를 포함하며, 과업수행계획서는 세부공정계획서, 경력사항확인서, 성과품 제출계획서, 참여내용제출계획서, 조직 및 인력투입계획서, 보안각서 등 과업수행계획서 작성 및 제출 업무를 포함한다.

② 관련계획 조사 및 검토

관련계획 조사 및 검토는 상위계획, 지역관련 및 도시계획, 산업시설계획, 교통관련계획, 수자원개발 관련계획 등을 조사하고, 필요한 경우에 관계기관과 협의하는 업무를 말한다. 상위계획은 국토종합계획, 국가기간 교통망 계획, 도로정비기본계획, 권역별 종합개발계획을 조사 · 검토하는 업무를 포함하고 있다. 지역관련 및 도시계획은 광역개발계획, 시 · 도 종합개발계획, 지역 및 도시계획, 단지개발 및 조성계획을 조사 · 검토하는 업무를 포함하며, 산업시설계획은 국가공단 및 지방공단계획, 신항만·공항·댐 등 건설계획 등 업무를 포함한다. 교통관련계획은 전국도로망체계 재정비계획, 광역종합교통계획, 고속국도, 국도, 지방도 등 도로건설 및 확충계획, 기타 주변도로계획을 조사 · 검토하는 업무를 포함하고, 수자원개발 관련계획은 수자원 장기종합계획, 하천유역종합치수계획, 댐개발계획 및 상·하수도 기본계획, 하천정비기본계획, 소하천정비 종합계획을 조사 · 검토하는 업무를 포함한다. 필요시 수행하는 관계기관의 의견수렴은 주요 지자체 및 관계기관과 협의를 통해 의견을 사전수렴하는 업무를 포함한다.

③ 현지조사 및 답사

현지조사 및 답사업무는 예정노선의 해당 계획 지역에서의 지형, 지물, 식생, 용배수, 토지이용상황을 정확하게 파악 · 확인하고 현지답사를 하여 사진, 또는 Video 등을 이용하여 과업수행에 유용한 자료를 작성하는 업무를 말한다. 또 측량, 지질조사 등을 실시하는 경우에는 조사계획을 작성하여 발주처에 제출하여야 한다.

④ 교통량 및 교통시설 조사

교통량 및 교통시설조사는 계획시설물의 도로기능에 있어 교통량 특성을 파악하는 것을 목적으로 한다. 교통량 조사는 계획지역 인근의 도로망을 조사하고 주요 교차지점의 교통량을 시간별, 방향별, 차종별로 조사하는 업무이며, 교통시설 조사는 계획지역 인근의 도로형태, 교차로시설, 대중교통시설, 병목구간, 교통유발시설 등을 조사하는 업무를 포함한다.

⑤ 수리 · 수문조사

수리 · 수문조사는 계획지역내 하천의 상태, 정비계획, 유역면적, 주변개발상황 등을 기존자료 조사 및 현지 답사를 통해 조사하는 업무를 포함한다.

⑥ 기상 및 해상조사

기상 및 해상조사는 기상자료(천기일수, 강우량, 강설량, 기온, 풍속 등)외에 계획지역이 해상인 경우에는 해상자료(조류, 조석, 파랑 등)를 조사하는 업무를 포함한다.

⑦ 선박운항조사

선박운항조사는 계획시설물이 해상에 설치되는 경우에 통행하는 선박의 종류, 크기, 운항횟수 등과 계획지역 인근의 부두시설, 물양장, 선착장 등의 위치와 규모 등을 조사업무를 포함한다.

⑧ 환경영향조사(문화재조사)

환경영향조사(문화재조사)는 계획지역내 최적노선대에 대한 문화재 분포, 생태계 보존 필요성 등 관련자료 또는 현지답사를 통해 조사하는 업무를 포함한다.

⑨ 교통분석 및 평가

교통분석 및 평가는 교통현황분석, 장래 교통여건 전망 업무를 말한다. 교통현황분석은 교통계획에 필요한 모든 자료를 합리적으로 분석하기 위해 교통조사 대상지역을 구분하고 교통지구를 설정하며, 일반사항으로 인구, 토지이용 및 건물면적, 자동차 보유 대수 등을 포함하여 교통지구 단위별로 현황자료를 정리 · 분석한다. 대중교통 운행실태, 주요 가로 및 교차로의 소통실태, 주요 교통시설의 이용실태를 조사 · 분석한 후 차량 OD를 이용하여 추정된 교통량과 조사된 교통량을 비교 분석하는 업무를 포함한다. 장래 교통여건 전망 업무는 장래 교통여건 분석시 필요한 관련계획을 검토하여 분석대상 도시의 교통수요 예측에 반영하고, 대상지역 및 주변지역에 대해 인구, 자동차보유 대수, 토지이용 및 건물연면적을 교통지구 단위별로 전망·분석한다. 장래 교통수요 전망에서는 대상지역 및 주변지역에 대하여 사람 및 화물통행량, 지구별 발생·도착 통행량, 기·종점 통행량의 각 세부사항과 주요 가로 및 교차로의 소통 여건에 관한 사항을 평가하는 업무를 포함한다.

⑩ 경제성 및 재무분석

경제성 및 재무분석은 비용산정, 편익산정, 경제성분석, 민감도분석, 재무분석업무를 말한다. 비용산정은 현재 국내에서 운행 중인 차량에 대한 구입가격, 부품비, 유류비, 유지관리비, 인건비 등 최근 자료를 이용하여 차량의 구성비에 의한 차종별 단위 운행비를 산출하고 기존

도로의 아스팔트콘크리트포장과 시멘트콘크리트포장의 차선별 유지관리비 분석 등 도로건설비, 유지관리비 등 항목별 비용을 산정하는 업무를 포함한다. 편익산정은 차량운행비절감, 운행시간단축, 교통사고감소, 지역개발효과등 항목별편익산출업무를 포함하며, 경제성분석은 도로건설비 및 유지관리비와 이용자 편익을 비교하여 편익비용비(B/C), 초년도 수익률(FYRR), 내부수익률(IRR) 및 순현재가치(NPV), 최적개통시기를 산정하고 전구간을 동시에 건설할 경우와 교통량 예측 및 발주청의 재정전망을 고려하여 단계별로 건설하는 경우(단계별 건설시 구간별 투자 우선순위 제시)로 구분하여 분석하는 업무를 포함한다. 민감도분석은 건설비, 차량운행비, 교통량, 공사기간 등 여건 변화시 경제성에 미치는 영향을 검토하는 업무를 포함한다. 재무분석은 통행료징수체계, 영업채산성검토(유료도로의 경우, 개통이후의 추정 교통량에 따른 통행료 수입 및 영업비용을 1년 단위로 산출)업무를 포함한다.

⑪ 노선계획(노선대 결정, 개략노선 결정)

노선계획은 후보노선대 설정, 최적노선대 선정, 개략노선 선정, 출입시설위치 및 연결도로 접속검토, 대상도로 규모결정업무를 말한다. 후보노선대 설정은 1/25,000~1/50,000 지형도를 이용하여 복수의 후보노선대를 도출하는 업무를 포함하며, 최적노선대 선정은 노선대별로 기술적 · 경제적 · 환경적 · 사회적측면을 검토한 후 1/5,000 지형도를 이용하여 선정하는 업무를 포함한다. 개략노선 선정은 1/5,000 지형도와 촬영 1년 미만의 위성사진 등을 이용하여 선정하는 업무를 말하며, 출입시설위치 및 연결도로 접속검토는 출입시설 명칭 · 위치 및 개략형식 선정, 연결도로와 접속방법(평면 · 입체)을 검토업무를 포함한다. 대상도로 규도결정은 도로의 구분, 설계속도, 시종점 위치, 노선대, 차로수, 출입시설 위치를 결정하고 터널, 장대교량 등 주요 구조물 및 휴게소, 버스정류장 등 주요 도로시설물의 개략적인 위치를 구상하는 업무를 포함한다.

⑫ 구조물계획(교량계획)

교량계획은 개략적 교량위치 계획(구상)업무를 말한다. 개략적 교량위치 계획(구상)은 합리적인 교량 시, 종점 위치구상 업무를 포함한다.

※ 산정 시 고려사항

- 본 투입인원수 산정기준 적용시 특수교량(현수교, 사장교)은 제외한다

⑬ 구조물계획(터널계획)

터널계획은 개략적 터널위치 계획(구상)업무를 말한다. 개략적 터널위치 계획(구상)은 합리적인 터널 시, 종점 위치구상 업무를 포함한다.

※ 산정 시 고려사항

- 본 투입인원수 산정기준은 병설터널 기준이며 대면터널 적용시 50%를 적용한다. (상행과 하행의 길이가 다른 병설터널의 연장은 평균값을 활용한다.
- 본 투입인원수 산정기준 적용시 침매터널, 대심도터널은 제외한다. 환기용, 작업용 터널은 터널개소 및 연장에 반영하여 투입인원수를 산정한다.

⑭ 관계기관협의

관계기관협의는 계획시설물 설치에 따라 주변에 미치는 영향과 민원을 최소화할 수 있는 방안을 검토하여 관계기관과 충분한 협의가 이루어질 수 있도록 자료를 작성하고 관계기관 업무협의에 따른 조치계획을 수립하는 업무를 포함한다.

⑮ 노선설계

노선설계는 노선대 설계, 개략노선 설계업무를 말한다. 노선대 설계는 후보노선대 설계(1/25,000-1/50,000), 최적노선대 결정업무를 포함

하고, 개략노선 설계는 최적노선대에 대하여 1/5,000의 지형도상에 개략적인 노선설계를 계획하고 주요구조물을 계획하여 경제성 분석에 필요한 소요사업비를 산출하는 업무를 포함한다.

⑯ 출입시설설계

출입시설설계는 출입시설의 위치, 형식, 연결로의 차로수 등 설계업무를 말한다.

⑰ 교량설계

교량설계는 위치선정 및 형식검토, 경간구성업무를 말한다. 위치선정 및 형식검토는 교량의 적정 위치 선정, 교량 형식 검토 (상부, 하부, 기초구조), 적정 형하고 결정업무를 포함하고, 경간구성은 경간 구성 검토, 경제/미관/시공 등 검토업무를 포함한다.

※ 산정 시 고려사항

- 본 투입인원수 산정기준 적용시 특수교량(현수교, 사장교)은 제외한다.

⑱ 터널설계

터널설계는 터널위치 선정, 환기방식, 방재검토 업무를 말한다. 터널위치 선정은 터널의 적정위치 선정업무를 포함하고, 환기방식, 방재검토는 터널연장, 갱구위치, 환기 및 방재, 갱문형식 검토 경제, 미관, 시공성 등 검토업무를 포함한다.

※ 산정 시 고려사항

- 터널설계는 병설터널을 기준으로 산정한다. (상하향 터널간 길이가 다른 경우에는 평균값을 활용한다.
- 본 투입인원수 산정기준 적용시 침매터널, 대심도터널은 제외한다.

⑲ 타당성조사 보고서

타당성조사 보고서는 과업의 개요, 조사, 계획, 노선대 검토, 추정사업비, 결론 및 종합, 부록 업무를 말한다. 과업의 개요는 목적, 규모, 범위, 내용, 과업수행 방향 등 업무를 포함하고, 조사는 교통환경 및 교통시설조사, 계획노선주변현황조사, 관련계획조사 및 검토, 현지조사 및 답사업무를 포함하며, 계획은 예비타당성조사 결과 검토, 설계속도 및 설계기준 검토, 교통분석, 경제성 및 재무분석업무를 포함한다. 노선대 검토는 후보노선대 설정 및 검토·평가, 최적노선대 선정 및 노선계획, 최적노선대의 주요구조물, 출입 및 휴게시설업무를 포함하며, 부록은 관계기관 협의 내용 및 공문, 자문 및 심의 결과업무를 포함한다.

⑳ 보고서 별책부록

보고서 별책부록은 교통분석, 경제성 및 재무분석, 추정수량 및 추정공사비 산출, 공사발주형태검토 업무를 말한다. 교통분석은 조사표양식, 교통지역분석, 교통조사(O-D조사포함), 장래 교통량(출입시설포함)업무를 포함한다. 경제성 및 재무분석은 대안별 경제성분석, 최적안의 투자우선순위분석, 최적안의 민감도분석, 최적안의 투자시기분석업무를 포함한다. 추정수량 및 추정공사비 산출은 개략수량산출서, 개략공사비산출서 업무를 포함한다.

㉑ 타당성조사도면

설계도면은 타당성조사도면 편집 및 전산화 업무를 말한다. 타당성조사도면 편집 및 전산화는 노선도(1/25,000~1/50,000), 종 · 평면도 (H=1/5,000, V=1/500)업무를 포함한다.

8-1-2 기본설계

① 과업착수준비

과업착수준비는 착수준비, 과업수행계획서에 관한 업무를 말한다. 착수준비는 예정공정표, 사업책임기술자 선임신고서가 포함된 착수보고서 작성 및 제출(설계내역서조정, 과업지시서 숙지)업무를 포함하며, 과업수행계획서는 세부공정계획서, 경력사항확인서, 성과품 제출계획서, 참여내용제출계획서, 조직 및 인력투입계획서, 보안각서 등 과업수행계획서 작성 및 제출 업무를 포함한다.

② 관련계획 조사 및 검토

관련계획 조사 및 검토는 상위계획, 지역관련 및 도시계획, 산업시설계획, 교통관련계획, 수자원관련 개발계획 등을 조사하고 필요한 경우 관계기관과 협의하는 업무를 포함한다. 상위계획은 국토종합계획, 국가기간 교통망 계획, 도로정비기본계획, 권역별 종합개발계획을 조사·검토하는 업무를 포함하고 있다. 지역관련 및 도시계획은 광역개발계획, 시·도 종합개발계획, 지역 및 도시계획, 단지개발 및 조성계획을 조사·검토하는 업무를 포함하며, 산업시설계획은 국가공단 및 지방공단계획, 신항만·공항·댐 등 건설계획 등 업무를 포함한다. 교통관련계획은 전국도로망체계 재정비계획, 광역종합교통계획, 중기교통시설투자계획, 고속국도, 국도, 지방도 등 도로건설 및 확충계획, 기타 주변도로계획을 조사·검토하는 업무를 포함하고, 수자원개발관련계획은 수자원 장기종합계획, 하천유역종합치수계획, 댐개발계획 및 상·하수도 기본계획, 하천정비기본계획, 소하천정비 종합계획을 조사·검토하는 업무를 포함한다.

③ 현지조사 및 답사

현지조사 및 답사업무는 예정노선의 해당 계획 지역에서의 지형, 지물, 식생, 용배수, 토지이용상황을 정확하게 파악·확인하고 현지답사를 하여 사진, 또는 Video 등을 이용하여 과업수행에 유용한 자료를 작성하는 업무를 갈한다. 또 측량, 지질조사 등을 실시하는 경우에는 수급인은 그 이유를 밝히고 조사내용에 관해서 발주청에게 보고한 후에 지시를 받도록 한다.

④ 교통량 및 교통시설 조사

교통량 및 교통시설조사는 계획시설물의 도로기능에 있어 교통량 특성을 파악하는 것을 목적으로 한다. 교통량 조사는 계획지역 인근의 도로망을 조사하고 주요 교차지점의 교통량을 시간별, 방향별, 차종별로 조사하는 업무이며, 교통시설 조사는 계획지역 인근의 도로형태, 교차로시설, 대중교통시설, 병목구간, 교통유발시설 등을 조사하는 업무를 포함한다. 도로형태는 도로별 노선연장 및 차로수, 도로폭, 보도폭원, 지형조건, 중앙분리대 설치여부, 설계속도, 신호등, 횡단보도, 버스 및 택시정류장, 육교 등 시설물, 교통안전시설물 설치 현황 업무를 포함하며, 교차로시설은 신호등 및 신호체계(신호현시 및 주기), 교통섬 및 도류화시설, 횡단보도 및 정지선, 가각 및 노면표시, 접근로별 차선수, 차로 및 보도폭 등 업무를 포함한다. 대중교통시설은 버스 및 택시정류장, 버스 전용차로, 버스노선 등의 업무를 포함하고, 병목구간은 병목구간 차로수 및 폭원, 구간 거리 등 업무를 포함하며, 교통유발시설은 주변지역 대단위 교통유발시설 현황 및 계획, 개발사업계획 등의 업무를 포함한다.

⑤ 수리·수문조사

수리·수문조사는 계획지역내 하천의 상태, 정비계획, 주변개발상황 등을 조사한다. 하천조사는 계획지역 하천의 유역면적, 유로연장, 하폭, 하상경사, 제방 및 호안현황, 지류 등을 조사한다. 수리관계 시설물 현황조사는 계획지역 인근의 용·배수로, 양·배수장, 유수지 등을 조사하는 업무를 포함한다. 타당성 조사의 계획홍수량과 계획홍수위 등이 적정하게 산정되었는지를 검토하며, 계획시설물 설치에 따른 홍수위의 상승, 기존 제방에 미치는 영향(물의 흐름의 변화로 인한 침식 및 퇴적 등 포함) 등을 분석·검토하고, 홍수시 기초지반의 세굴, 하부구조에 미치는 영향 등을 분석·검토하는 업무를 포함한다.

⑥ 기상 및 해상조사

기상 및 해상조사는 기상자료(천기일수, 강우량, 강설량, 기온, 풍속 등)외에 계획지역이 해상인 경우에는 해상자료(조류, 조석, 파랑 등)를 조사하는 업무를 포함한다.

⑦ 선박운항조사

선박운항조사는 계획시설물과 선박 등의 운항로가 교차 또는 인접하는 경우, 통행하는 선박의 종류, 크기, 운항횟수 등을 조사하고, 계획지역 인근의 부두시설, 물양장, 선착장 등의 위치와 규모 등을 조사하는 업무를 포함한다.

⑧ 환경영향조사(문화재조사)

환경영향조사(문화재조사)는 계획시설물 설치로 인근 주민에 미치는 각종 영향과 계획시설물이 계획지역의 동·식물의 식생에 미치는 영향을 조사하며, 계획시설물 설치로 발생되는 소음·진동으로 주민생활의 불편을 초래하게 될 것으로 예상되는 곳에서는 시설물 설치전의 소음·진동 현황을 조사하는 업무를 포함한다. 선정된 노선 경유지역에 대한 문화재 현황파악을 위하여 문헌조사 및 지표조사를 실시하는 업무를 포함한다.

⑨ 측량 성과검토

측량조사 성과검토는 주변 개발계획 측량성과 검토, 측량작업계획서에 의해 수행된 측량 성과를 검토하는 업무를 포함한다.

⑩ 지질 및 지반조사 성과검토

지질 및 지반조사 성과검토는 주변 개발지역 지질성과 내용 검토, 지질 및 지반조사 성과검토 업무를 포함한다.

⑪ 지장물 및 구조물 조사

지장물 및 구조물 조사는 계획시설물의 설계 및 시공에 영향을 미치는 각종 지하매설물, 지상지장물 및 장애물을 조사하는 업무를 말한다. 지하매설물조사는 사업노선에 저촉되는 지상지장물(고압송유관, 광케이블, 기타 통신시설 등), 지하매설물(전기, 통신, 송유관, 상하수도, 가스 등), 구조물 조사(계획시설물 인근의 각종 구조물 및 문화재 등), 농어촌지역에 분포되어 있는 관정에 대한 사항 등을 조사하는 업무를 포함한다.

⑫ 토취장·골재원·사토장 조사(필요시)

토취장·골재원·사토장 조사업무는 골재원 조사, 토취장 및 사토장 조사업무를 말한다. 골재원 조사는 기존 골재원의 위치, 종류, 골재생산추이 등을 조사하고, 계획지역 인근에 기존 골재원이 없는 경우 골재원으로 개발할 수 있는 지역, 생산가능량 등을 조사하는 업무를 포함한다. 토취장 및 사토장 조사 업무는 토취장 및 사토장의 위치와 규모를 조사하고 해당 자치단체에서 수행하고 있거나 또는 추진 예정인 각종 공사장에서 발생할 토공량, 암굴착량, 성토여유 사토량 등을 조사하는 업무를 포함한다. 또한 토취장, 재료원, 사토장은 매장량, 생산가능량, 향후 추이 등을 집중 검토하여 공사기간까지 사용할 수 있는 후보지(노선 시점에서 종점까지 고르게 분포하여야 함)를 선정 제시하는 업무를 포함한다.

⑬ 용지조사

용지조사는 법적근거인 지적도, 임야도, 토지·임야대장, 등기부등본을 열람하고, 발급받아 면적과 소유자 관계인을 정확히 조사하여 용지 및 지장물 보사조사의 기초자료로 활용토록 하는 업무를 포함한다. 또한 점유되는 토지, 가옥 및 시설물 등의 보상에 필요한 자료를 조사하는 업무를 포함한다.

⑭ 전 단계 성과검토

전 단계 성과검토는 앞서 실시한 타당성조사의 성과품을 검토, 분석하여 조사·계획·설계업무의 각 결과치를 기본설계에 최대한 활용할 수 있도록 검토하는 업무를 포함한다.

⑮ 교통분석 및 평가

교통분석 및 평가는 교통현황분석, 장래교통여건전망 업무를 말한다. 교통현황분석은 교통지구설정 및 교통지구 단위별 정리분석, "교통시설 투자평가지침(국토교통부)"에 제시된 내용 및 방법으로 수행하는 업무를 포함한다. 장래 교통여건 전망 업무는 장래 교통여건 분석시 필요한 관련계획을 검토하여 분석대상 도시의 교통수요 예측(원칙적으로 4단계 방법을 사용하되, 다른 절차 사용시 선택사유를 제시)에 반영하고, 대상지역 및 주변지역에 대해 인구, 자동차보유 대수, 토지이용 및 건물연면적을 교통지구 단위별로 전망·분석한다. 장래 교통수요 전망에서는 대상지역 및 주변지역에 대하여 사람 및 화물통행량, 지구별 발생·도착 통행량, 기·종점 통행량의 각 세부 사항과 주요 가로 및 교차로의 소통 여건에 관한 사항을 수록하고, 노선 대안별 시행여부에 따른 교통체계변화를 파악하고 예측하는 업무를 포함한다.

⑯ 전략환경영향평가 성과검토

전략환경영향평가 성과검토 업무는 전략환경영향평가 검토결과의 설계반영사항을 검토하는 업무를 말한다.

⑰ 해상교통안전진단 검토(필요시)

해상교통안전진단 검토는 도로교량의 건설로 인하여 향후 선박의 통항에 어떠한 영향을 미치게 될지를 사전에 예측하고 평가한 해상교통안전진단 결과를 검토하고 충분한 통항안전대책을 수립하여 설계에 반영하는 업무를 포함한다.

⑱ 재해영향평가 검토

재해영향평가 검토는 재해영향평가 검토용역의 성과를 검토하여 도로건설로 인하여 발생 가능한 재해영향요인별 저감방안을 수립하는 업무를 포함한다.

⑲ 경제성 및 재무분석

경제성 및 재무분석은 비용산정, 편익산정, 경제성분석, 민감도분석, 재무분석업무를 말한다. 비용산정은 현재 국내에서 운행 중인 차량에 대한 구입가격, 부품비, 유류비, 유지관리비, 인건비 등 최근 자료를 이용하여 차량의 구성비에 의한 차종별 단위 운행비를 산출하고 기존도로의 아스팔트콘크리트포장과 시멘트콘크리트포장의 차선별 유지관리비 분석 등 도로건설비, 유지관리비 등 항목별 비용을 산정하는 업무를 포함한다. 편익산정은 차량운행비절감, 운행시간단축, 교통사고감소, 지역개발효과등 항목별편익산출업무를 포함하며, 경제성분석은 도로건설비 및 유지관리비와 이용자 편익을 비교하여 편익비용비(B/C), 초년도 수익률(FYRR), 내부수익률(IRR) 및 순현재가치(NPV), 최적개통시기를 산정하고 전구간을 동시에 건설할 경우와 교통량 예측 및 발주청의 재정전망을 고려하여 단계별로 건설하는 경우(단계별 건설시 구간별 투자 우선순위 제시)로 구분하여 분석하는 업무를 포함한다. 민감도분석은 건설비, 차량운행비, 교통량, 공사기간 등 여건 변화시 경제성에 미치는 영향을 검토하는 업무를 포함한다. 재무분석은 통행료징수체계, 영업채산성검토(유료도로의 경우, 개통 이후의 추정 교통량에 따른 통행료 수입 및 영업비용을 1년 단위로 산출)업무를 포함한다.

⑳ 노선선정

노선계획은 최적노선결정, 노선결정, 출입시설관련 업무를 말한다. 최적노선결정은 타당성조사에서 결정된 최적노선대 안에서 각 비교노선의 경제성, 시공성, 환경성 등을 평가하여 최적노선(1:1,000 지도 사용)을 선정한다. 노선결정업무는 노선계획시 주요 구조물 및 주요 도로 시설물의 위치, 규모, 형식과의 연계성을 검토하고, 도로표준단면 결정, 평면선형 및 종단선형 비교 검토, 설계기준, 지침 등에 따라 합리적으로 계획, 홍수위의 상승, 교차시설(도로, 철도, 선박의 항로 등)

에 따른 적정 형하고를 검토하고 계획하는 업무를 포함한다. 또한 출입시설은 진출입부 가감속차로 검토 · 계획, 최대교통량(Peak Time) 발생시 교통혼잡 최소화를 위한 검토 · 계획, 1/1,000의 지도를 사용하여 평면 및 입체교차 위치 및 형식을 검토하는 업무를 포함한다.

㉑ 수리·수문검토

조사업무에서 결정된 계획홍수량과 계획홍수위 등이 적정하게 산정되었는지를 검토한다. 계획시설물 설치에 따른 홍수위의 상승, 기존제방에 미치는 영향 등을 분석·검토하며, 특히 물의 흐름의 변화로 인한 침식 및 퇴적 등에 대하여 검토한다. 홍수시 기초지반의 세굴, 하부구조에 미치는 영향 등을 분석·검토한다.

㉒ 관련규정의 적용

관련규정의 적용은 도로, 교량, 터널 등 건설공사관련 법령 및 지침, 설계기준을 적용하는 업무를 말한다. 도로관련 규정으로는 "도로의 구조·시설기준에 관한 규칙" 해설 및 지침, 도로설계기준, 환경친화적인 도로건설지침 등을 적용하는 업무를 말하며, 교량관련 규정으로는 도로교 설계기준, 콘크리트구조 설계기준, 구조물기초 설계기준 등을 적용하는 업무를 포함하고, 터널은 터널 설계기준 등을 적용하는 업무를 포함한다.

㉓ 구조물계획(교량계획)

교량계획은 교량형식, 가설공법 업무를 말한다. 교량형식은 경제성 · 시공성 · 기능성 · 안전성 · 미관성, 유지관리 등 평가항목별 비교 · 검토하여 지간구성, 상부구조 형식 선정, 하부구조 및 기초형식을 선정하는 업무를 포함하며, 가설공법은 계획 시설물의 규모, 지형 · 지질, 가설공사비 등 주요요소 비교 검토 후 계획, 주변시설 및 인근주민에 미치는 소음 · 진동과 교통혼잡 최소화를 위한 공법 검토, 하천 또는 해상공사 중 토사유출 등으로 인한 주변 오염방지관련 업무를 포함한다.

※ 산정 시 고려사항

- 본 투입인원수 산정기준 적용시 특수교량(현수교, 사장교)은 제외한다

㉔ 구조물계획(터널계획)

터널계획은 개략적인 굴착공법을 선정하고 각 공법별로 비교 · 분석하는 작업을 말한다. 굴착공법의 선정은 유사현장, 지반조건 및 인접지형, 지질상태를 파악하여 경제성 · 시공성 · 안전성 · 미관성 · 유지관리사항을 비교, 검토하는 업무를 포함한다.

※ 산정 시 고려사항

- 본 투입인원수 산정기준은 병설터널 기준이며 대면터널 적용시 50%를 적용한다. (상행과 하행의 길이가 다른 병설터널의 연장은 평균값을 활용한다.
- 본 투입인원수 산정기준 적용시 침매터널, 대심도터널은 제외한다. 환기용, 작업용 터널은 터널개소 및 연장에 반영하여 투입인원수를 산정한다.

㉕ 구조물계획(기타 구조물)

기타구조물은 옹벽 및 암거의 설치지점을 선정하고, 지반조건 및 현지여건에 맞도록 형식과 공법을 비교, 검토(비교안은 복수이상으로 경제적 · 기술적 · 환경적 측면의 검토를 포함)하는 업무를 포함한다.

㉖ 설계기준 작성

설계기준 작성은 공구분할, 분야별 설계기준작성 업무를 말한다. 공구분할은 계획구간의 지역여건, 공사량, 공사 현장관리의 효율성, 주요 구조물, 공사시행여건 등을 종합 검토하여 적정한 공구로 분할하는 업무를 포함한다. 분야별 설계기준 작성업무는 설계도서 작성기준에 명시된 설계기준, 조건 이외에 과업수행에 필요한 각종 설계기준(선형, 폭원, 재료 종류, 강도, 구조물별 설계방법 등)의 조건을 작성

하는 업무를 포함한다.

㉗ 관계기관 협의 및 민원검토

관계기관 협의는 계획시설물 설치에 따른 관계기관 협의 자료 작성, 관계기관 업무협의 지원, 관계기관 의견 조치계획서 작성 업무를 포함한다. 민원검토는 집단민원 등 향후 야기될 수 있는 민원 내용을 파악하고, 민원을 최소화(해소)방안을 검토하는 업무를 포함한다.

㉘ 단계별 자문 및 방침자료 작성

단계별 자문 및 방침자료 작성은 착수단계자문, 중간단계자문, 마무리단계자문, 본부 방침 결정, 설계감리 및 VE자료 작성업무를 말한다. 착수단계자문은 착수자문회의 자료 작성, 자문자료 사전설명, 자문회의 준비 및 개최, 자문의견 검토 후 보완 및 수정과 위원 확인 업무를 포함하고, 중간단계 자문은 중간자문회의 자료 작성, 자문자료 사전설명, 자문회의 준비 및 개최, 자문의견 검토후 보완 및 수정과 위원 확인 업무를 포함하며, 마무리단계 자문은 마무리자문회의 자료 작성, 자문자료 사전설명, 자문회의 준비 및 개최, 자문의견 검토후 보완 및 수정과 위원 확인 업무를 포함한다. 본부 방침 결정은 설계방침서 작성, 본부 방문 설명 , 본부 검토요청사항 추가검토 및 제출 업무를 포함하고, 설계 VE자료 작성업무에는 설계VE를 위한 자료작성과 의견 검토 후 보완 및 수정 업무를 포함한다.

※ 산정 시 고려사항

- 횟수의 산정시 본부 방침 결정과 설계VE 자료 작성, 각종 심의자료 작성업무는 별도의 횟수로 산정한다.
- 회의 준비 및 개최 비용, 심의위원 심의 비용 등은 제외한다.
- 기타 별도의 대가기준(예, 경관설계심의, 농지·산지전용협의 등)이 있는 경우 해당기준을 따른다.

㉙ 선형설계

선형설계는 노선검토를 통해 선정된 최적노선을 기본으로 평면 및 종단선형을 설계하는 업무이다. 평면선형은 곡선부의 곡선반경 및 완화구간, 종단선형은 종단경사 및 종단곡선을 설계하는 업무를 포함한다. 종단선형의 요철부는 기준치 이상의 종단곡선을 삽입하여 시거를 확보하여야 한다.

㉚ 토공 설계

토공설계는 토공설계, 지반조사 평가, 비탈면안정성 분석 및 설계 업무를 말한다. 토공설계는 토공 균형 설계, 공사용 도로 계획, 비탈면 표준경사 검토업무를 포함하고, 지반조사 평가는 구간별 문제점 분석(연약지반, 붕적층, 파쇄대 등), 안정검토 및 안정대책 결정업무를 포함하며, 비탈면 안정성 분석 및 설계는 비탈면 표준경사 검토, 안정검토 및 안정대책 결정업무를 포함한다.

㉛ 배수공 설계

배수공설계는 수리 · 수문 조사결과를 토대로 배수유역규모를 산정한 배수유역도를 작성하고 배수계획을 종평면도에 표기하며 배수구조물 일반도를 작성하는 업무를 포함한다.

㉜ 포장공 설계

포장공 설계는 포장공법결정, 포장구조설계업무를 말한다. 포장공법 결정은 아스팔트/시멘트 콘크리트포장 특성을 검토하여 경제적이고 지형 및 기후조건 등을 고려한 포장공법 및 구조가 되도록 설계하는 업무를 포함한다. 시멘트콘크리트 포장은 무근콘크리트(JCP)와 연속철근콘크리트(CRCP) 등을 비교·검토하는 업무를 포함한다. 대표적인 지역 및 지반(사업노선의 연장이 긴 경우에는 구간을 구분)에 대해서 포장층의 포장두께와 동결심도 등을 계산하는 업무를 포함한다.

㉝ 출입시설설계

출입시설설계는 출입시설의 위치, 형식, 연결로의 차로수 등을 확정하고 기본적인 평면 및 종단선형 계획업무를 포함한다. 또한 연결도로의 성격, 교차점의 교통량, 접속지점의 지형조건, 연결도로의 개량 유무 및 건설비 등 경제성을 종합적으로 거토하여 연결도로 접속부 처리방법을 결정하는 업무를 포함한다.

※ 산정 시 고려사항

- 입체교차로 설계에는 불완전 입체와 완전 입체 교차로를 모두 포함한다.

㉞ 부대시설 설계

부대시설 설계는 휴게시설, 교차로, 주차장 버스정류장 등의 설계업무를 포함한다.

㉟ 교량설계

교량설계는 설계기준 설정, 교량설계업무를 말한다. 설계기준 설정은 설계속도, 소요차로, 폭원구성, 구조물 연장 등 설계기준을 결정하고, 구조물 설계방법과 내진설계등급을 규정하며, 재현빈도에 따른 계획홍수량 및 계획홍수위 결정, 구조물 설계에 적용할 하중의 종류와 크기 등 규정, 사용재료의 종류와 특성(재질, 강도), 해상설치시 조석의 차 및 설계파고 등을 결정하는 업무를 포함한다. 교량설계는 조사 및 계획업무의 결과로 주요 교량의 형식을 비교 검토하여 최적형식을 결정하고 개략 구조계산을 수행하며, 이를 토대로 주요 구조물의 표준단면도 및 표준구조상세도를 작성하는 업무를 포함한다.

※ 산정 시 고려사항

- 본 투입인원수 산정기준 적용시 특수교량(현수교, 사장교)은 제외한다

㊱ 터널설계

터널설계는 설계기준 설정, 지반조사 평가, 노선설계, 내공단면계획, 방수 및 배수계획, 공법계획, 부대시설계획 등을 설계하는 업무를 말한다. 지반조사 평가업무는 지반조사, 시추보링 및 제방시험결과에 대한 평가를 수행하는 업무를 포함하고, 노선설계업무는 지반조건과 경제성 및 시공성, 갱구위치, 선형 등을 고려하여 설계하는 업무를 포함한다. 내공단면계획은 건축한계, 환기 및 방재, 공동구등 기타사항을 포함한 내공 검토업무를 포함한다. 방수 및 배수계획은 방배수조건 검토 및 방배수 재료검토, 배수계통과 배수단면 계획 등의 업무를 포함하며 공법계획은 적용공법을 선정하는 업무를 포함한다. 부대시설설계는 환기구 피난갱, 유지보수시설 등과 조명, 비상용시설 등을 검토하는 업무를 포함한다.

※ 산정 시 고려사항

- 본 투입인원수 산정기준은 병설터널 기준이며 대면터널 적용시 50%를 적용한다. (상행과 하행의 길이가 다른 병설터널의 연장은 평균값을 활용한다.
- 본 투입인원수 산정기준 적용시 침매터널, 대심도터널은 제외한다. 환기용, 작업용 터널은 터널개소 및 연장에 반영하여 투입인원수를 산정한다.

㊲ 기본설계 보고서

기본설계 보고서는 공사개요, 조사, 계획, 기본설계, 기본사업비, 부록 관련 업무를 말한다. 공사개요는 목적, 범위, 내용, 기간, 과업수행방법 업무를 포함하고, 조사는 현지조사 및 답사, 수리·수문조사, 환경영향조사, 측량, 지질 및 지반조사, 지장물 및 구조물조사, 토취장·골재원·사토장조사, 기타 업무를 포함하며, 계획은 타당성검토 성과검토, 관련계획 검토, 교통분석 및 평가, 경제성분석, 환경영향검토, 노선계획, 수리·수문검토, 구조물계획, 출입시설계획, 설계기준 검토, 관계기관 협의, 자문 조치계획, 민원내용, 주민설명회 결과, 기타 업무를 포함한다. 기본설계는 설계기준 설정, 측량, 선형, 토공, 배수공,

교량공, 터널공, 포장공, 부대공, 교통안전시설공, 기타업무를 포함하고, 기본사업비는 개략공사량, 개략공사비, 용지비, 유지관리비, 기타업무를 포함하며, 부록은 각종조사자료, 선형계산서, 기술심의, 자문, 업무협의, 지시사항, 관계기관협의자료, 주민설명회, 경제성분석 등 업무를 포함한다.

㊳ 지반조사 보고서

지반조사 보고서는 토질개황, 주요 토질조사, 주요 토질시험, 성과분석 부록 업무를 말한다. 토질개황은 목적, 범위, 조사기간, 조사장비 업무를 포함하고, 주요 토질조사는 시추, 시험, 물리탐사업무를 포함하며, 주요 토질시험은 표준관입시험, CBR시험, 평판재하시험, 토성시험, 골재시험업무를 포함한다. 성과분석은 터널 및 교량구간 지층분석, 교량기초검토, 비탈면안정검토, 성토재의 다짐특성, CBR, 토량변화율, 골재원평가업무를 포함하며, 부록은 지질분포 현황도, 토질조사위치도, 재료원현황도, 지층단면도, 시추주상도, 동적 콘관입시험주상도, 핸드오가보링주상도, 실내시험성과, 골재시험성과, 현장시험성과 업무를 포함한다.

㊴ 구조 및 수리계산서

구조 및 수리계산서는 주요 구조계산서, 주요 수리계산서관련 업무를 말한다. 주요 구조계산서는 개요, 구조계획도, 설계조건주요 구조계산결과 업무를 포함하고, 주요 수리계산서는 유역도, 홍수량지점도, 설계강우강도 산정업무를 포함한다.

㊵ 터널해석보고서

터널해석보고서는 터널해석보고서작성업무를 말한다.

㊶ 설계예산서

설계예산서는 기본설계내역서 업무를 말한다. 기본설계내역서는 공종별공사비 산출, 용지비 산출, 기타 비용산출 사업비 산출, 공사투입계획 수립업무를 포함한다.

㊷ 단가 산출서

단가산출서는 기본설계 단가산출 업무를 말한다. 기본설계 단가산출은 기본설계 단가구성업무를 포함한다.

㊸ 수량 산출서

수량산출서는 기본설계 수량산출업무를 말한다. 기본설계 수량산출은 토공, 비탈면안정공 배수공, 교량공, 터널공, 포장공, 교통안전시설공, 부대공 관련 업무를 포함한다.

㊹ 기본설계도면

설계도면은 기본설계도면 편집 및 전산화(CD-ROM 제작 포함) 업무를 말한다.

8-1-3 실시설계

① 과업착수준비

과업착수준비는 착수준비, 과업수행계획서에 관한 업무를 말한다. 착수준비는 예정공정표, 사업책임기술자 선임신고서가 포함된 착수보고서 작성 및 제출(설계내역서 조정, 과업지시서 숙지)업무를 포함하며, 과업수행계획서는 과업수행방법, 참여기술자, 공정계획 및 조사, 설계, 성과품작성 등 단계별로 세부수행계획을 수립하여 과업수행계획서 작성 및 제출 업무를 포함한다.

② 현지조사 및 답사

현지조사 및 답사업무는 예정노선의 해당 계획 지역에서의 지형, 지물, 식생, 용배수, 토지이용상황을 정확하게 파악·확인하고 현지답사를 하여 사진, 또는 Video 등을 이용하여 과업수행에 유용한 자료를 작성하는 업무를 말한다. 또 측량, 지질조사 등을 실시하는 경우에는 수급인은 그 이유를 밝히고 조사내용에 관해서 발주청에게 보고한 후에 지시를 받도록 한다.

③ 측량 성과검토

전 단계용역에서 기 수행된 측량조사자료를 검토하여 측량성과의 활용가능여부를 검토한다. 측량을 시행한 경우에는 삼각, 수준, 현황, 중심 종 · 횡단 측량 성과검토 업무를 포함한다.

④ 지질 및 지반조사 성과검토

지질 및 지반조사 성과검토는 전단계 조사자료 검토와 시추 및 각종 지반조사 성과검토 업무를 포함한다.

⑤ 지장물 및 구조물 조사

지장물 및 구조물 조사는 건물조사, 입목조사, 분묘조사, 농작물조사, 전주/체신주 조사, 축산조사, 지하매설물조사, 기존 구조물 조사, 기존 포장상태 조사업무를 말한다. 지장물 조사는 현지측량 및 실측된 지형도를 이용하여 지상의 지장물을 확인하고 계획시설물의 설계 및 시공에 미치는 영향파악 업무를 포함한다.

⑥ 토취장·골재원·사토장 조사

토취장·골재원·사토장 조사업무는 골재원 조사, 토취장 및 사토장 조사업무를 말한다. 골재원 조사는 기존 골재원의 위치, 종류, 골재생산 추이 등을 조사하고, 계획지역 인근에 기존 골재원이 없는 경우 골재원으로 개발할 수 있는 지역, 생산가능량 등을 조사하는 업무를 포함한다. 토취장 및 사토장 조사 업무는 현장조사 및 토석정보공유시스템을 통하여 토취장 및 사토장의 위취와 규모를 조사하고 해당 자치단체에서 수행하고 있거나 또는 추진 예정인 각종 공사장에서 발생할 토공량, 암굴착량, 성토여유 사토량 등을 조사하는 업무를 포함한다. 또한 토취장, 재료원, 사토장은 매장량, 생산가능량, 향후 추이 등을 집중 검토하여 공사기간까지 사용할 수 있는 후보지(노선 시점에서 종점까지 고르게 분포하여야 함)를 선정 제시하는 업무를 포함한다.

⑦ 용지조사

용지조사 및 검토 결과를 토대로 면적 및 소유권 관계인 조사, 토지, 시설물 관련자료 조사 업무를 말한다. 노선을 결정하기 위한 주요지역의 용지 및 소유자·관계인을 확인하는 업무를 포함한다.

⑧ 전 단계 성과검토

전 단계 성과검토는 전단계에서 수행된 성과품을 검토, 분석하여 조사 · 계획 · 설계업무의 각 결과치를 검토한 후 실시설계에 반영하는 업무를 말한다.

⑨ 관련규정의 적용

관련규정의 적용은 도로, 교량, 터널 등 건설공사관련 법령 및 지침, 설계기준을 적용하는 업무를 말한다. 도로관련 규정으로는 "도로의 구조·시설기준에 관한 규칙" 해설 및 지침, 도로설계기준, 환경친화적인 도로건설지침 등을 적용하는 업무를 말하며, 교량관련 규정으로는 도로교 설계기준, 콘크리트구조 설계기준, 구조물기초 설계기준 등을 적용하는 업무를 포함하고, 터널은 터널 설계기준 등을 적용하는 업무를 포함한다.

⑩ 환경영향평가 성과 검토

환경영향평가 성과검토는 평가결과를 검토하여 저감대책을 검토하여 설계에 반영하는 업무를 포함한다.

⑪ 재해영향평가 검토

재해영향평가 검토는 재해영향평가 검토 성과를 검토하여 도로건설로 인하여 발생 가능한 재해영향요인별 저감방안을 수립하는 업무를 포함한다.

⑫ 연약지반처리계획 수립

연약지반처리계획은 연약지반 현황분석에 의한 합리적 대책공법 비교, 검토 업무를 포함한다.

⑬ 수리·수문검토

조사업무에서 결정된 계획홍수량과 계획홍수위 등이 적정하게 산정되었는지를 검토한다. 계획시설물 설치에 따른 홍수위의 상승, 기존제방에 미치는 영향 등을 분석·검토하며, 특히 물의 흐름의 변화로 인한 침식 및 퇴적 등에 대하여 검토한다. 홍수시 기초지반의 세굴, 하부구조에 미치는 영향 등을 분석·검토한다.

⑭ 구조물계획(교량계획)

교량계획은 교량형식, 가설공법 업무를 말한다. 교량형식은 주변여건 변화에 따라 기본설계에서 검토된 형식을 변경하거나 기본설계에서 검토되지 않은 모든 교량에 대해 경제성 · 시공성 · 기능성 · 안전성 · 미관성, 유지관리의 각 장 · 단점을 비고 · 검토하여 지간구성, 상부구조 형식, 하부구조 및 기초형식을 선정하는 업무를 포함한다. 가설공법은 계획 시설물의 규모, 지형 · 지질, 가설공사비 등 주요요소 비교검토 후 계획, 주변시설 및 인근주민에 미치는 소음 · 진동과 교통혼잡 최소화를 위한 공법 검토, 하천 또는 해상공사 중 토사유출 등으로 인한 주변 오염방지관련 업무를 포함한다.

※ 산정 시 고려사항

- 본 투입인원수 산정기준 적용시 특수교량(현수교, 사장교)은 제외한다.

⑮ 구조물계획(터널계획)

터널계획은 개략적인 굴착공법을 선정하고 각 공법별로 비교 · 분석하는 작업을 말한다. 굴착공법의 선정은 유사현장, 지반조건 및 인접지형, 지질상태를 파악하여 경제성 · 시공성 · 안전성 · 미관성 · 유지관리사항을 비교, 검토하는 업무를 포함한다.

※ 산정 시 고려사항

- 본 투입인원수 산정기준은 병설터널 기준이며 대면터널 적용시 50%를 적용한다. (상행과 하행의 길이가 다른 병설터널의 연장은 평균값을 활용한다.
- 본 투입인원수 산정기준 적용시 침매터널, 대심도터널은 제외한다. 환기용, 작업용 터널은 터널개소 및 연장에 반영하여 투입인원수를 산정한다.

⑯ 구조물계획(기타 구조물)

기타구조물은 옹벽 및 암거의 설치지점을 선정하고, 지반조건 및 현지여건에 맞도록 형식과 공법을 비교, 검토(비교안은 복수이상으로 경제적 · 기술적 · 환경적 측면의 검토를 포함)하는 업무를 포함한다.

※ 산정 시 고려사항

- 도로연장은 총연장에서 교량, 터널연장을 제외하여 산정한다.

⑰ 구조물계획(지하차도계획)

지하차도계획은 형식 및 공법검토, 입출구부 형식 검토, 기초형식 검토, 환기 및 소방시설 검토, 부대시설 검토를 말한다. 형식은 지하차도 본선에 대한 형식(BOX형, 아치형), 검사원 통로 등 을 검토, 공법은 본선시공에 대한 공법(현장타설,프리케스트)등을 검토, 지하차도의 전체 연장 및 규모를 검토, BOX구간의 연장을 차선계획, 복토계획 등을 검토, 입출구부 형식은 U-TYPE, L형옹벽 등 형식을 검토, 기초형식은 지하차도 하부의 직접기초, 파일기초 등 설치를 검토, 환기검토는 지하차도 단면 및 연장에 대한 환기시설 설치를 위한 용량을 검토, 소방시설은 지하차도 연장에 따라 소방시설규모를 검토, 부대시설 검토는 지하차도 내 공동구, 신축이음, 방수공법, 포장, 벽체(면벽형, 기둥형), 내장재(페인팅, 타일, 판넬) 등을 검토 업무를 말한다.

⑱ 설계기준 작성

설계기준 작성은 공구분할, 분야별 설계기준작성 업무를 말한다. 공구분할은 계획구간의 지역여건, 공사량, 공사 현장관리의 효율성, 주요 구조물, 공사시행여건 등을 종합 검토하여 적정한 공구로 분할하는 업무를 포함한다. 분야별 설계기준 작성업무는 설계도서 작성기준에 명시된 설계기준, 조건 이외에 과업수행에 필요한 각종 설계기준(선형, 폭원, 재료 종류, 강도, 구조물별 설계방법 등)의 조건을 작성하는 업무를 포함한다.

⑲ 관계기관 협의 및 민원검토

관계기관 협의는 계획시설물 설치에 따른 관계기관 협의 자료 작성, 관계기관 업무협의 지원, 관계기관 의견 조치계획서 작성 업무를 포함한다. 민원검토는 집단민원 등 향후 야기될 수 있는 민원 내용을 파악하고, 민원을 최소화(해소)방안을 검토하는 업무를 포함한다.

⑳ 단계별 자문 및 방침자료 작성

단계별 자문 및 방침자료작성은 착수단계자문, 중간단계자문, 마무리단계자문, 본부 방침 결정, 설계감리 및 VE자료 작성업무를 말한다. 착수단계자문은 착수자문회의 자료 작성, 자문자료 사전설명, 자문회의 준비 및 개최, 자문의견 검토 후 보완 및 수정과 위원 확인 업무를 포함하고, 중간단계 자문은 중간자문회의 자료 작성, 자문자료 사전설명, 자문회의 준비 및 개최, 자문의견 검토후 보완 및 수정과 위원 확인 업무를 포함하며, 마무리단계 자문은 마무리자문회의 자료 작성, 자문자료 사전설명, 자문회의 준비 및 개최, 자문의견 검토후 보완 및 수정과 위원 확인 업무를 포함한다. 본부 방침 결정은 설계방침서 작성, 본부 방문 설명 , 본부 검토요청사항 추가검토 및 제출 업무를 포함하고, 설계 VE자료 작성업무에는 설계VE를 위한 자료작성과 의견 검토 후 보완 및 수정 업무를 포함한다.

※ 산정 시 고려사항

- 횟수의 산정시 본부 방침 결정과 설계VE 자료 작성, 각종 심의자료 작성업무는 별도의 횟수로 산정한다.
- 회의 준비 및 개최 비용, 심의위원 심의 비용 등은 제외한다.
- 기타 별도의 대가기준(예, 경관설계심의, 농지·산지전용협의 등)이 있는 경우 해당기준을 따른다.

㉑ 설계조건

설계조건은 설계에 필요한 조건들을 전단계 과업에서 수행된 노선, 연장, 규모 등과 지반조사, 환경영향평가, 교통분석 및 대책 수립 자료 등을 검토하여 정리하는 업무를 포함한다. 또한 자재의 종류, 설계강도, 주요 자재 및 재료의 기준, 장애자를 위한 시설, 내진 및 피로설계 등에 대한 기준을 정리하는 업무를 포함한다.

㉒ 선형설계

선형설계는 기본설계에서 결정된 최적노선을 현황도(1:1,200~1:1,000)에 정확히 재표정하고 이를 기본으로 측점 20m간격으로 평면 및 종단선형을 설계하는 업무이다. 평면선형은 곡선부의 곡선반경 및 완화구간, 종단선형은 종단경사 및 종단곡선을 설계하는 업무를 포함한다. 종단선형의 요철부는 기준치 이상의 종단곡선을 삽입하여 시거를 확보하는 업무를 포함한다.

㉓ 비탈면 안정공

비탈면 안정공은 비탈면 경사결정, 비탈면보호공 업무를 말한다. 비탈면경사결정은 안정해석을 통하여 경제적이고 합리적인 깎기,쌓기 비탈면경사, 소단설치위치, 폭원 등 업무를 포함하고 비탈면 보호공은 불안정 비탈면 안정대책 수립 위한 식생보호공, 구조물 보호공 업무를 포함한다.

㉔ 토공 설계

토공설계는, 흙 분류, 연약지반 설계, 토공 유동 계획, 횡단설계업무를 말한다. 흙 분류는 토공분류 및 굴착방법 검토업무를 포함하며, 연약지반 설계는 구간별 횡단도 작성 및 수량산정(표층처리, 침하토, 과재성토)업무를 포함하고, 토공 유동 계획은 (경제적, 합리적 토공

운반거리 산정) 토석정보공유시스템(EIS)에 토공결과 입력업무를 포함하고, 횡단설계는 횡단면설계 (깎기, 쌓기 범위산정), 토공균형설계 (노상, 노체, 암성토 설계), 공사용도로 계획 (기존포장 활용방안 검토), 토공유동계획 (굴착공법 및 토공 운반로 계획), 발파영향권분석을 통한 발파공법 설계업무를 포함한다.

㉕ 용·배수공 설계

배수공설계는 용 · 배수 계통 계획, 구조물의 형식 및 단면 검토 업무를 말한다. 용 · 배수 계통 계획은 지하배수(도로), 횡단배수, 노면배수, 농업용 배수, 배수계통 계획(도로)업무를 포함하며, 구조물의 형식 및 단면검토는 지형도상 유역면적산정(도로, 수자원), 계획홍수량 산정, 설계조건 검토, 수로경사 및 유속 검토, 단면규격 결정, 통로 및 수로암거 설계(도로, 구조), 횡단배수관 설계, 접속부 설계(세굴방지시설 등) 업무를 포함한다.

㉖ 소구조물공 설계

소구조물공 설계는 소구조물공 설계(암거)의 업무로 단면 설정을 통한 구조계산, 안정성, 시공성, 경관성, 경제성의 검토, 지반 반력을 고려한 기초의 검토 업무를 포함한다.

㉗ 포장공 설계

포장공 설계는 포장구조 결정, 포장두께 결정업무를 말한다. 포장구조결정은 아스팔트포장 및 콘크리트포장 특성 검토, 포장공법 선정 업무를 포함하며, 포장두께 결정은 포장단면결정, 동상방지층 검토 업무를 포함한다.

㉘ 출입시설설계

출입시설설계는 평면교차로 설계, 단순 입체교차로 설계, 인터체인지 설계업무를 말한다. 평면교차로 설계는 도류화, 변속차로, 교통운영 및 교통관제, 교통안전시설설치 업무를 포함하고, 단순 입체교차로는 평면교차 교통동선이 포함된 저규격 입체교차설계업무를 포함하며, 인터체인지 설계는 연결로설계, 연결로접속부 설계, 변속차로 설계업무를 포함한다.

※ 출입시설 : 인터체인지 설계

인터체인지 설계는 조사, 계획, 설계, 교량계획 및 설계, 터널계획 및 설계 업무로 구성되며 조사업무는 현지 조사 및 답사, 측량, 지질 및 지반조사 성과검토, 지장물 및 구조물조사, 용지조사업무를 포함하며 계획업무는 전 단계 성과검토, 교통분석 및 평가, 옹벽계획를 포함하며 설계업무는 선형설계, 비탈면안정공, 토공설계, 배수공설계, 소구조물공설계, 포장공설계, 부대시설설계, 지반설계, 계측계획 및 기타설계 업무를 포함한다.

※ 산정 시 고려사항

- 연장의 산정은 연결도로의 접속구간부터이며 본선과 연결로, 연결로와 연결로가 분기 또는 접속하는 노즈부를 기준으로 산정한다.
- 본선의 기본 차로수에 추가되어 발생하는 부가차로는 본선에 포함된 것으로 산정하며 추가하지 않는다.

㉙ 부대시설 설계

부대시설 설계는 부대시설 설계, 교통안전시설 설계 업무를 말한다. 부대시설 설계는 도로이용객의 편의시설설치 업무를 포함하며, 교통안전시설 설계는 도로안전시설설치 및 관리기준, 교통안전시설 실무편람 등 참조설계업무를 포함한다.

㉚ 교량설계

교량설계는 공법검토, 구조설계, 부대시설설계업무를 말한다. 공법검토는 기본방향의 현지여건인 지형 및 지반여건 고려, 환경영향 및 민원 최소화, 현지여건을 활용한 자재조달계획, 시공시 원활한 해상운송, 계획, 사전조사를 통한 설계반영, 교량형식인 선형조건에 적합한 공법, 교량연장에 따른 가설장비의 적정성 여부, 상부구조 형식에 따른 단면 적정성 업무를 포함한다. 구조설계는 상부(보강형 등), 하부(교각, 교대 등), 기초(말뚝, 우물통 등) 구조물 단면 설정, 구조성, 안정성, 경관성, 시공성, 사용성, 경제성검토업무를 포함하며, 교면포장 설계는 교량 상부구조 및 형식을 고려한 포장방법을 설계하는 업무를 포함한다. 부대시설 설계는 교좌장치, 신축이음, 교면방수, 방호시설, 강교도장, 교면 배수, 가로등의 부대시설에 대한 구조성, 안정성, 시공성, 경제성 검토업무를 포함한다.

※ 산정 시 고려사항

- 특수교량(사장교, 현수교 등)은 제외한다.(별도 산정)
- 완전입체교차의 교량은 출입시설업무에서 산정되어 제외한다.

㉛ 터널설계

터널설계는 방수 및 배수설계, 공법선정, 내공단면의 결정, 지보공 설계, 콘크리트 라이닝 설계, 터널단면해석, 가시설 설계, 구조물공, 갱문설계, 환기계획, 부대시설 계획업무를 말한다. 방수 및 배수설계는 방·배수설계 및 재료검토업무를 포함하며, 공법선정은 터널공법 비교검토업무를 포함하고 내공단면의 결정은 환기방재 및 측방여유폭 및 공동구 규격결정 후 내공단면 검토업무를 포함하며, 지보공 설계는 지반조사 터널성과분석을 토대로 지보설계업무를 포함하며, 콘크리트 라이닝 설계는 라이닝 두께결정을 위한 구조검토업무를 포함한다. 터널단면해석은 각 패턴별 지반 안정성 검토업무를 포함한다. 구조물공은 개착구조물 구조계산업무를 포함하고, 갱문설계는 갱문 형식 및 구조계산업무를 포함한다. 환기계획은 환기 및 방재검토업무를 포함하며, 부대시설 계획은 계측, 피난연락갱 기타 시공중 시설물 검토업무를 포함한다.

※ 산정 시 고려사항

- 본 투입인원수 산정기준은 병설터널 기준이며 대면터널 적용시 50%를 적용한다. (상행과 하행의 길이가 다른 병설터널의 연장은 평균값을 활용한다.
- 본 투입인원수 산정기준 적용시 침매터널, 대심도터널은 제외한다. 환기용, 작업용 터널은 터널개소 및 연장에 반영하여 투입인원수를 산정한다.

㉜ 지반설계

지반설계는 지반조사 성과분석, 구조물 기초설계, 연약지반개량 설계, 가시설설계, 제방 관련 업무를 말한다. 지반조사 성과분석은 시설물별 조사결과의 적정성과 내용 분석, 시설물 위험요소 파악 및 분석(연약층, 붕적층, 파쇄대 등)업무를 포함한다. 구조물 기초설계는 지지층 선정, 기초형식 선정, 항타시공성, 말뚝시공법 및 제원결정, 직접기초의 안정해석(지지력 침하), 말뚝기초의 안정해석 (지지력 침하), 보강공법의 검토 및 설계, 재하시험 및 확인조사 계획 수립업무를 포함하고, 연약지반개량 설계는 연약지반특성 분석 및 Zoning, 압밀기간, 침하 및 잔류침하 검토, 한계성토고 검토, Trafficability 및 간극수 배출량 검토, 교대측방유동 검토, 대책공법의 비교 및 선정(표층처리, 침하 및 활동 등), 구간별 세부설계(침하량산정, 활동검토, 공법조합 및 세부제원 결정)업무를 포함한다. 제방은 지지력 및 침하검토, 활동, 누수(Piping), 양압력 검토, 안정대책 선정 (차수대책, 지반개량 등), 구간별 안정공법의 세부설계업무를 포함한다.

㉝ 하천설계(이설)

하천설계는 제방 검토, 토공 및 호안설계, 유속 및 소류력 검토, 홍수량 및 홍수위검토, 배수능력 검토, 호안 및 구조물 형식검토, 세굴영향 검토 업무를 말한다. 제방 검토는 계획하폭 검토, 제방법선계획 수립업무를 포함하고, 토공 및 호안설계는 제방 표준단면도 작성, 제방

설계, 호안공법 비교, 검토, 적정 호안공법에 대한 호안설계업무를 포함하며, 유속 및 소류력 검토는 유속 및 소류력에 따른 호안공법 및 밑다짐 공법 검토업무를 포함한다. 홍수량 및 홍수위검토는 홍수량 산정 및 적정성 검토, 기점홍수위 검토 및 홍수위 계산업무를 포함하고, 배수능력 검토는 기존 시설물 능력검토, 계획단면 규모결정, 본체, 유출입부 및 권양시설 설계업무를 포함한다. 호안 및 구조물 형식 검토는 호안공법 선정 및 호안설계업무를 포함하고, 세굴영향 검토는 세굴검토, 세굴 방호공법 선정, 세굴방호공 설계업무를 포함한다.

※ 산정 시 고려사항

- 본 투입인원수 산정기준은 소하천 이하 하천을 기준으로 하고, 지방하천 이상은 하천분야 실시설계 투입인원수 산정기준에 따른다.

㉞ 계측계획

계측계획은 계측계획수립, 시설물별 계측항목선정, 측정빈도선정, 계측기기선정업무를 말한다. 계측계획수립은 계측목적, 용도, 규모, 원지반조건, 주변환경조건을 고려하여 설계, 시공에 적합한 체계적인 계획수립업무를 포함하고 시설물별 계측항목선정은 공사시행시나 공사후 시설물별 안정성과 경제성을 파악하고 주변환경영향과 계측항목사이의 상호관계를 고려 항목선정업무를 포함하며 측정빈도산정은 지반 및 시공조건을 고려하여 측정빈도를 선정하는 업무이며, 계측기기선정은 계측목적에 적합한 정밀도와 기능을 갖는 것을 선정하는 업무를 포함한다.

㉟ 지하차도 설계

지하차도 설계는 지반조사 평가, 방수 및 배수설계, 공법선정, 내공단면의 결정, 부력방지검토 및 설계, 가시설 설계, 구조물공, 환기계획, 부대시설 계획 관련 업무를 말한다. 지반조사평가는 지층에 따른 지지력 평가, 방수설계는 지하차도 접합부의 방수 성능 유지가 가능한 공법 검토및 설계업무를 포함, 배수설계는집수유역면적산정,집수정용량산정,집수정설치형식,재료검토및설계업무를포함, 공법선정은 본선 및 입출구부 단면에 대한 시공방법 선정 업무, 내공단면의 결정은 전체 차로폭, 시설한계 및 환기시설의 제트팬 높이 등 기타시설물을 고려한 계획 및 설계, 부력방지검토 및 설계는 지하수의 영향으로 지하차도가 부력에 의하여 부상하는 경우가 있으므로 부력방지대책 및 공법에 대해 검토, 가시설 설계는 지층분포, 지하수위 조건 등을 검토하고 주변 건물 및 인접현황과 환경조건, 교통우회처리계획을 고려하여 적용 가능한 가시설공법을 검토, 선정 및 설계업무를 포함, 가시설공법검토에는토류및지보공법,지반보강및차수공법,가시설안정성,지반침하대책등의업무를포함,구조물공은 개착구조물 구조계산, 지하차도의 본선, U-TYPE구간, 공동구, 기초 등 설계업무를 포함, 환기계획은 환기 및 방재검토, 설계업무를 포함, 부대시설 계획은 전기, 기계, 건축 등 기타 시공중 시설물 계획 및 설계 업무를 포함한다.

㊱ 실시설계 보고서

실시설계 보고서는 공사개요, 조사, 계획, 상세설계, 사업비 분석, 부록 관련 업무를 말한다. 공사개요는 목적, 범위, 내용, 기간, 과업수행방법, 금액, 추진경위, 수행결과 요약업무를 포함하고, 조사는 현지조사 및 답사, 측량, 지질 및 지반조사, 지장물 및 구조물조사, 용지조사, 수문조사, 재료원조사, 교통량조사, 지역개발조사, 기존도로 및 교차로 용량분석업무를 포함하며, 계획은 전 단계 성과검토, 노선계획, 기준설정, 시설규모 결정, 구조물계획, 설계기준 및 기타, 관계기관협의 및 의견수렴, 교차로 위치 및 형식 결정, 포장공법 선정업무를 포함한다, 상세설계는 설계기준/조건, 선형, 토공, 용배수공, 구조물공, 포장공, 출입시설, 부대시설, 교차로, 교통처리, 조경 등 설계업무를 포함하고, 사업비 분석은 공사개요, 공사비산출, 사업비 분석, 용지 및 지장물 보상비 등의 업무를 포함하며, 부록은 각종 조사자료, 선형계산서, 기술심의 및 자문사항, 업무협의 및 지시사항, 관계기관 협의자료, 주민공청회 결과, 설계의 경제성, 검토자료 등 업무를 포함한다.

㊲ 지질 및 지반조사 보고서

지질 및 지반조사 보고서는 조사개요, 조사내용, 조사결과, 성과분석, 부록관련 업무를 말한다. 조사개요는 조사목적, 지역, 범위, 기간, 장비 등의 업무를 포함하고, 조사내용은 조사위치 선정, 조사방법, 토질 · 암석의 분류 및 기재방법, 토질설계정수 업무를 포함하며, 조사결과는 지형 및 지질, 시추조사 결과, 현장원위치시험 결과, 물리탐사 결과, 실내시험 결과, 토취장 및 사토 장 적정성 등 업무를 포함한다. 성과분석은 터널 및 교량구간 지층분석, 교량기초 검토, 사면안정 검토, 성토재의 다짐특성, CBR, 골재원 평가, 설계정수 선정업무를 포함하며, 부록은 조사위치 및 지층단면도, 지질도, 주상도, 시험성과, 물리탐사 야장 및 자료, 기타 검토자료업무를 포함한다.

㊳ 구조 및 수리계산서

구조 및 수리계산서는 구조계산서, 수리계산서관련 업무를 말한다. 구조계산서는 개요, 구조계획도, 설계조건, 구조계산, 내진설계, 가시설 업무를 포함하고, 수리계산서는 유역도, 홍수량지점도, 설계강우강도 산정, 노면수리계산, 측구수리계산, 횡배수시설수리계산 업무를 포함한다.

㊴ 터널해석보고서

터널해석보고서는 터널해석보고서작성업무를 말한다.

㊵ 설계예산서

설계예산서는 설계 설명서, 설계내역서 업무를 말한다. 설계 설명서는 공사목적, 공사개요, 위치, 기간, 규모, 공사수량, 재료원, 관급자재, 예정공정표, 설계변경조건, 기타업무를 포함하며, 설계내역서는 설계내역서, 도급공사 원가계산서, 총괄내역서, 공종별내역서, 일위대가 등의 업무를 포함한다.

㊶ 단가 산출서

단가산출서는 단가설명서, 단가산출서 업무를 말한다. 단가설명서는 단위당 단가를 구성하는 공종의 작업과, 소요장비, 투입재료 등의 품명, 규격, 수량 설명(할증여부등)업무를 포함하고, 단가산출서는 단가산출서, 중기사용료, 단가조서, 견적서, 운반거리 조견표 등의 업무를 포함한다.

㊷ 수량 산출서

수량산출서는 토공, 비탈면안정공, 배수공, 교량공, 터널공, 지하차도공, 포장공, 교통안전시설공, 부대공의 수량산출 업무를 말한다.

㊸ 실시설계도면

실시설계도면은 실시설계도면 편집 및 전산화 업무를 말한다. 실시설계도면 편집 및 전산화는 전자도면작성, 전자납품 등 설계도서의 전산화, 설계도면취합 업무를 포함한다.

㊹ 공사시방서

공사시방서는 공사시방서 작성업무를 말한다.

8-1-4 타당성조사 및 기본설계

① 과업착수준비

과업착수준비는 착수준비, 과업수행계획서에 관한 업무를 말한다. 착수준비는 예정공정표, 사업책임기술자 선임신고서가 포함된 착수보고서 작성 및 제출(설계내역서조정, 과업지시서 숙지)업무를 포함하며, 과업수행계획서는 세부공정계획서, 경력사항확인서, 성과품제출계획서, 참여내용제출계획서, 조직 및 인력투입계획서, 보안각서 등 과업수행계획서 작성 및 제출 업무를 포함한다.

② 관련계획 조사 및 검토

관련계획 조사 및 검토는 상위계획, 지역관련 및 도시계획, 산업시설계획, 교통관련계획, 수자원관련 개발계획 등을 조사하고 필요한 경우 관계기관과 협의하는 업무를 포함한다. 상위계획은 국토종합계획, 국가기간 교통망 계획, 도로정비기본계획, 권역별 종합개발계획을 조사 · 검토하는 업무를 포함하고 있다. 지역관련 및 도시계획은 광역개발계획, 시 · 도 종합개발계획, 지역 및 도시계획, 단지개발 및 조성계획을 조사 · 검토하는 업무를 포함하며, 산업시설계획은 국가공단 및 지방공단계획, 신항만·공항·댐 등 건설계획 등 업무를 포함한다. 교통관련계획은 전국도로망체계 재정비계획, 광역종합교통계획, 중기교통시설투자계획, 고속국도, 국도, 지방도 등 도로건설 및 확충계획, 기타 주변도로계획을 조사 · 검토하는 업무를 포함하고, 수자원개발관련계획은 수자원 장기종합계획, 하천유역종합치수계획, 댐개발계획 및 상·하수도 기본계획, 하천정비기본계획, 소하천정비 종합계획을 조사 · 검토하는 업무를 포함한다.

③ 현지조사 및 답사

현지조사 및 답사업무는 예정노선의 해당 계획 지역에서의 지형, 지물, 식생, 용배수, 토지이용상황을 정확하게 파악 · 확인하고 현지답사를 하여 사진, 또는 Video 등을 이용하여 과업수행에 유용한 자료를 작성하는 업무를 말한다. 또 측량, 지질조사 등을 실시하는 경우에는 수급인은 그 이유를 밝히고 조사내용에 관해서 발주청에게 보고한 후에 지시를 받도록 한다.

④ 교통량 및 교통시설 조사

교통량 및 교통시설조사는 계획시설물의 도로기능에 있어 교통량 특성을 파악하는 것을 목적으로 한다. 교통량 조사는 계획지역 인근의 도로망을 조사하고 주요 교차지점의 교통량을 시간별, 방향별, 차종별로 조사하는 업무이며, 교통시설 조사는 계획지역 인근의 도로형태, 교차로시설, 대중교통시설, 병목구간, 교통유발시설 등을 조사하는 업무를 포함한다. 도로형태는 도로별 노선연장 및 차로수, 도로폭, 보도폭원, 지형조건, 중앙분리대 설치여부, 설계속도, 신호등, 횡단보도, 버스 및 택시정류장, 육교 등 시설물, 교통안전시설물 설치 현황 업무를 포함하며, 교차로시설은 신호등 및 신호체계(신호현시 및 주기), 교통섬 및 도류화시설, 횡단보도 및 정지선, 가각 및 노면표시, 접근로별 차선수, 차로 및 보도폭 등 업무를 포함한다. 대중교통시설은 버스 및 택시정류장, 버스 전용차로, 버스노선 등의 업무를 포함하고, 병목구간은 병목구간 차로수 및 폭원, 구간 거리 등 업무를 포함하며, 교통유발시설은 주변지역 대단위 교통유발시설 현황 및 계획, 개발사업계획 등의 업무를 포함한다.

⑤ 수리 · 수문조사

수리 · 수문조사는 계획지역내 하천의 상태, 정비계획, 주변개발상황 등을 조사한다. 하천조사는 계획지역 하천의 유역면적, 유로연장, 하폭, 하상경사, 제방 및 호안현황, 지류 등을 조사한다. 수리관계 시설물 현황조사는 계획지역 인근의 용·배수로, 양·배수장, 유수지 등을 조사하는 업무를 포함한다. 타당성 조사의 계획홍수량과 계획홍수위 등이 적정하게 산정되었는지를 검토하며, 계획시설물 설치에 따른 홍수위의 상승, 기존 제방에 미치는 영향(물의 흐름의 변화로 인한 침식 및 퇴적 등 포함) 등을 분석·검토하고, 홍수시 기초지반의 세굴, 하부구조에 미치는 영향 등을 분석·검토하는 업무를 포함한다.

⑥ 기상 및 해상조사

기상 및 해상조사는 기상자료(천기일수, 강우량, 강설량, 기온, 풍속 등)외에 계획지역이 해상인 경우에는 해상자료(조류, 조석, 파랑 등)

를 조사하는 업무를 포함한다.

⑦ 선박운항조사

선박운항조사는 계획시설물과 선박 등의 운항로가 교차 또는 인접하는 경우, 통행하는 선박의 종류, 크기, 운항횟수 등을 조사하고, 계획지역 인근의 부두시설, 물양장, 선착장 등의 위치와 규모 등을 조사하는 업무를 포함한다.

⑧ 환경영향조사(문화재조사)

환경영향조사(문화재조사)는 계획시설물 설치로 인근 주민에 미치는 각종 영향과 계획시설물이 계획지역의 동·식물의 식생에 미치는 영향을 조사하며, 계획시설물 설치로 발생되는 소음·진동으로 주민생활의 불편을 초래하게 될 것으로 예상되는 곳에서는 시설물 설치전의 소음·진동 현황을 조사하는 업무를 포함한다. 선정된 노선 경유지역에 대한 문화재 현황파악을 위하여 문헌조사 및 지표조사를 실시하는 업무를 포함한다.

⑨ 측량 성과검토

측량조사 성과검토는 주변 개발계획 측량성과 검토, 측량작업계획서에 의해 수행된 측량 성과를 검토하는 업무를 포함한다.

⑩ 지질 및 지반조사 성과검토

지질 및 지반조사 성과검토는 주변 개발지역 지질성과 내용 검토, 지질 및 지반조사 성과검토 업무를 포함한다.

⑪ 지장물 및 구조물 조사

지장물 및 구조물 조사는 계획시설물의 설계 및 시공에 영향을 미치는 각종 지하매설물, 지상지장물 및 장애물을 조사하는 업무를 말한다. 지하매설물조사는 사업노선에 저촉되는 지상지장물(고압송유관, 광케이블, 기타 통신시설 등), 지하매설물(전기, 통신, 송유관, 상하수도, 가스 등), 구조물 조사(계획시설물 인근의 각종 구조물 밑 문화재 등), 농어촌지역에 분포되어 있는 관정에 대한 사항 등을 조사하는 업무를 포함한다.

⑫ 토취장·골재원·사토장 조사

토취장·골재원·사토장 조사업무는 골재원 조사, 토취장 및 사토장 조사업무를 말한다. 골재원 조사는 기존 골재원의 위치, 종류, 골재생산 추이 등을 조사하고, 계획지역 인근에 기존 골재원이 없는 경우 골재원으로 개발할 수 있는 지역, 생산가능량 등을 조사하는 업무를 포함한다. 토취장 및 사토장 조사 업무는 토취장 및 사토장의 위취와 규모를 조사하고 해당 자치단체에서 수행하고 있거나 또는 추진 예정인 각종 공사장에서 발생할 토공량, 암굴착량, 성토여유 사토량 등을 조사하는 업무를 포함한다. 또한 토취장, 재료원, 사토장은 매장량, 생산가능량, 향후 추이 등을 집중 검토하여 공사기간까지 사용할 수 있는 후보지(노선 시점에서 종점까지 고르게 분포하여야 함)를 선정 제시하는 업무를 포함한다.

⑬ 용지조사

용지조사는 법적근거인 지적도, 임야도, 토지·임야대장, 등기부등본을 열람하고, 발급받아 면적과 소유자 관계인을 정확히 조사하여 용지 및 지장물 보사조사의 기초자료로 활용토록 하는 업무를 포함한다. 또한 점유되는 토지, 가옥 및 시설물 등의 보상에 필요한 자료를 조사하는 업무를 포함한다.

⑭ 교통분석 및 평가

교통분석 및 평가는 교통현황분석, 장래교통여건전망 업무를 말한다. 교통현황분석은 교통지구설정 및 교통지구 단위별 정리분석, "교통시설 투자평가지침(국토교통부)"에 제시된 내용 및 방법으로 수행하는 업무를 포함한다. 장래 교통여건 전망 업무는 장래 교통여건 분석시 필요한 관련계획을 검토하여 분석대상 도시의 교통수요 예측(원칙적으로 4단계 방법을 사용하되, 다른 절차 사용시 선택사유를 제시)에 반영하고, 대상지역 및 주변지역에 대해 인구, 자동차보유 대수, 토지이용 및 건물연면적을 교통지구 단위별로 전망·분석한다. 장래 교통수요 전망에서는 대상지역 및 주변지역에 대하여 사람 및 화물통행량, 지구별 발생·도착 통행량, 기·종점 통행량의 각 세부 사항과 주요 가로 및 교차로의 소통 여건에 관한 사항을 수록하고, 노선 대안별 시행여부에 따른 교통체계변화를 파악하고 예측하는 업무를 포함한다.

⑮ 전략환경영향평가 성과검토

전략환경영향평가 성과검토 업무는 전략환경영향평가 성과검토 결과의 설계반영사항을 검토하는 업무를 말한다

⑯ 해상교통안전진단 검토

해상교통안전진단 검토는 도로교량의 건설로 인하여 향후 선박의 통항에 어떠한 영향을 미치게 될지를 사전에 예측하고 평가한 해상교통안전진단 결과를 검토하고 충분한 통항안전대책을 수립하여 설계에 반영하는 업무를 포함한다.

⑰ 재해영향평가 검토

재해영향평가 검토는 재해영향평가 검토 성과를 검토하여 도로건설로 인하여 발생 가능한 재해영향요인별 저감방안을 수립하는 업무를 포함한다.

⑱ 경제성 및 재무분석

경제성 및 재무분석은 비용산정, 편익산정, 경제성분석, 민감도분석, 재무분석업무를 말한다. 비용산정은 현재 국내에서 운행 중인 차량에 대한 구입가격, 부품비, 유류비, 유지관리비, 인건비 등 최근 자료를 이용하여 차량의 구성비에 의한 차종별 단위 운행비를 산출하고 기존 도로의 아스팔트콘크리트포장과 시멘트콘크리트포장의 차선별 유지관리비 분석 등 도로건설비, 유지관리비 등 항목별 비용을 산정하는 업무를 포함한다. 편익산정은 차량운행비절감, 운행시간단축, 교통사고감소, 지역개발효과등 항목별편익산출업무를 포함하며, 경제성분석은 도로건설비 및 유지관리비와 이용자 편익을 비교하여 편익비용비(B/C), 초년도 수익률(FYRR), 내부수익률(IRR) 및 순현재가치(NPV), 최적개통시기를 산정하고 전구간을 동시에 건설할 경우와 교통량 예측 및 발주청의 재정전망을 고려하여 단계별로 건설하는 경우(단계별 건설시 구간별 투자 우선순위 제시)로 구분하여 분석하는 업무를 포함한다. 민감도분석은 건설비, 차량운행비, 교통량, 공사기간 등 여건 변화시 경제성에 미치는 영향을 검토하는 업무를 포함한다. 재무분석은 통행료징수체계, 영업채산성검토(유료도로의 경우, 개통 이후의 추정 교통량에 따른 통행료 수입 및 영업비용을 1년 단위로 산출)업무를 포함한다.

⑲ 노선선정

노선계획은 최적노선결정, 노선결정, 출입시설관련 업무를 말한다. 최적노선결정은 타당성조사에서 결정된 최적노선대 안에서 각 비교노선의 경제성, 시공성, 환경성 등을 평가하여 최적노선(1:1,000 지도 사용)을 선정한다. 노선결정업무는 노선계획시 주요 구조물 및 주요 도로 시설물의 위치, 규모, 형식과의 연계성을 검토하고, 도로표준단면 결정, 평면선형 및 종단선형 비교 검토, 설계기준, 지침 등에 따라 합리적으로 계획, 홍수위의 상승, 교차시설(도로, 철도, 선박의 항로 등)에 따른 적정 형하고를 검토하고 계획하는 업무를 포함한다. 또한 출입시설은 진출입부 가감속차로 검토 · 계획, 최대교통량(Peak Time) 발생시 교통혼잡 최소화를 위한 검토 · 계획, 1/1,000의 지도를 사용하여 평면 및 입체교차 위치 및 형식을 검토하는 업무를 포함한다.

⑳ 수리·수문검토

조사업무에서 결정된 계획홍수량과 계획홍수위 등이 적정하게 산정

되었는지를 검토한다. 계획시설물 설치에 따른 홍수위의 상승, 기존 제방에 미치는 영향 등을 분석·검토하며, 특히 물의 흐름의 변화로 인한 침식 및 퇴적 등에 대하여 검토한다. 홍수시 기초지반의 세굴, 하부구조에 미치는 영향 등을 분석·검토한다.

㉑ 관련규정의 적용

관련규정의 적용은 도로, 교량, 터널 등 건설공사관련 법령 및 지침, 설계기준을 적용하는 업무를 말한다. 도로관련 규정으로는 "도로의 구조·시설기준에 관한 규칙" 해설 및 지침, 도로설계기준, 환경친화적인 도로건설지침 등을 적용하는 업무를 말하며, 교량관련 규정으로는 도로교 설계기준, 콘크리트구조 설계기준, 구조물기초 설계기준 등을 적용하는 업무를 포함하고, 터널은 터널 설계기준 등을 적용하는 업무를 포함한다.

㉒ 구조물계획(교량계획)

교량계획은 교량형식, 가설공법 업무를 말한다. 교량형식은 경제성·시공성·기능성·안전성·미관성, 유지관리 등 평가항목별 비교·검토하여 지간구성, 상부구조 형식 선정, 하부구조 및 기초형식을 선정하는 업무를 포함하며, 가설공법은 계획 시설물의 규모, 지형·지질, 가설공사비 등 주요요소 비교 검토 후 계획, 주변시설 및 인근주민에 미치는 소음·진동과 교통혼잡 최소화를 위한 공법 검토, 하천 또는 해상공사중 토사유출 등으로 인한 주변 오염방지관련 업무를 포함한다.

※ 산정 시 고려사항

- 본 투입인원수 산정기준 적용시 특수교량(현수교, 사장교)은 제외한다

㉓ 구조물계획(터널계획)

터널계획은 개략적인 굴착공법을 선정하고 각 공법별로 비교·분석하는 작업을 말한다. 굴착공법의 선정은 유사현장, 지반조건 및 인접지형, 지질상태를 파악하여 경제성·시공성·안전성·미관성·유지관리사항을 비교, 검토하는 업무를 포함한다.

※ 산정 시 고려사항

- 본 투입인원수 산정기준은 병설터널 기준이며 대면터널 적용시 50%를 적용한다. (상행과 하행의 길이가 다른 병설터널의 연장은 평균값을 활용한다.

- 본 투입인원수 산정기준 적용시 침매터널, 대심도터널은 제외한다. 환기용, 작업용 터널은 터널개소 및 연장에 반영하여 투입인원수를 산정한다.

㉔ 구조물계획(기타 구조물)

기타구조물은 옹벽 및 암거의 설치지점을 선정하고, 지반조건 및 현지여건에 맞도록 형식과 공법을 비교, 검토(비교안은 복수이상으로 경제적·기술적·환경적 측면의 검토를 포함)하는 업무를 포함한다.

㉕ 설계기준 작성

설계기준 작성은 공구분할, 분야별 설계기준작성 업무를 말한다. 공구분할은 계획구간의 지역여건, 공사량, 공사 현장관리의 효율성, 주요 구조물, 공사시행여건 등을 종합 검토하여 적정한 공구로 분할하는 업무를 포함한다. 분야별 설계기준 작성업무는 설계도서 작성기준에 명시된 설계기준, 조건 이외에 과업수행에 필요한 각종 설계기준(선형, 폭원, 재료 종류, 강도, 구조물별 설계방법 등)의 조건을 작성하는 업무를 포함한다.

㉖ 관계기관 협의 및 민원검토

관계기관 협의는 계획시설물 설치에 따른 관계기관 협의 자료 작성, 관계기관 업무협의 지원, 관계기관 의견 조치계획서 작성 업무를 포함한다. 민원검토는 집단민원 등 향후 야기될 수 있는 민원 내용을 파악하고, 민원을 최소화(해소)방안을 검토하는 업무를 포함한다.

㉗ 단계별 자문 및 방침자료 작성

단계별 자문 및 방침자료 작성은 착수단계자문, 중간단계자문, 마무리단계자문, 본부 방침 결정, 설계감리 및 VE자료 작성업무를 말한다. 착수단계자문은 착수자문회의 자료 작성, 자문자료 사전설명, 자문회의 준비 및 개최, 자문의견 검토 후 보완 및 수정과 위원 확인 업무를 포함하고, 중간단계 자문은 중간자문회의 자료 작성, 자문자료 사전설명, 자문회의 준비 및 개최, 자문의견 검토후 보완 및 수정과 위원 확인 업무를 포함하며, 마무리단계 자문은 마무리자문회의 자료 작성, 자문자료 사전설명, 자문회의 준비 및 개최, 자문의견 검토후 보완 및 수정과 위원 확인 업무를 포함한다. 본부 방침 결정은 설계방침서 작성, 본부 방문 설명 , 본부 검토요청사항 추가검토 및 제출 업무를 포함하고, 설계 VE자료 작성업무에는 설계VE를 위한 자료작성과 의견 검토 후 보완 및 수정 업무를 포함한다.

※ 산정 시 고려사항

- 횟수의 산정시 본부 방침 결정과 설계VE 자료 작성, 각종 심의자료 작성업무는 별도의 횟수로 산정한다.
- 회의 준비 및 개최 비용, 심의위원 심의 비용 등은 제외한다.
- 기타 별도의 대가기준(예, 경관설계심의, 농지·산지전용협의 등)이 있는 경우 해당기준을 따른다.

㉘ 선형설계

선형설계는 노선검토를 통해 선정된 최적노선을 기본으로 평면 및 종단선형을 설계하는 업무이다. 평면선형은 곡선부의 곡선반경 및 완화구간, 종단선형은 종단경사 및 종단곡선을 설계하는 업무를 포함한다. 종단선형의 요철부는 기준치 이상의 종단곡선을 삽입하여 시거를 확보하여야 한다.

㉙ 토공 설계

토공설계는 토공설계, 지반조사 평가, 비탈면안정성 분석 및 설계 업무를 말한다. 토공설계는 토공 균형 설계, 공사용 도로 계획, 비탈면 표준경사 검토업무를 포함하고, 지반조사 평가는 구간별 문제점 분석(연약지반, 붕적층, 파쇄대 등), 안정검토 및 안정대책 결정업무를 포함하며, 비탈면 안정성 분석 및 설계는 비탈면 표준경사 검토, 안정검토 및 안정대책 결정업무를 포함한다.

㉚ 배수공 설계

배수공설계는 수리 · 수문 조사결과를 토대로 배수유역규모를 산정한 배수유역도를 작성하고 배수계획을 종평면도에 표기하며 배수구조물 일반도를 작성하는 업무를 포함한다.

㉛ 포장공 설계

포장공 설계는 포장공법결정, 포장구조설계업무를 말한다. 포장공법 결정은 아스팔트/시멘트 콘크리트포장 특성을 검토하여 경제적이고 지형 및 기후조건 등을 고려한 포장공법 및 구조가 되도록 설계하는 업무를 포함한다. 시멘트콘크리트 포장은 무근콘크리트(JCP)와 연속철근콘크리트(CRCP) 등을 비교·검토하는 업무를 포함한다. 대표적인 지역 및 지반(사업노선의 연장이 긴 경우에는 구간을 구분)에 대해서 포장층의 포장두께와 동결심도 등을 계산하는 업무를 포함한다.

㉜ 출입시설설계

출입시설설계는 출입시설의 위치, 형식, 연결로의 차로수 등을 확정하고 기본적인 평면 및 종단선형 계획업무를 포함한다. 또한 연결도로의 성격, 교차점의 교통량, 접속지점의 지형조건, 연결도로의 개량 유무 및 건설비 등 경제성을 종합적으로 거토하여 연결도로 접속부 처리방법을 결정하는 업무를 포함한다.

※ 산정 시 고려사항

- 입체교차로 설계에는 불완전 입체와 완전 입체 교차로를 모두 포함한다.

㉝ 부대시설 설계

부대시설 설계는 휴게시설, 교차로, 주차장 버스정류장 등의 설계업무를 포함한다.

㉞ 교량설계

교량설계는 설계기준 설정, 교량설계업무를 말한다. 설계기준 설정은 설계속도, 소요차로, 폭원구성, 구조물 연장 등 설계기준을 결정하고, 구조물 설계방법과 내진설계등급을 규정하며, 재현빈도에 따른 계획홍수량 및 계획홍수위 결정, 구조물 설계에 적용할 하중의 종류와 크기 등 규정, 사용재료의 종류와 특성(재질, 강도), 해상설치시 조석의 차 및 설계파고 등을 결정하는 업무를 포함한다. 교량설계는 조사 및 계획업무의 결과로 주요 교량의 형식을 비교 검토하여 최적형식을 결정하고 개략 구조계산을 수행하며, 이를 토대로 주요 구조물의 표준단면도 및 표준구조상세도를 작성하는 업무를 포함한다.

※ 산정 시 고려사항

- 본 투입인원수 산정기준 적용시 특수교량(현수교, 사장교)은 제외한다

㉟ 터널설계

터널설계는 설계기준 설정, 지반조사 평가, 노선설계, 내공단면계획, 방수 및 배수계획, 공법계획, 부대시설계획 등을 설계하는 업무를 말한다. 지반조사 평가업무는 지반조사, 시추보링 및 제방시험결과에 대한 평가를 수행하는 업무를 포함하고, 노선설계업무는 지반조건과 경제성 및 시공성, 갱구위치, 선형 등을 고려하여 설계하는 업무를 포함한다. 내공단면계획은 건축한계, 환기 및 방재, 공동구등 기타사항을 포함한 내공 검토업무를 포함한다. 방수 및 배수계획은 방배수조건 검토 및 방배수 재료검토, 배수계통과 배수단면 계획 등의 업무를 포함하며 공법계획은 적용공법을 선정하는 업무를 포함한다. 부대시설설계는 환기구 피난갱, 유지보수시설 등과 조명, 비상용시설 등을 검토하는 업무를 포함한다.

※ 산정 시 고려사항

- 본 투입인원수 산정기준은 병설터널 기준이며 대면터널 적용시 50%를 적용한다. (상행과 하행의 길이가 다른 병설터널의 연장은 평균값을 활용한다.
- 본 투입인원수 산정기준 적용시 침매터널, 대심도터널은 제외한다. 환기용, 작업용 터널은 터널개소 및 연장에 반영하여 투입인원수를 산정한다.

㊱ 타당성조사 및 기본설계 보고서

타당성조사 및 기본설계 보고서는 공사개요, 조사, 계획, 노선대 검토, 기본설계, 사업비검토, 부록 관련 업무를 말한다. 공사개요는 목적, 범위, 내용, 기간, 과업수행방법 업무를 포함하고, 조사는 교통환경 및 교통시설조사, 계획노선주변현황조사, 관련계획조사 및 검토, 현지조사및 답사, 수리·수문조사, 환경영향조사, 측량, 지질 및 지반조사, 지장물 및 구조물조사, 토취장·골재원·사토장조사, 기타 업무를 포함하며, 계획은 타당성검토 성과 검토, 관련계획 검토, 교통분석 및 평가, 경제성분석, 환경영향검토, 노선계획, 수리· 수문검토, 구조물계획, 출입시설계획, 설계기준 검토, 관계기관 협의. 자문 조치계획, 민원내용, 주민설명회 결과, 기타 업무를 포함한다. 타당성조사 및 기본설계는 설계기준 설정, 측량, 선형, 토공, 배수공, 교량공, 터널공, 포장공, 부대공, 교통안전시설공, 기타업무를 포함하고, 사업비 검토는 개략공사량, 개략공사비, 용지비, 유지관리비, 기타 업무를 포함하며, 부록은 각종조사자료, 선형계산서, 기술심의, 자문, 업무협의, 지시사항, 관계기관협의자료, 주민설명회, 경제성분석, 등 업무를 포함한다.

㊲ 보고서 별책부록

보고서 별책부록은 교통분석, 경제성 및 재무분석, 추정수량 및 추정공사비 산출, 공사발주형태검토 업무를 말한다. 교통분석은 조사표양식, 교통지역분석, 교통조사(O-D조사포함), 장래 교통량(출입시설포함)업무를 포함한다. 경제성 및 재무분석은 대안별 경제성분석, 최적안의 투자우선순위분석, 최적안의 민감도분석, 최적안의 투자시기분석업무를 포함한다. 추정수량 및 추정공사비 산출은 추정수량산출서, 추정공사비산출서 업무를 포함한다.

㊳ 지반조사 보고서

지반조사 보고서는 토질개황, 주요 토질조사, 주요 토질시험, 성과분석 부록 업무를 말한다. 토질개황은 목적, 범위, 조사기간, 조사장비 업무를 포함하고, 주요 토질조사는 시추, 시험, 물리탐사업무를 포함하며, 주요 토질시험은 표준관입시험, CBR시험, 평판재하시험, 토성시험, 골재시험 업무를 포함한다. 성과분석은 터널 및 교량구간 지층분석, 교량기초검토, 비탈면안정검토, 성토재의 다짐특성, CBR, 토량변화율, 골재원평가업무를 포함하며, 부록은 지질분포 현황도, 토질조사위치도, 재료원현황도, 지층단면도, 시추주상도, 동적 콘관입시험주상도, 핸드오가보링주상도, 실내시험성과, 골재시험성과, 현장시험성과 업무를 포함한다.

㊴ 구조 및 수리계산서

구조 및 수리계산서는 주요 구조계산서, 주요 수리계산서관련 업무를 말한다. 주요 구조계산서는 개요, 구조계획도, 설계조건주요 구조계산결과 업무를 포함하고, 주요 수리계산서는 유역도, 홍수량지점도, 설계강우강도 산정업무를 포함한다.

㊵ 터널해석보고서

터널해석보고서는 터널해석보고서작성업무를 말한다.

㊶ 설계예산서

설계예산서는 타당성조사 및 기본설계내역서 업무를 말한다. 타당성조사 및 기본설계내역서는 공종별공사비 산출, 용지비 산출, 기타 비용 산출, 사업비 산출, 공사투입계획 수립업무를 포함한다.

㊷ 단가 산출서

단가산출서는 타당성조사 및 기본설계 단가산출 업무를 말한다. 타당성조사 및 기본설계 단가산출은 기본설계 단가구성업무를 포함한다.

㊸ 수량 산출서

수량산출서는 타당성조사 및 기본설계 수량산출업무를 말한다. 타당성조사 및 기본설계 수량산출은 토공, 비탈면안정공 배수공, 교량공, 터널공, 포장공, 교통안전시설공, 부대공 관련 업무를 포함한다.

㊹ 타당성조사 및 기본설계도면

설계도면은 타당성조사 및 기본설계도면 편집 및 전산화 업무를 말한다.

8-1-5 기본설계 및 실시설계

① 과업착수준비

과업착수준비는 착수준비, 과업수행계획서에 관한 업무를 말한다. 착수준비는 예정공정표, 사업책임기술자 선임신고서가 포함된 착수보고서 작성 및 제출(설계내역서조정, 과업지시서 숙지)업무를 포함하며, 과업수행계획서는 세부공정계획서, 경력사항확인서, 성과품 제출계획서, 참여내용제출계획서, 조직 및 인력투입계획서, 보안각서 등 과업수행계획서 작성 및 제출 업무를 포함한다.

BIM 설계 시 BIM Excution Planning(이하, BEP) 작성 업무를 포함한다. BEP에는 BIM개요, 사업현황, 시설현황, BIM실행계획, BIM활용방안, BIM절차설계 Map, BIM 정보교환, BIM성과물별 모델요소, BIM모델작성, 배포 및 협업절차, 소프트웨어환경 등을 포함한다.

② 관련계획 조사 및 검토

관련계획 조사 및 검토는 상위계획, 지역관련 및 도시계획, 산업시설계획, 교통관련계획, 수자원관련 개발계획 등을 조사하고 필요한 경우 관계기관과 협의하는 업무를 포함한다. 상위계획은 국토종합계획, 국가기간 교통망 계획, 도로정비기본계획, 권역별 종합개발계획을 조사 · 검토하는 업무를 포함하고 있다. 지역관련 및 도시계획은 광역개발계획, 시 · 도 종합개발계획, 지역 및 도시계획, 단지개발 및 조성계획을 조사 · 검토하는 업무를 포함하며, 산업시설계획은 국가공단 및 지방공단계획, 신항만·공항·댐 등 건설계획 등 업무를 포함한다. 교통관련계획은 전국도로망체계 재정비계획, 광역종합교통계획, 중기교통시설투자계획, 고속국도, 국도, 지방도 등 도로건설 및 확충계획, 기타 주변도로계획을 조사 · 검토하는 업무를 포함하고, 수자원개발관련계획은 수자원 장기종합계획, 하천유역종합치수계획, 댐개발계획 및 상·하수도 기본계획, 하천정비기본계획, 소하천정비 종합계획을 조사 · 검토하는 업무를 포함한다.

③ 현지조사 및 답사

현지조사 및 답사업무는 예정노선의 해당 계획 지역에서의 지형, 지물, 식생, 용배수, 토지이용상황을 정확하게 파악 · 확인하고 현지답사를 하여 사진, 또는 Video 등을 이용하여 과업수행에 유용한 자료를 작성하는 업무를 말한다. 또 측량, 지질조사 등을 실시하는 경우에는 수급인은 그 이유를 밝히고 조사내용에 관해서 발주청에게 보고한 후에 지시를 받도록 한다.

④ 교통량 및 교통시설 조사

교통량 및 교통시설조사는 계획시설물의 도로기능에 있어 교통량 특성을 파악하는 것을 목적으로 한다. 교통량 조사는 계획지역 인근의 도로망을 조사하고 주요 교차지점의 교통량을 시간별, 방향별, 차종별로 조사하는 업무이며, 교통시설 조사는 계획지역 인근의 도로형태, 교차로시설, 대중교통시설, 병목구간, 교통유발시설 등을 조사하는 업무를 포함한다. 도로형태는 도로별 노선연장 및 차로수, 도로폭, 보도폭원, 지형조건, 중앙분리대 설치여부, 설계속도, 신호등, 횡단보도, 버스 및 택시정류장, 육교 등 시설물, 교통안전시설물 설치 현황 업무를 포함하며, 교차로시설은 신호등 및 신호체계(신호현시 및 주기), 교통섬 및 도류화시설, 횡단보도 및 정지선, 가각 및 노면표시, 접근로별 차선수, 차로 및 보도폭 등 업무를 포함한다. 대중교통시설은 버스 및 택시정류장, 버스 전용차로, 버스노선 등의 업무를 포함하고, 병목구간은 병목구간 차로수 및 폭원, 구간 거리 등 업무를 포함하며, 교통유발시설은 주변지역 대단위 교통유발시설 현황 및 계획, 개발사업계획 등의 업무를 포함한다.

⑤ 수리 · 수문조사

수리 · 수문조사는 계획지역내 하천의 상태, 정비계획, 주변개발상황 등을 조사한다. 하천조사는 계획지역 하천의 유역면적, 유로연장, 하폭, 하상경사, 제방 및 호안현황, 지류 등을 조사한다. 수리관계 시설물 현황조사는 계획지역 인근의 용·배수로, 양·배수장, 유수지 등을 조사하는 업무를 포함한다. 타당성 조사의 계획홍수량과 계획홍수위 등이 적정하게 산정되었는지를 검토하며, 계획시설물 설치에 따른 홍수위의 상승, 기존 제방에 미치는 영향(물의 흐름의 변화로 인한 침식 및 퇴적 등 포함) 등을 분석·검토하고, 홍수시 기초지반의 세굴, 하부구조에 미치는 영향 등을 분석·검토하는 업무를 포함한다.

⑥ 기상 및 해상조사

기상 및 해상조사는 기상자료(천기일수, 강우량, 강설량, 기온, 풍속 등)외에 계획지역이 해상인 경우에는 해상자료(조류, 조석, 파랑 등)를 조사하는 업무를 포함한다.

⑦ 선박운항조사

선박운항조사는 계획시설물과 선박 등의 운항로가 교차 또는 인접하는 경우, 통행하는 선박의 종류, 크기, 운항횟수 등을 조사하고, 계획지역 인근의 부두시설, 물양장, 선착장 등의 위치와 규모 등을 조사하는 업무를 포함한다.

⑧ 환경영향조사(문화저조사)

환경영향조사(문화저조사)는 계획시설물 설치로 인근 주민에 미치는 각종 영향과 계획시설물이 계획지역의 동·식물의 식생에 미치는 영향을 조사하며, 계획시설물 설치로 발생되는 소음·진동으로 주민생활의 불편을 초래하게 될 것으로 예상되는 곳에서는 시설물 설치전의 송음·진동 현황을 조사하는 업무를 포함한다. 선정된 노선 경유지역에 대한 문화재 현황파악을 위하여 문헌조사 및 지표조사를 실시하는 업무를 포함한다.

⑨ 측량 성과검토

측량조사 성과검토는 주변 개발계획 측량성과 검토, 측량작업계획서에 의해 수행된 측량 성과를 검토하는 업무를 포함한다.

BIM 설계 시 촬영, 사진모델링 결과 및 기타 측량성과로 얻어지는 자료(수치지도, 위성지도 등)를 3D로 구현하여 지형 범위에 부합한지 지형데이터를 검토한다.

⑩ 지질 및 지반조사 성과검토

지질 및 지반조사 성과검토는 주변 개발지역 지질성과 내용 검토, 지질 및 지반조사 성과검토 업무를 포함한다.

⑪ 지장물 및 구조물 조사

지장물 및 구조물 조사는 계획시설물의 설계 및 시공에 영향을 미치는 각종 지하매설물, 지상지장물 및 장애물을 조사하는 업무를 말한다. 지하매설물조사는 사업노선에 저촉되는 지상지장물(고압송유관, 광케이블, 기타 통신시설 등), 지하매설물(전기, 통신, 송유관, 상하수도, 가스 등), 구조물 조사(계획시설물 인근의 각종 구조물 밑 문화재 등), 농어촌지역에 분포되어 있는 관정에 대한 사항 등을 조사하는 업무를 포함한다.

⑫ 토취장·골재원·사토장 조사(필요시)

토취장·골재원·사토장 조사업무는 골재원 조사, 토취장 및 사토장 조사업무를 말한다. 골재원 조사는 기존 골재원의 위치, 종류, 골재생산추이 등을 조사하고, 계획지역 인근에 기존 골재원이 없는 경우 골재원으로 개발할 수 있는 지역, 생산가능량 등을 조사하는 업무를 포함한다. 토취장 및 사토장 조사 업무는 토취장 및 사토장의 위취와 규모를 조사하고 해당 자치단체에서 수행하고 있거나 또는 추진 예정인 각종 공사장에서 발생할 토공량, 암굴착량, 성토여유 사토량 등을 조사하는 업무를 포함한다. 또한 토취장, 재료원, 사토장은 매장량, 생산가능량, 향후 추이 등을 집중 검토하여 공사기간까지 사용할 수 있는 후보지(노선 시점에서 종점까지 고르게 분포하여야 함)를 선정 제시하는 업무를 포함한다.

⑬ 용지조사

용지조사는 법적근거인 지적도, 임야도, 토지·임야대장, 등기부등본을 열람하고, 발급받아 면적과 소유자 관계인을 정확히 조사하여 용지 및 지장물 보사조사의 기초자료로 활용토록 하는 업무를 포함한다. 또한 점유되는 토지, 가옥 및 시설물 등의 보상에 필요한 자료를 조사하는 업무를 포함한다.

⑭ 전 단계 성과검토

전 단계 성과검토는 앞서 실시한 타당성조사의 성과품을 검토, 분석하여 조사·계획·설계업무의 각 결과치를 기본설계에 최대한 활용할 수 있도록 검토하는 업무를 포함한다.

⑮ 교통분석 및 평가

교통분석 및 평가는 교통현황분석, 장래교통여건전망 업무를 말한다. 교통현황분석은 교통지구설정 및 교통지구 단위별 정리분석, "교통시설 투자평가지침(국토교통부)"에 제시된 내용 및 방법으로 수행하는 업무를 포함한다. 장래 교통여건 전망 업무는 장래 교통여건 분석시 필요한 관련계획을 검토하여 분석대상 도시의 교통수요 예측(원칙적으로 4단계 방법을 사용하되, 다른 절차 사용시 선택사유를 제시)에 반영하고, 대상지역 및 주변지역에 대해 인구, 자동차보유 대수, 토지이용 및 건물연면적을 교통지구 단위별로 전망·분석한다. 장래 교통수요 전망에서는 대상지역 및 주변지역에 대하여 사람 및 화물통행량, 지구별 발생·도착 통행량, 기·종점 통행량의 각 세부 사항과 주요 가로 및 교차로의 소통 여건에 관한 사항을 수록하고, 노선 대안별 시행여부에 따른 교통체계변화를 파악하고 예측하는 업무를 포함한다.

⑯ 전략환경영향평가 성과 검토

전략환경영향평가 성과 검토업무는 전략환경영향평가 성과 검토결과의 설계반영사항을 검토하는 업무를 말한다,

⑰ 해상교통안전진단 검토(필요시)

해상교통안전진단 검토는 도로교량의 건설로 인하여 향후 선박의 통항에 어떠한 영향을 미치게 될지를 사전에 예측하고 평가한 해상교통안전진단 결과를 검토하고 충분한 통항안전대책을 수립하여 설계에 반영하는 업무를 포함한다.

⑱ 재해영향평가 검토

재해영향평가 검토는 재해영향평가 검토 성과를 검토하여 도로건설로 인하여 발생 가능한 재해영향요인별 저감방안을 수립하는 업무를 포함한다.

⑲ 경제성 및 재무분석

경제성 및 재무분석은 비용산정, 편익산정, 경제성분석, 민감도분석, 재무분석업무를 말한다. 비용산정은 현재 국내에서 운행 중인 차량에 대한 구입가격, 부품비, 유류비, 유지관리비, 인건비 등 최근 자료를 이용하여 차량의 구성비에 의한 차종별 단위 운행비를 산출하고 기존 도로의 아스팔트콘크리트포장과 시멘트콘크리트포장의 차선별 유지관리비 분석 등 도로건설비, 유지관리비 등 항목별 비용을 산정하는 업무를 포함한다. 편익산정은 차량운행비절감, 운행시간단축, 교통사고감소, 지역개발효과등 항목별편익산출업무를 포함하며, 경제성분석은 도로건설비 및 유지관리비와 이용자 편익을 비교하여 편익비용비(B/C), 초년도 수익률(FYRR), 내부수익률(IRR) 및 순현재가치(NPV), 최적개통시기를 산정하고 전구간을 동시에 건설할 경우와 교통량 예측 및 발주청의 재정전망을 고려하여 단계별로 건설하는 경우(단계별 건설시 구간별 투자 우선순위 제시)로 구분하여 분석하는 업무를 포함한다. 민감도분석은 건설비, 차량운행비, 교통량, 공사기간 등 여건 변화시 경제성에 미치는 영향을 검토하는 업무를 포함한다. 재무분석은 통행료징수체계, 영업채산성검토(유료도로의 경우, 개통이후의 추정 교통량에 따른 통행료 수입 및 영업비용을 1년 단위로 산출)업무를 포함한다.

⑳ 관련규정의 적용

관련규정의 적용은 도로, 교량, 터널 등 건설공사관련 법령 및 지침, 설계기준을 적용하는 업무를 말한다. 도로관련 규정으로는 "도로의 구조·시설기준에 관한 규칙" 해설 및 지침, 도로설계기준, 환경친화적인 도로건설지침 등을 적용하는 업무를 말하며, 교량관련 규정으로는 도로교 설계기준, 콘크리트구조 설계기준, 구조물기초 설계기준 등을 적용하는 업무를 포함하고, 터널은 터널 설계기준 등을 적용하는 업무를 포함한다.

㉑ 환경영향평가 성과 검토

환경영향평가 성과검토는 평가결과를 검토하여 저감대책을 검토하여 설계에 반영하는 업무를 포함한다.

㉒ 수리·수문검토

조사업무에서 결정된 계획홍수량과 계획홍수위 등이 적정하게 산정되었는지를 검토한다. 계획시설물 설치에 따른 홍수위의 상승, 기존 제방에 미치는 영향 등을 분석·검토하며, 특히 물의 흐름의 변화로 인한 침식 및 퇴적 등에 대하여 검토한다. 홍수시 기초지반의 세굴, 하부구조에 미치는 영향 등을 분석·검토한다.

㉓ 노선선정

노선계획은 최적노선결정, 노선결정, 출입시설관련 업무를 말한다. 최적노선결정은 타당성조사에서 결정된 최적노선대 안에서 각 비교노선의 경제성, 시공성, 환경성 등을 평가하여 최적노선(1:1,000 지도 사용)을 선정한다. 노선결정업무는 노선계획시 주요 구조물 및 주요 도로 시설물의 위치, 규모, 형식과의 연계성을 검토하고, 도로표준단면 결정, 평면선형 및 종단선형 비교 검토, 설계기준, 지침 등에 따라 합리적으로 계획, 홍수위의 상승, 교차시설(도로, 철도, 선박의 항로 등)에 따른 적정 형하고를 검토하고 계획하는 업무를 포함한다. 또한 출입시설은 진출입부 가감속차로 검토 · 계획, 최대교통량(Peak Time) 발생시 교통혼잡 최소화를 위한 검토 · 계획, 1/1,000의 지도를 사용하여 평면 및 입체교차 위치 및 형식을 검토하는 업무를 포함한다.

BIM 설계 시 BIM 모델 작성, 외부간섭(지장물 등), 시뮬레이션을 업무를 수행하며, 다음의 업무를 포함한다.

- 도로 중심선의 입체적인 형상으로 평면선형 형상과 종단선형 형상으로 도로의 기하구조기준에 따른 도로선형 형상 작성
- 본선 및 유.출입시설(분기점, 나들목) 계획 및 기반시설(단지, 철도, 도로, 하천 등) 횡단통과 및 시설물과의 근접시 간섭 검토
- 계획된 형식별 도로선형, 횡단 구조물계획 등 주변 현황과 연계한 진.출입 시설물의 시인성 등 도로계획 검토시 사전 문제점 도출 및 검증을 위한 도로주행성 검토

㉔ 연약지반처리계획 수립

연약지반처리계획은 연약지반 현황분석에 의한 합리적 대책공법 비교, 검토 업무를 포함한다.

㉕ 구조물계획(교량계획)

교량계획은 교량형식, 가설공법 업무를 말한다. 교량형식은 경제성 · 시공성 · 기능성 · 안전성 · 미관성, 유지관리 등 평가항목별 비교 · 검토하여 지간구성, 상부구조 형식 선정, 하부구조 및 기초형식을 선정하는 업무를 포함하며, 가설공법은 계획 시설물의 규모, 지형 · 지질, 가설공사비 등 주요요소 비교 검토 후 계획, 주변시설 및 인근주민에 미치는 소음 · 진동과 교통혼잡 최소화를 위한 공법 검토, 하천 또는 해상공사 중 토사유출 등으로 인한 주변 오염방지관련 업무를 포함한다.

※ 산정 시 고려사항

- 본 투입인원수 산정기준 적용시 특수교량(현수교, 사장교)은 제외한다.

BIM 설계 시 교량형식 및 가설공법에 대한 BIM 모델 작성 및 시뮬레이션 업무를 수행하며, 다음의 업무를 포함한다.

- 타당성 조사에 따른 검토된 형식(경제성, 시공성, 안전성, 미관성, 유지관리)의 3D 모델 작성
- 주변환경을 고려한 교량경관 시뮬레이션
- 지역환경을 고려한 가설 중 또는 운용 중 기존 도로나 항로 이용자의 차량 또는 선박운행 간섭 가능성 검토
- 시뮬레이션을 통한 교량 시.종점 및 경간장 검토 계획 등

㉖ 구조물계획(터널계획)

터널계획은 개략적인 굴착공법을 선정하고 각 공법별로 비교 · 분석

하는 작업을 말한다. 굴착공법의 선정은 유사현장, 지반조건 및 인접 지형, 지질상태를 파악하여 경제성 · 시공성 · 안전성 · 미관성 · 유지관리사항을 비교, 검토하는 업무를 포함한다.

※ 산정 시 고려사항

- 본 투입인원수 산정기준은 병설터널 기준이며 대면터널 적용시 50%를 적용한다. (상행과 하행의 길이가 다른 병설터널의 연장은 평균값을 활용한다.
- 본 투입인원수 산정기준 적용시 침매터널, 대심도터널은 제외한다. 환기용, 작업용 터널은 터널개소 및 연장에 반영하여 투입인원수를 산정한다.

BIM 설계 시 터널계획에 대한 BIM 모델 작성 및 시뮬레이션 업무를 수행하며, 다음의 업무를 포함한다.

- 굴착공법에 따른 지반조건 및 지형.지질에 상태를 기준으로 작성한 3D 지형지층모델과 연계 검토
- 비교 노선별 터널계획 BIM 데이터 작성 (터널갱구 위치, 터널단면검토) 및 시뮬레이션

㉗ 구조물계획(기타 구조물)

기타구조물은 옹벽 및 암거의 설치지점을 선정하고, 지반조건 및 현지여건에 맞도록 형식과 공법을 비교, 검토(비교안은 복수이상으로 경제적 · 기술적 · 환경적 측면의 검토를 포함)하는 업무를 포함한다.

BIM 기반 이 업무는 기타구조물의 BIM 모델 작성 및 시뮬레이션 업무를 수행하며, 다음의 업무를 포함한다.

- 기타 구조물인(옹벽, 암거 등) 계획구간의 비교 노선별 주요구간의 기타구조물 3D 모델 작성
- 시뮬레이션을 통한 최적의 위치, 형식, 규모 등을 시각적, 정량적 검토 등

㉘ 구조물계획(지하차도계획)

지하차도계획은 형식 및 공법검토, 입출구부 형식 검토, 기초형식 검토, 환기 및 소방시설 검토, 부대시설 검토를 말한다. 형식은 지하차도 본선에 대한 형식(BOX형, 아치형), 검사원 통로 등 을 검토, 공법은 본선시공에 대한 공법(현장타설,프리케스트)등을 검토, 지하차도의 전체 연장 및 규모를 검토, BOX구간의 연장을 차선계획, 복토계획 등을 검토, 입출구부 형식은 U-TYPE, L형옹벽 등 형식을 검토, 기초형식은 지하차도 하부의 직접기초, 파일기초 등 설치를 검토, 환기검토는 지하차도 단면 및 연장에 대한 환기시설 설치를 위한 용량을 검토, 소방시설은 지하차도 연장에 따라 소방시설규모를 검토, 부대시설 검토는 지하차도 내 공동구, 신축이음, 방수공법, 포장, 벽체(면벽형, 기둥형), 내장재(페인팅, 타일, 판넬) 등을 검토 업무를 말한다.

㉙ 설계기준 작성

설계기준 작성은 공구분할, 분야별 설계기준작성 업무를 말한다. 공구분할은 계획구간의 지역여건, 공사량, 공사 현장관리의 효율성, 주요 구조물, 공사시행여건 등을 종합 검토하여 적정한 공구로 분할하는 업무를 포함한다. 분야별 설계기준 작성업무는 설계도서 작성기준에 명시된 설계기준, 조건 이외에 과업수행에 필요한 각종 설계기준(선형, 폭원, 재료 종류, 강도, 구조물별 설계방법 등)의 조건을 작성하는 업무를 포함한다.

㉚ 관계기관 협의 및 민원검토

관계기관 협의는 계획시설물 설치에 따른 관계기관 협의 자료 작성, 관계기관 업무협의 지원, 관계기관 의견 조치계획서 작성 업무를 포함한다. 민원검토는 집단민원 등 향후 야기될 수 있는 민원 내용을 파악하고, 민원을 최소화(해소)방안을 검토하는 업무를 포함한다.

㉛ 단계별 자문 및 방침자료 작성

단계별 자문 및 방침자료작성은 착수단계자문, 중간단계자문, 마무리단계자문, 본부 방침 결정, 설계감리 및 VE자료 작성업무를 말한다. 착수단계자문은 착수자문회의 자료 작성, 자문자료 사전설명, 자문회의 준비 및 개최, 자문의견 검토 후 보완 및 수정과 위원 확인 업무를 포함하고, 중간단계 자문은 중간자문회의 자료 작성, 자문자료 사전설명, 자문회의 준비 및 개최, 자문의견 검토후 보완 및 수정과 위원 확인 업무를 포함하며, 마무리단계 자문은 마무리자문회의 자료 작성, 자문자료 사전설명, 자문회의 준비 및 개최, 자문의견 검토후 보완 및 수정과 위원 확인 업무를 포함한다. 본부 방침 결정은 설계방침서 작성, 본부 방문 설명 , 본부 검토요청사항 추가검토 및 제출 업무를 포함하고, 설계 VE자료 작성업무에는 설계VE를 위한 자료작성과 의견 검토 후 보완 및 수정 업무를 포함한다.

※ 산정 시 고려사항

- 횟수의 산정시 본부 방침 결정과 설계VE 자료 작성, 각종 심의자료 작성업무는 별도의 횟수로 산정한다.
- 회의 준비 및 개최 비용, 심의위원 심의 비용 등은 제외한다.
- 기타 별도의 대가기준(예, 경관설계심의, 농지·산지전용협의 등)이 있는 경우 해당기준을 따른다.

㉜ BIM 기반 각종 사전평가 성과검토

BIM 설계 시 이 업무는 필요시 사전에 수행된 평가(환경영향평가, 재해영향평가 등) 결과자료를 활용하여, 다음과 같은 업무를 수행 할 수 있다.

- 사전재해영향평가 결과를 시뮬레이션하여 재해영향요인별 저감방안 수립 업무등을 검토
- 홍수로 인한 하천범란 및 시간별 수위 및 물의 흐름 시뮬레이션 검토
- 3D 지형모델을 통한 유역분석 등

㉝ 설계조건

설계조건은 설계에 필요한 조건들을 전단계 과업에서 수행된 노선, 연장, 규모 등과 지반조사, 환경영향평가, 교통분석 및 대책 수립 자료 등을 검토하여 정리하는 업무를 포함한다. 또한 자재의 종류, 설계강도, 주요 자재 및 재료의 기준, 장애자를 위한 시설, 내진 및 피로설계 등에 대한 기준을 정리하는 업무를 포함한다.

㉞ 선형설계

선형설계는 노선검토를 통해 최적노선을 결정하고, 현황도(1:1,200~1:1,000)에 정확히 재표정하고 이를 기본으로 측점 20m간격으로 평면 및 종단선형을 설계하는 업무이다. 평면선형은 곡선부의 곡선반경 및 완화구간, 종단선형은 종단경사 및 종단곡선을 설계하는 업무를 포함한다. 종단선형의 요철부는 기준치 이상의 종단곡선을 삽입하여 시거를 확보하는 업무를 포함한다.

BIM 설계 시 노선의 선형비교 및 기하구조 검토, 설계기준 등 노선의 기본이 되는 요소들을 BIM으로 모델링하고 외부간섭에 대한 검토 및 시뮬레이션을 업무를 포함한다.

- 계획선정된(평면,종단,횡단)선형 형상에 직선,곡선,완화곡선 등의 BIM 데이터 정보 및 유.출입시설과 교량,터널 형상의 위치 및 정보테이터를 포함한 선형 BIM 모델 작성
- 선형 불량구간 등에 대한 시거와 운전자의 시인성등 기하 구조 검토(평면 및 종단 선형, 구조물, 진출입시설물)
- 도로의 주행 및 분기점 및 나들목, 교통분석등을 연계한 시뮬레이션 구현으로 적정성 설계정보 도출

㉟ 비탈면 안정공

비탈면 안정공은 비탈면 경사결정, 비탈면보호공 업무를 말한다. 비탈면경사결정은 안정해석을 통하여 경제적이고 합리적인 깎기, 쌓기

비탈면경사, 소단설치위치, 폭원등 업무를 포함하고 비탈면 보호공은 불안정 비탈면 안정대책 수립 위한 식생 보호공, 구조물 보호공 업무를 포함한다.

BIM 설계 시 BIM 모델 작성을 통하여 경사도분석 등 지형분석과 지질분석 내용을 결합한 사면안정성 검토된 결과를 시뮬레이션하는 업무를 포함한다.

㊱ 토공 설계

토공설계는 , 흙 분류, 연약지반 설계, 토공 유동 계획, 횡단설계업무를 말한다. 흙 분류는 토공분류 및 굴착방법 검토업무를 포함하며, 연약지반 설계는 구간별 횡단도 작성 및 수량산정(표층처리, 침하토, 과재성토)업무를 포함하고, 토공 유동 계획은 (경제적, 합리적 토공운반거리 산정) 토석정보공유시스템(EIS)에 토공결과 입력업무를 포함하고, 횡단설계는 횡단면설계 (깍기, 쌓기 범위산정), 토공균형설계 (노상, 노체, 암성토 설계), 공사용도로 계획 (기존포장 활용방안검토), 토공유동계획 (굴착공법 및 토공 운반로 계획), 발파영향권분석을 통한 발파공법 설계업무를 포함한다.

BIM 설계 시 토공설계에 대한 BIM 모델 작성 업무를 수행하며, 다음의 업무를 포함한다.

- 3D 토공 물량 및 종.횡단검토, 절성토 3D 설계검토
- BIM 데이터 작성(땅깍기, 흙쌓기, 표토제거 등). 단, 유용토운반, 타공구 반출, 자재대 등은 제외
- BIM 모델에서 평면 및 종단면도 추출하여 설계구조물 전체정보 표기
- BIM 모델에서 20m씩 횡단을 추출하여 설계정보 표기

㊲ 배수공 설계

배수공설계는 용·배수 계통 계획, 구조물의 형식 및 단면 검토 업무를 말한다. 용·배수 계통 계획은 지하배수(도로), 횡단배수, 노면배수, 농업용 배수, 배수계통 계획(도로)업무를 포함하며, 구조물의 형식 및 단면검토는 지형도상 유역면적산정(도로, 수자원), 계획홍수량 산정, 설계조건 검토, 수로경사 및 유속 검토, 단면규격 결정, 통로 및 수로암거 설계(도로, 구조), 횡단배수관 설계, 접속부 설계(세굴방지 시설 등) 업무를 포함한다.

BIM 설계 시 배수공 설계에 대한 BIM 모델 작성 업무를 수행하며, 다음의 업무를 포함한다.

- 측구공, 맹암거, 배수관[종횡], 기타관, 집수정, 암거공, 수로보호공, 도수로, 개거, 방수거, 우수받이, 멘홀, 침전조, 생태이동통로, 저류조, 옹벽공, 사방댐, 낙차공 등(단, 유송잡물, 간이상수도는 제외)

㊳ 소구조물공 설계

소구조물공 설계는 소구조물공 설계(암거)의 업무로 단면 설정을 통한 구조계산, 안정성, 시공성, 경관성, 경제성의 검토, 지반 반력을 고려한 기초의 검토 업무를 포함한다.

BIM 설계 시 BIM 모델 작성을 통하여 최적의 위치, 형식, 규모 등을 시각적, 정량적 검토 업무를 포함한다.

㊴ 포장공 설계

포장공 설계는 포장구조 결정, 포장두께 결정업무를 말한다. 포장구조결정은 아스팔트포장 및 콘크리트포장 특성 검토, 포장공법(교면포장) 선정업무를 포함하며, 포장두께 결정은 포장단면결정(교면포장), 동상방지층 검토업무를 포함한다.

BIM 설계 시 포장공 설계에 대한 BIM 모델 작성 업무를 수행하며, 다음의 업무를 포함한다.

- 동상방지층, 보조기층, 시멘트 안정처리필터층, 콘크리트포장, 아

스팔트 콘크리트포장, 경하중포장, 빈배합콘크리트, 경계석 등

㊵ 출입시설설계

출입시설설계는 평면교차로(설계), (단순)불완전 입체교차로(설계), 완전입체교차로(인터체인지) 설계업무를 말한다. 평면교차로 설계는 도류화, 변속차로, 교통운영 및 교통관제, 교통안전시설설치 업무를 포함하고, (단순)불완전 입체교차로는 평면교차 교통동선이 포함된 (저규격) 입체교차설계업무를 포함하며, 완전입체교차로(인터체인지) 설계는 연결로설계, 연결로접속부 설계, 변속차로설계업무를 포함한다. BIM 설계 시 평면 및 입체교차로에 대한 BIM 모델 작성을 실시하고, 출입시설의 외부간섭 검토 및 시뮬레이션을 통하여 교통동선에 대한 검토업무를 포함한다.

- 분기점 및 나들목(교차로) 계획 검토에 의한 BIM 모델 작성
- 입체 교차로구간의 진 · 출입 차량의 동선에 의한 간섭 검토(회전반경, 곡선구간 시거, 자연스로운 진 · 출입동선)
- 도로주행 시뮬레이션을 통하여 입체교차로 형식결정을 위한 비교.검증 및 안정성 입증 및 검토

㊶ 부대시설 설계

부대시설 설계는 부대시설 설계, 교통안전시설 설계 업무를 말한다. 부대시설 설계는 도로이용객의 편의시설설치 업무를 포함하며, 교통안전시설 설계는 도로안전시설설치 및 관리기준, 교통안전시설 실무편람 등 참조설계업무를 포함한다.

BIM 설계 시 표준도를 기반으로 다음에 대한 BIM 모델 작성 업무를 수행하며, 다음의 업무를 포함한다.

- 교통표지판, 시선유도표지, 가드레일, 중앙분리대, 방호벽, 낙석방지시설, 가드휀스, 미끄럼방지시설, 교통안전시설, 충격흡수시설, 긴급제동시설 등

㊷ 교량설계

교량설계는 공법검토, 구조설계, 부대시설설계업무를 말한다. 공법검토는 기본방향의 현지여건인 지형 및 지반여건 고려, 환경영향 및민원 최소화, 현지여건을 활용한 자재조달계획, 시공시 원활한 해상운송, 계획, 사전조사를 통한 설계반영, 교량형식인 선형조건에 적합한 공법, 교량연장에 따른 가설장비의 적정성 여부, 상부구조 형식에 따른 단면 적정성 업무를 포함하고, 구조설계는 상부(보강형 등), 하부(교각, 교대 등), 기초(말뚝, 우물통 등) 구조물 단면 설정, 구조성, 안정성, 경관성, 시공성, 사용성, 경제성검토업무를 포함하며, 부대시설 설계는 교좌장치, 신축이음, 교면방수, 방호시설, 강교도장, 교면 배수, 가로등의 부대시설에 대한 구조성, 안정성, 시공성, 경제성 검토 업무를 포함한다.

※ 산정 시 고려사항

- 특수교량(사장교, 현수교 등)은 제외한다.(별도 산정)
- 완전입체교차의 교량은 출입시설업무에서 산정되어 제외한다.

BIM 설계 시 교량 설계에 대한 BIM 모델 작성 및 부재간 내부간섭 검토 업무를 수행하며, 다음의 업무를 포함한다.

- 교량 BIM 모델은 평면선형, 종단선형, 횡단경사를 반영한(바닥판, 거더,교대,교각,부대시설 등) 객체를 분할하여 작성하며, BIM 데이터 작성 시 철근가공 및 조립수량 산출을 실시하고, 일부 철근 모델링이 필요 없는 경우 LOD 수준을 낮추어 작성할 수 있다.
- 도로 노선의 선형, 지형, 지층, 교차조건과 시공성, 유지관리, 경제성을 고려하여 작성한 교량 모델로부터 교량 시 · 종점 및 교대, 교각의 가설위치와 노선의 3차원 선형, 주행 안정성, 시공성(가설장비 및 장비의 진입로), 교량 경간장(종 · 횡단 경사, 교량상부 거더의 높이),주변환경과의 조화(경관성) 등을 검토한다.

㊸ 터널설계

터널설계는 방수 및 배수설계, 공법선정, 내공단면의 결정, 지보공 설계, 콘크리트 라이닝 설계, 터널단면해석, 가시설 설계, 구조물공, 갱문설계, 환기계획, 부대시설 계획업무를 말한다. 방수 및 배수설계는 방배수설계 및 재료검토업무를 포함하며, 공법선정은 터널공법 비교 검토업무를 포함하고 내공단면의 결정은 환기방재 및 측방여유폭 및 공동구 규격결정 후 내공단면 검토업무를 포함하며, 지보공 설계는 지반조사 터널성과분석을 토대로 지보설계업무를 포함하며, 콘크리트 라이닝 설계는 라이닝 두께결정을 위한 구조검토업무를 포함한다. 터널단면해석은 각 패턴별 지반 안정성 검토업무를 포함한다. 구조물공은 개착구조물 구조계산업무를 포함하고, 갱문설계는 갱문 형식 및 구조계산업무를 포함한다. 환기계획은 환기 및 방재검토업무를 포함하며, 부대시설 계획은 계측, 피난연락갱 기타 시공중 시설물 검토업무를 포함한다.

※ 산정 시 고려사항

- 본 투입인원수 산정기준은 병설터널 기준이며 대면터널 적용시 50%를 적용한다. (상행과 하행의 길이가 다른 병설터널의 연장은 평균값을 활용한다.
- 본 투입인원수 산정기준 적용시 침매터널, 대심도터널은 제외한다. 환기용, 작업용 터널은 터널개소 및 연장에 반영하여 투입인원수를 산정한다.

BIM 설계 시 터널 내 도로선형 기준의 평면선형, 종단선형, 횡단경사 등을 반영한 BIM 모델 작성 업무를 수행하며, 다음의 업무를 포함한다.

- 선정된 환기방식, 굴착방법에 따라 다양한 형태의 BIM 모델을 작성
- 굴착(총굴착, 설계굴착), 강지보(격자지보, H-형강, U-지보), 숏크리트, 록볼트, 콘크리트라이닝, 방수 및 배수, 보조공(휘폴링, 선진보강그라우팅), 갱문 및 개착터널, 기타(내장재, 소화전, 수분무시설, 소화기함, 피난연결통로 등) 에 대한 모델링
- BIM 데이터 작성 시 철근가공 및 조립수량 산출을 실시하고, 일부 철근 모델링이 필요 없는 경우 LOD 수준을 낮추어 작성할 수 있다.

㊹ 지반설계

지반설계는 지반조사 성과분석, 구조물 기초설계, 연약지반개량 설계, 가시설설계, 제방 관련 업무를 말한다. 지반조사 성과분석은 시설물별 조사결과의 적정성과 내용 분석, 시설물 위험요소 파악 및 분석(연약층, 붕적층, 파쇄대 등)업무를 포함한다. 구조물 기초설계는 지지층 선정기초형식 선정, 항타시공성, 말뚝시공법 및 제원결정, 직접기초의 안정해석(지지력 침하), 말뚝기초의 안정해석 (지지력 침하), 보강공법의 검토 및 설계, 재하시험 및 확인조사 계획 수립업무를 포함하고, 연약지반개량 설계는 연약지반특성 분석 및 Zoning, 압밀기간, 침하 및 잔류침하 검토, 한계성토고 검토, Trafficability 및 간극수 배출량 검토, 교대측방유동 검토, 대책공법의 비교 및 선정(표층처리, 침하및 활동등), 구간별 세부설계(침하량산정, 활동검토, 공법조합 및 세부제원 결정)업무를 포함한다. 제방은 지지력 및 침하검토, 활동, 누수(Piping), 양압력 검토, 안정대책 선정 (차수대책, 지반개량 등), 구간별 안정공법의 세부설계업무를 포함한다.

BIM 설계 시 지반설계에 대한 BIM 모델 작성 업무를 수행하며, 다음의 업무를 포함한다.

- 지형, 지층 데이터는 측직계와 수준점을 기준으로 측량한 지반고(GL)정보, 좌표정보, 표고정보를 포함한다.
- 지반조사 DATA(지반의 토층, 토질, 지하수위, 지내력 등)를 토대로 지층모델을 구축하고, 3D지형과 통합하여 기초설계와 절토,

성토, 터파기 설계에 활용할 수 있도록 한다.

㊺ 하천설계(이설)

하천설계는 제방 검토, 토공 및 호안설계, 유속 및 소류력 검토, 홍수량 및 홍수위검토, 배수능력 검토, 호안 및 구조물 형식검토, 세굴영향 검토 업무를 말한다. 제방 검토는 계획하폭 검토, 제방법선계획 수립업무를 포함하고, 토공 및 호안설계는 제방 표준단면도 작성, 제방설계, 호안공법 비교, 검토, 적정 호안공법에 대한 호안설계업무를 포함하며, 유속 및 소류력 검토는 유속 및 소류력에 따른 호안공법 및 밑다짐 공법 검토업무를 포함한다. 홍수량 및 홍수위검토는 홍수량 산정 및 적정성 검토, 기점홍수위 검토 및 홍수위 계산업무를 포함하고, 배수능력 검토는 기존 시설물 능력검토, 계획단면 규모결정, 본체, 유출입부 및 권양시설 설계업무를 포함한다. 호안 및 구조물 형식검토는 호안공법 선정 및 호안설계업무를 포함하고, 세굴영향 검토는 세굴검토, 세굴 방호공법 선정, 세굴방호공 설계업무를 포함한다.

※ 산정 시 고려사항

- 본 투입인원수 산정기준은 소하천 이하 하천을 기준으로 하고, 지방하천 이상은 하천분야 실시설계 투입인원수 산정기준에 따른다.

BIM 설계 시 하천(이설)에 대한 BIM 모델 작성 업무를 수행하며, 다음의 업무를 포함한다.

- 하천선형에 연계된 평면선형, 종단선형, 횡단, 토공, 제방의 하천본체
- 하천시설(물받이), 제방시설(제체성토), 보시설(본체), 취수시설(취수탑본치), 수문시설(문기둥), 하천보호공(세굴방지, 호안), 제방도로

㊻ 계측계획

계측계획은 계측계획수립, 시설물별 계측항목선정, 측정빈도선정, 계측기기선정업무를 말한다. 계측계획수립은 계측목적, 용도, 규모, 원지반조건, 주변환경조건을 고려하여 설계, 시공에 적합한 체계적인 계획수립업무를 포함하고 시설물별 계측항목선정은 공사시행시나 공사후 시설물별 안정성과 경제성을 파악하고 주변환경영향과 계측항목사이의 상호관계를 고려 항목선정업무를 포함하며 측정빈도산정은 지반 및 시공조건을 고려하여 측정빈도를 선정하는 업무이며, 계측기기선정은 계측목적에 적합한 정밀도와 기능을 갖는 것을 선정하는 업무를 포함한다.

㊼ 지하차도 설계

지하차도 설계는 지반조사 평가, 방수 및 배수설계, 공법선정, 내공단면의 결정, 부력방지검토 및 설계, 가시설 설계, 구조물공, 환기계획, 부대시설 계획 관련 업무를 말한다. 지반조사평가는 지층에 따른 지지력 평가, 방수설계는 지하차도 접합부의 방수 성능 유지가 가능한 공법 검토및 설계업무를 포함, 배수설계는집수유역면적산정,집수정용량산정,집수정설치형식,재료검토및설계업무를포함, 공법선정은 본선 및 입출구부 단면에 대한 시공방법 선정 업무, 내공단면의 결정은 전체 차로폭, 시설한계 및 환기시설의 제트팬 높이 등 기타시설물을 고려한 계획 및 설계, 부력방지검토 및 설계는 지하수의 영향으로 지하차도가 부력에 의하여 부상하는 경우가 있으므로 부력방지대책 및 공법에 대해 검토, 가시설 설계는 지층분포, 지하수위 조건 등을 검토하고 주변 건물 및 인접현황과 환경조건, 교통우회처리계획을 고려하여 적용 가능한 가시설공법을 검토, 선정 및 설계업무를 포함, 가시설공법검토에는 토류및지보공법,지반보강및차수공법,가시설안정성,지반침하대책등의업무를포함,구조물공은 개착구조물 구조계산, 지하차도의 본선, U-TYPE구간, 공동구, 기초 등 설계업무를 포함, 환기계획은 환기 및 방재검토, 설계업무를 포함, 부대시설 계획은 전기,

기계, 건축 등 기타 시공중 시설물 계획 및 설계 업무를 포함한다.

※ 산정 시 고려사항

연장은 지하차도본선(BOX구간)연장과 U-type구간연장 포함

⑱ 기본 및 실시설계 보고서

기본 및 실시설계 보고서는 공사개요, 조사, 계획, 상세설계, 사업비 분석, 부록 관련 업무를 말한다. 공사개요는 목적, 범위, 내용, 기간, 과업수행방법, 사업비, 추진경위, 수행결과 요약업무를 포함하고, 조사는 현지조사 및 답사, 측량, 지질 및 지반조사, 지장물 및 구조물조사, 용지조사, 수문조사, 재료원조사, 교통량조사, 지역개발조사, 기존도로 및 교차로 용량분석업무를 포함하며, 계획은 전 단계 성과검토, 노선계획, 기준설정, 시설규모 결정, 구조물계획, 설계기준 및 기타, 관계기관협의 및 의견수렴, 교차로 위치 및 형식 결정, 포장공법 선정 업무를 포함한다, 상세설계는 설계기준/조건, 선형, 토공, 용배수공, 구조물공, 포장공, 출입시설, 부대시설, 교차로, 교통처리, 조경 등 설계업무를 포함하고, 사업비 분석은 공사개요, 공사비산출, 사업비 분석, 용지 및 지장물 보상비 등의 업무를 포함하며, 부록은 각종 조사자료, 선형계산서, 기술심의 및 자문사항, 업무협의 및 지시사항, 관계기관 협의자료, 주민공청회 결과, 설계의 경제성, 검토자료 등 업무를 포함한다.

BIM 설계 시 기본 및 실시설계 보고서 산출물에 다음을 포함한다.

- BIM 수행보고서
- 간섭 검토 보고서(철근배근, 구조물, 장비, 공정, 주변 지장물, 문화재 등)
- 시뮬레이션 검토 보고서(경관, 교통량, 일조, 유역, 배수, 주행 등)

⑲ 지질 및 지반조사 보고서

지질 및 지반조사 보고서는 조사개요, 조사내용, 조사결과, 성과분석, 부록관련 업무를 말한다. 조사개요는 조사목적, 지역, 범위, 기간, 장비 등의 업무를 포함하고, 조사내용은 조사위치 선정, 조사방법, 토질 · 암석의 분류 및 기재방법, 토질설계정수 업무를 포함하며, 조사결과는 지형 및 지질, 시추조사 결과, 현장원위치시험 결과, 물리탐사 결과, 실내시험 결과, 토취장 및 사토 장 적정성 등 업무를 포함한다. 성과분석은 터널 및 교량구간 지층분석, 교량기초 검토, 사면안정 검토, 성토재의 다짐특성, CBR, 골재원 평가, 설계정수 선정업무를 포함하며, 부록은 조사위치 및 지층단면도, 지질도, 주상도, 시험성과, 물리탐사 야장 및 자료, 기타 검토자료업무를 포함한다.

BIM 설계 시 지질 및 지반조사 보고서 산출물에 다음을 포함한다.

- 지질 및 지반조사 내용의 시추주상도를 검토
- 지층모델로부터 사업현장의 지층 분석 자료 제공

⑳ 구조 및 수리계산서

구조 및 수리계산서는 구조계산서, 수리계산서관련 업무를 말한다. 구조계산서는 개요, 구조계획도, 설계조건, 구조계산, 내진설계, 가시설 업무를 포함하고, 수리계산서는 유역도, 홍수량지점도, 설계강우강도 산정, 노면수리계산, 측구수리계산, 횡배수시설수리계산 등의 업무를 포함한다.

51 터널해석보고서

터널해석보고서는 터널해석보고서작성업무를 말한다.

52 설계예산서

설계예산서는 설계 설명서, 설계내역서 업무를 말한다. 설계 설명서는 공사목적, 공사개요, 위치, 기간, 규모, 공사수량, 재료원, 관급자재, 예정공정표, 설계변경조건, 기타업무를 포함하며, 설계내역서는 설계내역서, 도급공사 원가계산서, 총괄내역서, 공종별내역서, 일위대가 등의 업무를 포함한다.

⑬ 단가 산출서

단가산출서는 단가설명서, 단가산출서 업무를 말한다. 단가설명서는 단위당 단가를 구성하는 공종의 작업과, 소요장비, 투입재료 등의 품명, 규격, 수량 설명(할증여부등)등의 업무를 포함하고, 단가산출서는 단가산출, 중기사용료, 단가조서, 견적서, 운반거리 조견표 등의 업무를 포함한다.

⑭ 수량 산출서

수량산출서는 토공, 비탈면안정공, 배수공, 교량공, 터널공, 지하차도공, 포장공, 교통안전시설공, 부대공의 수량산출 업무를 말한다.

BIM 설계 시 수량산출서는 3차원 모델에서 직접 추출하는 방식(자동물량) 및 기존 수량산출 방식과 자동방식을 혼용(연동물량)하는 방식을 말한다.

⑮ 기본 및 실시설계도면

기본 및 실시설계도면은 설계도면 편집 및 전산화 업무를 말한다. 설계도면 편집 및 전산화는 전자도면작성, 전자납품 등 설계도서의 전산화, 설계도면취합 업무를 포함한다.

BIM 설계 시 기본 및 실시설계도면은 BIM 모델 작성 후 자동으로 도면을 추출하는 업무를 말한다. 설계도면 편집 및 전산화는 전자도면작성, 전자납품 등 설계도서의 전산화, 설계도면취합 업무를 포함한다.

⑯ 공사시방서

공사시방서는 공사시방서 작성업무를 말한다.

⑰ BIM 개방형 포맷 작성 및 데이터 검토

BIM 개방형 포맷 작성 및 데이터 검토 업무는 BIM 모델 및 속성정보에 대한 다음의 업무를 수행한다. 단, IFC 5.0(토목)은 ISO 인증전까지는 발주처 재량으로 운영할 수 있다.

- 원본형식과 별도로 데이터 공유·통합 활용 등을 위해 개방형형식으로 변환
- BIM 성과품의 원본 및 개방형 형식 데이터에 대한 품질관리 수행

⑱ BIM 투입인원수 산정기준의 활용

도로분야의 기본설계, 실시설계와 철도, 항만, 하천 댐, 상수도분야에 BIM 설계를 적용하는 경우에는 도로분야 기본 및 실시설계의 BIM 설계 기준 준용하거나 기술료 비율을 조정하는 등 발주청에서 BIM 설계대가를 정할 수 있다.

8-2 철도(노반)분야 설계용역 업무정의

8-2-1 타당성조사

① 과업착수준비

과업착수준비는 착수준비, 과업수행계획서 작성업무를 말한다. 착수준비는 예정공정표, 사업책임기술자 선임신고서가 포함된 착수보고서 작성 및 제출(설계내역서 조정, 과업지시서 숙지)업무를 포함하며, 과업수행계획서 작성은 다음 내용을 포함한 과업수행계획서 작성 및 제출, 세부공정계획서, 경력사항확인서, 성과품 제출계획서, 참여내용제출계획서, 조직 및 인력투입계획서, 보안각서 등 업무를 포함한다.

② 관련계획 조사 및 검토

관련계획 조사 및 검토는 상위계획, 지역개발계획, 산업시설계획, 교통관련계획 등을 조사하고, 필요한 경우에 관계기관과 협의하는 업무를 말한다. 상위계획은 국토종합계획, 경제사회발전 5개년계획, 광역개발계획, 분야별 자체 기본계획, 국가철도망구축 기본계획을 조사·검토하는 업무를 포함하고 있다. 지역개발계획은 광역시·도 종합개발계획, 도시기본계획, 도시계획을 조사·검토하는 업무를 포함하며, 산업시설계획은 국가공단 및 지방공단계획, 신항만·공항·댐 등 건설계획 등 업무를 포함한다.

③ 현지조사 및 답사

현지조사 및 답사업무는 예정노선의 해당 계획 지역에서의 지형, 지물, 식생, 용배수, 토지이용상황을 정확하게 파악·확인하고 현지답사를 하여 사진, 또는 Video 등을 이용하여 과업수행에 유용한 자료를 작성하는 업무를 말한다.

④ 수리·수문조사(기상, 해상, 선박운행 조사 포함)

수리 및 수문조사는 계획구간 하천의 상태, 정비계획, 유역면적, 주변개발상황 등을 기존자료에 의해 조사하는 업무를 말하며, 기상조사는 기상자료(천기일수, 강우량, 기온, 풍속 등)를 조사하는 업무를 포함한다. 계획지역이 해상을 포함하고 있는 경우에는 해상자료(조류, 조석, 파랑 등)을 조사하고 계획시설물이 해상에 설치되는 경우에는 통행선박의 종류, 크기, 운항 횟수 등과 계획구간 인근의 부두시설, 물양장, 선착장 등의 위치, 규모 등을 조사하는 업무를 포함한다.

⑤ 교통량 및 교통시설조사

교통량 및 교통시설조사는 사업의 타당성평가를 위한 수송수요 조사분석, 사업시행에 따른 영향검토 및 대안제시, 타 교통수단간의 연계수송체계의 검토 및 대안분석 업무를 포함한다.

⑥ 환경영향조사(문화재조사)

환경영향조사는 예상 노선축에 대하여 노선 선정시 예상되는 환경영향 및 환경피해 저감 가능성과 문화재 분포상황을 문헌조사 및 현지답사를 통해 조사하는 업무를 포함한다.

⑦ 지질 및 지반조사 성과 검토

지질 및 지반조사 성과검토는 과업지시서에 따라 지질 및 지반조사 시행, 노반구조물의 주요지점의 보링, 물리탐사시행, 특수교량 및 지반불량 터널 등의 실내시험, 현장시험 실시, 성과검토업무를 포함한다.

⑧ 철도건설계획

철도건설계획은 신설 및 개량 노선의 입지특성 및 여객과 화물수송수요를 고려한 노선의 기능 및 성격을 정립한다. 또한 속도별 이용수요와 건설비, 운영비 등의 변화추이를 검토하여 비용대비 효과분석에 의한 설계속도를 산정하여 제시하여야 한다.

⑨ 수송수요 예측 및 평가

수송수요 예측 및 평가는 인근 도로망 및 철도망의 교통량 분석, 수요분석을 통한 장래교통량 추정, 수송계획 작성, 교통처리계획 검토업무를 포함한다. 도로망 및 철도망 교통량 분석은 계획구간의 인근 도로망 및 철도망의 교통량을 분석하고, 계획시설물 설치에 따른 교통량을 추정하는 업무를 포함하고, 수요분석을 통한 장래교통량 추정은 장래 기준년도를 설정하고 교통량의 증가추세, 수송수단 이용패턴 등을 검토하여 장래 교통량을 추정하는 업무를 포함한다. 수송계획 작성은 교통특성, 철도의 기능, 입지조건 등을 고려하여 서비스 수준을 결정한 후 최대추정교통량에 따른 수송계획 자료를 작성하는 업무를 포함하며, 교통처리계획 검토는 교통량 추정에 따른 인근 철도 및 교통관련 시설의 신설, 변경 등 교통처리계획 검토업무를 포함한다.

⑩ 철도시스템 검토

철도시스템 검토는 선로규모와 열차시스템 분석, 철도시스템 검토업무를 말한다. 선로규모와 열차시스템 분석은 수송수요 추정결과에서 제시된 최대교통량에 대하여 최적의 철도시스템을 검토·결정한다. 철도시스템 검토는 일반철도, 고속철도, 경량철도 및 단선, 복선, 전철, 비전철 등으로 구분하여 최대수송량을 목적한 시간대 수송할 수 있게 검토하고 수송효율 및 건설비와 관련 시설간의 기술적 연계성을 최적화시키는 업무를 검토하는 업무를 포함한다. 또한 선정된 시스템에 대하여 노반, 궤도와 차량, 차량과 신호 및 전차선 등 분야별 시설간의 기술적 연계성을 검토하여 차량형식과 성능, 노반 및 궤도구조,

신호방식, 전차선방식 등 연계된 시설의 시설기준을 검토하여 건설기준을 제시하는 업무를 포함한다.

⑪ 건설기준의 검토

철도시스템의 검토 결과 또는 정해진 설계속도 산정에 따라 적용할 건설규칙을 검토하여 선정하는 업무를 포함한다.

⑫ 노선선정(노선대안)

노선선정(노선대안)은 도상 노선선정, 현지답사 및 조사, 노선 선정 업무를 말한다. 도상 노선선정은 지형도(1/5,000~1/25,000)에 대상노선의 경유지역을 연결하는 노선을 설계속도의 기준에 맞게 몇 개의 예비 대안을 검토하여 비교 대안을 선정하고, 비교노선에 대하여 선형 및 정거장 입지 등에 대한 기술성, 수송능력 및 열차운행 효율성과 건설비, 사업시행성, 공사시공성, 주변 환경성 등을 평가하여 최적노선 선정업무를 포함한다. 현지답사 및 조사는 지형, 지질 및 현지현황 등에 대하여 기술적으로 비교노선의 우열을 판단할 수 있는 자료 수집, 도상에서 선정한 비교 노선에 대하여 정거장 예정지의 적합성, 구조물 계획상 필요한 지형 · 지질 · 하천 및 도로상황, 공사시행조건 · 환경 · 기상특성, 지역개발 현황 및 토지이용현황, 문화재, 폐광, 지하공동, 지장시설현황, 민원발생 예측 등 업무를 포함한다. 노선선정은 각종 조사 및 검토결과를 토대로 정거장 설치 예정지를 경유하는 선형을 계획하며, 선형은 정거장 설치 예정지를 기본으로 하여 최적노선을 도출할 수 있게 가능한 대안을 선정하여 비교 · 분석하는 업무를 포함한다.

⑬ 정거장 선정(경유지 선정)

정거장 선정은 철도시스템에 따른 시 · 종점, 정거장과 중간정거장의 역할을 검토하여 기능을 설정하는 업무를 포함한다. 정거장의 기능을 장거리 여객열차와 화물열차, 전동차의 정거장간 운행 최고속도, 정거장의 정차, 통과, 대피, 정거장 통과 열차의 속도, 열차운행 시격 등 열차운행계획에 따라 설정하는 업무를 포함한다. 시 · 종점 정거장은 차량기지의 필요성과 연결노선의 접근성, 기존 정거장 시설의 개량 가능성을 검토하고 중간정거장은 정거장 기능에 따른 시설규모로 시설가능성, 입지조건, 지역주민의 요구 등을 검토하는 업무를 포함한다. 정거장 시설은 운행열차간의 승환체계, 타 교통수단과의 환승, 종합교통터미널 설치 및 역세권 개발 여부를 검토한다.

⑭ 정거장 선정(위치 선정)

정거장 위치선정은 철도시스템에 따른 시·종점 정거장과 중간 정거장의 기능, 열차운행 계획에 따라 정거장, 차량기지, 조차장 시설을 검토하고, 기술성, 경제성, 실현 가능성 등 종합적으로 검토하여 최적입지를 선정하는 업무를 포함한다.

⑮ 구조물 계획(필요시)

구조물 계획은 교량계획, 터널계획업무를 말한다. 교량계획, 터널계획은 철도시스템과 건설기준에 따라 설계기준 정립, 노선선정에 따라 적정계획에 의한 구조물 형식 선정업무를 포함한다.

⑯ 열차운영계획 검토

열차운영계획은 철도시스템에 따른 장거리 여객열차와 화물열차, 전동차의 정거장간 열차운행 최고속도, 정거장의 정차, 통과, 대피, 정거장 통과 열차의 속도, 열차운행 시격, 정차시분 등 열차운행 계획을 수립하는 업무를 포함한다. 또한 열차운행계획에 따라 선로 조건과 정거장 조건을 검토하여 선로용량(1일 열차 최대운행 능력)을 설정하고 수송수요에 따라 여객과 화물의 수송소요 용량을 판단하여 선로용량의 과부족을 검토하는 업무를 포함한다. 열차운행계획에 따른 열차 종별, 1개 열차의 편성 수, 기관차의 성능, 동력차 및 여객·화물차량의 소요 수를 판단하여 정거장 및 기지의 운영설비를 검토하는 업무를 포함한다.

⑰ 경제성 및 재무분석

경제성분석 및 재무분석은 건설비, 유지관리 및 운영비 추정, 연차별 투자계획검토, 경제성분석, 민감도분석, 재무성 분석, 정책적 분석, 최적 개통시기 분석, 타당성평가, 기본계획수립 업무를 말한다. 건설비, 유지관리 및 운영비 추정은 해당 노선의 건설비, 운영비, 유지관리비를 개략 산출하는 업무를 포함한다. 경제성분석은 철도건설비, 운영비 및 유지관리비와 이용자 편익(시간편익을 고려한 경우와 고려하지 않은 경우로 구분)을 비교하여 편익비용(B/C), 초년도 수익률(FYRR), 내부수익률(IRR), 및 순현재가치(NPV), 최적개통시기 등을 산출하는 업무를 포함한다. 경제성분석은 전구간을 동시에 건설할 경우와 교통량 예측 및 발주기관의 재정 전망을 고려하여 단계별로 건설하는 경우로 구분·분석하여야 하며, 단계별 건설시 구간별 투자우선순위를 제시하는 업무를 포함한다. 건설비, 차량운행비, 교통량, 공사기간 등 경제성 분석시 사용한 제 요인이 변경될 경우 경제성에 미치는 영향을 검토하기 위하여 민감도분석을 포함한다. 개통 이후의 추정 교통량에 따른 운임수입 및 영업비용을 1년 단위로 산출하여 영업의 채산성을 검토하여야 한다. 운임산정에 대하여는 경제적, 재무적 측면과 이용객 입장에서 객관적으로 비교하여 선정하여야 한다.

⑱ 환경 및 교통영향성 검토

현지현황 및 장래계획 등을 조사하여 철도건설로 인하여 공사 시행시 및 열차 운행시 환경 및 교통에 미치는 영향을 검토하여 반영한다.

⑲ 관계기관 협의

관계기관 협의는 노선 등 시설계획상 필요한 경우와 관련 절차법에 명시되어 있을 경우 관계기관과 협의내용 작성하고 협의결과를 검토 · 분석업무를 포함한다.

⑳ 단계별 자문 및 방침자료 작성

단계별 자문 및 방침자료 작성은 자문자료작성, 발주처 방침 결정 업무를 말한다. 자문자료작성은 자문회의 자료 작성, 자문의견 검토 후 보완 및 수정업무를 포함하고, 발주처 방침 결정은 설계방침서 작성 업무를 포함한다.

※ 산정 시 고려사항

- 횟수의 산정시 본부 방침결정과 설계VE 자료 작성, 각종 심의자료 작성업무는 별도의 횟수로 산정한다.
- 회의 준비 및 개최 비용, 심의위원 심의 비용 등은 제외한다.
- 기타 별도의 대가기준(예, 경관설계심의, 농지·산지전용협의 등)이 있는 경우 해당기준을 따른다.

㉑ 설계기준설정

설계기준설정은 철도시스템 및 설계속도에 따라 적용할 표준하중 체계를 선정하고, 철도시스템과 열차운영계획에 따라 터널 및 교량의 길이와 형식, 정거장 및 차량기지의 시설규모 등을 검토하여 선정하며, 건설규칙 기준에 따라 노반의 폭, 터널 및 교량의 표준단면을 정하는 업무를 포함한다.

㉒ 노선설계(노선대안)

노선설계는 최적노선대에 대하여 1/5,000~1/25,000 지형도로 건설기준에 따라 노선도와 정거장 및 차량기지 위치도를 작성하는 업무를 포함한다. 노선도는 평면선형도와 종단선형도를 작성하며, 평면선형도는 직선구간, 곡선구간, 곡선반경을 표시하여 작성하고, 종단선형은 최급경사와 수평구간 등 시공기면을 표시하여 가로 1/5,000, 세로 1/1,000 종단선형도를 작성한다.

㉓ 구조물 개략설계(토공설계)

토공설계는 표준횡단면도를 작성하고 개략적인 수량을 산출하는 업무를 포함한다.

㉔ 구조물 개략설계(교량설계)

교량설계는 표준단면도를 작성하고 개략적인 수량을 산출하는 업무를 포함한다.

㉕ 구조물 개략설계(터널설계)

터널설계는 표준단면도를 작성하고 개략적인 수량을 산출하는 업무를 포함한다.

㉖ 정거장설계

정거장설계는 정거장 및 차량기지 배선도를 작성하고, 개략수량을 산출하는 업무를 포함한다.

㉔ 타당성조사 보고서

타당성조사 보고서는 과업의 개요, 조사, 계획, 노선 검토, 추정공사비 산출, 건설공기 추정, 결론 및 종합, 부록업무를 말한다. 과업의 개요는 목적, 규모, 범위, 내용, 과업수행 방향 등 업무를 포함하고, 조사는 관련계획조사 및 검토, 현지조사 및 답사, 수리 · 수문조사(필요시), 교통량 밑 교통시설조사, 환경영향조사(문화재조사), 지질 및 지반조사(필요시)업무를 포함한다. 계획은 철도건설계획, 수송수요예측 및 평가, 철도시스첌 검토, 정거장 및 차량기지 선정, 정거장 및 차량기지 배선계획 검토, 열차운영계획검토, 경제성 미 재무분석, 환경 및 교통영향성 검토(필요시), 관계기관 협의를 포함한다. 노선검토는 노선대안 설정의 검토 및 평가, 최적노선 선정 및 노선계획, 최적노선의 정거장 예정지 및 주요구조물, 차량기지 예정지 밑 주요 구조물을 포함하며, 추정공사비 산출은 추정공사량, 추정공사비, 용지비 및 기타 비용을 산출한 결과를 포함한다. 건설공기 추정은 주요 구조물 및 정거장시설 등 노반공사 공기와 궤도 부설, 전기, 신호, 통신, 역사 및 건물 등 총공기 추정결과를 포함한다. 부록으로는 기본계획 수집자료, 설계 자문사항, 관계기관 업무협의 및 지시사항 등을 포함한다.

㉕ 타당성조사보고서 별책부록

보고서 별책부록은 교통분석, 경제성 및 재무분석, 추정수량 및 추정공사비 산출서, 공사발주형태검토업무를 말한다. 교통분석은 조사표양식, 교통지역분석, 교통조사(O-D조사포함), 장래 교통량(출입시설포함)업무를 포함하고, 경제성 및 재무분석은 대안별 경제성분석, 최적안의 투자우선순위분석, 최적안의 민감도분석, 최적안의 투자시기분석, 관계기관협의내용 및 공문, 자문 및 심의결과업무를 포함하며, 추정수량 및 추정공사비 산출서는 추정수량산출서, 추정공사비산출서업무를 포함한다.

㉖ 타당성조사 도면

타당성조사 설계도면은 위치도, 노선도, 노선 종평면도, 토공, 교량, 터널 표준단면도를 전산화하는 업무를 포함한다.

8-2-2 타당성조사 및 기본계획

① 과업착수준비

과업착수준비는 착수준비, 과업수행계획서 작성업무를 말한다. 착수준비는 예정공정표, 사업책임기술자 선임신고서가 포함된 착수보고서 작성 및 제출(설계내역서 조정, 과업지시서 숙지)업무를 포함하며, 과업수행계획서 작성은 다음 내용을 포함한 과업수행계획서 작성 및 제출, 세부공정계획서, 경력사항확인서, 성과품 제출계획서, 참여내용 제출계획서, 조직 및 인력투입계획서, 보안각서 등 업무를 포함한다.

② 관련계획 조사 및 검토

관련계획 조사 및 검토는 상위계획, 지역개발계획, 산업시설계획, 교통관련계획 등을 조사하고, 필요한 경우에 관계기관과 협의하는 업무를 말한다. 상위계획은 국토종합계획, 경제사회발전 5개년계획, 광역

개발계획, 분야별 자체 기본계획, 국가철도망구축 기본계획을 조사·검토하는 업무를 포함하고 있다. 지역개발계획은 광역시·도 종합개발계획, 도시기본계획, 도시계획을 조사·검토하는 업무를 포함하며, 산업시설계획은 국가공단 및 지방공단계획, 신항만·공항·댐 등 건설계획 등 업무를 포함한다.

③ 현지조사 및 답사

현지조사 및 답사업무는 예정노선의 해당 계획 지역에서의 지형, 지물, 식생, 용배수, 토지이용상황을 정확하게 파악·확인하고 현지답사를 하여 사진, 또는 Video 등을 이용하여 과업수행에 유용한 자료를 작성하는 업무를 말한다.

④ 수리·수문조사(기상, 해상, 선박운행 조사 포함)

수리 및 수문조사는 계획구간 하천의 상태, 정비계획, 유역면적, 주변개발상황 등을 기존자료에 의해 조사하는 업무를 말하며, 기상조사는 기상자료(천기일수, 강우량, 기온, 풍속 등)를 조사하는 업무를 포함한다. 계획지역이 해상을 포함하고 있는 경우에는 해상자료(조류, 조석, 파랑 등)을 조사하고 계획시설물이 해상에 설치되는 경우에는 통행선박의 종류, 크기, 운항 횟수 등과 계획구간 인근의 부두시설, 물양장, 선착장 등의 위치, 규모 등을 조사하는 업무를 포함한다.

⑤ 교통량 및 교통시설조사

교통량 및 교통시설조사는 사업의 타당성평가를 위한 수송수요 조사분석, 사업시행에 따른 영향검토 및 대안제시, 타 교통수단간의 연계수송체계의 검토 및 대안분석 업무를 포함한다.

⑥ 환경영향조사(문화재조사)

환경영향조사는 예상 노선축에 대하여 노선 선정시 예상되는 환경영향 및 환경피해 저감 가능성과 문화재 분포상황을 문헌조사 및 현지답사를 통해 조사하는 업무를 포함한다.

⑦ 지질 및 지반조사 성과 검토

지질 및 지반조사 성과검토는 과업지시서에 따라 지질 및 지반조사 시행, 노반구조물의 주요지점의 보링, 물리탐사시행, 특수교량 및 지반불량 터널 등의 실내시험, 현장시험 실시, 성과검토업무를 포함한다.

⑧ 철도건설계획

철도건설계획은 신설 및 개량 노선의 입지특성 및 여객과 화물수송수요를 고려한 노선의 기능 및 성격을 정립한다. 또한 속도별 이용수요와 건설비, 운영비 등의 변화추이를 검토하여 비용대비 효과분석에 의한 설계속도를 산정하여 제시하여야 한다.

⑨ 수송수요 예측 및 평가

수송수요 예측 및 평가는 인근 도로망 및 철도망의 교통량 분석, 수요모형 정립, 수요분석을 통한 장래교통량 추정, 수송계획 작성, 교통처리계획 검토업무를 포함한다. 도로망 및 철도망 교통량 분석은 계획구간의 인근 도로망 및 철도망의 교통량을 분석하고, 계획시설물 설치에 따른 교통량을 추정하는 업무를 포함하고, 수요모형 정립은 4단계 모형(통행발생, 통행분포, 수단선택, 통행배정)의 노선대안별 교통수요 추정 업무를 포함한다. 수요분석을 통한 장래교통량 추정은 장래 기준년도를 설정하고 교통량의 증가추세, 수송수단 이용패턴 등을 검토하여 장래 교통량을 추정하는 업무를 포함한다. 수송계획 작성은 교통특성, 철도의 기능, 입지조건 등을 고려하여 서비스 수준을 결정한 후 최대추정교통량에 따른 수송계획 자료를 작성하는 업무를 포함하며, 교통처리계획 검토는 교통량 추정에 따른 인근 철도 및 교통관련 시설의 신설, 변경 등 교통처리계획 검토업무를 포함한다.

⑩ 철도시스템 검토

철도시스템 검토는 선로규모와 열차시스템 분석, 철도시스템 검토업무를 말한다. 선로규모와 열차시스템 분석은 수송수요 추정결과에서 제시된 최대교통량에 대하여 최적의 철도시스템을 검토 · 결정한다. 철도시스템 검토는 일반철도, 고속철도, 경량철도 및 단선, 복선, 전철, 비전철 등으로 구분하여 최대수송량을 목적한 시간대 수송할 수 있게 검토하고 수송효율 및 건설비와 관련 시설간의 기술적 연계성을 최적화시키는 업무를 검토하는 업무를 포함한다. 또한 선정된 시스템에 대하여 노반, 궤도와 차량, 차량과 신호 및 전차선 등 분야별 시설간의 기술적 연계성을 검토하여 차량형식과 성능, 노반 및 궤도구조, 신호방식, 전차선방식 등 연계된 시설의 시설기준을 검토하여 건설기준을 제시하는 업무를 포함한다.

⑪ 건설기준의 검토

철도시스템의 검토 결과 또는 정해진 설계속도 산정에 따라 적용할 건설규칙을 검토하여 선정하는 업무를 포함한다.

⑫ 노선선정(노선대안)

노선선정(노선대안)은 도상 노선선정, 현지답사 및 조사, 노선 선정 업무를 말한다. 도상 노선선정은 지형도(1/5,000~1/25,000)에 대상노선의 경유지역을 연결하는 노선을 설계속도의 기준에 맞게 몇 개의 예비 대안을 검토하여 비교 대안을 선정하고, 비교노선에 대하여 선형 및 정거장 입지 등에 대한 기술성, 수송능력 및 열차운행 효율성과 건설비, 사업시행성, 공사시공성, 주변 환경성 등을 평가하여 최적노선 선정업무를 포함한다. 현지답사 및 조사는 지형, 지질 및 현지현황 등에 대하여 기술적으로 비교노선의 우열을 판단할 수 있는 자료 수집, 도상에서 선정한 비교 노선에 대하여 정거장 예정지의 적합성, 구조물 계획상 필요한 지형 · 지질 · 하천 및 도로상황, 공사시행조건 · 환경 · 기상특성, 지역개발 현황 및 토지이용현황, 문화재, 폐광, 지하공동, 지장시설현황, 민원발생 예측 등 업무를 포함한다. 노선선정은 각종 조사 및 검토결과를 토대로 정거장 설치 예정지를 경유하는 선형을 계획하며, 선형은 정거장 설치 예정지를 기본으로 하여 최적노선을 도출할 수 있게 가능한 대안을 선정하여 비교 · 분석하는 업무를 포함한다.

⑬ 정거장 선정

정거장 선정은 정거장의 경유지 선정, 위치선정(필요시) 업무를 말한다. 철도시스템에 따른 시 · 종점, 정거장과 중간정거장의 역할을 검토하여 기능을 설정하는 업무를 포함한다. 정거장의 기능을 장거리 여객열차와 화물열차, 전동차의 정거장간 운행 최고속도, 정거장의 정차, 통과, 대피, 정거장 통과 열차의 속도, 열차운행 시격 등 열차운행계획에 따라 설정하는 업무를 포함한다. 시 · 종점 정거장은 차량기지의 필요성과 연결노선의 접근성, 기존 정거장 시설의 개량 가능성을 검토하고 중간정거장은 정거장 기능에 따른 시설규모로 시설가능성, 입지조건, 지역주민의 요구 등을 검토하는 업무를 포함한다. 정거장 시설은 운행열차간의 승환체계, 타 교통수단과의 환승, 종합교통터미널 설치 및 역세권 개발 여부를 검토한다. 정거장 위치선정은 철도시스템에 따른 시·종점 정거장과 중간 정거장의 기능, 열차운행 계획에 따라 정거장, 차량기지, 조차장 시설을 검토하고, 기술성, 경제성, 실현 가능성 등 종합적으로 검토하여 최적입지를 선정하는 업무를 포함한다.

⑭ 구조물 계획(필요시)

구조물 계획은 교량계획, 터널계획, 입체교차시설 계획업무를 말한다. 교량계획, 터널계획, 입체교차시설계획은 철도시스템과 건설기준에 따라 설계기준 정립, 노선선정에 따라 적정계획에 의한 구조물 형식 선정업무를 포함한다.

⑮ 부대시설 계획

부대시설계획은 궤도계획, 건축계획, 전기계획, 신호계획, 통신설비계획, 검수설비계획 업무를 말한다. 궤도계획은 철도 시스템에 선정에 따른 궤도, 건축, 전기, 신호, 통신, 검수 설비 계획 수립업무를 포함한다.

⑯ 열차운영계획 검토

열차운영계획은 철도시스템에 따른 장거리 여객열차와 화물열차, 전동차의 정거장간 열차운행 최고속도, 정거장의 정차, 통과, 대피, 정거장 통과 열차의 속도, 열차운행 시격, 정차시분 등 열차운행 계획을 수립하는 업무를 포함한다. 또한 열차운행계획에 따라 선로 조건과 정거장 조건을 검토하여 선로용량(1일 열차 최대운행 능력)을 설정하고 수송수요에 따라 여객과 화물의 수송소요 용량을 판단하여 선로용량의 과부족을 검토하는 업무를 포함한다. 열차운행계획에 따른 열차 종별, 1개 열차의 편성 수, 기관차의 성능, 동력차 및 여객·화물차량의 소요 수를 판단하여 정거장 및 기지의 운영설비를 검토하는 업무를 포함한다.

⑰ 경제성 및 재무분석

경제성분석 및 재무분석은 건설비, 유지관리 및 운영비 추정, 연차별 투자계획검토, 경제성분석, 민감도분석, 재무성 분석, 정책적 분석, 최적 개통시기 분석, 타당성평가, 기본계획수립 업무를 말한다. 건설비, 유지관리 및 운영비 추정은 해당 노선의 건설비, 운영비, 유지관리비를 개략 산출하는 업무를 포함한다. 경제성분석은 철도건설비, 운영비 및 유지관리비와 이용자 편익(시간편익을 고려한 경우와 고려하지 않은 경우로 구분)을 비교하여 편익비용(B/C), 초년도 수익률(FYRR), 내부수익률(IRR), 및 순현재가치(NPV), 최적개통시기 등을 산출하는 업무를 포함한다. 경제성분석은 전구간을 동시에 건설할 경우와 교통량 예측 및 발주기관의 재정 전망을 고려하여 단계별로 건설하는 경우로 구분·분석하여야 하며, 단계별 건설시 구간별 투자우선순위를 제시하는 업무를 포함한다. 건설비, 차량운행비, 교통량, 공사기간 등 경제성 분석시 사용한 제 요인이 변경될 경우 경제성에 미치는 영향을 검토하기 위하여 민감도분석을 포함한다. 개통 이후의 추정 교통량에 따른 운임수입 및 영업비용을 1년 단위로 산출하여 영업의 채산성을 검토하여야 한다. 운임산정에 대하여는 경제적, 재무적 측면과 이용객 입장에서 객관적으로 비교하여 선정하여야 한다.

⑱ 환경 및 교통영향성 평가결과 검토

현지현황 및 장래계획 등을 조사하여 철도건설로 인하여 공사 시행시 및 열차 운행시 환경 및 교통에 미치는 영향을 검토하여 반영한다.

⑲ 관계기관 협의

관계기관 협의는 노선 등 시설계획상 필요한 경우와 관련 절차법에 명시되어 있을 경우 관계기관과 협의내용 작성하고 협의결과를 검토·분석업무를 포함한다.

⑳ 단계별 자문 및 방침자료 작성

단계별 자문 및 방침자료 작성은 자문자료 작성, 발주처 방침 결정 업무를 말한다. 자문자료 작성은 자문회의 자료 작성, 자문의견 검토 후 보완 및 수정업무를 포함하고, 발주처 방침 결정은 설계방침서 작성업무를 포함한다.

※ 산정 시 고려사항

- 횟수의 산정시 본부 방침 결정과 설계VE 자료 작성, 각종 심의자료 작성업무는 별도의 횟수로 산정한다.
- 회의 준비 및 개최 비용, 심의위원 심의 비용 등은 제외한다.
- 기타 별도의 대가기준(예, 경관설계심의, 농지·산지전용협의 등)이 있는 경우 해당기준을 따른다.

㉑ 설계기준설정

설계기준설정은 철도시스템 및 설계속도에 따라 적용할 표준하중 체계를 선정하고, 철도시스템과 열차운영계획에 따라 터널 및 교량의 길이와 형식, 정거장 및 차량기지의 시설규모 등을 검토하여 선정하며, 건설규칙 기준에 따라 노반의 폭, 터널 및 교량의 표준단면을 정하는 업무를 포함한다.

㉒ 노선설계(노선대안)

노선설계는 최적노선대에 대하여 1/5,000~1/25,000 지형도로 건설기준에 따라 노선도와 정거장 및 차량기지 위치도를 작성하는 업무를 포함한다. 노선도는 평면선형도와 종단선형도를 작성하며, 평면선형도는 직선구간, 곡선구간, 곡선반경을 표시하여 작성하고, 종단선형은 최급경사와 수평구간 등 시공기면을 표시하여 가로 1/5,000, 세로 1/1,000 종단선형도를 작성한다.

㉓ 구조물 개략설계(토공설계)

토공설계는 토공설겨, 토공구조물설계업무를 말한다. 토공설계는 표준횡단면도 작성 업무를 포함하고, 토공구조물설계는 구조물형식별 표준단면설계를 수행하고 개략적인 수량을 산출하는 업무를 포함한다.

㉔ 구조물 개략설계(교량설계)

교량설계는 위치선정 및 형식검토, 경간을 구성하고 표준단면도를 작성하며 개략적인 수량을 산출하는 업무를 말한다. 위치선정 및 형식검토는 교량의 적정 위치 선정, 교량 형식 검토 (상부, 하부, 기초구조), 적정 형하고 결정업무를 포함하고, 경간구성은 경간 구성 검토, 경제/미관/시공 등 검토업무를 포함한다.

㉕ 구조물 개략설계(터널설계)

터널설계는 터널위치 선정, 표준단면도 작성, 환기방식, 방재검토와 이를 통해 개략적인 수량을 산출하는 업무를 말한다. 터널위치 선정은 터널의 적정위치 선정업무를 포함하고, 환기방식, 방재검토는 터널연장, 갱구위치, 환기 및 방재, 갱구부형식 검토, 경제, 미관, 시공성 등 검토업무를 포함한다.

㉖ 정거장설계

정거장설계는 정거장 및 차량기지의 구조물 설계와 정거장 배선도를 작성하고, 개략수량을 산출하는 업무를 포함한다. 구조물설계는 승강장 연결통로등 시설계획 수립업무를 포함하며, 정거장 배선도 작성은 정거장별 정거장 배선계획 수립업무를 포함한다.

㉔ 입체교차설계

입체교차설계는 도로 및 철도 입체화 계획업무를 포함한다.

㉕ 타당성조사 및 기본계획보고서

타당성조사 및 기본계획 보고서는 과업의 개요, 조사, 계획, 노선 검토, 추정공사비 산출, 건설공기 추정, 결론 및 종합, 부록업무를 말한다. 과업의 개요는 목적, 규모, 범위, 내용, 과업수행 방향 등 업무를 포함하고, 조사는 관련계획조사 및 검토, 현지조사 및 답사, 수리·수문조사(필요시), 교통량 밑 교통시설조사, 환경영향조사(문화재조사), 지질 및 지반조사(필요시)업무를 포함한다. 계획은 철도건설계획, 수송수요예측 및 평가, 철도시스쳄 검토, 정거장 및 차량기지 선정, 정거장 및 차량기지 배선계획 검토, 열차운영계획검토, 경제성 미 재무분석, 환경 및 교통영향성 검토(필요시), 관계기관 협의를 포함한다. 노선검토는 노선대안 설정의 검토 및 평가, 최적노선 선정 및 노선계획, 최적노선의 정거장 예정지 및 주요구조물, 차량기지 예정지 밑 주요 구조물을 포함하며, 추정공사비 산출은 추정공사량, 추정공사비, 용지비 및 기타 비용을 산출한 결과를 포함한다. 건설공기 추정은 주요 구조물 및 정거장시설 등 노반공사 공기와 궤도 부설, 전기, 신호, 통신, 역사 및 건물 등 총공기 추정결과를 포함한다. 부록으로는 기본계획 수집자료, 설계 자문사항, 관계기관 업무협의 및 지시사항 등을 포함한다.

㉖ 보고서 별책부록

보고서 별책부록은 교통분석, 경제성 및 재무분석, 추정수량 및 추정공사비 산출서, 공사발주형태검토업무를 말한다. 교통분석은 조사표양식, 교통지역분석, 교통조사(O-D조사포함), 장래 교통량(출입시설포함)업무를 포함하고, 경제성 및 재무분석은 대안별 경제성분석, 최적안의 투자우선순위분석, 최적안의 민감도분석, 최적안의 투자시기분석, 관계기관협의내용및 공문, 자문 및 심의결과업무를 포함하며, 추정수량 및 추정공사비 산출서는 추정수량산출서, 추정공사비산출서업무를 포함한다.

㉗ 타당성조사 및 기본계획 도면

타당성조사 설계도면은 위치도, 노선도, 노선 종평면도, 토공, 교량, 터널 표준단면도를 편집하고 전산화하는 업무를 포함한다.

8-2-3 기본설계

① 과업착수준비

과업착수준비는 착수준비, 과업수행계획서 작성업무를 말한다. 착수준비는 계약, 과업지시 내용검토, 투입인력계획 등 착수보고서 자료준비업무를 포함하며, 과업수행계획서 작성은 과업수행계획서(과업추진계획서, 세부공정계획서, 경력사항확인서, 성과품제출계획서, 참여내용 및 예상기간, 조직 및 인력투입계획서, 보안각서 등) 작성 및 제출업무를 포함한다.

② 관련계획 조사 및 검토

관련계획 조사 및 검토는 상위계획, 지역개발계획, 산업시설계획, 교통관련계획 등을 조사하고, 필요한 경우에 관계기관과 협의하는 업무를 말한다. 상위계획은 국토종합개발계획, 경제사회발전 5개년계획, 광역개발계획, 분야별 자체 기본계획, 국가철도망구축 기본계획을 조사 · 검토하는 업무를 포함하고 있다. 지역개발계획은 광역시 · 도 종합개발계획, 도시기본계획, 도시계획을 조사 · 검토하는 업무를 포함하며, 산업시설계획은 국가공단 및 지방공단계획, 신항만·공항·댐 등 건설계획 등 업무를 포함한다.

③ 현지조사 및 답사

현지조사 및 답사업무는 예정노선의 해당 계획 지역에서의 지형, 지물, 식생, 용 · 배수, 토지이용상황을 정확하게 파악 · 확인하고 현지답사를 하여 사진, 또는 Video 등을 이용하여 과업수행에 유용한 자료를 작성하는 업무를 말한다.

④ 수리 · 수문조사(기상, 해상, 선박운행 조사 포함)

수리 및 수문조사는 계획구간 하천의 상태, 정비계획, 유역면적, 주변개발상황 등을 조사하는 업무를 말한다. 계획구간 하천의 유역면적, 유로연장, 하폭, 하상구배, 제방 및 호안현황, 지류 등을 조사하고, 계획구간 인근의 배수로를 조사하며, 계획홍수량과 계획홍수위 등을 산정하는데 필요한 자료를 검토하는 업무를 포함한다. 필요한 경우(계획지역이 해상을 포함하고 있는 경우)에는 기상 및 해상, 선박운항조사 업무를 포함한다.

⑤ 교통량 및 교통시설조사

교통량 및 교통시설조사는 사업의 타당성평가를 위한 수송수요 조사분석, 사업시행에 따른 영향검토 및 대안제시, 타 교통수단간의 연계수송체계의 검토 및 대안분석 업무를 포함한다.

⑥ 환경영향조사(문화재조사) 성과 검토

환경영향조사는 계획시설물 설치로 영향권에 미치는 각종 영향을 조사한 환경영향평가결과와 문화재조사결과를 검토하는 업무이다. 계획시설물이 계획지역의 동 · 식물의 식생에 미치는 영향, 계획시설물 설치로 발생되는 소음 · 진동으로 주민생활의 불편을 초래하게 될 것으로 예상되는 곳에서 시설물 설치전의 소음 · 진동 현황에 대한 환경영향조사 성과를 검토하는 업무를 포함한다. 또한 노선 경유지역 주변에 대한 문화재 현황을 문헌조사하고 지표조사를 시행한 경우 문화재조사 성과를 검토하는 업무를 포함한다.

⑦ 측량, 지질 및 지반조사 성과 검토

측량, 지질 및 지반조사 성과검토는 측량조사 성과검토, 지질 및 지반조사 성과검토 업무를 말한다. 측량조사 성과검토는 철도건설측량 지침 기준으로 시행, 전단계조사 항목을 세부적으로 검토하는 업무를 포함하고, 지질 및 지반조사 성과검토는 과업지시서에 따라 지질 및 지반조사 시행, 노반·구조물의 주요지점의 보링, 물리탐사시행, 특수교량 및 지반불량 터널 등의 실내시험, 현장시험 실시, 성과검토업무를 포함한다.

⑧ 지장물 및 구조물 조사

시설물의 설계 및 시공에 영향을 미치는 각종 지하매설물과 지상시설물 및 장애물을 조사하는 업무를 말한다. 지장물조사는 사업노선에 저촉되는 지상지장물(고압송유관, 광케이블, 기타 통신시설 등), 지하매설물(전기, 통신, 송유관, 상·하수도, 가스 등), 농어촌 지역에 분포되어 있는 관정에 대한 사항 등을 조사하고, 관계기관과 협의하여 이설 및 보상계획을 수립하는 업무를 포함한다. 구조물 조사는 시설물 주변의 각종 구조물(군사시설, 산업시설, 저수지 등)과 문화재를 비롯한 중요 시설물과 기존 철도시설 현황을 조사하는 업무를 포함한다.

⑨ 토취장 · 사토장 · 골재원 조사

토취장 · 사토장 · 재료원 조사는 공사시 시공성, 경제성을 최적화 시킬 수 있게 노선 전 구간에 걸쳐 균형적으로 분포될 수 있도록 가능한 지역을 조사하는 업무를 말한다. 토취장 및 사토장 조사는 사용가능한 지역의 위치와 규모, 지역현황 등 환경영향성을 조사한다. 공사시행시 활용이 가능한 지역내에서 시행중이거나 시행예정인 각종공사에서 발생가능한 사토 예정량이나, 필요한 토공량을 조사하는 업무를 포함한다. 골재원 조사는 공사시행시 활용이 가능한 지역의 위치, 종류, 생산가능량 등을 조사한다. 기존 골재원이 없을 경우 개발 가능한 지역에 대해 조사하는 업무를 포함한다. 레미콘은 생산규격, 생산가능량, 품질의 신뢰성, 운반조건 등을 조사하고, 현지 생산품의 사용 또는 별도 생산설비를 설치할 것인지를 조사하고, 별도 생산시 그 위치를 조사하는 업무를 포함한다.

⑩ 용지조사(필요시)

용지조사는 노선 경유지 구간의 토지이용현황 및 이용계획을 조사하여 노선 및 시설계획 수립을 위한 기초자료를 작성하는 업무를 포함한다. 이 업무에는 철도 등 기존 용지현황과 활용가능성을 검토하는 업무도 포함한다.

⑪ 전 단계 성과검토

전 단계 성과검토는 타당성조사, 타당성조사 및 기본계획 등 전 단계의 성과품을 검토, 분석하여 조사·계획·설계업무의 각 결과치를 기본설계에 최대한 활용하도록 정리하는 업무를 포함한다.

⑫ 철도시스템 검토

철도시스템 검토는 선로규모와 열차시스템 분석, 철도시스템 검토업무를 말한다. 선로규모와 열차시스템 분석은 수송수요 추정결과에서 제시된 최대교통량에 대하여 최적의 철도시스템을 검토 · 결정한다. 철도시스템 검토는 일반철도, 고속철도, 경량철도 및 단선, 복선, 전철, 비전철 등으로 구분하여 최대수송량을 목적한 시간대 수송할 수 있게 검토하고 수송효율 및 건설비와 관련 시설간의 기술적 연계성을 최적화시키는 업무를 검토하는 업무를 포함한다. 또한 선정된 시스템에 대하여 노반, 궤도와 차량, 차량과 신호 및 전차선 등 분야별 시설간의 기술적 연계성을 검토하여 차량형식과 성능, 노반 및 궤도구조, 신호방식, 전차선방식 등 연계된 시설의 시설기준을 검토하여 건설기준을 제시하는 업무를 포함한다.

⑬ 설계기준 검토

설계기준 검토는 분야별 시설간의 기술적 연계성이 최적화하기 위해 각 시스템간 설계상 기술적 연계성을 감안하여 노선계획 및 정거장 계획에 적용할 건설기준과 설계기준을 검토하는 업무를 말한다. 설계기준 검토는 각종 시방기준의 적용성과 과거 유사한 설계과업에 적용하였던 기준을 검토 결정하는 업무를 포함한다. 타당성조사에서 비용대비 효과분석에 의거 산정된 설계속도는 시설계획 등 여건 변화가 있을 경우 이를 반영하여 설계속도 적정성을 검토하는 업무를 포함한다.

⑭ 노선선정

노선선정은 노선대안 검토(필요시), 최적노선선정, 선형결정, 선형계획을 검토하는 업무를 말한다. 최적노선 선정은 타당성조사에서 제시한 개략노선에 대해 경제성, 시공성, 환경성 등을 평가하여 최적노선을 선정하는 업무를 포함한다. 선형결정은 측량에 의해 작성된 1/5,000 예측성과 지형도를 이용하여 평면 및 종단에 대한 선형계획을 수립하여야 하며, 선형계획시 주요 구조물 및 주요 도로시설물의 위치, 규모, 형식과의 연계성을 검토하는 업무를 포함한다. 선형계획은 설계속도에 따른 평면선형 및 종단선형을 비교·검토하여 열차운전 성능을 최적화 시킬 수 있게 주위의 지형, 경관 등을 고려하고, 평면 및 종단선형이 잘 조화되도록 최적의 선형을 계획하는 업무를 포함한다. 홍수위의 상승, 교차시설(도로, 철도, 선박의 항로 등)에 따른 적정 형하고를 검토하여 계획하며, 선형경합 비교 검토업무를 포함한다.

⑮ 정거장 선정(위치선정)

정거장 위치선정은 철도시스템에 따른 시·종점 정거장과 중간 정거장의 기능, 열차운행 계획에 따라 정거장시설을 검토하는 업무이다. 정거장 입지는 각 정거장의 기능과 열차운행계획에 따른 정거장 시설을 기술성, 경제성, 실현 가능성 등 종합적으로 검토하여 최적입지를 선정하는 업무를 포함한다. 정거장시설은 분야별 시설간의 기술적 연계성을 검토하여 운용상 기능과 유지관리성을 최적화시켜야 하며, 정거장의 간격은 선로용량 및 열차의 운행효율을 향상시킬 수 있게 검토하는 업무를 포함한다.

⑯ 주요 구조물 계획

주요 구조물계획은 교량, 터널, 기타구조물(입체교차시설) 계획업무를 말한다. 교량은 교량형식, 상부구조 형식, 하부구조 및 기초형식, 교량공법 검토 업무를 포함한다. 교량형식은 기술성 · 경제성 · 시공성 · 안전성 · 미관성 유지관리성 등의 장 · 단점을 비교하여 최적안을 선정하는 업무를 포함한다. 상부구조형식은 교량이 위치할 현장 주변 환경조건과 지질조건을 검토하고 교량시설구간의 형하 유효고, 하중 종류 · 크기 · 하부구조에 미치는 영향 등을 검토하여 강구조 또는 콘크리트구조, 강합성구조 등 현장에 적합한 상부구조형식을 선정하여야 한다. 하부구조 및 기초형식은 상부구조형식, 폭, 사용재료, 하중의 크기, 지지층까지 심도, 지반의 상태, 홍수 또는 파랑에 의한 세굴, 손상 등을 고려하여 하부구조 및 기초형식을 계획하는 업무를 포함한다. 교량지간 및 연장은 상부구조형식과 사용재료, 시공성 등을 검토하여 안전한 구조로 교량지간을 선정하는 업무를 포함한다. 교량공법 검토는 교량 하부구조형식과 상부구조형식에 따라 현장조건, 민원, 시공성, 공사비, 공기 등을 검토하여 최적안을 선정하는 업무를 포함한다. 터널은 터널형식과 터널연장을 선정하는 업무를 포함한다. 터널형식은 철도시스템에 따른 건설기준과 현지 지형조건, 지반조건, 주변 환경 조건에 따라 기술성, 시공성, 경제성, 안전성, 유지관리성 등 장·단점을 비교·검토하여 개착식 터널 또는 산악식 터널 등의 최적 형식을 선정하는 업무를 포함한다. 기타구조물인 입체교차시설은 계획시설물의 규모, 구조물 형식 및 위치선정, 교차시설에 따른 적정 형하고 검토업무를 포함한다.

⑰ 열차운영계획

열차운영계획은 기초열차운영, 기본열차운영, 종합열차운행 계획 검토업무를 포함한다. 수송수요 예측결과를 토대로 하여 구간별 여객 및 화물수요에 따라 운행할 열차의 종류, 열차의 편성량 수, 운행회수, 급·완행의 운행방식, 운행 시격을 산정하고, 열차운행계획에 따라 동력차 및 여객·화물차량의 소요량 수를 산정하며 정거장 및 차량기지 등 운영설비는 열차운행계획을 기준으로 검토하는 업무를 포함한다.

⑱ 경제성 및 재무분석

경제성분석 및 재무분석은 필요시에 타당성조사단계에 선정된 건설비, 유지관리 및 운영비 추정, 연차별투자계획검토, 경제성분석, 민감도분석, 재무성 분석, 정책적 분석, 최적 개통시기 분석, 타당성평가, 기본계획수립 업무를 검토하는 업무를 말한다.

⑲ 환경 및 교통영향성 평가결과 검토

환경 및 교통영향성 평가결과 검토는 환경 · 교통영향 조사와 현황조사 내용을 검토하여 공사 중과 공사 완료후로 구분하여 검토된 예상영향에 대해 공사종류별, 시행시기별로 저감 대책을 검토하여 설계에 반영하는 업무를 포함한다.

⑳ 재해영향평가검토

재해영향평가 검토는 검토항목 선정, 재해영향 검토, 재해영향 계획업무를 말한다. 검토항목 선정은 환경·교통·재해 등에 관한 영향 평가법에 따라 재해영향평가를 받는 대상사업 선정업무를 포함하고, 재해영향 검토는 철도건설, 도시개발 등 토지이용계획수립 및 개발사업 시행단계에서 사전에 충분한 재해 영향을 검토업무를 포함하며, 재해영향 계획은 지형여건 등 주변 환경에 따른 재해위험요인, 당해 사업으로 인하여 인근지역이나 시설에 미치는 재해영향, 사업시행자로부터 제출된 재해저감계획 등을 수립업무를 포함한다.

㉑ 수리, 수문검토

수리, 수문검토는 최종적으로 결정된 최적노선과 정거장 입지에 대한 수리 · 수문의 기본사항을 예비검토하는 업무를 말한다. 예비 검토는 하천현황(유역면적 · 조도계수 등)분석을 통한 빈도별 홍수량 및 홍수위 검토, 조사업무에서 결정된 계획홍수량 및 계획 홍수위의 적정산정 검토, 계획시설물 설치에 따른 홍수위의 상승, 기존제방에 미치는 영향 등 분석·검토, 홍수 시 기초지반 세굴, 하부구조에 미치는 영향 분석·검토업무를 포함한다.

㉒ 관계기관 협의 및 민원검토

관계기관 협의는 관계기관 협의내용 작성, 관계기관 협의내용 검토 분석업무를 말한다. 관계기관 협의내용 작성은 관계기관 협의 자료 작성, 관계기관 업무협의 업무를 포함하고, 관계기관 협의내용 검토 분석은 기본설계 확정 후 관계기관과 협의, 집단민원 등 향후 야기될 수 있는 문제점을 파악하고 관계기관 대책회의 등을 통한 방향결정이 이루어져야 하며 이 모든 과정은 문서로 보존되어야 하며 최종 노선 공고 또는 고시 후 관계 법규에 따라 인 · 허가 절차를 조치하여야 하는 업무를 포함한다.

㉓ 단계별 자문 및 방침자료 작성

단계별 자문 및 방침자료 작성은 자문자료작성, 발주처 방침 결정, 설계VE 자료작성업무를 말한다. 자문자료작성은 자문회의 자료 작성, 자문의견 검토 후 보완 및 수정업무를 포함하고, 발주처 방침 결정은 설계방침서 작성업무를 포함하며, 설계VE 자료작성은 설계VE 자료 작성, 설계VE 의견 검토 후 보완 및 수정업무를 포함한다.

※ 산정 시 고려사항

- 횟수의 산정시 본부 방침 결정과 설계VE 자료 작성, 각종 심의자료 작성업무는 별도의 횟수로 산정한다.
- 회의 준비 및 개최 비용, 심의위원 심의 비용 등은 제외한다.
- 기타 별도의 대가기준(예, 경관설계심의, 농지·산지전용협의 등)이 있는 경우 해당기준을 따른다.

㉔ 철도설계

철도설계는 철도시스템 결정에 따른 건설기준적용 검토, 설계조건 검토 · 기재하는 업무를 말한다.

㉕ 노선설계

노선설계는 선형설계, 평면설계, 종단설계, 횡단설계 업무를 말한다. 선형설계는 측량에 의해 작성된 1/5,000 예측성과 지형도를 이용하여 평면선형과 종단선형과의 연계성(Interface)을 고려하고 설계기준에 부합되어야 하며, 구조물계획, 토질조사, 지하매설물조사 등을 시행하여 가장 경제적인 선형이 되도록 하는 업무를 포함한다. 평면설계는 현황도를 이용하여 구조물의 위치, 절 · 성토계획, 배수계획, 지장물 등을 검토하여 평면선형을 설계하는 업무를 포함한다. 종단설계는 실측 종단도상에 측량, 지질 및 토질조사 자료를 활용하여 필요한 구조물의 위치, 형식, 배수계획, 토공계획 등을 검토하여 설계하는 업무를 포함한다. 횡단설계는 실측 횡단도면상에 측량 및 지질조사자료를 활용하여 토층선, 법면구배 배수를 검토하여 설계하는 업무를 포함한다. 노선설계업무에는 선형세부검토 및 열차운행성 검토업무를 포함한다.

㉖ 토공설계

토공설계는 토공설계(흙쌓기, 땅깍기, 비탈면), 울타리 설계, 길내기 설계, 연약지반처리대책 업무를 말한다. 토공설계(흙쌓기, 땅깍기, 비탈면)는 토공횡단면도 작성업무를 포함하고, 울타리 설계는 설치위치, 높이, 길이 형식 검토업무를 포함한다. 길내기 설계는 종단 및 평면선형 검토, 구조물설계, 포장설계업무를 포함한다.

㉗ 정거장 설계

정거장 설계는 열차운행계획에 따른 배선계획을 하여 정거장의 소요 폭과 길이를 확보할 수 있는 부지를 설계하는 업무를 말한다. 정거장 배선계획은 선별 및 방향별 배선에 대한 적용성을 비교·검토하고 승강장, 적하장, 역사 등 여객취급시설, 화물취급시설, 운전취급시설을 종합적으로 검토하여 운영효율을 최대화할 수 있도록 설계하는 업무를 포함한다. 정거장 설계는 현장입지 조건에 따라 평면, 선상, 선하, 지하로 검토하여 장거리열차와 단거리열차, 도시형 전동차, 기타 교통수단과 용이하게 환승할 수 있는 시스템으로 설계하는 업무를 포함한다. 정거장 평면도 작성, 일반도(승강장, 여객통로, 진입로, 광장, 적하장, 구내 배수, 옹벽, 방음벽 등)를 작성하는 업무를 포함한다.

㉘ 교량설계

교량설계는 설계기준 설정, 구조설계, 부대시설 설계 업무를 말한다. 설계기준 설정은 설계기준을 검토하여 교량의 형식, 경간배치, 연장, 구조물 설계방법과 내진설계등급 구조물 설계방법과 내진설계등급, 계획홍수량 및 계획홍수위, 주요 하중의 종류 · 크기 및 부가하중의 종류, 사용재료의 종류 · 재질 · 강도를 설계에 적용하는 설계기준 및 시방서, 지침, 편람, 기타 설계기준서 규정 등과 같은 사항을 확정하는 업무를 포함한다. 구조설계는 조사·계획업무 결과로 선정된 최적안의 구조형식에 따라 주요 구조물의 상부·하부·기초구조의 단면을 설정하고, 구조물의 안정성, 내구성, 사용성 등을 개략 검토하여 설계를 수행하고, 개략 구조계산에 따른 주요 구조물의 표준단면도 및 표준구조상세도를 작성하는 업무를 포함한다. 부대시설 설계는 궤도구조, 전차선, 조명, 신호 및 통신 케이블 매설, 보수요원의 통로, 유지관리, 난간, 방음벽 설치 등 각종 부대시설 설계업무를 포함한다.

㉙ 터널설계

터널설계는 설계조건 설정, 지반조사 평가, 터널 평면설계, 터널 종단설계, 터널내공 단면설계, 터널방수 및 배수설계, 공법검토, 가시설 및 부대시설계획 등의 업무를 말한다. 설계조건 설정은 설계하중, 내공단면 검토, 환기방재기준 정립, 터널안정해석 기준, 지반의 피압수 및 지하수 자료 등 기준을 검토하고 기재하는 업무를 포함한다. 터널 지반조사 평가는 터널설계시 역학조건을 만족하기 위하여 지반조사, 시추보링 및 제반시험 결과에 대해 평가를 수행하는 업무를 포함한다. 터널평면설계는 현황도를 이용하여 설계기준, 시방서, 지침에 따라 구조물의 위치, 갱수 및 배수계획, 환기설비, 지장물 등을 검토하여 설계하는 업무를 포함한다. 터널종단설계는 실측 종단도상에 측량, 지반조사자료를 활용하여 설계하는 업무를 포함한다. 터널내공 단면설계는 실측 횡단도면상에 측량 및 지반조사자료를 활용하여 설계 속도 및 전차선 가선과 공동구 등 각종 설비의 배치공간 확보, 보수요원 통로 및 대피공간 확보를 감안하여 암선에 따른 내공 단면을 검토하여 설계하는 업무를 포함하며, 터널 방수 및 배수설계, 공법검토, 가시설 및 부대시설계획 등의 설계업무를 포함한다.

㉚ 입체교차설계

입체교차설계는 도로방향, 지형조건, 구조물의 위치, 도로의 장래계획에 맞는 폭, 형식 등을 검토하여 횡단시설의 위치, 규모, 형식 검토(over pass, under pass)업무 설계하는 업무를 포함한다.

㉛ 용 · 배수 설계

용 · 배수 설계는 기존자료 및 현지답사, 수리 및 수문의 조사 결과를 활용하여 용·배수 계통 계획 및 구조물의 형식, 단면을 검토하여 설계하는 업무를 말한다.

㉜ 공구분할

공구분할은 계획구간의 지역여건, 공사량, 공사현장 관리의 효율성, 주요 구조물, 공사시행 여건 등을 종합 검토하여 적정한 공구로 분할하는 업무를 말한다.

㉝ 인터페이스 설계

인터페이스 설계는 운행선 인접구간 설계시 단계별 배선협의, 공종간의 인터페이스 사항, 특수선 설치로 인한 지장물 이설 및 철거 등에 대해 관련기관과 협의한 후 그 결과를 설계에 반영하는 업무를 말한다.

㉞ 기본설계보고서

기본설계보고서는 위치도, 공사개요, 조사, 계획, 기본설계, 기본사업비, 부록 업무를 말한다. 위치도는 노선을 1장으로 표시할 수 있는 축척업무를 포함하고, 공사개요는 목적, 규모, 범위, 내용, 과업수행방법 등 요약업무를 포함한다. 조사는 관련계획조사 및 검토, 현지조사 및 답사, 수리·수문조사, 환경영향 조사, 측량, 지질 및 지반조사, 지장물 및 구조물조사, 토취장·골재원·사토장조사, 기타업무를 포함한다. 계획은 전단계 성과검토, 철도시스템 검토, 설계기준 작성, 노선선정, 정거장 선정, 구조물 계획, 열차운영 및 배선계획 검토, 경제성 및 재무분석, 환경 및 교통영향성 검토, 수리·수문검토, 관계기관 협의, 민원검토, 기타업무를 포함한다. 기본설계는 설계기준 및 조건, 선형, 토공, 배수공, 구조물공, 정거장, 부대시설, 기타업무를 포함한다. 또한 기본사업비 및 부록을 포함한다.

㉟ 지질 및 지반조사보고서

지질 및 지반조사보고서는 토질개황, 주요 토질시험결과, 광업권 설정현황, 폐광 및 지하 공동조사 결과, 성과분석(터널 및 교량구간 지층분석, 교량기초 검토, 사면안정 검토, 성토재의 다짐 특성, CBR, 골재원 평가 업무를 포함한다.

㊱ 구조 및 수리계산서

구조 및 수리계산서는 주요 구조계산서와 수리계산서 작성 업무를 말한다. 주요 구조계산서는 개요, 구조계획도, 설계조건, 주요 구조 계산결과업무를 포함하며, 주요 수리계산서는 유역도, 홍수량산정지점도, 수리계산 업무를 포함한다.

㊲ 설계예산서

설계예산서는 기본설계내역서, 기본단가산출서, 기본수량 산출서 업무를 말한다. 기본설계내역서는 기본설계 내역서업무를 포함하고 , 기본단가산출서는 기본설계 단가구성업무를 포함하며, 기본수량 산출서는 수량집계표, 공종별 수량산출서업무를 포함한다.

㊳ 수량산출서

수량산출서는 토공, 교량공, 터널공, 배수암거, 길내기, 하천내기, 가시설 및 부대공 업무를 말한다.

㊴ 기본설계도면

기본설계도면은 위치도, 일반도, 선로 종평면도, 구조일반도 등 기본설계도면의 전산도면 작업 및 취합 업무를 말한다.

8-2-4 실시설계

① 과업착수준비

과업착수준비는 착수준비, 과업수행계획서 작성업무를 말한다. 착수준비는 계약, 과업지시 내용검토, 투입인력계획 등 착수보고서 자료준비업무를 포함하며, 과업수행계획서 작성은 과업수행계획서(과업추진계획서, 세부공정계획서, 경력사항확인서, 성과품제출계획서, 참여내용 및 예상기간, 조직 및 인력투입계획서, 보안각서 등) 작성 및 제출업무를 포함한다.

② 현지조사 및 답사

현지조사 및 답사업무는 예정노선의 해당 계획 지역에서의 지형, 지물, 식생, 용·배수, 토지이용상황을 정확하게 파악·확인하고 현지답사를 하여 사진, 또는 Video 등을 이용하여 과업수행에 유용한 자료를 작성하는 업무를 말한다.

③ 측량, 지질 및 지반조사 성과검토

측량, 지질 및 지반조사 성과검토는 측량조사 성과검토, 지질 및 지반조사 성과검토 업무를 말한다. 측량조사 성과검토는 기 성과검토, 세부추진계획수립 및 측량조사성과 검토업무를 포함하며, 지질 및 지반조사 성과검토는 기 성과검토 및 세부추진계획 수립, 지반조사 실시, 광역 및 상세지표지질조사, 시추조사, 물리탐사, 현장 및 실내시험 등, 지반조사 성과분석, 지층분포 및 지질특성 파악, 지질이상대 분포특성 파악, 암반분류 및 지반정수 산출, 연약지반 분포특성 파악, 지하수 및 수리수문특성 파악업무를 포함한다.

④ 지장물, 구조물조사 성과 검토

지장물, 구조물조사는 전 단계 조사내용을 재검토하고 추가조사를 하는 업무를 포함한다.

⑤ 토취장·사토장·골재원 조사

토취장·사토장·재료원 조사는 공사시 시공성, 경제성을 최적화 시킬 수 있게 노선 전 구간에 걸쳐 균형적으로 분포될 수 있도록 가능한 지역을 조사하는 업무를 말한다. 토취장 및 사토장 조사는 사용가능한 지역의 위치와 규모, 지역현황 등 환경영향성을 조사한다. 공사시행시 활용이 가능한 지역내에서 시행중이거나 시행예정인 각종공사에서 발생가능한 사토 예정량이나, 필요한 토공량을 조사하는 업무를 포함한다. 골재원 조사는 공사시행시 활용이 가능한 지역의 위치,

종류, 생산가능량 등을 조사한다. 기존 골재원이 없을 경우 개발 가능한 지역에 대해 조사하는 업무를 포함한다. 레미콘은 생산규격, 생산가능량, 품질의 신뢰성, 운반조건 등을 조사하고, 현지 생산품의 사용 또는 별도 생산설비를 설치할 것인지를 조사하고, 별도 생산시 그 위치를 조사하는 업두를 포함한다.

⑥ 용지조사

용지조사는 전단계 조사내용 검토, 용지조사 업무를 말한다. 용지조사는 시설계획상 예정 노선축의 토지이용 현황을 지적도, 임야도, 토지 · 임야대장, 등기부등본을 발급받아 면적과 소유자 관계인을 조사하여 용지보상과 인 · 허가 서류의 기초자료를 작성하는 업무를 포함한다.

⑦ 전 단계 성과검토

전 단계 성과검토는 전 단계 성과품 검토, 건설기준 검토업무를 말한다. 전 단계 성과검토는 전 단계에서 수행된 성과품을 검토, 분석하여 조사·계획·설계업무의 각 결과치를 실시설계에 최대한 활용하도록 정리하는 업무를 포함한다. 건설기준 검토는 설계도서 작성기준에 명시된 설계기준, 조건 이외에 본 과업수행에 필요한 각종 설계기준 조건을 작성하여 상세설계시 사용하는 업무를 포함한다. (선형, 폭원, 재료의 종류 및 강도, 구조물별 설계방법 등) 이 같은 계획사항은 발주청의 검토 후 시행 등에 관한 업무를 포함한다.

⑧ 설계기준 검토

설계기준 검토는 각 시스템간 설계상 기술적 연계성을 감안하여 노선계획 및 정거장 계혼에 적용할 건설기준과 설계기준을 검토하는 업무를 말한다.

⑨ 주요 구조물 계획

주요 구조물계획은 교량, 터널, 기타구조물(입체교차시설) 계획업무를 말한다. 교량은 교량형식, 상부구조 형식, 하부구조 및 기초형식, 교량공법 검토 업무를 포함한다. 교량형식은 기술성 · 경제성 · 시공성 · 안전성 · 미관성 유지관리성 등의 장 · 단점을 비교하여 최적안을 선정하는 업무를 포함한다. 상부구조형식은 교량이 위치할 현장 주변 환경조건과 지질조건을 검토하고 교량시설구간의 형하 유효고, 하중종류 · 크기 · 하부구조에 미치는 영향 등을 검토하여 강구조 또는 콘크리트구조, 강합성구조 등 현장에 적합한 상부구조형식을 선정하여야 한다. 하부구조 및 기초형식은 상부구조형식, 폭, 사용재료, 하중의 크기, 지지층까지 심도, 지반의 상태, 홍수 또는 파랑에 의한 세굴, 손상 등을 고려하여 하부구조 및 기초형식을 계획하는 업무를 포함한다. 교량지간 및 연장은 상부구조형식과 사용재료, 시공성 등을 검토하여 안전한 구조로 교량지간을 선정하는 업무를 포함한다. 교량공법 검토는 교량 하부구조형식과 상부구조형식에 따라 현장조건, 민원, 시공성, 공사비, 공기 등을 검토하여 최적안을 선정하는 업무를 포함한다. 터널은 터널형식에 따라 현지 지형조건, 지반조건, 주변 환경조건에 따라 시공성, 경제성, 안전성, 유지관리성 등을 비교·검토하여 현장에 적합한 터널공법을 선정하는 업무를 포함한다. 기타구조물인 입체교차시설은 경제성, 시공성, 용지확보, 환경 및 지형적 조건과 각 형식에 대한 장단점을 비교 검토하여 최적안을 선정하는 업무를 포함한다.

⑩ 환경 및 교통영향성 평가결과 검토

환경 및 교통영향성 평가결과 검토는 환경 · 교통영향 조사와 현황조사 내용을 검토하여 공사 중과 공사 완료후로 구분하여 검토된 예상 영향에 대해 공사종류별, 시행시기별로 저감대책을 검토하여 설계에 반영하는 업무를 포함한다.

⑪ 재해영향평가 검토

재해영향평가 검토는 검토항목 선정, 재해영향 검토, 재해영향 계획 업무를 말한다. 검토항목 선정은 환경·교통·재해 등에 관한 영향 평가법에 따라 재해영향평가를 받는 대상사업 선정업무를 포함하고, 재해영향 검토는 철도건설, 도시개발 등 토지이용계획수립 및 개발사업 시행단계에서 사전에 충분한 재해 영향을 검토업무를 포함하며, 재해영향 계획은 지형여건 등 주변환경에 따른 재해위험요인, 당해 사업으로 인하여 인근지역이나 시설에 미치는 재해영향, 사업시행자로부터 제출된 재해저감계획 등을 수립업무를 포함한다.

⑫ 수리, 수문검토

수리, 수문검토는 전단계 성과 검토, 교량 등 주요구조물 수리계산, 계획시설물 설치에 따른 홍수위의 상승, 기존제방에 미치는 영향 등 분석·검토, 홍수 시 기초지반 세굴, 하부구조에 미치는 영향 분석·검토하여 설계에 반영하는 업무를 포함한다.

⑬ 관계기관 협의 및 민원검토

관계기관 협의는 관계기관 협의내용 작성, 관계기관 협의내용 검토 분석업무를 말한다. 관계기관 협의내용 작성은 관계기관 협의 자료 작성, 관계기관 업무협의 업무를 포함하고, 관계기관 협의내용 검토 분석은 기본설계 확정 후 관계기관과 협의, 집단민원 등 향후 야기될 수 있는 문제점을 파악하고 관계기관 대책회의 등을 통한 방향결정이 이루어져야 하며 이 모든 과정을 문서로 보존하는 업무를 포함한다.

⑭ 단계별 자문 및 방침자료 작성

단계별 자문 및 방침자료 작성은 자문자료작성, 발주처 방침 결정, 설계VE 자료작성업무를 말한다. 자문자료작성은 자문회의 자료 작성, 자문의견 검토 후 보완 및 수정업무를 포함하고, 발주처 방침 결정은 설계방침서 작성업무를 포함하며, 설계VE 자료작성은 설계VE 자료 작성, 설계VE 의견 검토 후 보완 및 수정업무를 포함한다.

※ 산정 시 고려사항

- 횟수의 산정시 본부 방침 결정과 설계VE 자료 작성, 각종 심의자료 작성업무는 별도의 횟수로 산정한다.
- 회의 준비 및 개최 비용, 심의위원 심의 비용 등은 제외한다.
- 기타 별도의 대가기준(예, 경관설계심의, 농지·산지전용협의 등)이 있는 경우 해당기준을 따른다.

⑮ 설계조건

설계조건은 기본설계 성과로서 제시된 설계조건 등을 검토하고 계획노선 관련 설계기준안을 작성하여 발주기관과 협의하는 업무를 말한다.

⑯ 토공설계

토공설계는 사면안정해석 및 보호공법, 연약지반 처리대책, 길내기, 토공유용 및 분배계획, 토공 설계업무를 말한다. 사면안정해석 및 보호공법은 땅깎기, 흙쌓기구간 비탈면안정해석 및 보호공법관련 업무를 포함하고, 연약지반 처리대책은 연약지반 계량공법 비교검토, 연약지반 처리공법 검토 및 선정, 침하량 및 압밀소요 기간 산정, 일반도 작성, 계측관리 계획업무를 포함하며, 길내기는 평면 및 종단계획, 일반도 및 횡단면도 작성, 구조물, 포장공 및 배수공 설계업무를 포함한다. 토공유용 및 분배계획은 토공량산출 및 토공분배, 토공유용거리 산출업무를 포함하고, 본선토공 설계는 토공횡단표준단면 선정, 횡단면도 작성 및 수량산출, 발파영향권 검토 업무를 포함한다.

⑰ 용 · 배수공 설계

용 · 배수공 설계는 노반배수, 지하배수, 철도를 횡단하는 배수관, 암거, 철도를 연접한 일체의 측구에 대한 설계업무를 말한다. 기존자료 및 현지답사, 수리 및 수문의 조사 결과를 활용하여 용배수 계통 계획 및 구조물의 형식, 단면을 검토하고 유역면적은 축척 1/25,000~1/50,000 지형도상에 산출하는 업무를 포함한다.

⑱ 교량설계

교량설계는 설계기준 설정, 공법검토, 구조물설계, 부대시설 설계 업무를 말한다. 설계기준 설정은 교량의 형식, 경간배치, 연장, 구조물 설계방법과 내진설계등급, 계획홍수량 및 계획홍수위, 표준 활하중 등 주요 하중의 종류 · 크기 및 부가하중의 종류, 사용재료의 종류 · 재질 · 강도, 조석의 차, 설계파고, 조류의 속도(해상 구조물 설계시), 설계기준 및 시방서, 지침, 편람, 기타 설계기준서 규정 등과 같은 사항을 확정하는 업무를 포함한다. 공법검토는 교량구조물의 규모, 구조물 형식, 위치 및 지형지질, 동원 가능 장비의 능력 및 수량, 가설 제작장 설치 가능여부, 공사 소요기간 및 가설공사비 등을 비교·검토하여 최적안을 설계하는 업무를 포함한다.

구조물설계는 조사·계획업무 결과로 선정된 최적안의 구조형식에 따라 각 구조물의 상부·하부·기초구조의 단면을 설정하고, 구조물의 안정성과 사용성, 내구성 등을 검토하고 상세히 설계하는 업무를 포함한다. 부대시설 설계는 항로표시등, 차량 및 선박 충돌시 하부구조 방호시설, 난간, 방호책, 전선관로, 배수관 등의 크기, 재질, 유지관리시설(점검통로 및 교각안전난간, 조명 및 환기시설, 계측기기 등) 등을 검토하여 설계하는 업무를 포함한다.

⑲ 터널설계

터널설계는 설계조건 설정, 지반조사 평가, 방수 및 배수설계, 공법선정, 내공단면 결정, 지보공설계, 콘크리트라이닝 설계, 터널단면해석, 갱구깍기 비탈면 설계, 가시설설계, 갱문설계, 환기계획, 부대시설계획, 계측계획 업무를 포함한다.

⑳ 구조물공 설계

구조물공 설계는 입체교차시설에 대한 구조물 설계업무를 말한다.

㉑ 정거장 설계

정거장 설계는 열차운행계획에 따른 배선계획에 따라 을 하여 정거장의 소요 폭과 길이를 확보할 수 있는 부지를 설계하는 업무를 말한다. 정거장 배선계획은 선별 및 방향별 배선에 대한 적용성을 비교·검토하고 승강장, 적하장, 역사 등 여객취급시설, 화물취급시설, 운전취급시설을 종합적으로 검토하여 운영효율을 최대화할 수 있도록 설계하는 업무를 포함한다. 정거장 설계는 현장입지 조건에 따라 평면, 선상, 선하, 지하로 검토하여 장거리열차와 단거리열차, 도시형 전동차, 기타 교통수단과 용이하게 환승할 수 있는 시스템으로 설계하는 업무를 포함한다. 정거장 평면도 작성, 일반도 및 구조도(승강장, 여객통로, 진입로, 광장, 적하장, 구내 배수, 옹벽, 방음벽 등)를 작성하는 업무를 포함한다.

㉒ 인터페이스 설계

인터페이스 설계는 운행선 인접구간 설계시 단계별 배선협의, 공종간의 인터페이스 사항, 특수선 설치로 인한 지장물 이설 및 철거 등에 대해 관련기관과 협의한 후 그 결과를 설계에 반영하는 업무를 말한다.

㉓ 실시설계보고서

실시설계보고서는 위치도(1/25,000~1/50,000), 공사개요, 조사, 계획, 상세설계, 사업비 분석, 민원사항, 부록 업무를 말한다. 위치도는 1/25,000~1/50,000 축척으로 전 노선 표기업무를 포함하고, 공사개요는 목적, 범위, 내용, 기간, 과업수행방법, 금액 등 관련 업무를 포함하며, 조사는 현지조사 및 답사, 측량, 지질 및 지반조사(본조사), 지장물 및 구조물조사, 토취장·사토장·재료원 조사, 용지조사 등의 내용을 작성하는 업무를 포함한다. 계획은 전단계 성과검토, 설계기준 검토, 구조물계획, 배선계획(기본설계 변경사항), 환경 및 교통영향성 검토, 수리·수문검토, 관계기관 협의, 민원검토, 분야별 인터페이스 협의 및 반영사항 등의 내용을 작성하는 업무를 포함한다. 상세설계는 설계기준, 선형, 토공, 용·배수공, 구조물공, 정거장 부대시설, 기타 등의 업무를 사업비 분석은 공사개요, 공사비산출, 사업비 분석, 용지 및 지장물 보상비 등의 업무를 포함한다. 민원사항은 지역주민 요구사항 및 조치결과업무를 포함하고, 부록은 각종 조사자료, 선형계산서, 기술심의 및 자문 조치결과, 업무협의 및 지시사항, 관계기관 협의자료, 설계의 경제성, 검토자료 등 관련 업무를 포함한다.

㉔ 지질 및 지반조사 보고서

지질 및 지반조사 보고서는 조사개요, 조사결과 분석, 성과분석 관련 업무를 말한다. 조사개요는 조사목적, 지역, 범위, 기간, 장비 등 관련 업무를 포함하고, 조사결과 분석은 지형 및 지질분석, 광업권 설정현황, 폐광 및 지하공동조사 결과 분석, 시추조사 결과, 현장원위치시험 결과 분석, 물리탐사 결과 분석, 실내시험 결과 분석 업무를 포함한다. 성과분석은 터널 및 교량구간 지층분석, 교량기초 검토, 사면안정 검토, 성토재의 다짐특성, CBR, 골재원 평가 결과분석 업무를 포함한다.

㉕ 구조 및 수리계산서

구조 및 수리계산서는 개요, 구조계획도, 설계조건(구조형식, 설계방법, 설계하중, 사용자재 및 특성, 지반조건/물성치, 사용 Program, 설계기준 및 지침, 기타), 구조계산(개요, 구조해석 방법 및 모델, 사용자재, 단면상수, 하중조건, 구조해석, 설계단면력, 단면응력 검토, 기초 허용지지력계산, 안정검토), 내진설계, 가시설(개요, 구조해석 방법 및 모델, 사용자재, 단면상수, 하중조건, 설계 단면력, 단면응력 검토, 안정검토, 기타)관련 업무를 포함하고 유역도, 홍수량지점도, 설계강우강도 산정, 하천(교량) 수리계산, 측구 수리계산, 횡배수시설 수리계산 업무를 포함한다.

㉖ 설계예산서

설계예산서는 설계설명서, 설계내역서를 말한다. 설계설명서는 공사목적, 공사개요, 위치, 기간, 규모, 공사수량, 재료원, 관급자재, 예정공정표, 설계변경조건, 기타 관련 업무를 포함하고, 설계내역서는 설계내역서, 도급공사 원가계산서, 총괄내역 서, 공종별 내역서, 일위대가 등 관련 업무를 포함한다.

㉗ 단가산출서

단가산출서는 단가산출서, 중기사용료, 단가조서, 견적서, 운반거리 조건표 등을 말한다.

㉘ 수량산출서

수량산출서는 총괄 자재집계표, 공종별 수량집계표, 공종별 자재집계표, 세부공종별 수량집계표, 세부공종별 산출근거 등을 작성하는 업무를 포함한다.

㉙ 실시설계도면

실시설계도면은 실시설계도면 취합 및 전산화 업무를 말한다.

㉚ 공사시방서

공사시방서는 총칙, 지반조사 및 측량, 지반개량공사, 토공사 및 조경공사, 말뚝공사, 콘크리트공사, 상하수도 공사, 강구조물공사, 교량공사, 철도 및 궤도 공사, 터널공사, 기타공사 작성업무를 말한다.

㉛ 기타

기타는 유지관리지침서 작성, 사진첩, 시추조사 코아박스 보관, 도면전산화 및 CD제작, 기존선 철거수량산출업무를 말한다. 유지관리지침서 작성은 관리체계 및 조직운용, 토공, 교량, 터널에 대한 유지관리 지침업무를 포함하고, 사진첩은 노선통과구간 전경, 주요구조물 처리구간, 기존구조물, 주요지장물 등의 내용을 포함하며, 시추조사 코아박스 보관은 시추조사 코아박스 보관 업무를 포함한다. 도면전산화 및 CD제작은 전자도면 작성표준에 의거한 도면전산화 및 CD제작 업무를 포함한다.

8-2-5 기본설계 및 실시설계

① 과업착수준비

과업착수준비는 착수준비, 과업수행계획서 작성업무를 말한다. 착수준비는 계약, 과업지시 내용검토, 투입인력계획 등 착수보고서 자료준비업무를 포함하며, 과업수행계획서 작성은 과업수행계획서(과업추진계획서, 세부공정계획서, 경력사항확인서, 성과품제출계획서, 참여내용 및 예상기간, 조직 및 인력투입계획서, 보안각서 등) 작성 및 제출 업무를 포함한다.

② 관련계획 조사 및 검토

관련계획 조사 및 검토는 상위계획, 지역개발계획, 산업시설계획, 교통관련계획 등을 조사하고, 필요한 경우에 관계기관과 협의하는 업무를 말한다. 상위계획은 국토종합개발계획, 경제사회발전 5개년계획, 광역개발계획, 분야별 자체 기본계획, 국가철도망구축 기본계획을 조사 · 검토하는 업무를 포함하고 있다. 지역개발계획은 광역시 · 도 종합개발계획, 도시기본계획, 도시계획을 조사 · 검토하는 업무를 포함하며, 산업시설계획은 국가공단 및 지방공단계획, 신항만·공항·댐 등 건설계획 등 업무를 포함한다.

③ 현지 조사 및 답사

현지조사 및 답사업무는 예정노선의 해당 계획 지역에서의 지형, 지물, 식생, 용 · 배수, 토지이용상황을 정확하게 파악 · 확인하고 현지답사를 하여 사진, 또는 Video 등을 이용하여 과업수행에 유용한 자료를 작성하는 업무를 말한다.

④ 수리 · 수문조사(기상, 해상, 선박운행 조사 포함)

수리 및 수문조사는 계획구간 하천의 상태, 정비계획, 유역면적, 주변개발상황 등을 조사하는 업무를 말한다. 계획구간 하천의 유역면적, 유로연장, 하폭, 하상구배, 제방 및 호안현황, 지류 등을 조사하고, 계획구간 인근의 배수로를 조사하며, 계획홍수량과 계획홍수위 등을 산정하는데 필요한 자료를 검토하는 업무를 포함한다. 필요한 경우(계획지역이 해상을 포함하고 있는 경우)에는 기상 및 해상, 선박운항조사 업무를 포함한다.

⑤ 교통량 및 교통시설조사

교통량 및 교통시설조사는 사업의 타당성평가를 위한 수송수요 조사분석, 사업시행에 따른 영향검토 및 대안제시, 타 교통수단간의 연계수송체계의 검토 및 대안분석 업무를 포함한다.

⑥ 환경영향조사(문화재조사) 성과 검토

환경영향조사는 계획시설물 설치로 영향권에 미치는 각종 영향을 조사한 환경영향평가결과와 문화재조사결과를 검토하는 업무이다. 계획시설물이 계획지역의 동 · 식물의 식생에 미치는 영향, 계획시설물 설치로 발생되는 소음 · 진동으로 주민생활의 불편을 초래하게 될 것으로 예상되는 곳에서 시설물 설치전의 소음 · 진동 현황에 대한 환경영향조사 성과를 검토하는 업무를 포함한다. 또한 노선 경유지역 주변에 대한 문화재 현황을 문헌조사하고 지표조사를 시행한 경우 문화재조사 성과를 검토하는 업무를 포함한다.

⑦ 측량, 지질 및 지반조사 성과검토

측량, 지질 및 지반조사 성과검토는 측량조사 성과검토, 지질 및 지반조사 성과검토 업무를 말한다. 측량조사 성과검토는 철도건설측량 지침 기준으로 시행, 전단계 조사 항목을 세부적으로 검토하는 업무를 포함하고, 지질 및 지반조사 성과검토는 과업지시서에 따라 지질 및 지반조사 시행, 광역 및 상세지표지질조사, 시추조사, 물리탐사시행, 현장 및 실내시험 등, 지반조사 성과분석, 지층분포 및 지질특성 파악, 지질이상대 분포특성 파악, 암반분류 및 지반정수 산출, 연약지반 분포특성 파악, 지하수 및 수리수문특성 파악업무를 포함한다.

⑧ 지장물, 구조물조사

시설물의 설계 및 시공에 영향을 미치는 각종 지하매설물과 지상시설물 및 장애물을 조사하는 업무를 말한다. 지장물조사는 사업노선에 저촉되는 지상지장물(고압송유관, 광케이블, 기타 통신시설 등), 지하매설물(전기, 통신, 송유관, 상·하수도, 가스 등), 농어촌 지역에 분포되어 있는 관정에 대한 사항 등을 조사하고, 관계기관과 협의하여 이설 및 보상계획을 수립하는 업무를 포함한다. 구조물 조사는 시설물 주변의 각종 구조물(군사시설, 산업시설, 저수지 등)과 문화재를 비롯한 중요 시설물과 기존 철도시설 현황을 조사하는 업무를 포함한다.

⑨ 토취장 · 사토장 · 골재원 조사

토취장 · 사토장 · 재료원 조사는 공사시 시공성, 경제성을 최적화 시킬 수 있게 노선 전 구간에 걸쳐 균형적으로 분포될 수 있도록 가능한 지역을 조사하는 업무를 말한다. 토취장 및 사토장 조사는 사용가능한 지역의 위치와 규모, 지역현황 등 환경영향성을 조사한다. 공사시행시 활용이 가능한 지역내에서 시행중이거나 시행예정인 각종공사에서 발생가능한 사토 예정량이나, 필요한 토공량을 조사하는 업무를 포함한다. 골재원 조사는 공사시행시 활용이 가능한 지역의 위치, 종류, 생산가능량 등을 조사한다. 기존 골재원이 없을 경우 개발 가능한 지역에 대해 조사하는 업무를 포함한다. 레미콘은 생산규격, 생산가능량, 품질의 신뢰성, 운반조건 등을 조사하고, 현지 생산품의 사용 또는 별도 생산설비를 설치할 것인지를 조사하고, 별도 생산시 그 위치를 조사하는 업무를 포함한다.

⑩ 용지조사

용지조사는 노선 경유지 구간의 토지이용현황 및 이용계획을 조사하여 노선 및 시설계획 수립을 위한 기초자료를 작성하는 업무를 포함한다. 이 업무에는 철도 등 기존 용지현황과 활용가능성을 검토하는 업무도 포함한다.

⑪ 전 단계 성과검토

전 단계 성과검토는 타당성조사, 타당성조사 및 기본계획 등 전 단계의 성과품을 검토, 분석하여 조사·계획·설계업무의 각 결과치를 기본설계에 최대한 활용하도록 정리하는 업무를 포함한다.

⑫ 철도시스템 검토

철도시스템 검토는 선로규모와 열차시스템 분석, 철도시스템 검토업무를 말한다. 선로규모와 열차시스템 분석은 수송수요 추정결과에서 제시된 최대교통량에 대하여 최적의 철도시스템을 검토 · 결정한다. 철도시스템 검토는 일반철도, 고속철도, 경량철도 및 단선, 복선, 전철, 비전철 등으로 구분하여 최대수송량을 목적한 시간대 수송할 수 있게 검토하고 수송효율 및 건설비와 관련 시설간의 기술적 연계성을 최적화시키는 업무를 검토하는 업무를 포함한다. 또한 선정된 시스템에 대하여 노반, 궤도와 차량, 차량과 신호 및 전차선 등 분야별 시설간의 기술적 연계성을 검토하여 차량형식과 성능, 노반 및 궤도구조, 신호방식, 전차선방식 등 연계된 시설의 시설기준을 검토하여 건설기준을 제시하는 업무를 포함한다.

⑬ 설계기준 검토

설계기준 검토는 분야별 시설간의 기술적 연계성이 최적화하기 위해 각 시스템간 설계상 기술적 연계성을 감안하여 노선계획 및 정거장 계획에 적용할 건설기준과 설계기준을 검토하는 업무를 말한다. 설계기준 검토는 각종 시방기준의 적용성과 과거 유사한 설계과업에 적용하였던 기준을 검토 결정하는 업무를 포함한다. 타당성조사에서 비용대비 효과분석에 의거 산정된 설계속도는 시설계획 등 여건 변화가 있을 경우 이를 반영하여 설계속도 적정성을 검토하는 업무를 포함한다.

⑭ 노선선정

노선선정은 노선대안 검토(필요시), 최적노선선정, 선형결정, 선형계획을 검토하는 업무를 말한다. 최적노선 선정은 타당성조사에서 제시한 개략노선에 대해 경제성, 시공성, 환경성 등을 평가하여 최적노선을 선정하는 업무를 포함한다. 선형결정은 측량에 의해 작성된 1/1,000~1/1,200 지형도를 이용하여 평면 및 종단에 대한 선형계획을 수립하여야 하며, 선형계획시 주요 구조물 및 주요 도로시설물의 위치, 규모, 형식과의 연계성을 검토하는 업무를 포함한다. 선형계획은 설계속도에 따른 평면선형 및 종단선형을 비교·검토하여 열차운전 성능을 최적화 시킬 수 있게 주위의 지형, 경관 등을 고려하고, 평면 및 종단선형이 잘 조화되도록 최적의 선형을 계획하는 업무를 포함한다. 홍수위의 상승, 교차시설(도로, 철도, 선박의 항로 등)에 따른 적정 형하고를 검토하여 계획하며, 선형경합 비교 검토업무를 포함한다.

⑮ 정거장 선정(위치선정)

정거장 위치선정은 철도시스템에 따른 시·종점 정거장과 중간 정거장의 기능, 열차운행 계획에 따라 정거장시설을 검토하는 업무이다. 정거장 입지는 각 정거장의 기능과 열차운행계획에 따른 정거장 시설을 기술성, 경제성, 실현 가능성 등 종합적으로 검토하여 최적입지를 선정하는 업무를 포함한다. 정거장시설은 분야별 시설간의 기술적 연계성을 검토하여 운용상 기능과 유지관리성을 최적화시켜야 하며, 정거장의 간격은 선로용량 및 열차의 운행효율을 향상시킬 수 있게 검토하는 업무를 포함한다.

⑯ 주요 구조물 계획

주요 구조물계획은 교량, 터널, 기타구조물(입체교차시설) 계획업무를 말한다. 교량은 교량형식, 상부구조 형식, 하부구조 및 기초형식, 교량공법 검토 업무를 포함한다. 교량형식은 기술성 · 경제성 · 시공성 · 안전성 · 미관성 유지관리성 등의 장 · 단점을 비교하여 최적안을 선정하는 업무를 포함한다. 상부구조형식은 교량이 위치할 현장 주변 환경조건과 지질조건을 검토하고 교량시설구간의 형하 유효고, 하중 종류 · 크기 · 하부구조에 미치는 영향 등을 검토하여 강구조 또는 콘크리트구조, 강합성구조 등 현장에 적합한 상부구조형식을 선정하여야 한다. 하부구조 및 기초형식은 상부구조형식, 폭, 사용재료, 하중의 크기, 지지층까지 심도, 지반의 상태, 홍수 또는 파랑에 의한 세굴, 손상 등을 고려하여 하부구조 및 기초형식을 계획하는 업무를 포함한다. 교량지간 및 연장은 상부구조형식과 사용재료, 시공성 등을 검토하여 안전한 구조로 교량지간을 선정하는 업무를 포함한다. 교량공법 검토는 교량 하부구조형식과 상부구조형식에 따라 현장조건, 민원, 시공성, 공사비, 공기 등을 검토하여 최적안을 선정하는 업무를 포함한다. 터널은 터널형식과 터널연장을 선정하는 업무를 포함한다. 터널형식은 철도시스템에 따른 건설기준과 현지 지형조건, 지반조건, 주변 환경 조건에 따라 기술성, 시공성, 경제성, 안전성, 유지관리성 등 장·단점을 비교·검토하여 개착식 터널 또는 산악식 터널 등의 최적 형식을 선정하는 업무를 포함한다. 기타구조물인 입체교차시설은 계획시설물의 규모, 구조물 형식 및 위치선정, 교차시설에 따른 적정 형하고 검토업무를 포함한다.

⑰ 열차운영계획

열차운영계획은 기초열차운영, 기본열차운영, 종합열차운행 계획 검토업무를 포함한다. 수송수요 예측결과를 토대로 하여 구간별 여객 및 화물수요에 따라 운행할 열차의 종류, 열차의 편성량 수, 운행회수, 급·완행의 운행방식, 운행 시격을 산정하고, 열차운행계획에 따라 동력차 및 여객·화물차량의 소요량 수를 산정하며 정거장 및 차량기지 등 운영설비는 열차운행계획을 기준으로 검토하는 업무를 포함한다.

⑱ 경제성 및 재무분석

경제성분석 및 재무분석은 필요시에 타당성조사단계에 선정된 건설비, 유지관리 및 운영비 추정, 연차별투자계획검토, 경제성분석, 민감도분석, 재무성 분석, 정책적 분석, 최적 개통시기 분석, 타당성평가, 기본계획수립 업무를 검토하는 업무를 말한다.

⑲ 환경 및 교통영향성 평가결과 검토

환경 및 교통영향성 평가결과 검토는 환경 · 교통영향 조사와 현황조사 내용을 검토하여 공사 중과 공사 완료후로 구분하여 검토된 예상영향에 대해 공사종류별, 시행시기별로 저감대책을 검토하여 설계에 반영하는 업무를 포함한다.

⑳ 재해영향평가검토

재해영향평가 검토는 검토항목 선정, 재해영향 검토, 재해영향 계획업무를 말한다. 검토항목 선정은 환경·교통·재해 등에 관한 영향 평가법에 따라 재해영향평가를 받는 대상사업 선정업무를 포함하고, 재해영향 검토는 철도건설, 도시개발 등 토지이용계획수립 및 개발사업 시행단계에서 사전에 충분한 재해 영향을 검토업무를 포함하며, 재해영향 계획은 지형여건 등 주변환경에 따른 재해위험요인, 당해 사업으로 인하여 인근지역이나 시설에 미치는 재해영향, 사업시행자로부터 제출된 재해저감계획 등을 수립하는 업무를 포함한다.

㉑ 수리, 수문검토

수리, 수문검토는 최종적으로 결정된 최적노선과 정거장 입지에 대한 수리 · 수문의 기본사항을 검토하고, 교량 등 주요구조물 수리계산, 계획시설물 설치에 따른 홍수위의 상승, 기존제방에 미치는 영향 등 분석·검토, 홍수 시 기초지반 세굴, 하부구조에 미치는 영향 분석·검토하여 설계에 반영하는 업무를 포함한다.

㉒ 관계기관 협의 및 민원검토

관계기관 협의는 관계기관 협의내용 작성, 관계기관 협의내용 검토분석업무를 말한다. 관계기관 협의내용 작성은 관계기관 협의 자료작성, 관계기관 업무협의 업무를 포함하고, 관계기관 협의내용 검토분석은 기본설계 확정 후 관계기관과 협의, 집단민원 등 향후 야기될 수 있는 문제점을 파악하고 관계기관 대책회의 등을 통한 방향결정이 이루어져야 하며 이 모든 과정은 문서로 보존되어야 하며 최종 노선공고 또는 고시 후 관계 법규에 따라 인 · 허가 절차를 조치하여야 하는 업무를 포함한다.

㉓ 단계별 자문 및 방침자료 작성

단계별 자문 및 방침자료 작성은 자문자료작성, 발주처 방침 결정, 설계VE 자료작성 업무를 말한다. 자문자료 작성은 자문회의 자료 작성, 자문의견 검토 후 보완 및 수정업무를 포함하고, 발주처 방침 결정은 설계방침서 작성업무를 포함하며, 설계VE 자료 작성은 설계VE 자료작성, 설계VE 의견 검토 후 보완 및 수정업무를 포함한다.

※ 산정 시 고려사항

- 횟수의 산정시 본부 방침 결정과 설계VE 자료 작성, 각종 심의자료 작성업무는 별도의 횟수로 산정한다.
- 회의 준비 및 개최 비용, 심의위원 심의 비용 등은 제외한다.
- 기타 별도의 대가기준(예, 경관설계심의, 농지·산지전용협의 등)이 있는 경우 해당기준을 따른다.

㉔ 설계기준 검토

설계기준 검토 철도시스템 결정에 따른 건설기준적용 검토, 설계조건 검토 · 기재하는 업무를 말한다.

㉕ 노선설계

노선설계는 선형설계, 평면설계, 종단설계, 횡단설계 업무를 말한다. 선형설계는 실측현황도(1/1,200~1/1,000)를 이용하여 평면선형과 종단선형과의 연계성(Interface)을 고려하고 설계기준에 부합되어야 하며, 구조물계획, 토질조사, 지하매설물조사 등을 시행하여 가장 경제적인 선형이 되도록 하는 업무를 포함한다. 평면설계는 현황도를 이용하여 구조물의 위치, 절·성토계획, 배수계획, 지장물 등을 검토하여 평면선형을 설계하는 업무를 포함한다. 종단설계는 실측 종단도상에 측량, 지질 및 토질조사 자료를 활용하여 필요한 구조물의 위치, 형식, 배수계획, 토공계획 등을 검토하여 설계하는 업무를 포함한다. 횡단설계는 실측 횡단도면상에 측량 및 지질조사자료를 활용하여 토층선, 법면구배 배수를 검토하여 설계하는 업무를 포함한다. 노선설계업무에는 선형세브검토 및 열차운행성 검토업무를 포함한다.

㉖ 토공설계

토공설계는 사면안정해석 및 보호공법, 연약지반 처리대책, 길내기, 토공유용 및 분배계획, 토공 설계업무를 말한다. 사면안정해석 및 보호공법은 땅깎기, 흙쌓기구간 비탈면안정해석 및 보호공법관련 업무를 포함하고, 연약지반 처리대책은 연약지반 계량공법 비교검토, 연약지반 처리공법 검토 및 선정, 침하량 및 압밀소요 기간 산정, 일반도 작성, 계측관리 계획업무를 포함하며, 길내기는 평면 및 종단계획, 일반도 및 횡단면도 작성, 구조물, 포장공 및 배수공 설계업무를 포함한다. 토공유용 및 분배계획은 토공량산출 및 토공분배, 토공유용거리 산출업무를 포함하고, 본선토공 설계는 토공횡단표준단면 선정, 횡단면도 작성 및 수량산출, 발파영향권 검토 업무를 포함한다.

㉗ 용·배수공 설계

용·배수공 설계는 노반배수, 지하배수, 철도를 횡단하는 배수관, 암거, 철도를 연접한 일체의 측구에 대한 설계업무를 말한다. 기존자료 및 현지답사, 수리 및 수문의 조사 결과를 활용하여 용배수 계통 계획 및 구조물의 형식, 단면을 검토하고 유역면적은 축척 1/25,000~1/50,000 지형도상에 산출하는 업무를 포함한다.

㉘ 교량설계

교량설계는 설계기준 설정, 공법검토, 구조물설계, 부대시설 설계 업무를 말한다. 설계기준 설정은 교량의 형식, 경간배치, 연장, 구조물 설계방법과 내진설계등급, 계획홍수량 및 계획홍수위, 표준 활하중 등 주요 하중의 종류·크기 및 부가하중의 종류, 사용재료의 종류·재질·강도, 조석의 차, 설계파고, 조류의 속도(해상 구조물 설계시), 설계기준 및 시방서, 지침, 편람, 기타 설계기준서 규정 등과 같은 사항을 확정하는 업무를 포함한다. 공법검토는 교량구조물의 규모, 구조물 형식, 위치 및 지형지질, 동원 가능 장비의 능력 및 수량, 가설제작장 설치 가능여부, 공사 소요기간 및 가설공사비 등을 비교·검토하여 최적안을 설계하는 업무를 포함한다. 구조물설계는 조사·계획업무 결과로 선정된 최적안의 구조형식에 따라 각 구조물의 상부·하부·기초구조의 단면을 설정하고, 구조물의 안정성과 사용성, 내구성 등을 검토하고 상세히 설계하는 업무를 포함한다. 부대시설 설계는 항로표시등, 차량 및 선박 충돌시 하부구조 방호시설, 난간, 방호책, 전선관로, 배수관 등의 크기, 재질, 유지관리시설(점검통로 및 교각안전난간, 조명 및 환기시설, 계측기기 등) 등을 검토하여 설계하는 업무를 포함한다.

㉙ 터널설계

터널설계는 설계조건 설정, 지반조사 평가, 터널 평면설계, 터널 종단설계, 터널내공 단면설계, 터널방수 및 배수설계, 공법검토 및 선정, 지보공설계, 콘크리트라이닝 설계, 터널단면해석, 갱구깍기 비탈면설계, 가시설설계, 갱문설계, 환기계획, 부대시설계획, 계측계획 업무를 포함한다.

㉚ 입체교차설계

입체교차설계는 도로방향, 지형조건, 구조물의 위치, 도로의 장래계획에 맞는 폭, 형식 등을 검토하여 횡단시설의 위치, 규모, 형식 검토(over pass, under pass)업무 설계하는 업무를 포함한다.

㉛ 정거장 설계

정거장 설계는 열차운행계획에 따른 배선계획을 하여 정거장의 소요 폭과 길이를 확보할 수 있는 부지를 설계하는 업무를 말한다. 정거장 배선계획은 선별 및 방향별 배선에 대한 적용성을 비교·검토하고 승강장, 적하장, 역사 등 여객취급시설, 화물취급시설, 운전취급시설을 종합적으로 검토하여 운영효율을 최대화할 수 있도록 설계하는 업무를 포함한다. 정거장 설계는 현장입지 조건에 따라 평면, 선상, 선하, 지하로 검토하여 장거리열차와 단거리열차, 도시형 전동차, 기타 교통수단과 용이하게 환승할 수 있는 시스템으로 설계하는 업무를 포함한다. 정거장 평면도 작성, 일반도 및 구조도(승강장, 여객통로, 진입로, 광장, 적하장, 구내 배수, 옹벽, 방음벽 등)를 작성하는 업무를 포함한다.

㉜ 공구분할

공구분할은 계획구간의 지역여건, 공사량, 공사현장 관리의 효율성, 주요 구조물, 공사시행 여건 등을 종합 검토하여 적정한 공구로 분할하는 업무를 말한다.

㉝ 기본 및 실시설계보고서

기본 및 실시설계보고서는 위치도(1/25,000~1/50,000), 공사개요, 조사, 계획, 상세설계, 사업비 분석, 민원사항, 부록 업무를 말한다. 위치도는 1/25,000~1/50,000 축척으로 전 노선 표기업무를 포함하고, 공사개요는 사업목적, 추진방식 및 사업기간, 추진경위, 사업범위, 과업지침 등 관련 업무를 포함하며, 조사는 현황조사, 관련계획조사 및 분석, 측량 및 지장물 조사, 지반조사, 재료원(사토예정량 및 토공량, 골재원의 위치 및 종류), 토취장, 사토장 조사, 수리 · 수문 조사, 문화재 현황 조사, 교통 및 환경영향 평가분석업무를 포함한다. 계획은 전단계 성과검토, 선형계획, 주요 구조물계획(교량, 상부구조형식, 교량공법검토, 터널공법등), 정거장계획, 입체교차계획 등의 업무를 포함하고, 상세설계는 설계기준, 토질 및 기초, 토공, 연약지반, 교량, 터널, 정거장, 가시설, 과선교, 조경, 부대시설 및 기타업무를 포함하며, 사업비 분석은공사개요, 공사비산출, 사업비 분석, 용지 및 지장물 보상비 등의 업무를 포함한다. 민원사항은 지역주민 요구사항 및 조치결과업무를 포함하고, 부록은 각종 조사자료, 선형계산서, 기술심의 및 자문 조치결과, 업무협의 및 지시사항, 관계기관 협의자료, 설계의 경제성, 검토자료 등 관련 업무를 포함한다.

㉞ 지질 및 지반조사 보고서

지질 및 지반조사 보고서는 조사개요, 조사결과 분석, 성과분석 관련 업무를 말한다. 조사개요는 조사목적, 지역, 범위, 기간, 장비 등 관련 업무를 포함하고, 조사결과 분석은 지형 및 지질분석, 광업권 설정현황, 폐광 및 지하공동조사 결과 분석, 시추조사 결과, 현장원위치시험 결과 분석, 물리탐사 결과 분석, 실내시험 결과 분석 업무를 포함한다. 성과분석은 터널 및 교량구간 지층분석, 교량기초 검토, 사면안정 검토, 성토재의 다짐특성, CBR, 골재원 평가 결과분석 업무를 포함한다.

㉟ 구조 및 수리계산서

구조 및 수리계산서는 개요, 구조계획도, 설계조건(구조형식, 설계방법, 설계하중, 사용자재 및 특성, 지반조건/물성치, 사용 Program, 설계기준 및 지침, 기타), 구조계산(개요, 구조해석 방법 및 모델, 사용자재, 단면상수, 하중조건, 구조해석, 설계단면력, 단면응력 검토, 기초 허용지지력계산, 안정검토), 내진설계, 가시설(개요, 구조해석 방법 및 모델, 사용자재, 단면상수, 하중조건, 설계 단면력, 단면응력 검토, 안정검토, 기타)관련 업무를 포함하고 유역도, 홍수량지점도, 설계강우강도 산정, 하천(교량) 수리계산, 측구 수리계산, 횡배수시설 수리계산 업무를 포함한다.

㊱ 설계예산서

설계예산서는 설계설명서, 설계내역서를 말한다. 설계설명서는 공사 목적, 공사개요, 위치, 기간, 규모, 공사수량, 재료원, 관급자재, 예정공정표, 설계변경조건, 기타 관련 업무를 포함하고, 설계내역서는 설계내역서, 도급공사 원가계산서, 총괄내역 서, 공종별 내역서, 일위대가 등 관련 업무를 포함한다.

㊲ 단가산출서

단가산출서는 단가산출서, 중기사용료, 단가조서, 견적서, 운반거리 조견표 등을 말한다.

㊳ 수량산출서

수량산출서는 총괄 자재집계표, 공종별 수량집계표, 공종별 자재집계표, 세부공종별 수량집계표, 세부공종별 산출근거 등을 작성하는 업무를 포함한다.

㊴ 기본 및 실시설계도면

기본 및 실시설계도면은 기본 및 실시설계도면 취합 및 전산화 업무를 말한다.

㊵ 공사시방서

공사시방서는 총칙, 지반조사 및 측량, 지반개량공사, 토공사 및 조경공사, 말뚝공사, 콘크리트공사, 상하수도 공사, 강구조물공사, 교량공사, 철도 및 궤도 공사, 터널공사, 기타공사 작성업무를 말한다.

㊶ 기타

기타는 유지관리지침서 작성, 사진첩, 시추조사 코아박스 보관, 기존선 철거수량산출, 도면전산화 및 CD제작, 업무를 말한다. 유지관리지침서 작성은 관리체계 및 조직운용, 토공, 교량, 터널에 대한 유지관리 지침업무를 포함하고, 사진첩은 노선통과구간 전경, 주요구조물 처리구간, 기존구조물, 주요지장물 등의 내용을 포함하며, 시추조사 코아박스 보관은 시추조사 코아박스 보관업무를 포함한다. 도면전산화 및 CD제작은 전자도면 작성표준에 의거한 도면전산화 및 CD제작 업무를 포함한다.

8-3 철도궤도분야 설계용역 업무정의

8-3-1 기본설계

① 과업착수준비

과업착수 준비는 착수신고서와 과업수행계획서의 작성업무이다.

② 관련자료 조사

관련자료 조사는 설계개요 및 법령 등 제기준의 검토, 관련자료 조사 및 수집 업무를 말한다.

③ 현지조사 및 답사

현지조사 및 답사는 현장조사계획서 제출, 현장조사 업무를 말한다.

④ 전단계성과 검토

전단계성과 검토는 기본설계 이전 단계의 성과검토, 노반성과물 조사,전략환경영향평가 성과 검토 업무를 말한다.

⑤ 선형계획 검토

선형계획 검토는 상하선계획에 따른 중점 검토, 레일면고계획 검토 업무를 말한다. 상하선계획에 따른 중점검토는 평면 및 종단선형 검토, 중심간격분석, 선형인터페이스 검토 업무를 포함하며, 레일면고계획검토는 궤도구조 및 노반조건별 시공기면~레일두부상면 높이 검토 업무를 포함한다.

⑥ 정거장 배선계획 검토

정거장 배선계획 검토는 정거장 배선계획, 시종점역 배선계획 업무를 말한다. 정거장 배선계획은 분기기 규격 및 위치 적정성, 분기기 경합, 유효장 검토 업무를 포함하며, 시종점역 배선계획은 인터페이스와 장래 확장계획을 고려한 배선계획검토 업무를 포함한다.

※ 산정 시 고려사항

- 기초 열차운행(TPS)의 단위는 식이며, 정거장 배선계획의 단위는 시·종착역 제외 정거장 개소이며, 시종착역 배선계획의 단위는 시종착역 개소이다.
- 차량·화물기지(주박선, 검수선, 유치선 등 측선) 기능이 포함되는 중간역의 배선계획은 시·종착역 배선계획 산정 시 개소에 포함하여 산정한다.

⑦ 궤도구조계획

궤도구조계획은 자갈궤도, 콘크리트 궤도 계획업무를 말한다. 자갈궤도와 콘크리트궤도계획은 궤도구조별 선구(線區)의 설계속도, 선형조건, 노반구조물과의 연계성 검토업무를 포함한다.

※ 산정 시 고려사항

- 자갈궤도 및 콘크리트궤도의 단위는 궤도연장이다.

⑧ 관계기관 협의

관계기관 협의는 관계기관 협의 및 협의내용 검토 분석 업무를 말한다.

⑨ 단계별 자문 및 방침자료 작성

단계별 자문 및 방침자료 작성은 중간단계 자문, 마무리단계 자문, 발주처 방침 결정, 설계VE 자료작성 업무를 말한다. 중간단계 자문은 중간자문회의 자료작성, 자문의견 검토 후 수정 및 보완 업무를 포함하며, 마무리단계 자문은 준공자문회의 자료작성, 자문의견 검토 후 수정 및 보완 업무를 포함하며, 발주처 방침 결정은 설계방침서 작성, 설계방침에 따른 설계도서 보완 업무를 포함하며, 설계VE 자료작성은 설계VE자료 작성, 설계VE의견 검토 후 설계반영 업무를 포함한다.

※ 산정 시 고려사항

- 횟수의 산정시 본부 방침 결정과 설계VE 자료 작성, 각종 심의자료 작성업무는 별도의 횟수로 산정한다.
- 회의 준비 및 개최 비용, 심의위원 심의 비용 등은 제외한다.
- 기타 별도의 대가기준(예, 경관설계심의, 농지·산지전용협의 등)이 있는 경우 해당기준을 따른다.

⑩ 설계기준 설정

설계기준 설정은 설계기준 관련 업무를 말하며, 선로설계기준 및 궤도구조기준 설정 업무를 포함한다.

⑪ 궤도선형 설계

궤도선형 설계는 중심선 및 상·하선 선형계산, 궤도중심간격 설계에 대한 업무를 말한다.

⑫ 자갈궤도 구조설계

자갈궤도 구조설계는 자갈궤도 표준단면, 작용하중, 궤도자재의 허용응력, 궤도구조계산 업무를 말한다. 자갈궤도 표준단면은 FL~RL 적용 검토, 자갈궤도 도상표준단면 설계 업무를 포함하며, 작용하중은 적용 하중의 분류 및 검토 업무를 포함하며, 궤도자재의 허용응력은 침목 및 체결장치 등 자갈궤도의 허용응력 업무를 포함하며, 궤도구조계산은 자갈궤도안정성 설계 업무를 포함한다.

⑬ 콘크리트궤도 구조설계

콘크리트궤도 구조설계는 콘크리트궤도 표준단면, 작용하중, 궤도자재의 허용응력, 궤도구조계산 업무를 말한다. 콘크리트궤도 표준단면은 FL~RL 적용 검토, 콘크리트궤도 도상표준단면 설계 업무를 포함하며, 작용하중은 적용 하중의 분류 및 검토 업무를 포함하며, 궤도자재의 허용응력은 침목 및 체결장치 등 콘크리트궤도의 허용응력 업무를 포함하며, 궤도구조계산은 콘크리트궤도안정성 설계 업무를 포함한다.

⑭ 레일장대화 설계

레일장대화 설계는 장대레일화 해석, 궤도/구조물 상호작용에 미치는 영향요소, 작용하중, 자갈궤도 해석, 콘크리트궤도 해석, 장대레일 재설정, 장대레일 용접 업무를 말한다. 장대레일화 해석은 노반구조별 레일 장대화 해석 업무를 포함하며, 궤도/구조물 상호작용에 미치는 영향요소는 궤도종저항력, 교량지점배치, 고정점간 간격, 교각강성 등 검토 업무를 포함하며, 작용 하중은 온도하중, 시제동하중, 열차수직하중, 하중조합 업무를 포함하며, 자갈궤도 해석은 교량상 자갈궤도 안정성 검토(안정성) 업무를 포함하며, 콘크리트궤도 해석은 교량상 콘크리트궤도 안정성 검토(안정성 및 사용성) 업무를 포함하며, 장대레일 재설정은 노반구조 및 궤도구조별 장대레일 설정기준 설계 업무를 포함하며, 장대레일 용접은 레일용접 공법 적용 및 품질관리방안 설계 업무를 포함한다.

※ 산정 시 고려사항

- 장대레일화 해석, 궤도/구조물 상호작용에 미치는 영향요소, 작용 하중, 장대레일 재설정, 장대레일 용접의 단위는 km이며, 자갈궤도 해석의 단위는 자갈궤도연장이며, 콘크리트궤도 해석의 단위는 콘크리트궤도연장이다.

⑮ 궤도재료 설계

궤도재료 설계는 과업구간 적용 가능 궤도재료 제시 및 조달방안 검토 업무를 말한다.

⑯ 궤도시공 설계

궤도시공 설계는 궤도시공 공정수립, 자갈도상궤도 시공, 콘크리트도상궤도 시공, 궤도장비 운용, 궤도부설설계, 궤도철거설계 업무를 말한다.

※ 산정 시 고려사항

- 궤도시공 공정수립, 궤도장비 운용, 궤도부설설계의 단위는 km이며, 자갈도상궤도 및 콘크리트도상궤도시공의 단위는 궤도연장이며, 궤도철거설계의 단위는 철거연장이다.

⑰ 궤도안전 및 부대시설설계

궤도안전 및 부대시설설계는 차막이, 건널목 등 안전시설과 제표 등 부대설비 설계 업무를 말한다.

⑱ 인터페이스 설계

인터페이스 설계는 토공, 교량, 터널 등 노반분야 인터페이스 설계, 신호, 전력전차선, 통신 등 시스템분야 인터페이스 설계, 운전, 운영분야 인터페이스 설계 업무를 말한다.

⑲ 기본설계보고서

기본설계보고서는 노선도, 총론, 설계기준 및 공사개요, 기존선 현황, 노선 및 선형 현황, 정거장 배선계획, 궤도구조, 레일장대, 장척화 및 레일용접, 궤도시공 계획, 궤도 유지관리계획, 소음·진동 및 환경대책, 안전 및 부대시설 등 기본설계과정에서 검토된 과업의 전반적인 사항에 대한 보고서 작성 업무를 말한다.

⑳ 기본설계도면

기본설계도면은 기본설계과정에서 작성된 도면의 취합 및 전산화 업무를 말한다.

㉑ 설계예산서

설계예산서는 설계설명서, 설계예산내역서 작성 업무를 말한다.

㉒ 단가산출서

단가산출서는 공종별 일위대가 및 산출근거 작성 업무를 말한다.

㉓ 수량산출서

수량산출서는 자갈궤도부설, 콘크리트궤도부설, 궤도철거 수량산출 업무를 말한다.

※ 산정 시 고려사항

- 자갈궤도부설과 콘크리트궤도부설의 단위는 궤도연장이며, 궤도철거의 단위는 궤도철거연장이다.

㉔ 선형 및 구조계산서

선형 및 구조계산서는 구조계산서, 선형계산서 작성 업무를 말한다.

8-3-2 실시설계

① 과업착수준비

과업착수 준비는 착수신고서와 과업수행계획서의 작성업무이다.

② 관련자료 조사 및 검토

관련자료 조사 및 검토는 궤도실시설계수행에 필요한 규정, 지침, 법령 등 제기준의 조사 및 검토 업무를 말한다.

③ 현지조사 및 답사

현지조사 및 답사는 현장조사계획서 제출, 현장조사 업무를 말한다.

④ 전단계성과 검토

전단계성과 검토는 실시설계 이전 단계의 성과 검토, 노반성과물 조사, 신호성과물 조사 업무를 포함한다.

⑤ 선형계획 검토

선형계획 검토는 상하선계획에 따른 중점검토, 레일면고계획 검토, 선형인터페이스 검토 업무를 말한다. 상하선계획에 따른 중점검토는 종편면선형 검토, 평면 및 종단 선형조합 업무를 포함하며, 레일면고계획 검토는 노반 조건별 시공기면~레일두부상면 높이 검토 업무를 포함하며, 선형인터페이스 검토는 상하선 계획을 고려한 문제점 검토, 완화곡선과 종곡선, 분기기와 완화곡선 또는 종곡선, 교량과 분기기 및 레일신축이음매 위치, 건널목 또는 교대와 이음매의 위치, 무도상교량과 완화곡선 또는 종곡선, 신축이음매와 완화곡선 경합검토 업무를 포함한다.

⑥ 정거장 배선계획 검토

정거장 배선계획 검토는 기초 열차운행(TPS), 정거장 배선계획, 시종점역 배선계획 업무를 말한다. 기초 열차운행(TPS)은 기본설계시 작성된 TPS의 검토 및 검증 업무를 포함하며, 정거장 배선계획은 분기기 규격 및 위치 적정성, 분기기 경합, 유효장 검토 업무를 포함하며, 시종점역 배선계획은 인터페이스와 장래 확장계획을 고려한 배선계획검토 업무를 포함한다.

※ 산정 시 고려사항

- 기초 열차운행(TPS)의 단위는 식이며, 정거장 배선계획의 단위는 시·종착역 제외 정거장 개소이며, 시종착역 배선계획의 단위는 시종착역 개소이다.
- 차량·화물기지(주박선, 검수선, 유치선 등 측선) 기능이 포함되는 중간역의 배선계획은 시·종착역 배선계획 산정 시 개소에 포함하여 산정한다.

⑦ 궤도구조계획

궤도구조계획은 자갈궤도, 콘크리트 궤도 계획업무를 말한다. 자갈궤도와 콘크리트궤도계획은 궤도구조별 선구의 설계속도에 부합한 궤도강도(동특성), 선형조건에 따른 적정성, 노반구조물과의 연계성 검토업무를 포함한다.

※ 산정 시 고려사항

- 자갈궤도 및 콘크리트 궤도의 단위는 궤도연장이다.

⑧ 환경영향평가 결과 검토

환경영향평가 결과 검토는 환경영향평가 결과 검토 및 반영 업무를 말한다. 환경영향평가 결과 검토 및 반영은 공사 중과 공사 완료 후로 구분하여 검토된 예상 영향에 대해 공사종류별, 시행시기별로 저감대책 검토 반영 업무를 포함한다.

⑨ 관계기관 협의

관계기관 협의는 관계기관 협의 및 협의내용 검토 분석 업무를 말한다.

⑩ 단계별 자문 및 방침자료 작성

단계별 자문 및 방침자료 작성은 착수단계 자문, 중간단계 자문, 마무리단계 자문, 발주처 방침 결정, 설계VE 자료작성 업무를 말한다. 착수단계 자문은 착수자문회의 자료 작성, 자문의견 검토 후 보완 및 수정 업무를 포함하며, 중간단계 자문은 중간자문회의 자료 작성, 자문의견 검토 후 보완 및 수정 업무를 포함하며, 마무리단계 자문은 총공사비 협의, 설계심사 후 검토 및 보완작성 업무를 포함하며, 발주처 방침 결정은 설계방침서 작성 업무를 포함하며, 설계VE 자료작성은 설계VE자료 작성, 설계VE의견 검토 후 설계반영 업무를 포함한다.

※ 산정 시 고려사항

- 횟수의 산정시 본부 방침 결정과 설계VE 자료 작성, 각종 심의자료 작성업무는 별도의 횟수로 산정한다.
- 회의 준비 및 개최 비용, 심의위원 심의 비용 등은 제외한다.
- 기타 별도의 대가기준(예, 경관설계심의, 농지·산지전용협의 등)이 있는 경우 해당기준을 따른다.

⑪ 설계기준 설정

설계기준 설정은 설계기준 관련 업무를 말하며, 선로설계기준, 궤도구조기준, 건축한계, 차량한계 설정업무를 포함한다.

⑫ 궤도선형 설계

궤도선형설계는 중심선 및 상·하선 선형계산, 궤도중심간격 설계에 대한 업무를 말한다.

⑬ 자갈궤도 구조설계

자갈궤도 구조설계는 자갈궤도 표준단면, 작용하중, 궤도자재의 허용응력, 궤도구조계산 업무를 말한다. 자갈궤도 표준단면은 FL~RL 적용검토, 자갈궤도 도상표준단면 설계 업무를 포함하며, 작용하중은 하중의 분류 및 적용, 표준 정적하중, 표준 동적하중, 통과하중(통과통수), 횡하중, 종방향하중 업무를 포함하며, 궤도자재의 허용응력은 레일의 허용응력, 침목의 허용응력, 도상자갈의 허용압력, 노반의 허용압력 업무를 포함하며, 궤도구조계산은 궤도 합성 스프링정수의 계산, 레일처짐량, 레일응력 및 휨모멘트, 수직력, 침목응력 및 휨모멘트, 도상압력, 노반압력 업무를 포함한다.

⑭ 콘크리트궤도 구조설계

콘크리트궤도 구조설계는 콘크리트궤도 구조설계 및 구조선정, 콘크리트궤도 요구조건, 콘크리트궤도 구성품 요소, 작용하중, 궤도자재의 허용응력, 궤도구조계산 업무를 말한다. 콘크리트궤도구조 설계 및 구조선정은 검토대상 궤도구조 선정, 성능검증(신규구조 적용시), 성능검증 결과판단(자문회의 시행), 성능검증 통과 궤도구조 경제성 및 유지관리 검토(설계VE시행), 궤도구조결정(기술심의 위원회) 업무를 포함하며, 콘크리트궤도 요구 조건은 수직 및 수평하중에 대한 안정성, 궤도지지강성, 지지점 간격 설계 업무를 말하며, 콘크리트궤도 구성품 요소는 레일체결장치 성능요구 조건, 침목 선정, 도상콘크리트층 요구조건, 콘크리트 기층 설계조건, 교면보호층 콘크리트 및 돌기 콘크리트 업무를 포함하며, 작용 하중은 수직하중, 횡하중, 종방향하중 업무를 포함하며, 궤도자재의 허용응력은 레일, 침목, 콘크리트, 노반 업무를 포함하며, 궤도구조계산은 궤도 합성 스프링정수의 계산, 레일처짐량 및 응력, 수직력, 노반 압력, 흙노반상 콘크리트궤도 설계, 터널부의 콘크리트궤도 설계, 교량상 콘크리트궤도 설계 업무를 포함한다.

⑮ 레일장대화 설계

레일장대화 설계는 장대레일화 해석, 궤도/구조물 상호작용에 미치는 영향요소, 작용 하중, 자갈궤도 해석, 콘크리트궤도 해석, 장대레일 재설정, 장대레일 용접 업무를 말한다. 장대레일화 해석은 흙노반구간의 레일장대화 해석, 터널구간의 레일장대화 해석, 교량구간의 레일장대화 해석 업무를 포함하며, 궤도/구조물 상호작용에 미치는 영향요소는 궤도 종저항력, 교량 지점배치, 상판수, 수평지지 스프링계수, 상부구조 휨거동 업무를 포함하며, 작용 하중은 온도하중, 시제동하중, 열차수직하중, 하중조합 업무를 포함하며, 자갈궤도 해석은 허용 부가응력, 레일/교량 상대변위, 교량상판 종방향 변위, 교량상판의 단부꺾임각에 의한 끝단상부면 종방향 변위, 열차수직하중 작용시 교량상판의 단부 단차, 교좌장치에 작용하는 종하중, 레일신축이음장치 설치, 레일파단시 개구량 업무를 포함하며, 콘크리트궤도 해석은 허용 부가응력, 교량 변위, 레일신축이음장치 설치, 레일파단시 개구량, 레일체결장치 상향력 해석 업무를 포함하며, 장대레일 재설정은 장대레일 설정기준, 장대레일 설정방법 업무를 포함하며, 장대레일 용접은 레일용접 공법 적용, 레일용접 품질관리 업무를 포함한다.

※ 산정 시 고려사항

- 장대레일화 해석, 궤도/구조물 상호작용에 미치는 영향요소, 작용 하중, 장대레일 재설정, 장대레일 용접의 단위는 km이며, 자갈궤도 해석의 단위는 자갈궤도연장이며, 콘크리트궤도 해석의 단위는 콘크리트궤도연장이다.

⑯ 궤도재료 설계

궤도재료 설계는 과업구간 적용 가능 궤도재료 제시 및 조달방안 검토 업무를 말한다.

⑰ 궤도시공 설계

궤도시공 설계는 궤도시공 공정수립, 자갈도상궤도 시공, 콘크리트도상궤도 시공, 궤도장비 운용, 궤도부설설계, 궤도철거설계 업무를 말한다.

※ 산정 시 고려사항

- 궤도시공 공정수립, 궤도장비 운용, 궤도부설설계의 단위는 km이며, 자갈도상궤도 및 콘크리트도상궤도시공의 단위는 궤도연장이며, 궤도철거설계의 단위는 철거연장이다.

⑱ 궤도안전 및 부대시설 설계

궤도안전 및 부대시설 설계는 차막이, 건널목 등 안전시설과 제표 등 부대설비 설계 업무를 말한다.

⑲ 인터페이스 설계

인터페이스 설계는 토공, 교량, 터널 등 노반분야 인터페이스 설계, 신호, 전력전차선, 통신 등 시스템분야 인터페이스 설계, 운전, 운영분야 인터페이스 설계 업무를 말한다.

⑳ 실시설계보고서

실시설계보고서는 노선도, 총론, 설계기준 및 공사개요, 기존선 현황, 노선 및 선형 현황, 정거장 배선계획, 궤도구조, 레일장대·장척화 및 레일용접, 궤도 재료, 궤도시공 계획, 궤도 유지관리계획, 소음·진동 및 환경대책, 안전 및 부대시설 등 실시설계 전반에 대하여 설계과정에서 검토된 내용에 대한 종합적인 보고서 작성 업무를 말한다.

㉑ 공사 및 자재시방서 작성

공사 및 자재시방서 작성은 공사시방서 작성, 자재시방서 작성업무를 말한다.

㉒ 실시설계도면

실시설계도면은 실시설계과정에서 작성된 도면의 취합 및 도면 전산화 업무를 말한다.

㉓ 설계예산서

설계예산서는 설계설명서 및 설계예산내역서 작성업무를 말한다.

㉔ 단가산출서

단가산출서는 공종별 일위대가 및 산출근거 작성 업무를 말한다

㉕ 수량산출서

수량산출서는 자갈궤도부설, 콘크리트궤도부설, 궤도철거수량 산출 업무를 말한다.

※ 산정 시 고려사항

- 자갈궤도부설과 콘크리트궤도부설의 단위는 궤도연장이며, 궤도철거의 단위는 궤도철거연장이다.

㉖ 구조계산서

구조계산서는 장대레일축력계산서, 궤도구조계산서 작성 업무를 말한다.

㉗ 선형 및 궤도연장계산서

선형 및 궤도연장계산서는 중심선, 상·하선 선형계산서, 좌표계산서, 궤도연장계산서 작성 업무를 말한다.

㉘ 선로유지관리지침서

선로유지관리지침서는 선로운영자가 유지관리를 함에 있어 필요한 기준 및 유지관리방안 작성 업무를 말한다.

8-3-3 기본 및 실시설계

① 과업착수준비

과업착수 준비는 착수신고서와 과업수행계획서의 작성업무이다.

② 관련자료 조사 및 검토

관련자료 조사 및 검토는 설계개요 및 법령 등 궤도 기본 및 실시설계수행에 필요한 규정, 지침, 법령 등 제기준의 조사 및 검토 업무를 말한다.

③ 현지조사 및 답사

현지조사 및 답사는 현장조사계획서 제출, 현장조사 업무를 말한다.

④ 전단계성과 검토

전단계성과 검토는 이전 단계의 성과검토, 노반성과물 조사, 신호성과물 조사, 전략환경영향평가 성과 검토 및 환경영향평가 검토 업무를 말한다.

⑤ 선형계획 검토

선형계획 검토는 상·하선계획에 따른 중점검토, 레일면고 계획검토, 선형인터페이스 검토 업무를 말한다. 상·하선계획에 따른 중점검토는 종평면선형 검토, 평면 및 종단 선형조합, 중심간격 분석 업무를 포함하며, 레일면고 계획검토는 궤도구조별 시공기면~레일두부상면 높이 검토, 노반조건별 시공기면~레일두부상면 높이와 궤도구조의 조합 검토 업무를 포함하며, 선형인터페이스 검토는 상·하선 계획을 고려한 문제점 검토, 완화곡선과 종곡선, 분기기와 완화곡선 또는 종곡선, 교량과 분기기 및 레일신축이음매 위치, 건널목 또는 교대와 이음매의 위치, 무도상교량과 완화곡선 또는 종곡선, 신축이음매와 완화곡선 경합검토 업무를 포함한다.

⑥ 정거장 배선계획 검토

정거장 배선계획 검토는 기초 열차운행(TPS), 정거장 배선계획, 시종점역 배선계획 업무를 말한다. 기초 열차운행(TPS)은 기본설계시 작성된 TPS의 검토 및 검증 업무를 포함하며, 정거장 배선계획 및 시종점역 배선계획은 배선, 인터페이스, 열차운행계획, 분기기 설치기준 적정성, 분기기 배치, 장래계획검토 업무를 포함한다.

※ 산정 시 고려사항

- 기초 열차운행(TPS)의 단위는 식이며, 정거장 배선계획의 단위는 시·종착역 제외 정거장 개소이며, 시종착역 배선계획의 단위는 시

종착역 개소이다.

- 차량 · 화물기지(주박선, 검수선, 유치선 등 측선) 기능이 포함되는 중간역의 배선계획은 시 · 종착역 배선계획 산정 시 개소에 포함하여 산정한다.

⑦ 궤도구조계획

궤도구조계획은 자갈궤도, 콘크리트 궤도 계획업무를 말한다. 자갈궤도와 콘크리트궤도계획은 궤도구조별 선구의 설계속도에 부합한 궤도강도(동특성), 선형조건에 따른 적정성, 노반구조물과의 연계성 검토업무를 포함한다.

※ 산정 시 고려사항

- 자갈궤도 및 콘크리트궤도의 단위는 궤도연장이다.

⑧ 관계기관 협의

관계기관 협의는 관계기관 협의 및 협의내용 검토 분석 업무를 말한다.

⑨ 단계별 자문 및 방침자료 작성

단계별 자문 및 방침자료 작성은 착수단계 자문, 중간단계 자문, 마무리단계 자문, 발주처 방침 결정, 설계VE 자료작성 업무를 말한다. 착수단계 자문은 착수자문회의 자료 작성, 자문의견 검토 후 보완 및 수정 업무를 포함하며, 중간단계 자문은 중간자문회의 자료 작성, 자문의견 검토 후 보완 및 수정 업무를 포함하며, 마무리단계 자문은 총공사비 협의, 설계심사 후 검토 및 보완작성 업무를 포함하며, 발주처 방침 결정은 설계방침서 작성 업무를 포함하며, 설계VE 자료작성은 설계VE자료 작성, 설계VE의견 검토 후 설계반영 업무를 포함한다.

※ 산정 시 고려사항

- 횟수의 산정시 본부 방침 결정과 설계VE 자료 작성, 각종 심의자료 작성업무는 별도의 횟수로 산정한다.
- 회의 준비 및 개최 비용, 심의위원 심의 비용 등은 제외한다.
- 기타 별도의 대가기준(예, 경관설계심의, 농지·산지전용협의 등)이 있는 경우 해당기준을 따른다.

⑩ 설계기준 설정

설계기준 설정은 설계기준 관련 업무를 말하며, 선로설계기준, 궤도구조기준, 건축한계, 차량한계 설정업무를 포함한다.

⑪ 궤도선형 설계

궤도선형 설계는 중심선 및 상 · 하선 선형계산, 궤도중심간격 설계에 대한 업무를 말한다.

⑫ 자갈궤도 구조설계

자갈궤도 구조설계는 자갈궤도 표준단면, 작용하중, 궤도자재의 허용응력, 궤도구조계산 업무를 말한다. 자갈궤도 표준단면은 FL~RL 적용검토, 자갈궤도 도상표준단면 설계 업무를 포함하며, 작용하중은 하중의 분류 및 적용, 표준 정적하중, 표준 동적하중, 통과하중(통과통수), 횡하중, 종방향하중 업무를 포함하며, 궤도자재의 허용응력은 레일의 허용응력, 침목의 허용응력, 도상자갈의 허용압력, 노반의 허용압력 업무를 포함하며, 궤도구조계산은 궤도 합성 스프링정수의 계산, 레일처짐량, 레일응력 및 휨모멘트, 수직력, 침목응력 및 휨모멘트, 도상압력, 노반압력 업무를 포함한다.

⑬ 콘크리트궤도 구조설계

콘크리트궤도 구조설계는 콘크리트궤도 구조설계 및 구조선정, 콘크리트궤도 요구조건, 콘크리트궤도 구성품 요소, 작용하중, 궤도자재의 허용응력, 궤도구조계산 업무를 말한다. 콘크리트궤도구조 설계 및 구조선정은 검토대상 궤도구조 선정, 성능검증(신규구조 적용시), 성능검증 결과판단(자문회의 시행), 성능검증 통과 궤도구조 경제성 및 유지관리 검토(설계VE시행), 궤도구조결정(기술심의 위원회) 업무를 포함하며, 콘크리트궤도 요구 조건은 수직 및 수평하중에 대한 안정성, 궤도지지강성, 지지점 간격 설계 업무를 말하며, 콘크리트궤도 구성품 요소는 레일체결장치 성능요구 조건, 침목 선정, 도상콘크리트층 요구조건, 콘크리트 기층 설계조건, 교면보호층 콘크리트 및 돌기 콘크리트 업무를 포함하며, 작용 하중은 수직하중, 횡하중, 종방향 하중 업무를 포함하며, 궤도자재의 허용응력은 레일, 침목, 콘크리트, 노반 업무를 포함하며, 궤도구조계산은 궤도 합성 스프링정수의 계산, 레일처짐량 및 응력, 수직력, 노반 압력, 흙노반상 콘크리트궤도 설계, 터널부의 콘크리트궤도 설계, 교량상 콘크리트궤도 설계 업무를 포함한다.

⑭ 레일장대화 설계

레일장대화 설계는 장대레일화 해석, 궤도/구조물 상호작용에 미치는 영향요소, 작용 하중, 자갈궤도 해석, 콘크리트궤도 해석, 장대레일 재설정, 장대레일 용접 업무를 말한다. 장대레일화 해석은 흙노반구간의 레일장대화 해석, 터널구간의 레일장대화 해석, 교량구간의 레일장대화 해석 업무를 포함하며, 궤도/구조물 상호작용에 미치는 영향요소는 궤도 종저항력, 교량 지점배치, 상판수, 수평지지 스프링계수, 상부구조 휨거동 업무를 포함하며, 작용 하중은 온도하중, 시제동하중, 열차수직하중, 하중조합 업무를 포함하며, 자갈궤도 해석은 허용 부가응력, 레일/교량 상대변위, 교량상판 종방향 변위, 교량상판의 단부꺾임각에 의한 끝단상부면 종방향 변위, 열차수직하중 작용시 교량상판의 단부 단차, 교좌장치에 작용하는 종하중, 레일신축이음장치 설치, 레일파단시 개구량 업무를 포함하며, 콘크리트궤도 해석은 허용 부가응력, 교량 변위, 레일신축이음장치 설치, 레일파단시 개구량, 레일체결장치 상향력 해석 업무를 포함하며, 장대레일 재설정은 장대레일 설정기준, 장대레일 설정방법 업무를 포함하며, 장대레일 용접은 레일용접 공법 적용, 레일용접 품질관리 업무를 포함한다.

※ 산정 시 고려사항

- 장대레일화 해석, 궤도/구조물 상호작용에 미치는 영향요소, 작용 하중, 장대레일 재설정, 장대레일 용접의 단위는 km이며, 자갈궤도 해석의 단위는 자갈궤도연장이며, 콘크리트궤도 해석의 단위는 콘크리트궤도연장이다.

⑮ 궤도재료 설계

궤도재료 설계는 과업구간 적용 가능 궤도재료 제시 및 조달방안 검토 업무를 말한다.

⑯ 궤도시공 설계

궤도시공 설계는 궤도시공 공정수립, 자갈도상궤도 시공, 콘크리트도상궤도 시공, 궤도장비 운용, 궤도부설설계, 궤도철거설계 업무를 말한다.

※ 산정 시 고려사항

- 궤도시공 공정수립, 궤도장비 운용, 궤도부설설계의 단위는 km이며, 자갈도상궤도 및 콘크리트도상궤도시공의 단위는 궤도연장이며, 궤도철거설계의 단위는 철거연장이다.

⑰ 궤도안전 및 부대시설 설계

궤도안전 및 부대시설 설계는 차막이, 건널목 등 안전시설과 제표 등 부대설비 설계 업무를 말한다.

⑱ 인터페이스 설계

인터페이스 설계는 토공, 교량, 터널 등 노반분야 인터페이스 설계, 신호, 전력전차선, 통신 등 시스템분야 인터페이스 설계, 운전, 운영분야 인터페이스 설계업무를 말한다.

⑲ 기본 및 실시설계보고서

기본 및 실시설계보고서는 노선도, 총론, 설계기준 및 공사개요, 기존선 현황, 노선 및 선형 현황, 정거장 배선계획, 궤도구조, 레일장대,

장척화 및 레일용접, 궤도 재료, 궤도시공 계획, 궤도 유지관리계획, 소음·진동 및 환경대책, 안전 및 부대시설 등 기본 및 실시설계 전반에 대하여 설계과정에서 검토된 내용에 대한 종합적인 보고서 작성 업무를 말한다.

⑳ 공사 및 자재시방서 작성

공사 및 자재시방서 작성은 공사시방서 작성, 자재시방서 작성업무를 말한다.

㉑ 기본 및 실시설계도면

기본 및 실시설계도면은 기본 및 실시설계과정에서 작성된 도면의 취합 및 전산화 업무를 말한다.

㉒ 설계예산서

설계예산서는 설계설명서 및 설계예산내역서 작성업무를 말한다.

㉓ 단가산출서

단가산출서는 공종별 일위대가 및 산출근거 작성 업무를 말한다

㉔ 수량산출서

수량산출서는 자갈궤도부설, 콘크리트궤도부설, 궤도철거수량 산출 업무를 말한다.

※ 산정 시 고려사항

- 자갈궤도부설과 콘크리트궤도부설의 단위는 궤도연장이며, 궤도철거의 단위는 궤도철거연장이다.

㉕ 구조계산서

구조계산서는 장대레일축력계산서, 궤도구조계산서 작성 업무를 말한다.

㉖ 선형 및 궤도연장계산서

선형 및 궤도연장계산서는 중심선, 상·하선 선형계산서, 좌표계산서, 궤도연장계산서 작성 업무를 말한다.

㉗ 선로유지관리지침서

선로유지관리지침서는 선로운영자가 유지관리를 함에 있어 필요한 기준 및 유지관리방안 작성 업무를 말한다.

8-4 항만분야 설계용역 업무정의

8-4-1 타당성조사

① 과업착수준비

과업착수 준비는 착수신고서와 과업수행계획서의 작성업무이다.

② 관련계획 조사 및 검토

관련계획 조사 및 검토는 국내 및 국제 주요 경제지표조사(인구, GNP, GDP 등), 국가 관련계획 및 부문별, 지역별 주요 산업정책조사, 해외의 유수한 선진 항만 및 각종 제도, 관리운영사항 분석 등의 업무를 말한다.

③ 현지조사 및 답사

현지조사 및 답사는 해당 계획지역에서의 지형, 지물, 식생, 용·배수, 토지이용상황 및 문화재를 파악·확인하는 업무를 말한다.

④ 기존 항만현황 조사

기존 항만현황 조사는 항만시설 현황조사, 이용현황, 운영현황을 조사하는 업무를 말한다. 항만시설 현황조사는 기존의 항구, 항로 및 수역시설에 대한 현황과 부두시설은 규모, 수심, 연장, 구조형식, 건설연도, 대상선박 및 하역방법과 하역능력 등을 조사·분석하는 업무를 포함한다. 이용현황은 물동량 처리실적 및 추이, 선박의 입·출항 및 체선·체화현황, 항만이용화물량의 실적을 품목별, 부두별, 화물취급 특성별로 분류·파악, 화물별 취급선박 규모, 형태 등 조사, 야적장 등 보관시설 이용현황 조사, 문제점을 조사하여 장래부두 재배치 가능성을 조사하는 업무를 포함한다. 운영현황은 하역업체 및 장비현황, 운

영실태를 조사하는 업무를 포함한다.

⑤ 문헌조사(기상자료 조사)

기상자료 조사는 과거 20년간의 기상자료를 수집, 정리, 분석하여 종합개발계획에 이용할 수 있도록 하는 업무를 말한다. 정리된 자료 등을 토대로 하여 육상 및 해상작업 일수를 추정, 시공 계획시 적용할 수 있도록 제시하는 업무를 포함한다.

⑥ 문헌조사(지형조사)

지형조사는 계획 대상지의 인근지역에 대한 개략적인 지형을 조사하고 계획 대상지의 지정학적인 위치와 특성, 계획 대상지의 항만에서의 위치와 주변시설물의 위치 등을 파악·정리하여 시설물의 배치 및 구조물 설계시에 이용하도록 하는 업무를 말한다.

⑦ 문헌조사(해양자료 조사)

해양자료 조사는 기존 문헌에서 제시된 설계파고와 현재 운영중인 인근 파랑관측소의 파고자료, 기존의 인근 검조소에서 관측된 조석자료, 기존 조류자료 등을 조사하는 업무를 말한다.

⑧ 문헌조사(표사이동 조사)

항만건설시 해안의 변동에 따른 해안침식 또는 매몰이 예측될 시에는 그 상황을 조사하여 후속 단계과업에서 대책을 수립할 수 있도록 검토하는 업무를 말한다.

⑨ 수심측량 성과 검토

수심측량 성과 검토는 수심측량 조사결과에 대한 성과검토업무를 말한다.

⑩ 어업권조사

어업권 조사는 관련 시·군에 등록된 어업권현황을 조사하여 사업시행으로 인해 영향을 받는 어업권의 현황을 파악하는 업무를 말한다.

⑪ 환경영향 및 교통영향 검토

환경영향 및 교통영향 검토는 환경영향 검토와 교통영향 검토업무를 말한다. 환경영향 검토는 사업대상지의 환경적 특성을 기존의 문헌자료를 조사하여 사업시행으로 인한 환경에 미칠 영향을 정성적으로 파악하여 후속단계의 과업인 「환경영향평가법」에 의한 환경영향평가 과정에서 평가업무가 효율적으로 수행될 수 있도록 사업특성과 환경에 미치는 영향을 잘 정리하여 보고서에 수록하는 업무를 포함한다. 교통영향 검토는 항만건설과 관련하여 화물수송로 경로상에 있는 도로의 현재상태의 교통량을 국토해양부의 도로별 교통량 조사결과를 조사하여 도로확장 또는 항만전용 도로건설의 필요성이 있는지에 대하여 조사하고 후속단계에서 과업이 수행될 수 있도록 조사결과를 보고서에 수록하는 업무를 포함한다.

⑫ 경제성 및 재무분석

경제성 및 재무분석은 사업비 산출, 경제성 분석, 민감도 분석, 재무분석, 한계사업비 산출업무를 말한다. 사업비 산출은 항만시설 건설비와 유지관리비를 산출하는 업무를 포함하며, 경제성 분석은 시장성에 기초한 목적 구조물의 경제적 효율, 그리고 이자율을 비롯한 미래의 자금비용 등에 대한 적절한 가정을 바탕으로 해당 공사의 기대 수익과 기대 비용을 추정하고 항만시설 건설비 및 유지관리비와 이용자 편익을 비교하여 편익비용(B/C), 초년도 수익률(FYRR), 내부수익률(IRR), 및 순현재가치(NPV), 최적개통시기 등을 산출하는 업무를 포함한다. 민감도 분석을 해당 공사의 건설 및 운영단계에서 발생 가능한 제반 위험에 대한 분석과 공사 수행으로부터 예상되는 현금 흐름에 대한 분석, 그리고 공사수행 중 또는 후의 주위 상황이 변화함에 따라 현금 흐름에 미치는 영향 등을 고려하여 발생 가능한 모든 경우를 가정하여 시행하는 업무를 말한다. 재무분석은 항만시설 개통 이후의 추정물동량에 따른 항만운영 수입 및 운영비용을 1년 단위로 산출하여 운영의 채산성을 검토하는 업무를 포함하며, 한계사업비 제시는 민감도 분석에 의거 사업비 증액에 따라 경제적 타당성이 없어지는 사업비를 제시하는 업무를 말한다.

⑬ 개발여건전망 분석(배후수송계획)

개발여건전망 분석은 항만개발 여건전망, 항만개발 수요전망 분석, 기타 항만개발 수요추정업무를 말한다. 항만개발 여건전망은 항만의 입지여건과 개발 잠재력 등을 종합적으로 검토하여 항만개발여건을 전망하는 업무를 포함한다. 항만개발 수요전망 분석은 한국해양수산개발원 항만수요예측센터에서 발표한 항만개발 수요전망분석자료를 조사하여 전국항만 물동량의 품목별, 단계별 물동량 전망치, 배후지역 항만 물동량의 품목별(컨테이너 포함), 단계별 물동량 전망치를 분석하는 업무를 포함한다. 기타 항만개발 수요추정은 개발대상지역의 입지적 특성을 감안하여 개발 전략상이나 국토개발 측면에서 필요한 관광여객시설, 마리나시설 및 자원비축기지 수요 등과 기타 현지조건을 감안한 유선, 어선 수용시설 등 항만개발 필요성을 제시하는 업무를 포함한다.

⑭ 평면배치계획

평면배치계획은 토지이용계획과 시설배치계획을 수립하고 대안을 설정하여 평면배치계획의 비교안을 검토하고 수치모형실험 등을 통해 그 최적안을 제시하는 업무를 말한다.

⑮ 관계기관 협의

관계기관 협의는 평면배치계획 수립과 관련하여 이해당사자 및 관계기관의 의견을 수렴하여 사업시행으로 인한 민원을 최소화할 수 있는 방안을 검토하는 업무를 말한다.

⑯ 단계별 자문 및 방침자료 작성

단계별 자문 및 방침자료 작성은 착수단계자문, 중간단계자문, 마무리단계자문, 발주처 방침 결정 업무를 말한다. 착수단계자문은 착수자문회의 자료 작성 및 개최, 자문의견 검토 후 설계 반영 사항 정리 업무를 포함하며, 중간단계자문은 중간자문회의 자료 작성 및 개최, 자문의견 검토 후 설계 반영 사항 정리 업무를 포함하며, 마무리단계자문은 최종자문회의 자료 작성 및 개최, 자문의견 검토 후 설계 반영 사항 정리 업무를 포함하며, 발주처 방침 결정은 설계방침서 작성 및 설명 자료 작성, 추가요청사항의 설계반영 업무를 포함한다.

※ 산정 시 고려사항

- 횟수의 산정시 본부 방침 결정과 설계VE 자료 작성, 각종 심의자료 작성업무는 별도의 횟수로 산정한다.
- 회의 준비 및 개최 비용, 심의위원 심의 비용 등은 제외한다.
- 기타 별도의 대가기준(예, 경관설계심의, 농지·산지전용협의 등)이 있는 경우 해당기준을 따른다.

⑰ 공사수행방안

공사수행방안은 사업추진에 유리한 공사발주형태(턴키, 기타공사 등)의 장·단점을 검토하여 시행방안을 수립하는 업무를 말한다.

⑱ 주요 구조물 개략 평면설계

주요 구조물 개략설계는 지형도의 축적 1:5,000을 표준으로 하여 해당 지역의 사회적, 자연적, 문화적 요인을 명시하여, 주요 구조물시설 등을 기입하고, 발주기관의 지시에 의해 비교안을 작성하는 업무를 말한다.

⑲ 주요구조물 개략 단면설계

주요 구조물 개략 단면설계는 1/500~1/1,000 축척을 표준으로 하여 도면에 주요구조물에 관해서 치수, 형상, 형식을 알 수 있도록 명시하는 업무를 말한다.

⑳ 타당성조사보고서

타당성조사보고서는 과업개요, 조사, 계획, 추정공사비 산출, 경제성 분석 및 재무분석 결과를 보고서로 작성하는 업무를 말한다. 부록작성은 기술심의 및 자문사항, 업무협의 및 지시사항 등을 포함한다. 별책부록은 경제성 및 재무분석, 추정수량 및 추정공사비 산출서를 포함한다. 타당성조사 도면작성은 위치도, 토지이용계획도, 시설배치계획도, 평면배치계획을 취합하는 업무를 말한다.

8-4-2 기본계획

① 과업착수준비

과업착수 준비는 착수신고서와 과업수행계획서의 작성업무이다.

② 관련계획 조사 및 검토

관련계획 조사 및 검토는 국내 및 국제 주요 경제지표조사(인구, GNP, GDP 등), 국가 관련계획 및 부문별, 지역별 주요 산업정책조사, 해외의 유수한 선진 항만 및 각종 제도, 관리운영사항 분석 등의 업무를 말한다.

③ 현지조사 및 답사

현지조사 및 답사는 해당 계획지역에서의 지형, 지물, 식생, 용·배수, 토지이용상황 및 문화재를 파악·확인하는 업무를 말한다.

④ 기존 항만현황 조사

기존 항만현황 조사는 항만시설 현황조사, 이용현황, 운영현황을 조사하는 업무를 말한다. 항만시설 현황조사는 기존의 항구, 항로 및 수역시설에 대한 현황과 부두시설은 규모, 수심, 연장, 구조형식, 건설연도, 대상선박 및 하역방법과 하역능력 등을 조사·분석하는 업무를 포함한다. 이용현황은 물동량 처리실적 및 추이, 선박의 입·출항 및 체선·체화현황, 항만 이용화물량의 실적을 품목별, 부두별, 화물취급특성별로 분류·파악, 화물별 취급선박 규모, 형태 등 조사, 야적장 등 보관시설 이용현황 조사, 문제점을 조사하여 장래부두 재배치 가능성을 조사하는 업무를 포함한다. 운영현황은 하역업체 및 장비현황, 운영실태를 조사하는 업무를 포함한다.

⑤ 문헌조사(기상자료 조사)

기상자료 조사는 과거 20년간의 기상자료를 수집, 정리, 분석하여 종합개발계획에 이용할 수 있도록 하는 업무를 말한다. 정리된 자료 등을 토대로 하여 육상 및 해상작업 일수를 추정, 시공 계획시 적용할 수 있도록 제시하는 업무를 포함한다.

⑥ 문헌조사(지형조사)

지형조사는 계획 대상지의 인근지역에 대한 개략적인 지형을 조사하고 계획 대상지의 지정학적인 위치와 특성, 계획 대상지의 항만에서의 위치와 주변시설물의 위치 등을 파악·정리하여 시설물의 배치 및 구조물 설계시에 이용하도록 하는 업무를 말한다.

⑦ 문헌조사(해양자료 조사)

해양자료 조사는 기존 문헌에서 제시된 설계파고와 현재 운영중인 인근 파랑관측소의 파고자료, 기존의 인근 검조소에서 관측된 조석자료, 기존 조류자료 등을 조사하는 업무를 말한다.

⑧ 문헌조사(표사이동 조사)

항만건설시 해안의 변동에 따른 해안침식 또는 매몰이 예측될 시에는 그 상황을 조사하여 후속 단계과업에서 대책을 수립할 수 있도록 검토하는 업무를 말한다.

⑨ 수심측량 성과 검토

수심측량 성과 검토는 수심측량 조사결과에 대한 성과검토업무를 말한다.

⑩ 어업권조사

어업권 조사는 관련 시·군에 등록된 어업권현황을 조사하여 사업시행으로 인해 영향을 받는 어업권의 현황을 파악하는 업무를 말한다.

⑪ 환경영향 및 교통영향 검토

환경영향 및 교통영향 검토는 환경영향 검토와 교통영향 검토업무를 말한다. 환경영향 검토는 사업대상지의 환경적 특성을 기존의 문헌자료를 조사하여 사업시행으로 인한 환경에 미칠 영향을 정성적으로 파악하여 후속단계의 과업인 「환경영향평가법」에 의한 환경영향평가 과정에서 평가업무가 효율적으로 수행될 수 있도록 사업특성과 환경에 미치는 영향을 잘 정리하여 보고서에 수록하는 업무를 포함한다. 교통영향 검토는 항만건설과 관련하여 화물수송로 경로상에 있는 도로의 현재상태의 교통량을 국토해양부의 도로별 교통량 조사결과를 조사하여 도로확장 또는 항만전용 도로건설의 필요성이 있는지에 대하여 조사하고 후속단계에서 과업이 수행될 수 있도록 조사결과를 보고서에 수록하는 업무를 포함한다.

⑫ 경제성 및 재무분석

경제성 및 재무분석은 사업비 산출, 경제성 분석, 민감도 분석, 재무분석, 한계사업비 산출업무를 말한다. 사업비 산출은 항만시설 건설비와 유지관리비를 산출하는 업무를 포함하며, 경제성 분석은 시장성에 기초한 목적 구조물의 경제적 효율, 그리고 이자율을 비롯한 미래의 자금비용 등에 대한 적절한 가정을 바탕으로 해당 공사의 기대 수익과 기대 비용을 추정하고 항만시설 건설비 및 유지관리비와 이용자 편익을 비교하여 편익비용(B/C), 초년도 수익률(FYRR), 내부수익률(IRR), 및 순현재가치(NPV), 최적개통시기 등을 산출하는 업무를 포함한다. 민감도 분석을 해당 공사의 건설 및 운영단계에서 발생 가능한 제반 위험에 대한 분석과 공사 수행으로부터 예상되는 현금 흐름에 대한 분석, 그리고 공사수행 중 또는 후의 주위 상황이 변화함에 따라 현금 흐름에 미치는 영향 등을 고려하여 발생 가능한 모든 경우를 가정하여 시행하는 업무를 말한다. 재무분석은 항만시설 개통 이후의 추정물동량에 따른 항만운영 수입 및 운영비용을 1년 단위로 산출하여 운영의 채산성을 검토하는 업무를 포함하며, 한계사업비 제시는 민감도 분석에 의거 사업비 증액에 따라 경제적 타당성이 없어지는 사업비를 제시하는 업무를 말한다.

⑬ 개발여건전망 분석(배후수송계획)

개발여건전망 분석은 항만개발 여건전망, 항만개발 수요전망 분석, 기타 항만개발 수요추정업무를 말한다. 항만개발 여건전망은 항만의 입지여건과 개발 잠재력 등을 종합적으로 검토하여 항만개발여건을 전망하는 업무를 포함한다. 항만개발 수요전망 분석은 한국해양수산개발원 항만수요예측센터에서 발표한 항만개발 수요전망분석자료를 조사하여 전국항만 물동량의 품목별, 단계별 물동량 전망치, 배후지역 항만 물동량의 품목별(컨테이너 포함), 단계별 물동량 전망치를 분석하는 업무를 포함한다. 기타 항만개발 수요추정은 개발대상지역의 입지적 특성을 감안하여 개발 전략상이나 국토개발 측면에서 필요한 관광여객시설, 마리나시설 및 자원비축기지 수요 등과 기타 현지조건을 감안한 유선, 어선 수용시설 등 항만개발 필요성을 제시하는 업무를 포함한다.

⑭ 항만시설계획(평면배치계획)

항만시설계획은 항만개발규모 검토, 평면배치계획, 단계별 시설계획 검토 업무를 말한다. 항만개발규모 검토는 물동량, 이용선박수 등에 따른 항만 규모 검토, 배후부지 소요규모 검토 업무를 포함하며, 평면배치계획은 토지이용계획과 시설배치계획을 수립하고 대안을 설정하여 평면배치계획의 비교안을 검토하고 수치모형실험 등을 통해 그 최적안을 제시하는 업무를 포함한다. 단계별 시설계획 검토는 취급화물의 처리우선순위에 따른 단계별 선석개발계획 검토, 외곽시설 및 선석축조 등 단계별 소요경비 산정 업무를 포함한다.

⑮ 관계기관 협의

관계기관 협의는 평면배치계획 수립과 관련하여 이해당사자 및 관계기관의 의견을 수렴하여 사업시행으로 인한 민원을 최소화할 수 있는 방안을 검토하는 업무를 말한다.

⑯ 단계별 자문 및 방침자료 작성

단계별 자문 및 방침자료 작성은 착수단계자문, 중간단계자문, 마무리단계자문, 발주처 방침 결정 업무를 말한다. 착수단계자문은 착수자문회의 자료 작성 및 개최, 자문의견 검토 후 설계 반영 사항 정리 업무를 포함하며, 중간단계자문은 중간자문회의 자료 작성 및 개최, 자문의견 검토 후 설계 반영 사항 정리 업무를 포함하며, 마무리단계자문은 최종자문회의 자료 작성 및 개최, 자문의견 검토 후 설계 반영 사항 정리 업무를 포함하며, 발주처 방침 결정은 설계방침서 작성 및 설명 자료 작성, 추가요청사항의 설계반영 업무를 포함한다.

※ 산정 시 고려사항

- 횟수의 산정시 본부 방침 결정과 설계VE 자료 작성, 각종 심의자료 작성업무는 별도의 횟수로 산정한다.
- 회의 준비 및 개최 비용, 심의위원 심의 비용 등은 제외한다.
- 기타 별도의 대가기준(예, 경관설계심의, 농지·산지전용협의 등)이 있는 경우 해당기준을 따른다.

⑰ 설계기준설정

설계기준설정은 구조물별 설계기준 설정 업무를 말한다.

⑱ 외곽시설(방파제) 설계

외곽시설(방파제) 설계는 구조형식 및 공법 결정, 기본단면 결정 업무를 말한다. 구조형식 및 공법 결정은 상부구조물(제체) 구조형식 결정, 하부기초공의 공법결정 업무를 포함하며, 기본단면 결정은 표준단면 결정, 외력산정 및 안정계산 업두를 포함한다.

⑲ 외곽시설(호안) 설계

외곽시설(호안) 설계는 구조형식 및 공법 결정, 기본단면 결정 업무를 말한다. 구조형식 및 공법 결정은 상부구조물(제체) 구조형식 결정, 하부기초공의 공법결정 업무를 포함하며, 기본단면 결정은 표준단면 결정, 외력산정 및 안정계산 업무를 포함한다.

⑳ 접안시설 설계

접안시설 설계는 구조형식 및 공법 결정, 기본단면 결정 업무를 말한다. 구조형식 및 공법 결정은 상부구조물(제체) 구조형식 결정, 하부기초공의 공법결정 업무를 포함하며, 기본단면 결정은 마루높이, 선석수심 등의 주요 제원 검토 및 결정, 외력산정 및 안정계산 업무를 포함한다.

㉑ 연약지반 설계

연약지반 설계는 지반개량공법 선정 및 개략설계, 지반처리 구역구분 업무를 말한다. 지반개량공법 선정 및 개략설계는 구역별 지반개량공법 선정, 공법선정 결과분석, 공법별 경제성 검토 업무를 포함하며, 지반처리 구역구분은 부지용도별 상재하중 결정 업무를 포함한다.

㉒ 배후부지 설계

배후부지 설계는 단지계획 업무를 말한다. 단지계획 업무는 단지계획고 결정, 단지안정성 검토(침수 등), 도로 및 기타 부대시설 설계 업무를 포함한다.

㉓ 수역시설 및 준설, 매립설계

수역시설 및 준설, 매립설계는 항로, 박지 및 선회장 설계, 준설 , 매립공법 결정 및 개략설계 업무를 말한다. 항로, 박지 및 선회장 설계는 항로법선, 폭, 수심, 정온도, 항 입구부 길이 등의 설계, 선회장 검토·설계, 박지 검토·설계 업무를 포함하며, 준설·매립공법 결정 및 개략설계는 개발준설 및 유지준설 설계, 매립설계 업무를 포함한다.

㉔ 기본계획보고서

기본계획보고서는 과업개요, 조사, 계획, 추정공사비 산출, 경제성 분석 및 재무분석 결과를 보고서로 작성하는 업무를 말한다. 부록작성은 기술심의 및 자문사항, 업무협의 및 지시사항 등을 포함한다. 별책부록은 경제성 및 재무분석, 추정수량 및 추정공사비 산출서를 포함한다. 기본계획 도면작성을 위치도, 토지이용계획도, 시설배치계획도, 평면배치계획을 취합하는 업무를 말한다.

8-4-3 기본설계

① 과업착수준비

과업착수 준비는 착수신고서와 과업수행계획서의 작성업무이다.

② 관련계획 조사 및 검토

관련계획 조사 및 검토는 국내 및 국제 주요 경제지표조사(인구, GNP, GDP 등), 국가 관련계획 및 부문별, 지역별 주요 산업정책조사, 해외의 유수한 선진 항만 및 각종 제도, 관리운영사항 분석 등의 업무를 말한다.

③ 현지조사 및 답사

현지조사 및 답사는 해당 계획지역에서의 지형, 지물, 식생, 용·배수, 토지이용상황 및 문화재를 파악·확인하는 업무를 말한다.

④ 문헌조사(해양자료 조사)

해양자료 조사는 기존 문헌에서 제시된 설계파고와 현재 운영중인 인근 파랑관측소의 파고자료, 기존의 인근 검조소에서 관측된 조석자료, 기존 조류자료 등을 조사하는 업무를 말한다.

⑤ 문헌조사(표사이동 조사)

항만건설시 해안의 변동에 따른 해안침식 또는 매몰이 예측될 시에는 그 상황을 조사하여 후속 단계과업에서 대책을 수립할 수 있도록 검토하는 업무를 말한다.

⑥ 수심 및 지형측량 성과검토

수심 및 지형측량 성과검토는 수심측량과 지형측량 용역성과를 검토하는 업무를 말한다. 수심측량 성과검토는 평면배치계획상의 구조물을 실현시킬 수 있는 공학적 검토를 위해 충분한 수역에 대하여 수행한 수심측량 성과를 검토하는 업무를 말하며, 지형측량 성과검토는 삼각측량을 수행하여 도출된 지형측량 용역 성과를 검토하는 업무를 말한다.

⑦ 지질 및 지반조사 성과 검토

지질 및 지반조사 성과검토는 발주기관에 제출한 세부조사시행계획서에 따라 수행된 지반조사 결과를 검토하는 업무를 말한다.

⑧ 지장물 및 구조물 조사

지장물 및 구조물 조사는 공공시설물, 전기 및 통신시설물, 가스, 송유관 등, 상하수도 시설물 및 기존 구조물 등 과업대상지역 일대의 각종 지하 매설물, 지장물과 구조물, 문화재 등 중요 시설물에 대한 조사를 수행하고 사업에 영향을 받는 지장물 및 구조물에 대하여 구체적인 이전방안과 처리대책을 수립하는 업무를 말한다.

⑨ 재료원 조사

재료원 조사는 항만공사용 재료원인 흙, 모래, 자갈, 석재원, 콘크리트 및 레미콘에 대해 선정조건을 검토하고, 발주기관과 협의하여 결정하는 업무를 말한다. 토취장은 토사채취 가능여부, 매장량, 운반조건, 토지소유자 동의여부 등을 종합적으로 검토하는 업무를 포함한다. 모래채취원은 구입단가와 현장 채취단가를 비교·검토하여 반입가능량, 반입조건, 반입단가를 비교 검토하는 업무를 포함한다. 석재원은 기초사석, 뒷채움사석, 피복석 등 규격별로 생산가능성, 채취가능량, 반입조건 등을 종합적으로 검토하고 우선순위를 정하는 업무를 포함한다. 콘크리트 또는 레미콘이 사용될 경우는 기 조사된 인근 공장 등에 대하여 검토하고 항만구조물의 내구성 향상을 위한 특수콘크리트 사용 결정시에는 이의 제조 및 품질확보 여건 등을 조사하여 이용 가능한 공장을 선정하는 업무를 포함한다.

⑩ 어업피해영향조사

어업피해영향조사는 해당 항만공사의 사업시행으로 예상되는 해역의 어업피해를 조사하기 위해 대상해역의 해양환경조사와 피해영향 범위조사를 실시하고, 이를 토대로 피해정도를 예측, 그 저감방안을 검토 제시하며, 피해에 대하여는 대상 해역에서의 해양환경 및 피해범위 현황조사 결과를 근거로 하여 피해의 종류와 범위 등을 등급별로 구체적으로 조사해서 감정평가기관에 제시할 수 있도록 항목별로 정리하는 업무를 말한다.

⑪ 용지조사(편입토지조서)

용지조사는 법적근거인 지적도, 임야도, 토지·임야대장, 등기부등본을 열람하고, 발급받아 면적과 소유자 관계인 등 점유되는 토지, 가옥 및 시설물 등의 보상에 필요한 자료를 조사하는 업무를 말한다.

⑫ 전단계 성과검토

전단계 성과검토는 타당성조사, 기본계획의 성과품을 검토·분석하여 기본설계에 반영하는 업무를 말한다.

⑬ 전략환경영향평가 성과 검토

전략환경영향평가 성과 검토는 전략환경영향평가 결과를 검토하는 업무를 말한다.

⑭ 해상교통안전진단 성과 검토

해상교통안전진단 검토는 해상교통안전진단 결과를 검토하는 업무를 말한다.

⑮ 사전재해영향성 성과 검토

사전재해영향성 검토는 사전재해영향성 결과를 검토하는 업무를 말한다.

⑯ 평면배치계획

평면배치계획은 토지이용계획과 시설배치계획을 수립하고 대안을 설정하여 평면배치계획의 비교안을 검토하고 수치모형실험 등을 통해 그 최적안을 제시하는 업무를 말한다. 더형 항만의 경우에는 3차원수리모형실험 등을 통해 최적안의 항내정온도 확보여부를 검증하는 업무를 포함한다.

⑰ 구조물 형식

구조물 형식은 현장조사결과를 분석하여 설계조건을 결정하고 현장특성에 부합되는 최적의 구조형식을 3거안 이상 비교·검토하여 최적안을 선정하는 업무를 말한다. 구조물별로 구조물의 안정성, 경제성, 시공성, 환경에 미치는 영향 등에 대해 종합적으로 검토하는 업무를 포함한다.

⑱ 설계기준 작성

설계기준 작성은 구조물별로 적용하여야 할 설계기준을 발췌하여 보고서에 수록하는 업무를 말한다.

⑲ 관계기관 협의

관계기관 협의는 전 단계과업에서 수렴된 이해당사자의 의견이 최대한 반영될 수 있도록 공사계획 및 공법을 결정하여 이해당사자와 사전에 협의하여 민원을 최소화할 수 있는 방안을 검토하는 업무를 포함한다.

⑳ 단계별 자문 및 방침자료 작성

단계별 자문 및 방침자료 작성은 착수단계자문, 중간단계자문, 마무리단계자문, 발주처 방침 결정, VE자료작성 업무를 말한다. 착수단계자문은 자문회의 자료 작성 및 개최, 자문의견 검토 후 설계 반영 사항 정리 및 자문위원 확인 업무를 포함하며, 중간단계자문은 자문회의 자료 작성 및 개최, 자문의견 검토 후 설계 반영 사항 정리 및 자문위원 확인 업무를 포함하며, 마무리단계자문은 자문회의 자료 작성 및 개최, 자문의견 검토 후 설계 반영 사항 정리 및 자문위원 확인 업무를 포함하며, 발주처 방침 결정은 설계방침서 작성 및 설명 자료 작성, 추가요청사항의 설계반영 업무를 포함하며, VE자료작성은 설계VE용 설계자료 작성, 설계VE 의견 검토 후 설계 반영 업무를 포함한다.

※ 산정 시 고려사항

- 횟수의 산정시 본부 방침 결정과 설계VE 자료 작성, 각종 심의자료 작성업무는 별도의 횟수로 산정한다.
- 회의 준비 및 개최 비용, 심의위원 심의 비용 등은 제외한다.
- 기타 별도의 대가기준(예, 경관설계심의, 농지·산지전용협의 등)이 있는 경우 해당기준을 따른다.

㉑ 해양공간 적정성 평가 성과검토

해양공간 적정성 평가 시 설계내용 지원 및 평가 결과를 토대로 설계내용 반영성을 검토한다.

㉒ 설계기준 설정

설계기준 설정은 구조물별 설계기준 결정 업무를 포함한다.

㉓ 외곽시설(방파제) 설계

외곽시설(방파제) 설계는 구조형식 및 공법 결정, 기본단면 결정, 예비설계, 부대시설 업무를 말한다. 구조형식 및 공법 결정은 상부구조물(제체) 구조형식 결정, 하부기초공의 공법결정 업무를 포함하며, 기본단면 결정은 표준단면 결정, 외력산정 및 안정계산 업무를 포함하며, 예비설계는 구조해석, 피복석, 소파블록, 세굴, 접속부 등의 설계 업무를 포함하며, 부대시설은 안전난간, 오탁방지막, 표지시설 등 각종 부대시설 설계 업무를 포함한다.

㉔ 외곽시설(호안) 설계

외곽시설(호안) 설계는 구조형식 및 공법 결정, 기본단면 결정, 예비설계, 부대시설 업무를 말한다. 구조형식 및 공법 결정은 상부구조물(제체) 구조형식 결정, 하부기초공의 공법결정 업무를 포함하며, 기본단면 결정은 표준단면 결정, 외력산정 및 안정계산 업무를 포함하며, 예비설계는 구조해석, 피복석, 소파블록, 세굴, 접속부 등의 설계 업무를 포함하며, 부대시설은 안전난간, 오탁방지막, 표지시설 등 각종 부대시설 설계 업무를 포함한다.

㉕ 접안시설 설계

접안시설 설계는 구조형식 및 공법결정, 접안시설의 제원결정, 예비설계, 부대시설 업무를 말한다. 구조형식 및 공법결정은 상부구조물(제체) 구조형식 결정, 하부기초공의 공법결정 업무를 포함하며, 접안시설의 제원결정은 마루높이, 선석치수, 안벽의 축조한계, 설계수심 등의 주요제원 검토 및 결정, 외력산정 및 안정계산 업무를 포함하며, 예비설계는 구조해석, 피복석, 세굴, 접속부 등의 설계 업무를 포함하며, 부대시설은 방충재, 계선설비, 차막이, 오탁방지막, 표지시설 등 각종 부대시설 설계 업무를 포함한다.

㉖ 연약지반 설계

연약지반 설계는 연약지반 개량검토, 지반처리 구역구분, 지반개량공법 선정, 부대설계 업무를 말한다. 연약지반 개량검토는 설계기본방향 설정, 기본계획 검토 및 개선사항 업무를 포함하며, 지반처리 구역구분은 부지용도별 상재하중결정 업무를 포함하며, 지반개량공법 선정은 구역별 지반개량공법 선정, 시공사례 검토, 공법선정 결과분석, 공법별 경제성 검토 업무를 포함하며, 부대설계는 구조물 수평 및 수직침하계, 변위계 운영 및 계획 업무를 포함한다.

㉗ 배후부지 설계

배후부지 설계는 기본계획 및 사전조사, 단지계획, 공사용재료 확보 및 수급계획 업무를 말한다. 기본계획 및 사전조사는 기존 및 주변계획 검토, 각종 영향평가 검토, 항만시설과의 연계성 검토 업무를 포함하며, 단지계획은 단지계획고 결정, 단지안정성 검토(침수 등), 도로 및 포장설계, 상수도 및 하수도설계, 조경, 전기 및 통신설계 업무를 포함하며, 공사용재료 확보 및 수급계획은 토사 소요량, 운반 및 수급, 절취 및 복구 업무를 포함한다.

㉘ 수역시설 및 준설, 매립설계

수역시설 및 준설, 매립설계는 항로, 박지 및 선회장 설계, 준설·매립공법 결정 및 예비설계, 부대시설 업무를 말한다. 항로, 박지 및 선회장 설계는 항로법선, 폭, 수심, 정온도, 항 입구부 길이 등의 설계, 선회장 검토·설계, 박지 검토·설계 업무를 포함하며, 준설 , 매립공법 결정 및 예비설계는 개발준설 및 유지준설 설계, 매립설계 업무를 포함하며, 부대시설은 오탁방지막, 표지시설 등 각종 부대시설 설계 업무를 포함한다.

㉙ 매몰 및 침식대책시설 설계

매몰 및 침식대책시설 설계는 구조형식 및 공법 결정, 기본단면 결정, 예비설계, 부대시설설계 업무를 말한다. 구조형식 및 공법 결정은 상부구조물(제체) 구조형식 결정, 하부기초공의 공법결정 업무를 포함하며, 기본단면 결정은 표준단면 결정, 외력산정 및 안정계산 업무를 포함하며, 예비설계는 피복석, 소파블록, 세굴, 접속부 등의 설계 업무를 포함하며, 부대시설은 안전난간, 오탁방지막, 표지시설 등 각종 부대시설 설계 업무를 포함한다.

㉚ 기타시설 설계

기타시설 설계는 공사용 작업장, 기존구조물 보강 및 제거, 기타부대시설 설계 업무를 말한다. 공사용 작업장은 제작장 및 적출장 등 업무를 포함하며, 기존구조물 보강 및 제거는 구조물 제거 및 이설, 보강 등 업무를 포함하며, 기타부대시설 설계는 육상기능시설, 오탁방지막 설치 등 업무를 포함한다.

㉛ 기본설계보고서

기본설계보고서는 공사개요, 조사, 계획, 기본설계, 기본사업비, 부록 작성 업무를 말한다. 공사개요는 목적, 규모, 범위, 내용 및 과업수행방법 등을 포함한다. 조사는 관련계획 조사 및 검토(필요시), 현지조사 및 답사, 해양자료조사(필요시), 표사이동조사(필요시), 측량, 지질·지반조사, 지장물·구조물조사, 재료원조사, 어업피해영향조사, 용지조사(필요시) 등을 포함한다. 계획은 전 단계 성과검토, 전략환경영향평가 검토, 평면배치계획(필요시), 구조물형식 결정, 설계기준 작성, 관계기관 협의 등의 내용작성업무를 포함한다. 기본설계는 공법결정, 구조물 제원 결정, 구조물의 안정 검토 등 을 포함한다. 이외에 기본사업비와 부록 작성업무를 포함한다.

㉜ 지질 및 지반조사 보고서

지질 및 지반조사 보고서는 보고서 작성, 부록 작성 업무를 말한다. 보고서 작성은 조사위치 선정, 조사방법 및 일반사항, 조사결과, 성과분석 업무를 포함하며, 부록 작성은 조사위치 및 지층단면도, 지질도, 시추주상도, 현장 및 실내시험성과, 기타 검토자료 업무를 포함한다.

㉝ 구조계산서 및 수리계산서

구조계산서 및 수리계산서는 구조계산서, 수리계산서 업무를 포함한다. 구조계산서는 개요, 구조계획도, 설계조건(구조형식, 설계방법, 설계하중, 사용자재 및 특성, 지반조건 및 물성치, 사용Program, 설계기준 등), 주요 구조계산 작성업무를 포함한다. 수리계산서는 유역도와 수리계산(설계빈도, 강우빈도, 단면상수, 유역면적, 계수결정, 유량검토 등) 작성 업무를 포함한다.

㉞ 설계예산서

설계예산서는 설계내역서, 원가계산서, 총괄내역서, 공종별내역서, 일위대가 등 업무를 포함한다.

㉟ 단가산출서

단가산출서는 단가산출서, 중기사용료, 단가조서, 견적서, 운반거리 조견표 등 업무를 포함한다.

㊱ 수량산출서

수량산출서는 공종별 수량산출 및 집계, 단위수량산출, 자재집계표 작성 등 업무를 포함한다.

㊲ 기본설계도면

기본설계도면은 기본설계 도면 작성, 편집 및 전산화 업무를 말한다. 기본설계 도면 작성, 편집 및 전산화는 위치도, 일반도, 각 공종별 종평면도, 현장조사 결과도, 구조일반도 등 작성업무를 포함한다.

8-4-4 실시설계

① 과업착수준비

과업착수 준비는 착수신고서와 과업수행계획서의 작성업무이다.

② 현지조사 및 답사

현지조사 및 답사는 해당 계획지역에서의 지형, 지물, 식생, 용·배수, 토지이용상황 및 문화재를 파악·확인하는 업무를 말한다. 현지답사를 하여 계획지역의 지형, 지물, 각종시설물, 식생, 토지이용상황 등이 전 단계에서 수행한 과업의 내용과 일치여부 및 변화의 정도를 파악하여 현지조사계획 수립에 활용하는 업무를 포함한다.

③ 수심 및 지형측량 성과검토

수심 및 지형측량 성과검토는 수심측량과 지형측량 용역성과를 검토하는 업무를 말한다. 수심측량 성과검토는 평면배치계획상의 구조물을 실현시킬 수 있는 공학적 검토를 위해 충분한 수역에 대하여 수행한 수심측량 성과를 검토하는 업무를 말하며, 지형측량 성과검토는 삼각측량을 수행하여 도출된 지형측량 용역 성과를 검토하는 업무를 말한다.

④ 지질 및 지반조사 성과 검토

지질 및 지반조사 성과검토는 발주기관에 제출한 세부조사시행계획서에 따라 수행된 지반조사 결과를 검토하는 업무를 말한다.

⑤ 지장물 및 구조물 조사

지장물 및 구조물 조사는 공공시설물, 전기 및 통신시설물, 가스, 송유관 등, 상하수도 시설물 및 기존 구조물 등 과업대상지역 일대의 각종 지하 매설물, 지장물과 구조물, 문화재 등 중요 시설물에 대한 조사를 수행하고 사업에 영향을 받는 지장물 및 구조물에 대하여 구체적인 이전방안과 처리대책을 수립하는 업무를 말한다.

⑥ 재료원 조사

재료원 조사는 항만공사용 재료원인 흙, 모래, 자갈, 석재원, 콘크리트 및 레미콘에 대해 선정조건을 검토하고, 발주기관과 협의하여 결정하는 업무를 말한다. 토취장은 토사채취 가능여부, 매장량, 운반조건, 토지소유자 동의여부 등을 종합적으로 검토하는 업무를 포함한다. 모래채취원은 구입단가와 현장 채취단가를 비교·검토하여 반입가능량, 반입조건, 반입단가를 비교 검토하는 업무를 포함한다. 석재원은 기초사석, 뒷채움사석, 피복석 등 규격별로 생산가능성, 채취가능량, 반입조건 등을 종합적으로 검토하고 우선순위를 정하는 업무를 포함한다. 콘크리트 또는 레미콘이 사용될 경우는 기 조사된 인근 공장 등에 대하여 검토하고 항만구조물의 내구성 향상을 위한 특수콘크리트 사용 결정시에는 이의 제조 및 품질확보 여건 등을 조사하여 이용 가능한 공장을 선정하는 업무를 포함한다.

⑦ 용지조사(편입토지조서)

용지조사는 법적근거인 지적도, 임야도, 토지·임야대장, 등기부등본을 열람하고, 발급받아 면적과 소유자 관계인 등 점유되는 토지, 가옥 및 시설물 등의 보상이 필요한 자료를 조사하는 업무를 말한다.

⑧ 전단계 성과검토

전단계 성과검토는 기본설계의 성과품을 검토·분석하여 실시설계에 반영하는 업무를 말한다.

⑨ 환경영향평가 성과 검토

환경영향평가 성과 검토는 환경영향평가의 결과를 검토하고 저감방안을 마련하는 업무를 말한다.

⑩ 재해영향평가 성과 검토

재해영향평가 성과 검토는 사전재해영향성평가의 결과를 검토하는 업무를 말한다.

⑪ 구조물 형식

구조물 형식은 구조물의 안정성, 경제성, 시공성, 환경에 미치는 영향 등에 대해 종합적으로 검토보고서 및 구조계산서에 수록하는 업무를 말한다.

⑫ 설계기준 작성

설계기준 작성은 구조물별로 적용하여야 할 설계기준을 발췌하여 보고서에 수록하는 업무를 말한다.

⑬ 관계기관 협의

관계기관 협의는 전 단계과업에서 수렴된 이해당사자의 의견이 최대한 반영될 수 있도록 공사계획 및 공법을 결정하여 이해당사자와 사전에 협의하여 민원을 최소화할 수 있는 방안을 검토하는 업무를 포함한다.

⑭ 단계별 자문 및 방침자료 작성

단계별 자문 및 방침자료 작성은 착수단계자문, 중간단계자문, 마무리단계자문, 발주처 방침 결정, VE자료작성 업무를 말한다. 착수단계자문은 자문회의 자료 작성 및 개최, 자문의견 검토 후 설계 반영 사항 정리 및 자문위원 확인 업무를 포함하며, 중간단계자문은 자문회의 자료 작성 및 개최, 자문의견 검토 후 설계 반영 사항 정리 및 자문위원 확인 업무를 포함하며, 마무리단계자문은 자문회의 자료 작성 및 개최, 자문의견 검토 후 설계 반영 사항 정리 및 자문위원 확인 업무를 포함하며, 발주처 방침 결정은 설계방침서 작성 및 설명 자료 작성, 추가요청사항의 설계반영 업무를 포함하며, VE자료작성은 설계VE용 설계자료 작성, 설계VE 의견 검토 후 설계 반영 업무를 포함한다.

※ 산정 시 고려사항

- 횟수의 산정시 본부 방침 결정과 설계VE 자료 작성, 각종 심의자료 작성업무는 별도의 횟수로 산정한다.
- 회의 준비 및 개최 비용, 심의위원 심의 비용 등은 제외한다.
- 기타 별도의 대가기준(예, 경관설계심의, 농지·산지전용협의 등)이 있는 경우 해당기준을 따른다.

⑮ 각종 성과검토

각종 성과검토는 해역이용협의 지원 및 검토, 교통양향 평가 성과검토, 해상교통 안전성 평가 성과검토, 해양공간 적정성 평가 성과검토 업무를 말한다. 해역이용협의 지원 및 검토는 해역이용협의시 설계내용 지원 및 협의 내용에 대한 설계 내용 반영성 검토, 교통양향 평가 성과검토는 교통양향 평가시 설계내용 지원 및 평가 결과를 토대로 설계 내용 반영성 검토, 해상교통 안전성 평가 성과검토는 해상교통 안전성 평가 시 설계내용 지원 및 평가 결과를 토대로 설계 내용 반영성 검토, 해양공간 적정성 평가 성과검토는 해양공간 적정성 평가시 설계내용 지원 및 평가 결과를 토대로 설계 내용 반영성 검토를 한다.

⑯ 외곽시설(방파제) 설계

외곽시설(방파제) 설계는 구조형식 및 공법 결정, 기본단면 결정, 외력계산, 안정계산, 상세설계, 부대시설 업무를 말한다. 구조형식 및 공법 결정은 상부구조물(제체) 구조형식 결정, 하부기초공의 공법결정 업무를 포함하며, 기본단면 결정은 표준단면 결정 업무를 포함하며, 외력계산은 파력, 정수압, 부력, 자중, 지진 등 제체 및 구조물에 미치는 외력계산 업무를 포함하며, 안정계산은 직립부, 경사제, 제체, 두부, 우각부등의 안정계산 업무를 포함하며, 상세설계는 구조해석, 피복석, 소파블록, 세굴, 접속부 등의 상세설계 업무를 포함하며, 부대시설은 안전난간, 오탁방지막, 표지시설 등 각종 부대시설 설계 업무를 포함한다.

⑰ 외곽시설(호안) 설계

외곽시설(호안) 설계는 구조형식 및 공법 결정, 기본단면 결정, 외력계산, 안정계산, 상세설계, 부대시설 업무를 말한다. 구조형식 및 공법 결정은 상부구조물(제체) 구조형식 결정, 하부기초공의 공법결정 업무를 포함하며, 기본단면 결정은 표준단면 결정 업무를 포함하며, 외력계산은 파력, 정수압, 부력, 자중, 지진 등 제체 및 구조물에 미치는 외력계산 업무를 포함하며, 안정계산은 직립부, 경사제, 제체, 두부, 우각부등의 안정계산 업무를 포함하며, 상세설계는 구조해석, 피복석, 소파블록, 세굴, 접속부 등의 상세설계 업무를 포함하며, 부대시설은 안전난간, 오탁방지막, 표지시설 등 각종 부대시설 설계 업무를 포함한다.

⑱ 접안시설 설계

접안시설 설계는 구조형식 및 공법결정, 접안시설의 제원결정, 외력계산, 안정계산, 상세설계, 부대시설 업무를 말한다. 구조형식 및 공법결정은 상부구조물(제체) 구조형식 결정, 하부기초공의 공법결정 업무를 포함하며, 접안시설의 제원결정은 마루높이, 선석치수, 안벽의 축조한계, 설계수심 등의 주요제원 검토 및 결정 업무를 포함하며, 외력계산은 접안력, 파력, 정수압, 부력, 자중, 지진 등 구조물에 미치는 각종 외력계산 업무를 포함하며, 안정계산은 벽체의 활동, 전도, 원호활동, 지지력 등의 외적 안정계산 업무를 포함하며, 상세설계는 구조해석, 피복석, 세굴, 접속부 등의 상세설계 업무를 포함하며, 부대시설은 방충재, 계선설비, 차막이, 오탁방지막, 표지시설 등 각종 부대시설 설계 업무를 포함한다.

⑲ 연약지반 설계

연약지반 설계는 연약지반 개량검토, 지반처리 구역구분, 지반개량공법 선정, 표층처리 설계, 연직배수공법 설계, 수평배수 설계, 단계별 성토계획 및 안정성검토, 부대설계 업무를 말한다. 연약지반 개량검토는 설계기본방향 설정, 기본설계검토 및 개선사항 업무를 포함하며, 지반처리 구역구분은 부지용도별 상재하중결정 업무를 포함하며, 지반개량공법 선정은 구역별 지반개량공법 선정, 시공사례 검토, 공법선정 결과분석, 공법별 경제성 검토 업무를 포함하며, 표층처리 설계는 설계방향, 시공장비 진입성 검토, 표층처리공법결정 업무를 포함하며, 연직배수공법 설계는 배수재 간격 결정, 배수재 교란범위, 압밀침하해석 업무를 포함하며, 수평배수 설계는 수평배수 필요성, 수평배수층 두께, 집수정설치, 펌핑계획 업무를 포함하며, 단계별 성토계획 및 안정성검토는 재하성토 토사이동계획, 사토처리계획, 구조물 안정성 검토 업무를 포함하며, 부대설계는 구조물 수평 및 수직침하계, 변위계 운영 및 계획 업무를 포함한다.

⑳ 배후부지 설계

배후부지 설계는 기본계획 및 사전조사, 단지계획, 공사용재료 확보 및 수급계획, 도로 및 포장설계, 상수도 및 하수도 설계, 조경공, 전기 및 통신 업무를 말한다. 기본계획 및 사전조사는 기존 및 주변계획 검토, 각종 영향평가 검토, 항만시설과의 연계성 검토 업무를 포함하며, 단지계획은 단지계획고 결정, 단지안정성 검토(침수 등) 업무를 포함하며, 공사용재료 확보 및 수급계획은 토사 소요량, 운반 및 수급, 절취 및 복구 업무를 포함하며, 도로 및 포장설계는 현황분석 및 수요예측, 토공 및 배수계획, 포장설계, 교차로 및 휀스 등 부대시설 설계 업무를 포함하며, 상수도 및 하수도 설계는 상수도 설계, 우수설계, 오수설계 업무를 포함하며, 조경공은 기본구상 및 방향설정, 조경계획, 식재계획, 시설물계획 업무를 포함하며, 전기 및 통신설계는 시설물별 전력인입 및 설비계획 업무를 포함한다.

㉑ 수역시설 및 준설, 매립설계

수역시설 및 준설, 매립설계는 항로 검토 및 설계, 선회장 검토 및 설계, 선류장 검토 및 설계, 박지 검토 및 설계, 준설·매립공법 결정 및 상세설계, 부대시설 업무를 말한다. 항로 검토 및 설계는 법선, 폭, 수심, 정온도, 항 입구부 길이 등의 상세설계 업무를 포함하며, 선회장 검토 및 설계는 규모, 수심, 정온도, 계류와 해람용 박지 등의 상세설계 업무를 포함하며, 선류장 검토 및 설계는 규모, 수심, 정온도 등의 상세설계 업무를 포함하며, 박지 검토 및 설계는 위치와 면적, 수심, 정온도 업무를 포함하며, 준설·매립공법 결정 및 상세설계는 개발준설 및 유지준설 설계, 매립설계 업무를 포함하며, 부대시설은 오탁방지막, 표지시설 등 각종 부대시설 설계 업무를 포함한다.

㉒ 매몰 및 침식대책시설 설계

매몰 및 침식대책시설 설계는 구조형식 및 공법 결정, 기본단면 결정, 외력계산, 안정계산, 상세설계, 부대시설 업무를 말한다. 구조형식 및 공법 결정은 상부구조물(제체) 구조형식 결정, 하부기초공의 공법결정 업무를 포함하며, 기본단면 결정은 표준단면 결정 업무를 포함하며, 외력계산은 파력, 정수압, 부력, 자중, 지진 등 제체 및 구조물에 미치는 외력계산 업무를 포함하며, 안정계산은 직립부, 경사제, 제체, 두부, 우각부등의 안정계산 업무를 포함하며, 상세설계는 구조해석, 피복석, 소파블록, 세굴, 접속부 등의 상세설계 업무를 포함하며, 부대시설은 안전난간, 오탁방지막, 표지시설 등 각종 부대시설 설계 업무를 포함한다.

㉓ 기타시설 설계

기타시설 설계는 공사용 작업장, 기존구조물 보강 및 제거, 기타부대시설 설계 업무를 말한다. 공사용 작업장은 제작장 및 적출장 등 업무를 포함하며, 기존구조물 보강 및 제거는 구조물 제거 및 이설, 보강 등 업무를 포함하며, 기타부대시설 설계는 육상기능시설, 오탁방지막 설치 등 업무를 포함한다.

㉔ 실시설계보고서

실시설계보고서는 공사개요 및 설명, 기초자료조사, 현지조사, 각종 실험분석결과, 설계기준 및 조건, 각 공종별 상세설계, 부대공 설계, 건설계획, 기타, 부록작성 업무를 말한다. 각종 실험분석결과는 수치모형실험, 수리모형실험 등 업무를 포함하며, 건설계획은 시공계획, 공정계획, 자재및 장비투입계획, 안전관리계획, 유지관리계획, 계측관리계획, 인접공사연계성 등 업무를 포함하며, 기타는 경관계획, 해상교통안전계획 등 업무를 포함하며, 부록작성은 각종 조사자료, 기술심의 및 자문사항, 업무협의 및 지시사항, 관계기관 협의자료, 주민공청회 결과, 설계의 경제성, 검토자료 등 업무를 포함한다.

㉕ 지질 및 지반조사 보고서

지질 및 지반조사 보고서는 보고서 작성, 부록 작성 업무를 말한다.

보고서 작성은 조사계획, 조사방법 및 일반사항, 조사결과, 성과분석 업무를 포함하며, 부록 작성은 조사위치 및 지층단면도, 지질도, 시추주상도, 현장 및 실내시험성과, 기타 검토자료 업무를 포함한다.

㉖ 구조계산서 및 수리계산서

구조계산서 및 수리계산서는 구조계산서, 수리계산서 업무를 말한다. 구조계산서는 개요, 설계조건, 구조물 안정검토, 직립제, 경사제, 부체, 부잔교 등 상세구조계산, 내진설계, 가시설 등 업무를 포함하며, 수리계산서는 설계고조위산정, 설계파랑산출, 파력 및 월파량 검토, 정수압 검토, 부체검토, 배수수리계산등 업무를 포함한다.

㉗ 설계예산서

설계예산서는 설계설명서, 설계내역서 업무를 말한다. 설계설명서는 공사목적, 공사개요, 위치, 기간, 규모, 공사수량, 재료원, 관급자재, 예정공정표, 설계변경조건, 기타 업무를 포함하며, 설계내역서는 설계내역서, 도급공사 원가계산서, 총괄내역서, 공종별내역서, 일위대가 등 업무를 포함한다.

㉘ 단가산출서

단가산출서는 단가설명서, 단가산출서 업무를 말한다. 단가설명서는 단위당 단가를 구성하는 공종의 작업과, 소요장비, 투입재료 등의 품명, 규격, 수량 설명(할증여부 등) 업무를 포함하며, 단가산출서는 단가산출서, 중기사용료, 단가조서, 견적서, 운반거리 조건표 등 업무를 포함한다.

㉙ 수량산출서

수량산출서는 공종별 수량산출 및 집계, 단위수량산출, 자재집계표 작성 등 업무를 포함한다.

㉚ 실시설계도면

실시설계도면은 실시설계도면 작성, 편집 및 전산화 업무를 말한다. 실시설계도면 작성, 편집 및 전산화는 일반도, 각 공종별 평면도 및 종평면도, 구조일반도, 부대공 등 업무를 포함한다.

㉛ 공사시방서

공사시방서 작성 업무는 총칙과 공종별 기술시방 작성 업무를 포함한다.

8-4-5 기본설계 및 실시설계

① 과업착수준비

과업착수 준비는 착수신고서와 과업수행계획서의 작성업무이다.

② 관련계획 조사 및 검토

관련계획 조사 및 검토는 국내 및 국제 주요 경제지표조사(인구, GNP, GDP 등), 국가 관련계획 및 부문별, 지역별 주요 산업정책조사, 해외의 유수한 선진 항만 및 각종 제도, 관리운영사항 분석 등의 업무를 말한다.

③ 현지조사 및 답사

현지조사 및 답사는 해당 계획지역에서의 지형, 지물, 식생, 용·배수, 토지이용상황 및 문화재를 파악·확인하는 업무를 말한다.

④ 문헌조사(해양자료 조사)

해양자료 조사는 기존 문헌에서 제시된 설계파고와 현재 운영중인 인근 파랑관측소의 파고자료, 기존의 인근 검조소에서 관측된 조석자료, 기존 조류자료 등을 조사하는 업무를 말한다.

⑤ 문헌조사(표사이동 조사)

항만건설시 해안의 변동에 따른 해안침식 또는 매몰이 예측될 시에는 그 상황을 조사하여 후속 단계과업에서 대책을 수립할 수 있도록 검토하는 업무를 말한다.

⑥ 수심 및 지형측량 성과검토

수심 및 지형측량 성과검토는 수심측량과 지형측량 용역성과를 검토하는 업무를 말한다. 수심측량 성과검토는 평면배치계획상의 구조물을 실현시킬 수 있는 공학적 검토를 위해 충분한 수역에 대하여 수행한 수심측량 성과를 검토하는 업무를 말하며, 지형측량 성과검토는 삼각측량을 수행하여 도출된 지형측량 용역 성과를 검토하는 업무를 말한다.

⑦ 지질 및 지반조사 성과 검토

지질 및 지반조사 성과검토는 발주기관에 제출한 세부조사시행계획서에 따라 수행된 지반조사 결과를 검토하는 업무를 말한다.

⑧ 지장물 및 구조물 조사

지장물 및 구조물 조사는 공공시설물, 전기 및 통신시설물, 가스, 송유관 등, 상하수도 시설물 및 기존 구조물 등 과업대상지역 일대의 각종 지하 매설물, 지장물과 구조물, 문화재 등 중요 시설물에 대한 조사를 수행하고 사업에 영향을 받는 지장물 및 구조물에 대하여 구체적인 이전방안과 처리대책을 수립하는 업무를 말한다.

⑨ 재료원 조사

재료원 조사는 항만공사용 재료원인 흙, 모래, 자갈, 석재원, 콘크리트 및 레미콘에 대해 선정조건을 검토하고, 발주기관과 협의하여 결정하는 업무를 말한다. 토취장은 토사채취 가능여부, 매장량, 운반조건, 토지소유자 동의여부 등을 종합적으로 검토하는 업무를 포함한다. 모래채취원은 구입단가와 현장 채취단가를 비교·검토하여 반입가능량, 반입조건, 반입단가를 비교 검토하는 업무를 포함한다. 석재원은 기초사석, 뒷채움사석, 피복석 등 규격별로 생산가능성, 채취가능량, 반입조건 등을 종합적으로 검토하고 우선순위를 정하는 업무를 포함한다. 콘크리트 또는 레미콘이 사용될 경우는 기 조사된 인근 공장 등에 대하여 검토하고 항만구조물의 내구성 향상을 위한 특수콘크리트 사용 결정시에는 이의 제조 및 품질확보 여건 등을 조사하여 이용 가능한 공장을 선정하는 업무를 포함한다.

⑩ 어업피해영향조사

어업피해영향조사는 해당 항만공사의 사업시행으로 예상되는 해역의 어업피해를 조사하기 위해 대상해역의 해양환경조사와 피해영향 범위조사를 실시하고, 이를 토대로 피해정도를 예측, 그 저감방안을 검토 제시하며, 피해에 대하여는 대상 해역에서의 해양환경 및 피해범위 현황조사 결과를 근거로 하여 피해의 종류와 범위 등을 등급별로 구체적으로 조사해서 감정평가기관에 제시할 수 있도록 항목별로 정리하는 업무를 말한다.

⑪ 용지조사(편입토지조서)

용지조사는 법적근거인 지적도, 임야도, 토지·임야대장, 등기부등본을 열람하고, 발급받아 면적과 소유자 관계인 등 점유되는 토지, 가옥 및 시설물 등의 보상에 필요한 자료를 조사하는 업무를 말한다.

⑫ 전단계 성과검토

전단계 성과검토는 타당성조사, 기본계획의 성과품을 검토·분석하여 기본설계에 반영하는 업무를 말한다.

⑬ 전략환경영향평가 성과 및 환경영향평가 성과 검토

전략환경영향평가 성과 검토 및 환경영향평가 성과 검토는 전략환경영향평가 결과와 환경영향평가 결과를 검토하는 업무를 말한다.

⑭ 해상교통안전진단 성과 검토

해상교통안전진단 검토는 해상교통안전진단 결과를 검토하는 업무를 말한다.

⑮ 재해영향평가 성과 검토

재해영향평가 검토는 사전재해영향성 결과를 검토하는 업무를 말한다.

⑯ 평면배치계획

평면배치계획은 토지이용계획과 시설배치계획을 수립하고 대안을 설정하여 평면배치계획의 비교안을 검토하고 수치모형실험 등을 통해 그 최적안을 제시하는 업무를 말한다. 대형 항만의 경우에는 3차원수리모형실험 등을 통해 최적안의 항내정온도 확보여부를 검증하는 업무를 포함한다.

⑰ 구조물 형식

구조물 형식은 현장조사결과를 분석하여 설계조건을 결정하고 현장 특성에 부합되는 최적의 구조형식을 3개안 이상 비교·검토하여 최적안을 선정하는 업무를 말한다. 구조물별로 구조물의 안정성, 경제성, 시공성, 환경에 미치는 영향 등에 대해 종합적으로 검토하는 업무를 포함한다.

⑱ 설계기준 작성

설계기준 작성은 구조물별로 적용하여야 할 설계기준을 발췌하여 보고서에 수록하는 업무를 말한다.

⑲ 관계기관 협의

관계기관 협의는 전 단계과업에서 수렴된 이해당사자의 의견이 최대한 반영될 수 있도록 공사계획 및 공법을 결정하여 이해당사자와 사전에 협의하여 민원을 최소화할 수 있는 방안을 검토하는 업무를 포함한다.

⑳ 단계별 자문 및 방침자료 작성

단계별 자문 및 방침자료 작성은 착수단계자문, 중간단계자문, 마무리단계자문, 발주처 방침 결정, VE자료작성 업무를 말한다. 착수단계자문은 자문회의 자료 작성 및 개최, 자문의견 검토 후 설계 반영 사항 정리 및 자문위원 확인 업무를 포함하며, 중간단계자문은 자문회의 자료 작성 및 개최, 자문의견 검토 후 설계 반영 사항 정리 및 자문위원 확인 업무를 포함하며, 마무리단계자문은 자문회의 자료 작성 및 개최, 자문의견 검토 후 설계 반영 사항 정리 및 자문위원 확인 업무를 포함하며, 발주처 방침 결정은 설계방침서 작성 및 설명 자료 작성, 추가요청사항의 설계반영 업무를 포함하며, VE자료작성은 설계VE용 설계자료 작성, 설계VE 의견 검토 후 설계 반영 업무를 포함한다.

※ 산정 시 고려사항

- 횟수의 산정시 본부 방침 결정과 설계VE 자료 작성, 각종 심의자료 작성업무는 별도의 횟수로 산정한다.
- 회의 준비 및 개최 비용, 심의위원 심의 비용 등은 제외한다.
- 기타 별도의 대가기준(예, 경관설계심의, 농지·산지전용협의 등)이 있는 경우 해당기준을 따른다.

㉑ 각종 성과검토

각종 성과검토는 해역이용협의 지원 및 검토, 교통양향 평가 성과검토, 해상교통 안전성 평가 성과검토, 해양공간 적정성 평가 성과검토 업무를 말한다. 해역이용협의 지원 및 검토는 해역이용협의시 설계내용 지원 및 협의 내용에 대한 설계 내용 반영성 검토, 교통양향 평가 성과검토는 교통양향 평가시 설계내용 지원 및 평가 결과를 토대로 설계 내용 반영성 검토, 해상교통 안전성 평가 성과검토는 해상교통 안전성 평가 시 설계내용 지원 및 평가 결과를 토대로 설계 내용 반영성 검토, 해양공간 적정성 평가 성과검토는 해양공간 적정성 평가 시 설계내용 지원 및 평가 결과를 토대로 설계 내용 반영성 검토를 한다.

㉒ 외곽시설(방파제) 설계

외곽시설(방파제) 설계는 구조형식 및 공법 결정, 기본단면 결정, 외력계산, 안정계산, 상세설계, 부대시설 업무를 말한다. 구조형식 및 공법 결정은 상부구조물(제체) 구조형식 결정, 하부기초공의 공법결정 업무를 포함하며, 기본단면 결정은 표준단면 결정 업무를 포함하며, 외력계산은 파력, 정수압, 부력, 자중, 지진 등 제체 및 구조물에 미치는 외력계산 업무를 포함하며, 안정계산은 직립부, 경사제, 제체, 두부, 우각부등의 안정계산 업무를 포함하며, 상세설계는 구조해석, 피복석, 소파블록, 세굴, 접속부 등의 상세설계 업무를 포함하며, 부대시설은 안전난간, 오탁방지막, 표지시설 등 각종 부대시설 설계 업무를 포함한다.

㉓ 외곽시설(호안) 설계

외곽시설(호안) 설계는 구조형식 및 공법 결정, 기본단면 결정, 외력계산, 안정계산, 상시설계, 부대시설 업무를 말한다. 구조형식 및 공법 결정은 상부구조물(제체) 구조형식 결정, 하부기초공의 공법결정 업무를 포함하며, 기본단면 결정은 표준단면 결정 업무를 포함하며, 외력계산은 파력, 정수압, 부력, 자중, 지진 등 제체 및 구조물에 미치는 외력계산 업무를 포함하며, 안정계산은 직립부, 경사제, 제체, 두부, 우각부등의 안정계산 업무를 포함하며, 상세설계는 구조해석, 피복석, 소파블록, 세굴, 접속부 등의 상세설계 업무를 포함하며, 부대시설은 안전난간, 오탁방지막, 표지시설 등 각종 부대시설 설계 업무를 포함한다.

㉔ 접안시설 설계

접안시설 설계는 구조형식 및 공법결정, 접안시설의 제원결정, 외력계산, 안정계산, 상서설계, 부대시설 업무를 말한다. 구조형식 및 공법결정은 상부구조물(제체) 구조형식 결정, 하부기초공의 공법결정 업무를 포함하며, 접안시설의 제원결정은 마루높이, 선석치수, 안벽의 축조한계, 설계수심 등의 주요제원 검토 및 결정 업무를 포함하며, 외력계산은 접안력, 파력, 정수압, 부력, 자중, 지진 등 구조물에 미치는 각종 외력계산 업무를 포함하며, 안정계산은 벽체의 활동, 전도, 원호활동, 지지력 등의 외적 안정계산 업무를 포함하며, 상세설계는 구조해석, 피복석, 세굴, 접속부 등의 상세설계 업무를 포함하며, 부대시설은 방충재, 계선설비, 차막이, 오탁방지막, 표지시설 등 각종 부대시설 설계 업무를 포함한다.

㉕ 연약지반 설계

연약지반 설계는 연약지반 개량검토, 지반처리 구역구분, 지반개량공법 선정, 표층처리 설계, 연직배수공법 설계, 수평배수 설계, 단계별 성토계획 및 안정성검토, 부대설계 업무를 말한다. 연약지반 개량검토는 설계기본방향 설정, 기본설계검토 및 개선사항 업무를 포함하며, 지반처리 구역구분은 부지용도별 상재하중결정 업무를 포함하며, 지반개량공법 선정은 구역별 지반개량공법 선정, 시공사례 검토, 공법선정 결과분석, 공법별 경제성 검토 업무를 포함하며, 표층처리 설계는 설계방향, 시공장비 진입성 검토, 표층처리공법결정 업무를 포함하며, 연직배수공법 설계는 배수재 간격 결정, 배수재 교란범위, 압밀침하해석 업무를 포함하며, 수평배수 설계는 수평배수 필요성, 수평배수층 두께, 집수정설치, 펌핑계획 업무를 포함하며, 단계별 성토계획 및 안정성검토는 재하성토 토사이동계획, 사토처리계획, 구조물 안정성 검토 업무를 포함하며, 부대설계 업무는 구조물 수평 및 수직 침하계, 변위계 운영 및 계획 업무를 포함한다.

㉖ 배후부지 설계

배후부지 설계는 기본계획 및 사전조사, 단지계획, 공사용재료 확보 및 수급계획, 도로 및 포장설계, 상수도 및 하수도 설계, 조경공, 전기 및 통신 업무를 말한다. 기본계획 및 사전조사는 기존 및 주변계획 검토, 각종 영향평가 검토, 항만시설과의 연계성 검토 업무를 포함하며, 단지계획은 단지계획고 결정, 단지안정성 검토(침수 등) 업무를 포함하며, 공사용재료 확보 및 수급계획은 토사 소요량, 운반 및 수급, 절취 및 복구 업무를 포함하며, 도로 및 포장설계는 현황분석 및 수요예측, 토공 및 배수계획, 포장설계, 교차로 및 휀스 등 부대시설

설계 업무를 포함하며, 상수도 및 하수도 설계는 상수도 설계, 우수설계, 오수설계 업무를 포함하며, 조경공은 기본구상 및 방향설정, 조경계획, 식재계획, 시설물계획 업무를 포함하며, 전기 및 통신설계는 시설물별 전력인입 및 설비계획 업무를 포함한다.

㉗ 수역시설 및 준설, 매립설계

수역시설 및 준설, 매립설계는 항로 검토 및 설계, 선회장 검토 및 설계, 선류장 검토 및 설계, 박지 검토 및 설계, 준설 , 매립공법 결정 및 상세설계, 부대시설 업무를 말한다. 항로 검토 및 설계는 법선, 폭, 수심, 정온도, 항 입구부 길이 등의 상세설계 업무를 포함하며, 선회장 검토 및 설계는 규모, 수심, 정온도, 계류와 해람용 박지 등의 상세설계 업무를 포함하며, 선류장 검토 및 설계는 규모, 수심, 정온도 등의 상세설계 업무를 포함하며, 박지 검토 및 설계는 위치와 면적, 수심, 정온도 업무를 포함하며, 준설 , 매립공법 결정 및 상세설계는 개발준설 및 유지준설 설계, 매립설계 업무를 포함하며, 부대시설은 오탁방지막, 표지시설 등 각종 부대시설 설계 업무를 포함한다.

㉘ 매몰 및 침식대책시설 설계

매몰 및 침식대책시설 설계는 구조형식 및 공법 결정, 기본단면 결정, 외력계산, 안정계산, 상세설계, 부대시설 업무를 말한다. 구조형식 및 공법 결정은 상부구조물(제체) 구조형식 결정, 하부기초공의 공법결정 업무를 포함하며, 기본단면 결정은 표준단면 결정 업무를 포함하며, 외력계산은 파력, 정수압, 부력, 자중, 지진 등 제체 및 구조물에 미치는 외력계산 업무를 포함하며, 안정계산은 직립부, 경사제, 제체, 두부, 우각부등의 안정계산 업무를 포함하며, 상세설계는 구조해석, 피복석, 소파블록, 세굴, 접속부 등의 상세설계 업무를 포함하며, 부대시설은 안전난간, 오탁방지막, 표지시설 등 각종 부대시설 설계 업무를 포함한다.

㉙ 기타시설 설계

기타시설 설계는 공사용 작업장, 기존구조물 보강 및 제거, 기타부대시설 설계 업무를 말한다. 공사용 작업장은 제작장 및 적출장 등 업무를 포함하며, 기존구조물 보강 및 제거는 구조물 제거 및 이설, 보강 등 업무를 포함하며, 기타부대시설 설계는 육상기능시설, 오탁방지막 설치 등 업무를 포함한다.

㉚ 기본 및 실시설계 보고서

기본 및 실시설계 보고서는 공사개요 및 설명, 기초자료조사, 현지조사, 각종 실험분석결과, 설계기준 및 조건, 각 공종별 상세설계, 부대공 설계, 건설계획, 기타, 부록 작성 업무를 말한다. 각종 실험분석결과는 수치모형실험, 수리모형실험 등 업무를 포함하며, 건설계획은 시공계획, 공정계획, 자재 및 장비투입계획, 안전관리계획, 유지관리계획, 계측관리계획, 인접공사연계성 등 업무를 포함하며, 기타는 경관계획, 해상교통안전계획 등 업무를 포함하며, 부록 작성은 각종 조사자료, 기술심의 및 자문사항, 업무협의 및 지시사항, 관계기관 협의자료, 주민공청회 결과, 설계의 경제성, 검토자료 등 업무를 포함한다.

㉛ 지질 및 지반조사 보고서

지질 및 지반조사 보고서는 보고서 작성, 부록 작성 업무를 말한다. 보고서 작성은 조사계획, 조사방법 및 일반사항, 조사결과, 성과분석 업무를 포함하며, 부록 작성은 조사위치 및 지층단면도, 지질도, 시추주상도, 현장 및 실내시험성과, 기타 검토자료 업무를 포함한다.

㉜ 구조계산서 및 수리계산서

구조계산서 및 수리계산서는 구조계산서, 수리계산서 업무를 말한다. 구조계산서는 개요, 설계조건, 구조물 안정검토, 직립제, 경사제, 부체, 부잔교 등 상세구조계산, 내진설계, 가시설등 업무를 포함하며, 수리계산서는 설계고조위산정, 설계파랑산출, 파력 및 월파량 검토,

정수압 검토, 부체검토, 배수수리계산등 업무를 포함한다.

㉝ 설계예산서

설계예산서는 설계설명서, 설계내역서 업무를 말한다. 설계설명서는 공사목적, 공사개요, 위치, 기간, 규모, 공사수량, 재료원, 관급자재, 예정공정표, 설계변경조건, 기타 업무를 포함하며, 설계내역서는 설계내역서, 도급공사 원가계산서, 총괄내역서, 공종별내역서, 일위대가 등 업무를 포함한다.

㉞ 단가산출서

단가산출서는 단가설명서, 단가산출서 업무를 말한다. 단가설명서는 단위당 단가를 구성하는 공종의 작업과, 소요장비, 투입재료 등의 품명, 규격, 수량 설명(할증여부 등) 업무를 포함하며, 단가산출서는 단가산출서, 중기사용료, 단가조서, 견적서, 운반거리 조견표 등 업무를 포함한다.

㉟ 수량산출서

수량산출서는 공종별 수량산출 및 집계, 단위수량산출, 자재집계표 작성 등 업무를 포함한다.

㊱ 기본 및 실시설계도면

기본 및 실시설계도면은 기본 및 실시설계도면 작성, 편집 및 전산화 업무를 말한다, 기본 및 실시설계도면 작성, 편집 및 전산화는 일반도, 각 공종별 평면도 및 종평면도, 구조일반도, 부대공 등 업무를 포함한다.

㊲ 공사시방서

공사시방서 작성 업무는 총칙과 공종별 기술시방 작성 업무를 포함한다.

8-5 하천분야 설계용역 업무정의

8-5-1 하천개수 실시설계

① 과업착수준비

과업착수준비는 착수준비, 과업수행계획서작성 업무를 말한다. 착수준비는 계약, 과업지시내용검토, 투입인력계획 등의 업무를 포함하며, 과업수행계획서작성은 수행내용 및 설계착안 사항, 예정공정표작성 등의 업무를 포함한다.

② 현장조사 및 기초자료조사

현장조사 및 기초자료조사는 현장답사, 기존시설물조사, 용지 및 지장물 조사, 기초자료조사 업무를 말한다. 현장답사는 상위계획의 내용을 토대로 현장조사내용검토 업무를 포함하고, 기존시설물조사는 기존시설물현황 및 제원조사(스케치)등의 업무를 포함한다, 용지 및 지장물 조사는 토지(지가)구분, 지적도조사, 지장물조사 업무를 포함하며, 기초자료조사는 유역개황, 하도특성, 배수계통, 토지이용, 기상 및 기후 등 업무를 포함한다.

③ 환경, 토질, 측량성과품 검토

환경, 토질, 측량 성과품검토는 환경조사 성과품검토, 토질조사 성과품검토, 측량조사 성과품 검토 업무를 말한다. 환경조사 성과품 검토는 생태계, 수질, 저니질 조사 성과품 검토업무를 포함하고, 토질조사 성과품 검토는 보링 및 재료원성과, 실내시험성과 검토를 포함한다. 측량조사 성과품 검토는 수준, 삼각, 지형현황측량 성과검토, 종·횡단 측량 성과검토 및 용지측량 성과검토를 포함한다.

④ 관련계획조사 및 검토

관련계획조사 및 검토는 상위계획 검토, 관련계획검토 업무를 말한다. 상위계획 검토는 특정하천유역치수계획, 소하천정비종합계획 업무를 포함하며, 관련계획 검토는 도시계획, 국토이용계획, 사업과 관련한 모든 계획 등의 업무를 포함한다.

⑤ 기본계획검토

기본계획검토는 강우분석 검토, 홍수량 검토, 홍수위 검토, 하폭검토, 시공성 및 경제성 검토 업무를 말한다. 강우분석 검토는 강우자료 수집 및 정리, 확률 강우량 분석 업무를 포함하며, 홍수량 검토는 홍수량방법별, 빈도별 홍수량산정, 홍수량산정방법의 적정성 검토 업무를 포함한다. 홍수위 검토는 관련하천의 빈도별 홍수위 검토(기점홍수위) 업무를 포함하고, 하폭검토는 기존하폭 및 하폭공식 검토, 하천설계기준검토, 적정계획하폭결정 업무를 포함하며, 시공성 및 경제성 검토는 계획시설물에 대한 시공성 및 경제성 검토 업무를 포함한다.

⑥ 기본계획 변경

기본계획 변경은 홍수위 계산, 하도계획, 심의자료 작성 업무를 말한다. 홍수위 계산은 기존홍수량검토, 필요시 종·횡단측량, 홍수위계산 및 결정 업무를 포함하고, 하도계획은 계획하폭결정, 제방 및 호안 등 하도계획수립 업무를 포함하며, 심의자료 작성은 기본계획변경 심의자료 작성 및 배포업무를 포함한다.

⑦ 주요시설물 계획

주요시설물 계획은 기본방향 설정, 설계기준 검토, 공법검토, 시설물 규모 결정 업무를 말한다. 기본방향 설정은 제방 등 각종 주요시설물 설치방향 설정 업무를 포함하며, 설계기준 검토는 하천설계기준, 하천공사 시방서등 각종 관련 설계기준검토 업무를 포함한다. 공법검토는 각종 공법 비교 및 적정공법선정, 발주처 협의 업무를 포함하며, 시설물 규모 결정은 수리, 수문자료를 이용한 계획시설물에 대한 적정규모결정 업무를 포함한다.

⑧ 수리검토

수리검토는 구조물 설치에 따른 수리특성 변화검토 업무, 소류력 검토, 주요지점에 대한 수리특성 분석(2차원) 업무를 말한다. 구조물 설치에 따른 수리특성 변화검토는 구조물 설치 전, 후에 대한 수리영향 검토 업무를 포함하고 소류력 검토는 소류력 계산, 소류력 계산에 따른 안정대책수립 업무를 포함하며, 주요지점에 대한 수리특성 분석은 2차원수치모형자료구축 및 수치해석계산, 1차원 수해석자료와 비교분석 업무를 포함한다.

⑨ 구조검토

구조검토는 배수시설, 보 및 낙차공, 옹벽 검토업무를 말한다. 배수시설은 배수시설물(배수통문, 통관)구조검토 업무를 포함하고, 보 및 낙차공은 본체 및 바닥공, 날개벽 구조검토 업무를 포함하며, 옹벽은 옹벽구조검토업무를 포함한다.

⑩ 시설물안정검토

시설물안정검토는 침투해석 및 사면안정해석, 기초형식 및 공법선정, 세굴검토, 연약지반처리대책, 차수시설검토 업무를 말한다. 침투해석 및 사면안정해석은 제방 침투해석 및 사면안정성검토 업무를 포함하고, 기초형식 및 공법선정은 구조물 기초 형식 검토 업무를 포함하며, 세굴검토는 수문, 수리자료를 이용한 세굴검토 및 대책 업무를 포함한다. 연약지반 처리대책은 각종연약지반처리대책 공법비교검토, 정적공법선정 및 발주처협의 업무를 포함하며, 차수시설 검토는 각종 자수공법비교검토, 정적공법선정 및 발주처협의 업무를 포함한다.

⑪ 교량계획

교량계획은 상부형식 검토, 하부형식 검토, 기초형식 검토, 부대시설 검토 업무를 말한다. 상부형식 검토는 하중의 종류, 크기, 하부구조에 미치는 영향 검토, 형하고 검토, 가설공법, 신축이음장치 등 검토 업무를 포함하고, 하부형식 검토는 내진설계, 하천 및 교차시설 영향 검토 업무를 포함한다. 기초형식 검토는 지지층까지의 심도, 지반상태 등 검토, 홍수 또는 파랑에 의한 세굴·손상 검토 업무를 포함하며, 부대시설 검토는 방호난간 등 교통안전시설계획, 주변시설 및 계획시설물의 조화 업무를 포함한다.

⑪ 관계기관 협의 및 주민의견 수렴

관계기관 협의 및 주민의견 수렴은 관계기관 협의 및 조치계획, 주민설명회 개최 및 조치계획, 민원의견 자문 업무를 말한다. 관계기관 협의 및 조치계획은 관계기관협의자료 작성 및 협의, 조치계획서 작성 및 승인 업무를 포함하고, 주민설명회 개최 및 조치계획은 주민설명회 개최 및 의견수렴, 조치계획서 작성 및 승인 업무를 포함하며, 민원의견 자문은 민원사항에 대한 내용검토, 조치계획서 작성 및 협의 업무를 포함한다.

⑫ 단계별 자문 및 방침자료 작성

단계별 자문 및 방침자료 작성은 착수단계 자문, 중간단계 자문, 마무리단계 자문, 발주처 방침 결정 업무를 말한다. 착수단계 자문은 자문보고서 작성 및 배포, 자문의견정리검토, 조치계획서 작성, 승인 및 제출 업무를 포함하며, 중간단계 자문은 자문보고서 작성 및 배포, 자문의견정리검토, 조치계획서 작성, 승인 및 제출 업무를 포함한다. 마무리단계 자문은 자문보고서 작성 및 배포, 자문의견 정리검토, 조치계획서 작성, 승인 및 제출 업무를 포함하며, 발주처 방침 결정은 자문 시 주요안건에 대한 검토서 작성, 발주처협의 및 방침 결정 업무를 포함한다.

※ 산정 시 고려사항

- 횟수의 산정시 본부 방침 결정과 설계VE 자료 작성, 각종 심의자료 작성업무는 별도의 횟수로 산정한다.
- 회의 준비 및 개최 비용, 심의위원 심의 비용 등은 제외한다.
- 기타 별도의 대가기준(예, 경관설계심의, 농지·산지전용협의 등)이 있는 경우 해당기준을 따른다.

⑬ 제방 및 호안설계

제방 및 호안설계는 제방법선계획, 제방설계, 저수로 계획 및 설계, 호안설계 업무를 말한다. 제방법선계획은 기본계획평면도(부도)검토, 계획하폭검토, 지형지물을 고려한 중심선계획 업무를 포함하며 제방설계는 제방단면(여유고, 둑마루폭, 경사)검토, 교행공간검토, 표토제거, 층따기, 둑마루 정리 등 제방설계, 도시 및 농경지진입로(현지주민의견 수렴), 현황검토, 계획법선 검토. 부체도로설계 업무를 포함한다. 저수로 계획 및 설계는 유지유량(친수, 생태계, 경관)을 고려한 저수로 폭 결정, 고수부지고 결정, 저수로선형 결정(사행고려) 업무를 포함하며, 호안설계는 해당지구의 적정성평가 및 결정협의, 적정호안(치수, 환경)에 대한 호안설계 업무를 포함한다.

⑭ 교량설계

교량설계는 공법검토, 구조설계, 교면포장설계, 부대시설설계, 접속도로설계 업무를 말한다. 공법검토는 기본방향의 현지여건인 지형 및 지반여건 고려, 환경영향 및민원 최소화, 현지여건을 활용한 자재조달계획, 사전조사를 통한 설계반영, 교량형식인 선형조건에 적합한 공법, 교량연장에 따른 가설장비의 적정성 여부, 상부구조 형식에 따른 단면 적정성 업무를 포함하고, 구조설계는 상부(보강형 등), 하부(교각, 교대 등), 기초(말뚝, 우물통 등) 구조물 단면 설정, 구조성, 안정성, 경관성, 시공성, 사용성, 경제성검토업무를 포함하며, 교면포장설계는 설계방법 결정, 포장공법의 결정. 구조성·안정성·시공성·경제성 검토업무를 포함하고, 부대시설 설계는 교좌장치, 신축이음, 교면방수, 방호시설, 강교도장, 교면 배수, 가르등의 부대시설에 대한 구조성, 안정성, 시공성, 경제성 검토업무를 포함한다.

⑮ 보 및 낙차공 설계

보 및 낙차공 설계는 기초설계, 본체설계, 물받이 및 바닥보호공 설계, 어도설계, 연결호안설계, 차수벽설계 업무를 말한다. 기초설계는 기초규모 결정 및 기초설계 업무를 포함하고, 본체설계는 본체 단면규모 결정 및 본체설계 업무를 포함하며, 물받이 및 바닥보호공 설계는 물받이 단면결정 및 설계, 바닥보호공 공법 및 규모결정, 바닥보호공 설계업무를 포함한다. 어도설계는 수중생물(이동고려) 및 유량검토에 따른 규모결정, 어도형식결정 및 설계 업무를 포함하고, 연결호안설계는 연결호안 설계 업무를 포함하며, 차수벽설계는 침윤선 검토 및 차수벽길이 계산, 차수벽 설계 업무를 포함한다.

⑯ 취·배수시설설계

취·배수시설설계는 규모결정, 본체설계, 유입부설계, 유출부설계, 권양시설설계, 차수설계 업무를 말한다. 규모결정은 기존시설물 능력검토, 계획단면규모결정 업무를 포함하고, 본체설계는 본체설계 업무를 포함하며, 유입부설계는 지형조건 맞는 유입부 날개벽 설계를 포함한다. 유출부설계는 지형조건 맞는 유출부 날개벽 설계 업무를 포함하고, 권양시설설계는 권양기 규모에 맞는 조작대설계 업무를 포함하며, 차수설계는 취·배수문 차수설계 업무를 포함한다.

⑰ 기타구조물설계

기타구조물설계는 여울 및 소설계, 관리용 도로설계, 수제설계, 가시설설계, 용배수로설계, 각종부대시설공 설계 업무를 말한다. 여울 및 소설계는 하상경사(급, 완경사)를 고려한 여울과 소설계 업무를 포함하고, 관리용 도로설계는 관리용 도로계획 및 설계업무를 포함하며, 수제설계는 수제공법비교 검토 및 선정, 수제설계 업무를 포함한다. 가시설설계는 가시설 공법 비교검토 및 선정, 가시설 설계업무를 포함하고, 용배수로설계는 용배수로 단면규모결정 및 설계 업무를 포함하며, 각종부대시설공 설계는 폐기물처리, 구조물깨기, 호안깨기 등의 업무를 포함한다.

⑱ 실시설계 보고서

실시설계 보고서는 보고서 작성, 부록작성 업무를 말하며 부록작성에는 구조 및 수리계산서를 포함한다.

⑲ 설계예산서

설계예산서는 설계 설명서, 설계예산서 업무를 말한다. 설계 설명서는 사업개요, 자재집계 등 설계 설명서 작성 업무를 포함하며, 설계예산서는 설계예산서작성 업무를 포함한다.

⑳ 단가 산출서

단가산출서는 단가산출, 단가설명서 업무를 말한다. 단가산출은 공종별 단가산출, 재료원 운반거리산출 등의 업무를 포함하며, 단가설명서는 단가 산출서에 따른 단가설명서 작성 업무를 포함한다.

㉑ 수량 산출서

수량 산출서는 공종별 수량산출 업무를 말한다. 공종별 수량산출은 공종별 수량산출 및 집계, 자재 집계표 작성 업무를 포함한다.

㉒ 실시설계도면

실시설계도면은 실시설계도면 작성 및 취합, 전산화 업무를 말한다. 실시설계도면 작성 및 취합은 평면도, 종횡단도, 구조물도 등의 업무를 포함한다.

㉓ 공사시방서

공사시방서는 공사시방서 작성업무를 말한다. 공사시방서는 일반시방서, 공종별 특별시방서 작성 등 공사 관련전반 사항 작성업무를 포함한다.

㉔ 기타

기타는 용지 및 지장물도 작성, 인허가 서류작성 업무를 말한다. 용지 및 지장물도 작성은 용지도 및 용지조서작성, 지장물도 및 보상 물건

작성 업무를 포함하며, 인허가 서류작성은 공사시행과 관련한 인허가 서류작성 업무를 포함한다.

8-5-2 생태하천 실시설계

① 과업착수준비

과업착수준비는 착수준비, 과업수행계획서작성 업무를 말한다. 착수준비는 계약, 과업지시내용검토, 투입인력계획 등의 업무를 포함하며, 과업수행계획서작성은 수행내용 및 설계착안 사항, 예정공정표작성 등의 업무를 포함한다.

② 현장조사 및 기초자료조사

현장조사 및 기초자료조사는 현장답사, 기존시설물조사, 용지 및 지장물 조사, 기초자료조사 업무를 말한다. 현지답사는 상위계획및 과업지시의 내용을 토대로 현장조사내용검토 업무를 포함하고, 기존시설물조사는 기존시설물현황 및 제원조사 업무를 포함한다. 용지 및 지장물 조사는 토지(지가)구분, 지적도복사, 지장물조사 업무를 포함하며, 기초자료조사는 유역개황, 하도특성, 토지이용, 기상 및 기후 등 업무를 포함한다.

③ 환경, 토질, 측량성과품 검토

환경, 토질, 측량 성과품검토는 환경조사 성과품검토, 토질조사 성과품검토, 측량조사 성과품 검토, 하천환경분석 업무를 말한다. 환경조사 성과품 검토는 생태계(식물, 어류, 수중생물 등)수질, 저니질 조사 성과품 검토업무를 포함하며, 토질조사 성과품 검토는 보링 및 재료원 성과, 실내시험성과 검토를 포함한다. 측량조사 성과품 검토는 수준, 삼각, 지형현황측량 성과검토, 종·횡단측량 성과검토 및 용지측량 성과검토를 포함하며, 하천환경분석은 문제점 및 잠재력, 종합분석도 작성(환경, 토질, 생태계, 수질, 하도특성 등 종합분석업무를 포함한다.

④ 관련계획조사 및 검토

관련계획조사 및 검토는 상위계획 검토, 관련계획검토 업무를 말한다. 상위계획 검토는 하천기본계획, 하천환경관리계획, 소하천정비종합계획 업무를 포함하며, 관련계획 검토는 도시계획, 국토이용계획, 사업과 관련한 모든 계획 등의 업무를 포함한다.

⑤ 경관조사 및 종합분석

경관조사 및 종합분석은 경관종합분석 및 과제도출 업무를 말한다. 경관종합분석 및 과제도출은 경관특성과 구조분석, 경관보전 및 개서대상지선정, 경관문제 및 잠재력 분석업무를 포함한다.

⑥ 하천환경계획수립

하천환경계획수립은 하천환경 시행방향 설정, 하천환경시설물 설치방향 구상계획, 수량확보계획 업무를 말한다. 하천환경 시행방향 설정은 국내외 사례조사, 하천환경공사 주제설정, 하천환경공사 시행방향설정(지표종, 목표 유량 및 수질설정, 정비기법, 구간별 세부정비방향 설정)업무를 포함하고, 하천환경시설물 설치방향 구상계획은 블루-그린네트워크 연계계획, 토지이용계획, 동선계획, 도시시설물 계획, 식재 및 녹화계획, 생태복원계획(지표종 또는 목표종)업무를 포함하며, 수량확보계획은 하천유지용수공급방안 계획(하수처리수, 순환수 등), 요수관로 노선계획을 업무를 포함한다.

⑦ 기본계획 변경

기본계획 변경은 공간환경계획 변경검토, 심의자료 작성 업무를 말한다. 공간환경계획 변경검토는 발주처 및 현지 주민요구에 따른 상위계획(하천기본계획 등)의 변경업무를 포함하며, 심의자료 작성은 공간환경계획 변경의 심의자료 작성 및 배포업무를 포함한다.

⑧ 주요시설물 계획

주요시설물 계획은 설계기준 검토, 공법검토, 시설물 규모 결정 업무를 말한다. 설계기준 검토는 하천설계기준, 하천공사 시방서등 각종 관련 설계기준검토 업무를 포함하고, 공법검토는 각종 공법 비교 및 적정공법선정, 발주처 협의 업무를 포함하며, 시설물 규모 결정은 수리, 수문자료를 이용한 계획시설물에 대한 적정규모결정 업무를 포함한다.

⑨ 수리검토

수리검토는 홍수위변화 검토, 소류력 검토, 주요지점에 대한 수리특성분석(2차원)업무를 말한다. 홍수위변화 검토는 하천환경시설물 계획에 따른 홍수위변화 검토업무를 포함하고, 소류력 검토는 호안 등에 대한 소류력 검토(무차원 소류력 등)업무를 포함하며, 주요지점에 대한 수리특성분석(2차원)는 2차원 수치모형 자료구축 및 수치해석 계산, 1차원 수치해석자료와의 비교 검토업무를 포함한다.

⑩ 구조검토

구조검토는 각종 구조물 구조해석업무를 말한다. 각종 구조물 구조해석은 각종 구조물 구조계산 및 검토(취, 배수시설, 산책로연결교량 등)업무를 포함한다.

⑪ 시설물안정검토

시설물안정검토는 침투해석 및 사면안정해석, 기초형식 및 공법선정, 세굴검토, 각종시설물 안정성검토 업무를 말한다. 침투해석 및 사면안정해석은 제방, 은제에 대한 침투해석 및 사면안정성검토 업무를 포함하며, 기초형식 및 공법선정은 구조물 기초 형식 검토 업무를 포함한다. 세굴검토는 수문, 수리자료를 이용한 세굴검토 및 대책 업무를 포함하며, 각종시설물 안정성검토는 나무식재, 데크 등 전도 검토 업무를 포함한다.

⑫ 경관구상 계획 및 시행계획

경관구상 계획 및 시행계획은 경관기본 구상, 경관계획 시행계획업무를 말한다. 경관기본 구상은 경관목표 및 방향설정, 경관체계구상, 경관권역설정경관유형별 경관 구상 업무를 포함하고, 경관계획 시행계획은 수변경관 전략계획 수립, 도시계획 및 용도지역과 연계한 수변공간계획수립지침 설정, 기존도시계획시설과 연결성 있는 하천기반시설 계획 업무를 포함한다.

⑬ 교량계획

교량계획은 상부형식 검토, 하부형식 검토, 기초형식 검토, 부대시설 검토 업무를 말한다. 상부형식 검토는 하중의 종류, 크기, 하부구조에 미치는 영향 검토, 형하고 검토, 가설공법, 신축이음장치 등 검토 업무를 포함하고, 하부형식 검토는 내진설계, 하천 및 교차시설 영향 검토 업무를 포함한다. 기초형식 검토는 지지층까지의 심도, 지반상태 등 검토, 홍수 또는 파랑에 의한 세굴·손상 검토 업무를 포함하며, 부대시설 검토는 방호난간 등 교통안전시설계획, 주변시설 및 계획시설물의 조화 업무를 포함한다.

⑭ 관계기관 협의 및 주민의견 수렴

관계기관 협의 및 주민의견 수렴(하천정비품셈 사용)은 관계기관 협의 및 조치계획, 주민설명회 개최 및 조치계획, 민원의견 자문 업무를 말한다. 관계기관 협의 및 조치계획은 관계기관협의자료 작성 및 협의, 조치계획서 작성 및 승인 업무를 포함하고, 주민설명회 개최 및 조치계획은 주민설명회 개최 및 의견수렴, 조치계획서 작성 및 승인 업무를 포함하며, 민원의견 자문은 민원사항에 대한 내용검토, 조치계획서 작성 및 협의 업무를 포함한다.

⑮ 단계별 자문 및 방침자료 작성

단계별 자문 및 방침자료 작성(하천정비품셈 사용)은 착수단계 자문, 중간단계 자문, 마무리단계 자문, 발주처 방침 결정 업무를 말한다. 착수단계 자문은 자문보고서 작성 및 배포, 자문의견정리검토, 조치계획서 작성, 승인 및 제출 업무를 포함하며, 중간단계 자문은 자문보고서 작성 및 배포, 자문의견정리검토, 조치계획서 작성, 승인 및 제출 업무를 포함한다. 마무리단계 자문은 자문보고서 작성 및 배포, 자문의견 정리검토, 조치계획서 작성, 승인 및 제출 업무를 포함하며, 발주처 방침 결정은 자문 시 주요안건에 대한 검토서 작성, 발주처협의 및 방침 결정 업무를 포함한다.

※ 산정 시 고려사항

- 횟수의 산정시 본부 방침 결정과 설계VE 자료 작성, 각종 심의자료 작성업무는 별도의 횟수로 산정한다.
- 회의 준비 및 개최 비용, 심의위원 심의 비용 등은 제외한다.
- 기타 별도의 대가기준(예, 경관설계심의, 농지·산지전용협의 등)이 있는 경우 해당기준을 따른다.

⑯ 제방 및 호안설계

제방 및 호안설계(하천정비품셈 사용)는 제방법선계획, 제방설계, 호안설계 업무를 말한다. 제방법선계획은 기본계획평면도(부도)검토, 계획하폭검토, 지형지물을 고려한 중심선계획 업무를 포함하고, 제방설계는 제방단면(여유고, 둑마루폭, 경사)검토, 교차대, 표토제거, 층따기, 둑마루 정리 등 제방설계, 도시 및 농경지진입로(현지주민의견수렴), 현황검토, 계획법선 검토, 부체도로설계 업무를 포함하며, 호안설계는 해당지구의 적정성평가 및 결정협의, 적정호안(치수, 환경)에 대한 호안설계 업무를 포함한다.

⑰ 친환경제방 및 생태호안 설계

친환경제방 및 생태호안 설계는 친환경제방설계, 저수로 계획 및 설계, 생태호안설계 업무를 말한다. 친환경제방설계는 기본계획평면도검토, 계획하폭 검토, 지형지물을 고려한 중심선 계획, 생태계 추이대 개념을 고려한 제방단면(여유고, 둑마루, 경사 등) 검토업무를 포함하고, 저수로 계획 및 설계는 유지유량(친수, 생태계, 경관)을 고려한 저수로 폭 결정, 고수부지고 결정, 저수로 선형 결정(사행고려)업무를 포함하며, 생태호안설계는 주요시설물계획(공법검토)에 의한 적정호안(치수, 환경) 호안설계업무를 포함한다.

⑱ 교량설계

교량설계는 공법검토, 구조설계, 교면포장설계, 부대시설설계, 접속도로설계 업무를 말한다. 공법검토는 기븐방향의 현지여건인 지형 및 지반여건 고려, 환경영향 및민원 최소화, 현지여건을 활용한 자재조달계획, 사전조사를 통한 설계반영, 교량형식인 선형조건에 적합한 공법, 교량연장에 따른 가설장비의 적정성 여부, 상부구조 형식에 따른 단면 적정성 업무를 포함하고, 구조설계는 상부(보강형 등), 하부(교각, 교대 등), 기초(말뚝, 우물통 등) 구조물 단면 설정, 구조성, 안정성, 경관성, 시공성, 사용성, 경제성검토업무를 포함하며, 교면포장설계는 설계방법 결정, 포장공법의 결정. 구조성·안정성·시공성·경제성 검토업무를 포함하고, 부대시설 설계는 교좌장치, 신축이음, 교면방수, 방호시설, 강교도장, 교면 배수, 가르등의 부대시설에 대한 구조성, 안정성, 시공성, 경제성 검토업무를 포함한다.

⑲ 자연형 보 및 낙차공 설계

자연형 보 및 낙차공 설계는 기초 및 본체 설계, 어도설계 업무를 말한다. 기초 및 본체 설계는 자연소재(돌, 나무), 기성제품을 이용하여 기초규모결정 및 기초설계, 본체 규모결정 및 설계업무를 포함하고, 어도설계는 수중생물(이동고려) 및 유량검토에 따른 규모 결정, 어도형식 결정 및 설계업무를 포함한다.

⑳ 취, 배수시설 설계

취, 배수시설설계(하천정비품셈 사용)는 규모결정, 본체설계, 유입부설계, 유출부설계, 권양시설설계, 차수설계 업무를 말한다. 규모결정은 기존시설물 능력검토, 계획단면규모결정 업무를 포함하고, 본체설계는 본체설계 업무를 포함하며, 유입부설계는 지형조건 및 제방단면에 맞는 날개벽 설계를 포함한다. 유출부설계는 지형조건 및 제방단면 맞는 날개벽 설계 업무를 포함하고, 권양시설설계는 권양기 및 수문 규모에 맞는 조작대설계 업무를 포함하며, 차수설계는 침투유로장 등을 고려한 차수설계 업무를 포함한다.

㉑ 하천환경공사시설물 설계

하천환공공사시설물 설계는 동선설계, 식재설계, 생태복원설계, 수량확보 시설물 설계, 여울 및 소 설계, 수제설계, 각종도입시설물 설계 업무를 말한다. 동선설계는 자전거도로, 생태탐방로, 생태통로, 동선연결교량(인도교포함) 등 업무를 포함하고, 식재설계는 지표 및 목표종을 고려한 식재설계도작성(하도습지 등) 업무를 포함하며, 생태복원설계는 비오콥, 완도, 수변완충녹지, 수림대, 구하도복원설계업무를 포함한다. 수량확보 시설물 설계는 간이펌프장관련 업무를 포함하며, 여울 및 소 설계는 하상경사(급, 완경사)를 여울과 소 설계업무를 포함한다. 수제설계는 투과, 불투과 수제 결정, 간격 및 배치 등을 고려한 설계(자연소재로 계획)업무를 포함하고, 각종도입시설물 설계는 데크, 관찰대, 횟대, 거석배치 등의 업무를 포함한다.

㉒ 기타구조물 설계

기타구조물설계는 관리용 도로설계, 가시설설계, 용배수로설계, 각종부대시설공 설계 업무를 말한다. 관리용 도로설계는 관리용 도로계획 및 설계업무를 포함하며, 가시설설계는 지반특성 및 경제성, 시공성을 고려한 가시설 공법 비교검토 및 선정무를 포함한다. 용배수로설계는 취배수로 단면규모 결정 및 설계업무를 포함하며, 각종부대시설공 설계는 폐기물처리, 구조물깨기, 호안깨기 등의 업무를 포함한다.

㉓ 조경 · 경관설계

조경 · 경관설계는 하천 및 오픈스페이스 수변경관설계, 세부 시설설계업무를 말한다. 하천 및 오픈스페이스 수변경관설계는 도입프로그램 설정, 주요지점 공간설계 및 탐방로 설계 등, 대표 수종 선정 및 설계, 세부 시설설계는 친수시설 디자인 및 설계, 포장디자인 및 색채설계, 야간경관설계업무를 포함한다.

㉔ 자연형 하천의 유지관리계획

자연형 하천의 유지관리계획은 유지관리계획, 홍수기중 하천시설물의 방재대책, 자연형 하천의 유지관리 업무를 말한다. 유지관리계획은 하천시설물 유지관리계획, 홍수전 · 중 · 후 점검 계획, 유지관리체계 구축업무를 포함하고, 홍수기중 하천시설물의 방재대책은 제방, 호안, 하천시설물의 홍수대책업무를 포함하며, 자연형하천의 유지관리는 하천환경 · 생태계 관리, 식생관리, 이용자관리업무를 포함한다.

㉕ 실시설계 보고서

실시설계 보고서는 보고서 작성, 부록작성 업무를 말하며 부록작성에는 구조 및 수리계산서를 포함한다.

㉖ 설계예산서

설계예산서는 설계 설명서, 설계예산서 업무를 말한다. 설계 설명서는 사업개요, 자재집계 등 설계 설명서 작성 업무를 포함하며, 설계예산서는 설계예산서작성 업무를 포함한다.

㉗ 단가 산출서

단가산출서는 단가산출, 단가설명서 업무를 말한다. 단가산출은 공종별 단가산출, 재료원 운반거리산출 등의 업무를 포함하며, 단가설명서는 단가 산출서에 따른 단가설명서 작성 업무를 포함한다.

㉘ 수량 산출서

수량 산출서는 공종별 수량산출 업무를 말한다. 공종별 수량산출은 공종별 수량산출 및 집계, 자재 집계표 작성 업무를 포함한다.

㉙ 실시설계도면

실시설계도면은 실시설계도면 작성 및 취합, 전산화 업무를 말한다. 실시설계도면 작성 및 취합은 평면도, 종횡단도, 구조물도 등의 업무를 포함한다.

㉚ 공사시방서

공사시방서는 공사시방서 작성업무를 말한다. 공사시방서는 일반시방서, 공종별 특별시방서 작성 등 공사 관련전반 사항 작성업무를 포함한다.

㉛ 기타

기타는 용지 및 지장물도 작성, 인허가 서류작성 업무를 말한다. 용지 및 지장물도 작성은 용지도 및 용지조서작성, 지장물도 및 보상 물건 작성 업무를 포함하며, 인허가 서류작성은 공사시행과 관련한 인허가 서류작성 업무를 포함한다.

8-6 댐분야 설계용역 업무정의

8-6-1 타당성조사

① 과업착수 준비

과업착수 준비는 착수신고서와 과업수행계획서의 작성업무이다.

② 현장조사 및 기초조사

현장조사 및 기초조사는 현장조사·답사, 기존시설물조사, 용지 및 지장물조사, 기초자료조사 및 지하수 영향조사 업무 등을 말한다. 타당성조사 이전 단계 조사시 시행된 현지조사 성과를 재검토하여 이를 최대한 활용하고 사업 여건에 맞는 현지조사를 실시하여, 설계시 현지여건이 충분히 반영될 수 있도록 조사업무를 수행한다.

③ 환경, 토질, 측량, 보상 성과품 검토

환경, 토질, 측량, 보상 성과품 검토는 환경조사 성과품 검토, 지질 및 재료원조사 성과품 검토, 측량조사 성과품 검토, 보상조사 성과품 검토 업무를 말한다.

④ 관련계획 조사 및 검토

관련계획 조사 및 검토는 상위계획 검토, 관련계획 검토 업무를 말한다. 상위계획 검토는 국토종합계획, 댐 건설장기계획, 수자원장기종합계획, 수도정비계획, 유역종합 치수계획, 하천기본계획등의 업무를 포함하며, 관련계획 검토는 도시계획, 국토이용계획, 지자체 개발계획 및 기타 관련계획 업무를 포함한다.

⑤ 전 단계 성과검토

전 단계 성과검토는 예비타당성조사의 계획 및 사업비 적정성검토 업무를 포함한다.

⑥ 수문·수리분석

수문·수리분석은 유역특성 및 수문관측소 적용, 강우 및 홍수분석, 장기유출량 및 유황분석, 저수지 순증발량, 저수용량 곡선 및 퇴사량, 방수위 유량곡선 업무를 말한다. 유역특성 및 수문관측소 적용은 유역면적, 유로연장, 유역평균폭, 형상계수, 유역경사 등 유역특성 파악, 관할기관별 우량 및 수위관측소 현황파악 후 대표관측소 적용 업무를 포함하며, 강우 및 홍수분석은 분석대상관측소 선정 및 확률강우량 산정, 가능최대강수량(PMP)산정, 확률홍수량 및 가능최대홍수량(PMF) 산정 업무를 포함하며, 장기유출량 및 유황분석은 모형별 장기유출량 산정과 유황곡선 작성 업무를 포함한다. 저수지 순증발량은 기상관측소 계기증발량 및 저수지 수면적에 대한 강우량, 증발량, 감소량 검토, 저수지 순증발량 산정 업무를 포함하며, 저수용량 곡선 및 퇴사량은 저수용량곡선, 퇴사량 산정 및 공간분포, 사수위 및 저수위 결정 업무를 포함한다. 방수위 유량곡선은 댐하류 유량규모별 수위계산, 여수로, 가배수로, 발전소 출구부 방수위 유량곡선 업무를 포함한다.

※ 산정 시 고려사항

- 유역특성 및 수문관측소 적용, 강우 및 홍수분석, 장기유출 및 유황분석의 단위는 유역면적이며, 저수지 순증발량, 저수용량 곡선 및 퇴사량, 방수위 유량곡선의 단위는 저수용량이다.

⑦ 용수 수요분석 및 용수공급계획

용수 수요분석 및 용수공급계획은 생활·공업·농업·하천유지용수 산정 및 용수수급 전망 업무를 말한다. 생활·공업·농업·하천유지용수는 생활용수, 공업용수, 농업용수 필요 수요량 산정, 기득수리량 현황 및 하천유지유량 산정 업무를 포함하며, 용수수급 전망은 용수공급 현황 및 계획, 용수수급 전망 업무를 포함한다.

※ 산정 시 고려사항

- 생활, 공업, 농업 및 하천유지용수 산정의 단위는 유역면적이며, 용수수급 전망의 단위는 저수용량이다.

⑧ 최적개발규모

최적개발규모는 댐 위치 및 형식, 이수목적 개발규모, 수력발전 검토, 치수목적 개발규모, 최적개발 규모검토 업무를 말한다. 댐 위치 및 형식은 대상지점 비교 검토를 통한 댐 최적위치선정, 형식별 장단점을 통한 댐 형식 결정 업무이며, 이수목적 개발규모는 댐 규모별 용수공급 가능량, 댐 규모별 편익·비용 분석, 상시만수위 결정, 용수공급 계획 업무를 포함하며, 수력발전 검토는 발전형식 및 발전방식, 유효낙차 및 발전규모 산정, 발전규모별 편익·비용 분석 및 타당성검토 업무를 포함한다. 치수목적 개발규모는 연평균 홍수피해액 산정, 홍수조절방식 결정, 조절용량별 효과분석, 홍수조절용량 편익·비용 분석을 통한 홍수조절용량 결정 업무를 포함하며, 최적개발 규모검토는 이수, 치수 등을 고려한 최적개발 규모의 적정성 검토 업무를 포함한다.

※ 산정 시 고려사항

- 댐 위치 및 형식의 단위는 댐높이며, 이수목적 개발규모, 수력발전 검토, 치수목적 개발규모, 최적개발 규모검토의 단위는 저수용량이다.

⑨ 댐 건설에 따른 영향 검토

댐 건설에 따른 영향 검토는 댐 상하류 영향 검토, 환경영향 저감대책, 환경기초시설 계획, 친환경설계 업무를 말한다. 댐 상하류 영향 검토는 홍수위 산정, 수몰보상선 검토, 하천시설물 능력 검토, 댐 하류 하상변동 업무를 포함한다. 환경영향 저감대책은 공사중 환경보호설비 계획 , 댐 건설후 환경영향 검토 업무이며, 환경기초시설 계획은 수질오염원 및 환경기초시설 현황, 주변환경정비 및 환경기초시설 확충계획 업무를 포함한다.

※ 산정 시 고려사항

- 댐 상하류 영향 검토, 환경영향 저감대책의 단위는 댐높이며, 환경기초시설 계획의 단위는 유역면적이다.

⑩ 댐효용증진사업 시설계획

댐효용증진사업 시설계획은 댐효용증진사업 기본계획(안) 작성, 주변지역과 연계한 마스터플랜, 지역에 미치는 효과 및 영향검토, 시설물 입지계획 업무를 말한다. 댐효용증진사업 기본계획(안) 작성은 지역의 사회·문화·경제의 향상, 휴식처 제공을 위한 계획(안) 작성 업무를 포함하며, 시설물 입지계획은 개발적인 측면 및 주변자연경관 보존 등을 고려한 친환경적 계획 업무를 포함한다.

⑪ 이설도로 및 이주대책

이설도로 및 이주대책은 진입 및 이설도로, 이주대책 업무를 말한다. 진입 및 이설도로는 진입 및 이설도로 현황, 노선계획 및 구조물 계획 업무를 포함하며, 이주대책은 후보지 선정 및 이주단지 조성 업무를 포함한다.

⑫ 사업비 산출, 경제성, 비용배분

사업비 산출, 경제성, 비용배분은 사업비 산출, 경제성 평가 업무를 말한다. 사업비 산출은 수량 및 사업비 산정, 연차별 투자계획 업무를 포함하며, 경제성 평가는 비용 및 편익 계산, 경제적타당성 평가, 비용배분 및 재무분석 업무를 포함한다.

⑬ 재개발사업 추진시 문제점 및 대책

재개발사업 추진시 문제점 및 대책업무는 기존 댐의 구조적 및 증고시 문제점, 기존 댐의 보상 및 법적 문제점, 재개발시 수리권, 관리 및 운영방안, 재개발에 따른 치수효과 검토 후 변경 업무를 포함한다.

⑭ 관계기관 및 주민 의견수렴

관계기관 및 주민 의견수렴은 관계기관 협의 및 조치계획, 주민설명회(공청회) 개최 및 조치계획 작성, 민원의견 자문 업무를 말한다.

⑮ 단계별 자문 및 방침자료 작성

단계별 자문 및 방침자료 작성은 착수단계자문, 중간단계자문, 마무리단계자문, 발주처 방침 결정 업무를 말한다. 발주처 방침 결정은 자문시 주요안건에 대한 검토서 작성, 발주처 협의 및 방침 결정 업무를 포함한다.

※ 산정 시 고려사항

- 횟수의 산정시 본부 방침 결정과 설계VE 자료 작성, 각종 심의자료 작성업무는 별도의 횟수로 산정한다.
- 회의 준비 및 개최 비용, 심의위원 심의 비용 등은 제외한다.
- 기타 별도의 대가기준(예, 경관설계심의, 농지·산지전용협의 등)이 있는 경우 해당기준을 따른다.

⑯ 설계기준 작성

설계기준 작성은 예비설계에 필요한 설계조건 및 설계기준 결정 업무를 말한다.

⑰ 주요구조물 배치 및 예비설계

주요구조물 배치 및 예비설계는 가설비 예비설계, 유수전환 예비설계, 여수로 예비설계, 댐 예비설계, 취수 및 방류설비 예비설계, 발전 및 송배전설비 예비설계 업무 등을 말한다. 가설비 예비설계는 가설비 부지 위치 및 규모, 가설건물규모 결정, 설비별 배치계획 및 일반도 작성 등 공사중 환경보호설비 배치도, 공사용도로 평면선형 및 표준횡단면도 등 업무를 포함한다. 유수전환 예비설계는 가물막이, 가배수로 배치도 및 표준단면도 업무를 포함하며, 여수로 예비설계는 여수로 표준단면도 및 종횡단면도 업무를 포함한다. 댐 예비설계는 본 댐과 부댐, 조정지댐의 배치 및 예비설계를 하는 것으로 댐 기초처리 계획도, 댐 형식별 표준단면도, 댐 형식별 안정성 검토, 재료원 수급방안 업무를 포함한다. 취수 및 방류설비 예비설계는 취수 및 방류관 종단 및 표준단면도 등 업무를 포함한다. 발전 및 송배전설비 예비설계는 발전 및 송배전설비 평면 및 단면도 업무, 홍수예경보장치·수질자동측정장치를 포함한다.

※ 산정 시 고려사항

- 가설비 예비설계, 여수로 예비설계, 댐 예비설계, 취수 및 방류설비 예비설계의 단위는 댐높이며, 유수전환 예비설계, 배사시설 예비설계의 단위는 유역면적이며, 발전 및 송배전설비 예비설계의 단위는 시설용량이다.

⑱ 부대공사설계

부대공사설계는 토목 부대시설 예비설계, 건축 예비설계, 기계 예비설계, 전기 및 전자통신 예비설계, 조경 예비설계, 어도 예비설계 업무를 말한다. 토목 부대시설 예비설계는 어도, 선착장, 부유쓰레기 처리시설, 소각시설 및 폭기시설, 호안, 토취장 및 사토장, 홍수예경보시스템, 수질자동측정장치, 어도, 친환경설계 등 관련 계획도 업무를 포함한다. 건축 예비설계는 건축배치 평면도, 단면도, 건축기계설비도 작성업무를 포함한다. 기계 예비설계는 강재설비 평면 및 단면도 업무를 포함하며, 전기 및 전자통신 예비설계는 배치도 및 일반도 업무를 포함하며, 조경 예비설계는 조경 및 경관 계획평면도 등 업무를 포함한다.

※ 산정 시 고려사항

- 예비설계, 전기 및 전자통신 예비설계, 조경 예비설계의 단위는 댐높이며, 건축 예비설계의 단위는 건축면적이며, 기계 예비설계의 단위는 저수용량이다.

⑲ 타당성조사보고서 및 기타보고서

타당성조사보고서는 타당성조사 보고서(본보고서, 요약보고서) 작성, 기타보고서 작성, 부록 작성 업무를 말한다. 기타보고서는 측량 및 보상조사보고서, 지질 및 재료원조사보고서, 이설도로보고서, 문화재지표조사 보고서, 댐주변지역 경제활성화 방안 보고서, 전략환경영향평가 검토보고서, 재해영향평가보고서를 포함한다.

⑳ 수리 및 구조계산서

수리 및 구조계산서는 수리계산서, 구조계산서 업무를 말한다.

※ 산정 시 고려사항

- 수리계산서의 단위는 저수용량이며, 구조계산서의 단위는 댐높이이다.

㉑ 설계예산서

설계예산서는 설계내역서, 원가계산서, 총괄내역서, 공종별 내역서, 일위대가 등의 작성 업무를 포함한다.

㉒ 단가산출서

단가산출서는 단가산출서, 중기사용료, 단가조서, 견적서, 운반거리조견표 등의 작성업무를 포함한다.

㉓ 수량산출서

수량산출서는 공종별 수량산출서, 집계표, 자재집계표 작성 업무를 포함한다.

㉔ 타당성조사도면

타당성조사도면은 타당성조사 도면 편집 및 전산화 업무를 말하며, 공사계획평면도, 본 댐 종평면도, 가설부지 평면도, 각종 표준단면도 및 상세도 등 작성 업무를 포함한다.

㉕ 기타

기타는 사진첩(측량, 지반조사 현황) 등 업무를 말한다.

8-6-2 기본계획

① 과업착수 준비

과업착수 준비는 착수신고서와 과업수행계획서의 작성업무이다.

② 현장조사 및 기초조사

현장조사 및 기초조사는 현장조사·답사, 기존시설물조사, 용지 및 지장물조사, 기초자료조사 및 지하수 영향조사 업무 등을 말한다. 기본계획 이전에 조사된 성과를 재검토하여 이를 최대한 활용하고 계획변경 및 미조사 부분 또는 필요시 감독원이 지시하는 부분에 대하여 추가조사를 실시하여, 설계시 현지여건이 충분히 반영될 수 있도록 조사업무를 수행한다.

③ 환경, 토질, 측량, 보상 성과품 검토

환경, 토질, 측량, 보상 성과품 검토는 환경조사 성과품 검토, 지질 및 재료원조사 성과품 검토, 측량조사 성과품 검토, 보상조사 성과품 검토 업무를 말한다.

④ 관련계획 조사 및 검토

관련계획 조사 및 검토는 상위계획 검토, 관련계획 검토 업무를 말한다. 상위계획 검토는 국토종합계획, 댐 건설장기계획, 수자원장기종합계획, 수도정비계획, 유역종합 치수계획, 하천기본계획 등 업무를 포함하며, 관련계획 검토는 도시계획, 국토이용계획, 지자체 개발계획 및 기타 관련계획 업무를 포함한다.

⑤ 전 단계 성과검토

전 단계 성과검토는 예비타당성 및 타당성조사 검토 업무를 말하며 전 단계의 계획 및 사업비 적정성검토, 자문회의 및 심의결과를 검토한 후 기본계획에 반영한다.

⑥ 수문·수리분석

수문·수리분석은 유역특성 및 수문관측소 적용, 강우 및 홍수분석, 장기유출량 및 유황분석, 저수지 순증발량, 저수용량 곡선 및 퇴사량, 방수위 유량곡선 업무를 말한다. 유역특성 및 수문관측소 적용은 유역면적, 유로연장, 유역평균폭, 형상계수, 유역경사 등 유역특성 파악, 관할기관별 우량 및 수위관측소 현황파악 후 대표관측소 적용 업무를 포함하며, 강우 및 홍수분석은 분석대상관측소 선정 및 확률강우량 산정, 가능최대강수량(PMP)산정, 확률홍수량 및 가능최대홍수량(PMF)산정 업무를 포함하며, 장기유출량 및 유황분석은 모형별 장기유출량 산정과 유황곡선 작성 업무를 포함한다. 저수지 순증발량은 기상관측소 계기증발량 및 저수지 수면적에 대한 강우량, 증발량, 감소량 검토, 저수지 순증발량 산정 업무를 포함하며, 저수용량 곡선 및 퇴사량은 저수용량곡선, 퇴사량 산정 및 공간분포, 사수위 및 저수위 결정 업무를 포함한다. 방수위 유량곡선은 댐하류 유량규모별 수위계산, 여수로, 가배수로, 발전소 출구부 방수위 유량곡선 업무를 포함한다.

※ 산정 시 고려사항

- 유역특성 및 수문관측소 적용, 강우 및 홍수분석, 장기유출 및 유황분석의 단위는 유역면적이며, 저수지 순증발량, 저수용량 곡선 및 퇴사량, 방수위 유량곡선의 단위는 저수용량이다.

⑦ 용수 수요분석 및 용수공급계획

용수 수요분석 및 용수공급계획은 생활·공업·농업·하천유지용수, 용수수급 전망 업무를 말한다. 생활·공업·농업·하천유지용수는 생활용수, 공업용수, 농업용수 필요 수요량 산정, 기득수리량 현황 및 하천유지유량 산정 업무를 포함하며, 용수수급 전망은 용수공급 현황 및 계획, 용수수급 전망 업무를 포함한다.

※ 산정 시 고려사항

- 생활, 공업, 농업 및 하천유지용수의 단위는 유역면적이며, 용수수급 전망의 단위는 저수용량이다.

⑧ 최적개발규모

최적개발규모는 댐 위치 및 형식, 이수목적 개발규모, 수력발전 검토, 치수목적 개발규모, 최적개발 규모검토 업무를 말한다. 댐 위치 및 형식은 대상지점 비교 검토를 통한 댐 최적위치선정, 형식별 장단점을 통한 댐 형식 결정 업무이며, 이수목적 개발규모는 댐 규모별 용수공급 가능량, 댐 규모별 편익·비용 분석, 상시만수위 결정, 용수공급 계획 업무를 포함하며, 수력발전 검토는 발전형식 및 발전방식, 유효낙차 및 발전규모 산정, 발전규모별 편익·비용 분석 및 타당성검토 업무를 포함한다. 치수목적 개발규모는 연평균 홍수피해액 산정, 홍수조절방식 결정, 조절용량별 효과분석, 홍수조절용량 편익·비용 분석을 통한 홍수조절용량 결정 업무를 포함하며, 최적개발 규모검토는 이수, 치수 등을 고려한 최적개발 규모의 적정성 검토 업무를 포함한다.

※ 산정 시 고려사항

- 댐 위치 및 형식의 단위는 댐높이며, 이수목적 개발규모, 수력발전 검토, 치수목적 개발규모, 최적개발 규모검토의 단위는 저수용량이다.

⑨ 댐 건설에 따른 영향 검토

댐 건설에 따른 영향 검토는 댐 상하류 영향 검토, 환경영향 저감대책, 환경기초시설 계획, 친환경설계 업무를 말한다. 댐 상하류 영향

검토는 홍수위 산정, 수몰보상선 검토, 하천시설물 능력 검토, 댐 하류 하상변동 업무를 포함하며, 환경영향 저감대책은 공사중 환경보호설비 계획 , 댐 건설후 환경영향 검토 업무이며, 환경기초시설 계획은 수질오염원 및 환경기초시설 현황, 주변환경정비 및 환경기초시설 확충계획 업무를 포함한다.

※ 산정 시 고려사항

- 댐 상하류 영향 검토, 환경영향 저감대책의 단위는 댐높이며, 환경기초시설 계획의 단위는 유역면적이다.

⑩ 댐효용증진사업 시설계획

댐효용증진사업 시설계획은 댐효용증진사업 기본계획(안) 작성, 주변지역과 연계한 마스터플랜, 지역에 미치는 효과 및 영향검토, 시설물 입지계획 업무를 말한다. 댐효용증진사업 기본계획(안) 작성은 지역의 사회·문화·경제의 향상, 휴식처 제공을 위한 계획(안) 작성 업무를 포함하며, 시설물 입지계획은 개발적인 측면 및 주변자연경관 보존 등을 고려한 친환경적 계획 업무를 포함한다.

⑪ 이설도로 및 이주대책

이설도로 및 이주대책은 진입 및 이설도로, 이주대책 업무를 말한다. 진입 및 이설도로는 진입 및 이설도로 현황, 노선계획 및 구조물 계획 업무를 포함하며, 이주대책은 후보지 선정 및 이주단지 조성 업무를 포함한다.

⑫ 사업비 산출, 경제성, 비용배분

사업비 산출, 경제성, 비용배분은 사업비 산출, 경제성 평가 업무를 말한다. 사업비 산출은 수량 및 사업비 산정, 연차별 투자계획 업무를 포함하며, 경제성 평가는 비용 및 편익 계산, 경제적 타당성 평가, 비용배분 및 재무분석 업무를 포함한다.

⑬ 재개발사업 추진시 문제점 및 대책

재개발사업 추진시 문제점 및 대책 업무는 기존 댐의 구조적 및 증고시 문제점, 기존 댐의 보상 및 법적 문제점, 재개발시 수리권, 관리 및 운영방안, 재개발에 따른 치수효과 검토 후 변경 업무를 포함한다.

⑭ 관계기관 및 주민 의견수렴

관계기관 및 주민 의견수렴은 관계기관 협의 및 조치계획, 주민설명회(공청회) 개최 및 조치계획, 민원의견 자문 업무를 말한다.

⑮ 단계별 자문 및 방침자료 작성

단계별 자문 및 방침자료 작성은 착수단계자문, 중간단계자문, 마무리단계자문, 발주처 방침 결정 업무를 말한다. 발주처 방침 결정은 자문시 주요안건에 대한 검토서 작성, 발주처 협의 및 방침 결정 업무를 포함한다.

※ 산정 시 고려사항

- 횟수의 산정시 본부 방침 결정과 설계VE 자료 작성, 각종 심의자료 작성업무는 별도의 횟수로 산정한다.
- 회의 준비 및 개최 비용, 심의위원 심의 비용 등은 제외한다.
- 기타 별도의 대가기준(예, 경관설계심의, 농지·산지전용협의 등)이 있는 경우 해당기준을 따른다.

⑯ 설계기준 작성

설계기준 작성은 설계조건 및 설계기준 결정 업무를 말한다.

⑰ 주요구조물 배치 및 예비설계

주요구조물 배치 및 예비설계는 가설비 예비설계, 유수전환 예비설계, 여수로 예비설계, 댐 예비설계, 취수 및 방류설비 예비설계, 발전 및 송배전설비 예비설계 업무 등을 말한다. 가설비 예비설계는 가설비 부지 위치 및 규모, 가설건물규모 결정, 설비별 배치계획 및 일반도 작성 등 공사중 환경보호설비 배치도, 공사용도로 평면선형 및 표준횡단면도 등 업무를 포함한다. 유수전환 예비설계는 가물막이, 가

배수로 배치도 및 표준단면도 업무를 포함하며, 여수로 예비설계는 여수로 표준단면도 및 종횡단면도 업무를 포함한다. 댐 예비설계는 본 댐 외에 부댐과 조정지댐의 배치 및 예비설계를 하는 것으로 댐 기초처리 계획도, 댐 형식별 표준단면도, 댐 형식별 안정성 검토, 재료원 수급방안 업무를 포함한다. 취수 및 방류설비 예비설계는 취수 및 방류관 종단 및 표준단면도 등 업무를 포함한다. 발전 및 송배전설비 예비설계는 발전 및 송배전설비 평면 및 단면도 업무, 홍수예경보장치·수질자동측정장치를 포함한다.

※ 산정 시 고려사항

- 가설비 예비설계, 여수로 예비설계, 댐 예비설계, 취수 및 방류설비 예비설계의 단위는 댐높이, 유수전환 예비설계, 배사시설 예비설계의 단위는 유역면적, 발전 및 송배전설비 예비설계의 단위는 시설용량이다.

⑱ 부대공사설계

부대공사설계는 토목 부대시설 예비설계, 건축 예비설계, 기계 예비설계, 전기 및 전자통신 예비설계, 조경 예비설계, 어도 예비설계 업무를 말한다. 토목 부대시설 예비설계는 어도, 선착장, 부유쓰레기 처리시설, 소각시설 및 폭기시설, 호안, 토취장 및 사토장, 홍수예경보 시스템, 수질자동측정장치, 어도, 친환경설계 등 관련 계획도 업무를 포함한다. 건축 예비설계는 건축배치 평면도 및 단면도, 건축기계설비도 작성업무를 포함하며, 기계 예비설계는 강재설비 평면 및 단면도 업무를 포함한다. 전기 및 전자통신 예비설계는 전기 및 전자통신 배치도 및 일반도 업무를 포함하며, 조경 예비설계는 조경 및 경관 계획평면도 등 업무를 포함한다.

※ 산정 시 고려사항

- 예비설계, 전기 및 전자통신 예비설계, 조경 예비설계의 단위는 댐높이며, 건축 예비설계의 단위는 건축면적이며, 기계 예비설계의 단위는 저수용량이다.

⑲ 기본계획보고서 및 기타보고서

기본계획보고서 및 기타보고서는 기본계획 보고서 작성, 기타보고서 작성, 부록 작성 업무를 말한다. 기본계획 보고서 작성은 기본계획보고서, 본보고서, 요약보고서 업무를 포함하며, 기타보고서 작성은 측량및보상조사보고서, 지질 및 재료원조사보고서, 이설도로보고서, 문화재 지표조사 보고서, 댐주변지역 경제활성화 방안 보고서, 전략환경영향평가 검토보고서, 재해영향평가보고서 업무를 포함한다.

⑳ 수리 및 구조계산서

수리 및 구조계산서는 수리계산서, 구조계산서 업무를 말한다.

※ 산정 시 고려사항

- 수리계산서의 단위는 저수용량이며, 구조계산서의 단위는 댐높이이다.

㉑ 설계예산서

설계예산서는 설계내역서, 원가계산서, 총괄내역서, 공종별 내역서, 일위대가 등의 업무를 포함한다.

㉒ 단가산출서

단가산출서는 단가산출서, 중기사용료, 단가조서, 견적서, 운반거리 조견표 등의 업무를 포함한다.

㉓ 수량산출서

수량산출서는 공종별 수량산출서, 집계표, 자재집계표 작성 업무를 포함한다.

㉔ 기본계획도면

기본계획도면은 타당성조사 도면 편집 및 전산화 업무를 말하며, 공사계획평면도, 본 댐 종평면도, 가설부지 평면도, 각종 표준단면도 및 상세도 등 작성 업무를 포함한다.

㉕ 기타

기타는 사진첩(측량, 지반조사 현황) 등 업무를 말한다.

8-6-3 기본설계

① 과업착수 준비

과업착수 준비는 착수신고서와 과업수행계획서의 작성업무이다.

② 현장조사 및 기초조사

현장조사 및 기초조사는 현장조사·답사, 기존시설물조사, 용지 및 지장물조사, 기초자료조사, 지하수 영향조사 등의 업무를 말한다. 현장조사·답사는 공사여건, 지질 및 토질조사, 재료원조사, 식생조사 등 조사업무이며, 기존시설물조사는 사업지 주변 하천시설물, 군사시설, 주거지, 도로, 공공시설 등의 조사업무이다. 용지 및 지장물조사는 개인재산, 공공재산, 소유권 관계, 지하매설물 등 사업편입지역 및 수몰지내 보상을 위한 자료조사이며, 기초자료조사는 지형현황 및 종횡단측량조사, 인문·사회·경제현황조사, 기상 및 수문자료 조사 등의 업무이며, 지하수 영향조사는 지하수위, 유출현황 조사 등의 업무를 말한다. 현장조사 및 기초조사 업무는 기본설계 전 단계의 조사성과(타당성조사 및 기본계획)를 재검토하여 이를 최대한 활용하여야 하고, 필요시 감독원의 승인하에 추가조사를 실시하여 설계시 현지여건을 충분히 반영하여야 한다.

③ 환경, 토질, 측량, 보상 성과품 검토

환경, 토질, 측량, 보상 성과품 검토는 환경조사 성과품 검토, 지질 및 재료원조사 성과품 검토, 측량조사 성과품 검토, 보상조사 성과품 검토 업무를 말한다. 환경조사 성과품 검토는 환경영향평가서, 전략환경영향평가 검토 및 사전재해영향성평가서상의 설계반영 사항 업무 등이 해당된다. 지질 및 재료원조사 성과품 검토는 지질 및 재료원 성과 검토, 주요구조물 지점의 암추정 및 판단의 적정성 검토, 실내시험 성과 검토, 토질 설계정수 산출의 적정성 검토, 재료원 및 운반거리의 적정성 검토 업무 등이 해당된다. 측량조사 성과품 검토는 조사범위의 적적성, 지형현황측량, 댐 및 하천 종·횡단측량, 용지측량성과의 설계 적용성 검토 업무 등이 해당된다. 보상조사 성과품 검토는 조사준비 및 계획, 조사결과 분석, 보상 범위 및 규모의 적정성 검토, 수위별 보상비 산정 업무 등이 해당된다.

④ 관련계획 조사 및 검토

관련계획 조사 및 검토는 상위계획 검토, 관련계획 검토 업무를 말한다. 상위계획 검토는 국토종합계획, 댐 건설장기계획, 수자원장기종합계획, 수도정비계획, 유역종합 치수계획, 하천기본계획 등 업무를 포함하며, 관련계획 검토는 도시계획, 국토이용계획, 지자체 개발계획 및 기타 관련계획 업무를 포함한다.

⑤ 전 단계 성과검토

전 단계 성과검토는 타당성조사 및 기본계획 성과를 기초로 하여 유역 일반현황, 수문·수리분석, 용수 수요분석 및 용수공급계획, 최적개발규모, 주요구조물 배치계획, 댐 건설에 따른 영향, 댐효용증진사업 시설계획, 진입·이설도로 및 이주대책, 사업비 산출, 경제성 및 비용배분, 재개발사업 추진시 문제점 및 대책 업무 등을 말한다.

⑥ 관계기관 및 주민 의견수렴

관계기관 및 주민 의견수렴은 관계기관 협의 및 조치계획, 주민설명회 개최 및 조치계획, 민원의견 자문 업무를 말한다. 관계기관 협의 및 조치계획은 관계기관 협의자료 작성 및 협의, 조치계획서 작성 및 승인 업무 등을 포함한다. 주민설명회 개최 및 조치계획은 주민설명회 개최 및 의견 수렴, 조치계획서 작성 및 승인 업무 등을 포함하며, 민원의견 자문은 민원사항에 대한 내용 검토, 조치계획서 작성 및 승인 업무 등을 포함한다.

⑦ 단계별 자문 및 방침자료 작성

단계별 자문 및 방침자료 작성은 착수단계자문, 중간단계자문, 마무리단계자문, 발주처 방침 결정, 설계감리 및 VE자료작성 업무를 말한다. 자문업무는 단계별 자문보고서 작성 및 배포, 자문의견 검토, 조치계획서 작성 승인 및 제출 업무 등을 포함한다. 발주처 방침 결정은 자문시 주요안건에 대한 검토서 작성, 발주처 협의 및 방침 결정 업무 등을 포함한다. 설계VE자료작성 업무는 설계 VE자료 작성 및 설계 VE 의견검토 후 보완업무 등을 포함한다.

※ 산정 시 고려사항

- 횟수의 산정시 본부 방침 결정과 설계VE 자료 작성, 각종 심의자료 작성업무는 별도의 횟수로 산정한다.
- 회의 준비 및 개최 비용, 심의위원 심의 비용 등은 제외한다.
- 기타 별도의 대가기준(예, 경관설계심의, 농지·산지전용협의 등)이 있는 경우 해당기준을 따른다.

⑧ 설계기준 작성

기본설계에 대한 설계조건 및 설계기준 결정 업무를 말한다.

⑨ 가설비

가설비는 시공설비 구모 및 용량결정, 급수설비, 전기 및 전자통신설비 등의 업무를 말한다. 시공설비 규모 및 용량결정은 가설비 부지 위치 및 규모결정, 가설건물규모, 콘크리트 타설량 및 공급계획 업무 등을 포함한다. 급수설비는 급수용량 산정과 용수공급계획 업무 등을 포함하며, 전기 및 전자통신설비는 전기 및 계측제어설비 용량 산정 업무 등을 포함한다.

⑩ 유수전환 설계

유수전환 설계는 유수전환 방식 선정, 유수전환 대상 홍수량 및 규모결정, 구조물 기본설계 업무를 말한다. 유수전환 방식 선정은 유수전환 배치 및 방식 , 가물막이방식 등을 포함한다. 유수전환 대상 홍수량 및 규모결정은 댐 형식별 유수전환 대상 홍수량 결정, 유수전환 시설규모 및 경제성검토, 가물막이 규모결정 업무 등을 포함하며, 구조물 기본설계는 상 · 하류 가물막이 형식결정, 가배수로터널 일반도 기본설계업무 등을 포함한다.

⑪ 여수로 설계

여수로 설계는 여수로 위치 및 형식결정, 여수로 규모결정, 여수로 게이트(문비)형식 기본설계 업무를 말한다. 여수로 위치 및 형식결정은 조절형 및 비조절형, 댐형식에 따라 월류식, 개거식, 측수로식 업무 등을 포함한다. 여수로 규모결정은 여수로 규모별 홍수추적, 여수로 규모별 공사비 비교(여수로, 댐, 여수로문비, 보상비)업무 등을 포함하며, 여수로 게이트(문비)형식 기본설계는 수문형식 기본설계, 권양기형식 기본설계 업무 등을 포함한다.

⑫ 댐 설계

댐 설계는 댐 형식별 규모결정, 댐 단면 및 기타 기본설계 업무를 말한다. 댐 형식별 규모결정은 댐개발 규모에 따른 댐 형식별 규모 결정, 댐 마루고 및 마루폭 결정, 단면 Zone 구성 및 상하류 구배 결정, 표준단면 결정, 안정성 검토 업무 등을 포함한다. 댐 단면 기본설계는 기초설계, 댐 형식별(필댐, 표면차수벽형 석괴댐(CFRD), 콘크리트댐 등) 설계, 갤러리 설계, 승강설비 설계, Footing 설계, 댐 계측계획 업무 등을 포함하며, 기타 기본설계는 부댐설계, 내진설계, 댐 경관설계, 콘크리트 배합설계 업무 등을 포함한다.

⑬ 취수 및 방류설비 설계

취수 및 방류설비 설계는 취수설비 방식 및 규모선정, 기타 기본설계 업무를 말한다. 취수설비 방식 및 규모선정은 취수위치 및 방식 선정,

취수게이트 형식선정, 취수설비 규모산정(설계유량, 취수심 등) 업무 등을 포함하며, 기타 기본설계는 취수 및 방류 관로의 종단·일반도 기본설계 업무 등을 포함한다.

⑭ 발전 및 송배전설비 설계

발전 및 송배전설비 설계는 수력 및 소수력발전소, 발전설비, 송전 및 전기설비, 전자통신설비, 수력기계설비 업무 등을 말한다. 수력 및 소수력발전소는 발전소 위치 및 배치계획 업무 등을 포함하며, 발전설비는 수차설비용량 결정, 사용수량 및 낙차 결정, 시설용량 및 연간발전량 산정, 수차대수 및 형식선정, 수차설치 표고 및 흡출수두 결정, 발전기 형식선정 및 형식비교, 발전소 제어설비, 변전설비, 발전설비 운전 및 배치계획 업무 등을 포함한다. 송전 및 전기설비는 송전설비 평면 및 종단계획, 전기설비 계획전원인입 및 수변전설비, 배전설비 및 동력제어설비, 조명 및 전열설비, 접지 및 낙뢰보호설비, 기타(배관,배선,케이블 트레이 등) 업무 등을 포함하며, 전자통신설비는 방송설비 및 TV 공시청설비, 방호설비, 홍수예경보 계획 업무 등을 포함한다. 수력기계설비는 천정크레인설비, 입구밸브, 수문설비, 수압철관 등을 포함한다.

⑮ 부대공사 설계

부대공사 설계는 토목부대공사, 건축공사, 기계공사, 전기전자통신공사, 조경공사 기본설계업무를 말한다. 토목부대공사는 어도 기본설계(규모 및 어도형식 결정), 선착장 배치, 부유쓰레기 처리시설, 소각시설 및 폭기시설 등 계획, 토취장, 석산 개발 및 복구계획 수립, 사토장 계획 검토 및 복구계획 수립, 저수지 유지관리시설 기본설계, 환경 기본설계, 기타 부대공사(댐하류호안공 등) 업무 등을 포함한다. 건축공사는 사전조사 및 분석(주변환경분석, 사례조사, 설계기준, 설계면적 산정), 건축 및 유지관리계획, 전시계획 기본설계, 건축기계설비 기본설계 업무 등을 포함하며, 기계공사는 강재설비 계획, 취·방류설비, 배사설비, 권양설비, 발전설비, 강재설비 수치해석(FEM) 및 진동해석 업무를 포함한다. 전기전자통신공사는 전기공사 기본설계, 전자통신공사 기본설계 업무를 포함하며, 조경공사는 기본구상, 조경 및 야간조명 기본설계, 경관 기본설계 등의 업무를 포함한다.

※ 산정 시 고려사항

- 토목부대공사, 전기전자통신공사, 조경공사의 단위는 댐높이이며, 건축공사의 단위는 건축면적이고 기계공사의 단위는 저수용량이다.

⑯ 진입도로 설계

진입도로 설계는 진입도로 기본설계 업무를 말하며, 진입도로의 설계기준, 교통수요예측 및 분석, 노선 및 횡단계획, 부대시설 설계 등을 포함한다

⑰ 배사 설계

배사 설계는 퇴사형상예측 및 계획배사량 산정, 배사설비 규모 및 형식 선정 업무를 포함한다.

⑱ 기본설계보고서 및 기타보고서

기본설계보고서 및 기타보고서는 기본설계보고서 작성, 기타보고서 작성, 부록 작성 업무를 말한다. 기본설계보고서 작성은 기본설계보고서 본보고서, 요약보고서 업무를 포함하며, 기타보고서 작성은 측량 및 보상조사보고서, 지질 및 재료원조사보고서, 기술자문보고서, 이설도로보고서, 이주대책보고서, 환경영향평가(초안)보고서, 환경영향평가(본안)보고서, 댐주변지역 경제활성화 방안보고서 등 업무를 포함하며, 부록 작성은 기본설계보고서 부록 업무를 포함한다.

⑲ 수리 및 구조계산서

수리 및 구조계산서는 수리계산서, 구조계산서 업무를 말한다. 수리계산서는 수리수문 분석, 유수전환 홍수량산정, 여수로 홍수추적, 각

종 수치해석 결과 등 업무를 포함하며, 구조계산서는 기초 및 구조계산서, 강재설비 계산서, 발전소기계설비 계산서, 발변전설비계산서, 건축설비계산서, 홍수예경보설비 계산서 업무를 포함한다.

※ 산정 시 고려사항

- 수리계산서의 단위는 저수용량이며, 구조계산서의 단위는 댐높이이다.

⑳ 설계예산서

설계예산서는 설계내역서, 원가계산서, 총괄내역서, 공종별 내역서, 일위대가 등의 업무를 포함한다.

㉑ 단가산출서

단가산출서는 단가산출서, 중기사용료, 단가조서, 견적서, 운반거리 조견표 등의 업무를 포함한다.

㉒ 수량산출서

수량산출서는 공종별 수량산출서, 집계표, 자재집계표 작성 업무를 포함한다.

㉓ 기본설계도면

기본설계도면은 기본설계 도면 편집 및 전산화 업무를 말하며, 공사계획평면도, 본 댐 종평면도, 가설부지 평면도, 구조도(배근도)를 제외한 각종 표준단면도 및 구조물 상세도 등 작성 업무를 포함한다.

㉔ 기타

기타는 사진첩(측량, 지반조사 현황) 등 업무를 말한다. 사진첩(측량, 지반조사 현황) 등은 지적도를 활용하여 공사에 필요한 용지도 작성 업무를 포함한다.

8-6-4 실시설계

① 과업착수 준비

과업착수 준비는 착수신고서와 과업수행계획서의 작성업무이다.

② 현장조사 및 기초조사

현장조사 및 기초조사는 현장조사답사, 기존시설물조사, 용지 및 지장물조사, 기초자료조사, 지하수 영향조사 등의 업무를 말한다. 현장조사답사는 공사여건, 지질 및 토질조사, 재료원조사, 식생조사 등 조사업무이며, 기존시설물조사는 사업지 주변 하천시설물, 군사시설, 주거지, 도로, 공공시설 등의 조사업무이다. 용지 및 지장물조사는 개인재산, 공공재산, 소유권 관계, 지하매설물 등 사업편입지역 및 수몰지내 보상을 위한 자료조사이며, 기초자료조사는 지형현황 및 종횡단측량조사, 인문·사회·경제현황조사, 기상 및 수문자료 조사 등의 업무이며, 지하수 영향조사는 지하수위, 유출현황 조사 등의 업무를 말한다. 현장조사 및 기초조사 업무는 실시설계 전단계 조사성과(기본계획 및 기본설계)를 재검토하여 이를 최대한 활용하여야 하고, 필요시 감독원의 승인하에 추가조사를 실시하여 설계시 현지여건을 충분히 반영하여야 한다.

③ 환경, 토질, 측량, 보상 성과품 검토

환경, 토질, 측량, 보상 성과품 검토는 환경조사 성과품 검토, 지질 및 재료원조사 성과품 검토, 측량조사 성과품 검토, 보상조사 성과품 검토 업무를 말한다. 환경조사 성과품 검토는 환경영향평가서, 전략환경영향평가 검토 및 사전재해영향성평가서상의 설계반영 사항 업무 등이 해당된다. 지질 및 재료원조사 성과품 검토는 지질 및 재료원 성과 검토, 주요구조물 지점의 암추정 및 판단의 적정성 검토, 실내시험 성과 검토, 토질 설계정수 산출의 적정성 검토, 재료원 및 운반거리의 적정성 검토 업무 등이 해당된다. 측량조사 성과품 검토는 조사범위의 적적성, 지형현황측량, 댐 및 하천 종·횡단측량, 용지측량성과의 설계 적용성 검토 업무 등이 해당된다. 보상조사 성과품 검토는 조사준비 및 계획, 조사결과 분석, 보상 범위 및 규모의 적정성 검토,

수위별 보상비 산정 업무 등이 해당된다.

④ 관련계획 조사 및 검토

관련계획 조사 및 검토는 상위계획 검토, 관련계획 검토 업무를 말한다. 상위계획 검토는 국토종합계획, 댐 건설장기계획, 수자원장기종합계획, 수도정비계획, 유역종합 치수계획, 하천기본계획 등 업무를 포함하며, 관련계획 검토는 도시계획, 국토이용계획, 지자체 개발계획 및 기타 관련계획 업무를 포함한다.

⑤ 전 단계 성과검토

전 단계 성과검토는 기본계획 및 기본설계 성과를 기초로 하여 유역 일반현황, 수문 · 수리분석, 용수 수요분석 및 용수공급계획, 최적개발규모, 주요구조물 배치계획, 댐 건설에 따른 영향, 댐효용증진사업 시설계획, 진입·이설도로 및 이주대책, 사업비 산출, 경제성 및 비용배분, 재개발사업 추진시 문제점 및 대책 업무 등을 말한다.

⑥ 관계기관 및 주민 의견수렴

관계기관 및 주민 의견수렴은 관계기관 협의 및 조치계획, 주민설명회 개최 및 조치계획, 민원의견 자문 업무를 말한다. 관계기관 협의 및 조치계획은 관계기관 협의자료 작성 및 협의, 조치계획서 작성 및 승인 업무 등을 포함한다. 주민설명회 개최 및 조치계획은 주민설명회 개최 및 의견 수렴, 조치계획서 작성 및 승인 업무 등을 포함하며, 민원의견 자문은 민원사항에 대한 내용 검토, 조치계획서 작성 및 승인 업무 등을 포함한다.

⑦ 단계별 자문 및 방침자료 작성

단계별 자문 및 방침자료 작성은 착수단계자문, 중간단계자문, 마무리단계자문, 발주처 방침 결정, 설계감리 및 VE자료작성 업무를 말한다. 자문업무는 단계별 자문보고서 작성 및 배포, 자문의견 검토, 조치계획서 작성 승인 및 제출 업무 등을 포함한다. 발주처 방침 결정은 자문시 주요안건에 대한 검토서 작성, 발주처 협의 및 방침 결정 업무 등을 포함한다. 설계감리 및 VE자료작성 업무는 설계 VE자료 작성 및 설계 VE 의견검토 후 보완업무 등을 포함한다.

※ 산정 시 고려사항

- 횟수의 산정시 본부 방침 결정과 설계VE 자료 작성, 각종 심의자료 작성업무는 별도의 횟수로 산정한다.
- 회의 준비 및 개최 비용, 심의위원 심의 비용 등은 제외한다.
- 기타 별도의 대가기준(예, 경관설계심의, 농지·산지전용협의 등)이 있는 경우 해당기준을 따른다.

⑧ 설계기준 작성

실시설계에 대한 설계조건 및 설계기준 결정 업무를 말한다.

⑨ 가설비

가설비는 시공설비 규모 및 용량결정, 급수설비, 전기 및 전자통신설비 등의 업무를 말한다. 시공설비 규모 및 용량결정은 가설비 부지위치 및 규모결정, 가설건물규모, 콘크리트 타설량 및 공급계획 업무 등을 포함한다. 급수설비는 급수용량 산정과 용수공급계획 업무 등을 포함하며, 전기 및 전자통신설비는 전기 및 계측제어설비 용량 산정 업무 등을 포함한다.

⑩ 유수전환 설계

유수전환 설계는 유수전환 방식 선정, 유수전환 대상 홍수량 및 규모결정, 구조물 실시설계 업무를 말한다. 유수전환 방식 선정은 유수전환 배치 및 방식 , 가물막이방식 등을 포함한다. 유수전환 대상 홍수량 및 규모결정은 댐 형식별 유수전환 대상 홍수량 결정, 유수전환 시설규모 및 경제성검토, 가물막이 규모결정 업무 등을 포함하며, 구조물 실시설계는 상 · 하류 가물막이 형식결정, 가배수로터널 일반도 실시설계업무 등을 포함한다.

⑪ 여수로 설계

여수로 설계는 여수로 위치 및 형식결정, 여수로 규모결정, 여수로 게이트(문비)형식 실시설계 업무를 말한다. 여수로 위치 및 형식결정은 조절형 및 비조절형, 댐형식에 따라 월류식, 개거식, 측수로식 업무 등을 포함한다. 여수로 규모결정은 여수로 규모별 홍수추적, 여수로 규모별 공사비 비교(여수로, 댐, 여수로문비, 보상비)업무 등을 포함하며, 여수로 게이트(문비) 실시설계는 수문 실시설계, 권양기 실시설계 업무 등을 포함한다.

⑫ 댐 설계

댐 설계는 댐 형식별 규모결정, 댐 단면 및 기타 실시설계 업무를 말한다. 댐 형식별 규고결정은 댐개발 규모에 따른 댐 형식별 규모 결정, 댐 마루고 및 마루폭 결정, 단면 Zone 구성 및 상하류 구배 결정, 표준단면 결정, 안정성 검토 업무 등을 포함한다. 댐 단면설계는 기초설계, 댐 형식별(필댐, 표면차수벽형 석괴댐(CFRD), 콘크리트댐 등) 실시설계, 갤러리 실시설계, 승강설비 실시설계, Footing 실시설계, 댐 계측계획 업무 등을 포함하며, 기타 실시설계는 부댐설계, 내진설계, 댐 경관설계, 콘크리트 배합설계 업무 등을 포함한다.

⑬ 취수 및 방류설비 설계

취수 및 방류설비 설계는 취수설비 방식 및 규모선정, 기타 실시설계 업무를 말한다. 취수설비 방식 및 규모선정은 취수위치 및 방식 선정, 취수게이트 형식선정, 취수설비 규모산정(설계유량, 취수심 등) 업무 등을 포함하며, 기타 실시설계는 취수 및 방류 관로의 종단·일반도 설계 업무 등을 포함한다.

⑭ 발전 및 송배전설비 설계

발전 및 송배전설비 설계는 수력 및 소수력발전소, 발전설비, 송전 및 전기설비, 전자통신설비, 수력기계설비 업무 등을 말한다. 수력 및 소수력발전소는 발전소 위치 및 배치계획 업무 등을 포함하며, 발전설비는 수차설비용량 결정, 사용수량 및 낙차 결정, 시설용량 및 연간발전량 산정, 수차대수 및 형식선정, 수차설치 표고 및 흡출수두 결정, 발전기 형식선정 및 형식비교, 발전소 제어설비, 변전설비, 발전설비 운전 및 배치계획 업무 등을 포함한다. 송전 및 전기설비는 송전설비 평면 및 종단계획, 전기설비 계획전원인입 및 수변전설비, 배전설비 및 동력제어설비, 조명 및 전열설비, 접지 및 낙뢰보호설비, 기타(배관,배선,케이블 트레이 등) 업무 등을 포함하며, 전자통신설비는 방송설비 및 TV 공시청설비, 방호설비, 홍수예경보 계획 업무 등을 포함한다. 수력기계설비는 천정크레인설비, 입구밸브, 수문설비, 수압철관 등을 포함한다.

⑮ 부대공사 설계

부대공사 설계는 토목부대공사, 건축공사, 기계공사, 전기전자통신공사, 조경공사 실시설계업무를 말한다. 토목부대공사는 어도 실시설계(규모 및 어도형식 결정), 선착장 배치, 부유쓰레기 처리시설, 소각시설 및 폭기시설 등 계획, 토취장, 석산 개발 및 복구계획 수립, 사토장 계획 검토 및 복구계획 수립, 저수지 유지관리시설 실시설계, 환경시설 실시설계, 기타 부대공사(댐하류호안공 등) 업무 등을 포함한다. 건축공사는 사전조사 및 분석(주변환경분석, 사례조사, 설계기준, 설계면적 산정), 건축 및 유지관리계획, 전시계획 설계, 건축기계설비 설계 업무 등을 포함하며, 기계공사는 강재설비 계획, 취·방류설비, 배사설비, 권양설비, 발전설비, 강재설비 수치해석(FEM) 및 진동해석 업무를 포함한다. 전기전자통신공사는 전기공사 실시설계, 전자통신공사 실시설계 업무를 포함하며, 조경공사는 기본구상, 조경 및 야간조명 실시설계, 경관 실시설계 등의 업무를 포함한다.

※ 산정 시 고려사항

- 토목부대공사, 전기전자통신공사, 조경공사의 단위는 댐높이이며, 건축공사의 단위는 건축면적이고 기계공사의 단위는 저수용량이다.

⑯ 진입도로 설계

진입도로 설계는 진입도로 상세설계 업무를 말하며, 진입도로의 설계기준, 도로폭원구성, 교통수요예측 및 분석, 노선계획, 선형설계, 토공설계, 배수설계, 교량설계, 포장구조설계, 교차로 설계, 부대시설 설계 등을 포함한다.

⑰ 배사 설계

배사 설계는 퇴사형상예측 및 계획배사량 산정, 배사설비 규모 및 형식 선정, 배사설비 구조물 설계, 배사설비 운영계획 수립, 급기관 설계, 수로 유지관리설비 설계 업무를 포함한다.

⑱ 실시설계보고서 및 기타보고서

실시설계보고서 및 기타보고서는 실시설계보고서 작성, 기타보고서 작성, 부록 작성 업무를 말한다. 실시설계보고서 작성은 실시설계보고서 본보고서, 요약보고서 업무를 포함하며, 기타보고서 작성은 측량조사보고서, 지질 및 재료원조사보고서, 보상물건조사보고서, 기술자문보고서, 시공계획보고서, 이설도로보고서, 이주대책보고서, 홍수예경보 보고서, 지역경제 활성화 방안 보고서 등 업무를 포함하며, 부록 작성은 실시설계보고서 부록 업무를 포함한다.

⑲ 수리 및 구조계산서

수리 및 구조계산서는 수리계산서, 구조계산서 업무를 말한다. 수리계산서는 수리수문 분석, 유수전환 홍수량산정, 여수로 홍수추적, 각종 수치해석 결과 등 업무를 포함하며, 구조계산서는 기초 및 구조계산서, 강재설비 계산서, 발전소기계설비 계산서, 발변전설비계산서, 건축설비계산서, 홍수예경보설비 계산서 업무를 포함한다.

※ 산정 시 고려사항

- 수리계산서의 단위는 저수용량이며, 구조계산서의 단위는 댐높이이다.

⑳ 지침서

지침서는 댐운영 및 유지관리지침서, 시험실 운영지침서, 매설기계 측정지침서, 수차발전기 유지보수지침서 업무를 포함한다.

㉑ 설계예산서

설계예산서는 설계설명서, 설계내역서 업무를 말한다. 설계설명서는 공사목적 및 개요, 위치, 공사기간, 사업규모 및 사업량, 재료원, 설계변경조건 등 업무를 포함하며, 설계내역서는 설계내역서, 원가계산서, 총괄내역서, 공종별 내역서, 일위대가 등 업무를 포함한다.

㉒ 단가산출서

단가산출서는 단가설명서, 단가산출서 업무를 말한다. 단가설명서는 단가를 구성하는 공종의 작업, 소요장비, 투입재료 등의 품명, 규격, 수량의 설명하는 업무를 포함하며, 단가산출서는 단가산출서, 중기사용료, 단가조서, 견적서, 운반거리 조견표 등의 업무를 포함한다.

㉓ 수량산출서

수량산출서는 공종별 수량산출서, 집계표, 자재집계표 작성 업무를 포함한다.

㉔ 실시설계도면

실시설계도면은 실시설계 도면 편집 및 전산화 업무를 말하며, 공사계획평면도, 본 댐 종평면도, 가설부지 평면도, 구조도(배근도)를 포함한 각종 표준단면도 및 구조물 상세도 등 작성 업무를 포함한다.

㉕ 공사시방서

공사시방서 작성 업무는 총칙과 공종별 기술시방 작성 업무를 포함한다.

㉖ 기타

기타는 사진첩(측량, 지반조사 현황) 작성, 공사에 필요한 용지도 작성 업무를 포함한다.

8-7 상수도 설계용역 업무정의

8-7-1 타당성조사

① 과업착수준비

과업착수준비는 착수준비와 과업수행계획서에 관한 업무를 말한다. 착수준비는 예정공정표, 사업책임기술자 선임신고서가 포함된 착수보고서 작성 및 제출(설계내역서 조정, 과업지시서 숙지)업무를 포함하며, 과업수행계획서는 세부공정계획서, 경력사항확인서, 성과품 제출계획서, 참여내용제출계획서, 조직 및 인력투입계획서, 사업수행조직표, 보안각서 등 과업수행계획서 작성 및 제출 업무를 포함한다.

② 기초조사

기초조사는 자연조건 및 사회적 특성에 관한 조사, 관련 및 상위계획에 대한 조사, 용수수요량 조사, 상수도 관련 시설현황 조사와 관련한 업무를 말한다. 자연조건 및 사회적 특성에 관한 조사는 지역개황(위치, 지형 및 지질, 지진현황 등), 기상개황, 취수원의 하천 및 수계현황, 행정구역 및 인구현황, 지역경제, 산업현황, 토지이용현황 등을 포함하며, 관련 및 상위계획에 대한 조사는 국토종합계획, 도종합계획, 전국수도종합계획, 전국수도정비기본계획, 수자원장기종합계획, 지자체 도시기본계획, 지자체 수도정비기본계획, 각종 개발계획, 본 용역과 관련된 상위계획 등을 포함한다. 용수수요량 조사는 용수공급 대상지역 조사, 용도별 사용실적 등 급수량 실적조사, 도시의 성격 및 인구, 발전현황 등이 유사한 도시의 용도별 사용량 조사, 유수율 현황 조사 등을 포함하며, 상수도 관련 시설현황 조사는 취수장, 정수장, 배수지, 송배수관로, 가압장 등 시설현황 조사, 상수도 급수현황 및 관리실적 조사, 취수시설 현황 및 공급현황, 취수가능량 조사 및 원수 수질현황 조사를 포함한다.

③ 취정수, 배수지, 가압장시설 각종 조사 성과 검토

취정수, 배수지, 가압장시설 각종 조사 성과 검토는 측량조사 성과검토, 토질조사 성과검토 업무를 말한다. 측량조사 성과검토는 조사준비 및 계획의 적정성, 측량성과의 조사범위의 적정성, 지형현황측량, 용지측량성과의 설계 적용성 검토를 포함하며, 토질조사 성과검토는 토질조사 위치 및 수량의 적정성 검토, 주요 지점의 암추정 및 판단의 적정성 검토, 실내시험 성과 검토, 토질 설계정수 산출의 적정성 검토를 포함한다.

④ 관로시설 각종 조사 성과 검토

관로시설 각종 조사 성과 검토는 측량조사 성과검토, 토질조사 성과검토 관련 업무를 말한다. 측량조사 성과검토는 조사준비 및 계획의 적정성, 측량성과의 조사범위의 적정성, 지형현황측량, 관로노선측량 및 용지측량성과의 설계 적용성 검토를 포함하며, 토질조사 성과검토는 토질조사 위치 및 수량의 적정성 검토, 주요 지점의 암추정 및 판단의 적정성 검토, 실내시험 성과 검토, 토질 설계정수 산출의 적정성 검토를 포함한다.

⑤ 기본사항의 결정

기본사항의 결정은 목표년 설정 및 계획급수 인구산정과 계획 용수량 산정 및 시설용량결정 업무를 말한다. 목표년 설정 및 계획급수 인구 산정은 계획의 목표년도는 20년 후를 원칙으로 하고 5년 단위의 시행단계로 구분하며, 상위계획 및 관련계획 등을 고려하여 최종적인 목표년도 설정하고, 관할 행정구역 단위로 설정한다. 공급 대상 지역에 대한 인근 광역상수도 및 지방상수도 여유량의 공급 가능성 및 경제성 등을 검토 후 급수구역을 결정하고, "상수도 수요량 예측 업무편람(2008, 환경부.국토부)"에 따라 급수대상 도시별로 장래 목표년도별 계획인구를 추정한 후 전국수도정비기본계획, 급수체계조정기본계획 및 지자체 수도정비기본계획 등과 같은 환경부 상위계획과도 비교하여 목표년도별 계획 인구를 결정한다. 목표년도별 지자체별 계획급수보급률 결정하며, 계획 급수인구는 장래 인구에 계획급수보급률을 곱하여 결정하는 것을 포함한다. 계획 용수량 산정 및 시설용량결정은 목표년도별 소비량 원단위 추정, 목표년도별 목표유수율 결정, 목표년도별 일평균 급수량 원단위 산정, 일최대첨두부하율 산정, 목표년도별 일최대 급수량 원단위 산정을 포함한다. 계획 생활용수량은 계획 급수인구에 일최대급수량 원단위를 곱하여 결정하며, 공업용수 수요량은 기존공단과 계획공단으로 구분하여 산정하고, 가동률과 입주율, 계획 유수율 고려하여 산정한다. 기존공단은 과거 사용량 실적을 검토하여 반영하되, 상수도가 아닌 자체수원을 사용하는 업체가 상수도로 전환하는 경우에는 수요량을 반영하여 산정, 계획공단은 유사사례(업종, 인근지역)의 부지면적 원단위법을 적용하거나, 관련 문헌 또는 연구 자료를 참고하여 적용하고 가동률과 입주율을 고려하여 산정한다. 기타용수는 관광용수, 군부대 용수, 항만용수, 공항용수 등으로 생활용수 수요량 산정 시 해당 도시의 특성을 고려하여 원단위를 개별 추정하였을 경우에는 생활용수와 중복되므로 별도 반영하지 아니하며, 신규 시설에 의한 기타용수 수요량 및 생활용수 수요량 산정 시 표준 원단위를 적용한 경우에는 해당 도시의 특성을 고려하여 기타용수 수요량을 별도 반영하고, 기존 시설용량 및 장래 용수량의 비교를 통해 장래 목표년도별로 과부족량을 산정 후 계획시설용량 결정하는 것을 포함한다.

⑥ 용수공급방안 수립

용수공급방안 수립은 장래 용수수급전망, 용수배분계획, 용수공급 기본방안 수립을 포함한 업무를 말한다. 장래 용수수급전망은 장래 용수수요량과 광역 및 지자체의 공급능력 등을 고려하여 단계별 용수수급 전망에 대해 검토하는 것을 말하며, 용수배분계획은 배분계획량 현황 및 장래 단계별 용수수급 전망 등을 함께 고려하여 장래 배분계획량에 대해 재조정 계획 수립을 말한다. 용수공급 기본방안 수립은 추가 용수 공급에 대한 취·정수시설 및 송수시설에 대한 기본계획 수립, 시설물의 설치 한계에 대한 검토 수행, 기존 광역 및 지자체 시설물과의 연계 운영 방안에 대해 검토하고 사고시 등 비상시의 대처방안 등을 고려하여 계획 수립하는 업무를 포함한다.

⑦ 수원 선정 및 취수시설 계획

수원 선정 및 취수시설 계획은 수원의 결정, 취수위치 및 취수시설 계획 업무를 말한다. 수원의 결정은 급수구역내 또는 인근의 개발 가능한 취수원 조사, 필요 취수량, 원수의 수질, 기후 및 토질조건, 장래 수원의 오염 가능성 및 증설의 용이성 등 검토 제시하는 것을 포함하며, 취수위치 및 취수시설 계획은 취수지점의 안전성 및 취수수량의 적정성 평가를 통한 취수지점 비교 검토, 시공성 , 유지관리성 및 경제성 등을 고려한 취수시설 계획 수립을 포함한다.

⑧ 정수처리공정 계획 및 정수장 위치 계획

정수처리공정 계획 및 정수장 위치 계획은 제거대상물질 및 목표수질 설정, 정수처리공정 선정, 고도정수처리공정 선정, 단위공정별 시설계획 수립, 정수시설 위치 선정 업무를 말한다. 제거대상물질 및 목표수질 설정은 원수 수질 분석 결과를 토대로 제거대상 물질 설정, 먹는물 수질기준, 수자원공사의 수질기준을 포함한 국내외 수질기준의 검토를 통해 목표수질 설정을 포함하며, 정수처리공정 선정은 원수 수질, 정수량, 용지취득의 용이, 시공성, 유지관리성 및 경제성 등을 고려한 정수처리공정 결정, 인근 동일 수계의 정수처리공정에 대한 검토 수행을 포함한다. 고도정수처리공정 선정은 원수 수질, 제거대상물질 및 목표수질을 고려하여 고도정수처리공정의 도입 여부에 대한 검토, 국내 고도정수처리시설 도입 현황 및 인근 동일 수계의 고도정수처리공정에 대한 검토 수행, 각 대안별 비교 검토를 통한 고도정수처리공정의 결정을 포함하고, 단위공정별 시설계획 수립은 단위시설별 용량 검토를 통한 시설물 규격 산정, 공정별 주요 시설물 형식 및 설비에 대한 검토, 예비 용량 도입여부에 대한 검토 및 시설물의 계열화 계획 수립, 장래 고도정수처리시설 도입 여부를 고려한 정수장 부지계획 수립을 포함하며, 정수시설 위치 선정은 각 대안별 시공성, 경제성, 인허가의 용이성 및 민원 발생 가능성 등을 검토 후 정수시설 위치 결정하는 것으로, 정수시설 위치조사는 경제적, 수리적 측면을 고려한 정수장 위치조사, 정수시설 용량을 고려한 소유부지 확보 가능 조사, 용도지역 및 지장물(분묘, 문화재 등) 조사, 주변지역의 현황, 진입도로 및 민원 가능성 등 조사를 포함한다.

⑨ 관로시설 계획

관로시설 계획은 구간별 관경 결정, 관로노선 선정, 가압장의 위치, 형식 및 용량 결정 업무를 말한다. 구간별 관경 설정은 자연유하 방식에서는 수수처의 요구 수압 등을 고려하여 관경 결정, 가압방식에서는 경제적 관경을 고려하여 관경 결정, 사고 등 비상시 및 유지관리 등을 고려하여 관로의 복선화 여부 검토하는 것을 포함하고, 관로노선 선정은 설치 가능한 2개 이상의 대안 노선 선정, 각 대안 노선에 대해 시공성, 유지관리성, 경제성, 인허가의 용이성 및 민원 발생 가능성 등을 검토 후 최종 관로 노선 결정을 포함하며, 여기에서 도·송수시설 노선 답사는 경제적, 수리적인 측면을 고려한 적정 노선조사, 공사시 문제점(민원 및 시공성) 등을 고려한 노선 조사, 용도지역 및 지장물(전기, 통신, 체신, 하수도, 송유관, 가스관 등)을 고려한 노선 답사하는 것을 포함한다. 가압장의 위치, 형식 및 용량 결정은 전체 수리계통, 관로 선형 및 가압방식 등을 고려한 가압장 위치 선정, 전체 수리계통, 가압장 설치 위치 등을 고려하여 흡수정방식과 인라인 방식의 비교 검토 후 가압장 형식 결정, 가압장 용량 결정 및 수수처 요구 수압 등을 고려한 가압 양정 산정을 포함한다.

⑩ 배수지시설 계획

배수지시설계획은 시설용량 결정과 형식, 위치 및 표고 결정 업무를 말한다. 시설용량 결정은 지형 및 지역적 여건 등 고려한 계획 급수구역 결정, 급수구역내 일최대급수량, 소화용수량 및 체류시간을 고려한 적정시설용량 결정하는 것을 포함하며, 형식, 위치 및 표고 결정은 급수구역 내 공급방식(자연유하 또는 가압방식 등)을 고려한 배수지 위치 및 표고 결정, 배수관로 수리검토 결과와 지형적 여건을 고려한 배수지 수위 및 형식 결정, 적정 위치 선정을 위한 부지계획 대안 검토 및 선정, 부지내 시설물 배치계획 수립, 민원유발요인, 법적 또는 행정적 규제 등을 고려한 계획부지 주변 현장 여건 검토를 포함한다.

⑪ 사업비 산출, 경제성 비용배분

사업비 산출, 경제성 비용배분은 사업비 산출과 경제성 평가 업무를 말한다. 사업비 산출은 수량 및 사업비 산정, 연차별 투자계획을 말하며, 경제성 평가는 비용 및 편익 계산, 경제적 타당성 평가, 비용배분 및 재무분석을 말한다.

⑫ 관계기관 협의 및 주민의견 수렴

관계기관 협의 및 주민의견 수렴은 관계기관 협의 및 조치계획 업무를 말한다. 관계기관 협의 및 조치계획은 관계기관 협의자료 작성 및 협의, 조치계획서 작성 및 승인을 포함한다.

⑬ 단계별 자문 및 방침자료 작성

단계별 자문 및 방침자료 작성은 착수단계 자문, 마무리단계자문, 발주처 방침 결정 업무를 말한다. 착수단계 자문은 초기단계 자문보고서 작성 및 배포, 자문의견 검토, 조치계획서 작성 승인 및 제출 업무를 포함하고, 마무리단계 자문은 마무리 자문보고서 작성 및 배포, 자문의건 검토, 조치계획서 작성 승인 및 제출을 포함하며, 발주처 방침 결정은 자문시 주요안건에 대한 검토서 작성, 발주처 협의 및 방침 결정을 포함한다.

※ 산정 시 고려사항

- 횟수의 산정시 본부 방침 결정과 설계VE 자료 작성, 각종 심의자료 작성업무는 별도의 횟수로 산정한다.
- 회의 준비 및 개최 비용, 심의위원 심의 비용 등은 제외한다.
- 기타 별도의 대가기준(예, 경관설계심의, 농지·산지전용협의 등)이 있는 경우 해당기준을 따른다.

⑭ 취, 정, 배수시설, 가압장

취, 정, 배수시설, 가압장은 공종별로 토목, 건축, 기계, 전기, 계측, 조경으로 업무를 분류할 수 있다. 토목은 관련법규 검토, 시설별 위치 비교검토, 단위시설별 용량계산, 용량 및 형식 비교검토, 구조물 기초 형식 및 가시설 공법 비교검토, 전체계획평면도 작성(기능별 배치계획), 시설물별 평면 및 단면 예비설계, 기타부대시설 예비설계를 포함하고, 건축은 관련 법규검토, 시설별 건축면적산정, 건축물 평면및 단면 예비설계, 기타부대시설 예비설계를 포함하며, 기계는 관련 법규검토, 용량산정 및 기계형식선정, P&ID 작성, 기기리스트 작성을 포함한다. 전기는 관련 법규검토, 전력 인입협의 및 수전용량 검토, 수변전및 배전설비 계획을 포함하고, 계측은 관련법규검토, 감시제어설비 계획, 원격조절 및 현장조작 계획을 포함하며, 조경은 관련 법규검토, 지역특성을 고려한 수종선정, 조경 시설물 및 식재계획을 포함한다.

⑮ 관로

관로는 공종 중 토목 업무에 해당하는 것을 말한다. 이는 관로노선검토 및 관망 수리계산, 관종 및 경제적인 관경검토, 하천횡단 및 도로횡단 공법 비교 검토, 종, 평면도 작성을 포함한다.

⑯ 터널

터널은 공종 중 토목 업무에 해당하는 것을 말한다. 이는 터널 선형 비교검토, 터널 형식 및 규모 검토, 터널공법 및 단면 검토, 터널 가시설 및 지보공 설계 검토를 포함한다.

⑰ 타당성조사 보고서

타당성조사 보고서는 타당성조사 보고서와 부록 업무를 말한다. 타당성조사 보고서는 총론, 기초조사, 현지조사, 계획, 설계기준, 타당성조사, 개략사업비, 경제성 검토 등으로 구분하여 작성하는 것을 말하며, 부록은 계획 지표의 추정결과, 조사자료, 개략공사비 등 각종 검토 자료를 포함한다.

⑱ 지질 및 지반조사보고서

지질 및 지반조사보고서는 조사개요, 조사내용, 조사결과, 성과 분석(기초형식, 굴착공법, 관부설방안 등) 등으로 구분하여 작성하는 것을 말한다.

⑲ 수리·용량계산서

수리·용량계산서는 수리·용량계산서를 작성하는 업무를 말한다.

⑳ 타당성조사 도면

타당성조사 도면은 타당성조사 도면 편집 및 전산화를 말한다. 공종별로 토목, 건축, 조경, 기계, 전기, 계측제어로 업무를 분류할 수 있으며, 이는 공종별로 계획평면도, 구조물도, 관로 종편면도, 기타 부대도면 등을 포함한다.

㉑ 기타

기타는 토질조사, 측량조사, 수질조사 등 현장조사 사진첩 등을 작성하는 업무를 말한다.

8-7-2 기본설계

① 과업착수준비

과업착수준비는 착수준비, 과업수행계획서에 관한 업무를 말한다. 착수준비는 예정공정표, 사업책임기술자 선임신고서가 포함된 착수보고서 작성 및 제출(설계내역서조정, 과업지시서 숙지)업무를 포함하며, 과업수행계획서는 세부공정계획서, 경력사항확인서, 성과품 제출계획서, 참여내용제출계획서, 조직 및 인력투입계획서, 사업수행조직표, 보안각서 등 과업수행계획서 작성 및 제출 업무를 포함한다.

② 기초조사

기초조사는 자연조건 및 사회적 특성에 관한 조사, 관련 및 상위계획에 대한 조사, 용수수요량 조사, 상수도 관련 시설현황 조사 업무를 말한다. 자연조건 및 사회적 특성에 관한 조사는 지역개황(위치, 지형 및 지질, 지진형황 등), 기상개황, 취수원의 하천 및 수계현황, 행정구역 및 인구현황, 지역경제, 산업현황, 토지이용현황 등을 포함하며, 관련 및 상위계획에 대한 조사는 국토종합계획, 도종합계획, 전국수도종합계획, 전국수고정비기본계획, 수자원장기종합계획, 지자체 도시기본계획, 지자체 수도정비기본계획, 각종 개발계획, 본 용역과 관련된 상위계획 등을 포함한다. 용수수요량 조사는 용수공급 대상지역 조사, 용도별 사용실적 등 급수량 실적조사, 도시의 성격 및 인구, 발전현황 등이 유사한 도시의 용도별 사용량 조사, 유수율 현황조사 등을 포함하며, 상수도 관련 시설현황 조사는 취수장, 정수장, 배수지, 송배수관로, 가압장 등 시설현황 조사, 상수도 급수현황 및 관리실적 조사, 취수시설 현황 및 공급현황, 취수가능량 조사 및 원수수질현황 조사 업무를 포함한다.

③ 취정수, 배수지, 가압장시설 각종 조사 성과 검토

취정수, 배수지, 가압장시설 각종 조사 성과 검토는 측정조사 성과검토, 토질조사 성과검토, 환경조사 성과품 검토 업무를 말한다. 측량조사 성과검토는 조사준비 및 계획의 적정성, 측량성과의 조사범위의 적적성, 지형현황측량, 용지측량성과의 설계 적용성 검토 업무를 포함하고, 토질조사 성과검토는 토질조사 위치 및 수량의 적정성 검토, 주요 지점의 암추정 및 판단의 적정성 검토, 실내시험 성과 검토, 토질 설계정수 산출의 적정성 검토 업무를 포함하며, 환경조사 성과품 검토는 환경영향평가서, 전략환경영향평가 검토, 사전재해영향성평가서상의 설계반영 사항 검토 및 분석 업무를 포함한다.

④ 관로시설 각종 조사 성과 검토

관로시설 각종 조사 성과 검토는 측량조사 성과검토, 토질조사 성과검토, 환경조사 성과품 검토 업무를 말한다. 측량조사 성과검토는 조사준비 및 계획의 적정성, 측량성과의 조사범위의 적정성, 지형현황측량, 관로노선측량 및 용지측량성과의 설계 적용성 검토 업무를 포함하고, 토질조사 성과검토는 토질조사 위치 및 수량의 적정성 검토, 주요 지점의 암추정 및 판단의 적정성 검토, 실내시험 성과 검토, 토질 설계정수 산출의 적정성 검토를 포함하며, 환경조사 성과품 검토는 환경영향평가서, 전략환경영향평가 검토, 사전재해영향성평가서상의 설계반영 사항 검토 및 분석 업무를 포함한다.

⑤ 전 단계 성과검토

전 단계 성과검토는 전단계 성과품 검토·분석 업무를 말한다. 전단계 성과품 검토·분석은 관련 지자체 수도정비기본계획, 해당 사업의 타당성조사, 기본계획 등 전단계 성과품에 대한 검토 및 분석 수행을 포함한다.

⑥ 기본사항의 결정

기본사항의 결정은 목표년 설정 및 계획급수 인구산정과 계획 용수량 산정 및 시설용량결정 업무를 말한다. 목표년 설정 및 계획급수 인구

산정은 계획의 목표년도는 20년 후를 원칙으로 하고 5년 단위의 시행단계로 구분하며, 상위계획 및 관련계획 등을 고려하여 최종적인 목표년도 설정하고, 관할 행정구역 단위로 설정한다. 공급 대상 지역에 대한 인근 광역상수도 및 지방상수도 여유량의 공급 가능성 및 경제성 등을 검토 후 급수구역을 결정하고, "상수도 수요량 예측 업무편람(2008, 환경부.국토부)"에 따라 급수대상 도시별로 장래 목표년도별 계획인구를 추정한 후 전국수도정비기본계획, 급수체계조정기본계획 및 지자체 수도정비기본계획 등과 같은 환경부 상위계획과도 비교하여 목표년도별 계획 인구를 결정한다. 목표년도별 지자체별 계획급수보급률 결정하며, 계획 급수인구는 장래 인구에 계획급수보급률을 곱하여 결정하는 것을 포함한다. 계획 용수량 산정 및 시설용량결정은 목표년도별 소비량 원단위 추정, 목표년도별 목표유수율 결정, 목표년도별 일평균 급수량 원단위 산정, 일최대첨두부하율 산정, 목표년도별 일최대 급수량 원단위 산정을 포함한다. 계획 생활용수량은 계획 급수인구에 일최대급수량 원단위를 곱하여 결정하며, 공업용수 수요량은 기존공단과 계획공단으로 구분하여 산정하고, 가동률과 입주율, 계획 유수율 고려하여 산정한다. 기존공단은 과거 사용량 실적을 검토하여 반영하되, 상수도가 아닌 자체수원을 사용하는 업체가 상수도로 전환하는 경우에는 수요량을 반영하여 산정, 계획공단은 유사사례(업종, 인근지역)의 부지면적 원단위법을 적용하거나, 관련 문헌 또는 연구 자료를 참고하여 적용하고 가동률과 입주율을 고려하여 산정한다. 기타용수는 관광용수, 군부대 용수, 항만용수, 공항용수 등으로 생활용수 수요량 산정 시 해당 도시의 특성을 고려하여 원단위를 개별 추정하였을 경우에는 생활용수와 중복되므로 별도 반영하지 아니하며, 신규 시설에 의한 기타용수 수요량 및 생활용수 수요량 산정 시 표준 원단위를 적용한 경우에는 해당 도시의 특성을 고려하여 기타용수 수요량을 별도 반영하고, 기존 시설용량 및 장래 용수량의 비교를 통해 장래 목표년도별로 과부족량을 산정 후 계획시설용량 결정하는 것을 포함한다.

⑦ 용수공급방안 수립

용수공급방안 수립은 장래 용수수급전망, 용수배분계획, 용수공급 기본방안 수립 업무를 말한다. 장래 용수수급전망은 장래 용수수요량과 광역 및 지자체의 공급능력 등을 고려하여 단계별 용수수급 전망에 대해 검토하는 것이며, 용수배분계획은 계통별 배분계획량 현황 및 장래 단계별 용수수급 전망 등을 함께 고려하여 장래 배분계획량에 대해 재조정 계획 수립하는 것을 말한다. 용수공급기본방안 수립은 추가 용수 공급에 대한 취.정수시설 및 송수시설에 대한 기본계획 수립, 시설물의 설치 한계에 대한 검토 수행, 기존 광역 및 지자체 시설물과의 연계 운영 방안에 대해 검토하고 사고시 등 비상시의 대처 방안 등을 고려하여 계획 수립하는 것을 포함한다.

⑧ 수원 선정 및 취수시설 계획

수원 선정 및 취수시설 계획은 수원의 결정, 취수위치 및 취수시설계획 업무를 말한다. 수원의 결정은 급수구역내 또는 인근의 개발 가능한 취수원 조사, 필요 취수량, 원수의 수질, 기후 및 토질조건, 장래 수원의 오염 가능성 및 증설의 용이성 등 검토 제시를 포함하며, 취수위치 및 취수시설 계획은 취수지점의 안전성 및 취수수량의 적정성 평가를 통한 취수지점 비교 검토, 시공성 , 유지관리성 및 경제성 등을 고려한 취수시설 계획 수립하는 것을 포함한다.

⑨ 정수처리공정 계획 및 정수장 위치 계획

정수처리공정 계획 및 정수장 위치 계획은 제거대상물질 및 목표수질 설정, 정수 및 슬러지처리공정 선정, 고도정수처리공정 선정, 단위공정별 시설계획 수립, 정수시설 위치 선정 업무를 말한다. 제거대상물질 및 목표수질 설정은 원수 수질 분석 결과를 토대로 제거대상 물질 설정, 먹는물 수질기준, 수자원공사의 수질기준을 포함한 국내외 수질기준의 검토를 통해 목표수질 설정하는 것을 포함하며, 정수 및 슬러지처리공정 선정은 원수 수질, 정수량, 용지취득의 용이, 시공성, 유지관리성 및 경제성 등을 고려한 정수처리공정 결정, 인근 동일 수계의 정수처리공정에 대한 검토 수행, 원수수질, 약품 투입량 및 인근 동일 수계 정수장의 발생 슬러지량 등을 고려한 슬러지처리시설 공정계획 수립 업무를 포함한다. 고도정수처리공정 선정은 원수 수질, 제거대상물질 및 목표수질을 고려하여 고도정수처리공정의 도입 여부에 대한 검토, 국내 고도정수처리시설 도입 현황 및 인근 동일 수계의 고도정수처리공정에 대한 검토 수행, 각 대안별 비교 검토를 통한 고도정수처리공정의 결정을 포함하며, 단위공정별 시설계획 수립은 단위시설별 용량 검토를 통한 시설물 규격 산정, 공정별 주요 시설물 형식 및 설비에 대한 검토, 예비 용량 도입여부에 대한 검토 및 시설물의 계열화 계획 수립, 장래 고도정수처리시설 도입 여부를 고려한 정수장 부지계획 수립을 포함한다. 정수시설 위치 선정은 소요 정수장 부지 면적을 고려하여 정수시설 위치 대안 선정, 각 대안별 시공성, 경제성, 인허가의 용이성 및 민원 발생 가능성 등을 검토 후 정수시설 위치 결정하는 것으로, 정수장시설 위치조사는 경제적, 수리적인 측면을 고려한 정수장 위치조사, 정수시설 용량을 고려한 소유부지 확보 가능 조사, 용도지역 및 지장물(분묘, 문화재 등) 조사, 주변 지역의 현황, 진입도로 및 민원 가능성 등 조사 업무를 포함한다.

⑩ 관로시설 계획

관로시설 계획은 구간별 관경 결정, 관로노선 선정, 가압장의 위치, 형식 및 용량 결정, 터널계획 업무를 말한다. 구간별 관경 결정은 자연유하 방식에서는 수수처의 요구 수압 등을 고려하여 관경 결정, 가압방식에서는 경제적 관경을 고려하여 관경 결정, 사고 등 비상시 및 유지관리 등을 고려하여 관로의 복선화 여부 검토하는 것을 포함하고, 관로노선 선정은 설치 가능한 2개 이상의 대안 노선 선정, 각 대안 노선에 대해 시공성, 유지관리성, 경제성, 인허가의 용이성 및 민원 발생 가능성 등을 검토 후 최종 관로 노선 결정하는 것을 포함하며, 여기에서 도·송수시설 노선 답사는 경제적, 수리적인 측면을 고려한 적정 노선조사, 공사시 문제점(민원 및 시공성) 등을 고려한 노선 조사, 용도지역 및 지장물(전기, 통신, 체신, 하수도, 송유관, 가스관 등)을 고려한 노선 답사를 포함한다. 가압장의 위치, 형식 및 용량 결정은 전체 수리계통, 관로 선형 및 가압방식 등을 고려한 가압장 위치 선정, 전체 수리계통, 가압장 설치 위치 등을 고려하여 흡수정방식과 인라인방식의 비교 검토 후 가압장 형식 결정, 가압장 용량 결정 및 수수처 요구 수압 등을 고려한 가압 양정 산정을 포함한다.

⑪ 배수지시설 계획

배수지시설 계획은 시설용량 결정, 형식, 위치 및 표고 결정, 공급안전성 및 기타 검토 업무를 말한다. 시설용량 결정은 지형 및 지역적 여건 등을 고려한 계획 급수구역 결정, 급수구역내 일최대급수량, 소화용수량 및 체류시간을 고려한 적정시설용량 결정하는 것을 포함하고, 형식, 위치 및 표고 결정은 급수구역 내 공급방식(자연유하 또는 가압방식 등)을 고려한 배수지 위치 및 표고 결정, 배수관로 수리검토 결과와 지형적 여건을 고려한 배수지 수위 및 형식 결정(터널식, 지상식, 지하식 등), 적정 위치 선정을 위한 부지계획 대안 검토 및 선정, 부지내 시설물 배치계획 수립, 민원유발요인, 법적 또는 행정적 규제 등을 고려한 계획부지 주변 현장 여건 검토하는 것을 포함하며, 공급안전성 및 기타 검토는 정수장~배수지간 송수계통의 수리적 공급 안전성 검토, 급수지역 관말 최소 잔류염소농도 확보를 통한 수질안전성 검토(전용공업용배수지는 제외), 타 시설 또는 배수공급 계통간 연계방안과 전실 등의 설치 유무를 고려한 사고 등 비상시 대처 및 유지관리 효율화 방안 검토, 배수지 시설 상부 이용계획 결정하는 것을 포함한다.

⑫ 관계기관 협의 및 주민의견 수렴

관계기관 협의 및 주민의견 수렴은 관계기관 협의 및 조치계획, 주민설명회 개최 및 조치계획, 민원 의견 자문 업무를 말한다. 관계기관 협의 및 조치계획은 관계기관 협의자료 작성 및 협의, 조치계획서 작성 및 승인 업무를 포함하고, 주민설명회 개최 및 조치계획은 주민설명회 개최 및 의견 수렴, 조치계획서 작성 및 승인 업무를 포함하며, 민원 의견 자문은 민원사항에 대한 내용 검토, 조치계획서 작성 및 승인 업무를 포함한다.

⑬ 단계별 자문 및 방침자료 작성

단계별 자문 및 방침자료 작성은 착수단계 자문, 중간단계 자문, 마무리단계 자문, 발주처 방침 결정, 설계VE자료 작성 업무를 말한다. 착수단계 자문은 초기단계 자문보고서 작성 및 배포, 자문의견 검토, 조치계획서 작성 승인 및 제출을 포함하고, 중간단계 자문은 중간단계 자문보고서 작성 및 배포, 자문의견 검토, 조치계획서 작성 승인 및 제출 업무를 포함하며, 마무리단계 자문은 마무리 자문보고서 작성 및 배포, 자문의견 검토, 조치계획서 작성 승인 및 제출하는 것을 포함한다. 발주처 방침 결정은 자문시 주요안건에 대한 검토서 작성, 발주처 협의 및 방침 결정을 포함하며, 설계VE자료 작성은 설계VE 자료 작성, 설계VE 의견 검토 후 보완을 포함한다.

※ 산정 시 고려사항

- 횟수의 산정시 본부 방침 결정과 설계VE 자료 작성, 각종 심의자료 작성업무는 별도의 횟수로 산정한다.
- 회의 준비 및 개최 비용, 심의위원 심의 비용 등은 제외한다.
- 기타 별도의 대가기준(예, 경관설계심의, 농지·산지전용협의 등)이 있는 경우 해당기준을 따른다.

⑭ 설계기준작성

설계기준작성은 설계조건 및 설계기준 결정 업무를 말한다. 설계조건 및 설계기준 결정은 설계적용 기준도서 및 관련법규 활용 분야별 설계기준을 확정, 이는 일최대급수량을 기준으로 하고 여기에 각 단계별 손실되는 수량을 고려하여 각 시설물별 시설물 용량 결정한다. 토공, 비탈면 경사 및 콘크리트 압축강도 등과 같은 일반적인 설계기준에 대해 검토하여 제시하고, 주요 시설물의 설계기준을 "상수도 시설기준" 등을 고려하여 제시하며, 개수로 및 관수로 등에 적용되는 수리 공식에 대한 설정, 각종 수리계산에 적용되는 형상 손실계수에 대한 설정을 하며, 사용재료, 하중, 하중계수, 하중조합, 균열, 처짐 등과 같은 구조해석 및 단면설계를 위한 기준 제시, 시설물의 내진 설계를 위한 설계 기준 제시, 구조물의 기초 형식 및 허용침하량에 대한 기준 제시, 그리고 기초의 안정성 검토에 대한 기준 제시하는 것을 포함한다.

⑮ 취수

취수는 공종별로 토목, 건축, 기계, 전기, 계측, 조경 업무로 분류할 수 있다. 토목은 취수용량 및 형식 비교검토, 취수방식에 따른 구조물 형식별 적용공법의 비교검토, 구조물 기초 형식 및 가시설 공법 비교검토, 기술적대안 비교검토, 대안별 시설물의 규모, 경제성 및 현장적용 타당성 검토, 취수장 평면계획 및 시설물의 기능별 배치검토, 우·오수 및 구내배관 설계, 기타부대시설계획 업무를 포함하고, 건축은 관련 법규검토, 취수장 시설별 건축면적산정, 건축물 평면 및 단면계획, 각 시설별 내외장재 선정을 포함하며, 기계는 용량선정 및 펌프형식검토, 펌프특성곡선을 고려한 펌프운전 계획수립, 수충압해석 및 방지시설계획, P&ID 작성, 건축기계설비 설계를 포함한다. 전기는 관련 법규검토, 전력 인입협의 및 수전용량 검토, 취수시설 수전 및 배전설비 계획, 낙뢰방지 및 접지설계, 건축전기설비 설계를 포함하고, 계측은 감시제어설비 설계, 원격조절 및 현장조작 설비설계, 계측 및 전자통신 설비, 단위공정별 세부설계를 포함하며, 조경은 관련 법규검토, 지역특성을 고려한 수종선정, 조경 시설물 및 식재계획, 기타시설계획을 포함한다.

⑯ 정수(일반공정)

정수(일반공정)는 공종별로 토목, 건축, 기계, 전기, 계측, 조경 업무로 분류할 수 있다. 토목은 정수처리시설 용량 검토, 정수처리 및 배출수 처리시설 공정검토, 구조물 형식별 적용공법의 비교검토, 구조물 기초 형식 및 가시설 공법 비교검토, 기술적대안 비교검토, 대안별 시설물의 규모, 경제성 및 현장적용 타당성 검토, 정수장 평면계획 및 시설물의 기능별 배치검토, 각 단위 시설별 용량 및 수리계산, 구내배관 및 공동구 계획, 포장 및 우.오수 계획, 기타 부대시설 계획 업무를 포함하고, 건축은 관련 법규검토, 관리동 및 각종 설비동 건축형식검토, 각 시설별 평단면 계획 및 내외장재 검토, 기타 부대시설 설계 업무를 포함하며, 기계는 단위공정별 기계형식선정, P&ID 작성, 단위공정별배계획수립, 건축기계설비 및 기타 부대시설 계획 업무를 포함한다. 전기는 관련 법규검토, 전력 인입협의 및 수전용량 검토, 수변전 및 배전설비 계획, 단위공정별 수전설비 설계, 낙뢰방지 및 접지설계, 건축전기설비 설계 업무를 포함하고, 계측은 중앙 감시제어방식 검토, 중앙 감시제어시스템 배치, 원격 감시제어 계획수립, 계측 및 전자통신 설비, 단위공정별 감시제어 설계를 포함하며, 조경은 관련 법규검토, 공간별 활용계획수립, 지역특성을 고려한 수종선정, 시설물 및 기타부대설비 계획 업무를 포함한다.

⑰ 고도공정

고도공정은 공종별로 토목, 건축, 기계, 전기, 계측, 조경 업무로 분류할 수 있다. 토목은 고도처리 공정 도입검토, 고도처리 공정 검토, 고도처리시설 용량 검토, 구조물 형식별 적용공법의 비교검토, 구조물 기초 형식 및 가시설 공법 비교검토, 기술적 대안 비교검토, 대안별 시설물의 규모, 경제성 및 현장적용 타당성 검토, 평면계획 및 시설물의 기능별 배치검토, 각 단위 시설별 용량 및 수리계산, 구내배관 및 공동구 계획, 포장 및 우.오수 계획, 기타 부대시설 계획을 포함하고, 건축은 관련 법규검토, 관리동 및 각종 설비동 건축형식검토, 각 시설별 평단면 계획 및 내외장재 검토, 기타 부대시설 설계을 포함하며, 기계는 고도처리 기계형식 검토 및 선정, 고도처리공정별 기계배치 계획수립, P&ID 작성, 건축기계설비 계획, 기타 부대시설 계획을 포함한다. 전기는 관련 법규검토, 전력 인입협의 및 수전용량 검토, 수변전 및 배전설비 설계, 고도처리 단위공정별 수전설비계획, 정수처리공정과 연계성검토, 건축전기설비 설계를 포함하고, 계측은 고도처리시설 감시제어방식 검토 및 설계, 고도처리 감시제어시스템 배치, 정수처리공정과 연계된 감시제어 계획, 계측 및 전자통신 설비, 고도처리 단위공정별 운전방안수립을 포함하며, 조경은 관련 법규검토, 공간별 활용계획수립, 지역특성을 고려한 수종선정, 시설물 계획 및 기타시설 계획을 포함한다.

⑱ 가압장

가압장은 공종별로 토목, 건축, 기계, 전기, 계측, 조경 업무로 분류할 수 있다. 토목은 가압장 용량 및 수리계산, 구조물 형식별 적용공법의 비교검토, 구조물 기초 형식 및 가시설 공법 비교검토, 기술적 대안 비교검토, 대안별 시설물의 규모, 경제성 및 현장적용 타당성 검토, 평면계획 및 시설물의 기능별 배치검토, 포장 및 우.오수 계획, 기타 부대시설 계획 업무를 포함하고, 건축은 건축 관련 법규검토, 각 시설별 건축면적산정 및 상세 설계, 각 시설별 내외장재 선정, 구조물구조계산 및 배근도작성 업무를 포함하며, 기계는 펌프형식 및 배치계획, 펌프특성곡선을 고려한 펌프운전 계획수립, 수충압해석 및 방지시설 설계, 건축기계설비 설계를 포함한다. 전기는 관련 법규검토, 전력 인입협의 및 수전용량 검토, 가압장 수전 및 배전설비 세부설계, 낙뢰방지 및 접지설계, 건축전기설비 설계 업무를 포함하고, 계측은 감시제어설비 계획, 원격감시제어 방식 및 형식검토, 정수처리공정과 연계된 감시제어 방안수립을 포함하며, 조경은 관련 법규검토, 공간별활용계획수립, 지역특성을 고려한 수종선정, 시설물계획 및 기타시설계획 업무를 포함한다.

⑲ 관로

관로는 공종 중 토목 업무에 해당하는 것을 말한다. 이는 관로노선검토 및 관망 수리계산, 관종 및 경제적인 관경검토, 관기초 형식 및 관두께 검토, 하천횡단 및 도로횡단 공법 비교 검토, 관로전기 방식 비교검토, 기타 부속시설 설계 비교검토 업무를 포함한다.

⑳ 배수지

배수지는 공종별로 토목, 건축, 전기, 계측, 조경 업무로 분류할 수 있다. 토목은 배수지 용량 및 수리계산, 구조물 형식별 적용공법의 비교검토, 구조물 기초 형식 및 가시설 공법 비교검토, 기술적 대안 비교검토, 대안별 시설물의 규모, 경제성 및 현장적용 타당성 검토, 평면계획 및 시설물의 기능별 배치검토, 우 · 오수 및 기타부대시설계획 업무를 포함하고, 건축은 건축 관련 법규검토, 각 시설별 건축면적산정, 각 시설별 내외장재 선정 업무를 포함하며, 전기는 관련 법규검토, 전력 인입협의 및 수전용량 검토, 배수지 수전 및 배전설비 세부설계, 낙뢰방지 및 접지설계, 건축전기설비 설계 업무를 포함한다. 계측은 감시제어설비 설계, 원격감시제어 및 현장조작 설비계획, 계측 및 전자통신 설비 계획 업무를 포함하며, 조경은 관련 법규검토, 공간별활용계획수립, 지역특성을 고려한 수종선정, 시설물설계, 포장 및 기타 부대공 설계 업무를 포함한다.

㉑ 터널

터널은 공종 중 토목 업무에 해당하는 것을 말한다. 이는 터널 선형 비교검토, 터널 형식 및 규모 검토, 지반조사평가 검토, 터널공법 및 단면 검토, 터널 가시설 및 지보공 설계 검토, 기타부대시설 비교검토(굴착공법,지보구조,방수,배수,터널환기등) 업무를 포함한다.

㉒ 기본설계보고서

기본설계보고서는 기본설계보고서와 부록 업무를 말한다. 기본설계보고서는 총론, 기초조사, 현지조사, 계획, 설계기준, 기본설계, 개략사업비 등으로 구분하여 작성하며, 부록은 계획 지표의 추정결과, 조사자료, 대안별 경제성 분석 등 각종 검토자료를 포함한다.

㉓ 지질 및 지반조사보고서

지질 및 지반조사보고서는 조사개요, 조사내용, 조사결과, 성과 분석(기초형식, 굴착공법, 관부설방안 등) 등으로 구분하여 작성하는 것을 말한다.

㉔ 수리·용량계산서

수리·용량계산서는 수리·용량계산서를 작성하는 업무로, 이는 각 분야별 적용기준에 따라, 토목, 건축, 기계, 전기, 계측제어 분야로 구분하여 작성한다.

㉕ 기본설계도면

기본설계도면은 기본설계도면 편집 및 전산화를 말한다. 공종별로 토목, 건축, 조경, 기계, 전기, 계측제어로 업무를 분류할 수 있다. 이는 공종별로 계획평면도, 구조물도(철근배근도), 관로 종평면도, 횡단면도, 배관상세도, 기타 부대도면 등을 포함한다.

㉖ 개략공사시방서 및 기타

개략공사시방서 및 기타는 개략공사시방서, 토질조사, 측량조사, 수질조사 등 현장조사 사진첩 등을 작성하는 업무를 말한다.

8-7-3 실시설계

① 과업착수준비

과업착수준비는 착수준비, 과업수행계획서에 관한 업무를 말한다. 착수준비는 예정공정표, 사업책임기술자 선임신고서가 포함된 착수보고서 작성 및 제출(설계내역서조정, 과업지시서 숙지) 업무를 포함하며, 과업수행계획서는 세부공정계획서, 경력사항확인서, 성과품 제출계획서, 참여내용지출계획서, 조직 및 인력투입계획서, 사업수행조직표, 보안각서 등 과업수행계획서 작성 및 제출 업무를 포함한다.

② 기초조사

기초조사는 자연조건 및 사회적 특성에 관한 조사, 관련 및 상위계획에 대한 조사, 용수수요량 조사, 상수도 관련 시설현황 조사, 재료원 및 기타조사, 지장물조사와 관련한 업무를 말한다. 자연조건 및 사회적 특성에 관한 조사는 지역개황(위치, 지형 및 지질, 지진형황 등), 기상개황, 취수원의 하천 및 수계현황, 행정구역 및 인구현황, 지역경제, 산업현황, 토지이용현황 등을 포함하며, 관련 및 상위계획에 대한 조사는 국토종합계획, 도종합계획, 전국수도종합계획, 전국수도정비기본계획, 수자원장기종합계획, 지자체 도시기본계획, 지자체 수도정비기본계획, 각종 개발계획, 본 용역과 관련된 상위계획 등을 포함한다. 용수수용량 조사는 용수공급 대상지역 조사, 용도별 사용실적 등 급수량 실적조사, 도시의 성격 및 인구, 발전현황 등이 유사한 도시의 용도별 사용량 조사, 유수율 현황조사 등의 업무를 포함하고, 상수도 관련 시설현황 조사는 취수장, 정수장, 배수지, 송배수관로, 가압장 등 시설현황 조사, 상수도 급수현황 및 관리실적 조사, 취수시설 현황 및 공급현황, 취수가능량 조사 및 원수수질현황 조사를 포함하며, 재료원 및 기타조사는 기본 골재원, 토취장 및 사토장 조사, 골재원 개발 지역 및 생산가능량 조사, 각종 공사장에서 발생할 토공량, 암굴착량, 성토, 여유 사토량 등 조사, GIS구축현황 및 계획, 시설물 통합관리계획, 수치지도제작, 시스템 개발 및 활용효과에 관한 조사, 중수도현황, 빗물이용시설 현황조사 등 본 용역과 관련된 조사 업무를 포함한다. 지장물조사는 지하지장물 조사와 지상지장물 조사 업무를 나눌 수 있으며, 지하지장물 조사는 기존 GIS도면을 최대한 활용 및 확인, 상하수도관, 통신, 체신, 전력, 송유관, 가스관 등 지하지장물 조사를 포함하고, 지상지장물조사는 현지측량 및 실측된 지형도를 이용하여 지상의 지장물을 확인하고 계획시설물의 설계 및 시공에 미치는 영향 파악과 건물, 입목, 분묘, 농작물, 전주 등 지상 지장물 조사 업무를 포함한다.

③ 취정수, 배수지, 가압장시설 각종 조사 성과 검토

취정수, 배수지, 가압장시설 각종 조사 성과 검토는 측량조사 성과검토, 토질조사 성과검토, 보상조사 성과검토, 문화재지표조사 성과검토, 환경조사 성과품 검토 관련 업무를 말한다. 측량조사 성과검토는 조사준비 및 계획의 적정성, 측량성과의 조사범위의 적적성, 지형현황측량, 용지측량성과의 설계 적용성 검토 업무를 포함하고, 토질조사 성과검토는 토질조사 위치 및 수량의 적정성 검토, 주요 지점의 암추정 및 판단의 적정성 검토, 실내시험 성과 검토, 토질 설계정수 산출의 적정성 검토 업무를 포함하며, 보상조사 성과검토는 조사준비, 계획 및 결과 분석, 보상 범위 및 규모의 적정성 검토, 국공유지, 사유지 등을 구분하여 보상비 검토, 각종 물건에 대한 보상비의 적정성 검토, 인근 유사지역에서 최근 집행한 공공사업 보상사례 조사 반영하는 것을 포함한다. 문화재지표조사 성과검토는 조사방법 및 범위의 적적성 검토, 문헌조사, 현장조사 및 탐문조사의 적정성 검토, 관할 행정기관과 협의 및 기존 자료 활용성 검토 업무를 포함하며, 환경조사 성과물 검토는 환경영향평가서, 전략환경영향평가 검토, 사전재해영향성평가서상의 설계반영 사항 검토 및 분석 업무를 포함한다.

④ 관로시설 각종 조사 성과 검토

관로시설 각종 조사 성과 검토는 측량조사 성과검토, 토질조사 성과검토, 보상조사 성과검토, 문화재지표조사 성과검토, 환경조사 성과품 검토 관련 업무를 말한다. 측량조사 성과검토는 조사준비 및 계획의 적정성, 측량성과의 조사범위의 적적성, 지형현황측량, 관로노선측량 및 용지측량성과의 설계 적용성 검토를 포함하며, 토질조사 성과검토는 토질조사 위치 및 수량의 적정성 검토, 주요 지점의 암추정 및 판단의 적정성 검토, 실내시험 성과 검토, 토질 설계정수 산출의 적정성 검토 업무를 포함한다. 보상조사 성과검토는 조사준비, 계획 및 결과 분석, 보상 범위 및 규모의 적정성 검토, 국공유지, 사유지 등을 구분하여 보상비 검토, 각종 물건에 대한 보상비의 적정성 검토, 인근 유사지역에서 최근 집행한 공공사업 보상사례 조사 반영을 포함하고, 문화재지표조사 성과검토는 조사방법 및 범위의 적정성 검토, 문헌조사, 현장조사 및 탐문조사의 적정성 검토, 관할 행정기관과 협의 및 기존 자료 활용성 검토 업무를 포함하며, 환경조사 성과품 검토는 환경영향평가서, 재해영향평가서상의 설계반영 사항 검토 및 분석을 포함한다.

⑤ 전 단계 성과검토

전 단계 성과검토는 전단계 성과품 검토·분석 업무를 말한다. 전단계 성과품 검토·분석은 관련 지자체 수도정비기본계획, 해당 사업의 타당성조사, 기본계획 및 기본설계 등 전단계 성과품에 대한 검토 및 분석 수행 업무를 포함한다.

⑥ 기본사항의 결정

기본사항의 결정은 목표년 설정 및 계획급수 인구산정과 계획 용수량 산정 및 시설용량결정 업무를 말한다. 목표년 설정 및 계획급수 인구 산정은 계획의 목표년도는 20년 후를 원칙으로 하고 5년단위의 시행단계로 구분하며, 상위계획 및 관련계획 등을 고려하여 최종적인 목표년도 설정하고, 관할 행정구역 단위로 설정한다. 공급 대상 지역에 대한 인근 광역상수도 및 지방상수도 여유량의 공급 가능성 및 경제성 등을 검토 후 급수구역을 결정하고, "상수도 수요량 예측 업무편람(환경부)"에 따라 급수대상 도시별로 장래 목표년도별 계획인구를 추정한 후 전국수도정비기본계획, 급수체계조정기본계획 및 지자체 수도정비기본계획 등과 같은 환경부 상위계획과도 비교하여 목표년도별 계획 인구를 결정한다. 목표년도별 지자체별 계획급수보급률 결정하며, 계획 급수인구는 장래 인구에 계획급수보급률을 곱하여 결정하는 것을 포함한다. 계획 용수량 산정 및 시설용량결정은 목표년도별 소비량 원단위 추정, 목표년도별 목표유수율 결정, 목표년도별 일평균 급수량 원단위 산정, 일최대 첨두부하율 산정, 목표년도별 일최대 급수량 원단위 산정을 포함한다. 계획 생활용수량은 계획 급수인구에 일최대급수량 원단위를 곱하여 결정하고, 공업용수 수요량은 기존공단과 계획공단으로 구분하여 산정하며, 가동률과 입주율, 계획 유수율 고려하여 산정한다. 기존공단은 과거 사용량 실적을 검토하여 반영하되, 상수도가 아닌 자체수원을 사용하는 업체가 상수도로 전환하는 경우에는 수요량을 반영하여 산정하며, 계획공단은 유사 사례(업종, 인근지역)의 부지면적 원단위법을 적용하거나, 관련 문헌 또는 연구 자료를 참고하여 적용하고 가동률과 입주율을 고려하여 산정한다.

기타용수는 관광용수, 군부대 용수, 항만용수, 공항용수 등으로 생활용수 수요량 산정 시 해당 도시의 특성을 고려하여 원단위를 개별 추정하였을 경우에는 생활용수와 중복되므로 별도 반영하지 아니하며, 신규 시설에 의한 기타용수 수요량 및 생활용수 수요량 산정 시 표준원단위를 적용한 경우에는 해당 도시의 특성을 고려하여 기타용수 수요량을 별도 반영한다. 기존 시설용량 및 장래 용수량의 비교를 통해 장래 목표년도별로 과부족량을 산정 후 계획시설용량 결정하는 것을 포함한다.

⑦ 용수공급방안 수립

용수공급방안 수립은 장래 용수수급전망, 용수배분계획, 용수공급 기본방안 수립 업무를 말한다. 장래 용수수급전망은 장래 용수수요량과 광역 및 지자체의 공급능력 등을 고려하여 단계별 용수수급 전망에 대해 검토하는 것을 말하고, 용수배분계획은 계통별 배분계획량 현황 및 장래 단계별 용수수급 전망 등을 함께 고려하여 장래 배분계획량에 대해 재조정 계획 수립하는 것을 말하며, 용수공급 기본방안 수립은 추가 용수 공급에 대한 취.정수시설 및 송수시설에 대한 기본계획 수립, 시설물의 설치 한계에 대한 검토 수행, 기존 광역 및 지자체 시설물과의 연계 운영 방안에 대해 검토하고 사고시 등 비상시의 대처방안 등을 고려하여 계획 수립하는 업무를 포함한다.

⑧ 수원 선정 및 취수시설 계획

수원 선정 및 취수시설 계획은 수원의 결정 취수위치 및 취수시설 계획 업무를 말한다. 수원의 결정은 급수구역내 또는 인근의 개발 가능한 취수원 조사, 필요 취수량, 원수의 수질, 기후 및 토질조건, 장래 수원의 오염 가능성 및 증설의 용이성 등 검토 제시 업무를 포함하며, 취수위치 및 취수시설 계획은 취수지점의 안전성 및 취수수량의 적정성 평가를 통한 취수지점 비교 검토, 시공성, 유지관리성 및 경제성 등을 고려한 취수시설 계획 수립 업무를 포함한다.

※ 산정 시 고려사항

취수지점의 안전성 및 취수수량의 적정성 평가를 위한 수질예측 시뮬레이션 및 취수원의 물수지 분석은 직접경비로 별도 산정

⑨ 정수처리공정 계획 및 정수장 위치 계획

정수처리공정 계획 및 정수장 위치 계획은 제거대상물질 및 목표수질 설정, 정수 및 슬러지처리공정 선정, 고도정수처리공정 선정, 단위공정별 시설계획 수립, 정수시설 위치 선정 업무를 말한다. 제거대상물질 및 목표수질 설정은 원수 수질 분석 결과를 토대로 제거대상 물질 설정, 먹는물 수질기준, 수자원공사의 수질기준을 포함한 국내외 수질기준의 검토를 통해 목표수질 설정 업무를 포함하고, 정수 및 슬러지처리공정 선정은 원수 수질, 정수량, 용지취득의 용이, 시공성, 유지관리성 및 경제성 등을 고려한 정수처리공정 결정하며, 인근 동일 수계의 정수처리공정에 대한 검토 수행, 원수수질, 약품 투입량 및 인근 동일 수계 정수장의 발생 슬러지량 등을 고려한 슬러지처리시설 공정 계획 수립 업무를 포함한다. 고도정수처리공정 선정은 원수 수질, 제거대상물질 및 목표수질을 고려하여 고도정수처리공정의 도입 여부에 대한 검토, 국내 고도정수처리시설 도입 현황 및 인근 동일 수계의 고도정수처리공정에 대한 검토 수행, 각 대안별 비교 검토를 통한 고도정수처리공정의 결정 업무를 포함하고, 단위공정별 시설계획 수립은 단위시설별 용량 검토를 통한 시설물 규격 산정, 공정별 주요 시설물 형식 및 설비에 대한 검토, 예비 용량 도입여부에 대한 검토 및 시설물의 계열화 계획 수립, 장래 고도정수처리시설 도입 여부를 고려한 정수장 부지계획 수립 업무를 포함하며. 정수시설 위치 선정은 소요 정수장 부지 면적을 고려하여 정수시설 위치 대안 선정, 각 대안별 시공성, 경제성, 인허가의 용이성 및 민원 발생 가능성 등

을 검토 후 정수시설 위치 결정하는 업무를 포함하는 것으로, 정수장 시설 위치조사는 경제적, 수리적인 측면을 고려한 정수장 위치조사, 정수시설 용량을 고려한 소유부지 확보 가능 조사, 용도지역 및 지장물(분묘, 문화재 등) 조사, 주변지역의 현황, 진입도로 및 민원 가능성 등 조사를 포함한다.

⑩ 관로시설 계획

관로시설 계획은 구간별 관경 결정, 관로노선 선정, 가압장의 위치, 형식 및 용량 결정, 터널계획 업무를 말한다. 구간별 관경 결정은 자연유하 방식에서는 수수처의 요구 수압 등을 고려하여 관경 결정, 가압방식에서는 경제적 관경을 고려하여 관경 결정, 사고 등 비상시 및 유지관리 등을 고려하여 관로의 복선화 여부 검토 업무를 포함하고, 관로노선 선정은 설치 가능한 2개 이상의 대안 노선 선정, 각 대안 노선에 대해 시공성, 유지관리성, 경제성, 인허가의 용이성 및 민원 발생 가능성 등을 검토 후 최종 관로 노선 결정하는 것을 포함하며, 여기에서 도·송수시설 노선 답사는 경제적, 수리적인 측면을 고려한 적정 노선조사, 공사시 문제점(민원 및 시공성) 등을 고려한 노선 조사, 용도지역 및 지장물(전기, 통신, 체신, 하수도, 송유관, 가스관 등)을 고려한 노선 답사를 포함한다. 가압장의 위치, 형식 및 용량 결정은 전체 수리계통, 관로 선형 및 가압방식 등을 고려한 가압장 위치 선정, 전체 수리계통, 가압장 설치 위치 등을 고려하여 흡수정방식과 인라인방식의 비교 검토 후 가압장 형식 결정, 가압장 용량 결정 및 수수처 요구 수압 등을 고려한 가압 양정 산정하는 것을 포함한다.

⑪ 배수지시설 계획

배수지시설 계획은 시설용량 결정, 형식, 위치 및 표고 결정, 공급안전성 및 기타 검토 업무를 말한다. 시설용량 결정은 지형 및 지역적 여건을 고려한 계획 급수구역 결정, 급수구역내 일최대급수량, 소화용수량 및 체류시간을 고려한 적정시설용량 결정 업무를 포함하고, 형식, 위치 및 표고 결정은 급수구역 내 공급방식(자연유하 또는 가압방식 등)을 고려한 배수지 위치 및 표고 결정, 배수관로 수리검토 결과와 지형적 여건을 고려한 배수지 수위 및 형식 결정(터널식, 지상식, 지하식 등), 적정 위치 선정을 위한 부지계획 대안 검토 및 선정, 부지내 시설물 배치계획 수립, 민원유발요인, 법적 또는 행정적 규제 등을 고려한 계획부지 주변 현장 여건 검토 업무를 포함하며, 공급안전성 및 기타 검토는 정수장~배수지간 송수계통의 수리적 공급 안전성 검토, 급수지역 관말 최소 잔류염소농도 확보를 통한 수질안전성 검토(전용공업용배수지는 제외), 타 시설 또는 배수공급 계통간 연계 방안 및 전실 등의 설치 유무 등을 고려한 사고 등 비상시 대처 및 유지관리 효율화 방안 검토, 배수지 시설 상부 이용계획 결정을 포함한다.

⑫ 관계기관 협의 및 주민의견 수렴

관계기관 협의 및 주민의견 수렴은 관계기관 협의 및 조치계획, 주민설명회 개최 및 조치계획, 민원 의견 자문 업무를 말한다. 관계기관 협의 및 조치계획은 관계기관 협의자료 작성 및 협의, 조치계획서 작성 및 승인 업무를 포함하고, 주민설명회 개최 및 조치계획은 주민설명회 개최 및 의견 수렴, 조치계획서 작성 및 승인을 포함하며, 민원 의견 자문은 민원사항에 대한 내용 검토, 조치계획서 작성 및 승인 업무를 포함한다.

⑬ 단계별 자문 및 방침자료 작성

단계별 자문 및 방침자료 작성은 착수단계 자문, 중간단계 자문, 마무리단계 자문, 발주처 방침 결정, 설계VE자료 작성 업무를 말한다. 착수단계 자문은 초기단계 자문보고서 작성 및 배포, 자문의견 검토, 조치계획서 작성 승인 및 제출 업무를 포함하고, 중간단계 자문은 중간단계 자문보고서 작성 및 배포, 자문의견 검토, 조치계획서 작성 승인 및 제출 업무를 포함하며, 마무리단계 자문은 마무리 자문보고서 작성 및 배포, 자문의견 검토, 조치계획서 작성 승인 및 제출 업무를 포함한다. 발주처 방침 결정은 자문시 주요안건에 대한 검토서 작성, 발주처 협의 및 방침 결정 업무를 포함하며, 설계VE자료 작성은 설계VE 자료 작성, 설계VE 의견 검토후 보완하는 것을 포함한다.

※ 산정 시 고려사항

- 횟수의 산정시 본부 방침 결정과 설계VE 자료 작성, 각종 심의자료 작성업무는 별도의 횟수로 산정한다.
- 회의 준비 및 개최 비용, 심의위원 심의 비용 등은 제외한다.
- 기타 별도의 대가기준(예, 경관설계심의, 농지·산지전용협의 등)이 있는 경우 해당기준을 따른다.

⑭ 설계기준작성

설계기준작성은 설계조건 및 설계기준 결정 업무를 말한다. 설계조건 및 설계기준 결정은 설계적용 기준도서 및 관련법규 활용 분야별 설계기준 확정, 일최대급수량을 기준으로 하고 여기에 각 단계별 손실되는 수량을 고려하여 각 시설물별 시설물 용량을 결정한다. 토공, 비탈면 경사 및 콘크리트 압축강도 등과 같은 일반적인 설계기준에 대해 검토 후 제시하고, 주요 시설물의 설계기준에 대해 "상수도 설계기준 및 시설기준" 등을 고려하여 결정한다. 개수로 및 관수로 등에 적용되는 수리 공식에 대한 설정, 각종 수리계산에 적용되는 형상 손실계수에 대한 설정, 사용재료, 하중, 하중계수, 하중조합, 균열, 처짐 등과 같은 구조해석 및 단면설계를 위한 기준 설정, 시설물의 내진설계를 위한 설계 기준 설정, 구조물의 기초 형식의 선정 및 허용침하량에 대한 기준 제시, 기초의 안정성 검토에 대한 기준 제시하는 업무를 포함한다.

⑮ 취수

취수는 공종별로 토목, 건축, 기계, 전기, 계측, 조경 업무로 분류할 수 있다. 토목은 취수용량 및 형식검토, 취수시설배치계획, 구조계산 및 배근도작성, 취수시설 용량 및 수리계산, 구조물 기초 및 가시설설계, 시설물 상세설계, 취수시설 구조계산 및 배근도작성, 부지정지 계획 및 토공계획, 우.오수 및 구내배관 설계, 기타부대시설계획 업무를 포함하고, 건축은 관련 법규검토, 취수장 시설별 건축면적산정, 건축물 평면 및 단면계획, 각 시설별 내외장재 선정, 구조계산 및 배근도 작성, 건축물 상세설계를 포함하며, 기계는 용량선정 및 기자재 선정, 펌프특성곡선을 고려한 펌프운전 계획수립, 수충압해석 및 방지시설 설계, P&ID 작성, 건축기계설비 설계 업무를 포함한다. 전기는 관련 법규검토, 전력 인입협의 및 수전용량 검토, 취수시설 수전 및 배전설비 세부설계, 낙뢰방지 및 접지설계, 건축전기설비 설계 업무를 포함하고, 계측은 감시제어설비 설계, 원격조절 및 현장조작 설비설계, 계측및 전자통신 설비, 단위공정별 세부설계 업무를 포함하며, 조경은 관련 법규검토, 지역특성을 고려한 수종선정, 조경 시설물 및 식재설계, 포장 및 기타분야설계 업무를 포함한다.

⑯ 정수(일반공정)

정수(일반공정은) 공종별로 토목, 건축, 기계, 전기, 계측, 조경 업무로 분류할 수 있다. 토목은 정수처리 및 배출수 공정검토, 정수장 배치계획검토 및 확정, 각 단위 시설별 용량 및 수리계산, 구조물 기초 및 가시설설계, 시설물 상세설계, 각 시설별 구조계산 및 배근도작성, 부지정지 계획 및 토공계획, 구내배관 및 공동구 계획, 포장 및 우・오수 설계, 기타 부대시설 설계 업무를 포함하고, 건축은 관련 법규검토, 관리동 및 각종 설비동 평면 단면계획, 각 시설별 건축면적산정 및 상세 설계, 각 시설별 내외장재 선정, 구조계산 및 배근도작성,

기타 부대시설 설계 업무를 포함하며, 기계는 단위공정별 기계배치 계획수립, P&ID 작성, 단위공정별 상세설계, 건축기계설비 설계, 기타 부대시설 상세설계 업무를 포함한다. 전기는 관련 법규검토, 전력 인입협의 및 수전용량 검토, 수변전 및 배전설비 설계, 단위공정별 수전설비 세부설계, 낙뢰방지 및 접지설계, 건축전기설비 설계 업무를 포함하고, 계측은 중앙 감시제어방식 검토 및 설계, 중앙 감시제어시스템 배치, 원격조절 및 현장조작 설비설계, 계측 및 전자통신 설비, 단위공정별 세부설계 업무를 포함하며, 조경은 관련 법규검토, 공간별 활용계획수립, 지역특성을 고려한 수종선정, 시설물설계, 포장 및 기타 부대공 설계 업무를 포함한다.

⑰ 고도공정

고도공정은 공종별로 토목, 건축, 기계, 전기, 계측, 조경 업무로 분류할 수 있다. 토목은 고도처리 공정검토 및 확정, 고도처리시설 배치검토 및 확정, 각 시설별 용량 및 수리계산, 구조물 기초 및 가시설설계, 각 시설물 상세설계, 각 시설별 구조계산 및 배근도작성, 부지정지 계획 및 토공계획, 구내배관 및 공동구 계획, 우·오수 및 포장등 기타 부대시설계획 업무를 포함하고, 건축은 관련 법규검토, 건축물 평면 및 단면설계, 각 시설별 건축면적산정 및 상세 설계, 각 시설별 내외장재 선정, 구조계산 및 배근도작성 업무를 포함하며, 기계는 고도처리 기계형식 검토 및 선정, 고도처리공정별 기계배치 계획수립, P&ID 작성, 고도처리공정별 상세설계, 건축기계설비 설계, 기타 부대시설 상세설계 업무를 포함한다. 전기는 관련 법규검토, 전력 인입협의 및 수전용량 검토, 수변전 및 배전설비 설계, 고도처리 단위공정별 수전설비 등 세부설계, 낙뢰방지 및 접지설계, 건축전기설비 설계 업무를 포함하고, 계측은 고도처리시설 감시제어방식 검토 및 설계, 고도처리 감시제어시스템 배치, 원격조절 및 현장조작 설비설계, 계측 및 전자통신 설비, 고도처리 단위공정별 세부설계 업무를 포함하며, 조경은 관련 법규검토, 공간별 활용계획수립, 지역특성을 고려한 수종선정, 시설물설계, 포장 및 기타분야설계 업무를 포함한다.

⑱ 가압장

가압장은 공종별로 토목, 건축, 기계, 전기, 계측, 조경 업무로 분류할 수 있다. 토목은 가압장 배치계획수립, 가압장 용량 및 수리계산, 구조물 기초 및 가시설설계, 구조계산 및 배근도작성, 부지 토공 및 운반거리산정, 우·오수 및 기타부대시설계획 업무를 포함하고, 건축은 건축 관련 법규검토, 각 시설별 건축면적산정 및 상세 설계, 각 시설별 내외장재 선정, 구조물구조계산 및 배근도작성 업무를 포함하며, 기계는 펌프형식 및 배치계획, 펌프특성곡선을 고려한 펌프운전 계획수립, 수충압해석 및 방지시설설계, 건축기계설비 설계 업무를 포함한다. 전기는 관련 법규검토, 전력 인입협의 및 수전용량 검토, 가압장 수전 및 배전설비 세부설계, 낙뢰방지 및 접지설계, 건축전기설비 설계 업무를 포함하고, 계측은 중앙감시제어설비 설계, 원격조절 및 현장조작 설비설계, 계측 및 전자통신 설비, 단위공정별 세부설계 업무를 포함하며, 조경은 관련 법규검토, 공간별 활용계획수립, 지역특성을 고려한 수종선정, 시설물설계, 포장 및 기타 부대공 설계 업무를 포함한다.

⑲ 관로

관로는 공종 중 토목 업무에 해당하는 것을 말한다. 이는 관로노선검토 관망 수리계산, 관종 및 경제적인 관경검토, 관기초 및 관두께검토, 관로 터파가기 사면해석, 관로 유지관리용 도로설계, 하천횡단및 추진공 설계, 관로전기 방식 설계, 기타 부속시설 설계 업무를 포함한다.

⑳ 배수지

배수지는 공종별로 토목, 건축, 전기, 계측, 조경 업무로 분류할 수 있다. 토목은 배수지 배치계획수립, 배수지 용량 및 수리계산, 구조물 기초 및 가시설설계, 구조계산 및 배근도작성, 부지 토공 및 운반거리 산정, 우 · 오수 및 기타부대시설계획 업무를 포함하며, 건축은 건축 관련 법규검토, 각 시설별 건축면적산정 및 상세 설계, 각 시설별 내 외장재 선정, 구조물구조계산 및 배근도작성 업무를 포함한다. 전기는 관련 법규검토, 전력 인입협의 및 수전용량 검토, 배수지 수전 및 배전설비 세부설계, 낙뢰방지 및 접지설계, 건축전기설비 설계 업무를 포함하고, 계측은 감시제어설비 설계, 원격조절 및 현장조작 설비 설계, 계측 및 전자통신 설비, 단위공정별 세부설계 업무를 포함하며, 조경은 관련 법규검토, 공간별 활용계획수립, 지역특성을 고려한 수종선정, 시설물설계, 포장 및 기타 부대공 설계 업무를 포함한다.

㉑ 터널

터널은 공종 중 토목 업무에 해당하는 것을 말한다. 이는 지반조사평가, 터널공법 및 단면선정, 터널 단면해석, 터널 가시설 및 지보공설계, 콘크리트 라이닝 설계, 기타부대시설 설계 업무를 말한다.

㉒ 실시설계보고서

실시설계보고서는 실시설계보고서 및 부록 업무를 말한다. 실시설계보고서는 총론, 기초조사, 현지조사, 계획, 설계기준, 실시설계, 사업비 등으로 구분하여 작성하며, 부록은 계획 지표의 추정결과, 조사자료, 대안별 경제성 분석 등 각종 검토자료를 포함한다.

㉓ 지질 및 지반조사보고서

지질 및 지반조사보고서는 조사개요, 조사내용, 조사결과, 성과 분석(기초형식, 굴착공법, 관부설방안 등) 등으로 구분하여 작성한다.

㉔ 구조 및 수리·용량계산서

구조 및 수리용량·계산서는 구조 및 수리·용량계산서 작성 업무를 말한다. 구조계산서는 구조계산 기준(내진설계 포함), 토목 구조물 및 건축 구조물에 대한 구조계산서, 각종 변실 및 부대시설에 대한 구조계산서를 포함하며, 수리 · 용량계산서는 각 분야별 적용기준, 토목, 건축, 기계, 전기, 계측제어 분야로 구분하여 작성하는 것을 포함한다.

㉕ 유지관리지침서

유지관리지침서는 유지관리계획 및 운전계획 업무를 말한다. 유지관리계획 및 운전계획은 공정운영 매뉴얼, 예방관리순서, 일상적 운영순서, 유지보수계획, 비상 대처순서, 의사결정 순서, 기기장비 기술시방 등을 포함한다.

㉖ 시공계획보고서

시공계획보고서는 토공유용계획, 토취장 및 사토장 운영계획, 작업순서 등과 설계보고서, 시공조건 등을 고려하여 단계별 시공계획. 그리고 공종별로 사업 우선순위, 총 공사기간 및 선 · 후행 공정을 고려한 PERT/CPM 작성, 공사기간, 공종 등을 고려한 장비투입계획 업무를 포함한다.

㉗ 설계예산서

설계예산서는 설계설명서와 설계내역서 작성 업무를 말한다. 설계설명서는 공사목적 및 개요, 위치, 공사기간, 사업규모 및 사업량, 재료원, 설계변경조건 등을 포함하며, 설계내역서는 설계내역서, 원가계산서, 총괄내역서, 공종별 내역서, 일위대가 등을 포함한다.

㉘ 단가산출서

단가산출서는 단가설명서, 단가산출서 작성 업무를 말한다. 단가설명서는 단위당 단가를 구성하는 공종의 작업과, 소요장비, 투입재료 등의 품명, 규격, 수량 설명(할증여부 등)을 포함하며, 단가산출서는 단가산출서, 중기사용료, 단가조서, 견적서, 운반거리 등을 포함한다.

㉙ 수량산출서

수량산출서는 공종별 수량산출서를 작성하는 업무를 말한다. 공종별 수량산출서는 공종별 수량에 대한 집계표, 단위공정별로 상세 수량산출서 작성하는 것을 포함한다.

㉚ 실시설계도면

실시설계도면은 실시설계도면 편집 및 전산화를 말한다. 공종별로 토목, 건축, 조경, 기계, 전기, 계측제어로 분류할 수 있다. 이는 공종별로 계획평면도, 구조물도(철근배근도), 관로 종평면도, 횡단면도, 배관상세도, 기타 부대도면 등을 포함한다.

㉛ 공사시방서

공사시방서는 공종별로 토목, 건축, 조경, 기계, 전기, 계측제어로 분류할 수 있다. 이는 공종별로 일반시방서, 특별시방서, 자재구매시방서 등 작성하는 것을 포함한다.

㉜ 기타

기타는 토질조사, 측량조사, 수질조사, 문화재 지표조사 등 현장조사 사진첩 등을 작성하는 업무를 말한다.

※ 산정 시 고려사항

토질조사, 측량조사, 수질조사 등 현장조사 업무는 해당 대가기준을 근거로 산정하며, 직접경비 항목으로 수행한다.

8-7-4 기본 및 실시설계

① 과업착수준비

과업착수준비는 착수준비, 과업수행계획서에 관한 업무를 말한다. 착수준비는 예정공정표, 사업책임기술자 선임신고서가 포함된 착수보고서 작성 및 제출(설계내역서조정, 과업지시서 숙지) 업무를 포함하며, 과업수행계획서는 세부공정계획서, 경력사항확인서, 성과품 제출계획, 참여내용제출계획서, 조직 및 인력투입계획서, 사업수행조직표, 보안각서 등 과업수행계획서 작성 및 제출 업무를 포함한다.

② 기초조사

기초조사는 자연조건 및 사회적 특성에 관한 조사, 관련 및 상위계획에 대한 조사, 용수수요량 조사, 상수도 관련 시설현황 조사, 재료원 및 기타조사, 지장물조사 업무를 말한다. 자연조건 및 사회적 특성에 관한 조사는 지역개황(위치, 지형 및 지질, 지진형황 등), 기상개황, 취수원의 하천 및 수계현황, 행정구역 및 인구현황, 지역경제, 산업현황, 토지이용현황 등을 포함하고, 관련 및 상위계획에 대한 조사는 국토종합계획, 도종합계획, 전국수도종합계획, 전국수도정비기본계획, 수자원장기종합계획, 지자체 도시기본계획, 지자체 수도정비기본계획, 각종 개발계획, 본 용역과 관련된 상위계획 등을 포함하며, 용수수요량 조사는 용수공급 대상지역 조사, 용도별 사용실적 등 급수량 실적조사, 도시의 성격 및 인구, 발전현황 등이 유사한 도시의 용도별 사용량 조사, 유수율 현황조사 등을 포함한다. 상수도 관련 시설현황 조사는 취수장, 정수장, 배수지, 송배수관로, 가압장 등 시설현황 조사, 상수도 급수현황 및 관리실적 조사, 취수시설 현황 및 공급현황, 취수가능량 조사 및 원수수질현황 조사 업무를 포함하고, 재료원 및 기타조사는 기본 골재원, 토취장 및 사토장 조사, 골재원 개발 지역 및 생산가능량 조사, 각종 공사장에서 발생할 토공량, 암굴착량, 성토, 여유 사토량 등 조사, GIS구축현황 및 계획, 시설물 통합관리계획, 수치지도제작, 시스템 개발 및 활용효과에 관한 조사, 중수도 현황, 빗물이용시설 현황조사 등 본 용역과 관련된 조사를 포함하며, 지장물조사는 지하지장물 조사와 지상지장물조사 업무로 나눌 수 있으며, 지하지장물 조사는 기존 GIS도면을 최대한 활용 및 확인, 상하수도관, 통신, 체신, 전력, 송유관, 가스관 등 지하지장물 조사를 포함하며, 지상지장물조사는 현지측량 및 실측된 지형도를 이용하여 지상의 지장물을 확인하고 계획시설물의 설계및 시공에 미치는 영향파악업무와 건물, 입목, 분묘, 농작물, 전주 등 지상 지장물 조사 업무를 포함한다.

③ 취정수, 배수지, 가압장시설 각종 조사 성과 검토

취정수, 배수지, 가압장시설 각종 조사 성과 검토는 측량조사 성과검토, 토질조사 성과검토, 보상조사 성과검토, 문화재지표조사 성과검토, 환경조사 성과품 검토 업무를 말한다. 측량조사 성과검토는 조사준비 및 계획의 적정성, 측량성과의 조사범위의 적정성, 지형현황측량, 용지측량성과의 설계 적용성 검토 업무를 포함하며, 토질조사 성과검토는 토질조사 위치 및 수량의 적정성 검토, 주요 지점의 암추정 및 판단의 적정성 검토, 실내시험 성과 검토, 토질 설계정수 산출의 적정성 검토 업무를 포함한다. 보상조사 성과검토는 조사준비, 계획 및 결과 분석, 보상 범위 및 규모의 적정성 검토, 국공유지, 사유지 등을 구분하여 보상비 검토, 각종 물건에 대한 보상비의 적정성 검토, 인근 유사지역에서 최근 집행한 공공사업 보상사례 조사 반영 업무를 포함하고, 문화재지표조사 성과검토는 조사방법 및 범위의 적정성 검토, 문헌조사, 현장조사 및 탐문조사의 적정성 검토, 관할 행정기관과 협의 및 기존 자료 활용성 검토 업무를 포함하며, 환경조사 성과품 검토는 환경영향평가서, 전략환경영향평가 검토, 사전재해영향성평가서상의 설계반영 사항 검토 및 분석 업무를 포함한다.

④ 관로시설 각종 조사 성과 검토

관로시설 각종 조사 성과 검토는 측량조사 성과검토, 토질조사 성과검토, 보상조사 성과검토, 문화재지표조사 성과 검토, 환경조사 성과품 검토 업무를 말한다. 측량조사 성과검토는 조사준비 및 계획의 적정성, 측량성과의 조사범위의 적적성, 지형현황측량, 관로노선측량 및 용지측량성과의 설계 적용성 검토 업무를 포함하며, 토질조사 성과검토는 토질조사 위치 및 수량의 적정성 검토, 주요 지점의 암추정 및 판단의 적정성 검토, 실내시험 성과 검토, 토질 설계정수 산출의 적정성 검토 업무를 포함한다. 보상조사 성과검토는 조사준비, 계획 및 결과 분석, 보상 범위 및 규모의 적정성 검토, 국공유지, 사유지 등을 구분하여 보상비 검토, 각종 물건에 대한 보상비의 적정성 검토, 인근 유사지역에서 최근 집행한 공공사업 보상사례 조사 반영 업무를 포함하고, 문화재지표조사 성과검토는 조사방법 및 범위의 적정성 검토, 문헌조사, 현장조사 및 탐문조사의 적정성 검토, 관할 행정기관과 협의 및 기존 자료 활용성 검토를 포함하며, 환경조사 성과품 검토는 환경영향평가서, 재해영향평가서상의 설계 반영 사항 검토 및 분석을 포함한다.

⑤ 전 단계 성과검토

전 단계 성과검토는 전 단계 성과품 검토·분석 업무를 말한다. 전 단계 성과품 검토·분석은 관련 지자체 수도정비기본계획, 해당 사업의 타당성조사, 기본계획 등 전 단계 성과품에 대한 검토 및 분석 수행 업무를 말한다.

⑥ 기본사항의 결정

기본사항의 결정은 목표년 설정 및 계획급수 인구산정과 계획용수량 산정 및 시설용량결정 업무를 말한다. 목표년 설정 및 계획급수 인구 산정은 계획의 목표년도는 20년 후를 원칙으로 하고 5년단위의 시행 단계로 구분하며, 상위계획 및 관련계획 등을 고려하여 최종적인 목표년도 설정하고, 관할 행정구역 단위로 설정한다. 공급 대상 지역에 대한 인근 광역상수도 및 지방상수도 여유량의 공급 가능성 및 경제성 등을 검토 후 급수구역을 결정하고, "상수도 수요량 예측 업무편람(환경부)"에 따라 급수대상 도시별로 장래 목표년도별 계획인구를 추정한 후 전국수도정비기본계획, 급수체계조정기본계획 및 지자체 수도정비기본계획 등과 같은 환경부 상위계획과도 비교하여 목표년도별 계획 인구를 결정한다. 목표년도별 지자체별 계획급수보급률 결정하며, 계획 급수인구는 장래 인구에 계획급수보급률을 곱하여 결정하는 것을 포함한다. 계획 용수량 산정 및 시설용량 결정은 목표년도별 소비량 원단위 추정, 목표년도별 목표유수율 결정, 목표년도별 일평균 급수량 원단위 산정, 일최대첨두부하율 산정, 목표년도별 일최대급수량 원단위 산정 업무를 포함한다. 계획 생활용수량은 계획 급수인구에 일최대급수량 원단위를 곱하여 결정하며, 공업용수 수요량은 기존공단과 계획공단으로 구분하여 산정하며, 가동률과 입주율, 계획유수율 고려하여 산정한다. 기존공단은 과거 사용량 실적을 검토하여 반영하되, 상수도가 아닌 자체수원을 사용하는 업체가 상수도로 전환하는 경우에는 수요량을 반영하여 산정, 계획공단은 유사 사례(업종, 인근지역)의 부지면적 원단위법을 적용하거나, 관련 문헌 또는 연구자료를 참고하여 적용하고 가동률과 입주율을 고려하여 산정한다. 기타용수는 관광용수, 군부대 용수, 항만용수, 공항용수 등으로 생활용수 수요량 산정 시 해당 도시의 특성을 고려하여 원단위를 개별 추정하였을 경우에는 생활용수와 중복되므로 별도 반영하지 아니하며, 신규 시설에 의한 기타용수 수요량 및 생활용수 수요량 산정 시 표준원단위를 적용한 경우에는 해당 도시의 특성을 고려하여 기타용수 수요량을 별도 반영함, 기존 시설용량 및 장래 용수량의 비교를 통해 장래 목표년도별로 과부족량을 산정 후 계획시설용량 결정하는 것을 포함한다.

⑦ 용수공급방안 수립

용수공급방안 수립은 장래 용수수급전망, 용수배분계획, 용수공급 기본방안 수립 업무를 말한다. 장래 용수수급전망은 장래 용수수요량과 광역 및 지자체의 공급능력 등을 고려하여 단계별 용수수급 전망에 대해 검토하는 것을 말하고, 용수배분계획은 계통별 배분계획량 현황 및 장래 단계별 용수수급 전망 등을 함께 고려하여 장래 배분계획량에 대해 재조정 계획 수립하는 것을 말하며, 용수공급 기본방안 수립은 추가 용수 공급에 대한 취.정수시설 및 송수시설에 대한 기본계획 수립, 시설물의 설치 한계에 대한 검토 수행, 기존 광역 및 지자체 시설물과의 연계 운영 방안에 대해 검토하고 사고시 등 비상시의 대처방안 등을 고려하여 계획 수립을 포함한다.

⑧ 수원 선정 및 취수시설 계획

수원 선정 및 취수시설 계획은 수원의 결정과 취수위치 및 취수시설 계획 업무를 말한다. 수원의 결정은 급수구역내 또는 인근의 개발 가능한 취수원 조사, 필요 취수량, 원수의 수질, 기후 및 토질조건, 장래 수원의 오염 가능성 및 증설의 용이성 등 검토 제시 업무를 포함하며, 취수위치 및 취수시설 계획은 취수지점의 안전성 및 취수수량의 적정성 평가를 통한 취수지점 비교 검토, 시공성 , 유지관리성 및 경제성 등을 고려한 취수시설 계획 수립을 포함한다.

※ 산정 시 고려사항

취수지점의 안전성 및 취수수량의 적정성 평가를 위한 수질예측 시뮬레이션 및 취수원의 물수지 분석은 직접경비로 별도 산정

⑨ 정수처리공정 계획 및 정수장 위치 계획

정수처리공정 계획 및 정수장 위치 계획은 제거대상물질 및 목표수질 설정, 정수 및 슬러지처리공정 선정, 고도정수처리공정 선정, 단위공정별 시설계획 수립, 정수시설 위치 선정 업무를 말한다. 제거대상물질 및 목표수질 설정은 원수 수질 분석 결과를 토대로 제거대상 물질 설정, 먹는물 수질기준, 수자원공사의 수질기준을 포함한 국내외 수질기준의 검토를 통해 목표수질 설정 업무를 포함하고, 정수 및 슬러지처리공정 선정은 원수 수질, 정수량, 용지취득의 용이, 시공성, 유지관리성 및 경제성 등을 고려한 정수처리공정 결정, 인근 동일 수계

의 정수처리공정에 대한 검토 수행, 원수수질, 약품 투입량 및 인근 동일 수계 정수장의 발생 슬러지량 등을 고려한 슬러지처리시설 공정계획 수립 업무를 도함하며, 고도정수처리공정 선정은 원수 수질, 제거대상물질 및 목표수질을 고려하여 고도정수처리공정의 도입 여부에 대한 검토, 국내 고도정수처리시설 도입 현황 및 인근 동일 수계의 고도정수처리공정에 대한 검토 수행, 각 대안별 비교 검토를 통한 고도정수처리공정의 결정 업무를 포함한다. 단위공정별 시설계획 수립은 단위시설별 용량 검토를 통한 시설물 규격 산정, 공정별 주요 시설물 형식 및 설비에 대한 검토, 예비 용량 도입여부에 대한 검토 및 시설물의 계열화 계획 수립, 장래 고도정수처리시설 도입 여부를 고려한 정수장 부지계획 수립 업무를 포함하며, 정수시설 위치 선정은 소요 정수장 부지 면적을 고려하여 정수시설 위치 대안 선정, 각 대안별 시공성, 경제성, 인허가의 용이성 및 민원 발생 가능성 등을 검토 후 정수시설 위치 결정 업무를 포함하는 것으로, 정수장시설 위치조사는 경제적, 수리적인 측면을 고려한 정수장 위치조사, 정수시설 용량을 고려한 소유부지 확보 가능 조사, 용도지역 및 지장물(분묘, 문화재 등) 조사, 주변지역의 현황, 진입도로 및 민원 가능성 등 조사를 포함한다.

⑩ 관로시설 계획

관로시설 계획은 구간별 관경 결정, 관로노선 선정, 가압장의 위치, 형식 및 용량 결정, 터널계획 업무를 말한다. 관로노선 선정은 자연유하 방식에서는 수수처의 요구 수압 등을 고려하여 관경 결정, 가압방식에서는 경제적 관경을 고려하여 관경 결정, 사고 등 비상시 및 유지관리 등을 고려하여 관로의 복선화 여부 검토 업무를 포함하며, 관로노선 선정은 설치 가능한 2개 이상의 대안 노선 선정, 각 대안 노선에 대해 시공성, 유지관리성, 경제성, 인허가의 용이성 및 민원 발생 가능성 등을 검토 후 최종 관로 노선 결정을 포함하는 업무로, 도·송수시설 노선 답사는 경제적, 수리적인 측면을 고려한 적정 노선조사, 공사시 문제점(민원 및 시공성) 등을 고려한 노선 조사, 용도지역 및 지장물(전기, 통신, 체신, 하수도, 송유관, 가스관 등)을 고려한 노선 답사를 포함한다. 공급안정성 및 기타 검토는 전체 수리계통, 관로 선형 및 가압방식 등을 고려한 가압장 위치 선정, 전체 수리계통, 가압장 설치 위치 등을 고려하여 흡수정방식과 인라인방식의 비교 검토 후 가압장 형식 결정, 가압장 용량 결정 및 수수처 요구 수압 등을 고려한 가압 양정 산정 업무를 포함한다.

⑪ 배수지시설 계획

배수지시설 계획은 시설용량 결정, 형식, 위치 및 표고 결정, 공급안전성 및 기타 검토 업무를 말한다. 시설용량 결정은 지형 및 지역적 여건 등을 고려한 계획 급수구역 결정과 급수구역내 일최대급수량, 소화용수량 및 체류시간을 고려한 적정시설용량 결정 업무를 포함하며, 형식, 위치 및 표고 결정은 급수구역 내 공급방식(자연유하 또는 가압방식 등)을 고려한 배수지 위치 및 표고 결정, 배수관로 수리검토 결과와 지형적 여건을 고려한 배수지 수위 및 형식 결정(터널식, 지상식, 지하식 등), 적정 위치 선정을 위한 부지계획 대안 검토 및 선정, 부지내 시설물 배치계획 수립, 민원유발요인, 법적 또는 행정적 규제 등을 포함한 계획부지 주변 현장 여건 검토 업무를 포함한다. 공급안전성 및 기타 검토는 정수장~배수지간 송수계통의 수리적 공급 안전성 검토, 급수지역 관말 최소 잔류염소농도 확보를 통한 수질안전성 검토(전용공업용배수지는 제외), 타 시설 또는 배수공급 계통간 연계 방안 및 전실 등의 설치 유무를 고려한 사고 등 비상시 대처 및 유지관리 효율화 방안 검토, 배수지 시설 상부 이용계획 결정하는 업무를 포함한다.

⑫ 관계기관 협의 및 주민의견 수렴

관계기관 협의 및 주민의견 수렴은 관계기관 협의 및 조치계획, 주민설명회 개최 및 조치계획, 민원 의견 자문 업무를 말한다. 관계기관 협의 및 조치계획은 관계기관 협의자료 작성 및 협의, 조치계획서 작성 및 승인을 포함하고, 주민설명회 개최 및 조치계획은 주민설명회 개최 및 의견 수렴, 조치계획서 작성 및 승인 업무를 포함하며, 민원 의견 자문은 민원사항에 대한 내용 검토, 조치계획서 작성 및 승인 업무를 포함한다.

⑬ 단계별 자문 및 방침자료 작성

단계별 자문 및 방침자료 작성은 착수단계 자문, 중간단계 자문, 마무리단계 자문, 발주처 방침 결정, 설계VE자료 작성 업무를 말한다. 착수단계 자문은 초기단계 자문보고서 작성 및 배포, 자문의견 검토, 조치계획서 작성 승인 및 제출 업무를 포함하고, 중간단계 자문은 중간단계 자문보고서 작성 및 배포, 자문의견 검토, 조치계획서 작성 승인 및 제출 업무를 포함하며, 마무리단계 자문은 마무리 자문보고서 작성 및 배포, 자문의견 검토, 조치계획서 작성 승인 및 제출 업무를 포함한다. 발주처 방침 결정은 자문시 주요안건에 대한 검토서 작성, 발주처 협의 및 방침 결정 업무를 포함하며, 설계VE자료 작성은 설계VE자료 작성, 설계VE의견 검토후 보완 업무를 포함한다.

※ 산정 시 고려사항

- 횟수의 산정시 본부 방침 결정과 설계VE 자료 작성, 각종 심의자료 작성업무는 별도의 횟수로 산정한다.
- 회의 준비 및 개최 비용, 심의위원 심의 비용 등은 제외한다.
- 기타 별도의 대가기준(예, 경관설계심의, 농지·산지전용협의 등)이 있는 경우 해당기준을 따른다.

⑭ 설계기준작성

설계기준작성은 설계조건 및 설계기준 결정 업무를 말한다. 설계조건 및 설계기준 결정은 설계적용 기준도서 및 관련법규 활용 분야별 설계기준 확정, 일최대급수량을 기준으로 하고 여기에 각 단계별 손실되는 수량을 고려하여 각 시설물별 시설물 용량을 결정한다. 토공, 비탈면 경사 및 콘크리트 압축강도 등과 같은 일반적인 설계기준에 대해 검토 후 제시하며. 주요 시설물의 설계기준에 대해 "상수도 설계기준 및 시설기준" 등을 고려하여 결정한다. 개수로 및 관수로 등에 적용되는 수리 공식에 대한 설정 및 각종 수리계산에 적용되는 형상손실계수에 대한 설정과 사용재료, 하중, 하중계수, 하중조합, 균열, 처짐 등과 같은 구조해석 및 단면설계를 위한 기준 설정, 시설물의 내진 설계를 위한 설계 기준 설정을 하며, 구조물의 기초 형식의 선정 및 허용침하량에 대한 기준 제시, 기초의 안정성 검토에 대한 기준 제시 업무를 포함한다.

⑮ 취수

취수는 공종별로 토목, 건축, 기계, 전기, 계측, 조경 업무로 분류할 수 있다. 토목은 취수용량 및 형식검토, 취수시설배치계획, 구조계산 및 배근도작성, 취수시설 용량 및 수리계산, 구조물 기초 및 가시설설계, 시설물 상세설계, 취수시설 구조계산 및 배근도작성, 부지정지 계획 및 토공계획, 우.오수 및 구내배관 설계, 기타부대시설계획을 포함하고, 건축은 관련 법규검토, 취수장 시설별 건축면적산정, 건축물 평면 및 단면계획, 각 시설별 내외장재 선정, 구조계산 및 배근도작성, 건축물 상세설계 업무를 포함하며, 기계는 용량선정 및 기자재 선정, 펌프특성곡선을 고려한 펌프운전 계획수립, 수충압해석 및 방지시설설계, P&ID 작성, 건축기계설비 설계 업무를 포함한다. 전기는 관련 법규검토, 전력 인입협의 및 수전용량 검토, 취수시설 수전및 배전설비 세부설계, 낙뢰방지 및 접지설계, 건축전기설비 설계 업무를 포함하고, 계측은 감시제어설비 설계, 원격조절 및 현장조작 설비설계, 계측 및 전자통신 설비, 단위공정별 세부설계 업무를 포함하며, 조경은 관련 법규검토, 지역특성을 고려한 수종선정, 조경 시설물 및 식재설계, 포장 및 기타분야설계 업무를 포함한다.

⑯ 정수(일반공정)

정수는 공종별로 토목, 건축, 기계, 전기, 계측, 조경 업무로 분류할 수 있다. 토목은 정수처리 및 배출수 공정검토, 정수장 배치계획검토 및 확정, 각 단위 시설별 용량 및 수리계산, 구조물 기초 및 가시설설계, 시설물 상세설계, 각 시설별 구조계산 및 배근도작성, 부지정지계획 및 토공계획, 구내배관 및 공동구 계획, 포장 및 우·오수 설계, 기타 부대시설 설계 업무를 포함하고, 건축은 관련 법규검토, 관리동 및 각종 설비동 평면 단면계획, 각 시설별 건축면적산정 및 상세 설계, 각 시설별 내외장재 선정, 구조계산 및 배근도작성, 기타 부대시설 설계 업무를 포함하며, 기계는 단위공정별 기계배치 계획수립, P&ID 작성, 단위공정별 상세설계, 건축기계설비 설계, 기타 부대시설 상세설계 업무를 포함한다. 전기는 관련 법규검토, 전력 인입협의 및 수전용량 검토, 수변전 및 배전설비 설계, 단위공정별 수전설비 세부설계, 낙뢰방지 및 접지설계, 건축전기설비 설계 업무를 포함하고, 계측은 중앙 감시제어방식 검토 및 설계, 중앙 감시제어시스템 배치, 원격조절 및 현장조작 설비설계, 계측 및 전자통신 설비, 단위공정별 세부설계를 포함하며, 조경은 관련 법규검토, 공간별 활용계획수립, 지역특성을 고려한 수종선정, 시설물설계, 포장 및 기타 부대공 설계 업무를 포함한다.

⑰ 고도공정

고도공정은 공종별로 토목, 건축, 기계, 전기, 계측, 조경 업무로 분류할 수 있다. 토목은 고도처리 공정검토 및 확정, 고도처리시설 배치검토 및 확정, 각시설별 용량 및 수리계산, 구조물 기초 및 가시설설계, 각 시설물 상세설계, 각 시설별 구조계산 및 배근도작성, 부지정지 계획 및 토공계획, 구내배관 및 공동구 계획, 우·오수 및 포장등 기타 부대시설계획을 포함하고, 건축은 관련 법규검토, 건축물 평면 및 단면설계, 각 시설별 건축면적산정 및 상세 설계, 각 시설별 내외장재 선정, 구조계산 및 배근도작성을 포함하며, 기계는 고도처리 기계형식 검토 및 선정, 고도처리공정별 기계배치 계획수립, P&ID 작성, 고도처리공정별 상세설계, 건축기계설비 설계, 기타 부대시설 상세설계 업무를 포함한다. 전기는 관련 법규검토, 전력 인입협의 및 수전용량 검토, 수변전 및 배전설비 설계, 고도처리 단위공정별 수전설비등 세부설계, 낙뢰방지 및 접지설계, 건축전기설비 설계 업무를 포함하고, 계측은 고도처리시설 감시제어방식 검토 및 설계, 고도처리 감시제어 시스템 배치, 원격조절 및 현장조작 설비설계, 계측 및 전자통신 설비, 고도처리 단위공정별 세부설계 업무를 포함하며, 조경은 관련 법규검토, 공간별 활용계획수립, 지역특성을 고려한 수종선정, 시설물설계, 포장 및 기타분야설계 업무를 포함한다.

⑱ 가압장

가압장은 공종별로 토목, 건축, 기계, 전기, 계측, 조경 업무로 분류할 수 있다. 토목은 가압장 배치계획수립, 가압장 용량 및 수리계산, 구조물 기초 및 가시설설계, 구조계산 및 배근도작성, 부지 토공 및 운반거리산정, 우·오수 및 기타부대시설계획 업무를 포함하고, 건축은 건축 관련 법규검토, 각 시설별 건축면적산정 및 상세 설계, 각 시설별 내외장재 선정, 구조물구조계산및 배근도작성을 포함하며, 기계는 펌프형식 및 배치계획, 펌프특성곡선을 고려한 펌프운전 계획수립, 수충압해석 및 방지시설설계, 건축기계설비 설계 업무를 포함한다. 전기는 관련 법규검토, 전력 인입협의 및 수전용량 검토, 가압장 수전 및 배전설비 세부설계, 낙뢰방지 및 접지설계, 건축전기설비 설계를 포함하고, 계측은 중앙감시제어설비 설계, 원격조절 및 현장조작 설비설계, 계측 및 전자통신 설비, 단위공정별 세부설계 업무를 포함하며, 조경은 관련 법규검토, 공간별 활용계획수립, 지역특성을 고려한 수종선정, 시설물설계, 포장 및 기타 부대공 설계 업무를 포함한다.

⑲ 관로

관로는 공종 중 토목 업무에 해당 하는 것을 말한다. 이는 관로노선검토 관망 수리계산, 관종 및 경제적인 관경검토, 관기초 및 관두께 검토, 관로 터파가기 사면해석, 관로 유지관리용 도로설계, 하천횡단 및 추진공 설계, 관로전기 방식 설계, 기타 부속시설 설계를 포함한다.

⑳ 배수지

배수지는 공종별로 토목, 건축, 전기, 계측, 조경 업무로 분류할 수 있다. 토목은 배수지 배치계획수립, 배수지 용량 및 수리계산, 구조물기초 및 가시설설계, 구조계산 및 배근도작성, 부지 토공및 운반거리산정, 우 · 오수 및 기타부대시설계획 업무를 포함하고, 건축은 배수지 배치계획수립, 배수지 용량 및 수리계산, 구조물 기초 및 가시설설계, 구조계산및 배근도작성, 부지 토공 및 운반거리산정, 우 · 오수 및 기타부대시설계획 업무를 포함하며, 전기는 관련 법규검토, 전력 인입협의 및 수전용량 검토, 배수지 수전 및 배전설비 세부설계, 낙뢰방지 및 접지설계, 건축전기설비 설계 업무를 포함한다. 계측은 감시제어설비 설계, 원격조절 및 현장조작 설비설계, 계측 및 전자통신 설비, 단위공정별 세부설계 업무를 포함하며, 조경은 관련 법규검토, 공간별 활용계획수립, 지역특성을 고려한 수종선정, 시설물설계, 포장 및 기타 부대공 설계 업무를 포함한다.

㉑ 터널

터널은 공종 중 토목 업무에 해당하는 것을 말한다. 이는 지반조사평가, 터널공법 및 단면선정, 터널 단면해석, 터널 가시설 및 지보공설계, 콘크리트 라이닝 설계, 기타부대시설 설계 업무를 포함한다.

㉒ 기본 및 실시설계보고서

기본 및 실시설계보고서는 기본 및 실시설계보고서 및 부록 업무를 말한다. 기본 및 실시설계보고서는 총론, 기초조사, 현지조사, 계획, 설계기준, 실시설계, 사업비 등으로 구분하여 작성하며, 부록은 계획지표의 추정결과, 조사자료, 대안별 경제성 분석 등 각종 검토자료를 포함한다.

㉓ 지질 및 지반조사보고서

지질 및 지반조사보고서는 조사개요, 조사내용, 조사결과, 성과 분석(기초형식, 굴착공법, 관부설방안 등)등으로 구분하여 작성하는 것을 말한다.

㉔ 구조 및 수리·용량계산서

구조 및 수리·용량계산서는 구조 및 수리·용량계산서를 작성하는 업무를 말한다. 구조계산서는 구조계산 기준(내진설계 포함), 토목 구조물 및 건축 구조물에 대한 구조계산서, 각종 변실 및 부대시설에 대한 구조계산서를 포함하며, 수리 · 용량계산서는 각 분야별 적용기준, 토목, 건축, 기계, 전기, 계측제어 분야로 구분하여 작성하는 것을 말한다.

㉕ 유지관리지침서

유지관리지침서는 유지관리계획 및 운전계획 업무를 말한다. 이는 공정운영 매뉴얼, 예방관리순서, 일상적 운영순서, 유지보수계획, 비상대처순서, 의사결정 순서, 기기장비 기술시방 등을 포함한다.

㉖ 시공계획보고서

시공계획보고서는 토공유용계획, 토취장 및 사토장 운영계획, 작업순서 등과 설계보고서, 시공조건 등을 고려하여 단계별 시공계획, 공종별로 사업 우선순위, 총 공사기간 및 선·후행 공정을 고려한 PERT/CPM 작성, 공사기간, 공종 등을 고려한 장비투입계획 업무를 포함한다.

㉗ 설계예산서

설계예산서는 설계설명서와 설계내역서 작성 업무를 말한다. 설계설명서는 공사목적 및 개요, 위치, 공사기간, 사업규모 및 사업량, 재료원, 설계변경조건 등을 포함하며, 설계내역서는 설계내역서, 원가계산서, 총괄내역서, 공종별 내역서, 일위대가 등을 포함한다.

㉘ 단가산출서

단가산출서는 단가설명서, 단가산출서 작성 업무를 말한다. 단가설명서는 단위당 단가를 구성하는 공종의 작업과, 소요장비, 투입재료등의 품명, 규격, 수량 설명(할증여부 등)을 포함하며, 단가산출서는 단가산출서, 중기사용료, 단가조서, 견적서, 운반거리 등을 포함한다.

㉙ 수량산출서

수량산출서는 공종별 수량산출서를 작성하는 업무로, 공종별 수량에 대한 집계표, 단위공정별로 상세 수량산출서 작성하는 것을 말한다.

㉚ 기본 및 실시설계도면

기본 및 실시설계도면은 기본 및 실시설계도면 편집 및 전산화를 말한다. 토목, 건축, 조경, 기계, 전기, 계측제어 공종별로 계획평면도, 구조물도(철근배근도), 관로 종평면도, 횡단면도, 배관상세도, 기타 부대도면 등을 작성하는 것을 말한다.

㉛ 공사시방서

공사시방서는 토목, 건축, 조경, 기계, 전기, 계측제어 공종별로 일반시방서, 특별시방서, 자재구매시방서 등을 작성하는 것을 말한다.

㉜ 기타

기타는 토질조사, 측량조사, 수질조사, 문화재 지표조사 등 현장조사 사진첩 등을 작성하는 업무를 말한다.

※ 산정 시 고려사항

토질조사, 측량조사, 수질조사 등 현장조사 업무는 해당 대가기준을 근거로 산정하며, 직접경비 항목으로 수행한다.

□ 분야별 최대 적용범위

도로	단위	타당성조사	기본설계	실시설계	타당성 및 기본	기본 및 실시
도로연장	km	120	60	70	60	70

철도노반	단위	타당성 및 기본계획	기본설계	실시설계	기본 및 실시
노선연장	km	130	70	130	130

철도궤도	단위	기본설계	실시설계	기본 및 실시
노선연장	km	150	150	150
자갈궤도연장	km	90	90	90
콘크리트궤도연장	km	210	210	210
궤도철거연장	km	110	110	110

항만		단위	기본계획	기본설계	실시설계	기본 및 실시
접안시설		m	7,000	7,000	1,500	1,500
배후부지면적		m²	10,000,000	10,000,000	10,000,000	10,000,000
과업대상면적		m²	5,000,000	4,500,000	2,000,000	2,000,000
수역시설 면적	항만	m²	135,000	135,000	135,000	135,000
	항로준설 준설, 매립	m²	1,350,000	1,350,000	1,350,000	1,350,000
방파제		m	1,800	1,800	1,700	1,700
(배후부지) 연약지반면적		m²	2,000,000	2,000,000	2,000,000	2,000,000
매몰 및 침식대책시설연장		m		6,500	1,200	1,200
호안연장		m	25,000	25,000	25,000	25,000
시설연장		m	125,000	125,000	125,000	125,000

하천	단위	(개수사업)축제 · 축보 연장	(생태하천)하천연장
연장	km	60	110

댐	단위	타당성조사	기본계획	기본설계	실시설계
댐높이	m	700	700	700	800
유역면적	㎢	9,500	9,500	9,500	8,000
시설용량	kw	12,500	12,500	12,500	13,000
건축면적	m²	4,500	4,500	4,500	45,000
진입도로연장	km	80	80	80	80
저수용량	천만톤	55	55	55	80

상수도	단위	타당성조사	기본설계	실시설계	기본 및 실시
시설용량1	(만m³/일)	90	90	90	90
취수용량	(만m³/일)	100	100	100	100
정수용량	(만m³/일)	80	100	100	100
고도처리용량	(만m³/일)	80	80	100	100
가압장용량	(만m³/일)	관련업무 없음	100	100	100
관로연장	km	150	150	200	200
터널연장	km	4.5	4.5	5	5
배수지용량	(만톤)	45	1,000	1,000	1,000
시설용량2	(만m³/일)	시설용량1과동일			

[별표 2]

건설사업관리기술인 배치기준

1. 건설사업관리기술인수 산정방법

가. 전체 건설사업관리기술인수의 산정은 다음에 의하여 산출하는 것을 원칙으로 한다.

1) 전체 투입인원수는 공통, 설계전 단계, 기본설계단계, 실시설계단계, 구매조달단계, 시공단계, 시공후 단계 중 해당 건설사업관리용역의 업무범위에 해당하는 단계의 업무별 투입인원수를 산정하여 합산한다.

2) 각 업무별 투입인원수는 제2호에 제시된 분야별 투입인원수 산정기준을 활용하여 산정하며, 투입인원수는 고급기술자를 기준으로 한다.

3) 산정방법은 각 업무별로 기준인원수에 적용수량과 보정계수, 공사난이도를 곱하여 산정하며, 각 업무별 투입인원수는 소수점 둘째 자리에서 반올림한다.

4) 적용수량 단위 중 1개월의 기간은 22일을 기준으로 한다.

5) 보정계수 및 공사난이도는 제2호에 제시된 기준에 따라 각 업무별로 해당되는 항목을 적용하며, 공사의 특성에 따라 필요한 경우 적용 여부를 조정하되, 보정계수는 최대 3개까지 적용할 수 있다.

6) 단계별 업무는 제2호에 제시된 업무를 기본으로 하되, 공사의 특성 및 발주청 여건에 따라 업무를 추가하거나 제외하고 산정할 수 있다.

나. 발주청은 2이상의 공종이 복합된 공사로서 공종별로 건설사업관리기술인를 구분하여 배치할 필요가 있다고 인정하는 경우에는 기술인수를 공종별로 구분·산정할 수 있다.

다. 제2호의 기준에 따라 산정된 시공단계의 투입인원수는 감독 권한대행 등 건설사업관리를 시행하는 경우를 기준으로 한 것이며, 감독 권한대행 등 건설사업관리가 아닌 경우에는 시공단계의 투입인원수에서 20%를 감하여 산정한다.

라. 공사난이도 산정시 건설사업관리기간 보정을 위한 시공단계의 평균 건설사업관리기간은 공사비에 따라 다음과 같이 적용한다.

공사비(억원)	10 이하	30	50	70	100	150	200	300	400	500	700	1,000 이상
평균건설사업관리기간(개월)	10	14	17	24	28	30	37	38	38	39	45	54

마. 발주청은 통합 건설사업관리를 시행하고자 하는 경우에는 제1호의 규정에 의하여 각 공사별로 산정한 기술인수를 합한 총 건설사업관리기술인수와 단일 공사로 보고 산정한 총 건설사업관리기술인수 사이에서 해당 건설공사의 특성, 공사현장 간의 거리 등을 감안하여 산정한다.

바. 기술지원기술인(시공단계에 한정한다)수는 산출된 시공단계 건설사업관리기술인수에 일정 비율(단순한 공종 10%, 보통의 공종 15%, 복잡한 공종 20%)을 곱하여 산정하는 것을 원칙으로 한다.

사. 단순한 공종, 보통의 공종 및 복잡한 공종은 다음과 같이 구분한다.

1) 토목공사

구분	단순한 공종	보통의 공종	복잡한 공종
해당 공종	- 구조물이 없는 일반 부지 조성 - 하천제방, 호안, 하도 - 도로(국도, 지방도, 고속도로를 제외) - 상·하수관거 - 우수구거 - 포장보수 - 준설 및 매립 - 보통 조경	- 장대교량(200m이상)이나 터널이 없는 도로(도시가로, 국도, 지방도 또는 고속도로), 철도, 지하철 - 600㎜이상 하수관거 - 400㎜이상 상수관거 - 단순구조의 방파제, 접안시설 - 하수도 및 수로터널 - 공동구, 교량 등 구조물이 있는 부지조성 - 공항활주로 - 하천수문 및 통문 - 대형 조경구조물 - 기타 단순한 공종, 복잡한 공종에 해당하지 아니한 시설	- 비대칭으로 구조가 복잡한 교량 - 장대교량이나 터널이 있는 도로, 철도, 지하철 - 대구경 터널공사, 입체교차로 - 하구언, 갑문, 댐 - 정수장, 하수 및 오·폐수처리장 - 배수 및 양수펌프장 - 복잡한 구조의 방파제, 접안시설 - 대형구조물 기초공사 - 대형구조물 개축 - 수중 구조물

2) 건축공사 (건축법 시행령 별표1의 용도분류에 의함)

구분	단순한 공종	보통의 공종	복잡한 공종
해당 공종 · 용도	- 공장 - 창고시설 - 자동차 관련시설 - 동물 및 식물 관련시설	- 공동주택 - 제1,2종 근린생활시설 - 교육연구시설 - 노유자시설 - 수련시설 - 업무시설 - 숙박시설 - 교정 및 군사시설 - 판매시설 - 관광휴게시설 - 방송통신시설 - 발전시설 - 묘지관련시설 - 기타 단순한 공종, 복잡한 공종에 해당하지 아니한 시설	- 운동시설 - 문화 및 집회시설 - 의료시설 - 자원순환 관련시설 - 관광휴게시설 (관망탑에 한함) - 운수시설

2. 건설사업관리기술인수 산정기준

가. 토목선형(도로, 철도, 하천)분야

1) 투입인원수 산정기준

단계	업무분류체계 기본업무	적용수량단위	기준인원수(인·일) 고급	보정계수 a	보정계수 b	보정계수 c	난이도
공통업무	과업착수준비	식	7.0				
	건설사업관리 업무수행계획서 작성·운영	식	20.5				
	건설사업관리 절차서 작성·운영	식	27.3				
	작업분류체계 및 사업번호체계 관리/사업정보축적·관리	식	22.3				
	사업정보관리시스템의 운영	운영일수	0.3	○			○
	클레임 사전분석	식	31.0				
	최종 건설사업관리 보고 1) 시공전 단계	식	27.3				
	최종 건설사업관리 보고 2) 시공이후 단계	식	54.6				
설계 전 단계	건설기술용역업체 선정	식	43.7				
	사업타당성조사보고서의 적정성 검토	식	21.6			○	○
	기본계획보고서의 적정성 검토	식	21.3			○	○
	발주방식 결정 지원	식	31.0				
	관리기준공정계획수립	식	18.0				○
	총사업비 집행계획수립지원	식	11.4				
기본설계단계	기본설계 설계자 선정업무 지원	식	17.1				
	기본설계 조정 및 연계성 검토	용역개월	3.2	○	○	○	○
	기본설계단계의 예산검증 및 조정업무	식	22.5	○	○	○	○
	기본설계의 경제성(VE) 검토	식	90.6				○
	기본설계용역성과검토	용역개월	5.7	○	○	○	○
	기본설계 용역 기성 및 준공검사관리	회	3.7				
	각종 인허가 및 관계기관협의 지원	식	6.8		○	○	
	기본설계단계의 기술자문회의 운영 및 관리·지원	회	2.5				
실시설계단계	실시설계 설계자 선정업무 지원	식	13.9				
	실시설계 조정 및 연계성 검토	용역개월	5.9	○	○	○	○
	실시설계단계의 예산검증 및 조정업무	식	23.3	○	○	○	○
	실시설계의 경제성(VE) 검토	식	123.3				○
	실시설계용역성과검토	용역개월	10.5	○	○	○	○
	실시설계 용역 기성 및 준공검사관리	회	8.1				
	지급자재 조달 및 관리계획 수립	식	10.2				
	각종 인허가 및 관계기관협의 지원	식	8.3		○	○	
	실시설계단계의 기술자문회의 운영 및 관리·지원	회	6.4				
	시공자 선정계획수립	식	16.9				
구매조달단계	입찰업무지원	식	37.7				
	계약업무지원	식	27.5				
	지급자재조달지원	공사개월	0.6				
시공단계	공사착수	식	107.7				
	시공성과확인 및 검측업무	공사일수	2.2	○	○		○
	사용자재의 적정성 검토	공사개월	1.8				○
	품질시험 및 성과검토	공사개월	11.0		○		○

단계	기본업무		적용수량단위	기준인원수(인·일) 고급	보정계수 a	보정계수 b	보정계수 c	난이도
시공단계	시공계획검토		공사개월	6.4	○	○		○
	기술검토 및 교육		공사개월	5.0		○		○
	공정관리		공사개월	8.2				○
	안전관리		공사개월	22.0		○	○	○
	환경관리		공사개월	2.6				○
	설계변경 관리		공사개월	13.4				○
	기성검사		회	5.2				
	준공검사		식	6.0				
	계약자간 시공인터페이스 조정		공사개월	1.5				
	하도급적정성검토		공사년수	6.9				○
	시공단계의 예산검증 및 지원		회	4.6				
	일반행정업무		용역일수	0.8				○
시공후단계	종합시운전계획의 검토 및 시운전 확인	1)도로, 하천	식	23.3				
		2)철도		46.6	○	○		
	시설물 유지관리지침서 검토		식	25.9				
	시설물유지관리 업체 선정		식	20.8				
	시설물 인수·인계 계획 검토 및 관련 업무 지원		식	27.4				

※ 시공단계 안전관리 보정계수 및 난이도는 1.0 이상만 적용

2) 보정계수

분야	항목	보정계수 값
도로	a. 도로등급	①일반국도 : 1.0 ②고속국도 : 1.1 ③지방도이하 : 0.8 (설계속도에 따라 타등급의 계수 준용가능)
	b. 공사성격	①신설 : 1.0 ②확장 : 1.1
	c. 지역특성	①일반부 : 1.0 ②도시부 : 1.1
철도노반	a. 철도유형	①고속철도, 도시철도(지하), 경전철(지하) : 1.3 ②일반철도(복선), 도시철도(지상), 경전철(지상) : 1.0 ③일반철도(단선) : 0.8
	b. 공사성격	①신설 : 1.0 ②개량 : 1.2
	c. 지역특성	①일반부 : 1.0 ②도시부 : 1.3
철도궤도	a. 철도유형	①고속철도, 도시철도(지하), 경전철(지하) : 1.3 ②일반철도(복선), 도시철도(지상), 경전철(지상) : 1.0 ③일반철도(단선) : 0.8
	b. 공사성격	①신설 : 1.0 ②개량 : 1.2 ③개량(운행선차단) : 1.3
	c. 지역특성	①일반부 : 1.0 ②도시부 : 1.3
하천	a. 하천등급	①국가하천 : 1.0 ②지방하천(소하천포함) : 1.1
	b. 사업유형	①하천개수사업 : 1.0 ②생태하천사업 : 1.1
	c. 지역특성	①일반부 : 1.0 ②도시부 : 1.2

※ 여러 유형, 성격, 특성 등이 혼재된 경우 해당구간의 연장을 기준으로 가중평균한 값 적용

3) 공사난이도

구분			산식
총공사비 50억원이하 (시공단계만 해당)			·공사난이도=0.011×총공사비×(1-0.0025×총공사비)+(건설사업관리기간보정계수+(0.1×구조물비중)+0.2)×(총공사비×0.2) (※ 구조물비중 = 구조물공사비/총공사비) (철도궤도는 콘크리트궤도비중 적용)
총공사비 2,000억원 이하	시공 단계	도로	·공사난이도=0.011×총공사비×(1-0.0025×총공사비)+건설사업관리기간보정계수+(0.1×구조물비중)+0.2 (※ 구조물비중 = 구조물공사비/총공사비)
		철도 (노반)	·공사난이도=0.011×총공사비×(1-0.0025×총공사비)+건설사업관리기간보정계수+(0.2×구조물비중)+0.2 (※ 구조물비중 = 구조물공사비/총공사비)
		철도 (궤도)	·공사난이도=0.011×총공사비×(1-0.0025×총공사비)+건설사업관리기간보정계수+(0.4×콘크리트궤도비중)+0.2 (※ 콘크리트궤도비중 = 콘크리트궤도연장/총궤도연장)
		하천	·공사난이도=0.011×총공사비×(1-0.0025×총공사비)+건설사업관리기간보정계수+(0.1×구조물비중)+0.2 (※ 구조물비중 = 구조물공사비/총공사비)
	시공전 단계		·공사난이도 = 0.015×총공사비×(1-0.0011×총공사비)
총공사비 2,000억원 초과			·공사난이도 = 총공사비 2,000억원 시 공사난이도+{(총공사비-200)/250}
비고			·공사비는 10억원 단위로 하며, 전기 · 통신 · 소방 공사비는 제외 ·건설사업관리기간보정계수 = {(평균건설사업관리기간-해당공사 건설사업관리기간)/평균건설사업관리기간}×0.1 ※ 건설사업관리기간 보정계수의 평균건설사업관리기간은 별표2 제1호라목에서 직선보간법으로 도출

나. 토목비선형(항만, 댐, 공항, 단지 등 기타)분야

1) 투입인원수 산정기준

업무분류체계			적용 수량 단위	기준인원수 (인·일)	보정계수											난이도
단계	기본업무				항만			공항			댐			단지		
				고급	a	b	c	d	e	f	g	h	i	j	k	
공통업무	과업착수준비		식	7.0												
	건설사업관리 업무수행계획서 작성·운영		식	20.5												
	건설사업관리 절차서 작성·운영		식	27.3												
	작업분류체계 및 사업번호체계 관리, 사업정보축적·관리		식	22.3												
	사업정보관리시스템의 운영		운영 일수	0.3	○			○					○			○
	클레임 사전분석		식	31.0												
	최종 건설사업 관리 보고	1)시공전 단계	식	27.3												
		2)시공이후 단계		54.6												
설계 전 단계	건설기술용역업체 선정		식	43.7												
	사업타당성조사보고서의 적정성 검토		식	21.6	○			○		○	○		○	○		○
	기본계획보고서의 적정성 검토		식	21.3	○			○		○	○		○	○		○
	발주방식 결정 지원		식	31.0												
	관리기준공정계획수립		식	18.0												○
	총사업비 집행계획수립지원 (종합예산계획서)		식	11.4												
기본 설계 단계	기본설계 설계자 선정업무 지원		식	17.1												
	기본설계 조정 및 연계성 검토		용역 개월	3.2	○			○		○	○		○	○	○	○
	기본설계단계의 예산검증 및 조정업무		식	22.5	○			○		○	○		○	○	○	○
	기본설계의 경제성(VE) 검토		식	90.6												○

업무분류체계 단계	기본업무	적용수량단위	기준인원수(인·일) 고급	항만 a	항만 b	항만 c	공항 d	공항 e	공항 f	댐 g	댐 h	댐 i	단지 j	단지 k	난이도
기본설계단계	기본설계용역성과검토	용역개월	5.7	○	○		○	○	○	○	○	○	○	○	○
	기본설계 용역 기성 및 준공검사관리	회	3.7	○			○		○	○		○			
	각종 인허가 및 관계기관협의 지원	식	6.8						○			○	○	○	
	기본설계단계의 기술자문회의 운영 및 관리·지원	회	2.5												
실시설계단계	실시설계 설계자 선정업무 지원	식	13.9												
	실시설계 조정 및 연계성 검토	용역개월	5.9	○			○		○	○		○	○	○	○
	실시설계단계의 예산검증 및 조정업무	식	23.3	○			○		○	○		○	○	○	○
	실시설계의 경제성(VE) 검토	식	123.3												○
	실시설계용역성과검토	용역개월	10.5	○	○		○	○	○	○	○	○	○	○	○
	실시설계 용역 기성 및 준공검사관리	회	8.1	○			○		○	○		○			
	지급자재 조달 및 관리계획 수립	식	10.2												
	각종 인허가 및 관계기관협의 지원	식	8.3						○			○	○	○	
	실시설계단계의 기술자문회의 운영 및 관리·지원	회	6.4												
	시공자 선정계획수립	식	16.9												
구매조달단계	입찰업무지원	식	37.7												
	계약업무지원	식	27.5												
	지급자재조달지원	공사개월	0.6												
시공단계	공사착수	식	110.1		○			○	○		○				
	시공성과확인 및 검측업무	공사일수	2.2	○	○		○	○	○	○	○	○		○	○
	사용자재의 적정성 검토	공사개월	1.8												○

업무분류체계 단계	기본업무	적용수량단위	기준인원수(인·일) 고급	항만 a	항만 b	항만 c	공항 d	공항 e	공항 f	댐 g	댐 h	댐 i	단지 j	단지 k	난이도
시공단계	품질시험 및 성과검토	공사개월	11.0	○	○	○	○	○		○	○			○	○
	시공계획검토	공사개월	6.0	○					○	○		○		○	○
	기술검토 및 교육	공사개월	5.0	○					○	○		○		○	○
	공정관리	공사개월	5.5							○	○	○			○
	안전관리	공사개월	22.0	○	○			○	○	○	○		○	○	○
	환경관리	공사개월	3.5												○
	설계변경 관리	공사개월	13.4												○
	기성검사	회	5.2												
	준공검사	식	6.1												
	계약자간 시공인터페이스 조정	공사개월	1.5												
	하도급적정성검토	공사년수	6.3												○
	시공단계의 예산검증 및 지원	회	4.6												
	일반행정업무	용역일수	0.9												○
시공후단계	종합시운전계획의 검토 및 시운전 확인 – 항만, 공항, 단지 등 기타	식	22.1	○			○								
	종합시운전계획의 검토 및 시운전 확인 – 댐	식	36.1								○	○			
	시설물 유지관리지침서 검토	식	29.0												
	시설물유지관리 업체 선정	식	20.8												
	시설물의 인수·인계 계획 검토 및 관련업무 지원	식	25.3												

※ 시공단계 안전관리 보정계수 및 난이도는 1.0 이상만 적용

2) 보정계수

분야	항목	보정계수 값
항만	a.항만유형 및 선박규모	①준설및매립 : 0.7 ②배후부지 : 0.9 ③(계류시설) 일반 및 기타부두, 물양장, (외곽시설) 호안, 방파제, 가호안, 기타외곽시설 : 1.0 ④(계류시설, 전문부두) 컨테이너, 자동차, 여객 : 1.0 ⑤(계류시설) 말뚝식, 원유부이 : 1.2 ⑥(계류시설) 부잔교, 마리나, (외곽시설) 갑문, 수문 : 1.2
	b.지역	①동해 : 1.2 ②서해 : 1.2 ③남해 : 1.0 ④기타 도서지역(제주도 제외) : 1.4
	c.수심	①5m이하 : 0.8 ②5m초과~20m이하 : 1.0 ③20m초과 : 1.2
공항	d.공항규모	①국내선 : 1.0 ②국제선(airside) : 1.1
	e.지역특성	①육상공항 : 1.0 ②해상공항 : 1.2
	f.공사성격	①신설 : 1.0 ②확장(개량포함) : 1.1
댐	g.댐형식	①필댐 : 0.9 ②CFRD : 1.0 ③콘크리트댐(복합댐) : 1.2 ④아치댐 : 1.4
	h.여수로형식	①무문식 : 0.9 ② 문비식 : 1.0
	i.발전시설 용량	①없음 : 0.8 ②3,000kW이하 : 0.9 ③3,000kW~10,000kW이하 : 1.0 ④10,000kW초과 : 1.2
단지 등 기타	j.지역특성	①일반부 : 1.0 ②도시부 : 1.1
	k.공사성격	①신설 : 1.0 ②확장 : 1.1

※ 여러 유형, 성격, 특성 등이 혼재된 경우 해당 공사비를 기준으로 가중평균한 값 적용

3) 공사난이도

구분			산식
총공사비 50억원이하 (시공단계만 해당)			·공사난이도=0.011×총공사비×(1-0.0025×총공사비)+(건설사업관리기간보정계수+(0.1×구조물비중)+0.2)×(총공사비×0.2) (※ 구조물비중 = 구조물공사비/총공사비, 댐, 공항은 각각의 해당 비중 적용)
총공사비 2,000억원 이하	시공단계	항만, 단지 등 기타	·공사난이도=0.011×총공사비×(1-0.0025×총공사비)+건설사업관리기간보정계수+(0.1×구조물비중)+0.2 (※ 구조물비중 = 구조물공사비/총공사비)
		댐	·공사난이도=0.011×총공사비×(1-0.0025×총공사비)+건설사업관리기간보정계수+(0.2×부속구조물공사비중)+0.2 (※ 부속구조물공사비중 = 부속구조물공사비/총공사비)
		공항	·공사난이도=0.011×총공사비×(1-0.0025×총공사비)+건설사업관리기간보정계수+(0.2×콘크리트포장공사비비중)+0.2 (※ 콘크리트포장공사비중 = 콘크리트포장공사비/총포장공사비)
	시공전 단계		·공사난이도 = 0.015×총공사비×(1-0.0011×총공사비)
총공사비 2,000억원 초과			·공사난이도 = 총공사비 2,000억원 시 공사난이도 +{(총공사비-200)/250}
비고			·공사비는 10억원 단위로 하며, 전기·통신·소방공사비는 제외 ·건설사업관리기간보정계수 = {(평균건설사업관리기간-해당공사 건설사업관리기간)/평균건설사업관리기간}×0.1 ※ 건설사업관리기간 보정계수의 평균건설사업관리기간은 별표2 제1호라목에서 직선보간법으로 도출

다. 건축분야

1) 투입인원수 산정기준

단계	기본업무 (업무분류체계)	적용수량단위	기준인원수(인·일) 고급	보정계수 a	보정계수 b	보정계수 c	난이도
공통업무	과업착수준비	식	7.0				
	건설사업관리 업무수행계획서 작성·운영	식	20.5				
	건설사업관리 절차서 작성·운영	식	27.3				
	작업분류체계 및 사업번호체계 관리, 사업정보축적·관리	식	22.3				○
	사업정보관리시스템의 운영	운영일수	0.3				○
	클레임 사전분석	식	31.0		○		
	최종 건설사업관리 보고 1)시공전 단계	식	27.3				
	최종 건설사업관리 보고 2)시공 이후 단계	식	54.6				
설계전단계	건설기술용역업체 선정	식	43.7				
	사업타당성조사보고서의 적정성 검토	식	21.6				○
	기본계획보고서의 적정성 검토	식	21.3				○
	발주방식 결정 지원	식	31.0				
	관리기준공정계획수립	식	18.0	○	○		○
	총사업비 집행계획수립지원 (종합예산계획서)	식	11.4				
기본설계단계	기본설계 설계자 선정업무 지원	식	17.1				
	기본설계 조정 및 연계성 검토	용역개월	8.4	○	○	○	○
	기본설계단계의 예산검증 및 조정업무	식	22.5				○
	기본설계의 경제성(VE) 검토	식	90.6				○
	기본설계용역성과검토	용역개월	8.8	○	○	○	○
	기본설계 용역 기성 및 준공검사관리	회	3.7				
	각종 인허가 및 관계기관협의 지원	식	6.8				
	기본설계단계의 기술자문회의 운영 및 관리·지원	회	2.5				
실시설계단계	실시설계 설계자 선정업무 지원	식	13.9				
	실시설계 조정 및 연계성 검토	용역개월	18.4	○	○	○	○
	실시설계단계의 예산검증 및 조정업무	식	23.3				○
	실시설계의 경제성(VE) 검토	식	123.3				○
	실시설계용역성과검토	용역개월	18.9	○	○	○	○
	실시설계 용역 기성 및 준공검사관리	회	8.1				
	지급자재 조달 및 관리계획 수립	식	10.2				
	각종 인허가 및 관계기관협의 지원	식	8.3				
	실시설계단계의 기술자문회의 운영 및 관리·지원	회	6.4				
	시공자 선정계획수립	식	16.9				
구매조달단계	입찰업무지원	식	37.7				
	계약업무지원	식	27.5				
	지급자재조달지원	공사개월	0.6	○		○	
시공단계	공사착수	식	72.7				
	시공성과확인 및 검측업무	공사일수	2.9	○	○	○	○
	사용자재의 적정성 검토	공사개월	10.0	○	○		○
	품질시험 및 성과검토	공사개월	12.6	○			○

단계	업무분류체계 기본업무	적용수량 단위	기준인원수(인·일) 고급	보정계수 a	보정계수 b	보정계수 c	난이도
시공단계	시공계획검토	공사개월	8.8	○	○	○	○
	기술검토 및 교육	공사개월	10.1	○			○
	공정관리	공사개월	9.0	○	○		○
	안전관리	공사개월	22.0		○		○
	환경관리	공사개월	5.3		○		○
	설계변경 관리	공사개월	7.5			○	○
	기성검사	회	6.6				
	준공검사	식	3.8				
	계약자간 시공인터페이스 조정	공사개월	2.8	○			
	하도급적정성검토	공사년수	23.0				○
	시공단계의 예산검증 및 지원	회	36.4				○
	일반행정업무	용역일수	1.6				○
시공후단계	종합시운전계획의 검토 및 시운전 확인	식	13.6	○			
	시설물 유지관리지침서 검토	식	32.6				
	시설물유지관리 업체 선정	식	20.8				
	시설물의 인수·인계 계획 검토 및 관련업무 지원	식	27.2				

※ 시공단계 안전관리 보정계수 및 난이도는 1.0 이상만 적용

2) 보정계수

분야	항목	보정계수 값
건축	a.건축용도	①단순공종 : 0.9 ②보통공종 : 1.0 ③복잡공종 : 1.1 (별표 1 제1호사목2)에 따라 공종 구분)
	b.공사성격	①신축 : 1.0 ②전면 리모델링(증축포함) : 1.1 ③순환 리모델링 : 1.2
	c.BIM적용여부	①미적용 : 1.0 ②적용 : 1.1

※ 여러 용도, 성격 등이 혼재된 경우 해당 공사비를 기준으로 가중평균한 값 적용

3) 공사난이도

구분		산식
총공사비 50억원이하 (시공단계만 해당)		·공사난이도=0.011×총공사비×(1-0.0025×총공사비)+(건설사업관리기간보정계수+(0.5×골조공사비 비중)+ 0.2)×(총공사비×0.2) (※ 골조공사비 비중 = 골조공사비/총공사비)
총공사비 2,000억원 이하	시공 단계	·공사난이도=0.011×총공사비×(1-0.0025×총공사비)+건설사업관리기간보정계수+(0.5×골조공사비 비중)+0.2 (※ 골조공사비중 = 골조공사비/총공사비)
	시공전 단계	·공사난이도 = 0.015×총공사비×(1-0.001×총공사비)
총공사비 2,000억원 초과		·공사난이도 = 총공사비 2,000억원 시 공사난이도+{(총공사비-200)/250}
비고		·공사비는 10억원 단위로 하며, 전기 · 통신 · 소방 공사비는 제외 ·건설사업관리기간보정계수 = {(평균건설사업관리기간-해당공사 건설사업관리기간)/평균건설사업관리기간}×0.1 ※ 건설사업관리기간 보정계수의 평균건설사업관리기간은 별표2 제1호라목에서 직선보간법으로 도출

라. 플랜트 I (상하수도, 폐기물)분야

1) 투입인원수 산정기준

단계	기본업무	적용수량단위	기준인원수(인·일) 고급	보정계수 a	보정계수 b	보정계수 c	난이도
공통업무	과업착수준비	식	24.2				
	건설사업관리 업무수행계획서 작성·운영	식	31.5				
	건설사업관리 절차서 작성·운영	식	140.9				
	작업분류체계 및 사업번호체계 관리, 사업정보축적·관리	식	30.6				○
	사업정보관리시스템의 운영	운영일수	0.3	○			○
	클레임 사전분석	식	62.5				
	최종 건설사업 관리 보고 1)시공전 단계	식	27.3				
	최종 건설사업 관리 보고 2)시공 이후 단계	식	54.6				
설계전단계	건설기술용역업체 선정	식	43.8				
	사업타당성조사보고서의 적정성 검토	식	21.7			○	○
	기본계획보고서의 적정성 검토	식	21.4			○	○
	발주방식 결정 지원	식	31.1				
	관리기준공정계획수립	식	18.1				○
	총사업비 집행계획수립지원(종합예산계획서)	식	11.7				
기본설계단계	기본설계 설계자 선정업무 지원	식	17.1				
	기본설계 조정 및 연계성 검토	용역개월	3.2	○	○	○	○
	기본설계단계의 예산검증 및 조정업무	식	22.5	○	○	○	○
	기본설계의 경제성(VE) 검토	식	90.6				○
	기본설계용역성과검토	용역개월	5.7	○	○	○	○
	기본설계 용역 기성 및 준공검사관리	회	3.7				
	각종 인허가 및 관계기관협의 지원	식	6.8		○	○	
	기본설계단계의 기술자문회의 운영 및 관리·지원	회	2.5				
실시설계단계	실시설계 설계자 선정업무 지원	식	13.9				
	실시설계 조정 및 연계성 검토	용역개월	5.9	○	○	○	○
	실시설계단계의 예산검증 및 조정업무	식	23.3	○	○	○	○
	실시설계의 경제성(VE) 검토	식	123.3				○
	실시설계용역성과검토	용역개월	10.5	○	○	○	○
	실시설계 용역 기성 및 준공검사관리	회	8.1				
	지급자재 조달 및 관리계획 수립	식	10.2				
	각종 인허가 및 관계기관협의 지원	식	8.3		○	○	
	실시설계단계의 기술자문회의 운영 및 관리·지원	회	6.4				
	시공자 선정계획수립	식	16.9				
구매조달단계	입찰업무지원	식	63.3				
	계약업무지원	식	48.5				
	지급자재조달지원	공사개월	1.5				
시공단계	공사착수	식	122.5				
	시공성과확인 및 검측업무	공사일수	2.1	○	○		○
	사용자재의 적정성 검토	공사개월	6.2				○
	품질시험 및 성과검토	공사개월	12.0		○		○

단계	업무분류체계 기본업무	적용수량 단위	기준인원수(인·일) 고급	보정계수 a	b	c	난이도
시공단계	시공계획검토	공사개월	6.9	○	○	○	○
	기술검토 및 교육	공사개월	11.7		○		○
	공정관리	공사개월	12.8			○	○
	안전관리	공사개월	22.0			○	○
	환경관리	공사개월	3.3			○	○
	설계변경 관리	공사개월	14.0				○
	기성검사	회	5.4				
	준공검사	식	6.1				
	계약자간 시공인터페이스 조정	공사개월	1.5				
	하도급적정성검토	공사년수	6.9				○
	시공단계의 예산검증 및 지원	회	5.1				
	일반행정업무	용역일수	1.2				○
시공후단계	종합시운전계획의 검토 및 시운전 확인	개월	52.0				○
	시설물 유지관리지침서 검토	식	40.6				
	시설물유지관리 업체 선정	식	20.8				
	시설물의 인수·인계 계획 검토 및 관련업무 지원	식	28.0				

※ 시공단계 안전관리 보정계수 및 난이도는 1.0 이상만 적용

2) 보정계수

분야	항목	보정계수 값
플랜트 I	a.공사유형	①관로공사, 매립장공사 : 0.8 ②구조물공사(배수지, 저류조, 터널 등) : 0.9 ③플랜트공사(정수, 하수, 폐수처리, 분뇨처리, 폐기물처리, 쓰레기 수송관로 등 ④에 해당하지 아니하는 시설) : 1.0 ④플랜트공사(폐기물처리(소각, 폐기물연료화, 음식물, 재활용, 슬러지처리) 시설로 처리량이 50톤/일을 초과하는 시설) : 1.2
	b.공사성격	①신설 : 1.0 ②확장 : 1.1 ③개량 : 1.2
	c.지역특성	①일반부 : 1.0 ②도시부 : 1.3

※ 여러 유형, 성격, 특성 등이 혼재된 경우 해당 공사비를 기준으로 가중평균한 값 적용

3) 공사난이도

구분		산식
총공사비 50억원이하 (시공단계만 해당)		·공사난이도=0.011×총공사비×(1-0.0025×총공사비)+(건설사업관리기간보정계수+(0.1×기계설비공사 비중)+0.2)×(총공사비×0.2) (※ 기계설비공사비중 = 기계설비공사비/총공사비)
총공사비 2,000억원 이하	시공 이후 단계	·공사난이도=0.011×총공사비×(1-0.0025×총공사비)+건설사업관리기간보정계수+(0.1×기계설비공사비중)+0.2 (※ 기계설비공사비중 = 기계설비공사비/총공사비)
	시공전 단계	·공사난이도 = 0.015×총공사비×(1-0.0011×총공사비)
총공사비 2,000억원 초과		·공사난이도 = 총공사비 2,000억원 시 공사난이도+{(총공사비-200)/250}
비고		·공사비는 10억원 단위로 하며, 전기·통신·소방 공사비는 제외 ·건설사업관리기간보정계수 = {(평균건설사업관리기간-해당공사 건설사업관리기간)/평균건설사업관리기간}×0.1 ※건설사업관리기간 보정계수의 평균건설사업관리기간은 별표2 제1호라목에서 직선보간법으로 도출

마. 플랜트Ⅱ(발전시설, 에너지저장시설, 송전시설)분야

1) 투입인원수 산정기준

업무분류체계		적용수량단위	기준인원수(인·일)	보정계수			난이도
단계	기본업무		고급	a	b	c	
공통업무	과업착수준비	식	24.2				
	건설사업관리 업무수행계획서 작성·운영	식	141.0				
	건설사업관리 절차서 작성·운영	식	210.2				
	작업분류체계 및 사업번호체계 관리, 사업정보축적·관리	식	83.0				○
	사업정보관리시스템의 운영	운영일수	0.3	○			○
	클레임 사전분석	식	62.5				
	최종 건설사업 관리 보고 1)시공전 단계	식	27.3				
	최종 건설사업 관리 보고 2)시공 이후 단계	식	54.6				
설계 전 단계	건설기술용역업체 선정	식	43.8				
	사업타당성조사보고서의 적정성 검토	식	21.7			○	○
	기본계획보고서의 적정성 검토	식	21.4			○	○
	발주방식 결정 지원	식	31.1				
	관리기준공정계획수립	식	18.1				○
	총사업비 집행계획수립지원(종합예산계획서)	식	11.7				
기본설계단계	기본설계 설계자 선정업무 지원	식	17.1				
	기본설계 조정 및 연계성 검토	용역개월	3.2	○	○	○	○
	기본설계단계의 예산검증 및 조정업무	식	22.5	○	○	○	○
	기본설계의 경제성(VE) 검토	식	90.6				○
	기본설계용역성과검토	용역개월	5.7	○	○	○	○
	기본설계 용역 기성 및 준공검사관리	회	3.7				
	각종 인허가 및 관계기관협의 지원	식	6.8		○	○	
	기본설계단계의 기술자문회의 운영 및 관리·지원	회	2.5				
실시설계단계	실시설계 설계자 선정업무 지원	식	13.9				
	실시설계 조정 및 연계성 검토	용역개월	5.9	○	○	○	○
	실시설계단계의 예산검증 및 조정업무	식	23.3	○	○	○	○
	실시설계의 경제성(VE) 검토	식	123.3				○
	실시설계용역성과검토	용역개월	10.5	○	○	○	○
	실시설계 용역 기성 및 준공검사관리	회	8.1				
	지급자재 조달 및 관리계획 수립	식	10.2				
	각종 인허가 및 관계기관협의 지원	식	8.3		○	○	
	실시설계단계의 기술자문회의 운영 및 관리·지원	회	6.4				
	시공자 선정계획수립	식	16.9				
구매조달단계	입찰업무지원	식	63.3				
	계약업무지원	식	48.5				
	지급자재조달지원	공사개월	1.5				
시공단계	공사착수	식	327.2				
	시공성과확인 및 검측업무	공사일수	2.3	○	○		○
	사용자재의 적정성 검토	공사개월	21.2				○
	품질시험 및 성과검토	공사개월	9.0		○		○

업무분류체계		적용 수량 단위	기준 인원수 (인·일)	보정계수			난이도
단계	기본업무		고급	a	b	c	
시공단계	시공계획검토	공사개월	15.9	○	○	○	○
	기술검토 및 교육	공사개월	18.6		○		○
	공정관리	공사개월	9.1			○	○
	안전관리	공사개월	22.0			○	○
	환경관리	공사개월	9.4			○	○
	설계변경 관리	공사개월	8.0				○
	기성검사	회	9.8				
	준공검사	식	30.2				
	계약자간 시공인터페이스 조정	공사개월	30.9				
	하도급적정성검토	공사년수	6.9				○
	시공단계의 예산검증 및 지원	회	24.1				
	일반행정업무	용역일수	1.3				○
시공 후 단계	종합시운전계획의 검토 및 시운전 확인	개월	113.7				○
	시설물 유지관리지침서 검토	식	40.6				
	시설물유지관리 업체 선정	식	20.8				
	시설물의 인수·인계 계획 검토 및 관련업무 지원	식	46.1				○

※ 시공단계 안전관리 보정계수 및 난이도는 1.0 이상만 적용

2) 보정계수

분야	항목	보정계수 값
플랜트 Ⅱ	a.공사유형	· 발전시설 ①LNG복합 : 0.7 ②석탄(발전500메가와트미만, 바이오메스) : 0.8 ③석탄(발전 500메가와트) : 1.0 ④석탄(발전 500메가와트 초과), 열병합발전 : 1.3 · 에너지저장시설 ⑤지상 LNG저장시설 : 0.7 ⑥지상 LNG제외 저장시설 : 0.5 ⑦지하(암반)저장시설 : 0.9 · 송 · 변전시설 ⑧관로 : 0.4 ⑨전력구 : 0.5
	b.공사성격	①신설 : 1.0 ②확장 및 개선 : 1.3
	c.지역특성	①일반부 : 1.0 ②도시부 : 1.2

※ 여러 유형, 성격, 특성 등이 혼재된 경우 해당 공사비를 기준으로 가중평균한 값 적용

3) 공사난이도

구분		산식
총공사비 50억원이하 (시공단계만 해당)		·공사난이도=0.011×총공사비×(1-0.0025×총공사비)+(건설사업관리기간보정계수+(0.2×기계설비공사 비중)+0.2)×(총공사비×0.2) (※ 기계설비공사비중 = 기계설비공사비/총공사비)
총공사비 2,000억원 이하	시공 이후 단계	·공사난이도=0.011×총공사비×(1-0.0025×총공사비)+건설사업관리기간보정계수+(0.2×기계설비공사비중)+0.2 (※ 기계설비공사비중 = 기계설비공사비/총공사비)
	시공전 단계	·공사난이도 = 0.015×총공사비×(1-0.0011×총공사비)
총공사비 2,000억원 초과		·공사난이도 = 총공사비 2,000억원 시 공사난이도+{(총공사비-200)/250}
비고		·공사비는 10억원 단위로 하며, 전기 · 통신 · 소방 공사비는 제외 ·건설사업관리기간보정계수 = {(평균건설사업관리기간-해당공사 건설사업관리기간)/평균건설사업관리기간}×0.1 ※ 건설사업관리기간 보정계수의 평균건설사업관리기간은 별표2 제1호라목에서 직선보간법으로 도출

바. 설계의 경제성(VE) 등 검토 용역 별도 발주 시 투입인원수 산정기준

1) 설계의 경제성(VE) 등 검토 투입인원수 산정기준

업무분류체계			적용수량단위	기준인원수(인·일)	업무포함 사항			난이도
단계	기본업무			고급	기본설계	실시설계	기본·실시설계	
공통업무	과업착수준비		식	7.0	○	○	○	
공통업무	최종 건설사업관리보고	1)시공전 단계	식	27.3	○	○	○	
기본설계	기본설계의 경제성(VE) 검토		식	90.6	○		○	○
실시설계	실시설계의 경제성(VE) 검토		식	123.3		○	○	○
비고	· 설계단계별 VE 포함업무(○) · 기본 및 실시설계 VE 수행 시 보고서를 기본설계와 실시설계로 나누어 단계별로 작성하는 경우 공통업무의'최종 건설사업관리보고'도 단계별로 산정하여 총 2회 산정. · 토목선형, 비선형, 건축, 플랜트에 대한 별도의 시설물 구분없이 공통 적용 · 건설사업관리기술인수, 직접경비, 제경비, 기술료 등의 산정방법과 기타 적용기준 등은 현행 국토부고시(제2015-472호) 건설기술용역대가등에 관한기준과 (별표2) 건설사업관리기술인 배치기준 적용							

2) 공사난이도

구분	난이도 산식
1,000억원 이하	· 공사난이도 = 0.015×총공사비×(1-0.005×총공사비)
1,000억원 초과	· 공사난이도 = 총공사비 1,000억원 시 공사난이도+{(총공사비 -100)/500}
비고	· 총공사비는 10억원 단위로 한다. 전기·통신·소방부문 포함 가능

설계공모, 기본설계 등의 시행 및 설계의 경제성 등 검토에 관한 지침

국토교통부고시 제2021-981호

일부개정 2021.7.23

제1장 총칙

제1조(목적) 이 지침은 「건설기술진흥법 시행령」(이하 "영"이라 한다) 제52조, 제71조, 제75조의 규정에 의한 설계공모, 기본설계 등의 시행 및 설계의 경제성 등 검토(이하 "설계 VE"라 한다)에 필요한 사항을 정함을 목적으로 한다

제2조(용어의 정의) 이 지침에서 사용하는 용어의 정의는 다음과 같다.

1. "설계공모"라 함은 「건설기술진흥법」(이하 "법"이라 한다) 제2조 제6호의 발주청이 2인 이상의 설계자(공동참여를 포함한다)로부터 각기 공모안을 제출받아 그 우열을 심사·결정하는 방법 및 절차 등을 말한다.
2. "전문기관"이라 함은 영 제52조제4항 및 같은법 시행규칙(이하 "규칙"이라 한다) 제29조에 의한 설계공모 평가(이하 "설계공모 등의 평가"라 한다)를 위탁받은 기관으로서 분야별 전문가 등으로 구성된 전문기관과 이에 준하는 전문기관 등으로 발주청이 인정하는 경우를 말한다.
3. "일반공개공모"라 함은 설계공모에 참여하는 설계자의 자격 등을 제한하지 아니하는 설계공모방식을 말한다.
4. "제한공개공모"라 함은 발주기관 등이 정하는 일정기준에 따라 설계공모에 참여하는 설계자를 제한하는 설계공모방식을 말한다.
5. "지명초청공모"라 함은 발주기관 등이 설계자를 지명하여 공모에 참여하도록 하는 설계공모방식을 말한다.
6. "설계공모 등에 참여한 자"라 함은 설계공모 등의 입찰에 참가한 자와 설계공모안을 제출하는 자(대표자를 포함한다)를 말한다.
7. "공모안"이라 함은 설계공모 방식에 따라 참여하는 설계자가 발주청 등에게 제출하는 설계안, 기술제안서 또는 아이디어를 말한다.
8. "기본설계"라 함은 예비타당성조사, 타당성조사 및 기본계획를 감안하여 시설물의 규모, 배치, 형태, 개략공사방법 및 기간, 개략 공사비 등에 관한 조사, 분석, 비교·검토를 거쳐 최적안을 선정하고 이를 설계도서로 표현하여 제시하는 설계업무로서 각종사업의 인·허가를 위한 설계를 포함하며, 설계기준 및 조건 등 실시설계용역에 필요한 기술자료를 작성하는 것을 말한다.
9. "실시설계"라 함은 기본설계의 결과를 토대로 시설물의 규모, 배치, 형태, 공사방법과 기간, 공사비, 유지관리 등에 관하여 세부조사 및 분석, 비교·검토를 통하여 최적안을 선정하여 시공 및 유지관리에 필요한 설계도서, 도면, 시방서, 내역서, 구조 및 수

리계산서 등을 작성하는 것을 말한다.

10. "지반조사"라 함은 기본설계 및 실시설계단계에서 설계에 필요한 지반상태에 관한 정보를 획득할 목적으로 수행하는 일련의 행위를 말한다.
11. "측량"이라 함은 기본설계 또는 실시설계에서 시설물 설치를 위하여 지리 · 지형 · 지장물 등에 관한 정보를 측정하는 일련의 행위를 말한다.
12. "용역감독자"라 함은 기본설계 · 실시설계 · 측량 · 지반조사용역을 발주한 발주기관의 장을 대리하여 용역 전반에 관한 감독업무에 종사할 것을 명받은 자로서 계약자에게 통고한 자를 말한다.
13. "건설엔지니어링사업자"라 함은 발주청으로부터 기본설계, 실시설계 용역을 도급받아 설계용역을 수행하는 자를 말한다.
14. "건설엔지니어링사업자"란 최소의 생애주기비용으로 시설물의 기능 및 성능, 품질을 향상시키기 위하여 여러 분야의 전문가로 설계VE 검토조직을 구성하고 워크숍을 통하여 설계에 대한 경제성 및 현장 적용의 타당성을 기능별, 대안별로 검토하는 것을 말한다. 다만, 생애주기비용 관점에서 검토가 불가능한 경우 건설사업비용 관점에서 검토한다.
15. "건설사업관리"란 건설산업기본법 제2조제8호에 따른 건설사업관리를 말한다.
16. "생애주기비용"이란 시설물의 내구연한 동안 투입되는 총비용을 말한다. 여기에는 기획, 조사, 설계, 조달, 시공, 운영, 유지관리, 철거 등의 비용 및 잔존가치가 포함된다.
17. "건설사업비용"이란 시설물의 완성단계까지 소요되는 비용의 합계를 말한다.
18. "수정설계"란 설계VE업무를 통해 제시된 제안이 채택되었을 때, 설계자가 제안에 따라 실시하는 일련의 설계내용 수정 등의 작업을 말한다.(시공자가 설계VE를 수행할 경우 '설계자'는 건설공사를 도급받은 건설사업자(이하 "시공자"라 한다)'로 본다.)
19. "제안공법"이란 시공자가 설계VE를 수행한 결과로 제안한 공법을 말한다.
20. 삭제

제2장 설계공모에 관한 사항

제3조(적용범위) 이 장은 영 제52조제2항에 따라 발주청이 설계공모 방식으로 건설엔지니어링사업자를 선정할 때 적용한다

제4조(설계공모의 종류) ① 설계공모는 참여설계자의 제한 또는 지명 여부에 따라 일반공개공모, 제한공개공모 및 지명초청공모로 구분하여 시행할 수 있다.

② 발주기관은 사업의 규모 및 특성 등에 따라 당해 설계공모를 2단계 이상으로 나누어 실시할 수 있다.

제5조(설계공모 등의 시행공고) ① 발주청 등이 설계공모 등을 시행하고자 하는 경우에는 영 제51조제2항제1호부터 제5호의 규정에서 정한 사항 외에 다음 각 목을 참고하여 이를 공고 하여야 한다.

가. 설계공모의 목적 및 방식
나. 응모자격
다. 설계공모의 단계 · 등록절차 및 일정
라. 설계시 고려하여야 할 조건
마. 질의 응답의 기간 · 절차 및 그 공개방법
바. 제출도서의 종류 및 규격(개략적인 기본계획도서를 포함한다)
사. 설계심사위원 및 심사방법
아. 규칙 제29조[별표2 제3호]의 규정에 의한 분야별 배점기준
자. 입상의 종류 및 그 권리 · 보상의 내용
차. 응모작의 전시 및 반환 요령
카. 기타 설계공모의 시행에 특별히 필요하다고 인정하는 사항

② 제1항에 의한 설계공모 등의 평가시행공고는 일간지 또는 관보에 게재하여야 한다.

제6조(설계공모의 일정) ① 발주청 등은 제5조에 의하여 설계공모 등의 평가계획을 공고하는 경우에는 설명회 개최일시, 등록기간, 질의응답기간, 공모제출기간, 심사일 및 결과발표일 등을 구체적으로 명시하여야 한다.

② 제1항에 의한 일정 중 등록 마감일부터 공모안의 제출 마감일까지 기간은 90일 이상으로 한다. 다만, 당해 사업의 특성 및 시급성 등을 감안하여 필요하다고 인정하는 경우에는 90일 이하로 정할 수 있다.

제7조(등록) ① 설계자 등은 발주청 등이 공고한 절차에 따라 등록함으로써 당해 설계공모에 공모안을 제출할 수 있다.

② 발주청 등은 제1항에 의하여 등록한 자에 대하여 구체적인 설계공모안작성지침서(이하 "설계지침서"라 한다.) 및 설계에 필요한 자료 등을 교부하여야 하며, 동 지침 및 자료 등의 교부에 과도한 비용이 소요되는 경우 이에 상당한 금액을 등록비로 징수할 수 있다.

③ 제11조에 의한 설계공모심사위원회의 심사위원과 친 · 인척관계, 동업(공동참여를 포함한다) 관계 등 발주청이 정하는 특정관계에 있는 자가 등록하였을 경우에는 해당 심의위원을 배제하고, 다른 심의위원을 재임명 또는 위촉하여야 한다.

제8조(설계지침서) 발주청 등은 제7조제2항에 의한 설계지침서를 작성하는 경우, 설계공모에 참여하는 설계자가 설계시 고려하거나 준수하여야 하는 사항을 구체적으로 빠짐없이 기술하여 자의적으로 설계공모 조건을 설정하도록 하여서는 아니된다.

제9조(질의응답) ① 제7조에 의하여 등록한 자는 당해 설계지침서의 내용 중 모호한 부분 및 기타 필요한 사항 등에 대하여 발주청 등에게 서면으로 질의할 수 있다.

② 발주청 등은 제1항에 의한 질의에 대하여 그 응답내용을 제6조제1항에 의한 일정에 따라 모든 등록자에게 서면으로 통보하여야 한다.

제10조(제출도서 등) ① 제5조제1항 바목에 의한 제출도서의 종류 및 규격은 심사위원이 당해 설계공모안의 내용을 이해하고 평가하는데 필요한 최소한으로 적정하게 작성하되, 사업의 규모 및 성격 등에 따라 조정할 수 있다.

② 설계공모에 참여하는 설계자는 제5조제1항에 의하여 공고된 일

정에 따라 공모안 등 필요한 서류를 제출하여야 한다.

③ 제2항에 의하여 제출되는 공모안은 발주청 등이 요구하는 방법에 따라 익명성이 확보될 수 있도록 하여야 한다.

제11조(심사위원의 자격) 설계공모 심사위원의 자격은 다음 각 호와 같다.

1. 해당 설계업무와 관련된 5급 이상 공무원 또는 기술사, 건축사 또는 박사학위를 소지한 기술직렬 공무원으로서 당해분야에 5년 이상 경력자
2. 공기업 등 또는 지방공사 및 공단에 소속된 당해 전문분야의 기술직렬의 임원 또는 기술사, 건축사 또는 박사학위를 소지한 3급 이상 기술직렬 직원으로 당해 직무 및 전문분야의 5년 이상 경력자
3. 건설 · 문화예술관계 단체 및 연구기관의 임원
4. 당해분야 대학의 조교수급 이상인자
5. 당해분야의 국가기술자격법에 의한 기술사 또는 건축사법에 의한 건축사자격을 취득한 후 당해분야에 5년 이상 실무경험이 있는자
6. 기타 당해분야에서 제4호 및 제5호에 의한 자와 동등한 전문지식과 실무경험이 있다고 발주청 또는 전문기관 등이 인정한 자

제12조(심사위원회의 구성 · 운영 등) ① 발주청 또는 전문기관은 공모안을 심사하기 위하여 설계공모심사위원회(이하 "심사위원회"라 한다)를 설치 · 운영하여야 한다.

② 심사위원회는 발주청 등이 임명 또는 위촉한 5~9인의 심사위원으로 구성하고, 발주기관에서 심사위원회를 구성할 경우에는 소속직원을 과반수 이상으로 선정함을 원칙으로 하되, 발주청이 필요하다고 판단될 경우 국토부장관과 협의하여 소속직원의 비율을 조정할 수 있다. 해당 직무 및 전문분야 경력자가 부족한 발주기관은 외부전문가를 활용할 수 있으며, 시설물인 경우 해당 문화예술분야의 심사위원을 10~30% 포함하여야 한다.

제13조(심사위원선정 및 방법 등) ① 심사위원의 명단은 제5조에 의한 설계공모 시행공고시 공개하여야한다. 다만, 발주청 등이 과당경쟁 등의 우려가 있어 심사위원의 사전공개가 부적절하다고 인정하는 경우에는 심사위원의 명단을 사전공개하지 아니하고, 심사결과 발표시 이를 공개할 수 있다.

② 설계공모를 단계별로 시행하는 경우의 심사위원은 모두 동일인을 원칙으로 하여야 한다. 다만, 심사위원의 신병 기타 부득이한 사유가 있는 경우에는 그러하지 아니하다.

③ 심사위원회가 필요하다고 인정하는 경우에는 심사의 전문성을 높이기 위하여 시설물의 각 분야별 전문가 또는 관련공무원으로 구성된 전문위원회를 둘 수 있다.

④ 제3항에 의한 전문위원회는 공모안에 대한 전문적 의견을 서면으로 심사위원회에 제출하여야 한다.

⑤ 발주청 등은 심사위원회 및 전문위원에게 당해업무의 수행에 필요한 실비를 지급하여야 한다.

⑥ 발주청등은 심사위원회의 동의를 얻어 심사의 방법 · 표결방법 및 심사위원장의 선정 등 심사위원회의 운영에 필요한 세부적인

기준을 정할 수 있다.

제14조(설계평가전문기관의 특례) ① 영 제52조제4항 및 규칙 제29조에 의하여 발주청 등에서 설계공모 등의 평가심의를 전문기관에 위탁할 경우에는 시행예산, 위탁절차 및 방법 등에 관한 사항을 상호 협의하여 정하고 이를 추진하여야 한다.

② 발주청 등은 제1항에 의한 공모안 등의 평가시 다음 각 목의 사항에 대한 검토의견서를 전문기관에 서면으로 제출하여야 한다.

가. 제5조에 의한 설계공모의 시행공고 내용과 설계지침서의 부합여부

나. 공모안이 중대한 결격사유 등 하자가 있는지 여부

다. 건설기술진흥법 등 건설관계 법령 등에 의한 적정성 여부

라. 기타 발주청이 특히 필요하여 요구한 사항

③ 설계공모안 등의 평가를 위탁받은 전문기관은 심의결과 등에 대한 명백한 서류를 당해 발주청 등에게 통지하여야 한다.

제15조(심사) ① 심사는 공정하고 합리적으로 이루어져 공공의 발전과 공간문화의 창달에 이바지 하여야 한다.

② 심사의 과정 및 결과(제5조제1항 아목에 의한 전문분야별 평가점수를 포함한다)는 점수와 평가서 등 모두를 실명으로 공개하여야 한다. 단, 발주청의 필요에 따라 실명을 비공개할 수 있다.

③ 공모안은 전 심사과정을 통하여 익명성이 확보될 수 있도록 하여야 한다.

④ 발주청 등과 그 대리인 또는 전문위원회의 전문위원은 심사과정을 참관하여 심사위원의 질문에 응답할 수 있다.

⑤ 제13조제1항 단서에 의한 비공개심의의 경우 발주청에서 필요시 심사결과 발표 이전에 설계공모에 참여한 설계자 등에게 공모안에 대한 필요한 설명 등의 기회를 부여하도록 하며, 심사위원등은 이를 평가에 참고하여야 한다.

제16조(입상작) ① 입상작은 당선작과 기타 입상작으로 구분한다.

② 입상작은 당해 심사위원회가 결정한다.

③ 발주청 등은 입상작의 응모작에 대하여는 제5조에 의하여 공고한 내용에 따라 공모안 제작비 및 상금을 지급하여야 한다.

④ 제3항에 의하여 지급되는 금액은 설계업무 및 보수기준의 관계규정이 정하는 바에 따라 산정한다.

⑤ 발주청 등은 제3항에 의한 공모안 제작비 및 상금의 지급을 이유로 당해 사업의 설계비를 감액하여서는 아니된다.

제17조(저작권) 공모안의 저작권의 귀속 등 저작권과 관련한 제반사항은 저작권법령이 정하는 바에 따른다. 다만, 발주청이 공모에 참여한 자와 협의한 경우에는 예외로 할 수 있다.

제18조(공모안의 전시) 발주청 등은 심사결과를 발표한 후 일정기간 공모안 또는 입상작을 전시하여야 한다.

제19조(공모안의 반환) 발주청 등은 제5조 및 제18조에 의하여 전시가 끝나면 공고한 요령에 따라 각 공모안을 해당 설계공모에 참여한 설계자에게 반환하여야 한다. 다만, 제17조 단서의 규정을 준용할 수 있다.

제20조(세부기준) 발주청은 이 지침의 시행에 필요한 세부기준을 정하여 공고할 수 있다.

제3장 기본설계 등 시행에 관한 사항

제21조(적용범위) 이 장은 법 제2조제6호의 규정에 의한 발주청이 시행하는 건설공사의 기본설계, 실시설계, 측량 및 지반조사로 한다. 다만, 영 제57조에 따른 건설사업관리 대상 설계용역에 대한 건설사업관리 용역업체 및 건설사업관리기술인의 업무기준은 건설사업관리업무지침서(국토교통부 고시)를 따른다.

제22조(기본설계의 내용 등) ① 기본설계는 예비타당성조사, 타당성조사 및 기본계획 결과를 감안하여 다음 각 호의 업무를 수행하는 것을 말한다.

1. 설계 개요 및 법령 등 제기준의 검토
2. 예비타당성조사, 타당성조사 및 기본계획 결과의 검토
3. 공사지역의 문화재 등에 대한 문화재지표조사 및 설계반영 필요성 검토
4. 기본적인 구조물 형식의 비교·검토
5. 구조물 형식별 적용 공법의 비교·검토
6. 기술적 대안 비교·검토
7. 대안별 시설물의 규모의 검토
8. 대안별 시설물의 경제성 및 현장적용타당성 검토
9. 시설물의 기능별 배치 검토
10. 개략 공사비 및 공기 산정
11. 측량, 지반, 지장물, 수리, 수문, 지질, 기상, 기후, 용지조사
12. 주요 자재·장비 사용성 검토
13. 설계도서 및 개략 공사시방서 작성
14. 설계설명서 및 계산서 작성
15. 관계법령 등의 규정에 따라 기본설계시 검토하여야 할 사항
16. 기타 발주청이 계약서 또는 과업지시서에서 정하는 사항

② 발주청은 기본설계 기간중 주민이해당사자 및 관계행정기관의 의견을 미리 청취하여 공사시행과정에서 예상되는 민원을 최소화하여야 한다.

③ 발주청은 기본설계를 시행함에 있어서 예비타당성조사 및 타당성조사에서 정한 총사업비를 감안하여 설계내용이 적절히 관리될 수 있도록 노력하여야 한다.

제23조(설계기간) ① 발주청은 기본설계 및 실시설계(이하 "설계"라 한다) 용역을 시행함에 있어 충분한 설계기간을 부여하여 최적의 설계품질이 확보되도록 하여야 한다.

② 발주청은 설계용역을 발주할 경우 공사의 규모와 특성과 발주청의 여건 등을 감안하여 정하되, 별표1의 공종별 설계 기간을 참고할 수 있다.

③ 발주청은 설계 용역기간 중 영 제7조의 규정에 의한 중앙건설기술심의위원회의 심의, 영 제17조의 규정에 의한 지방심의위원회의 심의, 영 제18조의 규정에 의한 특별심의위원회의 심의, 영 제19조의 규정에 의한 기술자문위원회의 심의에 소요된 기간은 제외하여야 한다.

제23조의2(과업지시서) ① 발주청은 설계용역을 발주할 경우 과업내용에 해당 설계용역의 목적과 관련이 있는 사항만을 포함시켜야

한다.

② 발주청은 과업지시서를 작성할 때에 업무내용과 범위를 알 수 있도록 구체적으로 작성하여야 한다.

③ 발주청이 작성하는 과업지시서에는 과업내용에 대응하여 용역비 산출내역이 포함되어야 한다.

제24조(설계도서 작성기준) ① 설계도서 작성기준은 국토교통부장관이 정한 "건설공사의 설계도서 작성기준" 에 따른다.

② 발주청은 건설공사의 특성과 발주청의 필요에 따라 제1항의 규정에 의한 "건설공사의 설계도서 작성기준"과는 별도로 추가 설계도서를 작성하도록 할 수 있다.

③ 모든 도면은 전자화된 형태로 작성하되 "건설기술진흥업무 운영규정" 제59조에 따라 단체표준으로 공고된 "건설CALS/EC 전자도면 작성표준"에 따른다.

제25조(실시설계의 내용) ① 실시설계는 기본설계 결과를 바탕으로 건설공사 및 시설물의 설치 · 관리 등 관계법령 및 기준 등에 적합하게 건설사업자가 시공에 필요한 설계도면 및 시방서 등 설계도서를 작성하는 것으로 다음 각 호의 업무를 수행하는 것을 말한다.

1. 설계 개요 및 법령 등 제기준 검토
2. 기본설계 결과의 검토
3. 구조물 형식 결정 및 설계
4. 구조물별 적용 공법 결정 및 설계
5. 시설물의 기능별 배치 결정
6. 공사비 및 공사기간 산정
7. 토취장, 골재원 등의 조사확인(현지조사 및 토석정보시스템 등 이용) 샘플링, 품질시험 및 자재공급계획
8. 측량 · 지반 · 지장물 · 수리 · 수문 · 지질 · 기상 · 기후 · 용지조사
9. 기본공정표 및 상세공정표의 작성
10. 시방서, 물량내역서, 단가규정, 구조 및 수리계산서 작성
11. 기타 발주청이 계약서 및 과업지시서에서 정하는 사항

② 영 제73조제2항에 의한 실시설계의 경우 제22조의 규정에 의한 기본설계를 포함하여 실시설계를 하여야 한다.

제26조(중소기업자간 경쟁제품 계약방법) 발주청은 설계용역을 발주하는 경우 중소기업자간 경쟁제품으로 지정된 품목(측량 및 지반조사)에 대하여는 「중소기업제품 구매촉진 및 판로지원에 관한 법률」 제7조에 따른다.

제27조(용역감독자의 지정) 발주청의 장은 기본설계 · 실시설계 · 측량 · 지반조사 용역을 발주하는 경우 소속 직원으로 하여금 당해 용역의 감독업무를 수행하도록 용역감독자를 지정하여야 한다.

제28조(작업일지 등의 서류 작성 · 비치) 용역감독자는 다른 법령에 특별한 규정이 있는 경우를 제외하고는 다음 각 호의 서류를 작성 · 비치하여야 한다.

1. 착수보고서(별지 제1호 서식)
2. 세부시행계획서(분야별 세부공정계획 및 업무흐름도 포함)
3. 분야별 참여기술인 투입계획 및 작업계획서
4. 보안대책 및 보안각서
5. 건설엔지니어링사업자가 작성한 작업일지(분야별 참여기술인의

명부 포함)

6. 건설엔지니어링사업자가 작성한 공정보고서
7. 기타 설계용역의 관리에 필요한 서류 및 도표

제29조(용역감독자의 임무) ① 용역감독자는 용역계약서, 과업지시서, 예정공정표, 도급내역서 등에 따라 용역과업이 적합하게 수행되도록 성실한 자세로 임하여야 하며, 다음 각 호의 임무를 수행하여야 한다.

1. 용역계약자 또는 책임기술인이 용역계약서 및 과업지시서 등에 따라 과업을 수행하고 있는지 여부의 확인 및 발주청장에게 보고
2. 참여기술인의 관리 및 이동상황 점검
3. 보안실태의 점검
4. 관련규정에 의한 명령 또는 지시의 이행사항 점검
5. 용역과업수행과 관련하여 발주청이 보유하고 있는 정보와 자료를 계약자에게 제공
6. 공정계획에 따라 용역 추진상황 점검 및 부진시 만회대책 수립·조치
7. 기타 용역계약 내용의 원활한 수행을 위한 관계기관 협의, 민원 등 업무
8. 설계자가 제출한 도면이 "건설CALS/EC 전자도면 작성표준"에 따라 성과품을 작성·납품하는지 확인.
9. 하도급 관련 통지, 승인 관련 검토 업무

② 용역감독자는 제1항의 각 호의 항목을 점검 확인하고, 미비시 발주기관의 장에게 보고하고 관계법령에 따라 조치하여야 한다.

③ 용역감독자는 임의로 설계를 변경시키거나 기일 연장 등 용역계약조건과 다른 지시나 결정을 하여서는 아니된다.

④ 용역감독자는 용역 추진상황에 대하여 설계자가 작성한 작업일지를 확인하여야 한다.

⑤ 용역감독자로서의 품위를 유지하여야 한다.

제30조(설계변경 등) 용역감독자는 설계변경시에 다음 각 호의 조치를 취하여야 한다.

1. 설계시행과정에서 주요 설계과업내용에 대한 변경없이 경미한 설계변경사항이 발생한 경우에는, 변경사항 등에 대한 타당성 여부를 면밀히 검토하여 타당한 경우, 변경으로 인한 전체 용역비의 증감이 균형을 이루는 범위내에서 우선 과업 변경하도록 지시하고 발주기관의 장에게 서면보고 하여야 한다. 다만, 주요 설계과업의 변경이 필요한 경우에는 그 사유와 의견을 첨부하여 발주기관의 장에게 서면보고하고 승인을 얻은 후 변경토록 하여야 한다.
2. 건설엔지니어링사업자로부터 설계변경에 필요한 내역서 등 관계자료를 제출받아 설계변경도서를 작성하여 발주기관의 장에게 제출하여야 한다.
3. 용역감독자는 건설엔지니어링사업자로 하여금 계약서 및 과업지시서에서 규정하는 과업범위를 초과하는 추가과업을 지시하는 경우 필요한 예산을 확보하여 반드시 추가과업에 따른 비용을 지급하여야 한다.
4. 용역감독자는 적절한 설계변경없이 과업지시서에서 규정하는

과업범위를 벗어난 작업을 건설엔지니어링사업자에게 요구하여서는 아니되며 임의로 설계를 변경시키거나 공기연장 등 용역계약조건과 다른 지시나 결정을 하지 않아야 한다.

5. 용역감독자는 영 제75조의 규정 및 이 지침 제4장에 따라 설계VE를 하여야 하며, 이를 시행하기 위하여 필요한 조치를 하여야 한다.

6. 설계변경시 영 제17조의 규정에 따른 지방심의위원회 또는 영 제19조의 규정에 따른 기술자문위원회의 심의를 받아야 한다.

제31조(과업수행계획서의 검토 · 확인) ① 용역감독자는 용역착수전 설계자로부터 다음 각 호의 사항을 포함한 과업수행계획서를 제출받아 검토하고 설계진행과정에서 과업수행계획서의 이행여부를 점검하여야 하며 문제가 있다고 판단될 경우에는 발주청의 장에게 서면으로 보고하고 그 대책을 강구하여야 한다.

1. 착수보고서
2. 세부시행계획서(분야별 세부공정계획 및 업무흐름도, 하도급 시행계획 포함)
3. 설계자 선정을 위한 사업수행능력평가시 작성하여 제출한 참여건설기술인의 투입계획
4. 분야별 참여기술인 투입계획 및 작업계획서
5. 기술제안서
6. 보안대책 및 보안각서
7. 기타 설계에 관한 사항 등을 포함

② 제1항제1호의 규정에 의한 착수보고서를 제출할 때에는 다음 각 호의 서류를 첨부하여야 한다.

1. 책임기술인의 선임계(이력서, 기술자격증 사본 첨부)와 필요한 경우 분야별 책임기술인의 선임계 포함
2. 예정공정표(단순 용역에서는 세부시행계획서로 대체)
3. 내역서
4. 기타 법령이나 용역과업에서 제출하도록 한 사항

제32조(현지확인 점검 및 조사시험) ① 용역감독자는 계약자가 다음 각 호에 해당하는 과업을 수행할 때에는 현지 확인 및 점검계획서를 작성하여 발주청에 보고한 후 동 계획서에 따라 현지 확인 및 점검을 실시하고 그 결과를 제33조의 규정에 의한 계약자의 작업일지(과업수행)에 기록 · 서명날인 하여야 한다.

1. 토질조사, 재료원 선정 및 선정시험용 시료의 채취
2. 주요구조물 위치의 선정
3. 노선 및 제방법선 등의 주요기준점 선정
4. 공사시행과 관련된 신고 또는 인 · 허가 등을 위한 관계기관과의 사전협의
5. 기타 용역수행에 필요한 사항

② 용역감독자는 KS 기준 및 과업지시서에 시험방법이 명시되지 않은 조사 및 시험의 실시가 필요할 경우 그 조사 및 시험방법 등에 관하여 책임기술인으로부터 자료를 받아 사전에 검토하고 문제가 있다고 판단될 경우에는 발주기관의 장에게 서면으로 보고하여 그 대책을 강구하여야 한다.

③ 용역감독자는 용역과업에 의하여 시행하는 조사 및 시험은 관

계법령의 규정에 의하여 시험을 실시할 수 있는 자격이 있는 자에게 시행하도록 하여야 한다.

제33조(지시사항 처리 및 작업일지 기록) ① 용역감독자는 용역과업의 수행에 관하여 발주청으로부터 명령을 받았을 때는 별지 제2호 서식의 명령부에 기록하고 그 시행결과를 보고하여야 하며, 그 명령에 대한 시행에 문제가 있을 경우에는 의견을 제시할 수 있다.

② 용역감독자는 용역업무 수행에 관하여 사업책임기술인 또는 분야별 책임기술인에게 지시한 경우에는 그 지시내용을 별지 제3호 서식에 기록하고 그 이행여부를 확인하여야 한다.

③ 용역감독자는 책임기술인으로 하여금 기술자 투입현황 및 현장조사는 매일, 그 외의 과업은 각 과업의 특성에 따라 일정기간을 설정하여 별지 제4호 서식의 작업일지에 작성하도록 하여야 한다.

④ 용역감독자는 제3항의 규정에 의하여 작성된 작업일지를 필요한 때에는 수시로 점검하고, 임무를 완료한 때에는 이를 제출받아야 한다.

제34조(품질관리 지도 · 감독) ① 용역감독자는 설계 진행상황을 검사함에 있어서 과업지시서 및 과업수행계획서 등 계약문서에 따라 설계의 품질이 관리될 수 있도록 설계자의 품질관리여부를 지도 · 감독하고, 시험 및 검사결과를 기록 · 비치하게 하여야 한다.

② 용역감독자는 설계의 품질향상, 경제성 제고 및 효율적 공사수행을 위하여 설계자로 하여금 설계 착수후 설계기준 · 표준시방서 · 관련 법령 등 제기준 · 유사설계사례 등 설계입력자료를 제출받아 관리하여야 하며 설계입력자료에 따라 설계된 설계출력자료를 제출하도록 하여 이를 용역성과품과 함께 별도로 관리하여야 한다.

제35조(용역 관리 등) 용역감독자는 다음의 사항이 발생한 경우에는 필요한 응급조치를 취한 후에 상세한 경위를 발주청의 장에게 보고하여야 한다.

1. 천재 · 지변 또는 기타의 사유로 설계수행이 불가능한 때
2. 참여기술자가 계속하여 설계업무에 참여하지 아니한 때
3. 설계자가 정당한 사유없이 설계를 중단한 때
4. 설계자가 불성실하게 설계를 시행하거나 정당한 지시에 응하지 아니한 때

제36조(제출서류의 검토 및 보고) ① 용역감독자는 계약자가 발주청에 제출하는 다음 각 호의 문서를 검토하고 필요하다고 판단되는 경우에는 의견을 첨부하여야 한다.

1. 착수보고서
2. 세부시행계획서(분야별 세부공정계획 및 업무흐름도 포함)
3. 분야별 참여기술인 투입계획 및 작업계획서
4. 용역기성부분 검사원
5. 준공기한 연기원
6. 준공검사원
7. 공정 보고서
8. 기타 용역과업의 수행중 필요한 보고 또는 신청

② 용역감독자는 그 임무가 완료될 때에는 제31조제1항 및 제33조제4항의 규정에 의한 서류를 정리하여 발주청에 보고하여야 한다.

제37조(각종보고) ① 용역과업을 수행중에 계약자의 요청 또는 용역감독자의 판단에 따라 용역과업의 중요내용에 대하여 발주청의 사전 의사결정이 필요할 때에는 발주청에 그 필요성을 보고하여 대책을 강구하여야 한다.

② 용역감독자는 다음 각 호의 사항에 대하여 매월 말일 현재의 진행상황을 다음달 7일까지 발주청에 보고하여야 한다.

1. 공정계획 및 실적
2. 참여건설기술인(분야별) 투입현황
3. 시험실적
4. 불법 하도급거래 또는 하도급 위반에 대한 다음 각목에 해당하는 사항
   가. 하도급통지 또는 승인사항에 위반하거나 일괄하도급 하는 경우
   나. 하도급 업체가 재하도급 하는 경우
   다. 하도급 대금지급과 관련하여 분쟁 또는 민원을 야기 하는 경우
5. 기타 필요한 사항

③ 용역감독자는 과업을 수행하는 과정에서 설계변경이 필요한 경우에는 극히 경미한 사항 외에는 책임기술인의 의견을 붙여 발주청에 보고한 후 필요한 조치를 하여야 한다.

제38조(인계인수) 발주청의 장으로부터 교체명령을 받은 용역감독자는 당해 설계용역과 관련된 서류 · 기구 · 자재 및 기타 설계에 관한 사항을 후임자에게 인계하고, 전 · 후임자의 연서로 인계인수서를 작성하여 발주청의 장에게 보고하여야 한다.

제39조(참여기술자 관리 등) ① 용역감독자는 용역에 참여하는 건설기술인 등이 다음 각 호의 1에 해당하여 당해 설계업무에 적절치 않다고 인정되는 경우에는 발주청의 장에게 실정을 보고하여 교체여부에 대한 방침을 받은 후 교체를 요구하고 관계법령에 따라 필요한 조치를 취하여야 한다. 다만, 질병, 사망, 퇴직 등의 부득이한 사유의 경우에는 그 사유가 발생된 날로부터 10일 이내에 발주청의 장에게 보고하는 등 필요한 조치를 취하여야 한다.

1. 참여건설기술인이 건설산업기본법 및 건설기술진흥법 등의 규정에 의한 기준 등 관련법규를 위반하였을 때
2. 참여건설기술인이 사전승낙을 얻지 아니하고 정당한 사유없이 당해 용역에 참여하지 아니할 때
3. 참여건설기술인의 고의 또는 과실로 인하여 설계를 조잡하게 수행 또는 부실설계를 하였을 때
4. 참여건설기술인이 계약에 따른 설계능력 및 기술이 부족하다고 인정되거나 정당한 사유없이 기성공정이 현격히 미달할 때
5. 참여건설기술인의 기술능력이 부족하여 설계시행에 차질을 초래하거나 용역감독자의 정당한 지시에 응하지 아니한 때

② 용역감독자는 책임기술인이 일정기간 과업을 수행할 수 없는 사유가 있는 경우에는 그 기간 동안 대리인을 지정하여 그 과업을 수행하게 할 수 있다.

③ 제2항의 규정에 의한 교체 또는 지정시에는 사전에 발주청에 그 사유를 보고하여야 한다.

④ 업체선정 평가대상인 책임기술인 및 분야별 책임기술인의 교체에 대하여는 당해 용역수행의 적정성 등을 감안하여 건설기술진흥법 시행규칙 제28조 별표2 제1호를 적용하여야 한다.

제40조(용역참여자의 명시) 용역감독자는 용역에 참여한 기술인 등의 성명, 담당업무와 기간에 관한 사항을 분야별 참여기술인 명단에 수록하고 용역보고서 후면에 붙여야 한다.

제41조(설계도면등의 전산화 활용 등) ① 발주청은 건설공사의 생산성 향상을 위하여 설계도면, 시방서 등 설계용역 성과품을 전산자료화하고 인터넷 홈페이지 등을 이용하여 공사발주시 건설사업자 등이 활용할 수 있도록 하여야 한다.

② 제1항의 규정에 의한 인터넷홈페이지에 게재하는 설계성과품은 다음 각 호와 같다.

1. 설계도면
2. 시방서
3. 구조계산서, 수리계산서, 보링 등 지반조사 결과
4. 기타 공사의 생산성 향상을 위하여 발주청이 필요하다고 판단하여 정하는 사항

③ 발주청은 제1항에 의한 인터넷 홈페이지 제작 및 운영에 소요되는 비용을 미리 확보하여야 한다.

④ 제1항의 규정에 의한 설계성과품의 활용을 위한 인터넷 홈페이지 운영하는 경우 적절한 보안대책을 수립하여야 한다.

제42조(설계자의 시정 요청) 설계자는 용역감독자가 다음의 각 호에 해당하는 경우 서면으로 발주청의 장에게 이의 시정을 요청할 수 있다.

1. 용역감독자가 설계과업 범위 이외의 부당한 업무를 지시할 때
2. 용역감독자가 정당한 사유없이 건설기술인의 교체를 요구할 때
3. 용역감독자가 정당한 사유없이 용역업무를 지연시킬 때

제43조(용역의 준공) 용역감독자는 용역이 준공된 때에는 다음 각 호의 사항을 조치하여야 한다.

1. 준공검사전에 충분한 기간을 두고 용역성과를 정밀히 확인·점검하여 지적사항을 미리 시정조치하도록 하고 계약만료 30일 전에 예비준공검사를 신청하도록 하여야 한다. 단, 용역기간이 100일 이하일 경우에는 계약만료 15일 전, 60일 이하일 경우에는 계약만료 7일 전에 예비준공검사를 신청할 수 있다
2. 설계자가 제출한 준공검사원을 검토하여 계약대로 완료되었는지 여부를 확인하고 감독조서를 첨부하여 발주기관의 장에게 접수되도록 하여야 한다.
3. 준공보고서 및 정산설계도서 등을 검토·확인하고 설계용역 목적물이 발주기관의 장에게 차질없이 인계될 수 있도록 하여야 한다.
4. 용역감독자는 그 임무가 완료된 때에는 계약서 및 과업지시서에 의한 성과품과 제34조제2항의 규정에 의한 설계입력자료 및 설계출력자료를 발주기관의 장에게 제출하여야 한다

제44조(측량의 항목 및 기준) ① 각 공종별, 설계단계별 측량항목은 별표2의 공종별 측량항목 및 기준에 따른다.

② 발주청은 건설공사의 특성과 발주청의 필요에 따라 제1항의 규

정에 의한 "공종별 측량항목 및 기준"과는 별도로 추가 항목 및 기준을 정할 수 있다.

제45조(지반조사의 항목 및 기준) ① 각 공종별, 설계단계별 지반조사 항목 및 기준은 별표3의 공종별 지반조사 항목 및 기준에 따른다.

② 발주청은 건설공사의 특성과 발주청의 필요에 따라 제1항의 규정에 의한 "공종별 지반조사항목 및 기준"과는 별도로 추가 항목 및 기준을 적용할 수 있다.

③ 발주청은 민원 및 현지여건 등으로 불가피하게 제1항에서 정한 항목 일부 또는 전부를 조사하지 못한 경우에는 시공시에 조사할 수 있도록 설계에 반영하고 그 내용을 설계도서에 명시하여야 한다.

④ 발주청은 기존 활용 가능한 지반조사 자료가 있을 경우에는 이를 활용할 수 있으며, 이 경우 그 자료의 출처를 명기하여야 한다.

제46조(측량 · 지반조사 결과 전산화) ① 발주청은 설계과정에서 조사된 지반조사 정보를 「국가공간정보 기본법」 제21조 및 「지반조사성과 전산화 및 활용에 관한 지침」(국토교통부 예규 2013-29) 제4조에 따라 지반정보통합관리 홈페이지(http://www.geoinfo.or.kr)에 등록하여야 한다.

② 발주청은 「공간정보의 구축 및 관리 등에 관한 법률」 제11조제4항, 같은 법 시행령 제11조제3항 및 같은 법 시행규칙 제7조제2항 및 제3항에 따른 「수치지도 수정용 건설공사 준공도면 작성에 관한 지침」 제20조에 따라 설계평면도, 위치도, 준공도면 등을 국토변화정보포털서비스(www.change.ngii.go.kr)에 등록 하여야 한다.

제4장 설계VE시행에 관한 사항

제47조(건설사업관리업무와의 관계) 발주청이 「건설기술진흥법」 제39조제3항에 따른 건설사업관리를 실시함에 있어 영 제59조제4항제9호의 건설사업관리 업무범위 중 설계VE는 이 장에 따라 수행하여야 한다.

제48조(설계VE 실시대상) ① 발주청의 설계VE대상은 다음 각 호와 같다.

1. 총공사비 100억 원 이상인 건설공사의 기본설계, 실시설계(일괄 · 대안입찰공사, 기술제안입찰공사, 민간투자사업 및 설계공모사업을 포함한다)
2. 총공사비 100억 원 이상인 건설공사로서 실시설계 완료 후 3년 이상 지난 뒤 발주하는 건설공사(단, 발주청이 여건변동이 경미하다고 판단하는 공사는 제외한다)
3. 총공사비 100억 원 이상인 건설공사로서 공사시행 중 총공사비 또는 공종별 공사비 증가가 10퍼센트 이상 조정하여 설계를 변경하는 사항 (단, 단순 물량증가나 물가변동으로 인한 설계변경은 제외한다)
4. 그 밖에 발주청이 설계단계 또는 시공단계에서 설계VE가 필요하다고 인정하는 건설공사
5. 삭제

② 시공자는 시공단계에서 대상 시설물(전기,통신 등 타 분야 융합을 포함)의 성능개선, 기능향상 등을 위하여 필요하다고 인정하는 경우 설계VE를 수행할 수 있다.

③ 시공자가 설계VE를 실시하고자 하는 경우 설계VE 목적, 설계VE 대상, 검토조직 구성 등에 대하여 '설계VE 계획'을 수립하여 발주청과 사전협의하여야 한다.

제49조(설계VE 실시시기 및 횟수) ① 설계VE 실시시기 및 횟수는 기술자문회의나 설계심의회의를 하기 전에 발주청이 적기로 판단하는 시점으로 하되 기본설계, 실시설계에 대하여 각각 1회 이상 실시한다. 다만, 기본설계 및 실시설계를 1건의 용역으로 발주해서 설계단계를 구분하여 설계VE를 실시할 필요가 없다고 판단되는 경우에는 구분없이 1회 이상 실시한다.

② 일괄입찰공사, 민간투자사업 및 기술제안입찰공사는 다음 각 호와 같이 실시한다.

1. 일괄입찰공사의 경우 실시설계적격자선정 후에 실시설계 단계에서 1회 이상 실시
2. 민간투자사업의 경우 우선협상자 선정 후에 기본설계에 대한 설계VE, 실시계획승인 이전에 실시설계에 대한 설계VE를 각각 1회 이상 실시
3. 기본설계기술제안입찰공사의 경우 입찰 전 기본설계, 실시설계적격자 선정 후 실시설계에 대하여 각각 1회 이상 실시하고, 실시설계기술제안입찰공사의 경우 입찰 전 기본설계 및 실시설계에 대하여 설계VE를 각각 1회 이상 실시

③ 실시설계 완료 후 3년 이상 경과한 뒤 발주하는 건설공사의 경우 공사 발주 전에 설계VE를 실시하고, 그 결과를 반영한 수정설계로 발주하여야 한다.

④ 시공단계에서의 설계의 경제성 등 검토는 발주청이나 시공자가 필요하다고 인정하는 시점에 실시한다.

제50조(설계VE 업무를 수행할 수 있는 자) 설계VE 업무를 수행할 수 있는 자는 다음 각 호와 같다. 다만 원안설계의 설계자는 제외한다.

1. 법 제39조제3항의 규정에 따른 당해 건설사업관리용역사업자
2. 발주청 소속직원(시공자가 수행할 경우 시공사 직원 및 설계VE 대상 공종의 하수급인을 포함한다.)
3. 설계VE 검토 업무의 수행경력이 있거나, 이와 유사한 업무(연구용역 등)를 수행한 자
4. VE(Value Engineering)전문기관에서 인정한 최고수준의 VE전문가 자격증 소지자
5. 기타 발주청이 필요하다고 인정하는 자

제51조(설계VE 업무수행자 선정) 발주청이 제50조제3호의 규정에 의한 수행자를 선정하는 때에는 다음 각 호의 사항을 평가하여야 한다.

1. 설계VE 검토 인력의 기술능력
2. 설계VE 검토 업무실적
3. 설계VE 수행계획서
4. 전국 VE경진대회 수상실적

제52조(설계VE 검토조직) ① 설계VE검토조직(이하 "검토조직"이라고 한다)은 발주청 또는 「건설기술진흥법」 제39조제3항에 따른 건설사업관리용역업자가 구성하되 발주청의 담당자, 검토조직의 책임자(VE leader), 퍼실리테이터(VE Facilitator), 팀원으로 구성하며, 검토조직의 참여자는 다음 각 호의 자로 한다.

1. 검토조직의 책임자 : 최소한 40시간 이상 VE전문교육과정을 이수한 자
2. 퍼실리테이터 : VE전문기관에서 인정한 최고수준의 VE전문가 자격증 소지자. 다만, 검토조직의 책임자가 최고수준의 VE전문가 자격을 갖춘 때에는 별도의 퍼실리테이터는 포함하지 않아도 된다.
3. 팀원 : 중요한 공종의 전문기술인 1인 이상 포함

② 검토조직을 발주청 소속직원으로만 구성하는 경우 검토조직에는 외부전문가(VE전문기관인 한국VE연구원 CVP, 한국기술사회 KCVS, 한국가치경영협회 VMP에 준하는 VE전문가 자격증 소지자) 1인 이상이 포함되어야 한다.

③ 설계VE는 발주청이 주관하여 실시하며, 발주청은 검토조직의 담당자를 선임하고 검토조직의 담당자는 검토조직을 관리하여야 한다. (단서 삭제)

④ 제3항에도 불구하고 시공자가 설계VE를 수행할 경우 시공자가 주관하여 제1항의 각 호에 따라 검토조직을 구성하여 실시하며, 발주청 담당자, 법 제39조제1항 및 제2호에 따른 건설사업관리용역업자, 설계VE 대상 시설물의 하수급인 등을 포함할 수 있다.

제53조(설계자가 제시해야 할 자료) ① 기본설계, 실시설계, 기본 및 실시설계를 수행하는 설계자는 다음 각 호의 자료를 설계VE 실시 최소 10일 전에 검토조직에 제시하여야 한다.

1. 설계도 (설계도 작성이 안 된 경우 스케치로 대체)
2. 지형도 및 지질자료
3. 주요 설계기준
4. 표준시방서, 전문시방서, 공사시방서 및 설계업무 지침서
5. 사업내역서, 공사비산출서
6. 관련법규 등에 기초한 협의 및 허가수속 등의 진행상황
7. 기타 검토조직이 필요하다고 인정하여 요구하는 자료

② 설계자는 설계VE 업무 진행과정에서 구조계산서, 원가내역서, LCC 자료 등 추가로 요구되는 자료가 있을 경우 이에 적극 협력하여야 한다.

제54조(설계VE 검토업무 절차 및 내용) ① 설계VE는 준비단계(Pre-Study), 분석단계(VE Study), 실행단계(Post-Study)로 나누어 실시하며, 각 단계의 구체적인 내용 등에 대하여는 국토교통부장관이 따로 정할 수 있다.

② 준비단계에서는 검토조직의 편성, 설계VE대상 선정, 설계VE기간 결정, 오리엔테이션 및 현장답사 수행, 워크숍 계획수립, 사전정보분석, 관련자료의 수집 등을 하여야 한다.

③ 분석단계에서는 선정한 대상의 정보수집, 기능분석, 아이디어의 창출, 아이디어의 평가, 대안의 구체화, 제안서의 작성 및 발표를 하여야 한다.

1. 분석단계에서 해당 사업의 설계자로부터 원안설계 내용에 대한 의견을 듣는 것을 원칙으로 한다.
2. 대안의 구체화 및 제안서 작성은 안전성, 경관성, 내구성 및 기능을 손상하지 않는 범위에서 유지관리비 등을 포함시킨 생애주기비용의 관점에서 행한다. 단, 생애주기비용의 관점에서 설

계VE가 불가능한 경우에는 건설사업비용의 관점에서 행한다.

3. 당해 사업의 비용배분 및 기능분석을 명확히 할 수 있는 자료를 작성하여야 한다.
4. 분석단계는 발주청, 설계자와 검토조직이 한 장소에 모여 워크숍 형태로 수행되어야 한다.

④ "실행단계"에서 검토조직은 설계VE 검토에 따른 비용절감액과 검토과정에서 도출된 모든 관련자료를 발주청에 제출하여야 하며, 발주청은 제안이 기술적으로 곤란하거나 비용을 증가시키는 등 특별한 사유가 없는 한 설계에 반영하여야 한다.

제55조(설계VE에 따른 관련자료 제출) ① 발주청 주관으로 설계VE검토를 실시한 경우 검토조직은 별지 제6호 서식의 설계VE 제안서와 별지 제7호 서식의 생애주기비용 절감 · 가치향상 제안서 및 다음 각 호의 내용을 포함한 서류를 작성하여 발주청에 제출하여야 한다.

1. 당초 설계와 제안된 설계와의 차이 설명, 각각의 장 · 단점, 기능이 변경된 경우 그 타당성, 변경에 의한 시설물의 성능에 미치는 영향 및 이와 관련된 객관적인 자료
2. 제안이 채택된 경우에 변경된 설계기준 또는 시방서의 목록
3. 발주청이 제안을 채택하여 실시하는 경우 각각의 제안사항이 건설사업비에 미치는 분석자료
4. 수정설계 비용, 시험 및 심사비용 등 제안을 채택할 경우 발주청이 부담할 가능성이 있는 비용의 설명 및 견적
5. 제안된 변경사항이 생애주기비용에 미치는 영향에 대한 예측
6. 제안사항이 설계 또는 시공에 미치는 영향
7. 기타 제안의 우수성을 판단하는데 필요한 자료

② 시공자가 설계VE를 실시하고 그 결과 제안된 공법을 해당 공사에 사용하고자 하는 시공자는 다음 각 호의 서류를 발주청에 제출하여야 한다

1. 별지 제8호 서식의 제안공법 사용신청서
2. 별지 제9호 서식의 공사비절감 제안서
3. 제1항 각 호의 내용이 포함된 설계VE 보고서

제56조(제안의 채택) ① 발주청은 제55조제1항에 따라 관련서류가 제출된 날 또는 제58조에 따른 심의가 의결된 날로부터 7일 이내에 설계VE 제안의 채택 여부를 결정하여 설계자 및 검토조직에 통보하여야 한다.

② 발주청이 설계VE 제안을 채택하는 경우에는 설계자 및 검토조직의 의견을 들어 합의 · 결정하여야 한다. 다만, 합의 · 결정이 어려운 경우, 발주청은 제안이 제출된 날로부터 7일 이내에 기술자문위원회에 심의를 요청하여 심의결과를 참고하여 제안의 채택여부를 결정할 수 있다.

제57조(제안공법의 사용결정 및 통보) ① 발주청은 제55조제2항에 따라 관련 서류가 제출된 날로부터 15일 이내에 제안공법의 사용승인 여부를 결정하여 제10호 서식에 따라 시공자에게 통보하여야 한다.

② 발주청은 제안공법의 사용승인 여부 결정이 어렵거나, 심의가 필요한 경우에는 즉시 기술자문위원회 또는 중앙건설기술심의위원회 · 지방건설기술심의위원회(이하 "제안공법 심의위원회"라 한다)에 심의를 요청하고 심의결과를 참고하여 제안공법의 사용여부를

결정할 수 있으며, 심의를 요청한 날로부터 7일 이내에 신청인에게 그 사실을 통보하여야 한다. 이 경우 제안공법심의위원회의 심의에 소요되는 기간은 제1항에서 정한 통보기간에 산입하지 아니한다.

③ 발주청의 사용승인 결정에 이의가 있는 시공자는 사용승인 결정을 통보받은 날로부터 30일 이내에 제안공법 심의위원회의 심의를 요청할 수 있다. 다만, 제2항의 규정에 의하여 제안공법심의위원회의 심의를 거친 경우에는 그러하지 아니한다.

제58조(제안공법심의 위원회 심의) ① 발주청은 제57조제2항에 따라 제안공법심의 위원회에 심의를 요청할 때에는 제55조에 따른 서류를 함께 제출하여야 한다.

② 제안공법심의위원회는 제1항에 따라 심의를 요청 받은 경우에는 요청을 받은 날부터 15일 이내에 심의하여야 한다. 다만, 제안공법심의위원회 위원장이 부득이한 사정이 있다고 인정하는 경우에는 심의기간을 1회에 한하여 15일 이내에서 연장할 수 있다.

③ 제안공법심의위원회는 제1항의 서류와 발주청, 설계자와 검토조직 또는 시공자의 의견을 기초로 하여 종합적으로 심의하여야 한다.

제59조(설계VE 실시에 따른 대가의 지급) ① 설계VE 업무에 참여하는 외부 전문가 · 단체 및 조직 등의 검토업무 대가는 법 제37조에 따라 국토교통부장관이 정하는 "건설엔지니어링 대가 등에 관한 기준"에 따라 산정할 수 있다. 다만, 발주청이 별도의 대가산정이 필요하다고 인정하는 경우 별도로 산정할 수 있다.

② 제1항에도 불구하고 시공자가 설계VE를 수행할 경우 소요비용은 시공자 부담(제안공법이 채택된 경우 수정설계 비용을 포함한다.)으로 한다.

제60조(수정설계) ① 기본설계, 실시설계, 기본 및 실시설계를 수행하는 설계자는 설계VE의 결과로 채택된 제안은 해당 설계내용에 반영하고 이를 발주청에 제출하여야 한다.

② 설계VE의 결과로 제시된 수정설계의 범위가 당초 설계용역의 범위를 초과하는 때에는 발주청은 설계자와 협의하여 설계기간을 연장하거나 추가비용을 지급할 수 있다.

③ 설계자는 최종 설계성과품 납품과 동시에 설계VE 제안내용에 대한 설계반영결과를 별지 제11호 서식에 따라 작성하여 설계보고서에 포함시키고 이를 발주청에 제출하여야 한다.

④ 제1항부터 제3항까지에도 불구하고 시공자가 제55조제2항에 따라 제출한 제안공법이 승인된 경우에는 발주청이 설계변경 등의 후속조치를 하여야 하며, 이 경우 설계변경은 「국가를 당사자로 하는 계약에 관한 법률 시행령」 제65조제4항 또는 「지방자치단체를 당사자로 하는 계약에 관한 법률 시행령」 제74조제5항에 따른다.

⑤ 하수급인이 참여한 제안공법이 승인되어 제4항에 따라 계약금액이 감액된 경우, 「하도급거래 공정화에 관한 법률」 제 16조에 따른 대가 조정 시 하수급인의 기여도를 감안하여 일부 하도급금액을 감액하지 않을 수 있다.

제61조(사후관리) ① 발주청은 제55조제1항 및 제2항에 따라 제출된 제안내용 및 채택여부 등과 관련하여 매년 12월31일을 기준으로 작성한 관련서류를 첨부하여 다음 각 호에 따른 자료를 다음 연도

2월 말일까지 국토교통부장관에게 보고하여야 한다.

1. 제55조제1항의 경우에는 별지 제12호 서식에 따른 "설계VE 실시결과"
2. 제55조제2항의 경우에는 별지 제13호 서식에 따른 "시공자 제안공법 사용신청 처리결과"

② 발주청은 채택한 제안 및 제안내용에 대하여 유사한 설계수행시 참고할 수 있도록 제56조부터 제57조까지의 규정에 따른 제안 채택일 또는 제안공법의 사용결정일로부터 30일 이내에 관련자료를 건설사업정보 포털시스템 설계VE마당에 등재하고, 관계기관에 통보하여야 하며, 국토교통부장관은 타 발주청에 활용권장 등 필요한 조치를 취할 수 있다.

제62조(재검토기한) 국토교통부장관은 「훈령 · 예규 등의 발령 및 관리에 관한 규정」에 따라 이 고시에 대하여 2021년 7월 1일 기준으로 매3년이 되는 시점(매 3년째의 6월 30일까지를 말한다)마다 그 타당성을 검토하여 개선 등의 조치를 하여야 한다.

부칙 〈제2015-470호, 2015.6.30〉

제1조(시행일) 이 기준은 고시한 날부터 시행한다.

제2조(다른 고시의 폐지) 다음 각 호의 고시는 폐지한다.

1. 「설계공모 운영지침」(국토교통부 고시 제2014-271호)
2. 「기본설계 등에 관한 세부시행기준」(국토교통부 고시 제2014-268호)
3. 「설계의 경제성 등 검토에 관한 시행지침」(국토교통부 고시 제2014-278호)

부칙 〈제2016-101호, 2016.3.8〉

이 고시는 발령한 날부터 시행한다.

부칙 〈제2018-244호, 2018.4.23〉

이 고시는 발령한 날부터 시행한다.

부칙 〈제2019-963호, 2019.12.24〉

이 고시는 발령한 날부터 시행한다.

부칙 〈제2020-15호, 2020.1.13〉

이 고시는 발령한 날부터 시행한다.

부칙 〈제2021-981호, 2021.7.23〉

이 고시는 발령한 날부터 시행한다.

[별표 1]

공종별 설계단계별(기본설계, 실시설계)의 공사비 대비 설계기간

(단위 : 월)

공종	기본설계			실시설계		
	100-500억	500-1,000억	1,000억이상	100-500억	500-1,000억	1,000억이상
도로	8	9	14	8	12	14
철도	12	13	15	12	15	18
지하철	13	16	17	24	27	30
공항	12	13	16	12	13	15
하천	12	18	24	7	10	12
항만	12	13	14	10	11	12
댐	13	14	15	14	15	16
상하수도	16	19	21	14	16	18
건축	4.5	7	9.5	7	7.5	8
단지 조성	4	-	-	7	-	-

비고

1. 기본설계, 실시설계의 기간은 관계기간 협의, 환경영향평가, 교통영향 평가 등에 소요된 기간을 제외한 기간임
2. 단순, 보통, 복잡 등에 따라 공종별 설계기간에 ±10%의 범위내에서 가중치를 적용할 수 있음
3. 실시설계시 기본설계를 함께 수행하는 경우는 업무내용을 고려하여 실시설계기간의 1.3~1.5배를 적용할 수 있음

[별표 2]

각 공종별 측량항목 및 기준

공종	설계단계	측량항목	측량기준
도로공사	기본설계	- 삼각측량, 수준측량, 골조측량, 현황측량(1: 1,000, 지형측량 또는 항공측량 등) - 중심선 측량	- 공간정보의 구축 및 관리 등에 관한 법률과 「공공측량 작업규정」 및 발주청이 별도로 정한 기준
	실시설계	- 중심선 측량, 종횡단측량	- 상 동
철도공사	기본설계	- 삼각측량, 수준측량, 골조측량, 현황측량(1: 1,000, 지형측량 또는 항공측량 등) - 중심선 측량	- 공간정보의 구축 및 관리 등에 관한 법률과 「공공측량 작업규정」 및 발주청이 별도로 정한 기준
	실시설계	- 중심선 측량, 종횡단측량	- 상 동
지하철 공사	기본설계	- 삼각측량, 수준측량, 골조측량, 현황측량(1: 1,000, 지형측량 또는 항공측량 등) - 중심선 측량	- 공간정보의 구축 및 관리 등에 관한 법률과 「공공측량 작업규정」 및 발주청이 별도로 정한 기준
	실시설계	- 중심선 측량, 종횡단측량	- 상 동
공항공사	기본설계	- 지적측량, 경계측량, 현황측량, 수준측량	- 공간정보의 구축 및 관리 등에 관한 법률과 「공공측량 작업규정」 및 발주청이 별도로 정한 기준
	실시설계	- 종·횡단측량, 공사실시를 위한 측량	- 상 동
댐공사	기본설계	- 지형측량(댐지점 및 수몰지 항공사진측량), 종회단측량(댐지점, 하천), 수몰선측량, 이설도로의 측량	- 공간정보의 구축 및 관리 등에 관한 법률과 「공공측량 작업규정」 및 발주청이 별도로 정한 기준
	실시설계	- 상 동	- 상 동

공종	설계단계	측량항목	측량기준
하천공사	기본설계	- 삼각측량, 수준측량, 지형측량(현황측량 또는 항공측량), 종·횡단측량,홍수흔적측량, 제방중심선(법선)측량 등	- 공간정보의 구축 및 관리 등에 관한 법률과 「공공측량 작업규정」 및 발주청이 별도로 정한 기준
	실시설계	- 삼각측량, 수준측량, 지형측량(현황측량 또는 항공측량), 종·횡단측량,제방중심선(법선)측량, 용지측량 등	- 상 동
항만공사	기본설계	- 수심측량(삼각측량),지형현황측량(기준점측량, 해안선측량)	- 공간정보의 구축 및 관리 등에 관한 법률과 「공공측량 작업규정」 및 발주청이 별도로 정한 기준
	실시설계	- 수심측량(삼각측량), 지형현황측량(기준점측량, 해안선측량)	- 상 동
상하수도공사	기본설계	- 지형현황측량, 관로노선측량, 수심측량	- 공간정보의 구축 및 관리 등에 관한 법률과 「공공측량 작업규정」 및 발주청이 별도로 정한 기준
	실시설계	- 수준점측량, 중심선측량, 종·횡단측량, 용지측량 등	- 상 동
건축공사	기본설계	- 지적측량, 경계측량, 현황측량, 수준측량	- 공간정보의 구축 및 관리 등에 관한 법률과 「공공측량 작업규정」 및 발주청이 별도로 정한 기준
	실시설계	- 공사실시를 위한 측량	- 상 동
단지조성	기본설계	- 삼각측량, 수준측량, 골조측량, 현황측량(1: 500, 1: 1,000)지형측량 또는 항공측량	- 공간정보의 구축 및 관리 등에 관한 법률과 「공공측량 작업규정」 및 발주청이 별도로 정한 기준
	실시설계	- 수준점측량, 지형현황측량(1:1,000, 지상현황측량 또는 항공사진측량 등), 지구계측량, 가구확정측량, 획지확정, 용지측량 등	- 상 동

[별표 3]

각 공종별 지반조사항목 및 기준

공종	설계단계	지반조사 항목	지반조사 기준
도로공사	기본설계	- 지표·지질조사(표층지반, 암질, 지질구조, 암반거동, 지표수 및 지하수), 현장조사(시추조사, 핸드오거보링 등)	- 주요 구조물인 터널 및 100m 이상 교량은 2차로 기준으로 각 구조물당 3개소 이상, - 연약지반은 100m당, 20m 이상 대절토부는 각 구간당 1개소 이상의 시추조사 - 교각 기초 등과 주요 기초구조의 지반조사에서는 NX DOUBLE CORE BARREL 보링
	실시설계	- 지표·지질조사, 현장조사(시추조사, 핸드오거보링, 시험굴조사), 현장원위치시험, 실내시험 등 - 필요시 물리탐사시험	- 절토부, 연약지반, 터널 시·종점 교량부에는 시추조사 - 교량은 교량별로 교대, 교각마다 최소 1개소 이상 시추조사 - 교각 기초 등과 주요 기초구조의 지반조사에서는 NX DOUBLE CORE BARREL 보링
철도공사	기본설계	- 지표·지질조사, 현장조사(시추조사, 핸트오거보우링, 시험시굴조사), 현장원위치시험, 실내시험등 - 필요시 물리탐사 시험	- 주요 구조물인 터널 및 100m 이상 교량은 2차로 기준으로 각 구조물당 3개소 이상, - 연약지반은 100m당, 20m 이상 대절토부는 각 구간당 1개소 이상의 시추조사 - 교각 기초 등과 주요 기초구조의 지반조사에서는 NX DOUBLE CORE BARREL 보링
	실시설계	- 지표·지질조사, 현장조사(시추조사, 핸드오거보링, 시험굴조사), 현장원위치시험, 실내시험 등 - 필요시 물리탐사시험	- 절토부, 연약지반, 터널 시·종점 교량부에는 시추조사 - 교량은 교량별로 매 교대, 교각마다 최소 1개소 이상 시추조사 - 교각 기초 등과 주요 기초구조의 지반조사에서는 NX DOUBLE CORE BARREL 보링
항만공사	기본설계	- 지반조사(보링, 샘플링, 사운딩), 필요시 물리탐사 시험	- 보링 및 사운딩은 항만 및 어항설계 기준
	실시설계	- 상 동	- 상 동

공종	설계단계	지칸조사 항목	지반조사 기준
댐공사	기본설계	- 원격탐사, 지표·지질조사, 댐유역 수리지질조사, 물리탐사 시추조사, 현장시험(표준관입시험, 공내재하시험), 실내시험, 시험굴 조사, 재료원조사	- 1:1,000~1:500 지형도를 이용 본댐주변 정밀지표·지질조사 실시 - 댐, 터널입출구 및 주요구조물 지점에 대한 시추조사 및 현장시험 실시
	실시설계	- 지표·ㅈ질조사, 댐유역 수리지질조사, 물리탐사, 시추조사, 현장시험(표준관입시험, 수압시험, 공내재하시헉), 실내시험, 시험굴조사, 재료원조사	- 기본설계자료에 추가하여 조사가 필요한 지점에 대하여 시추조사 실시 (댐축에 대해 최종적으로 20~30m당 1공 이상 시추) - 상세설계에 필요한 지반상황 및 암반의 물리성질을 파악
상하수도	기본설계	- 원격탐사, 지표·지질조사, 물리탐사, 시추조사, 현장시험(표준관입시험, 수압시험, 긍내재하시험), 실내시험, 시험굴조사	- 1:1,500~1:1,000 지형도를 이용하여 지표·지질조사 실시 - 터널 입출구, 주요 구조물 지점에 대한 시추조사 및 현장시험실시 - 개략설계에 필요한 지반상황 파악
	실시설계	- 지표·지질조사, 물리탐사, 시추조사, 현장시험(표준관입시험, 수압시험, 공내재하시험), 실내시험, 시험굴즈사	- 기본설계자료에 추가하여 조사가 필요한 지점에 대하여 시추조사 실시 - 상세설계에 필요한 지반상황 및 암반의 물리성상을 파악
단지조성	기본설계	- 지표·ㅈ 질조사(문화재, 폐기물)	- 절·성토부는 100m당 1개소 - 교량은 교량별로 매 교대, 교각마다 최소 1개소 이상 시추조사 - 옹벽등 주요 구조물은 50m당 1개소 이상 - 연약지반은 50m당 1개소 이상
	실시설계	- 지표·지질조사, 현장조사(시추조사, 핸드오거보링, 시험굴조사), 현장원위치시험, 실내시험 등 - 필요시 굴리탐사시험	- 절·성토부는 100m당 1개소 - 교량은 교량별로 매 교대, 교각마다 최소 1개소 이상 시추조사 - 옹벽등 주요 구조물은 50m당 1개소 이상 - 연약지반은 50m당 1개소 이상

[별지 제1호 서식]

착 수 보 고 서

용 역 명

계 약 액

계 약 연 월 일

착 공 연 월 일

준 공 기 한

상기와 같이 착수하였기 착수보고서를 제출합니다.

첨 부 : 1. 예정공정표
2. 사업책임기술인 선임계획
3. 내역서
4. 위탁관리기관의 계약현황 신고필증

년 월 일

주 소

회 사 명

대표성명 인

[별지 제2호 서식]

명 령 부

수명연월일	
지 시 자	
수명사항	
조치결과	

[별지 제3호 서식]

지 시 부

지시 연월일	
수 명 자	
지시내용	
조치결과	

[별지 제4호 서식]

작 업 일 지

<table>
<tr><td>일 자</td><td colspan="3"></td><td>착 공 일</td><td></td></tr>
<tr><td>작 성 자</td><td colspan="3"></td><td>준 공 일</td><td></td></tr>
<tr><td rowspan="2">인력투입현황</td><td>기술인명</td><td>전일까지</td><td>금 일</td><td>누 계</td><td>특 기 사 항</td></tr>
<tr><td></td><td></td><td></td><td></td><td></td></tr>
<tr><td>과업수행내용</td><td colspan="5">※ 각 분야별로 진행과정 및 상황을 파악할수 있도록 작성
다만, 지면 부족시는 별도 첨부</td></tr>
</table>

[별지 제5호 서식]

분야별 참여 기술인 명단

용역기간 : 착공년월일 ~ 준공년월일

발주청 ○ ○ 확인자 : 용역감독(직위) ○○○ (날인 또는 서명)

분야	소 속	회사내 직 위	직책	성 명	생년월일 (기술인협회 등록번호)	참여기간	용역과업수행 내용	자격종목 및 등록번호	날인

〈주〉

· 분야 :

1. 엔지니어링기술진흥법 시행령 별표1-3의 업무범위 및 전문분야에 열거된 분야
2. 주요구조물에 대하여는 상기외에 별도책임기술인으로 하여금 수행할시는 구조물명이나 공사명으로 분야를 기재

   예 : 교량, 부두, 하수처리장의 처리시설

· 직책 : 분야별에서 수행시의 책임정도로써 책임기술인(p.m) 분야별 책임기술인, 참여기술인으로만 분류

· 자격종목 : 국가기술자격법상의 자격을 기재하고 하단에 등록번호를 기재

· 수행내용기재 : 분야별 책임기술인중심으로 주요시설물에 대한 수행한 핵심공법을 파악할 수 있도록 기재, 향후 책임한계를 명확히 할 수 있도록 과업지시서상의 업무내용을 위주로 상세하게 작성

[별지 제6호 서식]

설계VE 제안서

제안자	① 상호 또는 명칭		② 면허 또는 등록번호	
	③ 주 소	(전화 :)		
	④ 대표자성명		⑤ 생 년 월 일	
사업개요	⑥ 사 업 명			
	⑦ 사 업 비		⑧ 사 업 기 간	
	⑨ 발 주 처		⑩ 담 당 부 서	
제안내용	⑪ 제 안 건 수		⑫ 절 감 액	

「설계공모, 기본설계 등의 시행 및 설계의 경제성 등 검토에 관한 지침」 제55조제1항에 따라 사업의 설계VE제안서를 제출합니다.

년 월 일

제 안 인 (인)

(발주관서의 장) 귀하

[별지 제7호 서식]

생애주기비용절감·가치향상 제안서

제안서번호 :

사 업 명					발주청담당자			
제안자명								
제 안 명								
제안내용	개 선 전(개략도면 포함)				개 선 후(개략도면 포함)			

경제성 평가결과		생애주기비용(LCC)절감효과					가치향상효과		
		①	②	③	④	절감율 (④/L1×100%)	⑤	⑥	가치향상도 {(V2-V1)/V1}×100%)
		건설사업비용	유지관리비용	계(LCC) (=①+②)	절감액 (=L1-L2)		성능점수 [P](점)	가치점수 [V](점)	
	개선전			L_1=			P_1=	V_1=	
	개선후			L_2=			P_2=	V_2=	

제안의 특징	장 점	단 점	시공시 주의할점
효 과 (기술성)			

※ 유지관리비용은 현재가치를 기입함

※ 성능점수 및 가치점수는 공종 및 구성요소가 아닌 전체 프로젝트 기준으로 평가함

※ 생애주기비용으로 설계의 경제성 검토가 불가능한 경우 「건설사업비용절감 제안서」로 대체

[별지 제8호 서식]

제안공법 사용신청서

신청인	①상호 또는 명칭		②면허 또는 등록번호	
	③주소	(전화 :)		
	④대표자성명		⑤생년월일	
공사개요	⑥공사명		⑦공사기간	
	⑧계약금액		⑨발주청	
	⑩공사위치			
신청내용	⑪신청건수	( )	⑫절감액	( )

「설계공모, 기본설계 등의 시행 및 설계의 경제성 등 검토에 관한 지침」 제55조제2항에 따라 제안공법 사용승인을 신청합니다.

년 월 일

신 청 인 (인)

(발주관서의 장) 귀하

※ 신청내용(⑪, ⑫)은 개선제안공법의 건수 및 절감액을 ( ) 안에 별도 표기

[별지 제9호 서식]

공사비절감 제안서

제안서번호

공사명		현장대리인	
제안명		제안 종류	

개선안내용	개 선 전	개 선 후

구분		건설공사비	LCC	비고
공사비내용 A	개 선 전			
B	개 선 후			
C	절감액(A-B)			
D	절감율(C/A×100%)			

개선안특징	장 점	단 점	시공시 주의할 점
효 과 (기술성)			

※제안종류는 개선제안(공법)과 일반제안(공법)으로 구분 기입

※공사비내용은 계약금액을 기준으로 산정하고, 비고란에 성능 및 가치점수 등 기입

[별지 제10호 서식]

제안공법 사용승인서

신청인	①상호 또는 명칭		②면허 또는 등록번호	
	③주 소	(전화 :)		
	④대표자성명		⑤생 년 월 일	
공사개요	⑥공 사 명		⑦공 사 기 간	
	⑧계 약 금 액		⑨발 주 청	
	⑩공 사 위 치			
신청내용	⑪신 청 건 수	( )	⑫절 감 액	( )
승인내용	⑬승 인 건 수	( )	⑭절 감 액	( )

「설계공모, 기본설계 등의 시행 및 설계의 경제성 등 검토에 관한 지침」 제57조제1항에 따라 제안공법의 사용을 붙임과 같이 승인(기각) 함

년 월 일

(발주관서의 장) (인)

붙임 : 제안공법 승인(기각) 내역서 1부.

※ 신청 및 승인내용(⑪ 내지 ⑭)은 개선제안공법의 건수 및 절감액을 ( ) 안에 별도 표기

제안공법 승인(기각) 내역서

구분	제안서 번호	제안명	절감액	승인 여부	승인하지 아니한 사유
개선 제안					
일반 제안					

[별지 제11호 서식]

설계VE 제안의 설계반영결과 보고

□ 사업명 :

□ 대안별 반영 현황

제안 No.	제안명	비용절감액(당초제안시) (설계VE종료후)		비용절감액(최종설계반영시) (최종설계종료후)		반영 여부
		공사비절감액	LCC절감액	공사비절감액	LCC절감액	
제안 1						
제안 2						
제안 3						
제안 4						
제안 5						
제안 6						
제안 7						

※반영여부는 반영, 수정반영, 미반영으로 표시

□ 수정반영 및 최종 미반영 사유

제안 No.	제안내용	수정반영/최종 미반영 사유
제안 1		
제안 2		
제안 5		

[별지 제12호 서식]

설계VE 실시결과 (　　년)

발 주 청 :

(단위 : 건, 백만원)

설계의 경제성 등 검토 실시결과		자체	외주	계
당해연도에 완료된 "설계VE"의 횟수				
당해연도에 완료된 "설계VE" 업무를 수행하는 데 소요된 비용				
"설계VE"업무가 수행된 기존 설계내용의 예상 시공비용				
제출된 제안의 수				
제출된 제안의 절감액	건설사업비용			
	생애주기비용			
채택된 제안의 수				
채택된 제안의 절감액	건설사업비용			
	생애주기비용			

"설계VE" 업무관련 총 교육비용 (참가자의 봉급, 여비 및 부대경비에 대한 견적을 포함)	
당해년도 "설계VE"업무와 관련하여 교육받은 발주청 소속직원 수	

발주관서의 장 (인)

[별지 제13호 서식]

시공자 제안공법 사용신청 처리결과(년)

발 주 청 :

구 분	공사명	신청자	제안공법개요	절감금액	인정 여부	계약금액 반영률	제출/ 결정일

발주관서의 장 (인)

※개선제안과 일반제안으로 구분 표시

※계약금액반영률은 절감금액의 계약금액조정에 반영된 비율

설계 · 건설사업관리 용역손해배상보험 또는 공제 업무요령

국토교통부고시 제2019-997호

일부개정 2019.12.30

제1조(목적) 이 업무요령은 「건설기술진흥법 시행령」 제50조에 의한 설계 · 건설사업관리 용역손해배상보험 또는 공제(이하 "보험 또는 공제"라 한다) 업무에 필요한 세부사항을 규정하는 것을 목적으로 한다.

제2조(적용범위) 이 업무요령은 「건설기술진흥법」(이하 "법"이라 한다) 제2조제6호의 발주청이 시행하는 건설공사의 실시설계, 건설사업관리용역에 대하여 적용한다.

제3조(정의) 이 업무요령에서 사용하는 용어의 정의는 다음 각 호와 같다.

1. "발주청"이라 함은 법 제2조제6호 및 같은법 시행령 제3조(이하 "영"이라 한다) 제3조에 따른 발주청을 말한다.
2. "실시설계"라 함은 법 제2조제2호 중 '설계'에 관한 업무 중 영 제73조에 의한 설계를 말한다.
3. "건설사업관리"라 함은 법 제2조제4호의 건설사업관리를 말한다.
4. "제3자"라 함은 보험 또는 공제에 가입한 용역업자(하수급인 포함)와 용역업자의 근로자를 제외한 모든 자를 말한다.

제4조(보험 또는 공제의 가입 및 증서제출) ① 발주청은 용역업자가 용역업무를 수행함에 있어 고의 또는 과실로 당해 용역목적물 또는 제3자에게 손해를 발생하게 한 경우 이의 배상을 담보하는 보험 또는 공제에 가입토록 하고 그 증서를 제출하도록 하여야 한다.

② 제1항의 규정에 의한 보험 또는 공제증서의 제출시기는 다음 각 호와 같다.

1. 실시설계 : 용역을 완료하기 전에 제출
2. 건설사업관리 : 용역계약 체결시에 제출

③ 제1항 내지 제2항의 규정에 의한 보험 또는 공제는 보험업법에 의한 손해보험사업자(이하 "손해보험회사"라 한다) 또는 엔지니어링산업진흥법에 의한 공제조합, 건설기술진흥법에 의한 공제조합(이하 "공제조합 등"이라 한다)를 통해 가입하게 하여야 한다.

제5조(보험 또는 공제의 대상 및 종류) ① 제4조의 규정에 의하여 가입하여야 하는 보험 또는 공제의 대상은 제3조제2호부터 제3호의 용역으로 한다.

② 제1항에 따른 보험 또는 공제의 종류는 다음 각 호와 같다.

1. 실시설계 보험 또는 공제
2. 건설사업관리 보험 또는 공제

제6조(보험 또는 공제 가입금액) ① 보험 또는 공제의 가입금액은 용역계약금액에서 부가가치세와 손해배상보험료 또는 공제료를 제외한 금액(이하 "순계약금액"이라 한다)으로 한다. 다만, 다음 각 호로

정하는 금액을 보험 또는 공제 가입금액에서 제외하여야 한다.

1. 기본설계 및 실시설계를 같은 건설기술용역업자가 수행하도록 하는 경우 : 기본설계에 해당하는 계약금액
2. 영 제59조제1항에 따른 건설사업관리의 업무범위 중 기본설계 또는 시공후 단계를 포함하여 건설사업관리를 수행하도록 하는 경우 : 기본설계 또는 시공후 단계에 해당하는 계약금액

② 발주청은 계약금액이 증감된 경우 용역업자로 하여금 증감된 순계약금액만큼 보험 또는 공제가입금액을 증액 또는 감액하게 하여야 한다. 다만, 계약금액이 증감되는 경우로서 증감된 순계약금액이 당초 보험 또는 공제가입금액의 100분의 10 이내인 경우에는 그러하지 아니하다.

③ 제3자의 인적손해배상책임에 대한 피해자 1명당 보상한도는 자동차손해배상보장법 시행령 제3조에 따른 금액으로 한다.

제6조의2(자기부담금) 제6조의 규정에 의한 보험 또는 공제 가입금액 중 용역업자의 자기부담금은 보험 또는 공제가입금액의 100분의1로 하되 1,000만원을 초과하지 아니한다.

제7조(피보험자 또는 피공제자) 발주청은 용역업자가 보험 또는 공제 가입시 용역업자(하수급인 포함)를 피보험자 또는 피공제자로 하게 하여야 한다. 다만, 제3자의 손해와 관련하여 발주청에 법률상의 배상책임이 있는 경우에는 발주청을 피보험자 또는 피공제자에 추가로 포함될 수 있도록 하여야 한다.

제8조(보험 또는 공제의 가입기간) 보험 또는 공제의 가입기간은 건설공사의 착공일부터 완공일까지의 기간으로 한다. 다만, 보험 또는 공제가입기간 설정이 곤란할 경우에는 특약에 의하여 추후 통보하는 조건으로 보험 또는 공제가입기간을 설정할 수 있다.

제9조(보험료 또는 공제료의 산정) ① 발주청은 보험료 또는 공제료의 산정시 용역비용(부가가치세와 손해배상보험 또는 공제료를 제외한 금액)에 보험요율 또는 공제요율을 곱하여 산정하며, 보험요율 또는 공제요율은 보험업법 제176조에 따라 설립된 보험요율산출기관, 손해보험회사, 공제조합 등으로부터 제공받은 자료를 기초로 하여 산출한다. 이 경우 보험요율산출기관과 공제조합 등은 사전에 국토교통부장관의 의견을 들어야 한다.

② 발주청은 용역업자가 제출한 입찰금액 산출내역서상의 보험료 또는 공제료와 손해보험회사 또는 공제조합 등에 실제 납입한 보험료 또는 공제료간의 차액발생을 이유로 보험 또는 공제가입을 거절하거나 동 차액의 정산을 요구하지 아니하도록 하여야 한다.

제10조(보험 또는 공제약관) 발주청은 용역업자가 보험 또는 공제가입시 금융위원회에 제출 · 신고한 설계 · 건설사업관리 용역손해배상보험약관 또는 이와 동일수준 이상으로 보장된 공제약관을 사용하게 하여야 한다.

제11조(발주청의 의무 등) ① 발주청은 용역업자가 가입한 보험 또는 공제의 가입금액, 가입기간, 피보험자 등이 본 업무요령에 부합하는지의 여부를 검토하여야 한다.

② 발주청은 용역업자로 하여금 다음 각 호의 사항을 성실히 이행하게 하여야 한다.

1. 보험 또는 공제에 가입한 용역의 손해발생방지를 위하여 위험관

리에 대한 신의와 성실의 원칙에 따라 선량한 관리자로서의 주의의무

2. 보험 또는 공제가입과 관련하여 용역업자가 행하여야 할 손해보험회사 또는 공제조합 등에 대한 고지 또는 통지의무
3. 보험 또는 공제에 가입한 용역에 대하여 손해보험회사 또는 공제조합 등의 조사에 대한 협조 및 이들로부터 제출된 위험도조사보고서(Risk Survey Report)에 따른 적절한 위험방지 조치
4. 보험 또는 공제사고 발생시 구체적인 사고경위 등을 지체없이 발주청에 통보할 의무

제12조(보험 또는 공제 계약상의 권리의무 승계) 발주청은 용역업자가 제5조제1항의 규정에 의한 보험 또는 공제가입시 연대보증인 등이 보증용역을 시행하게 될 경우 용역업자의 보험 또는 공제 계약상의 권리와 의무가 연대보증인 등에게 승계될 수 있게 하여야 한다. 보험 또는 공제가입 계약이 해제 또는 해지되어 새로운 계약상대자가 선정되는 경우에도 또한 같다.

제13조(보험 또는 공제계약상의 권리양도 등의 제한) 발주청은 용역업자가 보험 또는 공제와 관련한 일체의 계약상의 권리를 제3자에게 양도·이전·질권의 설정·기타 담보를 제공하게 하여서는 아니된다.

제14조(보험금 또는 공제금의 사용) ① 발주청은 보험 또는 공제가입 목적물의 보험사고 등으로 보험금 또는 공제금이 지급되는 경우 용역업자로 하여금 보험금 또는 공제금을 당해 용역목적물의 복구에 우선 사용하게 하여야 한다.

② 발주청은 제1항의 규정에 의한 보험금 지급의 지연 또는 부족을 이유로 용역업자가 피해복구를 지연하거나 거절할 수 없게 하여야 한다.

제15조(기타사항) 발주청은 보험 또는 공제가입 등과 관련하여 이 요령에 규정되지 않은 사항에 대하여는 보험약관 또는 공제약관에 따르거나 용역업자 및 손해보험회사(또는 공제조합 등)와 협의 또는 건설산업기본법 제69조에 따라 설치하는 건설분쟁 조정위원회에 분쟁의 조정을 요구할 수 있다

제16조(재검토기한) 국토교통부장관은 「훈령·예규 등의 발령 및 관리에 관한 규정」에 따라 이 고시에 대하여 2020년 1월 1일 기준으로 매 3년이 되는 시점(매 3년째의 12월 31일까지를 말한다)마다 그 타당성을 검토하여 개선 등의 조치를 하여야 한다.

부칙 〈제2009-385호, 2009.6.18〉

제1조(시행일) 이 고시는 발령한 날부터 시행한다.

부칙 〈제2012-443호, 2012.7.23〉

제1조(시행일) 이 고시는 2012년 8월 1일부터 시행한다.

부칙 〈제2013-94호, 2013.4.15〉

제1조(시행일) 이 고시는 발령한 날부터 시행한다.

부칙 〈제2014-272호, 2014.5.21〉

제1조(적용례) 이 업무요령은 2014년 5월 23일부터 시행하며, 시행일로부터 최초로 입찰공고한 건설기술용역부터 적용한다.

제2조(보험 또는 공제가입에 관한 경과조치) 법 부칙 제23조제1항에 따라 업무요령 제4조제3항의 개정규정 중 "건설기술진흥법에 의한 공제조합"이 설립되기 전까지는 종전의 규정에 의한 "건설감리협회"를 개정규정에 따른 "공제조합"으로 본다.

부칙 〈제2015-762호, 2015.10.23〉

이 고시는 발령한 날부터 시행한다.

부칙 〈제2017-219호, 2017.4.11〉

이 고시는 발령한 날부터 시행한다.

부칙 〈제2019-997호, 2019.12.30〉

이 고시는 발령한 날부터 시행한다.

국토교통부 주요 훈령 및 고시·지침

2. 고시

| 건설사업관리 |

1 건설공사 사업관리방식 검토기준 및 업무수행지침

건설공사 사업관리방식 검토기준 및 업무수행지침

국토교통부고시 제2020-987호

일부개정 2020.12.16

제1장 총칙

제1조(목적) 이 지침은 「건설기술진흥법 시행령」(이하 "영"이라 한다) 제55조제1항제3호 및 제68조제1항제8호에 따라 발주청이 건설공사의 사업관리방식을 선정하기 위해 필요한 기준과, 영 제59조제5항에 따라 발주청, 시공자, 설계자, 건설사업관리용역사업자 및 건설사업관리기술인이 건설사업관리와 관련된 업무를 효율적으로 수행하게 하기 위하여 업무수행의 방법 및 절차 등 필요한 세부기준, 그리고「건설기술진흥법」(이하 "법"이라 한다) 제49조제2항에 따라 발주청이 발주하는 건설공사의 감독업무(건설사업관리 용역에 대한 감독을 포함한다) 수행에 필요한 사항을 정하는데 목적이 있다.

제2조(정의) 이 지침에서 사용하는 용어의 뜻은 다음 각 호와 같다.

1. "직접감독"이란 해당 건설공사의 발주청 소속 직원이 건설사업관리 업무를 직접 수행하는 것을 말한다.
2. "공사감독자"이란 공사계약일반조건 제16조의 업무를 수행하기 위하여 발주청이 임명한 기술직원 또는 그의 대리인으로 해당 공사 전반에 관한 감독업무를 수행하고 건설사업관리업무를 총괄하는 사람을 말한다.
3. "공사관리관"이란 감독 권한대행 등 건설사업관리를 시행하는 건설공사에 대하여 영 제56조제1항제1호부터 제4호까지의 업무를 수행하는 발주청의 소속 직원을 말한다.
4. "건설사업관리용역사업자"란 건설사업관리를 업으로 하고자 법 제26조에 따라 건설공사에 대한 특별시장 · 광역시장 · 특별자치시장 · 도지사 또는 특별자치도지사에게 건설기술용역사업자로 등록한 자를 말한다.

5 "건설사업관리기술인"이란 법 제26조에 따른 건설기술용역사업자에 소속되어 건설사업관리 업무를 수행하는 자를 말한다.

6. "책임건설사업관리기술인"이란 발주청과 체결된 건설사업관리 용역계약에 의하여 건설사업관리용역사업자를 대표하며 해당공사의 현장에 상주하면서 해당공사의 건설사업관리업무를 총괄하는 자를 말한다.

7 "분야별 건설사업관리기술인"이란 소관 분야별로 책임건설사업관리기술인을 보좌하여 건설사업관리 업무를 수행하는 자로서, 담당 건설사업관리업무에 대하여 책임건설사업관리기술인과 연대하여 책임지는 자를 말한다.

8. "상주 건설사업관리기술인"이란 영 제60조에 따라 현장에 상주하면서 건설사업관리업무를 수행하는 자를 말한다.(이하 "상주기술인"이라 한다)

9. "기술지원 건설사업관리기술인"이란 영 제60조에 따라 건설사업관리용역사업자에 소속되어 현장에 상주하지 않으며 발주청 및 책임건설사업관리기술인의 요청에 따라 업무를 지원하는 자를 말한다.(이하 "기술지원기술인"이라 한다)
10. "시공자"란 「건설산업기본법」 제2조제7호에 따른 건설업자 및 「주택법」 제9조에 따라 주택건설사업에 등록한 자로서 공사를 도급받은 건설업자(하도급업자를 포함한다. 이하 같다)를 말한다.
11. "설계자"란 법 제26조 및 「건축사법」 제23조에 따라 설계업무를 하기 위하여 건설기술용역사업자 또는 건축사사무소 개설신고를 한 자로 설계를 도급 받은 자(하도급업자를 포함한다. 이하 같다)를 말한다.
12. "설계서"란 공사시방서, 설계도면 및 현장설명서를 말한다. 다만, 공사 추정가격이 1억원 이상인 공사에 있어서는 공종별 목적물 물량이 표시된 내역서를 포함한다.
13. "공사계약문서"란 계약서, 설계서, 공사입찰유의서, 공사계약일반조건, 공사계약특수조건 및 산출내역서로 구성되며 상호보완의 효력을 가진다.
14. "건설사업관리용역 계약문서"란 계약서, 기술용역입찰유의서, 기술용역계약일반조건, 건설사업관리용역계약특수조건, 과업수행계획서 및 건설사업관리비 산출내역서로 구성되며 상호보완의 효력을 가진다.
15. "건설사업관리기간"이란 건설사업관리용역계약서에 표기된 계약기간을 말한다. 시공자 또는 발주청의 사유로 인해 공사기간이 연장된 경우의 건설사업관리기간은 연장된 공사기간을 포함한 건설사업관리용역 변경계약서에 표기된 기간을 말한다.
16. "검토"란 시공자가 수행하는 중요사항과 해당 건설공사와 관련한 발주청의 요구사항에 대해 시공자 제출서류, 현장실정 등을 공사감독자 또는 건설사업관리기술인이 숙지하고, 경험과 기술을 바탕으로 하여 타당성 여부를 파악하는 것을 말한다. 공사감독자 또는 건설사업관리기술인은 필요한 경우 검토의견을 발주청 또는 시공자에게 제출하여야 한다.
17. "확인"이란 시공자가 공사를 공사계약문서 대로 실시하고 있는지의 여부 또는 지시 · 조정 · 승인 · 검사 이후 실행한 결과에 대하여 발주청, 공사관리관, 공사감독자 또는 건설사업관리기술인이 원래의 의도와 규정대로 시행되었는지를 확인하는 것을 말한다.
18. "검토 · 확인"이란 공사의 품질을 확보하기 위해 기술적인 검토뿐만 아니라, 그 실행결과를 확인하는 일련의 과정을 말하며 검토 · 확인자는 자신의 검토 · 확인 사항에 대해 책임을 진다.
19. "지시"란 발주청이 공사감독자에게, 공사감독자가 시공자에게 또는 발주청이 건설사업관리기술인에게, 건설사업관리기술인이 시공자에게 소관업무에 관한 방침, 기준, 계획 등을 알려주고 실시하게 하는 것을 말한다. 단, 지시사항은 계약문서에 나타난 지시 및 이행사항에 국한하는 것을 원칙으로 하며, 구두 또는 서면으로 내릴 수 있으나 지시내용과 그 결과는 반드시 확인하여 문서로 기록 · 비치하여야 한다.

20. "요구"란 계약당사자들이 계약조건에 나타난 자신의 업무에 충실하고 정당한 계약수행을 위해 해당 건설공사와 관련하여 상대방에게 검토, 조사, 지원, 승인, 협조 등의 적합한 조치를 취하도록 의사를 밝히는 것으로, 요구사항을 접수한 자는 반드시 이에 대한 적절한 답변을 하여야 하며 이 경우 의사표시는 원칙적으로 서면으로 한다.
21. "승인"이란 발주청, 공사감독자 또는 건설사업관리기술인이 이 지침에 나타난 승인사항에 대해 공사감독자, 건설사업관리기술인 또는 시공자의 요구에 따라 그 내용을 서면으로 동의하는 것을 말하며, 승인 없이는 다음 단계의 업무를 수행할 수 없다.
22. "조정"이란 설계, 시공 또는 건설사업관리업무가 원활하게 이루어지도록 하기 위해서 설계자, 시공자, 건설사업관리기술인, 공사감독자, 발주청이 사전 충분한 검토와 협의를 통해 관련자 모두가 동의하는 조치가 이루어지도록 하는 것을 말한다. 조정결과가 기존의 계약내용과 차이가 있을 시에는 계약변경 사항의 근거가 된다.
23. "실정보고"란 공사 시행과정에서 현지여건 변경 등으로 인해 설계변경이 필요한 사항에 대하여 시공자의 의견을 포함하여 공사감독자 또는 건설사업관리기술인이 서면으로 검토의견 등을 발주청에 설계변경 전에 보고하고 발주청으로부터 승인 등 필요한 조치를 받는 행위를 말한다.
24. "검사"란 공사계약문서에 나타난 시공단계와 재료에 대한 완성품 및 품질을 확보하기 위해 시공자의 확인검사에 근거하여 공사감독자 또는 건설사업관리기술인이 완성품, 품질, 규격, 수량 등의 적정성을 확인하는 것을 말한다. 이 경우 시공자가 시행한 시공결과 중 대표가 되는 부분을 추출하여 검사를 실시할 수 있으며, 합격판정은 공사감독자 또는 건설사업관리기술인이 한다.
25. "확인측량"이란 설계자 또는 시공자가 실시한 측량에 대하여 적정성 여부를 확인 할 목적으로 발주청, 공사감독자 또는 건설사업관리기술인과 시공자 등이 합동으로 실시하는 측량을 말한다.
26. "주요자재"란 지급(관급)자재와 철근, 철골, 레미콘, 아스콘, 강관파일 등 사급자재로 설계된 중요 자재를 말한다.

제3조(적용범위) ① 이 지침은 법 제2조제6호에 따른 발주청이 시행하는 건설공사에 대하여 적용하며, 관계 법령, 계약서 및 공사시방서에서 특별히 정한 경우를 제외하고는 이 지침에서 정하는 바에 따른다.

② 시공단계의 건설사업관리 업무수행 시 감독 권한대행 업무를 포함하지 않는 경우에는 제3장제7절을 적용하며, 법 제39조제2항에 따라 발주청의 감독 권한대행 업무를 포함하는 경우에는 제3장제8절을 적용한다.

제4조(성실 및 청렴의무) ① 건설사업관리기술인, 공사감독자 및 공사관리관(이하 이 조에서 "건설사업관리기술인 등"이라 한다)은 다음 각 호에 따라 성실하게 업무를 수행해야 한다.

1. 건설사업관리기술인 등은 감독업무를 수행할 때에는 해당 공사

의 설계도서 · 계약서 그 밖에 관계서류 등의 내용을 숙지하고 그 공사의 특수성을 파악한 후 성실하고 효율적으로 업무를 수행하여야 한다.

2. 건설사업관리기술인 등은 해당공사가 설계도서, 계약서, 공정계획표, 그 밖에 관계서류의 내용대로 시공되는지를 공사시행 단계별로 확인 · 검측하고 품질 · 시공 · 안전 · 환경관리에 필요한 감독을 하여야 한다.

② 건설사업관리기술인 등은 다음 각 호에 따라 청렴하게 업무를 수행해야 한다.

1. 건설사업관리기술인 등은 공정하게 권한을 행사하여야 하며, 품위를 손상하는 행위를 하여서는 아니된다.
2. 건설사업관리기술인 등은 직위를 이용하여 부당한 이익을 얻거나 타인이 부당한 이익을 얻도록 이권에 개입 · 알선 · 청탁하여서는 아니된다.
3. 건설사업관리기술인 등은 차량 · 건설기자재 · 항공기 · 선박 등 공용물을 정당한 사유없이 사적인 용도로 사용하여 이익을 얻는 행위를 하여서는 아니된다.
4. 건설사업관리기술인 등은 담당업무와 관련하여 업무관련자로부터 일체의 금전 · 부동산 · 선물 또는 향응 등의 수수행위를 하여서는 아니된다.
5. 건설사업관리기술인이 제2호부터 제4호까지의 청렴의무를 1회 이상 위반한 경우, 발주청은 해당 건설사업관리기술인을 교체하여야 한다.

제2장 건설공사 사업관리방식 검토기준

제5조(사업관리방식의 검토 및 절차) ① 발주청은 건설공사를 시행하려는 경우, 영 제68조제1항제8호에 따라 기본구상 단계에서 이 기준에 따라 건설사업관리의 적용 여부를 검토하여야 한다. 다만, 사업의 추진 상황에 따라 기본구상 단계에서 검토가 곤란한 경우에는 기본구상 단계 이후에 검토할 수 있다.

② 발주청은 수행하고자 하는 사업의 특성 및 사업관리에 필요한 소요인력에 대한 발주청의 역량을 검토한 후 사업관리방식의 순차적 검토를 통하여 사업의 특성과 발주청의 역량에 맞는 사업관리방식을 선정하여 사업을 수행할 수 있도록 한다.

③ 발주청은 건설사업관리 등 사업관리방식 검토 시 다음 각 호의 사항을 검토하여야 하며 검토 절차는 별표1과 같다.

1. 사업특성 및 발주청 역량 평가
2. 사업별 사업관리방식 배정
3. 사업관리방식 배정에 따른 총 소요인력 산정
4. 소요인력과 가용인력 비교 후 사업별 사업관리방식 조정
5. 사업별 최종 사업관리방식 확정

제6조(사업특성 및 발주청 역량 평가) ① 사업특성 및 발주청 역량 평가는 공사특성(30%), 사업여건(25%), 공사수행방식(15%), 발주청 역량(30%)의 비율로 평가하되, 발주청의 여건에 따라 배점 기준을 10% 이내에서 조정하여 적용할 수 있다.

② 사업특성 및 발주청 역량 평가는 별표2의 세부 평가기준에 따

라 평가한다.

③ 발주청이 관리해야 할 건설공사에 대한 사업관리 소요인력은 제8조에 따른 공사감독자 배치계획에 따라 산정한다.

④ 발주청의 사업관리 가용인력은 건축, 토목, 기계 등 기술직 중 사업발주 및 사업관리업무를 수행하는 부서 근무자를 대상으로 산정하되, 보직자와 일반 서무담당자 등 일반 관리자는 제외하며, 해당 직무분야 기술사 자격을 보유한 인력에 대하여는 20%를 가산하여 산정한다.

제7조(사업관리방식 배정) ① 사업별 사업관리방식은 제6조의 사업특성 및 발주청 역량 평가 후 다음 각 호의 기준에 따라 1차적으로 각 사업에 대하여 적합한 사업관리방식을 배정한다.

1. 평가점수(총점) 80점 이상 : 건설사업관리(시공단계에서 감독 권한대행 등 건설사업관리를 적용한다)
2. 평가점수(총점) 50점 이상 : 건설사업관리(시공단계에서 감독 권한대행 등 건설사업관리를 적용할 수 있다)
3. 평가점수(총점) 50점 미만 : 직접감독 또는 건설사업관리(시공단계에서 감독권한 대행 등 건설사업관리를 적용할 수 있다)

② 사업별 사업관리방식 배정 후 발주청이 사업관리를 위해 투입해야 하는 총 소요인력을 산정하며, 총 소요인력은 기존 진행 중인 사업에 투입되는 인력과 신규사업에 투입될 인력을 합하여 산출한다.

③ 제2항에 따른 발주청의 총 소요인력은 제6조제3항에 따라 산정하되 건설사업관리를 시행하는 경우 다음 각 호의 투입 기준에 따라 산정한다.

1. 공사관리관의 투입 기준은 발주청별로 기준을 수립하여 적용하도록 한다. 다만, 발주청은 공사관리관을 5개를 초과하는 현장에 동시에 배치할 수 없다.
2. 시공단계에서 감독 권한대행 등 건설사업관리를 적용하지 않는 경우 발주청은 제6조제3항에 따라 산정한 사업관리 소요인력의 100분의 20에 해당하는 인력을 투입하는 것을 원칙으로 한다.

④ 사업별 사업관리방식 확정은 총 소요인력 검토 결과 사업관리 가용인력과 비교하여 소요인력이 가용인력보다 많거나 적을 경우 사업관리방식을 조정하여 발주청의 인력이 적정하게 투입되는 사업관리방식을 확정한다.

제8조(공사감독자 배치기준) ① 발주청은 「건설기술용역 대가 등에 관한 기준」 제9조 및 별표2에 따른 건설사업관리기술인의 배치기준(이하 "건설사업관리기술인 배치기준"이라 한다)을 참고하여 공사감독자 배치기준을 정하여야 한다.

② 발주청은 공사의 특성에 맞도록 건설사업관리기술인 배치기준을 보완하여 세부 배치기준을 작성하여 적용할 수 있으며, 감독 업무에 배치하여야 하는 총 공사감독자수는 건설사업관리기술인 배치기준의 총 건설사업관리기술인수의 ±20퍼센트 범위내에서 조정하여 적용할 수 있다.

③ 발주청은 제1항에 따라 공사감독자 배치기준을 정하는 경우에는 다음 각 호의 절차에 따라야 한다.

1. 공사감독자 배치기준(안)을 작성한 후 그 내용을 최소 7일 이상 홈페이지 등을 통해 일반에 공개하여 의견수렴 과정을 거쳐야

한다.

2. 공사감독자 배치기준(안), 제1호의 의견수렴결과 및 검토보고서를 법 제5조에 따른 건설기술심의위원회 또는 제6조에 따른 기술자문위원회에 제출하여 심의를 거쳐야 한다. 다만, 지방자치단체는 지방건설기술심의위원회 심의를 거쳐야 한다.
3. 심의를 거쳐 정한 공사감독자 배치기준은 발주청 홈페이지 등을 통해 공고하여야 한다.

④ 발주청은 공고된 공사감독자 배치기준을 변경하거나 당해공사의 특성을 고려하여 일시적으로 기준을 변경할 경우에도 제3항과 동일한 절차를 거쳐야 한다. 다만, 심의가 불필요하거나 경미한 변경으로서 다음 각 호에 해당하는 경우에는 제3항제1호 및 제2호에 따른 절차를 생략할 수 있다.

1. 발주청이 건설사업관리기술인 배치기준 중의 일부 내용(의무사항 등)을 조정 또는 변경없이 공사감독자 배치기준(안)에 동일하게 적용하여 변경하는 경우
2. 공사감독자 배치기준(안)의 단순 오기나 누락된 부분을 정정하는 경우

⑤ 특별시, 광역시, 특별자치시, 도, 특별자치도에서 정한 기준을 소속 자치단체에서 그대로 준용하는 경우에는 제1항의 절차를 생략할 수 있다.

제3장 건설사업관리 업무

제1절 일반사항

제9조(적용방법) ① 건설사업관리 용역 및 공사계약 문서를 작성할 때 제3장을 계약문서에 포함하여야 한다.

② 영 제59조제1항 각 호의 건설사업관리 업무범위 중 계약으로 정한 업무범위에 해당하는 단계의 업무내용을 선택하여 제3장을 적용한다.

③ 기간의 계산은 관계 법령 및 계약에서 특별히 정한 경우를 제외하고는 「민법」 제157조, 제159조, 제161조를 따른다.

제10조(발주청, 건설사업관리기술인, 시공자, 설계자의 기본임무) ① 발주청은 다음 각 호의 기본임무를 수행하여야 한다.

1. 발주청은 건설공사의 계획 · 설계 · 발주 · 건설사업관리 · 시공 · 사후평가 전반을 총괄하고, 건설사업관리, 설계 및 시공계약 이행에 필요한 다음 각 호의 사항을 지원, 협력하여야 하며 건설사업관리용역계약에 규정된 바에 따라 건설사업관리가 성실히 수행되고 있는지에 대한 지도 · 점검을 실시하여야 한다.
   가. 건설사업관리 및 설계, 시공에 필요한 설계도면, 문서, 참고자료와 건설사업관리용역계약문서에 명기한 자재 · 장비 · 비품 · 설비의 제공
   나. 건설공사 시행에 따른 업무연락, 문제점 파악, 민원해결 및 의사결정
   다. 건설공사 시행에 필요한 용지 및 지장물 보상과 국가, 지방

자치단체, 그 밖에 공공기관과의 협의 및 허가 · 인가 등에 필요한 사항의 조치 또는 협력

라. 건설사업관리기술인이 건설사업관리계약 이행에 필요한 설계자 및 시공자의 문서, 도면, 자재, 장비, 설비, 직원 등에 대한 자료제출 및 조사의 보장

마. 시공자에게 공사일정 검토 및 조정, 공정 · 공사비 성과분석 등 건설사업관리용역사업자의 업무수행에 적극 협력토록 조치

바. 설계자에게 설계의 경제성 검토(설계 VE), 설계기준 및 시공성 검토 등 건설사업관리용역사업자의 업무수행에 적극 협력토록 조치

사. 건설사업관리기술인이 보고한 설계변경, 준공기한 연기요청, 그 밖에 현장실정보고 등 방침 요구사항에 대하여 건설사업관리업무 수행에 지장이 없도록 의사를 결정하여 통보

아. 특수공법 등 주요공종에 대해 외부 전문가의 자문 또는 건설사업관리가 필요하다고 인정되는 경우에는 별도 조치

자. 그 밖에 건설사업관리용역사업자와 계약으로 정한 사항 등 건설사업관리용역 발주자로서의 감독업무

2. 발주청은 관계법령에서 별도로 정하는 사항 및 제1호에서 정하는 사항 외에는 정당한 사유없이 건설사업관리기술인의 업무에 개입 또는 간섭하거나 건설사업관리기술인의 권한을 침해할 수 없다.

3. 발주청은 특별한 사유가 없으면 설계기간과 착공 전 설계도서 검토 및 준공 후 사후관리 등을 감안하여 건설사업관리에 필요한 적정 기간과 대가를 확보하여야 한다.

4. 발주청은 영 제45조제1항에 따라 건설사업관리기술인을 관리할 수 있도록 건설사업관리용역 계약내용 및 건설사업관리기술인 배치내용을 다음 각 호의 사유발생 10일 이내에 다음 구분에 따라 건설기술용역 실적관리 수탁기관으로 통보하여야 한다.

가. 건설사업관리용역 계약 및 변경계약시 : 「건설기술진흥법 시행규칙」(이하 "규칙"이라 한다) 별지 제27호 서식에 따른 건설사업관리용역계약 및 변경계약 현황 통보

나. 건설사업관리기술인의 배치 및 변경배치(업체선정 당시의 배치계획 및 당초 발주청에 제출한 배치계획과 다른 건설사업관리기술인을 배치하는 경우로서 영 제60조제4항에 의한 교체를 포함한다)시 : 규칙 별지 제28호 서식에 따라 통보(단, 시공단계의 건설사업관리기술인 배치 및 철수 현황은 규칙 별지 제29호 서식에 따라 추가 통보)

다. 건설사업관리용역 완료시 : 건설사업관리용역 완공내용을 규칙 별지 제27호 서식에 따라 통보

② 건설사업관리기술인은 다음 각 호의 기본임무를 수행하여야 한다.

1. 영 제59조 및 규칙 제34조에 따른 건설사업관리기술인의 업무를 성실히 수행하여야 한다.

2. 용지 및 지장물 보상과 국가, 지방자치단체, 그 밖에 공공기관의 허가 · 인가 협의 등에 필요한 발주청 업무를 지원하여야 한다.

3. 관련법령, 설계기준 및 설계도서 작성기준 등에 적합한 내용대

로 설계되는지의 여부를 확인 및 설계의 경제성 검토를 실시하고, 시공성 검토 등에 대한 기술지도를 하며, 발주청에 의하여 부여된 업무를 대행하여야 한다.

4. 설계공정의 진척에 따라 정기적 또는 수시로 설계자로부터 필요한 자료 등을 제출받아 설계용역이 원활히 추진될 수 있도록 하여야 한다.
5. 해당공사의 특성, 공사의 규모 및 현장조건을 감안하여 현장별로 수립한 검측체크리스트에 따라 관련법령, 설계도서 및 계약서 등의 내용대로 시공되는지 시설물의 각 공종마다 육안검사 · 측량 · 입회 · 승인 · 시험 등의 방법으로 검측업무를 수행하여야 한다.
6. 시공자가 검측을 요청할 경우에는 즉시 검측을 수행하고 그 결과를 시공자에게 통보하여야 한다.
7. 해당공사의 토석물량 및 반출 · 입 시기 등의 변동사항을 토석정보시스템(http://www.tocycle.com)에 즉시 입력 · 관리하여야 한다.

③ 시공자는 다음 각 호의 기본임무를 수행하여야 한다.

1. "시공자"는 관련법령 및 공사계약문서에서 정하는 바에 따라 현장작업, 시공방법에 대하여 품질과 안전에 대한 전적인 책임을 지고 신의와 성실의 원칙에 입각하여 시공하고, 정해진 기간내에 완성하여야 하며 건설사업관리기술인으로부터 재시공, 공사중지명령, 그 밖에 필요한 조치에 대한 지시를 받을 때에는 특별한 사유가 없으면 지시에 따라야 한다.
2. "시공자"는 발주청과의 공사계약문서에서 정하는 바에 따라 건설사업관리기술인의 업무에 적극 협조하여야 한다.

④ 설계자는 다음 각 호의 기본임무를 수행하여야 한다.

1. "설계자"는 관련법령, 설계기준, 설계도서 작성기준 및 용역계약문서에서 정하는 바에 따라 설계업무를 성실하게 수행하여야 하며, 건설사업관리기술인으로부터 필요한 조치에 대한 지시를 받을 때에는 특별한 사유가 없으면 지시에 따라야 한다.
2. "설계자"는 발주청과의 용역계약문서에 정하는 바에 따라 건설사업관리기술인의 업무에 적극 협조하여야 한다.

제11조(건설사업관리기술인의 근무수칙 등) ① 건설사업관리기술인은 건설사업관리업무를 수행함에 있어 발주청과의 계약에 의하여 발주청의 감독업무를 대행한다.

② 건설사업관리업무에 종사하는 자는 업무수행 시 다음 각 호에 따라야 한다.

1. 건설사업관리기술인은 관계법령과 이에 따른 명령 및 공공복리에 어긋나는 어떠한 행위도 하지 않으며 용역계약문서에서 정하는 바에 따라 신의와 성실로서 업무를 수행하여야 하며, 품위를 손상하는 행위를 하여서는 안된다.
2. 건설사업관리기술인은 건설공사의 품질향상을 위하여 기술개발 및 활용 · 보급에 전력을 다하여야 한다.
3. 건설사업관리기술인은 건설사업관리업무를 수행함에 있어서 해당 설계용역계약문서, 공사계약문서, 건설사업관리과업내용서, 그 밖의 관계규정 등의 내용을 숙지하고 해당 공사의 특수성을

파악한 후 건설사업관리업무를 수행하여야 한다.

4. 건설사업관리기술인은 설계자 및 시공자의 의무와 책임을 면제시킬 수 없으며, 임의로 설계를 변경시키거나, 기일연장 등 설계용역계약조건 및 공사계약조건과 다른 지시나 결정을 하여서는 안된다.
5. 건설사업관리기술인은 문제점이 발생되거나 설계 또는 시공에 관련한 중요한 변경 및 예산과 관련되는 사항에 대하여는 수시로 발주청에 보고하고 지시를 받아 업무를 수행하여야 한다. 다만, 인명손실이나 시설물의 안전에 위험이 예상되는 사태가 발생할 시에는 먼저 적절한 조치를 취한 후 즉시 발주청에 보고하여야 한다.
6. 건설사업관리기술인은 시공자가 설계도서와 다르게 시공하여 부실시공이 발생하거나 발생할 가능성이 있다고 판단되는 경우 해당 공사감독자, 책임건설사업관리기술인에 보고하여야 하며, 보고를 받은 공사감독자, 책임건설사업관리기술인은 부실사항에 대해 실측 등의 방법으로 현장을 직접 확인하고 부실시공으로 판단되는 경우 시공자에게 시정조치하여야 한다.
7. 건설사업관리용역사업자 및 건설사업관리기술인은 해당 용역시행 중은 물론 용역이 종료된 후라도 감사기관의 수감요구 및 문제발생으로 인한 발주청의 출석요구가 있으면 이에 응하여야 하며, 건설사업관리업무 수행과 관련하여 발생된 사고 또는 피해로 피해자가 소송제기시 국가지정 소송업무에 적극 협력하여야 한다.
8. 책임건설사업관리기술인은 배치된 건설사업관리기술인이 업무능력 부족 등으로 해당 용역을 수행하는 것이 부적합하다고 판단되는 경우 소속 건설사업관리용역사업자에게 해당 건설사업관리기술인의 교체를 요구하고 이를 발주청에 통보하여야 한다. 이 경우 요청을 받은 소속 건설사업관리용역사업자는 해당 건설사업관리기술인에게 사실관계를 확인하고, 특별한 사유가 없으면 요청에 따라야 한다.

③ 상주기술인는 다음 각 호에 따라 현장근무를 하여야 한다.

1. 상주기술인은 공사현장(공사와 관련한 외부 현장점검, 확인 등 포함)에 상주하여야 하며 업무 또는 부득이한 사유로 1일 이상 현장을 이탈하는 경우에는 반드시 건설사업관리업무일지에 기록하고 서면으로 발주청의 승인(긴급시 유선승인)을 받아야 한다.
2. 건설사업관리기술인은 당일 근무위치 및 업무내용 등을 근무상황판(별지 제1호 서식)에 기록하여야 한다.
3. 건설사업관리용역사업자는 건설사업관리업무에 종사하는 건설사업관리기술인이 건설사업관리업무 수행기간 중 법, 「민방위기본법」 또는 「예비군법」에 따른 교육을 받는 경우나 「근로기준법」에 따른 연차 유급휴가로 현장을 이탈하게 되는 경우에는 건설사업관리업무에 지장이 없도록 동일한 현장의 건설사업관리기술인을 직무대행자로 지정하고 업무 인계인수 하는 등의 필요한 조치를 하여야 한다.
4. 상주기술인은 발주청의 요청이 있는 경우에는 초과근무를 하여야 하며, 시공자가 발주청의 승인을 득하여 초과근무를 요청하

는 경우에도 초과근무를 하여야 한다. 이 경우 대가지급은 「국가를 당사자로 하는 계약에 관한법률」에 의한 계약예규(기술용역계약일반조건)에서 정하는 바에 따른다.

5. 책임건설사업관리기술인은 발주청이 해당 현장의 품질 및 안전을 확보하기 위해 「근로기준법」 제51조에서 정하는 기준 내에서 상주기술인의 근무시간 조정을 요청할 경우 이를 검토하고 필요한 조치를 해야 하며, 발주청의 요청 전이라도 탄력적 근로시간제의 도입이 필요하다고 판단되는 경우 발주청과 협의하여 조치할 수 있다.
6. 건설사업관리용역사업자는 건설사업관리현장이 원활하게 운영될 수 있도록 건설사업관리 용역비 중 관련항목 규정에 따라 직접경비를 적정하게 사용하여야 한다.

④ 기술지원기술인은 다음 각 호의 업무를 수행하여야 한다.

1. 규칙 제34조제1항에서 정한 업무
2. 설계변경에 대한 기술검토
3. 정기적(담당분야의 공종이 진행되는 경우 월 1회 시행하고, 분기별 각 1회 발주청과 협의하여 결정한 날에는 발주청의 공사감독자 또는 공사관리관, 시공사 현장대리인과 기술지원기술인 전원이 합동으로 시행. 단, 분기별 합동 시행 시 해당 월의 개별 시행은 생략 가능)으로 현장시공 상태를 종합적으로 점검·확인·평가·기술지도를 하여야 하며, 그 결과를 서면으로 작성하여 책임건설사업관리기술인에게 제출하여야 하고, 책임건설사업관리기술인은 기술지원기술인이 제출한 현장점검 결과보고서의 적정성 여부를 검토하여 7일 이내에 건설사업 관리용역사업자 및 발주청에 보고
4. 공사와 관련하여 발주청이 요구한 기술적사항 등에 대한 검토
5. 그 밖에 책임건설사업관리기술인이 요청한 지원업무 및 기술검토

제12조(발주청의 지도감독 및 업무범위) ① 발주청은 건설사업관리 착수 및 공사 착공 시에 시공자, 설계자 및 건설사업관리기술인 등 공사 관련자 합동회의를 통해 해당 공사의 품질 및 안전관리 등을 위한 각 주체별 주요 업무범위를 정하여야 한다.

② 발주청은 건설사업관리용역 계약문서에 규정된 바에 따라 다음 각 호의 사항에 대하여 건설사업관리기술인을 지도·감독하며 모든 지시는 건설사업관리용역사업자 대표자 또는 책임건설사업관리기술인을 통하여 하도록 한다.

1. 건설사업관리기술인의 적정자격 보유 여부 및 상주 이행상태
2. 품위손상 여부 및 근무자세
3. 발주청 지시사항의 이행상태
4. 행정서류 및 비치서류 처리상태
5. 각종 보고서의 처리상태
6. 건설사업관리용역비 중 직접경비의 적정 사용여부 확인

③ 발주청은 건설공사 시행에 따른 업무연락 및 문제점의 파악, 용지보상 지원, 민원해결과 관련하여 설계자 및 시공자에게 지시할 수 있으며, 이 경우 책임건설사업관리기술인에게 그 내용을 통보하여야 한다.

④ 발주청은 건설사업관리기술인이 공사중지 또는 재시공 명령을

행사하고자 하는 경우, 사전에 이를 승인 받도록 하여 건설사업관리기술인의 권한을 제약하는 일이 발생하지 않도록 하여야 한다.

⑤ 발주청은 시공 전에 건설사업관리기술인 및 설계자, 시공자와 합동으로 다음 각 호의 사항에 대하여 유관기관 합동회의를 실시하여 이의 조정 또는 변경 여부를 검토하여 사후에 민원 등이 야기되지 않도록 하여야 한다.

1. 전력 및 통신시설
2. 급·배수시설
3. 도시가스시설
4. 방음벽, 육교, 지하통로, 버스정차장 및 지역편의시설 등

⑥ 발주청은 유관기관 관련자 합동회의와 현지 여건조사, 설계도서의 공법검토 등을 통하여 민원발생이 예상되는 사항을 건설사업관리기술인과 함께 사전에 도출하는 등 민원발생의 원인 제거 또는 최소화를 위해 노력하여야 한다.

⑦ 발주청은 민원이 발생된 경우에는 민원의 원활한 해결을 위해 건설사업관리기술인 및 시공자와 공동으로 필요한 조치를 취하거나 건설사업관리기술인 및 시공자에게 자료조사 및 관련서류를 작성하게 할 수 있으며, 중요 민원사항은 검토의견서를 첨부하여 발주청에 즉시 보고하도록 하여야 한다.

⑧ 발주청은 건설사업관리기술인이 발주청의 지시에 위반된다고 판단되는 업무를 수행할 경우 이에 대하여 해명토록 하거나 시정하도록 서면 지시 할 수 있다.

⑨ 발주청은 그가 발주한 공사에 대한 품질·안전 확보 및 발주청의 재산상 손해 방지 등을 위하여, 관내 공사현장간 교차 또는 합동으로 점검할 수 있는 검측단을 구성·운영할 수 있다. 이 경우 발주청은 대상 구조물 및 공종에 대한 범위와 검측단 구성·운영 방안을 마련하여 시행하여야 한다.

⑩ 발주청은 공사특성 및 업무량 등을 종합적으로 판단하여 감독권한대행 등 건설사업관리용역 관리업무에 지장이 없는 범위에서 기술자격 또는 유사경력을 갖춘 소속 직원을 공사관리관으로 임명하여야 하며, 정·부책임자 또는 각 전문분야별로 다수의 공사관리관을 임명할 수 있다.

⑪ 공사감독자 및 공사관리관은 공사를 추진함에 있어 다음 각 호의 주요업무를 수행하여야 한다.

1. 보상 담당부서에서 수행하는 통상적인 보상업무 외에 건설사업관리기술인 및 시공자와 협조하여 용지측량, 기공승락, 지장물 이설 확인 등의 용지보상 지원업무수행
2. 건설사업관리기술인에 대한 지도·점검(근태사항 등)
3. 건설사업관리기술인이 수행할 수 없는 공사와 관련한 각종 관·민원업무 및 인·허가 업무를 해결하고, 특히 지역성 민원해결을 위한 합동조사, 공청회 개최 등을 추진
4. 설계변경, 공기연장 등 주요사항 발생시 발주청으로부터 검토·지시가 있을 경우 현지확인 및 검토·보고
5. 공사관계자 회의 등에 참석, 발주청의 지시사항 전달 및 공사수행상 문제점 파악·보고
6. 품질관리 및 안전관리에 관한 지도

7. 예비준공검사 입회
8. 기성 · 준공검사 입회
9. 준공도서 등의 인수
10. 하자발생시 현지조사 및 사후조치

⑫ 공사감독자 및 공사관리관은 관계법령 및 지침에 따라 건설사업관리기술인이 보고하는 사항에 대해 적정 여부를 검토하여야 하며, 민원 또는 설계변경(공기연장 포함), 예산 등이 수반되는 사항은 사전에 발주청에 보고하여야 한다.

⑬ 공사감독자 및 공사관리관은 건설사업관리기술인과 협조하여 적극적으로 민원해결방안을 강구하는 등 원만하고 성실하게 민원을 처리하여야 한다. 다만, 특정공사 실시협약 상 민원처리 책임이 별도로 규정되어 있는 경우 그에 따른다.

⑭ 공사감독자 및 공사관리관은 건설공사 현장에 다음 각 호의 사항이 발생하는 때에는 필요한 응급조치를 취한 후 그 내용을 서면으로 발주청에 보고하여야 한다.

1. 천재지변, 기타의 사유로 공사현장에 중대한 사고가 발생하였을 때
2. 계약자가 정당한 사유 없이 장기간 동안 업무를 수행하지 아니할 때
3. 계약자가 업무를 불성실하게 수행하거나 발주청의 정당한 지시를 이행하지 아니 할 때

⑮ 공사감독자 및 공사관리관은 건설사업관리기술인 또는 시공자로부터 발주청에 보고 및 승인 요청이 있는 경우에는 특별한 사유가 없는 한 다음 각 호의 정해진 기한 내에 처리될 수 있도록 협조하여야 한다.

1. 실정보고, 설계변경 방침결정 : 요청일로부터 단순한 경우 7일 이내, 그 외의 사항은 14일 이내
2. 업무조정회의 개최 : 안건상정 요청일로부터 20일 이내
3. 시설물 인수 · 인계 : 준공검사 시정 완료일부터 14일 이내
4. 현장문서 인수 · 인계 : 용역준공 후 14일 이내
5. 유지관리지침서 인수 : 공사준공 후 14일 이내

⑯ 공사감독자 및 공사관리관은 해당 건설공사와 관련하여 다른 행정기관 및 건설현장에서 각종 회의 등의 참석요구가 있을 경우에는 특별한 사유가 없는 한 참석하여야 한다.

⑰ 공사감독자는 현장에 상주하는 것을 원칙으로 하며, 공사관리관은 비상주를 원칙으로 한다. 다만, 공사의 중요도 및 현장 여건을 판단한 결과 현장에 상주하는 것이 공사추진상 효율적이라 인정되는 경우에는 상주근무를 할 수 있다.

⑱ 공사감독자 및 공사관리관은 교체의 명이 있을 때에는 현장에 비치된 서류 · 기구 · 자재 및 그 밖에 공사에 관한 사항, 건설사업관리용역 과업수행 관리와 관련된 서류 및 추진사항을 후임자에게 인계하여 공사감독 및 용역과업수행 관리에 차질이 없도록 하여야 하며, 그 사항을 발주청에 보고하여야 한다.

⑲ 공사관리관은 공사현장 방문 시 당일 행선지 등을 기록하는 근무상황판을 사무실에 비치 · 기록하고 행선지를 항상 파악할 수 있도록 하여야 하며, 현장을 방문하여 관계법령 및 제2항 각 호의 사항에 대한 확인 · 점검을 실시한 경우에는 방문시간, 면담자, 현장

실정 등 업무수행 사항을 별지 제2호 서식에 따라 3일 이내에 사업부서의 장에게 보고한 후 이를 기록 유지(발주청과 공사현장 간 정보시스템을 운영하는 경우 시스템에 기록 유지)하여야 한다.

⑳ 공사관리관은 기성 및 준공검사 과정에 입회하여 기성 및 준공검사자가 계약서, 시방서, 설계서 등 관계서류에 따라 기성 및 준공검사를 실시하는지 여부를 확인하여야 하며, 입회자는 시공물량 확인 등 정량적인 검사업무에 직접적으로 관여하여서는 아니된다. 다만, 약식 기성의 경우에는 공사관리관의 입회를 생략할 수 있다.

㉑ 공사관리관은 기성 및 준공검사에 입회한 경우에는 기성 및 준공검사조서에 입회자란에 서명 날인하여야 하며, 보고 및 기록 유지사항은 제19항의 규정을 준용한다.

제2절 공통업무

제13조(건설사업관리 과업착수준비 및 업무수행 계획서 작성 · 운영) ① 건설사업관리기술인은 과업에 착수하기 전 관련 문서들을 작성 · 제출하여야 하며, 이때 관련 문서로는 착수신고서, 건설사업관리기술인 선임계 및 경력확인서, 건설사업관리비 산출내역서 및 산출근거, 인력투입계획서, 건설사업관리용역 예정공정표, 건설사업관리용역 배치계획서, 보안각서 등을 포함한다.

② 건설사업관리기술인은 건설사업관리 업무를 효율적으로 수행하기 위하여 프로젝트 진행을 전반적으로 통합 관리 가능도록 하는 문서를 작성해야 하며, 프로젝트 개요, 업무정의(기본업무, 추가업무), 단계별과업수행범위, 역할분담, 단계별주요성과물, 과업 수행 목표 및 달성 전략, 단계별 예상 문제점 및 대책 등 위험요소(Risk)관리방안, 조직구성방안(공동도급 시 업무분장), 인원투입계획, 단계별 사업관리조직 및 역할, 단계별업무수행계획(공통사항, 분야별, 요소기술별, 관리부문별세부계획) 등을 포함하여 해당 문서를 작성 · 제출한다.

제14조(건설사업관리 절차서 작성 · 운영) ① 건설사업관리용역사업자는 건설사업관리 절차서(단계별, 요소 · 관리부문별 항목포함)와 주요 개별 절차서를 작성 · 운영하며, 그 내용으로 수행절차서 구성형식, 문서번호체계, 목적, 적용범위, 업무절차, 관련자료(지침, 규정 등), 업무매트릭스, 단계별 업무내용 및 업무(역할)분담 등에 대해 작성하는 업무를 포함한다.

② 제1항에 의한 건설사업관리절차서는 각 건설공사 시행단계별로 업무 착수 후 각각 60일 이내 발주청에 제출하여야 한다. 다만, 건설공사의 특성을 고려하여 발주청과 건설사업관리용역사업자가 협의하여 제출기한을 조정할 수 있다.

제15조(작업분류체계 및 사업번호체계 관리, 사업정보 축적 · 관리) ① 건설사업관리기술인은 작업분류체계(WBS) 및 사업번호 분류체계(PNS)를 기반으로 정보 공유 · 교환, 분석 · 종합, 전산화 운영 등에 일관성을 확보하여야 하며 다음 각 호의 내용을 포함하여야 한다.

1. 현장코드-사업단위코드-대공종-중공종-소공종코드-단위작업코드 순서로 작업분류체계와 사업비분류체계 위계 설정
2. 분류기준과 번호체계설정을 위한 문서분류체계는 발신기관-수신기관-발행연도-일련번호-서신형태 등의 순서로 수립

3. 자료분류 체계는 기록문서 · 설계도서 · 기술자료 · 계약문서-업무분류-업무세분류-일련번호 순서로 구축한다.

② 건설사업관리기술인은 각종 문서, 도면, 기술자료 등 사업정보 축적관리를 위하여 문서관리체계와 자료관리체계를 수립하여야 하며 다음 각 호의 내용을 포함하여야 한다.

1. 문서관리체계수립 단계에서는 분류 기준 작성, 접수, 송부 및 보관을 위한 문서관리체계를 수립하고 세부적으로는 문서분류기준설정(사업번호체계 참고), 문서접수, 문서송부, 보관, 색인, 보안관리 등 문서관리업무를 수행
2. 자료관리체계수립 단계에서는 기술자료, 도면 등 자료관리체계수립, 자료분류기준작성, 관리번호부여, 자료의 색인, 자료의 보관, 자료의 열람 · 대출, 자료의 이관, 자료의 폐기 등 자료 관리업무 수행

제16조(건설사업정보관리시스템 운영) 건설사업관리기술인은 운영매뉴얼 및 지침서에 따라 자료입력을 준비하고 자료입력, 공사현황 기록관리, 정보 분석, 정보공유, 사업관리보고서 작성제출, 시스템보안 · 수정, 운영자 교육 등 건설공사의 사업정보관리업무를 수행할 수 있다.

제17조(사업단계별 총사업비 및 생애주기비용 관리) 건설사업관리기술인은 계약사항에 따라 건설사업의 각 단계별로 공사비 등을 포함한 총사업비 산정 · 관리, 생애주기비용 관점에서 분석 · 관리, 사업진행단계별 예산 편성 · 배정 · 집행 등 업무를 지원할 수 있다.

제18조(클레임 사전분석) ① 건설사업관리기술인은 추후 프로젝트 진행에 있어 영향을 최소화하기 위해 노력하며, 건설사업 수행과정에서 참여자(건설기술용역업체, 시공자 및 건설참여자 등)로부터 클레임 사전 예방활동, 발주청 대책수립 등 업무를 지원한다.

② 건설사업관리기술인은 클레임 발생 시 추가적인 업무로 수행하며, 그 업무에 대하여는 발주청 및 시공자와 협의하여 수행한다.

제19조(건설사업관리 보고) 건설사업관리기술인은 법 제39조제4항 및 규칙 제36조와 계약내용에 따라 건설사업관리용역 보고서를 작성하여 발주청에 제출하여야 한다.

제3절 설계전 단계 업무

제20조(건설기술용역업체 선정) ① 건설사업관리기술인은 건설기술용역업체 선정을 위한 평가기준 제시 및 입찰계약절차를 수립하여야 하며, 발주청이 사업계획(안)을 수립하기 위하여 기본구상, 타당성조사 및 기본계획 등을 수행할 각종 용역업체를 선정하기 위한 선정 기준을 마련하고, 입찰계약 절차수립(프로젝트 조건에 따라), 계약조건, 과업지시서 작성 등의 지원업무를 수행한다.

② 건설사업관리기술인은 입찰에 관한 참가자격 사전심사(자격요건, 제출서류의 확인, 입찰참가자격 사전심사(PQ)평가 등)과 현장설명, 입찰관련 현장설명 및 질의에 관한 답변 등 업무를 지원한다.

제21조(사업 타당성 조사 보고서의 적정성 검토) 건설사업관리기술인은 건설기술용역성과품에 대한 검토 · 확인 업무를 수행하며 법규정, 기술, 환경, 사회, 재정, 용지, 교통 등 요소의 적정 반영여부와 공사비 등 각종 지출비용에 대한 검토(한도포함), 시기적 차이 및 각

종 여건변화 시 검토시점에 맞춘 기술검토의견 제안 등의 업무를 수행한다.

제22조(기본계획 보고서의 적정성 검토) 건설사업관리기술인은 건설사업의 목적에 부합하는 사업 추진이 가능하도록 공사의 목표 및 기본방향, 공사내용 및 기간, 공사비 재원조달계획, 유지관리 계획 등을 검토하는 업무를 수행한다.

제23조(발주방식 결정 지원) ① 건설사업관리기술인은 건설사업의 공사수행 방식 중 기술 공모방식, 대형공사 수행방식, 그 밖에 수행방식 비교안 작성 및 건설사업에 부합된 최적안을 제시하는 업무를 수행한다.

② 건설사업관리기술인은 발주방식 적정성 검토 시 해당공사의 공법, 용도, 규모, 시공에 필요한 등록요건, 건설사업 특수성, 관계규정 검토, 예산과 공사내용, 참가자격, 경쟁성, 난이도, 지역 특수성 검토, 발주심의 절차 및 요건에 대한 사전대응지원의 업무를 수행하여 최적의 발주방식이 될 수 있도록 지원하는 업무를 수행한다.

제24조(관리기준 공정계획 수립) 건설사업관리기술인은 관리기준 공정계획 수립 시 총 사업기간, 설계기간, 시공기간, 예산조달, 각종 사업여건을 고려하여 최상위 단계의 공정관리 계획을 수립하는 업무를 수행한다.

제25조(총사업비 집행계획 수립지원) 건설사업관리기술인은 건설사업의 총 사업비 집행계획 수립지원 및 연도별 자금계획을 고려한 종합예산계획서 작성과 종합예산계획서 작성을 위한 각종 시설물별 개략공사비, 등급별, 조건별 대안비교 및 최적안 제안, 예산준수를 위한 방안 및 예산초과 시 대응방안 등에 대한 검토·지원하는 업무를 수행한다.

제4절 기본설계 단계 업무

제26조(기본설계 설계자 선정업무 지원) ① 건설사업관리기술인은 기본설계 단계의 설계자 선정을 위한 설계자 선정 기준, 유사 건설사업 경험 및 기술력·창의력 평가, 공종별 입찰 추진방안 및 계약절차 수립 업무를 지원한다.

② 건설사업관리기술인은 입찰관련 서류를 검토·분석하여 발주청에 보고하고 입찰서류 준비 및 방식, 확정의 업무를 지원한다.

제27조(기본설계 조정 및 연계성 검토) 건설사업관리기술인은 해당 설계 용역과 관련된 설계의 경제성 등을 검토하고, 설계용역 성과검토 업무가 유기적으로 연계될 수 있도록 기술적인 연계성 검토 및 조정 업무를 수행하여야 하며, 각종 회의 등을 통해 분야별 설계자간의 업무협의 또는 의견조정 등이 원활하게 이루어질 수 있도록 지원하여야 한다. 이를 위한 구체적인 수행업무는 다음 각 호와 같다.

1. 설계 등 용역의 수행에 있어 단독 설계자가 아닌 다수의 설계자로 구성된 협업(공동도급)형태의 용역이 수행되는 경우 이들 간의 조직적 및 기술적 상호관계 명확화
2. 설계조직 간의 조직적 및 기술적 연계성을 확립하고, 필요한 설계정보가 문서화되고 정기적으로 검토되기 위해서 필요한 경우 정기적인 검토회의를 개최해야 하고, 설계조직 간의 체계도를 작성 및 관리

3. 해당 건설공사와 관련된 각종 설계업무가 유기적으로 연계될 수 있도록 조정하는 업무들로써 기본설계 업무 협조 및 조정, 기본설계 업무의 연계성 검토, 공종 간 간섭사항 검토 등의 업무를 수행

제28조(기본설계단계의 예산검증 및 조정업무) 건설사업관리기술인은 기본설계 단계의 공사비 분석 및 견적 기준 제시를 위하여 개략공사비 검토 및 계획비용과의 비교 검토한다.

제29조(기본설계 경제성 검토) 건설사업관리기술인은 준비단계, 분석단계, 실행단계 각 단계에서의 경제성 검토 실시 및 시설물의 구조형식, 생애주기비용(Life Cycle Cost)을 고려한 자재 및 설비의 결정 등의 업무를 수행한다. 건설사업관리기술인이 수행해야 할 설계의 경제성 등 검토업무는 다음 각 호와 같다.

1. 설계단계 건설사업관리 대상공사의 설계자료 수집
2. 설계의 경제성 등 검토를 위한 사전검토자료 준비
3. 설계의 경제성 등 검토 추진계획 및 검토조직의 구성
4. 설계 계획안의 적정성 검토
5. 각종 구조물의 형식선정의 적합성 검토
6. 적용공법 및 사용재료의 적합성 검토
7. 신공법, 특수공법 적용성 검토 및 대안 제시
8. 공사기간 및 공사비(생애주기비용)의 적정성 검토
9. 설계의 경제성 등 검토 결과보고서의 작성

제30조(기본설계용역 성과검토) ① 건설사업관리기술인은 기본설계를 검토하여 조정, 수정, 보완이 필요한 사항을 발주청에 보고하고 건설사업의 개요, 목적, 타당성 조사결과 검토, 사업성 검토, 공법 적합성 검토, 주요자재 및 부위별 마감재 적합성 검토 등의 업무를 수행한다. 건설사업관리기술인이 수행해야 할 설계용역 성과검토 업무는 다음 각 호와 같다.

1. 주요 설계용역 업무에 대한 기술자문
2. 구조물별 구조계산의 적정여부 검토
3. 구조계산 결과 설계도면 반영의 적정성 검토
4. 시공성 및 유지관리의 용이성 검토
5. 설계도서의 누락, 오류, 불명확한 부분에 대한 추가 및 정정 지시 · 확인
6. 도면작성의 적정성 검토

② 건설사업관리기술인은 설계기준 및 용역성과 검토와 지질 · 환경영향조사 사용자의 요구사항 반영, 관련법규 검토, 주요구조물 및 시설물의 기능, 설계심의자문 사전검토자료 작성 등의 업무를 수행한다. 건설사업관리기술인이 수행해야 할 설계용역 성과검토 업무는 다음 각 호와 같다.

1. 사업기획 및 타당성조사 등 전 단계 용역 수행 내용의 검토
2. 현장조사(측량, 현지여건, 지반상태, 재료 등) 내용의 타당성 및 조사결과에 대한 설계적용의 적정성 검토
3. 관련계획 및 계산기준(시방서, 지침, 법규 등) 적용의 적합성 검토
4. 각종 위원회 심의결과 및 관계기관 협의내용에 대한 반영여부 검토
5. 전산용 프로그램을 관련법에 따라 도입, 등록 절차를 이행하고

사용하는지와 사용프로그램의 검증 후 사용여부 검토

6. 설계참여기술인의 실제 참여 여부 확인
7. 적정 설계조직과 인력 운영 여부 확인
8. 설계 공정의 검토
9. 시방서(일반 및 특별시방서) 작성의 적정성 검토
10. 설계단계 건설사업관리 결과보고서의 작성

③ 건설사업관리기술인은 설계자가 도급받은 기본설계용역을 법 제35조제4항 및 규칙 제31조에 따라 하도급을 하고자 발주청에 승인을 요청하는 사항에 대해서는 「건설기술용역 하도급 관리지침」(국토교통부고시)에 따른 하도급 적정성 여부 등을 검토하여 그 의견을 발주청에게 제출하여야 하며, 하도급 계약, 하도급 대금 지급, 하도급 실적 통보 등에 대하여 설계자가 「건설기술용역 하도급 관리지침」에 따라 이행하도록 지도·확인하여야 한다.

제31조(기본설계 용역 기성 및 준공검사관리) ① 건설사업관리기술인은 기본설계 용역의 진행상황 및 기성 등을 검토·확인을 실시하여야 하며, 지연된 공정에 대한 설계자의 만회대책 검토 및 조정, 설계 진척에 따른 기성 적합여부 확인 등의 업무를 수행한다.

② 건설사업관리기술인은 기본설계 완료검사 확인을 위하여 기본설계의 설계기준 및 용역성과품에 대한 적정성 검토 및 확인의 업무를 수행한다.

제32조(각종 인허가 및 관계기관협의 지원) 설계단계 건설사업관리기술인은 각종 인허가 목록 작성 및 인허가 처리 업무를 지원한다.

제33조(기본설계단계의 기술자문회의 운영 및 관리 지원) ① 건설사업관리기술인은 다음 각 호와 같이 발주청의 기술자문회의 운영 및 관리업무를 지원하여야 한다.

1. 건설사업관리 조직과 별도로 특수 전문분야에 대하여는 필요시 기본설계단계에서 각 분야별 전문가로 구성된 기술자문위원회 운영을 지원하며, 발주청과 건설사업관리기술인이 협의하여 자문위원을 선정하고 필요시 발주청의 요청 및 승인에 따라 조정 가능
2. 발주청은 건설사업관리기술인을 경유하지 않고 직접 기술자문위원회와 필요한 자료 또는 자문을 교환할 수 있음
3. 세부운영계획을 수립하고 동 내용을 업무수행계획서에 포함하여 제출하여야 함

② 설계심의 절차 및 내용에는 다음 각 호의 내용이 포함되어야 한다.

1. 설계심의 : 설계의 적정성, 기술개발 ·신공법 적용의 가능성 등을 검토
2. 입찰방법심의 : 공사의 성격에 따라 발주방법의 적정성(일괄입찰, 대안입찰, 기술제안입찰) 등을 검토
3. 입찰안내서심의 : 일괄입찰, 대안입찰로 결정된 공사에 대하여 계약조건, 입찰유의서, 시방조건 등 입찰안내서 작성의 적정성 검토
4. 용역발주심의 : 용역시행계획 및 과업내용의 적정성 검토
5. 설계적격심의 : 일괄입찰공사, 대안입찰공사, 기술제안입찰공사의 설계도서에 대한 설계 적격여부 및 기술제안 채택여부를 검토
6. 공사 발주 전 심의 : 국제입찰대상공사인 경우 계약관련 서류에

대한 검토를 하여 클레임 발생 및 분쟁 소지를 방지하기 위한 심의를 수행

제5절 실시설계 단계 업무

제34조(실시설계의 설계자 선정업무 지원) ① 건설사업관리기술인은 설계자 선정을 위한 기준 및 입찰·계약절차 수립을 위하여 다음 각 호와 같이 발주청을 지원한다.

1. 설계자 선정 기준 발주청 지원
2. 유사건설사업 경험 및 기술력, 창의력 평가지원
3. 공종별 입찰 추진방안 및 계약절차 수립업무 지원

② 입찰관련 서류의 적정성 검토

1. 입찰관련 서류 검토 분석하여 발주청에 보고
2. 입찰서류 준비, 방식, 확정업무 지원

제35조(실시설계 조정 및 연계성 검토) ① 건설사업관리기술인은 해당 설계 등 용역과 관련된 설계의 경제성 등 검토 및 설계용역 성과검토업무가 유기적으로 연계될 수 있도록 기술적인 연계성 검토 및 조정업무를 수행하여야 하며, 각종 회의 등을 통해 분야별 설계자간의 업무협의 또는 의견조정 등이 원활하게 이루어질 수 있도록 지원하여야 한다. 이를 위한 구체적인 수행업무는 다음 각 호와 같다.

1. 설계 등 용역의 수행에 있어 단독 설계자가 아닌 다수의 설계자로 구성된 공동도급 형태의 용역이 수행되는 경우 이들 간의 조직적 및 기술적 상호관계를 명확히 제시
2. 설계조직 간의 조직적 및 기술적 연계성을 확립하고, 필요한 설계정보가 문서화되고 정기적으로 검토되기 위해서 필요한 경우 정기적인 검토회의를 개최해야 하며, 설계조직 간의 체계도를 작성하여 관리
3. 실시설계업무 협조 및 조정
4. 실시설계 업무의 연계성 검토, 발주청 지원
5. 공종 간 간섭사항 검토

② 건설사업관리기술인은 실시설계단계에서 공사비가 타당한 사유로 예산을 초과해야 할 경우, 발주청으로 하여금 설계용역을 중지하거나 진행하면서 총사업비 증액조정업무를 처리하도록 하여야 한다.

③ 건설사업관리기술인은 견적방법 기준 제시 및 공사비 분석 기준제시를 위하여 예산, 공기확정, 자금집행 계획, 사업비용의 적정성을 검토하여야 한다.

제36조(실시설계의 경제성(VE) 검토) ① 건설사업관리기술인은 실시설계 경제성 검토를 위하여 다음 각 호와 같은 업무를 수행하여야 한다.

1. 준비단계 경제성 검토
2. 분석단계 경제성 검토
3. 실행단계 경제성 검토
4. 시설물의 구조형식 및 생애주기비용을 고려한 자재 및 설비의 결정

② 건설사업관리기술인은 설계의 경제성 등 검토업무를 통해 선택된 개선안 또는 변경 안을 발주청에 제안하여 발주청으로 하여금

심의, 승인할 수 있도록 제안절차를 수행하여야 하며, 그 과정은 다음 각 호와 같다.

1. 설계의 경제성 등 검토 제안서 작성
2. 제안서 제출 및 보고
3. 설계의 경제성 등 검토 제안서 심의
4. 설계의 경제성 등 검토 제안서 승인 · 반려

③ 건설사업관리기술인은 설계의 경제성 등 검토 보고서의 제출과 함께 제안하는 내용을 좀더 효과적으로 전달하고 이해시키기 위해 발주청과 협의, 보고회 또는 회의 등을 실시할 수 있다. 건설사업관리기술인은 채택된 설계의 경제성 등 검토업무 실적보고서 1부를 설계자에게 송부, 설계에 반영토록 한다.

제37조(실시설계용역 성과검토) ① 건설사업관리기술인은 실시설계의 검토를 위하여 다음 각 호와 같은 업무를 수행하여야 한다.

1. 실시설계 검토하여 조정, 수정, 보완이 필요한 사항 발주청 보고 및 조치지원
2. 사업의 개요, 목적, 타당성 조사, 사업성 검토
3. 공법 적합성 검토
4. 자재 적합성 검토
5. 도면이 설계 입력 자료와 적절한 코드 및 기준에 적합한지 여부
6. 도면이 적정하게, 해석 가능하게, 실시 가능하며 지속성 있게 표현 되었는지 여부
7. 도면상에 사업명과 계약숫자에 적정한 일자와 타이틀을 부여했는지 여부
8. 관련 도면들과 다른 관련문서들의 관계가 명확하게 표시되었는지 여부

② 건설사업관리기술인은 각종 조사의 적정성, 설계기준 및 용역성과품 등에 관한 검토, 확인을 위하여 다음 각 호의 업무를 수행하여야 한다.

1. 설계기준 및 용역성과품 적정성 검토, 조정
2. 지질, 환경영향조사 및 사용자의 요구사항 반영
3. 관련법규 검토, 시설물의 기능, 설계심의자문 사전검토자료 작성

③ 건설사업관리기술인은 설계자가 작성한 건설공사의 시방서가 표준시방서 및 전문시방서를 기본으로 다음 각 호의 사항이 적정하게 반영되어 작성되었는지 여부를 검토하여야 한다.

1. 설계도면에 구체적으로 표시할 수 없는 공사의 특수성, 지역여건, 공사방법 등이 고려되었는지
2. 자재의 성능 · 규격 및 공법, 품질시험 및 검사 등 품질관리, 안전관리, 환경관리 등에 관한 사항
3. 실제 건설과정, 주요공종, 최신 기술의 반영 등에 관한 사항
4. 그 밖에 공사의 안전성 및 원활한 수행을 위하여 필요하다고 인정되는 사항

④ 건설사업관리기술인은 해당 건설사업의 설계가 건설기간 중의 기후조건을 반영하였는지 검토해야 한다.

⑤ 건설사업관리기술인은 해당 건설사업의 설계가 건설 생산성이 반영된 설계인지를 검토하여야 한다.

⑥ 건설사업관리기술인은 설계단계 건설사업관리 검토 목록을 별

지 제3호 서식에 따라 작성 및 관리하여야 한다.

⑦ 건설사업관리기술인은 설계자가 도급받은 실시설계용역을 법 제35조제4항 및 규칙 제31조에 따라 하도급을 하고자 발주청에 승인을 요청하는 사항에 대해서는 「건설기술용역 하도급 관리지침」(국토교통부고시)에 따른 하도급 적정성 여부 등을 검토하여 그 의견을 발주청에게 제출하여야 하며, 하도급 계약, 하도급 대금 지급, 하도급 실적 통보 등에 대하여 설계자가 「건설기술용역 하도급 관리지침」에 따라 이행하도록 지도·확인하여야 한다.

제38조(실시설계 용역 기성 및 준공검사관리) ① 건설사업관리기술인은 실시설계 용역의 진행상황 및 기성 등을 다음 각 호와 같이 검토하여야 한다.

1. 설계자의 만회대책 검토 및 조정
2. 설계 진척에 따른 기성 적합여부 확인

② 건설사업관리기술인은 실시설계 완료검사 확인을 위하여 설계기준 및 다음 용역성과품에 대한 적정성 검토 및 확인업무를 수행하여야 한다.

1. 설계용역 기성부분 검사원(별지 제4호 서식) 또는 설계용역 준공 검사원(별지 제5호 서식)
2. 설계용역 기성부분 내역서(별지 제6호 서식)

제39조(지급자재 조달 및 관리계획 수립 지원) 건설사업관리기술인은 발주청의 관급자재 조달 및 관리계획 수립업무를 지원한다.

제40조(각종 인허가 및 관계기관 협의 지원) ① 건설사업관리기술인은 각종 인허가 및 관계기관 협의 지원을 위하여 다음 각 호의 업무를 수행하여야 한다.

1. 인허가 목록 작성
2. 인허가 처리 지원

② 건설사업관리기술인은 건설사업관리 조직과 별도로 특수 전문분야에 대하여는 필요시 실시설계 단계에서 각 분야별 전문가로 구성된 기술자문위원회를 운영하여야 하며, 세부운영계획을 수립하여 제출하여야 한다.

③ 자문위원은 발주청과 건설사업관리기술인이 협의하여 선정하고, 필요 시 발주청의 요청 및 승인에 따라 조정이 가능하다.

제41조(실시설계 단계의 기술자문회의 운영 및 관리 지원) ① 건설사업관리기술인은 다음 각 호와 같이 발주청의 기술자문회의 운영 및 관리업무를 지원하여야 한다.

1. 건설사업관리 조직과 별도로 특수 전문분야에 대하여는 필요시 기본설계 단계에서 각 분야별 전문가로 구성된 기술자문위원회 운영을 지원하며, 발주청과 건설사업관리기술인이 협의하여 자문위원을 선정하고 필요 시 발주청의 요청 및 승인에 따라 조정 가능
2. 발주청은 건설사업관리기술인을 경유하지 않고 직접 기술자문위원회와 필요한 자료 또는 자문을 교환할 수 있음
3. 세부운영계획을 수립하고 동 내용을 업무수행계획서에 포함하여 제출하여야 함

② 설계심의 절차 및 내용에는 다음 각 호의 내용이 포함되어야 한다.

1. 설계심의 : 설계의 적정성, 기술개발·신공법 적용의 가능성 등

을 검토

2. 입찰방법심의 : 공사의 성격에 따라 발주방법의 적정성(일괄입찰, 대안입찰, 기술제안입찰) 등을 검토
3. 입찰안내서심의 : 일괄입찰, 대안입찰로 결정된 공사에 대하여 계약조건, 입찰유의서, 시방조건 등 입찰안내서 작성의 적정성 검토
4. 용역발주심의 : 용역시행계획 및 과업내용의 적정성 검토
5. 설계적격심의 : 일괄입찰공사, 대안입찰공사, 기술제안입찰공사의 설계도서에 대한 설계 적격여부 및 기술제안 채택여부를 검토
6. 설계·시공 등의 분쟁 자문 : 발주청과 계약자간 분쟁발생시 관련분야 전문가와 충분한 검토와 자문을 통하여 원활한 합의를 유도하는 기술지도
7. 설계심의 사후평가 : 공사 진행단계에서 설계심의·자문 지적사항에 대한 조치 계획이 시공에 적정하게 반영되었는지를 공사 현장에서 확인하고 필요시 시정 조치하여 건설공사 품질향상을 유도하는 기술지도
8. 공사 발주 전 심의 : 국제입찰대상공사인 경우 계약관련 서류에 대한 검토를 하여 클레임 발생 및 분쟁 소지를 방지하기 위한 심의를 수행

제42조(시공자 선정계획수립 지원) ① 건설사업관리기술인은 시공자 선정을 위한 평가기준 및 입찰, 계약절차를 위하여 다음 각 호와 같이 발주청을 지원하여야 한다.

1. 발주단위 구분, 발주절차 및 일정 검토
2. 공사 예정공정표(설계자 작성) 검토

② 건설사업관리기술인은 입찰관련 서류의 적정성 검토 및 내용분석을 하고 발주청에 보고하여야 한다.

제43조(결과보고서 작성) ① 건설사업관리기술인은 법 제39조제4항 및 규칙 제36조에 따라 설계단계 건설사업관리 용역이 완료된 경우에는 14일 이내에 과업의 개요, 설계에 대한 기술자문 및 설계의 경제성 검토, 이전 단계의 용역성과 검토 등을 포함한 다음 각 호의 보고서를 작성하여 발주청에 제출하여야 한다. 단, 이전 단계의 용역성과 검토 중 사업기획 및 타당성조사 검토 보고서는 이전 설계단계에 사업기획 및 타당성조사가 수행된 경우에만 적용한다.

1. 설계단계 건설사업관리 보고서
2. 설계 경제성 등 검토 보고서 등
3. 건설사업관리기록 서류
   가. 설계단계 건설사업관리 일지(별지 제7호 서식)
   나. 설계단계 건설사업관리 지시부(별지 제8호 서식)
   다. 분야별 상세 설계단계 건설사업관리 기록부(별지 제9호 서식)
   라. 설계단계 건설사업관리 요청서(별지 제10호 서식)
   마. 설계자와 협의사항 기록부(별지 제11호 서식)

② 발주청은 검사원이 준공검사를 실시한 경우에 다음 각 호에서 정한 서류를 작성하여야 한다.

1. 설계용역 기성부분 검사조서(별지 제12호 서식) 또는 설계용역 준공검사조서(별지 제13호 서식)
2. 설계용역 기성부분 내역서(별지 제6호 서식)

3. 납품조서
4. 사진첩
5. 전자매체 제목
6. 그 밖에 참고자료

제6절 구매조달 단계 업무

제44조(입찰업무 지원) ① 건설사업관리기술인은 입찰공고 내용검토, 입찰공고/방식/공고범위 검토 등의 발주청 업무를 지원한다.

② 건설사업관리기술인은 지원현장설명자료 작성, 현장설명 회의 자료 작성 및 보고, 현장 질의응답 처리, 필요시 관계자회의 주관 및 조정/처리방법 협의, 입찰참여자 통보 등의 업무를 지원한다.

③ 건설사업관리기술인은 평가표 및 평가기준, 심사위원 구성 방안 수립, 평가회의 계획 수립 및 진행 지원, 평가결과의 작성 및 보고, 낙찰통지서(또는 우선 협상자 관련 통지서) 발부지원 등의 업무를 지원한다.

제45조(계약업무지원) ① 건설사업관리기술인은 공사 발주계획 수립(유사사례 조사, 입낙찰방식 검토 등) 업무를 지원한다.

② 건설사업관리기술인은 표준계약서의 검토 및 변경, 계약특수조건 작성, 계약내용 · 공사개요 · 공사계획 · 건설사업 특기사항 등을 논의하는 협의 업무를 지원한다.

제46조(지급자재 조달 지원) 건설사업관리기술인은 발주청의 지급자재 목록 작성, 지급조건의 검토(품명, 수량, 지급시기 등), 지급자재 관리절차 및 관리금액 검토 등의 업무를 지원한다.

제7절 시공 단계 업무

제47조(일반행정업무) ① 건설사업관리기술인은 시공자가 제출하는 다음 각 호의 서류를 접수하고 적정성 여부를 검토하여 의견을 공사감독자에게 제출하여야 한다.

1. 지급자재 수급요청서 및 대체사용 신청서
2. 주요기자재 공급원 승인요청서
3. 각종 시험성적표
4. 설계변경 여건보고
5. 준공기한 연기신청서
6. 기성 · 준공 검사원
7. 하도급 통지 및 승인요청서
8. 안전관리 추진실적 보고서(안전관리 활동, 안전관리비 및 산업안전보건관리비 사용실적 등)
9. 확인측량 결과보고서
10. 물량 확정보고서 및 물가 변동지수 조정율 계산서
11. 품질관리계획서 또는 품질시험계획서
12. 그 밖에 시공과 관련된 필요한 서류 및 도표(천후표, 온도표, 수위표, 조위표 등)
13. 발파계획서
14. 원가계산에 의한 예정가격작성준칙에 대한 공사원가계산서상의 건설공사 관련 보험료 및 건설근로자퇴직공제부금비 납부내역과 관련 증빙자료

15. 일용근로자 근로내용확인신고서

② 건설사업관리기술인은 건설사업관리업무수행상 필요한 경우에는 다음 각 호의 문서를 별지 서식을 참조하여 작성·비치하여야 한다.

1. 문서접수 및 발송대장(별지 제14호 서식)
2. 민원처리부(별지 저15호 서식)
3. 품질시험계획(별지 제16호 서식)
4. 품질시험·검사성과 총괄표(별지 제17호 서식)
5. 품질시험·검사 실적보고서(별지 제18호 서식)
6. 검측대장(별지 제19호 서식)
7. 발생품(잉여자재) 정리부(별지 제20호 서식)
8. 안전보건 관리체제(별지 제21호 서식)
9. 재해 발생현황(별지 제22호 서식)
10. 안전교육 실적표(별지 제23호 서식)
11. 협의내용 등의 관리대장(별지 제24호 서식)
12. 사후 환경영향조사 결과보고서(별지 제25호 서식)
13. 공사 기성부분 검사원(별지 제26호 서식)
14. 건설사업관리기술인(기성부분, 준공) 건설사업관리조서(별지 제27호 서식)
15. 공사 기성부분 내역서(별지 제28호 서식)
16. 공사 기성부분 검사조서(별지 제29호 서식)
17. 준공검사원(별지 제30호 서식)
18. 준공검사조서(별지 제31호 서식)

③ 건설사업관리기술인은 시공자가 작성한 공사일지를 제출받아 확인한 후 보관하여야 한다.

제48조(보고서 작성, 제출) ① 건설사업관리기술인은 법 제39조제4항 및 규칙 제36조에 따라 다음 각 호의 서식에 따른 건설사업관리 보고서를 법 제69조에 따른 건설기술용역사업자단체가 개발·보급한 건설사업관리업무 보고시스템을 이용하여 발주청에 제출하되, 중간보고서는 다음달 7일까지 최종보고서는 용역의 만료일부터 14일 이내에 각각 제출하여야 한다. 이 경우 발주청이 별도의 온라인 건설사업관리업무 보고시스템을 활용하는 경우에는 온라인 건설사업관리업무 보고시스템의 이용으로 갈음할 수 있다.

1. 건설사업관리 중간(월별)보고서 작성서식
   가. 공사추진현황 등 (별지 제32호 서식)
   나. 건설사업관리기술인 업무일지(별지 제33호 서식)
   다. 품질시험·검사대장(별지 제34호 서식)
   라. 구조물별 콘크리트 타설현황(작업자 명부를 포함한다)(별지 제35호 서식)
   마. 검측요청·결과통보내용(별지 제36호 서식)
   바. 자재 공급원 승인 요청·결과통보 내용(별지 제37호 서식)
   사. 주요자재 검사 및 수불내용(별지 제38호 서식)
   아. 공사설계 변경현황(별지 제39호 서식)
   자. 주요구조물의 단계별 시공현황(별지 제40호 서식)
   차. 콘크리트 구조물 균열관리 현황(별지 제41호 서식)
   카. 공사사고 보고서(별지 제42호 서식)

타. 그 밖에 발주청이 필요하다고 인정하여 계약에서 정한 내용

2. 건설사업관리 최종보고서 작성서식
   가. 건설공사 및 건설사업관리용역 개요(별지 제43호 서식)
   나. 공사추진내용 실적(별지 제44호 서식)
   다. 검측내용 실적 종합(별지 제45호 서식)
   라. 품질시험 · 검사실적 종합(별지 제46호 서식)
   마. 주요자재 관리실적 종합(별지 제47호 서식)
   바. 안전관리 실적 종합(별지 제48호 서식)
   사. 분야별 기술검토 실적 종합(별지 제49호 서식)
   아. 우수시공 및 실패시공 사례(별지 제50호 서식)
   자. 종합분석(별지 제51호 서식)
   차. 그 밖에 발주청이 필요하다고 인정하여 계약에서 정한 내용

② 건설사업관리기술인은 건설사업관리업무 보고시스템을 이용할 경우 관련 공문 또는 서명이 들어있는 문서는 원형 그대로 스캐너를 이용하여 입력하여야 하며, CAD, 문서 편집용 프로그램, 표계산 프로그램 등 상용 소프트웨어로 작성한 자료는 전자파일 형태 그대로 입력할 수 있다. 또한 발주청의 온라인 건설사업관리업무 보고시스템을 이용하는 경우 문서는 CAD(Computer Aided design, 컴퓨터 보조설계), 문서 편집용 프로그램(워드프로세서), 표계산 프로그램(엑셀 등)의 전자파일 형태 업로드 후 전자결재로 서명을 대신하고, 스캐너는 전자파일 입력이 불가한 문서에 한정하여 이용할 수 있다.

③ 건설사업관리기술인은 건설사업관리업무 보고시스템을 이용하여 건설사업관리 보고서를 제출하는 경우에 활용각종 문서를 업무분류, 문서분류, 공종분류, 주요구조물 및 위치 등으로 분류한 후 입력하여 자료검색이 용이하도록 하여야하며 모든 문서는 1건의 문서단위별로 구분하여 날자 별로 입력하여야 한다.

④ 발주청이 별도의 온라인 건설사업관리업무 보고시스템을 활용하는 경우에는 건설사업관리기술인으 하여금 온라인 건설사업관리업무 보고시스템의 활용을 용이하게 하기 위하여 각종 서식 및 문서를 전자파일 형태로 작성될 수 있도록 표준화하여 스캐너를 이용한 자료입력이 최소화되도록 하여야 한다.

⑤ 발주청은 건설사업관리용역사업자가 건설사업관리업무 보고시스템의 이용을 위한 보고서 작성 및 제출에 필요한 전산장비(개인용컴퓨터, 스캐너, CD-RW등) 구축 및 운영에 소요되는 비용을 용역금액에 계상하여야 한다.

제49조(현장대리인 등의 교체) ① 건설사업관리기술인은 현장대리인 또는 시공회사 기술인 등(이하 이 조에서 "현장대리인 등"이라 한다)이 다음 각 호에 해당할 경우 공사감독자에게 보고하여야 하며, 발주청은 교체사유가 인정될 경우에는 시공자에게 현장대리인 등을 교체토록 요구하여야 한다.

1. 현장대리인 등이 「건설산업기본법」 및 「건설기술진흥법」 등의 규정에 의한 건설기술인 배치기준, 법정 교육훈련 이수 및 품질시험 의무 등의 법규를 위반하였을 때
2. 현장대리인이 건설사업관리기술인과 발주청의 사전승락을 얻지 않고 정당한 사유없이 해당 건설공사의 현장을 이탈한 때

3. 현장대리인 등의 고의 또는 과실로 인하여 건설공사를 조잡하게 시공하거나 부실시공을 하여 일반인에게 위해를 끼친 때
4. 현장대리인 등이 계약에 따른 시공능력 및 기술이 부족하다고 인정되거나 정당한 사유없이 기성공정이 예정공정에 현격히 미달할 때
5. 현장대리인이 불법하도급하거나 이를 방치하였을 때
6. 현장대리인이 건설사업관리기술인의 검측·승인을 받지 않고 후속공정을 진행하거나 정당한 사유없이 공사를 중단한 때
7. 현장대리인 등이 건설사업관리기술인의 정당한 지시에 응하지 않을 때
8. 현장대리인 등이 시공관련 의무를 면제받고자 부정한 행위를 한 경우
9. 시공자의 귀책사유로 중대한 재해(시공중 사망 1인이상 또는 3개월이상의 요양을 요하는 부상자가 동시에 2인이상 또는 부상자가 동시에 10인이상)가 발생하였을 경우

② 제1항에 따라 교체 요구를 받은 시공자는 특별한 사유가 없으면 신속히 교체 요구에 따라야 하며 변경한 내용은 착공신고서 제출과 하도급 선정 절차에 따라 처리하여야 한다.

제50조(공사착수단계 행정업무) ① 건설사업관리용역사업자는 계약체결 즉시 상주 및 기술지원 기술인 투입 등 건설사업관리업무 수행 준비에 대하여 발주청에 보고하여야 하며, 계약서상 착수일에 건설사업관리용역을 착수하여야 한다. 다만, 건설사업관리 대상 건설공사의 전부 또는 일부의 용지매수 지연 등으로 계약서상 착수일에 건설사업관리용역을 착수할 수 없는 경우에는 발주청은 실제 착수시점 및 상주기술인 투입시기 등을 조정, 통보하여야 한다.

② 건설사업관리용역사업자는 건설사업관리용역 착수 시 다음 각 호의 서류를 첨부한 착수신고서를 제출하여 발주청의 승인을 받아야 한다.
1. 건설사업관리업무수행계획서
2. 건설사업관리비 산출내역서
3. 상주, 기술지원 기술인 지정신고서(총괄책임자 선임계를 포함한다)와 건설사업관리기술인 경력확인서
4. 건설사업관리기술인 조직 구성내용과 건설사업관리기술인별 투입기간 및 담당업무

③ 입찰참가자격사전심사에 의해 건설사업관리용역사업자로 선정된 경우에 있어 제2항제3호의 건설사업관리기술인은 입찰참가제안서에 명시된 자로 하여야 한다. 다만, 부득이한 사유로 교체가 필요한 경우에는 기술자격, 학·경력 등을 종합적으로 검토하여 건설사업관리업무수행 능력이 저하되지 않는 범위 내에서 발주청의 사전승인을 받아야 한다.

④ 발주청은 제2항제3호 및 제4호의 내용을 검토하여 건설사업관리기술인 또는 건설사업관리조직 구성내용이 해당 공사현장의 공종 및 공사 성격에 적합하지 않다고 인정할 때에는 그 사유를 명시하여 서면으로 건설사업관리용역사업자에게 변경을 요구할 수 있으며, 변경요구를 받은 건설사업관리용역사업자는 특별한 사유가 없으면 요구에 따라야 한다.

⑤ 건설사업관리단의 조직은 공사담당, 품질담당 및 안전담당 등으로 현장여건에 따라 구성토록 함으로써 건설사업관리업무를 효율적으로 수행할 수 있도록 하여야 한다. 또한 공사의 원활한 추진을 위하여 필요한 경우 발주청의 승인을 받아 한시적으로 검측을 담당하도록 건설사업관리기술인을 투입할 수 있다.

⑥ 건설사업관리기술인은 현장에 부임하는 즉시 사무소, 숙소, 사고발생 및 복구시 응급대처 할 수 있는 비상연락체계, 전화번호 및 FAX 등을 발주청(공사감독자)에 보고하여 업무연락에 차질이 없도록 하여야 하며 변경 되었을 경우에도 보고하여야 한다.

제51조(공사착수단계 설계도서 등 검토업무) ① 건설사업관리기술인은 설계도면, 시방서, 구조계산서, 산출내역서, 공사계약서 등의 계약내용과 해당 공사의 조사설계보고서 등의 내용을 숙지하여야 한다.

② 건설사업관리기술인은 설계서 등의 공사 계약문서 상호간의 모순되는 사항, 현장 실정과의 부합 여부 등 현장시공을 중심으로 하여 해당 건설공사 시공이전에 적정성을 검토하여야 하며, 특히 기술지원기술인은 주요구조부(가시설물을 포함한다)를 포함한 기술적 검토사항과 공사감독자가 요청한 사항을 검토하여야 한다. 이 경우, 검토내용에는 다음 각 호의 사항 등이 포함되어야 한다.

1. 현장 조건에 부합 여부
2. 시공의 실제가능여부
3. 타 사업 또는 타 공정과의 상호부합 여부
4. 설계도면, 시방서, 구조계산서, 산출내역서 등의 내용에 대한 상호 일치여부
5. 설계도서에 누락, 오류 등 불명확한 부분의 존재 여부
6. 발주청에서 제공한 공종별 목적물의 물량내역서와 시공자가 제출한 산출내역서 수량과의 일치 여부
7. 시공 시 예상 문제점 등
8. 사업비 절감을 위한 구체적인 검토

③ 건설사업관리기술인은 제2항의 검토결과 불합리한 부분, 착오, 불명확하거나 의문사항이 있을 시는 그 내용과 의견을 발주청(공사감독자)에 보고하여야 한다. 또한 시공자에게도 설계도서 및 산출내역서 등을 검토 하도록 하여 검토결과를 보고 받아야 한다.

④ 건설사업관리기술인은 착공 즉시 공사 설계도서 및 자료, 공사계약문서 등을 발주청으로부터 인수하여 관리번호를 부여하고, 관리대장을 작성하여 공사관계자 이외의 자에게 유출을 방지하는 등 관리를 철저히 하여야 하며, 외부 유출시 공사감독자의 승인을 받아야 한다.

⑤ 건설사업관리기술인은 설계도서를 반드시 도면 보관함에 보관하여야 하고 설계도서 및 관리서류의 명세서를 기록하여야 한다.

⑥ 건설사업관리기술인은 공사 준공과 동시에 인수한 설계도서 등을 발주청에 반납하거나 지시에 따라 폐기처분 한다.

제52조(공사착수단계 현장관리) ① 건설사업관리기술인은 공사의 여건을 감안하여 각종 법규정, 표준시방서, KS 규정집 및 필요한 기술서적 등을 비치하여야 한다.

② 건설사업관리기술인은 시공자가 공사안내표지판을 설치하는 경우 시공자로부터 표지판의 제작방법, 크기, 설치장소 등이 포함

된 표지판 제작설치 계획서를 제출받아 검토하여야 한다.

③ 건설사업관리기술인은 건설공사가 착공된 경우에는 시공자로부터 다음 각 호의 서류가 포함된 착공신고서를 제출받아 적정성 여부를 검토하여 7일 이내에 공사감독자에게 보고하여야 한다.

1. 현장기술인 지정신고서(현장관리조직, 현장대리인, 품질관리자, 안전관리자, 보건관리자)
2. 건설공사 공정예정표
3. 품질관리계획서 또는 품질시험계획서(실착공 전에 제출 가능)
4. 공사도급 계약서 사본 및 산출내역서
5. 착공 전 사진
6. 현장기술인 경력사항 확인서 및 자격증 사본
7. 안전관리계획서(실착공 전에 제출 가능)
8. 유해 · 위험방지계획서(실착공 전에 제출 가능)
9. 노무동원 및 장비투입 계획서
10. 관급자재 수급계획서

④ 건설사업관리기술인은 발주청이 설치한 용지말뚝, 삼각점, 도근점, 수준점 등의 측량기준점을 시공자가 이동 또는 손상시키지 않도록 하여야 하며, 이설이 필요한 경우에는 정해진 위치를 찾아낼 수 있는 보조말뚝을 반드시 설치하도록 하여야 한다.

⑤ 건설사업관리기술인은 공사 시행상 수위를 측정할 경우에는 관측이 용이한 위치에 수위표를 설치하여 상시 관측할 수 있게 하여야 한다.

⑥ 건설사업관리기술인은 시공자에게 토공 및 각종 구조물의 위치, 고저, 시공범위, 방향등을 표시하는 규준시설 등을 설치하도록 하고, 시공 전에 반드시 확인 · 검사를 하여야 한다.

⑦ 건설사업관리기술인은 착공 즉시 시공자로 하여금 다음 각 호의 사항과 같이 발주설계도면과 실제 현장의 이상 유무를 확인하기 위하여 확인측량을 실시토록 하여야 한다.

1. 삼각점 또는 도근점에서 중간점(IP) 등의 측량기준점의 위치(좌표)를 확인하고, 기준점은 공사 시 유실방지를 위하여 필히 인조점을 설치하여야 하며, 시공 중에도 활용할 수 있도록 인조점과 기준점과의 관계를 도면화하여 비치하여야 한다.
2. 공사 준공까지 보존할 수 있는 가수준점(TBM)을 시공에 편리한 위치에 설치하고, 국토지리정보원에서 설치한 주변의 수준점 또는 발주청이 지정한 수준점으로부터 왕복 수준측량을 실시하여 「공공측량 작업규정」에서 정한 왕복 허용오차 범위 이내일 경우에 측량을 실시하여야 한다.
3. 인접공구 또는 기존시설물과의 접속부 등을 상호 확인 및 측량결과를 교환하여 이상 유무를 확인하여야 한다.

⑧ 건설사업관리기술인은 현지 확인측량결과 설계내용과 현저히 상이할 때는 공사감독자에게 측량결과를 보고한 후 지시를 받아 실제 시공에 착수하게 하여야 하며, 그렇지 아니한 경우에는 원지반을 원상태로 보존하게 하여야 한다. 단, 중간점(IP) 등 중심선 측량 및 가수준점(TBM) 표고 확인측량을 제외하고 공사추진 상 필요시에는 시공구간의 확인, 측량야장 및 측량결과 도면만을 확인, 제출한 후 우선 시공하게 할 수 있다.

⑨ 건설사업관리기술인은 확인측량을 공동 확인 후에는 시공자에게 다음 각 호의 서류를 작성 · 제출토록 하고, 확인측량 도면의 표지에 측량을 실시한 현장대리인, 실시설계 용역회사의 책임자(입회한 경우), 책임건설사업관리기술인이 서명 · 날인하고 검토의견서를 첨부하여 공사감독자에게 보고하여야 한다. 단, 제8항 단서규정에 의할 경우는 다음의 제3호 및 제4호의 서류를 생략할 수 있다.

1. 건설사업관리기술인의 검토의견서
2. 확인측량 결과 도면 (종 · 횡단도, 평면도, 구조물도 등)
3. 산출내역서
4. 공사비 증감 대비표
5. 그 밖에 참고사항

⑩ 건축공사 현장의 건설사업관리기술인은 필요한 경우 「공간정보의 구축 및 관리 등에 관한 법률」에 따라 확인 측량된 대지 경계선 내의 공사용 부지에 시공자로 하여금 전체동의 건축물을 배치하도록 하여 도로에 의한 사선제한, 대지경계선에 의한 높이제한, 인동간격에 의한 높이제한 등 건축물 배치와 관련된 규정에 적합한지 여부를 확인하고, 건축물 배치도면을 작성하게 하여 제9항에서 정한 서류와 함께 공사감독자에게 보고하여야 한다.

⑪ 건설사업관리기술인은 공사감독자가 주관하는 공사 관련자 회의에 참석하여 제12조제1항에서 정하는 업무범위, 현장조사 결과와 설계도서 등의 내용을 설명하고 필요한 사항에 대하여는 공사감독자가 정하는 바에 따라야 한다.

제53조(하도급 적정성 검토) ① 건설사업관리기술인은 시공자가 도급받은 건설공사를 「건설산업기본법」 제29조, 공사계약일반조건 제42조 규정에 따라 하도급 하고자 발주청에 통지하거나, 동의 또는 승낙을 요청하는 사항에 대해서는 다음 각 호의 사항에 관한 적정성 여부를 검토하여 그 의견을 공사감독자에게 제출하여야 한다.

1. 하도급자 자격의 적정성 검토
2. 하도급 통지기간 준수 등
3. 저가 하도급에 대한 검토의견서 등

② 건설사업관리기술인은 제1항에 따라 처리된 하도급에 대해서는 시공자가 「건설산업기본법」 제34조부터 제38조까지 및 「하도급거래 공정화에 관한 법률」에 규정된 사항을 이행하도록 지도 · 확인하여야 한다.

③ 건설사업관리기술인은 하도급받은 건설사업자가 「건설산업기본법 시행령」 제26조제2항에 따라 하도급계약 내용을 건설산업종합정보망(KISCON)을 이용하여 발주청에 통보하였는지를 확인하여야 한다.

④ 건설사업관리기술인은 시공자가 하도급 사항을 제1항 및 제2항에 따라 처리하지 않고 위장하도급 하거나, 무면허자에게 하도급하는 등 불법적인 행위를 하지 않도록 지도한다.

제54조(가설시설물 설치계획서 작성) 건설사업관리기술인은 공사착공과 동시에 시공자에게 다음 각 호의 가시설물의 면적, 위치 등을 표시한 가설시설물 설치계획서를 작성하여 제출하도록 하여야 한다.

1. 공사용 도로
2. 가설사무소, 작업장, 창고, 숙소, 식당

3. 콘크리트 타워 및 리프트 설치
4. 자재 야적장
5. 공사용 전력, 용수, 전화
6. 플랜트 및 크랏샤장
7. 폐수방류시설 등의 공해방지시설

제55조(공사착수단계 그 밖의 업무) ① 건설사업관리기술인은 공사 착공 후 빠른 시일 안에 공사추진에 지장이 없도록 시공자와 합동으로 다음 각 호의 사항을 현지 조사하여 공사감독자에게 보고하여야 한다.

1. 각종 재료원 확인
2. 지반 및 지질상태
3. 진입도로 현황
4. 인접도로의 교통규제 상황
5. 지하매설물 및 장애물
6. 기후 및 기상상태
7. 하천의 최대 홍수위 및 유수상태 등

② 공사감독자는 제1항의 현지조사 내용과 설계도서의 공법 등을 검토하여 인근 주민 등에 대한 피해 발생 가능성이 있을 경우에는 시공자에게 다음 각 호의 사항에 관한 대책을 강구하도록 하고, 필요시 설계변경을 검토하여야 한다.

1. 인근가옥 및 가축 등의 대책
2. 지하매설물, 인근의 도로, 교통시설물 등의 손괴
3. 통행지장 대책
4. 소음, 진동 대책
5. 낙진, 먼지 대책
6. 지반침하 대책
7. 하수로 인한 인근대지, 농작물 피해 대책
8. 우기 중 배수 대책 등

제56조(시공성과 확인 및 검측 업무) ① 건설사업관리기술인은 시공자로부터 명일작업계획서를 제출받아 시공자와 그 시행상의 가능성 및 각자가 수행하여야 할 사항을 검토하여야 한다.

② 건설사업관리기술인은 시공자로부터 금일 작업실적이 포함된 시공자의 공사일지 또는 작업일지 사본(시공회사 자체양식)을 참조하여 작업의 추진 여부를 확인하고 금일 작업실적과 사용자재량, 품질관리시험회수 및 성과 등이 서로 일치하는지 여부를 검토하고, 이를 건설사업관리일지에 기록하여야 한다.

③ 건설사업관리기술인은 다음 각 호의 위험공종 작업에 대하여는 시공자로부터 작업계획을 제출받아 검토·확인 후 작업을 착수하게 하여야 한다. 다만, 검토·확인 받은 작업과 작업조건이 동일하고 반복되는 경우에는 작업계획만 제출받아 착수하게 할 수 있다.

1. 2m 이상의 고소작업
2. 1.5m 이상의 굴착·가설공사
3. 철골 구조물공사
4. 2m 이상의 외부 도장공사
5. 승강기 설치공사

④ 건설사업관리기술인은 다음 각 호의 현장시공 확인업무를 수행

하여야 한다.

1. 공사 목적물을 제조, 조립, 설치하는 시공과정에서 가시설공사와 영구시설물 공사의 모든 작업단계의 시공상태
2. 시공 확인 시에는 해당 공사의 설계도면, 시방서 및 관계규정에 정한 공종을 반드시 확인
3. 시공자가 측량하여 말뚝 등으로 표시한 시설물의 배치위치를 야장 또는 측량성과를 시공자로부터 제출 받아 시설물의 위치, 표고, 치수의 정확도 확인
4. 수중 또는 지하에서 행하여지는 공사나 외부에서 확인하기 곤란한 시공에는 반드시 직접 검측하여 시공당시 상세한 경과기록 및 사진촬영 등의 방법으로 그 시공 내용을 명확히 입증할 수 있는 자료를 작성하여 비치하고, 발주청 등의 요구가 있을 때에는 이를 제시

⑤ 건설사업관리기술인은 단계적인 검측으로 현장확인이 곤란한 콘크리트 타설공사는 반드시 입회·확인하여 시공토록 하여야 하며, 콘크리트 운반송장은 건설사업관리기술인의 확인서명이 있는 것만 기성으로 인정하여야 한다.

⑥ 건설사업관리기술인은 콘크리트 품질을 저하시키는 행위 등이 없도록 생산, 운반, 타설의 전 과정을 관리해야하며, 구조물별 콘크리트 타설현황(별지 제35호 서식)을 작성하여 감리보고서에 수록하여야 한다.

⑦ 건설사업관리기술인은 해당 공사의 시방서 및 관계규정에서 정한 시험, 측정기구 및 방법 등 기술적 사항을 확인하고 평가함을 원칙으로 하며, 제8항에서 정한 검측업무 절차에 따라 수행하여야 한다.

⑧ 건설사업관리기술인은 시공확인을 위하여 X-Ray 촬영, 도막두께 측정, 기계설비의 성능시험, 수중촬영 등의 특수한 방법이 필요한 경우 공사감독자의 지시를 받아 외부 전문기관에 확인을 의뢰할 수 있다.

⑨ 건설사업관리기술인은 시공계획서에 의한 일정단계의 작업이 완료되면 시공자로부터 검측요청서(별지 제36호 서식)를 제출받아 시공상태를 확인하여야 한다.

⑩ 건설사업관리기술인은 다음 각 호의 사항이 유지될 수 있도록 검측체크리스트를 작성하여야 한다.

1. 체계적이고 객관성 있는 현장 확인과 승인
2. 부주의, 착오, 미확인에 의한 실수를 사전 예방하여 충실한 현장 확인 업무를 유도
3. 검측작업의 표준화로 작업원들에게 작업의 기준 및 주안점을 정확히 주지시켜 품질향상을 도모
4. 객관적이고 명확한 검측결과를 시공자에게 제시하여 현장에서의 불필요한 시비를 방지하는 등의 효율적인 검측을 도모

⑪ 건설사업관리기술인은 다음 각 호의 검측업무 수행 기본방향에 따라 검측업무를 수행하여야 한다.

1. 현장에서의 시공확인을 위한 검측은 해당 공사의 규모와 현장조건을 감안한 『검측업무지침』을 현장별로 작성·수립하여 발주청의 승인을 득한 후 이를 근거로 검측업무를 수행. 다만, 「검

측업무지침」은 검측하여야 할 세부공종, 검측절차, 검측시기 또는 검측빈도, 검측체크리스트 등의 내용을 포함

2. 수립된 검측업무지침은 모든 시공관련자에게 배포하여 주지시켜야 하고, 보다 확실한 이행을 위한 교육 실시

3. 현장에서의 검측은 체크리스트를 사용하여 수행하고, 그 결과를 검측체크리스트에 기록한 후 시공자에게 통보하여 후속 공정의 승인여부와 지적사항을 명확히 전달

4. 검측체크리스트에는 검사항목에 대한 시공기준 또는 합격기준을 기재하여 검측결과의 합격 여부를 합리적으로 신속히 판정

5. 단계적인 검측으로는 현장 확인이 곤란한 콘크리트 생산, 타설과 같은 공종의 시공중 건설사업관리기술인의 계속적인 입회확인하에 시행

6. 시공자가 검측요청서를 제출할 때 공사참여자 실명부가 첨부 되었는지를 확인

7. 시공자가 요청한 검측일에 건설사업관리기술인 사정으로 검측을 못할 경우 공정추진에 지장이 없도록 요청한 날 이전 또는 이후 검측을 하여야 하며 이때 발생하는 건설사업관리대가는 건설사업관리용역사업자 부담으로 한다.

⑫ 건설사업관리기술인은 다음 각 호의 검측절차에 따라 검측업무를 수행하여야 한다.

1. 검측체크리스트(별지 제36호 서식)에 의한 검측은 1차적으로 시공자의 담당기술인이 점검하여 합격된 것으로 확인한 후, 그 확인한 검측체크리스트를 첨부하여 검측요청서를 건설사업관리기술인에게 제출하면 현장확인 검측을 실시하고, 그 결과를 서면으로 통보.

2. 검측결과 불합격인 경우는 그 불합격된 내용을 시공자가 명확히 이해할 수 있도록 상세하게 첨부하여 통보하고 보완시공 후 재검측 받도록 조치

⑬ 건설사업관리기술인은 검측할 검사항목(Check Point)을 계약설계도면, 시방서, 건설기술진흥법령, 이 지침 등의 관계규정 내용을 기준하여 구체적인 내용으로 작성하며 공사목적물을 소정의 규격과 품질로 완성하는데 필수적인 사항을 포함하여 점검항목을 결정하여야 한다.

⑭ 건설사업관리기술인은 검측할 세부공종과 시기를 작업단계별로 정확히 파악하여 검측하여야 한다.

제57조(사용자재의 적정성 검토) ① 건설사업관리기술인은 시공자로 하여금 공정계획에 따라 사전에 주요 기자재(레미콘 · 아스콘 · 철근 · H형강 · 시멘트 등) 공급원 승인요청서를 자재반입 10일 전까지 제출토록 하여야 하며 관련법령의 규정에 의하여 품질검사를 받았거나, 품질을 인정받은 재료에 대하여는 예외로 한다.

② 건설사업관리기술인은 시험성과표가 품질기준을 만족하는지 여부를 검토하여 공사감독자에게 보고하고 공사감독자는 품명, 공급원, 납품실적, 건설사업관리기술인의 검토의견 등을 고려하여 적합한 것으로 판단될 경우에는 이를 승인한다.

③ 건설사업관리기술인은 KS 마크가 표시된 제품 등 양질의 자재를 선정하도록 시공자를 관리하여야 한다.

④ 건설사업관리기술인은 레미콘, 아스콘의 공급원 승인요청이 있을 경우 생산공장에서 저장한 골재의 품질 즉, 입도, 마모율, 조립율, 염분함유량 등에 대한 품질시험을 직접 실시하거나 국립·공립 시험기관 또는 품질검사를 대행하는 건설기술용역사업자에 의뢰, 실시하여 합격여부를 판단하여야 하며 공급원의 일일생산량, 기계의 성능, 각종 계기의 정상적인 작동 유무, 사용재료의 골재원 확보 여부, 동일골재(품질, 형상 등)로 지속적인 사용가능 여부, 현장 도착 소요시간 등에 대하여 사전에 충분히 조사하여 공사기간 중 지속적인 품질관리에 지장이 없도록 하여야 한다.

⑤ 건설사업관리기술인은 공급원 승인 후에도 반입사용자재에 대한 품질관리시험 및 품질변화 여부 등에 대하여 수시 확인하여야 한다.

⑥ 건설사업관리기술인은 공급원 승인요청을 제출 받을 때에는 특별한 사유가 없으면 2개 이상의 공급원을 제출받아 제품의 생산중지 등 부득이 한 경우에도 예비적으로 사용할 수 있도록 하여야 한다.

⑦ 건설사업관리기술인은 시공자로 하여금 공급원 승인요청서에 다음 각 호의 관계서류를 첨부토록 하여야 한다.

1. 법 제60조제1항에 규정한 국립·공립 시험기관 및 건설기술용역사업자의 시험성과
2. 납품실적 증명
3. 시험성과 대비표

⑧ 건설사업관리기술인은 시공자로 하여금 공정계획에 따라 사전에 주요자재 수급계획을 수립하여 자재가 적기에 현장에 반입되도록 검토하며 공사감독자에게 보고하여야 한다.

⑨ 「건설폐기물의 재활용촉진에 관한 법률」 제2조제15호 및 같은 법 시행령 제5조에 따른 순환골재 등 의무사용 건설공사에 해당하는 경우 건설사업관리기술인은 시공자가 같은 법 제35조 및 같은 법 시행령 제17조에 따른 품질기준에 적합한 순환골재 및 순환골재 재활용제품을 사용하도록 하여야 한다.

⑩ 건설사업관리기술인은 시공자가 순환골재 및 순환골재 재활용제품 사용계획서 상의 사용용도 및 규격 등에 맞게 사용하는지 확인하여야 한다.

제58조(사용자재의 검수·관리) ① 건설사업관리기술인은 공사 목적물을 구성하는 주요기계, 설비, 제조품, 자재 등의 주요 기자재가 공급원 승인을 받은 후 현장에 반입되면 시공자로부터 송장 사본을 접수함과 동시에 반입된 기자재를 검수하고 그 결과를 검수부에 기록·비치하여야 한다.

② 건설사업관리기술인은 시공자로 하여금 현장에 반입된 기자재가 도난 또는 우천에 훼손 또는 유실되지 않게 품목별, 규격별로 관리·저장하도록 하여야 하고 공사현장에 반입된 모든 주요자재는 시공자 임의로 공사현장 외로 반출하지 못하도록 하고 주요자재 검사 및 수불부(별지 제38호 서식)를 작성하여 관리하여야 한다.

③ 건설사업관리기술인은 현장에서 품질시험을 실시할 수 없는 자재에 대하여는 시공자와 공동 입회하여 생산공장에서 시험을 실시하거나 의뢰시험을 요청하여 시험성과를 사전에 검토하여 품질을 확인하여야 한다.

④ 건설사업관리기술인은 자재가 현장에 반입되면 송장 또는 납품서를 확인하고 수량, 치수 등을 검사하여야 하며, 공사현장이 아닌 장소에서 가공 또는 조립되어 반입되는 자재가 있는 경우 반입자재의 가공 또는 조립에 사용된 각각의 재료 또는 부품 등이 설계도서 및 시방서의 관련규정에 적합한지 여부를 확인해야 한다.

⑤ 건설사업관리기술인은 이형봉강, 벌크시멘트 등은 필요시 공인계량소에서 계량하여 반입량을 확인한다.

⑥ 건설사업관리기술인은 지급자재에 대한 검수조서를 작성할 때는 시공자가 입회·날인토록 하고, 공사감독자에게 보고하여야 한다.

⑦ 건설사업관리기술인은 공정계획, 공기 등을 감안하여 시공자의 요청으로 입체 또는 대체 사용이 불가피 하다고 판단될 경우에는 공사감독자의 승인을 득한 후 이를 허용하도록 한다.

⑧ 건설사업관리기술인은 잉여지급자재가 발생하였을 때는 품명, 수량 등을 조사하여 공사감독자에게 보고하여야 하며, 시공자로 하여금 지정장소에 반납하도록 하여야 한다.

제59조(수명사항) ① 건설사업관리기술인은 시공자에게 공사와 관련하여 지시하는 경우에는 다음 각 호에 따라야 한다.

1. 건설사업관리기술인이 공사와 관련하여 시공자에게 지시할 때에는 서면으로 함을 원칙으로 하며, 현장여건에 따라 시급한 경우 또는 경미한 사항에 대하여는 우선 구두지시로 시행토록 조치하고 추후에 이를 서면으로 확인
2. 건설사업관리기술인의 지시내용을 해당공사 설계도면 및 시방서 등 관계규정에 근거, 구체적으로 기술하여 시공자가 명확히 이해 할 수 있도록 지시
3. 지시사항에 대하여는 그 이행상태를 수시점검하고 시공자로부터 이행결과를 보고 받아 기록·관리

② 건설사업관리기술인은 공사감독자로부터 지시를 받았을 때에는 다음 각 호와 같이 처리하여야 한다.

1. 공사감독자로부터 지시를 받은 내용을 기록하고 신속하게 이행되도록 조치하여야 하며, 그 이행결과를 점검·확인하여 발주청(공사감독자)에 서면으로 조치결과를 보고
2. 해당 지시에 대한 이행에 문제가 있을 경우에는 의견을 제시
3. 각종 지시, 통보사항 등을 건설사업관리기술인 전원이 숙지하고 이행에 철저를 기하기 위하여 교육 또는 공람

제60조(품질시험 및 성과검토) ① 건설사업관리기술인은 시공자가 공사계약문서에서 정한 품질관리(또는 시험)계획 요건대로 품질에 영향을 미치는 모든 작업을 성실하게 수행하는지 검사 및 확인하여야 한다.

② 건설사업관리기술인은 품질관리 계획이 발주청으로부터 승인되기 전까지는 원칙적으로 시공자로 하여금 해당업무를 수행하게 하여서는 안된다.

③ 건설사업관리기술인은 해당 건설공사의 설계도서, 시방서, 공정계획 등을 검토하여 품질관리가 소홀해지기 쉽거나 하자 발생빈도가 높으며 시공 후 시정이 어렵고 많은 노력과 경비가 소요되는 공종 또는 부위를 중점 품질관리대상으로 선정하여 다른 공종에 비하여 우선적으로 품질관리 상태를 입회, 확인하여야 하며 중점 품

질관리 공종 선정 시 고려해야 할 사항은 다음 각 호와 같다.

1. 공정계획에 의한 월별, 공종별 시험종목 및 시험회수
2. 시공자의 품질관리 요원 인원수 및 공정에 따른 충원계획
3. 품질관리 담당 건설사업관리기술인의 인원수 및 직접 입회, 확인이 가능한 적정 시험회수
4. 공종의 특성상 품질관리 상태를 육안 등으로 간접 확인할 수 있는지 여부
5. 작업조건의 양호, 불량 상태
6. 타 현장의 시공 사례에서 하자발생 빈도가 높은 공종인지 여부
7. 품질관리 불량 부위의 시정이 용이한지 여부
8. 시공 후 지중에 매몰되어 추후 품질확인이 어렵고 재시공이 곤란한지 여부
9. 품질 불량 시 인근부위 또는 타 공종에 미치는 영향의 대소
10. 시공이 광활한 지역에서 이루어져 접근이 용이한지 여부

④ 건설사업관리기술인은 다음 각 호의 내용을 포함한 공종별 중점 품질관리방안을 수립하여 시공자로 하여금 이를 실행토록 지시하고 실행결과를 수시로 확인하여야 한다.

1. 중점 품질관리 공종의 선정
2. 중점 품질관리 공종별로 시공 중 및 시공 후 발생 예상 문제점
3. 각 문제점에 대한 대책방안 및 시공지침
4. 중점 품질관리 대상 구조물, 시공부위, 하자발생 가능성이 큰 지역 또는 부위선정
5. 중점 품질관리대상의 세부관리항목의 선정
6. 중점 품질관리공종의 품질확인 지침
7. 중점 품질관리대장을 작성, 기록관리하고 확인하는 절차

⑤ 건설사업관리기술인은 중점 품질관리 대상으로 선정된 공종의 효율적인 품질관리를 위하여 다음 각 호와 같이 관리한다.

1. 중점 품질관리 대상으로 선정된 공종에 대한 관리방안을 수립하여 시행 전에 발주청(공사감독자)에 보고하고 시공자에게도 통보
2. 해당 공종 및 시공부위는 상황판이나 도면 등에 표기하여 공사감독자, 건설사업관리기술인, 시공자 모두가 이를 항상 숙지토록 함
3. 공정계획시 중점 품질관리대상 공종이 동시에 여러 개소에서 시공되거나 공휴일, 야간 등 관리가 소홀해 질 수 있는 시기에 시공되지 않도록 조정
4. 필요시 해당부위에 "중점 품질관리 공종" 팻말을 설치하고 주의사항을 명기

⑥ 건설사업관리기술인은 시공자와 합의된 품질시험에 반드시 입회하여야 한다. 건설사업관리기술인이 합의된 장소 및 시간에 입회하지 않거나, 건설사업관리기술인이 달리 요구하지 않는 한, 시공자는 시험을 진행할 수 있으며 그러한 시험은 건설사업관리기술인의 입회하에 수행된 것으로 간주한다.

⑦ 건설사업관리기술인은 시공자가 작성한 품질관리(또는 시험)계획에 따라 품질관리 업무를 적정하게 수행하였는지의 여부를 검사하여 그 결과를 공사감독자에게 보고하여야 하며, 공사감독자는 시정이 필요한 경우에는 시공자에게 시정을 요구할 수 있으며, 시정

을 요구받은 시공자는 이를 지체 없이 시정하여야 한다.

⑧ 건설사업관리기술인은 시공자가 작성한 품질관리계획서 또는 품질시험계획서에 따라 품질시험 · 검사가 실시되는지를 확인하여야 한다.

⑨ 건설사업관리기술인은 품질시험과 검사를 산업표준화법에 의한 한국산업규격, 법 제55조의 규정에 의한 품질관리기준에 의하여 실시되는지 확인하여야 한다.

⑩ 건설사업관리기술인은 시공자로부터 매월 품질시험 · 검사실적을 종합한 시험 · 검사실적보고서(별지 제18호 서식)를 제출 받아 이를 확인하여야 한다.

⑪ 건설사업관리기술인은 시공자가 발주청에 해당 건설공사에 대한 기성부분 검사 또는 예비 준공검사 신청시 별지 제17호 서식에 따라 제출한 품질시험 · 검사성과총괄표를 검토 · 확인하여야 한다.

제61조(시공계획검토) ① 건설사업관리기술인은 시공자로부터 공사시방서의 기준(공사종류별, 시기별)에 의하여 시공계획서를 진행단계별 해당공사 시공 30일 전에 제출받아 이를 검토하여 7일 안에 공사감독자에게 제출하여 승인을 받은 후 시공토록 하여야 하고 시공계획서에는 다음 각 호의 내용이 포함되어야 한다.

1. 현장조직표
2. 공사 세부공정표
3. 주요공정의 시공절차 및 방법
4. 시공일정
5. 주요장비 동원계획
6. 주요자재 및 인력투입계획
7. 주요 설비사양 및 반입계획
8. 품질관리대책
9. 안전대책 및 환경대책 등
10. 지장물 처리계획과 교통처리 대책

② 건설사업관리기술인은 시공자로부터 각종 구조물 시공상세도 및 암발파작업 시공상세도를 사전에 제출받아 다음 각 호의 사항을 고려하여 검토하고 공사감독자에게 제출하여 승인을 받은 후 시공토록 하여야 한다. 또한 철강재 구조물 등 주요구조물인 경우에는 시공상세도를 검토할 때 필요한 경우 공사감독자와 협의하여 당초 설계자를 참여시킬 수 있다.

1. 설계도면 및 시방서 또는 관계규정에 일치하는지 여부(설계기준은 개정된 최신 설계기준에 따름)
2. 현장기술인, 기능공이 명확하게 이해할 수 있는지 여부(실시설계도면을 기준으로 각 공종별, 형식별 세부사항들이 표현되도록 현장여건을 반영)
3. 실제 시공이 가능한지 여부(현장여건과 공종별 시공계획을 최대한 반영하여 시공시 문제점이 발생하지 않도록 각종 구조물의 시공상세도 작성)
4. 안전성의 확보 여부(주철근의 경우, 철근의 길이나 겹이음의 위치 등 철근상세에 관한 변경이 필요한 경우 반드시 전문기술사의 검토 · 확인을 거쳐 공사감독자의 승인을 받아야 함)
5. 가시설공 시공상세도의 경우, 구조계산서 첨부 여부(관련 기술

사의 서명날인 포함)

6. 계산의 정확성
7. 제도의 품질 및 선명성, 도면작성 표준에 일치 여부
8. 도면으로 표시 곤란한 내용은 시공 시 유의사항으로 작성되었는지 등을 검토

③ 건설사업관리기술인은 공사시방서에 작성하도록 명시한 시공상세도와 다음 각 호의 사항에 대한 시공상세도의 작성 여부를 확인하고, 제출된 시공상세도의 구조적인 안전성을 검토·확인하여야 하며 이 경우 주요구조부(가시설물을 포함한다)의 구조적 안전에 관한 사항과 전문적인 기술검토가 필요한 사항은 반드시 관련분야 기술지원기술인이 검토·확인하여야 한다. 다만, 공사조건에 따라 건설사업관리기술인과 시공자가 협의하여 필요한 시공상세도의 목록을 조정할 수 있다.

1. 비계, 동바리, 거푸집 및 가교, 가도 등 가설시설물의 설치상세도 및 구조계산서
2. 구조물의 모따기 상세도
3. 옹벽, 측구 등 구조물의 연장 끝부분 처리도
4. 배수관, 암거, 교량용 날개벽 등의 설치위치 및 연장도
5. 철근 배근도에는 정·부철근등의 유효간격 및 철근 피복두께(측·저면)유지용 스페이서(Spacer) 및 Chair-Bar의 위치, 설치방법 및 가공을 위한 상세도면
6. 철근 겹이음 길이 및 위치의 시방서 규정 준수여부 확인
7. 그 밖에 규격, 치수, 연장 등이 불명확하여 시공에 어려움이 예상되는 부위의 각종 상세도면

④ 건설사업관리기술인은 시공상세도(Shop Drawing) 검토·승인 때까지 구조물 시공을 허용하지 말아야 하고, 시공상세도는 접수일로부터 7일 이내에 검토하는 것을 원칙으로 하고, 부득이하게 7일 이내에 검토가 불가능할 경우 사유 등을 명시하여 통보하여야 한다.

⑤ 건설사업관리기술인은 다음 각 호의 공사현장 인근상황을 시공자에게 충분히 조사토록 하여 공사시공과 관련하여 제3자에게 손해를 주지 않도록 시공자에게 대책을 강구하게 하여야 한다.

1. 지하매설물
2. 인근의 도로
3. 교통 시설물
4. 건조물 또는 축사
5. 그 밖의 농경지, 산림 등

⑥ 건설사업관리기술인은 시공자로부터 시험발파 계획서를 사전에 제출받아 다음 각 호의 사항을 고려하여 검토하고 공사감독자에게 제출하여 승인을 받은 후 발파하도록 하여야 한다.

1. 관계규정 저촉여부
2. 안전성 확보여부
3. 계측계획 적정성여부
4. 그 밖에 시험발파를 위하여 필요한 사항

제62조(기술검토) 건설사업관리기술인은 공사 중 해당 공사와 관련하여 시공자의 공법변경 요구 등 중요한 기술적인 사항에 대한 요구가 있는 경우, 요구가 있은 날로부터 7일 이내에 이를 검토하고 의

견서를 첨부하여 공사감독자에게 보고하여야 하고 전문성이 요구되는 경우에는 요구가 있은 날로부터 14일 이내에 기술지원기술인의 검토의견서를 첨부하여 보고하여야 한다.

제63조(지장물 철거 및 공사중지명령 등) ① 건설사업관리기술인은 공사중에 지하매설물 등 새로운 지장물을 발견하였을 때에는 시공자로부터 상세한 내용이 포함된 지장물 조서를 제출 받아 이를 확인한 후 공사감독자에게 보고하여야 한다.

② 건설사업관리기술인은 기존 구조물을 철거할 때에는 시공자로 하여금 현황도(측면도, 평면도, 상세도, 그 밖에 수량산출시 필요한 사항)와 현황사진을 작성하여 제출토록 하고 이를 검토·확인하여 공사감독자에게 보고하고 설계변경시 계상하여야 한다.

③ 건설사업관리기술인은 다음 각 호의 사항의 어느 하나에 해당하는 경우에는 공사감독자에게 서면으로 보고하여야 한다.

1. 시공자가 건설공사의 설계도서, 시방서, 그 밖의 관계서류의 내용과 맞지 아니하게 그 건설공사를 시공하는 경우
2. 법 제62조에 따른 안전관리 의무를 위반하여 인적·물적 피해가 우려되는 경우
3. 법 제66조에 따른 환경관리 의무를 위반하여 인적·물적 피해가 우려되는 경우

④ 재시공 및 공사중지 명령 등의 조치의 적용 방법은 다음 각 호와 같다.

1. 재시공 : 시공된 공사가 품질확보상 미흡 또는 위해를 발생시킬 수 있다고 판단되거나 건설사업관리기술인 또는 공사감독자의 검측·승인을 받지 않고 후속공정을 진행한 경우와 관계규정에 재시공을 하도록 규정된 경우
2. 공사중지 : 시공된 공사가 품질확보상 미흡 또는 중대한 위해를 발생시킬 수 있다고 판단되거나, 안전상 중대한 위험이 발견될 때에는 공사중지를 지시할 수 있으며 공사중지는 부분중지와 전면중지로 구분

⑤ 건설사업관리기술인은 시공자로 하여금 공종별로 착공 전부터 준공때까지의 공사과정, 공법, 특기사항을 촬영한 촬영일자가 나오는 공사사진과 시공일자, 위치, 공종, 작업내용 등을 기재한 공사내용 설명서를 제출토록 하여 후일 참고자료로 활용토록 한다. 공사기록 사진은 공종별, 공사추진단계에 따라 다음 각 호의 사항을 촬영한 것이어야 한다.

1. 주요한 공사현황은 착공전, 시공중, 준공 등 시공과정을 알 수 있도록 가급적 동일장소에서 촬영
2. 시공 후 검사가 불가능하거나 곤란한 부분
   가. 암반선 확인 사진
   나. 매몰, 수중 구조물
   다. 구조체공사에 대해 철근지름, 간격 및 벽두께, 강구조물(steel box내부, steel girder 등) 경간별 주요부위 부재두께 및 용접전경 등을 알 수 있도록 촬영
   라. 공장제품 검사(창문 및 창문틀, 철골검사, PC자재 등) 기록
   마. 지중매설(급·배수관, 전선 등) 광경
   바. 매몰되는 옥내외 배관(설비, 전기 등) 광경

사. 전기 등 배전반 주변에서의 배관류
아. 지하매설된 부분의 배근상태 및 콘크리트 두께현황
자. 바닥 및 배관의 행거볼트, 공조기 등의 행거볼트 시공광경
차. 보온, 결로방지관계 시공광경
카. 본 구조물 시공 이후 철거되는 가설시설물 시공광경

⑥ 건설사업관리기술인은 특히 중요하다고 판단되는 시설물에 대하여는 시공자가 공사과정을 비디오카메라 등으로 촬영토록 하여야 한다.

⑦ 건설사업관리기술인은 제5항과 제6항에서 촬영한 사진은 디지털(Digital) 파일 등을 제출받아 수시 검토·확인 할 수 있도록 보관하고 준공시 공사감독자에게 제출한다.

제64조(공정관리) ① 건설사업관리기술인은 해당 공사가 정해진 공기 내에 시방서, 도면 등에 따른 품질을 갖추어 완성될 수 있도록 공정관리를 하여야 한다.

② 건설사업관리기술인은 공사 착공일로부터 30일 안에 시공자로부터 공정관리계획서를 제출받아 제출받은 날로부터 14일 이내에 검토하여 공사감독자에게 보고하여야 하며, 공사감독자는 확인 후 승인한다. 검토사항은 다음 각 호와 같다.

1. 시공자의 공정관리 기법이 공사의 규모, 특성에 적합한지 여부
2. 계약서, 시방서 등에 공정관리 기법이 명시되어 있는 경우에는 명시된 공정관리 기법으로 시행되도록 조치
3. 계약서, 시방서 등에 공정관리 기법이 명시되어 있지 않았을 경우, 단순한 공종 및 보통의 공종 공사인 경우 공사조건에 적합한 공정관리 기법을 적용토록 하고, 복잡한 공종의 공사 또는 건설사업관리기술인이 PERT/CPM 이론을 기본으로 한 공정관리가 필요하다고 판단하는 경우에는 별도의 PERT/CPM 기법에 의한 공정관리를 적용토록 조치

③ 건설사업관리기술인은 공사의 규모, 공종 등 제반여건을 감안하여 시공자가 공정관리 업무를 성공적으로 수행할 수 있는 공정관리 조직을 갖추도록 다음 각 호의 사항을 검토하여야 한다.

1. 공정관리 요원 자격 및 그 요원수 적합 여부
2. 소프트웨어(Software)와 하드웨어(Hardware) 규격 및 그 수량 적합 여부
3. 보고체계의 적합성 여부
4. 계약공기 준수 여부
5. 각 작업(Activity) 공기에 품질, 안전관리가 고려되었는지 여부
6. 지정휴일, 천후조건 감안 여부
7. 자원조달에 무리가 없는지 여부
8. 주공정의 적합 여부
9. 공사주변 여건, 법적 제약조건 감안 여부
10. 동원 가능한 장비, 그 밖의 부대설비 및 그 성능 감안 여부
11. 특수장비 동원을 위한 준비기간의 반영 여부
12. 동원 가능한 작업인원과 작업자의 숙련도 감안 여부

④ 건설사업관리기술인은 시공자로부터 전체 실시공정표에 따른 월간, 주간 상세공정표를 사전에 제출받아 검토하여 공사감독자에게 보고하여야 한다.

1. 월간상세공정표 : 작업착수 1주 전 제출
2. 주간상세공정표 : 작업착수 2일 전 제출

⑤ 건설사업관리기술인은 매주 또는 매월 정기적으로 공사진도를 확인하여 예정공정과 실시공정을 비교하여 공사의 부진 여부를 검토한다.

⑥ 건설사업관리기술인은 공사진도율이 계획공정대비 월간 공정실적이 10%이상 지연(계획공정대비 누계공정실적이 100% 이상일 경우는 제외)되거나 누계공정 실적이 5%이상 지연될 때는 공사감독자에게 보고하고 공사감독자는 시공자에게 부진사유 분석, 근로자 안전확보를 고려한 부진공정 만회대책 및 만회공정표를 수립하도록 지시하여야 한다.

⑦ 건설사업관리기술인은 설계변경 등으로 인한 물공량의 증감, 공법변경, 공사중 재해, 천재지변 등 불가항력에 의한 공사중지, 지급자재 공급지연, 공사용지의 제공의 지연, 문화재 발굴조사 등의 현장실정 또는 시공자의 사정 등으로 인하여 공사 진척실적이 지속적으로 부진할 경우 시공자로부터 수정 공정계획을 제출받아 제출일로부터 5일 이내에 검토하고 공사감독자에게 보고하여야 한다.

⑧ 건설사업관리기술인은 추진계획과 실적을 월간 또는 분기보고서에 포함하여 공사감독자에게 보고하여야 한다.(별지 제33호 서식)

⑨ 건설사업관리기술인은 시공자가 준공기한 연기신청서를 제출할 경우 이의 타당성을 검토·확인하고 검토의견서를 첨부하여 공사감독자에게 보고하여야 한다.

제65조(안전관리) ① 건설사업관리기술인은 건설공사의 안전시공 추진을 위해서 안전조직을 갖추도록 하여야 하고 안전조직은 현장규모와 작업내용에 따라 구성하며 동시에 산업안전보건법의 해당규정(「산업안전보건법」 제15조 안전보건관리책임자 선임, 제16조 관리감독자 지정, 제17조 안전관리자 배치, 제18조 보건관리자 배치, 제19조 안전보건관리담당자 선임 및 제75조 안전·보건에 관한 노사협의체 운영)에 명시된 업무도 수행되도록 조직편성을 한다.

② 건설사업관리기술인은 시공자가 영 제98조와 제99조에 따라 작성한 건설공사 안전관리계획서를 공사 착공 전에 제출받아 적정성을 검토하고 이행확인 및 평가 등 사고예방을 위한 제반 안전관리 업무를 검토한 후 공사감독자에게 보고하여야 한다.

③ 공사감독자는 건설사업관리기술인 중 안전관리담당자를 지정하고 안전관리담당자로 지정된 건설사업관리기술인은 다음 각 호의 작업현장에 수시로 입회하여 시공자의 안전관리자를 지도·감독하도록 하여야 하며 공사전반에 대한 안전관리계획의 사전검토, 실시확인 및 평가, 자료의 기록유지 등 사고예방을 위한 제반 안전관리 업무에 대하여 확인을 하도록 하여야 한다.

1. 추락 또는 낙하 위험이 있는 작업
2. 발파, 중량물 취급, 화재 및 감전 위험작업
3. 크레인 등 건설장비를 활용하는 위험작업
4. 그 밖의 안전에 취약한 공종 작업

④ 건설사업관리기술인은 시공자 중 안전보건관리책임자(현장대리인)와 안전관리자 및 보건관리자(법정자격자)를 지정하게 하여 현장의 전반적인 안전·보건문제를 책임지고 추진하도록 하여야

한다.

⑤ 건설사업관리기술인은 시공자로 하여금 근로기준법, 산업안전보건법, 산업재해보상보험법, 시설물의 안전 및 유지관리에 관한 특별법과 그 밖의 관계법규를 준수하도록 하여야 한다.

⑥ 건설사업관리기술인은 산업재해 예방을 위한 제반 안전관리 지도에 적극적인 노력을 경주하도록 함과 동시에 안전관계법규를 이행하도록 하기 위하여 다음 각 호와 같은 업무를 수행하여야 한다.

1. 시공자의 안전조직 편성 및 임무의 법상 구비조건 충족 및 실질적인 활동 가능성 검토
2. 안전관리자에 대한 임무수행 능력 보유 및 권한 부여 검토
3. 시공계획과 연계된 안전계획의 수립 및 그 내용의 실효성 검토
4. 유해 · 위험방지계획(수립 대상에 한함) 내용 및 실천 가능성 검토(산업안전보건법 제48조제3항, 제4항)
5. 안전점검 및 안전교육 계획의 수립 여부와 내용의 적정성 검토(법 제62조, 산업안전보건법 제31조, 제32조)
6. 안전관리 예산편성 및 집행계획의 적정성 검토
7. 현장 안전관리 규정의 비치 및 그 내용의 적정성 검토
8. 산업안전보건관리비의 타 용도 사용내역 검토

⑦ 건설사업관리기술인은 시공자가 법 제62조제1항에 따른 안전관리계획이 성실하게 수행되는지 다음 각 호의 내용을 확인하여야 한다.

1. 안전관리계획의 이행 및 여건 변동시 계획변경 여부 확인
2. 안전보건 협의회 구성 및 운영상태 확인
3. 안전점검계획 수립 및 실시 여부 확인(일일, 주간, 우기 및 해빙기, 하절기, 동절기 등 자체안전점검, 법에 의한 안전점검, 안전진단 등)
4. 안전교육계획의 실시 확인 (사내 안전교육, 직무교육)
5. 위험장소 및 작업에 대한 안전조치 이행 여부 확인(제3항 각 호의 작업 등)
6. 안전표지 부착 및 이행여부 확인
7. 안전통로 확보, 자재의 적치 및 정리정돈 등이 성실하게 수행되는지 확인
8. 사고조사 및 원인 분석, 각종 통계자료 유지
9. 월간 안전관리비 및 산업안전보건관리비 사용실적 확인
10. 근로자에 대한 건설업 기초 안전 · 보건 교육의 이수 확인
11. 석면안전관리법 제30조에 의한 석면해체 제거작업을 수반하는 공사에 대하여 적정 건설사업관리기술인 지정 및 업무수행
12. 근로자 건강검진 실시 확인

⑧ 건설사업관리기술인은 안전에 관한 업무를 수행하기 위하여 시공자에게 다음 각 호의 자료를 기록 · 유지토록 하고 이행상태를 점검한다.

1. 안전업무 일지(일일보고)
2. 안전점검 실시(안전업무일지에 포함 가능)
3. 안전교육(안전업무일지에 포함가능)
4. 각종 사고보고
5. 월간 안전 통계(무재해, 사고)

6. 안전관리비 및 산업안전보건관리비 사용실적 (월별 점검 · 확인)

⑨ 건설사업관리기술인은 건설공사 안전관리계획 내용에 따라 안전조치 · 점검 등 이행을 하였는지의 여부를 확인하고 미이행시 시공자로 하여금 안전조치 · 점검 등을 선행한 후 시공하게 한다.

⑩ 건설사업관리기술인은 시공자가 영 제100조에 따른 자체 안전점검을 매일 실시하였는지의 여부를 확인하여야 하며, 건설안전점검전문기관에 의뢰하여야 하는 정기 · 정밀 안전점검을 할 때에는 입회하여 적정한 점검이 이루어지는 지를 지도하고 그 결과를 공사감독자에게 보고하여야 한다.

⑪ 건설사업관리기술인은 영 제100조에 따라 시행한 정기 · 정밀 안전점검 결과를 시공자로부터 제출받아 검토하여 공사감독자에게 보고하고 발주청의 지시에 따라 시공자에게 필요한 조치를 하게 한다.

⑫ 건설사업관리기술인은 시공회사의 안전관리책임자와 안전관리자 등에게 교육시키고 이들로 하여금 현장 근무자에게 다음 각 호의 내용과 자료가 포함된 안전교육을 실시토록 지도 · 감독하여야 한다.

1. 산업재해에 관한 통계 및 정보
2. 작업자의 자질에 관한 사항
3. 안전관리조직에 관한 사항
4. 안전제도, 기준 및 절차에 관한 사항
5. 생산공정에 관한 사항
6. 산업안전보건법 등 관계법규에 관한 사항
7. 작업환경관리 및 안전작업 방법
8. 현장안전 개선방법
9. 안전관리 기법
10. 이상발견 및 사고발생시 처리방법
11. 안전점검 지도 요령과 사고조사 분석요령

⑬ 건설사업관리기술인은 공사가 중지(차수별 준공에 따라 공사가 중단된 경우를 포함한다)되는 건설현장에 대해서는 안전관리담당자로 지정된 건설사업관리기술인을 입회하도록 하여 공사중지(준공)일로부터 5일 이내에 시공자로 하여금 영 제100조제1항에 따른 자체 안전점검을 실시하도록 하고, 점검결과를 발주청에 보고한 후 취약한 부분에 대해서는 시공자에게 필요한 안전조치를 하게 하여야 한다.

⑭ 안전관리담당자로 지정된 건설사업관리기술인은 현장에서 사고가 발생하였을 경우에는 시공자에게 즉시 필요한 응급조치를 취하도록 하고 공사감독자에게 즉시 보고하여야 하며, 제3항부터 제13항까지, 제15항의 업무에 고의 또는 중대한 과실이 없는 때에는 사고에 대한 책임을 지지 아니한다.

⑮ 건설사업관리기술인은 다음 각 호의 건설기계에 대하여 시공자가 「건설기계관리법」 제4조, 제13조, 제17조를 위반한 건설기계를 건설현장에 반입 · 사용하지 못하도록 반입 · 사용현장을 수시로 입회하는 등 지도 · 감독 하여야 하고, 해당 행위를 인지한 때에는 공사감독자에게 보고하여야 한다.

1. 천공기

2. 항타 및 항발기
3. 타워크레인
4. 기중기 등 그 밖에 발주청이 필요하다고 인정하여 계약에서 정한 건설기계

제66조(환경관리) ① 건설사업관리기술인은 사업시행으로 인한 위해를 방지하고 『환경영향평가법』에 의해 받은 환경영향평가 내용과 이에 대한 협의내용을 충실히 이행토록 하여야 하고 조직편성을 하여 그 의무를 수행토록 지도·감독하여야 한다.

② 건설사업관리기술인은 시공자로 하여금 환경관리책임자를 지정하게 하여 환경관리 계획수립과 대책 등을 수립하게 하여야 하고, 예산의 조치와 환경관리자, 환경담당자를 임명하도록 하며 현장 환경관리업무를 책임지고 추진하게 하여야 한다.

③ 건설사업관리기술인은 환경영향평가법 시행규칙 제17조에 따라 발주청에 의해 관리책임자로 지정된 경우 협의내용의 관리를 성실히 수행하여야 한다.

④ 건설사업관리기술인은 해당 공사에 대한 환경영향평가보고서 및 환경영향평가 협의내용을 근거로 하여 지형·지질, 대기, 수질, 소음·진동 등의 관리계획서가 수립되었는지 다음 각 호의 내용을 검토한 후 공사감독자에게 보고하여야 한다.

1. 시공자의 환경관리 조직·편성 및 임무의 법상 구비조건, 충족 및 실질적인 활동 가능성 검토
2. 환경영향평가 협의내용의 관리계획 실효성 검토
3. 환경영향 저감대책 및 공사중, 공사 후 환경관리계획서 적정성 검토
4. 환경전문기술인 자문사항에 대한 검토
5. 환경관리 예산편성 및 집행계획 적정성 검토

⑤ 건설사업관리기술인은 사후 환경관리계획에 따른 공사현장에 적합한 관리가 되도록 다음 각 호의 내용과 같이 업무를 수행하여야 한다.

1. 시공자로 하여금 환경영향평가서 내용을 검토하여 현장실정에 적합한 저감대책을 수립하여 시공단계별 관리계획서를 수립
2. 시공자에게 항목별 시공전·후 사진촬영 및 위치도를 작성하여 협의내용 관리대장에 기록
3. 시공자로 하여금 환경관리에 대한 점검 및 평가를 실시하고 환경영향조사결과서에 기록

⑥ 건설사업관리기술인은 「환경영향평가법」 제35조에 따른 협의내용을 기재한 관리대장을 비치토록 하고 기록사항이 사실대로 작성·이행되는지를 점검하여야 한다. (별지 제24호 서식)

⑦ 건설사업관리기술인은 「환경영향평가법」 제36조제1항의 규정에 따른 사후환경영향 조사결과를 「환경영향평가법 시행규칙」 제19조제4항에서 정하는 기한 내에 지방환경관서의 장 또는 승인기관의 장에게 통보할 수 있도록 지도하여야 한다.(별지 제25호 서식)

⑧ 건설사업관리기술인은 건축물 해체·제거과정에서 석면이 발생하는 경우에는 관련 규정에 따라 처리될 수 있도록 지도·감독하여야 한다.

⑨ 시공자는 사토 및 순성토가 10,000m^3 이상 발생하는 공사현장

에서는 「도로법」 제77조 및 「도로법 시행령」 제79조에 따른 과적 차량 발생을 방지하기 위하여 축중기를 설치하여야 하며, 축중기 설치 및 관리에 관한 사항은 「건설현장 축중기 설치지침(국토교통부 훈령)」에 따른다.

⑩ 건설사업관리기술인은 제9항에 따라 시공자가 설치한 축중기가 적절히 운영 · 관리되도록 확인하여야 한다.

⑪ 건설사업관리기술인은 「건설폐기물의 재활용촉진에 관한 법률」 제18조에 따라 해당 건설공사에서 발생하는 건설폐기물을 배출하는 자(발주청)가 건설폐기물의 인계 · 인수에 관한 내용을 환경부장관이 구축 · 운영하는 전자정보처리프로그램(올바로)에 입력하는 업무의 대행을 요청하는 경우 관련 업무를 수행할 수 있다.

제67조(설계변경 관리) ① 건설사업관리기술인은 공사 실정보고에 관련하여 다음 각 호의 업무를 수행하여야 한다.

1. 설계도서와 현지여건이 상이한 부분에 대한 내용 파악(현지 여건 조사)
2. 시공자가 제출한 실정보고 내용의 적정성 검토
3. 발주청에 설계변경을 위한 공사 실정보고 제출

② 건설사업관리기술인은 특수한 공법이 적용되는 경우 기술검토 및 시공상 문제점 등의 검토를 할 때에는 건설사업관리용역사업자의 본사 기술지원기술인 등을 활용하고, 필요시 발주청과 협의하여 외부의 국내 · 외 전문가에 자문하여 검토의견을 제시 할 수 있으며 특수한 공종에 대하여 외부 전문가의 건설사업관리 참여가 필요하다고 판단될 경우 발주청과 협의하여 외부전문가를 참여 시킬 수 있다.

③ 건설사업관리기술인은 설계변경 및 계약금액의 조정업무의 흐름도(별표3)를 참조하여 건설사업관리업무를 수행하여야 한다.

④ 건설사업관리기술인은 공사 시행과정에서 당초설계의 기본적인 사항인 중심선, 계획고, 구조물의 구조 및 공법 등의 변경없이 현지여건에 따른 위치변경과 연장 증감 등으로 인한 수량증감이나 단순 구조물의 추가 또는 삭제 등의 경미한 설계변경 사항이 발생한 경우에는 설계변경도면, 수량증감 및 증감공사비 내역을 시공자로부터 제출받아 검토하고 공사감독자에게 보고하여야 한다.

⑤ 발주청은 사업환경의 변동, 기본계획의 조정, 민원에 의한 노선변경, 공법변경, 그 밖에 시설물 추가 등으로 설계변경이 필요한 경우에는 다음 각 호의 서류를 첨부하여 서면으로 건설사업관리기술인에게 설계변경을 하도록 지시하여야 한다. 단, 발주청이 설계변경 도서를 작성할 수 없을 경우에는 설계변경 개요서만 첨부하여 설계변경 지시를 할 수 있다.

1. 설계변경 개요서
2. 설계변경 도면, 시방서, 계산서 등
3. 수량산출조서
4. 그 밖에 필요한 서류

⑥ 제5항의 지시를 받은 건설사업관리기술인은 지체없이 시공자에게 동 내용을 통보하여야 한다. 이 경우 발주청의 요구로 만들어지는 설계변경도서 작성비용은 원칙적으로 발주청이 부담하여야 한다.

⑦ 설계변경을 하려는 경우 건설사업관리기술인은 발주청의 방침

에 따라 시공자로 하여금 제5항 각 호의 서류와 설계변경에 필요한 구비서류를 작성하도록 한다. 이때 기술지원기술인은 현지여건 등을 확인하여 건설사업관리기술인에게 기술검토서를 작성 · 제출하여야 한다.

⑧ 건설사업관리기술인은 시공자가 현지여건과 설계도서가 부합되지 않거나 공사비의 절감과 건설공사의 품질향상을 위한 개선사항 등 설계변경이 필요하다고 설계변경사유서, 설계변경도면, 개략적인 수량증감내역 및 공사비 증감내역 등의 서류를 첨부하여 제출하면 이를 검토하여 필요시 기술검토의견서를 첨부하여 공사감독자에게 보고하고, 발주청의 방침을 득한 후 시공하도록 조치하여야 한다.

⑨ 건설사업관리기술인은 시공자로부터 현장실정 보고를 접수 후 기술검토 등을 요하지 않는 단순한 사항은 7일 이내, 그 외의 사항을 14일 이내에 검토처리 하여야 하며, 만일 기일내 처리가 곤란하거나 기술적 검토가 미비한 경우에는 그 사유와 처리계획을 공사감독자에게 보고하고 시공자에게도 통보하여야 한다.

⑩ 시공자는 구조물의 기초공사 또는 주공정에 중대한 영향을 미치는 설계변경으로 방침확정이 긴급히 요구되는 사항이 발생하는 경우에는 제8항 및 제9항의 절차에 따르지 않고 건설사업관리기술인에게 긴급 현장 실정보고를 할 수 있으며, 건설사업관리기술인은 이를 공사감독자에게 지체없이 유선, 전자우편 또는 팩스 등으로 보고하여야 한다.

⑪ 발주청은 제8항, 제9항, 제10항에 따라 설계변경 방침결정 요구를 받은 경우에 설계변경에 대한 기술검토를 위하여 발주청의 소속직원으로 기술검토팀(T/F팀)을 구성(필요시 민간전문가로 자문단을 구성) · 운영하여야 하며, 이 경우 단순한 사항은 7일 이내, 그 외의 사항은 14일 이내에 방침을 확정하여 공사감독자 및 건설사업관리기술인에게 통보하여야 한다. 다만, 해당 기일내 처리가 곤란하여 방침결정이 지연될 경우에는 그 사유를 명시하여 통보하여야 한다.

⑫ 발주청은 설계변경 원인이 설계자의 하자라고 판단되는 경우에는 설계변경(안)에 대한 설계자 의견서를 제출토록 하여야 하며, 대규모 설계변경 또는 주요 구조 및 공종에 대한 설계변경은 설계자에게 설계변경을 지시하여 조치한다.

⑬ 시공자의 "개선제안공법"으로 설계변경을 제안하는 경우에는 『건설기술진흥업무 운영규정』(국토교통부 훈령)에 따라 처리하여야 한다.

⑭ 건설사업관리기술인은 설계변경 등으로 인한 계약금액의 조정을 위한 각종 서류를 시공자로부터 제출받아 검토한 후 설계서를 대표자 명의로 공사감독자에게 제출하여야 한다. 규칙 제33조에 따라 통합하여 시행하는 건설사업관리의 경우(이하 "통합건설사업관리"라 한다)로서 대규모 사업인 경우에 검토자는 실제 검토한 담당 건설사업관리기술인 및 책임건설사업관리기술인이 연명으로 날인토록 하고 변경설계서의 표지 양식은 사전에 발주청과 협의하여 정하여야 한다.

⑮ 건설사업관리기술인은 설계변경 등으로 인한 계약금액 조정 업

무처리를 지체함으로써 공사추진에 지장을 초래하지 않도록 적기에 계약변경이 이루어 질 수 있도록 조치하고 시공자의 설계변경도서 미제출에 따른 지체시에는 준공조서 작성 시 그 사유를 명시하고 정산 조치하여야 한다. 최종 계약금액의 조정은 예비 준공검사기간 등을 고려하여 늦어도 준공예정일 75일 전까지 발주청에 제출되어야 한다.

제68조(암반선 확인) ① 발주청은 공사착공 즉시 암판정위원회를 상시 구성 · 운영하고 암반선 노출 즉시 암판정을 실시하도록 하여야 하며 직접 육안으로 확인하고, 정확한 판정을 위해 필요한 추가 시험을 실시하여야 한다

② 암판정 준비 및 절차는 다음 각 호와 같은 요령으로 실시한다.

1. 암판정 대상은 절토부 암선 변경시와 구조물 기초(암거, 교량 등), 터널 암질변경시 등에 대하여 실시
2. 암판정 요청 체계도 작성
3. 암판정위원회는 암판정 대상 공종의 중요성, 수량, 시공현장 여건 등을 종합적으로 고려하여 토질 및 기초분야 기술지원기술인(건축공사는 토목분야 기술지원기술인을 말함), 공사감독자, 외부전문가 및 건설사업관리기술인 등으로 구성하고 시공회사의 현장대리인은 반드시 입회
4. 준비사항 및 보고방법
   가. 절토부 암판정을 할 때에는 측량기, 줄자, 카메라, 깃발 등을 준비하고 물량 증감 현황표, 토적표, 횡단도(암질 구분 표시), 공사비 증감대비표 등 첨부
   나. 구조물 기초 암판정을 할 때에는 주상도 작성(당초와 변경 비교), 종평면도, 측량성과표, 시공계획(기초에 대한 의견서), 기초확인 측량시 사진촬영 보관(근경, 원경), 시추와 굴착에 의한 시료함을 보관(시험실 비치)하고 보고
   다. 터널 암판정을 할 때에는 주상도, 측량성과표, 굴착천공표, 종평면도, 사진, 현장 시험실에 단면별 시료채취 보관함 비치, 터널굴착(막장)별 관리대장을 기록 · 비치하고 설계조건과 상이한 암질변화시 굴착방법과 보강방법을 임의대로 하지 말고, 암판정위원회의 심의를 거친 후 시행, 보고

제69조(설계변경계약전 기성고 및 지급자재의 지급) ① 건설사업관리기술인은 발주청의 방침을 지시 받았거나, 승인을 받은 설계변경 사항의 기성고는 해당 공사의 변경계약을 체결하기 전이라도 당초 계약된 수량과 공사비 범위에서 설계변경 승인 사항의 공사 기성부분에 대하여 기성고를 검토하여야 한다.

② 건설사업관리기술인은 제1항의 설계변경 승인 사항에 따른 발주청이 공급하는 지급자재에 대하여 시공자의 요청이 있을 경우 변경계약 체결전이라고 하여도 공사추진상 필요할 경우 변경된 소요량을 확인한 후 공사감독자에게 보고하여야 하며 공사감독자는 공사추진에 지장이 없도록 조치하여야 한다.

제70조(물가변동으로 인한 계약금액 조정) 건설사업관리기술인은 시공자로부터 물가변동에 따른 계약금액 조정 · 요청을 받을 경우 다음 각 호의 서류를 제출받아 적정성을 검토한 후 14일 이내에 공사감독자에게 보고하여야 한다.

1. 물가변동 조정요청서
2. 계약금액 조정요청서
3. 품목조정율 또는 지수조정율 산출근거
4. 계약금액 조정 산출근거
5. 그 밖의 설계변경에 필요한 서류

제71조(업무조정회의) ① 발주청은 공사시행과 관련하여 공사관계자간에 발생하는 이견을 효율적으로 조정하기 위하여 업무조정회의를 운영하여야 한다.

② 업무조정회의는 발주청, 건설사업관리기술인, 시공자(하도급업체를 포함) 관계자가 참여하며 필요시 기술자문위원회위원, 변호사, 변리사, 교수 등 민간전문가 등의 자문을 받을 수 있다.

③ 업무조정회의의 심의대상은 다음 각 호와 같다.

1. 공사관계자 일방의 귀책사유로 인한 공정지연 또는 공사비 증가 등의 피해가 발생한 경우
2. 공사관계자 일방의 부당한 조치로 인하여 피해가 발생한 경우
3. 그 밖의 공사시행과 관련하여 공사관계자간에 발생한 이견의 해결

④ 업무조정회의에 안건을 상정하고자 하는 자는 업무조정에 필요한 서류를 작성하여 발주청에 제출하여야 하며, 발주청은 안건상정 요청을 받은 날로부터 20일이내에 회의를 개최하여 조정하여야 한다.

⑤ 발주청, 건설사업관리용역사업자, 시공자는 회의결과에 승복하지 않을 경우 법원에 소송을 제기할 수 있다.

제72조(기성 · 준공검사자 임명 및 검사기간) ① 건설사업관리기술인은 시공자로부터 별지 제26호 서식의 기성부분검사원 또는 별지 제30호 서식의 준공검사원을 접수하였을 때는 검토하여 공사감독자에게 보고하고, 별지 제27호 서식의 건설사업관리조서와 다음 각 호의 서류를 첨부하여 발주청에 제출하여야 한다. 다만, 「국가를 당사자로 하는 계약에 관한 법률 시행령」 제55조제7항 및 「지방자치단체를 당사자로 하는 계약에 관한 법률 시행령」 제64조제6항에 따른 약식 기성검사의 경우에는 건설사업관리조서와 기성부분내역서 만을 제출할 수 있다.

1. 주요자재 검사 및 수불부
2. 시공 후 매몰부분에 대한 건설사업관리기술인의 검사기록 서류 및 시공 당시의 사진
3. 품질시험 · 검사 성과 총괄표
4. 발생품 정리부
5. 준공검사원에는 지급자재 잉여분 조치현황과 공사의 사전검측 · 확인서류, 안전관리점검 총괄표 추가첨부

② 발주청은 기성부분검사원 또는 준공검사원을 접수하였을 때는 3일안에 소속 직원 중 2명 이상의 검사자를 임명하여야 하며, 필요시 시설물 인수기관, 유지관리기관의 직원으로 하여금 기성 및 준공검사에 입회 · 확인토록 조치하여야 한다.

③ 기성 또는 준공검사자(이하 "검사자"라 함)는 계약에 소정 기일이 명시되지 않는 한 임명통지를 받은 날로부터 8일 안에 해당공사의 검사를 완료하고 별지 제29호, 별지 제31호 서식의 검사조서를 작성하여 검사완료일로부터 3일 안에 검사결과를 소속 기관의 장에게 보고하여야 한다.

④ 검사자는 검사조서에 검사사진을 첨부하여야 하며, 준설공사의 경우는 수심평면도를 첨부하여야 한다.

⑤ 발주청의 장은 천재지변, 해일, 그 밖에 이에 준하는 불가항력으로 인해 제9항에서 정한 기간을 준수할 수 없을 때에는 검사에 필요한 최소한의 범위 내에서 검사기간을 연장할 수 있다.

⑥ 불합격 공사에 대한 보완, 재시공 완료 후 재검사 요청에 대한 검사기간은 시공자로부터 그 시정을 완료한 사실을 통보 받은 날로부터 제9항의 기간을 계산한다.

제73조(기성 · 준공검사 및 재시공) ① 검사자는 해당 공사의 현장에 상주기술인 및 시공자 또는 그 대리인 등을 입회케 하여야 한다.

② 건설사업관리기술인은 다음 사항을 준비하여 검사자가 확인하도록 하여야 한다.

1. 기성검사
   가. 기성부분내역(별지 제28호 서식)
   나. 지급자재의 시험기록 및 비치목록
   다. 시공 완료되어 검사시 외부에서 확인하기 곤란한 부분(가시설, 고공시설물, 수중, 접근 곤란한 시설물 등)에 대해서 시공당시 검측자료(영상자료 등)로 갈음
   라. 건설사업관리기술인의 기성검사원에 대한 사전 검토의견서
   마. 품질시험 · 검사 성과 총괄표 내용
   바. 그 밖에 발주청이 요구한 사항
2. 준공검사
   가. 준공도서
   나. 감리 업무일지 등 제감리기록
   다. 폐품 또는 발생품 대장
   라. 지급자재 수불부
   마. 가시설 철거 및 현장 복구기록 (토석 채취장 포함)
   바. 건설사업관리기술인의 준공검사원에 대한 검토의견서
   사. 그 밖에 발주청이 요구한 사항

③ 검사자는 시공된 부분이 수중 지하구조물의 내부 또는 저부 등 시공 후 매몰되어 사후검사가 곤란한 부분과 주요 구조물에 중대한 피해를 주거나 대량의 파손 및 재시공 행위를 요하는 검사는 건설사업관리조서와 사전검사 등을 근거로 하여 검사를 행할 수 있다.

④ 검사자는 검사에 합격되지 않는 부분이 있을 때에는 소속기관의 장에게 지체없이 그 내용을 보고하고 즉시 시공자로 하여금 보완시공 또는 재시공케 한 후, 재검사하여야 한다.

제74조(준공검사 등의 절차) ① 건설사업관리기술인은 해당 공사완료 후 준공검사전 사전 시운전 등이 필요하면 시공자로 하여금 다음 각 호의 사항이 포함된 시운전을 위한 계획을 수립하여 시운전 30일 전까지 제출토록 하여야 한다.

1. 시운전 일정
2. 시운전 항목 및 종류
3. 시운전 절차
4. 시험장비 확보 및 보정
5. 설비 기구 사용계획
6. 운전요원 및 검사요원 선임계획

② 건설사업관리기술인은 시공자가 제출한 시운전계획서를 검토하여 시운전 20일 전까지 공사감독자에게 보고하도록 하여야 한다.

③ 건설사업관리기술인은 시공자로 하여금 다음 각 호와 같이 시운전 절차를 준비하도록 하여야 하며 시운전에 입회하여야 한다.

1. 기기점검
2. 예비운전
3. 시운전
4. 성능보장운전
5. 검수
6. 운전인도

④ 건설사업관리기술인은 시운전 완료 후에 다음 각 호의 성과품을 시공자로부터 제출받아 검토 후 발주청에 인계하여야 한다.

1. 운전개시, 가동절차 및 방법
2. 점검항목 점검표
3. 운전지침
4. 기기류 단독 시운전 방법검토 및 계획서
5. 실가동 다이어그램(Diagram)
6. 시험 구분, 방법, 사용매체 검토 및 계획서
7. 시험성적서
8. 성능시험성적서 (성능시험 보고서)

⑤ 건설사업관리기술인은 공사현장에 주요공사가 완료되고 현장이 정리단계에 있을 때에는 준공 2개월 전에 준공 기한내 준공 가능여부 및 미진사항의 사전 보완을 위해 예비 준공검사를 실시토록 준비하고 공사감독자에게 보고하여야 한다.

⑥ 발주청은 예비준공검사에 필요시 기술지원기술인 및 지방자치단체 등 유관기관 소속직원을 참여하게 할 수 있다.

⑦ 예비준공검사는 건설사업관리기술인이 확인한 정산설계도서 등에 따라 검사하여야 하며, 그 검사 내용은 준공검사에 준하여 철저히 시행하여야 한다.

⑧ 건설사업관리기술인은 정산설계도서 등을 검토·확인하고 시설목적물이 발주청에 차질없이 인계될 수 있도록 하여야 한다. 건설사업관리기술인은 시공자로부터 가능한 준공예정일 2개월 전까지 정산설계도서를 제출받아 이를 검토·확인하여야 한다.

⑨ 건설사업관리기술인은 시공자가 작성 제출한 준공도면이 실제 시공된 대로 작성되었는지의 여부를 검토·확인하여 검토의견서를 공사감독자에게 제출하여야 한다.

제75조(계약자간 시공인터페이스 조정) 건설사업관리기술인은 다음 각 호와 같은 계약자간 시공인터페이스 조정업무를 수행해야 한다.

1. 공사관계자간 업무조정회의 운영 실시
2. 공사 시행단계별 간섭사항 내용파악을 위한 사전 검토

제76조(시공단계의 예산검증 및 지원) ① 건설사업관리기술인은 예산검증 및 공사도급계약/관급자재계약과 관련하여 기술적 검토를 하여야 하며 다음 각 호의 내용을 포함한다.

1. 예산확정여부 및 계약방식(예:장기계속계약, 계속비계약, 단년도계약)에 따라 자금집행계획 수립지원(연도별예산 및 연부액을 고려하여)

2. 공사도급 및 납품계약이 연도별 예산의 범위내에 해당 되는지, 산출내역 및 예정공정률(보할률)의 적정성검토, 관급자재의 경우 납품시기의 적정성 검토 및 조정이 필요한 경우 기술지원업무
3. 계약시기에 따른 원가계산제비율 규정을 준수 여부(항목누락여부, 최소비율항목, 최대비율항목)

② 건설사업관리기술인은 기성 및 계약변경에 의한 예산 모니터링 및 예측 등 통제업무지원을 수행하여야 하며 다음 각 호의 내용을 포함한다.

1. 예산대비 선금, 차수별 기성집행, 관급자재 대가지급 등 그 밖의 지출비용 집행현황 모니터링 및 분석 등
2. 설계변경 및 물가변동에 의한 계약금액 조정 시 예산변동상황 모니터링 및 분석 등, 발주청 예산통제업무 지원(필요시 방안제시)
3. 기능향상 또는 공사비절감을 위한 시공VE수행 업무지원

제8절 시공 단계 업무(감독 권한대행 업무 포함)

제77조(일반행정업무) ① 건설사업관리기술인은 시공자가 제출하는 다음 각 호의 서류를 접수하여야 하며 접수된 서류에 하자가 있을 경우에는 접수일로부터 3일 이내에 시공자에게 문서로 보완을 지시하여야 한다.

1. 지급자재 수급요청서 및 대체사용 신청서
2. 주요기자재 공급원 승인요청서
3. 각종 시험성적표
4. 설계변경 여건보고
5. 준공기한 연기신청서
6. 기성 · 준공 검사원
7. 하도급 통지 및 승인요청서
8. 안전관리 추진실적 보고서(안전관리 활동, 안전관리비 및 산업안전보건관리비 사용실적 등)
9. 확인측량 결과보고서
10. 물량 확정보고서 및 물가 변동지수 조정율 계산서
11. 품질관리계획서 또는 품질시험계획서
12. 그 밖에 시공과 관련된 필요한 서류 및 도표(천후표, 온도표, 수위표, 조위표 등)
13. 발파계획서
14. 원가계산에 의한 예정가격작성준칙에 대한 공사원가계산서상의 건설공사 관련 보험료 및 건설근로자퇴직공제부금비 납부내역과 관련 증빙자료
15. 일용근로자 근로내용확인신고서

② 건설사업관리기술인은 건설사업관리업무수행상 필요한 경우에는 다음 각 호의 문서를 별지 서식을 참조하여 작성 · 비치하여야 한다.

1. 문서접수 및 발송대장(별지 제14호 서식)
2. 민원처리부(별지 제15호 서식)
3. 품질시험계획(별지 제16호 서식)
4. 품질시험 · 검사성과 총괄표(별지 제17호 서식)
5. 품질시험 · 검사 실적보고서(별지 제18호 서식)

6. 검측대장(별지 제19호 서식)
7. 발생품(잉여자재) 정리부(별지 제20호 서식)
8. 안전보건 관리체제(별지 제21호 서식)
9. 재해 발생현황(별지 제22호 서식)
10. 안전교육 실적표(별지 제23호 서식)
11. 협의내용 등의 관리대장(별지 제24호 서식)
12. 사후 환경영향조사 결과보고서(별지 제25호 서식)
13. 공사 기성부분 검사원(별지 제26호 서식)
14. 건설사업관리기술인(기성부분, 준공) 건설사업관리조서(별지 제27호 서식)
15. 공사 기성부분 내역서(별지 제28호 서식)
16. 공사 기성부분 검사조서(별지 제29호 서식)
17. 준공검사원(별지 제30호 서식)
18. 준공검사조서(별지 제31호 서식)

③ 건설사업관리기술인은 시공자가 작성한 공사일지를 제출받아 확인한 후 보관하여야 한다.

제78조(보고서 작성, 제출) ① 건설사업관리기술인은 법 제39조제4항 및 규칙 제36조에 따라 다음 각 호의 서식에 따른 건설사업관리 보고서를 법 제69조에 따른 건설기술용역사업자단체가 개발 · 보급한 건설사업관리업무 보고시스템을 이용하여 발주청에 제출하되, 중간보고서는 다음달 7일까지 최종보고서는 용역의 만료일부터 14일 이내에 각각 제출하여야 한다. 이 경우 발주청이 별도의 온라인 건설사업관리업무 보고시스템을 활용하는 경우에는 온라인 건설사업관리업무 보고시스템의 이용으로 갈음할 수 있다.

1. 건설사업관리 중간(월별)보고서 작성서식
   가. 공사추진현황 등(별지 제32호 서식)
   나. 건설사업관리기술인 업무일지(별지 제33호 서식)
   다. 품질시험 · 검사대장(별지 제34호 서식)
   라. 구조물별 콘크리트 타설현황(작업자 명부를 포함한다)(별지 제35호 서식)
   마. 검측요청 · 결과통보내용(별지 제36호 서식)
   바. 자재 공급원 승인 요청 · 결과통보 내용(별지 제37호 서식)
   사. 주요자재 검사 및 수불내용(별지 제38호 서식)
   아. 공사설계 변경현황(별지 제39호 서식)
   자. 주요구조물의 단계별 시공현황(별지 제40호 서식)
   차. 콘크리트 구조물 균열관리 현황(별지 제41호 서식)
   카. 공사사고 보고서(별지 제42호 서식)
   타. 그 밖에 발주청이 필요하다고 인정하여 계약에서 정한 내용
2. 건설사업관리 최종보고서 작성서식
   가. 건설공사 및 건설사업관리용역 개요(별지 제43호 서식)
   나. 공사추진내용 실적(별지 제44호 서식)
   다. 검측내용 실적 종합(별지 제45호 서식)
   라. 품질시험 · 검사실적 종합(별지 제46호 서식)
   마. 주요자재 관리실적 종합(별지 제47호 서식)
   바. 안전관리 실적 종합(별지 제48호 서식)
   사. 분야별 기술검토 실적 종합(별지 제49호 서식)

아. 우수시공 및 실패시공 사례(별지 제50호 서식)

자. 종합분석(별지 제51호 서식)

차. 그 밖에 발주청이 필요하다고 인정하여 계약에서 정한 내용

② 건설사업관리기술인은 건설사업관리업무 보고시스템을 이용할 경우 관련 공문 또는 서명이 들어있는 문서는 원형 그대로 스캐너를 이용하여 입력하여야 하며, CAD, 문서 편집용 프로그램, 표계산 프로그램 등 상용 소프트웨어로 작성한 자료는 전자파일 형태 그대로 입력할 수 있다. 또한 발주청의 온라인 건설사업관리업무 보고시스템을 이용하는 경우 문서는 CAD(Computer Aided design, 컴퓨터 보조설계), 문서 편집용 프로그램(워드프로세서), 표계산 프로그램(엑셀 등)의 전자파일 형태 업로드 후 전자결재로 서명을 대신하고, 스캐너는 전자파일 입력이 불가한 문서에 한정하여 이용할 수 있다.

③ 건설사업관리기술인은 건설사업관리업무 보고시스템을 이용하여 건설사업관리 보고서를 제출하는 경우에 활용각종 문서를 업무분류, 문서분류, 공종분류, 주요구조물 및 위치 등으로 분류한 후 입력하여 자료검색이 용이하도록 하여야하며 모든 문서는 1건의 문서단위별로 구분하여 날자 별로 입력하여야 한다.

④ 발주청은 별도의 온라인 건설사업관리업무 보고시스템을 활용하는 경우에는 건설사업관리기술인으로 하여금 온라인 건설사업관리업무 보고시스템의 활용을 용이하게 하기 위하여 각종 서식 및 문서를 전자파일 형태로 작성될 수 있도록 표준화하여 스캐너를 이용한 자료입력이 최소화되도록 하여야 한다.

⑤ 발주청은 건설사업관리용역사업자가 건설사업관리업무 보고시스템의 이용을 위한 보고서 작성 및 제출에 필요한 전산장비(개인용컴퓨터, 스캐너, CD-RW등) 구축 및 운영에 소요되는 비용을 용역금액에 계상하여야 한다.

제79조(현장대리인 등의 교체) ① 건설사업관리기술인은 현장대리인 또는 시공회사 기술인 등(이하 이 조에서 "현장대리인 등"이라 한다)이 제2항 각 호에 해당되어 해당 현장에 적절치 않은 경우 시공회사의 대표자 및 본인에게 문서로 시정을 요구하고 이에 불응 시에는 사유를 명시하여 발주청에 교체를 요구하여야 한다.

② 현장대리인, 시공회사 기술인 및 하도급자의 교체 건의를 받은 발주청은 공사관리관으로 하여금 교체사유 등을 조사·검토하게 하여 다음 각 호와 같은 교체사유가 인정될 경우에는 시공자에게 교체토록 요구하여야 한다.

1. 현장대리인 등이 「건설산업기본법」 및 「건설기술진흥법」 등의 규정에 의한 건설기술인 배치기준, 법정 교육훈련 이수 및 품질시험 의무 등의 법규를 위반하였을 때
2. 현장대리인이 건설사업관리기술인과 발주청의 사전승락을 얻지 않고 정당한 사유없이 해당 건설공사의 현장을 이탈한 때
3. 현장대리인 등의 고의 또는 과실로 인하여 건설공사를 조잡하게 시공하거나 부실시공을 하여 일반인에게 위해를 끼친 때
4. 현장대리인 등이 계약에 따른 시공능력 및 기술이 부족하다고 인정되거나 정당한 사유없이 기성공정이 예정공정에 현격히 미달할 때

5. 현장대리인이 불법하도급하거나 이를 방치하였을 때
6. 현장대리인이 건설사업관리기술인의 검측 · 승인을 받지 않고 후속공정을 진행하거나 정당한 사유없이 공사를 중단한 때
7. 현장대리인 등이 건설사업관리기술인의 정당한 지시에 응하지 않을 때
8. 현장대리인 등이 시공관련 의무를 면제받고자 부정한 행위를 한 경우
9. 시공자의 귀책사유로 중대한 재해(시공중 사망 1인이상 또는 3개월이상의 요양을 요하는 부상자가 동시에 2인이상 또는 부상자가 동시에 10인이상)가 발생하였을 경우

③ 제2항에 따라 교체 요구를 받은 시공자는 특별한 사유가 없으면 신속히 교체 요구에 따라야 하며 변경한 내용은 착공신고서 제출과 하도급 선정 절차에 따라 처리하여야 한다.

④ 건설사업관리기술인은 해당 건설공사의 품질 및 안전관리 상 필요하다고 인정하는 때에는 전기 · 소방 등 설비공사의 건설사업관리기술인에게 시정지시 등 필요한 조치를 할 수 있으며, 설비 건설사업관리기술인이 시정지시 등 필요한 조치에 정당한 사유 없이 응하지 않을 경우에는 설비 건설사업관리기술인을 교체하도록 발주청에 요구할 수 있다.

제80조(공사착수단계 행정업무) ① 건설사업관리용역사업자는 계약체결 즉시 상주 및 기술지원 기술인 투입 등 건설사업관리업무 수행준비에 대하여 발주청과 협의하여야 하며, 계약서상 착수일에 건설사업관리용역을 착수하여야 한다. 다만, 건설사업관리 대상 건설공사의 전부 또는 일부의 용지매수 지연 등으로 계약서상 착수일에 건설사업관리용역을 착수할 수 없는 경우에는 발주청은 실제 착수 시점 및 상주기술인 투입시기 등을 조정, 통보하여야 한다.

② 건설사업관리용역사업자는 건설사업관리용역 착수 시 다음 각 호의 서류를 첨부한 착수신고서를 제출하여 발주청의 승인을 받아야 한다.

1. 건설사업관리업무수행계획서
2. 건설사업관리비 산출내역서
3. 상주, 기술지원 기술인 지정신고서(총괄책임자 선임계를 포함한다)와 건설사업관리기술인 경력확인서
4. 건설사업관리기술인 조직 구성내용과 건설사업관리기술인별 투입기간 및 담당업무

③ 입찰참가자격사전심사에 의해 건설사업관리용역사업자로 선정된 경우에 있어 제2항제3호의 건설사업관리기술인은 입찰참가제안서에 명시된 자로 하여야 한다. 다만, 부득이한 사유로 교체가 필요한 경우에는 기술자격, 학 · 경력 등을 종합적으로 검토하여 건설사업관리업무수행 능력이 저하되지 않는 범위 내에서 발주청의 사전승인을 받아야 한다.

④ 발주청은 제2항제3호 및 제4호의 내용을 검토하여 건설사업관리기술인 또는 건설사업관리조직 구성내용이 해당 공사현장의 공종 및 공사 성격에 적합하지 않다고 인정할 때에는 그 사유를 명시하여 서면으로 건설사업관리용역사업자에 변경을 요구할 수 있으며, 변경요구를 받은 건설사업관리용역사업자는 특별한 사유가 없

으면 요구에 따라야 한다.

⑤ 건설사업관리기술인은 공사시공과 관련된 각종 인·허가 사항을 포함한 제반법규 등을 시공자로 하여금 준수토록 지도·감독하여야 하며, 발주청이 득하여야 하는 인·허가 사항은 발주청에 협조·요청하여야 한다.

⑥ 승인된 건설사업관리기술인은 업무의 연속성, 효율성 등을 고려하여 특별한 사유가 없으면 건설사업관리용역 완료시 까지 근무토록 하여야 하며 교체가 필요한 경우에는 시행규칙 제35조제5항에 따라 교체인정 사유를 명시하여 발주청의 사전승인을 받아야 한다.

⑦ 건설사업관리기술인의 구성은 계약문서에 기술된 과업내용에 따라 관련분야 기술자격 또는 학력·경력을 갖춘자로 구성되어야 한다.

⑧ 건설사업관리단의 조직은 공사담당, 품질담당 및 안전담당 등으로 현장여건에 따라 구성토록 함으로서 건설사업관리업무를 효율적으로 수행할 수 있도록 하여야 한다. 또한 공사의 원활한 추진을 위하여 필요한 경우 발주청의 승인을 받아 한시적으로 검측을 담당하도록 건설사업관리기술인을 투입할 수 있다.

⑨ 책임건설사업관리기술인은 분야별 건설사업관리기술인의 개인별 업무를 분담하고 그 분담 내용에 따라 업무수행계획을 수립하여 과업을 수행토록 하여야 한다.

⑩ 건설사업관리기술인은 현장에 부임하는 즉시 사무소, 숙소, 사고발생 및 복구시 응급대처 할 수 있는 비상연락체계, 전화번호 및 FAX 등을 발주청에 보고하여 업무연락에 차질이 없도록 하여야 하며 변경 되었을 경우에도 보고하여야 한다.

제81조(공사착수단계 설계도서 등 검토업무) ① 건설사업관리기술인은 설계도면, 시방서, 구조계산서, 산출내역서, 공사계약서 등의 계약내용과 해당 공사의 조사설계보고서 등의 내용을 숙지하여 새로운 방향의 공법개선 및 예산절감을 기하도록 노력하여야 한다.

② 건설사업관리기술인은 설계서 등의 공사 계약문서 상호간의 모순되는 사항, 현장 실정과의 부합 여부 등 현장시공을 중심으로 하여 해당 건설공사 시공이전에 적정성을 검토하여야 하며, 특히 기술지원기술인은 주요구조부(가시설물을 포함한다)를 포함한 기술적 검토사항과 상주기술인이 요청한 사항을 검토하여야 한다. 이 경우, 검토내용에는 다음 각 호의 사항 등이 포함되어야 한다.

1. 현장 조건에 부합 여부
2. 시공의 실제가능여부
3. 공사착수전, 공사시행중, 준공 및 인계·인수단계에서 다른 사업 또는 다른 공정과의 상호 부합여부
4. 설계도면, 시방서, 구조계산서, 산출내역서 등의 내용에 대한 상호 일치여부
5. 설계도서에 누락, 오류 등 불명확한 부분의 존재 여부
6. 발주청에서 제공한 공종별 목적물의 물량내역서와 시공자가 제출한 산출내역서 수량과의 일치 여부
7. 시공 시 예상 문제점 등
8. 사업비 절감을 위한 구체적인 검토

③ 건설사업관리기술인은 제2항의 검토결과 불합리한 부분, 착오, 불명확하거나 의문사항이 있을 시는 그 내용과 의견을 발주청에 보고하여야 한다. 또한 시공자에게도 설계도서 및 산출내역서 등을 검토 하도록 하여 검토결과를 보고 받아야 한다.

④ 건설사업관리기술인은 착공 즉시 공사 설계도서 및 자료, 공사계약문서 등을 발주청으로부터 인수하여 관리번호를 부여하고, 관리대장을 작성하여 공사관계자 이외의 자에게 유출을 방지하는 등 관리를 철저히 하여야 하며, 외부 유출시 발주청(공사관리관)의 승인을 받아야 한다.

⑤ 건설사업관리기술인은 설계도서를 반드시 도면 보관함에 보관하여야 하고 케비넷 등에 보관된 설계도서 및 관리서류의 명세서를 기록하여 내측에 부착하여야 하며, 시공자가 차용하여 간 설계도서도 필히 상기요령에 따라 보관토록 하여야 한다.

⑥ 건설사업관리기술인은 공사준공과 동시에 인수한 설계도서 등을 발주청에 반납하거나 지시에 따라 폐기처분 한다.

제82조(공사착수단계 현장관리) ① 건설사업관리기술인은 공사의 여건을 감안하여 각종 법규정, 표준시방서, KS 규정집 및 필요한 기술서적 등을 비치하여야 한다.

② 건설사업관리기술인은 시공자가 공사안내표지판을 설치하는 경우 시공자로부터 표지판의 제작방법, 크기, 설치장소 등이 포함된 표지판 제작설치 계획서를 제출 받아 검토한 후 설치하도록 하여야 한다.

③ 건설사업관리기술인은 건설공사가 착공된 경우에는 시공자로부터 다음 각 호의 서류가 포함된 착공신고서를 제출 받아 적정성 여부를 검토하여 7일 이내에 발주청에 보고하여야 한다.

1. 현장기술인 지정신고서(현장관리조직, 현장대리인, 품질관리자, 안전관리자, 보건관리자)
2. 건설공사 공정예정표
3. 품질관리계획서 또는 품질시험계획서(실착공 전에 제출 가능)
4. 공사도급 계약서 사본 및 산출내역서
5. 착공전 사진
6. 현장기술인 경력사항 확인서 및 자격증 사본
7. 안전관리계획서(실착공 전에 제출 가능)
8. 유해 · 위험방지계획서(실착공 전에 제출 가능)
9. 노무동원 및 장비투입 계획서
10. 관급자재 수급계획서

④ 건설사업관리기술인은 다음 각 호를 참고하여 착공신고서의 적정여부를 검토하여야 한다.

1. 계약내용의 확인
   가. 공사기간 (착공~준공)
   나. 공사비 지급조건 및 방법 (선금, 기성부분 지급, 준공금 등)
   다. 그 밖에 공사계약문서에서 정한 사항
2. 현장 기술인의 적격 여부
   가. 현장대리인 : 「건설산업기본법」 제40조, 「전기공사업법」 제 16조 및 제17조, 「정보통신공사업법」 제33조 등
   나. 품질관리자 : 규칙 제50조

다. 안전관리자 : 「산업안전보건법」 제15조
라. 보건관리자 : 「산업안전보건법」 제16조

3. 건설공사 공정예정표 : 작업간 선행 · 동시 및 완료 등 공사전 · 후간의 연관성이 명시되어 작성 되고, 예정공정율이 적정하게 작성 되었는지 확인
4. 품질관리계획서 : 영 제89조제1항에 따른 품질관리계획 관련규정을 준수하여 적정하게 작성되었는지 여부
5. 품질시험계획서 : 영 제89조제2항에 따른 품질시험계획 관련규정을 준수하여 적정하게 작성되었는지 여부
6. 착공전 사진 : 전경이 잘 나타나도록 촬영되었는지 확인
7. 안전관리계획서 : 이 법 및 「산업안전보건법」에 따른 안전관리계획 관련규정을 준수하여 적정하게 작성되었는지 여부
8. 노무동원 및 장비투입계획서 : 건설공사의 규모 및 성격, 특성에 맞는 장비형식이나 수량 적정 여부

⑤ 건설사업관리기술인은 발주청이 설치한 용지말뚝, 삼각점, 도근점, 수준점 등의 측량기준점을 시공자가 이동 또는 손상시키지 않도록 하여야 하며, 시공자가 이동이 필요하다고 할 때는 건설사업관리기술인의 승인을 받도록 하여야 한다.

⑥ 건설사업관리기술인은 측량기준점중 중심말뚝, 교점, 곡선시점, 곡선종점 및 하천이나 도로의 거리표 등의 이설에 있어서는 정해진 위치를 찾아낼 수 있는 보조말뚝을 반드시 설치하도록 하여야 한다.

⑦ 건설사업관리기술인은 공사시행상 수위를 측정할 경우에는 관측이 용이한 위치에 수위표를 설치하여 상시 관측할 수 있게 하여야 한다.

⑧ 건설사업관리기술인은 시공자에게 토공 및 각종 구조물의 위치, 고저, 시공범위, 방향등을 표시하는 규준시설 등을 설치하도록 하고, 시공전에 반드시 확인 · 검사를 하여야 한다.

⑨ 건설사업관리기술인은 토공규준틀을 절토부, 성토부의 위치, 경사, 높이 등을 표시하며 직선구간은 2개 측점, 곡선 구간은 매측점마다 설치하고 구배, 비탈 끝의 위치를 파악할 수 있도록 설치하여야 한다.

1. 암거, 옹벽 등의 구조물 기초부위는 수평규준틀을 설치하고, 시 · 종점을 알 수 있는 표지판을 설치
2. 건축물의 위치, 높이 및 기초의 폭, 길이 등을 파악하기 위한 수평규준틀과 조적공사의 고저, 수직면의 기준을 정하기 위한 세로규준틀 등을 설치

⑩ 건설사업관리기술인은 시공자로 하여금 규준시설 등을 다음 각 호와 같이 설치토록 하고, 준공때 까지 잘 보호되도록 조치하여야 하며, 시공도중 파손되어 복구가 필요하거나 이설이 필요한 경우에는 재설치토록 하여야 하며, 재설치한 규준시설 등은 반드시 확인 · 검사를 하여야 한다.

1. 설치위치는 공사추진에 지장이 없고 바라보기 용이한 곳
2. 설치방법은 공사기간 중 이동될 우려가 없는 시설물을 이용하거나 쉽게 파손되지 않고 변형이 없도록 설치하고 주위를 보호조치 하여야 함

⑪ 건설사업관리기술인은 착공 즉시 시공자로 하여금 다음 각 호의 사항과 같이 발주설계도면과 실제 현장의 이상 유무를 확인하기 위하여 확인측량을 실시토록 하여야 한다.

1. 삼각점 또는 도근점에서 중간점(IP) 등의 측량기준점의 위치(좌표)를 확인하고, 기준점은 공사 시 유실방지를 위하여 필히 인조점을 설치하여야 하며, 시공 중에도 활용할 수 있도록 인조점과 기준점과의 관계를 도면화하여 비치하여야 한다.
2. 공사 준공까지 보존할 수 있는 가수준점(TBM)을 시공에 편리한 위치에 설치하고, 국토지리정보원에서 설치한 주변의 수준점 또는 발주청이 지정한 수준점으로부터 왕복 수준측량을 실시하여 『공공측량의 작업규정 세부기준』에서 정한 왕복 허용오차 범위 이내일 경우에 측량을 실시하여야 한다.
3. 평판측량은 주변 지세를 알 수 있도록 예상 용지폭원보다 넓게 실시하여야 한다.
4. 횡단측량은 부지경계선으로부터 주변지형을 알 수 있는 범위까지 측정하여야 하며, 종단이 급변하는 지점(+측점)에 대하여도 필히 실시하여 도면화 하여야 한다.
5. 절취면에 암이 노출되어 있는 경우는 필히 토사, 리핑암, 발파암 등의 경계지점을 정확히 측정하여 횡단면도에 표기하여야 한다.
6. 인접공구 또는 기존시설물과의 접속부 등을 상호 확인 및 측량결과를 교환하여 이상 유무를 확인하여야 한다.

⑫ 건설사업관리기술인은 사전 설계도서를 숙지하고 확인측량 시 입회, 확인하여야 하며, 필요시 실시설계 용역회사 대표자의 위임장을 지참한 임직원 등과 합동으로 이상 유무를 확인토록 하여야 한다.

⑬ 건설사업관리기술인은 현지 확인측량결과 설계내용과 현저히 상이할 때는 발주청에 측량결과를 보고한 후 지시를 받아 실제 시공에 착수하게 하여야 하며, 그렇지 아니한 경우에는 원지반을 원상태로 보존하게 하여야 한다. 단, 중간점(IP) 등 중심선 측량 및 가수준점(TBM) 표고 확인측량을 제외하고 공사추진 상 필요시에는 시공구간의 확인, 측량야장 및 측량결과 도면만을 확인, 제출한 후 우선 시공하게 할 수 있다.

⑭ 건설사업관리기술인은 확인측량을 공동 확인 후에는 시공자에게 다음 각 호의 서류를 작성 · 제출토록 하고, 확인측량 도면의 표지에 측량을 실시한 현장대리인, 실시설계 용역회사의 책임자(입회한 경우), 책임건설사업관리기술인이 서명 · 날인하고 검토의견서를 첨부하여 발주청에 보고하여야 한다. 단, 제13항 단서규정에 의할 경우는 다음의 제3호 및 제4호의 서류를 생략할 수 있다.

1. 건설사업관리기술인의 검토의견서
2. 확인측량 결과 도면 (종 · 횡단도, 평면도, 구조물도 등)
3. 산출내역서
4. 공사비 증감 대비표
5. 그 밖에 참고사항

⑮ 건축공사 현장의 건설사업관리기술인은 필요한 경우 「공간정보의 구축 및 관리 등에 관한 법률」에 따라 확인 측량된 대지 경계선 내의 공사용 부지에 시공자로 하여금 전체동의 건축물을 배치하도

록 하여 도로에 의한 사선제한, 대지경계선에 의한 높이제한, 인동간격에 의한 높이제한 등 건축물 배치와 관련된 규정에 적합한지 여부를 확인 하고, 건축물 배치도면을 작성하게 하여 제14항에서 정한 서류와 함께 발주청에 보고하여야 한다.

⑯ 건설사업관리기술인은 발주청(공사관리관)이 주관하는 공사 관련자 회의에 참석하여 제12조제1항에서 정하는 업무범위, 현장조사 결과, 설계도서 등의 내용을 설명하고 필요한 사항에 대하여는 발주청(공사관리관)이 정하는 바에 따라야 한다.

제83조(하도급 적정성 검토) ① 건설사업관리기술인은 시공자가 도급받은 건설공사를 「건설산업기본법」 제29조, 공사계약일반조건 제42조 규정에 따라 하도급 하고자 발주청에 통지하거나, 동의 또는 승낙을 요청하는 사항에 대해서는 다음 각 호의 사항에 관한 적정성 여부를 검토하여 요청받은 날로부터 7일 이내에 그 의견을 발주청에 제출하여야 한다.

1. 하도급자 자격의 적정성 검토
2. 하도급 통지기간 준수 등
3. 저가 하도급에 대한 검토의견서 등(검토의견서는 반드시 증빙자료에 근거하여 작성하여야 한다)

② 건설사업관리기술인은 제1항에 따라 처리된 하도급에 대해서는 시공자가 「건설산업기본법」 제34조부터 제38조까지 및 「하도급거래 공정화에 관한 법률」에 규정된 사항을 이행하도록 지도 · 확인하여야 한다.

③ 건설사업관리기술인은 하도급받은 건설사업자가 「건설산업기본법 시행령」 제26조제2항에 따라 하도급계약 내용을 건설산업종합정보망(KISCON)을 이용하여 발주청에 통보하였는지를 확인하여야 한다.

④ 건설사업관리기술인은 시공자가 하도급 사항을 제1항 및 제2항에 따라 처리하지 않고 위장하도급 하거나, 무면허자에게 하도급하는 등 불법적인 행위를 하지 않도록 지도하고, 시공자가 불법하도급하는 것을 인지 한 때에는 공사를 중지시키고 발주청에 서면으로 보고하여야 하며, 현장입구에 불법하도급 행위신고 표지판을 시공자에게 설치하도록 하여야 한다.

제84조(가설시설물 설치계획서 작성 및 승인) ① 건설사업관리기술인은 공사착공과 동시에 시공자에게 다음 각 호의 가시설물의 면적, 위치 등을 표시한 가설시설물 설치계획서를 작성하여 제출하도록 하여야 한다.

1. 공사용 도로
2. 가설사무소, 작업장, 창고, 숙소, 식당
3. 콘크리트 타워 및 리프트 설치
4. 자재 야적장
5. 공사용 전력, 용수, 전화
6. 플랜트 및 크랏샤장
7. 폐수방류시설 등의 공해방지시설

② 건설사업관리기술인은 제1항의 가설시설물 설치계획서에 대하여 다음 각 호의 내용을 검토하고 발주청과 협의하여 승인하여야 한다.

1. 가설시설물의 규모는 공사규모 및 현장여건을 고려하여 정하여야 하며, 위치는 건설사업관리기술인이 공사 전구간의 관리가 용이하도록 공사 중의 동선계획을 고려할 것
2. 가설시설물이 공사 중에 이동, 철거되지 않도록 지하구조물의 시공위치와 중복되지 않는 위치를 선정
3. 가설시설물 우수가 침입되지 않도록 대지조성 시공기면(F.L)보다 높게 설치하고, 홍수 시 피해발생 유무 등을 고려할 것
4. 식당, 세면장 등에서 사용한 물의 배수가 용이하고 주변 환경오염을 시키지 않도록 조치
5. 가설시설물의 이용 및 플랜트시설의 가동 등으로 인해 인접주민들에게 공해를 발생하는 등 민원이 없도록 조치

③ 건설사업관리기술인은 제1항에 따른 가설시설물 설치계획서에 건설현장식당이 포함되어 있는 경우 현장식당 선정계획서를 제출받아 업체선정의 적정성 여부 등을 검토한 후 시공자로 하여금 발주청에 제출하도록 하여야 한다.

제85조(공사착수단계 그 밖의 업무) ① 건설사업관리기술인은 공사 착공 후 빠른 시일 안에 공사추진에 지장이 없도록 시공자와 합동으로 다음 각 호의 사항을 현지 조사하여 시공 자료로 활용하고 당초 설계내용의 변경이 필요한 경우에는 설계변경 절차에 따라 처리하여야 한다.

1. 각종 재료원 확인
2. 지반 및 지질상태
3. 진입도로 현황
4. 인접도로의 교통규제 상황
5. 지하매설물 및 장애물
6. 기후 및 기상상태
7. 하천의 최대 홍수위 및 유수상태 등

② 건설사업관리기술인은 제1항의 현지조사 내용과 설계도서의 공법 등을 검토하여 인근 주민 등에 대한 피해 발생 가능성이 있을 경우에는 시공자에게 다음 각 호의 사항에 관한 대책을 강구하도록 하고, 설계변경이 필요한 경우에는 설계변경 절차에 따라 처리하여야 한다.

1. 인근가옥 및 가축 등의 대책
2. 지하매설물, 인근의 도로, 교통시설물 등의 손괴
3. 통행지장 대책
4. 소음, 진동 대책
5. 낙진, 먼지 대책
6. 지반침하 대책
7. 하수로 인한 인근대지, 농작물 피해 대책
8. 우기중 배수 대책 등

제86조(시공성과 확인 및 검측 업무) ① 건설사업관리기술인은 시공자로부터 명일작업계획서를 제출 받아 시공자와 그 시행상의 가능성 및 각자가 수행하여야 할 사항을 협의하여야 하고 명일 작업계획 공종, 위치에 따라 건설사업관리기술인의 배치, 건설사업관리시간 등의 일일 건설사업관리업무수행을 계획하고 이를 건설사업관리일지에 기록하여야 한다.

② 건설사업관리기술인은 시공자로부터 금일 작업실적이 포함된 시공자의 공사일지 또는 작업일지 사본(시공회사 자체양식)을 제출 받아 보관하고 계획대로 작업이 추진되었는지 여부를 확인하고 금일 작업실적과 사용자재량, 품질관리시험회수 및 성과 등이 서로 일치하는지 여부를 검토 · 확인 하고, 이를 건설사업관리일지에 기록하여야 한다.

③ 건설사업관리기술인은 다음 각 호의 위험공종 작업에 대하여는 시공자로부터 작업계획을 제출받아 검토 · 확인 후 작업을 착수하게 하여야 한다. 다만, 검토 · 확인받은 작업과 작업조건이 동일하고 반복되는 경우에는 작업계획만 제출받아 착수하게 할 수 있다.

1. 2m 이상의 고소작업
2. 1.5m 이상의 굴착 · 가설공사
3. 철골 구조물 공사
4. 2m 이상의 외부 도장공사
5. 승강기 설치공사

④ 건설사업관리기술인은 다음 각 호의 현장시공 확인업무를 수행하여야 한다.

1. 공사 목적물을 제조, 조립, 설치하는 시공과정에서 가시설공사와 영구시설물 공사의 모든 작업단계의 시공상태
2. 시공확인 시에는 해당 공사의 설계도면, 시방서 및 관계규정에 정한 공종을 반드시 확인
3. 시공자가 측량하여 말뚝 등으로 표시한 시설물의 배치위치를 야장 또는 측량성과를 시공자로부터 제출 받아 시설물의 위치, 표고, 치수의 정확도 확인
4. 수중 또는 지하에서 행하여지는 공사나 외부에서 확인하기 곤란한 시공에는 반드시 직접 검측하여 시공당시 상세한 경과기록 및 사진촬영 등의 방법으로 그 시공 내용을 명확히 입증할 수 있는 자료를 작성하여 비치하고, 발주청 등의 요구가 있을 때에는 이를 제시

⑤ 건설사업관리기술인은 단계적인 검측으로 현장확인이 곤란한 콘크리트 타설공사는 반드시 입회 · 확인하여 시공토록 하여야 하며, 콘크리트 운반송장은 건설사업관리기술인의 확인서명이 있는 것만 기성으로 인정하여야 한다.

⑥ 건설사업관리기술인은 콘크리트 품질을 저하시키는 행위 등이 없도록 생산, 운반, 타설의 전 과정을 관리해야하며 콘크리트의 품질저하행위 발생 시 해당 구조물의 재시공, 관련자교체, 공급원교체 등의 제재조치를 취하고 시공자로 하여금 재발방지대책을 수립 이행토록 조치해야한다. 또한 구조물별 콘크리트 타설현황(별지 제35호 서식)을 작성하여 건설사업관리보고서에 수록하여야 한다.

⑦ 건설사업관리기술인은 해당 공사의 시방서 및 관계규정에서 정한 시험, 측정기구 및 방법 등 기술적 사항을 확인하고 평가함을 원칙으로 하며, 제8항에서 정한 검측업므 절차에 따라 수행하여야 한다.

⑧ 건설사업관리기술인은 시공확인을 위하여 X-Ray 촬영, 도막두께 측정, 기계설비의 성능시험, 수중촬영 등의 특수한 방법이 필요한 경우 외부 전문기관에 확인을 의뢰할 수 있으며 필요한 비용은

설계 변경 시 반영한다.

⑨ 건설사업관리기술인은 시공계획서에 의한 일정단계의 작업이 완료되면 시공자로부터 검측요청서(별지 제36호 서식)를 제출받아 그 시공상태를 확인하는 것을 원칙으로 하고, 가능한 한 공사의 효율적인 추진을 위하여 시공과정에서 수시 입회·확인토록 하여야 한다.

⑩ 건설사업관리기술인은 다음 각 호의 사항이 유지될 수 있도록 검측체크리스트를 작성하여야 한다.

1. 체계적이고 객관성 있는 현장 확인과 승인
2. 부주의, 착오, 미확인에 의한 실수를 사전 예방하여 충실한 현장 확인 업무를 유도
3. 검측작업의 표준화로 작업원들에게 작업의 기준 및 주안점을 정확히 주지시켜 품질향상을 도모
4. 객관적이고 명확한 검측결과를 시공자에게 제시하여 현장에서의 불필요한 시비를 방지하는 등의 효율적인 검측을 도모

⑪ 건설사업관리기술인은 다음 각 호의 검측업무 수행 기본방향에 따라 검측업무를 수행하여야 한다.

1. 해당 공사의 규모와 현장조건을 감안한 『검측업무지침』을 현장별로 작성·수립하여 발주청의 승인을 득한 후 이를 근거로 검측업무를 수행. 다만, 「검측업무지침」은 검측하여야 할 세부공종, 검측절차, 검측시기 또는 검측빈도, 검측체크리스트 등의 내용을 포함
2. 수립된 검측업무지침은 모든 시공관련자에게 배포하여 주지시켜야 하고, 보다 확실한 이행을 위한 교육 실시
3. 현장에서의 검측은 체크리스트를 사용하여 수행하고, 그 결과를 검측체크리스트에 기록한 후 시공자에게 통보하여 후속 공정의 승인여부와 지적사항을 명확히 전달
4. 검측체크리스트에는 검사항목에 대한 시공기준 또는 합격기준을 기재하여 검측결과의 합격 여부를 합리적으로 신속히 판정
5. 단계적인 검측으로는 현장확인이 곤란한 콘크리트 생산, 타설과 같은 공종의 시공중 건설사업관리기술인의 계속적인 입회 확인 하에 시행
6. 시공자가 검측요청서를 제출할 때 공사참여자 실명부가 첨부 되었는지를 확인
7. 시공자가 요청한 검측일에 건설사업관리기술인 사정으로 검측을 못할 경우 공정추진에 지장이 없도록 요청한 날 이전 또는 이후 검측을 하여야 하며 이때 발생하는 건설사업관리대가는 건설사업관리용역사업자 부담으로 한다.

⑫ 건설사업관리기술인은 다음 각 호의 검측절차에 따라 검측업무를 수행하여야 한다.

1. 검측체크리스트(별지 제36호 서식)에 의한 검측은 1차적으로 시공자의 담당기술인이 검측체크리스트를 첨부하여 검측요청서를 건설사업관리기술인에게 제출하면 건설사업관리기술인은 그 내용을 검토하여 현장확인 검측을 실시하고 책임건설사업관리기술인의 확인 후 문서로 시공자에게 통지
2. 검측결과 불합격인 경우는 그 불합격된 내용을 시공자가 명확히

이해할 수 있도록 상세하게 통보하고 보완시공후 재검측 받도록 조치한 후 건설사업관리보고서에 기록

⑬ 건설사업관리기술인은 검측할 검사항목(Check Point)을 계약설계도면, 시방서, 건설기술진흥법령, 이 지침 등의 관계규정 내용을 기준하여 구체적인 내용으로 작성하며 공사목적물을 소정의 규격과 품질로 완성하는데 필수적인 사항을 포함하여 점검항목을 결정하여야 한다.

⑭ 건설사업관리기술인은 검측할 세부공종과 시기를 작업단계별로 정확히 파악하여 검측하여야 한다.

제87조(사용자재의 적정성 검토) ① 건설사업관리기술인은 시공자로 하여금 공정계획에 따라 사전에 주요 기자재(레미콘 · 아스콘 · 철근 · H형강 · 시멘트 등) 공급원 승인요청서를 자재반입 10일 전까지 제출토록 하여야 하며 관련법령의 규정에 의하여 품질검사를 받았거나, 품질을 인정받은 재료에 대하여는 예외로 한다.

② 건설사업관리기술인은 시험성과표가 품질기준을 만족하는지 여부를 확인하고 품명, 공급원, 납품실적 등을 고려하여 적합한 것으로 판단될 경우에는 공급원 승인요청서를 제출받은 지 7일 이내에 검토하여 이를 승인하여야 한다.

③ 건설사업관리기술인은 KS 마크가 표시된 제품 등 양질의 자재를 선정하도록 시공자를 관리하여야 한다.

④ 건설사업관리기술인은 레미콘, 아스콘의 공급원 승인요청이 있을 경우 생산공장에서 저장한 골재의 품질 즉, 입도, 마모율, 조립율, 염분함유량 등에 대한 품질시험을 직접 실시하거나 국립 · 공립 시험기관 또는 품질검사를 대행하는 건설기술용역사업자에 의뢰, 실시하여 합격여부를 판단하여야 하며 공급원의 일일생산량, 기계의 성능, 각종 계기의 정상적인 작동 유무, 사용재료의 골재원 확보 여부, 동일골재(품질, 형상 등)로 지속적인 사용가능 여부, 현장도착 소요시간 등에 대하여 사전에 충분히 조사하여 공사기간 중 지속적인 품질관리에 지장이 없도록 하여야 한다.

⑤ 건설사업관리기술인은 공급원 승인 후에도 반입사용자재에 대한 품질관리시험 및 품질변화 여부 등에 대하여 수시 확인하여야 한다.

⑥ 건설사업관리기술인은 공급원 승인요청을 제출 받을 때에는 특별한 사유가 없으면 2개 이상의 공급원을 제출 받아 제품의 생산중지 등 부득이 한 경우에도 예비적으로 사용할 수 있도록 하여야 한다.

⑦ 건설사업관리기술인은 공급원 승인요청서에 다음 각 호의 관계서류를 첨부토록 하여야 한다.

1. 법 제60조제1항에 규정한 국립 · 공립 시험기관 및 건설기술용역사업자의 시험성과
2. 납품실적 증명
3. 시험성과 대비표

⑧ 건설사업관리기술인은 시공자로 하여금 공정계획에 따라 사전에 주요자재 수급계획을 수립하여 자재가 적기에 현장에 반입되도록 검토하고 지급자재 수급계획에 대하여는 발주청에 보고하여 수급차질에 의한 공정 지연이 발생하지 않도록 하여야 한다.

⑨ 「건설폐기물의 재활용촉진에 관한 법률」 제2조제15호 및 같은

법 시행령 제5조에 따른 순환골재등 의무사용 건설공사에 해당하는 경우 건설사업관리기술인은 시공자가 같은 법 제35조 및 같은 법 시행령 제17조에 따른 품질기준에 적합한 순환골재 및 순환골재 재활용제품을 사용하도록 하여야 한다.

⑩ 건설사업관리기술인은 시공자가 순환골재 및 순환골재 재활용제품 사용계획서 상의 사용용도 및 규격 등에 맞게 사용하는지 확인하여야 한다.

제88조(사용자재의 검수 · 관리) ① 건설사업관리기술인은 주요자재 수급계획이 공정계획과 부합되는지 확인하고 미비점이 있으면 시공자에게 계획을 수정하도록 하여야 한다.

② 건설사업관리기술인은 공사 목적물을 구성하는 주요기계, 설비, 제조품, 자재 등의 주요 기자재가 공급원 승인을 받은 후 현장에 반입되면 시공자로부터 송장 사본을 접수함과 동시에 반입된 기자재를 검수하고 그 결과를 검수부에 기록 · 비치하여야 한다.

③ 건설사업관리기술인은 계약 품질조건과의 일치 여부를 확인하는 기자재 검수를 할 때에 규격, 성능, 수량뿐만 아니라 필히 품질의 변질 여부를 확인하여야 하고, 변질되었을 때는 즉시 현장에서 반출토록 하고 반출여부를 확인하여야 하며 의심스러운 것은 별도 보관토록 한 후 품질시험 결과에 따라 검수 여부를 확정하여야 한다.

④ 건설사업관리기술인은 시공자로 하여금 현장에 반입된 기자재가 도난 또는 우천에 훼손 또는 유실되지 않게 품목별, 규격별로 관리 · 저장하도록 하여야 하고 공사현장에 반입된 검수재료 또는 시험합격 재료는 시공자 임의로 공사현장 외로 반출하지 못하도록 하고 주요자재 검사 및 수불부(별지 제38호 서식)를 작성하여 관리하여야 한다.

⑤ 건설사업관리기술인은 수급요청한 지급자재가 배정되면 납품지시서에 기록된 품명, 수량, 인도장소 등을 확인하고, 시공자에게 인수 준비를 하도록 한다.

⑥ 건설사업관리기술인은 현장에서 품질시험을 실시할 수 없는 자재에 대하여는 시공자와 공동 입회하여 생산공장에서 시험을 실시하거나 의뢰시험을 요청하여 시험성과를 사전에 검토하여 품질을 확인하여야 한다.

⑦ 건설사업관리기술인은 자재가 현장에 반입되면 송장 또는 납품서를 확인하고 수량, 치수 등을 검사하여야 하며, 공사현장이 아닌 장소에서 가공 또는 조립되어 반입되는 자재가 있는 경우 반입자재의 가공 또는 조립에 사용된 각각의 재료 또는 부품 등이 설계도서 및 시방서의 관련규정에 적합한지 여부를 확인해야 한다.

⑧ 건설사업관리기술인은 이형봉강, 벌크시멘트 등은 필요시 공인계량소에서 계량하여 반입량을 확인한다.

⑨ 건설사업관리기술인은 지급자재의 현장 반입후 이의제기 등을 예방하기 위하여 시공자가 검사에 입회하도록 한다.

⑩ 건설사업관리기술인은 지급자재에 대한 검수조서를 작성할 때는 시공자가 입회 · 날인토록 하고, 검수조서는 발주청에 보고하여야 한다.

⑪ 건설사업관리기술인은 공정계획, 공기 등을 감안하여 시공자의 요청으로 입체 또는 대체 사용이 불가피 하다고 판단될 경우에는

발주청의 승인을 득한 후 이를 허용하도록 한다.

⑫ 건설사업관리기술인은 입체 또는 대체사용 자재에 대하여도 품질, 규격 등을 확인하고, 검수를 하여야 한다.

⑬ 건설사업관리기술인은 잉여지급자재가 발생하였을 때는 품명, 수량 등을 조사하여 발주청에 보고하여야 하며, 시공자로 하여금 지정장소에 반납하도록 하여야 한다.

제89조(수명사항) ① 건설사업관리기술인은 시공자에게 공사와 관련하여 지시하는 경우에는 다음 각 호에 따라야 한다.

1. 건설사업관리기술인이 공사와 관련하여 시공자에게 지시할 때에는 서면으로 함을 원칙으로 하며, 현장여건에 따라 시급한 경우 또는 경미한 사항에 대하여는 우선 구두지시로 시행토록 조치하고 추후에 이를 서면으로 확인
2. 건설사업관리기술인의 지시내용을 해당공사 설계도면 및 시방서 등 관계규정에 근거, 구체적으로 기술하여 시공자가 명확히 이해 할 수 있도록 지시
3. 지시사항에 대하여는 그 이행상태를 수시점검하고 시공자로부터 이행결과를 보고 받아 기록·관리

② 건설사업관리기술인은 발주청으로부터 지시를 받았을 때에는 다음 각 호와 같이 처리하여야 한다.

1. 발주청으로부터 지시를 받은 내용을 기록하고 신속하게 이행되도록 조치하여야 하며, 그 이행결과를 점검·확인하여 발주청에 서면으로 조치결과를 보고
2. 해당 지시에 대한 이행에 문제가 있을 경우에는 의견을 제시
3. 각종 지시, 통보사항 등을 건설사업관리기술인 전원이 숙지하고 이행에 철저를 기하기 위하여 교육 또는 공람

제90조(품질시험 및 성과검토) ① 건설사업관리기술인은 시공자가 공사계약문서에서 정한 품질관리(또는 시험)계획 요건대로 품질에 영향을 미치는 모든 작업을 성실하게 수행하는지 검사·확인하여야 한다.

② 건설사업관리기술인은 시공자가 품질관리계획 요건의 이행을 위해 제출하는 문서를 7일 이내에 검토·확인 후 발주청에 승인을 요청하여야 하며 발주청은 7일 이내에 승인하여야 한다.

③ 건설사업관리기술인은 품질관리 계획이 발주청으로부터 승인되기전까지는 시공자로 하여금 해당업무를 수행하게 하여서는 안된다.

④ 건설사업관리기술인이 품질관리(또는 시험)계획과 관련하여 검토·확인하여야 할 문서는 계획서, 절차서 및 지침서 등을 말한다.

⑤ 건설사업관리기술인은 해당 건설공사의 설계도서, 시방서, 공정계획 등을 검토하여 품질관리가 소홀해지기 쉽거나 하자 발생빈도가 높으며 시공 후 시정이 어렵고 많은 노력과 경비가 소요되는 공종 또는 부위를 중점 품질관리대상으로 선정하여 다른 공종에 비하여 우선적으로 품질관리 상태를 입회, 확인하여야 하며 중점 품질관리 공종 선정 시 고려해야 할 사항은 다음 각 호와 같다.

1. 공정계획에 의한 월별, 공종별 시험종목 및 시험회수
2. 시공자의 품질관리자 및 공정에 따른 충원계획
3. 품질관리 담당 건설사업관리기술인의 인원수 및 직접 입회, 확

인이 가능한 적정 시험회수

4. 공종의 특성상 품질관리 상태를 육안 등으로 간접 확인 할 수 있는지 여부
5. 작업조건의 양호, 불량 상태
6. 타현장의 시공 사례에서 하자발생 빈도가 높은 공종인지 여부
7. 품질관리 불량 부위의 시정이 용이한지 여부
8. 시공 후 지중에 매몰되어 추후 품질확인이 어렵고 재시공이 곤란한지 여부
9. 품질 불량 시 인근부위 또는 타 공종에 미치는 영향의 대소
10. 시공이 광활한 지역에서 이루어져 접근이 용이한지 여부

⑥ 건설사업관리기술인은 다음 각 호의 내용을 포함한 공종별 중점 품질관리방안을 수립하여 시공자로 하여금 이를 실행토록 지시하고 실행결과를 수시로 확인하여야 한다.

1. 중점 품질관리 공종의 선정
2. 중점 품질관리 공종별로 시공 중 및 시공 후 발생 예상 문제점
3. 각 문제점에 대한 대책방안 및 시공지침
4. 중점 품질관리 대상 구조물, 시공부위, 하자발생 가능성이 큰 지역 또는 부위선정
5. 중점 품질관리대상의 세부관리항목의 선정
6. 중점 품질관리공종의 품질확인 지침
7. 중점 품질관리대장을 작성, 기록관리하고 확인하는 절차

⑦ 건설사업관리기술인은 중점 품질관리 대상으로 선정된 공종의 효율적인 품질관리를 위하여 다음 각 호와 같이 관리한다.

1. 중점 품질관리 대상으로 선정된 공종에 대한 관리방안을 수립하여 시행 전에 발주청에 보고하고 시공자에게도 통보
2. 해당 공종 및 시공부위는 상황판이나 도면 등에 표기하여 발주청 직원, 건설사업관리기술인, 시공자 모두가 이를 항상 숙지토록 함
3. 공정계획 시 중점 품질관리대상 공종이 동시에 여러 개소에서 시공되거나 공휴일, 야간 등 관리가 소홀해 질 수 있는 시기에 시공되지 않도록 조정
4. 필요시 해당부위에 "중점 품질관리 공종" 팻말을 설치하고 주의사항을 명기

⑧ 건설사업관리기술인은 시공자와 합의된 품질시험에 반드시 입회하여야 한다. 건설사업관리기술인이 합의된 장소 및 시간에 입회하지 않거나, 건설사업관리기술인이 달리 요구하지 않는 한, 시공자는 시험을 진행할 수 있으며 그러한 시험은 건설사업관리기술인의 입회하에 수행된 것으로 간주한다.

⑨ 건설사업관리기술인은 시공자가 작성한 품질관리(또는 시험)계획에 따라 품질관리 업무를 적정하게 수행하였는지의 여부를 검사하여야 하며, 검사결과 시정이 필요한 경우에는 시공자에게 시정을 요구할 수 있으며, 시정을 요구 받은 시공자는 이를 지체 없이 시정하여야 한다.

⑩ 건설사업관리기술인은 품질상태를 수시로 검사·확인하여 재시공 또는 보완시공 되지 않도록 부실공사를 사전에 방지토록 적극 노력하여야 한다.

⑪ 건설사업관리기술인이 시공자가 작성한 품질관리계획서 또는 품질시험계획서에 따라 품질시험 · 검사가 실시되는지를 확인하여야 한다.

⑫ 건설사업관리기술인은 품질시험과 검사를 산업표준화법에 의한 한국산업규격, 법 제55조의 규정에 의한 품질관리기준에 의하여 실시되는지 확인하여야 한다.

⑬ 건설공사 품질시험 · 검사를 실시하여야 할 건설공사의 발주청 또는 시공자는 국립 · 공립 시험기관 또는 건설기술용역사업자에 품질시험의 실시를 대행하게 할 수 있다.

⑭ 건설사업관리기술인은 발주청 또는 시공자가 제13항에 따라 제3자에게 품질시험 · 검사 실시를 대행시키고자 할 때에는 그 적정성 여부를 검토 · 확인하여야 한다.

⑮ 건설사업관리기술인은 시공자로부터 매월 품질시험 · 검사실적을 종합한 시험 · 검사실적보고서(별지 제18호 서식)를 제출 받아 이를 확인하여야 한다.

⑯ 건설사업관리기술인은 시공자로부터 해당 건설공사에 대한 기성부분 검사 또는 예비준공검사 신청서를 제출 받은 때에 별지 제17호 서식의 품질시험 · 검사성과 총괄표 및 해당 시험성적서를 제출 받아 이를 검토 · 확인하여야 한다.

⑰ 공사관리관은 건설사업관리기술인이 품질관리 지도 · 감독을 성실히 이행하고 있는지 여부를 확인하여야 하며, 품질관리에 대한 건설사업관리기술인의 업무소홀이 확인된 경우에는 그 사실을 발주청에 지체 없이 보고하여야 한다.

제91조(시공계획검토) ① 건설사업관리기술인은 시공자로부터 공사시방서의 기준(공사종류별, 시기별)에 의하여 시공계획서를 진행단계별 해당공사 시공 30일 전에 제출 받아 이를 검토 · 확인하여 7일 안에 승인한 후 시공토록 하여야 하고 시공계획서의 보완이 필요한 경우 그 내용과 사유를 문서로써 통보해야한다. 시공계획서에는 공사시방서의 작성기준과 함께 다음 각 호의 내용이 포함되어야 한다.

1. 현장조직표
2. 공사 세부공정표
3. 주요공정의 시공절차 및 방법
4. 시공일정
5. 주요장비 동원계획
6. 주요자재 및 인력투입계획
7. 주요 설비사양 및 반입계획
8. 품질관리대책
9. 안전대책 및 환경대책 등
10. 지장물 처리계획과 교통처리 대책

② 건설사업관리기술인은 공사 중 시공계획서에 중요한 내용변경이 발생할 경우에는 변경 시공계획서를 제출받은 후 5일 이내에 검토 · 확인하여 승인한 후 시공토록 하여야 한다.

③ 건설사업관리기술인은 시공자로부터 각종 구조물 시공상세도 및 암발파작업 시공상세도를 사전에 제출 받아 다음 각 호의 사항을 고려하여 시공자가 제출한 날로부터 7일 이내에 검토 · 확인하

고 승인한 후 시공토록 하여야 한다. 또한 주요구조물의 시공상세도 검토시 필요할 경우 설계자의 의견을 고려해야 하며 승인된 시공상세도는 준공 시 발주청에 보고해야 한다.

1. 설계도면 및 시방서 또는 관계규정에 일치하는지 여부(설계기준은 개정된 최신 설계기준에 따름)
2. 현장기술인, 기능공이 명확하게 이해할 수 있는지 여부(실시설계도면을 기준으로 각 공종별, 형식별 세부사항들이 표현되도록 현장여건을 반영)
3. 실제 시공이 가능한지 여부(현장여건과 공종별 시공계획을 최대한 반영하여 시공시 문제점이 발생하지 않도록 각종 구조물의 시공상세도 작성)
4. 안전성의 확보 여부(주철근의 경우, 철근의 길이나 겹이음의 위치 등 철근상세에 관한 변경이 필요한 경우 반드시 전문기술사의 검토 · 확인을 거쳐 공사감독자의 승인을 받아야 함)
5. 가시설공 시공상세도의 경우, 구조계산서 첨부 여부(관련 기술사의 서명날인 포함)
6. 계산의 정확성
7. 제도의 품질 및 선명성, 도면작성 표준에 일치 여부
8. 도면으로 표시 곤란한 내용은 시공 시 유의사항으로 작성되었는지 등을 검토

④ 건설사업관리기술인은 공사시방서에 작성하도록 명시한 시공상세도와 다음 각 호의 사항에 대한 시공상세도의 작성 여부를 확인하고, 제출된 시공상세도의 구조적인 안전성을 검토 · 확인하여야 하며 이 경우 주요구조부(가시설물을 포함한다)의 구조적 안전에 관한 사항과 전문적인 기술검토가 필요한 사항은 반드시 관련 분야 기술지원기술인이 검토 · 확인하여야 한다. 다만, 공사조건에 따라 건설사업관리기술인과 시공자가 협의하여 필요한 시공상세도의 목록을 조정할 수 있다.

1. 비계, 동바리, 거푸집 및 가교, 가도 등 가설시설물의 설치상세도 및 구조계산서
2. 구조물의 모따기 상세도
3. 옹벽, 측구 등 구조물의 연장 끝부분 처리도
4. 배수관, 암거, 교량용 날개벽 등의 설치위치 및 연장도
5. 철근 배근도에는 정 · 부철근등의 유효간격 및 철근 피복두께(측 · 저면)유지용 스페이서(Spacer) 및 Chair-Bar의 위치, 설치방법 및 가공을 위한 상세도면
6. 철근 겹이음 길이 및 위치의 시방서 규정 준수여부 확인
7. 그 밖에 규격, 치수, 연장 등이 불명확하여 시공에 어려움이 예상되는 부위의 각종 상세도면

⑤ 건설사업관리기술인은 시공상세도(Shop Drawing) 검토 · 확인 때까지 구조물 시공을 허용하지 말아야 하고, 시공상세도는 접수일로부터 7일 이내에 검토 · 확인하여 서면으로 승인하고, 부득이하게 7일 이내에 검토 · 확인이 불가능할 경우 사유 등을 명시하여 서면으로 통보하여야 한다.

⑥ 건설사업관리기술인은 다음 각 호의 공사현장 인근상황을 시공자에게 충분히 조사토록 하여 공사시공과 관련하여 제3자에게 손

해를 주지 않도록 시공자에게 대책을 강구하게 하여야 한다.

1. 통신, 전력, 송유관, 상·하수도관, 가스관등 지하매설물
2. 인근의 도로
3. 교통 시설물
4. 건조물 또는 축사
5. 그 밖의 농경지, 산림 등

⑦ 건설사업관리기술인은 공사시행중 시공자의 귀책사유로 인하여 제6항제1호부터 제5호까지의 손상으로 인하여 제3자에게 손해를 준 경우에는 시공자 부담으로 즉시 원상복구 하여 민원 및 관원이 발생되지 않도록 하여야 한다. 또한 제3자에게 피해보상 문제가 제기되었을 경우 건설사업관리기술인은 객관적이고 공정한 판단에 근거한 의견을 제시하여야 한다.

⑧ 건설사업관리기술인은 시공자로부터 시험발파계획서를 사전에 제출받아 다음 각 호의 사항을 고려하여 검토·확인하고 발파하도록 하여야 한다.

1. 관계규정 저촉여부
2. 안전성 확보여부
3. 계측계획 적정성여부
4. 그 밖에 시험발파를 위하여 필요한 사항

제92조(기술검토 및 교육) ① 건설사업관리기술인은 시공자로 하여금 현장종사자(기능공을 포함한다)의 견실시공 의식고취를 위한 현장 정기교육을 월 1회 이상 해당 현장의 특성에 따라 실시하도록 하여야 한다.

② 책임건설사업관리기술인은 분야별 건설사업관리기술인과 시공자 및 하도급사 직원(기능공 포함)들이 법·영·규칙 및 지침 등의 내용과 공사현황 등을 숙지하도록 교육을 실시하여야 하며, 그 교육실적을 기록·비치하여야 한다.

③ 책임건설사업관리기술인은 부실시공 등을 야기시킨 기능공에 대하여 시공자에게 해당 기능공이 근무를 하지 못하도록 요구하고, 이 사실을 발주청에 보고하여야 한다. 시공자는 건설사업관리기술인으로부터 상기 요구를 받은 경우 특별한 사유가 없으면 요구에 따라야 한다.

④ 건설사업관리기술인은 공사 중 해당 공사와 관련하여 시공자의 공법변경 요구 등 중요한 기술적인 사항에 대한 요구가 있는 경우, 요구가 있은 날로부터 7일 이내에 이를 검토하고 의견서를 첨부하여 발주청에 보고하여야 하고 전문성이 요구되는 경우에는 요구가 있은 날로부터 14일 이내에 기술지원기술인의 검토의견서를 첨부하여 발주청에 보고하여야 한다. 이 경우, 발주청은 필요시 제3자에게 자문할 수 있다.

⑤ 건설사업관리기술인은 스스로 공사시공과 관련하여 검토한 내용에 대하여 필요하다고 판단될 경우 발주청 또는 시공자에게 그 검토의견을 서면으로 제시할 수 있다.

⑥ 건설사업관리기술인은 공사시행 중 예산이 변경되거나 계획이 변경되는 중요한 민원이 발생된 때에는 민원인 주장의 타당성, 소요예산 등을 검토하여 그 검토의견서를 첨부하여 발주청에 보고하여야 한다.

⑦ 건설사업관리기술인은 발주청(공사관리관)이 민원사항 처리를 위하여 조사와 서류작성을 요구할 때에는 적극 협조하여야 한다.

⑧ 건설사업관리기술인은 공사와 직접 관련된 경미한 민원처리는 직접 처리하여야 하고 전화 또는 방문 민원을 처리함에 있어 민원인과의 대화는 원만하고 성실하게 하여야 하며 시공자와 협조하여 적극적으로 해결방안을 강구·시행하여야 하고, 그 내용을 민원 처리부(별지 제15호 서식)에 기록·비치하여야 한다. 경미한 민원처리사항중 중요하다고 판단되는 경우에는 검토의견서를 첨부하여 발주청에 보고하여야 한다.

제93조(지장물 철거 및 공사중지명령 등) ① 건설사업관리기술인은 공사 중에 지하매설물 등 새로운 지장물을 발견하였을 때에는 시공자로부터 상세한 내용이 포함된 지장물 조서를 제출받아 이를 확인한 후 발주청에 조속히 보고하여야 한다.

② 건설사업관리기술인은 기존 구조물을 철거할 때에는 시공자로 하여금 현황도(측면도, 평면도, 상세도, 그 밖에 수량산출시 필요한 사항)와 현황사진을 작성하여 제출토록 하고 이를 검토·확인하여 발주청에 보고하고 설계변경시 계상하여야 한다.

③ 법 제40조제1항에 따라 건설사업관리용역사업자(법 제40조5항에 따라 권한을 위임하였을 경우에는 책임건설사업관리기술인을 말한다. 이하 이 조에서 같다)는 다음 각 호의 사항에 대하여 재시공·공사중지명령이나 그 밖에 필요한 조치를 할 수 있다.

1. 시공자가 건설공사의 설계도서, 시방서, 그 밖의 관계서류의 내용과 맞지 아니하게 그 건설공사를 시공하는 경우
2. 법 제62조에 따른 안전관리 의무를 위반하여 인적·물적 피해가 우려되는 경우
3. 법 제66조에 따른 환경관리 의무를 위반하여 인적·물적 피해가 우려되는 경우

④ 제3항에 따라 건설사업관리용역사업자로부터 재시공·공사중지명령이나 그 밖에 필요한 조치에 관한 지시를 받은 시공자는 특별한 사유가 없으면 이에 따라야 한다.

⑤ 건설기술용역사업자는 제3항에 따라 시공자에게 재시공·공사중지 명령이나 그 밖에 필요한 조치를 한 경우에는 지체없이 이에 관한 사항을 해당 건설공사의 발주청에 서면으로 보고하여야 하며, 그 조치내용과 결과를 기록·관리해야 한다.

⑥ 제3항에 따라 재시공·공사중지 명령이나 그 밖에 필요한 조치를 한 건설기술용역사업자는 시정 여부를 확인한 후 공사재개 지시 등 필요한 조치를 하여야 하며, 이 경우 지체 없이 이에 관한 사항을 해당 건설공사의 발주청에 서면으로 보고하여야 하며, 그 조치내용과 결과를 기록·관리해야 한다.

⑦ 누구든지 제3항에 따른 재시공·공사중지 명령 등의 조치를 이유로 건설기술용역사업자에게 건설기술인의 변경, 현장 상주의 거부, 용역대가 지급의 거부·지체 등 신분이나 처우와 관련하여 불이익을 주어서는 아니 된다.

⑧ 재시공·공사중지 명령 등의 조치의 적용 한계는 다음 각 호와 같다.

1. 재시공 : 시공된 공사가 품질확보상 미흡 또는 위해를 발생시킬

수 있다고 판단되거나 건설사업관리기술인의 검측·승인을 받지 않고 후속공정을 진행한 경우와 관계규정에 재시공을 하도록 규정된 경우

2. 공사중지 : 시공된 공사가 품질확보상 미흡 또는 중대한 위해를 발생시킬 수 있다고 판단되거나, 안전상 중대한 위험이 발견될 때에는 공사중지를 지시할 수 있으며 공사중지는 부분중지와 전면중지로 구분

가. 부분중지

(1) 재시공 지시가 이행되지 않는 상태에서는 다음 단계의 공정이 진행됨으로써 하자 발생이 될 수 있다고 판단될 때

(2) 법 제62조에 따른 안전관리 의무를 위반하여 인적·물적 피해가 우려되는 경우

(3) 법 제66조에 따른 환경관리 의무를 위반하여 인적·물적 피해가 우려되는 경우

(4) 동일 공정에 있어 3회 이상 시정지시가 이행되지 않을 때

(5) 동일 공정에 있어 2회 이상 경고가 있었음에도 이행되지 않을 때

나. 전면중지

(1) 시공자가 고의로 건설공사의 추진을 심히 지연시키거나, 건설공사의 부실발생 우려가 농후한 상황에서 적절한 조치를 취하지 않은 채 공사를 계속 진행하는 경우

(2) 부분중지가 이행되지 않음으로써 전체 공정에 영향을 끼칠 것으로 판단될 때

(3) 지진, 해일, 폭풍 등 천재지변으로 공사 전체에 대한 중대한 피해가 예상될 때

(4) 전쟁, 폭동, 내란, 혁명상태 등으로 공사를 계속할 수 없다고 판단되어 발주청으로부터 지시가 있을 때

⑨ 제3항에 따른 재시공·공사중지 명령 등의 조치로 발주청이나 건설사업자에게 손해가 발생한 경우 건설기술용역사업자는 그 명령에 고의 또는 중대한 과실이 없는 때에는 그 손해에 대한 책임을 지지 아니한다.

⑩ 건설사업관리기술인은 시공자로 하여금 공종별로 착공 전부터 준공때까지의 공사과정, 공법, 특기사항을 촬영한 촬영일자가 나오는 공사사진과 시공일자, 위치, 공종, 작업내용 등을 기재한 공사내용 설명서를 제출토록 하여 후일 참고자료로 활용토록 한다. 공사기록 사진은 공종별, 공사추진단계에 따라 다음 각 호의 사항을 촬영한 것이어야 한다.

1. 주요한 공사현황은 착공전, 시공중, 준공 등 시공과정을 알 수 있도록 가급적 동일장소에서 촬영

2. 시공 후 검사가 불가능하거나 곤란한 부분

가. 암반선 확인 사진

나. 매몰, 수중 구조물

다. 구조체공사에 대해 철근지름, 간격 및 벽두께, 강구조물(steel box내부, steel girder 등) 경간별 주요부위 부재두께 및 용접전경 등을 알 수 있도록 촬영

라. 공장제품 검사(창문 및 창문틀, 철골검사, PC 자재 등) 기록

마. 지중매설(급 · 배수관, 전선 등) 광경
바. 매몰되는 옥내외 배관(설비, 전기 등) 광경
사. 전기 등 배전반 주변에서의 배관류
아. 지하매설된 부분의 배근상태 및 콘크리트 두께현황
자. 바닥 및 배관의 행거볼트, 공조기 등의 행거볼트 시공광경
차. 보온, 결로방지관계 시공광경
카. 본 구조물 시공 이후 철거되는 가설시설물 시공광경

⑪ 건설사업관리기술인은 특히 중요하다고 판단되는 시설물에 대하여는 시공자가 공사과정을 비디오카메라 등으로 촬영토록 하여야 한다.

⑫ 건설사업관리기술인은 제10항과 제11항에서 촬영한 사진은 디지털(Digital) 파일 등을 제출받아 수시 검토 · 확인할 수 있도록 보관하고 준공시 발주청에 제출하고 발주청은 이를 보관하여야 한다.

제94조(공정관리) ① 건설사업관리기술인은 해당 공사가 정해진 공기 내에 시방서, 도면 등에 따른 품질을 갖추어 완성될 수 있도록 공정관리의 계획수립, 운영, 평가에 있어서 공정진척도 관리와 기성관리가 동일한 기준으로 이루어질 수 있도록 건설사업관리 업무를 수행하여야 한다.

② 건설사업관리기술인은 공사 착공일로부터 30일 안에 시공자로부터 공정관리계획서를 제출받아 제출받은 날로부터 14일 이내에 검토하여 승인하고 이를 발주청에 제출하여야 하며 다음 각 호의 사항을 검토 · 확인 하여야 한다.

1. 시공자의 공정관리 기법이 공사의 규모, 특성에 적합한지 여부
2. 계약서, 시방서 등에 공정관리 기법이 명시되어 있는 경우에는 명시된 공정관리 기법으로 시행되도록 조치
3. 계약서, 시방서 등에 공정관리 기법이 명시되어 있지 않았을 경우, 단순한 공종 및 보통의 공종 공사인 경우 공사조건에 적합한 공정관리 기법을 적용토록 하고, 복잡한 공종의 공사 또는 건설사업관리기술인이 PERT/CPM 이론을 기본으로 한 공정관리가 필요하다고 판단하는 경우에는 별도의 PERT/CPM 기법에 의한 공정관리를 적용토록 조치
4. 발주청의 특수한 현장여건(돌관공사 등)으로 전산공정관리 등이 필요하다고 판단되는 경우, 건설사업관리기술인은 발주청에 별도의 공정관리를 시행하도록 건의할 수 있음
5. 일정관리와 원가관리, 진도관리가 병행될 수 있는 종합관리형태의 공정관리가 되도록 조치

③ 건설사업관리기술인은 공사의 규모, 공종 등 제반여건을 감안하여 시공자가 공정관리 업무를 성공적으로 수행할 수 있는 공정관리 조직을 갖추도록 다음 각 호의 사항을 검토 · 확인하여야 한다.

1. 공정관리 요원 자격 및 그 요원수 적합 여부
2. 소프트웨어(Software)와 하드웨어(Hardware) 규격 및 그 수량 적합 여부
3. 보고체계의 적합성 여부
4. 계약공기 준수 여부
5. 각 작업(Activity) 공기에 품질, 안전관리가 고려되었는지 여부
6. 지정휴일, 천후조건 감안 여부

7. 자원조달에 무리가 없는지 여부
8. 주공정의 적합 여부
9. 공사주변 여건, 법적 제약조건 감안 여부
10. 동원 가능한 장비, 그 밖에 부대설비 및 그 성능 감안 여부
11. 특수장비 동원을 위한 준비기간의 반영 여부
12. 동원 가능한 작업인원과 작업자의 숙련도 감안 여부

④ 건설사업관리기술인은 시공자로부터 전체 실시공정표에 따른 월간, 주간 상세공정표를 사전에 제출 받아 검토·확인하여야 한다.

1. 월간상세공정표 : 작업착수 1주 전 제출
2. 주간상세공정표 : 작업착수 2일 전 제출

⑤ 건설사업관리기술인은 매주 또는 매월 정기적으로 공사진도를 확인하여 예정공정과 실시공정을 비교하여 공사의 부진 여부를 검토한다.

⑥ 건설사업관리기술인은 현장여건, 기상조건, 지장물 이설 등에 따른 관련기관 협의사항이 정상적으로 추진되는지를 검토·확인하여야 한다.

⑦ 건설사업관리기술인은 공정진척도 현황을 최근 1주전의 자료가 유지될 수 있도록 관리하고 공정지연을 방지하기 위하여 주공정 중심의 일정관리가 될 수 있도록 시공자를 관리하여야 한다.

⑧ 건설사업관리기술인은 주간단위의 공정계획 및 실적을 시공자로부터 제출 받아 이를 검토·확인하고, 필요한 경우 시공자측 현장책임자를 포함한 관계직원 합동으로 금주작업에 대한 실적을 분석·평가하고 공사추진에 지장을 초래하는 문제점, 잘못 시공된 부분의 지적 및 재시공 등의 지시와 재해방지대책, 공정진도의 평가, 그 밖에 공사추진상 필요한 내용의 협의를 위한 주간 또는 월간 공사 추진회의를 주관하여 실시하고 그 회의록을 유지하여야 한다.

⑨ 건설사업관리기술인은 공사진도율이 계획공정대비 월간 공정실적이 10%이상 지연(계획공정대비 누계공정실적이 100% 이상일 경우는 제외)되거나 누계공정 실적이 5%이상 지연될 때는 시공자로 하여금 부진사유 분석, 근로자 안전확보를 고려한 부진공정 만회대책 및 만회공정표 수립을 지시하여야 한다.

⑩ 건설사업관리기술인은 시공자가 제출한 부진공정 만회대책을 검토·확인하고 그 이행상태를 주간단위로 점검·평가 하여야 하며 공사추진회의 등을 통하여 미조치 내용에 대한 필요대책등을 수립하여 정상공정을 회복할 수 있도록 조치하여야 한다. 공정부진이 2개월 연속될 경우에는 기술지원기술인이 참여하는 공정회의를 개최하고 발주청에 제출하는 공정표에 기술지원기술인도 서명하여야 한다.

⑪ 건설사업관리기술인은 검토·확인한 부진공정 만회대책과 그 이행상태의 점검·평가 결과를 발주청에 보고하여야 한다.

1. 예정공정과 실시공정 비교 분석
2. 공정만회대책 및 만회공정표 검토 확인
3. 주간단위 부진공정 만회대책 이행여부 확인

⑫ 건설사업관리기술인은 설계변경 등으로 인한 물공량의 증감, 공법변경, 공사중 재해, 천재지변 등 불가항력에 의한 공사중지, 지급자재 공급지연, 공사용지의 제공의 지연, 문화재 발굴조사 등의

현장실정 또는 시공자의 사정 등으로 인하여 공사 진척실적이 지속적으로 부진할 경우 공정계획을 재검토하여 수정 공정계획수립의 필요성을 검토하여야 한다.

⑬ 건설사업관리기술인은 시공자의 요청 또는 건설사업관리기술인의 판단에 의해 수정 공정계획을 수립할 때 시공자로부터 수정 공정계획을 제출 받아 제출일로부터 7일 이내에 검토하여 승인하고 발주청에 보고하여야 한다.

⑭ 건설사업관리기술인은 수정 공정계획을 검토할 때 수정목표 종료일이 당초 계약 종료일을 초과하지 않도록 조치하여야 하며, 초과할 경우는 그 사유를 분석하여 건설사업관리기술인의 검토안을 작성하고 필요시 수정 공정계획과 함께 발주청에 보고하여야 한다.

⑮ 건설사업관리기술인은 추진계획과 실적을 정기건설사업관리보고서에 포함하여 발주청에 보고 하여야 한다(별지 제33호 서식)

⑯ 건설사업관리기술인은 시공자가 준공기한 연기신청서를 제출할 경우 이의 타당성을 검토·확인하고 검토의견서를 첨부하여 발주청에 보고하여야 한다.

제95조(안전관리) ① 건설사업관리기술인은 건설공사의 안전시공 추진을 위해서 안전조직을 갖추도록 하여야 하고 안전조직은 현장규모와 작업내용에 따라 구성하며 동시에 산업안전보건법의 해당규정(「산업안전보건법」 제15조 안전보건관리책임자 선임, 제16조 관리감독자 지정, 제17조 안전관리자 배치, 제18조 보건관리자 배치, 제19조 안전보건관리담당자 선임 및 제75조 안전·보건에 관한 노사협의체 운영)에 명시된 업무도 수행되도록 조직편성을 한다.

② 건설사업관리기술인은 시공자가 영 제98조와 제99조에 따라 작성한 건설공사 안전관리계획서를 공사 착공 전에 제출받아 적정성을 확인하여야 하며, 보완하여야 할 사항이 있는 경우에는 시공자로 하여금 이를 보완하도록 하여야 한다. 또한, 안전관리 계획의 내용을 변경한 경우에도 같다.

③ 책임건설사업관리기술인은 소속 건설사업관리기술인 중 안전관리담당자를 지정하고 안전관리담당자로 지정된 건설사업관리기술인은 다음 각 호의 작업현장에 수시로 입회하여 시공자의 안전관리자를 지도·감독하도록 하여야 하며 공사전반에 대한 안전관리계획의 사전검토, 실시확인 및 평가, 자료의 기록유지 등 사고예방을 위한 제반 안전관리 업무에 대하여 확인을 하도록 하여야 한다.

1. 추락 또는 낙하 위험이 있는 작업
2. 발파, 중량물 취급, 화재 및 감전 위험작업
3. 크레인 등 건설장비를 활용하는 위험작업
4. 그 밖의 안전에 취약한 공종 작업

④ 건설사업관리기술인은 시공자중 안전보건관리책임자(현장대리인)와 안전관리자 및 보건관리자(법정자격자)를 지정하게 하여 현장의 전반적인 안전·보건문제를 책임지고 추진하도록 하여야 한다.

⑤ 건설사업관리기술인은 시공자로 하여금 근로기준법, 산업안전보건법, 산업재해보상보험법, 시설물안전관리에관한특별법과 그 밖에 관계법규를 준수하도록 하여야 한다.

⑥ 건설사업관리기술인은 산업재해 예방을 위한 제반 안전관리 지도에 적극적인 노력을 경주하도록 함과 동시에 안전관계법규를 이

행하도록 하기 위하여 다음 각 호와 같은 업무를 수행하여야 한다.

1. 시공자의 안전조직 편성 및 임무의 법상 구비조건 충족 및 실질적인 활동 가능성 검토
2. 안전관리자에 대한 임무수행 능력 보유 및 권한 부여 검토
3. 시공계획과 연계된 안전계획의 수립 및 그 내용의 실효성 검토
4. 유해 · 위험방지계획(수립 대상에 한함) 내용 및 실천 가능성 검토(산업안전보건법 제48조제3항, 제4항)
5. 안전점검 및 안전교육 계획의 수립 여부와 내용의 적정성 검토(법 제62조, 산업안전보건법 제31조, 제32조)
6. 안전관리 예산편성 및 집행계획의 적정성 검토
7. 현장 안전관리 규정의 비치 및 그 내용의 적정성 검토
8. 산업안전보건관리비의 타 용도 사용내역 검토

⑦ 건설사업관리기술인은 시공자가 법 제62조제1항에 따른 안전관리계획이 성실하게 수행되는지 다음 각 호의 내용을 확인하여야 한다.

1. 안전관리계획의 이행 및 여건 변동시 계획변경 여부 확인
2. 안전보건 협의회 구성 및 운영상태 확인
3. 안전점검계획 수립 및 실시 여부 확인(일일, 주간, 우기 및 해빙기, 하절기, 동절기 등 자체안전점검, 법에 의한 안전점검, 안전진단 등)
4. 안전교육계획의 실시 확인 (사내 안전교육, 직무교육)
5. 위험장소 및 작업에 대한 안전조치 이행 여부 확인(제3항 각 호의 작업 등)
6. 안전표지 부착 및 이행여부 확인
7. 안전통로 확보, 자재의 적치 및 정리정돈 등이 성실하게 수행되는지 확인
8. 사고조사 및 원인 분석, 각종 통계자료 유지
9. 월간 안전관리비 및 산업안전보건관리비 사용실적 확인
10. 근로자에 대한 건설업 기초 안전 · 보건 교육의 이수 확인
11. 석면안전관리법 제30조에 의한 석면해체 제거작업을 수반하는 공사에 대하여 적정 건설사업관리기술인 지정 및 업무수행
12. 근로자 건강검진 실시 확인

⑧ 건설사업관리기술인은 안전에 관한 업무를 수행하기 위하여 시공자에게 다음 각 호의 자료를 기록 · 유지토록 하고 이행상태를 점검한다.

1. 안전업무 일지(일일보고)
2. 안전점검 실시(안전업무일지에 포함 가능)
3. 안전교육(안전업무일지에 포함가능)
4. 각종 사고보고
5. 월간 안전 통계(무재해, 사고)
6. 안전관리비 및 산업안전보건관리비 사용실적 (월별 점검 · 확인)

⑨ 건설사업관리기술인은 건설공사 안전관리계획 내용에 따라 안전조치 · 점검 등 이행을 하였는지의 여부를 확인하고 미이행시 시공자로 하여금 안전조치 · 점검 등을 선행한 후 시공하게 한다.

⑩ 건설사업관리기술인은 시공자가 영 제100조에 따른 자체 안전점검을 매일 실시하였는지의 여부를 확인하여야 하며, 건설안전점

검전문기관에 의뢰하여야 하는 정기 · 정밀 안전점검을 할 때에는 입회하여 적정한 점검이 이루어지는지를 확인하여야 한다.

⑪ 건설사업관리기술인은 영 제100조에 따라 시행한 정기 · 정밀 안전점검 결과를 시공자로부터 제출받아 검토하여 발주청에 보고하고 발주청의 지시에 따라 시공자에게 필요한 조치를 하게 한다.

⑫ 건설사업관리기술인은 시공회사의 안전관리책임자와 안전관리자 등에게 교육시키고 이들로 하여금 현장 근무자에게 다음 각 호의 내용과 자료가 포함된 안전교육을 실시토록 지도 · 감독하여야 한다.

1. 산업재해에 관한 통계 및 정보
2. 작업자의 자질에 관한 사항
3. 안전관리조직에 관한 사항
4. 안전제도, 기준 및 절차에 관한 사항
5. 생산공정에 관한 사항
6. 산업안전보건법 등 관계법규에 관한 사항
7. 작업환경관리 및 안전작업 방법
8. 현장안전 개선방법
9. 안전관리 기법
10. 이상발견 및 사고발생시 처리방법
11. 안전점검 지도요령과 사고조사 분석요령

⑬ 책임건설사업관리기술인은 공사가 중지(차수별 준공에 따라 공사가 중단된 경우를 포함한다)되는 건설현장에 대해서는 안전관리담당자로 지정된 건설사업관리기술인을 입회하도록 하여 공사중지(준공)일로부터 5일 이내에 시공자로 하여금 영 제100조제1항에 따른 자체 안전점검을 실시하도록 하고, 점검결과를 발주청에 보고한 후 취약한 부분에 대해서는 시공자에게 필요한 안전조치를 하게 하여야 한다.

⑭ 건설사업관리기술인은 매 분기별 시공자로부터 안전관리 결과보고서를 제출 받아 이를 검토하고 미비한 사항이 있을 때는 시정조치를 하여야 하며, 안전관리 결과보고서에는 다음 각 호와 같은 서류가 포함되어야 한다.

1. 안전관리 조직표
2. 안전보건 관리체제(별지 제21호 서식)
3. 재해발생 현황(별지 제22호 서식)
4. 안전교육 실적표(별지 제23호 서식)
5. 산재요양 신청서(사본)
6. 그 밖에 필요한 서류

⑮ 안전관리담당자로 지정된 건설사업관리기술인은 현장에서 사고가 발생하였을 경우에는 시공자에게 즉시 필요한 응급조치를 취하도록 하고 상세한 경위 및 검토의견서를 첨부하여 발주청에 지체 없이 보고하여야 하며, 제3항부터 제14항까지, 제16항의 업무에 고의 또는 중대한 과실이 없는 때에는 사고에 대한 책임을 지지 아니한다.

⑯ 건설사업관리기술인은 다음 각 호의 건설기계에 대하여 시공자가 「건설기계관리법」 제4조, 제13조, 제17조를 위반한 건설기계를 건설현장에 반입 · 사용하지 못하도록 반입 · 사용현장을 수시로 입

회하는 등 지도 · 감독 하여야 하고, 해당 행위를 인지한 때에는 공사를 중지시키고 발주청에 서면으로 보고하여야 한다.

1. 천공기
2. 항타 및 항발기
3. 타워크레인
4. 기중기 등 그 밖에 발주청이 필요하다고 인정하여 계약에서 정한 건설기계

⑰ 공사관리관은 건설사업관리기술인이 안전관리 지도 · 감독을 성실히 이행하고 있는지 여부를 확인하여야 하며, 안전관리에 대한 건설사업관리기술인의 업무소홀이 확인된 경우에는 그 사실을 발주청에 지체 없이 보고하여야 한다.

제96조(환경관리) ① 건설사업관리기술인은 사업시행으로 인한 위해를 방지하고 「환경영향평가법」에 의해 받은 환경영향평가 내용과 이에 대한 협의내용을 충실히 이행토록 하여야 하고 조직편성을 하여 그 의무를 수행트록 지도 · 감독하여야 한다.

② 건설사업관리기술인은 시공자로 하여금 환경관리책임자를 지정하게 하여 환경관리 계획수립과 대책 등을 수립하게 하여야 하고, 예산의 조치와 환경관리자, 환경담당자를 임명하도록 하며 현장 환경관리업무를 책임지고 추진하게 하여야 한다.

③ 건설사업관리기술인은 「환경영향평가법 시행규칙」 제17조에 따라 발주청에 의해 관리책임자로 지정된 경우 협의내용의 관리를 성실히 수행하여야 한다.

④ 건설사업관리기술인은 해당 공사에 대한 환경영향평가보고서 및 환경영향평가 협의내용을 근거로 하여 지형 · 지질, 대기, 수질, 소음 · 진동 등의 관리계획서가 수립되었는지 다음 각 호의 내용을 검토 · 확인하여야 한다.

1. 시공자의 환경관리 조직 · 편성 및 임무의 법상 구비조건, 충족 및 실질적인 활동 가능성 검토
2. 환경영향평가 협의내용의 관리계획 실효성 검토
3. 환경영향 저감대책 및 공사중, 공사후 환경관리계획서 적정성 검토
4. 환경관리자에 대한 업무수행능력 및 권한 여부 검토
5. 환경전문기술인 자문사항에 대한 검토
6. 환경관리 예산편성 및 집행계획 적정성 검토

⑤ 건설사업관리기술인은 사후 환경관리계획에 따른 공사현장에 적합한 관리가 되도록 다음 각 호의 내용과 같이 업무를 수행하여야 한다.

1. 시공자로 하여금 환경영향평가서 내용을 검토하여 현장실정에 적합한 저감대책을 수립하여 시공단계별 관리계획서를 수립 · 관리토록 지시
2. 시공자로 하여금 환경관리계획서를 숙지하여 검측할 때에 지적사항이 없도록 철저히 이행토록 하여야 하며, 특히 중점관리 대상지역을 선정하여 관리토록 지시
3. 시공자에게 항목별 시공전 · 후 사진촬영 및 위치도를 작성하여 협의내용 관리대장에 기록토록 하여 건설사업관리기술인의 확인을 받도록 지시

4. 시공자로 하여금 환경관리에 대한 일일점검 및 평가를 실시하고 (문제점 토의 및 시정) 점검 사항에 대하여는 매주 정리하여 환경영향조사 결과서에 기록하고 건설사업관리기술인의 확인을 받도록 지시
5. 시공자로 하여금 공종별 시공이 완료된 때에는 환경영향평가 협의내용 이행상태 및 그 밖에 환경관리 이행현황을 사후 환경영향조사 결과보고서에 기록하여 건설사업관리기술인의 확인을 받은 후 다음 단계시공을 추진토록 지시
6. 시공자는 관할 지방행정관청의 환경관리상태 점검을 받을 때 건설사업관리기술인과 함께 수검토록 지시

⑥ 건설사업관리기술인은 「환경영향평가법」 제35조에 따른 협의내용을 기재한 관리대장을 비치토록 하고 기록사항이 사실대로 작성·이행되는지를 점검하여야 한다. (별지 제24호 서식)

⑦ 건설사업관리기술인은 「환경영향평가법」 제36조제1항의 규정에 따른 사후환경영향 조사결과를 「환경영향평가법 시행규칙」 제19조제4항에서 정하는 기한 내에 지방환경관서의 장 또는 승인기관의 장에게 통보할 수 있도록 하여야 한다.(별지 제25호 서식)

⑧ 건설사업관리기술인은 건축물 해체·제거과정에서 석면이 발생하는 경우에는 관련 규정에 따라 처리될 수 있도록 지도·감독하여야 한다.

⑨ 시공자는 사토 및 순성토가 10,000㎥ 이상 발생하는 공사현장에서는 「도로법」 제77조 및 「도로법 시행령」 제79조에 따른 과적차량 발생을 방지하기 위하여 축중기를 설치하여야 하며, 축중기 설치 및 관리에 관한 사항은 「건설현장 축중기 설치지침(국토교통부 훈령)」에 따른다.

⑩ 건설사업관리기술인은 제9항에 따라 시공자가 설치한 축중기가 적절히 운영·관리되도록 확인하여야 한다.

⑪ 건설사업관리기술인은 「건설폐기물의 재활용촉진에 관한 법률」 제18조에 따라 해당 건설공사에서 발생하는 건설폐기물을 배출하는 자(발주청)가 건설폐기물의 인계·인수에 관한 내용을 환경부장관이 구축·운영하는 전자정보처리프로그램(올바로)에 입력하는 업무의 대행을 요청하는 경우 관련 업무를 수행할 수 있다.

제97조(설계변경 관리) ① 건설사업관리기술인은 공사 실정보고에 관련하여 다음 각 호의 업무를 수행하여야 한다.

1. 설계도서와 현지여건이 상이한 부분에 대한 내용 파악(현지 여건 조사)
2. 시공자가 제출한 실정보고 내용의 적정성 검토
3. 발주청에 설계변경을 위한 공사 실정보고 제출

② 건설사업관리기술인은 특수한 공법이 적용되는 경우 기술검토 및 시공상 문제점 등의 검토를 할 때에는 건설사업관리용역사업자의 본사 기술지원기술인 등을 활용하고, 필요시 발주청과 협의하여 외부의 국내·외 전문가에 자문하여 검토의견을 제시 할 수 있으며 특수한 공종에 대하여 외부 전문가의 건설사업관리 참여가 필요하다고 판단될 경우 발주청과 협의하여 외부전문가를 참여 시킬 수 있다.

③ 건설사업관리기술인은 설계변경 및 계약금액의 조정업무의 흐

름도(별표3)를 참조하여 건설사업관리업무를 수행하여야 한다.

④ 건설사업관리기술인은 공사 시행과정에서 당초설계의 기본적인 사항인 중심선, 계획고, 구조물의 구조 및 공법 등의 변경 없이 현지여건에 따른 위치변경과 연장 증감 등으로 인한 수량증감이나 단순 구조물의 추가 또는 삭제 등의 경미한 설계변경 사항이 발생한 경우에는 설계변경도면, 수량증감 및 증감공사비 내역을 시공자로부터 제출 받아 검토·확인하고 우선 변경 시공토록 지시할 수 있으며 사후에 발주청에 서면보고 하여야 한다. 이 경우 경미한 설계변경의 구체적 범위는 발주청이 정한다.

⑤ 발주청은 외부적 사업환경의 변동, 사업추진 기본계획의 조정, 민원에 의한 노선변경, 공법변경, 그 밖에 시설물 추가 등으로 설계변경이 필요한 경우에는 다음 각 호의 서류를 첨부하여 반드시 서면으로 책임건설사업관리기술인에게 설계변경을 하도록 지시하여야 한다. 단, 발주청이 설계변경 도서를 작성할 수 없을 경우에는 설계변경 개요서만 첨부하여 설계변경 지시를 할 수 있다.

1. 설계변경 개요서
2. 설계변경 도면, 시방서, 계산서 등
3. 수량산출조서
4. 그 밖에 필요한 서류

⑥ 제5항의 지시를 받은 책임건설사업관리기술인은 지체 없이 시공자에게 동 내용을 통보하여야 한다.

⑦ 시공자는 설계변경 지시내용의 이행가능 여부를 당시의 공정, 자재수급 상황 등을 검토하여 확정하고, 만약 이행이 불가능하다고 판단될 경우에는 그 사유와 근거자료를 첨부하여 책임건설사업관리기술인에게 보고하여야 하고 책임건설사업관리기술인은 그 내용을 검토·확인하여 지체 없이 발주청에 보고하여야 한다.

⑧ 설계변경을 하려는 경우 책임건설사업관리기술인은 발주청의 방침에 따라 시공자로 하여금 제5항 각 호의 서류와 설계변경에 필요한 구비서류를 작성하도록 한다. 이때 기술지원기술인은 현지여건 등을 확인하여 책임건설사업관리기술인에게 기술검토서를 작성·제출하여야 한다.

⑨ 건설사업관리기술인은 시공자가 현지여건과 설계도서가 부합되지 않거나 공사비의 절감과 건설공사의 품질향상을 위한 개선사항 등 설계변경이 필요하다고 설계변경사유서, 설계변경도면, 개략적인 수량증감내역 및 공사비 증감내역 등의 서류를 첨부하여 제출하면 이를 검토·확인하여 필요시 기술검토의견서를 첨부하여 발주청에 실정보고 하고, 발주청의 방침을 득한 후 시공하도록 조치하여야 한다.

⑩ 건설사업관리기술인은 시공자로부터 현장실정 보고를 접수 후 기술검토 등을 요하지 않는 단순한 사항은 7일 이내, 그외의 사항을 14일 이내에 검토처리 하여야 하며, 만일 기일내 처리가 곤란하거나 기술적 검토가 미비한 경우에는 그 사유와 처리계획을 발주청에 보고하고 시공자에게도 통보하여야 한다.

⑪ 시공자는 구조물의 기초공사 또는 주공정에 중대한 영향을 미치는 설계변경으로 방침확정이 긴급히 요구되는 사항이 발생하는 경우에는 제9항 및 제10항의 절차에 따르지 않고 책임건설사업관

리기술인에게 긴급 현장 실정보고를 할 수 있으며, 책임건설사업관리기술인은 발주청에 지체없이 유선, 전자우편 또는 팩스 등으로 보고하여야 한다.

⑫ 발주청은 제9항, 제10항, 제11항에 따라 설계변경 방침결정 요구를 받은 경우에 설계변경에 대한 기술검토를 위하여 발주청의 소속직원으로 기술검토팀(T/F팀)을 구성(필요시 민간전문가로 자문단을 구성)·운영하여야 하며, 이 경우 단순한 사항은 7일 이내, 그 외의 사항은 14일 이내에 방침을 확정하여 책임건설사업관리기술인에게 통보하여야 한다. 다만, 해당 기일내 처리가 곤란하여 방침결정이 지연될 경우에는 그 사유를 명시하여 통보하여야 한다.

⑬ 발주청은 설계변경 원인이 설계자의 하자라고 판단되는 경우에는 설계변경(안)에 대한 설계자 의견서를 제출토록 하여야 하며, 대규모 설계변경 또는 주요 구조 및 공종에 대한 설계변경은 설계자에게 설계변경을 지시하여 조치한다.

⑭ 시공자의 "개선제안공법"으로 설계변경을 제안하는 경우에는 「건설기술진흥업무 운영규정」(국토교통부 훈령)에 따라 처리하여야 한다.

⑮ 건설사업관리기술인은 설계변경 등으로 인한 계약금액의 조정을 위한 각종 서류를 시공자로부터 제출 받아 검토·확인한 후 건설사업관리용역사업자 대표자에게 보고하여야 하며, 대표자는 소속 기술지원기술인으로 하여금 검토·확인케 하고 대표자 명의로 발주청에 제출하여야 한다. 이때 변경설계서의 설계자로 책임건설사업관리기술인이 심사자로 기술지원기술인이 날인하여야 한다. 다만, 대규모 통합건설사업관리의 경우에는 실제 설계를 담당한 건설사업관리기술인과 책임건설사업관리기술인이 설계자로 연명하여 날인토록 하고 변경설계서의 표지 양식은 사전에 발주청과 협의하여 정하여야 한다.

⑯ 건설사업관리기술인은 설계변경 등으로 인한 계약금액 조정 업무처리를 지체함으로써 공사추진에 지장을 초래하지 않도록 적기에 계약변경이 이루어 질 수 있도록 조치하고 시공자의 설계변경도서 미제출에 따른 지체시에는 준공조서 작성 시 그 사유를 명시하고 정산 조치하여야 한다. 최종 계약금액의 조정은 예비 준공검사기간 등을 고려하여 늦어도 준공예정일 75일 전까지 발주청에 제출되어야 한다.

제98조(암반선 확인) ① 건설사업관리기술인은 공사착공과 동시에 암판정위원회를 상시 구성·운영하고 암반선 노출 즉시 암판정을 실시하도록 하여야 하며 직접 육안으로 확인하고, 정확한 판정을 위해 필요한 추가 시험을 실시하여야 한다.

② 암판정 준비 및 절차는 다음 각 호와 같은 요령으로 실시한다.

1. 암판정 대상은 절토부 암선 변경시와 구조물 기초(암거, 교량 등), 터널 암질변경시 등에 대하여 실시
2. 암판정 요청 체계도 작성
3. 암판정위원회는 대상공종의 중요성, 수량, 현장여건 등을 종합적으로 고려하여 토질 및 기초분야 기술지원기술인(건축공사는 토목분야 기술지원기술인을 말함), 공사관리관, 책임건설사업관리기술인, 외부전문가 등으로 구성하고, 시공회사 현장대리인이

입회하여야 한다. 암판정 대상공종이 중요하지 않고 공사의 연속성과 긴급성을 요할 경우와 소규모 수량인 경우 등 발주청이 별도로 정하는 경우에는 책임 건설사업관리기술인이 암반선을 확인 판정하며, 이 경우 책임건설사업관리기술인은 그 기록을 유지하여 사후 암판정위원회로 확인토록 함

4. 준비사항 및 보고방법

가. 절토부 암판정을 할 때에는 측량기, 줄자, 카메라, 깃발 등을 준비하고 물량 증감 현황표, 토적표, 횡단도(암질 구분 표시), 공사비 증감대비표 등 첨부

나. 구조물 기초 암판정을 할 때에는 주상도 작성(당초와 변경 비교), 종평면도, 측량성과표, 시공계획(기초에 대한 의견서), 기초확인 측량시 사진촬영 보관(근경, 원경), 시추와 굴착에 의한 시료함을 보관(시험실 비치)하고 보고

다. 터널 암판정을 할 때에는 주상도, 측량성과표, 굴착천공표, 종평면도, 사진, 현장 시험실에 단면별 시료채취 보관함 비치, 터널굴착(막장)별 관리대장을 기록·비치하고 설계조건과 상이한 암질변화시 굴착방법과 보강방법을 임의대로 하지 말고, 암판정위원회의 심의를 거친 후 시행, 보고

제99조(설계변경계약전 기성고 및 지급자재의 지급) ① 건설사업관리기술인은 발주청의 방침을 지시 받았거나, 승인을 받은 설계변경 사항의 기성고는 해당 공사의 변경계약을 체결하기 전이라도 당초 계약된 수량과 공사비 범위에서 설계변경 승인 사항의 공사 기성부분에 대하여 확인하고 기성고를 사정하여야 한다. 발주청은 건설사업관리기술인이 확인하고 사정한 동 기성부분에 대하여 기성금을 지불하여야 한다.

② 건설사업관리기술인은 제1항의 설계변경 승인 사항에 따른 발주청이 공급하는 지급자재에 대하여 시공자의 요청이 있을 경우 변경계약 체결전이라고 하여도 공사추진상 필요할 경우 변경된 소요량을 확인한 후 발주청에 지급을 요청할 수 있으며 동 요청을 받은 발주청은 공사추진에 지장이 없도록 조치하여야 한다.

제100조(물가변동으로 인한 계약금액 조정) ① 건설사업관리기술인은 시공자로부터 물가변동에 따른 계약금액 조정·요청을 받을 경우 다음 각 호의 서류를 작성·제출토록 하여야 하고 시공자는 이에 응하여야 한다.

1. 물가변동 조정요청서
2. 계약금액 조정요청서
3. 품목조정율 또는 지수조정율 산출근거
4. 계약금액 조정 산출근거
5. 그 밖의 설계변경에 필요한 서류

② 건설사업관리기술인은 시공자로부터 계약금액 조정요청을 받은 날로부터 14일이내에 검토의견을 첨부하여 발주청에 보고하여야 한다.

제101조(업무조정회의) ① 발주청은 공사시행과 관련하여 공사관계자간에 발생하는 이견을 효율적으로 조정하기 위하여 업무조정회의를 운영하여야 한다.

② 업무조정회의는 발주청, 건설사업관리기술인, 시공자(하도급업

체를 포함) 관계자가 참여하며 필요시 기술자문위원회위원, 변호사, 변리사, 교수 등 민간전문가 등의 자문을 받을 수 있다.

③ 업무조정회의의 심의대상은 다음 각 호와 같다.

1. 공사관계자 일방의 귀책사유로 인한 공정지연 또는 공사비 증가 등의 피해가 발생한 경우
2. 공사관계자 일방의 부당한 조치로 인하여 피해가 발생한 경우
3. 그 밖에 공사시행과 관련하여 공사관계자간에 발생한 이견의 해결

④ 업무조정회의에 안건을 상정하고자 하는 자는 업무조정에 필요한 서류를 작성하여 발주청에 제출하여야 하며, 발주청은 안건상정 요청을 받은 날로부터 20일이내에 회의를 개최하여 조정하여야 한다.

⑤ 발주청, 건설사업관리용역사업자, 시공자는 회의결과에 승복하지 않을 경우 법원에 소송을 제기할 수 있다.

제102조(기성 · 준공검사자 임명 및 검사기간) ① 건설사업관리기술인은 시공자로부터 별지 제26호 서식의 기성부분검사원 또는 별지 제30호 서식의 준공검사원을 접수하였을 때는 이를 신속히 검토 · 확인하고, 별지 제27호 서식의 건설사업관리조서와 다음 각 호의 서류를 첨부하여 지체 없이 건설사업관리용역사업자 대표자에게 제출하여야 한다. 다만, 「국가를 당사자로 하는 계약에 관한 법률 시행령」 제55조제7항 및 「지방자치단체를 당사자로 하는 계약에 관한 법률 시행령」 제64조제6항에 따른 약식 기성검사의 경우에는 건설사업관리조서와 기성부분내역서 만을 제출할 수 있다.

1. 주요자재 검사 및 수불부
2. 시공 후 매몰부분에 대한 건설사업관리기술인의 검사기록 서류 및 시공 당시의 사진
3. 품질시험 · 검사 성과 총괄표
4. 발생품 정리부
5. 그 밖에 건설사업관리기술인이 필요하다고 인정하는 서류와 준공검사원에는 지급자재 잉여분 조치현황과 공사의 사전검측 · 확인서류, 안전관리점검 총괄표 추가첨부

② 건설사업관리용역사업자 대표자는 기성부분검사원 또는 준공검사원을 접수하였을 때는 3일안에 소속 건설사업관리기술인 중 2명 이상의 검사자를 임명하여 검사팀을 구성하고, 이 사실을 즉시 발주청에 보고하여야 한다. 다만, 「국가를 당사자로 하는 계약에 관한 법률 시행령」 제55조제7항 및 「지방자치단체를 당사자로 하는 계약에 관한 법률 시행령」 제64조제6항에 따른 약식 기성시에는 책임건설사업관리기술인을 검사자로 임명할 수 있다.

③ 건설사업관리용역사업자 대표자는 기성부분검사를 함에 있어 현장이 원거리 또는 벽지에 위치하고 책임건설사업관리기술인으로도 검사가 가능하다고 인정되는 경우에는 발주청과 협의하여 책임건설사업관리기술인을 검사자로 임명할 수 있다.

④ 건설사업관리용역사업자 대표자는 부득이한 사유로 소속직원이 검사를 할 수 없다고 인정할 때에는 발주청과 협의하여 소속직원 이외의 자 또는 전문검사기관으로 하여금 그 검사를 하게 할 수 있다. 이 경우 검사결과는 서면으로 작성하여야 한다.

⑤ 건설사업관리용역사업자 대표자는 각종 설비, 복합공사 등 특수공종이 포함된 공사의 준공검사를 할 때 필요한 경우 발주청과 협의

하여 전문기술인을 포함한 합동 준공검사반을 구성할 수 있다.

⑥ 발주청은 소속직원으로 하여금 기성 및 준공검사 과정에 입회토록 하여 기성 및 준공검사자가 계약서, 시방서, 설계도서 등 관계서류에 따라 기성 및 준공검사를 실시하는지 여부를 별지 제52호 서식을 작성하여 확인하여야 하며, 필요시 시설물 인수기관, 유지관리기관의 직원으로 하여금 기성 및 준공검사에 입회·확인토록 조치하여야 한다.

⑦ 발주청은 제6항에 따른 준공검사에 입회할 경우 해당 공사가 복합공종인 경우에는 공종별 팀을 구성하여 공동입회토록 하며, 준공검사 실시여부를 확인하여야 한다.

⑧ 건설사업관리용역사업자 대표자는 주요구조부 등 구조안전을 위하여 검사가 필요한 부분에 대하여는 기성부분검사 및 준공검사 전에 전문기술인의 검사 참여, 필수적인 검사 공종, 검사를 위한 시험장비, 접근이 어려운 시설물 실측 방법 등을 체계적으로 작성한 검사계획서를 발주청에 제출하여 승인을 득하고, 승인을 득한 계획서에 의하여 검사처리 절차에 따라 검사를 실시하여야 한다.

⑨ 기성 또는 준공검사자(이하 "검사자"라 함)는 계약에 소정 기일이 명시되지 않는 한 임명통지를 받은 날로부터 8일 안에 해당공사의 검사를 완료하고 별지 제29호, 별지 제31호 서식의 검사조서를 작성하여 검사완료일로부터 3일 안에 검사결과를 소속 건설사업관리용역사업자 대표자에게 보고하여야 하며 건설사업관리용역사업자 대표자는 신속히 검토 후 발주청에 지체없이 통보하여야 한다.

⑩ 검사자는 검사조서에 검사사진을 첨부하여야 하며, 준설공사의 경우는 수심평면도를 첨부하여야 한다.

⑪ 건설사업관리용역사업자 대표자는 천재지변, 해일, 그 밖에 이에 준하는 불가항력으로 인해 제9항에서 정한 기간을 준수 할 수 없을 때에는 검사에 필요한 최소한의 범위내에서 검사기간을 연장할 수 있으며 이를 발주청에 통보하여야 한다.

⑫ 불합격 공사에 대한 보완, 재시공 완료 후 재검사 요청에 대한 검사기간은 시공자로부터 그 시정을 완료한 사실을 통보 받은 날로부터 제9항의 기간을 계산한다.

제103조(기성·준공검사 및 재시공) ① 검사자는 해당 공사의 현장에 상주기술인 및 시공자 또는 그 대리인 등을 입회케 하여 계약서, 시방서, 설계도서, 그 밖의 관계 서류에 따라 다음 각 호의 사항을 검사하여야 한다. 다만, 「국가를 당사자로 하는 계약에 관한 법률 시행령」 제55조제7항 본문에 따른 약식 기성검사의 경우에는 책임건설사업관리기술인의 건설사업관리조서와 기성부분내역서에 대한 확인으로 갈음할 수 있다.

1. 기성검사
   가. 기성부분내역(별지 제28호 서식)이 설계도서 대로 시공되었는지 상주기술인이 시공검측한 내용 확인
   나. 지급자재의 사용 여부
   다. 시공 완료되어 검사시 외부에서 확인하기 곤란한 부분(가시설, 고공시설물, 수중, 접근 곤란한 시설물 등)에 대해서 시공당시 검측자료(영상자료 등)로 갈음
   라. 건설사업관리기술인의 기성검사원에 대한 사전 검토의견서

마. 품질시험 · 검사 성과 총괄표 내용
바. 그 밖에 발주청이 요구한 사항
2. 준공검사
가. 준공된 공사가 설계도서 대로 시공되었는지 여부
나. 공사시공 시의 현장 상주기술인이 비치한 제기록에 대한 검토
다. 폐품 또는 발생물의 유무 및 처리의 적정여부
라. 지급자재의 사용 적부와 잉여자재의 유무 및 그 처리의 적정여부
마. 제반 설비의 제거 및 원상복구 정리상황 (토석 채취장 포함)
바. 건설사업관리기술인의 준공검사원에 대한 검토의견서
사. 그 밖에 발주청이 요구한 사항

② 검사자는 시공된 부분이 수중 지하구조물의 내부 또는 저부 등 시공 후 매몰되어 사후검사가 곤란한 부분과 주요 구조물에 중대한 피해를 주거나 대량의 파손 및 재시공 행위를 요하는 검사는 건설사업관리조서와 사전검사 등을 근거로 하여 검사를 행 할 수 있다.

③ 검사자는 검사에 합격되지 않는 부분이 있을 때에는 건설사업관리용역사업자 대표자에게 지체없이 그 내용을 보고하고 건설사업관리용역사업자 대표자의 지시에 따라 즉시 시공자로 하여금 보완시공 또는 재시공케 하고, 건설사업관리용역사업자 대표자는 해당 공사의 검사자로 하여금 재검사를 하게 하여야 한다.

제104조(준공검사 등의 절차) ① 건설사업관리기술인은 해당 공사완료 후 준공검사전 사전 시운전 등이 필요하면 시공자로 하여금 다음 각 호의 사항이 포함된 시운전을 위한 계획을 수립하여 시운전 30일 전까지 제출토록 하고 이를 검토하여 발주청에 제출하여야 한다.
1. 시운전 일정
2. 시운전 항목 및 종류
3. 시운전 절차
4. 시험장비 확보 및 보정
5. 설비 기구 사용계획
6. 운전요원 및 검사요원 선임계획

② 건설사업관리기술인은 시공자로부터 시운전계획서를 제출 받아 검토 · 확정하여 시운전 20일 전까지 발주청 및 시공자에게 통보하여야 한다.

③ 건설사업관리기술인은 시공자로 하여금 다음 각 호와 같이 시운전 절차를 준비하도록 하여야 하며 시운전에 입회하여야 한다.
1. 기기점검
2. 예비운전
3. 시운전
4. 성능보장운전
5. 검수
6. 운전인도

④ 건설사업관리기술인은 시운전 완료 후에 다음 각 호의 성과품을 시공자로부터 제출 받아 검토 후 발주청에 인계하여야 한다.
1. 운전개시, 가동절차 및 방법
2. 점검항목 점검표

3. 운전지침
4. 기기류 단독 시운전 방법검토 및 계획서
5. 실가동 다이어그램(Diagram)
6. 시험 구분, 방법, 사용매체 검토 및 계획서
7. 시험성적서
8. 성능시험성적서 (성능시험 보고서)

⑤ 건설사업관리기술인은 공사현장에 주요공사가 완료되고 현장이 정리단계에 있을 때에는 시공자로 하여금 준공 2개월 전에 예비준공검사원을 제출토록 하고 이를 검토하여 발주청에 제출하여야 한다. 다만, 단순 소규모공사일 경우에는 발주청과 협의한 후 생략할 수 있다.

⑥ 발주청은 건설사업관리기술인으로부터 예비준공검사 요청이 있을 때에는 소속직원 중 2인 이상의 검사자를 임명하여 검사토록 하여야 하며, 필요한 경우 시설물유지관리기관의 직원 또는 기술지원기술인을 입회하도록 하여야 한다.

⑦ 예비준공검사는 건설사업관리기술인이 확인한 정산설계도서 등에 따라 검사하여야 하며, 그 검사 내용은 준공검사에 준하여 철저히 시행하여야 한다

⑧ 건설사업관리기술인은 예비준공검사를 실시하는 경우 시공자가 제출한 품질시험 · 검사 총괄표를 검토한 후 검토서를 첨부하여 발주청에 제출하여야 한다.

⑨ 발주청은 검사를 시행한 후 보완사항에 대하여는 건설사업관리기술인에게 보완지시하고 준공검사자가 검사시에 이를 확인 할 수 있도록 건설사업관리용역사업자 대표자에게 검사결과를 통보하여야 하며, 시공자는 예비준공검사의 지적사항 등을 완전히 보완한 후 책임건설사업관리기술인의 확인을 받은 후 준공검사원을 제출하여야 한다.

⑩ 건설사업관리기술인은 정산설계도서 등을 검토 · 확인하고 시설목적물이 발주청에 차질없이 인계될 수 있도록 지도 · 감독하여야 한다. 건설사업관리기술인은 시공자로부터 준공 예정일 2개월 전까지 정산설계도서를 제출받아 이를 검토 · 확인하여야 한다.

⑪ 건설사업관리기술인은 시공자가 작성 제출한 준공도면이 실제 시공된 대로 작성 되었는지의 여부를 검토 · 확인하여 발주청에 제출하여야 한다. 준공도는 계약에서 정한 방법으로 작성하여야 하며, 모든 준공도면에는 건설사업관리기술인의 확인 · 서명이 있어야 한다.

⑫ 건설사업관리기술인은 시공자가 준공표지를 설치하는 때에는 공사구역의 일반이 보기 쉬운 곳에 영구적인 시설물로 준공표지를 설치토록 조치하여야 한다.

제105조(계약자간 시공인터페이스 조정) 건설사업관리기술인은 다음 각 호와 같은 계약자간 시공인터페이스 조정업무를 수행해야 한다.
1. 공사관계자간 업무조정회의 운영 실시
2. 공사 시행단계별 간섭사항 내용파악을 위한 사전 검토

제106조(시공단계의 예산검증 및 지원) ① 건설사업관리기술인은 예산검증 및 공사도급계약/관급자재계약과 관련하여 기술적 검토를 해야 하며 다음 각 호의 내용을 포함한다.

1. 예산확정여부 및 계약방식(예:장기계속계약, 계속비계약, 단년도계약)에 따라 자금집행계획 수립지원(연도별예산 및 연부액을 고려하여)
2. 공사도급 및 납품계약이 연도별 예산의 범위내에 해당 되는지, 산출내역 및 예정공정률(보할률)의 적정성검토, 관급자재의 경우 납품시기의 적정성 검토 및 조정이 필요한 경우 기술지원업무
3. 계약시기에 따른 원가계산제비율 규정을 준수 여부(항목누락여부, 최소비율항목, 최대비율항목)

② 건설사업관리기술인은 기성 및 계약변경에 의한 예산 모니터링 및 예측 등 통제업무지원을 수행하여야 하며 다음 각 호의 내용을 포함한다.

1. 예산대비 선금, 차수별 기성집행, 관급자재 대가지급 등 그 밖에 지출비용 집행현황 모니터링 및 분석 등
2. 설계변경 및 물가변동에 의한 계약금액 조정 시 예산변동상황 모니터링 및 분석 등, 발주청 예산통제업무 지원(필요시 방안제시)
3. 기능향상 또는 공사비절감을 위한 시공V.E수행 업무지원

제9절 시공후 단계 업무

제107조(종합시운전계획의 검토 및 시운전 확인) ① 건설사업관리기술인은 시운전 계획을 검토해야 하며 다음 각 호의 내용을 포함한다.

1. 시운전 종합계획의 검토(계획서, 절차서, 성과물관리, 시설유지보수 계획 등)
2. 시운전 조치사항의 검토 및 결과처리 방안(현장점검, 개별시운전, 계통연동시험, 시험운영 단계)
3. 시운전관련 회의 및 보고

② 건설사업관리기술인은 시운전 상태를 확인해야 하며 다음 각 호의 내용을 포함한다.

1. 시운전 수행 지원
2. 시운전 결과보고서 작성(운영상태 점검, 재시행계획, 시설개선사항, 보완대책 및 조치결과 등)

제108조(시설물 유지관리지침서 검토) ① 건설사업관리기술인은 발주청(설계자) 또는 시공자(주요기계설비의 납품자) 등이 제출한 시설물의 유지관리지침서에 대해 다음 각 호의 내용을 검토한 후, 시설물 유지관리 기구에 대한 의견서를 첨부하여 공사준공 후 14일 이내에 발주청에 제출하여야 한다.

1. 시설물의 규격 및 기능 설명서
2. 시설물유지관리지침
3. 특기사항

② 해당 건설사업관리용역사업자 대표자는 발주청이 유지관리상 필요하다고 인정하여 기술자문 등을 요청할 경우에는 이에 협조하여야 하며, 전문적인 기술 등으로 외부 전문기술 또는 상당한 노력이 소요되는 경우에는 발주청과 별도 협의하여 결정한다.

제109조(시설물유지관리 업체 선정) ① 건설사업관리기술인은 시설물 유지관리사업자 선정을 위한 평가기준 제시 및 입찰, 계약절차를 수립하여야 하며 다음 각 호의 내용을 포함한다.

1. 시설물별 관련 법의 검토

2. 시설물관리업 전문업체 조사
3. 입찰절차, 평가기준의 작성 및 검토

② 건설사업관리기술인은 다음 각 호의 내용과 같이 입찰관련 서류의 적정성 검토업무를 수행해야 한다.

1. 시설물관리업 전문업체 평가(면허, 경영상태, 시정명령, 과태료 등)
2. 입찰서류의 평가 및 보완
3. 발주청 보고 및 계약 지원

③ 건설사업관리기술인은 다음 각 호의 내용을 포함하는 기술교육을 실시하여야 한다.

1. 시설물관리업 전문업체 교육계획 검토
2. 교육실시 및 보고

제110조(시설물의 인수 · 인계 계획 검토 및 관련업무 지원) ① 건설사업관리기술인은 시공자로 하여금 해당공사의 예비준공검사(부분준공, 발주청의 필요에 의한 기성준공부분을 포함한다) 완료 후 14일 이내에 다음 각 호의 사항이 포함된 시설물의 인계 · 인수를 위한 계획을 수립토록 하고 이를 검토하여야 한다.

1. 일반사항(공사개요 등)
2. 운영지침서(필요한 경우)
   가. 시설물의 규격 및 기능점검 항목
   나. 기능점검 절차
   다. 시험(Test) 장비확보 및 보정
   라. 기자재 운전지침서
   마. 제작도면 절차서 등 관련자료
3. 시운전 결과보고서 (시운전 실적이 있는 경우)
4. 예비 준공검사 결과
5. 특기사항

② 건설사업관리기술인은 시공자로부터 시설물 인계 · 인수 계획서를 제출 받아 7일 이내에 검토, 확정하여 발주청 및 시공자에게 통보하여 인계 · 인수에 차질이 없도록 하여야 한다.

③ 건설사업관리기술인은 발주청과 시공자간의 시설물 인계 · 인수의 입회자가 된다.

④ 건설사업관리기술인은 시공자가 제출한 인계 · 인수서를 검토 · 확인하며 시설물이 적기에 발주청에 인계 · 인수될 수 있도록 한다.

⑤ 건설사업관리기술인은 시설물 인계 · 인수에 대한 발주청 등의 이견이 있는 경우, 이에 대한 현황파악 및 필요대책 등의 의견을 제시하여 시공자가 이를 수행토록 조치한다.

⑥ 인계 · 인수서는 준공검사 결과를 포함하여야 하며, 시설물의 인계 · 인수는 준공검사 시 지적사항 시정완료일부터 14일 이내에 실시하여야 한다.

⑦ 건설사업관리기술인은 해당 공사와 관련한 다음 각 호의 건설사업관리기록서류를 포함하여 발주청에 인계할 문서의 목록을 발주청과 협의, 작성하여야 한다.

1. 준공 사진첩
2. 준공도면
3. 건축물대장(건축공사의 경우)
4. 품질시험 · 검사성과 총괄표

5. 기자재 구매서류
6. 시설물 인계 · 인수서
7. 그 밖에 발주청이 필요하다고 인정하는 서류

⑧ 발주청은 법 제39조제4항 및 규칙 제36조에 따라 건설사업관리용역사업자로부터 제출받은 건설사업관리보고서를 시설물이 존속하는 기간까지 보관하여야 한다.

제111조(하자보수 지원) ① 건설사업관리용역사업자 대표자 및 건설사업관리기술인은 공사 준공 후 발주청과 시공자간의 시설물의 하자보수 처리에 대한 분쟁 또는 이견이 있는 경우, 검토의견을 제시하여야 한다.

② 건설사업관리용역사업자 대표자 및 건설사업관리기술인은 공사준공 후 발주청이 필요하다고 인정하여 하자보수 대책수립을 요청할 경우 이에 협조하여야 한다.

③ 제1항과 제2항의 업무가 건설사업관리기술용역계약에 정한 건설사업관리기간이 지난 후에 수행하여야 할 경우에는 발주청은 별도의 실비를 건설사업관리용역사업자에게 지급토록 조치하여야 한다. 다만, 하자사항이 건설사업관리업무 부실에 기인할 경우에는 그러하지 아니한다.

제4장 건설공사 감독자 업무

제1절 일반사항

제112조(사업관리방식의 적용) 발주청은 직접 공사감독을 수행할 자체 인력이 부족한 경우 발주청 직원과 부분 감독 권한대행 등 건설사업관리 또는 건설사업관리(감독 권한대행 등 건설사업관리는 제외)를 병행하여 적용할 수 있다.

제113조(업무처리 기간설정) 제4장에서 정한 검토, 승인, 보고 등의 기간이 공사여건상 불합리하다고 판단하는 경우 사전에 시공자와 협의하여 조정할 수 있다. 이 경우 발주청에 그 사유를 보고하여야 한다.

제114조(공사감독자의 행위제한) 공사감독자는 해당 공사의 기성검사 및 준공검사에 대한 검사자 직무를 겸할 수 없다. 다만, 「국가를 당사자로 하는 계약에 관한 법률 시행령」 제57조 및 「지방자치단체를 당사자로 하는 계약에 관한 법률 시행령」 제66조에 따른 경우에는 이에 따른다.

제115조(공사감독자의 서류 작성 · 비치) 공사감독자는 다른 법령에 특별한 규정이 있는 경우를 제외하고는 다음 각 호의 서류를 작성 또는 비치하여야 한다.

1. 공사감독일지(별지 제53호 서식)
2. 문서접수 및 발송대장(별지 제14호 서식)
3. 민원처리부(별지 제15호 서식)
4. 검측대장(별지 제19호 서식)
5. 재해 발생현황(별지 제22호 서식)
6. 협의내용 등의 관리대장(별지 제24호 서식)
7. 사후 환경영향조사 결과보고서(별지 제25호 서식)
8. (기성부분, 준공) 감독조서(별지 제54호 서식)

9. 공사 기성부분 내역서(별지 제28호 서식)
10. 단속 · 점검방문 실명제 기록부

제116조(시공자가 비치하는 서류의 확인) 공사감독자는 시공자가 작성한 다음의 서류를 검토 확인하여야 한다.

1. 품질시험계획(별지 제55호 서식)
2. 품질시험 · 검사대장(별지 제56호 서식)
3. 품질시험 · 검사성과 총괄표(별지 제17호 서식)
4. 품질시험 · 검사실적보고서(별지 제18호 서식)
5. 현장교육실적부(별지 제57호 서식)
6. 구조물별 콘크리트 타설현황(별지 제35호 서식)
7. 콘크리트 구조물 균열관리현황(별지 제41호 서식)
8. 안전관리계획서, 유해 · 위험방지계획서, 안전관리비 및 산업안전보건관리비 사용실적 관계서류
9. 주요자재 수불부(별지 제58호 서식) 및 검사부(별지 제59호 서식)
10. 발생품(잉여자재) 정리부(별지 제20호 서식)
11. 공사측량성과
12. 안전보건 관리체제(별지 제21호 서식)
13. 공사진척현황에 대한 사진첩 또는 동영상
14. 노무비 구분관리 및 지급확인 관계서류
15. 그 밖에 필요한 서류 및 도표

제117조(관계기관 협의) 공사감독자는 공사시행에 따른 관련기관과의 협의시 필요한 서류를 작성하여 발주청에 제출하여야 한다.

제118조(공사관련 서류 검토 · 보고) ① 공사감독자는 공사진행 단계별로 시공자가 제출하는 다음 각 호의 서류를 확인하고 발주청에 보고하여야 한다.

1. 공사 착수단계
   가. 착공신고서
   나. 설계도서 검토서
   다. 토취장 · 사토장 또는 골재원 현황
   라. 공사 시공측량 결과보고서
2. 공사 시공단계
   가. 안전관리계획서 및 품질관리(시험)계획서
   나. 주요자재 공급원 승인요청
   다. 실정보고 및 설계변경 사항
   라. 안전사고 및 부실시공 현황
   마. 민원사항
   바. 품질시험 · 검사성과 총괄표
   사. 기성부분 검사원
   아. 지급자재 대체사용 신청서
   자. 공정보고(매월말 기준 다음달 5일까지)
   차. 하도급 통보서 및 하도대금지급 분쟁
   카. 현장대리인 변경
   타. 근로자 노무비 청구 및 지급 내역서(매월)
3. 공사 준공단계
   가. 예비 준공검사원
   나. 준공검사원

4. 공사 준공 후
   가. 준공 설계도서(설계원도 포함)
   나. 준공 사진첩
   다. 품질시험 · 검사대장 및 성과총괄표
   라. 유지관리 기관으로의 인수인계 서류

② 공사감독자는 감독업무 수행 중 공사현장에 다음 각 호의 사태가 발생하였을 때에는 필요한 응급조치를 취한 후 지체 없이 발주청에 보고하고 이에 대한 조치지시를 받아야 한다.

1. 천재지변 등 그 밖의 사유로 현장에 피해 또는 사고가 발생하거나 공사시행이 불가능하게 된 때
2. 공사 장애요인의 발생으로 7일 이상 공사추진이 불가능한 때
3. 시공자가 정당한 사유 없이 장기간 동안 업무를 수행하지 아니할 때
4. 시공자가 업무를 불성실하게 수행하거나 발주청의 정당한 지시를 이행하지 아니 할 때

제119조(명령 및 지시사항 처리) ① 공사감독자는 시공 등에 대하여 발주청에서 받은 지시사항은 그 내용을 기록하고, 조치계획 및 그 결과를 보고한 후 비치하여야 한다.

② 공사감독자는 공사에 대한 지시는 시공자에게 서면으로 하여야 하며, 조치결과를 제출받아 확인하고 그 내용을 비치하여야 한다. 다만 불가피한 경우 우선 구두로 지시한 후 사후에 서면으로 통보할 수 있다.

③ 공사감독자는 민원발생이 예상되는 사항을 사전에 도출하여 발생요인의 제거 및 최소화에 노력하여야 한다.

제120조(근무요령) 공사감독자는 다음의 각 호의 요령으로 근무하여야 한다.

1. 공사현장에 상주를 원칙으로 하되 복수공사의 공사감독자로 임명되었을 경우에는 순환 상주하여야 한다. 다만, 부득이한 사유로 현장 상주가 곤란한 경우 출장으로 공사현장 감독업무를 수행할 수 있다.
2. 당일 감독업무내용과 행선지 등을 기록하는 근무상황판을 사무실에 비치하고 항상 파악할 수 있도록 하여야 한다.
3. 당일 공사추진상황 및 감독업무수행내용을 공사감독일지에 기록 · 비치하고, 시공자가 작성한 별지 제60호 서식의 공사작업일지를 확인한 후 그 사본을 공사감독일지에 첨부하여야 한다.
4. 공사감독자는 공사현장에 문제점이 발생되거나 시공과 관련한 중요한 변경 및 예산과 관련되는 사항에 대하여는 발주청에 서면으로 보고하고 지시를 받아야 한다.
5. 공사감독자는 임의로 설계를 변경시키거나 기간연장 등 공사계약조건과 다른 지시나 결정을 하지 않아야 한다.

제121조(업무 인계 · 인수) 공사감독자 교체의 명이 있을 때에는 현장에 비치된 서류 · 기구 · 자재 및 그 밖에 공사에 관한 사항을 후임자에게 인계하여 공사감독에 차질이 없도록 하여야 하며, 그 사항을 발주청에 보고하여야 한다.

제122조(현장대리인 교체) ① 공사감독자는 현장대리인이 해당 공사의 적정한 품질확보 및 공정관리를 위하여 부적당하다고 인정되는

경우에는 사전에 발주청으로 실정을 보고하여 교체여부에 대한 방침을 받은 후 시공자에게 교체를 요구하여야 한다.

② 공사감독자는 현장대리인이 현장을 벗어날 부득이한 사유가 있는 경우에는 그 기간을 정하여 대리인을 지정하고 이를 허락할 수 있다.

제123조(건설기술인 관리 등) 공사감독자는 공사에 참여하는 건설기술인 등이 다음 각 호에 해당하여 그 현장에 적절치 않다고 인정되는 경우에는 시공자에게 이들의 교체를 요구하고 발주청에 그 사유를 보고하여야 한다.

1. 건설기술인, 품질관리자, 안전관리자, 보건관리자가 법, 「건설산업기본법」 및 「산업안전보건법」 등의 규정에 따른 건설기술인 배치기준, 품질시험의무 등 관련법규를 위반하였을 때
2. 건설기술인이 사전 승낙을 얻지 아니하고 정당한 사유 없이 그 건설공사의 현장을 이탈한 때
3. 건설기술인의 고의 또는 과실로 인하여 건설공사를 조잡하게 시공하거나 또는 부실시공을 하였을 때
4. 건설기술인이 계약에 따른 시공능력 및 기술이 부족하다고 인정되거나 정당한 사유 없이 기성공정이 현격히 미달할 때
5. 건설기술인이 기술능력이 부족하여 공사시행에 차질을 초래하거나 감독자의 정당한 지시에 응하지 아니한 때

제2절 공사착수단계 업무

제124조(설계서 등의 검토) ① 공사감독자는 설계도면, 시방서, 산출내역서 등의 내용을 숙지하여 감독하여야 한다.

② 공사감독자는 시공자로 하여금 설계서 등 계약문서와 다음 각 호의 사항을 검토하도록 하여야 한다.

1. 현장 조건에 부합 여부
2. 공사 착수 전, 공사시행 중, 준공 및 인수·인계단계에서 다른 사업 또는 다른 공정과의 상호 부합여부
3. 설계도면, 시방서, 산출내역서 등의 내용에 대한 상호 일치여부

③ 공사감독자는 제2항의 검토결과 불합리한 부분, 착오, 불명확하거나 의문사항이 있을 시는 그 내용과 의견을 발주청에 보고하여야 하며, 필요시 설계자의 의견을 물을 수 있다.

제125조(기준점 설치 등) 공사감독자는 시공자로 하여금 공사현장에 수준점 및 그 밖의 도근점 등 시공 시 또는 검측 시 필요한 기준점과 표식을 공사기간동안 보존될 수 있도록 설치하고, 그 위치(좌표 포함)와 표고를 공사평면도 또는 부근 평면약도에 표시하여 관리하게 하여야 한다.

제126조(공사표지판 등 설치) ① 공사감독자는 공사현장의 주 출입도로에는 「건설산업기본법」에 따라 시공자로 하여금 공사안내표지판을 설치하도록 하여야 하며, 선형공사일 경우에는 적당한 간격으로 거리표지판을 설치토록 하여야 한다.

② 공사감독자는 중장비 사용 또는 수중공사 등 위험한 공사장에는 시공자로 하여금 위험 표지판을 안전관리계획 등에 따라 설치하도록 하여야 하며, 필요한 경우에는 일반인의 출입 및 접근을 금하는 게시판을 설치하여야 한다.

제127조(착공신고서 검토 및 보고) 공사감독자는 건설공사가 착공된 경우에는 시공자로부터 다음 각 호의 서류가 포함된 착공신고서를 제출받아 적정성 여부를 검토하여 7일 이내에 발주청에 보고하여야 한다.

1. 현장기술인 지정신고서(현장관리조직, 현장대리인, 품질관리자, 안전관리자, 보건관리자)
2. 건설공사 공정예정표
3. 품질관리계획서 또는 품질시험계획서(실착공 전에 제출 가능)
4. 공사도급 계약서 사본 및 산출내역서
5. 착공 전 사진
6. 현장기술인 경력사항 확인서 및 자격증 사본
7. 안전관리계획서(실착공 전에 제출 가능)
8. 유해 · 위험방지계획서(실착공 전에 제출 가능)
9. 노무동원 및 장비투입 계획서
10. 관급자재 수급계획서

제128조(확인측량 실시) ① 공사감독자는 착공과 동시에 시공자로 하여금 발주 설계도면과 실제 현장의 이상 유무를 확인하기 위하여 확인측량을 실시토록 하여야 한다.

② 공사감독자는 확인측량을 검토한 후에는 시공자에게 다음 각 호의 서류를 작성 · 제출토록 하고, 확인측량 도면의 표지에 측량을 실시한 현장대리인, 실시설계 용역회사의 책임자(입회한 경우)와 함께 서명 · 날인하고 검토의견서를 첨부하여 발주청에 보고하여야 한다.

1. 확인측량 결과 도면 (종 · 횡단도, 평면도, 구조물도 등)
2. 산출내역서
3. 공사비 증감 대비표
4. 그 밖의 참고사항

③ 공사감독자는 현지 확인측량결과 설계내용과 현저히 상이할 때는 발주청에 측량결과를 보고한 후 지시를 받아 실제 시공에 착수하게 하여야 한다.

제129조(하도급 관련사항) ① 공사감독자는 시공자가 도급받은 건설공사를 「건설산업기본법」 제29조, 공사계약일반조건 제42조 규정에 의거 하도급 하고자 발주청에 통지하거나, 동의 또는 승낙을 요청하는 사항에 대해서는 다음 각 호의 사항에 관한 적정성 여부를 검토하여 요청받은 날로부터 7일 이내에 그 의견을 발주청에 제출하여야 한다.

1. 하도급자 자격의 적정성 검토
2. 하도급 통지기간 준수 등
3. 저가 하도급에 대한 검토의견서 등

② 공사감독자는 제1항에 의거 처리된 하도급에 대해서는 시공자가 「건설산업기본법」 제34조부터 제38조까지 및 「하도급거래 공정화에 관한 법률」에 규정된 사항을 이행하도록 확인하여야 하다

③ 공사감독자는 하도급받은 건설업자가 「건설산업기본법 시행령」 제26조제2항에 따라 하도급계약 내용을 건설산업종합정보망(KISCON)을 이용하여 발주청에 통보하였는지를 확인하여야 한다.

제130조(현지 여건조사) ① 공사감독자는 공사 착공 후 빠른 시일 안

에 시공자와 합동으로 다음 각 호의 사항을 현지조사하고 설계내용의 변경이 필요한 경우에는 설계변경 절차에 의거 처리하여야 한다.

1. 각종 재료원 확인
2. 진입도로 현황
3. 인접도로의 교통규제 상황
4. 지장물 현황
5. 기후 및 기상상태
6. 하천의 최대 홍수위 및 유수상태 등

② 공사감독자는 제1항의 현지조사 내용을 검토하여 인근 주민 등에 대한 피해 발생 가능성이 있을 경우에는 시공자에게 다음 각 호의 사항에 관한 대책을 강구하도록 하고, 설계변경이 필요한 경우에는 설계변경 절차에 의거 처리하여야 한다.

1. 인근가옥 및 가축 등의 대책
2. 지하매설물, 인근의 도로, 교통시설물 등의 손괴
3. 통행지장 대책
4. 소음, 진동 대책
5. 낙진, 먼지 대책
6. 지반침하 대책
7. 하수로 인한 인근더지, 농작물 피해 대책
8. 우기 중 배수 대책 등

제3절 공사시행단계 업무

제131조(시공자 제출서류의 검토) 공사감독자는 시공자가 제출하는 다음 각 호의 서류를 접수하여야 하며 접수된 서류에 하자가 있을 경우에는 접수일로부터 3일 이내에 시공자에게 문서로 보완 지시하여야 한다.

1. 지급자재 수급요청서 및 대체사용 신청서
2. 주요기자재 공급원 승인요청서
3. 각종 시험성적표
4. 설계변경 여건보고
5. 준공기한 연기신청서
6. 기성 · 준공 검사원
7. 하도급 통지 및 승인요청서
8. 안전관리 추진실적 보고서(안전관리 활동, 안전관리비 및 산업안전보건관리비 사용실적 등)
9. 확인측량 결과보고서
10. 물량 확정보고서 및 물가 변동지수 조정율 계산서
11. 품질관리계획서 또는 품질시험계획서
12. 그 밖에 시공과 관련된 필요한 서류 및 도표 (천후표, 온도표, 수위표, 조위표 등)
13. 발파계획서
14. '원가계산에 의한 예정가격작성준칙'에 대한 공사원가계산서상의 건설공사 관련 보험료 및 건설근로자퇴직공제부금비 납부내역과 관련 증빙자료

15. 일용근로자 근로내용확인신고서

제132조(공사감독자의 의견제시 등) ① 공사감독자는 공사 중 해당 공사와 관련하여 시공자의 공법변경 요구 등 실정보고 사항에 대하여 요구가 있은 날로부터 7일 이내에 이를 검토하고 의견서를 첨부하여 발주청에 보고하여야 한다.

② 공사감독자는 스스로 공사시공과 관련하여 검토한 내용에 대하여 필요하다고 판단될 경우 발주청 또는 시공자에게 그 검토의견을 서면으로 제시할 수 있다.

③ 공사감독자는 공사시행 중 예산이 변경되거나 계획이 변경되는 중요한 민원이 발생된 때에는 그 검토의견서를 첨부하여 발주청에 보고하여야 한다.

제133조(사진촬영 및 보관) ① 공사감독자는 시공자로 하여금 촬영일자가 나오는 공사사진을 공종별로 착공 전부터 준공 때까지의 공사과정, 공법, 특기사항을 촬영하고 공사내용(시공일자, 위치, 공종, 작업내용 등) 설명서를 기재, 제출토록 하여 후일 참고자료로 활용토록 한다. 공사기록 사진은 공종별, 공사추진단계에 따라 다음 각 호의 사항을 촬영 · 정리토록 하여야 한다.

1. 주요한 공사현황은 착공 전, 시공 중, 준공 등 시공과정을 알 수 있도록 가급적 동일 장소에서 촬영
2. 시공후의 검사가 불가능하거나 곤란한 부분
   가. 암반선 확인 사진
   나. 매몰, 수중 구조물
   다. 구조체공사에 대해 철근지름, 간격 및 벽두께, 강구조물(steel box내부, steel girder 등) 경간별 주요부위 부재두께 및 용접전경 등을 알수 있도록 촬영
   라. 공장제품 검사(창문 및 창문틀, 철골검사, PC 자재 등) 기록
   마. 지중매설(급 · 배수관, 전선 등) 광경
   바. 지하매설된 부분의 배근상태 및 콘크리트 두께현황
   사. 본 구조물 시공 이후 철거되는 가설시설물 시공광경

② 공사감독자는 특히 중요하다고 판단되는 시설물에 대하여는 공사과정을 동영상으로 촬영토록 시공자에게 지시할 수 있다.

③ 공사감독자는 제1항과 제2항에서 촬영한 사진(필요시 촬영한 동영상)은 Digital 파일, CD 등으로 제출받아 수시 검토 · 확인 할 수 있도록 보관하고 준공 시 발주청에 제출한다.

제134조(시공계획서의 검토 · 확인) ① 공사감독자는 시공자로부터 공사시방서의 기준(공사종류별, 시기별)에 따른 시공계획서를 공사착수 전에 제출받아 이를 검토 · 확인하여 7일 안에 승인한 후 시공토록 하여야 하고 시공계획서의 보완이 필요한 경우 그 내용과 사유를 문서로서 통보해야 한다. 시공계획서에는 공사시방서의 작성기준과 함께 다음 각 호의 내용이 포함되어야 한다.

1. 현장조직표
2. 공사 세부공정표
3. 주요공정의 시공절차 및 방법
4. 시공일정
5. 주요장비 동원계획
6. 주요자재 및 인력투입계획

7. 주요 설비사양 및 반입계획
8. 품질관리대책
9. 안전대책 및 환경대책 등
10. 지장물 처리계획과 교통처리 대책

② 공사감독자는 시공계획서를 착공신고서와 별도로 실제 공사착수 전에 제출받아야 하며 공사 중 시공계획서에 중요한 내용변경이 발생할 경우에는 변경 시공계획서를 제출받은 후 5일 이내에 검토·확인하여 승인한 후 시공토록 하여야 한다.

제135조(시공상세도 승인) ① 공사감독자는 시공자가 제출한 시공상세도를 사전에 검토하여야 한다. 특히 주요구조부의 시공상세도 검토 시 설계자의 의견을 구할 수 있으며, 이 경우 공사감독자의 승인 후 시공토록 하여야 한다.

② 공사감독자는 다음 각 호의 사항에 대한 것과 발주청에서 규칙 제42조에 따라 공사시방서에 작성하도록 명시한 시공상세도를 시공자가 작성 하였는지를 확인하여야 한다.

1. 비계, 동바리, 거푸집 및 가교, 가도 등의 설치상세도 및 구조계산서
2. 구조물의 모따기 상세도
3. 옹벽, 측구 등 구조물의 연장 끝부분 처리도
4. 배수관, 암거, 교량용 날개벽 등의 설치위치 및 연장도
5. 철근 배근도에는 정·부철근등의 유효간격, 철근 피복두께(측·저면)유지용 스페이서, Chair-Bar의 위치·설치방법 및 가공을 위한 상세도면
6. 철근 겹이음 길이 및 위치의 시방서 규정 준수여부 확인
7. 그 밖에 규격, 치수, 연장 등이 불명확하여 시공에 어려움이 예상되는 부위의 각종 상세도면

③ 공사감독자는 시공상세도(Shop Drawing) 검토·확인 때까지 구조물 시공을 허용하지 말아야 하고, 시공상세도는 접수일로부터 7일 이내에 검토·확인하여 서면으로 승인하고, 부득이하게 7일 이내에 검토가 불가능할 경우 사유 등을 명시하여 서면으로 통보하여야 한다.

제136조(시험발파) 공사감독자는 시공자로부터 시험발파계획서를 사전에 제출받아 다음 각 호의 사항을 고려하여 검토·확인하고 발파하도록 하여야 한다.

1. 관계규정 저촉여부
2. 안전성 확보여부
3. 계측계획 적정성여부
4. 그 밖에 시험발파를 위하여 필요한 사항

제137조(가시설공사의 구조·안전 검토) ① 공사감독자는 주요 구조물의 시공 중 붕괴사고, 부실시공 등의 발생 원인이 비계, 동바리, 거푸집 등 가시설의 구조 및 시공 부주의에 기인하는 점을 명심하여 공사 시공 전에 시공자로 하여금 가시설에 대한 설계, 구조, 시공의 검토를 하도록 하고 시공과정에서 관리를 철저히 하여야 한다.

② 공사감독자는 시공자가 「산업안전보건법」 제29조의3에 따라 건설공사 중에 가설구조물의 붕괴 등 재해발생 위험이 높다고 판단되는 가설구조물에 대해 전문가의 의견을 들어 가설공사 설계변경

을 요청하는 경우 그 검토의견서를 첨부하여 발주청에 보고하여야 한다.

제138조(시공 확인) ① 공사감독자는 다음 각 호의 현장시공 확인업무를 수행하여야 한다.

1. 공사 목적물을 제조, 조립, 설치하는 시공과정에서 가시설 공사와 영구 시설물 공사의 작업단계별 시공상태
2. 시공자가 측량하여 말뚝 등으로 표시한 시설물의 배치위치를 야장 또는 측량성과를 시공자로부터 제출받아 시설물의 위치, 표고, 치수의 정확도 확인
3. 수중 또는 지하에서 행하여지는 공사나 외부에서 확인하기 곤란한 시공에는 직접 검측하고 시공자로 하여금 시공당시 상세한 경과기록 및 사진촬영 등의 방법으로 그 시공 내용을 명확히 입증할 수 있는 자료를 작성·비치토록 하여야 한다.

② 공사감독자는 단계적인 검측으로 현장 확인이 곤란한 콘크리트 타설공사는 입회·확인하여 시공토록 하여야 한다.

③ 공사감독자는 시공자로 하여금 콘크리트 품질을 저하시키는 행위 등이 없도록 생산, 운반, 타설의 전 과정을 관리토록 하고 이를 확인하여야 한다.

④ 공사감독자는 시공확인을 위하여 X-Ray 촬영, 도막두께 측정, 기계설비의 성능시험, 수중촬영 등의 특수한 방법이 필요한 경우 외부 전문기관에 확인을 의뢰할 수 있으며 필요한 비용은 설계변경 시 반영한다.

제139조(품질관리계획 등의 관리) ① 공사감독자는 시공자가 공사계약문서에서 정한 품질관리(또는 품질시험)계획 요건대로 품질에 영향을 미치는 모든 작업을 성실하게 수행하는지 확인 하여야한다.

② 공사감독자는 시공자가 품질관리(또는 품질시험)계획 요건의 이행을 위해 제출하는 문서를 7일 이내에 검토·확인 후 발주청에 승인을 요청하여야 한다.

③ 공사감독자는 품질관리(또는 품질시험)계획이 발주청으로부터 승인되기 전까지는 시공자로 하여금 해당업무를 수행하게 하여서는 안된다.

④ 공사감독자는 시공자가 작성한 품질관리(또는 품질시험)계획에 따라 품질관리 업무를 적정하게 수행하였는지의 여부를 검사하여야 하며, 검사결과 시정이 필요한 경우에는 시공자에게 시정을 요구할 수 있으며, 시정을 요구 받은 시공자는 이를 지체 없이 시정하여야 한다.

⑤ 공사감독자는 시공자로부터 매월 말 또는 기성부분 검사신청, 예비준공검사 신청 시 품질시험·검사실적을 종합한 품질시험·검사실적보고서(별지 제18호 서식)를 제출받아 이를 확인하여야 한다.

제140조(암반선 확인) ① 공사감독자는 공사착공 즉시 암판정위원회를 상시 구성·운영하고 암반선 노출 즉시 암판정을 실시하도록 하여야 하며, 직접 육안으로 확인하고 정확한 판정을 위해 필요한 추가 시험을 실시하여 암판정 결과를 발주청에 보고하여야 한다.

② 암판정위원회는 공사감독자, 외부전문가 등으로 구성하고 시공회사 현장대리인이 입회하여야 한다.

제141조(지장물 등 철거확인) ① 공사감독자는 공사 중에 지하매설물

등 새로운 지장물을 발견하였을 때에는 시공자로부터 상세한 내용이 포함된 지장물 조서를 제출받아 이를 확인한다.

② 제1항에 따른 기존 구조물을 철거할 때에는 시공자로 하여금 현황도(측면도, 평면도, 상세도, 그 밖에 수량산출시 필요한 사항)와 현황사진을 작성하여 제출토록 하고 이를 검토·확인하여 발주청에 보고하고 설계변경 시 계상하여야 한다.

제142조(공사감독자의 공사중지명령 등) 공사감독자의 재시공·공사중지 명령 등의 조치에 관하여는 제93조제3항부터 제9항까지를 준용한다. 이 경우 "건설사업관리용역사업자"는 "공사감독자"로 본다.

제143조(공정관리) ① 공사감독자는 해당 공사가 정해진 공기 내에 시방서, 도면 등에 의거하여 소요의 품질을 갖추어 완성될 수 있도록 시공자를 지도하여야 한다.

② 공사감독자는 공사 착공일로부터 30일 안에 시공자로부터 공정관리계획서를 제출받고, 제출받은 날로부터 14일 이내에 검토하여 승인하고 이를 발주청에 제출하여야 한다.

제144조(공사진도 관리) ① 공사감독자는 시공자로부터 전체 실시공정표에 의거한 월간, 주간 상세공정표를 사전에 제출받아 검토·확인하여야 한다.

② 공사감독자는 공정지연을 방지하기 위하여 주 공정 중심의 일정관리가 될 수 있도록 시공자를 감독하여야 한다.

제145조(부진공정 만회대책) ① 공사감독자는 공사 진도율이 계획공정 대비 월간 공정실적이 10%이상 지연(계획공정대비 누계공정실적이 100% 이상일 경우는 제외)되거나 누계공정 실적이 5%이상 지연될 때는 시공자로 하여금 부진사유 분석, 근로자 안전확보를 고려한 부진공정 만회대책 및 만회공정표 수립을 지시하여야 한다.

② 공사감독자는 시공자가 제출한 부진공정 만회대책을 검토·확인하고 그 이행상태를 점검하여야 하며 공사추진회의 등을 통하여 미조치 내용에 대한 필요대책 등을 수립하여 정상공정을 회복할 수 있도록 조치하여야 한다.

제146조(수정 공정계획) ① 공사감독자는 설계변경 등으로 인한 물공량의 증감, 공법변경과 불가항력에 따른 공사중지, 현장실정 또는 시공자의 사정 등으로 인하여 공사 진척실적이 지속적으로 부진할 경우 공정계획을 재검토하여 수정 공정계획수립의 필요성을 검토하여야 한다.

② 공사감독자는 시공자로부터 수정 공정계획을 제출받아 제출일로부터 7일 이내에 검토·승인하고 발주청에 보고하여야 한다.

③ 공사감독자는 수정 공정계획을 검토할 때 수정목표 종료일이 당초 계약 종료일을 초과하지 않도록 조치하여야 하며, 초과할 경우는 그 사유를 분석하고 검토의견을 작성하여 공정계획과 함께 발주청에 보고하여야 한다.

제147조(건설공사의 과적방지) 공사감독자는 사토 및 순성토가 10,000 ㎥ 이상 발생하는 공사현장에서 시공자에게「도로법」 제77조 및 「도로법 시행령」 제79조에 따른 과적차량 발생을 방지하기 위하여 축중기를 설치하도록 하여야 하며, 축중기 설치 및 관리에 관한 사항은 「건설현장 축중기 설치지침」(국토교통부 훈령)에 따른다.

제148조(설계변경 및 계약금액 조정) ① 공사감독자는 설계변경 및 계

약금액 변경 시 계약서류와 「국가를 당사자로 하는 계약에 관한 법률」 및 「지방자치단체를 당사자로 하는 계약에 관한 법률」등 관련 규정에 따라 시행한다.

② 공사감독자는 공사 시행과정에서 위치변경과 연장 증감 등으로 인한 수량증감이나 단순 구조물의 추가 또는 삭제 등의 경미한 설계변경 사항이 발생한 경우에는 우선 변경 시공토록 지시할 수 있으며 사후에 발주청에 서면보고 하여야 한다. 이 경우 경미한 설계변경의 구체적 범위는 발주청이 정한다.

③ 발주청은 외부적 사업 환경의 변동, 사업추진 기본계획의 조정, 민원에 따른 노선변경, 공법변경, 그 밖에 시설물 추가 등으로 설계변경이 필요한 경우에는 다음 각 호의 서류를 첨부하여 반드시 서면으로 공사감독자에게 설계변경을 하도록 지시하여야 한다. 단, 발주청이 설계변경 도서를 작성할 수 없을 경우에는 설계변경 개요서만 첨부하여 설계변경 지시를 할 수 있다.

1. 설계변경 개요서
2. 설계변경 도면, 시방서, 계산서 등
3. 수량산출조서
4. 그 밖에 필요한 서류

④ 제3항의 지시를 받은 공사감독자는 지체 없이 시공자에게 동 내용을 통보하여야 한다.

⑤ 공사감독자는 발주청의 방침에 따라 제3항의 서류와 설계변경이 가능한 서류를 작성하여 발주청에 제출하여야 한다. 이 경우 발주청의 요구로 만들어지는 설계변경 도서작성 소요비용은 원칙적으로 발주청이 부담하여야 한다.

⑥ 공사감독자는 시공자가 현지여건과 설계도서가 부합되지 않거나 공사비의 절감과 건설공사의 품질향상을 위한 개선사항 등 설계변경이 필요한 경우 설계변경사유서, 설계변경도면, 개략적인 수량증감내역 및 공사비 증감내역 등의 서류를 첨부하여 제출하면 이를 검토·확인하고 검토의견서를 첨부하여 발주청에 실정보고하고, 발주청 방침을 득한 후 시공하도록 조치하여야 한다.

제149조(설계변경계약전 기성고 및 지급자재의 지급) ① 공사감독자는 발주청의 방침을 지시 받았거나, 승인을 받은 설계변경 사항의 기성고는 해당 공사의 변경계약을 체결하기 전이라도 당초 계약된 수량과 공사비 범위 안에서 설계변경 승인 사항의 공사 기성부분에 대하여 확인하고 기성고를 사정하여야 한다. 발주청은 공사감독자가 확인하고 사정한 동 기성부분에 대하여 기성금을 지불하여야 한다.

② 공사감독자는 제1항의 설계변경 승인 사항에 따라 발주청이 공급하는 지급자재에 대하여 시공자의 요청이 있을 경우 변경계약 체결전이라 하여도 공사추진 상 필요할 경우 변경된 소요량을 확인한 후 발주청에 지급을 요청할 수 있으며 동 요청을 받은 발주청은 공사추진에 지장이 없도록 조치하여야 한다.

제150조(물가변동으로 인한 계약금액의 조정) ① 공사감독자는 시공자로부터 물가변동에 따른 계약금액 조정·요청을 받을 경우 다음 각 호의 서류를 작성·제출토록 하여야 하고 시공자는 요청에 따라야 한다.

1. 물가변동 조정요청서
2. 계약금액 조정요청서
3. 품목조정율 또는 지수조정율 산출근거
4. 계약금액 조정 산출근거
5. 그 밖에 설계변경에 필요한 서류

② 공사감독자는 시공자로부터 계약금액 조정요청을 받은 날로부터 14일이내에 검토의견을 첨부하여 발주청에 보고하여야 한다.

제4절 안전 및 환경관리 업무

제151조(안전관리) ① 공사감독자는 건설공사의 안전시공 추진을 위해서 시공자가 안전조직을 갖추도록 하여야 하고, 안전조직은 현장규모와 작업내용에 따라 구성하며 동시에 산업안전보건법의 해당규정(「산업안전보건법」 제15조 안전보건관리책임자 선임, 제16조 관리감독자 지정, 제17조 안전관리자 배치, 제18조 보건관리자 배치, 제19조 안전보건관리담당자 선임 및 제75조 안전 · 보건에 관한 노사협의체 운영)에 명시된 업무도 수행하여야 한다.

② 공사감독자는 시공자가 영 제98조와 제99조에 따라 작성한 건설공사 안전관리계획서를 공사 착공전에 제출받아 적정성을 확인하여야 하며, 보완하여야 할 사항이 있는 경우에는 시공자로 하여금 이를 보완하도록 하여야 한다.

③ 공사감독자는 시공자로 하여금 근로기준법, 산업안전보건법, 산업재해보상보험법과 그 밖의 관계법규를 준수하도록 하여야 한다.

④ 공사감독자는 다음 각 호의 건설기계에 대하여 시공자가 「건설기계관리법」 제4조, 제13조, 제17조를 위반한 건설기계를 건설현장에 반입 · 사용하지 못하도록 반입 · 사용현장을 수시로 입회하는 등 지도 · 감독 하여야 하고, 해당 행위를 인지한 때에는 공사를 중지시키고 발주청에 서면으로 보고하여야 한다.

1. 천공기
2. 항타 및 항발기
3. 타워크레인
4. 기중기 등 그 밖에 발주청이 필요하다고 인정하여 계약에서 정한 건설기계

제152조(안전관리 결과보고서의 검토) 공사감독자는 매 분기별 시공자로부터 안전관리 결과보고서를 제출받아 이를 검토하고 미비한 사항이 있을 때는 시정조치를 하여야 하며, 안전관리 결과보고서에는 다음 각 호와 같은 서류가 포함되어야 한다.

1. 안전관리 조직표
2. 안전보건 관리체제(별지 제21호 서식)
3. 재해발생 현황(별지 제22호 서식)
4. 안전교육 실적표
5. 기타 필요한 서류

제153조(사고처리) 공사감독자는 현장에서 사고가 발생하였을 경우에는 시공자에게 즉시 필요한 응급조치를 취하도록 하고 상세한 경위 및 검토의견서를 첨부하여 발주청에 지체 없이 보고하여야 한다.

제154조(환경관리) ① 공사감독자는 사업시행으로 인한 위해를 방지하기 위하여 시공자가 「환경영향평가법」에 따른 환경영향평가 내용과

이에 대한 협의내용을 충실히 이행토록 지도 · 감독하여야 한다.

② 공사감독자는 환경영향평가보고서 및 협의내용을 근거로 하여 지형 · 지질, 대기, 수질, 소음 · 진동 등의 관리계획서가 수립되었는지 다음 각 호의 내용을 검토 · 확인하여야 한다.

1. 시공자의 환경관리 조직 · 편성 및 임무의 법상 구비조건, 충족 및 실질적인 활동 가능성 검토
2. 환경영향평가 협의내용의 관리계획 실효성 검토
3. 환경영향 저감대책 및 공사중, 공사후 환경관리계획서 적정성 검토
4. 환경관리자에 대한 업무수행능력 및 권한 여부 검토
5. 환경전문기술인 자문사항에 대한 검토
6. 환경관리 예산편성 및 집행계획 적정성 검토

③ 공사감독자는 시공자가 협의내용 이행의무 및 협의내용을 기재한 관리대장을 비치 · 관리토록 하고, 기록사항이 사실대로 작성 · 이행되는지를 점검하여야 한다.

④ 공사감독자는 환경영향 조사결과를 「환경영향평가법 시행규칙」에서 정하는 기한 내에 지방환경관서의 장 또는 승인기관의 장에게 통보토록 하여야 한다.

제5절 자재관리 업무

제155조(자재의 보관관리 등) ① 공사감독자는 공사현장에 반입된 모든 검수자재를 시공자 책임 하에 보관 및 품질관리토록 하여야 한다.

② 공사감독자는 현장에 반입되는 자재에 대하여 현장대리인으로 하여금 자재반입검사 및 수불대장에 수불년월일, 수량, 사용처, 재고량 등을 항상 기록토록 하고 보관 및 품질관리상태를 수시 확인하여야 한다.

③ 공사감독자는 공사현장에 반입된 검수재료 또는 시험합격재료는 공사감독의 서면승인 없이는 공사현장 외에 반출하지 못하도록 하며, 불합격된 재료는 현장대리인으로 하여금 지체 없이 현장 외로 반출하도록 하여야 한다.

④ 공사감독자는 반입된 기자재, 시공 중의 기성물에 대한 도난 또는 손상 등의 사고를 미연에 방지하기 위하여 시공자로 하여금 경비하게 하여야 한다.

⑤ 「건설폐기물의 재활용촉진에 관한 법률」 제2조제15호 및 같은 법 시행령 제5조에 따른 순환골재등 의무사용 건설공사에 해당하는 경우 공사감독자는 시공자가 같은 법 제35조 및 같은 법 시행령 제17조에 따른 품질기준에 적합한 순환골재 및 순환골재 재활용제품을 사용하도록 하여야 한다.

⑥ 공사감독자는 시공자가 순환골재 및 순환골재 재활용제품 사용계획서 상의 사용용도 및 규격 등에 맞게 사용하는지 확인하여야 한다.

제156조(지급자재 청구 및 출고) ① 공사감독자는 시공자로부터 지급자재청구가 있을 경우 품명, 규격, 수량, 사용처가 명시된 자재청구서를 제출하게 하여 이를 확인한 후 출고하도록 하여야 한다.

② 공사감독자는 시공자로 하여금 공사감독의 지시에 따라 자재를 사용하고, 그 사용내역을 지급자재관리부에 기록하게 하고 확인하

여야 한다

제157조(공사현장 발생품관리) 공사감독자는 공사시행 중 현장에서 공사와 관련한 골재 등의 자재가 발생할 경우에는 이를 발주청에 보고하여야 한다.

제158조(자재의 입체 또는 대체사용) 공사감독자는 시공자로부터 지급자재의 입체 또는 대치사용신청이 있을 때에는 그 사유 및 의견을 첨부하여 발주청에 보고하고 지시를 받아야 한다.

제159조(변상 또는 원상복구) ① 공사감독자는 시공자에게 인계한 지급자재가 멸실 또는 손상된 때에는 시공자로 하여금 상당한 기간을 정하여 변상 또는 원상 복구하도록 지시하여야 하며, 그 상황을 즉시 발주청에 보고하여야 한다.

② 공사감독자는 제1항에 따라 시공자의 변상 또는 원상복구를 위하여 추가로 반입되는 자재에 대하여 검수를 하여야 한다.

③ 공사감독자는 제1항에 따라 지정기간 내에 시공자가 변상 또는 원상복구를 하지 아니한 때에는 그 손실의 상황 및 변상에 필요한 금액의 조서를 작성하여 발주청에 보고하여야 한다.

제160조(잉여자재의 관리) 공사감독자는 최종 설계변경 또는 공사 준공 후 지급자재의 잉여가 발생하였을 때에는 그 품명, 규격, 수량 및 보관상황이 명시된 발생품(잉여자재) 정리부를 작성하여 발주청에 신속히 보고하여야 한다.

제6절 기성 및 준공검사 업무

제161조(기성 및 준공업무 관련) ① 공사감독자는 시공자로부터 기성부분검사원 또는준공검사원을 접수하였을 때는 이를 신속히 검토·확인하고, 감독조서(별지 제54호 서식)와 다음 각 호의 서류를 첨부하여 발주청에 제출하여야 한다. 다만, 「국가를 당사자로 하는 계약에 관한 법률 시행령」 제55조제7항 및 「지방자치단체를 당사자로 하는 계약에 관한 법률 시행령」 제64조제6항 본문의 규정에 따른 약식 기성검사의 경우에는 감독조서와 기성부분내역서 만을 제출할 수 있다.

1. 주요자재 검사 및 수불부
2. 시공 후 매몰부분에 대한 검사기록 서류 및 시공 당시의 사진
3. 품질시험·검사 성과 총괄표
4. 발생품 정리부
5. 그 밖에 공사감독자가 필요하다고 인정하는 서류와 준공검사원에는 지급자재 잉여분 조치현황과 공사의 사전검측·확인서류, 안전관리점검 총괄표 추가첨부

② 발주청은 기성부분검사원 또는 준공검사원을 접수하였을 때는 소속 직원 중 2인 이상의 검사자를 임명하여야 한다. 다만, 「국가를 당사자로 하는 계약에 관한 법률 시행령」 제55조제7항 및 「지방자치단체를 당사자로 하는 계약에 관한 법률 시행령」 제64조제6항 본문의 규정에 따른 약식 기성 시에는 공사감독자를 검사자로 임명할 수 있다.

③ 발주청은 필요시 기성 및 준공검사 과정에 유지관리기관의 직원을 입회·확인토록 할 수 있다.

제162조(준공검사 등의 절차) ① 공사감독자는 공사가 준공된 때에는

다음 사항을 조치하여야 한다.

1. 준공검사 전에 충분한 기간을 두고 공사현장을 정밀히 확인 · 점검하여 지적사항을 미리 시정조치 하도록 하여야 한다.
2. 시공자가 제출한 준공검사원을 검토하여 계약대로 시공이 완료되었는지 여부를 확인하고 감독조서를 첨부하여 발주청에 접수되도록 하여야 한다.
3. 준공보고서 및 정산설계도서 등을 검토 · 확인하고 공사목적물이 발주청에 차질 없이 인계될 수 있도록 하여야 한다.

② 공사감독자는 해당 공사완료 후 준공검사 전 사전 시운전 등이 필요한 부분에 대하여는 시공자로 하여금 다음 각 호의 사항이 포함된 시운전을 위한 계획을 수립하여 시운전 30일 전까지 제출토록 하고 이를 검토하여 발주청에 제출하여야 한다.

1. 시운전 일정
2. 시운전 항목 및 종류
3. 시운전 절차
4. 시험장비 확보 및 보정
5. 설비 기구 사용계획
6. 운전요원 및 검사요원 선임계획

③ 공사감독자는 시공자로부터 시운전계획서를 제출받아 검토 · 확정하여 시운전 20일 전까지 시공자에게 통보하여야 한다.

④ 공사감독자는 시공자로 하여금 다음 각 호와 같이 시운전 절차를 준비하도록 하여야 하며 시운전에 입회하여야 한다.

1. 기기점검
2. 예비운전
3. 시운전
4. 성능보장운전
5. 검수
6. 운전인도

⑤ 공사감독자는 시운전 완료 후에 다음 각 호의 성과품을 시공자로부터 제출받아 검토 후 발주청에 인계하여야 한다.

1. 운전개시, 가동절차 및 방법
2. 점검항목 점검표
3. 운전지침
4. 기기류 단독 시운전 방법검토 및 계획서
5. 실가동 Diagram
6. 시험 구분, 방법, 사용매체 검토 및 계획서
7. 시험성적서
8. 성능시험성적서 (성능시험 보고서)

제163조(준공도면 등의 검토 · 확인) ① 공사감독자는 정산설계도서 등을 검토 · 확인하고 공사 목적물이 차질 없이 인계될 수 있도록 지도 · 감독하여야 한다. 공사감독자는 시공자로부터 준공예정일 2개월 전까지 정산 설계도서를 제출받아 이를 검토 · 확인하여야 한다.

② 공사감독자는 시공자가 작성 제출한 준공도면이 실제 시공된 대로 작성 되었는지의 여부를 검토 · 확인하여 발주청에 제출하여야 한다. 준공도면은 계약에 정한 방법으로 작성되어야 하며, 모든 준공도면에는 공사감독자의 확인 · 서명이 있어야 한다.

제164조(준공표지의 설치) 공사감독자는 시공자가 준공표지를 설치하는 때에는 공사구역 내 일반인이 보기 쉬운 곳에 영구적인 시설물로 준공표지를 설치토록 조치하여야 한다.

제165조(검사 등 협조) 공사감독자는 기성 또는 준공검사자, 점검인이 현장에서 검사 또는 지도점검을 실시하고자 할 때에는 관련 업무에 적극 협조하여야 한다.

제7절 시설물의 인수 · 인계 업무

제166조(시설물 인수 · 인계) ① 공사감독자는 시공자로 하여금 해당 공사의 준공예정일(부분준공, 발주청의 필요에 따른 기성부분 포함) 30일 이전에 다음 각 호의 사항이 포함된 시설물의 인수 · 인계를 위한 계획을 수립토록 하고 이를 검토하여야 한다.

1. 일반사항(공사개요 등)
2. 운영지침서(필요한 경우)
   가. 시설물의 규격 및 기능점검 항목
   나. 기능점검 절차
   다. Test 장비확보 및 보정
   라. 기자재 운전지침서
   마. 제작도면 절차서 등 관련자료
3. 시운전 결과보고서(시운전 실적이 있는 경우)
4. 예비 준공검사 결과
5. 특기사항

② 공사감독자는 시공자로부터 시설물 인수 · 인계 계획서를 제출받아 7일 이내에 검토, 확정하여 발주청 및 시공자에게 통보하여 인수 · 인계에 차질이 없도록 하여야 한다.

③ 공사감독자는 시설물 인수기관과 이견이 있는 경우, 이에 대한 현황파악 및 필요대책 등을 검토하여 시공자 및 시설물 인수기관과 협의한다.

제167조(현장문서 인수 · 인계) 공사감독자는 해당 공사와 관련한 공사기록 서류 중 다음 각 호의 서류를 포함하여 발주청에 제출할 문서의 목록을 작성하여야 한다.

1. 준공 사진첩
2. 준공 도면
3. 건축물대장(건축공사의 경우)
4. 품질시험 · 검사성과 총괄표
5. 기자재 구매서류
6. 시설물 인수 · 인계서
7. 그 밖에 발주청이 필요하다고 인정하는 서류

제168조(유지관리 및 하자보수) 공사감독자는 설계자 또는 시공자가 제출한 시설물의 유지관리지침 자료를 검토하여 다음 각 호의 내용이 포함된 유지관리지침서를 작성, 공사 준공 후 14일 이내에 발주청에 제출하여야 한다.

1. 시설물의 규격 및 기능 설명서
2. 시설물 유지관리 기구에 대한 의견서
3. 시설물유지관리지침
4. 특기사항

제8절 건설사업관리용역 업무

제169조(건설사업관리용역 업무) ① 건설사업관리(감독 권한대행 등 건설사업관리는 제외한다. 이하 이 장에서 같다) 시행 건설공사의 공사감독자는 다음 각 호의 업무를 행하여야 한다.

1. 건설사업관리용역이 계약대로 되고 있는지의 확인
2. 건설사업관리기술인과 시공자간의 분쟁조정
3. 건설사업관리일지의 수시확인
4. 발주청이 건설사업관리기술인에게 요구한 사항의 이행여부의 확인
5. 그 밖에 건설사업관리 업무지침서상의 주요 업무내용

② 공사감독자는 건설사업관리기술인으로 하여금 다음 각 호의 사항에 대한 기술적인 검토 및 조치방안을 제출토록 하여야 한다.

1. 설계변경
2. 공법의 변경
3. 기술적 문제의 해결
4. 기성고의 사정(査定)
5. 그 밖에 필요한 사항

③ 공사감독자는 건설사업관리기술인이 허가 없이 장기간 현장을 벗어나거나, 건설사업관리기술인의 자질이 부족할 경우 또는 해당 공사에 적합하지 아니하다고 판단될 경우에는 발주청에 이를 보고하여 그의 교체를 요청할 수 있다.

제170조(건설사업관리기술인과 중복업무) ① 제4장에서 정한 공사감독자의 업무가 건설사업관리 대상공사에서 건설사업관리용역계약상 건설사업관리기술인의 업무인 경우에는 건설사업관리기술인이 행한 업무를 해당 공사의 공사감독자가 확인하여야 한다.

② 공사감독자는 건설사업관리기술인이 제1항에 따라 업무를 수행함에 있어 발주청에 대한 보고사항은 공사감독자가 직접 보고하여야 한다. 다만, 경미한 사안인 경우 공사감독자의 확인을 거친 후 건설사업관리기술인으로 하여금 보고하게 할 수 있다.

제5장 보칙

제171조(재검토기한) 국토교통부장관은 「훈령·예규 등의 발령 및 관리에 관한 규정」(대통령 훈령 334호)에 따라 이 이 고시에 대하여 2018년 7월 1일 기준으로 매3년이 되는 시점(매 3년째의 6월 30일까지를 말한다)마다 그 타당성을 검토하여 개선 등의 조치를 하여야 한다.

부칙 〈제2015-473호, 2015.6.30〉

제1조(시행일) 이 지침은 고시한 날부터 시행한다.

제2조(다른 고시의 폐지) 다음 각 호의 고시는 폐지한다.

1. 「건설사업관리 적정성 검토기준」(국토교통부 고시 제2014-296호)
2. 「건설사업관리 업무지침서」(국토교통부 고시 제2014-304호)
3. 「건설공사 감독자 업무지침」(국토교통부 고시 제2014-297호)

부칙 〈제2018-385호, 2018.7.1〉

제1조(시행일) 이 지침은 고시한 날부터 시행한다.

부칙 〈제2020-306호, 2020.3.31〉

제1조(시행일) 이 지침은 고시한 날부터 시행한다.

제2조(공사감독자 배치기준에 관한 적용례) 제8조의 개정규정은 2020년 6월1일부터 적용하며, 같은 조 제1항 및 제2항의 개정규정은 적용여부를 발주청이 선택할 수 있다.

제3조(기간 기산법에 관한 적용례) 제9조제3항의 개정규정은 이 고시 시행 이후 입찰공고 하는 건설사업관리용역부터 적용한다.

제4조(청렴의무 위반에 관한 경과조치) 이 고시 시행 전의 행위에 대해 제4조제2항제5호의 규정을 적용할 때에는 종전의 규정에 따른다.

부칙 〈제2020-987호, 2020.12.16〉

제1조(시행일) 이 고시는 발령한 날부터 시행한다. 다만, 제7조, 별표1 및 별표2에 따른 사업관리방식 선정절차 개정규정은 발령 후 1개월이 경과한 날부터 시행한다.

[별표 1]

사업관리방식 검토 절차

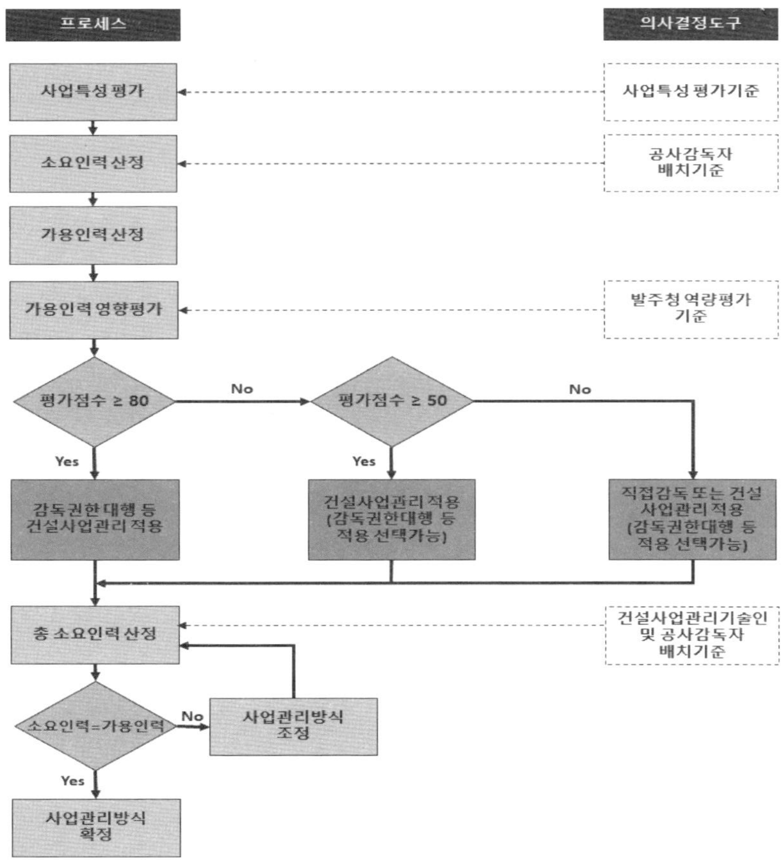

[별표 2]

사업특성 및 발주청 역량 평가기준

□ 공사특성 (30점)

구분		점수
공종 난이도 (15점)	「건설기술진흥법」 제39조제1항제1호에 규정된 설계·시공 관리의 난이도가 높아 특별한 관리가 필요한 건설공사 또는 「건설기술용역 대가 등에 관한 기준」의 공종분류 상 복잡한 공종	15
	「건설기술진흥법」 제39조제1항제1호에 규정된 공사 외의 공사로 「건설기술용역 대가 등에 관한 기준」의 공종분류 상 보통의 공종 공사	10
	상기 외의 공사	5
공사 난이도 (15점)	「시설물의 안전 및 유지관리에 관한 특별법」 상의 시설물 분류 중 1종에 해당하는 공사	15
	「시설물의 안전 및 유지관리에 관한 특별법」 상의 시설물 분류 중 2종에 해당하는 공사	10
	상기 외의 공사	5

□ 사업여건 (25점)

구분		점수
사업규모 (10점)	총 공사비 500억원 이상	10
	총 공사비 200억원 이상 500억원 미만	8
	총 공사비 100억원 이상 200억원 미만	6
	총 공사비 100억원 미만	4
사업기간 (5점)	공사기간 3년 이상	5
	공사기간 1년 이상 3년 미만	3
	공사기간 1년 미만	1
민원발생 가능성 (5점)	민원발생 가능성이 높다	5
	민원발생 가능성이 통상적인 수준이다	3
	민원발생 가능성이 낮다	1
유사사업 경험 (5점)	가용인력이 최근 5년간 수행경험 없음	5
	가용인력이 최근 5년간 5건 미만 수행	3
	가용인력이 최근 5년간 5건 이상 수행	1

□ 공사수행방식 (15점)

구분	점수
기술제안입찰방식, 대안입찰방식을 적용하는 공사, 설계경기를 적용하여 설계의 중요성이 강조된 공사, 국제설계경기를 적용하여 설계단계에서 외국사 또는 외국사와 공동도급업체가 참여할 수 있는 공사	15
기타공사	10
설계·시공일괄입찰방식을 적용하는 공사	5

□ 발주청 역량 (30점)

구분		점수
인력 수 (20점)	가용인력이 '건설사업관리기술인 배치기준'에 따라 산출한 소요인력의 80% 미만	20
	가용인력이 '건설사업관리기술인 배치기준'에 따라 산출한 소요인력의 80% 이상, 90% 미만	15
	가용인력이 '건설사업관리기술인 배치기준'에 따라 산출한 소요인력의 90% 이상	10
경력 (10점)	가용인력의 관련업무 평균 실무경력이 12년 미만	10
	가용인력의 관련업무 평균 실무경력이 12년 이상, 15년 미만	7
	가용인력의 관련업무 평균 실무경력이 15년 이상	3

* 발주청의 가용인력 및 경력 산정 시, 해당 직무분야 기술사 자격을 보유한 인력에 대하여는 20%를 가산한다.

[별표 3]

설계변경 및 계약금액의 조정 관련 건설사업관리 업무

□ 업무흐름도

(1) 발주청 요청(지시)에 따른 설계변경

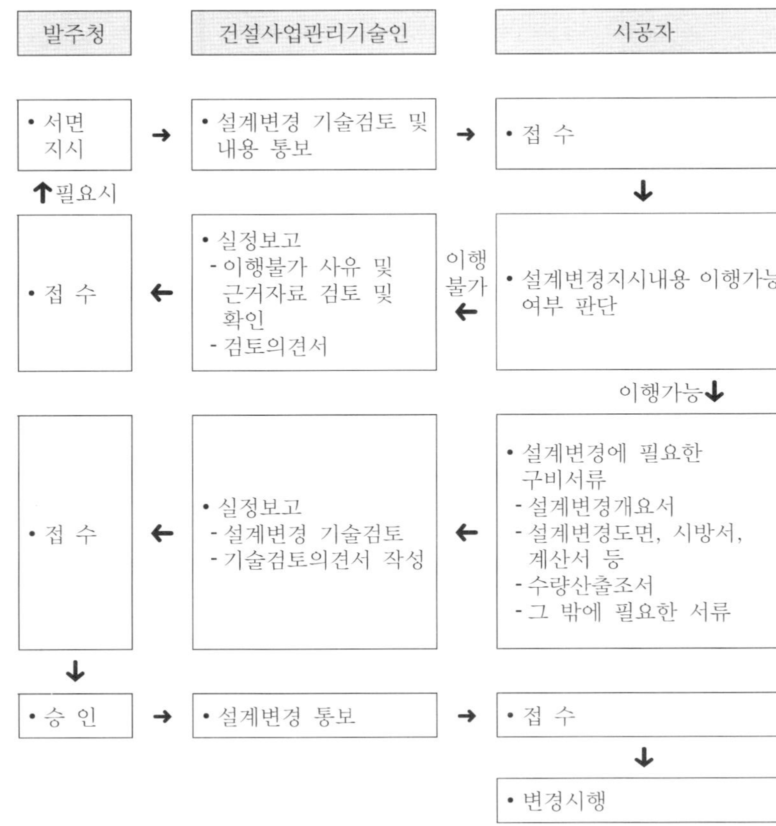

(2) 설계상의 하자로 인한 설계변경

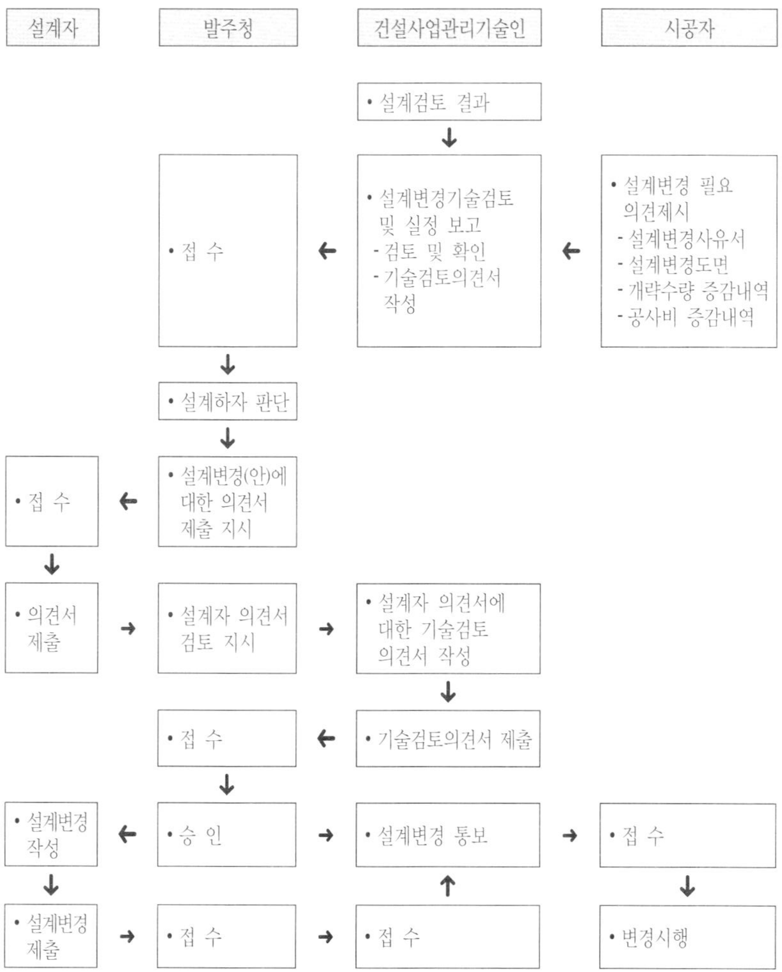

(3) 시공자의 요청에 의한 설계변경

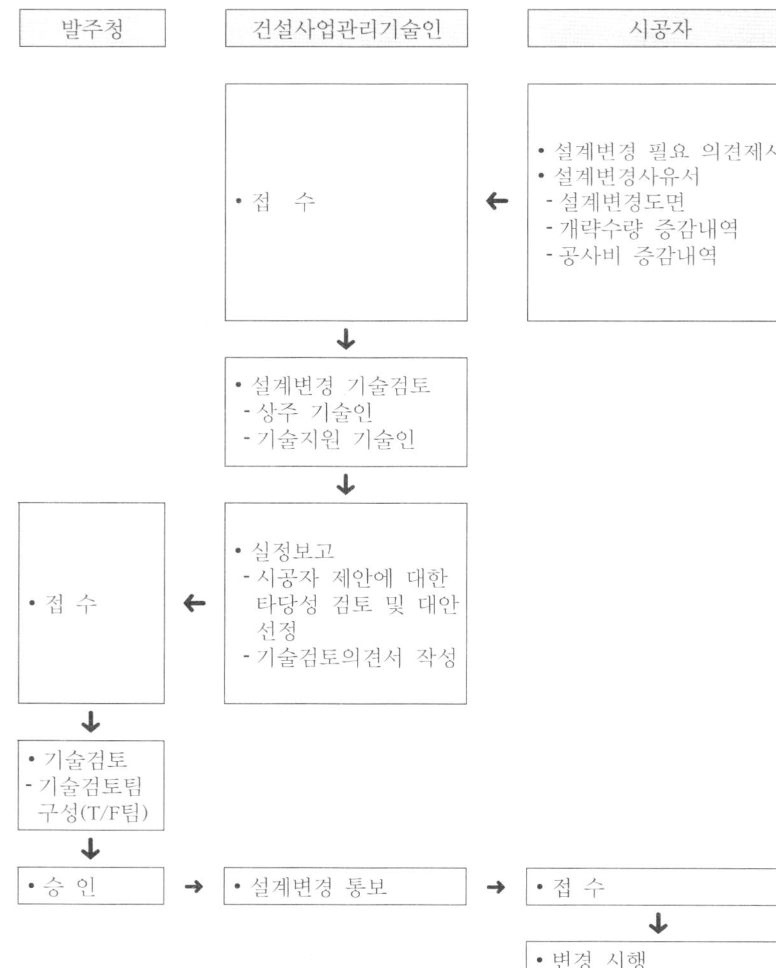

□ 설계변경에 의한 계약금액 조정업무의 처리절차

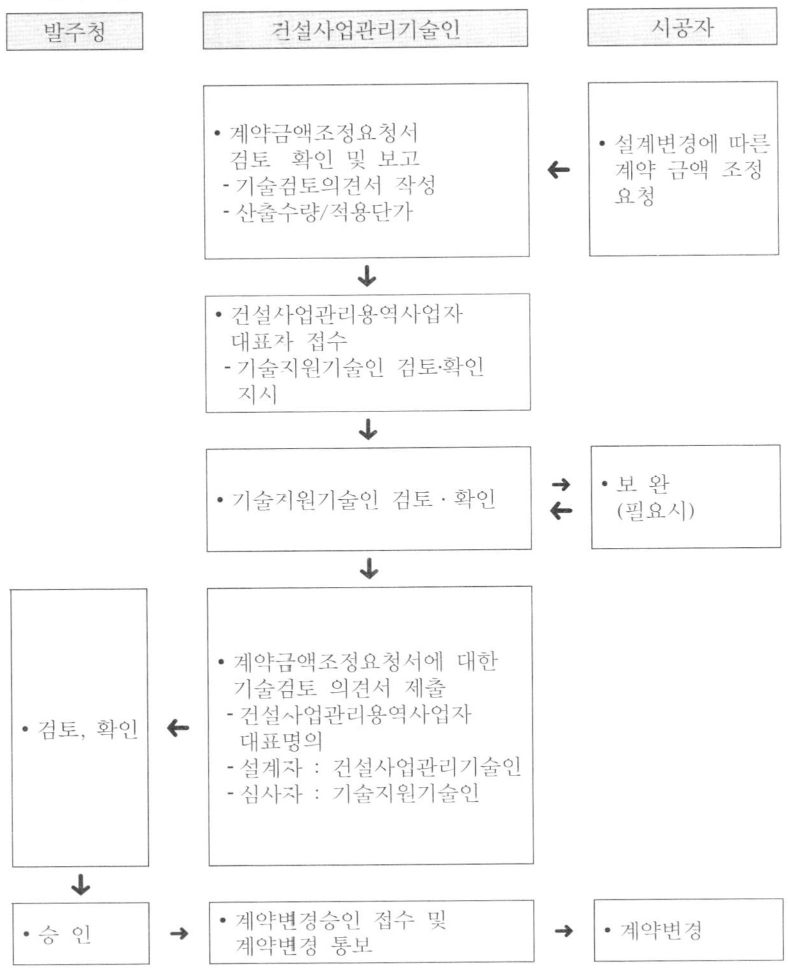

[별지 제1호 서식]

건설사업관리기술인 근무상황판

년 월 일(요일)

성명	시 간	용 무	행선지	비고
책임건설사업관리기술인 ○ ○ ○	09:00 ~ 12:00	발주청 업무협의	000 청 (연락처/전화번호)	
○ ○ 건설사업관리기술인 ○ ○ ○	10:00~ 15:00	레미콘 배합설계	00면 00리 00레미콘 (레미콘업체/전화번호)	
기술지원 건설사업관리기술인 ○ ○ ○	09:00~ 15:00	정기점검	측점 0 + 00 (연락처/전화번호)	

※작성요령

1. 두꺼운 종이나 합판 등으로 상황판을 제작하며, 표지에 아스테이지 등을 씌워 매일 기록 가능하도록 한다.

2. 규격은 가로 80㎝, 세로 100㎝에 종으로 작성하며, 건설사업관리단 사무실의 출입구 부근에 부착한다.

3. 근무상황판에는 상주건설사업관리기술인 전원의 근무상황을 모두 기록하여야 하며, 회의, 교육 등으로 현장을 이탈하는 경우에도 반드시 기재한다.

4. 기술지원건설사업관리기술인도 현장에 출장을 나온 경우에는 근무상황에 기재한다.

[별지 제2호 서식]

공사관리관 업무수행 기록부

사업부서의 장

공 사 명 :

일자/시간	업무수행사항	지시 또는 중요사항 (현장실정 등)	면담자 (직/성명)

20 . . .

공사관리관 : 직급 성명 서명 또는 날인

※ 작성요령
1. 규격은 A4(16절)용지에 종으로 작성
2. 면담자를 기준으로 협의내용, 지시사항 등을 기술
3. 현장별로 작성하여 비치하며, 발주청과 공사현장 간 정보시스템을 운영하는 경우 3일 이내에 시스템에 입력

[별지 제3호 서식]

설계단계 건설사업관리 Check List

구 분	검 토 사 항	근 거	비 고

[별지 제4호 서식]

설계용역 기성부분 검사원

책임건설사업관리기술인 경우 (인)

1. 설계용역 명 :
2. 위 치 :
3. 계 약 금 액 :
4. 계약 년월일 :
5. 착수 년월일 :
6. 준 공 기 한 :
7. 현 재 공 정 : 20 . . 현재 %
8. 첨 부 서 류 :

위 설계용역의 수급시행에 있어서 설계전반에 걸쳐 계약서, 설계기준 및 기타 약정대로 어김없이 기성되었음을 확인하오며 만약 설계, 건설사업관리 및 검사에 관하여 하자가 발견될 시는 변상 또는 재설계 할 것을 서약하고 이에 기성검사원을 제출하오니 검사하여 주시기 바랍니다.

년 월 일

주 소 :
상 호 :
성 명 :

귀 하

[별지 제5호 서식]

설계용역 준공 검사원

책임건설사업관리기술인 경유 (인)

1. 설계용역 명 :
2. 위 치 :
3. 계 약 금 액 :
4. 계약 년월일 :
5. 착수 년월일 :
6. 준 공 기 한 :
7. 실지준공년월일 :
8. 첨 부 서 류 :

위 설계용역의 수급시행에 있어서 설계전반에 걸쳐 계약서, 설계기준 및 기타 약정대로 어김없이 준공하였음을 확인하오며 만약 설계, 건설사업관리 및 검사에 관하여 하자가 발견될 시는 즉시 실액 변상 또는 재설계할 것을 서약하고 이에 준공검사원을 제출합니다.

년 월 일

주 소 :
상 호 :
성 명 :

귀 하

[별지 제6호 서식]

설계용역 기성부분 내역서

1. 도 급 액 :
2. 용 역 명 :
3. 기성부분금액 : 20 년 월 일 현재
4. 내 역 :

(갑)

용역내역	규 격	도 급 액			금회 기성액			전회까지의 기성액			적 용
		수량	단가	금액	수량	금액	비율(%)	수량	금액	비율(%)	

(을)

용역내역	규 격	도 급 액			금회 기성액			전회까지의 기성액			적 용
		수량	단가	금액	수량	금액	비율(%)	수량	금액	비율(%)	

[별지 제7호 서식]

설계단계 건설사업관리 일지

용역명 : 일 자 :		책임건설사업 관리기술인
주요업무 :		
구 분	시 간	업 무 내 용

작 성 자 : (서명)

[별지 제8호 서식]

설계단계 건설사업관리 지시부	결재			

설계용역명 :

담당 건설사업관리기술인 : (인)

년 월 일 (요일)

수 신		발 신	
참 조		발송일자	
제 목			
지 시 내 용			
첨 부			
수신처 확인			

[별지 제9호 서식]

분야별 상세 설계단계 건설사업관리 기록부	결재			

설계용역명 :

건설사업관리기술인 : (인)

년 월 일 (요일)

설계단계 건설사업관리 공종	
특기 사항	
기술검토 및 토의사항	
수정또는 지시 및 이행사항	
종합 의견	

[별지 제10호 서식]

<table>
<tr><td colspan="3" rowspan="2">설계단계 건설사업관리 요청서</td><td rowspan="2">결
제</td><td></td><td></td></tr>
<tr><td></td><td></td></tr>
<tr><td colspan="6">용 역 명 :
일 자 : 년 월 일 (요일)</td></tr>
<tr><td>수 신</td><td></td><td>발 신</td><td colspan="3"></td></tr>
<tr><td>참 조</td><td></td><td>발송일자</td><td colspan="3"></td></tr>
<tr><td>제 목</td><td colspan="5"></td></tr>
<tr><td>지 시 내 용</td><td colspan="5"></td></tr>
<tr><td>첨 부</td><td colspan="5"></td></tr>
<tr><td>수 신 처
확 인</td><td colspan="5"></td></tr>
</table>

[별지 제11호 서식]

<table>
<tr><td colspan="3" rowspan="2">기본(실시) 설계자와
협의사항 기록부</td><td rowspan="2">결
제</td><td></td><td></td></tr>
<tr><td></td><td></td></tr>
<tr><td colspan="6">건설사업관리기술인 : (인)
설계용역명 :
년 월 일 (요일)</td></tr>
<tr><td>제 목</td><td colspan="5"></td></tr>
<tr><td>협 의 내 용</td><td colspan="5"></td></tr>
<tr><td rowspan="4">참 여 자</td><td>소 속</td><td>직 위</td><td>성 명</td><td colspan="2">서 명</td></tr>
<tr><td></td><td></td><td></td><td colspan="2"></td></tr>
<tr><td></td><td></td><td></td><td colspan="2"></td></tr>
<tr><td></td><td></td><td></td><td colspan="2"></td></tr>
<tr><td>장 소</td><td colspan="5"></td></tr>
</table>

[별지 제12호 서식]

설계용역 기성부분 검사조서

설계용역명 :

년 월 일 준공

년 월 일 와 계약분

위 설계용역의 회 기성부분검사의 명을 받아 20 년 월 일 검사한 결과 별지 내역서와 같이 전용역에 대하여 그 기성공정을 %로 조정함.

년 월 일

기성부분 검사자 : (인)

입 회 자 : (인)

귀 하

[별지 제13호 서식]

설계용역 준공검사조서

설계용역명 :

년 월 일 준공

년 월 일 와 계약분

위 설계용역 준공검사의 명을 받아 20 년 월 일 검사한 결과 계약서, 설계기준 및 기타 약정대로 어김없이 준공하였음을 인정함.

년 월 일

준 공 검 사 자 : (인)

입 회 자 : (인)

귀 하

[별지 제14호 서식]

문서접수 및 발송대장

연번	접수일	발신 수신	시행일	분류기호 문서번호	제 목	첨 부 물		처 리 담 당	발송방법		배 부	
						명 칭	수 량		우편	인편사송	인계인	수령인

[별지 제15호 서식]

민원처리부(전화 및 상담)

공 사 명 : ○ ○ 건설공사

월 일	민 원 인	민 원 내 용	처리계획 및 조치내용	비 고
	(주 소) (성 명) (연락처)	(위 치) (민원내용)		

※작성요령 : 책임건설사업관리기술인이 처리 불가능한 사항은 발주청에 서면 보고합니다.

[별지 제16호 서식]

품질시험계획

공사명 : 　　　　　작 성 일 : 　　년　　월　　일
시공자 : 　　　　　현장대리인 : 　　　(인 또는 서명)

1. 시험계획회수

공 종	시험종목	시험계획물량	시험빈도	계획시험회수	비 고

2. 시험시설 및 인력배치계획

가. 시험시설

장 비 명	규 격	단 위	수 량	비 고

나. 시험인력

등 급	품질관리업무 수행기간	성 명	비 고
			* 기술자격 또는 학 · 경력사항 기재

[별지 제17호 서식]

품질시험 · 검사성과 총괄표

공사명 : ○○ 공사(공사기간 　. 　. ~ 　. 　. 공정 : 　%)

공 종	시험·검사종류 (재 료)	시험·검사회수					비 고
		계 획	실 시	합 격	불합격	재시험	

작성일시 : 　　년　　월　　일
작 성 자 : 소속 : 　　　직위 :
성　　명 : 　　　　(인 또는 서명)

[별지 제18호 서식]

품질시험 · 검사실적 보고서

공 종	시험·검사 종 목	계획시험 · 검사회수	전월까지 시험·검사회수				금월 시험·검사회수				누계 시험·검사회수			
			실 시	합 격	불합격	재시험	실 시	합 격	불합격	재시험	실 시	합 격	불합격	재시험

[별지 제19호 서식]

검 측 대 장

공사명 : ○○공사 공사감독자(책임건설사업관리기술인) : (인)

공종	검 측 부 위 (설계규격, 단위, 수량 포함)	검측일	검측내용	합격 여부	검측결과 또는 입증자료

주) 매몰부분은 사진 첨부

[별지 제20호 서식]

발생품(잉여자재) 정리부

공사명 : 착공일 : . .

품 명 : 규 격 : 준공일 : . .

발생년월일	품 명	규 격	단위	수 량		발생사유	보관사항 (발주청인계여부)
				사용가능	사용불가		

[별지 제21호 서식]

안전보건 관리체제

1. 안전보건관계자

구분	선임 연·월·일	소속	직급(위)	성명	자격명	전화번호 (휴대폰)
안전보건관리책임자						
안전보건총괄책임자						
안 전 관 리 자						
보 건 관 리 자						

2. 노사협의체

구분	근로자위원			사용자위원		
	소속	직급(위)	성명	소속	직급(위)	성명
대표						
위원						
위원						
위원						

[별지 제22호 서식]

재해발생 현황

1. 발생현황

구 분	재해자 수	사 망	부상(휴업기준)				업무상질병	재해율
			3-7일	8-29일	1-3월미만	3월이상		
분기별								
( ) 월								
( ) 월								

2. 재해유형

구분	계	떨어짐	넘어짐	깔림	부딪힘	맞음	무너짐	끼임	절단 베임 찔림	감전	폭발 파열	화재	깔림	화학 물질 접촉	산소 결핍	불균형 및 무리한 동작	사업 장내 교통 사고	사업 장외 교통 사고	기타
분기별																			
( ) 월																			
( ) 월																			

[별지 제23호 서식]

안전교육 실적표

구 분	실시회수	주요내용	교 육 인 원		비 고
			직 원	기 능 직	
정기교육					
특별교육					
계					

[별지 제24호 서식]

협의내용 등의 관리대장

1. 사업개요

사 업 명		사 업 자	
사업승인기관		사업승인일	
환경영향평가 협 의 기 관		환경영향평가 협 의 일	
사 업 착 공 (예 정) 일		사 업 준 공 (예 정) 일	
협 의 내 용 관 리 책 임 자		성 명	
사 업 규 모			
사 업 내 용			

2. 협의내용 이행계획

구 분	협 의 내 용	이 행 계 획		
		이 행 방 법	이 행 주 체	이 행 시 기

3. 협의내용 이행현황

연월일	공정률(%)	협 의 내 용	이행내역	미이행사항 및 사후대책

[별지 제25호 서식]

사후환경영향조사 결과보고서

1. 사 업 명 :
2. 조 사 기 간 :
3. 관리 책임자 :
4. 환경영향 조사결과 :

조사일시	구 분	조사항목	조사지점	조사결과	문 제 점	조치결과	비고

5. 승인기관 조사·확인결과

조사일시	승인기관 및 담당자	협의내용 및 이행사항	미이행사항 및 사후대책	비 고

주) ① 서식은 B4(8절,횡) 규격의 용지로 작성
② 협의내용 이행현황은 사업공정을 파악할 수 있는 사진첨부.

[별지 제26호 서식]

공사 기성부분 검사원

책임건설사업관리기술인 경유 (인)

1. 공 사 명 :
2. 위 치 :
3. 계 약 금 액 :
4. 계약 년월일 :
5. 착공 년월일 :
6. 준 공 기 한 :
7. 현 재 공 정 : 20 . . 현재 %
8. 첨 부 서 류 : 기성공정 내역서, 기성부분 사진

위 공사의 수급시행에 있어서 공사전반에 걸쳐 공사설계도서, 품질관리기준 및 기타 약정대로 어김없이 기성되었음을 확인하오며 만약 공사의 시공, 건설사업관리 및 검사에 관하여 하자가 발견될 시는 즉시 변상 또는 재시공할 것을 서약하고 이에 기성검사원을 제출하오니 검사하여 주시기 바랍니다.

20 년 월 일

주 소 :
상 호 :
성 명 :

귀 하

[별지 제27호 서식]

건설사업관리기술인 (기성부분 / 준 공) 건설사업관리조서

공 사 명 :

20 년 월 일 와 계약분

위 공사의 건설사업관리기술인으로 임명받아 20 년 월 일부터 20 년 월 일까지 실지 건설사업관리한 결과 (제 회 기성부분 검사까지의) 공사전반에 걸쳐 공사설계 도서, 품질관리기준 및 기타 약정대로 어김없이 전공사의 (%가 기성 / 준 공)되었음을 인정함.

20 년 월 일

책임건설사업관리기술인 (인)

귀 하

[별지 제28호 서식]

공사기성부분 내역서

1. 도 급 액 :
2. 공 사 명 :
3. 기성부분금액 : 20 년 월 일 현재
4. 내 역 :

(갑)

공사내역	규 격	도 급 액			전회까지의 기성액			금회 기성액			적 요
		수량	단가	금액	수량	금액	비율(%)	수량	금액	비율(%)	

(을)

공사내역	규 격	도 급 액			전회까지의 기성액			금회 기성액			적 요
		수량	단가	금액	수량	금액	비율(%)	수량	금액	비율(%)	

[별지 제29호 서식]

공사기성부분 검사조서

공 사 명 :

20 년 월 일 준공
20 년 월 일 와 계약분

위 공사 제 회 기성부분검사의 명을 받아 20 년 월 일 검사한 결과 별지 내역서와 같이 전공사에 대하여 그 기성공정을 %로 조정함. 단, 수중지하 및 구조물 내부 또는 저부 등 시공 후 매몰된 부분의 검사는 별지 건설사업관리조서에 의거함.

20 년 월 일

기성부분 검사자 : (인)
입 회 자 : (인)

귀 하

[별지 제30호 서식]

준공검사원

책임건설사업관리기술인 경유 (인)

1. 공 사 명 :
2. 공 사 위 치 :
3. 계 약 금 액 :
4. 계약 년월일 :
5. 착공 년월일 :
6. 준 공 기 한 :
7. 실지준공년월일 :
8. 첨 부 서 류 : 준공사진

위 공사의 수급시행에 있어서 공사전반에 걸쳐 공사설계도서, 품질관리기준 및 기타 약정대로 어김없이 준공하였음을 확인하오며 만약 공사의 시공, 건설사업관리 및 검사에 관하여 하자가 발견될 시는 즉시 실액 변상 또는 재시공할 것을 서약하고 이에 준공검사원을 제출합니다.

20 년 월 일

주 소 :
상 호 :
성 명 :

귀 하

[별지 제31호 서식]

준공검사조서

공 사 명 :

20 년 월 일 준공
20 년 월 일 와 계약분

위 공사 준공검사의 명을 받아 20 년 월 일 검사한 결과 공사설계도서, 품질관리기준 및 기타 약정대로 어김없이 준공하였음을 인정함.
단, 수중지하 및 구조물 내부 또는 저부 등 시공 후 매몰된 부분의 검사는 별지 건설사업관리조서에 의거함.

20 년 월 일
준 공 검 사 자 : (인)
입 회 자 : (인)

귀 하

[별지 제32호 서식]

공사계약번호 - 보고일련번호

○ ○ 부 ○ ○ 청

○○ 건 설 공 사
월 간 또는 최 종 건 설 사 업 관 리
보 고 서

20 년 월

○ ○ 주 식 회 사
대표이사 ○ ○ ○

(제1쪽)

제1장 공사추진 현황

1.1 공사계약 개요

○ 공 사 명 :
○ 위 치 :
○ 공사종류 :
○ 사업개요 :
○ 계약일자 :
○ 준공 예정일자 :
○ 사 업 비 :

(단위:백만원)

총사업비	도 급 액	관 급 액	보 상 비	설계비	건설사업 관리비

○ 낙찰률 :
○ 시공회사 :
※ 공동도급일 경우 지분율 표기
○ 입찰방법 :

※ 작성요령
1. 공동도급일 경우 지분율 및 이행방식을 기재합니다.
2. 공종별 분리발주 시 각각의 계약내용을 전부 기재합니다.

(제2쪽)

1.2 공사 추진계획 및 실적(토목 "예")

(20 . . .현재, 단위:백만원)

구분 / 공종		단위	전체계획		기시공 (. . 까지)		금회(20 . . ~ . .) 계획		금회 시공		공정(%) 전체		공정(%) 금회	
			공사량	공사비	공사량	공사비	공사량	공사비	공사량	공사비	계획	실적	계획	실적
토공	땅깍기	m³												
	흙쌓기	m³												
	기타	식												
	소계													
배수공	배수관	m/개소												
	암거	m/개소												
	기타	식												
	소계													
교량공	교	m/개소												
	교	m/개소												
	기타	식												
	소계													
터널공	터널	m/개소												
	터널	m/개소												
	기타	식												
	소계													
포장공	기층	a												
	표층	a												
	기타	식												
	소계													
부대공		식												
합계														
사급자재비		식												
순공사비														
제경비		식												
부가세														
총계														

※작성요령
1. 전체 계획에서 공사량은 설계수량, 공사비는 계약금액을 기준으로 합니다.
2. 기시공은 전회 건설사업관리보고서 제출시점까지 시공한 실적을 기재합니다.
3. 금회는 전회 건설사업관리보고서 제출 후 금회 제출시점까지 시공한 실적을 기재합니다.
4. 공사량은 규격 등에 상관없이 합산 가능한 물량은 합산하여 기재하고 합산이 불가한 것은 주자재 물량으로 기재하되 공사비는 해당분야 총공사비를 기재합니다.

(제3쪽)

1.2 공사 추진계획 및 실적(건축 "예")

(20 . . . 현재, 단위:백만원)

공종	구분 / 분야	단위	전체계획		기 시 공 (. . 까지)		금 회 (20 . . ~ . .)				공 정(%)			
							계 획		시 공		전 체		금 회	
			공사량	공사비	공사량	공사비	공사량	공사비	공사량	공사비	계획	실적	계획	실적
토목공사	토공사	m³												
	가시설공사	식												
	지하 연속 벽공사	식												
	부대공사	식												
	운 반 비	식												
	안전계측	식												
	부대토목	식												
	소 계	식												
건축공사	가설공사	식												
	철근CON'C 공사	m²												
	조적공사	천매												
	방수공사	식												
	타일공사	m²												
	석공사	식												
	목공사	식												
	금속공사	식												
	미장공사	m²												
	창호공사	식												
	유리공사	식												
	도장공사	식												
	수장공사	식												
	지붕및홈통공사	식												
	잡공사	식												
	골재및운반비	식												
	부대공사	식												
	철거및폐기물처리	식												
	공통가설	개월												
	조경공사	식												
	소 계	식												
기계설비공사	장비설치공사	식												
	기계실배관사	식												
	옥외배관공사	식												
	공조닥트설치공사	식												
	소화설비공사	식												
	자동제어 설치공사	식												
	정화조및폐수 설비공사	식												
	기타공사	식												
	소 계	식												

(제4쪽)

공종	구분 / 분야	단위	전체계획		기 시 공 (. . 까지)		금 회 (20 . . ~ . .)				공 정(%)			
							계 획		시 공		전 체		금 회	
			공사량	공사비	공사량	공사비	공사량	공사비	공사량	공사비	계획	실적	계획	실적
전기공사	수·변전 설비공사	식												
	전력간선 설비공사	식												
	동력 설비공사	식												
	전등 설비공사	식												
	전열 설비공사	식												
	피뢰침및접지공사	식												
	전력CABLE TRAY공사	식												
	전력및조명제어공사	식												
	SNOW MELTING공사	식												
	자동화재 탐지 설비공사	식												
	무선통신보조및중계설비	식												
	정화조 설비 공사	식												
	가설공사	식												
	소 계	식												
통신공사	통합배선 설비공사	식												
	CATV 설비공사	식												
	CCTV 설비공사	식												
	상호식 인터폰 설비공사	식												
	주차 관제공사	식												
	NURSE CALL설비공사	식												
	전기시계 및 투약순번 안내공사	식												
	방송 설비공사	식												
	가설공사	식												
	소 계	식												
합 계														
순 공사비		식												
사급자재비		식												
T. A. B		식												
제경비		식												
공급가액		식												
부가세		%												
총 계		식												

※작성요령
1. 전체 계획에서 공사량은 설계수량, 공사비는 계약금액을 기준으로 합니다.
2. 기시공은 전회 건설사업관리보고서 제출시점까지 시공한 실적을 기재합니다.
3. 금회는 전회 건설사업관리보고서 제출 후 금회 제출시점까지 시공한 실적을 기재합니다.
4. 공사량은 규격 등에 상관 없이 합산 가능한 물량은 합산하여 기재하고 합산이 불가한 것은 주자재 물량으로 기재하되 공사비는 해당분야 총공사비를 기재합니다.

(제5쪽)

1.3 부진공정 만회대책(예)

○ 공사명 :

○ 공정현황(20 . . 현재)

구분	계획	실적	대비	비고
공정률(%)				

○ 부진사유

-

○ 만회대책

-

1.4 건설사업관리용역 계약개요

○ 계 약 일 자 :
○ 준 공 예 정 일 자 :
○ 계 약 금 액 :
○ 건설사업관리용역업자 :
○ 낙 찰 률 :
○ 입 찰 방 법 :

(제6쪽)

1.5 건설사업관리단 조직(예)

[상주 건설사업관리기술인]

담 당	총 괄
(등 급)	(성 명)

담당	공무관리	담당	공사관리	담당	공사관리	담당	품질관리	담당	안전관리
(등급)	(성 명)	(등급)	(성 명)	(등급)	(성 명)	(등급)	(성 명)	(등급)	(성 명)

[기술지원 건설사업관리기술인]

구 분	성 명	기술자격 종목
"예" 고급		
〃		
〃		
〃		
〃		

※ 작성요령
건설사업관리기술인 등급은 과업지시서 등 계약문서에 기록된 등급을 기재(실제 "특급"이라도 "고급"을 배치하는 것으로 계약된 경우는 "고급"으로 기재)합니다.

1.6 건설사업관리기술자의 공사중지 명령 등

○

[별지 제33호 서식]

(제1쪽)

건설사업관리기술인 업무일지

1. 책임건설사업관리기술인 업무일지

책임건설사업관리기술인 업무일지

년　월　일(　요일), 누계공정　%

날씨 :　　(기온　℃)

공사명 :

	공 종	단위	설계량	금일		누계 작업량	공정(%)	특이사항
				작업위치	작업량			
주요작업상황								

	성 명	서 명	주 요 업 무 수 행 내 용 (상세내용은 개인별 건설사업관리 업무일지에 작성)	책임건설사업관리기술인 지시사항
건설사업관리기술인별 업무수행내용	(책임건설사업관리기술인)			
	(분야별 건설사업관리기술인 1)			

(제2쪽)

건설사업관리기술인별 업무수행내용	(분야별 건설사업관리기술인 2)			
	(분야별 건설사업관리기술인 3)			
	(분야별 건설사업관리기술인 4)			

	업무분류	문서분류	공종구분	구조물명	위치	제　목 (내용요약)
관련문서						
특 이 사 항						

※작성요령

1. 책임건설사업관리기술인 본인의 업무내용을 6하 원칙에 의거 기록함은 물론 분야별 건설사업관리기술인의 건설사업관리 업무일지를 보고 그 내용을 요약정리함과 동시에 공사추진내용, 검측결과, 현장실정 보고 등을 빠짐없이 기록하고 모든 건설사업관리기술인에게 공람 서명토록 하여 건설사업관리기술인 모두가 현장내용을 파악할 수 있도록 작성한다.
2. 주요작업상황은 공사추진계획에 따라 당일 작업을 수행하였거나 그와 관련된 공종에 대하여 업무수행내용을 상세히 기록하여 작성한다.

(제3쪽)

2. 분야별 건설사업관리기술인 업무일지

〈"갑"지〉

분야별 건설사업관리기술인 업무일지 년 월 일(요일)	작성자	
	직 책	
	성 명	
	서 명	

공사명 : 확인자 : 책임건설사업관리기술인 (인)

시간대별	업 무 내 용 (6하 원칙에 의거)

(제4쪽)

〈"을"지〉

시간대별	업 무 내 용 (6하원칙에 의거)

※작성요령

1. 분야별 건설사업관리기술인 업무일지는 갑지와 을지로 구분하고 업무내용이 많아 갑지에 기재가 원활하지 못할 경우 을지에 기재합니다.
2. 건설사업관리기술인은 업무수행과 관련하여 그 내용을 메모하여 이를 업무종료 전에 6하 원칙에 따라 업무일지를 기록하고 책임건설사업관리기술인의 확인을 받아야 합니다. 다만, 업무일지 작성이후에 발생된 업무나 진행상항의 파악이 어려운 경우에는 다음 날 확인을 받은 후 처리하되 업무일지에 누락되지 않도록 기록하여야 한다.
3. 건설사업관리기술인의 업무일지는 매일매일 작성하는 것을 원칙으로 하고 각 분야별건설사업관리기술인의 업무일지 작성지연으로 인한 책임건설사업관리기술인의 업무일지 작성에 지장을 초래하지 않도록 성실히 작성하여야 합니다.
4. 건설사업관리기술인은 검측업무 수행사항에 대한 검측부위, 검측시간, 검측내용, 검측결과 등을 상세하게 기록하고 이에 대한 관련 문서번호, 구두로 시정명령한 사항 등을 포함한 지적사항과 조치사항 등을 상세히 기재합니다.
5. 건설사업관리기술인은 콘크리트 타설부위, 콘크리트규격, 타설량 등을 기재하고 시공자의 콘크리트 타설에 대한 검측요청이 있는 경우 해당 검측요청서의 문서번호 등을 기재합니다.
6. 건설사업관리기술인은 설계도서 검토결과를 도면명칭, 도면번호 등 상세히 기재합니다.
7. 건설사업관리기술인은 당일 처리한 문서번호, 검토내용 및 검토결과와 책임건설사업관리기술인에게 보고한 사항 및 지시받은 사항을 기록한다.
8. 건설사업관리기술인은 현장점검시 동행자 소속, 직책, 성명 등과 점검내용, 위치, 특정부위, 점검결과 등을 기록하고 현장점검 중 지적된 사항과 시공자에게 지시한 내용 등을 기재합니다.
9. 건설사업관리기술인은 공사와 관련하여 현장의 긴급상황, 조치사항, 도면검토, 구두협의 및 지시한 사항의 경우 상대방의 소속, 직책, 성명 등을 기록하고, 구두지시 및 유선통화 내용은 건설사업관리기술인들의 업무수행 근거자료이므로 상세히 기재합니다.
10. 건설사업관리기술인이 현장을 이탈하는 출장의 경우 시간, 목적지, 목적 등을 기록하고 업무협의 결과, 관련 문서번호 또는 명칭을 기록합니다. 다만, 현장 이탈 후 당일 복귀할 경우 당일 건설사업관리 업무일지에 기록하고, 다음날 복귀하는 경우에는 다음날 책임건설사업관리기술인에게 보고한 후 기재합니다.

[별지 제34호 서식]

품질시험 · 검사대장

1. 품질시험 · 검사대장

공사명 :

일련번호	년 월 일	시험·검사 구분	재료	시험·검사 항목	시험 기준	시험 결과	시험 결과 판정	시험·검사자		건설사업관리 기술인확인		비고
								성 명	서 명	성 명	서 명	

※작성요령
1. 건설 자재별로 기재(콘크리트 타설은 별지 제35호 서식으로 작성)합니다
2. 시험성과표는 별도 기재합니다.
3. 비고란에는 시험결과 불합격 되었을 경우 조치내용 등을 기재합니다.

[별지 제35호 서식]

(제1쪽)

구조물별 콘크리트 타설현황

1. 구조물별 콘크리트 타설현황(횡양식)

구조물명	타설일자	타설부위	설계량 (m^3)	타설량 (m^3)	콘크리트배합종류	납품회사	타설방법	타설시간	타설시 온도 (℃)	시 험 결 과				시 험 자			
										슬럼프 (mm)	공기량 (%)	염분량 (kg/m^3)	28일 압축강도 (MPa)	시공사 담당자		공사감독자 (건설사업관리기술인)	
														성명	서명	성명	서명

※ 작성요령

1. 슬럼프, 공기량과 28일강도 시험자가 다를 경우 슬럼프, 공기량 시험자는 상단에, 28일강도 시험자는 하단에 성명과 서명
2. 직접타설 : Mixer Truck으로부터 직접 받아 타설.
3. Pump : Pump Car로 타설
4. 콘크리트 배합 사례

- 25-21-80을 A1으로 할 경우
  25-21-120는 A2
  25-21-150는 A3 등으로 기재합니다.
- 19-24-80을 B1으로 할 경우
  19-24-120는 B2
  19-24-150는 B3 등으로 기재합니다.

[별지 제36호 서식]

(제1쪽)

검측요청 · 결과 통보내용

1. 검측요청서 및 검측결과통보

검 측 요 청 서

번호 : 20 . . .
받음 : ○○공사 책임건설사업관리기술인 ○○○

다음과 같은 세부공종에 대하여 검측요청 하오니 검사 후 승인하여 주시기 바랍니다.

위 치 및 공 종	
검 측 부 위	
검 측 요 구 일 시	
검 측 사 항	

붙임 : 시공자의 검측 체크리스트, 시험성과, 시공자의 야장 및 도면, 공사 참여자(기능공 포함) 실명부

시공자 점 검 직 원 (인)
현장대리인 (인)

검 측 결 과 통 보

번호 : 20 . . .
받음 : ○○공사 현장대리인 ○○○

문서번호 ○○로 검측요청 한 건에 대하여 20 . . . 검측한 결과를 다음과 같이 통보합니다.

1. 검측결과
2. 지시사항

붙임 : 건설사업관리기술인의 검측 체크리스트

검측건설사업관리기술인 (인)
책임건설사업관리기술인 (인)

※ 작성요령
1. 재검측시에는 붉은 글씨로 "(재)"를 우측 상단에 작성합니다.
2. 시공자가 재검측 요청할 때에는 잘못 시공한 기능공의 성명을 받아 그 명단을 첨부하여야 합니다.
3. 2부 작성하여 시공자, 건설사업관리기술인 각 1부를 보관하여야 합니다.

(제2쪽)

2. 콘크리트 타설 참여자(기능공 포함) 실명부

공사명 :

타설일	타설위치	소속	직위	성명	생년월일 (성별)	공사한 내용	서 명

※작성요령
1. 공사한 내용은 공사관리, 작업총괄, 레미콘 차량관리, 펌프카 노즐담당, 콘크리트 타설, 콘크리트 다짐, 거푸집 및 동바리 변형 감시, 콘크리트 마무리면 정리, 양생재 포설 등으로 구분하여 기재합니다.
2. 생년월일 : 주민등록상 생년월일

(제2쪽)

2. 공사 참여자(기능공 포함) 실명부

공사명 :

작업일	작업위치 및 공종	소 속	직 위	성 명	생년월일 (성별)	공사한 내용	서 명

※작성요령
1. 직위란에는 공사관리, 형틀 또는 철근 작업반장, 목수, 철근공, 콘크리트공, 특별인부, 보통인부 등으로 구분하여 기재합니다.
2. 공사한 내용란에
 - 형틀의 경우에는 공사관리, 작업총괄, 자재운반, 거푸집 및 동바리 제작, 거푸집 및 동바리 조립, 박리제 도포 등으로 구분 기재하고
 - 철근의 경우에는 가공, 현장 운반, 조립, 청소 등으로 구분하여 기재하며
 - 기타 공종도 무슨 일을 하였는지 구분하여 기재합니다.
3. 생년월일 : 주민등록상 생년월일

(제3쪽)

3. 검측 체크리스트

공종 CODE No.		위치 및 부위	
공종(세부공종)		공 사 량	

검사항목	검 사 기 준 (시방서 또는 도면 등)	검 사 결 과		조치사항
		합 격	불 합 격	

시공자 점검일자	년 월 일	점 검 직 원	(인)
건설사업관리 기술인 검측일자	년 월 일	검측건설사업 관리기술인	(인)

※작성요령
1. 검사결과 상단은 시공자 점검직원이, 하단은 검측건설사업관리기술인이 검사한 결과를 수치로 기록하고, 검사기준도 검사결과와 비교 될 수 있도록 시방서 또는 도면 등에 있는 수치를 작성하며, 수치가 없는 검사항목은 시방서 또는 설계도서에 있는 내용과 검사한 내용으로 기재합니다.
2. 매몰부분은 사진을 첨부한다
3. 검사항목 및 검사기준은 각 공종별로 건설사업관리기술인과 협의하여 기재합니다.

[별지 제37호 서식]

자재 공급원 승인 요청·결과통보 내용

문서번호		수　　신	책임건설사업관리기술인
공 사 명		공　　종	건축□ 기계□ 토목□ 기타□
품　　명		규　　격	
제조회사명		KS · 녹색 제품 유무	KS□ 비KS□ 환경표지□ GR□
시공자의견			
첨　　부	인증서□ 사업자등록증□ CATALOG□ 공장등록증□ 시험성적서□ 납품실적□ 견본□ 기타□		
특기사항			
상기자재에 대한 검토를 요청하오니 결과를 통보하여 주시기 바랍니다. 20　년　월　일		담 당 자 현장대리인	(인) (인)

자재승인 검토결과 통보서

문서번호		수　　신	현장대리인
검토의견			
판　　정	적합□	조건부적합□	부적합□
특기사항	1. 공장방문 후 검토결과를 통보할 경우 해당공장방문 검사 Check List첨부 2. 자체시험 및 외부 의뢰시험을 실시하는 경우 시험 결과치 기록 또는 시험성적서 첨부		
상기 검토요청에 대한 검토결과를 통보합니다. 20　년　월　일		담당 건설사업관리기술인 책임건설사업관리기술인	(인) (인)

[별지 제38호 서식]

주요자재 검사 및 수불부

1. 주요자재 검사 및 수불부

품명 :

설계량	단위	규격	반입일	반입량	합격량 (금회/누계)	불합격 불합격량	불합격 사유	출고일	출고량	잔량	검수자	서명

※작성요령
1. 상단은 반입검수자가 하단은 출고검수자가 기재합니다.
2. 현장 반입 후 작업장 반출 시 까지는 건설사업관리기술인의 감독하에 관리합니다.
(매 출고시마다 건설사업관리기술인이 확인하여 반출량 및 잔량을 확인하여야 합니다.)

[별지 제39호 서식]

공사 설계변경 현황

1. 공사 설계변경 현황

(1) 변경회수 :

(2) 변경일자 :

(3) 주요변경내용

공종	수량			공사비(백만원)			변경사유	비고
	단위	당초	변경	당초	변경	증·감		
계								

2. 현장 실정보고 현황

번호	보고일 (문서번호)	승인일 (문서번호)	제목	내용	비고
계					

3. 기술검토 사항

번호	보고일자 (문서번호)	제목	주요내용	비고

[별지 제40호 서식]

(제1쪽)

주요구조물의 단계별 시공현황

1. 주요구조물 및 중점 관리대상 공종현황(토목 "예")

1.1 주요구조물

구조물명	위치	구조물 개요 및 규모	기초 및 상부 가설공법 등	특이사항
"예" - oo교 · 강교(ST Box) - oo터널	STA : STA :			

※작성요령
주요구조물은 층고가 높거나 경간이 길어 구조적인 부담이 큰 부분이나 신기술, 특수공법이 적용되는 주요구조부를 기재합니다.

1.2 중점 관리대상 공종

공종	위치	공종개요 및 규모	공법	중점관리 필요성	특이사항
"예" -대절토 -대성토 -연약지반 -용수분출	STA : STA : STA : STA :				

※작성요령
중점관리대상은 시공과정에서 계측 등 지속적인 관리가 필요한 부분을 기재합니다.

(제2쪽)

1. 주요구조물 및 중점 관리 대상 공종현황(건축 "예")

1.1 주요구조물

구조물명	위 치	구조물 개요 및 규모	공 법	특이사항
철골 트러스	옥상층 바 닥	○ 면적 : ○ 규격 : ○ 경간 :		
기 초 말 뚝	지하3층	○ 규격 : ○ 본수 :		

※작성요령
주요구조물은 층고가 높거나 경간이 길어 구조적인 부담이 큰 부분이나 신기술, 특수공법이 적용되는 주요 구조부를 기재합니다.

1.2 중점 관리대상 공종

공 종	위 치	공종개요 및 규 모	공 법	중점관리 필 요 성	특이사항
흙막이 공사					
가시설 공사					

※작성요령
중점 관리대상은 시공과정에서 계측 등 지속적인 관리가 필요한 부분을 기재합니다.

(제3쪽)

2. 주요구조물 단계별 시공현황(토목 "예")

(1) 교량 등 주요 콘크리트 구조물

○ 구조물명 : ○○교 P1 또는 A1 또는 PC빔, 슬라브 등

○ 시공기간 :

○ 터파기 완료일자 :

○ 암판정 일자 :

○ 버림CON`C 타설일자 :

(시공/설계)

구 분		높이 (m)	철근 조립	거푸집 조 립	CON`C 타설	양 생	거푸집 해 체	자 재	
								철근 (ton)	CON`C (m^3)
"예" 기 초									
교각 또는 교대 (m)	1 Lot								
	2 Lot								
	3 Lot								
	4 Lot								
	5 Lot								
COPING									
총 계									

※작성요령
1. 필요시 단면도 및 정면도, 좌표 등을 첨부합니다.
2. 철근조립에서 거푸집 해체까지는 최초일부터 최종일까지 소요된 작업기간을 기재합니다.

(제4쪽)

(2) 터 널

○ 구조물명 :

○ 공 법 :

○ 시공기간 :

구 분	연장 (m)	굴착	암반면 정 리	Rock bolt	Shot -crete	Steel rib	계측관리			부직포 및 방수제포설	철근조립	거푸집조 립	CON'C 타설	양생	거푸집 해 체	자 재	
							갱 내 관 찰	내 공 변 위	천 단 침 하							철근 (ton)	CON'C (m3)
"예" 1 Block																	
2 Block																	
3 Block																	
4 Block																	
총계																	

(제5쪽)

2. **주요구조물 단계별 시공현황(건축 "예")**

(1) 건축물

○ 구조물명 :

○ 시공기간 :

○ 터파기 완료일 :

○ 암 판정일 :

○ 버림CON'C 타설일 :

(시공/설계)

구 분		층 고 (m)	철근조립	거푸집 조 립	CON'C 타설	양 생	거푸집 해 체	자 재	
								철근 (ton)	CON'C (m^3)
기 초									
지하층	3층								
	2층								
	1층								
지상층	1층								
	2층								
	3층								
	4층								
	5층								
	6층								
총 계									

※작성요령

1. 필요시 단면도 및 정면도, 좌표 등을 첨부합니다.
2. 철근조립에서 거푸집 해체까지는 최초일부터 최종일까지 소요된 작업기간을 기재합니다.

[별지 제41호 서식]

콘크리트 구조물 균열관리 현황

균 열 관 리 대 장					
구조물명 및 규모		위 치		원 인	
최초발견일		관리방법		보수현황	
단 면 도 및 전개도					

발생부위 NO	Con'c 타설일	타설시 온 도	1차 조사			2차 조사			3차 조사			4차 조사			조사자	확인자
			일자	균열폭	균열길이	일 자	균열폭	균열길이	일 자	균열폭	균열길이	일 자	균열폭	균열길이		

※작성요령

1. 보수현황은 보수기간, 보수방법, 보수회사, 보수금액 등이 포함되게 작성합니다.
2. 단면도, 전개도는 필요시별도 첨부합니다.

[별지 제42호 서식]

공사사고 보고서

수신 : 분류기호 :

참조 : 제출년월일 :

발 신 : (서명)

공 사 명	
계 약 금 액	
시 공 자	
착 공 년 월 일	
준공예정 년월일	
사고발생 년월일	
최 근 공 정	
피 해 개 요	
복 구 대 책	
첨 부 서 류	피해 광경사진, 피해 내역서

[별지 제43호 서식]

(제1쪽)

건설공사 및 건설사업관리용역 개요

1. 사업목적

○

2. 건설공사개요

○ 공 사 명 :

○ 위 치 :

○ 사업개요 :

○ 계약일자 :

○ 공사종류 :

○ 공사기간 :

○ 사 업 비 (단위:백만원) :

총사업비	도 급 액	관 급 액	보 상 비	설계비	건설사업관리비

○ 낙찰률 :

○ 시공회사 :

※ 공동도급일 경우 지분율 표기

○ 입찰방법 :

○ 건설현장 조직(예)

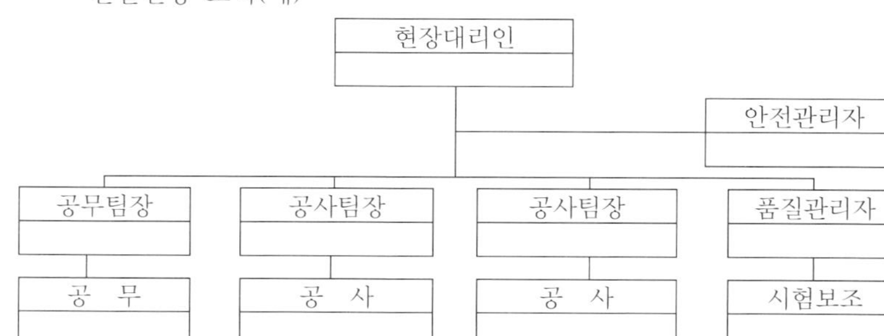

(제2쪽)

3. 건설사업관리용역개요

○계 약 일 자 :
○용 역 기 간 :
○준 공 금 액 :
○건설사업관리용역업자 :
○낙 찰 률 :
○입 찰 방 법 :
○건설사업관리단 조직(예)

[상주 건설사업관리기술인]

담 당	총 괄
(등 급)	(성 명)

담당	공무관리	담당	공사관리	담당	공사관리	담당	품질관리	담당	안전관리
(등급)	(성 명)	(등급)	(성 명)	(등급)	(성 명)	(등급)	(성 명)	(등급)	(성 명)

[기술지원 건설사업관리기술인]

구 분	성 명	기술자격 종목
"예" 고급		
〃		

※ 작성요령
1. 건설사업관리단 조직은 준공 기준으로 작성합니다.
2. 건설사업관리기술인 등급은 과업지시서 등 계약문서에 기록된 등급을 기재 (실제 "특급"이라도 "고급"을 배치하는 것으로 계약된 경우는 "고급"으로 기재)합니다.

4. 설계용역개요

○계 약 일 자 :
○용 역 기 간 :
○준 공 금 액 :
○설 계 회 사 :
○낙 찰 률 :
○입 찰 방 법 :

(제3쪽)

5. 위치도(1/25,000)

[별지 제44호 서식]

(제1쪽)

공사추진내용 실적

1. 기성 및 준공검사 현황

년도 (차수)	구 분	기성 및 준공금액	검사일	검사자	비고

(제2쪽)

2. 공종 및 연도별 추진실적(토목 "예")

(단위 : 백만원)

공종	구분	단 위	전 체		20 년도(1차)		20 년도(2차)		20 년도(3차)		20 년도(4차)	
			공사량	공사비	공사량	공사비	공사량	공사비	공사량	공사비	공사량	공사비
토공	땅 깍 기	m³										
	흙 쌓 기	m³										
	기 타	식										
	소 계											
배수공	배 수 관	m/개소										
	암 거	m/개소										
	기 타	식										
	소 계											
교량공	교	m/개소										
	교	m/개소										
	기 타	식										
	소 계											
터널공	터널	m/개소										
	터널	m/개소										
	기 타	식										
	소 계											
포장공	기 층	a										
	표 층	a										
	기 타	식										
	소 계											
부대공		식										
합 계												
사급자재비		식										
순공사비												
제경비		식										
부가세												
총 계												

※작성요령
1. 전체 계획에서 공사량은 설계수량, 공사비는 계약금액을 기준으로 합니다.
2. 공사량은 규격 등에 상관없이 합산 가능한 물량은 합산하여 기재하고 합산이 불가한 것은 주자재 물량으로 기재하되 공사비는 해당분야 총공사비를 기재합니다.

(제3쪽)

2. 공종 및 연도별 추진실적(건축 "예")

(단위:백만원)

공종	구분 분야	단위	전체 공사량	전체 공사비	20 년도(1차) 공사량	20 년도(1차) 공사비	20 년도(2차) 공사량	20 년도(2차) 공사비	20 년도(3차) 공사량	20 년도(3차) 공사비	20 년도(4차) 공사량	20 년도(4차) 공사비
토목공사	토공사	m³										
	가시설공사	식										
	지하 연속 벽공사	식										
	부대공사	식										
	운 반 비	식										
	안전계측	식										
	부대토목	식										
	소 계	식										
건축공사	가설공사	식										
	철근CON'C 공사	m²										
	조적공사	천매										
	방수공사	식										
	타일공사	m²										
	석공사	식										
	목공사	식										
	금속공사	식										
	미장공사	m²										
	창호공사	식										
	유리공사	식										
	도장공사	식										
	수장공사	식										
	지붕및홈통공사	식										
	잡공사	식										
	골재및운반비	식										
	부대공사	식										
	철거및폐기물처리	식										
	공통가설	개월										
	조경공사	식										
	소 계	식										
기계설비공사	장비설치공사	식										
	기계실배관사	식										
	옥외배관공사	식										
	공조닥트설치공사	식										
	소화설비공사	식										
	자동제어 설치공사	식										
	정화조및폐수 설비공사	식										
	기타공사	식										
	소 계	식										

(제4쪽)

공종	구분 분야	단위	전체 공사량	전체 공사비	20 년도(1차) 공사량	20 년도(1차) 공사비	20 년도(2차) 공사량	20 년도(2차) 공사비	20 년도(3차) 공사량	20 년도(3차) 공사비	20 년도(4차) 공사량	20 년도(4차) 공사비
전기공사	수·변전 설비공사	식										
	전력간선 설비공사	식										
	동력 설비공사	식										
	전등 설비공사	식										
	전열 설비공사	식										
	피뢰침및접지공사	식										
	전력CABLE TRAY공사	식										
	전력및조명제어공사	식										
	SNOW MELTING공사	식										
	자동화재 탐지설비공사	식										
	무선통신보조및 중계설비	식										
	정화조 설비 공사	식										
	가설공사	식										
	소 계	식										
통신공사	통합배선 설비공사	식										
	CATV 설비공사	식										
	CCTV 설비공사	식										
	상호식 인터폰 설비공사	식										
	주차 관제공사	식										
	NURSE CALL설비공사	식										
	전기시계 및 투약순번 안내공사	식										
	방송 설비공사	식										
	가설공사	식										
	소 계	식										
합 계												
순 공사비		식										
사급자재비		식										
T. A. B		식										
제경비		식										
공급가액		식										
부가세		%										
총 계		식										

※ 작성요령

1. 전체 계획에서 공사량은 설계수량, 공사비는 계약금액을 기준으로 합니다.
2. 공사량은 규격 등에 상관없이 합산 가능한 물량은 합산하여 기재하고 합산이 불가한 것은 주자재 물량으로 기재하되 공사비는 해당분야 총공사비를 기재합니다.

(제5쪽)

3. 건설공사 설계변경현황

단위 : 천원

변경 회수별	계약일자	총공사비	도급액	관급 자재비	기타	설계변경내용
당 초						

(제6쪽)

4. 실정보고 처리현황

번 호	보고일 (문서번호)	승인일 (문서번호)	제목	내용

(제7쪽)

5. 발주청 지시사항 처리현황

번 호	접수일	문서번호	지시사항	처리내용

(제8쪽)

6. 주요인력 및 장비투입 현황

인 원 투 입 현 황			장 비 투 입 현 황			
직종	투입인원	비고	장비명	규격	투입대수	비고

(제9쪽)

7. 하도급 현황

공 종	협력업체명				하도급 금액 (천원)	하도급률 (%)	공사 기간	현장 대리인
	상 호	대표자	업종및 면허	전화번호				

(제10쪽)

8. 건설사업관리용역 설계변경 현황

구 분	계약일자	계약금액	설계변경내용	비 고
당 초				

(제11쪽)

9. 건설사업관리기술자 투입현황

구분	성명	담당업무	기술자격	참여등급	참여기간	비고
상주건설사업관리기술인						
기술지원건설사업관리기술인						

[별지 제45호 서식]

(제1쪽)

검측내용 실적종합

1. 검측관리실적(토목 "예")

공 종	검 측 결 과(건수)			비 고
	합격	불합격	재검측	
계				
토 공				
배 수 공				
교 량 공				
포 장 공				
부 대 공				
자재검수				

(제2쪽)

1. **검측관리실적(건축 "예")**

공 종	검 측 결 과(건수)			비 고
	합격	불합격	재검측	
계				
토목공사				
건축공사				
기계설비공사				
자재검수				

2. **검측관리 종합분석**

○

[별지 제46호 서식]

(제1쪽)

품질시험 · 검사실적 종합

1. **품질관리자**

성 명	등 급	품질관리업무 수행기간	비 고
			* 기술자격 또는 학 · 경력사항 기재

2. **시험장비 사용현황**

장비명	규 격	단 위	수 량	비 고

[별지 제47호 서식]

(제1쪽)

주요자재 관리실적 종합

1. 자재공급원 승인현황

품 명	규 격	공급원	승인일	비고

(제2쪽)

3. 시험실 배치평면도

4. 품질시험 · 검사성과 총괄표

공 종	시험·검사종류(재료)	시험·검사회수					비 고
		계 획	실 시	합 격	불합격	재시험	

5. 품질관리 종합분석

○

[별지 제48호 서식]

(제1쪽)

안전관리 실적 종합

1. 안전관리 조직도(예)

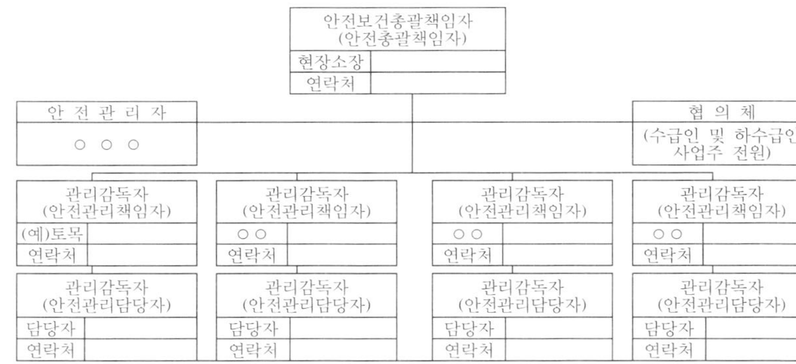

2. 안전보건교육 현황

구 분	실시회수	교육인원		비고
		직원	근로직	
계				
수시교육				
정기교육				
특별교육				
외부교육				

3. 안전점검 현황

구 분	실적(회)	비 고
계		
자체안전점검		
정기안전점검		
정밀안전점검		
외부안전점검		

(제2쪽)

2. 주요자재 투입현황

2.1 관급자재 투입현황

품 명	규 격	단 위	설계량	반입량	사용량	잔 량

2.2 사급자재 투입현황

품 명	규 격	단 위	설계량	반입량	사용량	잔 량

2.3 녹색 건설자재(환경표지 · GR마크) 투입현황

품 명	규 격	단 위	설계량	반입량	사용량	잔 량

3. 주요자재관리 종합분석

○

(제2쪽)

4. 산업안전보건관리비 사용실적

산업안전보건관리비 사용실적총괄

건설업체명		공 사 명	
소 재 지		대 표 자	
공사금액	원	공사기간	~
발 주 자		누계공정률	%
계 상 된 안전관리비	원		

사용금액	
항목	누계사용금액
계	
1. 안전관리자 등 인건비 및 각종 업무수당 등	
2. 안전시설비 등	
3. 개인보호구 및 안전장구 구입비 등	
4. 안전진단비 등	
5. 안전보건교육비 및 행사비 등	
6. 근로자 건강관리비 등	
7. 건설재해예방 기술지도비	
8. 본사사용비	

「건설업산업안전보건관리비계상및사용기준」 제10조제1항에 따라 위와 같이 사용내역서를 작성하였습니다.

년 월 일

작 성 자 직책 성명 (서명 또는 인)

(제3쪽)

5. 안전관리비 사용실적

5.1 총괄

안전관리비 사용실적

1. 개 요

명 칭 (상 호)		금액내역	(1) 재 료 비	
대 표 자			(2) 관급자재비	
공 사 명			(3) 노 무 비	
현 장 명			(4) 부대시설비	
발 주 자			계	
공 사 기 간			안전관리비	
공사의 종류	1. 1종시설물 2. 2종시설물 3. 10m 이상 굴착공사 4. 폭발물을 사용하는 건설공사 5. 기타 건설공사			

2. 항목별 실행계획

항목	금 액
가. 안전관리계획서 작성비	
나. 공사현장의 안전점검비	
다. 공사장 주변 안전관리 비용	
라. 통행안전 및 교통소통 대책 비용	
마. 기타	
총 계	

(제4쪽)

5.2 세부사용실적

(1) 안전관리계획서 작성비

항 목	단 위	수 량	단 가	금 액	산출근거 및 사용시기
계					
안전관리 계획서 작성					
안전점검 공정표 작성					
안전관리 계획서 확인					

(2) 공사현장의 안전점검비

항 목	단 위	수 량	단 가	금 액	산출근거 및 사용시기
계					
공사현장의 안전점검 비용					
진동·소음·분진 등의 환경측정 비용					
기계·기구의 완성검사 비용					
기계·기구의 정기검사 비용					
기타					

(제5쪽)

(3) 공사장 주변 안전관리 비용

항 목	단 위	수 량	단 가	금 액	산출근거 및 사용시기
계					
지하매설물 방호					
인접구조물 보호					
민원대책 비용					
기타					

(4) 통행안전 및 교통소통 대책 비용

항 목	단 위	수 량	단 가	금 액	산출근거 및 사용시기
계					
통행 안전시설 설치					
통행 안전시설 유지관리					
교통소통 및 교통사고 예방대책 비용					
기타					

6. 안전관리 종합분석

○

[별지 제49호 서식]

(제1쪽)

분야별 기술검토 실적종합

1. 분야별 기술검토 현황

번 호	보고일자 (문서번호)	제 목	주요내용	비 고

(제2쪽)

2. 주요기술검토내용(예)

검토의견서			
기술검토건명		보고일자 (문서번호)	
검토기간		검토자	
1. 검토목적			
2. 검토내용			
3. 결 과			

[별지 제50호 서식]

(제1쪽)

우수시공 및 실패시공 사례

1. 우수시공사례 현황

번 호	제 목	주요 내용	비 고

(제2쪽)

2. 우수시공 사례(예)

우수시공 사례	
제 목	
시공기간	
1. 현 황	
2. 문제점	
3. 개선내용	
4. 효 과	

(제3쪽)

3. 실패시공사례 현황

번 호	제 목	주요 내용	비 고

(제4쪽)

4. 실패시공 사례(예)

실패시공 사례	
제 목	
시공기간	
1. 시공내용	
2. 실패내용	
3. 교 훈	

[별지 제51호 서식]

종합분석

1. 서론

2. 공종별 분석

공 종	분석내용	비고

3. 공사추진중 문제점 및 대책, 개선사항

문제점	대책	개선사항

4. 특기사항

5. 맺음말

[별지 제52호 서식]

공사관리관 입회확인서

사업부서의 장

공사명 :

점검항목	확인여부		비고
	확인	미확인	
·기성부분내역이 설계도서대로 시공되었는지에 대해서 상주기술인이 시공검측한 내용을 검사자가 제대로 확인하는지 여부를 확인			
·지급자재의 사용 여부를 검사자가 제대로 확인하는지 여부를 확인			
·시공이 완료되어 검사 시 외부에서 확인하기 곤란한 부분(가시설, 고공시설물, 수중, 접근 곤란한 시설물 등)에 대해서 시공당시 검측자료(영상자료 등)를 검사자가 제대로 확인하는지 여부를 확인			
·건설사업관리기술인의 기성검사원에 대한 사전 검토 의견서를 검사자가 제대로 확인하는지 여부를 확인			
·품질시험·검사 성과 총괄표 내용을 검사자가 제대로 확인하는지 여부를 확인			
·준공된 공사가 설계도서 대로 시공되었는지에 대해서 검사자가 제대로 확인하는지 여부 확인			
·공사 시공 중에 현장 상주기술인이 비치한 제기록에 대한 검토를 검사자가 제대로 확인하는지 여부를 확인			
·폐품 또는 발생물의 유무 및 처리의 적정여부를 검사자가 제대로 확인하는지 여부를 확인			
·지급자재의 사용 적부와 잉여자재의 유무 및 그 처리의 적정여부를 검사자가 제대로 확인하는지 여부를 확인			
·제반 설비의 제거 및 원상복구 정리상황(토석 채취장 포함)을 검사자가 제대로 확인하는지 여부를 확인			
·건설사업관리기술인의 준공검사원에 대한 검토의견서를 검사자가 제대로 확인하는지 여부를 확인			
·그 밖에 발주청이 요구한 사항을 검사자가 제대로 확인하는 지 여부를 확인			

20 . . .

공사관리관 : 직급 성명 서명 또는 날인

[별지 제53호 서식]

공 사 감 독 일 지

공사명 : 공사감독자 :	(서명 또는 인)
. . . 요일 날씨 기온 : 최 고 / 최 저	

주 요 업 무

구 분	업 무 내 용

※ 작성 및 기재요령

1. 상단에 주요업무를 요약하여 기재합니다
2. 근무시간별로 검측·품질시험 및 행정 등 업무내용을 6하원칙에 따라 상세히 기록하며, 재시공 및 공사중지에 대한 구두지시는 상세히 기록한 후 별도로 서면 지시를 하여야 합니다.

[별지 제54호 서식]

(기성부분, 준공) 감독조서

공 사 명 :

20 년 월 일 와 계약분

위 공사의 공사감독자로 임명받아 20 년 월 일부터 20 년 월 일까지 실지 현장 감독한 결과 (제 회 기성부분 검사까지의) 공사전반에 걸쳐 공사 설계도서, 품질관리기준 및 기타 약정대로 어김없이 전공사의 (%가 기성 / 준 공) 되었음을 인정함.

20 년 월 일

공사감독자 (인)

귀 하

[별지 제55호 서식]

품 질 시 험 계 획

1. **개요**
   가. 공사명
   나. 시공자
   다. 현장대리인

2. **시험계획회수**
   가. 공종
   나. 시험종목
   다. 시험계획물량
   라. 시험빈도
   마. 계획시험회수
   바. 기타

3. **시험시설**
   가. 장비명
   나. 규격
   다. 단위
   라. 수량
   마. 시험실배치평면도
   바. 기타

4. **시험인력배치계획**
   가. 성명
   나. 등급
   다. 품질관리업무수행기간
   라. 기술자자격 및 학·경력사항
   마. 기타

[별지 제56호 서식]

품질시험 · 검사대장

① 일련번호	② 연·월·일	③ 시험·검사 구분	④ 재료	⑤ 시험·검사 항목	⑥ 시험성과	⑦ 시험·검사자	⑧ 공사감독자의 확인

[별지 제57호 서식]

현 장 교 육 실 적 부

일 자	교육담당자	소속	참석자	생년월일	교육내용	비고
			※참석자가 많을 경우에는 별지로 작성할 수 있습니다.			

※ 작성요령
1. 현장 사무실에 집결하여 실시하고, 그 실적을 기록·비치합니다.
2. 원·하도급자를 포함한 기능공·인부 등 모든 현장 근무직원을 교육대상으로 합니다.
3. 교육담당자를 미리 지정하여야 합니다.
4. 교육내용란에는 다음과 같이 주요내용을 기재합니다.
   - 전일 또는 전주 시공결과에 대한 분석 및 평가
   - 금일 또는 금주 공정계획상 부실요인 등 분석 및 토의
   - 하도급자의 건의사항에 대한 해결책 강구
   - 기타 필요한 사항에 대한 토의 등
5. 대표적인 교육광경은 사진 촬영하여 뒷쪽에 붙여야 합니다.
6. 일상교육인 경우에는 참석자란에 참석인원수만 기재하고 비고란에 "일상교육"으로 기재합니다.

[별지 제58호 서식]

주요(지급)자재 수불부

공사명 : 착공일 : . . .
품 명 : 규 격 : 준공일 : . . .

월 일	설 계 량	인 수 량	출 고 량	잔 량	확 인	비 고

[별지 제59호 서식]

주 요 자 재 검 사 부

품 명 : 규 격 : 착공일 : 년 월 일 / 준공일 : 년 월 일

월 일	설 계 량	반입수량	합격수량	불합격수량	반 입 자	검 수 자	적 요

[별지 제60호 서식]

공 사 작 업 일 지

○공사명 : (최고)
○일 자 : 20 . . . 요일 ○날 씨 : 기온 : (최저)
○작성자 : 현장대리인 (인 또는 서명)
○확인자 : 감 독 자 (인 또는 서명)

1. 공사추진상황

공 종	설계량	단위	전일까지작업량	금일작업량	누계 작업량	비고

2. 장비투입상황

장비명	규격	전일까지투입	금일투입	누계투입	장비명	규격	전일까지투입	금일투입	누계투입

3. 인력투입상황

구 분	전일까지투입인원	금일투입인원	누계투입인원	비 고
보통인부				
특별인부				

4. 주요작업 참여자명단 (작업반장급 이상)

국토교통부 주요 훈련 및 고시·지침

2. 고시

| 건설기술자 |

건설기술인 등급 인정 및 교육·훈련 등에 관한 기준

국토교통부고시 제2021-261호

일부개정 2021.3.25

제1장 총칙

제1조(목적) 이 기준은 「건설기술진흥법」 제20조, 제20조의2, 제20조의3, 제20조의4, 제20조의5, 제20조의6, 제21조, 같은 법 시행령 제4조, 제42조, 제43조, 제43조의2, 제43조의3, 제117조, 같은 법 시행규칙 제16조, 제17조, 제17조의2, 제17조의3, 제17조의4, 제18조, 제18조의2에 따라 건설기술인 등급·경력관리 및 교육·훈련 등에 관하여 필요한 사항을 정함을 목적으로 한다.

제2조(적용범위) 이 기준은 「건설기술진흥법」(이하 "법"이라 한다)에 따른 건설기술인의 교육·훈련 이수, 경력신고 및 증명서 발급과 교육·훈련 대행기관의 교육·훈련 과정 운영, 교육관리기관의 업무 등에 대하여 적용한다.

제2장 건설기술인의 경력관리

제1절 건설기술인의 인정

제3조(건설기술인의 인정범위) ① 「건설기술진흥법 시행령」(이하 "영"이라 한다) 별표1 제1호 가목에 따른 국가자격 종목은 별표1과 같다.

② 영 별표1 제1호 나목 1)에 따른 건설기술관련 학과는 별표2와 같다.

③ 영 별표1 제1호 나목 2)에 따라 학력이 인정되는 사람은 다음 각 호와 같다.

1. 건설기술관련 학사학위 학력으로 인정하는 사람
   가. 「사관학교설치법」에 의한 사관학교에서 건설기술관련 교육과정을 이수하여 학사학위를 받은 사람
   나. 「한국과학기술원법」에 의한 과학기술원에서 건설기술관련 교육과정을 이수하여 학사학위를 받은 사람
   다. 「육군3사관학교설치법」에 의한 육군3사관학교에서 건설기술관련 교육과정을 이수하여 학사학위를 받은 사람
2. 건설기술관련 전문대학 졸업학력으로 인정하는 사람
   가. 「고등교육법 시행령」 제70조 및 제71조에 따라 전문대학을 졸업한 자와 동등한 학력이 있다고 인정된 사람. 다만, 건설기술관련 학과에 편입한 경우에는 1년 이상 건설기술관련 교육과정을 이수한 사람에 한한다.
   나. 「근로자직업능력개발법」에 따른 기능대학에서 건설기술관

련 과정을 이수하여 산업학사 학위를 받은 사람

3. 건설기술관련 고등학교졸업 학력으로 인정하는 사람
   가. 「초 · 중등교육법」에 따른 고등기술학교에서 3년제 과정을 이수하고 졸업한 사람

④ 영 별표1 제1호 나목 3)에 따른 국토교통부장관이 정하는 교육기관은 다음 각 호와 같다.

1. 「고등교육법」에 의한 전문대학, 대학 또는 대학원(관련규정에 의한 학위과정에 한한다.)
2. 국방부장관이 인정하는 공병병과 · 시설병과 · 측량 또는 측지분야 병과 교육기관
3. 「근로자직업능력개발법」에 따른 기능대학 또는 직업능력개발훈련시설
4. 「초 · 중등교육법」에 따른 고등학교 및 고등기술학교
5. 종전의 「국립 철도고등학교 설치령」에 의한 철도고등학교 부설 전수부 또는 전문부
6. 「산업교육진흥 및 산학연협력촉진에 관한 법률」에 의한 산업교육기관(종전 「산업교육진흥법」에 의한 기술원양성소를 포함한다)

제4조(건설기술관련 학과의 인정신청) ① 제3조제2항 별표2 비고 제3호에 따라 건설기술관련 학과(이하 "학과"라 한다), 제5조 별표3 제2호 나목 비고 2) 및 별표5에 따라 전문분야 인정을 신청하는 사람은 별지 제1호 서식의 학과 심의신청서와 다음 각 호의 서류를 건설기술인 경력관리수탁기관(이하 "수탁기관"이라 한다)에 제출하여야 한다.

1. 학과로 인정받고자 하는 해당 학과의 졸업증명서 및 성적증명서(해당자에 한한다)
2. 제1호의 서류로 갈음할 수 있는 서류(해당자에 한한다)

② 수탁기관은 학과 심의에 있어 제21조 규정의 위원회에 의견을 듣거나, 관계기관 등으로 의견을 조회할 수 있다.

③ 수탁기관은 제1항의 학과 인정신청이 있는 경우 학과 심의신청서를 접수한 날부터 10일 이내에 그 처리결과를 신청인에게 통보하여야 한다.

④ 수탁기관은 제1항 규정에 따라 처리한 결과를 타 수탁기관에도 통보하여야 하며, 처리결과를 통보 받은 수탁기관은 이를 관리하여야 한다.

제2절 건설기술인의 등급 및 경력신고 등

제5조(건설기술인의 등급) 영 별표1 제2호의 규정에 따른 건설기술인의 등급, 경력인정 방법 및 절차 등은 별표3과 같다.

제6조(건설기술인의 경력신고) ① 「건설기술진흥법 시행규칙」(이하 "규칙"이라 한다) 제18조제1항제1호 "국외경력확인서(규칙 별지 제13호 서식을 말한다)"의 첨부 서류인 "국외경력을 증명할 수 있는 서류"라 함은 다음 각 호의 서류를 말한다. (외국어의 경우 한국어로 번역 공증된 것에 한한다)

1. 출입국에 관한 증명서 사본 또는 해외건설협회의 실적증명자료 사본
2. 계약서 사본

3. 입찰 참가 의향서 드는 입찰서류 접수증 등 소속업체가 입찰에 참여하여 건설관련업무의 수행사실을 증명할 수 있는 서류

② 규칙 제18조제1항제6호에 따른 "근무처 또는 경력사항을 증명할 수 있는 서류"라 함은 다음 각 호의 서류를 말한다. 이 경우 서류는 사본으로 제출할 수 있다.

1. 근무사실을 확인할 수 있는 서류는 다음 어느 하나로 한다. 다만, 발주청(법 제2조제6호 및 영 제3조에 따른 발주청을 말하며 이하 같다)에서 근무한 경력을 신고하려는 경우에는 인사기록부 등 인사이동 내용을 확인할 수 있는 서류를 첨부하여야 한다.
   가. 4대보험(산재, 건강, 고용, 국민연금)관리기관에서 제공하는 개인 자격취득·상실 이력사항을 확인할 수 있는 증명서 또는 조회·출력물 중 어느 하나
   나. 4대보험 자격취득·상실을 신고한 신고서(접수인이 날인된 것에 한한다)
   다. 근로소득원천징수영수증(세무사 또는 공인회계사가 발행하거나 국세청홈턱스 인터넷 출력물에 한한다) 또는 부가가치세표준증명원·부가가치세 면세사업자수입금액증명원(1인 사업장 대표자에 한한다)
   라. 사업자등록증 또는 폐업사실증명서(가목부터 다목의 서류 제출이 불가한 1인 사업장으로 사업자등록증 또는 폐업사실증명서에 표기된 자에 한함)
   마. 무보수 대표자 또는 임원으로서 취임일 또는 사임일이 기재된 등기사항증명서. 다만, 해당 무보수 대표자 또는 임원의 취임과 사임 기간이 다른 사업장의 근무기간과 중복되지 않는 경우에 한한다.
   바. 일용근로소득지급명세서(세무사가 발행거나 국세청 홈텍스 인터넷 출력물에 한한다) 또는 고용보험일용근로내역서
   사. 세무서에서 발행한 소득금액증명(가목부터 바목까지의 서류 제출이 불가능한 자에 한한다)
2. 상훈을 증명할 수 있는 해당 상훈(해당자에 한한다)
3. 건설관련 교육훈련 사항을 확인할 수 있는 교육수료증(해당자에 한한다)
4. 「건축법」 또는 「주택법」에 따른 상주감리경력을 확인할 수 있는 서류는 다음 어느 하나로 한다.
   가. 발주청이 확인한 「건축법 시행령」 제19조제7항 및 같은 법 시행규칙 제19조의2제2항 규정에 따른 별지 제22호의2서식 건축공사건축사보배치현황
   나. 발주청이 확인한 「주택법 시행령」 제47조 및 같은 법 시행규칙 제18조제2항 규정에 따른 감리원배치계획서
   다. 법 제30조제1항 및 영 제45조제2항에 따라 건설공사의 허가·인가·승인 등을 한 행정기관이 통보한 자료
   라. 그 밖에 발주청이 「건축법」 또는 「주택법」에 따라 상주감리 경력을 확인한 관계서류
5. 건설기술인이 근무한 소속업체 정보의 등록 및 변경을 위해 다음 각 호의 서류를 제출하여야 한다.
   가. 건설관련업체 등록(신규·변경)신청서(별지 제1호의2 서식)

나. 등기사항증명서(법인업체에 한정한다)
다. 사업자등록증 또는 휴 · 폐업사실증명원
라. 법인(개인) 인감증명서(사용인감 사용 시 사용인감계)
마. 건설업등록증 등 건설관련 면허 보유를 증빙할 수 있는 서류(해당 업체에 한정한다)

③ 건설기술인의 학력(석사이상의 학력 제외)사항과 근무기간이 중복될 경우 다음 각 호의 어느 하나에 해당하는 서류를 수탁기관에 제출하여야 한다. 다만, 기존에 신고한 자료가 있는 경우 해당 서류는 제외하며 주간과정 재학 중 기술경력은 고등학교 또는 대학 수업연한의 마지막 학년부터 제2항제1호가목부터 사목까지 중 어느 하나로 근무사실이 확인되는 기간을 인정한다.

1. 졸업증명서(재학생의 경우 졸업예정증명서 또는 재학증명서) 및 제2항제1호 가목부터 사목까지 중 어느 하나(해당하는 사람에 한한다)
2. "야간"이 표기된 졸업증명서(수탁기관이 해당학교에 유선으로 야간재학사실을 확인한 경우 야간으로 인정할 수 있다) 또는 야간에 학업을 이수한 사실을 입증할 서류(학교장의 확인을 받은 것에 한한다)

④ 건설기술인이 근무하였던 회사의 부도 · 폐업 또는 양도 · 양수(이하 "부도"라 한다) 등의 사유로 사용자(대표자)로부터 경력확인서를 발급 받을 수 없는 경우 다음 각 호의 서류를 첨부하여 수탁기관에 신고할 수 있다. 이 경우 「본인서명사실 확인 등에 관한 법률」 제2조제3호 및 제4호에 따른 본인서명사실확인서 또는 전자본인서명확인서를 제출하고 서명을 한 경우 인감증명서와 인감을 날인한 것으로 인정한다.

1. 부도 등의 사실을 확인할 수 있는 공적서류
2. 제2항제1호 가목부터 사목까지 중 어느 하나에 해당하는 서류
3. 발주자 또는 수급인이 확인한 경력확인서(수급인이 확인한 경력확인서는 하수급인에 소속된 건설기술인에 한한다) 또는 해당 업체의 대표자(등재이사를 포함한다)가 개인 인감으로 확인한 경력확인서(대표자 또는 등재이사의 등재기간을 확인할 수 있는 사업자등록증 또는 등기사항전부증명서 포함)
4. 제3호의 경력확인서를 확인하는 사람의 인감증명서(발주자가 발주청 또는 법인회사가 아닌 경우에 한한다)

⑤ 건설기술인은 소속회사에서 특별한 사유 없이 퇴직을 거부하여 사용자(대표자)로부터 경력확인서를 발급 받을 수 없는 경우 사직의사를 통고한 내용증명서류(「민법」 제660조에서 정한 기간이 완성되어 해지의 효력이 생긴 서류에 한한다), 근로계약서 또는 당해 업체의 근로계약관련 규정 등 고용기간의 약정을 확인할 수 있는 서류를 제출하여 퇴직을 신고할 수 있다. 다만, 경력확인서에 의해 확인되지 않은 기술경력은 인정하지 않는다.

⑥ 건설기술인이 군복무 기간 중 수행한 건설관련업무를 신고할 때에는 다음 각 호의 구분에 따라 관련서류를 수탁기관에 제출하여야 한다.

1. 사병
가. 주특기번호(또는 병과)와 군기초훈련기간이 표기된 병적증

명서(공병병과 · 시설병과 또는 측량분야 병과에 한한다)

나. 참여사업명, 전문분야, 공사종류, 담당업무 등이 표기된 소속부대 장 확인 경력확인서(구제적인 기술경력을 신고하는 자에 한한다)

2. 부사관 이상인 경우 공병학교장 · 시설실장 또는 공병 · 시설 · 측량 · 측지분야 병과의 장이 확인한 경력확인서

⑦ 수탁기관은 다른 수탁기관에서 발행한 경력증명서류에 의하여 건설기술인의 경력사항 등을 확인 · 기록할 수 있다.

⑧ 건설기술용역업자가 별지 제2호 서식의 분야별참여기술인명단(해당 용역업무를 수행한 건설기술인과 용역을 발주한 발주청의 확인을 받은 것에 한하고, 확인 절차는 제8조를 준용한다)을 수탁기관에 제출하는 경우 해당 건설기술인이 규칙 제18조제2항에 의한 경력확인서와 제5조 별표3 제2호 다목 비고 4)의 서류를 제출한 것으로 본다.

⑨ 건설기술인이 법 제21조제1항, 규칙 제18조제1항 및 제2항에 따른 경력을 신고하는 경우 제8조 절차에 따라 발주자, 인 · 허가기관 또는 사용자(대표자)의 경력확인을 받아야 한다.

⑩ 건설기술인이 신고경력을 제16조제2항에 따라 건설기술진흥법령 또는 시설물의 안전 및 유지관리에 관한 특별법령에 의한 사업수행능력평가에 활용하기 위하여는 발주청의 확인을 받은 기술경력을 수탁기관에 신고하여야 한다.

⑪ 건설기술인이 국외경력을 제10항에 따라 활용하려는 경우 국외사업 발주자 및 사용자(대표자)의 확인을 받은 국외경력확인서(규칙 별지 제13호 서식을 말하며 외국어의 경우 한국어로 번역 공증된 것에 한한다)와 해외건설협회의 실적증명자료(사본포함)를 제출하여야 한다.

제7조(인터넷을 통한 신고) 수탁기관은 당해 기관의 홈페이지를 통해 다음 각 호의 사항을 접수할 수 있다.

1. 규칙 제18조제1항에 따른 경력신고
2. 규칙 제18조제2항에 따른 변경신고
3. 제4조제1항에 따른 건설기술관련 학과의 인정신청

제8조(건설기술인의 경력확인 절차 등) ① 발주자, 인 · 허가기관 또는 사용자(대표자)가 규칙 제18조의2에 따라 경력확인서 발급 요청을 받은 경우 별표16의 절차에 따라 발급하여야 한다.

② 발주자, 인 · 허가기관은 경력확인서 발급 민원을 접수한 경우 특별한 사유가 없으면 7일 이내에 처리하여야 한다. 이 경우 7일 이내의 범위에서 그 처리기간은 한 차례 연장할 수 있다.

③ 발주자, 인 · 허가기관은 경력확인서의 경력이 여러 부서에 걸쳐 있어 확인이 곤란한 경우 민원인에게 경력을 부서별로 분리하여 요청하도록 할 수 있다.

④ 발주자, 인 · 허가기관은 경력확인을 위한 정보가 「공공기록물 관리에 관한 법률」에 따라 보존 연한 경과로 폐기된 경우 및 기타 사유로 경력확인이 불가능한 경우 발급을 거부할 수 있다.

제9조(외국인 건설기술인의 경력관리) 외국인(대한민국 국적이 아닌 자를 말한다) 건설기술인의 경력관리에 대하여는 영 별표1 제4호에 따라 외국인의 국가와 우리나라간 상호 인정협정 등이 체결된 경

우에 한해 이 기준에서 정하는 바를 준용한다. 다만, 외국인 건설기술인이 제3조제1항 별표1의 건설관련 국가자격 종목 또는 같은 조 제2항 별표2의 학과를 졸업하거나 이수한 경우는 이 기준에서 정하는 바에 따라 경력을 인정한다.

제10조(외국의 자격 · 학력 · 경력 등 인정) ① 외국에서 취득한 자격 · 학력 또는 수행한 경력(이하 "외국 경력"이라 한다)을 영 별표1 및 이 기준에서 정하는 바에 따라 인정받고자 하는 사람(제9조의 외국인을 포함한다)은 규칙 별지 제11호 서식의 건설기술인 경력신고서 또는 별지 제14호 서식의 건설기술인 경력변경신고서에 다음 각 호의 구분에 따라 해당되는 서류(한국어로 번역 공증된 것에 한한다)를 수탁기관에 제출하여야 한다.

1. 학력 : 졸업증명서 원본과 외국 공문서에 대한 인증의 요구를 폐지하는 협약 가입국이 협약에 따라 발행한 APOSTILLE 확인서(이하 "아포스티유 확인서"라 한다). 또는 졸업학교가 소재하고 있는 지역을 관할하는 공관에서 재외공관공증법령에 따라 한국어로 번역공증(이하 "공관의 공증"이라 한다)을 받은 졸업증명서 원본. 다만, 전공학과가 제3조제2항 별표2의 학과 범위에 해당되지 않는 경우 제4조의 인정신청을 위한 성적증명서
2. 자격 : 「국가기술자격법」 제21조 등 관련규정에 따른 국가간 협약 등에 따라 상호인정된 자격증명서가 첨부된 아포스티유 확인서 또는 자격증명서를 발행한 해당 국가에 소재하고 있는 공관에서 공관의 공증을 받은 자격증명서
3. 경력 : 외국 회사(외국의 법령에 따라 설립된 회사를 말하며 국내에 지사 또는 출장사무소를 두고 있는 경우에는 제외하며 이하 같다) 경력확인서(영 별표1 제3호의 분야와 제5조 별표3 제3호 가목의 건설관련업무 등이 포함된 것에 한하며 이하 이호에서 같다)가 첨부된 아포스티유 확인서 또는 외국 회사의 국가에 소재하고 있는 공관에서 공관의 공증을 받은 외국 회사 경력확인서

② 제1항에 따라 외국 경력을 신고하는 사람이 제9조 규정의 외국인인 경우 다음 각 호의 서류를 첨부하여야 한다.

1. 「출입국관리법」 제88조 및 같은 법 시행규칙 제75조 규정에 의한 별지 제139호 서식의 외국인등록 사실증명 사본
2. 「재외동포의 출입국과 법적지위에 관한 법률」 제7조제5항 및 같은 법 시행규칙 제11조 규정에 의한 별지 제7호의2서식의 국내거소신고 사실증명 사본

③ 제9조 규정의 외국인의 경력신고 접수 또는 증명서 발급 업무는 제2항에 의하여 제출된 증명원의 체류기간 내에 한하며 체류기간이 연장된 경우에는 체류기간 연장이 확인되는 제2항의 증명서를 수탁기관에 제출하여야 한다.

제11조(자료의 보관 등) ① 수탁기관은 건설기술인의 신고 자료(제7조에 의한 인터넷 접수 자료를 포함하며 이하 같다)를 광디스크 등에 저장 · 보관하여야 한다. 다만, 다른 수탁기관의 경력증명서류에 대하여는 광디스크 등에 저장하지 아니하고 접수한 날부터 3년이 경과된 후에는 폐기할 수 있다.

② 수탁기관은 광디스크 등에 저장한 신고자료를 일정기간 보관

후 폐기할 수 있다.

제12조(경력신고 자료이관) ① 건설기술인이 별지 제3호 서식의 건설기술인 경력신고자료 이관신청서를 제출하여 신고자료의 이관을 신청하는 경우에는 관련 자료를 신청일부터 7일 이내에 해당 수탁기관으로 송부하여야 한다. 다만, 수탁기관간 협의에 의해 관련 자료의 송부를 제11조제1항에 의한 광디스크 등 저장매체와 신고된 경력이 입력된 전산매체로 할 수 있다.

② 제1항의 규정에 따라 다른 수탁기관으로부터 건설기술인의 신고자료를 송부 받은 수탁기관은 이를 관리하여야 한다.

③ 수탁기관은 제7조에 의해 접수된 자료를 이관하는 경우 제1항 단서의 저장매체를 생략하고 인터넷 신고를 표기한 전산매체만을 이관할 수 있다.

④ 수탁기관은 제1항에 따른 이관신청을 당해 기관의 홈페이지를 통해 접수할 수 있다.

제3절 신고자료의 검증, 경정 및 증명서 발급

제13조(신고자료의 확인) ① 수탁기관은 규칙 제18조제9항의 규정에 따라 건설기술인 경력신고 사항을 다음 각 호의 기간 내에 관계기관에 확인하여야 한다. 다만, 관계기관의 사유로 기간 내에 확인이 되지 않을 경우에는 그러하지 아니하다.

1. 학력 및 교육·훈련사항(규칙 제17조제3항 규정에 따라 통보되지 않은 경우에 한한다)은 분기별로 확인하여야 한다.
2. 근무처는 제6조제2항제1호의 규정에 따라 제출한 서류의 내용으로 즉시 확인하여야 한다.
3. 국가자격은 신고 즉시 확인하여야 한다.

② 수탁기관은 건설기술인이 신고한 근무처의 계속 재직여부를 관계기관에 분기별로 확인할 수 있다.

③ 수탁기관은 경력사항 중 참여사업의 사실확인을 위하여 필요한 경우 건설공사계약서 사본 또는 (재)건설산업정보센터 등 관계기관의 자료를 확인할 수 있다.

제14조(신고된 자료의 경정) ① 건설기술인은 오신고 등으로 신고내용에 경정이 필요한 경우 관련 증빙서류를 첨부하여 경정을 신청할 수 있다. 다만, 발주청에서 근무한 경력을 경정하려는 경우에는 해당 발주청에서 근무한 부서 등을 확인 할 수 있는 인사기록부와 해당 업무수행을 입증할 수 있는 업무분장확인서, 감독명령부 등의 증빙서류를 첨부하여야 한다.

② 신고된 자료의 경정은 직권경정과 위원회의 심의경정으로 구분한다.

③ 신고된 자료의 경정방법은 다음 각 호와 같다.

1. 직권경정
   가. 정부, 법원, 지방자치단체 및 공공단체에서 사실이 확인되었거나 처분이 통보된 사항
   나. 오기, 착오, 오입력 등이 명백한 경우
   다. 국민연금·국민건강보험 또는 고용보험가입확인서 등의 객관적 자료를 첨부하여 입증되는 경우. 다만, 입사 또는 퇴사신고 시 이미 국민연금 등의 자료를 제출한 경우에는 제

외한다.

2. 위원회 심의경정(직권경정을 제외한 기타 경정사항)

④ 이미 경정된 사항에 대하여는 또다시 경정할 수 없다. 다만, 법원의 최종판결, 발주청 또는 국가행정기관 등의 확인에 따라 경정하는 경우에는 그러하지 아니하다.

제15조(경정의 신청) ① 건설기술인은 신고 자료의 경정을 신청할 경우 별지 제4호 서식의 신고자료 경정신청서에 관계서류를 첨부하여 수탁기관에 제출하여야 한다.

② 수탁기관은 필요에 따라 관계기관 등으로 조회·확인을 하거나 신청인에게 관련서류의 제출을 추가로 요청할 수 있다.

③ 제1항의 규정에 따라 경정신청(재심의 요청을 포함한다)을 받은 때에는 접수한 날부터 10일 이내에 위원회에서 결정된 사항을 신청인에게 통보하여야 한다.

제16조(증명서 신청 등) ① 법 제21조제4항 및 규칙 제18조제6항의 규정에 따른 건설기술인 경력증명서 또는 건설기술인 보유증명서를 발급받고자 하는 사람은 별지 제5호 서식 건설기술인 보유/경력증명서 발급신청서를, 참여기술인 경력사항 확인서를 발급받고자 하는 사람은 별지 제6호 서식 참여기술인 경력사항 확인신청서를 수탁기관에 제출하여야 한다. 다만, 건설기술인 본인이 직접 건설기술인 경력증명서 발급을 신청할 경우 신청서 제출을 아니할 수 있다.

② 수탁기관은 관련법령의 사업수행능력 또는 시설공사 적격심사 평가를 위해 해당 업체에서 참여기술인 경력사항 확인요청이 있는 경우 이를 확인·발급할 수 있다. 다만, 건설기술진흥법령 또는 시설물의 안전 및 유지관리에 관한 특별법령에 의한 사업수행능력평가를 위한 경우 설계 등 기술용역, 시설물의 검사·안전점검·정밀안전진단·유지관리 등의 경력사항에 대하여는 당해 기술용역 등을 직접 발주한 발주청 확인(국외경력은 제6조제11항에 따라 신고된 것을 말한다)의 별지 제2호 서식 분야별 참여기술인명단 등으로, 시공 경력사항에 대하여는 시설공사 시공실적증명서(기획재정부 또는 행정안전부 회계예규 규정에 따른 증명서 등을 말한다)로 확인하여야 한다.

③ 제2항의 규정에 따라 참여기술인 경력사항 확인을 요청하는 업체는 별지 제7호 서식 참여기술인 경력사항 확인서(사업수행능력평가) 또는 별지 제8호 서식 참여기술인 경력사항 확인서(시설공사 적격심사)를 제출하여야 하며 수탁기관은 신고경력 중 확인이 가능한 사항에 대하여 확인·발급할 수 있다.

④ 건설기술인 보유/경력증명서 등의 신청은 우편 또는 인터넷으로 할 수 있으며 규칙 제18조제4항에 따른 건설기술경력증 신청은 우편으로 할 수 있다.

⑤ 제1항의 건설기술인 보유/경력증명서 또는 참여기술인 경력사항 확인 신청서를 제출하는 업체는 퇴직 또는 사망으로 근무하지 않는 건설기술인의 증명서를 신청하여서는 아니된다. 다만, 과거 특정일자로 건설기술인 보유증명서를 신청하는 경우는 그러하지 아니하다.

제17조(증명서 발급 등) ① 수탁기관은 인터넷으로 증명서를 발급할 수 있으며 증명서 발급에 따른 소요기간은 다음 각 호와 같다.

1. 건설기술인 경력증명서, 건설기술인 보유증명서 또는 건설기술 경력증(이하 "증명서"라 한다) : 3시간 이내. 다만, 우편신청은 5일 이내
2. 참여기술인경력사항확인서 : 3일 이내

② 건설기술인 제재사항은 처분종료일부터 3년간 증명서상에 표기하며, 부실벌점은 적용일로부터 2년간 표기한다.

③ 건설기술인 제재사항 표기의 범위는 국가기술자격법령 또는 건설기술진흥법령에 따른 자격취소, 자격정지, 업무정지, 부실벌점 및 경고로 한다.

④ 발주청 또는 인·허가기관의 장은 법 제2조제10호의 건설사고에 따른 업무정지 또는 부실벌점을 부과한 경우에는 이를 즉시 수탁기관에 통보하여야 한다.

⑤ 수탁기관은 건설기술인이 신고한 학력 또는 자격의 미표기를 요청하는 경우 현재의 기술등급에 영향을 미치지 않는 학력 또는 자격에 한하여 표기를 하지 않을 수 있다.

⑥ 수탁기관은 증명서를 활용하는 발주청 또는 행정기관의 편의를 위해 분야별 참여기간 인정일과 건설기술진흥법령 및 이 고시에서 정하지 않은 자격, 학력, 교육훈련 및 상훈을 증명서에 표기할 수 있다. 이 경우 해당경력에 대하여는 제13조의 규정을 적용하지 않으며 표기는 별지 제9호 서식에 따른다.

제18조(증명서의 보관 및 폐 처리 등) ① 수탁기관은 신청인이 신청하여 발급되었으나 수령하지 않은 증명서 또는 참여기술인경력사항 확인서는 발급일부터 30일, 건설기술경력증은 1년이 경과 후 폐기할 수 있다. 다만, 갱신, 재발급, 타 수탁기관으로 이관 등 반납 받은 건설기술경력증은 1월 이내에 폐기할 수 있다.

② 수탁기관은 제1항의 단서 사유에도 불구하고 건설기술경력증을 반납하지 않은 경우에는 해당 건설기술경력증에 대하여 효력상실을 홈페이지 등에 공고하여야 한다.

제4절 건설기술용역 참여기술인의 관리

제19조(건설기술용역 참여기술인의 관리) ① 법 제82조제2항 및 영 제117조제1항에 따라 건설기술용역 및 감리용역 참여기술인의 관리업무를 위탁받은 실적관리 수탁기관(이하 "실적관리 수탁기관"이라 한다)은 법 제30조 및 영 제45조에 따라 발주청 또는 건설공사의 허가·인가·승인 등을 한 행정기관의 장 등이 통보한 참여기술인 현황을 관리하여야 하며 통보받은 참여기술인 현황 및 건설기술용역업자의 실적 등 건설기술인 경력관리에 필요한 사항에 대하여 수탁기관에 제공하여야 한다.

② 수탁기관은 건설기술용역사업을 수행하려는 자가 고용한 기술인력 고용정보 등 법 제26조 및 규칙 제21조제1항에 따라 건설기술용역업 등록 또는 변경등록에 필요한 정보를 실적관리 수탁기관에 제공하여야 한다.

③ 수탁기관은 영 제45조제1항·제2항 및 제4항에 따라 통보되는 건설사업관리용역 및 감리용역 참여경력은 건설기술인 경력증명서 건설사업관리 경력란에, 그 외 참여 경력은 기술경력란에 각각 구분하여 표기하여야 한다.

④ 실적관리 수탁기관이 통보한 참여기술인 현황은 건설기술인이 규칙 제18조제2항에 따른 경력확인서를 제출한 것으로 본다.

제5절 건설기술인 경력관리협의회 및 경력관리위원회

제20조(경력관리협의회) ① 국토교통부장관은 건설기술인의 경력관리 업무를 효율적으로 운영하기 위해 경력관리협의회(이하"협의회"라 한다)를 설치·운영할 수 있다.

② 협의회는 다음 각 호의 사항을 검토한다.

1. 통일된 경력관리기준의 제정에 관한 사항
2. 수탁기관간 자료의 공유 등을 위한 건설기술인력 경력관리 통합 관리시스템의 구축·운용에 관한사항
3. 각 수탁기관별 경력자료의 표준화에 관한 사항
4. 규칙 제18조제7항에 따른 경력관리 수수료에 관한 사항
5. 경력관리업무를 위한 공통자료의 공유에 관한 사항
6. 신고자료의 검증에 관한 사항
7. 기타 경력관리업무의 효율화를 위해 필요한 사항

③ 제1항의 규정에 따른 협의회의 위원은 각 수탁기관의 상근부회장으로 구성하며 위원장은 국토교통부 건설정책국 기술안전정책관으로 하고 기술정책과장을 간사로 한다.

④ 위원회의 세부 실무적인 사항을 처리하기 위해 실무협의회를 구성하여 운영할 수 있다.

제21조(경력관리위원회) ① 수탁기관은 다음 각 호의 관한 사항을 처리하기 위하여 경력관리위원회(이하 "위원회"라 한다)를 둔다.

1. 영 별표1 제1호 나목에 따른 건설기술관련 학과(국토교통부장관이 정하는 교육기관의 학과를 포함한다. 이하 같다) 추가 인정에 관한 사항 심의
2. 기술경력 경정에 관한 사항 심의
3. 기타 경력인정과 관련하여 반복적으로 민원이 제기되거나 논란이 되는 사항의 인정방법 등

② 위원회는 수탁기관의 상근임원을 위원장으로 하고, 위원은 위원장을 포함하여 5명 또는 8명으로 하되 제1항제3호의 경우 외부전문가 3명을 포함하여야 한다.

③ 위원회는 재적위원 과반수의 찬성으로 의결 처리한다.

④ 그 밖에 위원회의 운영 등에 관하여 필요한 사항은 한국건설기술인협회가 다른 수탁기관과 협의하여 정한다.

제3장 건설기술인 교육·훈련 방법 및 인정

제1절 교육·훈련의 방법 및 종류 등

제22조(교육·훈련의 방법) ① 건설기술인은 영 제43조제2항에 따라 국토교통부장관이 지정·고시하는 교육·훈련 대행기관(이하 "교육기관"이라 한다)에서 영 별표3에 따른 건설기술인 교육·훈련을 이수하여야 한다.

② 제1항에도 불구하고 영 별표3 제1호나목3) 후단에 따른 특급기술인은 제28조제1항에서 정한 기준에 따라 학점으로 이수할 수 있다.

③ 건설기술인은 제1항에 따라 교육·훈련을 이수할 경우 교육기

관이 정한 학사관리규정을 지켜야 한다.

제23조(기본교육 및 전문교육의 시행) ① 영 별표4에 따른 종합교육기관(이하 "종합교육기관"이라 한다)은 영 별표3 제1호가목에 따른 기본교육(이하 "기본교육"이라 한다)을 시행한다.

② 교육기관은 영 별표3 제1호나목에 따른 전문교육(이하 "전문교육"이라 한다)을 시행한다. 다만, 영 별표4에 따른 전문교육기관(이하 "전문교육기관"이라 한다)은 국토교통부장관이 고시한 특정 분야·과목만 시행한다.

③ 종합교육기관은 기본교육에 직업윤리 교육을 2시간 이상, 안전관리 교육을 2시간 이상 포함하여야 한다.

④ 교육기관은 전문교육에 직업윤리 교육 1시간 이상(최초교육은 제외), 안전관리 교육을 2시간 이상 포함한다. 이 경우 안전관리 교육은 체험형 안전교육을 포함하여야 한다.

⑤ 교육기관은 건설산업의 기술발전 수준에 부합할 수 있도록 현장에서 활용되고 있는 신기술 등을 교육과정에 반영하고, 실습과목과 사례연구·현장견학 등 교육·훈련의 현장성을 제고할 수 있는 과목을 50% 이상 포함하여야 한다.

제24조(전문교육의 종류) 전문교육의 종류는 별표10과 같다.

제25조(교육·훈련의 이수) ① 건설기술인은 최초로 건설기술 업무를 수행하려면 기본교육 및 전문교육의 최초교육을 이수하여야 한다. 이 경우 기본교육은 영 별표1 제3호에 따른 건설기술 분야 및 직무분야와 관계없이 이수할 수 있다.

② 제1항에 따른 "건설기술 업무를 수행하려는 경우"라 함은 건설기술인이 실제 건설공사 또는 건설기술용역 등에 직접 참여하는 경우를 말한다.

③ 건설기술인이 전문교육을 받을 때에는 다음 각 호와 같이 교육·훈련을 이수하여야 한다.

1. 직무분야별 교육·훈련을 받을 때에는 기술등급의 인정을 인정받은 해당 직무분야에 따라 이수하여야 한다. 다만, 품질관리분야 건설기술인은 품질관리 교육·훈련을 이수하여야 한다.
2. 등급별 교육·훈련을 받을 때에는 영 별표1 제3호의 전문분야 내에서 자신의 등급(초급, 중급, 고급 및 특급) 수준에 맞춰 이수하여야 한다.

④ 건설기술인이 승급교육 및 계속교육의 인정을 받으려면 기본교육 및 최초교육을 먼저 이수하여야 한다.

⑤ 건설기술인이 영 별표1 제2호의 건설기술인 역량지수 평가(교육·훈련에 따른 가점을 포함한다)에 따라 현재의 기술등급보다 2단계 이상 기술등급이 상향될 경우 승급교육은 1회만 이수할 수 있다.

⑥ 건설기술인은 영 별표3 제4호나목에 따라 교육·훈련시간을 나누어 이수할 수 있다. 이 경우 교육·훈련시간이 70시간 이상인 경우 35시간 단위, 35시간 이상 70시간 미만인 경우 14시간 또는 21시간 단위로 한다.

⑦ 건설기술인별 이수가능한 교육·훈련과정은 별표6의2와 같다.

제26조(교육·훈련의 연기) ① 영 별표3 제3호다목에서 정하고 있는 "질병·입대·해외출장 등 불가피한 사유"라 함은 다음 각 호의 어느 하나에 해당하는 경우를 말한다.

1. 질병, 입대, 해외출장 및 연수
2. 법령의 규정에 의하여 신체의 자유를 구속받는 경우
3. 영 제117조제1항에 따른 수탁기관에서 피교육자가 교육·훈련을 받을 수 없는 부득이한 사유가 있다고 인정하는 경우

② 제1항의 사유로 교육·훈련을 연기하고자 하는 건설기술인은 별지 제10호 서식의 교육·훈련 연기신청서에 연기의 사유 등을 증명할 수 있는 서류를 첨부하여 소관 수탁기관에 제출하여야 한다.

③ 제2항에 따라 교육·훈련 연기신청서을 접수한 수탁기관은 건설기술인이 교육·훈련을 받을 수 없는 사유를 참작하여 교육·훈련의 연기기간을 정하고, 그 내용을 기록·관리하여야 한다.

제27조(다른 법령 교육·훈련의 인정) 영 별표3 제3호가목4)의 "「산업안전보건법」과 그 밖의 다른 법령에 따른 유사한 내용의 교육·훈련"의 인정범위는 별표6과 같다.

제2절 특급기술인 학점인정

제28조(특급기술인의 학점인정기준) ① 영 별표3 제2호나목1)나)에서 교육·훈련 시간 항목의 "국토교통부장관이 고시하는 학점인정기준"은 별표7과 같다.

② 특급기술인의 취득학점은 별표7의 교육·훈련 종류별 학점가중치(이하 "학점가중치"라 한다)와 이수단위를 곱하여 산출한다.

③ 별표7의 수강교육 중 인정사항 제2호와 무형식교육 중 인정사항 제1호·제3호 내지 제6호 및 제10호에 대한 학점가중치의 적용기준은 수탁기관 중 한국건설기술인협회(이하 "특급기술인 학점관리기관"이라 한다)가 학점가중치의 범위내에서 정한다.

④ 특급기술인 학점관리기관은 제3항에 따라 정해진 학점가중치 적용기준을 홈페이지 등에 게재하여야 한다.

제29조(특급기술인 교육·훈련 이수신고 등) ① 특급기술인이 학점의 취득을 위하여 교육·훈련을 이수한 경우에는 별지 제11호 서식의 특급기술인 교육·훈련 이수 신고서에 이수 사실을 증명할 수 있는 서류를 첨부하여 특급기술인 학점관리기관에 신고(이하 "학점신고"라 한다)하여야 한다.

② 제1항에 따른 "이수 사실을 증명할 수 있는 서류"라 함은 다음 각 호의 어느 하나에 해당하는 서류를 말한다.

1. 별표7의 이수단위(이하 "이수단위"라 한다)가 수강시간 또는 강의시간 등 시간으로 기재된 경우에는 당해 시간이 명시된 확인서(해당 기관에서 발행한 것에 한한다)
2. 이수단위가 학점 또는 점수로 기재된 경우에는 취득 학점을 확인할 수 있는 증명서(학점 또는 점수를 인정한 기관에서 발행한 것에 한한다)
3. 이수단위가 건수로 기재된 경우(직무와 관련된 자율 학습활동과 현장견학 등을 통한 학습활동은 제외한다)에는 그 제출자 이름, 발행기관, 발행일자, 제목 등의 당해 사실관계를 확인할 수 있는 내용의 서류
4. 직무와 관련한 자율 학습활동인 경우에는 학습보고서(특급기술인 학점관리기관에서 정한 서식에 따라 전산프로그램 등으로 작성된 출력물과 파일을 말한다)

5. 현장견학 등을 통한 학습활동인 경우에는 현장견학 참여시간 확인서(현장견학 주관기관장이 발행한 확인서에 한한다)

③ 제1항에 따라 학점신고를 받은 특급기술인 학점관리기관은 필요한 경우 관계기관 등에게 사실의 조회 또는 확인을 하거나 신고인에게 서류의 보완 등을 요청할 수 있다.

④ 제1항에 따라 교육·훈련 이수 사실을 신고받은 특급기술인 학점관리기관은 당해 특급기술인 소관 수탁기관에 통보하여야 하며, 소관 수탁기관은 규칙 별지 제18호 서식 경력증명서 및 별지 제19호 서식 보유증명서에 해당 특급기술인의 교육·훈련 이수사항을 표기하여야 한다.

⑤ 특급기술인 학점관리기관은 제1항에 따라 교육이수 신고를 받은 때에는 이를 기록·관리하여야 하며, 특급기술인의 신청이 있는 경우 별지 제12호 서식의 특급기술인 교육·훈련 이수 증명서를 발급하여야 한다.

⑥ 제5항에 따른 특급기술인 교육·훈련 이수 증명서를 발급받고자 하는 자는 별지 제13호 서식 특급기술인 교육·훈련 이수증명서 발급신청서를 특급기술인 학점관리기관에 제출하여야 한다.

제4장 교육기관 지정 및 운영 등

제1절 교육기관의 지정

제30조(교육기관의 지정) ① 국토교통부장관은 영 제43조제2항에 따라 교육기관의 총량 범위 내에서 공모를 통해 다음 각 호의 교육기관을 지정할 수 있다.

1. 종합교육기관 : 건설기술 분야 전과목 및 법령·정책 등 소양과목을 종합적으로 교육하는 기관
2. 전문교육기관 : 국토교통부장관이 정하는 특정 분야·과목을 전문적으로 교육하는 기관(기본교육은 제외)

② 교육관리기관은 제1항에 따른 공모를 할 경우 지정심사기준 등 지정 관련 사항을 공고하여야 한다.

③ 교육기관 지정을 신청하려는 기관 드는 단체는 영 별표4의 대행요건을 갖추고 별지 제14호 서식의 고육기관 지정 신청서를 교육관리기관에 제출하여야 한다.

④ 교육관리기관은 제3항에 따라 교육기관 지정 신청서를 접수 받은 경우 공모 당시 공고한 교육기관 지정 심사기준에 따라 평가를 실시하여야 한다.

⑤ 국토교통부장관은 제1항에 따라 교육기관을 지정할 경우 기관의 종류, 담당하는 교육·훈련 분야와 해당 교육·훈련을 실시하는 권역(이하 "교육권역"이라 한다) 등을 정하여 고시한다. 다만, 전문교육기관의 경우 교육권역을 지정하지 않는다.

⑥ 국토교통부장관은 효과적인 교육기관 운영을 위해 제44조의 운영실태 점검 결과에 따라 교육·훈련 분야와 교육권역을 조정하여 고시할 수 있다.

⑦ 교육기관은 교육·훈련 분야의 변경이 필요한 경우 교육관리기관에 별지 제15호의2서식의 교육·훈련 분야 변경 신청서를 제출하여 승인을 받아야 한다. 다만, 전문교육기관의 경우 신청하는 교

육·훈련 분야는 해당 기관의 업무영역 및 설립목적에 부합하여야 한다.

⑧ 교육관리기관은 제7항에 따라 교육·훈련 분야 변경 신청을 승인한 경우 국토교통부장관에게 보고해야 하며, 국토교통부장관은 승인 사항을 변경 고시한다.

제30조의2(교육·훈련 대행의 갱신) ① 교육관리기관은 규칙 제17조의2제1항에 따라 교육기관이 교육·훈련 대행 갱신을 신청하기 2개월 전까지 갱신심사기준 등 갱신관련 사항을 각 교육기관에게 통보하여야 한다.

② 교육·훈련 대행 갱신을 신청하려는 교육기관은 규칙 별지 제10호의2서식의 교육기관 대행 갱신 신청서를 교육관리기관에 제출하여야 한다. 이 경우 국토교통부장관이 필요하다고 인정하는 서류가 있을 경우에는 해당 서류를 함께 제출하여야 한다.

③ 교육관리기관은 제2항에 따라 교육기관 갱신 신청서를 접수 받은 경우 제1항에 따른 갱신심사기준에 따라 평가를 실시하여야 한다.

④ 교육관리기관은 제2항 및 제3항에 따른 접수 및 평가결과를 국토교통부장관에게 보고하여야 한다.

제30조의3(교육기관의 분원 설치) ① 종합교육기관은 교육·훈련 대상자의 원거리 이동불편 해소 등의 편의를 제공하기 위하여 필요시 교육권역내에 분원을 설치운영 할 수 있다. 이 경우 분원을 설치하고자 하는 종합교육기관은 교육관리기관에 별지 제15호 서식의 분원설치 승인신청서를 제출하고 승인을 받아야 한다.

② 분원을 설치·운영하고자 하는 종합교육기관은 당해 교육기관의 정관에 분원설치에 관한 사항이 기재되어야 하며, 별표9의 분원설치·운영기준을 충족하여야 한다.

③ 교육관리기관은 제1항에 따라 분원설치를 승인한 결과를 국토교통부장관에게 보고하여야 한다.

제30조의4(교육기관에 대한 행정처분) 법 제20조의4제1항제5호에서 "그 밖에 교육·훈련을 대행하기 부적합 경우로서 국토교통부장관이 정하는 사유"란 다음 각 호와 같다.

1. 거짓으로 규칙 제17조제2항에 따른 교육수료증을 발급하는 경우
2. 정당한 사유 없이 법 제20조의5제3호에 따른 교육·훈련 기관의 운영에 대한 평가를 거부한 경우
3. 정당한 사유 없이 교육·훈련의 대행 관련 자료의 제출이나 의견 진술을 거부한 경우
4. 종합교육기관이 국토교통부장관에게 사전에 승인을 받지 아니하고 분원 또는 이와 유사한 시설을 설치·운영하는 경우
5. 종합교육기관의 분원이 설치기준에 미달한 경우
6. 무단결강 또는 무단결석을 제재하지 아니하는 등 학사관리가 부실한 것으로 인정되는 경우
7. 제출된 교육·훈련계획에 따른 교육의 효과가 부실하다고 인정되는 경우
8. 제35조에 따라 제출된 교육·훈련계획과 달리 임의로 교육·훈련을 실시하는 등 교육기관의 운영이 부실하다고 인정되는 경우
9. 교육생에게 특정 교육과정 이수를 지정 또는 강요하거나 무리하게 교육생을 모집하여 물의를 야기하는 경우

10. 기본교육과 전문교육을 구분하지 아니하고 통합하여 개설·등록을 받거나 교육을 실시하는 경우
11. 정당한 사유없이 1년 이상 교육실적이 없는 경우
12. 그 밖에 법에서 정한 교육취지에 반하는 운영을 하는 경우

제30조의5(교육관리기관의 위탁업무) ① 국토교통부장관은 영 제43조의3에 따라 교육관리기관을 지정하여 규칙 제17조의3에 따른 교육·훈련 업무를 위탁할 수 있다.

② 제1항에 따른 위탁업무의 세부적인 사항은 각 호와 같다.

1. 교육기관 갱신 및 신규 지정
   가. 교육인원 수요조사 및 총량 검토
   나. 교육기관 지정 공모, 지정 신청의 접수 및 심사
   다. 교육기관 갱신 신청의 접수 및 심사
2. 교육관리
   가. 교육지원
      1) 교육상황 관리 및 안내(교육 민원 콜센터 운영 포함)
      2) 교육과정 수요조사
      3) 신규 교육과정 개발, 시범교육 및 보급
      4) 우수 강사 육성 및 관리
      5) 교육제도 관련 정책 연구
   나. 교육·훈련 계획 관리
      1) 교육기관 교육·훈련 계획 검토
      2) 교육기관 교육·훈련 계획 성과관리
      3) 원격교육의 승인에 관한 사항
   다. 교육기관 운영 실태 점검
      1) 운영 실태 정기 점검
      2) 운영 실태 수시 점검
3. 교육기관 대상 행정처분 관련 조사
4. 그 밖에 교육·훈련의 효과를 높이기 위하여 필요한 사항

③ 교육관리기관은 제2항의 제1호, 제2호나목·다목 및 제3호의 경우 해당 심사 등 절차가 끝난 후 그 결과를 국토교통부장관에게 제출하여야 한다.

제30조의6(교육관리기관의 운영) ① 교육관리기관은 교육기관 지정·갱신 심사 및 운영 실태 점검 등 효율적인 교육·훈련관리를 위해 전문가로 구성된 분야별 위원회 및 교육기관 실무 협의기구 등을 설치·운영할 수 있다.

② 제1항에 따른 분야별 위원회 및 교육기관 실무 협의기구의 설치·운영 등에 관한 세부적인 사항은 교육관리기관이 정한다.

제31조(교육·훈련 심의위원회) ① 국토교통부장관은 제30조 및 제30조의2에 따른 교육기관의 지정 및 갱신 등을 위하여 교육·훈련 심의위원회(이하 "위원회"라 한다)를 설치·운영할 수 있다.

② 위원회는 다음 각 호의 사항을 심의·의결한다.

1. 건설기술인 교육 제도의 개선·발전에 관한 사항
2. 교육기관 총량 결정에 관한 사항
3. 교육기관 지정 및 갱신에 관한 사항
4. 삭제
5. 그밖에 교육·훈련의 효과를 높이기 위하여 필요한 사항

③ 제2항제3호의 경우 건설기술인 교육의 여건 및 교육기관 총량에 맞춰 신규기관 지정 및 기존 교육기관의 갱신이 이루어지도록 교육관리기관이 제출한 심사 결과를 바탕으로 위원회에서 합격 점수 및 과락점수 등 추가기준을 정하여 지정 및 갱신여부를 결정할 수 있다.

④ 제1항에 따른 위원회는 다음 각 호와 같이 구성한다.

1. 위원장과 부위원장 각 1명을 포함한 10명 이내의 위원으로 구성하며, 위원장은 국토교통부 건설정책국 기술안전정책관이, 부위원장은 위원 중에서 위원장이 지명하는 자가 된다.
2. 위원은 다음 각 목의 어느 하나에 해당하는 자 중에서 국토교통부장관이 임명 또는 위촉하며 국토교통부 기술정책과장은 당연직 위원이 된다.
   가. 국토교통부의 4급 이상 공무원
   나. 건설관련단체 · 교육기관 또는 연구기관의 임원 또는 연구원
   다. 건설기술 교육 · 훈련에 관한 학식과 경험이 풍부한 자
   라. 건설관련업체에서 건설기술 활용 및 현장 경험이 풍부한 자

제32조(교육 · 훈련기관 협의회) ① 국토교통부장관은 교육기관의 교육 · 훈련 수행의 발전을 위해 교육 · 훈련협의회(이하 "협의회"라 한다)를 설치 · 운영할 수 있다.

② 제1항에 따른 협의회의 위원은 각 교육기관의 장 및 교육관리기관의 장으로 구성하며, 위원장은 국토교통부 건설정책국 기술안전정책관이 된다.

제2절 교육기관의 운영

제33조(교육기관 운영 등) ① 종합교육기관은 지정된 교육권역내에서 교육 · 훈련을 실시(제39조에 의한 출장교육은 제외한다)하여야 한다.

② 교육권역이 지정되지 않은 지역에 대해서는 신규 교육기관의 교육권역으로 지정 되기 전까지 기존 종합교육기관이 제30조의3에 따른 분원 설치 없이 교육 · 훈련을 실시할 수 있다. 이 경우 교육시설, 교육과정 등에 대하여 교육관리기관에 보고하여야 한다.

③ 제2항에 따라 교육 · 훈련을 실시하는 종합교육기관은 해당 지역이 다른 교육기관의 교육권역으로 지정된 경우에도 지정된 해당 연도의 12월 말까지 교육을 실시할 수 있다.

④ 교육기관은 전문교육의 경우 영 별표1 제3호에 따른 모든 직무분야(같은 호에 따른 전문분야를 포함한다) 및 같은 표 제2호에 따른 건설기술인 등급(이하 "등급"이라 한다)별로 교육과정을 편성 · 운영하여야 한다.

⑤ 제4항에도 불구하고 제37조의2와 같이 교육과정 편성 · 운영을 별도로 정할 경우에는 그러하지 아니하다.

⑥ 교육기관은 교육과정 편성 시 영 별표3에 따른 교육 · 훈련 시간 이상으로 구성하여야 한다.

⑦ 건설기술인의 교육 · 훈련은 수강 형태에 따라 집체교육, 원격교육 또는 무형식교육(제22조제2항에 따라 학점을 취득하는 경우에 한한다)으로 구분한다. 이 경우 교육기관은 교육 · 훈련의 효과를 높이기 위해 교육관리기관과 협의하여 집체교육과 원격교육을

혼합할 수 있다.

⑧ 교육기관은 제30조제3항에 따라 제출한 교육시설 · 장비 및 확보 인력 등을 교육기관으로 지정되는 기간 동안 계속하여 유지하여야 한다. 다만, 분원의 설치 및 폐쇄의 경우에는 그러하지 아니하다.

제34조(교육 · 훈련의 통보 등) ① 수탁기관은 건설기술인의 교육 · 훈련 상황에 관한 기록을 유지 · 관리하여야 한다. 다만, 영 별표3 제2호 가목 3)에 따른 특급기술인 전문교육의 이수학점에 관한 기록은 특급기술인 학점관리기관에서 유지 · 관리한다.

② 수탁기관과 특급기술인 학점관리기관은 매반기 마다 교육 · 훈련 대상자로 확인된 건설기술인 및 소속업체에 처음으로 교육 · 훈련 이수 안내를 하여야 하며, 매년도 말까지 다음해 교육 · 훈련 이수기한이 만료되는 건설기술인 및 소속업체에 다시 교육 · 훈련 이수 안내를 하여야 한다.

③ 제2항에 따라 수탁기관과 특급기술인 학점관리기관이 교육 · 훈련 대상자인 건설기술인과 소속업체에 통지 · 안내하여야 할 내용에는 다음 각 호의 사항이 포함되어야 한다.

1. 교육 · 훈련을 이수하여야 하는 기한
2. 교육기관 현황(교육기관 명칭, 홈페이지, 주소 및 연락처를 포함한다)
3. 학점취득 방법 및 신고방법(특급기술인 전문교육에 한한다)
4. 통지 · 안내사항에 이의가 있는 경우 그 신청방법

④ 특급기술인 학점관리기관의 장은 특급기술인 전문교육에 대한 관리를 위하여 수탁기관의 장에게 관련자료의 제출을 요청할 수 있으며, 요청을 받은 수탁기관의 장 등은 특별한 사유가 없는 한 이에 응하여야 한다.

⑤ 수탁기관과 특급기술인 학점관리기관은 교육 · 훈련 대상자로부터 제3항의 통지 · 안내사항에 관한 이의를 접수한 경우 이를 심사하여야 하며, 필요한 경우 관련 기록을 수정 · 통보하여야 한다.

⑥ 수탁기관과 특급기술인 학점관리기관은 제2항에 따라 실시한 교육 · 훈련 이수 안내 결과를 매반기 마다 교육관리기관에 통보하여야 한다.

제35조(교육 · 훈련계획의 수립 · 제출) ① 규칙 제17조제1항에 따라 교육기관은 매년도 9월 30일까지 다음 해에 실시할 교육 · 훈련계획을 수립하여 교육관리기관에 제출하여야 한다.

② 제1항에 따른 교육 · 훈련계획은 교육과정별로 작성하되, 다음 각 호의 사항이 포함되어야 한다.

1. 교육과목의 명칭, 교육과목별 주요내용 · 시간수 및 강사
2. 교육과정별 개설 일자
3. 개설 과정별 교육단위의 수강생 규모 및 교육단위의 수
4. 연간 총 수강예상 인력의 규모
5. 교육기관 일반현황
6. 전년도 교육 · 훈련 계획 비교표

③ 교육기관은 제2항에 따라 제출한 교육 · 훈련계획을 변경하고자 하는 경우에는 동 변경계획을 미리 교육관리기관에 제출하여야 한다.

④ 교육관리기관은 제1항에 따라 제출된 교육 · 훈련계획을 검토 후 그 결과를 국토교통부장관에게 보고하여야 한다.

제36조(교육 · 훈련상황의 통보 등) ① 규칙 제17조제3항에 따라 교육기관은 교육과정별 교육의 종류와 교육시간 등이 표기된 교육 · 훈련상황(자료가 입력된 전자기록매체 1부를 포함한다.)을 교육과정 완료후 14일이내에 제34조제1항에 따라 해당 기록을 유지 · 관리하는 수탁기관 또는 특급기술인 학점관리기관에 통보하여야 한다.

② 규칙 제17조제4항에 따라 교육기관은 매년 12월말 기준으로 피교육자로부터 받은 교육비의 내역을 포함한 교육 · 훈련결과를 다음 해 1월말까지 교육관리기관에 제출하여야 한다.

③ 제2항에 따른 교육 · 훈련결과는 교육과정별로 작성하되, 다음 각 호의 사항이 포함되어야 한다.

1. 교육과목의 명칭, 교육과목별 주요내용 · 시간수 및 강사
2. 교육과정별 개설 일자
3. 개설 과정별 교육단위의 수강생 규모 및 교육단위의 수
4. 과정별 연간 교육비 수입내역
5. 교육기관 일반 현황 및 설문조사 결과

④ 교육관리기관은 제2항에 따라 제출된 교육 · 훈련결과를 국토교통부장관에게 보고하여야 한다.

제37조(교육수료증의 발급) ① 규칙 제17조제2항에 따라 교육기관은 교육이수자에게 교육수료증을 발급하고 건설기술경력증에 교육이수사항을 기록 · 확인하여야 한다. 다만, 제36조제1항에 따라 교육기관으로부터 교육 · 훈련상황이 통보된 경우 해당 수탁기관에서 건설기술경력증에 교육이수사항을 기록 · 확인할 수 있다.

② 제1항에 따라 교육기관이 교육이수자에게 교육수료증을 발급하는 경우 교육과정 표기부분에 이수 과정의 직무분야(「영 별표1 제3호의 직무분야를 말하며, 품질관리업무를 수행하는 건설기술인 교육 · 훈련의 경우 "품질관리"로 한다)를 표기하여야 한다.

③ 교육기관은 교육이수자가 영문의 교육수료증 교부를 요청하는 경우 영문의 교육수료증을 교부하여야 한다.

제37조의2(교육 · 훈련의 편성) 교육 · 훈련의 편성은 별표10의2와 같다.

제37조의3(교육 · 훈련의 공동 개발 및 운영) 교육기관은 다양한 교육 · 훈련의 편성을 위해 교육과정을 다른 교육기관과 협업하여 공동으로 개발하고 운영할 수 있다.

제38조(분할교육) ① 영 제42조제2항 별표3 제4호 나목에 따라 교육기관이 교육 · 훈련기간을 나누어 교육 · 훈련을 실시한 때에는 교육 · 훈련대상자가 같은 교육과목을 중복하여 이수하지 않도록 교육과정을 관리하여야 한다.

② 35시간 미만인 2개 이상의 이수시간을 합산하여 35시간 이상이 되는 경우 합산된 시간을 교육시간으로 인정한다. 다만, 교육관리기관이 교육 · 훈련의 목적달성을 위하여 일일 7시간 단위의 분할교육의 필요하다고 인정하는 경우에는 그러하지 아니하다.

③ 1개 주제를 여러 개의 과정으로 구성하여 실시하는 모듈화 교육의 경우 제33조제3항에도 불구하고 교육내용에 따라 별도로 시간을 정할 수 있다.

④ 교육기관은 제1항에 따라 분할교육을 받고자 하는 건설기술인에 대하여 교육비 납입 및 교육 · 훈련 이수평가 등에 있어 불이익한 처분을 해서는 아니 된다.

제39조(출장교육) ① 교육기관은 법 제2조제6호에 따른 발주청, 건설관련업체 또는 건설관련법령에 의해 설립된 협회(이하 이 조에서 "요청기관"이라 한다)의 요청에 따라 요청기관이 마련한 교육내용 및 교육시설을 활용하는 출장교육을 실시할 수 있다. 다만, 교육시설의 경우 교육기관과 요청기관이 협의하여 다르게 정할 수 있다.

② 교육기관은 제1항어 따른 교육·훈련을 실시하려는 경우 교육개시일 7일 전까지 교육관리기관에 교육·훈련계획을 보고하여야 한다.

제40조(원격교육) ① 교육기관은 피교육자의 편의를 위해 교육과정별 교육내용의 일부를 인터넷 등을 통한 원격교육으로 실시할 수 있으며, 원격교육을 시행하고자 하는 경우 별표11에 따른 원격교육·훈련 시설기준을 갖추어야 한다.

② 교육기관은 제1항에 따른 원격교육을 실시하는 경우 피교육자가 교육기관을 방문하여 받는 교육과 동등이상의 교육효과를 얻기 위해 별표12에 따른 원격교육·훈련 세부기준에 따라 교육을 실시하여야 한다.

③ 원격교육을 실시하고자 하는 교육기관은 교육계획을 수립하여 교육시작 전에 별지 제16호 서식의 원격교육신청서를 교육관리기관에게 제출하여 승인을 얻어야 한다.

④ 원격교육을 실시한 교육기관은 교육효과 및 교육내용 등에 대한 설문조사를 실시하여야 하며, 이를 분석하여 교육과정에 반영하고 매년 12월말 기준으로 그 조치 결과를 다음 해 1월말까지 교육관리기관에 제출하여야 한다. 이 경우 제36조제2항에 따른 교육·훈련 결과에 포함하여 제출할 수 있다.

⑤ 교육관리기관은 제3항에 따라 승인한 교육과정에 대하여 매년 점검·평가를 실시할 수 있으며, 평가결과 제2항 별표12의 원격교육·훈련 세부기준을 2회 이상 충족하지 못하는 교육과정은 승인을 취소하여야 한다.

⑥ 교육관리기관은 제3항부터 제5항에 따른 원격교육 승인, 교육·훈련결과 및 교육과정 승인을 취소한 결과를 국토교통부장관에게 보고하여야 한다.

제41조(학사관리규정 작성원칙 등) ① 교육기관은 학사관리의 통일성 유지와 효율적 관리를 위하여 별표13의 학사관리규정 표준안에 따라 학사관리규정을 정하여야 한다.

② 교육기관은 교육생의 무단결강, 무단결석 또는 대리출석 등 출결상황 등을 전담 관리할 수 있는 학사관리 전담요원을 지정·운영하여야 한다.

제42조(강사 및 교재의 공동활용체제구축) ① 영 별표4의 교수요원은 전임을 말하며, 다음 각 호의 어느 하나에 해당하는 사람 중에서 교육기관의 장이 지명 또는 위촉한다.

1. 국토교통부장관으로부터 지정된 기술분야의 기술사를 취득한 사람
2. 석사 이상의 학위를 가진 자로서 9년(박사 3년)이상 건설관련업무를 수행하거나 5년 이상 강의 경력(시간강사 경력은 제외한다)이 있는 사람

② 제1항에 따라 지명 또는 위촉된 교수요원은 교육기관의 강의

및 교재편찬 등 교육·훈련과 관련된 업무를 전담한다.

③ 교육기관의 장은 소속 임·직원 중 제1항 각 호의 어느 하나에 해당하는 조건을 충족하는 자 1명을 교수요원으로 겸직시킬 수 있다. 다만, 교수요원 겸직으로 인하여 제2항의 전담업무에 지장을 초래하여서는 아니된다.

④ 교육기관은 우수강사 육성 및 교재의 질적 향상을 도모하고 효율적 활용을 위하여 강의평가, 만족도조사 등을 통해 선별된 우수한 건설기술교육 전문인력과 수준 높은 과목별 강의교재 데이터베이스화를 통한 공동활용체제를 다른 교육기관과 함께 구축·운영할 수 있다.

⑤ 교육기관은 교육의 질 향상을 위해 우수강사에게 각종 연수기회를 제공하고, 연구 성과를 일반강사와 공유하는 등 우수강사 육성을 위해 노력하여야 한다.

⑥ 교육기관은 안전관리 교육을 실시할 경우 산업재해 관련 경험자 및 전문가를 강사로 초빙하는 등 건설기술인의 안전의식을 고취하기 위해 노력하여야 한다.

⑦ 국토교통부장관은 우수한 강사 확보율이 높은 교육기관에 대하여는 인센티브를 줄 수 있다.

⑧ 교육기관은 신기술, 신공법, 신자재 활용기법 등 기술변화에 따른 새로운 교육수요에 부응하기 위한 실효성 있는 교육프로그램을 지속적으로 개발하여야 하며, 수요자 중심의 교육서비스가 이루어질 수 있도록 하여야 한다.

제43조(교육의 특성화 등) ① 교육기관은 건설기술인 교육수요의 다양화·전문화에 따른 특성화된 전문교육을 실시하여야 하며, 직무분야별로 균등한 교육기회가 제공될 수 있도록 소수 직무분야에 대한 교육을 소홀히 하여서는 아니된다.

② 1개 주제를 여러 개의 과목으로 구성하여 실시하는 모듈화 교육 및 특성화 교육과정의 경우 분야·등급에 관계없이 편성·운영할 수 있다.

③ 교육기관은 별표10 제2호다목에 따른 체험형 안전교육을 실시하기 위해 가상현실체험 또는 안전체험시설이 설치될 수 있도록 노력하여야 한다.

④ 국토교통부장관은 제1항에 따른 교육을 실시하거나 제3항에 따른 가상현실체험 또는 안전체험시설을 설치한 교육기관에 대하여는 인센티브를 부여할 수 있다.

제44조(교육기관의 사후관리 등) ① 교육관리기관은 건설기술인에 대한 효율적인 교육·훈련 실시를 위하여 별표14의 교육기관 점검·평가기준에 따라 교육기관에 대한 점검·평가계획 및 운영실태 점검 기준을 수립하고 매년 1회 교육기관의 운영 실태를 점검할 수 있다.

② 교육관리기관은 건설기술인에 대한 교육·훈련의 건전한 실시를 위하여 확인이 필요하거나 교육·훈련과 관련하여 사회적 물의가 야기되는 등 필요하다고 인정되는 경우 제1항에도 불구하고 수시로 점검할 수 있다.

③ 국토교통부장관은 제1항의 평가결과에 따라 교육효과가 우수하다고 인정되는 교육기관 또는 교육과정에 대하여는 우수교육기관

등으로 지정할 수 있다.

④ 국토교통부장관은 제1항 및 제2항에 따른 점검결과 학사관리 등 운영실태가 부실한 교육기관에 대하여는 교육기관 관계자에 대한 징계를 요구하거나, 해당 교육과정의 취소 등 필요한 조치를 취할 수 있다.

⑤ 삭제

제45조(교육기관에 대한 설문조사 실시 등) ① 교육관리기관은 교육기관에 대하여 설문조사를 실시할 수 있다.

② 교육관리기관은 제1항에 따른 설문조사 결과와 제44조제1항에 따른 교육기관 운영 실태 심사결과를 교육관리기관과 각 경력관리 수탁기관 홈페이지에 공개하게 할 수 있다.

제46조(재검토기한) 국토교통부장관은 「훈령 · 예규 등의 발령 및 관리에 관한 규정」에 따라 이 고시에 대하여 2021년 7월 1일 기준으로 매 3년이 되는 시점(매 3년째의 6월 30일까지를 말한다)마다 그 타당성을 검토하여 개선 등의 조치를 하여야 한다.

부칙 〈제2015-468호, 2015.6.30〉

제1조(시행일) 이 기준은 고시한 날부터 시행한다.

제2조(다른 고시의 폐지) 다음 각 호의 고시는 폐지한다.

1. 「건설기술자 교육 · 훈련 운영지침」(국토교통부 고시 제2014-286호)
2. 「건설기술자 교육 · 훈련의 인정기준」(국토교통부 고시 제2014-287호)
3. 「건설기술자의 등급 및 경력인정 등에 관한 기준」(국토교통부 고시 제2014-288호)

제3조(건설기술자 인정에 관한 경과조치) 이 고시 시행 전 종전 건설기술자의 등급 및 경력인정 등에 관한 기준(이하 "종전 경력인정기준"이라 한다)에 따라 건설기술자로 인정받은 사람(외국인을 포함한다)은 개정규정 제3조에 따른 건설기술자로 본다.

제4조(건설기술관련 학과 등의 인정에 관한 경과조치) 이 고시 시행 전 종전 경력인정기준에 따라 학과 인정요청을 통해 인정받은 건설기술관련 학과 또는 전문분야에 대하여는 개정규정 제4조에 따라 인정받은 것으로 본다.

제5조(건설기술자 등급 및 분야인정에 관한 경과조치) ① 이 고시 시행 전 종전 경력인정기준에 따라 인정받은 건설기술자의 등급(설계 · 시공, 품질관리 및 건설사업관리 등급을 말하며 이하 같다)은 개정규정 제5조 별표3에 따라 인정받은 것으로 본다.

② 이 고시 시행 전 신고한 기술경력(이하 이 조에서 "종전경력"이라 한다) 중 누락된 직무 및 전문분야를 신고하는 경우 등급은 종전경력 신고 당시 기준으로 산정한 등급과 건설기술자 역량지수로 산정한 등급을 비교하여 높은 것으로 인정한다.

③ 이 고시 시행 전 환경관련학과를 졸업하거나 수질관리기술사, 수질환경기사 · 산업기사를 취득한 건설기술자가 토목분야의 전문분야인 상하수도분야 기술경력을 신고한 경우 토목분야 및 상하수도분야의 등급은 종전경력 신고 당시 기준으로 산정한 등급과 건설기술자 역량지수로 산정한 등급을 비교하여 높은 것으로 인정한다.

제6조(보정계수 및 교육지수의 적용례) ① 이 고시 시행 당시 종전

규정에 따라 신고한 국외경력의 보정계수는 2014. 5. 23 이후 국외 경력사항을 증명할 수 있는 자료를 제출한 것에 한해 적용한다.

② 이 고시 시행 당시 종전 규정에 따라 이수한 교육훈련 중 교육지수 적용은 2014. 5. 23 이후 수료한 것에 한한다.

제7조(건설기술자 경력신고에 관한 경과조치) 이 고시 시행 전 건설기술자가 경력신고를 위해 종전 경력인정기준에 따라 제출한 서류에 대하여는 개정규정에 따라 제출한 것으로 본다.

제8조(신고자료 확인에 관한 경과조치) 이 고시 시행 전 종전 경력인정기준 제15조에 따라 확인한 학력, 교육·훈련, 근무처, 자격 및 경력사항에 대하여는 개정규정 제13조에 따라 확인한 것으로 본다.

제9조(신고된 자료의 경정에 관한 경과조치) ① 이 고시 시행 전 종전 경력인정기준 제16조에 따라 경정된 사항에 대하여는 개정규정 제14조에 따라 경정된 것으로 본다.

② 이 고시 시행 전 신고한 기술경력 중 참여기간, 직무 및 전문분야 등 등급에 영향을 미치는 사항을 이 고시 시행 후 경정하는 경우 재산정 등급은 경정한 경력 신고 당시 기준으로 산정한 등급과 건설기술자 역량지수로 산정한 등급을 비교하여 높은 것으로 인정한다.

제10조(증명발급에 관한 경과조치) 이 고시 시행 전 종전 경력인정기준 제18조 및 제19조에 의해 발급된 증명서는 개정규정 제16조 및 제17조에 의해 발급된 것으로 본다.

제11조(건설기술용역 참여기술자 관리에 관한 경과조치) 이 고시 시행 전 종전 경력인정기준 제21조에 따라 실적관리 수탁기관이 통보한 참여기술자 현황은 개정규정 제19조에 따라 통보된 것으로 본다.

제12조(교육·훈련 이수 및 갈음에 관한 경과조치) ① 이 고시 시행 전 건설기술자가 종전 건설기술자 교육·훈련의 인정기준(이하 "종전 교육인정기준"이라 한다)에 따라 이수한 교육·훈련 또는 갈음 받은 사항은 개정규정에 따라 이수하거나 갈음한 것으로 본다.

② 개정규정 제27조제1항 별표6에 해당하는 교육·훈련을 2001. 12. 31 이전에 이수한 경우 종전 「건설기술관리법 시행령(대통령령 제16765호, 2000. 7. 1)」 제7조 단서에 따라 최초교육을 받은 것으로 본다.

제13조(교육·훈련 이수시기에 관한 경과조치) ① 이 고시 시행 당시 개정규정 제25조제1항에 의한 건설기술 관련 업무를 수행하는 건설기술자로서 최초교육을 이수하지 않은 사람은 이 고시 시행 후 3년 이내에 이수하여야 한다.

② 이 고시 시행 전 영 제42조제2항 별표3 제2호 나목 3) 또는 다목 3)에 따른 전문교육을 이수한 후 가목 3)의 교육을 이수하는 경우 기산일은 가목 3)의 가) 또는 나)에 해당하는 업무를 실제수행한 날로 한다.

③ 이 고시 시행 당시 설계·시공업무를 수행하는 특급기술자가 특급기술자 계속교육을 미이수한 경우 이 고시 시행일로부터 1년 이내에 이수하여야 한다. 이 경우 해당 특급기술자가 이수한 계속교육 또는 취득 학점 중 특급기술자 계속교육을 인정받지 못 한 계속교육 시간 또는 취득 학점을 합산하며 차기 특급기술자 계속교

육 이수기한은 35시간 이수 또는 90학점을 취득한 날의 다음 날부터 기산한다.

제14조(교육 · 훈련 연기에 관한 경과조치) 이 고시 시행 전 종전 교육인정기준 제7조제2항에 따라 교육 · 훈련 연기신청서를 제출한 경우 개정규정에 의한 교육 · 훈련 연기신청서를 제출한 것으로 본다.

제15조(교육 · 훈련의 인정범위에 관한 경과조치) 이 고시 시행 전 종전 교육인정기준 제8조에 의해 "「산업안전보건법」과 그 밖의 다른 법령에 따른 유사한 내용의 교육 · 훈련"으로 인정받은 교육 · 훈련과정은 개정규정 제27조에 따른 "「산업안전보건법」과 그 밖의 다른 법령에 따른 유사한 내용의 교육 · 훈련"으로 본다.

제16조(특급기술자 학점인정에 관한 경과조치) 이 고시 시행 전 종전 교육인정기준 제9조에 따라 운영되었던 국토교통부장관이 고시하는 학점인정기준 및 특급기술자 학점관리기관이 정한 학점가중치 적용기준은 개정규정에 의한 학점인정기준 및 학점가중치 적용기준으로 본다.

제17조(특급기술자 교육 · 훈련 이수신고에 관한 경과조치) 이 고시 시행 전 종전 교육인정기준 제10조제1항에 따라 신고된 특급기술자 교육 · 훈련 이수 신고서는 개정규정 제29조제1항에 따라 제출한 것으로 본다.

제18조(교육 · 훈련계획의 수립 · 제출에 관한 경과조치) ① 이 고시 시행 전 종전 건설기술자 교육 · 훈련 운영지침(이하 "종전 교육운영지침"이라 한다) 제7조제1항에 따라 교육기관이 제출한 2015년도 교육 · 계획은 개정규정 제35조제1항에 따라 제출한 것으로 본다.

② 이 고시 시행 전 종전 교육운영지침 제7조제3항에 따라 제출한 교육 · 훈련 변경계획은 개정규정 제35조제3항에 따라 제출한 것으로 본다.

제19조(교육 · 훈련상황 통보에 관한 경과조치) 이 고시 시행 전 종전 교육운영지침 제8조에 따라 교육기관이 제출한 교육 · 훈련상황 및 결과는 개정규정 제36조에 따라 제출한 것으로 본다.

제20조(출장교육에 관한 경과조치) 이 고시 시행 전 교육기관이 종전 교육운영지침 제11조제2항에 따라 제출한 출장교육 · 훈련계획서는 개정규정 제39조제2항에 따라 제출한 것으로 본다.

제21조(원격교육에 관한 경과조치) ① 이 고시 시행 전 교육기관이 종전 교육운영지침 제12조제3항에 따라 국토교통부장관으로 승인받은 원격교육계획은 개정규정 제40조제3항에 따라 국토교통부장관의 승인을 받은 것으로 본다.

②이 고시 시행 전 교육기관이 종전 교육운영지침 제12조제4항에 따라 제출한 원격교육 시행 조치결과는 개정규정 제40조제4항에 따라 제출한 것으로 본다.

제22조(학사관리규정에 관한 경과조치) 이 고시 시행 전 교육기관이 종전 교육운영지침 제13조제1항에 따라 마련한 학사관리규정은 개정규정 제41조제1항에 따라 마련한 것으로 본다.

제23조(전임강사 및 전담요원에 관한 경과조치) 이 고시 시행 전 교육기관이 종전 교육운영지침에 따라 지정한 전임강사 및 전담요원은 개정규정에 따라 지정한 것으로 본다.

제24조(우수교육기관 지정에 관한 경과조치) 이 고시 시행 전 국토교

통부장관으로부터 종전 교육운영지침 제16조제3항에 따라 우수교육기관으로 지정받은 경우에는 개정규정 제44조제3항에 따라 지정받은 것으로 본다.

부칙 〈제2016-355호, 2016.6.15〉

제1조(시행일) 이 기준은 고시한 날부터 시행한다.

제2조(역량지수감점 통보 적용례) 제17조제4항의 개정규정은 이 고시 시행 후 최초로 행정처분하는 분부터 적용한다.

제3조(역량지수 감점 적용례) 별표3의 개정규정은 이 고시 시행 후 최초로 발생하는 건설사고분부터 적용한다.

부칙 〈제2016-625호, 2016.9.20〉

이 기준은 고시한 날부터 시행한다.

부칙 〈제2017-281호, 2017.5.2〉

이 기준은 고시한 날부터 시행한다.

부칙 〈제2017-992호, 2018.1.2〉

이 고시는 발령한 날부터 시행한다.

부칙 〈제2019-163호, 2019.4.10〉

이 고시는 발령한 날부터 시행한다.

부칙 〈제2019-938호, 2019.12.24〉

이 고시는 발령한 날부터 시행한다.

부칙 〈제2021-261호, 2021.3.25〉

제1조(시행일) 이 고시는 발령한 날부터 시행한다. 다만, 제23조, 제24조, 제25조제3항제2호, 제25조제7항 및 제37조의2의 규정은 2021년 7월 1일부터 시행한다.

제2조(교육·훈련에 관한 경과조치) 이 고시 시행 당시 종전의 규정에 따라 이수하였거나 진행 중인 교육·훈련은 각각의 개정규정에 따라 이수하였거나 진행 중인 교육·훈련으로 본다.

제3조(교육·훈련계획의 수립 제출에 관한 특례) 교육기관은 이 고시 시행 전 제출된 교육·계획 중 개정된 기준 따라 변경된 사항은 2021년 4월 30일까지 제출하여야 한다.

[별표 1]

국가자격 종목(제3조제1항관련)

종류 및 등급 / 직무분야	기술사 또는 건축사	기능장	기 사	산업기사	기능사
기계		배관		배관	배관
				•지게차	지게차운전
				•굴삭기	굴삭기운전
				•기중기	기중기운전
				•로더	로더운전
				•롤러	롤러운전
				•모터그레이더	모터그레이더운전
				•불도저	불도저운전
				•아스팔트피니셔	아스팔트피니셔운전
					천장크레인운전
					타워크레인운전
					천공기운전
				•공기압축기	•공기압축기운전
				•쇄석기	•쇄석기운전
				•준설선	•준설선운전
	기계	기계가공		컴퓨터응용가공	컴퓨터응용선반
					•기계가공
					컴퓨터응용밀링
				기계조립	기계가공조립
					연삭
			일반기계		
			기계설계	기계설계	전산응용기계제도
				•기계제도	
			•정밀측정	정밀측정	정밀측정
	건설기계		건설기계설비	건설기계설비	
		건설기계정비	건설기계정비	건설기계정비	건설기계정비
		•기계정비			
	공조냉동기계		공조냉동기계	공조냉동기계	공조냉동기계
			설비보전		설비보전
	산업기계설비				
	건축기계설비		건축설비	건축설비	
				기계정비	기계정비
			승강기	승강기	승강기
			메카트로닉스		
				생산자동화	생산자동화
	금형				금형
		금형제작			
		판금제관		판금제관	판금제관
	용접	용접	용접	용접	용접
					특수용접
		에너지관리	에너지관리	에너지관리	에너지관리
			신재생에너지발전설비(태양광)	신재생에너지발전설비(태양광)	신재생에너지발전설비(태양광)
전기·전자	건축전기설비				
	발송배전				
		전기	전기	전기	전기
			전기공사	전기공사	
	전자응용				
	전기철도		전기철도	전기철도	
	철도신호		철도신호	철도신호	철도전기신호
	산업계측제어				
			•공업계측제어	•공업계측제어	•공업계측제어
		전자기기			전자기기
			전자	전자	
	전기응용				
토목	농어업토목				
			토목	토목	
	토목구조				
	토질및기초				
	도로및공항				

종류 및 등급 / 직무분야	기술사 또는 건축사	기능장	기 사	산업기사	기능사
			건설재료시험	건설재료시험	건설재료시험
				•도화	도화
	상하수도				
					석공
	수자원개발				
				•토목제도	전산응용토목제도
				지도제작	지도제작
	지적		지적	지적	지적
	지질및지반				
			응용지질		
	철도				
			철도토목	철도토목	철도토목
	측량및지형공간정보		측량및지형공간정보	측량및지형공간정보	
					측량
			콘크리트	콘크리트	콘크리트
	토목시공				
	토목품질시험				
				항공사진	항공사진
	항만및해안				
					거푸집
				방수	방수
				•석공	석공예
				•포장	•포장
	수질관리(상하수도분야 업무 수행 시 인정)		수질환경(상하수도분야 업무 수행 시 인정)	수질환경(상하수도분야 업무 수행 시 인정)	
건축					거푸집
	건축구조				
	건축기계설비				
			건축	건축	
				•건축도장	건축도장
				건축목공	건축목공

종류 및 등급 / 직무분야	기술사 또는 건축사	기능장	기 사	산업기사	기능사
		건축목재시공			
			건축설비	건축설비	
	건축시공				
		건축일반시공		건축일반시공	
	건축품질시험				
				•도배	도배
					미장
				방수	방수
				•비계	비계
			실내건축	실내건축	실내건축
				•온수온돌	온수온돌
				•유리시공	유리시공
				•건축제도	전산응용건축제도
					조적
				•철근	철근
					타일
				•창호제작(금속재)	금속재창호
					플라스틱창호
					금속도장
				•목재창호	
		•목공예		•목공예	목공예
		•금속도장		•금속도장	
	건축사				
			건설재료시험	건설재료시험	건설재료시험
			콘크리트	콘크리트	콘크리트
광업			광산보안	광산보안	광산보안
					시추
	화약류관리		화약류관리	화약류관리	
					화약취급
				•굴착	
				•지하수	

직무분야 \ 종류 및 등급	기술사 또는 건축사	기능장	기 사	산업기사	기능사
도시·교통	교통		교통	교통	
	도시계획		도시계획		
조경	조경		조경	조경	조경
					원예
	종자		종자	종자	종자
	산림	산림	산림	산림	산림
			식물보호	식물보호	•식물보호
			임업종묘	•임업종묘	임업종묘
안전관리	가스	가스	가스	가스	가스
	건설안전		건설안전	건설안전	
	기계안전				
			산업안전	산업안전	
	산업위생관리		산업위생관리	산업위생관리	
	소방				
			소방설비(기계분야)	소방설비(기계분야)	
			소방설비(전기분야)	소방설비(전기분야)	
	전기안전				
	화공안전				
			방재		
	비파괴검사 관련 종목	비파괴검사관련 종목	비파괴검사 관련 종목	비파괴검사 관련 종목	비파괴검사관련 종목
	금속재료	금속재료	금속재료	금속재료	
					금속재료시험
					축로
		위험물		위험물	위험물
환경	대기관리				
			대기환경	대기환경	
			생물분류(동물)		
			생물분류(식물)		
	소음진동		소음진동	소음진동	
	수질관리				
			수질환경	수질환경	
			자연생태복원	자연생태복원	
	자연환경관리				
	토양환경		토양환경		
	폐기물처리		폐기물처리	폐기물처리	
					환경
	해양				
			해양공학		
			해양자원개발		
				해양조사	
			해양환경		
			항로표지	항로표지	항로표지
		잠수		잠수	잠수
건설지원	공장관리				
			품질경영	품질경영	
	품질관리				
	화공		화공	•화공	
					화학분석
	섬유		섬유	섬유	
				사무자동화	
			전자계산기조직응용		
	정보관리				
					정보기기운용
			정보처리	정보처리	정보처리
	컴퓨터시스템응용				
			정보보안	정보보안	
			전파전자통신	전파전자통신	전파전자통신
	정보통신		정보통신	정보통신	
					통신기기
				통신선로	통신선로
		통신설비			
		에너지관리	에너지관리	에너지관리	에너지관리
	변호사, 세무사, 공인회계사, 법무사, 변리사, 관세사, 행정사				

비 고

1. ‘*’표기 종목은 폐지된 종목으로 국가기술자격법령의 “폐지된 종목의 기술자격 취득자에 관한 경과조치(폐지된 종목의 국가기술자격을 취득한 자는 종전의 규정에 의한 국가기술자격을 계속 보유)”에 따라 계속 인정

폐지 종목	폐지일
비파괴시험기능장	1978.01.01
기중기산업기사, 굴삭기산업기사, 불도저산업기사, 롤러산업기사, 모터크레이더산업기사, 로더산업기사, 지게차산업기사, 공기압축기산업기사, 쇄석기산업기사, 준설선산업기사, 아스팔트피니셔산업기사	1984.01.01
목공예기능장, 기계제도산업기사, 항공사진산업기사, 지도제작산업기사, 온수온돌산업기사	1991.10.31
건축제도산업기사, 도화산업기사, 토목제도산업기사, 포장산업기사, 석공산업기사, 유리시공산업기사, 비계산업기사, 도배산업기사, 건축도장산업기사, 철근산업기사, 창호제작산업기사(금속재), 기계가공기능사, 금속도장기능장, 금속도장산업기사, 비파괴검사기능장, 비파괴검사기능사(방사선투과·초음파탐상·자기탐상·침투탐상·와전류탐상·자기,침투탐상·누설탐상)	1992.03.01
비파괴시험기능사	1996.01.01
공업계측제어기사, 공업계측제어산업기사, 공업계측제어기능사, 기계정비기능장, 포장기능사, 지하수산업기사, 목공예산업기사. 식물보호기능사, 정밀측정기사, 목재창호산업기사, 누설비파괴검사산업기사, 와전류비파괴검사산업기사, 누설비파괴검사기능사, 와전류비파괴검사기능사	2005.01.01
굴착산업기사	2009.01.01
화공산업기사, 공기압축기운전기능사, 쇄석기운전기능사, 준설선운전기능사, 임업종묘산업기사, 산림기능장	2010.12.13

2. 기능사보의 직무분야 및 「건설산업기본법 시행령」 제13조제1항제1호 별표2 비고 1. 기술능력 라목의 "관련분야 공사의 실무에 3년 이상 종사한 자로서 국토교통부장관이 지정하는 협회 등 사업자단체가 그 능력이 있다고 인정한 자(이하 "인정기능사"라 한다)의 직무분야가 위 표의 직무분야에 해당되는 경우 해당 기능사보 및 인정기능사는 위 표의 기능사로 인정한다.
3. 제2호의 기능사보 및 인정기능사의 전문분야 인정(별표 4 자격종목별 해당 전문분야를 말하며 이하 같다)은 현행 기능사에 준하여 인정한다.

[별표 2]

건설기술관련 학과 범위(제3조제2항관련)

직무분야	학과
기 계	기계관련학과, 계측관련학과, 냉동관련학과, 용접관련학과, 배관관련학과, 선박관련학과, 조선관련학과, 자동차관련학과, 금형관련학과, 기관관련학과, 항공관련학과, 메카트로닉스공학과, 생산자동화공학과, 시스템공학과, 기체기관공학과, 제조공학과, 공업교육학과(기계), 배관용접과, 금형공구과, 건축설비관련학과, 철도차량관련학과
전기·전자	전기 또는 전력관련학과, 전자관련학과
토 목	토목관련학과, 건설관련학과(토목), 측량관련학과, 공간정보관련학과, 지리정보관련학과, 도시정보관련학과(지리정보), 구조시스템공학과, 공업교육학과(토목), 철도보선과, 광산공학과, 이학과(토목), 자원공학과, 농공학과, 지질관련학과, 지적관련학과, 토지정보학과(지적), 환경관련학과(상하수도분야 업무수행 시 인정)
건 축	건축관련학과, 건설관련학과(건축), 농업교육학과(건축), 공업교육학과(건축), 이학과(건축), 공학연구과(건축), 실내디자인과, 실내장식과, 산업공학과(건축), 건축물관리과, 건축설비관련학과
광 업	자원관련학과, 광산관련학과
도시·교통	도시 또는 지역관련학과, 국토관련학과, 개발관련학과, 교통 또는 항공관련학과
조 경	원예관련학과, 조경관련학과, 환경녹지학과, 산림자원학과, 임학과, 산림자원보호학과, 임업과
안전관리	산업 또는 안전관련학과, 공업경영학과, 소방관련학과, 금속관련학과, 토목관련학과, 건축관련학과

직무분야	학과
환 경	환경관련학과, 대기관련학과, 해양관련학과, 생물관련학과, 생명공학부(환경공학전공), 해양환경관련학과, 조경관련학과, 자연관련학과, 생태관련학과
건설지원	경영관련학과, 무역학과, 경제금융학과, 국제학부, 국제통상학과, 홍보관련학과, 재무관련학과, 마케팅관련학과, 법학관련학과, 세무관련학과, 회계관련학과, 정보처리관련학과, 화학관련학과, 요업관련학과, 재료공학과, 무기재료공학과, 세라믹공학과, 통신관련학과, 정보관련학과, 전산관련학과, 에너지관련학과, 컴퓨터공학과, 소프트웨어공학과, 전파공학과, 원자력공학과, 원자핵공학과, 산업 또는 응용관련학과, 화공관련학과, 섬유관련학과, 행정관련학과

비 고

1. 위 표의 학과는 교육부 통계연보를 기준으로 표시한 것임.
2. 위 표에서 00관련학과라함은 00과, 00학과, 00공학과, 00학부 또는 00전공 등을 말한다.
3. 학과의 신설, 대체 등으로 인하여 위 표에 해당되지 않는 학과에 대하여는 교육부의 표준교육과정 및 당해학과의 교과과정 등을 감안, 제2호의 규정을 준용하여 건설기술관련학과로 인정할 수 있다. 이 경우 인정분야의 건설기술관련 전공교과목 이수학점이 교양과목 등을 제외한 총 전공교과목(복수·연계·다전공 등으로 학위를 취득한 경우에는 당해 복수·연계·다전공 등 교과목을 말한다) 이수학점의 50%이상인 경우 직권사항으로, 50%미만인 경우 제4조 경력관리위원회의 심의결정으로 처리 한다.(단, 고등학교는 배점시간을 학점으로 처리한다)

[별표 3]

건설기술인의 등급 산정 및 경력인정방법 등(제5조 관련)

1. 영 별표1 제2호 가목에 의한 건설기술인 역량지수(이하 "역량지수"라 한다)별 등급 구분

구분 / 기술등급	설계·시공 등의 업무를 수행하는 건설기술인	건설사업관리 업무를 수행하는 건설기술인	품질관리 업무를 수행하는 건설기술인
특 급	역량지수 75점 이상	역량지수 80점 이상	역량지수 75점 이상
고 급	역량지수 75점 미만 ~ 65점 이상	역량지수 80점 미만 ~ 70점 이상	역량지수 75점 미만 ~ 65점 이상
중 급	역량지수 65점 미만 ~ 55점 이상	역량지수 70점 미만 ~ 60점 이상	역량지수 65점 미만 ~ 55점 이상
초 급	역량지수 55점 미만 ~ 35점 이상	역량지수 60점 미만 ~ 40점 이상	역량지수 55점 미만 ~ 35점 이상

비 고

1) 역량지수는 법 제21조제1항에 따라 신고를 마친 건설기술인을 대상으로 아래의 산식에 따라 산출하며 자격지수·학력지수·경력지수 및 교육지수의 세부항목별 배점 및 산식은 "제2호 자격·학력·경력 및 교육지수의 세부항목별 배점 및 산식"에 따른다.

   역량지수 = 자격지수(40점 이내) + 학력지수(20점 이내) + 경력지수(40점 이내) + 교육지수(5점 이내)

2) 기술등급은 직무분야 및 전문분야(영 별표1 제3호의 직무분야 및 전문분야를 말하며 이하 "직무 및 전문분야"라 한다)가 동일한 자격지수·학력지수·경력지수 및 교육지수를 합산하여 직무 및 전문분야별 역량지수로 산정한다. 다만, 다음 각 목의 경우에는 그러하지 아니한다.

   (가) 품질관리 등급의 역량지수는 직무 및 전문분야를 구분하지 않는다.

   (나) 건설사업관리 등급의 전문분야(영 별표1 제3호의 전문분야를 말하여 이하 같다) 역량지수는 산정하지 않는다.

3) 건설기술인이 실제 건설관련업무를 수행한 직무분야(영 별표1 제3호의 직무분야를 말하며 이하 같다)가 별표1 규정의 국가자격(이하 "국가자격"이라 한다) 취득 종목의 직무분야 및 졸업하거나 이수한 학과의 직무분야와 다른 경우에는 실제 건설공사업무를 수행한 직무분야의 역량지수가 35점 이상(건설사업관리업무를 수행하는 건설기술인은 40점)인 경우 초급으로 인정하며 승급은 허용하지 않는다.

4) 건설기술인이 실제 건설관련업무를 수행한 전문분야의 직무분야가 국가자격 취득 종목의 직무분야 및 졸업하거나 이수한 학과의 직무분야와 다른 경우에는 실제 건설공사업무를 수행한 전문분야의 역량지수가 35점 이상인 경우 초급으로 인정하며 승급은 허용하지 않는다.

5) 3) 및 4)에도 불구하고 건설지원 직무분야 중 다음 표의 학과를 졸업하거나 국가자격을 취득한 건설기술인은 건설지원 이외의 직무·전문분야는 인정하지 않으며 품질관리 등급은 산정하지 않는다.

비 이공계열 학과	비 이공계열 자격
경영관련학과, 무역학과, 경제금융학과, 국제학부, 국제통상학과, 홍보관련학과, 재무관련학과, 마케팅관련학과, 법학관련학과, 세무관련학과, 회계관련학과, 행정관련학과	변호사, 세무사, 공인회계사, 법무사, 변리사, 관세사, 행정사

6) 기술등급 및 인정일(규칙 별지 제18호 서식의 건설기술인 경력증명서 상 참여기간의 인정일을 말하며 이하 같다) 인정은 해당 건설기술인 경력신고(경력변경신고를 포함한다)를 접수 처리한 시점, 자격정지 또는 교육지수 소멸 등 각 지수의 세부항목이 변경될 때 산정한다.

7) 6)에도 불구하고 수탁기관은 영 제45조제1항제3호에 따라 발주청 또는 인·허가기관의 장이 통보한 건설사업관리기술인의 건설기술인 경력증명서 또는 건설기술인 보유증명서 발급 시점에 해당 경력의 인정일 및 기술등급을 산정할 수 있다. 이 경우 해당 증명서 발급일은 해당 용역의 배치기간(배치계획상 참여예정기간을 말한다)안에 포함되어야 한다.

8) 건설기술인 경력관리 수탁기관은 행정처분기관으로부터 법 제2조제10호에 따른 건설사고와 관련한 행정처분 사실을 통보받은 때에는 아래의 표에 따라 2년간 해당 수행분야(영 별표3 제2호의 설계·시공, 건설사업관리 또는 품질관리를 말한다)의 역량지수를 감점하여야 한다.

감 점 기 준	감 점
3개월 초과의 업무정지 처분을 받은 경우	3
3개월 이하의 업무정지 처분을 받은 경우	2
벌점을 받은 경우	1

9) 8)감점에 따라 하락할 수 있는 기술등급은 감점을 받을 당시 기술등급의 1단계 아래 기술등급으로 한다.

2. 자격·학력·경력 및 교육지수의 세부항목별 배점 및 산식

가. 자격지수(40점 이내)

자격종목	배 점
기술사 / 건축사	40
기 사 / 기능장	30
산업기사	20
기능사	15
기 타	10

비 고

1) 자격지수는 취득한 국가자격의 직무 및 전문분야별로 구분하여 각각 산정하며 동일한 분야 내에 취득한 국가자격이 둘 이상인 경우 그 중 배점이 높은 자격종목의 배점에 따른다. 다만, 품질관리 등급 역량지수 산정을 위한 자격지수는 해당 건설기술인이 취득한 국가기술자격 중 배점이 높은 자격종목의 배점에 따른다.

2) 전문분야 역량지수 산정 시 위 표의 자격종목별 배점은 별표4 "자격종목별 해당 전문분야"에 따른다.

3) 자격종목 중 기타는 다음 각 목의 경우를 말한다.

(가) 영 별표1 제1호 나목 또는 다목에 해당하는 사람으로서 국가기술자격 종목을 취득하지 못한 사람의 자격지수를 산정하는 경우

(나) 별표4 "자격종목별 해당 전문분야"에 따른 해당 직무분야 및 전문분야 외의 직무분야 및 전문분야로 산정하는 경우

(다) 별표1 비고 제2호에 의한 기능사보 및 인정기능사의 자격지수를 산정하는 경우

4) 별표1 국가자격 종목 중 건설지원분야의 변호사, 세무사, 공인회계사, 법무사, 변리사, 관세사 및 행정사의 자격지수 배점은 20점으로 한다.

나. 학력지수(20점 이내)

학력사항	배 점
학사 이상	20
전문학사(3년제)	19
전문학사(2년제)	18
고 졸	15
국토교통부장관이 정한 교육과정 이수	12
기타(비전공)	10

비 고

1) 학력지수는 건설기술인이 졸업하거나 이수한 학과의 직무 및 전문분야별로 구분하여 각각 산정하며 동일한 분야 내에 학과 학력이 둘 이상인 경우 그 중 배점이 높은 학력의 배점에 따른다. 다만, 품질관리 등급 역량지수 산정을 위한 학력지수는 해당 건설기술인 취득 학력 중 배점이 높은 학력의 배점에 따른다.
2) 위 표에도 불구하고 건설기술인이 석사 이상의 학위를 취득한 경우 별표5 "대학원의 학과별 해당 전문분야"에 따라 해당 전문분야 학력지수 산정 시 아래 점수를 합한다.
   (가) 석사 학위 취득자 : 1.5점
   (나) 박사 학위 취득자 : 3점
3) 기타(비전공)는 다음 각 목의 어느 하나에 해당하는 사람으로 한다.
   (가) 별표1의 국가자격 종독 취득자 중 별표2 학과를 졸업하지 못하거나 이수하지 못한 사람
   (나) 영 별표1 제1호 다목의 국립·공립 시험기관 또는 품질검사를 대행하는 건설기술용역업자에 소속되어 품질시험 또는 검사 업무를 수행한 사람

4) 영 별표1 제1호 나목 1)·2)에 해당하는 자 중 이공계열 전문대학 이상의 학력을 갖춘 건설기술인이 졸업하거나 이수한 학과의 직무분야와 다른 직무분야의 학력지수는 15점을 적용한다.

다. 경력지수(40점 이내)

산 식	배 점
(logN/log40) × 100 × 0.4 * N은 비고 3)부터 6)에 따라 해당 보정계수를 곱한 경력의 총합에 365일을 나눈(분야별 총 인정일/365) 값으로 한다. 다만, 분야별 총 인정일이 365일 미만인 경우 1로 한다.	0 ~ 40

비 고

1) 경력지수는 건설기술인이 실제 건설관련업무를 수행한 경력에 따라 직무 및 전문분야별로 구분하여 각각 산정한다. 다만, 전문분야 중 "측량 및 지형공간정보" 및 "지적" 분야는「공간정보의 구축 및 관리등에 관한 법률」제39조제2항에 해당하는 측량기술자가 다음 각 목의 업무를 수행한 경우에 인정한다.
   (가) "측량 및 지형공간정보" 분야는「공간정보의 구축 및 관리등에 관한 법률」제2조제2호·제3호 및 제6호의 측량업무, "지적"분야는 같은 법 제2조제4호의 측량업무
   (나) (가)목의 해당분야별 계획·설계·실시·지도·감독·심사·감리·측량기기성능검사·조사·연구 또는 교육업무와 측량분야 병과에서 복무한 경우
2) 건설기술인 참여사업 기간이 중복되는 경우 분야별 총 인정일 및 건설기술인 경력증명서 상 인정일은 중복기간을 중복사업 건수로 나누어서 산정한다.
3) 건설기술인이 수행했던 건설관련업무의 책임정도(제3호 나표의 책임정도를 말한다)에 따라 다음의 보정계수를 적용한다.

건설관련업무	책임정도	경력 참여일		
		설계·시공 등	건설사업 관리	품질관리
시공, 품질관리, 안전관리, 환경관리, 계획 및 조사, 설계, 관리감독	현장대리인	1.3	1.04 (1.3×0.8)	1.04 (1.3×0.8)
	안전관리자 환경관리자 공사감독	1.1	0.88 (1.1×0.8)	0.88 (1.1×0.8)
	품질관리자(선임)	1.1	0.88 (1.1×0.8)	1.1
	품질관리(비선임)	1.0	0.8 (1.0×0.8)	1.0
	사업책임기술인	1.3	1.04 (1.3×0.8)	1.04 (1.3×0.8)
	분야별책임기술인 용역감독	1.1	0.88 (1.1×0.8)	0.88 (1.1×0.8)
	참여기술인 일반감독	1.0	0.8 (1.0×0.8)	0.8 (1.0×0.8)
건설사업관리 (시공단계, 감독권한대행, 안전관리, *), 감리(건축법), 감리(주택법)	책임건설사업관리기술인 책임기술인 총괄감리원	1.3	1.3	1.04 (1.3×0.8)
	상주기술인(감리원, 건축사보) 분야별책임기술인 분야기술인	1.1	1.1	0.88 (1.1×0.8)
	기술지원기술인 참여기술인 비상주감리원	1.0	1.0	0.8 (1.0×0.8)

4) 건설기술인이 3)의 보정계수 중 1.1 이상의 보정계수를 적용받기 위해서는 다음 각 목 중 어느 하나의 서류를 제출하여야 한다.

(가) 발주청이 확인한 경력확인서

(나) 발주청의 정보공개 결정 통지서 사본(건설관련업무의 책임정도를 확인할 수 있는 서류가 첨부된 것에 한한다)

(다) 건설산업지식정보시스템에서 발행한 건설공사대장(확인일자를 확인한 것에 한한다)

(라) 그 밖에 발주청 또는 인·허가기관 등이 3)의 건설관련업무의 책임정도를 확인할 수 있는 서류

(마) 국외경력의 경우 국외사업 발주자가 확인한 국외경력확인서

5) 2010. 12. 29 이전 품질업무와 관련된 경력 인정일은 품질관리자 1.1, 그 외 건설관련업무는 1.0의 보정계수를 적용한다.

6) 국외경력(「건설기술진흥법 시행규칙」 제18조제1항제1호 "국외경력확인서(규칙 별지 제13호 서식을 말한다)"의 첨부서류인 국외 경력사항을 증명할 수 있는 자료를 제출한 경우를 말한다)의 경우 보정계수 1.5를 적용하며 3)의 참여정도에 따라 해당 보정계수를 곱하여 적용한다.

적용례) 업무수행기간 × 1.5(해외경력 보정계수) × 1.3(사업책임기술인 보정계수)

7) 경력지수 산출은 소수점 둘째자리로 하고, 40을 초과하는 경우 배점은 40점으로 한다.

라. 교육지수(5점 이내)

교육기간	배 점
건설정책 역량강화 교육 35시간 마다	2
건설정책 역량강화 교육 이외 교육 35시간 마다	1

비 고

1) 교육지수 적용 대상 교육·훈련은 영 제43조제1항에 따라 지정된 교육훈련 대행기관이 영 별표3에 의해 실시하고 이수한 교육훈련에 한한다.

2) 기본교육의 교육지수는 모든 건설기술 업무(영 별표3 제2호의 설계·시공, 건설사업관리 또는 품질관리를 말한다)의 직무분야에 산정하며, 전문교육의 교육지수는 이수한 교육·훈련의 직무분야 및 건설기술 업무분야에 한해 산정한다.

3) 건설정책 역량강화 교육은 별표10 제2호가목의 스마트 건설기술교육 및 해외시장 진출지원교육을 말한다.

4) 교육지수는 해당 교육훈련을 이수한 날부터 3년간 인정하며 그 기간에 최대 5점까지 합산할 수 있다.

3. 건설관련업무 및 책임정도

가. 건설관련업무 및 정의

대분류	건설관련업무	정 의
기획	1. 계획및조사	인허가 승인에 필요한 제반업무와 공사 착공전 현장의 조건 및 여러 가지 제반요서를 계획·조사하는 업무
	2. 측량및지적	목적물의 높이, 길이, 깊이, 경계 및 위치 등을 확인하는 업무 및 토지의 위치, 형태, 면적, 용도, 소유관계를 파악하는 업무 ※「공간정보의 구축 및 관리 등에 관한 법률 시행령」별표5 비고 다의 업무를 포함한다.
	3. 감정및평가	건설현장 매입 토지의 가치평가, 목적물에 대한 가치 및 사용성을 분석하거나 공사의 시행이 주위 환경 또는 교통 등에 미칠 영향을 평가하는 업무
설계·견적	4. 설계	용도 및 관련법령에 따라 공간, 기능 등을 창출하고 목적물을 각종 요구조건에 부합하게 도면화시키는 업무
	5. 견적	공사목적물을 완성하는데 투입되는 비용 및 자재를 산출하는 업무(개략견적, 입찰견적 및 실행예산관리 포함)
시공관리	6. 시공	공사목적물이 정해진 공사기간 내에 적절한 비용으로 당초 의도된 품질을 갖출 수 있도록 현장을 관리하거나 공사를 시행하는 업무
	7. 품질관리	건설기술진흥법령에 따라 목적물의 시공 중 품질관리를 위한 각종 시험 및 검사 또는 품질검사전문기관 등에 소속되어 품질시험 및 검사를 실시하는 업무
	8. 안전관리	건설공사의 사고방지를 위한 안전사고 예방교육 및 조치 등을 수행하는 업무
	9. 환경관리	목적물 시공 중 현장에서 발생하는 소음, 진동, 비산, 먼지, 악취 및 수질 등 환경공해 피해 발생의 예방과 조치를 취하는 업무
	10. 화약관리	총포·도검·화약류 등 단속법령에 따라 화약류가 사용되는 현장에서 화약류의 안전한 사용을 위해 발파패턴의 결정 및 안전조치 등을 취하는 업무
유지관리	11. 안전진단 및 점검	시설물의 안전 및 유지관리에 관한 특별법령에 따라 시설물에 대한 안전점검을 수행하는 업무
	12. 유지보수 및 보강	목적물의 보수 및 개선 등을 통해 사용성을 유지하기 위한 업무
관리·감독	13. 건설사업관리 (설계용역)	「건설기술진흥법」 제39조제3항에 따라 설계용역에 대한 건설사업관리를 수행하는 업무(종전 설계감리)
	14. 감리 (건축법)	「건축법」 제25조에 따라 공사감리자로 지정되어 공사감리를 수행하는 업무
	15. 감리 (주택법)	「주택법」 제43조에 따라 해당 주택건설공사의 감리자로 지정되어 감리를 수행하는 업무
	16. 건설사업관리 (시공단계, 감독권한대행 또는 안전관리)	시공단계에서 「건설기술진흥법」 제2조제5호에 따른 감리를 수행하는 업무 작성예) 「건설기술진흥법」 제39조제2항 및 같은 법 시행령 제55조제1항에 의한 감독 권한대행 건설사업관리업무를 수행한 경우 : 건설사업관리(감독권한대행) 그 외 시공단계의 건설사업관리업무를 수행한 경우 : 건설사업관리(시공단계) 건설사업관리기술인으로서 안전관리업무를 수행한 경우 : 건설사업관리(안전관리)
	17. 건설사업관리(＊)	「건설기술진흥법」 제39조제1항에 의한 건설사업관리를 수행하는 업무 (＊)는「건설산업기본법」 제2조제8호에 따라 기획, 타당성조사, 분석, 설계, 조달, 계약, 평가, 사후관리 또는 전부 중 상세업무를 기재 작성예) 건설사업관리(타당성조사)
	18. 감독	발주청 또는 발주자에 소속되어 건설공사 또는 설계 등 용역을 직접 감독하는 업무(공사관리관의 업무를 포함한다)
	19. 사업관리	건설공사 또는 설계 등 용역을 간접적으로 관리하는 경우(감독자의 직계 상급자, 발주청의 지도·감독기관에 소속되어 해당 사업을 지도·감독하는 경우 등)

대분류	건설관련업무	정 의
지원	20. 기술조사	건설공사 또는 설계 등 용역의 감사·점검·조사 등 사업이 적절하게 진행되는지 확인하는 업무
	21. 행정지원	가. 발주청(인·허가기관 포함)에 소속되어 건설공사에 필요한 물자의 구매와 조달, 계약, 보상, 인·허가 등 건설공사 또는 설계 등 용역을 간접적으로 지원하는 업무 나. 건설관련 법령, 정책 및 제도에 대한 개발·조사·연구·교육·운영 및 관리 등을 수행하는 업무
	22. 자문및강의	건설기술인력 양성을 위해 건설기술에 관한 지식을 전파하는 업무
	23. 연구	시공 또는 설계방법에 관한 연구를 통해 신기술, 신공법 등을 개발하는 업무
	24. 정보처리	전자계산조직을 이용하여 건설기술에 관한 정보를 처리하는 업무
기타	25. 기타	24개 건설관련업무에 해당되지 않는 업무

나. 책임정도 및 정의

건설관련업무	책임정도	정 의
시공	현장대리인	「건설산업기본법」 제40조에 의해 건설공사현장에 배치되어 시공관리 및 그 밖에 기술상의 관리를 수행한 경우
품질관리	품질관리자	「건설기술진흥법」 제55조에 따라 발주청 또는 인·허가기관의 장이 승인한 품질시험계획서 상 확보된 건설기술인인 경우
	품질관리	품질관리자를 도와 품질관리업무를 수행한 경우
안전관리	안전관리자	「산업안전보건법」 제15조에 의해 건설현장의 안전관리자로 배치된 경우
환경관리	환경관리자	환경관련법령에 따라 건설현장에 배치되어 소음, 진동, 비산, 먼지, 악취 및 수질 등 환경공해 피해 발생의 예방과 조치를 취하는 업무를 수행한 경우
시공, 안전관리 또는 환경관리	참여기술인	현장대리인, 안전관리자 또는 환경관리자가 아닌 경우
계획 및 조사, 설계	사업책임기술인	해당 사업의 사업책임기술인
	분야별 책임기술인	해당 사업의 분야별 책임기술인
	참여기술인	해당 사업의 참여기술인
감리(건축법)	책임기술인	「건축법 시행령」 제19조에 따라 다중이용건축물에 대하여 건설기술용역업자 및 건축사를 공사감리자로 지정하여 감리업무를 수행토록 한 감리용역의 업무를 총괄한 경우
	분야기술인	「건축법 시행령」 제19조에 따라 다중이용건축물에 대하여 건설기술용역업자 및 건축사를 공사감리자로 지정하여 감리업무를 수행토록 한 감리용역의 책임기술인을 보좌하여 감리업무를 수행한 경우
	기술지원기술인	건설기술용역업자 및 건축사에 소속되어 현장에 상주하지 않으며 발주청 및 책임기술인의 요청에 따라 업무를 지원한 경우
	상주(건축사보) 기술인	「건축법 시행령」 제19조에 따라 건축사를 공사감리자로 지정하여 감리업무를 수행토록 한 감리용역의 상주감리업무 수행자
감리(주택법)	총괄감리원	「주택법 시행령」 제47조제4항제2호에 의해 공사현장에 배치되어 감리업무를 총괄하여 수행한 경우
	상주감리원	「주택법 시행령」 제47조에 따라 건설기술용역업자 및 건축사를 공사감리자로 지정하여 감리업무를 수행토록 한 감리용역의 총괄감리원을 보조하여 공사현장에 상주하면서 감리업무를 수행한 경우

건설관련업무	책임정도	정 의
감리(주택법)	상주감리원(신규)	「건설기술진흥법」 제2조제8호 및 같은 법 시행령 제4조 별표1에서 정한 초급 또는 중급기술인으로서 총 경력이 4년(주택건설공사 감리자지정기준 [부표] 감리자의 사업수행능력 세부평가기준 제2호 나목 감리원 중 분야별감리원의 "나. 경력 및 실적" 산정방법에 따라 산정한 기간을 말한다) 이하인 자로서 당해 현장에 상주하면서 감리업무를 수행한 경우
	비상주감리원	건설기술용역업자 및 건축사에 소속되어 당해 현장에 상주하지 아니하고 당해 현장의 조사 분석, 주요구조물의 기술적 검토 및 기술지원 등의 업무를 수행한 경우
건설사업관리 (시공단계 또는 감독권한대행)	책임건설사업관리 기술인	발주청과 체결된 건설사업관리 용역계약에 의하여 건설사업관리용역업자를 대표하며 해당공사의 현장에 상주하면서 해당공사의 건설사업관리업무를 총괄한 경우.
	상주기술인	「건설기술진흥법 시행규칙」 제35조제2항에 따라 공사현장에 상주하면서 건설사업관리업무를 수행한 경우
	기술지원기술인	「건설기술진흥법 시행규칙」 제35조제2항에 다라 현장에 상주하지 않으며 발주청 및 책임건설사업관리기술인의 요청에 따라 업무를 지원한 경우
건설사업관리 (안전관리)	책임건설사업관리 기술인	"건설공사 사업관리방식 검토기준 및 업무수행지침"에 따라 책임건설사업관리기술인으로서 안전관리업무를 수행한 경우
	상주기술인	"건설공사 사업관리방식 검토기준 및 업무수행지침"에 따라 상주기술인으로서 안전관리업무를 수행한 경우

건설관련업무	책임정도	정 의
건설사업관리 (*)	책임기술인	발주청과 체결된 건설사업관리 용역계약에 의하여 건설사업관리용역업자를 대표하며 해당 건설사업관리업무 용역을 총괄한 경우
	분야별 책임기술인	소관 분야별 책임기술인을 보좌하여 건설사업관리업무를 수행하는 자로서, 담당 건설사업관리업무에 대하여 책임기술인과 연대하여 책임지는 경우
	참여기술인	해당 건설사업관리용역의 책임기술인 또는 분야별 책임기술인을 보좌하여 건설사업관리업무를 수행한 경우
	기술지원기술인	해당 건설사업관리용역의 발주청 및 책임기술인의 요청에 따라 건설사업관리업무를 지원한 경우
감독	용역감독	발주청에 소속되어 발주한 설계 등 용역을 직접 관리감독하는 경우
	공사감독	발주청에 소속되어 발주한 건설공사를 직접 관리감독하는 경우
	일반감독	발주자에 소속되어 발주한 용역 또는 건설공사를 직접 관리감독하는 경우

4. 건설공사의 종류는 다음 표와 같다.

가. 건설공사의 종류

공사종류	
대 분 류	소 분 류
1. 도로	1. 토공
2. 고속국도	2. 미장, 방수
3. 국도	3. 석공
4. 교량 [일반교량, 장대교량(100m이상)]	4. 도장
5. 공항	5. 조적
6. 댐	6. 비계·구조물해체
7. 간척·매립	7. 금속구조물창호
8. 단지조성	8. 지붕·판금
9. 택지개발	9. 철근·콘크리트
10. 농지개량	10. 철물
11. 항만관개수로 [항만, 관개수로]	11. 기계설비
12. 철도 [철도노반시설, 철도궤도시설]	12. 상·하수도설비
13. 지하철	13. 보링·그라우팅
14. 터널	14. 철도·궤도
15. 발전소	15. 포장
16. 쓰레기소각시설	16. 준설
17. 폐수종말처리시설	17. 수중
18. 하수종말처리시설	18. 조경식재
19. 산업시설	19. 조경시설물설치
20. 환경시설	20. 건축물조립
21. 저장·비축시설	21. 강구조물
22. 상수도시설[상수도, 정수장]	22. 온실설치
23. 하수도	23. 철강재설치
24. 공용청사	24. 삭도설치
25. 송전	25. 승강기설치
26. 변전	26. 가스시설시공
27. 하천 [하천정비(지방 / 국가)]	27. 특정열 사용 기자재시공
28. 통신·전력구	28. 온돌시공
29. 기타	29. 시설물유지관리
	30. 화약관리(발파)
	31. 소방설비
	32. 실내건축
	33. 기 타

비고: 대분류 및 소분류의 기타 공사종류의 경우 구체적인 종류를 표기하며 건설사업관리계약현황 및 건설사업관리 업무를 수행하는 건설기술인의 경력관리에 대하여는 소분류를 적용하지 않는다.

나. 건축물의 용도분류

「건축법 시행령」 별표1(제3조의5관련)에 의한 용도별 건축물의 종류에 의한다.

[별표 4]

자격종목별 해당 전문분야(제3조제1항관련)

직무 분야	전문 분야	기술사/건축사	기능장	기사	산업기사	기능사
기계	공조냉동 및 설비	공조냉동기계		공조냉동기계	공조냉동기계	공조냉동기계
		건축기계설비		건축설비	건축설비	
			배관		배관	배관
					보일러 (2014.5.22이전 신고자격에 한함)	
			에너지관리	에너지관리	에너지관리	에너지관리
				신재생에너지발전설비(태양광)	신재생에너지발전설비(태양광)	신재생에너지발전설비(태양광)
	용접	용접	용접	용접	용접	용접
						특수용접
	건설기계	건설기계		건설기계설비	건설기계설비	
		〈삭제〉		설비보전		설비보전
			판금제관		판금제관	판금제관
			건설기계정비	건설기계정비	건설기계정비	건설기계정비
			기계정비		기계정비	기계정비
					생산자동화	생산자동화
					굴삭기	굴삭기운전
					기중기	기중기운전
					로더	로더운전
					롤러	롤러운전
					모터그레이	모터그레이더운전
					불도저	불도저운전
					아스팔트피니셔	아스팔트피니셔운전
					지게차	지게차운전
						천장크레인운전
						타워크레인운전
					공기압축기	공기압축기운전
					쇄석기	쇄석기운전
					준설선	준설선운전
						천공기운전
	승강기			승강기	승강기	승강기

직무 분야	전문 분야	기술사/건축사	기능장	기사	산업기사	기능사
기계	일반기계	기계	기계가공		컴퓨터응용가공	컴퓨터응용선반
		산업기계설비		메카트로닉스		컴퓨터응용밀링
				일반기계		
				기계설계	기계설계	전산응용기계제도
					기계제도	
						연삭
		금형	금형제작			금형
				정밀측정	정밀측정	정밀측정
					기계조립	기계가공조립
						기계가공
전기·전자	철도신호	철도신호		철도신호	철도신호	철도전기신호
		전기철도		전기철도	전기철도	
	건축전기 설비	건축전기설비	전기	전기	전기	전기
		발송배전		전기공사	전기공사	
		전기응용				
	산업계측 제어	산업계측제어		공업계측제어	공업계측제어	공업계측제어
			전자기기			전자기기
		전자응용		전자	전자	
토목	토질·지질	토질및기초				
				토목	토목	
		지질및지반		응용지질		
	토목구조			토목	토목	
		토목구조			토목제도	전산응용토목제도
	항만 및 해안	항만및해안				
				토목	토목	
	도로 및 공항	도로및공항				
				토목	토목	
	철도·삭도	철도		철도토목	철도토목	철도토목
				토목	토목	
	수자원 개발	수자원개발				
				토목	토목	
	상하수도	상하수도				
				토목	토목	
		수질관리(상하수도 분야 업무수행 시 인정)		수질환경(상하수도 분야 업무수행 시 인정)	수질환경(상하수도 분야 업무수행 시 인정)	
	농어업 토목	농어업토목				
				토목	토목	

직무 분야	전문 분야	기술사/건축사	기능장	기사	산업기사	기능사
토목	토목시공	토목시공				
				토목	토목	
					석공	석공
						석공예
					포장	포장
						거푸집
					방수	방수
	토목품질 관리	토목품질시험		건설재료시험	건설재료시험	건설재료시험
				콘크리트	콘크리트	콘크리트
				토목	토목	
	측량 및 지형 공간 정보	측량및지형공간정보		측량및지형공간정보	측량및지형공간정보	측량
					항공사진	항공사진
					지도제작	지도제작
					도화	도화
		지적		지적	지적	지적
	지적	지적		지적	지적	지적
		측량및지형공간정보		측량및지형공간정보	측량및지형공간정보	측량
					항공사진	항공사진
					지도제작	지도제작
					도화	도화
건축	건축구조	건축구조				
				건축	건축	
	건축기계 설비	건축기계설비		건축설비	건축설비	
				건축	건축	
	건축시공	건축시공	건축일반시공		건축일반시공	
			건축목재시공		건축목공	건축목공
						거푸집
					건축도장	건축도장
					도배	도배
						미장
					방수	방수
					비계	비계
					온수온돌	온수온돌
					유리시공	유리시공
						조적
					철근	철근
						타일
					창호제작(금속재)	금속재창호
						플라스틱창호
				건축	건축	
					목재창호	
			금속도장		금속도장	금속도장
	실내건축			실내건축	실내건축	실내건축
		목공예			목공예	목공예
				건축	건축	
	건축품질 관리			건축	건축	
		건축품질시험		건설재료시험	건설재료시험	건설재료시험
				콘크리트	콘크리트	콘크리트
	건축 계획·설계	건축사				
					건축제도	전산응용건축제도
				건축	건축	
광업	화약류 관리	화약류관리		화약류관리	화약류관리	화약취급
					굴착	
					지하수	
	광산보안			광산보안	광산보안	광산보안
						시추
도시·교통	도시계획	도시계획		도시계획		
	교통	교통		교통	교통	
조경	조경계획	조경		조경	조경	조경
	조경시공 관리	조경		조경	조경	조경
		종자		종자	종자	종자
						원예
			산림	임업종묘	임업종묘	임업종묘
		산림		산림	산림	산림
				식물보호	식물보호	식물보호
안전관리	건설안전	건설안전		건설안전	건설안전	
				산업안전	산업안전	
		기계안전				
		화공안전				
		전기안전				
		산업위생관리		산업위생관리	산업위생관리	
				방재		
			위험물		위험물	위험물
						축로

직무분야	전문 분야	기술사/건축사	기능장	기사	산업기사	기능사
안전관리	소방	소방		소방설비(기계분야)	소방설비(기계분야)	
				소방설비(전기분야)	소방설비(전기분야)	
	가스	가스	가스	가스	가스	가스
	비파괴 검사	비파괴검사 관련 종목	비파괴검사 관련 종목	비파괴검사 관련 종목	비파괴검사 관련 종목	비파괴검사 관련 종목
		금속재료	금속재료	금속재료	금속재료	금속재료시험
환경	대기관리	대기관리		대기환경	대기환경	환경
	수질관리	수질관리		수질환경	수질환경	환경
	소음진동	소음진동		소음진동	소음진동	환경
	폐기물 처리	폐기물처리		폐기물처리	폐기물처리	환경
	자연 환경	〈삭 제〉		〈삭 제〉		
		자연환경관리		자연생태복원	자연생태복원	
				생물분류(동물)		
				생물분류(식물)		
	토양 환경	토양환경		토양환경		
	해양	해양		해양환경		
				해양자원개발		
				해양공학		
				항로표지	항로표지	항로표지
			잠수		잠수	잠수
					해양조사	
건설지원	건설 마케팅	화공		화공	화공	화학분석
		섬유		섬유	섬유	
		공장관리				
		품질관리		품질경영	품질경영	
			에너지관리	에너지관리	에너지관리	에너지관리
	건설 정보 처리	정보관리		전자계산기조직응용	사무자동화	
		컴퓨터시스템응용		정보처리	정보처리	정보처리
						정보기기운용
				정보보안	정보보안	
				전파전자통신	전파전자통신	전파전자통신
		정보통신		정보통신	정보통신	
						통신기기
			통신설비		통신선로	통신선로
	건설 금융·재무 건설 기획	변호사, 세무사, 공인회계사, 법무사, 변리사, 관세사, 행정사				

[별표 5]

대학원의 학과별 해당 전문분야(제3조제2항관련)

직무분야	전문분야	관련학과 및 전공
기계	공조냉동및설비	냉동관련학과, 건축설비공학과, 건축설비과, 건축설비학과(건축설비학전공)
	용접	용접관련학과
	건설기계	기계.산업시스템공학부(기계공학전공), 기계관련학과(전공포함), 기계메카트로닉스공학과(열유체공학전공), 기계및산업공학과(기계공학전공), 기계설계관련학과(전공포함), 기관관련학과, 농공학과(농업기계전공), 농업기계관련학과(전공포함), 〈삭제〉, 박용기계공학과(동력기계전공), 산업공학과(기계관련전공), 산업과학과(기계공학전공), 산업기계공학과(전공포함), 선박관련학과(전공포함), 자동차공학과, 자동화관련학과(전공포함), 정밀기계관련학과(전공포함), 조선관련학과(전공포함), 조선및해양관련학과(전공포함), 철도차량관련학과(철도차량전공), 항공관련학과(전공포함)
	승강기	승강기관련학과
	일반기계	기계공학과(일반기계전공), 메카트로닉스공학과
전기·전자	철도신호	철도신호관련학과
	건축전기설비	공학연구과(전기공학전공), 산업관련학과(전기관련전공), 전기.전자관련학과(전기공학전공), 전기관련학과(전공포함), 전기전자제어공학과(전기공학전공)
	산업계측제어	산업전자학과(반도체전공), 전기전자공학과(전자공학전공), 전기전자컴퓨터공학부(전자공학전공), 전자관련학과(전공포함)
토목	토질·지질	건설공학과(지반및구조공학전공), 건설관련학과(지반관련전공), 건축및토목공학과(수리및지반공학전공), 광산공학과, 광산학과, 농공학과(농지조성및토질이공전공), 지구환경공학과(응용지질학전공), 응용지질학과, 지질관련학과(전공포함), 토목공학(수자원및토질공학), 토목공학과(구조및지반공학전공), 토목공학과(구조및토질관련전공), 토목공학과(지반공학전공포함), 토목공학과(지반및수공학전공), 토목공학과(토질구조전공), 토목공학과(토질및도로공학전공), 토목공학과(토질및측량공학전공), 토목관련학과(토질관련전공포함), 토목환경공학과(지반 또는 토질공학전공)

직무분야	전문분야	관련학과 및 전공
토목	토목구조	건설공학과(토목구조전공), 토목관련학과(구조공학전공), 토목환경공학과(구조관련전공), 해양토목공학과(구조공학전공)
	항만및해안	건설.환경공학과(해양토목공학전공), 토목해양공학과, 해양토목관련학과
	도로및공항	토목관련학과(도로관련전공)
	철도·삭도	철도관련학과(전공포함)
	수자원개발	토목공학과(수질원전공), 토목관련학과(수자원관련전공)
	상하수도	상하수도관련학과, [수질공학과, 환경관련학과(수질관련전공) 또는 환경학과(환경독성학분야전공)는 상하수도분야 업무 수행 시 인정]
	농어업토목	농공관련학과(전공포함), 농업토목관련학과(농공학전공), 생물자원공학부(농업토목전공), 농학과(농공학전공)
	토목시공	건설관련학과(토목관련전공), 건설교통공학과(토목공학전공), 건설시스템공학부(토목공학전공), 건설환경관련학과(토목관련전공), 건축공학과(토목공학전공),건축토목관련학과(토목관련전공), 공학과(토목공학전공), 공학연구과(토목관련전공), 기계산업시스템공학과(토목공학전공), 사회환경시스템공학부(토목공학전공), 산업공학과(자원관련전공), 산업공학과(토목관련전공), 산업공학과(해양토목공학전공), 산업과학계토목공학전공, 산업기술관련학과(토목관련전공), 생산기술공학과(토목공학전공), 자원개발학과, 자원공학과, 자원공학과(암석연학전공), 자원공학과(자원공학전공), 지구시스템공학과(자원공학전공), 지구시스템과학과(전공포함), 토목건축환경공학부(토목공학전공), 토목관련학과(전공포함), 토목환경건축공학과(토목공학전공), 토목환경공학과(수공학 또는 토목관련전공)
	토목품질관리	토목품질관련학과
	측량및지형공간정보	지리정보공학과, 측지공학과, 토목공학과(측량및상하수도공학전공), 토목공학과(측량및시공학전공), 토목관련학과(지리관련전공), 토목관련학과(측량 또는 측지관련전공), 공간정보공학과, 공간정보시스템공학과, 도시정보관련학과(지리정보)
	지적	지적학과, 토지정보공학과(지적), 지적관련학과(지적전공), 부동산관련학과(지적전공)
건축	건축구조	건축공학과(건축구조및시공전공), 건축공학과(구조설계전공), 건축관련학과(구조관련전공), 건축구조관련학과(전공포함), 건축설계학과(구조설계전공), 건축학및건축공학과(건축구조·재료시공전공)
	건축기계설비	건축공학과(설비관련전공), 건축설비공학과, 건축설비과, 건축설비학과(건축설비학전공), 기계산업시스템공학과(건축설비공학전공)
	건축시공	건설관련학과(건축관련전공), 건설환경공학과(건축공학전공), 건축.도시공학과(건축공학전공), 건축.토목관련학과(건축관련전공), 건축.토목환경공학과(건축공학전공), 건축계획학과(전공포함), 건축관련학과(전공포함), 건축관리학과(건축적공학전공), 건축설계학과(시공관리전공), 건축학과(건축구조및시공전공), 건축환경공학과(건축관련전공), 건축환경학과, 공간환경공학과(건축학전공), 공학관련학과(건축관련전공), 공학연구과(건축관련전공), 산업공학과(건축관련전공),산업기술관련학과(건축공학전공), 이공학연구과(건축학전공), 해양건축공학과
	실내건축	건축공학과(실내건축전공), 실내건축관련학과(전공포함), 실내디자인관련학과(전공포함), 실내장식과
	건축품질관리	건축품질관련학과
	건축계획·설계	건설관련학과(설계관련전공), 건축관련학과(설계관련전공), 건축설계관련학과(전공포함), 환경설계학과(건축설계전공)
광업	화약류관리	자원공학과, 자원공학과(자원공학전공)
	광산보안	광산공학과, 광산학과, 광산관련학과(전공포함)
도시·교통	도시계획	건설공학과(도시공학전공), 건축공학과(도시계획전공), 공간환경공학과(도시계획학전공), 국토개발학과, 도시관련학과(전공포함), 산업공학과(국토개발전공), 산업공학과(도시계획전공), 지구환경시스템공학과(도시계획및도시설계전공), 토목공학과(도시공학전공), 환경계획학과(도시 또는 지역관련전공), 환경설계학과(도시설계전공)
	교통	건설공학과(교통전공), 교통관련학과(전공포함),도시계획학과(교통관련전공), 도시공학과(교통공학전공), 토목공학과(교통공학전공), 토목환경공학과(교통공학전공), 환경계획학과(교통학전공)

직무분야	전문분야	관련학과 및 전공
조경	조경계획	공간환경공학과(조경학전공), 관광조경학과 관광조경학전공, 녹지조경학과(조경계획및설계전공), 농학과(조경학전공), 도시조경학과(조경학전공포함), 산림자원관련학과(전공포함), 생명자원과(조경학전공), 생명자원과학과(조경학전공), 임학과(전공포함), 조경관련학과(전공포함), 환경계획학과(조경관련전공), 환경관리학과(조경학전공), 환경생태공학과(조경학전공), 환경설계학과(조경설계전공), 환경자원학과(조경관련전공), 환경조경관련학과(환경조경관련전공포함), 환경학과(조경계획전공), 도시조경학과(조경학전공포함)
	조경시공관리	원예관련학과(전공포함), 조경학과(환경원예전공)
안전관리	건설안전	공업경영관련학과, 산업공학과(전공포함), 산업시스템공학과(전공도함), 산업안전관련학과(전공포함), 산업위생과, 산업환경학과, 생산공학과(안전공학전공), 안전관련학과(전공포함), 공업경영학과, 산업 또는 안전관련학과(전공포함), 토목관련학과, 건축관련학과
	소방	소방관련학과
	가스	가스관련학과
	비파괴검사	금속관련학과(전공포함)
환경	대기관리	건설환경공학과(환경공학전공), 관리과학과(환경관리전공), 대기관련학과, 산업공학과(환경관련전공), 산업기술공학과(환경공학전공), 생물공학과(환경공학전공), 자연환경계획학과, 토목공학과(환경공학전공), 토목환경관련학과(환경공학전공), 환경.생물공학과(환경공학전공), 환경공학과(대기및폐기물관련전공), 환경관련학과(대기관련전공), 환경관련학과(전공포함), 환경화학공학과(환경공학전공)
	수질관리	수질공학과, 환경관련학과(수질관련전공), 환경학과(환경독성학분야전공)
	소음진동	환경관련학과(소음관련전공)
	폐기물처리	폐기물처리공학과, 환경관련학과(폐기물관련전공)
환경	자연환경	자연관련학과, 생물관련학과, 조경관련학과
	토양환경	토양관련학과
	해양	수산과학과,(해양학전공), 해양관련학과(전공포함)
건설지원	건설금융·재무 건설기획	경영관련학과, 재무관련학과, 무역학과, 경제금융학과, 법학관련학과, 세무관련학과, 회계관련학과, 국제학부, 국제통상학과, 행정관련학과
	건설마케팅	마케팅관련학과, 홍보관련학과, 기계및산업공학과(산업공학전공), 산업공학과, 산업공학과(품질관리전공), 산업공학전공, 산업과학과, 섬유관련학과(전공포함), 화학관련학과(전공포함), 환경.화학공학과(화학공학전공)
	건설정보처리	정보처리관련학과, 통신관련학과, 정보관련학과, 전산관련학과, 컴퓨터공학과, 소프트웨어 공학과

비 고

1) 위 표의 00관련학과 인정에 대하여는 별표2 학과의 범위 비고에 따른다.

2) 위 표의 관련학과 및 전공에 따른 전문분야와 다른 전문분야 또는 복수의 전문분야 인정을 원하는 사람은 제4조의 규정에 따라 전문분야 인정신청을 할 수 있다.

[별표 6]

「산업안전보건법」과 그 밖의 다른 법령에 따른 교육·훈련 인정범위(제27조제1항 관련)

직무분야	근 거 법 령	비고
전기·전자	「전기사업법」 제73조의4	
	「전력기술관리법」 제7조	
토목	「지하안전관리에 관한 특별법 시행령」 제15조	
	「공간정보의 구축 및 관리 등에 관한 법률」 제98조	
	「엔지니어링산업 진흥법」 제13조	
건축	「건축사법」 제30조의2	
광업	「총포·도검·화약류 등의 안전관리에 관한 법률」 제22조	
도시·교통	「공간정보의 구축 및 관리 등에 관한 법률」 제98조	
	「엔지니어링산업 진흥법」 제13조	
안전관리	「산업안전보건법」 제32조	
	「시설물의 안전 및 유지관리에 관한 특별법 시행규칙」 제10조	
	「비파괴검사기술의 진흥 및 관리에 관한 법률」 제14조	
	「도시가스사업법」 제30조	
	「액화석유가스의 안전관리 및 사업법」 제41조	
	「고압가스 안전관리법」 제23조	
환경	「폐기물관리법」 제35조	
	「대기환경보전법」 제77조	
	「물환경보전법」 제67조	
	「소음·진동관리법」 제46조	
	종전 「환경영향평가법」 제28조	
	「하수도법」 제67조	
	「환경기술 및 환경산업 지원법」 제27조	
	「토양환경보전법」 제23조의14	
	「공간정보의 구축 및 관리 등에 관한 법률」 제98조	
	「엔지니어링산업 진흥법」 제13조	
공통	정부 또는 지자체 공무원 교육원의 건설관련 교육(위탁교육 포함)	공무원에 한함
	법 제2조제6호 발주청 소속 교육기관의 건설관련 교육 (위탁교육 포함)	해당 발주청 소속 한함
	「건설기술진흥법 시행령」 제75조 및 「설계의 경제성 등 검토에 관한 시행지침」과 관련하여 한국건설VE연구원, 한국VE협회, 한국기술사회, SAVE 에서 실시하는 VE교육	
	기타 건설관련법령에 따른 건설관련 의무교육	

비 고

1. 직무분야별 교육이수시간을 합산하여 35시간 이상인 경우 영 별표3 제2호나목1) 가) 및 다)의 최초교육 및 승급교육 중 어느 하나를 받은 것으로 본다. 이 경우 영 별표3 제3호 가목4)다)의 규정에 따라 같은 목 1) 및 3)의 전문교육에는 적용하지 않는다.
2. 제1호에도 불구하고 교육이수시간을 확인할 수 없는 경우 교육일수 1일을 7시간으로 계산하여 해당 교육기간 동안의 이수시간을 인정한다.
3. 공통분야 중 위탁교육이라 함은 소속 교육기관 부재 또는 전문성을 갖춘 다른 기관에 교육을 요청 하는 등, 소속 교육기관에서 이수하지 않고 다른기관에서 이수한 교육훈련을 말한다.
4. 공통분야의 VE교육과정이 35시간 이상인 경우 영 제42조제2항 별표3 제2호나목1)의 교육 중 어느 하나를 받은 것으로 본다. 이 경우 제1호 및 제2호에도 불구하고 합산하는 교육시간은 2011년 6월 17일(고시 시행일)이후 이수한 교육시간으로 한다.
5. 공통분야의 기타 건설관련법령에 따른 건설관련 의무교육의 여부는 교육관리기관에서 인정하는 경우에 한한다.

[별표 6의2] 건설기술인별 교육 · 훈련 내용(제25조제7항관련)〈신 설〉

1. 교육 · 훈련 일반

교육 · 훈련 종류		등급
가. 기본교육		등급 무관
나. 건설정책 역량강화 교육	1) 스마트 건설기술	등급 무관
	2) 해외시장 진출지원	등급 무관
다. 건설기술능력 향상교육	1) 건설기술 분야 교육	설계 · 시공 등 건설사업관리 품질관리
	2) 직무분야 교육	초급, 중급, 고급, 특급
	3) 전문분야 교육	일반수준(중 · 고급) 심화수준(특급)
라. 체험형 안전교육		등급 무관

2. 설계·시공기술인

교육 · 훈련 종류		교육과정 및 등급	
가. 최초교육	일반 최초교육	1) 직무분야 교육	등급 무관
		2) 스마트 건설기술 교육	등급 무관
	발주청 소속 건설기술인 최초교육	1) 건설기술 분야 교육	등급 무관
		2) 스마트 건설기술 교육	등급 무관
나. 계속교육		1) 전문분야 교육	심화수준(특급)
		2) 건설정책 역량강화 교육	등급 무관
		3) 제28조에 따른 특급의 건설기술인의 학점	-
다. 승급교육		1) 전문분야 교육	일반수준(중 · 고급) 심화수준(특급)
		2) 건설정책 역량강화 교육	등급 무관

3. 건설사업관리기술인

교육 · 훈련 종류		교육과정 및 등급	
가. 최초교육		1) 직무분야 교육	등급별
		2) 스마트 건설기술 교육(전체 교육시간 중 35시간만 인정)	등급 무관
나. 계속교육	일반교육	1) 직무분야 교육	등급별
		2) 전문분야 교육 (전체 교육시간 중 35시간만 인정)	고급, 특급
		3) 건설정책 역량강화 교육 (전체 교육시간 중 35시간만 인정)	고급, 특급
	안전관리교육	직무분야(안전관리) 교육	등급 무관
다. 승급교육		1) 직무분야 교육	등급별
		2) 전문분야 교육 (전체 교육시간 중 35시간만 인정)	고급, 특급
		2) 건설정책 역량강화 교육 (전체 교육시간 중 35시간만 인정)	등급 무관

비고

계속교육 일반교육 및 승급교육에서 전체 교육시간 중 35시간은 2) 전문분야 교육 또는 3) 건설정책 역량강화 교육 중 어느 하나를 선택하여야 한다.

4. 품질관리기술인

교육 · 훈련 종류	교육과정 및 등급	
가. 최초교육	건설기술 분야	등급 무관
나. 계속교육	건설기술 분야	등급별
다. 승급교육	건설기술 분야	중급, 고급, 특급

[별표 7]

특급기술인 교육·훈련 학점인정 기준(제28조제1항 관련)

구분	학점인정내용		학점 가중치	이수단위	인정 최고학점 (3년 기준)
	교육·훈련 종류	인정사항			
수강교육 (원격교육 포함)	학위과정	1. 국내외 석·박사학위의 교육(이하 "교육"이라 한다)	10	취득학점	90학점
	외국어 과정	2. 외국어(학원수강, 시험성적 등)	0.1~25	수강시간 또는 점수	60학점
	기타 교육과정	3. 중앙부처, 지자체, 공공기관, 국내외 학회 또는 건설관련법령에 따라 설립된 단체(영 제43조에 따라 지정된 교육기관 포함)에서 실시한 건설관련 교육이나 영 별표3 제3호가목4)가)의 산업안전보건법과 그 밖의 다른 법령에 따른 교육	2	수강시간	90학점
무형식교육	저작	1. 건설관련 기술서적의 집필 및 번역	10~50	건	90학점
	강의 등	2. 건설관련강의(소속업체 강의 제외)	2	강의시간	90학점
		3. 기술발표(세미나, 포럼 등)	1~10	건	90학점
	논문 등	4. 건설관련 학회지나 기술지 등에 논문이나 보고서 게재	2~30	건	75학점
		5. 국내외 특허(발명 및 실용신안) 출원 및 획득	6~60	건	90학점
		6. 신기술·신공법 제안보고서 등	2~30	건	60학점
	연수 및 OJT	7. 기업(교육 및 연구기관 등)내 건설관련 연수프로그램 및 OJT	1	참여시간	30학점
	학습활동	8. 직무와 관련한 자율 학습활동(학습보고서를 제출한 경우에 해당한다)	1	건	30학점
		9. 현장견학 등을 통한 학습활동(확인서를 제출한 경우에 해당한다)	1	참여시간	40학점
		10. 해당 직무분야의 산업기사 이상 국가기술자격증 취득	10~30	건	90학점
	심의·심사	11. 해당 직무분야 관련 각종 심의 또는 심사활동	1	참여시간	60학점

비 고

수강교육에서 기타교육과정 인정사항 중 학회는 「민법」에 따라 주무관청의 허가를 얻은 사단법인에 한한다.

[별표 8] 〈삭제〉

[별표 9]

종합교육기관의 분원 설치·운영기준(제30조의3제2항 관련)

종합교육기관 분원의 설치 기준

교육시설(㎡)	교수요원(명)	전담직원(명)
100	1	1

비 고

가. 교육시설(강의실)은 교육기관이 소유하거나 분원으로 설치·운영되는 기간 동안 계속하여 임차해야 한다.

나. 분원의 연간교육실적이 5천명 이상일 경우 교육시설(강의실) 200㎡, 교수요원 1명 및 전담직원 2명을 추가하고 1만명 이상인 경우 1만명당 교수요원 1명을 추가한다.

다. 교육생의 편의를 위하여 휴게소 등 편의시설을 교육시설(강의실) 면적의 1/3이상 규모로 갖추어야 한다.

라. 위 설치기준은 분원 1개소에 대한 것이며 영 별표4의 대행요건에 포함하지 않는다.

[별표 10]

전문교육의 종류(제24조 관련)

1. 이수시기별 종류

구분	내용
가. 최초교육	영 별표1 제3호에 따른 건설기술 분야 중 해당 분야(이하 "해당 분야"라 한다) 업무를 처음으로 수행하기 전에 받는 교육이며, 제2호가목1)에 따른 스마트 건설기술교육을 7시간 이상 포함한다.
나. 계속교육	해당 분야 업무 수행 기간이 매 3년이 지나기 전에 받는 교육
다. 승급교육	해당 분야 업무를 수행하면서 현재의 기술등급보다 높은 등급을 취득하기 위해 받는 교육

2. 교육내용별 종류

가. 건설정책 역량강화 교육

구분	내용
1) 스마트 건설기술 교육	전통적인 건설방식에 첨단기술을 융합한 건설기술을 학습하는 교육 예시) BIM, 드론, AI, 빅데이터, 시뮬레이션, 공사용 로봇, IoT 및 센서, 모듈러 공법, 3D 프린팅, 가상현실 및 증강현실, 지능형 건설장비 등
2) 해외시장 진출지원 교육	해외건설 관련 기술, 금융 및 계약 등 해외사업 전반의 전문지식을 학습하는 교육 예시) 사업기획, 파이낸싱, 계약관리, 클레임 관리, 리스크 관리, 건설영어, PPP 이론과 사례, 해외건설 공정관리 사례, 타당성조사 등

나. 건설기술능력 향상교육

구분	내용
1) 건설기술 업무분야 교육	건설기술 업무(설계·시공 등, 건설사업관리, 품질관리당)분야의 특성을 감안하여 편성하는 교육
2) 직무분야 교육	토목, 건축 등 해당 분야의 특성을 파악하기 위하여 영 별표1 제3호에 따른 직무분야별로 편성하는 교육
3) 전문분야 교육	설계·시공 등 분야에서 도로 및 공항, 건축시공 등 해당 분야에 특화된 건설기술을 습득하기 위해 영 별표1 제3호에 따른 전문분야에 대해 일반수준(중·고급 과정) 및 심화수준(특급 과정)으로 편성하는 교육

다. 체험형 안전교육

가상현실체험 또는 안전체험시설 등을 이용한 재해체험 중심의 교육

[별표 10의2]

교육 · 훈련의 편성(제37조의2 관련) 〈신 설〉

1. 일반사항

가. 건설정책 역량 강화 교육은 별표10 제2호가목의 예시와 같이 편성하는 것은 원칙으로 한다. 다만, 교육수요 등을 고려하여 교육과정을 병합하여 편성할 수 있다.

나. 최초교육은 각 직무분야로 편성하는 것을 원칙으로 한다. 다만, 교육수요 등을 고려하여 다수의 직무분야로 병합하여 편성할 수 있다. 이 경우 하나의 교육과정에는 2개 이상의 직무분야를 포함(품질관리분야는 제외)해야 한다.

다. 계속교육은 각 전문분야별로 편성하는 것을 원칙으로 한다. 다만, 교육수요 등을 고려하여 다수의 전문분야를 병합하여 편성할 수 있다. 이 경우 하나의 교육과정에는 2개 이상의 전문분야를 포함해야 한다.

라. 승급교육은 각 전문분야로 편성하는 것을 원칙으로 한다. 다만, 교육수요 등을 고려하여 다수의 전문분야로 병합하여 편성할 수 있다. 이 경우 하나의 교육과정에는 2개 이상의 전문분야를 포함해야 한다.

2. 종합교육기관

가. 기본교육

구분	교육·훈련의 편성
1) 기본교육	1개 이상의 교육과정

나. 건설정책 역량 강화 교육

구분	교육·훈련의 편성
1) 스마트 건설기술교육	3개 이상의 교육과정
2) 해외시장 진출지원교육	3개 이상의 교육과정

다. 최초교육

건설기술 업무분야	교육·훈련의 편성
1) 설계·시공 등	병합 직무분야 4개 이상의 교육과정
2) 건설사업관리	병합 직무문야 3개 이상의 교육과정
3) 품질관리	건설기술 분야 전반에 대한 1개 이상의 교육과정

라. 계속교육

건설기술 업무분야	교육·훈련의 편성
1) 설계·시공 등	10개 이상의 교육과정
2) 건설사업관리	병합 직무분야 3개 이상의 교육과정
3) 품질관리	건설기술 분야 전반에 대한 1개 이상의 교육과정

마. 승급교육

건설기술 업무분야	교육·훈련의 편성
1) 설계·시공 등	10개 이상의 교육과정
2) 건설사업관리	병합 직무분야 3개 이상의 교육과정
3) 품질관리	건설기술 분야 전반에 대한 1개 이상의 교육과정

3. 전문교육기관 : 지정받은 교육분야에 한함

가. 건설정책 역량 강화 교육

구분	교육·훈련의 편성
1) 스마트 건설기술교육	1개 이상의 교육과정
2) 해외시장 진출지원교육	1개 이상의 교육과정

나. 최초교육

건설기술 업무분야	교육·훈련의 편성
1) 설계·시공 등	직무문야 또는 전문분야 1개 이상의 교육과정
2) 건설사업관리	병합 직무문야 3개 이상의 교육과정
3) 품질관리	건설기술 분야 전반에 대한 1개 이상의 교육과정

다. 계속교육

건설기술 업무분야	교육·훈련의 편성
1) 설계·시공 등	직무문야 또는 전문분야 1개 이상의 교육과정
2) 건설사업관리	병합 직무분야 2개 이상의 교육과정
3) 품질관리	건설기술 분야 전반에 대한 1개 이상의 교육과정

라. 승급교육

건설기술 업무분야	교육·훈련의 편성
1) 설계·시공 등	직무문야 또는 전문분야 1개 이상의 교육과정
2) 건설사업관리	병합 직무분야 2개 이상의 교육과정
3) 품질관리	건설기술 분야 전반에 대한 1개 이상의 교육과정

[별표 11]

원격교육·훈련 시설기준(제40조제1항 관련)

항 목	시설기준
Web서버	· CPU : 700MHz × 2이상 · Memory : 1GB 이상-최대 8GB까지 확장 가능할 것 · FDD : 1.44MB · HDD : 36GB(7,200rpm) Ultra3(Ultra 160) SCSI · CD-ROM : 32배속 이상 · I/O Slot : 4개 64bit PCI type · LAN CARD : 100M Fast Ethernet
DB서버	· CPU : 700MHz × 2(1M cache per processor) · Memory : 133MHz ECC SDRAM 1G · HDD : 72GB(7,200rpm) Ultra3(Ultra 160) SCSI · LAN CARD : 100M Fast Etherent
동영상서버	· CPU : 700MHz × 2(1M cache per processor) · Memory : 133MHz ECC SDRAM 2G · HDD : 72GB(7,200rpm) Ultra3(Ultra 160) SCSI · LAN CARD : 100M Fast Etherent
Disk Array (대용량 저장장치)	· 500GB이상(최대확장 7.7TB) · RPM : 10,000RPM 이상 · Fibre Channel : 최소 2개 이상 · Cache : 2GB이상 · 각종 해킹 등으로부터 데이터를 충분히 보호할 수 있는 보안서버를 갖추고 있을 것
네트워크	· 자체 DNS 등록 및 환경을 구축할 것
방화벽	· 보안서버 이외에 외부해킹 또는 바이러스로부터 데이터를 보호할 수 있는 보안서비스 내지 방화벽을 갖출 것
홈페이지	· 전용 홈페이지를 갖추어야 하며 플랫폼은 교육생모듈, 교사모듈, 관리자모듈 등 각각의 전용 모듈을 갖출 것

[별표 12]

원격교육·훈련 세부기준(제40조제2항 관련)

구분	세부기준
1. 원격교육·훈련 내용	1. 원격교육·훈련시간은 35시간을 기본으로 하며, 이중 7시간 이상은 집체교육(전문교육 과정의 경우 현장 실무능력을 제고시킬 수 있는 실습과목·사례연구·현장견학 등으로 구성되어야 한다)으로 실시하여야 한다. 이 경우 집체교육은 제30조제1항 또는 제4항에 따라 운영되는 교육장소에서 이루어져야 한다. 2. 제1호에도 불구하고 원격교육·훈련시간이 35시간 미만이거나 감염병 확산 등 국토교통부장관이 인정하는 경우 원격교육·훈련의 집체교육을 실시하지 않을 수 있다. 3. 교육기관은 집체교육과 동등 이상의 교육효과를 달성하도록 원격교육·훈련의 교육내용을 개발(교육기관간 공동개발을 포함한다)하여야 하고 최소 1년 단위로 교육내용을 점검 및 보완하여야 한다. 4. 원격교육·훈련시간은 1차시 기준 1시간(60분) 이상으로 하며 이중 강의 동영상 비중이 50%(30분) 이상을 확보하여야 한다. 5. 제4호에 따른 강의 동영상은 다른 교육기관에게 임대할 수 있다. 6. 교육·훈련목표, 대상, 교육내용에 비추어 수강에 요구되는 경력 등이 제시되고 있을 것 7. 전체 교육·훈련 시간대별 세부 교육·훈련내용이 제시되고, 제시된 교육·훈련내용이 정확하여야 하며, 텍스트, 시각자료, 청각자료 등을 통하여 교육·훈련목적 달성에 부합할 수 있을 것 8. 적정한 보충·심화학습이 가능하고 교육·훈련진행을 위한 안내 설명 및 도움말 기능이 적절하게 제시되고 있을 것 9. 교육·훈련자료의 수집 및 보관이 용이하고 교육·훈련내용과 관련된 질의·응답이 가능할 것

구분	세부기준
2. 원격 교육·훈련 관리	1. 대리수강 방지를 위해 교육시작 시(1차시 단위) 휴대폰을 이용한 인증번호 확인시스템 또는 공동인증서 등을 통한 확인 등의 본인확인시스템이 갖추어져 있을 것 2. 동일 ID에 대한 동시접속방지기능을 갖출 것 3. 과정별 최초 1회 수강 시 순차학습을 통하여 교육생이 진도를 나가지 않은 페이지는 페이지 네비게이션과 컨트롤 버튼이 작동하지 않도록 제어하여야 하며 수시로 교육생이 교육에 참여(질의)토록 하여 충실한 학습이 이루어지도록 하여야 한다. 4. 교육·훈련기간, 교육·훈련방법, 교육·훈련실시기관 소개, 교육·훈련 진행절차(수강신청, 학습보고서 작성·제출, 평가, 수료기준 등) 등에 관한 안내가 웹상(교육생 모듈)에서 이루어지고 있을 것 5. 수강번호, 교육생 성명, 교육·훈련과정명, 교육·훈련개시일 및 종료일, 최초 및 마지막 수강일 등 수강신청 현황이 웹상(교육생 모듈)에 갖추어져 있고 수강신청 및 변경이 웹상(교육생 모듈)에서 가능할 것 6. 교육생별 수강신청일자, 진도율, 평가일, 평가결과송부일 등 수강현황이 웹상(관리자 모듈, 교육생 모듈)에 기록되고 교육생의 개인이력(수강번호, 성명, 소속, 연락번호 등)과 학습이력(수강과정, 수강신청일, 수료일 등)이 교육생모듈에 개인별로 갖추어져 있을 것 7. 교육·훈련참여가 저조한 교육생들에 대한 독려 시스템(관리자 모듈)이 갖추어져 있을 것 8. 교육생모듈 초기화면에 교육생 유의사항을 안내 할 것 9. 교육·훈련의 1일 최대 학습시간은 10시간을 초과할 수 없다. 10. 교육기관은 적절한 훈련생 관리를 위하여 다음 어느 하나에 해당하는 자를 1명 이상 고용하여야 한다. 이 경우 영 제43조제3항 별표4의 전담직원과 겸직할 수 있다. 가. 건설기술관련학과 학사학위 이상 소지자 나. 원격훈련분야 실무경력 3년 이상인 자 다. 건설관련업체 건설관련업무 수행기간이 2년 이상인 자

구분	세부기준
3. 원격 교육·훈련 평가 관리	1. 원격교육·훈련을 실시하는 경우 교육시간은 영 별표3의 시간 이상으로 편성·운영하여야 한다. 2. 원격교육·훈련을 실시하는 경우 실시한 교육에 대한 평가를 실시하여야 하며 평가의 난이도(교육생의 수료 평균점수 등)는 집합교육의 동일과정(기본교육 또는 전문교육 등) 이상으로 유지하여야 한다. 3. 평가는 객관식, 단답형, 주관식 등의 학습평가, 개인별 보고서에 의한 과제평가 및 학습진도율평가로 절대평가를 원칙으로 한다. 4. 배점기준은 집체 필답고사(주관식을 포함한다)에 의한 학습평가 60%, 과제평가 20%, 학습진도율평가를 20%로 하여 총 득점의 70% 이상 득점한 자를 이수토록 한다. 다만, 학습진도율은 교육시간의 90% 이상 이수하여야 한다. 5. 시험, 과제제출 등의 평가도구가 적절하고 평가도구별 세부내역과 평가비중 등이 명기되어 있을 것 6. 시험은 문제 pool방식(5배수 이상 확보)으로 출제하고, 과제출제는 5개 유형 이상을 확보할 것 7. 시험이 객관식으로만 구성되어 있거나 평가항목이 부실하여 형식적인 평가가 이루어지지 않도록 할 것 8. 제출된 과제물은 첨삭을 실시하여 훈련생에게 통보할 것(교육생모듈에서 확인이 가능할 것) 9. 학습 및 과제평가는 당해 교육기간 내에 응시 및 제출한 것에 한해 득점으로 인정한다. 10. 모사답안 방지대책 및 모사답안 발생시 처리기준이 있고, 교육생이 인지할 수 있도록 안내가 이뤄질 것

[별표 13]

학사관리규정 표준안(제41조제1항 관련)

구 분	관리 기준
1. 출결관리	가. 출결관리는 매교육일 교육개시전 교육생의 개별 서명과 이를 확인하는 방법에 의한다. 나. 출석일수는 총 출석일수의 80% 이상이어야 한다. 다. 교육원장이 인정하는 타당한 결석의 경우 결석일수의 50%을 결석한 것으로 보며 무단 결석의 경우 100% 처리한다. 라. 직계존비속의 사망 등 부득이하게 교육을 이수치 못하는 경우 차기 교육과정을 이수할 수 있도록 조치하여야 한다. 다만, 총 출석일수의 40% 미만인 경우에 한한다. 마. 라호의 부득이 한 경우에 대해서는 교육기관별로 따로 정하도록 한다. 바. 교육생이 대리출석 행위 등 교육분위기를 해치는 경우 퇴교조치토록 한다.
2. 평가관리	가. 35시간 이상의 교육을 실시하는 경우 실시한 교육에 대한 교육평가를 실시한다. (분할교육은 예외) 나. 평가는 객관식, 단답형, 주관식 등의 필답고사에 의한 학습평가 및 근태평가로 절대평가를 원칙으로 한다. 다. 배점기준은 학습평가를 80%, 근태평가를 20%로 하여 총 득점의 70% 이상 득점한 자를 이수토록 한다. 다만, 이수조건 중 출석일수는 총 출석일수의 80% 이상으로 한다. 라. 근태평가 기준은 교육기관별로 따로 정하도록 한다. 마. 학습평가 문제는 매 과정마다 동일하게 실시하지 않도록 한다.
3. 설문조사	가. 35시간 이상의 교육을 실시하는 경우 교육효과, 교육시설 등 교육과 관련한 사항에 대하여 설문조사를 실시하여야 하며 이를 분석하여 다음 교육과정에 반영토록 노력하여야 한다.

[별표 14]

교육기관 점검·평가 기준(제44조제1항 관련)

1. 지정된 교육과정에 따른 교육 실시 여부

2. 건설기술진흥법령 및 제3장 교육기관 지정 및 운영의 준수 여부

3. 교육기관 지정기준, 분원설치·운영기준 또는 원격교육·훈련 세부기준 미달 여부

4. 학사관리 철저운용 여부

5. 교육생에게 교육이수를 지정 또는 강요하거나 무리한 교육생 모집 여부

6. 법령에서 정한 교육취지에 반하는 운영 여부

[별표 15] 〈삭제〉

[별표 16]

경력확인서 발급 절차(제8조제1항 관련)

1. 발주자, 인·허가기관 또는 사용자(대표자)는 건설기술인이 경력확인서의 발급을 요청한 경우 사업부서와 인사부서에서 확인을 하여야 하며, 규칙 별지 제19호의2 서식의 건설기술인 경력확인 접수(처리)대장에 기록하고 관리하여야 한다.

2. 사업부서는 착수계·준공계·공사대장·설계도서·감독명령부 또는 업무분장 등을 근거로 기술경력 및 참여기간을 확인하여야 한다.

3. 인사부서는 임명대장 또는 인사기록카드 등을 근거로 사업부서 재직기간을 확인하여야 한다.

4. 발주자, 인·허가기관 또는 사용자(대표자)는 사업부서 및 인사부서의 최종 확인 후 경력확인서를 발급하여야 한다.

5. 발주자 또는 인·허가기관은 민원인(건설기술인)이 경력확인서 발급을 요청하는 경우 기술경력 및 참여기간을 확인한 담당자와 직인을 날인한 담당자에게 각각 사업부서 및 인사부서 확인란의 해당 항목을 기재하도록 하여야 한다.

6. 경력확인서 세부 발급 절차

신고자료 작성	· 건설기술인 또는 소속업체에서 신고자료를 작성 * 소속업체에서 신고자료를 작성한 경우 해당 건설기술인의 확인을 받아야 함
↓	
발주자, 인·허가기관 또는 사용자(대표자) 기술경력 확인	· (사업부서)착수계, 준공계, 공사대장, 업무분장, 설계도서, 감독명령부 등으로 확인 · (인사부서)명령부 대장, 인사기록카드 등으로 확인 * 사업부서, 인사부서가 별도로 없는 기관은 자체적으로 조직성격에 따라 확인
↓	
경력확인서 발급	· 발주자, 인·허가기관 또는 사용자(대표자)는 사업부서 및 인사부서의 최종 확인 후 경력확인서를 발급
↓	
경력확인 접수 (처리)대장 관리	· 발주자, 인·허가기관 또는 사용자(대표자)는 경력확인서의 발급을 신청받거나 처리한 경우 규칙 별지 제19호의2 서식의 건설기술인 경력관리 접수처리(대장)을 작성하고 관리

[별지 제1호 서식]

학과 심의신청서

※ 어두운 칸은 신청인이 적지 않습니다.

접수번호	접수일	실명확인	처리기간 10일

신청인 인적사항	성명		생년월일
	전자우편주소	전화번호	휴대전화번호
	주소		
	소속회사 주소 (연락처 :)		
해당학과의 신청분야	직무분야	전문분야(석 · 박사 학위 취득자에 한합니다)	
수신요청	유선(자택, 회사) · 휴대전화(문자)	전자우편	문서

건설기술인 등급 인정 및 교육 · 훈련 등에 관한 기준 제4조의 규정에 따라 학과 심의를 신청합니다.

년 월 일

신청인(본인) (서명 또는 인)

○○○○○ 협회장 귀하

첨부서류	1. 성적증명서 2. 졸업증명서 3. 관련증빙 자료	수수료 없음

유의사항

1. 건설기술인 등급 인정 및 교육 · 훈련 등에 관한 기준 제4조제3항에 따라 경력관리수탁기관에서 처리결과를 통보하여야 함으로 연락 가능한 연락처를 기재하여 주시기 바랍니다.
2. 해당학과의 신청직무분야 및 학과심의 처리 기준은 "건설기술인 등급 인정 및 교육·훈련 등에 관한 기준(국토교통부 고시)" 제3조(건설기술인의 인정범위) 제2항 별표2를 참고하시기 바랍니다.
3. 대리인 신청 시 신고인의 실명확인을 위해 아래의 기재사항을 기재하셔야 합니다.

대리신청인	성명 (서명 또는 인)	생년월일	연락처

210㎜×297㎜[일반용지 60g/㎡(재활용품)]

[별지 제1호의2서식]

건설관련업체 등록(신규·변경) 신청서

※ 어두운 칸은 신청인이 적지 않습니다.

접수번호	접수일	실명확인	처리기간 즉시

신청인 인적사항	성명		생년월일
	전자우편주소	전화번호	휴대전화번호
신규	회사명		대표자
	법인등록번호		전화번호
	사업자등록번호		팩스
	건설관련 등록번호		
	소재지 주소		
	우편물 수령지 주소		

	구분	변경전	변경후
변경	회사명		
	대표자		
	법인 등록번호		
	사업자 등록번호		
	건설관련 등록번호		
	연락처 등		
	소재지		
	우편물 수령지		

「건설기술인 등급 인정 및 교육 · 훈련 등에 관한 기준」 제6조제2항제5호에 따라 건설관련업체 등록 신청서를 제출합니다.

년 월 일

성 명(본인) (서명 또는 인)

○ ○ ○ ○ ○ 협회장 귀하

첨부서류	1. 등기사항증명서 사본 1부(법인인 경우) 2. 사업자등록증 사본 1부 3. 건설업등록(인·허가)증 사본 1부 4. 법인(개인) 인간증명서(사용인감계 포함) 사본 1부 5. 기타	수수료 없음

유의사항

1. 변경신고시에는 "변경"사항에 대한 증빙서류(사본)만 첨부하여 신고하시면 됩니다.
2. 처리기간 "즉시"는 3시간 이내를 말합니다.
3. 사업장이 휴·폐업 시에는 휴·폐업사실증명원 사본을 첨부하여 신고하시면 됩니다.

210㎜×297㎜[일반용지 60g/㎡(재활용품)]

[별지 제2호 서식]

구분	인사부서	사업부서
부서명		
담당자	(인)	(인)
연락처		
발급번호		

분야별 참여기술인 명단

※ 어두운 칸은 신청인이 적지 않습니다.

접수번호	접수일	실명확인	처리기간 5일

신청인	회사명	
	업종	면허번호 또는 등록번호
	대표자 (인)	법인등록번호(또는 사업자등록번호)
	주소 (전화 :)	
참여 사업	사업명	
	발주청	
	용역기간	
	공사종류	공법
	공사(용역)개요 (70자이내 공란포함)	
	공사(용역)금액 (단위 : 백만원)	
국외경력 * 국외사업에 참여한 경우 작성	발주국 :	공사지역(국가명) :
	발주자 :	국가기관[ ] 공공기관 [ ]

기술경력

연번	성명	생년월일	참여기간	직무분야	전문분야	담당업무	직위	책임정도	서명 또는(인)
1									
2									
3									
4									
5									

위와 같이 당 기관에서 발주한 사업에 참여한 기술인에 대한 경력을 확인합니다.

년 월 일

발주청(인·허가기관) 직인

유의사항

1. 직무분야, 전문분야, 공사종류, 담당업무 및 책임정도 기재요령은 「건설기술진흥법 시행령」 제4조 별표1 제3호, 건설기술인 등급 인정 및 교육·훈련 등에 관한 기준 제5조 별표3 제3호 및 제4호를 참고하여 기재하시면 됩니다.
2. 발주청 확인은 해당기관의 장(건설공사와 관련한 실적관리 및 확인 권한 등을 재무관, 경리관 또는 계약담당관 등 회계관계공무원에게 위임한 경우 해당 공무원 포함)이 확인을 하여야 합니다.
3. 대리인 신고 시 실명확인을 위해 아래의 기재사항을 적어야 합니다.

대리신고인	성명 (서명 또는 인)	생년월일	연락처

210㎜×297㎜[일반용지 60g/㎡(재활용품)]

[별지 제3호 서식]

건설기술인 경력신고자료 이관신청서

※ 어두운 칸은 신청인이 적지 않습니다.

접수번호	접수일	실명확인	처리기간 7일

신청인 인적사항	성명		생년월일
	전자우편주소	전화번호	휴대전화번호
	주소		

현재(변경후) 근무처	회사명	면허번호 또는 등록번호(사업자 또는 법인)
	주소 (전화 :)	

인수협회	
신청사유	
건설기술 경력증 미반납 사유	

건설기술인 등급 인정 및 교육 · 훈련 등에 관한 기준 제12조의 규정에 따라 경력관리수탁기관이 변경되어 신고자료의 이관을 신청합니다.

년 월 일

신청인(본인) (서명 또는 인)

○○○○○ 협회장 귀하

첨부서류	건설기술경력증(해당자에 한합니다)	수수료
		없음

유의사항

1. 인수협회는 신청인의 이직 등으로 경력관리수탁기관을 변경하여야 하는 경우 새로이 경력을 관리할 협회의 명칭을 기재합니다.(「건설기술진흥법 시행령」 제117조제2항에 따라 국토교통부장관이 지정 · 고시한 기관 중 어느 하나여만 합니다)
2. 신청사유는 이직·소속회사의 건설업 관련 면허 취득 등의 사유로 경력관리수탁기관을 변경하여야 하는 사유를 기재하시면 됩니다.
3. 대리인 신청 시 신고인의 실명확인을 위해 아래의 기재사항을 기재하셔야 합니다.
4. 대리인·우편 또는 FAX로 이관을 신청하는 경우 이관하는 건설기술인(신청인)의 신분증(사본포함)을 제시하여야 합니다.

대리신청인	성명 (서명 또는 인)	생년월일	연락처

210㎜×297㎜[일반용지 60g/㎡(재활용품)]

[별지 제4호 서식]

신고자료 경정신청서

※ 어두운 칸은 신청인이 적지 않습니다.

접수번호	접수일	실명확인	처리기간 10일

신청인 인적사항	성명		생년월일
	전자우편주소	전화번호	휴대전화번호
	주소		

신청사항 (✔표시)	[ ] 참여기간 [ ] 참여사업명 [ ] 발주자 [ ] 직무분야 [ ] 전문분야 [ ] 공사종류 [ ] 담당업무 [ ] 공 법 [ ] 직 위 [ ] 기 타

관련증빙 자료(✔표시)	[ ] 건설기술인 경력변경신고서(「건설기술진흥법 시행규칙」 별지 제14호 서식) [ ] 경력확인서(「건설기술진흥법 시행규칙」 별지 제12호 서식) [ ] 국외 경력확인서(「건설기술진흥법 시행규칙」 별지 제13호 서식) [ ] 경력확인서 또는 국외 경력확인서 확인업체의 인감증명서(인감증명서가 신고된 경우 제외) [ ] 기 타 :
건설기술 경력증 미반납 사유	
수신요청	[ ] 자택전화 [ ] 회사전화 [ ] 휴대전화 [ ] 문자(휴대전화) [ ] 전자우편 [ ] 문서

「건설기술인 등급 인정 및 교육 · 훈련 등에 관한 기준」 제15조의 규정에 따라 신고자료 경정신청서를 제출합니다.

년 월 일

신청인(본인) (서명 또는 인)

○○○○○ 협회장 귀하

첨부서류	관련증빙 자료	수수료
		「건설기술진흥법 시행규칙」 제18조제7항에 따른 수수료

유의사항

1. 신청인(본인)의 서명 또는 인에는 신청인 본인이 직접 서명 또는 날인해야 하며, 다른 사람이 이를 위조하는 경우 「형법」 제239조에 따라 처벌 받을 수 있습니다.
2. 건설기술인 본인이 작성하고 서명한 후 직접 제출하거나 대리인이 제출할 수 있으며, 대리인이 제출 시 실명확인을 위해 아래의 기재사항을 적어야 합니다.
3. 대리인 신청 또는 우편신청 시 본인 신청 사실여부 확인 후 접수 처리됩니다.
4. 경정결과에 따라 등급이 재산정되어 변동될 수 있으며 반납하지 않은 경력증의 부정사용(분야변경 또는 등급하락 이전 경력증의 사용을 말합니다)·대여(자격 또는 경력증)·도용 또는 거짓신고 등은 관련규정에 따라 처분을 받게 됩니다.

대리신청인	성명 (서명 또는 인)	생년월일	연락처

210㎜×297㎜[일반용지 60g/㎡(재활용품)]

[별지 제5호 서식]

건설기술인 보유/경력증명서 발급신청서

*어두운 칸은 신청인이 적지 않습니다. (앞쪽)

접수번호	접수일	실명확인	처리기간 즉시

신청인	성명	(서명 또는 인)	생년월일
발급	경력증명서 [ ] 일반 [ ] 건설사업관리업무		부수
	보유증명서 [ ] 일반 [ ] 시설공사적격심사 [ ] 건설사업관리업무		부수
	제출처		
소속회사	회사명		대표자
	주소		전화번호
입찰내용	공사명		
	발주청		공고일

건설기술인 등급 인정 및 교육 · 훈련 등에 관한 기준 제16조제5항에 따라 아래 건설기술인 중 퇴직 또는 사망자가 포함되지 않았음을 확인하며 증명서 발급을 신청합니다.

년 월 일

신청회사 (인)

○○○○○ 협회장 귀하

연번	성명	생년월일	업무분야 설계·시공	업무분야 건설사업관리	업무분야 품질관리	직무/전문분야	연번	성명	생년월일	업무분야 설계·시공	업무분야 건설사업관리	업무분야 품질관리	직무/전문분야
1							16						
2							17						
3							18						
4							19						
5							20						
6							21						
7							22						
8							23						
9							24						
10							25						
11							26						
12							27						
13							28						
14							29						
15							30						

210㎜×297㎜[일반용지 60g/㎡(재활용품)]

(뒤 쪽)

연번	성명	생년월일	업무분야 설계·시공	업무분야 건설사업관리	업무분야 품질관리	직무/전문분야	연번	성명	생년월일	업무분야 설계·시공	업무분야 건설사업관리	업무분야 품질관리	직무/전문분야
31							41						
32							42						
33							43						
34							44						
35							45						
36							46						
37							47						
38							48						
39							49						
40							50						

참 조

직무분야	전문분야	직무분야	전문분야
기계	공조냉동 및 설비 건설기계 용접 승강기 일반기계	토목	토질·지질, 토목구조, 항만 및 해안, 도로 및 공항, 철도·삭도, 수자원개발, 상하수도, 농어업토목, 토목시공, 토목품질관리, 측량 및 지형공간정보, 지적
환경	대기관리, 수질관리, 소음진동, 폐기물처리, 자연환경, 토양환경, 해양	건축	건축구조, 건축기계설비, 건축시공, 실내건축, 건축품질관리, 건축계획·설계
광업	화약류관리, 광산보안	안전관리	건설안전, 소방, 가스, 비파괴검사
도시·교통	도시계획, 교통	전기·전자	철도신호, 건축전기설비, 산업계측제어
조경	조경계획, 조경시공관리	건설지원	건설금융·재무, 건설기획, 건설마케팅, 건설정보처리

첨부서류		수수료
		「건설기술진흥법 시행규칙」 제18조제7항에 따른 수수료

유의사항

1. 소속회사에서 발급 신청하는 경우 법인인감(사용인감을 포함합니다)을 날인하고, 신청인은 신분증을 제시하여야 합니다.
2. 대리인이 경력증명서 발급을 신청하는 경우에는 발급대상자(위임한 사람을 말합니다)의 신분증(사본포함) 및 대리인 신분증을 제시하여야 합니다.
3. 신청 후 수령하지 않은 제증명서는 접수일로부터 30일이 경과하면 폐기 됩니다.
4. 발급대상이 10인 이상일 경우 성명, 생년월일, 분야가 기록된 이동식저장매체를 첨부하여 제출할 수 있습니다.
5. 업무분야는 설계·시공, 건설사업관리, 품질관리 분야를 선택(√ 또는 ○)하고 미선택시 모든 업무분야로 발급됩니다.
6. 직무분야 미기재 시 최상위의 직무분야 등급으로 발급됩니다.
7. 보유증명서 발급은 신청회사에 입사 신고된 건설기술인만 가능합니다.
8. 건설기술인 경력증명서에 직무 및 전문분야가 표기되지 않은 경우에는 추가신고 하시기 바랍니다.
9. 퇴직 또는 사망으로 근무하지 않는 건설기술인의 증명서를 발급받는 경우 관련규정에 따라 처분을 받을 수 있습니다.

[별지 제6호 서식]

참여기술인 경력사항(PQ)확인 신청서

※ 어두운 칸은 신청인이 적지 않습니다.

접수번호	접수일	실명확인	처리기간 3일

신청인	성명 (서명 또는 인)	생년월일	
소속회사	회사명	대표자	
	주소	전화번호	
입찰내용	참여사업명(정식명을 기재)		
	사업발주처	접수마감일	

건설기술인 등급 인정 및 교육·훈련 등에 관한 기준 제16조제5항에 따라 아래 건설기술인 중 퇴직 또는 사망자가 포함되지 않았음을 확인하며 증명서 발급을 신청합니다.

년 월 일

신청회사 (인)

○○○○○ 협회장 귀하

연번	성명	생년월일	비 고	연번	성명	생년월일	비 고
1				13			
2				14			
3				15			
4				16			
5				17			
6				18			
7				19			
8				20			
9				21			
10				22			
11				23			
12				24			

첨부서류	1. 참여기술인 경력사항확인서 2. 시설공사 기성(준공)실적증명서 또는 분야별 참여기술인 명단 (기제출 시 생략) 3. 기타 관련서류	수수료 「건설기술진흥법 시행규칙」 제18조제7항에 따른 수수료

유의사항

1. 신청 후 수령하지 않은 제증명서는 접수일로부터 30일이 경과하면 폐기 됩니다.
2. 퇴직 또는 사망으로 근무하지 않는 건설기술인의 증명서를 발급받는 경우 관련규정에 따라 처분을 받을 수 있습니다.

210㎜×297㎜[일반용지 60g/㎡(재활용품)]

[별지 제7호 서식]

참여기술인 경력사항 확인서(사업수행능력평가)

1. 자격 및 경력

부실벌점 :

성 명		근무부서(소속)		직 위		
생년월일	(만 세)	최종학교				
		학 교 명	학 위 명	졸업년도	전 공	
자 격 증			* 해당분야실적		* 해당분야 전체 경력기간	
분 야	종 류	취 득 일	건	금액(원)		

상훈 및 자격정지		* 세부 경력 기간 (일, 월)			
상 훈	자 격 정 지	실시설계 용역감독	조사용역, 공사감독	교육,연구, 시공	기타
* 본 과업 참여 분야		* 본 과업참여 직위			

경 력 사 항						
참 여 기 간	사 업 명	발 주 청	참여당시		담당업무 (책임정도)	비 고
			소속회사	직 위		

2. 해당분야 용역 참여실적 (전체, 최근 00 년간)

구분	용역명	*용역개요	*용역기간 (년,월,일 ~년,월,일)	참여기간 (년,월,일 ~년,월,일)	*용역금액 (천원)	참여당시			발주청	비고
						소속 회사	*참여 분야	*직위		
계	건				천원					

- 경력 및 실적증빙서류에서 발췌하여 기재하고, 증빙서와 상이한 사항이 없도록 하여야 합니다.
- 참여분야는 경력증명서 상의 전문분야를 기재하여야 합니다.
- 각종 증빙서류는 사본을 첨부하여야 합니다.

건설기술인 등급 인정 및 교육·훈련 등에 관한 기준 제16조제3항의 규정에 의하여 참여기술인 경력사항 확인을 신청합니다.

(확인기관명) 20 . . . 위 사실을 확인함

이 증명서 상의 *표시사항은 건설기술인경력관리수탁기관에서 확인할 수 없으며 해당 업체에서 작성한 내용임을 알려드립니다.

210㎜×297㎜[일반용지 60g/㎡(재활용품)]

[별지 제8호 서식]

참여기술인 경력사항 확인서(시설공사적격심사)

부실벌점 :

소 속		직 위		사전심사 대상공종	
성 명		생년월일		참여기간	년 월
직무분야	건설기술인 종류 (자격증)	직무분야 등급		건설분야 종사기간	일

○ 해당분야 공사 참여 실적 * 금액 : 도급자설치 관급금액 포함 및 천원단위 기재

발주자	공 사 명	사전심사 해당공종 공사규모 및 금액	공사금액	사전심사 대상공종 참여기간	담당업무 (책임정도)

건설기술인 등급 인정 및 교육훈련 등에 관한 기준 제16조제3항의 규정에 의하여 참여기술인 경력사항 확인을 신청합니다.

20 . . .

발급기준일(입찰공고일) :

주 소 :

회 사 명 :

사업자등록번호 :

대 표 자 : (인)

(확인기관명) 20 . . . 위 사실을 확인함

1) 초급기술인 이상 기술인으로서 당해 공사와 동일 또는 유사한 종류의 공사현장에 3년 이상(자격취득 전후 포함) 종사한 건설기술인의 경우에 해당됩니다.
2) 공종의 공사규모 및 금액이 불분명한 경우에는 평가에서 제외될 수 있습니다.
3) 직무분야 등급 란에는 「건설기술진흥법 시행령」 제4조 별표1 제3호의 직무분야 등급이 기재됩니다.
4) 해당분야 공사 참여 실적이 사전심사대상공사와 동일 및 유사한 종류의 공사인지 여부는 확인할 수 없습니다.

210㎜×297㎜[일반용지 60g/㎡(재활용품)]

[별지 제9호 서식]

분야별 참여기간 인정일 및 건설기술진흥법령 외 자격·학력 등

1. 분야별 참여기간 인정일

공사종류별 인정일수 현황		직무/전문분야별 인정일수 현황	
	일		일
	일		일
	일		일
	일		일
	일		일
인정일수 합계	일	인정일수 합계	일

* 기술경력의 참여기간이 중복된 경우 인정일수 산정시 소수점이하를 절삭하여 공사종류별 인정일수 합계와 직무/전문분야별 인정일수 합계의 차이가 있을 수 있습니다.
* 공사종류별 인정일수 현황 중 공사종류를 2종이상으로 신고한 경우 가나다순으로 정렬 후 합산 표기하였습니다.

2. 건설기술진흥법령 외 자격·학력·교육훈련 및 상훈

자 격	종목 및 등급	합격일	등록번호	종목 및 등급	합격일	등록번호

학 력	졸업일	학교명	학과(전공)	학위

교육훈련	교육기간	교육기관명	과정명

상 훈	수여일	수여기관	종류 및 근거

* 위 사항은 건설기술진흥법령에 따른 관리대상에 해당하지 않으며, "건설기술인 등급 인정 및 교육·훈련 등에 관한 기준(국토교통부 고시)" 제17조제6항 후단에 따라 진위여부는 확인되지 않은 사항입니다.

[별지 제10호 서식]

교육·훈련 연기신청서

* 어두운 칸은 신청인이 적지 않습니다.

접수번호	접수일	실명확인	처리기간 즉시

신청인 인적사항	성명	생년월일	
	전자우편	전화번호	휴대전화번호
	주소		
분야 등	기술분야	등급	
	자격증 등록번호 또는 건설기술경력증 발급번호		
교육기한	당초 년 월 일		
연기사유			
연기사유 해당기간	년 월 일 ~ 년 월 일	변경교육기한	년 월 일

「건설기술진흥법 시행령」 제42조제2항 별표3 제3호 라목 및 건설기술인 등급 인정 및 교육·훈련 등에 관한 기준 제26조제2항에 따라 교육·훈련 연기를 신청합니다.

년 월 일

성 명(본인) (서명 또는 인)

○ ○ ○ ○ ○ 협회장 귀하

첨부서류	연기사유에 관한 증빙서류	수수료 없음

유의사항

1. 건설기술인의 교육·훈련 연기는 「건설기술진흥법 시행령」 제42조제2항 별표3 제2호 가목 3), 나목 3) 또는 다목 3)에 따른 교육·훈련에 한합니다.
2. 건설기술인은 질병·입대·해외출장 등 불가피한 사유로 인하여 교육·훈련을 연기하는 경우 「건설기술진흥법 시행령」 제42조제2항 별표3 제3호 라목 후단에 따라 연기사유가 소멸된 날부터 1년 이내에 교육·훈련을 이수하여야 합니다.
3. 연기사유는 교육이수 기한 내에 교육·훈련을 받지 못하는 구체적인 사유를 기재하시면 됩니다.
4. 대리인 신고 시 아래의 기재사항을 기재하고 위임인(신청인) 및 신고인의 신분증(사본 가능)을 제시하여야 합니다.

대리신고인	성명 (서명 또는 인)	생년월일	연락처
본인확인	방법	확인자	(서명 또는 인)

210㎜×297㎜[일반용지 60g/㎡(재활용품)]

[별지 제11호 서식]

특급기술인 교육·훈련 이수 신고서

* 어두운 칸은 신청인이 적지 않습니다.

접수번호	접수일	실명확인	처리기간 즉시

신청인 인적사항	성명	생년월일	
	전자우편	전화번호	휴대전화번호
	주소		

구 분	종류	인정 번호	개시년도 / 종료년도	월 / 월	일 / 일	학점 가중치	이수 내역	신청 학점	증 빙 자 료
수강교육									
무형식교육									

건설기술인 등급 인정 및 교육·훈련 등에 관한 기준 제29조제1항에 따라 특급기술인 교육·훈련 이수 신고서를 제출합니다.

년 월 일

성 명 (본인) (서명 또는 인)

한국건설기술인협회장 귀하

첨부서류	교육·훈련 이수사실을 증명할 증빙서류 각 1부	수수료 없음

유의사항

1. 위 표의 구분·종류·인정번호에는 제28조제1항 별표7의 구분·교육·훈련 종류·인정사항의 해당번호를 기재하시면 됩니다.
2. 종료 연월일은 학점의 유효기간에 관계되므로 증빙서류 상 확인이 가능한 수강 종료일·제출일 또는 출판일 등을 기재합니다.
3. 증빙자료는 가능한 구체적으로 기재합니다.
4. 기재란이 부족할 경우 별지로 만들어 첨부하여도 됩니다.
5. 대리인 신고 시 아래의 기재사항을 기재하고 위임인(신청인) 및 신고인의 신분증(사본 가능)을 제시하여야 합니다.

대리신고인	성명 (서명 또는 인)	생년월일	연락처
본인확인	방법	확인자	(서명 또는 인)

210㎜×297㎜[일반용지 60g/㎡(재활용품)]

[별지 제12호 서식]

특급기술인 교육·훈련 이수 증명서

인적사항	성명	생년월일

☐ 교육·훈련 종류별 학점누계 　　학점인정기간

수강교육			무형식교육						합 계
학위	외국어	기타 교육	저작	강의 등	논문 등	연수 및 OJT	학습 활동	심의·심사	

☐ 교육·훈련 이수현황

연번	교육기간	구 분	교육·훈련 종류	인정사항	이수단위 ①	학점 가중치 ②	인정학점 ① × ②

「건설기술진흥법 시행령」 제42조제2항 별표3 제2호 가목 3)에 따라 이수한 교육·훈련 이수현황을 건설기술인 등급 인정 및 교육 · 훈련 등에 관한 기준 제29조제5항에 따라 위와 같이 발급합니다.

년 　월 　일

한국건설기술인협회장 (인)

210㎜×297㎜[일반용지 60g/㎡(재활용품)]

[별지 제13호 서식]

특급기술인 교육·훈련 이수증명서 발급신청서

* 어두운 칸은 신청인이 적지 않습니다.

접수번호	접수일	실명확인	처리기간 즉시

신청인	성명 (서명 또는 인)	생년월일
소속회사	회사명 (인)	대표자
	주소	전화번호

아래 건설기술인의 특급기술인 교육·훈련 이수증명서를 신청하오니 발급하여 주시기 바랍니다.

한국건설기술인협회장 귀하

연번	성명	생년월일	발급부수	연번	성명	생년월일	발급부수
1				11			
2				12			
3				13			
4				14			
5				15			
6				16			
7				17			
8				18			
9				19			
10				20			

첨부서류	발급대상자 명부 (출력물 또는 이동식 저장매체, 20인을 초과하는 경우에 한함)	수수료 없음

유의사항

1. 소속업체에서 발급 신청하는 경우에는 "회사명"란에 법인인감(사용인감을 포함합니다)을 날인하고, 신청인은 신분증을 제시하여야 합니다.
2. 대리인이 발급 신청하는 경우에는 발급대상자(위임한 사람을 말합니다)와 본인의 신분증(사본 가능)을 제시하여야 합니다.
3. 발급대상이 20인을 초과하는 경우 성명, 생년월일, 발급부수가 기록된 출력물 또는 이동식저장매체를 첨부하여 제출할 수 있습니다.
4. 소속회사에서 이수증명서 발급을 신청하는 경우 회사에 입사로 신고된 경우만 가능합니다.

210㎜×297㎜[일반용지 60g/㎡(재활용품)]

[별지 제14호 서식]

교육기관 지정 신청서

신청기관	법인명	대표자
	법인등록번호	전화번호
	주소	

신청사항 (✔표시)	[ ] 종합교육기관	교육권역(종합교육기관 선택 시) [ ] 수도권 [ ] 충청권 [ ] 영남권 [ ] 호남권 [ ] 강원권 [ ] 제주권
	[ ] 전문교육기관	교육·훈련분야(전문교육기관 신청 시)

「건설기술진흥법 시행령」 제43조제2항 및 「건설기술인 등급 인정 및 교육 · 훈련 등에 관한 기준」 제30조제2항에 따라 건설기술인 교육·훈련 대행기관으로 지정을 신청합니다.

년 월 일

신청인 (서명 또는 인)

교육관리기관장 귀하

첨부서류	지정심사기준에 따라 첨부서류 별도 공지	수수료
		없음

유의사항

1. 종합교육기관 지정을 신청하는 경우 종합교육기관은 교육·훈련을 실시할 수 있는 권역이 제한되므로 신청기관(신청인)은 교육·훈련을 실시 할 권역을 선택하여 주시기 바랍니다.
2. 전문교육기관 지정을 신청하는 경우 전문교육기관은 교육·훈련을 실시하고자 하는 교육분야를 기재하셔야 합니다.
3. 첨부서류는 지정 신청 공모 시 공고되는 심사기준에 따라 변동 될 수 있습니다.

210㎜×297㎜[일반용지 60g/㎡(재활용품)]

[별지 제15호 서식]

분원설치 승인신청서

신청기관 (별첨 1)	법인명		대표자
	법인등록번호		전화번호
	주 소	본원	
		분원	
	명 칭	본원	
		분원	

교육과정	과정명	
	교육대상자	
	주요교육내용 (※ 개설과정의 목적, 주요과목 등 기술)	
	교육시간(시간) 일 (시간)	반편성 규모 명
	교육비 원(산출근거 별첨 5) ※숙식, 비숙식 구분	
	과목별 세부내용 (별첨 4)	

운영계획	연간 교육 횟수	연간교육인원 명
	운영조직구성 (별첨 2)	
	연간교육일정 (별첨 3)	
시설현황	(별첨 6)	
기타		

「건설기술인 등급 인정 및 교육 · 훈련 등에 관한 기준」 제30조제4항에 따라 OOO교육원의 분원설치 승인신청서를 제출합니다.

년 월 일

신청자 (인)

교육관리기관장 귀하

210㎜×297㎜[일반용지 60g/㎡(재활용품)]

첨부자료 작성요령

1. **별첨 1 :** 신청기관 현황
   - 설립일 - 설립근거
   - 자본금 - 사업내용
   - 정 관 - 기타 상훈, 처벌 등

2. **별첨 2 :** 운영조직구성
   - 신청기관 기구표 - 신청기관 임원명단
   - 교육·훈련 운영인력명단 - 운영인력의 이력서, 재직증명서

3. **별첨 3 :** 연간 교육일정
   - 연간 교육일정표

4. **별첨 4 :** 과목별 세부내용
   - 교육내용

과목명	시간	교육내용	강사명
계		-	-
1.○○○	○	○○○○	○ ○ ○
2.○○○	○	○○○○	○ ○ ○

   - 강사 이력서(자격증 사본 포함) 및 동의서

5. **별첨 5 :** 교육비 산출근거
   - 숙식, 비숙식으로 구분
     ※ 공공요금, 강사수당, 교재대, 수용비, 재료비, 관리비등 세부산출 내역 작성

6. **별첨 6 :** 교육시설내역
   - 사무실, 강의실, 휴게실, 강사대기실, 강당 등 면적 (건축물대장, 등기부등본, 임차계약서 등 증빙서류 첨부)
   - 교육기자재 보유현황

[별지 제15호의2서식]

교육·훈련 분야 변경 신청서

신청기관	교육기관명	대표자	
	훈련기관 구분 [ ] 종합 [ ] 전문	훈련분야	
	담당자	연락처	
	E-Mail(Mobile)		
현행	훈련기관 구분 [ ] 종합 [ ] 전문		
	교육대상 [ ] 설계·시공 등 건설기술인 [ ] 건설사업관리 건설기술인 [ ] 품질관리 건설기술인		
	훈련분야		
	교육권역		
변경후	훈련기관 구분 [ ] 종합 [ ] 전문		
	교육대상 [ ] 설계·시공 등 건설기술인 [ ] 건설사업관리 건설기술인 [ ] 품질관리 건설기술인		
	훈련분야		
	교육권역		

「건설기술인 등급 인정 및 교육 · 훈련 등에 관한 기준」 제30조제7항에 따라 교육·훈련 분야 변경 신청서를 제출합니다.

년 월 일

신청자 (서명 또는 인)

교육관리기관장 귀하

210㎜×297㎜[일반용지 60g/㎡(재활용품)]

[별지 제16호 서식]

원격교육 신청서

신청기관	교육기관명		대표자	
	훈련기관 구분 종 합 [ ], 전 문[ ]		훈련분야	
	담당자		연락처	
	E-Mail(Mobile)			
교육과정	과정명			
	교육대상			
	교육목표			
	교육시간(시간) 월 (시간)		학급정원 명	
	교육비			
	세부내용 (별첨 1)			
	교육과정설계 (별첨 2)			
	평가	수료기준 (별첨 3)		
		평가방법 (별첨 3)		
운영계획	진도관리 (별첨 4)			
	세부기준 (별첨 5)			
시스템 사양	(별첨 6)			
운영인력 현황	(별첨 7)			

「건설기술인 등급 인정 및 교육 · 훈련 등에 관한 기준」 제40조제3항에 따라 원격교육을 실시하고자 원격교육 신청서를 제출합니다.

년 월 일

신청자 (인)

교육관리기관장 귀하

210㎜×297㎜[일반용지 60g/㎡(재활용품)]

첨부자료 작성요령

1. 별첨 1 : 세부내용

- 세부 교육내용과 주요 학습활동을 시간대별로 작성(시간 산정은 합당한 근거가 있을 것, 예를 들어 20문항을 평가에 집체식 교육에서 50분의 시험시간이 주어짐으로 온라인에서는 문제풀이와 정답확인을 포함해 1문제당 3-5분을 배정)

ex) 예시

구 분	주요내용 (단원명)	주요학습활동 (강의진행, 상호작용, 과제제시 등)		학습시간(분)	
				활동별 시간(분)	차시별 시간
1차시	Part1. 프로젝트관리 Module Ⅰ : 프로젝트 관리발전사와 개요	학습개요		2	60
		학습사례		5	
		사전학습(O/X 퀴즈 2문항)		5	
		본 학습 (동영상 + 교안)	프로젝트 관리의 발전사	15	
			프로젝트 개요	18	
		학습정리		5	
		차시별 복습평가(3문항)		10	

2. 별첨 2 : 교육과정 설계

- 교육과정 설계는 전체적인 학습 Flow와 교육·훈련 목적달성을 위한 강의전략이나 컨텐츠 제작 방향을 알 수 있도록 작성

ex) 예시

교육목표 달성을 위한 과목구성, 반복학습의 기회제공, 다양한 사례와 자료의 보여주기 기능 등

3. 별첨 3 : 평가

- 훈련수료기준, 평가 방법 및 기준에 대한 세부내용을 알 수 있도록 작성

4. 별첨 4 : 진도관리

- 교육생이 주어진 학습내용을 이수하지 않고 다음과정으로 넘어가지 않도록 하는 등 전체적인 훈련과정을 체계적으로 이수할 수 있게 하기 위한 진도관리 방법과 교육생의 학습진도 평가방법 및 학습진도가 늦어질 경우 독려할 수 있는 관리시스템이나 절차 등을 포함하여 작성

5. 별첨 5 : 세부기준

- 제40조제2항 별표12 원격교육·훈련 세부기준에 따라 작성

6. 별첨 6 : 시스템 사양

- 제40조제1항 별표11 원격교육·훈련 시설기준의 사양명세

7. 별첨 7 : 운영인력 현황

- 원격교육 운영을 위한 운영인력의 업무분장을 포함한 인력배치표 (재직증명서 별첨)

국토교통부 주요 훈령 및 고시·지침

2. 고시

| 기타 |

1. 중앙시설물사고조사위원회 운영규정
2. 건설사고조사위원회 운영규정
3. 건설기술진흥법령에 따른 위탁업무 수행기관 등 지정
4. 건설사업정보 운용지침
5. 신기술의 평가기준 및 평가절차 등에 관한 규정
6. 신기술 · 신제품 통합 인증요령
7. 신기술사용협약 등에 관한 규정

중앙시설물사고조사위원회 운영규정

국토교통부고시 제2019-70호

제정 2019.2.8

제1장 총칙

제1조(목적) 이 규정은 「시설물의 안전 및 유지관리에 관한 특별법」(이하 "시설물안전법"이라 한다) 제58조제4항 및 같은 법 시행령(이하 "영"이라 한다) 제38조제5항의 규정에 의하여 중앙시설물사고조사위원회(이하 "위원회"라 한다)의 구성·운영과 사고조사 이행에 관하여 필요한 사항을 정함을 목적으로 한다.

제2조(용어 정의) 이 규정에서 사용하는 용어의 정의는 다음 각 호와 같다.

1. "사고조사"란 사고와 관련된 정보 및 자료 등을 수집·분석을 통한 사고의 원인규명, 사고조사 보고서 작성, 유사사고의 방지 대책을 관계기관에게 권고 또는 건의하는 일체의 과정을 말한다.
2. "사고조사 보고서"란 사고발생 원인과 분석, 결론 및 권고 등이 포함된 사고조사의 최종적인 보고서를 말한다.

제3조(적용범위) ①이 규정은 시설물이 붕괴되거나 쓰러져 재시공이 필요한 정도의 피해가 발생한 시설물로서 다음 각 호의 어느 하나에 해당하는 규모이상의 인명 및 시설물피해 사고조사 등을 위하여 필요하다고 인정되는 때에 적용한다.

1. 사망자 또는 실종자가 3명 이상인 인명 피해
2. 사상자가 10명 이상인 인명 피해
3. 국토교통부장관이 조사가 필요하다고 인정하는 시설물 피해 또는 인명 피해

제2장 위원회 구성 및 운영

제4조(중앙시설물사고조사위원단의 구성) ①국토교통부장관은 신속한 위원회 구성을 위하여 사전에 중앙시설물사고조사위원단(이하 이 장에서는 "위원단"이라 한다)을 구성할 수 있다.

②위원단은 영 제38조제2항에 따른 위원의 자격을 갖춘 자 중 100명 이내로 구성하며, 전문분야별로 국토교통부장관이 임명 또는 위촉한다.

③위원단원의 임기는 2년으로 하되 연임할 수 있다. 다만, 보궐 위원단의 임기는 전임자의 남은 임기 내로 한다.

제5조(위원회의 구성) ①위원회는 위원장 1명을 포함하여 12명 이내의 위원으로 구성한다.

②국토교통부장관은 위원회의 위원(이하 "위원"이라 한다)을 위원단 중에서 다음 각 호의 사항을 고려하여 임명 또는 위촉한다.

1. 제6조에 따른 결격사유에 해당하지 아니하는 자를 선정한다.
2. 사고가 발생한 시설물의 종류 및 피해내용 등 사고 유형에 따른 전문분야를 참고하여 선정한다.
3. 공정성과 형평성 등을 위하여 전문분야별 출신학교, 직업, 시민단체, 연령 등이 어느 한쪽에 편중되지 아니 하도록 한다.

②위원장은 위원 중에서 국토교통부장관이 임명한다.

③국토교통부장관은 위원에게 별지 제1호 서식에 따른 서약서를 제출하게 하여야 한다.

④사고조사 중 전문분야의 변경 등 위원의 교체가 필요한 경우에는 위원장의 요구에 따라 국토교통부장관이 위원을 교체할 수 있다.

제6조(위원의 결격사유) 다음 각 호의 어느 하나에 해당하는 자는 위원이 될 수 없다.

1. 피성년후견인·피한정후견인 또는 파산자로서 복권되지 아니한 자
2. 금고 이상의 실형을 선고 받고 그 집행이 종료(집행이 종료된 것으로 보는 경우를 포함한다)되거나 집행이 면제된 날부터 3년이 경과되지 아니한 자
3. 금고 이상의 형의 집행유예선고를 받고 그 유예기간 중에 있는 자
4. 법원의 판결 또는 법률에 의하여 자격이 상실 또는 정지된 자

제7조(위원의 해촉) 국토교통부장관은 위원이 다음 각 호의 어느 하나에 해당하는 경우에는 해당 위원을 해촉할 수 있다.

1. 심신장애로 인하여 직무를 수행할 수 없게 된 경우
2. 직무와 관련된 비위사실이 있는 경우
3. 직무태만, 품위손상이나 그 밖의 사유로 인하여 위원으로 적합하지 아니하다고 인정되는 경우
4. 위원 스스로 직무를 수행하는 것이 곤란하다고 의사를 밝히는 경우

제8조(위원장의 임무) 위원장은 사고조사가 명확하고 공정한 조사가 이루어지도록 하여야 하며, 이를 위해 위원회의 조사와 의사결정이 적정하게 이루어지도록 하여야 한다.

제9조(위원의 임무) ①위원은 위원장의 지시에 따라 성실하게 조사업무를 수행하여야 한다.

②위원은 조사계획 및 조사업무 수행과 관련하여 알게 된 사실을 누설하여서는 아니되며, 일체의 금품수수, 향응 등을 받아서는 아니된다.

③위원이 제1항 또는 제2항의 규정을 위반한 때에는 위원장의 요청에 따라 국토교통부장관이 해촉한다.

제10조(위원회의 업무범위) 위원회는 사고조사에 관하여 다음 각 호의 업무를 수행한다.

1. 사고관련 정보의 수집 및 정리
2. 사고의 경위 및 원인조사
3. 사고 조사보고서의 작성 및 결과보고
4. 사고 재발방지를 위한 권고 또는 건의
5. 그 밖에 사고조사와 관련하여 국토교통부장관이 의결에 부치는 사항

제11조(위원의 증표) ①국토교통부장관은 위원을 임명 또는 위촉한

때에는 별지 제2호 서식에 따른 증표를 발급할 수 있다.

②위원은 임기가 만료되거나 해촉된 경우 및 위원을 사임하는 경우에는 제1항에 따른 증표를 반납하여야 한다.

제12조(각종 의결) 위원회는 재적의원 과반수 출석으로 개최하고, 출석의원 과반수 찬성으로 의결한다. 다만, 회의개최 전에 서면으로 의견을 제출한 위원은 위원회의 동의를 받아 출석위원의 의결로 간주할 수 있다.

제13조(회의록 작성) ①위원회는 별지 제3호 서식에 따라 회의록을 작성하여야 한다.

②제1항의 회의록은 공개한다. 다만, 영업비밀의 보호 등 특별한 사정이 있는 경우에는 위원회의 의결로써 공개하지 아니할 수 있다.

제14조(예산집행) ①위원회의 사고조사에 필요한 여비 또는 수당은 예산의 범위 안에서 지급한다.

②시험, 분석 등에 소요된 비용은 실비로 지급한다.

제15조(정보의 공개 범위) 위원회는 정보의 공개로 인하여 당해 또는 장래의 정확한 사고조사에 영향을 줄 수 있거나, 국가의 안전보장 및 개인의 사생활이 침해될 우려가 있는 경우에는 이를 공개하지 아니할 수 있다.

제3장 현장조사 및 보고서 작성

제16조(현장에서의 건강과 안전일반) 위원은 현장안전담당자 등으로부터 현장의 위험과 잠재적인 장애요소에 관하여 청취하여 그에 대한 대비책을 고려해야 한다.

제17조(사고 현장의 협조의무) 사고가 발생한 현장의 관계자는 자료제출, 의견청취, 현장출입 등 위원회의 업무수행에 적극 협조하여야 한다.

제18조(초기조치와 현장보존 등) ①관리주체는 소관 시설물에 사고가 발생한 경우 즉시 사고현장에 대한 보존조치를 하여야 한다. 단, 추가적인 피해의 확산을 방지하기 위하여 응급복구나 잔해의 이동이 필요할 경우에는 그 사유와 과정을 문서와 영상 등으로 기록하여 사고원인 조사 시 추적이 가능하도록 하여야 한다.

제19조(초기 현장조사) ①초기 현장조사는 사고 범위와 상태를 평가하여 위원회 구성여부를 판단하기 위한 자료를 수집하고, 사고조사 준비를 수행함을 목적으로 한다.

②초기 현장조사 시 다음 각 호의 사항을 요구할 수 있다

1. 사고현장의 보존
2. 현장시험 및 실내시험을 위한 자료의 제출
3. 그 밖에 위원회의 조사 준비를 위하여 필요한 사항

③초기 현장조사는 위원회의 현장조사로 대체할 수 있다.

제20조(사고조사계획 수립) 위원장은 사고조사에 앞서 조사계획을 수립하여야 하며, 조사계획에는 사고상황과 현장상태를 반영한 검사·시험 사항, 면담자 선정, 문서수집 목록, 일정계획, 예산편성 등이 포함되어야 한다.

제21조(현장조사) ①위원회는 사고현장에서 다음의 내용을 조사하여야 한다.

1. 사고현장에 대한 관찰조사
2. 잔해처리 및 필요 잔해 보관
3. 시편채집 및 공인시험의 실시
4. 영상자료의 기록
5. 목격자 확보 및 사고관계인 구두진술
6. 현장 업무절차 확인
7. 문서조사
8. 기타 위원회가 필요하다고 인정하는 사항

②제1항제5호에 따른 사고관계인의 진술을 조사하는 경우에는 사고관계인으로부터 별지 제4호 서식에 따른 진술서를 제출받을 수 있다.

제22조(원인분석) 사고원인에 대한 분석은 다음 각 호에 따라 수행하여야 한다.

1. 정확한 사고의 원인을 규명하기 위하여 현장조사, 시험자료와 관련서류, 설계도서 등을 평가 분석하여 사고원인에 대한 다양한 가설을 수립해야 한다.
2. 가설을 전개, 정리하면서 조사의 초점을 너무 조기에 좁혀서는 안 되며, 특정한 사고원인에 대해서만 국한하지 않아야 한다.
3. 가능성 있는 사고원인 목록을 수립하여 확실한 증거에 의해 배제될 때까지 다양한 가능성을 열어놓아야 하며, 조사 각 단계에서 새로운 가설에 대해서도 개방된 사고로 접근해야 한다.
4. 세워진 가설의 증명을 위하여 시험결과와 현장조사 자료를 토대로 가설의 적용가능성과 적정성 여부를 공학적으로 증명하여야 하며 이론적 배경을 설명할 수 있어야 한다.

제23조(사고조사 보고서의 작성) 사고조사 보고서는 별지 제5호 서식에 따라 작성하여야 한다.

제24조(비밀준수) ①위원은 사고조사와 관련하여 취득한 비밀을 누설하여서는 아니 된다.

②위원 별지 제6호 서식에 따른 서약서를 국토교통부장관에게 제출하여야 한다.

제25조(재검토기한) 국토교통부장관은 「훈령 · 예규 등의 발령 및 관리에 관한 규정」에 따라 이 고시에 대하여 2019년 7월 1일 기준으로 매3년이 되는 시점(매 3년째의 6월 30일까지를 말한다)마다 그 타당성을 검토하여 개선 등의 조치를 하여야 한다.

부칙 (제정 2019.2.8)

이 고시는 발령한 날로부터 시행한다.

[별지 제1호 서식]

위원 청렴서약서

본인은 중앙시설물사고조사위원회 위원으로 위촉 받아 이해관계자에게 어떤 부당한 요구를 하거나 금품·향응 등을 제공받지 않고 양심과 도리로 공정하게 조사할 것을 서약하며, 이를 위반 시는 관계법령에 따라 어떠한 처벌도 감수 하겠습니다.

20 . . .

서약자 : 소속직장명

직위(급) 성명 (서명)

국토교통부장관 귀하

210㎜×297㎜[백상지(80g/㎡)]

[별지 제2호 서식]

중앙시설물사고조사위원회 위원증

사 진	중앙시설물사고조사위원회 위원증 제 호

소 속
직 급
성 명

위 사람은 「시설물의 안전 및 유지관리에 관한 특별법」 제38조에 따른 중앙시설물사고조사위원회(위원장, 위원)임을 증명합니다.

년 월 일

국 토 교 통 부 장 관 [인]

91㎜×64㎜[백상지(150g/㎡)]

(뒷 면)

1. 이 증을 습득하신 분은 가까운 우체함에 넣어 주시기 바랍니다.
2. 연락처
   ○ 국토교통부 건설정책국 기술안전정책관 시설안전과
   (전화번호 : 000-000-0000)

210㎜×297㎜[백상지(80g/㎡)]

[별지 제3호 서식]

중앙시설물사고조사위원회 회의록

1. 회의일시 :
2. 장 소 :
3. 참 석 자 :
   가. 출석위원
      위 원 장
      위 원
      위 원
      위 원
      위 원
      위 원
      위 원
      위 원
      위 원
      위 원
      위 원
      위 원
   나. 간 사

4. 회의사항
   가. 회의목적심의 · 의결사항
   나. 회의대상
   다. 회의내용(심의 · 의견사항 포함)
   라. 기타의견(심의 결과 등)

210mm×297mm[백상지(80g/m²)]

[별지 제4호 서식]

사고관계인 진술서

일 반 사 항			
진술일시		진술장소	
성 명		생년월일	
주 소			
연 락 처		핸 드 폰	
근 무 지		전화번호	
근무지주소			
사고 관련성			
진 술 내 용			
사고인지 장소		시간	
사고당시 목격한 것, 들은 것 또는 행동한 것과 사고발생시 일어난 모든 사실을 6하 원칙에 의거하여 정확히 기입할 것. 가능하다면 사고원인에 대한 의견표식도 가능함			
성명 : ○ ○ ○ (인)			

※ 사고사진, 개략도 별첨

210mm×297mm[백상지(80g/m²)]

[별지 제5호 서식]

○○○(시설) ○○(시설물)
사 고 조 사 보 고 서

20 . .

중앙시설물사고조사위원회

위 원 장 : ○ ○ ○ 서명
조사위원 : ○ ○ ○ 서명
조사위원 : ○ ○ ○ 서명
조사위원 : ○ ○ ○ 서명
조사위원 : ○ ○ ○ 서명
조사위원 : ○ ○ ○ 서명
조사위원 : ○ ○ ○ 서명
조사위원 : ○ ○ ○ 서명
조사위원 : ○ ○ ○ 서명
조사위원 : ○ ○ ○ 서명
조사위원 : ○ ○ ○ 서명
조사위원 : ○ ○ ○ 서명

목 차

210㎜×297㎜[백상지(80g/㎡)]

1. 개 요

1) 목적

2) 현장정보
   - ○ 시설물 관리주체 정보
   - ○ 시설물 유지관리 및 안전점검 내역
   - ○ 시설물 시공자 및 설계자 내역
   - ○ 시설물 설치공사 내역

3) 사고정보
   - ○ 사고의 유형
   - ○ 사고의 전개

4) 피해상황
   - ○ 인적피해
   - ○ 구조물손실
   - ○ 장비손실
   - ○ 긴급 응급복구
   - ○ 피해금액

2. 현장조사내용

1) 사고조사위원 정보

2) 조사방법

3) 조사활동 상황

4) 유지관리 및 안전점검 체계

5) 문서의 점검

6) 현장점검사항

3. 시험결과
○ 위원회가 필요시 요청한 시험결과에 대한 결과 수록

4. 사고원인분석
○ 가설의 수립
○ 가설의 증명 및 사고원인 분석

5. 결론
○ 설계과정
○ 시공과정
○ 유지관리 및 안전점검 과정

6. 현장조치결과, 권고 및 향후 조치

7. 부록

210㎜×297㎜[백상지(80g/㎡)]

[별지 제6호 서식]

비 밀 준 수 서 약 서

직위 : 중앙사고조사위원회 위원
성명 : ○ ○ ○

상기 본인은 중앙사고조사위원회 위원으로서 ○○○ 시설물 사고조사 과정에서 알게 된 비밀을 누설하지 않을 것이며, 이를 위반할 경우에는 관계법령에 따라 민·형사상 책임을 질 것을 서약합니다.

20 년 월 일

성 명 : (서명)

국토교통부장관 귀하

210㎜×297㎜[백상지(80g/㎡)]

건설사고조사위원회 운영규정

국토교통부고시 제2019-71호

개정 2019.2.8

제1장 총칙

제1조(목적) 이 규정은 「건설기술진흥법」 제67조 및 같은 법 시행령 제105조의 규정에 의한 중대건설공사현장의 사고조사를 위한 건설사고조사위원회의 구성·운영 등에 필요한 사항을 정함을 목적으로 한다.

제2조(용어 정의) 이 규정에서 사용하는 용어의 정의는 다음과 같다.

①"건설사고조사"란 사고와 관련된 정보 및 자료 등을 수집·분석하여 사고의 원인규명, 보고서 작성, 유사사고의 방지 대책을 관계기관에게 권고 또는 건의하는 일체의 과정을 말한다.

②"발주청 등"이라 함은 「건설기술진흥법」(이하 "건진법"이라 한다) 제2조제6호에 따른 발주청(「사회기반시설에 대한 민간투자법」에 의한 민간투자사업인 경우에는 동법 제2조제4호에 따른 주무관청을 말한다)과 건설공사의 허가·인가·승인 등을 한 행정기관의 장을 말한다.

③"건설사고조사 보고서"란 사고발생 원인과 분석, 결론 및 권고 등이 포함된 최종적인 보고서를 말한다.

④"운영위탁기관"이란 건진법 시행령 제117조제1항제13호에 따라 국토교통부장관으로부터 건설사고조사위원회의 운영에 관한 사무 업무를 위탁받은 기관을 말한다.

제3조(적용범위) 건설사고조사위원회 구성 · 운영에 관한 규정은 다음 각 호의 1에 해당하는 경우에 적용한다.

1. 건진법 시행령 제105조제3항에 규정한 중대건설현장사고
2. 국토교통부장관 및 발주청 등이 제1호의 중대건설현장사고에 대하여 건설사고조사위원회를 구성하여 건설사고조사를 수행하는 경우
3. 발주청 등이 사고원인을 직접 조사할 경우에도 조사절차 및 조사방법을 건설사고조사위원회운영 규정을 준용할 수 있음

제2장 건설사고조사위원회 설치

제4조(건설사고조사위원회의 구성) 국토교통부장관 및 발주청 등은 건설사고조사위원(이하 이 장에서는 "위원"이라 한다)의 선정 시 다음 사항을 고려하여 선정한다.

①건설사고조사위원회(이하 이 장에서는 "위원회"라 한다)는 건설사고조사위원장(이하 이 장에서는 "위원장"이라 한다) 1인을 포함하여 12인 이내의 위원으로 구성하며, 위원을 선정할 때는 건설사고발생현황보고서 등을 참고하여 선정한다.

②위원장은 국토교통부장관 또는 발주청 등이 임명한다.

③위원은 공정성과 형평성 등을 위하여 전문분야별 출신학교, 직업, 시민단체, 연령 등이 어느 한쪽에 편중되지 아니 하도록 한다.

④건설사고 조사 중 전문분야의 변경 등 위원교체가 필요할 때에는 위원장의 요구에 의하여 국토교통부장관, 발주청 등이 교체할 수 있다.

제5조(건설사고조사위원의 자격) 위원회는 다음 각 호에 해당하는 자격을 가진 자 중에서 선정하여 구성한다.

1. 건설기술 업무와 관련된 공무원
2. 건설기술 업무와 관련된 단체 및 연구기관 등의 임·직원
3. 건설기술 업무에 관한 학식과 경험이 풍부한 사람
4. 건설기술 관련 업체(건설업자, 건설기술용역업자 등을 말한다)에서 10년 이상 근무한 사람
5. 그 밖에 국토교통부장관 또는 발주청 등이 조사의 공정성과 전문성을 확보하기 위하여 사고조사에 필요하다고 인정하는 사람

제6조(건설사고조사위원단의 구성) ①국토교통부장관 및 발주청 등은 신속한 위원회 구성을 위하여 사전에 건설사고조사위원단(이하 이 장에서는 "위원단"이라 한다)을 구성할 수 있다.

②위원단은 전문분야별로 구성하여 국토교통부장관 또는 발주청 등이 임명 또는 위촉한다.

③ 위원단은 제5조의 자격을 갖춘 자로 구성한다.

제7조(제척, 기피 및 회피) ①국토교통부장관 및 발주청 등은 위원의 선정 시, 다음 각 호의 어느 하나에 해당하는 경우 제척하여야 한다.

1. 위원 또는 그 배우자나 배우자였던 사람이 사건의 당사자이거나 당사자와 공동권리자, 공동의무자 또는 상환의무자의 관계에 있는 경우
2. 위원이 당사자와 친족, 가족 관계가 있거나 그러한 관계가 있었을 경우
3. 위원이 당사자가 되는 법인에 소속된 경우
4. 위원이 사고현장과 관련하여 공사, 용역, 자문, 연구 등을 수행하였거나 그 업무를 수행한 법인에 소속되었거나 소속된 적이 있는 경우

②조사대상 당사자는 위원이 불공정한 조사를 할 우려가 있다고 인정할 만한 상당한 이유가 있는 때에는 그 사실을 서면으로 소명하고 기피신청을 할 수 있다

③위원은 제1항 각 호의 어느 하나에 해당하는 사유 또는 제2항의 규정에 따라 기피신청을 할 수 있는 사유에 해당하는 경우에는 위원장의 허가를 받아 스스로 조사를 회피할 수 있다.

④위원장은 건설사고조사에 참여하는 위원 및 사고조사에 참여하는 사고조사기관의 직원으로부터 별지 제5호 서식에 따른 서약서를 제출하게 하여야 한다.

제8조(건설사고조사위원장의 임무) 위원장은 건설현장사고조사가 명확하고 공정한 조사하게 이루어지도록 하여야 하며, 이를 위해 위원회의 운영과 의사결정이 적정하게 이루어지도록 하여야 한다.

제9조(건설사고조사위원의 임무) ①위원은 위원장의 지시에 따라 성실하게 조사업무를 수행하여야 한다.

②위원은 조사계획 및 조사업무 수행과 관련하여 알게 된 사실을 누설하여서는 아니 되며 일체의 금품수수, 향응 등을 받아서는 아니 된다.

③위원이 제1항 또는 제2항의 규정을 위반한 때에는 해촉한다.

제10조(건설사고조사위원회의 업무범위) 위원회는 중대건설현장사고에 대해서 다음의 업무를 수행한다

①사고관련 정보의 수집 및 정리

②건설사고의 경위 및 원인조사

③건설 사고조사 보고서의 작성 및 결과보고

④건설사고 재발방지에 관한 권고 또는 건의

제11조(건설사고조사위원의 증표) ①국토교통부장관 및 발주청 등은 사고조사를 위원회에게 통보한 때에 별지서식 1호에 의한 증표를 발급하여야 한다.

②위원의 위촉은 상기의 증표로 갈음하며, 조사 완료, 해촉 또는 사임하고자 할 경우에는 이 증표를 반납하여야 한다.

제12조(현장에서의 건강과 안전일반) 위원은 현장안전담당자로부터 현장의 위험과 잠재적인 장애요소에 관하여 청취하여 그에 대한 대비책을 고려해야 한다.

제13조(사고 현장의 협조의무) 사고가 발생한 현장의 관계자는 자료제출, 의견청취, 현장출입 등의 위원회의 업무수행에 적극 협조하여야 한다.

제14조(각종 의결) ①위원회는 재적의원 과반수 출석으로 개최하고, 출석의원 과반수 찬성으로 의결한다

②다만, 회의개최 전에 서면으로 의견을 제출한 위원은 위원회의 동의를 받아 출석위원의 의결로 간주할 수 있다.

제15조(회의록 작성) ①위원회는 회의록을 작성하여야 한다.

②제1항의 회의록은 공개한다. 다만, 영업비밀의 보호 등 특별한 사정이 있는 경우에는 위원회의 의결로써 공개하지 아니할 수 있다.

제16조(예산집행) ①위원회의 건설사고 조사활동에 필요한 여비 또는 수당은 예산의 범위 안에서 지급한다.

②공인시험, 분석 등에 소요된 비용은 실비로 청구할 수 있다.

제17조(정보의 공개 범위) 위원회는 건설사고조사 정보의 공개시, 그러한 정보가 공개됨으로써 당해 또는 장래의 정확한 건설사고조사에 영향을 줄 수 있거나, 국가의 안전보장 및 개인의 사생활이 침해될 우려가 있는 경우에는 이를 공개하지 아니할 수 있다. (공공기관의 정보공개에 관한 법률 제9조(비공개대상정보)준용)

제3장 건설사고조사위원회 사무국의 설치

제18조(사무국 설치 및 운영) ①운영위탁기관은 위원회 운영에 필요한 업무를 위하여 사무국을 설치할 수 있다.

②제1항에 따라 설치된 사무국은 다음 각 호를 업무를 수행하되, 사무국 운영에 필요한 세부적인 사항은 국토교통부장관의 승인을 받아 운영위탁기관이 정할 수 있다.

1. 위원단 구성 및 관리
2. 건설사고 발생 모니터링

3. 개략적인 사고원인, 피해규모 파악 및 위원회의 설치 필요성 검토를 위한 초기현장조사
4. 건설사고 조사계획 수립 지원
5. 건설사고의 정보수집, 경위 및 원인조사 지원
6. 현장조사, 회의 등 위원회 활동의 지원
7. 위원회 운영비용의 지출 및 정산
8. 건설사고 예방을 위한 점검 및 교육 등 예방활동
9. 건설사고 통계의 작성 및 관리
10. 기타 국토교통부 장관이 위원회 운영에 필요하다고 인정하는 업무

③국토교통부장관은 사무국직원이 현장조사를 할 수 있도록 별지 제1호 서식에 따른 증표를 발급하여야 한다.

제4장 현장조사 및 보고서 작성

제19조(건설사고현장 초기조치와 현장보존) 발주청 등의 담당자는 해당 사고현장에서 사고보고를 접수한 즉시 현장에 대한 보존조치를 해야 한다. 단, 추가적인 피해의 확산을 방지하기 위하여 응급복구나 잔해의 이동이 필요할 경우에는 그 사유와 과정을 문서와 영상 등으로 기록하여 사고원인 조사시 추적이 가능하도록 하여야 한다.

제20조(보고체계) 건설현장사고의 발생보고와 건설사고조사의 완료보고는 다음의 체계를 따른다.

①사고현장에서 해당 공사, 건설사업관리 또는 감리의 책임자는 발주청 등의 담당자에게 사고상황과 응급조치내용등을 보고하고, 해당 유관기관(시·군·구, 경찰서, 소방서, 군부대 등)에 사고발생 현황을 즉시 통보하여 긴급구난, 사고현장 질서유지 등 필요한 사항을 협조 요청 하여야 한다.

②발주청 등의 건설사고현장의 담당책임자는 다음 내용에 따라 보고를 수행한다.

1. 국토교통부 소관 건설현장사고의 경우 사고보고 접수 즉시 국토교통부 담당과에 사고상황과 조사방법등을 보고(별지서식 2 참조), 담당과는 건설안전과에 통보
2. 1호 이외의 건설현장사고의 경우 국토교통부 건설안전과에 사고상황과 조사방법등을 보고(별지서식 2 참조)
3. 사고지역을 관할하는 시·도, 경찰청 등 공조기관에 사고 등의 개황을 통보하고, 필요한 협조사항을 요청

③건설사고조사가 완료된 때에는 지체없이 건설 사고조사 보고서를 작성하여 국토교통부장관에게 완료보고를 하여야 한다(별지서식 4 참조)

제21조(기한) 현장조사는 조사계획 수립 후 그에 따라 체계적으로 시행하는 것을 원칙으로 하며, 사고 발생 후 1주일 이내 착수하여 1개월 이내 종료를 원칙으로 하며 필요시 연장이 가능하다.

제22조(초기현장답사) ①초기현장답사는 사고 범위와 상태를 평가하고 현장조사를 실시하여 보고서를 작성하기 위한 작업으로 다음을 요구할 수 있다

1. 사고현장의 보존

2. 현장 및 시험실 시험절차
3. 건설사고조사위원회의 조사 준비를 위한 요구사항

②초기현장답사는 위원회의 현장조사로 대체할 수 있다.

제23조(사고조사계획 수립) 위원장은 건설사고조사에 앞서 체계적인 조사계획을 수립해야 한다. 조사계획에는 사고상황과 현장상태를 반영한 검사시험사항, 면담자 선정, 문서수집목록, 일정계획, 예산편성 등이 포함되어야 한다.

제24조(안전대책) 현장책임자는 위원이 건설현장사고조사가 진행 중에 작업원 또는 위원 등 인명의 안전을 우선해야 하며, 필요한 경우 안전전문가를 배치하여 위원의 안전이 확보되도록 구조물의 추가적인 붕괴방지나 안전보호대책을 수립할 수 있다.

제25조(현장조사) 위원회는 사고현장에서 다음의 내용을 조사하여야 한다.

1. 사고현장에 대한 육안 관찰
2. 잔해처리 및 필요 잔해 보관
3. 시편채집 및 공인시험의 실시
4. 영상자료의 기록
5. 목격자 확보 및 구두진술(별지제3호 서식)
6. 현장 업무절차 확인
7. 문서조사
8. 기타 위원회가 필요하다고 인정하는 사항

제26조(원인분석) ①위원회는 정확한 사고의 원인을 규명하기 위하여 현장조사, 시험자료와 관련서류, 설계도서 등을 평가 분석하여 가능한 다양한 가설을 수립해야 한다.

②가설을 전개, 정리하면서 조사의 초점을 너무 조기에 좁혀서는 안 되며, 특정한 사고원인에 대해서만 국한해서도 안 된다.

③가능성 있는 사고원인 목록을 수립하여 확실한 증거에 의해 배제될 때까지 다양한 가능성을 열어놓아야 하며, 조사 각 단계에서 새로운 가설에 대해서도 개방된 사고로 접근해야 한다.

④복잡한 사고는 종종 복합적으로 작용하는 여러 가지 요인들로 이루어지므로 위원장은 "가장 가능성 있는" 원인을 판단할 수 있어야 하고 위원들 사이에 발생한 의견 차이를 합리적으로 좁혀나갈 수 있어야 한다.

⑤세워진 가설의 증명을 위하여 시험결과와 현장조사 자료를 토대로 가설의 적용가능성과 적정성 여부를 공학적으로 증명하여야 하며 이론적 배경을 설명할 수 있어야 한다.

제27조(사고조사 보고서의 작성) 사고조사 보고서는 다음의 사항을 포함한다. (별지제4호 서식)

1. 개요(목적, 피해상황, 현장정보등)
2. 현장조사내용
3. 시험결과
4. 사고원인분석
5. 결론
6. 권고사항 및 향후조치
7. 부록

제28조(재검토기한) 국토교통부장관은 「훈령 · 예규 등의 발령 및 관

리에 관한 규정」(대통령 훈령 334호)에 따라 이 고시에 대하여 2019년 7월 1일 기준으로 매 3년이 되는 시점(매 3년째의 6월 30일까지를 말한다)마다 그 타당성을 검토하여 개선 등의 조치를 하여야 한다.

부 칙

이 고시는 발령한 날부터 시행한다.

[별지 제1호 서식]

건설사고조사반원증(가로 12cm, 세로 11cm)

사진	○ ○ **건설사고조사반원증**	제 호

○ 조사명 :

소속 :

직급 :

성명 :

위 사람은 건설기술진흥법 제68조 및 동법 시행령 제106조에 의한 건설사고조사반(위원장,원)임을 증명합니다.

20 년 월 일

임명기관장 (인)

[별지 제2호 서식] 건설사고 발생현황 보고 양식

건설사고 발생현황 보고

수 신		보고일시		
발신기관		발신(보고자)	○ ○ ○ (인)	
제목				
사고일시	20 년 월 일 시 분 경		기상상태	
공사명				
시공사		책임자 및 연락처		
감리자		책임자 및 연락처		
설계자		책임자 및 연락처		
현장주소				
사고 종류				
인적피해		장비손실		
구조물 손실		피해금액		
공기지연				
사고발생 경위 (발생원인)				
조치상황				
사고조사 방법	1. 직접조사 2. 사고조사위원회조사 3. 노동부 재해조사시 합동조사			
비고				

※ 사고사진, 개략도 별첨

[별지 제3호 서식] 건설사고관계인 진술서 양식

건설사고관계인 진술서			
일 반 사 항			
진술일시		진술장소	
성 명		주민등록번호	
주 소			
연 락 처		핸 드 폰	
근 무 지		전화번호	
근무지주소			
사고 관련성			
진 술 내 용			
사고인지 장소		시간	
사고당시 목격한 것, 들은 것 또는 행동한 것과 사고발생시 일어난 모든 사실을 6하 원칙에 의거하여 정확히 기입할 것. 가능하다면 사고원인에 대한 의견표식도 가능함			
성명 : ○ ○ ○ (인)			

[별지 제4호 서식] 건설 사고조사 보고서

○○○공사 ○○○ 사고

건 설 사 고 조 사 보 고 서

20 . .

○ ○발주처

목 차

1. 개 요

1) 목적

2) 현장정보

- ○ 계약주체
- ○ 계약내용
- ○ 현장관계자 정보
- ○ 공사추진상황

3) 사고정보

- ○ 사고의 유형
- ○ 사고의 전개

4) 피해상황

- ○ 인적피해
- ○ 구조물손실
- ○ 공기지연
- ○ 장비손실
- ○ 피해금액

2. 현장조사내용

1) 조사관정보

2) 조사방법

3) 조사활동 현황

4) 현장의 관리체계

5) 문서의 점검

6) 현장점검사항

3. 시험결과

- ○ 위원회가 필요시 요청한 시험결과에 대한 결과 수록

4. 사고원인분석

- ○ 가설의 수립
- ○ 가설의 증명 및 사고원인 분석

5. 결론

- ○ 설계과정
- ○ 시공과정

6. 현장조치결과, 권고 및 향후 조치

7. 부록

건설기술진흥법령에 따른 위탁업무 수행기관 등 지정

국토교통부고시 제2020-1177호

일부개정 2020.12.29

1. 위탁업무의 내용 및 수행기관

위 탁 업 무	수행기관
가. 법 제7조에 따른 건설기술연구개발사업에 관한 업무 나. 법 제11조에 따른 기술평가기관 업무 다. 법 제14조에 따른 신기술에 관한 다음 각 호의 업무 1) 영 제31조에 따른 신기술지정신청서의 접수 2) 영 제32조제1항에 따른 신기술 심사 3) 영 제32조제2항에 따른 이해관계인 등의 의견 청취 4) 영 제33조제2항에 따른 신기술의 유지 · 관리 5) 영 제35조제3항에 따른 신기술보호기간 연장신청서의 접수	국토교통과학기술진흥원
6) 영 제34조제6항에 따른 신기술 활용실적의 접수 및 관리	한국건설교통신기술협회
라. 법 제14조의2에 따른 신기술사용협약에 관한 증명서의 발급 신청 접수, 발급 및 관리	한국건설교통신기술협회
마. 법 제16조제1항에 따른 외국에서 도입된 건설기술의 관리에 관한 업무	국토교통과학기술진흥원
바. 법 제18조에 따른 건설기술정보체계의 구축 · 보급 및 운영에 관한 업무	한국건설기술연구원
사. 법 제19조에 따른 건설공사 지원 통합정보체계의 구축 · 보급 및 운영에 관한 업무	한국건설기술연구원
아. 법 제20조의6에 따른 건설기술인 교육·훈련에 관한 다음 각 호의 업무 1) 법 제20조의2제2항에 따른 교육기관 대행 신청의 접수 및 신청내용의 확인 2) 법 제20조의3제3항에 따른 교육·훈련 대행 갱신 신청의 접수 및 신청내용의 확인 3) 법 제20조의4제1항 각 호의 위반사유에 해당하는지를 확인하기 위한 자료의 제출 요청 및 그 내용의 확인 4) 법 제20조의5에 따른 교육·훈련의 관리에 관한 사항 5) 영 제43조제2항에 따른 교육기관 공모에 관한 사항	※ 위탁업무별 교육관리기관은 아래와 같음
가) 아목 4)의 업무 중 교육·훈련 상황 관리 및 안내에 관한 사항에 한함	한국건설기술인협회
나) 아목 각 호의 업무 (단, 가)에 따른 업무는 제외	한국건설인정책연구원
자. 법 제21조에 따른 건설기술인 신고에 관한 다음 각 호의 업무 1) 법 제21조제1항에 따른 신고사항의 접수 2) 법 제21조제2항에 따른 근무처 및 경력 등에 관한 기록의 유지 · 관리 및 건설기술경력증의 발급 3) 법 제21조제3항에 따른 관계자료 제출의 요청(위탁된 사무를 처리하기 위하여 필요한 경우만 해당한다) 4) 법 제21조제4항에 따른 건설기술인의 근무처 및 경력 등의 확인	※ 신고 대상별 건설기술인 경력관리 수행기관은 아래와 같음

위 탁 업 무	수행기관
가) 건축사사무소 소속 건설기술인에 관한 자목 각 호의 업무	대한건축사협회
나) 단일 엔지니어링사업자 소속 건설기술인에 관한 자목 각 호의 업무 (단, 건설기술용역업 등록업체 소속 건설기술인 제외)	한국엔지니어링협회
다) 단일 측량업자 소속 건설기술인에 관한 자목 각 호의 업무	공간정보산업협회
라) 가)부터 다)의 소속 건설기술인을 제외한 모든 건설기술인[가)의 건축사사무소 중 「건축사법」에 따른 업종 이외의 업무를 수행하는 건축사사무소 소속 건설기술인은 포함한다]에 관한 자목 각 호의 업무	한국건설기술인협회
마) 〈삭제〉	
바) 건설사업관리업무 수행에 필요한 건설기술인의 자목 2)에 따른 근무처 및 경력 등에 관한 증명서의 발급	한국건설기술관리협회
사) 발주청에서 근무하는 건설기술인에 관한 자목 각 호의 업무	대한건축사협회 공간정보산업협회 〈삭제〉 한국건설기술인협회
차. 법 제24조제1항에 따른 건설기술인 업무정지 현황의 관리와 같은 조 제4항에 따른 건설기술경력증의 반납 접수 및 근무처 · 경력 등에 관한 기록의 수정 또는 말소	대한건축사협회 공간정보산업협회 〈삭제〉 한국엔지니어링협회 한국건설기술인협회
카. 법 제26조제5항에 따라 시 · 도지사가 통보하는 건설기술용역업 등록, 변경등록 또는 휴업 · 폐업 신고 사실의 접수 및 관리	한국건설기술관리협회
타. 법 제30조에 따른 건설기술용역 실적 관리에 관한 다음 각 호의 업무 1) 법 제30조제1항제1호에 따른 건설기술용역사업자 현황의 관리 2) 법 제30조제3항에 따른 건설기술용역사업자의 현황 및 건설기술용역 실적의 공개 3) 영 제45조제2항 및 제3항에 따라 발주청 및 인·허가기관이 통보하는 건설기술용역 실적의 접수·확인·관리 4) 영 제45조제5항에 따라 건설기술용역사업자가 직접 통보하는 실적의 접수·확인·관리 5) 영 제45조제9항에 따른 건설기술용역 실적에 대한 확인서의 발급	한국건설기술관리협회
가) 타목 5)호의 업무 중 「엔지니어링산업진흥법」에 따라 엔지니어링사업자로 신고한 업자의 설계 등 용역 실적에 대한 확인서 발급 (단, 건설기술용역업 등록업체 제외)	한국엔지니어링협회
나) 타목 5)호의 업무 중 「측량·수로조사 및 지적에 관한 법률」에 따라 측량업자로 등록한 업자의 설계 등 용역 실적에 대한 확인서 발급	공간정보산업협회
다) 타목 5)호의 업무 중 「측량·수로조사 및 지적에 관한 법률」에 따라 지적측량업자로 등록한 업자의 설계 등 용역 실적에 대한 확인서 발급	공간정보산업협회

위 탁 업 무	수행기관
라) 타목 5)호의 업무 중 건설사업관리용역 실적에 대한 확인서 발급 (단, 「건설산업기본법」 제2조제9호에 따른 시공 책임형 건설사업관리 및 「건설기술진흥법 시행령」 제45조제1항제3호에 따라 건설기술용역사업자가 수행한 건설사업관리(감리 제외)에 한함)	한국건설관리협회
마) 타목 5)호의 업무 중 「기술사법」에 따라 기술사사무소를 등록한 업자의 설계 등 용역 실적에 대한 확인서 발급	한국기술사회
파. 법 제31조제4항에 따라 시ㆍ도지사가 통보하는 건설기술용역업자에 대한 등록취소, 영업정지 또는 과징금 부과 내용의 접수 및 관리	한국건설기술관리협회
하. 법 제39조의2제4항에 따른 건설사업관리계획의 접수 및 관리	한국건설기술관리협회
거. 법 제50조제3항에 따라 발주청이 통보하는 용역평가ㆍ시공평가 결과의 접수 및 관리와 같은 조 제4항에 따른 종합평가의 시행과 그 결과의 공개	국토안전관리원
너. 법 제53조제3항에 따른 벌점의 종합관리	건설산업정보센터
더. 법 제58조에 따른 철강구조물공장의 공장인증에 관한 다음 각 호의 업무 1) 법 제58조제1항에 따른 공장인증 신청의 접수 및 신청에 대한 전문ㆍ기술적인 심사 2) 법 제58조제2항에 따른 운영실태 및 사후관리 조사를 위한 전문ㆍ기술적인 사항	한국건설기술연구원
러. 법 제62조제3항에 따른 안전관리계획서 사본과 검토결과의 접수ㆍ확인ㆍ관리	국토안전관리원
머. 법 제62조제5항에 따른 안전점검 결과의 접수ㆍ확인ㆍ관리	국토안전관리원
버. 법 제62조제7항에 따른 종합보고서에 관한 다음 각 호의 업무 1) 법 제62조제8항에 따라 제출되는 종합보고서의 접수ㆍ확인 2) 법 제62조제9항에 따른 종합보고서의 보존ㆍ관리 3) 영 제101조제4항에 따른 종합보고서의 열람 및 그 사본의 발급	국토안전관리원
서. 법 제62조제10항에 따른 안전관리계획서 검토결과 및 안전점검결과의 적정성 검토	국토안전관리원
어. 법 제62조제14항에 따른 안전관리 수준평가의 시행 및 그 결과의 공개	국토안전관리원
저. 법 제62조제15항에 따른 정보망의 구축ㆍ운영	국토안전관리원
처. 법 제62조제18항에 따른 발주청이 제출하는 설계도서의 안전성 검토 결과에 관한 접수ㆍ확인ㆍ관리	국토안전관리원
커. 법 제68조제4항에 따른 건설사고조사위원회의 운영에 관한 사무	국토안전관리원

비고
1. 자목 바)에 따라 발급하는 증명서에는 자료출처 등을 표기하여야 한다.
2. 한국건설기술관리협회는 자목의 위탁업무와 관련하여 필요한 자료를 건설기술인 경력관리 수탁기관에 제공하여야 한다.
3. 건설산업정보센터는 너목의 위탁업무와 관련하여 필요한 자료를 자목에 의한 건설기술인 경력관리 수탁기관 및 타목에 의한 용역실적관리 수탁기관에 제공하여야 한다.

2. 위임업무수행기관 등이 통보하여야 하는 수행기관

통보할 사항	수행기관
가. 영 제115조제3항에 따라 시·도지사 또는 지방국토관리청장은 제1항 및 제2항에 따라 위임된 사항을 처리한 경우에는 그 처리내용을 통보	※ 시·도지사 또는 지방국토관리청장이 통보하여야 하는 수행기관은 아래와 같음
1) 법 제82조제1항에 따른 종합·전문건설업 소속 건설기술인에 대한 과태료 부과징수 업무 처리현황(영 제115조제1항)	대한건축사협회 공간정보산업협회 〈삭제〉 한국엔지니어링협회 한국건설기술인협회
2) 법 제24조제1항에 따른 건설기술인에 대한 업무정지 업무 처리현황(영 제115조제2항제1호)	대한건축사협회 공간정보산업협회 〈삭제〉 한국엔지니어링협회 한국건설기술인협회
3) 법 제53조제1항에 따른 국토교통부장관의 부실 정도의 측정 및 부실벌점 부과 업무 처리현황(영 제115조제2항제2호)	건설산업정보센터
4) 법 제54조제1항에 따른 건설공사현장 등의 점검과 점검 결과에 따른 시정명령 등의 조치 및 영업정지 등의 요청 업무 처리현황(영 제115조제2항제3호)	국토안전관리원
5) 법 제60조제2항에 따른 품질검사를 대행하는 건설기술용역업자에 대한 조사 및 시정명령 등 업무 처리현황(영 제115조제2항제4호)	한국건설기술연구원
6) 법 제91조제1항 각 호 및 같은 조 제2항제1호부터 제4호까지의 자에 대한 과태료의 부과·징수 업무 처리현황(영 제115조제2항제6호) (가) 법 제91조제1항 각 호 과태료 관련, 시도지사 및 지방청장이 통보한 현황의 관리 (나) 법 제91조제2항제1호부터 제4호까지 각 호 과태료 관련, 시도지사 및 지방청장이 통보한 현황의 관리	(가) 국토안전관리원 (나) 대한건축사협회 공간정보산업협회 〈삭제〉 한국엔지니어링협회 한국건설기술인협회
7) 영 제97조제2항에 따른 품질검사에 사용되는 장비·기술인력 현황 등의 접수(영 제115조제2항제6호)	한국건설기술연구원
나. 영 제121조제3항에 따른 과태료 부과·징수한 경우에는 그 처리내용 현황의 관리	한국건설기술관리협회

3. 재검토기한

국토교통부장관은 「훈령·예규 등의 발령 및 관리에 관한 규정」에 따라 이 고시에 대하여 2023년 12월 31일 기준으로 매3년이 되는 시점(매 3년째의 12월 30일까지를 말한다)마다 그 타당성을 검토하여 개선 등의 조치를 하여야 한다.

부칙 〈제765호, 2009.8.24〉

이 고시는 발령한 날부터 시행한다.

부칙 〈제2010-232호, 2010.4.22〉

이 고시는 발령한 날부터 시행한다.

부칙 〈제2013-150호, 2013.4.22〉

이 고시는 발령한 날부터 시행한다.

부칙 〈제2013-835호, 2013.12.23〉

이 고시는 발령한 날부터 시행한다.

부칙 〈제2014-307호, 2014.5.23.〉

제1조(시행일) 이 고시는 발령한 날부터 시행한다.

제2조(건설기술자 경력관리 수행기관에 대한 적용례) 제1호 사목의 규정에도 불구하고 건설사업관리분야 건설기술용역업자 소속 건설기술자의 사목 각 호의 업무는 관리자료의 이관 및 정비기간 등을 감안하여 2014년 6월 22일까지 한시적으로 한국건설기술인협회와 한국건설기술관리협회에 위탁한다.

제3조(건설기술용역 실적 확인서 발급에 대한 적용례) 제1호 차목 4)에 따른 건설기술용역 실적에 대한 확인서 발급에 대해서는 2014년 8월 31일까지 종전 고시(국토교통부 고시 제2013-853호)에 따른다.

부칙 〈제2014-445호, 2014.7.17〉

이 고시는 발령한 날부터 시행한다.

부칙 〈제2017-492호, 2017.7.24〉

이 고시는 발령한 날부터 시행한다.

부칙 〈제2019-385호, 2019.7.16〉

이 고시는 발령한 날부터 시행한다.

부칙 〈제2019-410호, 2019.8.6〉

이 고시는 발령한 날부터 시행한다.

부칙 〈제2019-522호, 2019.9.24〉

이 고시는 발령한 날부터 시행한다.

부칙 〈제2020-569호, 2020.8.7〉

이 고시는 발령한 날부터 시행한다.

부칙 〈제2020-1177호, 2020.12.29〉

이 고시는 발령한 날부터 시행한다.

건설사업정보 운용지침

국토교통부고시 제2018-910호

일부개정 2018.12.31

제1장 총칙

제1조(목적) 이 지침은 「건설기술진흥법 시행령」 제41조제3항에 따라 건설정보분류체계 기준, 건설공사 지원 통합정보체계의 구축·운영에 필요한 세부사항을 정하는 것을 목적으로 한다.

제2조(용어정의) 본 지침에서 사용하는 용어의 뜻은 다음과 같다.

1. "건설정보분류체계"란 건설공사의 제반단계에서 발생되는 건설정보를 체계적으로 분류하기 위한 기준를 말하며 세부용어는 다음과 같다.
   가. "시설물분류"란 시설물의 사용목적, 용도 및 기능에 따른 분류를 말한다.
   나. "공간분류"란 공간의 용도에 의하여 구성되는 공간의 분류를 말한다.
   다. "부위분류"란 공간의 구성을 이루는 시설물의 각 부위에 대한 분류를 말한다.
   라. "공종분류"란 공사항목의 작업단위 및 작업결과의 분류를 말한다.
   마. "자원분류"란 건설공종에 투입되는 자재, 장비, 인력의 분류를 말한다.
   바. "분류면(주제면)"은 어떤 사물의 다양한 측면(관점)에 대한 공통의 특성끼리 모은 분류를 말한다.
   사. "조합분류"는 분류하고자 하는 정보의 정의를 위하여 두개 이상의 동일 혹은 다른 분류면(주제면)의 분류를 조합하여 분류하는 방법을 말한다.
2. "건설사업정보시스템"이란 법 제19조에 따라 구축된 건설공사 지원 통합정보체계를 말하며 다음 각 목의 건설사업정보 단위시스템으로 구성된다.
   가. "건설사업정보포털시스템"이란 건설사업정보 단위시스템의 단일접속창구로써 건설사업 관련 정보를 제공하는 시스템(행정전산망을 이용하는 "기관포털"과 인터넷망을 이용하는 "대민포털"로 구분된다)을 말한다.
   나. "건설사업관리시스템"이란 도로 및 하천건설사업의 기획, 설계, 시공, 준공에 이르기까지 전 업무단계에서 발생하는 공사현황정보, 도급내역정보, 공정정보 등 각종 공사정보를 관리하고, 발주청과 수급인 간에 계약에 명시된 자료를 인터넷을 통해 교환·공유함으로써 건설사업관리 업무를 지원하는 시스템을 말한다.
   다. "시설물유지관리시스템"이란 국토관리사무소의 시설물제원관리, 점검진단업무, 일상보수 및 정기보수업무, 점검 및 보수계획의 수립업무, 과적적발보고업무 등 시설물 유지관리 업무를 지원하는 시스템을 말한다.

라. "건설인허가시스템"이란 민원인이 해당 인허가기관에 건설인허가를 신청하고, 인허가기관에서는 해당 민원업무(「민원사무처리에 관한 법률」 제2조제2호에 따른 민원사무를 말한다)를 처리하여 허가서 등 처리결과를 민원인에게 전송함으로써 건설인허가 업무처리 전 단계를 지원하는 시스템을 말한다.

마. "용지보상시스템"이란 기본조서 작성, 가격평가 및 보상금 산정, 협의보상과 토지 수용·재결, 공탁업무 및 보상금 지급 등 용지보상 업무를 지원하기 위한 시스템을 말한다.

3. "수급인"이란 「건설기술진흥법」 제2조제1호에 따른 건설공사 또는 같은 법 제2조제3호에 따른 건설기술용역을 발주청으로부터 도급받은 자를 말한다.

4. "전담기관"이란 건설기술진흥법 제19조제6항에 따라 건설공사 지원 통합정보체계를 구축·운영을 위해 업무를 위탁받는 기관으로서 국토교통부장관이 고시한 기관를 말한다.

제2장 건설정보분류체계

제3조(건설정보분류체계의 구성) ①건설정보분류체계는 시설물분류, 공간분류, 부위분류, 공종분류, 자원분류(자재분류, 장비분류, 인력분류)의 7개 분류면(주제면)으로 구성되어 있으며 그 분류체계의 구성은 별표와 같다.

②건설정보분류체계는 분류대상 정보의 특성에 따라 1개의 분류면(주제면) 만을 선택적으로 적용하거나 다수의 분류면(주제면)을 조합하여 적용할 수 있다.

③건설정보분류체계의 각 "분류면(주제면)"은 분류대상 정보의 특성 및 속성을 일관된 관점에서 분류한 독립적인 분류체계로서 상호 보완적인 대등한 분류이며, 분류체계를 적용함에 있어서 다수의 분류면(주제면)을 조합하여 분류할 때에도 독립적인 개념은 지켜져야 한다.

제4조(분류기호 및 분류항목표) ①건설정보분류체계는 별표와 같이 7개 분류면(주제면)별 대표기호는 영문 알파벳으로 표기하고, 각 분류면(주제면)별 항목분류 기호는 아라비아 숫자로 표기하는 것을 원칙으로 한다.

②건설정보분류체계의 각 분류면(주제면)별 항목분류체계(보조기호 포함) 및 코드 자릿수는 별표와 같다.

③건설정보분류체계의 각 분류면(주제면)별 분류항목은 분류면(주제면)별 분류항 목표를 적용하며, 분류항목표보다 상세한 세부분류는 건설사업정보포털(http://www.calspis.go.kr)에서 제공하는 매뉴얼을 참조하여 활용할 수 있다.

제5조(활용방법 및 절차 등) ①발주청 및 건설 관련업체 등 건설관련 주체는 건설공사의 기획, 설계, 시공 등 각 단계에서 발생되는 공사관련 문서의 작성 및 건설관련 정보시스템의 정보분류 등에 적용하여 활용·관리할 수 있다.

②발주청 및 건설 관련업체 등은 이 기준의 활용에 필요한 각 분류면별 분류항 목표를 별표에 준하여 적용할 수 있으며, 분류항목보다 상세한 분류항목은 각 건설 주체별로 세부분류항목표를 확장하여 활용할 수 있다.

③자원분류 중 "자재분류"는 조달청의 물품목록체계를 적용하는 것을 원칙으로 하며, 대 · 중분류만을 표시하고 소 · 세분류는 조달청 물품목록체계홈페이지(http://www.g2b.go.kr)를 이용하도록 한다.

제6조(분류항목의 추가 및 보완) ①건설정보분류체계의 분류항목표에 추가가 필요한 항목은 영문 알파벳을 이용하여 새로운 항목을 생성하여 사용할 수 있으며, 신규항목의 추가를 한국건설기술연구원에 건의할 수 있다.

②건설정보분류체계 분류항목표의 수정 · 보완은 한국건설기술연구원에서 주관하며, 제1항에 의하여 건의된 신규항목을 취합하고 분류체계의 활용사례를 종합 · 검토하여 정기적으로 제반 절차를 거쳐 분류항목표의 수정 · 보완을 시행할 수 있다.

제3장 건설사업관리시스템 운영

제7조(건설사업정보시스템 사용자 및 담당자) ①건설사업정보시스템 사용자(이하 "사용자"라 한다)는 국토교통부 본부 및 소속기관 직원으로 한다.

②건설사업정보시스템 담당자(이하 "담당자"라 한다)는 국토교통부 본부 및 소속기관 직원으로서 건설사업정보 단위시스템에 접속하여 해당 업무에 대한 자료의 입력, 제공, 승인, 검수, 등록, 관리 등을 하는 업무담당자로 한다.

제8조(건설사업정보시스템 접근방법) ①사용자는 건설사업관리시스템, 시설물유지관리시스템, 건설인허가시스템, 용지보상시스템을 사용하기 위하여 솔넷(오른쪽 메뉴하단의카테고리)을통해건설사업정보포털시스템기관포털("http://molit.calspia.go.kr")로 접속하여야 한다.

②다음 각 호의 어느 하나에 해당하는 경우에는 건설사업정보포털시스템 대민포털("http://www.calspia.go.kr")로 접속하여야 한다.

1. 사용자가 사후평가 및 설계VE 관련자료 등을 활용하는 경우
2. 수급인이 건설사업관리 업무를 처리하는 경우

제9조(건설사업정보포털시스템) ①사용자는 건설사업정보포털시스템 기관포털과 대민포털에 접속하여 도로 및 하천공사 등의 업무와 관련된 각종 현황 및 통계 등을 활용할 수 있다.

②담당자는 「건설공사 사후평가 시행지침」에 따라 시행된 사후평가 결과를 건설사업정보포털시스템 대민포털에 다음연도 2월말까지 입력하는 등 자료가 누락되지 않도록 관리하여야 한다.

③담당자는 「설계의 경제성등 검토에 관한 시행지침」에 따라 시행된 설계VE 결과를 건설사업정보포털시스템 대민포털에 입력하여야 한다.

④담당자는 건설사업정보포털시스템 대민포털의 국도노선정보가 유용하게 활용될 수 있도록 도로현황조서 등 관련자료를 매년 2월말까지 전담기관의 장에게 제공하여야 한다.

⑤담당자는 용도지역별 토지이용현황 집계 등의 업무에 건설사업

정보포털시스템 기관포털을 활용하여야 하며 자료가 누락되지 않도록 관리하여야 한다.

제10조(건설사업관리시스템) ①담당자는 지방국토관리청에서 발주되는 도로 및 하천의 건설사업관리 업무 중 다음 각 호의 업무에 건설사업관리시스템을 활용하여야 한다.

1. 사업 · 공사 및 용역의 등록
2. 발주청과 수급인간의 전자문서 유통
3. 수급인이 분기별로 보고하는 공사 및 용역 대장의 승인
4. 수급인이 주별로 보고하는 건설사업관리 일일업무일지 및 월별로 보고하는 건설사업관리 보고서의 승인
5. 수급인이 보고하는 공정보고, 설계변경, 기성보고, 품질관리, 안전관리비 등의 승인
6. 공사 및 용역의 준공 처리
7. 설계 · 준공도서 성과품(「전자설계도서 작성 · 납품 지침」에 따라 제작한 설계 또는 준공도서의 완성품을 말한다)의 검수 및 등록
8. 그 밖의 필요한 업무

②담당자는 제10조제1항의 업무 외에 국도 · 국가지원지방도 사업계획 수립 시 발생되는 계획수립조사, 의견수렴, 관계기관협의, 고시 등 관련자료를 건설사업관리시스템에 입력 · 관리하여야 한다.

③담당자는 분기별로 업무절차서 및 체크리스트를 활용하여 건설공사와 설계용역에 대한 입력자료를 확인하여야 하며, 수급인이 설계자용 · 시공자용 · 감리자용 체크리스트를 활용하여 입력자료를 점검하도록 관리하여야 한다.

④지방국토관리청장은 제10조제1항의 업무에 대하여 입력현황을 분기별로 확인하는 등 자료의 신뢰성을 확보하여야 하며, 입력결과를 매분기 다음 월 20일까지 전담기관의 장에게 제출하여야 한다.

제11조(시설물유지관리시스템) ①담당자는 「도로의 유지 · 보수등에 관한 규칙」 및 「운행제한차량 단속요령」에 따라 국토관리사무소에서 실시하는 국도유지관리 업무 중 다음 각 호의 업무에 시설물유지관리시스템을 활용하여야 한다.

1. 신규 시설물의 제원자료 등록
2. 시설물의 점검 · 진단 · 보수 등의 계획 수립 · 시행
3. 시설물의 일상 · 정기 · 정밀점검, 정밀안전진단 등의 안전점검 결과 관리
4. 도로 및 시설물의 보수 · 보강공사 결과 관리
5. 과적적발 결과 관리
6. 그 밖의 필요한 업무

②담당자는 제11조제1항제3호 및 제4호와 관련하여 수급인이 작성한 점검 및 공사결과를 전자파일로 제출받아 시설물유지관리시스템에 입력하여야 한다.

③국토관리사무소장은 제11조제1항의 업무에 대하여 입력현황을 분기별로 확인하는 등 자료의 신뢰성을 확보하여야 한다.

제12조(건설인허가시스템) ①전담기관의 장은 「전자정부법」 제7조제5항에 따라 전자적으로 처리하는 민원사항의 종류와 처리절차를 건설인허가시스템을 통하여 게시하여야 한다.

②민원인은 제1항에 따른 민원사항을 건설인허가시스템을 통하여 신청할 수 있다.

③담당자는 다음 각 호의 업무에 건설인허가시스템을 활용하여야 한다.

1. 처리대상 민원접수
2. 주관부서 및 담당자 선임
3. 민원서류의 보완 · 취하
4. 민원신청내용 확인을 위한 현장조사 및 기술검토
5. 민원처리결과 발송
6. 민원인이 신청한 도로점용 · 연결허가 사전심사의 처리
7. 도로점용허가대장의 작성 및 관리
8. 도로점용료의 산정 및 관리
9. 그 밖의 필요한 업무

④담당자는 건설기술용역업자가 대행한 품질시험 · 검사내용을 「건설기술진흥법 시행규칙」 제56조제5항에 따라 건설사업정보포털시스템 대민포털을 통해 건설인허가시스템에 입력하도록 관리하여야 한다.

제13조(용지보상시스템) ①담당자는 「공익사업을 위한 토지 등의 취득 및 보상에 관한 법률」에 따라 지방국토관리청 및 국토관리사무소에서 실시하는 보상업무 중 다음 각 호의 업무에 용지보상시스템을 활용하여야 한다.

1. 보상대상 건설사업 정보 등록
2. 토지 및 물건조서 입력
3. 감정평가 의뢰 및 결과 수신
4. 보상금 산정자료 관리
5. 보상협의자료 관리
6. 수용재결 의뢰 및 결과 수신
7. 이의재결자료 관리
8. 공탁자료 관리
9. 소유권 이전등기 및 보상금 지급내역 관리
10. 등기이전완료 토지목록 송신
11. 지장물 이설공사대장 관리
12. 보상과 관련된 각종 증빙자료 관리
13. 그 밖의 필요한 업무

②담당자는 제13조제1항의 업무에 대하여 기본조서 작성, 보상금 산정, 수용재결, 보상금 지급 단계에서 용지보상시스템을 통해 상급자의 확인을 받아야 한다.

③담당자는 제13조제1항제6호와 관련하여 중앙토지수용위원회의 수용재결 대상자료 및 결과를 토지재결정보시스템을 통해 용지보상시스템으로 송신하여야 한다.

④지방국토관리청장 및 국토관리사무소장은 제13조제1항의 업무에 대하여 입력현황을 분기별로 확인하는 등 자료의 신뢰성을 확보하여야 한다.

제14조(전자설계도서 작성 · 납품 지침 적용) ①담당자는 제10조제1항제7호의 업무를 수행하는 때에는 「전자설계도서 작성 · 납품 지침(이하 "납품지침"이라 한다)」을 준수하여야 한다.

②담당자(설계용역감독자, 공사감독자, 지원업무수행자)는 성과품이 납품지침에 따라 제출될 수 있도록 다음 각 호를 이행하여야 한다.

1. 공사 또는 설계용역을 발주하고자 하는 경우에는 성과품이 납품지침을 적용하여 제출되도록 과업지시서 또는 공사시방서 등 계약관련 서류에 적용 근거를 명시
2. 납품지침에 따라 설계 · 준공도서가 제출될 수 있도록 수급인에게 납품지침을 제공
3. 건설공사가 계약되었을 때에는 설계용역의 성과품을 수급인에게 제공
4. 성과품 제출 시 수급인에게 전자납품(설계 또는 준공도서를 전자적인 형식으로 작성하고 이를 인터넷 등 온라인 방식 또는 CD-ROM이나 DVD-ROM형태의 오프라인 방식으로 발주청에 납품하는 행위를 말한다) 검사도구를 활용하여 검사한 검사보고서를 제출하도록 지시
5. 성과품이 제출되면 납품지침에 따라 적합하게 제작되었는지 수급인이 제출한 검사보고서를 확인
6. 성과품 검사결과 이상이 있는 경우에는 수급인에게 성과품을 재작성하여 제출토록 조치

③지방국토관리청장은 공사 및 용역 준공 시 성과품이 납품지침에 따라 제출되도록 성과품 등록현황을 확인하는 등 자료의 신뢰성을 확보하여야 한다.

제15조(시스템 기능개선 요청) 사용자 및 담당자는 건설사업정보 단위시스템의 기능개선이 필요하다고 판단될 경우 소속기관장의 승인을 거쳐 전담기관의 장에게 요청할 수 있다.

제16조(건설사업정보시스템 관리자 지정 및 역할) ①건설사업정보시스템 사용부서에서는 건설사업정보 단위시스템별로 건설사업정보시스템 관리자(이하"관리자"라 한다)를 지정하여야 한다.

②관리자는 사용자 및 담당자의 업무변경, 인사이동, 퇴직 등으로 업무분장에 변동이 있을 경우 전담기관의 장에게 통보하여 사용권한을 변경하여야 한다.

③관리자는 사용자 및 담당자 교육 지원, 의견수렴 등 건설사업정보시스템 관련 업무를 지원하여야 한다.

제17조(건설사업정보시스템 운영) ①전담기관의 장은 건설사업정보 단위시스템이 다음 각 호에 따라 운영될 수 있도록 하여야하며, 시스템을 항상 최적의 상태로 유지하여야 한다.

1. 건설사업정보시스템의 개인정보 누출방지 등 정보보안 유지
2. 건설사업정보시스템의 변경 시 변경내용의 사전 통보
3. 건설사업정보시스템에서 관리되는 전산자료 및 데이터베이스의 위조 · 변조 · 훼손 · 멸실 및 전자적 침해행위의 방지
4. 건설사업정보시스템 및 전산자료의 파괴 · 변조에 대비하여 정기적으로 관련 자료 백업
5. 시스템에 장애가 발생할 경우 원인분석 및 필요한 조치
6. 건설사업정보시스템에서 제공하는 정보가 최신의 자료로 유지될 수 있도록 관리
7. 그 밖에 활용도 제고를 위해 필요한 사항

②전담기관의 장은 사용자 유형에 따라 건설사업정보 단위시스템

의 사용권한을 달리 부여하여 운영할 수 있다.

③전담기관의 장은 분기별로 건설사업정보 단위시스템별 입력실태를 파악하고, 입력률 등 활용도 제고대책을 마련하여 국토교통부장관에게 보고하여야 한다.

제18조(매뉴얼 등 배포) 전담기관의 장은 건설사업정보 단위시스템의 효율적인 활용을 위해 관리항목이 명시된 체크리스트, 절차서, 매뉴얼 등을 마련하여 배포할 수 있다.

제19조(재검토기한) 국토교통부장관은 「훈령·예규 등의 발령 및 관리에 관한 규정」에 따라 이 고시에 대하여 2019년 1월 1일을 기준으로 매3년이 되는 시점(매 3년째의 12월 31일까지를 말한다)마다 그 타당성을 검토하여 개선 등의 조치를 하여야 한다.

부칙 〈제2015-469호, 2015.6.30〉

제1조(시행일) 이 지침은 고시한 날부터 시행한다.

제2조(고시의 폐지) 다음 각 호의 공고, 고시를 폐지한다.

1. 건설정보분류체계 적용기준(국토교통부 공고 제2014-696호, 2014.5.23)
2. 건설사업정보시스템 운용지침(국토교통부 고시 제2014-280호, 2014.5.23)

부칙 〈제2015-850호, 2015.11.20〉

제1조(시행일) 이 지침은 고시한 날부터 시행한다.

제2조(고시의 폐지) 다음 각 호의 고시를 폐지한다.

1. 건설사업관리시스템에 의한 전자문서의 처리 (국토교통부 고시 제2014-282호, 2014.5.23)
2. 건설인·허가업무 전자처리 (국토교통부 고시 제2014-283호, 2014.5.23).

부칙 〈제2018-910호, 2018.12.31〉

이 고시는 발령한 날부터 시행한다.

[별표]

건설정보분류체계 구성 및 활용(제3조, 제4조, 제5조 관련)

1. 건설정보분류체계 구성

기호		분류체계상의 주제		기븐분류 자릿수	대분류 자릿수	중분류 자릿수	소분류 자릿수	세분류 자릿수
F		시설물		5	1	1	1	2
S		공간		5	1	1	1	2
E		부위		5	1	1	1	2
W		공종		4	2	1	1	
R	M	자원	자재	4	2	2		
	Q		장비	4	2	2		
	L		인력	4	2	2		

※ 비고

가. 각 분류체계 주제별 사용목적에 따라 세부분류를 체계화하여 사용한다.

나. 공종분류의 세분류 및 세서분류는 한국건설기술연구원의 매뉴얼을 참조한다.

2. 건설정보분류체계 활용

가. 보조기호 유형 및 활용

1) 더하기기호 (+) : 동일 분류체계상의 주제 내에서 연속되지 않은 두 가지 이상의 뉸류항목을 표현하는데 사용된다.

2) 사선기호 (/) : 등일 분류체계상의 주제 내에서 연속된 두 가지 이상의 분류 항목을 표현 하는데 사용된다.

3) 콜론기호 (:) : 분류체계상의 주제 또는 분류항목간의 상호 연관성만을 표현하고 계층적인 의미를 가지지 않는 구조를 표현하는데 사용된다.

4) 부등기호 (〉) : 분류체계상의 주제 또는 분류항목간의 계층적 구조를 표현하는데 사용된다.

보조기호 활용(예시)

보조기호	조합사례	의미
단독분류	F465	F465(대형판매시설)
+ 조합	F465 + F421	F465(대형판매시설)과 F421(아파트)
/ 조합	F621 / F629	F621(병원)부터 F629(기타의료시설)까지
: 조합	F541 : F533	F541(연구시설) 기능을 갖는 F533(대학시설)
〉 조합	F541 〉 F424	F541(연구시설)에 부속된 F424(기숙사)

나. 자원분류 중 “자재분류”는 조달청의 물품목록체계를 적용 할 수 있다.

3. 분류면별 분류항목표

가. 시설물분류(F)

대 · 중 · 소 · 세분류

- **0. 계획구역 및 토지정비**
  - **01. 국제적 계획구역**
  - **02. 국가적 계획구역**
    - 021. 국토종합계획
    - 022. 도종합계획
    - 023. 시, 군종합계획
    - 024. 지역계획
    - 025. 부문별계획
    - 029. 기타 국가적계획
  - **03. 도시계획**
    - 031. 특별시 계획
    - 032. 광역시 계획
    - 033. 도 계획
    - 034. 시, 군 계획
    - 039. 기타 도시계획
  - **04. 용도지역계획**
    - 041. 도시지역
      - 04110. 주거지역
      - 04120. 상업지역
      - 04130. 공업지역
      - 04140. 녹지지역
    - 042. 관리지역
      - 04210. 보전관리지역
      - 04220. 생산관리지역
      - 04230. 계획관리지역
    - 043. 농림지역
    - 044. 산림지역

대 · 중 · 소 · 세분류

    - 045. 해안지역
    - 047. 자연환경 보전지역
    - 049. 기타 용도지역계획
  - **05. 용도지구계획**
    - 051. 경관, 미관지구
    - 052. 고도지구
    - 053. 방화지구
    - 054. 방재지구
    - 055. 보존지구
    - 056. 시설보호지구
    - 057. 취락지구
    - 058. 개발진흥지구
    - 059. 특정용도제한지구
  - **06. 지구단위계획구역**
    - 061. 개발제한구역
    - 062. 시가화조성구역
    - 063. 수자원보호구역
    - 064. 전원개발사업구역
    - 065. 기반시설부담구역
    - 066. 도시개발구역
    - 067. 정비구역
    - 068. 항만, 어항구역
    - 069. 기타 지구단위계획구역
  - **07. 단지계획**
    - 071. 농업단지
    - 072. 공업단지
    - 073. 산업단지

대 · 중 · 소 · 세분류

      - 07310. 국가산업단지
      - 07320. 지방산업단지
    - 074. 유통단지
    - 076. 주거단지
    - 078. 복합단지
    - 079. 기타 단지시설
  - **08. 공란**
  - **09. 기타 계획구역**
    - 091. 신도시계획
    - 092. 개발계획
    - 093. 보존계획
    - 094. 복구, 개량계획
    - 095. 재해관리구역
    - 099. 기타형태의 계획구역
- **1. 운송 · 교통시설**
  - **11. 도로운송시설**
    - 111. 자동차 도로
      - 11110. 고속국도
      - 11120. 간선도로(일반국도)
      - 11130. 지선도로(지방도)
      - 11140. 도심도로
      - 11150. 일반도로
      - 11160. 샛길(소방도로)
      - 11190. 기타 자동차도로
    - 112. 기능별 도로
      - 11210. 보행자도로(육교, 지하도 포함)
      - 11220. 자전거용 도로
      - 11230. 농로

대 · 중 · 소 · 세분류

      - 11240. 산림도(산악도로)
      - 11250. 승마도로
      - 11260. 자동차경기용도로
      - 11270. 단지내도로
      - 11290. 기타 기능별 도로
    - 114. 부속도로
      - 11410. 진출입로
      - 11420. 비상도로
      - 11430. 인터체인지
      - 11440. 입체교차로
      - 11450. 비상주차대
      - 11480. 임시도로
      - 11490. 기타 부속도로
    - 115. 정류장시설
      - 11510. 버스터미널
      - 11520. 화물터미널
      - 11530. 휴게소시설
      - 11590. 기타 정류장시설
    - 116. 도로관리 · 차량통제시설
      - 11610. 종합교통상황시설
      - 11620. 도로관리시설
      - 11630. 요금정산소
      - 11690. 기타 차량통제시설
    - 117. 차량보관 · 수리시설
      - 11710. 노면주차장
      - 11720. 주기장
      - 11730. 정비공장
      - 11740. 세차장
      - 11750. 검사장

대 · 중 · 소 · 세분류
11760. 폐차장
11790. 기타 차량보관 · 수리 시설
119. 기타 도로운송시설
12. 철도운송시설
121. 철도시설
12110. 고속철도
12120. 일반철도
12130. 전철(지하철 포함)
12140. 경전철
12150. 전차(도로겸용 전철포함)
12190. 기타 철도운송시설
122. 특수철도
12210. 협궤철도
12220. 모노레일
12230. 자기부상철도
12240. 안내궤도식철도
12250. 행거식철도
12260. 삭도(케이블카, 리프트)
12290. 기타 특수철도
124. 부속철도
12410. 비상철도
12420. 주행대기소
12430. 교차철로
12490. 기타 부속철도
125. 철도 정차장 시설
12510. 철도승객역
12520. 화물역
12530. 플랫폼

대 · 중 · 소 · 세분류
12540. 매표소
12590. 기타 철도정차장시설
126. 철도관리 · 열차통제시설
12610. 열차통제소
12620. 열차전력공급시설
12630. 철로보수창고
12640. 적재장
12650. 철도신호시설
12690. 기타 열차통제시설
127. 열차보관 · 수리시설
12710. 열차계류장
12720. 공작창
12730. 열차점검시설
12740. 열차청소시설
12750. 철로보수시설
12790. 기타 열차보관 · 수리 시설
129. 기타 철도운송시설
13. 내륙수로운송시설
131. 운하
132. 갑문
133. 강상수로
134. 호수수로
139. 기타 수로운송시설
14. 항공운송시설
141. 공항시설
14110. 육상비행장
14120. 수상비행장
14130. 육상헬기장

대 · 중 · 소 · 세분류
14140. 수상헬기장
14190. 기타 공항시설
142. 착륙대, 활주로
14210. 일반활주로
14220. 비상활주로
14230. 특수활주로
14240. 헬기착륙대
14290. 기타 착륙대, 활주로
143. 유도로
14310. 장치유도로
14320. 평형유도로
14330. 고속탈출유도로
14340. 계류장유도로
14390. 기타 유도로
144. 항공기 계류시설
14410. 격납고
14420. 로딩에이프런
14430. 화물에이프런
14440. 주기에이프런
14450. 정비에이프런
14490. 기타 계류시설
145. 공항터미널시설
14510. 공항여객청사
14520. 공항화물청사
14530. 도심여객터미널
14590. 기타 공항터미널시설
146. 항공안전 · 관제시설
14610. 관제탑 · 접근관제소 시설

대 · 중 · 소 · 세분류
14620. 항행안전무선시설
14630. 항공등화시설
14640. 항공관제 · 비행정보용 통신시설
14650. 항공기 지상통제시설
14660. 항공기상황표정보시설
14690. 기타 항공안전 · 관제 시설
147. 공항서비스시설
14710. 항공기정비시설
14720. 항공기급유시설
14730. 공항관리시설
14740. 공항보급 · 지원시설
14790. 기타 공항서비스시설
148. 우주운송시설
14810. 우주선발사대
14820. 우주선통제시설
14830. 우주선격납시설
14840. 인공위성 착륙장
14850. 인공위성
14860. 우주정류장
14890. 기타 우주운송시설
149. 기타 항공운송시설
15. 교량시설
151. 도로교
152. 철도교
153. 인도교
154. 수로교
155. 혼용교(도로, 철도)

대 · 중 · 소 · 세분류
156. 운하교
157. 가동교
158. 배관 · 배선용 교량(수관교 포함)
159. 기타 교량시설
16. 터널시설
161. 도로터널
162. 철도터널
163. 수로터널
164. 보도터널
165. 발전용터널
166. 갱도
167. 특수터널시설
16710. 지하비축터널
16720. 지하광장
16740. 지하공동구
16750. 환기터널
16760. 채광터널
16790. 기타 특수터널시설
169. 기타 터널시설
17. 공란
18. 항만(어항)시설
181. 기능별 항만
18110. 상항
18120. 공업항
18130. 어항
18140. 여객항
18150. 보급 및 지원항
18160. 위험물항

대 · 중 · 소 · 세분류
18170. 보안항
18180. 위락항
18190. 기타 기능별항만
182. 항만(어항)수역시설
18210. 항로
18220. 정박지
18230. 선유장
18240. 선회장
18290. 기타 항만(어항)수역시설
183. 항만(어항)외곽시설
18310. 항만(어항)호안
18315. 방파제
18320. 방사제
18325. 방조제
18330. 파제제
18335. 도류제
18340. 이안제
18345. 돌제
18350. 항만(어항)수문, 갑문
18355. 흉벽
18360. 해안제방
18390. 기타 항만(어항)외곽시설
184. 항만(어항)계류시설
18410. 항만(어항)안벽
18420. 항만(어항)선착장
18430. 물양장
18440. 선양장
18450. 잔교
18455. 부잔교

대 · 중 · 소 · 세분류
18460. 돌핀(시버스)
18470. 계선부표
18490. 기타계류시설
185. 선박통제시설
18510. 선박관제시설
18520. 항로표지시설
18530. 항만(어항)신호조명시설
18540. 등대
18560. 항만(어항)오염방지시설
18570. 해양관측시설
18590. 기타 선박통제시설
186. 항만여객 · 화물시설
18610. 항만여객터미널
18620. 항만(어항)화물 선적 · 하역시설
18630. 화물포장 · 보관시설
18640. 화물싸이로
18650. 저유조
18690. 기타 항만여객 · 화물시설
187. 선박보급 · 수리시설
18710. 선박보급시설
18720. 선박수리시설
18730. 배창고
18790. 기타 선박보급 · 수리시설
188. 해상시설
18810. 해상구조물시설
18820. 인공섬시설

대 · 중 · 소 · 세분류
18890. 기타 해상시설
189. 기타 항만(어항)시설
19. 기타 운송 · 교통시설
2. 환경처리시설
21. 액체폐기물 처리시설
211. 하수처리시설
21110. 하수차집시설
21120. 하수펌프장
21130. 하수종말처리장
21140. 하수재이용시설
21190. 기타 하수처리시설
212. 오수처리시설
21210. 오수차집시설
21220. 정화조
21230. 축산폐수 집적시설
21240. 오니화시설
21250. 분뇨처리시설
21260. 오수정화시설
21290. 기타 오수처리시설
213. 산업폐수처리시설
21310. 폐수차집시설
21320. 폐수집적시설
21360. 폐수정화시설
21390. 기타 산업폐수처리시설
214. 유독액체폐기물처리시설
219. 기타액체폐기물처리시설
22. 쓰레기 처리시설
221. 쓰레기 수거 · 집적시설
22110. 분리수거시설

대 · 중 · 소 · 세분류
22120. 쓰레기 집적시설
22130. 진공집적시설
22140. 쓰레기 저장시설
22190. 기타 쓰레기 수거 · 집적시설
222. 쓰레기 처리시설
22210. 쓰레기 분리처티시설
22220. 쓰레기 펄프화시설
22230. 쓰레기 매립시설
22240. 쓰레기 소각시설
223. 쓰레기 재활용시설
229. 기타 쓰레기 처리시설
23. 고체폐기물 처리시설
231. 폐광물 처리시설
232. 슬래그 처리시설
233. 분진 처리시설
234. 핵폐기물 처리시설
235. 유독고체폐기물 처리시설
239. 기타 고체폐기물 처리시설
24. 공란
25. 자원 재생시설
26. 오염 방지시설
261. 해양오염 방지시설
262. 수자원오염 방지시설
263. 토양오염 방지시설
264. 대기오염 방지시설
269. 기타 오염 방지시설
27. 공란
28. 조경시설

대 · 중 · 소 · 세분류
29. 기타 환경처리시설
3. 자원공급시설
31. 전력 및 에너지 공급시설
311. 발전소
31110. 화력발전소
31120. 원자력발전소
31130. 수력발전소
31140. 풍력발전소
31150. 조력발전소
31160. 지열발전소
31170. 열병합발전소
31180. 태양열발전소
31190. 기타 발전소
312. 송배전시설
31210. 변전소
31220. 지상 송전시설
31230. 지하 송전시설
31290. 기타 송배전시설
313. 연료공급시설
31310. 주유소
31320. 액화석유가스충전소
31330. 액화가스취급소, 판매소
31340. 고압가스충전소
31390. 기타 연료공급시설
314. 물리력 이용시설
31410. 수력시설
31420. 풍력시설
31430. 태양열시설
31440. 지열시설

대 · 중 · 소 · 세분류
31490. 기타 물리력이용시설
319. 기타 전력 · 에너지 공급시설
32. 광물자원시설
321. 석유추출 · 공급시설
32110. 유정
32120. 저장탱크
32130. 유류 파이프라인
32140. 정유공장
32190. 기타 석유추출 · 공급시설
322. 가스추출 및 공급시설
32210. 가스정
32220. 액화천연가스플랜트 (LNG Plant)
32230. 액화석유가스(LPG Plant)
32240. 천연가스액화물플랜트 (NGL Plant)
32250. 가스오일분리플랜트 (GOSP Plant)
32260. 가스 수송관시설
32290. 기타 가스추출 · 공급시설
323. 고체연료추출 및 공급시설
32310. 탄광
32320. 우라늄광
32390. 기타 고체연료추출 · 공급시설
324. 광물추출 및 공급시설
32410. 석산

대 · 중 · 소 · 세분류
32420. 골재장
32430. 금속류광산
32490. 기타 광물추출 · 공급시설
329. 기타 광물추출 · 공급시설
33. 수자원 공급시설
331. 자연수 관리시설
33110. 우수 · 지표수 차집관로
33120. 유수지
33130. 빗물펌프장
33140. 지하수관리시설
33190. 기타 자연수 관리시설
332. 댐 시설
33210. 다목적용댐
33220. 관개용댐
33230. 홍수조절용댐
33240. 발전용댐
33250. 용수전용댐
33290. 기타 댐 시설
333. 하천시설
33310. 하구둑
33320. 하천제방시설
33330. 하천사방시설
33340. 하천호안시설
33350. 유량조절시설
33360. 하천 친수시설
33390. 기타 하천시설
334. 관개시설
33410. 저수지

대 · 중 · 소 · 세분류
33420. 저수조
33430. 관개수로
33450. 농수로
33490. 기타 관개시설
335. 용수공급시설
33510. 용수관로시설
33520. 취수시설
33530. 도수시설
33540. 정수시설
33550. 송수시설(가압시설 포함)
33570. 배수지
336. 용수전환시설
337. 상수도시설
33710. 광역 상수도시설
33720. 지방 상수도시설
33730. 마을 상수도시설
33760. 공업용 수도시설
339. 기타 수자원 공급시설
34. 공란
35. 농 · 축산시설
351. 삼림시설
35110. 방풍림
35120. 조경림
35130. 벌목장
35140. 관광 · 휴양림
35180. 삼림감시초소
35190. 기타 삼림시설
352. 경작시설
35210. 논

대 · 중 · 소 · 세분류
35220. 밭
35230. 목초지
35290. 기타 경작시설
353. 재배시설
35310. 온실
35320. 원예시설
35330. 수경재배시설
35340. 버섯재배사
35350. 종묘배양시설
35360. 비닐하우스
35390. 기타 재배시설
354. 농업관련시설
35410. 도정시설
35420. 방앗간
35430. 농산물창고
35440. 과일선별시설
35490. 기타농업관련시설
355. 사육시설
35510. 방목장
35520. 축사
35590. 기타 사육시설
356. 축산관련시설
35610. 우유저장탱크
35620. 동물검역시설
35630. 방역시설
35640. 도축장 · 도계장
35650. 가축시장
35690. 기타 축산관련시설
359. 기타 농 · 축산시설

대 · 중 · 소 · 세분류
36. 수산시설
361. 어장
362. 양어장
363. 양식장
364. 수산관련시설
369. 기타 수산시설
37. 공란
38. 자원저장시설
381. 유류저장시설
382. 가스저장시설
383. 광물자원 저장시설
384. 농 · 축 · 수산물 저장시설
38410. 농산물 저장사이로, 빈, 호퍼
38420. 농산물 저장창고
38440. 농 · 축 · 수산물 저장냉동, 냉장창고
38490. 기타 농 · 축 · 수산물 저장시설
385. 공산품 저장시설
386. 유독물보관 · 저장시설
387. 물류센터
389. 기타 자원저장시설
39. 기타 자원공급시설
4. 주거 및 상업시설
41. 단독주택
411. 일반단독주택
412. 다중주택
413. 다가구주택

대 · 중 · 소 · 세분류
414. 특정목적 주택
41410. 별장주택
41420. 농촌주택
41430. 아트리에주택
41440. 장애자주택
41490. 기타 특정목적 주택
415. 이동형주택
41510. 컨테이너주택
41520. 조립식 이동주택
41590. 기타 이동형 주택
42. 공동주택
421. 아파트
422. 연립주택
423. 다세대주택
424. 기숙사
428. 공동주택 부속시설물
42810. 경비실
42820. 관리실
42830. 노인정
42840. 놀이터
42850. 공동체육시설
42890. 기타 공동주택 부속시설물
429. 기타 공동주택
43. 숙박시설
431. 일반 숙박시설
43110. 호텔
43120. 여관
43130. 여인숙

대 · 중 · 소 · 세분류
43190. 기타 일반 숙박시설
432. 관광숙박시설
43210. 관광호텔(City호텔)
43220. 관광호텔(Resort호텔)
43230. 수상관광호텔
43240. 한국전통호텔
43250. 콘도미니엄(가족호텔)
43290. 기타 관광숙박시설
433. 모텔
434. 호스텔
43410. 유스호스텔
43490. 기타 호스텔
436. 영빈관
439. 기타 숙박시설
44. 공란
45. 업무시설
451. 일반사무시설
452. 특정목적 사무시설
453. 금융시설
45310. 은행
45320. 증권거래소
45330. 환전소
45340. 조폐공사
45390. 기타 금융시설
454. 주차건물
45410. 주차빌딩
45420. 주차타워
45490. 기타 주차시설
455. 스튜디오

대 · 중 · 소 · 세분류
45510. 촬영스튜디오
45520. 화실
45530. 녹음스튜디오
45540. 의상스튜디오
45550. 디자인스튜디오
45560. 설계사무소
45590. 기타 스튜디오
456. 오피스텔
459. 기타 업무시설
46. 판매시설
461. 도매시장 · 상가
462. 재래시장 · 상가
463. 전문시장 · 상가
464. 농 · 수 · 축산 시장 · 상가
465. 대형판매시설
46510. 백화점
46520. 대형쇼핑센터
46540. 창고형매장
466. 경매시설
467. 상점 · 점포
46710. 식품소매점
46715. 잡화소매점
46720. 서적소매점
46725. 문구소매점
46730. 의류소매점
46735. 전자제품소매점
46740. 건자재소매점
46790. 기타 상점 · 점포
469. 기타 판매시설

대 · 중 · 소 · 세분류
47. 공란
48. 근린생활시설
481. 외식업시설
48110. 휴게음식점
48115. 일반음식점
48120. 유흥주점
48125. 단란주점
48130. 패스트푸드점
48135. 제과점
48140. 다방
48145. 카페
48190. 기타 외식업시설
482. 보수 · 수리점
48210. 전자제품 수리점
48220. 주택 보수점
48230. 차량 수리점
48290. 기타 수리점
483. 생활위생시설
48310. 목욕탕
48320. 사우나
48330. 세탁소
48340. 이 · 미용실
48350. 찜질방
48390. 기타 생활위생시설
485. 생활편의시설
48510. 사진관
48520. 표구점
48530. 독서실
48540. 부동산중개소

대 · 중 · 소 · 세분류
48550. 결혼상담소
48560. 직업소개소
48590. 기타 생활편의시설
489. 기타 근린생활시설
49. 기타주거 및 상업시설
5. 공공 건축시설
51. 관청 및 공공시설
511. 국제기구시설
51110. 국제행정시설
51120. 국제입법시설
51190. 기타 국제기구시설
512. 중앙행정관청
51210. 의회
51220. 정부청사
51290. 기타 중앙행정관청
513. 지방행정관청
51310. 시청
51320. 도청
51330. 구청
51340. 군청
51360. 시의회
51370. 도의회
51380. 구의회
51390. 기타 지방행정관청
514. 행정사무소
51410. 동사무소
51420. 면사무소
51430. 읍사무소
51490. 기타 행정사무소

대 · 중 · 소 · 세분류
515. 세무서
516. 법원
517. 정부산하기관
518. 공관
519. 기타 관청 · 공공시설
52. 보안 · 방재시설
521. 경찰시설
52110. 경찰서
52120. 파출소
52130. 경비초소
52140. 검문소
52190. 기타 범죄방지시설
522. 소방시설
52210. 소방서
52220. 소방감시탑
52230. 소방훈련시설
52290. 기타 소방시설
523. 군사시설
52310. 육군시설
52320. 공군시설
52330. 해군시설
52340. 병영시설
52350. 요새
52360. 공격시설
52370. 방공대피호
52390. 기타 군사시설
524. 교화시설
52410. 교도소
52420. 구치소
52430. 소년원
52440. 소년분류심사원
52450. 감화원
52460. 갱생원
52490. 기타 교화시설
525. 안전시설
52510. 구급대시설
52520. 산장
52530. 해안구명시설
52590. 기타 안전시설
529. 기타 보안 및 방재시설
53. 교육시설
531. 유치원 · 탁아소
532. 초 · 중 · 고 교육시설
53210. 초등학교
53220. 중학교
53230. 고등학교
53290. 기타 초 · 중 · 고 교육시설
533. 대학시설
53310. 종합대학
53320. 단과대학
53330. 전문대학
53340. 특수대학
53390. 기타 대학시설
534. 교육원
53410. 연수원
53420. 기술학교
53430. 직업훈련소
53440. 사회교육시설
53490. 기타 교육원
535. 특수학교
53510. 시각장애자학교
53520. 청각장애자학교
53530. 정신장애자학교
53540. 재활학교
53590. 기타 특수학교
536. 학원
539. 기타 교육시설
53910. 특수주제교육시설
53920. 특수기술연수시설
54. 연구/과학시설
541. 연구시설
542. 실험시설
543. 관측 · 계측소
54310. 천문대
54320. 기상관측소
54330. 공해관리소
54340. 계량소
54390. 기타 관측 · 계측시설
549. 기타 연구 · 과학시설
55. 정보 · 통신시설
551. 방송시설
55110. 라디오방송국
55120. TV방송국
55130. 촬영장
55140. 영화촬영세트
55150. 인터넷방송국
55160. 유선방송국
55170. 방송타워
55190. 기타 방송시설
552. 전신 · 전화시설
55210. 전화국
55220. 전신 · 전화중계소
55230. 위성기지국
55290. 기타 전신 · 전화시설
553. 체신시설
55310. 우체국
55320. 우편물 취급소
55390. 기타 체신시설
554. 도서관
555. 정보처리시설
55510. 정보제공시설
55520. 자료 형태별 이용시설
55530. 자료처리시설
55540. 전산센터
55590. 기타 정보처리시설
556. 기록보관소
557. 출판 · 인쇄시설
559. 기타 정보통신시설
56. 공란
57. 사회복지시설
571. 복지관
57110. 종교복지관
57120. 사회복지관
57190. 기타 복지관
572. 아동복지시설

대 · 중 · 소 · 세분류
57210. 고아원
57220. 영아원
57230. 보육원
57290. 기타 아동복지시설
573. 노인복지시설
57310. 양로원
57320. 실버타운
57330. 지역 노인정
57390. 기타 노인복지시설
574. 수용시설
57410. 난민수용소
57420. 부랑자수용소
575. 근로복지시설
576. 생활권수련시설
57610. 청소년수련관
57620. 청소년문화관
57690. 기타 생활권수련시설
577. 자연권수련시설
57710. 청소년수련원
57720. 청소년야영장
57790. 기타 자연권수련시설
579. 기타 사회복지시설
58. 역사적 건축물 및 문화재
581. 유적지
582. 역사적 건축물
58210. 고궁
58220. 성
58230. 사원 · 사찰
58240. 고가

대 · 중 · 소 · 세분류
58290. 기타 역사적 건축물
583. 고분 · 기념비
584. 유물
589. 기타 역사적 건축물 및 문화재
59. 기타 공공 건축시설
6. 보건 · 휴식 · 종교시설
61. 공란
62. 의료시설
621. 병원
62110. 종합병원
62120. 일반병원
622. 의원
623. 전문병원
62310. 노인병원
62315. 소아병원
62320. 부인병원
62325. 정신병원
62330. 암병원
62335. 원자력병원
62390. 기타 전문병원
624. 한방병원
625. 보건소
626. 격리병원 · 요양소
62610. 결핵요양소
62620. 나병요양소
62630. 향정신질환요양소
62650. 전염병원
62660. 마약진료소
62690. 기타 격리병원 · 요양소

대 · 중 · 소 · 세분류
627. 의료부속시설 · 병원기공시설
62710. 외과기공시설
62715. 치과기공시설
62720. 혈액원(혈액은행)
62725. 장기은행
62750. 의학연구시설
62780. 장례식장
62790. 기타 의료부속시설 · 기공시설
628. 약국
629. 기타 의료시설
62910. 가축병원
63. 공란
64. 전시시설
641. 전시장
64110. 박물관
64120. 미술관
64130. 과학관
64140. 기념관
64150. 산업전시장
64160. 박람회장
64170. 천문관
64180. 국사관
64190. 기타 전시시설
642. 동 · 식물원
64210. 동물원
64220. 식물원
64230. 수족관
649. 기타 전시시설

대 · 중 · 소 · 세분류
65. 공연 및 집회시설
651. 공연시설
65110. 극장
65115. 영화관
65120. 연회장
65125. 음악당
65130. 서커스장
65135. 비디오물 소극장
65140. 야외극장
65145. 야외음악당
65150. 자동차극장
65190. 기타 공연시설
652. 집회시설
65210. 회의장
65215. 공회장
65220. 문화회관
65225. 시민회관
65230. 청소년회관
65235. 어린이회관
65240. 예식장
65245. 크럽하우스
65250. 마권장외발매소
65255. 마권전화투표소
65290. 기타 집회시설
659. 기타 공연 · 집회시설
66. 운동시설
661. 실내 종합체육시설
662. 실외 종합체육시설
663. 실내 종목별 운동시설

대 · 중 · 소 · 세분류
66301. 실내수영장
66302. 실내스키장
66303. 실내스케이트장
66304. 아이스하키경기장
66305. 실내로울러스케이트장
66306. 실내벨로드롬
66307. 볼링장
66308. 실내사격장
66309. 실내축구장
66310. 실내야구장
66311. 농구장
66312. 배구장
66313. 헨드볼경기장
66314. 실내테니스장
66315. 스쿼시장
66316. 탁구장
66317. 체조경기장
66318. 역도경기장
66319. 권투경기장
66320. 레스링경기장
66321. 태권도경기장
66322. 유도경기장
66323. 당구장
66390. 기타 실내 종목별 운동 시설
664. 실외 종목별 운동시설
66401. 실외수영장
66402. 스키장
66403. 스케이트장

대 · 중 · 소 · 세분류
66405. 로울러스케이트장
66406. 벨로드롬
66407. 필드하키장
66408. 사격장
66409. 축구장
66410. 야구장
66411. 실외농구장
66412. 실외배구장
66413. 실외헨드볼경기장
66414. 테니스장
66415. 육상경기장
66416. 국궁장
66417. 양궁장
66418. 봅슬레이
66419. 바이애슬론
66421. 루지
66422. 승마경기장
66423. 골프장
66424. 조정경기장
66490. 기타 실외 종목별 운동 시설
665. 운동연습 · 체력단련시설
66501. 체력단련장
66505. 에어로빅장
66510. 체육도장
66515. 골프연습장
66520. 야구연습장
66525. 사격연습장
66590. 기타 운동연습 · 체력단련

대 · 중 · 소 · 세분류
시설
669. 기타 운동시설
67. 휴식, 위락시설
671. 공원
672. 유원지
673. 투전시설
67310. 카지노
67320. 경마장
67330. 경륜장
67390. 기타 투전시설
674. 오락 · 놀이시설
67401. 전자오락실
67405. 놀이기구
67410. 모험관
67415. 극기훈련장
67490. 기타 놀이시설
675. 휴식 · 여행자 시설
67510. 관광안내소
67515. 관망탑
67520. 휴게소
67525. 캠핑장
67530. 낚시터
67535. 온천
67590. 기타 여행자시설
676. 무도장
67610. 디스코텍
67620. 카바레
679. 기타 휴식 · 위락 시설
68. 종교시설

대 · 중 · 소 · 세분류
681. 대종교시설
682. 유교시설
683. 불교시설
684. 기독교시설
68410. 성당
68420. 교회
685. 회교시설
687. 종교관련 부속시설
68710. 기도원
68720. 수녀원
68730. 미선홀
68740. 선교회관
68790. 기타 종교부속시설
688. 묘지관련시설
68810. 화장시설
68820. 납골당
68830. 묘원
689. 기타 종교시설
69. 기타 보건 · 휴식 · 종교시설
7. 중공업시설
71. 제철 · 제강시설
711. 제철 · 합금철강 · 제강시설
712. 철강 압연 · 압출 · 제관시설
713. 철강 주조시설
719. 기타 제철 및 제강시설
72. 비철금속 제련 · 정련시설
721. 비철금속 1차 제련 · 정련시설
722. 비철금속 2차 제련 · 정련시설
723. 비철금속 압연 · 압출시설

대 · 중 · 소 · 세분류
724. 비철금속 주조시설
729. 기타 비철금속 제련 · 정련 시설
73. 금속제품 제조시설
731. 구조금속제품 제조시설
732. 금속 단조 · 압형 · 분말야금 시설
733. 수공구 · 일반철물 제조시설
734. 금속부품 제조시설
739. 기타 금속제품 제조시설
74. 일반기계 제조시설
741. 엔진 · 터빈 제조시설
742. 펌프 · 압축기 · 탭 · 밸브 제조 시설
743. 베어링 · 기어 · 전동요소 제조 시설
744. 산업용 노 및 노용버너 제조시설
745. 산업용 물품 취급장비 제조시설
749. 기타 공통기계 제조시설
75. 특수기계 제조시설
751. 농업용기계 제조시설
752. 가공공작기계 제조시설
753. 금속주조 · 압연기 제조시설
754. 건설 · 광산기계 제조시설
755. 음식품 · 담배 기계 제조시설
756. 섬유 · 의류 · 가죽산업용기계 제조시설
757. 무기 · 총포탄 제조시설
759. 기타 특수기계 제조시설

대 · 중 · 소 · 세분류
76. 운송기계 제조시설
761. 자동차 제조시설
762. 자동차부품 제조시설
763. 열차 제조시설
764. 열차부품 제조시설
765. 선박 제조시설
766. 선박부품 제조시설
767. 교통통제기 제조시설
769. 기타 운송기계 제조시설
77. 공란
78. 우주항공기계 제조시설
79. 기타 중공업 시설
8. 경공업시설
81. 섬유류 제조시설
811. 방적 · 직조 공장
812. 직물2차 가공공장
813. 의류 · 모피제품 제조시설
814. 가죽 · 가방 · 신발 및 마구류 제품제조시설
815. 제지 · 펄프 제조시설
819. 기타 섬유류 제조시설
82. 식음료품 제조시설
821. 식품류 제조시설
822. 주류 · 음료 제조시설
823. 담배 제조시설
829. 기타 식품류 제조시설
83. 전기기계 · 변환장치 제조시설
831. 전동기 · 발전기 · 전기변환장치 제조시설

대 · 중 · 소 · 세분류
832. 전기공급 · 제어장치 제조시설
833. 절연선 · 케이블 제조시설
834. 축전지 · 일차전지 제조시설
835. 전구 · 조명장치 제조시설
839. 기타 전기기계 · 변환장치 제조시설
84. 전자제품 · 통신장비 제조시설
841. 전자관 · 전자부품 제조시설
842. 통신기기 · 방송장비 제조시설
843. 방송수신기 · 기타 영상 · 음향 기기 제조시설
844. 컴퓨터 · 관련기기 제조시설
845. 가전기기 제조시설
849. 기타 전자제품 및 통신장비 제조시설
85. 의료 · 정밀 · 광학기기 제조시설
851. 의료기기 제조시설
852. 측정 · 시험기기 제조시설
853. 사진 · 광학기기 제조시설
854. 시계 · 시계부품 제조시설
859. 기타 의료 · 정밀 · 광학기기 제조시설
86. 생활용품 제조시설
861. 가구 · 주방용품 제조시설
862. 사무용품 제조시설
863. 악기류 제조시설
864. 운동 · 레저용품 제조시설
865. 장난감 · 오락용품 제조시설
866. 장식품 · 장신구 제조시설

대 · 중 · 소 · 세분류
867. 간판 · 광고물 제조시설
869. 기타 생활용품 제조시설
87. 건자재 제조시설
871. 시멘트 제조시설
872. 벽돌 및 PC 제조시설
873. 요업 제조시설
874. 유리 · 유리섬유 제조시설
875. 목재 · 목재가구 제조시설
876. 판넬류 제조시설
879. 기타 건자재 제조시설
88. 공란
89. 기타 경공업시설
9. 석유 · 화학시설
91. 코크스 · 석유정제 시설
911. 코크스 관련제품 제조시설
912. 석유정제 시설
913. 석유정제 부획물 재처리시설
919. 기타 코크스 · 석유정제 시설
92. 공란
93. 기초화합물 제조시설
931. 산업용 가스 제조시설
932. 기초무기화합물 제조시설
933. 유연제 · 염료추출 시설
934. 염료 · 착색제 제조시설
935. 석탄화합물 제조시설
936. 석유화학계 유기화합물 제조시설
939. 기타 기초화합물 제조시설
94. 비료 · 질소화합물 제조시설

대 · 중 · 소 · 세분류	대 · 중 · 소 · 세분류
95. 고무 · 플라스틱 물질 제조시설	973. 의약품 제조시설
951. 고무 제조시설	974. 세정광택제 · 화장품 제조시설
952. 합성수지 제조시설	975. 화학섬유 제조시설
953. 재생섬유 · 유도체 제조시설	98. 공란
959. 기타 고무 · 플라스틱물질 제조시설	99. 기타 석유 · 화학 제조시설
96. 고무 · 플라스틱 제품 제조시설	
961. 고무제품 제조시설	(공 백)
962. 합성수지제품 제조시설	
969. 기타 고무 · 플라스틱제품 제조시설	
97. 기타 화학제품 제조시설	
971. 살충제 · 농업용 화학제품 제조시설	
972. 도료 · 잉크제품 제조시설	

나. 공간분류(S)

대 · 중 · 소 · 세분류	대 · 중 · 소 · 세분류
1. 구조적 시설(건물)구획공간	161. 임의구간(선형시설물)
11. 시설(건물)구획공간	16110. 공법별구간
111. 시설(건물)군	16120. 자재별구간
112. 시설(건물)블록	16130. 기점(스테이션)
113. 독립시설(건물)	16140. 스판(Bay)
114. 부속시설(건물)	16180. 임의 구획구간
12. 수직적 구획공간	16190. 기타 임의구간 구획공간
121. 코어(Core)	162. 임의 시설군
122. 날개부(Wings)	16210. 공법별 시설군
123. 주간부(Bays)	16220. 자재별 시설군
13. 수평적 구획공간	16230. 동(A동, B동 · 1동, 2동)
131. 바닥층	16240. 공구(1공구, 2공구)
132. 지하층	16250. 블록(A블록, B블록)
133. 반지하층	16280. 임의 구획시설
134. 중이층	16290. 기타 임의시설 구획공간
135. 지상층	163. 임의구역
13501. 1층	16310. 공법별구역
13502. 2층	16320. 자재별구역
13503. 3층	16330. 상황별구역(위험구역, 보수구역 등)
13510. 10층	16380. 임의 구획구역
13511. 11층 등	16390. 기타 임의구역 구획공간
136. 중간층(기준층)	169. 기타 임의구획공간
137. 최상층	17. 공란
138. 옥탑층	18. 공란
139. 지붕, 옥상	19. 기타 구조적 구획공간
14. 공란	2. 개방형태별공간
15. 공란	21. 전체폐쇄(바닥, 벽, 지붕)공간
16. 임의 구획공간	

대 · 중 · 소 · 세분류
22. 4면벽 폐쇄공간
221. 4면벽 폐쇄, 지붕 개방공간
222. 4면벽 폐쇄, 지붕 부븐개방공간
223. 4면벽 폐쇄, 개폐형 지붕공간
23. 3면벽 폐쇄공간
231. 3면벽 폐쇄, 지붕 개방공간
232. 3면벽 폐쇄, 지붕 부븐개방공간
233. 3면벽 폐쇄, 개폐형 지붕공간
234. 3면벽 폐쇄, 지붕 폐쇄공간
24. 2면벽 폐쇄공간
241. 2면벽 폐쇄, 지붕개방공간
242. 2면벽 폐쇄, 지붕부분개방공간
243. 2면벽 폐쇄, 개폐형지붕공간
244. 2면벽 폐쇄, 지붕폐쇄공간
25. 1면벽 폐쇄공간
251. 1면벽 폐쇄, 지붕개방공간
252. 1면벽 폐쇄, 지붕부분개방공간
253. 1면벽 폐쇄, 개폐형지붕공간
254. 1면벽 폐쇄, 지붕폐쇄공간
26. 4면벽 개방공간
261. 4면벽 개방, 지붕개방공간
262. 4면벽 개방, 지붕부분개방공간
263. 4면벽 개방, 개폐형지붕공간
264. 4면벽 개방, 지붕폐쇄공간
27. 바닥 개방공간
271. 바닥개방, 지붕 및 4면벽폐쇄공간
272. 바닥개방, 지붕 및 3면벽폐쇄공간

대 · 중 · 소 · 세분류
273. 바닥개방, 지붕 및 2면벽폐쇄공간
274. 바닥개방, 지붕 및 1면벽폐쇄공간
275. 바닥지붕개방, 4면벽폐쇄공간
276. 바닥지붕개방, 3면벽폐쇄공간
277. 바닥지붕개방, 2면벽폐쇄공간
278. 바닥지붕개방, 1면벽폐쇄공간
279. 기타 바닥개방공간
28. 공란
29. 기타 개방형태별공간
3. 기능적 구획 공간
31. 용도, 기능별시설공간
311. 기능별시설군
312. 기능별시설
32. 용도, 기능별구역, 구간공간
33. 실, 방
34. 이동순환공간
341. 출입구 및 전실
342. 홀로비
343. 복도
344. 계단실엘리베이터샤프트
345. 내부회랑 발코니
346. 외부회랑 발코니
347. 통로
349. 기타 이동순환공간
35. 구조물내 유틸리티공간
351. 장비설치공간
352. 배관공간

대 · 중 · 소 · 세분류
353. 전선배선공간
354. 덕트공간
355. 탱크설치공간
356. 조인트 및 분기공간
357. 점검보수공간
358. 통제제어공간
359. 기타 유틸리티공간
36. 부분적공간
361. 활동공간
362. 작업공간
363. 점유공간
364. 구석, 틈새공간
365. 부수적공간
37. 공란
38. 시설물(건물) 외부공간
381. 시설물 외부부지
382. 외부시설물 설치공간
383. 외부 부속시설공간
38301. 드라이 에리어
38302. 중정
38303. 테라스
384. 지하외부공간
385. 구내도로 및 통행공간
388. 조경공간
389. 기타 시설물(건물) 외부공간
39. 기타 기능적구획공간
4. 산업공정 구획공간
41. 자재반입, 보관공간
42. 자재공급라인공간

대 · 중 · 소 · 세분류
43. 제조라인공간
44. 조립라인공간
45. 마감라인공간
46. 검사라인공간
47. 제품보관공간
48. 제품출하공간
49. 기타 산업공정 구획공간
5. 공란
6.환경적 구획공간
61. 자연환경 구획공간
611. 바람 구획공간
612. 강우 구획공간
613. 홍수해일 구획공간
614. 일조 구획공간
615. 지형지질 구획공간
616. 지진 구획공간
62. 인공환경 구획공간
621. 온도습도구획공간
622. 빛 구획공간
623. 진동소음 구획공간
624. 기체먼지 구획공간
625. 전기전파 구획공간
63. 생물학적 구획공간
64. 방화소화 구획공간
65. 보안통제안전구획공간
66. 지하공간
67. 수공간
671. 수면공간
672. 수중공간

대 · 중 · 소 · 세분류	대 · 중 · 소 · 세분류
68. 공란	863. 전용 · 분양면적비율
69. 기타 환경적 구획공간	87. 체적 분석공간
7. 공란	871. 기능용도별 체적 분석공간
8. 분석적 구획공간	872. 용적율
81. 구간분석공간	88. 공란
811. 선형분석공간	89. 기타 분석적 구획공간
812. 기점분석공간	9. 기타 구획공간
82. 수직분석공간	91. 공란
821. 높이분석공간(사선제한, 일조 분석, 고도제한 등)	92. 공란
822. 내부높이(층고 등)분석공간	
823. 스카이라인분석공간	
83. 공란	(공 백)
84. 공란	
85. 하중 분석공간	
86. 면적 분석공간	
861. 기능용도별 면적 분석공간	
862. 건폐율	

다. 부위분류(E)

대 · 중 · 소 · 세분류	대 · 중 · 소 · 세분류
0. 지반 및 지하구조	045. 케이슨
01. 부지준비부위	046. 침매기초
011. 철거해체부위	049. 기타 파일기초
012. 매립부위	05. 바닥기초부위
013. 부지정리(표토제거, 벌개제근)	052. 슬래브기초
014. 지하공동보강부위	053. 바닥다짐기초
019. 기타 부지준비부위	054. 사석기초
02. 토공사부위	059. 기타 바닥기초
021. 발파부	06. 직접기초부위
022. 절토부	061. 독립기초
023. 성토부	062. 연속기초
024. 연약지반부위	063. 전면기초
025. 사면부	064. 복합기초
026. 지하터파기부위	065. 뜬기초(후로우팅기초)
027. 되메우기부위	069. 기타 직접기초
028. 그라우팅부위	07. 지하구조물부위
029. 기타 토공사부위	071. 지하구조물기초
03. 흙막이, 지보부위	072. 지하바닥슬래브
031. 토공사흙막이부	073. 지지벽체
032. 지보부	074. 지하기둥
033. 앵커부	075. 지하보
034. 쉬트파일	076. 상부슬래브
035. 지하연속벽	079. 기타 지하구조물부위
039. 기타 흙막이지보부위	08. 옹벽부위
04. 파일기초부위	081. 옹벽기초
041. 현장타설 파일기초	082. 옹벽구체
042. 기성 파일기초	083. 활동방지벽
043. 강재 파일기초	084. 옹벽헌치

대 · 중 · 소 · 세분류
085. 뒷채움부
089. 기타 옹벽부위
09. 기타 지반 및 지하구조
1. 토목시설 부위
11. 포장 및 도로시설부위
111. 포장노반
11110. 노체
11120. 노상
11130. 노반슬래브
11140. 노상준비부위
11190. 기타 포장노반
112. 포장부위
11210. 차단층
11220. 보조기층
11230. 기층
11240. 중간층
11250. 표층
11280. 보도포장
11290. 기타포장부위
113. 도로배수관로부위
11310. 횡배수관로
11320. 종배수관로
11330. 배수용 도수로
114. 도로 배수 구조물부위
11410. 측구
11415. 용수개거
11420. 집수정
11425. 집수거
11430. 우수받이 및 연결관

대 · 중 · 소 · 세분류
11435. 맨홀
11440. 암거
11445. 도로배수수문
11450. 수로보호
11490. 기타 도로배수시설부위
115. 도로안전시설부위
11510. 중앙분리대
11515. 도로경계석
11520. 가이드벽
11525. 가이드레일 · 케이블
11530. 도로방음벽
11535. 법면보호시설
11540. 낙석방호시설
11545. 충격흡수설비
11550. 현광방지시설
11555. 미끄럼방지시설
11560. 차선변경금지봉
11565. 긴급제동시설
11590. 기타 도로안전시설부위
116. 도로안내, 안전표식시설부위
11610. 교통표지판
11615. 시선유도표시
11620. 노면표시
11690. 기타 도로안내, 안전표식 시설부위
117. 교통통제, 조명시스템
11710. 가로등
11715. 교통신호시스템
11720. 교통안전표시등

대 · 중 · 소 · 세분류
11725. 교통표시전광시스템
11730. 교통량관리시스템
11735. 도로관제시스템
11740. 도로통신시스템
11790. 기타 교통통제, 조명 시스템
118. 도로가시설부위
11810. 가설도로부위
11820. 가설방호시설
11830. 가설방음벽
11840. 가배수시설
11890. 기타 도로가시설부위
119. 기타 도로시설부위
12. 궤도 및 철도시설부위
121. 궤도노반
122. 철로레일
12210. 침목
12220. 앵커볼트부
12230. 궤도패드부
12240. 레일
12250. 레일 분기부
12290. 기타 철로레일
123. 철로배수시설부위
124. 철로안전시설부위
125. 철로안내, 안전표식시설부위
126. 철로전원공급시스템
127. 철로통제, 조명시스템
128. 철로가시설설부위
129. 기타 궤도 및 철도시설부위

대 · 중 · 소 · 세분류
13. 교량시설부위
131. 교량하부구조
13110. 교량기초
13115. 세굴방지부
13120. 교대
13130. 교각
13140. 주탑
13150. 앵커리지
13160. 주케이블
13190. 기타 교량하부구조
132. 교량상부구조
13210. 교량받침
13220. 주형보(Girder)
13230. 브레이싱(Bracing)
13240. 보강형거더 (Stiffening Girder)
13250. 현수재(Suspender)
13260. 바닥틀
13270. 상판
13290. 기타 교량상부구조
136. 교량부속시설부위
13610. 접속슬래브
13615. 교량신축이음장치
13620. 교량난간벽, 방호벽
13625. 교량난간, 레일
13630. 교량유지관리용 접근시설
13635. 교량배수설비
13640. 교량조명설비
13645. 교명탑

대 · 중 · 소 · 세분류
13650. 교량장식물
13690. 기타 교량부속시설부위
138. 교량가시설부위
13810. 가설교량
13820. 상부구조 공법별 가설부위
13890. 기타 교량가시설부위
139. 기타 교량시설부위
14. 터널시설부위
141. 터널입구, 갱구부
14110. 갱문기초
14120. 갱문구체
14130. 갱문하부
14140. 갱문상부
14150. 갱문날개벽
14190. 기타 갱문부위
142. 터널갱본체
14210. 터널굴착부
14220. 터널지보
14230. 복공(라이닝)부
14240. 지반보강부
14250. 터널지수 및 배수부
14260. 터널방수부
14270. 터널계측
14290. 기타 터널갱본체부위
143. 터널주행부
14310. 터널바닥기초
14320. 터널바닥슬래브
14330. 터널바닥방수부
14340. 터널포장부

대 · 중 · 소 · 세분류
14360. 터널궤도
14390. 기타 터널주행부
144. 터널부속시설부위
14410. 측대
14415. 터널측구
14420. 연결통로
14425. 비상주차대
14430. 터널공동구
14435. 터널보도
14440. 터널분리대
14445. 터널명판
14480. 터널마감
14490. 기타 터널횡단 부위
145. 터널 설비
14510. 터널배수설비
14520. 터널환기설비
14530. 터널전기, 조명설비
14540. 터널안전, 통신설비
14550. 터널소방설비
14560. 터널오, 폐수처리설비
14570. 터널표식설비
14580. 터널계측설비
14590. 기타 터널 설비
149. 기타 터널갱부위
15. 제방
151. 제방기초
15110. 지반개량, 보강부
15120. 기초케이슨부
15130. 말뚝기초부

대 · 중 · 소 · 세분류
15140. 밑다지기부
15150. 기초할석부
15160. 마운드피복
15190. 기타 제방기초
152. 제체부
15210. 밑돌
15220. 제체 케이슨부
15230. 제체성토부
15240. 제방 공법별제체
15250. 지수벽
15290. 기타 제체부
153. 호안사면
15310. 호안(비탈)기초
15320. 비탈피복부
15330. 이면비탈피복부
15340. 제두부
15390. 기타 호안사면
154. 상부 시설부
155. 뒷채움부
156. 밑고정부
157. 배수로 및 설비
159. 기타 호안부위
16. 수로, 관거부위
161. 굴착부
162. 수로, 관거기초
163. 수로, 관거
164. 이음부
165. 구조물 접속부
166. 관거보호부

대 · 중 · 소 · 세분류
167. 기존구조물철거 및 복구부
168. 수로, 관거 부속설비
16810. 맨홀
16815. 집수정
16820. 물받이
16825. 수조
16830. 변실
16890. 기타 수로, 관거 부속설비
169. 기타 수로, 관거부위
17. 댐 시설부위
171. 댐 기초
172. 댐 본체
173. 댐 관련시설 부위
17310. 취수시설 부위
17320. 여수로 부위
17330. 도수로 부위
17340. 방류시설 부위
17350. 게이트(문비)
17390. 기타 댐 관련시설 부위
175. 발전 및 변전시설 부위
176. 댐 안전시설부위
178. 댐 가배수시설
17810. 가물막이
17820. 가배수로
179. 기타 댐시설 부위
18. 공란
19. 기타 토목시설부위
2. 기본구조
21. 공란

대 · 중 · 소 · 세분류
22. 기둥
221. 철골기둥형강기둥조립기둥
222. 콘크리트 기둥
223. 프리캐스트 기둥
229. 기타 기둥
23. 보
231. 철골보형강보조립보플렛트거더
232. 콘크리트 보
233. 프리캐스트 보
234. 트러스 보
239. 기타 보
24. 벽체
241. 내력벽
242. 비내력벽
243. 조립식벽(크래딩벽)
244. 장막벽
249. 기타 벽체
25. 바닥
251. 슬라브바닥
252. 조립식바닥
253. 복합바닥
254. 회랑발코니
255. 매단바닥
259. 기타 바닥
26. 지붕
261. 평지붕테라스
262. 물매지붕
263. 절판지붕
264. 돔 지붕

대 · 중 · 소 · 세분류
265. 구조별 지붕
267. 처마, 캐노피
268. 스페이스프레임
269. 기타 지붕
27. 계단경사로
271. 현장타설 콘크리트계단
272. PC계단
273. 금속계단
274. 목재계단
275. 경사로
276. 사다리
279. 기타 계단경사로
28. 특수 구조
281. 공기막프레임구조
282. 조립식구조
283. 유리구조
284. 표면강화구조
285. 쉘, 돔구조
286. 인장막구조
287. 현수구조
289. 기타특수구조
29. 기타 기본구조
291. 방진시스템
292. 방사능 방호시스템
3. 이차구조
31. 방수, 단열, 바탕구조
311. 방습, 방수구조
31110. 지하방습, 방수
31120. 바닥방습, 방수

대 · 중 · 소 · 세분류
31130. 벽체방습, 방수
31140. 지붕방습, 방수
31190. 기타 방습, 방수구조
312. 단열(보온, 방음 인슐래이션)
31210. 지하단열
31220. 바닥단열
31230. 벽체단열
31240. 지붕단열
31290. 기타 단열(보온, 방음 인슐래이션)
313. 마감 바탕구조
315. 시스템 바탕구조
319. 기타 방수, 단열, 바탕구조
32. 방화구조
33. 벽체 이차구조
331. 벽체 개구부
332. 이차벽체
33210. 칸막이벽
33220. 경량칸막이
33230. 난간벽
33390. 기타 이차벽체
333. 문
33310. 외부 문
33320. 내부 문
334. 창문
33410. 외부 창문
33420. 내부 창문
335. 셔터
336. 커튼월

대 · 중 · 소 · 세분류
339. 기타 벽체 이차구조
34. 바닥 이차구조
341. 바닥 개구부
342. 이차바닥
34210. 무대
34220. 강단
34230. 악세스프로어
34290. 기타 이차바닥
343. 이차바닥기초
34310. 기계기초
344. 바닥 부속구조
34410. 트랩
34420. 트렌치
34430. 해치
34440. 바닥그릴
34490. 기타 바닥부속구조
349. 기타 바닥 이차구조
35. 계단경사로 이차구조
351. 계단 개구부
35110. 계단 개구부
35120. 엘리베이터 개구부
35130. 에스컬레이터 개구부
352. 난간
35210. 계단 난간
35220. 개구부 난간
35230. 에스컬레이터 난간 (레일포함)
35240. 장애인용 계단 보조기구 레일

대 · 중 · 소 · 세분류
353. 보호망
359. 기타 계단 이차구조
36. 천정
361. 천정 개구부
362. 달천정
363. 루버 천정
364. 천정 부속구조
369. 기타형태의 천정
37. 지붕 이차구조
371. 지붕 개구부
372. 지붕 부속구조
373. 지붕창(天窓)
374. 처마난간
37410. 처마
37420. 지붕 파라펫
37430. 지붕난간
379. 기타 지붕 이차구조
38. 공란
39. 기타 이차구조
4. 구조물 마감부위
41. 기둥 마감
411. 외부기둥 마감
415. 내부기둥 마감
42. 보 마감
421. 외부보 마감
425. 내부보 마감
43. 벽체 마감
431. 외부벽체 마감
435. 내부벽체 마감

대 · 중 · 소 · 세분류
44. 바닥 마감
441. 외부바닥 마감
445. 내부바닥 마감
45. 계단 마감
451. 외부계단 마감
455. 내부계단 마감
46. 천정 마감
461. 외부천정 마감
465. 내부천정 마감
47. 지붕 마감
471. 널지붕, 지붕타일
472. 기성제지붕판넬
473. 피막지붕마감
474. 금속쉬트지붕
478. 지붕마감 부분, 부속사항
47810. 물흘림(Flashing & Trim)
47820. 물받이(Gutter)
47830. 홈통
47840. 코핑
47890. 기타 지붕마감 부분, 부속사항
479. 기타 지붕마감
48. 공란
49. 기타 구조물 마감부위
5. 기계설비(배관, 덕트 포함)
51. 공란
52. 폐기물 처리설비
521. 자연수 처리설비
52110. 우수관로

대 · 중 · 소 · 세분류
52120. 우수처리설비
52150. 지표수처리설비
52160. 지하수처리설비
522. 하수, 오폐수 처리설비
52210. 하수, 오수관로
52220. 조절지
52230. 분리설비
52240. 오수받이
52250. 침전 및 고체화설비
52260. 생물학적처리설비
52290. 기타 오폐수처리설비
525. 쓰레기 처리설비
52510. 쓰레기 수집설비
52515. 쓰레기 파쇄설비
52520. 쓰레기 압축설비
52525. 쓰레기 분리설비
52530. 쓰레기 펄프화설비
52535. 쓰레기 건조설비
52540. 쓰레기 소각설비
52545. 쓰레기 고체화설비
52550. 쓰레기 재생설비
52590. 기타 쓰레기처리설비
526. 석유화학 폐기물 처리설비
527. 가스 노폐물 처리설비
528. 원자력 폐기물 처리설비
529. 기타 형태의 폐기물 처리설비
53. 액체 공급설비
531. 용수공급설비
53110. 관로설비

대 · 중 · 소 · 세분류
53120. 취수설비
53130. 도수설비
53140. 정수설비
53150. 송수설비(가압설비포함)
53190. 기타 용수공급설비
532. 특수정수처리설비
53210. 해수 담수화설비
53220. 이온수처리설비
534. 액체연료 공급설비
535. 화학액체 공급설비
539. 기타 액체 공급설비
54. 기체 공급설비
541. 연료가스 공급설비
542. 증기 공급설비
543. 공기 공급설비
544. 진공 설비
549. 기타 기체 공급설비
55. 건물 상, 하수배관설비
551. 급탕설비
55110. 냉수배관
55120. 온수배관
55130. 급탕공급설비
55190. 기타 급탕설비
552. 하수, 오수설비
55210. 하수배관
55220. 하수처리설비
55290. 기타 하수, 오수설비
553. 우수설비
55310. 우수배관

대 · 중 · 소 · 세분류
55320. 우수처리설비
55390. 기타 우수설비
56. 냉 · 난방 · 공기조화환기 설비
561. 난방설비
56110. 보일러
56120. 열교환기
56130. 온수, 증기배관
56150. 직접난방
56180. 태양열난방설비
56190. 기타 난방설비
562. 냉방설비
56210. 냉방기
56220. 쿨링타워
56230. 냉각수배관
56240. 냉축매배관
56250. 콤프레서, 콘덴서
56260. 히트펌프
56270. 빙축열설비
56290. 기타 냉방설비
563. 공기조화 설비 (HVAC Distribution)
56310. 공기분배시스템(덕트)
56320. 휀코일유닛
56390. 기타 공기조화설비
564. 환기 설비
565. 패키지 유닛
56510. 패키지난방기
56520. 유닛형 공기조화기
56530. 에어코일

대 · 중 · 소 · 세분류
56540. 습도조절기
56590. 기타 패키지 유닛
566. 냉 · 난방 · 공기조화 콘트롤 시스템
568. 냉 · 난방 · 공기조화 시스템 시험, 조정
569. 기타 공기조화환기설비
57. 소방설비
571. 소화 스프링클러 시스템
57110. 습식 스프링클러 시스템
57120. 건식 스프링클러 시스템
57130. 복합건식 스프링클러 시스템
57140. 범람형 스프링클러 시스템 (deluge)
57150. 헤론시스템
57190. 기타 소화 스프링클러 시스템
572. 소화용 저수탑
573. 소화전 및 소화기
579. 기타 방화, 소화설비
58. 공란
59. 기타형태의 기계설비
6. 전기 · 운송 · 제어설비
61. 전력 공급설비
611. 발전 설비
612. 변전 설비(송전용)
613. 송전 설비
614. 수변전 설비

대 · 중 · 소 · 세분류
61410. 수전설비
61420. 변전설비(수전용)
61450. 전원안정설비
61490. 기타 수 변전 설비
615. 배전설비
616. 배선 및 전선관로
61610. 전선관로
61620. 배선
61630. 배선기구
618. 예비 전원설비
61810. 자가발전설비
61820. 축전지, 충전설비
61830. 무정전 전원설비
619. 기타형태의 전력 공급설비
62. 조명설비
621. 실내 조명설비
622. 실외 조명설비
623. 일광 조명설비
626. 특수조명설비
62610. 무대조명설비
62620. 전시실조명설비
629. 기타 조명설비
63. 통신 및 미디어설비
631. TV, 라디오시스템(공청설비)
632. 전화 및 인터폰설비
63210. 전화설비
63250. 인터폰설비
633. 방송 설비
634. OA 설비

대 · 중 · 소 · 세분류
63410. 컴퓨터통신설비
63420. LAN
63430. WAN
63490. 기타 OA 설비
635. 페이징시스템
636. 시청각 설비
63610. 비디오시스템
63620. 오디오시스템
63630. 영사시스템
63640. 스크린시스템
63650. 동시통역 시스템
65660. 가스누출감지시스템
63690. 기타 시청각 설비
637. 전기시계 및 표시시스템
639. 기타 통신설비
64. 공란
65. 보안방재전기설비
651. 소방전기설비
65110. 화재감지시스템
65120. 화재 경보시스템
652. 보안, 방재설비
65210. 출입통제장치
65220. 방범시스템
65230. 홈오토메이션(HA)
65240. 폐쇄회로 TV
96250. 항공장해방재장치
65280. 피뢰설비
65290. 기타 보안, 방재설비
659. 기타 보안방재설비

대 · 중 · 소 · 세분류
66. 운송설비
661. 엘리베이터
66110. 화물용
66120. 승객용
662. 에스컬레이터
663. 덤웨이터
664. 리프트 및 호이스트
665. 크레인
66510. 갠트리크레인
66520. 천정부착이동형
66590. 기타 크레인
666. 컨베이어
667. 턴테이블
669. 기타 운송설비
67. 제어통제설비
671. 시스템 제어설비
672. 공기유압제어설비
673. 조명제어설비
674. 전기전자제어
675. 무선제어설비
677. 빌딩오토메이션시스템
679. 기타 제어통제 설비
676. 모터콘트롤설비
68. 공란
69. 기타 전기 · 운송 · 제어설비
7. 내부설비 및 장비
71. 위생설비
711. 유닛트 화장실
712. 위생기구
71210. 대변기
71215. 소변기
71220. 비데
71225. 세면기
71230. 욕조
71235. 수전
71240. 사우나
71290. 기타 위생기구
713. 화장실 악세서리
71310. 샤워부스
71315. 화장실 선반
71320. 거울
71325. 건조기
71330. 휴지걸이
71335. 비누곽
71340. 수건걸이
71345. 옷걸이
71390. 기타 화장실 악세서리
714. 화장실칸막이
72. 주방설비
721. 주방작업대
722. 주방세척설비
723. 조리설비
724. 주방저장설비
725. 배식설비
728. 주방환기설비
729. 기타 주방설비
73. 저장 및 차폐 설비
731. 저장, 창고설비

대 · 중 · 소 · 세분류
73110. 창고용 선반
73115. 자동창고시스템
73120. 냉동, 냉장시스템
73125. 온장시스템
73190. 기타 저장, 창고설비
732. 수납설비
73210. 금고.
73215. 금고보안시스템
73220. 귀중품보관상자 (Safe Deposit Boxes)
73225. 락커
73230. 붙박이장(벽장)
73235. 고정형 책장
73240. 선반
73245. 붙박이서랍장
73290. 기타 수납설비
735. 특수저장설비
736. 차폐설비
73610. 정전기방지설비
73615. 방사선차폐설비
73620. 전파차폐설비
73625. 에어커튼
73640. 칸막이
73645. 가리개
73650. 브라인드
73655. 커튼
73660. 휘장
73690. 기타 차폐설비
739. 기타 저장 및 차폐 설비
74. 휴식업무설비
741. 휴식 설비
74110. 관람용 고정의자
74115. 스타디움 의자
74120. 장의자
74125. 벤치
74130. 고정탁자
74135. 의자일체형의자
74190. 기타 휴식 설비
742. 업무 설비
74210. 컴퓨터
74215. 프린터
74220. 복사기
74225. 프로터
74230. AV장비
74290. 기타 업무설비
745. 무인 업무기기 (Vending Equipment)
74510. 자동현금지급기
74515. 화폐교환기
74520. 공과금수납기
74525. 민원서류발급기
74530. 자동판매기
74590. 기타 무인업무기기
749. 기타 휴식업무 설비
75. 청소세탁설비
751. 청소설비
75110. 진공청소시스템
75115. 유리청소장비

대 · 중 · 소 · 세분류
75120. 바닥청소장비
75125. 벽청소장비
75130. 청소카트
75190. 기타 청소설비
752. 시설내 쓰레기처리설비
75210. 쓰레기통
75215. 압축, 파쇄장비
75220. 쓰레기슈트, 차집설비
75225. 쓰레기 압송시스템
75230. 소형소각로
75290. 기타 시설내 쓰레기처리 설비
755. 세탁설비
756. 건조설비
757. 다림설비
759. 기타 청소, 세탁설비
76. 안내표식설비
761. 카운터
762. 접객, 보안창구
763. 체크룸설비
764. 게시판
765. 표지판
766. 전광판
769. 기타안내표식 설비
77. 주차 및 서비스설비
771. 차량서비스설비
77110. 세차설비
77115. 주유설비
77120. 윤활유주입장치

대 · 중 · 소 · 세분류
77125. 압축공기주입장치
77130. 타이어교환장치
77135. 휠바란스교정기
77140. 차량리프트
77145. 차량도색설비
77190. 기타 차량서비스설비
775. 주차설비
77510. 주차 차단기
77515. 주차자동문
77520. 주차권발행설비
77525. 동전주차설비
77530. 주차요금정산기
77590. 기타 주차설비
78. 시설별 특수설비
781. 실험시설 설비
782. 관측계측소 설비
783. 도서관 설비
784. 공연시설 설비
79. 기타 내부설비
791. 실내장식품 및 예술작품 (고정형)
792. 실내조경설비
8. 가구 및 집기비품
81. 가구
82. 가전기기
83. 집기
84. 러그매트
85. 비품
86. 장식품 및 예술품

대 · 중 · 소 · 세분류
87. 공란
88. 이동식조경
89. 기타 가구 및 집기비품
9. 외부 설비
91. 부지정리
911. 외부부지정리
92. 공란
93. 구내도로
921. 차도
922. 인도
94. 옥외 시설
941. 옥외구조물
94110. 구내교량
94115. 구내지하도
94120. 인도지붕 (Walkway covering)
94125. 주차지붕
94130. 정자
94135. 그늘막, 파고라
94140. 구내방음벽
94145. 수영장
94190. 기타 옥외구조물
942. 울타리, 대문
943. 옥외설치물
94310. 옥외 게시판
94315. 옥외 표시판
94320. 간판
94325. 명판
94330. 깃대

대 · 중 · 소 · 세분류
94335. 옥외벤치
94340. 옥외탁자
94345. 어린이놀이시설
94350. 구내운동시설
94390. 기타 옥외설치물
95. 옥외기계설비
951. 옥외 용수공급설비
95110. 우물(지하수펌프설비)
95115. 구내 상수공급설비
95120. 구내 온수공급설비
95125. 옥외 소화전설비
95190. 기타 옥외 용수공급설비
952. 구내 우수처리설비
95210. 구내 우수차집설비
95215. 구내 우수저수조
95220. 구내 우수배수설비
95290. 기타 구내 우수처리설비
953. 구내 하수, 오수 설비
95310. 구내 하수, 오수차집설비
95315. 정화조
95320. 구내 하수, 오수정화설비
95325. 구내 하수, 오수저수조
95330. 구내 하수, 오수배수설비
95390. 기타 구내 하수, 오수설비
954. 구내 난방공급설비
95410. 구내 증기난방공급설비
95415. 구내 온수난방공급설비
95490. 기타 구내 난방공급설비
955. 구내 냉방공급설비

대 · 중 · 소 · 세분류
95510. 구내 냉각수공급설비
95590. 기타 구내 냉방공급설비
956. 구내 연료공급설비
95610. 구내 가스연료공급설비
95615. 구내 가스연료저장설비
95620. 구내 유류연료공급설비
95625. 구내 유류연료저장설비
95690. 기타 구내 연료공급설비
959. 기타 옥외기계설비
96. 옥외전기설비
961. 구내 전기공급시설
96110. 옥외 변전설비
96115. 옥외 전원배선설비
96120. 옥외 전원공급설비
96190. 기타 구내 전기공급시설
962. 옥외 조명설비
96210. 가로등
96215. 투광등
96220. 조경등
96230. 야외경기등
96290. 기타 옥외조명설비
963. 옥외방송, 통신설비
96310. 안테나설비
96315. 구내 방송설비
96320. 구내 통신설비
96325. 공중파 방송중계설비
96330. 마이크로웨이브수신, 중계설비
96390. 기타 옥외방송, 통신설비

대 · 중 · 소 · 세분류
964. 옥외보안, 방재설비
96410. 옥외폐쇄회로설비
96415. 구내침입경보설비
96480. 옥외피뢰설비
96490. 기타 옥외보안, 방재설비
969. 기타 옥외전기설비
97. 공란
98. 옥외 조경
981. 토양준비
982. 수목이식
983. 잔디식재
984. 파종
985. 수목식재
986. 조경관리
987. 이리게이션 시스템
988. 조경설치물
98810. 조경경계
98815. 수목그릴
98820. 연못
98825. 분수
98890. 기타 조경설치물
989. 기타 옥외조경
99. 기타 외부 설비
(공 백)

라. 공종분류(W)

대 · 중 · 소 · 세분류
01. 공사일반사항 및 공사비
011. 공사일반사항
0111. 공사개요
0112. 공사계획
0113. 서류및 샘플제출
0114. 검측, 기성
0115. 품질관리
0116. 공사회의
0117. 공사관리
0118. 시운전
0119. 준공 및 하자보수
015. 공사비
0151. 직접공사비
0152. 공통공사비
0153. 간접인건비
0154. 경비
0155. 일반관리비
0156. 이윤
0157. 공사손해보험료
0158. 부가가치세
0159. 공사금액 총계
02. 가설건물, 시설물(간접가설공사)
021. 가설 부지
0211. 발주자 가설건물부지
0212. 도급자 가설건물부지
0213. 가설 공사용부지
0214. 토사, 자재야적장
0215. 토사, 자재폐기장

대 · 중 · 소 · 세분류
0216. 가설도로 및 주차장부지
022. 발주자용 가설건물, 시설
0221. 발주자 가설 현장사무실
0222. 발주자 가설 창고
0223. 발주자 가설 작업실
0224. 발주자 가설 실험실
0225. 발주자 가설 화약고
0226. 발주자 가설 숙소
0227. 발주자 가설 화장실, 샤워실
0228. 발주자 가설 식당
0229. 기타 발주자용 가설건물, 시설
023. 도급자용 가설건물
0231. 도급자 가설 현장사무실
0232. 도급자 가설 창고
0233. 도급자 가설 작업실
0234. 도급자 가설 실험실
0235. 도급자 가설 화약고
0236. 도급자 가설 숙소
0237. 도급자 가설 화장실, 샤워실
024. 가설 편의시설 및 부대시설
0241. 가설 식당
0242. 가설 복지시설
0243. 가설 주차장시설
0244. 가설 경비실
025. 업무용 운송시설
0251. 발주자 업무용 선박
0252. 발주자 업무용 차량
0253. 도급자 업무용 선박

대 · 중 · 소 · 세분류
0254. 도급자 업무용 차량
026. 가설울타리 및 현장출입문
0261. 목재울타리
0262. 철재울타리
0263. 철망울타리
0264. 조립식울타리
0265. 현장출입문
027. 가설 안내시설 및 표지판
0271. 가설 안내판, 현황판
0272. 프로젝트 조감도, 모형
028. 가설 설비
0281. 가설전기, 조명설비
0282. 가설 냉, 난방설비
0283. 가설소방설비
0284. 가설통신설비
0285. 가설급수설비
0286. 가설배수설비
0287. 가설환기설비
0288. 가설구급설비
03. 본공사성 가설 공사
031. 공사용 가설도로
0311. 공사용 가설 도로
0312. 가설주차장
032. 가설 작업보조 시설
0321. 가설비계
0322. 동바리
0323. 작업안전 및 가설 방호시설
0324. 공사중 공공이용 시설
0325. 공사용 가설설비

대 · 중 · 소 · 세분류
0326. 가설보호막
033. 가설 흙막이 및 지보공사
034. 터널 가설
0341. 작업대차 및 비계
0342. 작업레일
035. 교량 가설
037. 가물막이
0371. 나무널말뚝 가물막이
0372. Sheet Pile 가물막이
0373. P.P마대 가물막이
0374. 토사 가물막이
0375. 사석 가물막이
038. 가체절
04. 공란
05. 현장 유지관리
051. 가설공해방지
0511. 가설 수질오염방지
0512. 토질오염방지
0513. 대기오염방지
0514. 소음진동방지
0515. 도로오염방지
0516. 폐기물처리
052. 기존도로 유지보수
0521. 기존도로 유지보수
058. 준공 및 현장 정리
0581. 현장상시정리
0582. 정기안전점검
0583. 사후환경평가
0584. 구조물건전성평가

대 · 중 · 소 · 세분류
0587. 준공관련시설물
0588. 준공 정리
06. 공통장비
061. 장비운반
0611. 수송비
0612. 회항비
0613. 대피비
062. 인양장비
0621. 타워크레인
0622. 크레인
0623. 리프트
0624. 윈치
063. 운반장비
0631. 콘크리트운반장비
0632. 콘크리트믹서트럭
0633. 덤프트럭
0634. 콘크리트타워
0635. 벨트컨베이어
064. 토공장비
065. 다짐장비
066. 가설 플랜트
07. 품질시험
071. 공통 품질시험
0711. 토공사 및 지반개량
0712. 기초공사
0713. 콘크리트공사
0714. 철강구조물공사
072. 토목품질시험
0721. 도로

대 · 중 · 소 · 세분류
0722. 철도
0723. 교량
0724. 터널
0725. 수공구조물공사
0726. 배관 및 배수
073. 건축 품질시험
0731. 조적 및 목구조공사
0732. 방수, 단열, 지붕공사
0733. 마감공사
074. 기계 품질시험
075. 전기 품질시험
076. 통신 품질시험
079. 기타 품질시험
08. 건축품질시험
081. 건축선정시험(토공, 기초, 구조체)
085. 건축관리시험(토공, 기초, 구조체)
0851. 토공
0852. 말뚝기초
0853. 시멘트 및 혼화제
0854. 콘크리트 및 골재
0855. 콘크리트보강재
0856. 철골구조
0857. 조적구조
0858. 목구조
086. 건축관리시험(단열, 방수, 지붕)
0861. 방수 및 방습
0863. 단열 및 방화
0865. 진동 및 방음
0867. 지붕 및 기와

대 · 중 · 소 · 세분류
087. 건축관리시험(마감)
0871. 미장
0872. 타일
0873. 수장
0875. 도장
0876. 창호
0877. 금속재
088. 건축 기계, 전기시험
089. 건축공사 검사시험
09. 공란
10. 공란
11. 측량
111. 기본측량
1111. 거리측정
1112. 각측정
1113. 기준점측량
1114. 삼각측량
1115. 다각측량
1116. 수준측량
1117. 사진측량
1118. 수심측량
112. 지형측량
1121. 등고선
1122. 지성선
113. 하해측량
1131. 하천
1132. 운하
1133. 항만
1134. 해양

대 · 중 · 소 · 세분류
114. 노선측량
1141. 도로
1142. 철도 및 지하철
1143. 시가지도로
1144. 수로
1145. 전기
1146. 상수도
1147. 하수도
1148. 통신
1149. 가스 및 송유관
115. 지적측량
1151. 신규등록측량
1152. 등록전환측량
1153. 분할측량
1154. 경계복원측량
1155. 지적확정측량
116. 시공측량
1161. 벤치마킹 설치
1162. 중심선측량
1163. 종단측량
1164. 횡단측량
1165. 면체적측량
1166. 공사측량
1167. 표줄
1168. 규준틀
119. 기타응용측량
1191. 시가지측량
1192. 건축측량
1193. 터널 및 광산측량

대 · 중 · 소 · 세분류
1194. 농지 및 삼림측량
12. 계측
121. 토공사계측
1211. 지중수평변위측정
1212. 지중수직변위계
1213. 지하수측정
1214. 인접구조물 경사도 및 균열 측정
1215. 토압측정(Pressure Cell)
1216. 응력측정(Strain Gauge)
1217. 하중측정(Load Cell)
1218. 진동소음측정
122. 구조체계측
1221. 구조체 정적계측
1222. 동적계측
1223. 하중측정
1227. 누수량측정
123. 터널공사계측
1231. 터널 내공변위측정
1232. 터널 천단침하측정
1233. 터널내 지중변위측정
1234. Rock Bolt 축력 및 인발측정
1235. Shotcrete 응력측정
1236. 지표및 지중침하측정
124. 교량공사계측
1241. 교량 정적계측
1242. 동적 계측
125. 댐, 제방 계측
1251. 댐체 변위측정계

대 · 중 · 소 · 세분류
1252. 콘크리트 및 이음변형 측정계
1253. 침하 측정점
1254. 지진계
1255. 누수량측정 장치
1256. 수위 측정기
1258. 댐 계측관련 설비
126. 단열, 방음 및 방수공사 계측
127. 전기설비계측
128. 기계설비계측
129. 기타 공사계측
13. 지반조사
131. 시험굴착
1311. 암이외의 지질 시험굴착
132. 시추(보링)
1321. 충격식(Percussion)시추
1322. 회전식(Rotary)시추
133. 샘플링
1331. 지표면, 시험굴착시료
134. 현장시험
1341. 일반 현장시험
1342. 압밀시험
1343. 다짐시험
1344. 사운딩시험
135. 실내실험
1351. 일반 실내실험
1352. 화학성분실험
1353. 실내 다짐도실험
1354. 투수시험
1355. 흙의 강도시험

대 · 중 · 소 · 세분류
1356. 토사류 기타시험
136. 암석, 암반시험
1361. 암석시험
1362. 암반시험
14. 공란
15. 공란
16. 공란
17. 공란
18. 철거 해체공사 및 시설물 보호
181. 지상지장물 철거, 해체
1811. 벌개, 제근
1812. 지장 수목이식
1813. 암 지장물제거
1814. 설치 지장물제거
1815. 토석제거
182. 지상구조물 철거, 해체
1821. 콘크리트 구조물철거
1822. 조적구조물 철거
1823. 철골구조물 철거
1824. 포장제거
1825. 석축 및 옹벽철거
183. 해상구조물 철거, 해체
1831. 해상 콘크리트 구조물 철거, 해체
1832. 해상 조적구조물 철거, 해체
1833. 해상 철골구조물 철거해체
1834. 해상 토석제거
184. 지하지장물 철거, 해체
1841. 콘크리트관제거

대 · 중 · 소 · 세분류
1842. 주철관제거
1843. 강관제거
1844. PVC관제거
1845. 통신케이블제거
1846. 전선관로제거
1849. 기타 지하지장물 제거
185. 지하구조물제거
1851. 철근콘크리트 기초제거
1852. 무근콘크리트 제거
1853. 암거제거
1859. 기타 지하구조물제거
186. 기계설비 철거, 해체
1861. 배관 철거, 해체
1862. 덕트 철거, 해체
1863. 장비 철거, 해체
1864. 잡철물 철거, 해체
1865. 보온재 철거, 해체
1866. 위생도기 철거, 해체
1869. 기타 설비 철거, 해체
187. 전기, 통신설비 철거, 해체
1871. 배관 철거, 해체
1872. 관로 철거, 해체
1873. 장비 철거, 해체
1874. 잡철물 철거, 해체
1875. 옥내설비 철거, 해체
1876. 옥외설비 철거, 해체
1879. 기타 설비 철거, 해체
188. 지장물 보호
1881. 기존관보호

대 · 중 · 소 · 세분류
1882. 지상구조물 보호
1883. 지하구조물 보호
1884. 수목 보호
189. 기타 철거, 해체공사 및 시설물 보호
19. 공란
20. 공란
21. 토공사
211. 표토제거 및 부지정지
2111. 표토제거
2112. 일반 부지정지
2113. 절토면 고르기
2114. 성토면 고르기
2115. 사면면 고르기
2116. 구조물지정
212. 흙깍기(절토)
2121. 발파
2122. 토사 흙깍기
2123. 리핑암 흙깍기
2124. 발파암 흙깍기
2125. 인위적 경화물질 흙깍기
213. 터파기
2131. 토사 터파기
2132. 리핑암 터파기
2133. 발파암 터파기
2134. 인위적 경화물질 터파기
214. 트랜치 터파기
2141. 토사 트렌치터파기
2142. 리핑암 트렌치터파기

대 · 중 · 소 · 세분류
2143. 발파암 트렌치터파기
2144. 경화물질 트렌치터파기
215. 흙쌓기(성토)
2151. 토사 흙쌓기
2152. 혼합골재쌓기
2153. 사석쌓기
2154. 버럭쌓기
2159. 기타 흙쌓기
216. 되메우기
2161. 토사 되메우기
2162. 혼합골재 되메우기
2163. 사석 되메우기
2164. 버럭 되메우기
217. 토사처리 및 운반
2171. 토사생산, 처리장
2172. 성토재 생산 및 선별
2173. 흙깍기 · 잔토처리
2174. 흙쌓기운반
218. 사면보호
2185. 비탈면보호
2186. 암사면보호
22. 지반개량 및 지반보강공사
221. 치환
2211. 굴착치환
2212. 강제치환
222. 표층처리
2221. 재하공법
2222. 압성토공법
2223. 표층배수공법

대 · 중 · 소 · 세분류
2224. 샌드매트공법
2225. 부설재공법(PP, PE매트)
2226. 화학처리공법
223. 지반 배수
2231. 샌드드레인
2232. 페이퍼드레인
2233. 팩드레인
2234. 웰포인트
2235. 프렌치드레인
2236. 대기압공법
224. 고결공법
2241. 혼합공법
2242. 석회파일공법(SCW)
2243. 전기 침투공법
2244. 약액 주입공법
2245. 동결공법
2246. 소결공법
225. 다짐공법
2251. 바이브로 플로우테이션
2252. 바이브로 콤포우저
2253. 진동다짐
2254. 폭파다짐
2255. SCP(Sand Compaction Pile)
2256. GCP(Gravel Compaction Pile)
226. 지반 그라우팅
2261. 지반 그라우팅 준비공사
2262. 그라우팅 천공
2263. 지반 그라우팅
2267. 지반 그라우팅 검사

대 · 중 · 소 · 세분류
227. 지반앵커(Ground Anchor)
23. 말뚝 공사
231. 현장타설 말뚝
2311. 기계식굴착
2312. 관입공법
2313. 심초말뚝
232. 기성말뚝
2321. 기성 PC말뚝
2322. 독립 강관말뚝
2323. 독립 H말뚝
2324. RC말뚝
2325. 목재말뚝
233. 케이슨기초
2331. 오픈케이슨(Open Caission)
2332. 뉴메틱케이슨 (Pneumatic Caission)
2333. 박스케이슨(Box Caission)
234. 연결말뚝(널말뚝)
2341. 현장타설 연결말뚝
2342. 강재 연결말뚝
2343. 기성PC 연결말뚝
235. 지하연속벽(Slurry Wall)
2351. 벤토나이트 슬러리월
2352. Attiplugite 슬러리월
2353. 슬러리-토양막 합성 슬러리월
2354. 린콘크리트 슬러리월
236. 시트파일(Sheet Pile)
237. 기초보강공사
2371. 기초그라우팅

대 · 중 · 소 · 세분류
2372. 기초 지지보설치
2373. 기초올리기
2374. 기초 지반보강
24. 흙막이 및 지보공사
241. 말뚝 흙막이
2411. 엄지말뚝 가로널 흙막이
2412. 널말뚝 흙막이
2413. 강재널말뚝 흙막이 (H-Beam 및 토류판)
2414. 경량 강재널 흙막이
2415. 강관널 말뚝 흙막이
242. 주열 흙막이
2421. 강관 주열 흙막이
2422. 현장치기 주열 흙막이
2423. 기성제 콘크리트 주열 흙막이
2424. 소일시멘트 주열 흙막이
243. Sheet Pile
244. PC연속벽 흙막이
245. 지하연속벽 흙막이
246. 흙막이 지보공사
2461. 목재 지보공사
2462. 강재 지보공사
2463. 강관 지보공사
2464. 철근콘크리트 지보공사
247. 어스앵커(Earth Anchor), 록앵커 흙막이
248. 조립식 간이 흙막이
25. 철근 콘크리트공사
251. 콘크리트 자재

대 · 중 · 소 · 세분류
2511. 시멘트 및 혼화제
2512. 골재 채취, 생산
252. 콘크리트 생산 및 구입
2521. 콘크리트 생산
2523. 콘크리트구입
253. 콘크리트 타설
2531. 무근콘크리트 타설
2532. 철근콘크리트 타설
2533. 프리스트레스 콘크리트 타설
2536. 특수콘크리트 공사
2537. 콘크리트 양생
254. 거푸집공사
2541. 거친마감 거푸집
2542. 보통마감 거푸집
2543. 매끈한마감 거푸집
2544. 특정마감 거푸집
2545. 특수거푸집공사
2546. 시스템 거푸집
2548. 거푸집 부속공사
255. 콘크리트 보강공사
2551. 철근 가공 및 조립
2552. 포스트텐션 프리스트레싱
2557. 특수 콘크리트보강재
2559. 기타 콘크리트 보강공사
258. 콘크리트 부속공사
2581. 콘크리트 조인트
2582. 지수판
2586. 구조물 그라우팅 공사
2587. 콘크리트면 마감

대 · 중 · 소 · 세분류
2588. 부속물 매입
26. 프리케스트 콘크리트공사
261. PC형틀 및 생산시설
262. PC부재생산
2621. 일반 PC구조부재 공장생산
2622. 특수 PC구조부재 공장생산
2623. 기타 PC부재 공장생산
2624. 소형 PC구조물 공장생산
2625. 일반 PC구조부재 현장생산
2626. 특수 PC구조부재 현장생산
2627. 기타 PC부재 현장생산
2628. 소형 PC구조물 현장생산
263. PC부재 운반
264. 토목 PC구조부재 조립
2641. 일반 PC보 조립
2642. 프리텐션 PC보 조립
2643. 포스트텐션 PC보 조립
2644. 프리프렉스 PC보 조립
2645.기둥 조립
2646. PC슬라브 조립
265. 기타 토목 PC부재 조립
2651. 세그멘탈 부재 조립
2652. 지하도 PC부재 조립
2653. 암거 PC부재 조립
266. 건축 PC구조부재 조립
2661. 저층(5층 이하)
2662. 중층(6-10층)
2663. 고층(11층 이상)
267. 현장 틸트-업 콘크리트공사

대 · 중 · 소 · 세분류
268. PC부속공사
2681. PC부속재 설치공사
2682. PC조인트 그라우팅
27. 강구조물 공사
271. 강구조물 자재
2711. 철강재
2712. 데크
2713. 경량철재
2714. 주물재
2715. 가공재
2716. 스테인레스스틸재
2717. 알루미늄재
2718. 접합 및 고정재
2719. 기타금속재
272. 철골 가공, 제작
2721. 철골공장가공, 제작
2725. 철골현장가공, 제작
273. 철골 조립 및 설치
2731. 강교 조립 및 설치
2732. 건축철골 조립 및 설치
2733. 플랜트철골 조립 및 설치
2734. 경량철골 조립 및 설치
2736. 구조용 알루미늄 조립 및 설치
274. 금속바닥판 및 부속설비설치
2741. 바닥판깔기
2742. 철골 계단설치
2743. 회랑, 통로설치
2744. 계단, 회랑, 통로 난간설치

대 · 중 · 소 · 세분류
2748. 토목 잡철물제작, 설치
275. 현수, 사장구조
276. 프레임구조시스템
2761. 스페이스 프레임
2762. 기하학구조 프레임
277. 탱크
2771. 무개 탱크
2772. 유개 · 밀폐 탱크
278. 철골 내화피복 및 도장
2781. 철골 내화피복
2785. 철골, 강교도장
279. 기타 강구조물 공사
28. 공란
29. 공란
30. 공란
31. 토목 배관공사 및 배수공사
311. 토목 배관 부설
3111. 콘크리트관 부설
3112. 금속관 부설
3113. 프라스틱관 부설
3114. 신축관
3117. 토목배관 이음쇠
3118. 토목배관 벨브
314. 토목배관 부대공사
3141. 배관 보온, 보호공사
3142. 구조물 배관 접합
3143. 관부사
3144. 검사관 설치
3145. 스핀들

대 · 중 · 소 · 세분류
3146. 경사판 설치
3149. 기타 토목배관 부대공사
315. 토목배관 부속설비
3151. 맨홀
3152. 변실
3153. 측구
3154. 맹암거
3155. 표면배수시설
3156. 수격방지시설
3157. 여과설비 설치
3158. 토목배관 표식
316. 상수도관 갱생
3161. 상수도 배관 검사
3162. 상수도 배관청소
3163. 상수도 배관내 장애물 제거
3164. 상수도 배관보수
317. 하수도관 갱생
3171. 하수도 배관 검사
3172. 하수도 배관청소
3173. 하수도 배관내 장애물 제거
3174. 배관 내부준설
3175. 하수도 배관보수
32. 포장 및 도로 공사
321. 아스콘 포장
3211. 차단층
3212. 보조기층
3213. 기층 아스콘
3214. 중간층
3215. 표층 아스콘

대 · 중 · 소 · 세분류
3216. 교량상판 포장
3217. 미끄럼방지 포장
3218. 특수포장
322. 콘크리트 포장
3221. 포장 콘크리트 포설
3223. 포장 거푸집
3228. 콘크리트 포장줄눈
323. 경하중 포장
3231. 머캐덤포장
3232. 경하중 아스콘 포장
3233. 투수콘크리트 포장
3234. 보도블록 포장
3235. 우레탄수지 포장
324. 도로 배수시설공사
3241. 도로 배수관로
3242. 도로 배수구조물
325. 암거 구조물
3251. 1련 수로암거
3252. 2련 수로암거
3253. 3련 수로암거
3254. 1련 통로암거
3258. 암거 날개벽
326. 도로 안전시설공사
3261. 도로경계석
3262. 도로 방호구조물
3263. 교통 안전설비
327. 도로 표식시설공사
3271. 교통 표지판
3272. 노면표식

대 · 중 · 소 · 세분류
3273. 교통유도표식
3279. 기타 도로표식시설
328. 포장면 및 도로보수
3281. 아스콘 포장 덧씌우기
3282. 아스콘 포장보수
3283. 콘크리트 포장보수
3284. 경하중 포장보수
33. 궤도 및 철로공사
332. 도상 설치공사
3321. 자갈살포 다지기
3322. 자갈살포 고르기
3323. 콘크리트 도상설치
3324. 프리케스트 도상설치
333. 궤도부설
3331. 궤도 자재준비
3332. 침목깔기
3333. 궤도부설 및 레일체결
3334. 분기부 궤도부설
3335. 궤도 현장용접
3336. 레일 신축이음장치 설치
3337. 웨인넷트 포인트 붙이기
3338. 궤도 교정 및 시험
3339. 기타 궤도부설
334. 분기기설치
3341. 일반궤도 분기기설치
3342. 지하철 분기기설치
335. 건널목공사
3351. 건널목 깔기(구형)
3352. 건널목 깔기(개량형)

대 · 중 · 소 · 세분류
3353. 건널목 설비
337. 철도 부속설비
3371. 열차 안전설비
3372. 철도 표식시설
3373. 레일 도유기설치
338. 철로 보선작업
3381. 레일보선
3382. 분기부 레일보선
3383. 침목 및 체결보선
3385. 철도 자재교환
3386. 도상 보수
3387. 철도부대시설보수
34. 교량공사
341. 교량 가설공사
3411. ILM 공법
3412. FCM 공법
3413. FSM 공법
3414. MSS 공법
3415. PSM 공법
342. 교량받침
3421. 고정형 교량받침
3422. 일방향가동형 교량받침
3423. 양방향 가동형 교량받침
343. 신축이음 장치
3431. 맞댐식 신축이음 장치
3432. 지지식 신축이음 장치
344. 교량 방호시설
3441. 교량난간
3442. 교량용 차량방호책

대 · 중 · 소 · 세분류
3443. 중앙분리대
3444. 교량방호벽
3445. 교량방음벽
345. 교량배수설비공사
3451. 배수배관
3452. 집수구
3453. 배수구
346. 교량 부속공사
3461. 교대 및 교각 보호공사
3462. 다웰바 설치
3463. 교량 측량 및 계측설비 설치
347. 교량부속설비
3471. 교량점검 및 유지관리시설
3472. 교량 표식시설
35. 터널공사
351. 터널 굴착공사
3511. 토공장비 굴착
3512. 발파굴착
3513. TBM 공법 굴착
3514. Shield 공법 굴착
3515. NATM 공법 굴착
352. 터널 라이닝
3521. 현장타설 콘크리트 라이닝
3522. 세그먼트(Segment)라이닝
353. 터널 보강 및 안정
3531. 터널 락볼트
3532. 터널 복공 뒷채움
3533. 막장 안정
3534. 감지천공

대 · 중 · 소 · 세분류
3535. 갱구 숏크리트(Shotcrete)
3538. 터널 영구 계측설비 설치
354. 터널 방수 및 배수
3541. 터널 방수
3542. 터널 배수시설
355. 터널 지보 및 거푸집
3551. 터널 거푸집
3552. 터널내부 지보
3553. 갱문지보 및 가시설
356. 터널 내부 마감공사
3561. 터널 주행부 아스콘 포장
3562. 터널 주행부 콘크리트 포장
3563. 터널 궤도부 레일부설
3565. 터널 내부 마감
3566. 내부통로 난간
36. 하천 및 항만공사
361. 준설
3611. 연질토사(N=10미만)준설
3612. 중질토사(N=10-20미만)준설
3613. 경질토사(N=20-30미만)준설
3614. 최경질토사(N=30이상)준설
3615. 자갈석인 연질토사 (N=30미만)준설
3616. 자갈석인 경질토(N=30이상) 준설
3617. 연암준설
3618. 경암준설
3619. 오니(오염토, 오염퇴적물)준설
362. 사석공사

대 · 중 · 소 · 세분류
3621. 기초사석
3622. 근고석
3623. 속채움사석
3624. 필터사석
3625. 피복석
3626. 뒷채움사석
3627. 슬래그
3628. 고르기
363. 호안용 콘크리트구조물 제작 및 거치
3631. 케이슨 제작 및 설치
3632. 호안용 콘크리트구조물 제작
3633. 호안구조물 운반 및 거치
3635. 콘크리트블록 속채움
364. 호안공사
3641. 밑고정공사
3642. 비탈막이
3643. 비탈기초
3644. 비탈복공
3645. 호안정지석
3646. 하천바닥 정지공사
3647. 방사돌제공사
3648. 시버스
3649. 기타 호안공사
367. 항만 부속설비공사
3671. 계선 부속설비
3672. 화물 상, 하선 설비
368. 하천, 항만 부속공사
3681. 하천, 해상 오염방지

대 · 중 · 소 · 세분류
3688. 하천, 해상 방식
37. 댐 공사
371. 휠댐(제방)
3711. 불투수성재료 축조
3712. 휠터재료 축조
3713. 사력재료 축조
3714. 암석재료 축조
3715. 랜덤재료 축조
3716. Riprap 재료 축조
372. 표면차수벽형 댐
3721. 상류 블랑켓
3722. 표면슬라브 지지층
3723. 표면 차수 슬라브 콘크리트
38. 옹벽공사
381. 현장타설 옹벽
382. 조적식옹벽
3821. PC 옹벽
3822. 블록조적 옹벽
3823. 세그먼트 옹벽
3827. 석축 쌓기
383. 보강토 옹벽
384. 강재보강 옹벽
385. 솔저빔 옹벽
386. 목재옹벽
389. 기타 옹벽공사
3891. 가비온 옹벽
3892. 모래마대옹벽
39. 공란
40. 공란

대 · 중 · 소 · 세분류
41. 조적공사
411. 벽돌 조적공사
4111. 시멘트벽돌
4112. 점토질벽돌
4113. 경량벽돌
4114. 고압벽돌
4116. 내화벽돌
4117. 내부식성 벽돌
4118. 특수벽돌
413. 블록 조적공사
4131. 콘크리트블록
4132. 점토질블록(테라코타)
4136. 내화블록
4137. 내부식성 블록
4138. 특수블록
414. ALC 공사
4141. ALC 블록
4142. ALC 판넬
415. 유리블록
4151. 유리블록 쌓기
4152. 유리블록판넬 설치
416. 가공 석재조적
4161. 대리석 조적
4162. 화강석 조적
4163. 사암 조적
4164. 석회암 조적
4165. 천연슬레이트 조적
4166. 인조석 조적
417. 조적용 조립판넬

대 · 중 · 소 · 세분류
4171. 와이어판넬
4172. 세라믹판넬
4173. 테라코타판넬
418. 조적부속공사
4181. 보강기둥 설치
4182. 보강 보 설치
4183. 인방 설치
4184. 창선반(씰) 설치
4185. 외벽 발수처리
42. 목공사
421. 가구식 구조 목공사
4211. 토대
4212. 기둥
4213. 보(도리)
4214. 벽체
4215. 목조 마루틀
4216. 목조 계단
4217. 목조지붕틀
422. 통나무 구조 목공사
423. 가공목재 조립식구조 목공사
425. 마감 목공사
4251. 목조바닥 깔기
4252. 목조칸막이틀
4253. 벽체띠장 설치
4254. 벽체 목재마감
4255. 목조반자틀
4256. 목재천정마감
4257. 목조지붕널덮기
427. 목조 부속 목공사

대 · 중 · 소 · 세분류
4271. 목재 난간설치
4272. 목재 창선반 설치
4273. 목재 마감목설치
428. 목재 처리
4281. 프레스
4282. 방부처리
4283. 방충처리
4284. 내화처리
4285. 내신축처리
43. 지붕 및 홈통공사
431. 자연형 지붕잇기
4311. 초가 지붕 잇기
4312. 너와 지붕 잇기
4313. 잔디 지붕
4314. 수목 지붕
432. 기와 잇기
4321. 시멘트기와 잇기
4322. 점토질기와 잇기
4323. 자기질기와 잇기
4324. 슬레이트기와 잇기
4325. 아스팔트쉬글 잇기
4326. 금속기와 잇기
4327. 목재기와 잇기
4328. 플라스틱기와 잇기
4329. 부속기와
433. 슬레이트잇기
4331. 판슬레이트
4332. 골슬레이트
434. 금속잇기

대 · 중 · 소 · 세분류
4341. 함석잇기
4342. 동판잇기
4343. 스틸데크잇기
4344. 알루니늄판잇기
4345. 스테인레스스틸판잇기
4346. 법랑피복 철판잇기
435. 시트지붕
4351. 변형 아스팔트루핑
4352. 혼성중합체 플라스틱 시트 지붕
4353. 에틸렌 중합체 시트지붕
4354. 염화 폴리비닐 시트지붕
4355. 열가소성 올레핀 시트지붕
4356. 니트릴 부타디엔 폴리머 시트지붕
436. 지붕판넬
4361. 메탈 지붕판넬
4362. 목재 지붕판넬
4363. 프라스틱 지붕판넬
4364. 복합 지붕판넬
4365. 조립식 지붕판넬
437. 홈통 공사 및 지붕 부속공사
4371. 처마홈통(Flashing)
4372. 지붕 거터(Gutter)
4373. 선홈통
4374. 선홈통물받이
4375. 지붕 트림
4376. 루프드레인
44. 방수공사

대 · 중 · 소 · 세분류
441. 멤브레인 방수
4411. 아스팔트 방수
4412. 탄성시트 방수
4413. 도막 방수
442. 침투성 방수
4421. 유기질 침투성 방수
4422. 무기질 침투성 방수
443. 액체방수 및 모르터방수
4431. 모르터방수
4435. 시멘트액체방수
4439. 기타 액체 및 모르터방수
444. 금속방수
4441. 동판 방수
4442. 스테인레스 강판방수
445. 벤토나이트 방수
4451. 벤토나이트 판넬 방수
4452. 벤토나이트 복합시트 방수
446. 방습
4461. 아스팔트계 방습
4462. 발수성 도장 방습
4463. 시멘트성 방습
4464. 탄성 시트 방습
4465. 배수판설치
447. 발수제 바르기
4471. 아크릴계 발수제
4472. 실콘계 발수제
4473. 스테아르산염 발수제
4474. 규산염 발수제
448. 방수 보호재

대 · 중 · 소 · 세분류

4481. 시멘트 보호층
4482. 섬유보호층
4483. 판형보호층
4484. 골재보호층

45. 단열, 방음공사

451. 지붕 및 바닥 단열공사
4511. 보드형 지붕, 바닥단열
4512. 시트 지붕, 바닥단열
4513. 현장 포말 지붕, 바닥단열
4514. 다공성 재료 지붕, 바닥단열
4515. 뿜칠형 지붕, 바닥단열
4516. 도막형 바닥단열

452. 슬래브 하부 단열
4521. 보드형 슬래브 하브 단열
4522. 시트 슬래브 하부 단열
4525. 뿜칠형 슬래브 하부 단열
4526. 도막형 슬래브 하부 단열

453. 천정 단열
4531. 보드형 천정단열
4533. 현장 포말 천정단열

454. 벽체 단열
4541. 보드형 벽체단열
4542. 시트 벽체단열
4543. 현장 포말 벽체단열
4545. 뿜칠형 벽체단열
4546. 도막형 벽체단열

455. 외벽 단열
4551. 보드형 외벽단열
4552. 시트 외벽단열

대 · 중 · 소 · 세분류

4553. 현장 포말 외벽단열
4555. 뿜칠형 외벽단열
4556. 도막형 외벽단열

456. 방진, 방음공사
4561. 진동방지공사
4565. 방음공사

46. 외부 판재 공사

461. 커튼월 프레임 및 앵커 설치
4611. 콘크리트 프레임
4612. 철재 프레임
4613. 알루미늄 프레임
4614. 스테인레스 스틸 프레임
4615. 청동 프레임
4618. 고정철물 및 부속재설치

462. 콘크리트계 판넬
4621. 콘크리트 PC 판넬
4622. 아스베스토스 판넬
4623. 섬유보강 콘크리트 판넬
4624. 골재마감 콘크리트 판넬

463. 철재 판넬
4631. 에폭시코팅 철재 판넬
4632. 법랑코팅 철재 판넬

464. 금속 판넬
4641. 알루미늄 판넬
4642. 스테인레스 스틸 판넬
4643. 동 판넬

465. 석재 판넬
4651. 화강석 판넬
4652. 대리석 판넬

대 · 중 · 소 · 세분류

4653. 사암 판넬

466. 유리 판넬
4661. 구조 유리 커튼월
4662. 강화유리 판넬

467. 합성수지 판넬
4671. FRP 판넬
4672. 화이버글라스 샌드위치 판넬
4673. 폴리카보나이트 판넬

468. 대형 자기, 도기 타일 판넬
4681. 대형 자기 타일 판넬
4682. 대형 도기타일 판넬

47. 금속 공사

471. 금속 바닥틀(장선) 설치
472. 메탈 스터드 시스템(금속벽틀) 설치
473. 경량 천정틀설치

474. 금속계단
4741. 스파이럴 금속계단
4742. 직선 금속계단
4743. 나선, 원형 금속계단
4746. 금속난간
4747. 금속계단 발판(트레드)
4748. 금속 계단 넌스립

475. 금속 마감
4751. 바닥 금속마감
4752. 벽체 금속마감
4753. 금속 기둥커버
4754. 펜코일(Fan coil) 덮개
4755. 천정 금속마감

대 · 중 · 소 · 세분류

477. 금속 부속물설치
4771. 금속사다리
4772. 금속 통로
4773. 금속 지지물
4774. 개구부 금속덮개
4777. 기타 금속 부속물 설치
4778. 금속 조인트(줄눈) 덮개 및 트림 제작, 설치

478. 건축 잡철물제작설치
4781. 간단구조
4782. 보통구조
4783. 복잡구조

48. 창호공사

481. 문
4811. 문틀
4813. 문
4815. 특수 문

482. 창문
4821. 창틀
4823. 창문
4825. 특수 창문

483. 셔터
4831. 철재 셔터

484. 창호철물
4841. 경첩, 힌지
4842. 자물쇠
4843. 개폐조절기
4844. 손잡이
4848. 특수 창호철물

대 · 중 · 소 · 세분류
486. 유리공사
4861. 판유리(플로팅유리)
4862. 복층유리
4865. 특수유리
4866. 가공유리
487. 유리부속공사
4871. 절단 및 가공
4872. 가스켓
4873. 유리구조 고정철물
4878. 보양 및 청소
488. 코킹 및 실링
4881. 창호공사 코킹, 실링
4882. 유리공사 코킹, 실링
4883. 석재공사 코킹, 실링
4884. 타일공사 코킹, 실링
4888. 코킹 부속공사
49. 공란
50. 공란
51. 미장 공사
511. 시멘트모르터 미장
5111. 시멘트모르터
5112. 단열모르터
5113. 내화모르터
5114. 내화학성모르터
5115. 프리믹스드모르터
5118. 특수시멘트모르터
512. 합성수지 혼화모르터 미장
5121. 셀프레벨링모르터
5122. 에폭시모르터
513. 플라스터
5131. 회반죽미장
5132. 회사미장
5133. 돌로마이트 플라스터
5134. 순석고 플라스터
5135. 배합석고 플라스터
5136. 무수석고 플라스터
514. 인조석(테라조) 미장 및 물갈기
5141. 바닥 인조석 바름 및 갈기
5142. 벽 인조석 바름 및 갈기
5144. 계단 인조석 바름 및 갈기
5146. 걸레받이 인조석 바름 및 갈기
515. 온돌 바닥공사
5151. 온돌 방음층
5152. 온돌 보온층
5153. 온돌 단열층
5154. 미장 보강
5155. 온돌 바닥미장
5156. 바닥 판넬히팅시스템
516. 특수미장
5161. 흙벽미장
5162. 골재 나타내기미장
5163. 그래늄 뿜칠미장
5164. 시멘트페이스트 바름
5165. 하드너 바르기
518. 미장 부속공사
5181. 미장면 마감
5182. 미장준비공사
5183. 미장바탕 충전
52. 석재 판재공사
521. 석재 바닥 깔기
5211. 화강석 깔기
5212. 대리석 깔기
5213. 사암 깔기
5214. 천연슬레이트(점판암) 깔기
5215. 인조석 깔기
5216. 테라조타일 깔기
522. 석재 내벽 붙이기
5221. 화강석 내벽 붙이기
5222. 대리석 내벽 붙이기
5223. 사암 내벽 붙이기
5224. 천연슬래이트(점판암) 내벽 붙이기
5225. 인조석 내벽 붙이기
5226. 테라조 내벽 붙이기
523. 석재 외벽 붙이기
5231. 화강석 외벽 붙이기
5232. 대리석 외벽 붙이기
5233. 사암 외벽 붙이기
5234. 천연슬래이트 외벽 붙이기
5235. 인조석 외벽 붙이기
5236. 테라조 외벽 붙이기
524. 석재 구조물밑면 붙이기
5241. 화강석 구조물밑면붙이기
5242. 대리석 구조물밑면 붙이기
5243. 사암 구조물밑면 붙이기
5244. 천연슬래이트 구조물밑면 붙이기
5245. 인조석 구조물밑면 붙이기
5246. 테라조 구조물밑면 붙이기
525. 석재 계단붙이기
5251. 계단 디딤판(트레드) 석재 붙이기
5252. 계단 채임판(라이저) 석재 붙이기
5253. 통석재 계단놓기
526. 기타부위 석재붙이기
5261. 두겁돌 붙이기
5262. 창대석 붙이기
5263. 도어씰 붙이기
5264. 경계석(마감석) 붙이기
528. 석재 마감공사
5281. 석재 물갈기
5282. 석재 거친다듬 마감
5283. 석재 잔다듬 마감
5284. 석재 젯트버너 마감
5285. 석재 골파기 마감
53. 타일 공사
531. 바닥 타일붙이기
5311. 시멘트계 타일 바닥붙이기
5312. 점토질타일 바닥붙이기
5313. 자기질타일 바닥붙이기
5314. 도기질타일 바닥붙이기
5315. 합성수지타일 바닥붙이기
5316. 유리질타일 바닥붙이기
5317. 금속타일 바닥붙이기

대 · 중 · 소 · 세분류
5318. 석재타일 바닥붙이기
5319. 특수타일 바닥붙이기
532. 내벽 타일붙이기
5321. 시멘트계타일 내벽붙이기
5322. 점토질타일 내벽붙이기
5323. 자기질타일 내벽붙이기
5324. 도기질타일 내벽붙이기
5325. 합성수지타일 내벽붙이기
5326. 유리질타일 내벽붙이기
5327. 금속타일 내벽붙이기
5328. 석재타일 내벽붙이기
5329. 특수타일 내벽붙이기
533. 외벽 타일붙이기
5331. 시멘트계타일 외벽붙이기
5332. 점토질타일 외벽붙이기
5333. 자기질타일 외벽붙이기
5334. 도기질타일 외벽붙이기
5335. 합성수지타일 외벽붙이기
5336. 유리질타일 외벽붙이기
5337. 금속타일 외벽붙이기
5338. 석재타일 외벽붙이기
5339. 특수타일 외벽붙이기
534. 구조물밑면 타일붙이기
5341. 시멘트계타일 밑면붙이기
5342. 점토질타일 밑면붙이기
5343. 자기질타일 밑면붙이기
5344. 도기질타일 밑면붙이기
5345. 합성수지타일 밑면붙이기
5346. 유리질타일 밑면붙이기

대 · 중 · 소 · 세분류
5347. 금속타일 밑면붙이기
5348. 석재타일 밑면붙이기
5349. 특수타일 밑면붙이기
535. 계단 타일붙이기
5351. 계단 디딤판(트레드) 타일 붙이기
5352. 계단 채임판(라이저) 석재 붙이기
536. 이형 타일붙이기
5361. 띠타일 붙이기
5362. 모서리타일 붙이기
5363. 점자타일 붙이기
5364. 그래픽타일 붙이기
54. 수장공사
541. 바닥깔기
5411. 온돌마루 깔기
5412. 합성수지쉬트
5413. 합성수지 판재
5414. 카페트 깔기
5416. 이중 바닥판(Access floor)
5417. 인조잔디 깔기
5418. 돗자리, 다다미
542. 칸막이공사
5421. 시멘트계판재 칸막이
5422. 철재 칸막이
5423. 합성수지 판재 칸막이
5424. 파티클 보드 칸막이
5425. UBR(Unit Bath Room) 설치
543. 벽체 붙이기

대 · 중 · 소 · 세분류
5431. 벽체 석고보드 붙이기
5432. 벽체 석면시멘트판재 붙이기
5433. 벽체 합성수지판재 붙이기
5434. 벽체 섬유질 판재붙이기
5435. 벽체 카페트 붙이기
5436. 벽체 페브릭 붙이기
544. 천정 판재붙이기
5441. 천정 석고보드 붙이기
5442. 천정 석면시멘트판재 붙이기
5443. 천정 합성수지판재 붙이기
5444. 천정 섬유질 판재붙이기
5446. 천정 패브릭 붙이기
545. 도배공사
5451. 벽지 바르기
5452. 천정지 바르기
5453. 장판지 바르기
5455. 창호지 바르기
546. 박판쉬트(비니어) 붙이기
5461. 우드비니어(무늬목) 붙이기
5462. 멜라민수지쉬트 붙이기
5463. 폴리에스테르수지쉬트 붙이기
5464. 염화비닐수지쉬트 붙이기
5465. 페놀수지쉬트 붙이기
5466. 박판금속쉬트 붙이기
547. 장식공사
5471. 그릴 설치
5472. 루버 설치
5473. 수장 마감 부속재 설치
55. 도장 공사

대 · 중 · 소 · 세분류
551. 바탕처리
5511. 금속재 바탕처리
5512. 목재 바탕처리
5513. 미장 및 콘크리트면 바탕처리
5514. 석고보드, 종이면 바탕처리
5517. 오일 스테인
5518. 목재방부칠
5519. 기타 도장 바탕처리
552. 방청성페인트
5521. 광명단
5522. 산화철방청페인트
5523. 징크로메이트방청페인트
5524. 연시안아미드방청페인트
5525. 알루미늄페인트
5526. 그라파이트페인트
5527. 역청질페인트
5528. 이온교환수지페인트
5529. 기타 방청성페인트
553. 유성페인트
5531. 된반죽유성페인트
5532. 조합페인트
5533. 카슈칠, 옻칠
5534. 페놀수지페인트
554. 바니쉬, 에나멜페인트
5541. 유성바니쉬
5542. 수지바니쉬
5545. 에나멜페인트
555. 락카
5551. 크리어락카

대 · 중 · 소 · 세분류
5552. 락커에나멜
5553. 특수락카
556. 수성페인트
5561. 일반수성페인트
5562. 합성수지계 에멀젼페인트
557. 합성수지페인트
5571. 멜라민계수지페인트
5572. 프탈산계수지페인트
5573. 비닐계수지페인트
5574. 아크릴계수지페인트
5575. 불포화에스테르계수지페인트
5576. 에폭시계수지페인트
5577. 폴리에스테르계수지페인트
5578. 폴리우레탄계수지페인트
5579. 기타 합성수지페인트
558. 특수 페인트
5581. 본타일
5582. 드라이빗드
5583. 소부페인트
5584. 내화학페인트
5585. 내화페인트
5586. 내산페인트
5587. 낙서방지용페인트
5588. 형광페인트
5589. 기타 특수페인트
559. 기타 도장공사
56. 설치물공사
561. 붙박이 실내설비
5611. 붙박이 수납가구
5612. 붙박이 안내설비
5613. 칸막이, 부츠
5614. 주방가구
5619. 기타 설치가구
562. 안내표식시설
5621. 칠판 및 게시판
5622. 안내표식시설
563. 빛조절 및 시야조절설비
5631. 휘장 및 커텐
5632. 블라인드 스크린
5633. 차양
568. 시설물별 특수설치물
57. 가구 및 집기
571. 일반 가구
5711. 책상, 탁자
5712. 의자
5713. 침대
5714. 수납가구
573. 시설별 특수가구
575. 집기 및 비품
5751. 바닥깔개 및 매트
5752. 예술품
5753. 실내조경용 비품
5759. 기타 집기비품
577. 시설별 특수집기 및 비품
58. 공란
59. 조경공사
591. 토양준비 및 흙쌓기
5911. 정지
592. 이식 및 식재공사
5921. 교목이식공사
5922. 관목이식공사
5923. 교목식재공사
5924. 관목식재공사
5925. 지피류 및 초화류 식재
5926. 묘목 식재
5927. 지피류 및 초화류 식재
5928. 식재보호공사
593. 잔디공사
5931. 잔디씨뿌리기
5932. 종자뿜어붙이기
5933. 잔디식재
594. 녹화 및 보호공사
5941. 비탈면녹화
5942. 생태복원공사
595. 파종 및 살포
5951. 파종
5952. 초류종자살포
596. 조경시설물 설치
5961. 수경시설물설치
5962. 유희시설물설치
5963. 안내시설물설치
5964. 휴게시설물설치
5965. 편의시설물설치
5966. 관리시설물설치
5967. 체력단련시설물설치
5968. 경계시설물설치
5969. 환경조형시설물설치
597. 조경유지관리
5971. 전정
5972. 교목수간보호
5973. 관수
5974. 제초 및 잔디깍기
5975. 시비
5976. 약제살포
5977. 월동작업
599. 기타 조경공사
60. 공란
61. 기계, 플랜트 시설 공통공사
611. 배관 및 관련 부속공사
6111. 배관 공사
6112. 설비별 배관공사
6119. 기타 배관 및 관련 부속공사
612. 보온공사
6121. 배관 및 배관관련 부속 보온공사
6122. 덕트 보온공사
6123. 평면, 탱크, 기기 보온공사
6129. 기타 보온공사
613. 자동제어 공사
6131. 자동제어 설비 공사
6132. 자동제어설비 시스템별 공사
614. 펌프 · 공기설비공사
6141. 펌프 공사
6142. 송풍기 및 환풍기 공사
6143. 공기압축기 공사
615. 설비 · 시설 잡공사

대 · 중 · 소 · 세분류
6151. 천공 공사
6152. 지지금구류 공사
6153. 밸브박스, 슬리브, 조립식PD 공사
6154. 각종 잡철물 공사 및 용접공사
6155. 강재 제작 설치, 조립공사
6156. 관갱생공사
6157. 도장 및 방청공사
6158. 터파기 및 되메우기 공사
6159. 기타 설비 · 시설관련 공사
62. 열원기기설비 및 공기조화설비 공사
621. 보일러부 · 부속 공사
6211. 기계 보일러 및 부속 공사
6212. 플랜트 보일러 및 부속 공사
622. 냉동기 · 냉각탑 공사
6221. 냉동기 및 부속설비 설치공사
6222. 냉각탑 설치공사
623. 공기조화기기설비 공사
6231. 공조기 및 팬 공사
6232. 온수분배기, 방열기 설치공사
6233. 컨벡터 설치공사
6234. 적외선히터 설치공사
6235. 전열교환기 설치공사
6236. 휀코일유닛 설치공사
6237. 팩키지유닛 설치공사
6239. 기타 공조기기설비 설치공사
624. 덕트 공사
6241. 덕트 제작공사
6242. 덕트 설치공사

대 · 중 · 소 · 세분류
6243. 연도 제작 및 설치공사
625. 열교환기, 탱크, 헤더 설치공사
6251. 열교환기, 탱크류 설치공사
6252. 현장제작탱크 설치공사
6253. 헤더 설치공사
626. 냉온수기 설치공사
6261. 냉수기 설치공사
6262. 온수기 설치공사
6263. 냉온수기 설치공사
63. 위생설비 공사
631. 위생기구설비 공사
6311. 위생기구류 공사
6312. 위생기구류 공사
6313. 배수트랩 공사
6314. 수전금구류 공사
64. 방재 기계설비 공사
641. 소방 기계설비공사
6411. 소방설비별 공사
6412. 소방설비 기기류별 설치공사
65. 가스설비 공사
651. 저장탱크 공사
6511. 저장탱크 제작공사
6512. 저장탱크 설치공사
652. 가스설비 관련기기 설비 공사
6521. 가스설비 관련기기 제작공사
6522. 가스설비 관련기기 설치공사
66. 특수설비 공사
661. 살수관련 공사
6611. 살수설비 주기기 설비공사

대 · 중 · 소 · 세분류
6612. 살수설비 보조설비 공사
662. 냉동냉장실 공사
6621. 냉동실 설비공사
6622. 냉장실 설비공사
663. 살균설비 공사
6631. 살균 설비 주기기 설비공사
6632. 살균 설비 보조설비 공사
664. 지하수 개발 공사
6641. 지하수 개발 주기기 설비공사
6642. 지하수 개발 보조설비 공사
665. 방식 공사
6651. 방식 전기 설비공사
6652. 방식 보조설비 공사
666. 아이스링크설비 공사
6661. 아이스링크설비 주기기 공사
6662. 아이스링크 보조설비 공사
667. 기타 특수 공사
6671. 문서 이송설비 주기기 공사
6672. 문서 이송 보조설비 공사
67. 서비스설비 공사
671. 주방기구설비 공사
6711. 주방기구 설비공사
672. 세탁장비설비 공사
6721. 세탁장비 설비공사
6722. 세탁물 운반 설비공사
673. 의료시험 및 시운전공사실가스 공사
6731. 의료시험 및 시운전공사실 가스 설비공사

대 · 중 · 소 · 세분류
674. 수영장 및 분수 공사
6741. 수영장 설비공사
6742. 분수 설비공사
675. 목욕탕 및 사우나 공사
6751. 목욕탕 및 사우나 설비공사
676. 진공청소 공사
6761. 진공청소설비 공사
677. 주차장 관련 공사
6771. 주차장환기설비 공사
6772. 주차장 설비 공사
6773. 주차관제 설비공사
678. 특수방진 공사
6781. 특수방진설비 공사
68. 공란
69. 공란
70. 공란
71. 발전설비 공사
711. 화력발전소 공사
7111. 화력발전 설비공사
712. 수력발전소 공사
7121. 수력발전 설비공사
713. 원자력발전소 공사
7131. 원자력발전시설 설비공사
714. 풍력발전소 공사
7141. 풍력발전소발전시설 설비공사
715. 조력발전소 공사
7151. 조력발전시설 설비공사
716. 열병합 발전소 공사
7161. 열병합발전시설 설비공사

대 · 중 · 소 · 세분류
717. 태양열 발전설비 공사
7171. 태양열발전시설 설비공사
718. 발전설비 관련 공사
7181. 터빈 및 발전기 설치공사
7182. 복수설비 설치공사
7183. Liner Plate 설치공사
719. 기타 형식분류별 발전설비 공사
7191. 디젤발전기 플랜트 설비공사
7192. 복합발전 플랜트 설비공사
7193. 내연발전 플랜트 설비공사
7194. 기력발전 플랜트 설비공사
7195. 양수발전 플랜트 설비공사
72. 제조설비 관련 공사
721. 제철소 공사
7211. 제철 설비공사
73. 폐기물처리 및 대기환경설비 관련 공사
731. 쓰레기 소각설비 공사
7311. 쓰레기소각 설비공사
732. 쓰레기 관로이송 및 중계처리설비 공사
7321. 쓰레기 관로이송 및 중계처리 시설 설비공사
733. 폐기물처리설비 공사
7331. 폐기물처리 설비공사
734. 탈취설비 공사
7341. 탈취설비 공사
735. 탈황설비 공사
7351. Absorber & Aux System 공사

대 · 중 · 소 · 세분류
7352. Flue Gas System 공사
7353. 석회석운반 및 석회석 슬러리 제조설비공사
7354. 석고탈수 및 취급설비공사
7355. FGD Aux System 공사
736. 탈질설비 공사
7361. 탈질설비 기기류 설치공사
7362. 탈질설비 덕트류 설치공사
7363. 탈질설비 Support류 설치공사
737. 전기집진기설비 공사
7371. 전기집진기설비 본체 설치 공사
7372. 전기집진기설비 방풍벽 설치공사
7373. 전기집진기설비 Fan, Blower류 설치공사
7374. 전기집진기 관련 부속설비 설치공사
739. 기타 환경설비 공사
7391. 석탄취급설비 공사
7392. 회처리설비 공사
7393. 음식물감량화설비 공사
74. 운송설비 공사
741. 운반기계 설비공사
7411. 운반기계 설비공사
742. 엘리베이터 공사
7421. 승객용 엘리베이터 설비공사
7422. 승객, 운수용 엘리베이터 설비공사

대 · 중 · 소 · 세분류
7423. 화물용 엘리베이터 설비공사
7424. 차량용 엘리베이터 설비공사
7425. 비상용 엘리베이터 설비공사
7426. 특수용 엘리베이터 설비공사
743. 에스컬레이터 및 이동보행로 설비 공사
7431. 에스컬레이터설비 공사
7432. 이동보행로설비 공사
744. 덤웨이터 설비 및 기타 운송설비 공사
7441. 덤웨이터설비 공사
7449. 기타 운송설비 공사
75. 공란
76. 에너지저장 및 관련 수송설비 공사
761. 석유비축 및 수송 공사
7611. 석유비축 및 수송시설설비 공사
762. LNG 및 원유저장 공사
7621. LNG 및 원유저장설비 공사
763. 지역 열공급 공사
7631. 지역 열공급설비 설비 공사
764. 도시가스공급 공사
7641. 도시가스공급설비 공사
765. 연료처리 공사
7651. 연료처리설비 공사
769. 기타 에너지원 공사
7691. 기타 에너지원시설설비 공사
77. 공란
78. 공란

대 · 중 · 소 · 세분류
79. 공란
80. 공란
81. 전기, 자동제어, 계장, 신호, 통신 공통공사
811. 배관 · 전로공사
8111. 배관 및 전로공사
812. 배선 · 가선공사
8121. 배선 및 가선공사
813. 전기 · 통신공사 관련 기타 공통공사
8131. 전기 · 통신공사 관련 건설 및 연관공사
8132. 전기 · 통신공사 관련 철물류 연관공사
8133. 전기 · 통신공사 관련 보조 설비 및 기타 공사
8134. 전기 · 통신공사 관련 도장 및 방청 공사
82. 송배전 · 발, 수변전 전기 공사
821. 송전설비 공사
8211. 송전설비별 설치공사
8212. 송전설비 공사
822. 배전설비 공사
8221. 배전설비별 기기류 설치공사
8222. 배전설비 공사
823. 발전, 수변전 관련 전기설비 공사
8231. GIS공사
8232. 변전설비공사
8233. 큐비클 및 차단설비공사

대 · 중 · 소 · 세분류	대 · 중 · 소 · 세분류
8234. 조상설비공사	841. 통신관련 설비 공사
8235. 모선공사	8411. 통신 구조물 및 기타 보조 기기류 설치공사
8239. 기타 설비	842. 각종 표시 및 정보전달 설비 공사
824. 전차선로 공사	8421. 표시설비 공사
8241. 카테나리 전차선 공사	8422. 시계설비 공사
8242. 강체 전차선 공사	8423. 시보설비 공사
8243. 신호설비	8424. 확성설비 공사
825. 기타 전기설비 공사	8425. 동시통역설비 공사
8251. 무정전 공사	843. 방송수신 설비 공사
8252. 전동기 설치 공사	8431. 라디오 공청설비공사
8253. 전기설비 기타 공사	8432. TV 공청 설비 공사
83. 전력부하설비 공사	8433. 유선방송설비 공사
831. 배전설비 공사	8434. 위성방송설비 공사
8311. 배전설비공사	844. 방송 관련 설비 공사
832. 조명설비 공사	8441. 방송설비공사
8321. 옥내조명설비공사	8449. 기타 방송설비 공사
8322. 옥외조명설비공사	845. 각종 통신설비 공사
8323. 비상조명설비공사	8451. 유선통신망 설비공사
8324. 특수 조명설비공사	8452. 무선통신설비 공사
833. 동력설비 공사	8459. 기타 통신설비 공사
8331. 동력용 전동기 설치공사	846. 기타 정보설비 공사
8332. 구내 동력설비공사	8461. 도시철도 자동요금 수납 설비 공사
834. 예비전원설비 공사	8462. 건물자동화 통신설비 공사
8341. 예비전원설비 공사	8463. 원격검침설비 공사
8342. 비상용 발전기설비	85. 방재 전기설비 공사
8343. 축전지설비	851. 소방 전기설비 공사
8344. 무정전 전원설비	8511. 자동화재탐지설비 공사
8349. 기타 설비	
84. 정보, 통신설비 공사	

대 · 중 · 소 · 세분류	대 · 중 · 소 · 세분류
8512. 자동화재속보설비 공사	8616. 중앙감시제어설비 공사
8513. 자동화재경보기 설비공사	8617. 건축물 통합감시설비 공사
8514. 누전경보기 설비공사	8619. 기타 제어설비 공사
8515. 비상경보설비 및 비상방송 설비 공사	862. 건축물 전기설비 공사
8516. 유도등 및 유도표지설비 공사	8621. 건축물 전기설비공사
8517. 무선통신보조설비 공사	8622. 고층 빌딩 전기설비공사
8518. 소방전기설비 개별기기 설치공사	863. 기타 전기설비 공사
8519. 기타 소방전기설비 및 보조 설비 설치공사	8631. 기타 전기설비공사
852. 보안 전기설비 공사	8632. 철도 전기설비공사
8521. 감시카메라설비 공사	864. 안전 관련 전기설비 공사
8522. 방범설비 공사	8641. 안전관련 전기설비공사
8523. 입퇴실 관리설비 공사	87. 공란
853. 피뢰 및 접지설비 공사	88. 공란
8531. 피뢰설비 공사	89. 공란
8532. 접지설비 공사	90. 공란
854. 방범 전기설비 공사	91. 기계, 플랜트, 산업설비, 전기, 통신 시험, 시운전공사
8541. 방범 전기설비 공사	911. 기계, 프랜트 공통시험, 시운전 공사
855. 항공장해 등 설비 공사	9111. T.A.B(Testing Adjusting and Balancing)공사
8551. 항공장해등 전기설비 공사	9112. 배관관리 및 시험
86. 기타 전기설비 공사	9119. 기타공사
861. 감시제어 및 계장설비 공사	912. 기계설비 시험, 시운전 공사
8611. 제어설비 공사	9121. 기계설비 시험, 시운전공사
8612. 조명제어설비 공사	913. 기계, 플랜트, 산업 · 전기설비 시험, 시운전공사
8613. 전력제어설비 공사	9131. T&C(Test and Commissioning) 공사
8614. 승강기 제어설비 공사	
8615. 화재 감시제어설비 공사	

대 · 중 · 소 · 세분류	대 · 중 · 소 · 세분류
9132. 발전설비 시운전공사 9133. 설비별, 시스템별 시운전공사 **914. 전기, 통신 시험, 시운전 공사** 9141. 전기, 통신설비 T&C(Test and Commissioning)공사 9142. 전기, 통신설비 공통 시험, 시운전 공사 9143. 전기설비 시험, 시운전공사 9144. 통신설비 시험, 시운전공사 **92. 기계, 플랜트, 산업 · 전기설비, 통신 시험, 시설유지정비공사** **921. 기계, 플랜트, 산업설비 공통 시설유지 정비공사** **922. 산업설비 공통 시설유지정비공사** **923. 전기, 통신 설비 공통 시설유지 정비공사**	**924. 전기설비 시설유지정비공사** **925. 기타 전기설비 시설유지정비공사** **926. 통신설비 시설유지정비공사** **93. 공란** **94. 공란** **95. 공란** **96. 공란** **97. 공란** **98. 공란** **99. 공란** (공 백)

마. 자원분류(R)

대 · 중 · 소 · 세분류	대 · 중 · 소 · 세분류
(1) 자재분류(M) **13. 화약 및 폭발물** 1376. 폭발물 1385. 폭발물처리공구및장비 1390. 뇌관 및 신관 **15. 항공기 및 항공 기체구성품** 1510. 고정날개 항공기 1511. 군용고정익항공기 1520. 회전익 항공기 1521. 군용회전익항공기 1540. 활공기(행글라이더) 1550. 무선조종 무인기 1560. 항공기체 구성품 1570. 특수항공기 **16. 항공기 구성품 및 부속품** 1610. 항공기 프로펠러 1615. 헬리콥터 회전날개, 구동 기관 및 구성품 1620. 항공기 랜딩기어(바퀴다리) 구성품 1630. 항공기 바퀴 및 브레이크 장치 1650. 항공기용 유압, 진공 및 냉각계통 구성품 1660. 항공기 냉방, 난방 및 기압 조절용 장비 1670. 낙하산과 공중인양, 수송, 회수장치 및 화물결박용 장비	1680. 기타 항공기 부속품 및 구성품 **17. 항공기발사, 착륙 및 지상 취급장비** 1730. 항공기 지상 정비용 장비 1740. 비행장용 특수트럭 및 트레일러 **19. 선박, 소형배, 부교(pontoon) 및 부유독(dock)** 1910. 여객선 1915. 화물선 및 유조선 1920. 어선 1925. 특수선박 1930. 화물용 바지(barge) 및 운반선 1935. 특수용 바지(barge) 및 운반선 1940. 소형배 1945. 부선 및 부유독 1950. 부유 드라이독(drydock) 1955. 준설기 1960. 군사용선박 1990. 기타선박 **20. 선박 및 해상용장비** 2010. 선박 추진 구성품 2020. 삭구 및 삭구장치 2030. 갑판기계 2040. 선박용 철물 및 선체품목 2050. 부표 2060. 상용 낚시질 장비 2090. 기타 선박 및 해상용 정비품 **22. 철도장비**

대 · 중 · 소 · 세분류

- 2210. 기관차
- 2220. 철도차량
- 2230. 철로건설 및 보수용 장비
- 2240. 기관차와 철도차량 구성품 및 부속품
- 2245. 고속철도차량 구성품 및 부품
- 2250. 철로자재

23. 자동차, 트레일러 및 싸이클

- 2310. 승용자동차
- 2320. 화물자동차
- 2330. 트레일러
- 2340. 모터싸이클, 모터스쿠터 및 자전거
- 2360. 특수자동차

24. 트랙터

- 2410. 저속 무한궤도 트랙터
- 2420. 바퀴달린 트랙터
- 2430. 고속 무한궤도 트랙터

25. 차량장비 구성품

- 2510. 자동차용 보디, 차치, 프레임, 현가장치 관련구 즈 구성품
- 2520. 차량용 동력전달장치 구성품
- 2530. 자동차용 제동, 주행, 조향 장치 관련 구성품
- 2540. 자동차용 전기, 전장품, 가구, 의장품 및 부속물
- 2590. 자동차용 안전, 구난, 공해방지, 목적용장치, 기타 구성품

26. 타이어 및 튜브

- 2610. 항공기용을 제외한 압축 공기식 타이어 및 튜브
- 2620. 공기식 타이어 및 튜브 (항공기용)
- 2630. 통타이어 및 쿠션타이어
- 2640. 재생타이어, 중고타이어 및 타이어수리용 부품재료

28. 항공기, 철도차량용 이외의 엔진, 터빈 및 구성품

- 2805. 가솔린엔진 및 그 구성품
- 2815. 디젤엔진 및 그 구성품
- 2820. 증기 왕복기관 및 그 구성품
- 2825. 증기 터빈 및 그 구성품
- 2830. 물터빈, 수차 및 그 구성품
- 2835. 가스터빈 및 제트 엔진과 그 구성품
- 2850. 가스엔진 및 구성품
- 2895. 기타 엔진 및 그 구성품

29. 엔진부속물

- 2910. 엔진의 연료계통 구성품
- 2920. 엔진의 전기계통 구성품
- 2930. 엔진의 냉각계통 구성품
- 2940. 엔진의 공기와 오일 여과기 및 정화기
- 2950. 터보 과급기
- 2990. 기타 잡종 엔진 부속품

30. 기계적 동력 전달장치

- 3010. 토크 변환기, 변속기 및 등속전달장치
- 3020. 기어, 활차, 톱니바퀴 및 전달체인
- 3030. 각종벨트, 구동벨트, 팬벨트 및 그부속품
- 3040. 기타 동력 전달장치

31. 베어링

- 3110. 장착되지 않은 구름베어링 (굴림축받침)
- 3120. 장착되지 않은 평면베어링 (미끄럼축받침)
- 3130. 장착된 베어링

32. 목공기계 및 그 장비

- 3210. 기계톱 및 기계대패
- 3220. 목공기계
- 3230. 목공기계용 공구 및 부착물

34. 금속공작기계

- 3405. 톱 및 줄다듬질 기계
- 3408. Machining center 및 Way-type machine
- 3410. 전기 및 초음파 침식가공기계
- 3411. 보링 머신
- 3412. 브로칭머신
- 3413. 드릴링머신 및 태핑머신
- 3414. 기어 절삭 및 완성기계
- 3415. 연삭기(Grinding machine)
- 3416. 선반
- 3417. 밀링 머신
- 3418. 평삭기(Planer) 및 형삭기 (Shaper)
- 3419. 잡종 공작기계
- 3422. 압연기 및 인발기
- 3424. 금속 열처리 및 비열처리장비
- 3426. 금속 다듬질용 장비
- 3431. 전기 아크 용접장비
- 3432. 전기저항 용접장비
- 3433. 가스용접, 가열, 절단 및 금속경화용(Metalizing)장비
- 3436. 용접위치 표시장치 및 조작 장치
- 3438. 잡종 용접장치
- 3439. 잡종용접, 연 및 경납땜용 소모품과 부속품
- 3441. 굴곡 및 성형기
- 3442. 동력구동 유압 및 압축공기 프레스
- 3443. 동력구동 기계식 프레스
- 3444. 수동 프레스
- 3445. 천공 및 전단기
- 3446. 단조기 및 해머
- 3447. 와이어 및 금속리본 성형기
- 3448. 리벳팅 머신
- 3449. 잡종의 2차적 금속 성형 및 절삭기계
- 3450. 휴대용 공작기계
- 3455. 공작기계용 절삭공구
- 3456. 2차적 금속 공작기계용 절삭 및 성형공구

대 · 중 · 소 · 세분류

- 3460. 공작기계 부속품
- 3461. 2차적 금속공장 기계용 부속품
- 3465. 생산용 지그(Jig), 고정구(Fixture) 및 형판
- 3470. 기계공장용 세트, 키드 및 장구(Outfit)

35. 서비스 및 판매용 장비
- 3510. 세탁 및 드라이크리닝 장비
- 3520. 구두 수선장비
- 3530. 산업용재봉기 및 이동용 피복 수리소
- 3540. 포장기계
- 3550. 판매 및 주화작동기계
- 3590. 기타 서비스 및 판매장비

36. 특수산업기계
- 3605. 식료품 생산기계 및 장비
- 3610. 인쇄, 등사, 제본용 장비
- 3611. 산업용 상표표시기
- 3615. 펄프 및 제지 공장용 기계
- 3620. 고무 및 플라스틱 가공기계
- 3625. 섬유공장용 기계
- 3630. 흙 및 콘크리트제품 생산용 장비
- 3635. 수정 및 유리산업용 기계
- 3640. 담배 제조기계
- 3645. 제혁 및 피혁 가공용 기계
- 3650. 화학물 및 약제품 제조기계
- 3655. 가스발생 및 분배장치
- 3660. 산업용 분쇄기계
- 3670. 특수반도체, 미소회로 및 인쇄회로기판 제조기계
- 3680. 주물기계와 부수장비 및 그 용품
- 3685. 특수 금속용기 제작기계 및 그 부수장비
- 3693. 산업용 조립 기계
- 3694. 청정실 환경조절 및 부수장비
- 3695. 잡종 특수 산업기계

37. 농 · 축산업용 기계 및 장비
- 3710. 토양 준비용 장비
- 3715. 재배용 장비
- 3720. 수확용 장비
- 3730. 낙농, 가금 및 가축용 장비
- 3740. 해독, 질병예방 및 동상 방지용 장비
- 3750. 정원용 기구
- 3760. 농업전용 운송기계 우마차, 트랙터 및 트레일러
- 3770. 안장, 마구류, 채찍줄 및 기타 동물용 부수물

38. 건설, 채광, 굴착 및 도로보수용 장비
- 3805. 토양 운반 및 굴삭용 장비
- 3810. 크레인 및 크레인셔블
- 3815. 크레인 및 크레인셔블 부착물
- 3820. 채광, 착암, 지표굴착 및 부수장비
- 3825. 도로정리 및 청소장비
- 3830. 트럭 및 트랙터 부착물
- 3835. 석유생산 및 분배용 장비
- 3895. 기타 건설 장비

39. 물자 취급장비
- 3910. 컨베이어
- 3915. 물자 송달장치
- 3920. 자주식이 아닌 물자 취급장치
- 3930. 자주식 창고용 트럭 및 트레일러
- 3940. 블록, 활차(Tackel), 색구(Rigging) 및 슬링(Sling)
- 3950. 윈치, 호이스트, 크레인 및 데릭(Derrick)
- 3960. 승강기 및 에스컬레이터
- 3990. 잡종물자 취급장비

40. 로프, 케이블, 체인 및 부착물
- 4010. 체인 및 와이어로프
- 4020. 섬유로프, 밧줄 및 꼰끈
- 4030. 로프, 케이블 및 체인의 부착물

41. 냉동, 공기조화장치 및 환기장비
- 4110. 냉동장비
- 4120. 공기조화 장비
- 4130. 냉동 및 공기조화장치 구성품
- 4140. 공기순환용 팬(Fan) 및 송풍장비

42. 소화, 구조 및 안전장비
- 4210. 소화 및 구급장비
- 4220. 해상구조 및 잠수장비
- 4230. 오염제거 및 주입장비
- 4240. 안전 및 구조장비

43. 펌프 및 압축기
- 4310. 압축기 및 진공펌프
- 4320. 동력 및 수동펌프
- 4330. 원심분리기, 분리기, 압력 및 진공여과기

44. 로, 증기시설, 건조용장비, 원자로 및 보일러
- 4410. 산업용 보일러
- 4420. 열교환장치 및 증기복수기
- 4430. 산업용 로(furnace), 가마(Kiln)
- 4440. 건조 및 탈수기
- 4460. 공기정화 장비
- 4470. 원자로

45. 배관난방 및 위생장비
- 4510. 배관 설비물 및 부속품
- 4520. 난방 설비물 및 가정용 온수기
- 4530. 연료 연소장치
- 4540. 기타 배관, 난방 및 위생장비

46. 정수 및 하수처리장비
- 4610. 정수장비
- 4620. 선박 및 산업용 증류수 제조장비
- 4630. 하수처리장비

47. 파이프, 튜브, 호스 및 부착물
- 4710. 파이프 및 튜브
- 4720. 가요성(Flexible) 호스 및 튜브
- 4730. 호스, 파이프, 튜브용 부착물 및 특수용품

대 · 중 · 소 · 세분류	대 · 중 · 소 · 세분류
48. 밸브	장구
4810. 동력밸브	**53. 철물 및 연마재**
4820. 비동력밸브	5305. 스크류
49. 정비 및 수리공장용 장비	5306. 볼트
4910. 자동차 정비 및 수리 공장용 특수장비	5307. 스터드
4920. 항공기 정비 및 수리 공장용 특수장비	5310. 너트 및 와셔
4930. 주유 및 연료 공급장비	5315. 못, 키 및 핀
4940. 기타 잡종 정비 및 수리 공장용 특수장비	5320. 리벳
51. 수공구	5325. 죄임장치
5110. 동력으로 작동되지 않은 날이 있는 수공구	5330. 패킹 및 가스키트 자재
5120. 동력으로 작동되지 않는 날이 없는 수공구	5335. 금속망
5130. 동력으로 작동되는 수공구	5340. 기타 잡종 철물
5133. 수공구 및 공작기계에 쓰이는 드릴비트, 카운터보어 및 카운터싱크	5345. 연마용 원판 및 숫돌
5136. 수공구 및 공작기지에 사용되는 탭, 형 및 콜릿	5350. 연마용 재료
5140. 공구 및 철물상자	5355. 손잡이 및 지침
5180. 수공구용 세트, 키트 및 장구	5360. 코일스프링, 판스프링 및 와이어스프링
52. 측정용 공구	5365. 링, 쐐기 및 스페이셔
5210. 기능공용 측정공구	**54. 조립식 구축물 및 발판**
5220. 검사용 측정기 및 정밀 설계용 공구	5410. 조립식 및 이동식 건축물
5280. 측정용 공구의 세트, 키트 및	5411. 단단한 벽엄체
	5420. 고정 및 부유식 다리
	5430. 저장탱크
	5440. 발판장비 및 콘크리트 거푸집
	5445. 조립식 탑 구축물
	5450. 기타 잡종 조립 구축물
	55. 목재, 목재가공품 합판 및 베니아판
	5510. 목재 및 관련된 기본목재 재료
	5520. 목재 가공품

대 · 중 · 소 · 세분류	대 · 중 · 소 · 세분류
5530. 합판 및 베니아판	5836. 영상녹음 및 영상재생장비
56. 건설 및 건축용 자재	5840. 레이다 장비, 항공기 탑재용 제외
5610. 대량취급 광물성 건설 자재	5841. 레이다 장비, 항공기 탑재용
5620. 건축용 유리, 타일벽돌 및 블럭	5850. 가시 및 불가시광선 광 통신 장비
5621. 맨홀뚜껑	5855. 야간 관제장비(방사선 방사 및 반사)
5630. 비금속 파이프 및 도관	5860. 자극성, 간섭성,. 방사기구와 구성품 및 부속물
5640. 벽판, 건축용 종이 및 열 절연체	5865. 전자방해 및 신속반응 능력성 장비
5650. 지붕 및 외부 벽 재료	5895. 기타 통신장비
5660. 울타리 및 대문	**59. 전기 및 전자장치 구성품**
5670. 건축물 및 부수 금속제품	5905. 저항(기)
5680. 기타 잡종 건축자재	5910. 커패시터
58. 통신장비	5915. 필터 및 회로망
5805. 전화 및 전선장비	5920. 퓨즈 및 피뢰장치
5810. 통신 보안장비 및 구성품	5925. 회로차단기
5811. 기타 보안장비 및 구성품	5930. 스위치
5815. 텔레타이프 및 팩시밀리장비	5935. 전기연결용 기구
5820. 무선 및 텔레비전 통신장비, 항공기 탑재용 제외	5940. 러그, 단자 및 단자판
5821. 라디오 및 텔레비전 통신장비, 항공기 탑재용	5945. 계전기, 접촉자 및 솔레노이드
5825. 무선항법장비, 항공기 탑재용 제외	5950. 코일 및 소형변압기
5826. 무선항법장비, 항공기 탑재용	5955. 압전기 크리스탈
5830. 내부 통신장비 및 확성장비, 항공기 탑재용 제외	5960. 전자관 및 부수철물
5831. 구내통신 및 확성장비, 항공기 탑재용	5961. 반도체 장치 및 그 부수철물
5835. 녹음 및 녹음재생장비	5962. 미소전자회로장치
	5965. 헤드세트, 핸드세트, 마이크

대 · 중 · 소 · 세분류
로폰 및 스피커
5970. 전기절연체 및 절연재료
5975. 전기용 철물 및 일반자재
5977. 전기접촉 브러쉬 및 전극
5985. 안테나, 도파관 및 부수장비
5990. 싱크로 및 리졸버
5995. 통신장비용 케이블, 코드 및 와이어 어셈블리
5999. 기타 전기 및 전자장비 구성품
60. 광섬유, 구성품, 조립체 및 부속품
6010. 광섬유 도선
6015. 광섬유 케이블
6020. 광섬유 케이블 조립체 및 장대
6030. 광섬유 장치
6060. 광섬유 상호 연결기
6070. 광섬유 부속품 및 공급품
6080. 광섬유 킷트 및 셋트
61. 전선, 발전 및 배전장비
6105. 전동기
6110. 전기조절장비
6115. 발전기 및 발전장치
6116. 연료전지 전원장치와 그 구성품 및 부속물
6120. 발전 및 배전용 변압기
6125. 회전형 전기변환기
6130. 비회전형 전기변환기
6135. 일차전지
6140. 이차전지
6145. 전선 및 케이블

대 · 중 · 소 · 세분류
6150. 기타 발전 및 배전장치
62. 조명장치 및 램프
6210. 옥내 및 옥외 조명장치
6220. 차량조명등 및 장치
6230. 이동식 및 휴대용 전기조명장치
6240. 전기램프
6250. 안전장치, 램프홀더 및 전기조명장치
6260. 비전기식 조명장치
63. 경보 및 신호장치
6310. 교통 및 통과 신호장비
6320. 선박용 경보 및 신호장비
6330. 철도용 경보 및 신호장비
6340. 항공기 경보 및 신호장비
6350. 기타 잡종 경보 및 신호장비
65. 의과, 치과 및 수의과용 장비와 소모품
6505. 약품, 생물학적 및 공인된 시약
6508. 약용 화장품과 화장품 세척제
6510. 외과 치료용 자재
6515. 내과용 및 외과용 기구의 장비 및 소모품
6520. 치과용 기구, 장비 및 소모품
6525. X선 장비 및 소모품 (의과, 치과, 수의과용)
6530. 병원용 가구, 장비, 기구 및 소모품
6532. 병원용 피복류 및 직물류와

대 · 중 · 소 · 세분류
그에 관련된 특수목적에 사용되는 품목
6540. 안경 취급용 기구 장비 및 소모품
6545. 의료용 세트, 키트 및 장구
6550. 바이트로 진단물질, 시약, 시험 킷트와 셋트
66. 계기 및 실험용 장비
6605. 항법용 계기
6610. 비행계기
6615. 자동조종 장치 및 항공기 탑재 자이로 부분품
6620. 엔진 계기
6625. 전기, 전자장비 측정 및 시험 계기
6630. 화학분석계기
6635. 물리적 특성 시험장비
6636. 조건환경 조성 실험실 및 관계장비
6640. 실험실용 장비 및 그 소모품
6645. 시간 측정 기구
6650. 광학 기구
6655. 지구물리학 및 천문학용 기구
6660. 기상관측용 기구
6665. 위험탐지 기구 및 장비
6670. 자 및 저울
6675. 제도, 측량 및 지도 제작용 기구
6680. 유체의 흐름, 수준 및 운동

대 · 중 · 소 · 세분류
측정장치
6685. 압력, 온도 및 습도 측정 장치와 조절용 계기
6695. 복합 및 잡종기구
67. 사진장비
6710. 동사진용 카메라
6720. 정사진용 카메라
6730. 사진 영사장비
6740. 사진현상 및 완성용 장비
6750. 사진용 소모품
6760. 사진장비 및 그 부속물
6770. 현상된 필름
6780. 사진용 세트, 키트 및 장비
68. 화공약품 및 화학생산품
6810. 일반 화공약품
6820. 염료
6830. 압축 및 액체가스
6840. 살충 및 소독제
6850. 잡종화학 특수제품
69. 교육 및 훈련용 보조재료와 장비
6910. 교육용 보조재료
6930. 조작 훈련장치
6940. 통신장비 훈련장치
70. 일반목적용 자동자료처리장비(펌웨어 포함), 소프트웨어, 소모품 및 보조장비
7010. 컴퓨터의 분류
7020. 자동자료처리 중앙처리장치 (CPU,컴퓨터), 아날로그

대 · 중 · 소 · 세분류

7021. 자동자료처리 중앙처리장치 (CPU,컴퓨터), 디지털
7022. 자동자료처리 중앙처리장치 (CPU,컴퓨터), 하이브리드
7025. 자동자료처리 입출력 및 기억장치
7030. 자동자료처리 소프트웨어
7035. 자동자료처리 보조장비
7040. 천공카드 장비
7042. 미니 및 마이크로컴퓨터 제어장치
7045. 자동자료처리 소모품
7050. 자동자료처리 구성품

71. 가구

7105. 가정용 가구
7110. 사무실용 가구
7125. 캐비닛, 장, 물건보관상자 및 선반
7195. 기타 잡종가구

72. 가정 및 상용설비물과 기구

7210. 가정용 설비물
7220. 마루 깔개
7230. 커텐, 차일, 그늘지우개
7240. 가정용 및 상용용기
7290. 기타 잡종가정용 및 상용 설비물과 기구

73. 취사 및 급식용 비품

7310. 조리, 제빵 및 식사준비용 장비
7320. 취사용 장비 및 기계
7330. 취사장용 수공구 및 기구
7340. 나이프, 포크 및 스푼
7350. 식탁용 그릇
7360. 취사 및 급식용 세트 (키트 및 장비)

74. 사무용 기기, 기록보관장비 및 자동자료 처리장비

7420. 회계 및 계산기
7430. 타자기 및 식자기
7435. 사무용 정보처리장비
7450. 사무용 녹음 및 재생기계
7460. 가시기록장비
7490. 기타 사무용 기계

75. 사무용 비품 및 소모품

7510. 사무용 소모품
7520. 사무용 비품 및 부속물
7530. 사무용 지류 및 양식
7540. 표준양식

76. 서적 및 기타 잡종 인쇄물

7610. 서적 및 팜프렛트
7630. 신문 및 정기간행물
7640. 지도, 해도 및 천체
7650. 도면 및 사양서
7660. 악보종이 및 책
7670. 현상된 마이크로 필림
7680. 전자 출판물
7690. 기타 잡종인쇄물

77. 악기, 축음기 및 가정용 라디오

7710. 악기
7720. 악기부품 및 부속물
7730. 가정용 축음기, 라디오 및 텔레비젼세트
7740. 축음기용 음반

78. 오락 및 운동기구

7810. 운동경기 용구
7820. 레저 스포스, 오락 및 완구류
7830. 체력단련 및 체육관용 장비

79. 청소용 장비 및 그 소모품

7910. 마루 닦는 기계 및 진공청소기
7920. 비, 솔, 걸레 및 스폰지
7930. 청소 및 광택용 화합물과 조제물

80. 붓, 페인트, 밀봉제 및 점착제

8010. 페인트, 도우프, 니스 및 그 관련품
8020. 페인트 및 미술용 붓
8030. 보호 및 밀봉용 화합물
8040. 접착제(接着劑)

81. 용기 및 포장재료

8105. 포대
8110. 드럼통 및 양철통(Can)
8115. 상자(마분지 및 나무상자)
8120. 상업 및 공업용 가스통
8125. 병 및 단지
8130. 실패 및 실감개
8135. 포장 및 적하용 포장재료

83. 직물피혁 및 모피

8305. 직물
8310. 직물 및 편물용 실
8315. 피복용 잡종 재료
8320. 속에 넣는 재료
8325. 모피 재료
8330. 피혁
8335. 구두 부속재료 및 구두창 재료
8340. 천막 및 방수포

84. 피복 개인장비 및 휘장

8405. 남자용 겉옷
8410. 여자용 겉옷
8415. 특수용 피복
8420. 내의및야간복
8430. 남자용 신발류
8435. 여자용 신발류
8440. 남자양말, 장갑 및 피복부속물
8445. 여자양말, 장갑 및 피복부속물
8455. 뱃지, 기장, 기치 및 패넌트
8460. 수하물용 용기
8465. 개인용 장비

85. 화장품류

8510. 향수, 화장용품 및 분
8520. 화장비누, 면도용품 및 치약
8530. 개인 화장용 기구
8540. 화장용 종이류

87. 농사용 소모품

8710. 사료
8720. 비료
8730. 종자 및 종묘원 재료

88. 동물

대 · 중 · 소 · 세분류

8810. 식용으로 기른 산 동물
8820. 식용으로 기르지 않은 산 동물

89. 식료품
8905. 수육 조육 및 생선
8910. 목장에서 나는 식료품 및 계란
8915. 과실 및 채소
8920. 제빵 및 곡물식제품
8925. 설탕 과자 및 건과류
8930. 잼 젤리 및 보존조치 된 것
8935. 수우프 및 조우런
8940. 식이요법용 특별식품 및 복제식료품
8945. 식용류 및 지육
8950. 조미료 및 관련되는 제품
8955. 커피 홍차 및 코코아
8960. 알콜성분이 없는 음료
8965. 알콜성분이 있는 음료
8970. 혼합식품 곤포
8975. 담배제품

91. 연료, 윤활유, 오일 및 왁스
9110. 고체연료
9130. 석유성분의 액체 추진제 및 연료
9135. 화학성분의 액체 추진제 및 염화제
9140. 연료용 오일
9150. 오일 및 그리스(절단용, 윤활용 및 유압용)
9160. 기타 잡종 왁스, 오일 및 지방

93. 비금속성 제품
9310. 지류
9320. 고무제품
9330. 플라스틱 제품
9340. 유리제품
9350. 내화자재
9390. 기타 잡종 비금속제품

94. 비 금속성 원재료
9410. 식물성 원재료
9420. 식물성, 동물성 및 합성섬유
9430. 비식용잡종 동물성 천연생산물
9440. 기타잡종 천연농산물 및 임산물
9450. 직물을 제외한 비금속성 부스러기

95. 금속봉, 판 및 형재
9505. 비 전기용 철선 및 강선
9510. 철봉 및 강봉
9515. 철강판
9520. 구조물용 철강형재
9525. 전기용이 아닌 비철금속선
9530. 비철비금속용 봉 및 로드
9535. 비철비금속의 판 및 박
9540. 구조용 비철비금속 형재
9545. 귀금속의 판, 박 및 선

96. 광석, 광물 및 그 일차제품
9610. 광석
9620. 천연 및 합성광물
9630. 첨가용 금속재료 및 주합금
9640. 제 1 차 및 반가공 철강제품
9650. 제련소 및 중간형태의 비철비금속
9660. 제 1 차 형태의 귀금속
9670. 철강 부스러기
9680. 비철금속 부스러기

99. 용역 및 기타품목
9905. 광고물, 전시물 및 식별판
9910. 보석
9915. 수집물 및 골동품
9920. 흡연용구 및 성냥
9925. 종교용 장비, 부속물 및 소모품
9930. 기념물, 표지 및 장의용 장비 및 소모품
9970. 농수산업 및 축산업관련용역
9971. 광업과석유 및 가스관련용역
9972. 건설관련 용역
9973. 공업제품생산 및 제조용역
9976. 산업위생관련 용역
9977. 환경관련 용역
9978. 운송과보관 및 우편관련 용역
9980. 경영관련 용역
9981. 연구 및 과학기반관련 용역
9982. 편집과그래픽디자인 및 예술관련용역
9983. 공공사업 및 공공부문관련용역
9984. 금융 및 보험관련용역
9985. 보건관련 용역
9986. 교육관련 용역
9990. 오락과 문화 및 운동관련용역
9991. 개인 및 가사서비스
9992. 국방 및 치안경호관련용역
9993. 정치 및 행정관련용역
9994. 조직 및 동호회관련용역
9995. 기관특성에 따른 기타 용역
9999. 기타 품목

(공 백)

대 · 중 · 소 · 세분류

(2) 장비분류(Q)

- ( )는 조달청 물품목록코드

11. 불도우저
    1101. 무한궤도식 불도우저 (3805-050)
    1102. 타이어식 불도우저 (3805-052)
    1103. 습지 불도우저(3805-050)
    1105. 유압식 리퍼(3805-050)
12. 굴삭기
    1201. 유압식백호 굴삭기 (3805-019)
    1202. 유압식타이어형 굴삭기 (3805-051)
    1203. 습지 굴삭기(3805-019)
    1204. 트렌처(3710-054)
    1205. 대형브레이커(3830-053)
    1206. 대형브레이커용 치즐 (3830-054)
    1207. 유압식진동콤팩터 (굴삭기부착용)(3830-055)
    1208. 압쇄기(펄버라이저)
13. 로우더
    1301. 무한궤도식 로우더 (3805-014)
    1302. 타이어식 로우더(3805-013)
    1303. 벨트형로우더(3805-012)
14. 모터그레이더 및 스크레이퍼

대 · 중 · 소 · 세분류

    1401. 모터 그레이더(3805-006)
    1402. 스크레이퍼(자주식) (3805-016)
    1403. 스크레이퍼(견인식) (3805-003)
15. 로울러
    1501. 진동로울러(자주식) (3895-006)
    1502. 진동로울러(견인식) (3895-099)
    1503. 타이어 로울러(자주식) (3895-093)
    1504. 머캐덤 로울러(3895-124)
    1505. 탠덤 로울러(자주식) (3895-123)
    1506. 탠덤 로울러(진동자주식) (3895-123)
    1507. 양족식 로울러(자주식) (3895-006)
    1508. 양족식 로울러(견인식)
    1509. 양족식 진동로울러(견인식)
    1510. 진동로울러(핸드가이드식)
    1511. 타이어 로울러(견인식) (3895-097)
16. 다짐기
    1601. 플레이트콤팩터(3895-128)
    1602. 램머(3895-114)
17. 공란
18. 공란

대 · 중 · 소 · 세분류

19. 기타 토공장비

21. 기중기
    2101. 무한궤도식 크레인 (3810-002)
    2102. 차륜식 크레인(3810-011)
    2103. 트럭탑재형 크레인 (2320-047)
    2104. 크레인(트럭)(3810-004)
    2105. 크레인부수물(셔블) (3810-019)
    2106. 크레인부수물(백호) (3815-015)
    2107. 크레인부수물(드래그라인) (3815-011)
    2108. 크레인부수물(크램쉘) (3815-031)
    2109. 리더(고정형)(3815-008)
    2110. 리더(회전형)(3815-008)
    2111. 케이싱
    2112. 스킵버킷
    2113. 크램쉘(연속)(3815-031)
22. 타워크레인
    2201. 타워크레인(3950-041)
    2202. 건설용리프트(인화물용)
23. 운반장비
    2301. 덤프트럭(2320-010)
    2302. 트럭트랙터 및 트레일러 (2320-016)

대 · 중 · 소 · 세분류

    2303. 화물자동차(2320-009)
    2304. 경운기(3710-033)
    2305. 트랙터(무한궤도식) (2410-003)
    2306. 트랙터(타이어)(2420-003)
    2307. 고속 무한궤도 트랙터(2420)
    2308. 덤프트럭 자동덮개시설
    2309. 지게차(3930-006)
24. 지게차 및 고소작업차
    2401. 지게차(3930-006)
    2402. 고소작업차(2320-020)
    2403. 엘리베이터(3960-004)
25. 디젤기관차
    2501. 디젤기관차(2240-001)
26. 콘베이어 및 윈치
    2601. 윈치(수동식)(3950-011)
    2602. 윈치(자동식)(3950-011)
27. 공란
28. 공란
29. 기타 운반 및 하역장비
31. 아스팔트 포장장비
    3101. 아스팔트페이버(피니셔) (3895-122)
    3102. 아스팔트 스프레이어 (3895-121)
    3103. 안정기(스테빌라이저)
    3104. 아스팔트 믹싱 플랜트 (3895-072)
    3105. 아스팔트디스트리뷰터

대 · 중 · 소 · 세분류

(3895-048)
32. 콘크리트 포장기계
3201. 콘크리트 스프레더 (3895-107)
3202. 콘크리트 피니셔(포장용) (3895-036)
3203. 콘크리트 피니셔 (중앙분리대용)(3895-037)
3204. 콘크리트조면마무리기 (3895-113)
3205. 슬러리실기계
33. 골재살포기
3301. 골재살포기(자주식) (3895-032)
34. 도로유지보수장비
3401. 노면청소차(3825-008)
3402. 트럭정착식제설작업차 (3825-011)
3403. 라인마커(3825-005)
3404. 다목적도로관리차(3895-037)
3405. 노면보수기계(슬러리실 기계)
3406. 노면파쇄기(3895-130)
3407. 차선제거기(3825-017)
3408. 커터(콘크리트 및 아스팔트용)(3895-130)
3409. 페이브먼트브레이커
35. 아스팔트재생장비
3501. 현장가열 표층재생기 (3895-001)

대 · 중 · 소 · 세분류

36. 공란
37. 공란
39. 기타 포장장비
41. 콘크리트 배치플랜트
4101. 콘크리트 배치플랜트 (3895-073)
4102. 사일로
42. 골재생산장비
4201. 크러셔(이동식)(3820-014)
4202. 에이프런피더(3895-033)
4203. 골재세척설비(3820-022)
4204. 벨트컨베이어
4205. 죠크러셔(3820-014)
4206. 롤크러셔(3820-100)
4207. 콘크러셔(3820-041)
4208. 스크린(2단계)(3820-027)
4209. 스크린(3단계)(3820-027)
4210. 아그리게이트빈
43. 콘크리트 운반장비
4301. 콘크리트믹서 트럭 (3895-068)(3895-068)
4302. 콘크리트 펌프 (3895-086)(3895-086)
4303. 콘크리트 펌프차(3895-086)
4304. 콘크리트펌프용(파이프직관)
4305. 배사관
4306. 부함
4307. 조인트(고무제)
44. 그라우팅 머신

대 · 중 · 소 · 세분류

4401. 모르타르펌프(3895-051)
45. 믹서 및 진동기
4501. 콘크리트믹서(3895-066)
4502. 모르타르믹서(3895-070)
4503. 그라우팅믹서(3895-041)
4504. 안정액믹서(벤토나이트믹서) (3895-070)
4505. 콘크리트 진동기 (3895-118)(3895-118)
4506. JSP용 믹서
4507. 그라우팅펌프(3895-041)
4508. 이수분리기
4509. 바이브레이터(3895-118)
46. 숏크리트 머신
4601. 습식 숏크리트 머신(3895-164)
4602. 건식 숏크리트 머신
4603. 숏크리트기계(트럭형) (3895-164)
4604. 숏크리트기계(견인형) (3895-166)
47. 공란
48. 호안블록제작기
4801. 호안블록제작기
49. 기타 콘크리트 및 골재생산장비
51. 기초공사용 장비
5101. 오거(3830-021)
5102. 워터젯트(3820-092)
5103. 디젤파일해머(3895-062)
5104. 오실레이터(3820-075)

대 · 중 · 소 · 세분류

5105. 유압파워팩
5106. 진동파일해머(3895-043)
5107. 리버스써큘레이션드릴
5108. 진동파일해머(유압식) (3895-045)
5109. 유압회전식굴착기(지하연속벽용)(3820-090)
5110. 해머그래브
5111. 유압식압입인발기(3895-031)
5112. 유압파일해머(3895-045)
52. 천공장비
5201. 착암기(래그해머)(3820-071)
5202. 크롤러드릴(3820-065)
5203. 보링기계(3820-006)
5204. 고성능착정기(3820-006)
5205. 드릴웨곤
5206. 코아드릴(3820-040)
5207. 보링기계(JSP용)
5208. 하수관천공기
5209. 상수도관천공기
53. 브레이커 및 콘크리트파쇄기
54. 터널공사용장비
5401. 터널전단면굴착기(3820-096)
55. 공기압축기 및 발전설비
5501. 공기압축기(이동식) (2240-454)
5502. 펌프(양수기)
5503. 건설용펌프(자흡식)
5504. 수중모터펌프

대 · 중 · 소 · 세분류	대 · 중 · 소 · 세분류
5505. 취부기	6303. 토운선(1930-001)
5506. 실사출기	6304. 이우선(1930-001)
5507. 모터(2230-276)	6305. 대선(1930-001)
5508. 파워트로웰	**64. 지원선**
5509. 배관파이프	**65. 공란**
5510. 회전날개(개당)	**66. 준설부속**
5511. 초고압펌프	**67. 공란**
5512. 발전기(2230-230)	**68. 공란**
5513. 엔진(가솔린엔진)	**69. 기타 해상 및 수상장비**
5514. 엔진(디젤엔진)(2815-026)	**71. 도상 작업기**
5515. 엔진식도장기	**72. 레일 작업기**
5516. 에어호스	**73. 공란**
56.파이프추진기	**74. 운반 작업기**
5201. 파이프추진기(오거부착유압식)	**75. 간접 작업기**
5202. 파이프추진기(공압식)	**76. 공란**
5203. 유압잭	**77. 공란**
57. 공란	**78. 공란**
58. 공란	**79. 기타 궤도장비**
59. 기타 기초 및 천공장비	**81. 지원장비**
61. 준설선	8101. 자동세륜기(3695-193)
6101. 펌프준설선(1955-001)	8102. 물탱크(살수차)(3825-036)
6102. 버킷준설선(1955-001)	**82. 건설로봇**
6103. 그래브준설선(1955-001)	**83. 용접기**
62. 작업선	8301. 용접기(교류)
6201. 기중기선(1935-002)	8302. 용접기(직류)
6202. 하천골재채취선	8303. 융착기
63. 부속선	8304. 알곤 용접기
6301. 예선(1930-002)	8305. 주철관절단기(5130-019)
6302. 양묘선(앵커버지)(1930-001)	8306. 프라즈마 절단기(5130-019)

대 · 중 · 소 · 세분류	대 · 중 · 소 · 세분류
84. 천공공구	(공 백)
85. 타공구	
8501. 해머(5130-078)	
8502. 맬릿(5120-002)	
86. 절삭공구	
87. 공란	
88. 공란	
89. 기타 특수장비, 지원장비, 공구	

대 · 중 · 소 · 세분류	대 · 중 · 소 · 세분류
(3) 인력분류(L)	0114. 전기 보수
- ( )는 조달청 물품목록코드	0115. 통신 보수
	0116. 보일러 보수
01. 공통/일반인력	0117. 발전기 보수
0101. 경비	0118. 냉동기 보수
0102. 경비보조	0119. 위생설비 보수
0103. 요리	0120. 통관
0104. 요리보조	0121. 캠프관리
0105. 의사	0122. 노무보조
0106. 의료요원	0123. 자재관리
0107. 이발	0124. 중기관리
0108. 세탁	0125. 사무보조
0109. 재봉사	0126. 경리보조
0110. 채소재배	0127. 수작업반장
0111. 식품제조	0128. 도목수
0112. 전자기기 수리	0129. 터널설치공
0113. 사무기 수리	0130. 스틸폼제작공

대 · 중 · 소 · 세분류
0131. 판넬설치공
0132. 계령공
0133. 모래분사공
0134. P.C생산공
0135. P.C조립공
0136. 바이브레터공
0137. 양생공
0138. 연돌공
0139. 숏크리트공
0140. 양수공
0141. 조경공
0142. 검조부
0143. 제재공
0144. 도시계획기술사
0145. 도시계획기사
0146. 조경기술사
0147. 조경기사
0148. 조경산업기사
0149. 조경기능사
0150. 지적기술사
0151. 지적기사
0152. 지적산업기사
0153. 지적기능사
0154. 기계안전기술사
0155. 산업안전기사
0156. 산업안전산업기사
0157. 화공안전기술사
0158. 전기안전기술사
0159. 건설안전기술사

대 · 중 · 소 · 세분류
0160. 건설안전기사
0161. 건설안전산업기사
0162. 소방기술사
0163. 소방설비기사(기계분야)
0164. 소방설비기사(전기분야)
0165. 소방설비산업기사(기계분야)
0166. 소방설비산업기사(전기분야)
0167. 가스기술사
0168. 가스기능장
0169. 가스기사
0170. 가스산업기사
0171. 가스기능사
0172. 대기관리기술사
0173. 대기환경기사
0174. 대기환경산업기사
0175. 환경기능사
0176. 수질관리기술사
0177. 수질환경기사
0178. 수질환경산업기사
0179. 소음진동기술사
0180. 소음진동기사
0181. 소음진동산업기사
0182. 폐기물처리기술사
0183. 폐기물처리기사
0184. 폐기물처리산업기사
0185. 응용지질기술사
0186. 응용지질기사
0187. 비계기능사
0188. 거푸집기능사

대 · 중 · 소 · 세분류
0189. 철근기능사
0190. 방수기능사
0191. 콘크리트기사
0192. 콘크리트산업기사
0193. 콘크리트기능사
0194. 석공기능사
0195. 화학분석기사
0196. 화학분석기능사
0197. 산업위생관리기술사
0198. 산업위생관리기사
0199. 산업위생관리산업기사
0200. 인간공학기술사
0201. 인간공학기사
0202. 비파괴검사기술사
0203. 누설비파괴검사기사
0204. 방사선비파괴검사기사
0205. 방사선비파괴검사산업기사
0206. 방사선비파괴검사기능사
0207. 와전류비파괴검사기사
0208. 자기비파괴검사기사
0209. 자기비파괴검사산업기사
0210. 자기비파괴검사기능사
0211. 초음파비파괴검사기사
0212. 초음파비파괴검사산업기사
0213. 초음파비파괴검사기능사
0214. 침투비파괴검사기사
0215. 침투비파괴검사산업기사
0216. 침투비파괴검사기능사
0217. 열관리기사

대 · 중 · 소 · 세분류
0218. 열관리산업기사
0219. 방사선관리기술사
0220. 원자력발전기술사
0221. 원자력기사
0222. 화공기술사
0223. 화공기사
0224. 화공산업기사
02. 관리인력
0201. 프로젝트기획
0202. 사업타당성 검토
0203. 기술타당성 검토
0204. 입찰, 계약
0205. C/M
0206. 설계
0207. 감리
0208. 시공
0209. 유지보수
0210. 공장관리기술사
0211. 품질관리기술사
0212. 품질경영기사
0213. 품질경영산업기사
03. 토목인력
0301. 토목반장
0302. 터널반장
0303. 구조물반장
0304. 포장반장
0305. 적석공

대 · 중 · 소 · 세분류
0306. 라인마킹공
0307. 터널공
0308. 토목배관공
0309. 잠함공
0310. 영림기사
0311. 토질및기초기술사
0312. 토목품질시험기술사
0313. 건설재료시험기사
0314. 건설재료시험산업기사
0315. 건설재료시험기능사
0316. 토목구조기술사
0317. 항만 및 해안기술사
0318. 도로및공항기술사
0319. 철도기술사
0320. 철도보선기사
0321. 철도보선산업기사
0322. 보선기능사
0323. 수자원개발기술사
0324. 상하수도기술사
0325. 농어업토목기술사
0326. 토목시공기술사
0327. 토목기사
0328. 토목산업기사
0329. 토목제도기능사
0330. 측량 및 지형공간정보기술사
0331. 측량 및 지형공간정보기사
0332. 측량 및 지형공간정보산업 기사
0333. 측량기능사

대 · 중 · 소 · 세분류
0334. 지도제작기능사
0335. 도화기능사
0336. 항공사진기능사
0337. 자원관리기술사
0388. 시추기능사
0339. 교통기술사
0340. 교통기사
0341. 교통산업기사
0342. 화약류제조기사
0343. 화약류제조산업기사
04. 건축인력
0401. 건축반장
0402. 가구공
0403. 루핑공
0404. 아스타일공
0405. 셔터공
0406. 천정공
0407. 기와공
0408. 슬레이트공
0409. 타일기능사
0410. 미장기능사
0411. 조적산업기사
0412. 조적기능사
0413. 건축구조기술사
0414. 전산응용건축제도기능사
0415. 건축기계설비기술사
0416. 건축설비기사
0417. 건축설비산업기사

대 · 중 · 소 · 세분류
0418. 건축시공기술사
0419. 건축일반시공기능장
0420. 건축일반시공산업기사
0421. 건축기사
0422. 건축산업기사
0423. 온수온돌기능사
0424. 유리시공기능사
0425. 건축목재시공기능장
0426. 건축목공산업기사
0427. 건축목공기능사
0428. 목재창호기능사
0429. 금속재창호기능사
0430. 플라스틱창호기능사
0431. 건축도장기능사
0432. 도배기능사
0433. 건축품질시험기술사
0434. 실내건축기사
0435. 실내건축산업기사
0436. 실내건축기능사
0437. 가구제작기능사
05. 설비 · 기계인력
0501. 기계반장
0502. 제관공
0503. 보일러운전공
0504. 기계정비공
0505. 판금공
0506. 선반공
0507. 냉동공

대 · 중 · 소 · 세분류
0508. 기계배관공
0509. 기계 시운전공
0510. 벨트컨베이어 작업공
0511. 리벳공
0512. 대장공
0513. 공조냉동기계기술사
0514. 보일러기능장
0515. 공조냉동기계기사
0516. 공조냉동기계산업기사
0517. 보일러산업기사
0518. 공조냉동기계기능사
0519. 보일러시공기능사
0520. 보일러취급기능사
0521. 용접기술사
0522. 용접기능장
0523. 용접기사
0524. 용접산업기사
0525. 전기용접기능사
0526. 가스용접기능사
0527. 특수용접기능사
0528. 배관기능장
0529. 배관설비산업기사
0530. 공업배관기능사
0531. 승강기기사
0532. 승강기산업기사
0533. 승강기기능사
06. 전기 · 통신인력
0601. 전기반장

대 · 중 · 소 · 세분류
0602. 자동계장공
0603. 자동제어공
0604. 엘리베이터공
0605. 엘리베이터 조정공
0606. 철도신호 전자기기공
0607. 설비공
0608. 발송배전기술사
0609. 건축전기설비기술사
0610. 전기기능장
0611. 전기기사
0612. 전기공사기사
0613. 전기기기산업기사
0614. 전기산업기사
0615. 건기공사산업기사
0616. 전기공사기능사
0617. 전기응용기술사
0618. 전기철도기술사
0619. 전기철도기사
0620. 전기철도산업기사
0621. 전기철도기능사
0622. 철도신호기술사
0623. 철도신호기사
0624. 철도신호산업기사
0625. 철도신호기능사
0626. 정보통신기술사
0627. 통신설비기능장
0628. 정보통신기사
0629. 전파통신기사
0630. 전파전자기사

대 · 중 · 소 · 세분류
0631. 무선설비기사
0622. 방송통신기사
0633. 정보통신산업기사
0634. 통신선로산업기사
0635. 전파통신산업기사
0636. 전파전자산업기사
0637. 무선설비산업기사
0638. 방송통신산업기사
0639. 통신기기기능사
0640. 통신선로기능사
0641. 전파통신기능사
0642. 전파전자기능사
0643. 무선설비기능사
0644. 방송통신기능사
0645. 정보기기운용기능사
0646. 전자계산기기술사
0647. 전자계산기기사
0648. 전자계산기산업기사
0649. 사무자동화산업기사
0650. 전자계산기조직응용기사
0651. 전자계산조직응용기술사
0652. 정보관리기술사
0653. 정보처리기사
0654. 정보처리산업기사
0655. 정보처리기능사
07. 중기 · 차량인력
0701. 중기반장
0702. 항타공

대 · 중 · 소 · 세분류
0703. 윈치공
0704. 정비반장
0705. 중기운전기사
0706. 중기조장
0707. 중기운전조수
0708. 건설기계기술사
0709. 건설기계정비기능장
0710. 건설기계기사
0711. 건설기계산업기사
0712. 건설기계정비산업기사
0713. 건설기계정비기사
0714. 건설기계기관정비기능사
0715. 건설기계차체정비기능사
0716. 기중기운전기능사
0717. 굴삭기운전기능사
0718. 불도우저운전기능사
0719. 천장크레인운전기능사
0720. 로우더운전기능사
0721. 아스팔트믹싱플랜트운전기능사
0722. 준설선운전기능사
0723. 로울러운전기능사
0724. 모우터그레이더운전기능사
0725. 아스팔트피니셔운전기능사
0726. 지게차운전기능사
0727. 공기압축기운전기능사
0728. 양화장치운전기능
0730. 쇄석기운전기능사

대 · 중 · 소 · 세분류
08. 플랜트기계인력
0801. 플랜트기계반장
0802. 플랜트비계공
0803. 플랜트보온공
0804. 플랜트도장공
0805. 플랜트 시운전공
0806. 플랜트인부
09. 플랜트전기인력
0901. 플랜트 전기반장
0902. 플랜트 계장
0903. 플랜트 송전공
0904. 플랜트 배전공
0905. 플랜트 자동제어공
0906. 플랜트 통신 · 케이블공
0908. 플랜트 통신설비공
0909. 플랜트 무선설비공
0910. 플랜트 전기설비공
10. 시중노임단가
1001. 갱부(5690-001-7001)
1002. 건축목공(5690-001-7005)
1003. 형틀목공(5690-001-7137)
1004. 창호목공(5690-001-7099)
1005. 철골공(5690-001-7100)
1006. 철공(5690-001-7101)
1007. 철근공(5690-001-7102)
1008. 철판공(5690-001-7104)
1009. 샷시공(5690-001-7044)

대 · 중 · 소 · 세분류	대 · 중 · 소 · 세분류
1010. 절단공(5690-001-7079) 1011. 석공(5690-001-7045) 1012. 특수비계공(5690-001-7119) 1013. 비계공(5690-001-7042) 1014. 동발공(터널)(5690-001-7023) 1015. 조적공(5690-001-7085) 1016. 치장벽돌공(5690-001-7106) 1017. 벽돌(블럭)제작공 (5690-001-7034) 1018. 미장공(5690-001-7028) 1019. 방수공(5690-001-7029) 1020. 타일공(5690-001-7109) 1021. 줄눈공(5690-001-7091) 1022. 연마공(5690-001-7055) 1023. 콘크리트공(5690-001-7108) 1024. 보일러공(5690-001-7039) 1025. 배관공(5690-001-7030) 1026. 위생공(5690-001-7072) 1027. 보온공(5690-001-7038) 1028. 도장공(5690-001-7021) 1029. 내장공(5690-001-7017) 1030. 도배공(5690-001-7020) 1031. 지붕잇기공(5690-001-7093) 1032. 견출공(5690-001-7006) 1033. 판넬조립공(5690-001-7121) 1034. 화약취급공(5690-001-7139) 1035. 착암공(5690-001-7098) 1036. 보안공(5690-001-7037) 1037. 포장공(5690-001-7123)	1038. 포설공(5690-001-7122) 1039. 궤도공(5690-001-7013) 1040. 용접공(철 도)(5690-001-7057) 1041. 잠수부(5690-001-7075) 1042. 보링공(지질조사) (5690-001-7036) 1043. 조경공(5690-001-7082) 1044. 벌목부(5690-001-7033) 1045. 조림인부(5690-001-7084) 1046. 플랜트기계설치공 (5690-001-7124) 1047. 플랜트특수용접공 (5690-001-7129) 1048. 플랜트용접공(5690-001-7126) 1049. 플랜트배관공(5690-001-7125) 1050. 플랜트제관공(5690-001-7128) 1051. 시공측량사(5690-001-7050) 1052. 시공측량사조수 (5690-001-7051) 1053. 측부(5690-001-7105) 1054. 송전전공(5690-001-7048) 1055. 송전활선전공(5690-001-7049) 1056. 배전전공(5690-001-7031) 1057. 배전활선전공(5690-001-7032) 1058. 플랜트전공(5690-001-7127) 1059. 내선전공(5690-001-7016) 1060. 특고압케이블전공 (5690-001-7117) 1061. 고압케이블전공(5690-001-7010)

대 · 중 · 소 · 세분류	대 · 중 · 소 · 세분류
1062. 저압케이블전공(5690-001-7076) 1063. 철도신호공(5690-001-7103) 1064. 계장공(5690-001-7007) 1065. 통신외선공(5690-001-7115) 1066. 통신설비공(5690-001-7114) 1067. 통신내선공(5690-001-7113) 1068. 통신케이블공(5690-001-7116) 1069. 무선안테나공(5690-001-7027) 1070. 작업반장(5690-001-7074) 1071. 목도(5690-001-7025) 1072. 조력공(5690-001-7083) 1073. 특별인부(5690-001-7118) 1074. 보통인부(5690-001-7041) 1075. 건설기계운전기사 (5690-001-7002) 1076. 건설기계조장(5690-001-7004) 1077. 운전사(운반차)(5690-001-7059) 1078. 운전사(기계)(5690-001-7058) 1079. 건설기계운전조수 (5690-001-7003) 1080. 고급선원(5690-001-7008) 1081. 보통선원(5690-001-7040) 1082. 선부(5690-001-7047) 1083. 준설선선장(5690-001-7088) 1084. 준설선기관장(5690-001-7087) 1085. 준설선기관사(5690-001-7086) 1086. 준설선운전사(5690-001-7089) 1087. 준설선전기사(5690-001-7090) 1088. 기계설치공(5690-001-7015)	1089. 기계공(5690-001-7014) 1090. 현도사 1091. 제도사(5690-001-7080) 1092. 시험관련기사(시험사1급) (5690-001-7053) 1093. 시험관련산업기사(2급) (5690-001-7054) 1094. 시험보조수(5690-001-7052) 1095. 유리공(5690-001-7073) 1096. 함석공(5690-001-7136) 1097. 용접공(일반)(5690-001-7056) 1098. 닥트공(5690-001-7019) 1099. 할석공(5690-001-7135) 1100. 제철축로공(5690-001-7081) 1101. 지적기사(지적기사1급) (5690-001-7096) 1102. 지적산업기사(지적기사2급) (5690-001-7097) 1103. 지적기능산업기사(지적기능사1급)(5690-001-7094) 1104. 지적기능사(지적기능사2급) (5690-001-7095) 1105. H/W설치사(5690-001-7141) 1106. H/W시험사(5690-001-7142) 1107. S/W시험사(5690-001-7143) 1108. CPU시험사(5690-001-7140) 1109. 광통신설치사(5690-001-7012) 1110. 광케이블설치사 (5690-001-7011)

대 · 중 · 소 · 세분류	대 · 중 · 소 · 세분류
1111. 도편수(5690-001-7022)	1135. 원자력플랜트전공 (5690-001-7071)
1112. 목조각공(5690-001-7026)	1136. 고급원자력비파괴시험공 (5690-001-7009)
1113. 한식목공(5690-001-7130)	1137. 특급원자력비파괴시험공
1114. 한식목공조공(5690-001-7131)	1138. 통신관련기사(통신기사1급) (5690-001-7111)
1115. 드잡이공(5690-001-7024)	1139. 통신관련산업기사(통신기사2급)(5690-001-7112)
1116. 한식와공(5690-001-7133)	1140. 통신기능사(5690-001-7110)
1117. 한식와공조공(5690-001-7134)	1141. 노즐공(5690-001-7018)
1118. 석조각공(5690-001-7046)	1142. 코킹공(5690-001-7107)
1119. 특수화공(5690-001-7120)	1143. 전기공사기사(전기공사기사1급)(5690-001-7077)
1120. 화공(5690-001-7138)	1144. 전기공사산업기사(전기공사기사2급)(5690-001-7078)
1121. 한식미장공(5690-001-7132)	1145. 변전전공(5690-001-7035)
1122. 원자력배관공(5690-001-7064)	
1123. 원자력용접공(5690-001-7066)	
1124. 원자력기계설치공 (5690-001-7061)	
1125. 원자력덕트공(5690-001-7063)	
1126. 원자력제관공(5690-001-7067)	
1127. 원자력케이블전공 (5690-001-7068)	
1128. 원자력계장공(5690-001-7060)	
1129. 원자력기술자(5690-001-7062)	
1130. 중급원자력기술자 (5690-001-7092)	(공 백)
1131. 상급원자력기술자 (5690-001-7043)	
1132. 원자력품질관리사 (5690-001-7070)	
1133. 원자력특별인부(5690-001-7069)	
1134. 원자력보온공(5690-001-7065)	

신기술의 평가기준 및 평가절차 등에 관한 규정

국토교통부고시 제2021-1149호

일부개정 2021.10.14

제1장 총칙

제1조(목적) 이 규정은 「건설기술진흥법 시행령」(이하 "영"이라 한다) 제32조 및 제35조의 구정에 따라 건설신기술의 평가 등에 관하여 필요한 사항을 정함을 목적으로 한다.

제2조(정의) 이 규정에서 사용하는 용어의 정의는 다음과 같다.

1. "신청인"이라 함은 영 제31조의 규정에 의하여 신기술의 지정을 신청한 자(법인인 경우에는 그 법인을 포함한다) 또는 영 제35조의 규정에 의하여 신기술 보호기간의 연장을 신청한 자를 말한다.
2. "이해관계인"이라 함은 영 제32조제3항, 제35조제4항 및 본 규정 제8조의 규정에 의하여 이해관계의견을 제출한 자를 말한다.
3. "지정신청"이라 함은 영 제31조의 규정에 의하여 신기술의 지정을 신청하는 것을 말하며, "연장신청"이라 함은 영 제35조의 규정에 의하여 신기술 보호기간의 연장을 신청하는 것을 말한다.
4. "신청서"라 함은 건설기술진흥법 시행규칙(이하 "규칙"이라 한다) 제7조의 규정에 의한 신기술지정신청서 또는 규칙 제11조의 규정에 의한 신기술보호기간연장신청서를 말한다.
5. "위원회"라 함은 영 제32조제4항의 규정에 의한 신기술심사위원회와 본 규정 제19조의2의 규정에 의한 신기술관리위원회를 말하며, 신기술심사위원회는 1차신기술심사위원회(이하 "1차심사위원회"라 한다)와 2차신기술심사위원회(이하 "2차심사위원회"라 한다)로 구분한다.
6. "구비서류"라 함은 지정신청의 경우는 영 제31조, 규칙 제7조 및 본 규정 제5조제2항 각 호의 사항을 기재한 서류를 말하며, 연장신청의 경우는 영 제35조제3항, 규칙 제11조 및 본 규정 제6조제2항 각 호의 서류를 말한다.
7. "선행건설기술"이라 함은 신청기술과 유사한 용도·목적을 가진 기술로서 심사기관에서 신청기술 조사시점 이전에 국내 및 외국의 특허, 실용신안 등을 획득하였거나 신기술로 등록 또는 논문·학술지 등에 게재된 기술을 말한다.
8. "지식재산권"이라 함은 인간의 창조적 활동 또는 경험 등을 통해 창출하거나 발견한 지식·정보·기술이나 표현, 표시 그 밖에 무형적인 것으로서 재산적 가치가 실현될 수 있는 지적창작물에 부여된 재산에 관한 권리를 말하며, 특허권, 실용신안권, 디자인권, 저작권 및 소프트웨어와 관련한 권리가 이에 포함된다.

제3조(신청인의 자격) ① 지정신청의 경우 신청인은 다음 각 호의 어느 하나에 해당하는 자격요건을 갖추어야 한다.

1. 국내에서 최초로 특정 건설기술을 개발하거나 기존 건설기술을

개량한 자

2. 신청기술과 관련된 특허, 실용신안 등 지식재산권의 등록권자(출원 포함)
3. 국가연구개발사업 성과의 소유권자로부터 기술 실시권 및 신기술 신청에 대한 동의를 받은 자

② 연장신청의 경우 건설신기술 지정증서에 명시된 자에 한한다.

③ 기술을 공동으로 소유한 경우 일부 구성원이 신기술을 신청하고자 할 때에는 나머지 공동 소유자의 동의를 받아야 한다.

제4조(심사기준) ① 건설기술진흥법(이하 "법"이라 한다) 제14조제1항의 규정에 의한 신기술 지정의 심사기준은 다음 각 호와 같다.

1. 1차심사위원회의 심사기준(신규성 및 진보성)
   가. 신규성 : 최초로 개발된 기술이거나 개량된 기술로서 기존 기술과 차별성, 독창성과 자립성 등이 인정되는 기술
   나. 진보성 : 기존의 기술과 비교하여 품질 향상, 개량 정도, 안전성, 첨단기술성 등이 인정되는 기술
   다. 삭제
2. 2차심사위원회의 심사기준(현장적용성)
   가. 현장우수성 : 시공성, 안전성, 구조안정성, 유지관리 편리성, 환경성 등이 우수하여 건설현장에 적용할 가치가 있는 기술
   나. 경제성 : 기존의 기술과 비교하여 설계 · 시공 공사비, 유지관리비, 공사기간 단축 등 비용 절감효과가 인정되는 기술
   다. 보급성 : 시장성, 공익성 등이 우수하여 기술보급의 필요성이 인정되는 기술

② 영 제35조제2항의 규정에 의한 신기술 보호기간 연장의 심사기준은 다음 각 호와 같다.

1. 품질검증 : 신기술이 적용된 주요 현장에 대하여 모니터링한 결과, 지정시 제시된 신기술 성능 및 효과가 검증된 기술
2. 기술의 우수성 : 국내외 동종 기술과 비교하여 우수성이 인정되는 기술
3. 활용실적 : 지정 · 고시 후 연장신청일 전까지 신기술의 범위에 해당되는 활용실적이 있는 기술
4. 기타 : 지정 · 고시 후 연장신청일 전까지의 사후평가 결과, 기술가치평가기관의 기술가치평가 결과, 국가 및 지방자치단체에서 주관, 주최 또는 후원하는 전시회, 설명회 참여실적 등이 우수한 기술

③ 위원회는 신청기술의 특성을 고려하여 필요한 경우, 위원장을 제외한 출석위원의 3분의2 이상의 찬성으로 제1항 및 제2항의 심사기준 중 세부항목 및 배점을 조정하여 심사할 수 있다.

제2장 신기술 지정 및 보호기간 연장신청의 접수

제5조(지정신청의 접수) ① 신기술을 지정 받고자 하는 자는 규칙 별지 제1호 서식의 신기술지정신청서를 국토교통과학기술진흥원장(이하 "진흥원장"이라 한다)에게 제출하여야 한다.

② 영 제31조제5호의 규정에서 "그 밖에 신기술의 평가에 필요하

다고 인정되는 사항"은 다음 각 호를 포함한다.

1. 삭제
2. 신청기술을 적용한 시험시공 현장, 시공중인 현장 또는 준공현장의 목록과 해당 실적증빙 자료. 다만 설계관련 기술인 경우에는 예외로 할 수 있다.
3. 현장실사시 주요 확인사항
4. 신청인(공동신청인 포함)의 연도별 상세 참여내역 및 증빙자료
5. 신청인의 신청기술 관련 특허 · 실용신안 출원 또는 등록 내역
6. 신청기술과 유사한 기존 기술(유사 신기술 포함)과의 차별성, 개량내용, 우수성 등 비교 분석 자료
7. 건설공사 원가계산을 주 전문으로 하는 공인된 원가계산용역기관이 발급한 일위대가 및 원가계산서

③ 진흥원장은 접수된 지정신청서를 확인하여 다음 각 호의 1에 해당될 경우에는 신청인에게 보완을 요구할 수 있으며, 신청인은 보완을 요구받은 날부터 7일 이내에 이에 응하여야 한다.

1. 영 제31조의 규정에 의한 신기술지정신청서 구비서류 및 증빙서류에 누락이 있는 경우
2. 신청인이 제3조에 의한 신청자격에 적합하지 않은 경우

④ 진흥원장은 다음 각 호의 1에 해당되는 경우에는 그 사유를 명시하여 지정신청서를 반려할 수 있다.

1. 제3항의 규정에 의하여 2회에 걸쳐 보완을 요구하였으나, 신청인이 정당한 사유 없이 이에 응하지 아니한 경우
2. 신청인이 이미 신기술 지정이 거부된 건설기술을 개선 · 보완 없이 제출한 경우
3. 신청인이 신기술 지정신청을 철회한 경우 등

⑤ 진흥원장은 신기술 지정신청 구비서류에 대한 점검, 안내 등을 위하여 기술분야에 따라 구비서류 목록을 관리하여야 한다.

제6조(연장신청의 접수) ① 신기술의 보호기간을 연장받고자 하는 자는 규칙 별지 제6호 서식의 신기술보호기간연장신청서를 보호기간 만료 150일 전까지 진흥원장에게 제출하여야 한다.

② 영 제35조제3항제1호의 규정에서 "신기술의 활용실적 및 현장 적용결과를 비교 · 분석한 서류"는 다음 각 호의 서류를 말한다.

1. 영 제117조제1항의 규정에 의하여 국토교통부장관으로부터 업무의 위탁을 받은 기관에서 발급한 신기술 활용실적 증명 자료
2. 신청기술 적용 현장의 주기적인 모니터링 자료와 기존 기술과의 비교 · 분석 자료(관련 증빙자료 포함)
3. 건설공사 원가계산을 주 전문으로 하는 공인된 원가계산용역기관이 발급한 일위대가 및 원가계산서

③ 영 제35조제3항제2호의 규정에서 "보호기간 연장에 대한 근거자료"에는 신기술 관련 지식재산권 내역 등의 자료를 포함한다.

④ 영 제35조제3항제4호의 규정에서 "현장을 실제 조사할 때 확인할 주요사항을 적은 서류"는 다음 각 호의 서류를 말한다.

1. 신청기술을 적용한 준공현장과 시공중인 현장의 목록 및 현장실사에 필요한 현황자료. 다만, 설계관련 건설기술인 경우에는 예외로 할 수 있다.
2. 현장실사시 주요 확인사항

⑤ 진흥원장은 접수된 연장신청서를 확인하여 다음 각 호의 1에 해당될 경우에는 신청인에게 그 보완을 요구할 수 있으며, 신청인은 보완을 요구받은 날부터 7일 이내에 이에 응하여야 한다.

1. 영 제35조제3항에 의한 신기술보호기간 연장신청서 구비서류에 누락이 있는 경우
2. 신청인이 제3조에 의한 신청자격에 적합하지 않은 경우

⑥ 진흥원장은 다음 각 호의 1에 해당되는 경우에는 그 사유를 명시하여 연장신청서를 반려할 수 있다.

1. 제5항의 규정에 의하여 2회에 걸쳐 보완 요구하였으나, 신청인이 정당한 사유 없이 이에 응하지 아니한 경우
2. 연장신청기술이 신기술 지정 · 고시 후 연장신청일 전까지 당해 신기술의 범위에 해당되는 활용실적이 없는 경우
3. 신청인이 신기술 보호기간 연장신청을 철회한 경우 등

제7조(공고) ① 진흥원장은 신청서가 접수된 경우 관보공고를 위해 제2항 각 호의 내용을 국토교통부장관에게 보고하여야 한다.

② 국토교통부 장관은 영 제32조의제3항 또는 제35조제4항의 규정에 따라 이해관계인의 의견청취를 위해 다음 각 호의 내용을 관보에 공고하여야 한다.

1. 신청인의 성명(법인인 경우에는 그 명칭 및 대표자의 성명) 및 전화번호
2. 이해관계인의 의견제출방법 등에 관한 사항
3. 지정신청의 경우 신청된 기술의 명칭 · 분야 · 기술의 요지 및 범위
4. 연장신청의 경우 신기술 지정번호 · 명칭 · 분야 · 기술의 요지 · 범위 및 보호기간

③ 진흥원장은 신청기술에 대하여 이해관계인의 의견청취를 위해 제2항 각 호의 내용을 인터넷 및 건설관련 전문지 등에 게재할 수 있다.

제8조(이해관계인의 의견청취) ① 이해관계인 의견청취 기간은 제7조의 규정에 의한 관보공고일부터 30일로 한다.

② 진흥원장은 이해관계 의견을 제출하고자 하는 자가 의견 제출을 위하여 당해 신청서 열람을 요청할 경우에는 이를 교부할 수 있으며, 이 경우 신청인의 동의 없이 신청서의 내용을 임의로 공개하지 않는다는 별지 제14호의 각서를 징구할 수 있다.

③ 이해관계의견을 제출하고자 하는 자는 의견청취 기간 내에 별지 제1호 서식의 이해관계 의견서에 다음 각 호의 사항을 기재하여 진흥원장에게 제출하여야 한다.

1. 신청기술의 명칭 및 이해관계의견을 제출하고자 하는 자의 인적사항
2. 다음 각목의 사항과 같이 이해관계가 성립되는 직접적이고 구체적인 내용
   가. 신청기술이 이해관계인 기술을 모방 · 도용한 경우
   나. 신청기술이 산업재산권과 관련하여 이해관계인 기술과 분쟁 중에 있는 경우
   다. 기타 신청기술이 이해관계인 기술과 직접적인 이해관계가 있는 경우 등
3. 제2호의 내용을 증명하는 자료

④ 진흥원장은 다음 각 호의 1에 해당하는 경우 이해관계 의견서를 반려하거나 의견 제출을 제한할 수 있다.

1. 이해관계인이 신청인의 동의 없이 신청서의 내용을 임의로 공개한 사실이 확인될 경우
2. 이해관계 의견서의 내용이 동종기술의 시장진입 반대, 신청기술의 문제점 제기 등 이해관계와 관련한 직접적인 내용이 아닌 경우

⑤ 진흥원장은 의견청취 기간이 만료되면 접수된 이해관계 의견서를 신청인에게 송부하여야 하며, 신청인은 이해관계 의견서를 받은 날부터 10일 이내에 별지 제2호 서식의 이해관계 의견에 대한 답변서를 진흥원장에게 제출하여야 한다. 이 경우 신청인이 위 기간 내에 이해관계 의견에 대한 답변서를 제출하지 아니한 때에는 답변서 없이 심사할 수 있다.

⑥ 진흥원장은 이해관계 의견서 및 신청인의 답변서를 제10조의 규정에 의한 1차심사우원회 및 제16조의 규정에 의한 2차심사위원회의 심사위원에게 배부하여 당해 심사에 활용할 수 있도록 하여야 한다.

제9조(관계기관의 의견조회) ① 진흥원장은 신청기술에 대하여 관계기관의 의견을 들을 수 있다. 이 경우 "관계기관"이라 함은 다음 각 호의 기관을 말한다. 다만, 진흥원장은 신청기술과 관련하여 자문이나 연구 또는 용역 등을 수행하거나 대표자가 신청인과 동일한 경우에는 의견조회 대상에서 제외하여야 하며, 의견조회 요청을 받은 기관은 제외대상에 해당될 경우에는 이를 진흥원에 알리고 의견을 제출하지 않도록 요청하여야 한다.

1. 영 제32조제2항에 의한 국토교통부령이 정하는 기관 또는 영 제65조에 따라 설계 및 시공기준을 관리하는 기관(이하 기술검토기관이라 한다)
2. 신청기술이 적용된 공사의 발주청 드는 감리자
3. 진흥원장이 인정한 선행건설기술 조사 기관
4. 기타 진흥원장이 신청기술의 검토를 위해 필요하다고 판단하는 기관

② 진흥원장은 제1항에 따라 관계기관에 의견을 조회하는 경우 기술검토기관의 의견조회는 별지 제3호 서식, 신청기술이 적용된 공사의 발주청 또는 감리자에 대한 의견조회는 별지 제4호 서식, 선행건설기술조사는 별지 제5호 서식에 의하며, 이 경우 제1항제2호의 발주청 또는 감리자에 대한 의견은 모두 회신을 받아야 하며, 불가피하게 회신을 받지 못할 경우에는 그 사유를 위원회에 보고하여야 한다.

③ 제1항의 규정에 의하여 의견을 요청받은 관계기관은 신청인의 동의 없이 신청서의 내용을 임의로 공개하여서는 아니된다.

④ 진흥원장은 제1항의 규정에 의한 의견조회 결과를 지정신청인 경우에는 제10조의 규정에 의한 1차심사위원회 및 제15조의 규정에 의한 2차심사위원회, 연장신청인 경우에는 제16조의 규정에 의한 2차심사위원회의 심사위원에게 배부하여 당해 심사에 활용할 수 있도록 하여야 한다.

⑤ 진흥원장은 관계기관 의견조회 후 필요한 경우 선행건설기술조사 결과와 신청기술과의 비교자료 등을 신청인에게 보완하도록 요

청할 수 있으며, 신청인은 보완을 요청받은 날부터 30일 이내에 진흥원장에게 추가 자료를 제출하여야 한다.

⑥ 진흥원장은 「건설기술진흥업무 운영규정」 제94조제1항에 따라 지정된 공사비산정기준 관리기관의 원가계산서 적정성 검토 결과를 신청인에게 통보하고, 적정성 검토 결과를 반영하여 원가계산서를 보완하도록 요청할 수 있다.

⑦ 신청인은 제6항에 따라 요청을 받은 경우에는 요청받은 날부터 30일 이내에 진흥원장에게 보완된 원가계산서를 제출하여야 한다.

제3장 1차심사위원회

제10조(지정신청의 심사) ① 진흥원장은 지정신청 기술에 대하여 다음 각 호의 사항을 심사하기 위해 1차심사위원회를 구성하여야 한다.

1. 신청기술이 건설분야의 기술에 해당하는지 여부 및 스마트 건설기술에 해당하는지 여부
2. 신규성, 진보성
3. 기타 진흥원장 또는 1차심사위원회가 필요하다고 인정하는 사항

② 진흥원장은 위원장 1인 및 10인 이상 15인 이하의 심사위원으로 제1항의 규정에 의한 1차심사위원회를 구성하고, 심사위원 3분의2 이상의 출석으로 개회하며, 제출서류의 적정 여부 등 사전검토 결과를 1차심사위원회에 보고하여야 한다.

③ 진흥원장은 위원장을 제외한 출석위원의 3분의2 이상의 찬성으로 1차심사 인정 여부를 의결하고, 1차심사 인정으로 의결된 신청기술에 대하여는 출석위원 과반수의 찬성으로 현장실사 실시 여부를 결정한다. 이 경우 진흥원장은 위원회에서 결정된 사항 등에 대하여 다음 각 호의 사항을 신청인에게 요구할 수 있다.

1. 1차심사 위원의 지적사항 보완
2. 현장실사 대상 현장 및 주요 확인사항을 포함한 현장실사 계획서

④ 진흥원장은 제3항의 규정에 의한 1차심사 결과 불인정된 신청기술에 대하여는 그 결과 및 사유를 국토교통부장관에게 통보하고, 국토교통부장관은 이를 신청인에게 통보하여야 한다.

⑤ 진흥원장은 공정한 심사를 위하여 필요하다고 인정되는 경우에는 제3항의 규정에 의한 1차심사위원회에 신청인(기술개발에 관여한 자에 한하여 신청인을 대리하는 자 포함)과 이해관계인을 참석시켜 의견을 진술하게 할 수 있다.

⑥ 1차심사위원회의 심사위원은 별지 제6호 서식의 1차심사평가서(지정신청) 및 별지 제6의2호 서식의 종합의견서(지정신청)를 작성하여 진흥원장에게 제출하여야 한다.

⑦ 2차심사에서 탈락된 기술을 보완하여 신청한 경우 1차심사를 면제한다. 다만 2차 심사결과가 통보된 날로부터 1년 이내에 신청하여야 하고 1회에 한하며 최초 신청한 기술의 명칭과 범위로 신청하여야 한다.

⑧ 「환경기술 및 환경산업 지원법」 제7조에 따른 환경신기술로 인증되어 유효기간을 연장하지 않은 기술, 「저탄소 녹색성장 기본법」 제32조에 따른 녹색인증 기술 및 「과학기술기본법」 제11조에 따른 국가연구개발사업의 성공판정을 받은 결과물로서 제5조에 따라 신

기술지정신청서를 제출한 기술이거나 제1항제1호에 따라 스마트 건설기술로 의결된 기술에 대하여는 제4조제1항제1호의 1차심사기준 중 첨단기술성을 충족한 것으로 본다.

제11조(연장신청의 심사) 진흥원장은 신속한 심사와 신청인의 부담 경감을 위하여 연장신청 기술에 대한 1차심사를 면제한다.

제4장 현장실사와 품질검사

제12조(지정신청의 현장실사) ① 진흥원장은 제10조제3항의 규정에 의해 현장실사를 실시하게 되는 때에는 3인 이상 7인 이하의 현장실사위원(이하 "실사위원"이라 한다)을 구성하되, 1차심사위원회의 심사위원 중에서 선정할 수 있으며, 선정된 위원 중 과반수의 참석으로 현장실사를 실시하여야 한다. 이 경우 진흥원장은 현장실사의 원활한 진행을 위하여 국토교통과학기술진흥원(이하 "진흥원"이라 한다) 및 국토교통부 관계직원을 참여시킬 수 있다.

② 신청인은 신청기술의 현장적용 내용 등을 실사위원에게 설명하고, 현장실사가 원활히 진행될 수 있도록 협조하여야 하며, 현장실사 과정에서 제기된 사항이 심사에 필요하다고 판단되는 경우에는 관련 자료를 진흥원장에게 제출할 수 있다.

③ 실사위원은 필요하다고 인정되는 경우에는 발주청 또는 감리자 등의 의견을 들을 수 있다.

④ 실사위원은 다음 각 호의 사항을 심사하여 별지 제8호 서식의 현장실사 의견서를 작성하여 진흥원장에게 제출하여야 한다.

1. 현장실사 결과 주요 확인사항
2. 영 제31조제6호의 국립·공립 시험기관 또는 건설기술용역업자에 의한 품질시험·검사(이하 "품질검사"라 한다)의 필요성 여부 등

⑤ 진흥원장은 제4항의 규정에 의한 현장실사 의견을 2차심사위원회에 배부하여 심사에 활용할 수 있도록 하여야 한다. 다만 2차심사에서 탈락된 기술을 보완하여 재신청한 경우에는 기존 현장실사 의견을 활용할 수 있다.

⑥ 진흥원장은 현장실사 결과 재실사가 필요하다고 판단되는 경우에는 재실사를 할 수 있다.

제13조(연장신청의 현장실사) ① 진흥원장은 제6조의 규정에 따라 접수된 연장신청기술에 대하여 현장실사를 실시함에 있어 3인 이상 7인 이하의 실사위원을 구성하고 선정된 위원 중 과반수의 참석으로 현장실사를 실시하여야 한다. 이 경우 진흥원장은 현장실사의 원활한 진행을 위하여 진흥원 및 국토교통부 관계직원을 참여시킬 수 있다.

② 진흥원장은 제1항의 규정에 따라 현장실사를 실시함에 있어 실사위원으로 하여금 현장실사 주요 확인사항`에 대한 사전검토를 요청할 수 있고, 그 검토 결과를 토대로 현장실사를 실시한다.

③ 진흥원장은 제1항의 규정에 의하여 연장신청의 현장실사를 실시함에 있어 제12조제2항 내지 제6항의 규정을 준용할 수 있다.

제14조(품질검사) ① 진흥원장은 제12조의 규정에 의한 현장실사에서 참석위원 중 과반수의 위원이 품질검사가 필요하다는 의견을 제시

한 경우에는 신청인으로 하여금 품질검사를 의뢰하도록 하여 이에 대한 자료를 제출하도록 요청할 수 있다. 이 경우 법 제60조제1항의 기관 중에서 품질검사 대상기관을 지명할 수 있다.

② 신청인은 제1항의 규정에 의한 국립·공립 시험기관 또는 건설기술용역업자의 품질검사 결과를 진흥원장에게 제출하여야 한다.

③ 진흥원장은 제2항의 규정에 의한 품질검사 결과를 2차심사위원회에 배부하여 심사에 활용할 수 있도록 하여야 한다.

제5장 2차심사위원회

제15조(지정신청의 심사) ① 진흥원장은 2차심사위원회에 상정된 기술에 대하여 다음 각 호의 사항을 심사하기 위해 2차심사위원회를 구성하여야 한다.

1. 현장적용성(현장우수성, 경제성, 보급성)
2. 기타 진흥원장 또는 2차심사위원회가 필요하다고 인정하는 사항

② 진흥원장은 위원장 1인 및 10인 이상 15인 이하의 심사위원으로 2차심사위원회를 구성하고, 위원장을 제외한 심사위원 3분의2 이상의 출석으로 개회하며, 위원장을 제외한 출석위원 3분의2 이상의 찬성으로 신기술의 "인정 여부"를 의결한다. 이 경우 신청기술의 명칭 및 범위의 조정이 필요하다고 인정되는 때에는 위원회에서 이를 조정할 수 있다.

③ 진흥원장은 공정·엄정한 심사를 위하여 필요하다고 인정되는 경우에는 제2항의 규정에 의한 2차심사위원회에 신청인(기술개발에 관여한 자에 한하여 신청인을 대리하는 자 포함)을 참석시켜 의견을 진술하게 할 수 있다.

④ 2차심사위원회의 심사위원은 별지 제9호 서식의 2차심사평가서(지정신청) 및 별지 제9의2호 서식의 종합의견서(지정신청)를 작성하여 진흥원장에게 제출하여야 한다.

제16조(연장신청의 심사) ① 진흥원장은 다음 각 호의 사항을 심사하기 위해 2차심사위원회를 구성하여야 한다.

1. 품질검증·기술의 우수성 및 활용실적
2. 사후평가서 및 홍보실적
3. 보호기간 중 일부 개량이 있는 경우에 적정성 및 기술내용(범위) 조정사항
4. 기타 진흥원장 또는 2차심사위원회가 필요하다고 인정하는 사항

② 진흥원장은 제1항의 규정에 의한 2차심사위원회를 위원장 1인 및 10인 이상 15인 이하의 심사위원으로 구성하고, 위원장을 제외한 심사위원 3분의2 이상의 출석으로 개회하며, 위원장을 제외한 출석위원은 신청기술의 등급, 보호기간 연장기간 및 신기술 범위의 조정 여부를 의결한다.

③ 진흥원장은 공정·엄정한 심사를 위하여 필요하다고 인정되는 경우에는 제2항의 규정에 의한 2차심사위원회에 신청인(기술개발에 관여한 자에 한하여 신청인을 대리하는 자 포함)과 이해관계인을 참석시켜 의견을 진술하게 할 수 있다.

④ 2차심사위원회의 심사위원은 별지 제10호 서식의 2차심사평가서(연장신청) 및 별지 제10의3호 서식의 종합의견서(연장신청)를

작성하여 진흥원장에게 제출하여야 한다.

제17조(보호기간과 연장기간) ① 영 제35조제1항에 의한 신기술의 보호기간은 신기술의 지정·고시일부터 8년으로 한다.

② 2차심사위원회의 심사위원이 영 제35조제2항의 규정에 의한 보호기간 연장기간을 평가하는 기준은 별표1과 같다

③ 진흥원장은 제16조의 규정에 의한 2차심사위원회에 참석한 심사위원(위원장 제외)의 평가점수 중 최고점수와 최저점수를 제외한 나머지 점수들을 산술평균하고 소수점 첫째자리에서 반올림 한 점수에 따라 등급과 보호기간을 정한다. 이 경우 종합평가점수가 40점 미만인 경우에는 등급을 부여하지 않으며 보호기간 연장도 불인정한다.

④ 제3항의 규정에 의한 연장기간을 산정한 후 당해 신기술과 관련하여 제21조제4항의 규정에 의한 부당행위가 있을 경우 다음 각 호의 기준을 반영하여 연장기간을 경감하되, 경감되는 기간의 합이 위에서 정한 연장기간과 같거나 이를 초과할 경우 보호기간의 연장이 불인정된 것으로 한다.

1. 공정거래위원회로부터의 시정조치명령 건당 6월씩 경감
2. 공정거래위원회로부터의 과징금부과 건당 1년씩 경감
3. 사법기관으로부터의 벌금 이상의 처벌 건당 1년 6월씩 경감

제18조(심사결과의 처리) ① 진흥원장은 위원회의 심사결과 신기술로 인정되었으나, 심사과정에서 위원회가 요구한 사항 및 조정된 내용이 있는 경우 신청인에게 통보하여야 하고, 신청인은 이를 보완한 자료를 진흥원장에게 제출하여야 한다.

② 진흥원장은 제15조 내지 제17조의 규정에 의한 위원회의 심사결과를 국토교통부장관에게 보고하여야 한다. 다만 제1항에 따라 자료보완이 필요한 경우 보완이 완료된 이후에 보고하여야 한다.

③ 국토교통부장관은 제1항에 의한 심사결과에 따라 신기술의 지정 여부 또는 등급 및 보호기간 연장기간을 결정하여야 한다. 이 경우 "신기술 불인정" 및 "보호기간 연장 불인정"으로 결정된 기술에 대하여는 그 사유를 명시하여 신청인에게 통보하여야 한다.

④ 국토교통부장관은 위원회의 심사절차 또는 결과에 명백한 하자가 있다고 인정되는 경우에는 진흥원장에게 재심사하도록 요청할 수 있다. 이 경우 재심사의 절차 및 방법은 제10조 및 제12조 내지 제17조의 규정을 준용한다.

제6장 사후관리 및 신기술관리위원회의 구성

제19조(지정증서의 발급 등) ① 국토교통부장관은 제18조에 따라 신기술을 지정한 경우에는 신청인에게 신기술 지정 증서를 발급하여야 한다. 다만, 제10조제1항에 따라 스마트 건설기술로 의결된 신기술의 지정증서는 별지 제15호 서식과 같다.

② 규칙 제9조제2항에 따른 사유 이외에 재발급 사유는 다음 각 호와 같다.

1. 지정증서에 명시된 개인이 법인을 설립하는 경우
2. 부도·폐업 또는 인수·합병 등으로 지정증서에 명시된 기존 법인의 권리가 변경된 경우

3. 부도 · 폐업 등으로 신기술 활용이 어려운 경우로서 법 제14조의2에 따른 신기술사용협약 조건을 갖추고 있는 자가 권리를 승계하는 경우. 다만, 승계자는 해당 신기술과 관련된 지식재산권 보유자 또는 전용실시권자로 제한한다.
4. 보호기간 또는 기술범위가 조정된 경우

③ 국토교통부장관은 규칙 제9조제2항의 분실 또는 훼손 및 본조 제2항의 각 호에 따라 재발급하는 경우의 신기술 지정증서는 별지 제16호 서식과 같다.

제19조의2(신기술관리위원회의 구성) ① 진흥원장은 신기술 범위조정 및 지정취소 관련 다음 각 호의 사항을 심사하기 위해 신기술관리위원회를 구성할 수 있다.

1. 기술개발자로부터 보호기간 중 신기술의 일부 개량 등의 사유로 신기술 범위의 조정 신청이 있는 경우(보호기간과 연장기간 중 각 1회 신청 가능하며, 핵심기술 · 재료 · 장비 · 시공법 등이 변경되어 신규 지정심사에 준하는 신규성, 진보성, 현장적용성 등에 대한 확인이 필요한 경우는 제외한다.)
2. 국토교통부장관 또는 진흥원장이 기술범위의 해석과 관련하여 민원 등이 발생하거나 예상되어 기술범위를 보다 명확하게 규정할 필요가 있다고 판단하는 경우
3. 국토교통부장관으로부터 법 제15조에 따른 신기술 지정의 취소 여부를 결정하기 위하여 검토요청이 있는 경우
4. 기타 진흥원장 또는 신기술관리위원회가 필요하다고 인정하는 사항

② 진흥원장은 위원장 1인 및 5인 이상 15인 이하의 심사위원으로 신기술관리위원회를 구성하고, 위원장을 제외한 심사위원 3분의2 이상의 출석으로 개회하며, 위원장을 제외한 출석위원 3분의2 이상의 찬성으로 신기술 범위의 조정, 신기술 지정의 취소 여부 등을 의결한다.

③ 진흥원장은 신기술 범위의 조정이나 신기술 지정의 취소 여부 등을 심사하기 위해 현장 실사가 필요하다고 인정하는 경우 참석위원 과반수의 찬성으로 현장실사를 실시할 수 있다.

④ 심사위원은 별지 제10호의2 서식의 심사의견서를 작성하여 진흥원장에게 제출하여야 한다.

⑤ 진흥원장은 공정한 심사를 위하여 필요하다고 인정하는 경우 신기술관리위원회에 기술개발자를 참석시켜 의견을 진술하게 할 수 있다. 다만, 제1항제2호에 대하여 심사하는 경우에는 기술개발자를 반드시 참석시켜 의견을 청취하여야 한다.

⑥ 국토교통부장관은 신기술 범위를 조정하거나 신기술 지정을 취소하는 때에는 영 제35조 및 제37조에 따라 다음 각 호의 사항을 관보에 고시하여야 한다.

1. 신기술 지정번호 및 기술개발자
2. 신기술 명칭 및 범위
3. 신기술 보호기간

⑦ 진흥원장은 신기술 지정을 취소한 경우에는 기술개발자로부터 신기술 지정증서를 회수하여야 한다.

제20조(활용실적 제출) ① 신기술 지정을 받은 자는 규칙 제10조의 규

정에 의하여 보호기간 만료시까지 매년 2월15일까지 전년도 활용실적 유무를 영 제117조제1항에 따라 국토교통부장관이 위탁한 기관에 제출하여야 한다.

② 신기술 지정을 받은 자는 제1항에 의하여 건설신기술 활용실적을 제출함에 있어 허위로 제출하여서는 아니된다.

③ 국토교통부장관은 제1항의 규정에 따른 활용실적이 누락되거나 활용실적이 제출되지 않는 경우에 신기술 보호기간 연장신청을 제한하거나 별표2의 기준에 따라 연장된 해당 신기술의 보호기간을 단축조정할 수 있다.

④ 삭제

⑤ 삭제

제21조(신기술종합정보시스템의 구축 등) ① 신청인은 신청기술이 신기술로 지정되거나 보호기간이 연장된 경우에는 홍보용 전자문서(요약자료 포함)를 진흥원장에게 제출하여야 한다.

② 진흥원장은 신기술제도 안내, 신청기술 현황 및 업무처리정보, 신기술 홍보용 전자문서, 신기술 활용실적 및 사후평가에 관한 정보, 신기술 활용과 관련한 부당행위 등 신기술과 관련한 정보를 제공하기 위하여 건설신기술종합정보시스템(신기술인증관리시스템)을 구축하여 관리·운영하여야 한다.

③ 진흥원장은 제2항의 규정에 의한 건설신기술종합정보시스템(신기술인증관리시스템)에 구축된 신기술 활용실적, 사후평가 등에 대한 정보를 제16조의 규정에 의한 2차심사위원회의 심사위원에게 배부하여 심사에 활용하게 할 수 있다.

④ 제2항의 규정에 의한 신기술 활용과 관련한 부당행위는 신기술 보호기간 중에 공정거래위원회로부터 시정조치명령, 과징금부과 및 사법기관으로부터 벌금이상의 형사상 처벌이 확정된 경우를 말한다.

제7장 보칙

제22조(비밀유지 및 비공개) ① 진흥원의 직원과 심사위원은 직무상 알게 된 비밀 등을 외부에 공표하거나 누설하여서는 아니된다.

② 심사위원과 관계기관 등이 작성한 별지 제3호 내지 제6호 및 제8호 내지 제10호 서식의 심사관련 서류는 비공개로 한다.

③ 제1항 및 제2항에도 불구하고 별지 제6의2호, 제9의2호, 제10의3호 내용 중에서 위원회 종합의견은 신청인 및 제8조에 따라 이해관계 의견을 제출한 자에게 공개할 수 있다.

제23조(위원회의 구성) ① 진흥원장은 기술인증센터장을 제10조, 제15조, 제16조, 제19조의2 및 제29조의 규정에 의한 위원회의 위원장으로 임명하여야 하며, 위원장이 출장 등 부득이한 사유로 직무수행이 불가능한 경우에는 진흥원장이 지명한 자가 위원장 업무를 대행하게 할 수 있다.

② 진흥원장은 제27조제1항 및 제2항의 규정에 의한 전문가 중 신청기술 또는 신청인과 이해관계가 있다고 인정되는 다음 각 호의 전문가는 당해 기술의 심사에서 배제시킬 수 있다.

1. 신청인 또는 이해관계인과 동일기관에 소속된 자

2. 신청기술과 관련한 시험, 용역, 자문, 보고서, 특허 등 기술개발에 관여한 자
3. 신청기술의 시험기관 또는 연구용역기관에 소속된 자
4. 신청기술과 동종 분야의 유사 신기술 보유자. 다만 제27조제1항의 규정에 의한 신기술심사전문가그룹에 등록된 전문가 중 해당 전문분야의 전문가가 부족하거나 없는 경우에는 심사의 전문성 확보를 위해 예외로 한다.
5. 신청기술과 관련하여 자문이나 연구 또는 용역 등을 수행한 기관에 소속(최근 3년내 속하였던 경우를 포함)된 자
6. 기타 진흥원장이 신청인 또는 이해관계인과 이해관계가 있다고 인정할 만한 사유가 명백한 자

③ 진흥원장은 신청인으로부터 제2항 각 호에 해당하는 명단을 접수 받아 심사위원 선정시 검토하여 배제할 수 있다.

④ 진흥원장으로부터 신기술 심사위원회의 위원으로 참여를 요청받은 전문가가 제2항 각 호에 따른 배제 사유에 해당하는 경우에는 스스로 해당 심사에서 회피하여야 한다.

제24조(위원명단 등의 비공개) ① 공정하고 엄정한 심사를 위하여 제10조, 제12조, 제13조, 제15조, 제16조, 제19조의2 및 제29조의 규정에 의한 심사위원 및 전문가의 인적사항은 비공개로 한다.

② 진흥원장은 제1항의 규정에 위반하여 심사위원을 유포하거나 누설한 자에 대해서는 신기술 신청을 제한하거나, 신기술심사전문가그룹에서 제외 등의 조치를 취할 수 있다.

제25조(수수료) ① 신청인은 지정 신청서 제출일부터 5일 이내에 진흥원장이 지정하는 금융기관의 계좌로 규칙 별표10제1호의 규정에 의한 1차심사수수료를 납부하여야 한다.

② 신청인은 지정 신청기술이 2차심사위원회에 상정된 경우에는 진흥원장이 지정한 날까지 진흥원장이 지정하는 금융기관의 계좌로 규칙 별표10제1호의 규정에 의한 2차심사수수료를 납부하여야 한다.

③ 신청인은 제12조 및 제13조의 규정에 의하여 현장실사를 실시한 경우에는 진흥원장이 지정한 날까지 규칙 별표10제1호의 규정에 의한 현장실사비용을 납부하여야 한다.

④ 제6조의 규정에 따라 보호기간 연장을 신청한 신청인은 신청서 제출일부터 5일 이내에 진흥원장이 지정하는 금융기관의 계좌로 규칙 별표10제1호의 규정에 의한 2차심사수수료를 납부하여야 한다.

⑤ 진흥원장은 신청인이 제1항 내지 제4항의 규정에 의한 심사수수료 및 현장실사비용을 정당한 사유 없이 지정한 날까지 납부하지 않은 경우에는 신청서를 반려할 수 있다.

⑥ 진흥원장은 위원회 개회 전에 신청서를 반려한 경우에는 신청인이 납부한 수수료의 50%를 신청인에게 반환하여야 한다.

제26조(심사수당의 지급 등) ① 진흥원장은 1차심사위원회 및 2차심사위원회에 참여하는 심사위원에게 소정의 심사수당을 지급할 수 있다.

② 진흥원장은 실사위원에게 규칙 별표10제1호의 규정에 의한 노임단가 및 여비기준에 따라 심사수당을 지급할 수 있다. 이 경우 실사위원의 기술자등급이 상이할 경우에는 최고 등급의 실사위원에 준하여 심사수당을 지급할 수 있다.

③ 진흥원장은 공정·엄정한 심사를 위하여 필요하다고 인정되어 관계기관의 관계자 또는 원가계산·변리사·설계 및 시방기준 전문가 등을 위원회에 참석시켜 의견을 진술하게 할 수 있으며, 이 경우에 관계기관의 관계자 또는 전문가에게 소정의 자문료를 지급할 수 있다.

제27조(신기술심사전문가그룹의 구축 등) ① 진흥원장은 제10조, 제12조, 제13조, 제15조, 제16조 및 제19조의2의 규정에 의한 심사를 위하여 다음 각 호의 1에 해당하는 자로 신기술심사전문가그룹을 구축하고, 등록된 전문가를 주기적으로 점검하여 신기술심사전문가그룹을 최상의 상태로 관리·운영하여야 한다.

1. 국가기술자격법에 의한 당해 분야 기술사 또는 건축사법에 의한 건축사 자격을 취득한 자
2. 국가기술자격법에 의한 당해 분야 기사 자격을 취득한 자로서 그 분야에서 10년 이상 실무경험이 있는 자
3. 당해 분야 박사학위를 취득한 후 그 분야에서 3년 이상 연구 또는 실무경험이 있는 자
4. 당해 분야 석사학위를 취득한 후 그 분야에서 9년 이상 연구 또는 실무경험이 있는 자
5. 당해 분야 학사학위를 취득한 후 그 분야에서 12년 이상 연구 또는 실무경험이 있는 자
6. 대학의 당해 분야 전공 조교수 이상인 자
7. 건설 관련 공기업·준정부기관의 부장급 이상인 자
8. 건설 관련 연구기관의 선임연구원급 이상인 자
9. 건설업무와 관련된 행정기관의 5급 이상의 공무원
10. 「변리사법」에 의한 변리사 자격을 취득한 자
11. 「변호사법」에 의한 변호사 자격을 취득한 자
12. 당해 분야에서 학식과 경험이 풍부한 자로 진흥원장이 인정한 자

② 진흥원장은 제10조, 제12조, 제13조, 제15조, 제16조 및 제19조의2의 규정에 의한 심사 및 심의를 위하여 제1항의 규정에 의한 전문가를 심사위원으로 선정하되, 필요한 경우에는 그 밖의 외부전문가를 심사위원으로 일시 위촉할 수 있고, 위촉된 외부전문가를 제1항의 규정에 의한 신기술심사전문가그룹에 구축·관리할 수 있다.

③ 진흥원장은 정부기관, 공기업·준정부기관 및 건설관련단체의 직위 중 심사위원으로 선정할 필요가 있다고 인정되는 직위를 당연직으로 할 수 있다.

④ 진흥원장은 제1항의 규정에 의한 신기술심사전문가그룹을 구축함에 있어 자격증, 학위, 건설관련 범죄 여부 등을 확인하여 신기술심사전문가로 선정함이 부적당하다고 인정되는 자를 신기술심사전문가그룹에서 배제할 수 있다.

⑤ 진흥원장은 제10조, 제15조, 제16조 및 제19조의2의 규정에 따라 위원회에 출석한 심사위원에 대하여 성실도, 전문성 등에 대한 평가를 실시하여 부적격자로 평가될 경우 제1항의 규정에 의한 신기술심사전문가그룹에서 배제할 수 있다.

제28조(기간의 산정) 규칙 제8조제1항의 규정에 의한 "신기술 심사기간에 포함되지 않는 기간"은 다음 각 호와 같다.

1. 제5조, 제6조, 제8조, 제10조, 제14조, 제18조의 규정에 의한 서

류 보완기간

2. 제7조의 규정에 의한 관보공고 기간

3. 제9조의 규정에 의한 관계기관 의견조회 및 신청서류 보완기간

제29조(건설신기술 민원조정위원회의 설치 등) ① 진흥원장은 건설신기술 지정 및 연장 관련 민원에 대한 원만한 해결을 위하여 건설신기술 민원조정위원회(이하 "조정위원회"라 한다)를 설치할 수 있다.

② 제1항의 규정에 의한 조정위원회는 위원장을 제외한 5인 이상 15인 이하의 전문가로 구성하고, 위원장을 제외한 3분의2 이상의 출석으로 개회한다.

③ 제1항의 규정에 의한 조정위원회는 다음 각 호의 1에 해당하는 사항을 다룬다.

1. 신기술의 명칭이나 범위에 대한 해석이 필요한 민원
2. 신기술 지정 및 연장과 관련하여 집단민원이나 대외기관이 관련된 민원으로 진흥원장이 인정하는 민원
3. 신기술 지정 및 연장과 관련하여 반복적으로 제기된 민원
4. 기타 진흥원장이 인정하는 민원

④ 진흥원장은 조정위원회 위원장을 제외한 3분의2 이상의 찬성으로 현장조사 등 추가조사 여부를 의결할 수 있고, 추가조사를 실시하는 경우 5인 이상의 조사특별위원회를 구성하며, 위원은 조정위원회에 참석한 위원 중에서 선정할 수 있다

⑤ 제4항의 규정에 의한 조사특별위원회는 추가조사를 실시하기 전 민원인 및 기술개발자와 사전협의를 통해 조사방법, 조치사항 등을 결정할 수 있으며, 추가조사에 소요되는 제반 비용은 민원인이 부담하는 것을 원칙으로 하여 조사특별위원회에서 세부사항을 정할 수 있다.

⑥ 진흥원장은 당해 민원을 처리함에 있어 조정위원회 또는 조사특별위원회에서 조정된 내용을 참고할 수 있다.

제30조(부정 및 부당행위의 금지 등) ① 당해 신청기술의 신청인, 이해관계인 또는 위원회의 심사위원은 신기술심사와 관련하여 신기술심사에 영향을 줄 수 있는 부정한 청탁이나 금품수수 등 부정행위와 심사위원회의 공정하고 원활한 진행에 지장을 초래할 수 있는 허위나 과장된 주장, 인신공격성 발언 등 부당행위를 하여서는 아니된다.

② 진흥원장은 제1항의 규정과 관련하여 신청인의 부정행위가 확인될 경우 당해 신청서를 반려할 수 있다.

③ 진흥원장은 제1항의 규정과 관련하여 이해관계인의 부정행위가 확인될 경우 이해관계 의견서 반려 및 당해 위원회의 참석을 제한할 수 있다.

④ 심사위원회는 제1항의 규정과 관련하여 이해관계인의 부당행위가 있는 경우 당해 위원회의 결정에 따라 입장 제한, 경고, 퇴장 등의 조치를 취할 수 있다.

⑤ 진흥원장은 제1항의 규정과 관련하여 심사위원의 부정행위가 확인될 경우 제27조의 규정에 의한 신기술심사전문가그룹에서 제외할 수 있다.

⑥ 진흥원장은 제2항 내지 제5항의 부정행위의 확인을 위하여 필요하다고 인정하는 때에는 부정행위 관련 당사자에 대하여 부정행위

관련 자료제출 또는 출석요구 등의 필요한 조치를 취할 수 있다.

⑦ 진흥원장은 공정한 심사를 위하여 필요하다고 인정하는 때에는 신청인, 이해관계인 또는 위원회의 심사위원으로부터 각각 별지 제11호 내지 제13호 서식에 의한 청렴서약서를 징구할 수 있다.

⑧ 규칙 제10조에 따라 제출한 신기술 활용실적자료가 허위로 작성된 경우 1건 적발시 해당자료, 2건 이상 적발시에는 당해 연도 실적을 모두 인정하지 않는다.

제31조(심사위원의 청렴 의무) ① 진흥원장은 제27조제2항의 규정에 따른 위원회의 심사위원 선정시 선정대상이 되는 전문가에게 제23조제2항 각 호의 1의 사유에 해당하는 경우에는 당해 심사를 회피할 수 있음을 고지하여야 하고, 해당 전문가는 그 사유에 해당하는 경우에는 스스로 그 위원회의 심사를 회피할 수 있다.

② 위원회의 심사위원은 해당 심사기술의 신청인이 발주하는 공사 또는 용역에 신기술 지정일부터 1년간 수의계약 형태로 참여하여서는 아니된다.

제32조(시방서 등 변경 금지) ① 신청인은 신기술로 지정·고시된 후 관련 법령이나 표준시방서 등의 변경에 있어 불가피한 경우를 제외하고 임의로 시방서 등을 변경하여서는 아니된다.

② 신청인은 제1항의 규정에도 불구하고 기술개량 및 관련규정이 개정되어 시방서등의 변경이 필요한 경우에는 그 사유를 명시한 서류를 갖추어 진흥원장에게 신청하여야 한다.

③ 진흥원장은 신청인이 제2항의 규정에 따라 시방서 등의 변경을 신청한 경우에는 승인 여부를 검토하여 그 결과를 신청인에게 통보하여야 한다.

제33조(효력) ① 건설신기술 지정 또는 보호기간 연장은 규칙 별지 제19호 서식의 건설신기술 지정증서에 명시된 자(승계인)에게만 효력이 있다. 이 경우에 승계란 개인개발자가 법인화하는 경우 및 부도·폐업 등으로 법인의 권리가 소멸되는 경우에 한한다.

② 제19조제2항에 따라 지정증서가 재발급된 경우에는 재발급날로부터 효력이 발생한다. 이 경우에 제19조제2항제1호 및 제2호의 보호기간은 재발급 전의 잔여기간으로 한다.

제34조(재검토기한) 국토교통부장관은 이 고시에 대하여 「훈령·예규 등의 발령 및 관리에 관한 규정」에 따라 2022년 1월 1일 기준으로 매 3년이 되는 시점(매 3년째의 12월 31일까지를 말한다) 마다 그 타당성을 검토하여 개선 등의 조치를 하여야 한다.

부칙 〈제2017-733호, 2017.11.10〉

제1조(시행일) 이 고시는 발령한 날부터 시행한다.

제2조(기존 고시의 폐지) 신기술의 평가기준 및 평가절차 등에 관한 규정(국토교통부 고시 제2014-806호, 2014.12.10, 일부개정)은 이를 폐지한다.

부칙 〈제2018-55호, 2018.1.25〉

제1조(시행일) 이 고시는 발령한 날부터 시행한다.

부칙 〈제2019-228호, 2019.5.8〉

이 고시는 발령한 날부터 시행한다.

부칙 〈제2021-1149호, 2021.10.14〉

제1조(시행일) 이 고시는 발령한 날부터 시행한다.

제2조(신기술의 평가기준 및 평가절차 등에 관한 경과조치) 이 고시 시행 당시 종전의 규정에 의하여 신기술 지정 및 보호기간 연장신청이 접수되었거나 신기술의 평가절차 등이 진행 중인 경우에는 종전의 규정에 따른다.

[별표 1]

보호기간 연장기간의 평가기준(제17조 관련)

1. 종합평가점수에 따른 등급 및 보호기간

종합평가점수	80이상~100	70이상~80미만	60이상~70미만	50이상~60미만	40이상~50미만
등 급	가	나	다	라	마
보호기간	7년	6년	5년	4년	3년

※ 종합점수 40점 미만인 경우 등급 미부여 및 보호기간 연장 불인정

2. 평가항목별 배점기준

가. 활용실적 및 기술의 우수성

항목		배점기준	배점
활용실적 (30)	활용건수 및 공사비	신기술 활용건수 및 공사비 규모에 따라 배점 (활용건수와 공사비 중 높은 구간에 해당하는 점수 부여)	30
기술의 우수성 (70)	기술수준	국내·외 동종의 기술 대비 당해 기술의 수준에 따라 배점	15
	품질검증	신기술이 적용된 주요현장에 대해 모니터링한 결과, 지정시 제시된 성능 및 효과 등 품질검증 결과	15
	경제성	설계·시공·유지관리 등에서 원가절감효과가 뚜렷하거나 생애주기 전반에 걸쳐 기존기술 대비 비용절감 효과의 우수성에 따라 배점	10
	시장성	국내외 시장수요 및 활용가능성 등 시장에서의 가능성에 따라 배점	5
	안전성	설계, 시공, 유지관리 등에서 기술(공법)의 안전성에 따른 배점	10
	환경성	기존 기술 대비 환경부하량 절감 정도 등에 따른 배점	5
	기술개량	지정시 대비 기술개량 여부 및 개선 정도 등에 따라 배점	5
	권고사항 이행여부	지정시 권고사항 이행 여부	5
가점		사후평가결과, 해외활용실적, 기술보급노력, 기술가치평가, 스마트건설기술 여부 등에 따라 부여	(10)
종합점수			100

(1) 활용실적(최대 30점)

구분	1구간	2구간	3구간	4구간	5구간
①활용건수	3 이하	4 ~ 15	16 ~ 60	61 ~ 150	151 이상
②공사비(억원)	3 이하	3 ~ 25	25 ~ 120	120 ~ 300	300 초과
배점한도	0 ~ 6	7 ~ 12	13 ~ 18	19 ~ 24	25 ~ 30

※ 활용건수와 공사비 중 높은 구간의 배점한도를 반영

(2) 기술의 우수성(70점)

항 목	배점기준	점수
기술수준 (15점)	선진외국기술(100%기준)을 능가하는 수준	15
	선진외국기술(100%기준)과 동등하여 수입대체가 가능한 수준	12
	국내 기존기술보다 10% 이상 우수한 수준	9
	국내 기존기술과 동등한 수준	6
	국내 기존기술보다 미흡한 수준	3
품질검증 (15점)	신기술 지정시 제시한 품질기준을 상회하여 획기적으로 개선	15
	신기술 지정시 제시한 품질기준을 상회하여 개선	12
	신기술 지정시 제시한 품질기준에 적합하게 검증 완료	9
	신기술 지정시 제시한 품질기준에 미달	6
	신기술 지정 이후 품질검증 미실시 또는 자료 없음	3
경제성 (10점)	기존기술 대비 경제성이 30% 이상 높음	10
	기존기술 대비 경제성이 20% 이상 높음	8
	기존기술 대비 경제성이 10% 이상 높음	6
	기존기술 대비 경제성이 유사	4
	기존기술 대비 경제성이 미흡	2
시장성 (5점)	국내외 시장수요가 기존기술 대비 30% 이상 높음	5
	국내외 시장수요가 기존기술 대비 20% 이상 높음	4
	국내외 시장수요가 기존기술 대비 10% 이상 높음	3
	국내외 시장수요가 기존기술과 유사	2
	국내외 시장수요가 기존기술 대비 미흡	1

항 목	배점기준	점수
안전성 (10점)	기존기술 대비 안전성이 30% 이상 높음	10
	기존기술 대비 안전성이 20% 이상 높음	8
	기존기술 대비 안전성이 10% 이상 높음	6
	기존기술 대비 안전성이 유사	4
	기존기술 대비 안전성이 미흡	2
환경성 (5점)	기존기술 대비 환경성이 30% 이상 높음	5
	기존기술 대비 환경성이 20% 이상 높음	4
	기존기술 대비 환경성이 10% 이상 높음	3
	기존기술 대비 환경성이 유사	2
	기존기술 대비 환경성이 미흡	1
기술개량 (5점)	지정시 대비 30% 이상 개량·개선	5
	지정시 대비 30% 이내에서 개량·개선	4
	지정시 대비 20% 이내에서 개량·개선	3
	지정시 대비 10% 이내에서 개량·개선	2
	지정시 대비 개량·개선되지 않음	1
권고사항 이행여부 (5점)	권고사항 이행	5
	권고사항 미이행	0

나. 가점

(1) 사후평가결과(5점)

배 점					
0	1	2	3	4	5
100~105점 미만	105~115점 미만	115~120점 미만	120~125점 미만	125~130점 미만	130점 이상

(2) 해외활용실적(1점) (건, 만$)

구 분	배 점		
	0.3	0.6	1
해외활용건수	5건 미만	5~10건 미만	10건 이상
해외활용공사비	500 미만	500~1,000 미만	1,000 이상

※ 해외활용건수와 공사비 중 높은 구간의 점수를 반영

(3) 기술보급노력(1점)

홍보실적	배 점		
	0	0.5	1
	5건 미만	5~15건 미만	15건 이상

(4) 기술가치평가(2점) : 기술평가기관이 작성한 기술가치평가 보고서 제출시

(5) 스마트건설기술 여부(1점)

스마트건설기술	배 점	
	0	1
	스마트건설기술 미해당	스마트건설기술 해당

※ 비고

1. 심사위원별 평가점수 중 최고점수와 최저점수를 제외한 나머지 점수들을 산술평균한 값을 종합평가점수로 하며, 이 경우 종합평가점수는 100점을 초과할 수 없다.
2. 심사위원회는 종합평가점수에 따른 등급과 보호기간을 의결한다.
3. 신기술활용실적은 신청인이 보호기간 연장신청시 제출한 신기술 활용실적 증명자료상의 활용실적 건수 및 공사비를 대상으로 한다.

[별표 2]

활용실적 누락 및 미제출 금액에 따른 보호기간 단축조정기준(제20조 관련)

금액	100억 미만	100억~ 200억 미만	200억~ 400억 미만	400억~ 600억 미만	600억 이상
단축기간	0.5년	1년	1.5년	2년	3년

[별지 제1호 서식]

<table>
<tr><th colspan="5">이해관계 의견서</th></tr>
<tr><td rowspan="2">이해관계인</td><td>법인명
(성 명)</td><td></td><td>법인등록번호
(주민등록번호)</td><td></td></tr>
<tr><td>연락처</td><td>전화)
휴대폰)
fax)
e-mail)</td><td>주 소</td><td></td></tr>
<tr><td rowspan="2">신청기술</td><td>명 칭</td><td colspan="3"></td></tr>
<tr><td>신청인</td><td colspan="3"></td></tr>
<tr><td rowspan="2">이해관계
의견</td><td colspan="4">○ 이해관계인의 기술내용 및 원리

○ 이해관계 : 모방 □, 도용 □ 기술침해로 인한 분쟁 □ (해당부분에 ☑)
(☑ 표시한 사항에 대해서만 기술)
1.
2.
3.
4.

○ 심사위원회 제시할 의견 요약
1.
2.
3.
4.

※ 난이 부족할 경우 별지사용 가능</td></tr>
<tr><td colspan="4">※ 이해관계 의견을 증명하는 상세 설명자료 목록
1.
2.
3.</td></tr>
<tr><td colspan="5">건설기술진흥법 시행령 제32조 및 제35조의 규정에 의하여 이해관계 의견을 제출합니다.
년 월 일
이해관계인 (서명 또는 인)
국 토 교 통 과 학 기 술 진 흥 원 장 귀 하</td></tr>
</table>

[별지 제2호 서식]

<table>
<tr><td colspan="3">이해관계의견에 대한 답변서</td></tr>
<tr><td rowspan="2">신청기술</td><td>명 칭</td><td>(관리번호 :)</td></tr>
<tr><td>범 위</td><td></td></tr>
<tr><td>이해관계인</td><td colspan="2"></td></tr>
<tr><td>이해관계
의견
(요약)</td><td colspan="2"></td></tr>
<tr><td>답변</td><td colspan="2">주) 난이 부족할 경우 별지사용 가능</td></tr>
<tr><td colspan="3">신기술의 평가규정 및 평가절차 등에 관한 규정 제8조제5항에 의하여 이해관계 의견에 대한 답변서를 제출합니다.
신 청 인 (서명 또는 인)
국 토 교 통 과 학 기 술 진 흥 원 장 귀 하</td></tr>
<tr><td colspan="3">구비서류 : 이해관계 의견을 증명하는 상세설명 자료</td></tr>
</table>

[별지 제3호 서식]

관계기관 의견서

(기술검토기관의 지정신청서 검토용)

○ 신청기술 명칭 :

1. 신기술 지정 심사기준 검토

가. 신규성 : (□ 있음, □ 없음)
최초로 개발된 기술이거나 개량된 기술로서 기존기술과 차별성, 독창성과 자립성 등이 인정되는 기술
〈의견〉

나. 진보성 : (□ 있음, □ 없음)
기존의 기술과 비교하여 품질 향상, 개량정도, 안전성, 첨단기술성 등이 인정되는 기술
〈의견〉

다. 현장우수성 : (□ 있음, □ 없음)
시공성, 안전성, 구조안정성, 유지관리 편리성 등이 우수하여 건설현장에 적용할 가치가 있는 기술
〈의견〉

라. 경제성 : (□ 있음, □ 없음)
기존의 기술과 비교하여 설계·시공 공사비, 유지관리비, 공사기간 단축 등 비용 절감효과가 인정되는 기술
〈의견〉

마. 보급성 : (□ 있음, □ 없음)
시장성, 공익성 등이 우수하여 기술보급의 필요성이 인정되는 기술
〈의견〉

2. 신청서의 검토

가. 유사기술조사 결과비교검토 자료의 적정성
〈의견〉

나. 품질검사전문기관의 시험결과의 타당성
〈의견〉

다. 시방서의 적합성
〈의견〉

라. 유지관리지침서의 적합성
〈의견〉

마. 기타 신청서 내용의 적정성
〈의견〉

3. 종합의견

※ 난이 부족할 경우 별지사용 가능

기관명		소속부서	
작성자	(서명 또는 인)	전화번호	

210mm×297mm(백상지 80g/㎡)

관계기관 의견서

(기술검토기관의 연장신청서 검토용)

○ 신청기술 명칭 :

1. 보호기간 연장 심사기준 검토

□ 활용실적 : 지정·고시 후 연장신청일 전까지 연장신청 기술의 범위에 해당되는 활용실적이 있는 기술 (□ 있음, □ 없음)
〈의견〉

□ 기술수준 : 국내·외 동종 기술의 수준과 비교하여 우수성이 인정되는 기술 (□ 있음, □ 없음)
〈의견〉

□ 품질검증 : 신기술이 적용된 주요 현장에 대하여 모니터링한 결과 지정시 제시된 신기술 성능 및 효과가 검증된 기술 (□ 있음, □ 없음)
〈의견〉

□ 경제성 : 국내·외 동종 기술의 수준과 비교하여 기존기술 대비 공기단축, 비용절감효과 등의 경제성이 우수한 기술 (□ 있음, □ 없음)
〈의견〉

□ 시장성 : 국내외 기술수요 및 타 기술 대비 경쟁우위 등 시장성이 우수한 기술 (□ 있음, □ 없음)
〈의견〉

□ 안전성 : 국내·외 동종 기술의 수준과 비교하여 설계, 시공, 유지관리 등에서 기술(공법)의 안전성이 우수한 기술 (□ 있음, □ 없음)
〈의견〉

□ 환경성 : 국내·외 동종 기술의 수준과 비교하여 환경부하량 절감 등에서 기술(공법)의 환경성이 우수한 기술 (□ 있음, □ 없음)
〈의견〉

□ 기술개량 : 신기술 지정시 기술내용과 비교하여 기술개량의 내용이 있는지 여부 (□ 있음, □ 없음)
〈의견〉

[별지 제4호 서식]

관계기관 의견서
(발주청 / 감리자 검토용)

○ 신청기술 명칭 :

구분	항목	내용	항목	내용
공사개요	발주청		계약형태	□ 수의계약 □ 제한경쟁 □ 일반경쟁 □ 기타(　　　　)
	공사명	(현장주소 :　　　　)		
	총공사규모		신청기술적용 공사규모	
	총공사금액	천원	신청기술적용 공사금액	천원
	총공사기간		신청기술적용 공사기간	
	신청기술 공사업체명		원도급사	
			감리자	

1. 신청기술의 장·단점

〈장점〉

〈단점〉

2. 시방서 및 유지관리 지침서 검토

가. 시방서의 적합성
〈의견〉

나. 유지관리지침서의 적합성
〈의견〉

다. 기타 신청서 내용의 적정성
〈의견〉

3. 종합의견

※ 난이 부족할 경우 별지사용 가능

기관명		소속부서	
작성자	(서명 또는 인)	전화번호	

210mm×297mm(백상지 80g/㎡)

2. 신청기술 적용결과

가. 예상 공사비 및 실제 소요된 공사비 비교
〈의견〉

나. 예상 공사기간과 실제 소요된 공사기간 비교
〈의견〉

다. 시공상 문제점의 존재 여부
〈의견〉

라. 설계·시공상의 구조적 안정성
〈의견〉

마. 동종 유사 기술과의 비교
〈의견〉

바. 유지관리상의 편리성
〈의견〉

사. 하자보수 사례
〈의견〉

3. 신청기술의 시장성에 대한 검토

○ 현장 활용 가능성
〈의견〉

○ 기술 선호도
〈의견〉

○ 향후 시장 활용 전망
〈의견〉

4. 종합의견

기관명		소속부서	
작성자	(서명 또는 인)	전화번호	

[별지 제5호 서식] 〈개정 2021. 10. .〉

관계기관 의견서
(선행기술조사 결과서)

접수번호	

년 월 일

신청인												
신청기술명												
기술요지												
조사범위	국제분류(IPC)											
	특허문헌	한국	(O)	미국	(O)	일본	(O)	EP	(O)	PCT	(O)	
	비특허문헌	신기술										
		논문등										

조사결과 총괄표

■ 신청인의 지식재산권 출원일 이전 특허문헌

연번	인용문헌	
	문헌번호	기술내용[( )쪽 ( )행] 및 도면
1		
2		
3		

■ 신청인의 지식재산권 출원일 이후 특허문헌

연번	인용문헌	
	문헌번호	명 칭
1		
2		
3		

■ 신기술, 논문 등의 비특허문헌

연번	인용문헌	
	문헌번호	명 칭
1		
2		

210mm×297mm(백상지 80g/㎡)

기술 대비표(상세분석)

■ 신청인의 지식재산권 출원일 이전 특허문헌

연번	신청기술의 기술내용 및 도면	인용문헌의 기술내용 및 도면
1		
2		
3		

■ 신청인의 지식재산권 출원일 이후 특허문헌

연번	신청기술의 기술내용 및 도면	인용문헌의 기술내용 및 도면
1		
2		
3		

■ 신기술, 논문 등 비특허문헌

연번	신청기술의 기술내용 및 도면	인용문헌의 기술내용 및 도면
1		
2		
3		

210mm×297mm(백상지 80g/㎡)

지식자산권 관련 추가 검토사항

■ 신청기술 관련 신청인의 특허 및 비특허 문헌 현황

연번	지식재산권(특허, 실용신안)	비특허 문헌(신기술, 논문 등)
1		
2		

■ 신청인 및 신청기술 관련 특허 분쟁 현황

구분	분쟁대상 특허	현황 및 결과
1. 신청인 관련		
2. 유사기술 관련		

조사기관 검토 의견

■ 조사기관 검토 의견

항목	검토 의견
1. 신청기술과 제시특허 연관성	
2. 권리분쟁 건과 신청 기술의 관련성	
3. 기타 의견	

[별지 제6호 서식] 〈개정 2021.10. .〉

1차심사 평가서(지정신청)

○ 심사일시 :

○ 신청기술 명칭 :

1. 기술분야 평가(신청기술이 건설기술에 해당하는지 여부)

□ 건설기술에 해당함	□ 건설기술에 해당하지 않음

2. 스마트 건설기술 평가(신청기술이 스마트 건설기술에 해당하는지 여부)

□ 스마트 건설기술에 해당함	□ 스마트 건설기술에 해당하지 않음

3. 관계기관 의견 및 이해관계 의견 검토

검토항목	검 토 의 견
관계기관 의견 회신 결과 검토	
이해관계인 의견 및 신청인의 답변 검토	
민원 의견 및 신청인의 답변 검토	

4. 심사기준 검토

검토항목	세부항목	점수	검 토 의 견
신규성 (50)	기존기술과 차별성	25	
	독창성과 자립성	25	
소계		50	□ 인정(35점 이상) □ 불인정
진보성 (50)	품질 향상	15	
	개량 정도	15	
	안전성	10	
	첨단기술성	10	
소계		50	□ 인정(35점 이상) □ 불인정
심사 결과		100	□ 1차 인정 □ 불인정

※ 스마트 건설기술, 녹색인증 기술, 환경신기술 및 국가R&D 결과물은 첨단기술성에 10점 부여
1차 심사 결과는 신규성 및 진보성이 모두 "인정"으로 평가된 경우 "인정", 그 이외는 "불인정"으로 평가

5. 현장실사 실시여부 및 방법 검토(1차 인정시에만 작성)

가. 현장실사 실시여부	□ 찬성 □ 반대

〈판단 이유〉

나. 실사 현장 및 실사 시기

□ 실사 현장 :

□ 실사 시기 :

다. 현장실사시 주요 확인사항
※신청서에 제시된 Check List 항목을 검토후 추가 또는 수정할 사항 기재

신청기술의 현장적용 여부	
품질검증방법 및 결과	
시방서 및 유지관리지침서와의 일치 여부	
구조적 안정성	

본인은 신청기술에 대하여 객관적이고 공정하게 심사하였으며, 위 의견과 같이 평가서를 작성하여 제출합니다.

년 월 일

심사위원 성명 : (서명)

[별지 제6의2호 서식] 〈개정 2021. 10. .〉

1차심사 종합의견서(지정신청)

○ 심사일시 :

○ 신청기술 명칭 :

1. 위원회 심사 결과

심사 구분	위원회 심사 결과	
1차 심사 결과	□ 인정	□ 불인정

2. 위원회 종합의견

1) 신규성

※ 신청기술의 신규성 인정/불인정 사유 등을 작성

2) 진보성

※ 신청기술의 진보성 인정/불인정 사유 등을 작성

본 위원회는 신청기술에 대하여 객관적이고 공정하게 심사하였으며, 위 의견과 같이 위원회 종합의견을 작성하여 제출합니다.

년 월 일

심사위원	성명 :	(서명)	성명 :	(서명)
	성명 :	(서명)	성명 :	(서명)
	성명 :	(서명)	성명 :	(서명)
	성명 :	(서명)	성명 :	(서명)
	성명 :	(서명)	성명 :	(서명)
	성명 :	(서명)	성명 :	(서명)

[별지 제7호 서식]

〈 삭 제 〉

[별지 제8호 서식]

현장실사 의견서(지정신청)

○ 실사일자 :

○ 신청기술 명칭 :

1. 현장실사 주요 확인사항

가. 신청기술의 현장적용여부

점검항목	점검기준	실사의견
		※ 난이 부족할 경우 별지사용 가능

나. 품질검증 방법 및 결과

점검항목	점검기준	실사의견
		※ 난이 부족할 경우 별지사용 가능

다. 시방서 및 유지관리지침서와의 일치여부

점검항목	점검기준	실사의견
		※ 난이 부족할 경우 별지사용 가능

현장실사 의견서

(연장신청)

○ 실사일자 :

○ 신청기술 명칭 :

1. 현장실사 주요 확인사항

가. 현장적용 내용이 신기술의 내용과 부합되는지 여부

점검항목	점검기준	실사의견
		※ 난이 부족할 경우 별지사용 가능

나. 품질검증

점검항목	점검기준	실사의견
		※ 난이 부족할 경우 별지사용 가능

다. 시방서* 및 유지관리지침서와의 일치여부

점검항목	점검기준	실사의견
		※ 난이 부족할 경우 별지사용 가능

라. 구조적 안정성

점검항목	점검기준	실사의견
		※ 난이 부족할 경우 별지사용 가능

2. 품질검사의 필요 여부

품질검사 필요성	□ 필요	□ 불필요

※ 품질검사가 필요할 경우 구체적인 항목 및 그 필요사유 기술

3. 종합의견

본인은 신청기술에 대하여 객관적이고 공정하게 실사하였으며, 위 의견과 같이 의견서를 작성하여 제출합니다.

년　　월　　일

실사위원　　성명 :　　　　　　(서명)

2. 품질검사의 필요 여부

품질검사 필요성	□ 필요	□ 불필요

※ 품질검사전문기관에 의한 품질검사가 필요할 경우 구체적인 항목 및 그 필요사유 기술

3. 종합의견

본인은 신청기술에 대하여 객관적이고 공정하게 실사하였으며, 위 의견과 같이 의견서를 작성하여 제출합니다.

년 월 일

실사위원 성명 : (서명)

[별지 제9호 서식] 〈개정 2021. 10. .〉

2차심사 평가서(지정신청)

○ 심사일시 :

○ 신청기술 명칭 :

1. 관계기관의견 및 이해관계인 의견 검토

검토항목	검 토 의 견
관계기관 의견회신 결과 검토	
민원 의견 및 신청인의 답변 검토	
현장실사(품질검사) 결과 검토	

2. 심사기준 검토

검토항목	세부항목	점수	검 토 의 견
현장 우수성 (70)	시공성	20	
	안전성	10	
	구조안정성	15	
	유지관리 편리성	15	
	환경성	10	

검토항목	세부항목	점수	검 토 의 견
경제성 (15)	설계·시공비 절감	5	
	유지관리비 절감	5	
	공사기간 단축	5	
보급성 (15)	시장성	10	
	공익성	5	
계		100	□ 2차 인정(70점 이상) □ 불인정

3. 신기술 지정분야, 명칭, 범위, 내용의 조정

신기술 지정 분야	
신기술의 명칭	
신기술의 범위	
신기술의 내용	

※ 인정 시에 위원회에서 협의하여 결정

본인은 신청기술에 대하여 객관적이고 공정하게 심사하였으며, 위 의견과 같이 평가서를 작성하여 제출합니다.

년 월 일

심사위원 성명 : (서명)

[별지 제9의2호 서식] 〈개정 2021. 10. .〉

2차심사 종합의견서(지정신청)

○ 심사일시 :

○ 신청기술 명칭 :

1. 위원회 심사 결과

심사 구분	위원회 심사 결과	
2차 심사 결과	□ 인정	□ 불인정

2. 위원회 종합의견

※ 신청기술의 현장적용성 인정/불인정 사유 등을 작성

본 위원회는 신청기술에 대하여 객관적이고 공정하게 심사하였으며, 위 의견과 같이 위원회 종합의견을 작성하여 제출합니다.

년 월 일

심사위원 성명 : (서명) 성명 : (서명)
성명 : (서명) 성명 : (서명)
성명 : (서명) 성명 : (서명)
성명 : (서명) 성명 : (서명)
성명 : (서명) 성명 : (서명)
성명 : (서명) 성명 : (서명)

[별지 제10호 서식] 〈개정 2021. 10. .〉

2차심사평가서(연장신청)

○ 심사일시 :

○ 신청기술 명칭 :

1. 관계기관 의견 및 이해관계인 의견 검토

검토항목	검 토 의 견
관계기관 의견회신 결과 검토	
이해관계인 의견(민원) 및 신청인의 답변 검토	
현장실사(품질검사) 결과 검토	

2. 심사기준 검토

검토항목	세부항목	점수	검 토 의 견
활용실적 (30)	활용건수 및 금액	30	
기술의 우수성 (70)	기술수준	15	
	품질검증	15	
	경제성	10	
	시장성	5	
	안전성	10	
	환경성	5	
	기술개량	5	
	권고사항 이행여부	5	
가점 (10)	사후평가결과	5	
	해외활용실적	1	
	기술보급노력	1	
	기술가치평가	2	
	스마트건설 기술 여부	1	
계		100	□ 보호기간연장 인정(40점 이상) □ 불인정

3. 신기술의 지정분야 및 범위, 내용 조정

지정분야		
범위조정	□ 필요	□ 불필요

※ 범위의 조정이 필요한 경우 조정안 및 사유 기재

내용조정	□ 필요	□ 불필요

※ 내용의 조정이 필요한 경우 조정안 및 사유 기재

본인은 신청기술에 대하여 객관적이고 공정하게 심사하였으며, 위 의견과 같이 평가서를 작성하여 제출합니다.

년 월 일

심사위원 성명 : (서명)

[별지 제10호의2서식]

심사의견서

1. 신기술 지정 내용

지정번호	제　　호	보호기간	
명칭			
기술 범위			

2. 심사 의견

범위조정 또는 지정취소 여부	[ ] 인정	[ ] 불인정

※ 해당 사유를 구체적으로 기재

3. 기술 범위 조정(기술 범위 조정 심사에 한함)

※ 조정이 필요한 경우 적절한 범위 기술

본인은 신청기술에 대하여 객관적이고 공정하게 심사하였으며, 위 의견과 같이 심사의견서를 작성하여 제출합니다.

년　　월　　일

심사위원　　성명 :　　　　　　(서명)

[별지 제10의3호 서식] 〈개정 2021. 10. .〉

2차심사 종합의견서(연장신청)

○ 심사일시 :

○ 신청기술 명칭 :

1. 위원회 심사 결과

심사 구분	위원회 심사 결과	
2차 심사 결과 (연장여부)	□ 인정	□ 불인정
연장기간	년	

2. 위원회 종합의견

1) 활용실적 및 가점

※ 별표1 보호기간 연장기간의 평가기준에 따른 배점 현황, 위원회 의견을 기재(활용 건수 및 금액과 별표1에 따른 활용실적 배점구간, 가점항목의 건수와 별표1에 따른 가점 항목별 배점을 명시)

2) 기술의 우수성

※ 신청기술의 기술우수성에 대한 위원회 의견 등을 작성

본 위원회는 신청기술에 대하여 객관적이고 공정하게 심사하였으며, 위 의견과 같이 위원회 종합의견을 작성하여 제출합니다.

년 월 일

심사위원	성명 :	(서명)	성명 :	(서명)
	성명 :	(서명)	성명 :	(서명)
	성명 :	(서명)	성명 :	(서명)
	성명 :	(서명)	성명 :	(서명)
	성명 :	(서명)	성명 :	(서명)
	성명 :	(서명)	성명 :	(서명)

[별지 제11호 서식]

청렴서약서(신청인)

□ 신청기술명 :

□ 심사일시 :

본인은 상기 신기술 지정신청건(보호기간 연장신청 포함)을 신청함에 있어 심사위원과 직접적인 이해관계가 없음을 확인하며, 상기 신청기술이 객관적이고 공정한 심사를 받을 수 있도록 심사기간 동안 심사위원이나 진흥원 직원에게 부정한 청탁, 심사위원 명단 확보를 위한 로비 등을 절대 하지 않을 것이고, 만일 이를 어길 시에는 신청서 반려, 지정취소 및 신기술신청 제한 등의 행정제재도 감수할 것을 서약합니다.

서명일자 :

신청인 : (인)

[별지 제12호 서식]

청렴서약서(이해관계인)

□ 신청기술명 :

□ 심사일시 :

본인은 상기 신기술 지정신청건(보호기간 연장신청 포함)에 대해 이해관계 의견을 제출함에 있어 심사위원과 이해관계가 없음을 확인하고, 상기 신청기술이 객관적이고 공정한 심사를 받을 수 있도록 심사기간 동안 심사위원이나 진흥원 직원에게 부정한 청탁, 심사위원 명단 확보를 위한 로비 등을 절대 하지 않을 것입니다. 아울러, 심사위원회의 원활한 진행에 지장이 없도록 어떠한 허위 사실이나 과장된 주장을 하지 않을 것이며, 신청기술내용과 무관한 신청인에 대한 인신공격, 비방 등 부당한 행위도 하지 않고 향후 심사위원회의 심사결과에도 승복할 것입니다. 만일 이를 어길 시에는 이해관계 의견서 반려, 신기술심사위원회 입장제한, 경고, 퇴장 및 신기술신청 제한 등의 행정제재도 감수할 것을 서약합니다.

서약일자 :

이해관계인 : (인)

[별지 제13호 서식]

청렴서약서(심사위원)

□ 신청기술명 :

□ 심사일시 :

본인은 상기 신기술 지정신청건(보호기간연장신청 포함)을 심사함에 있어 신청인, 이해관계인 및 신청기술과 직접적인 이해관계가 없으며, 금품수수 등의 부패행위로 인한 결격사유가 없음을 서약합니다. 또한 객관적이고 공정하게 신기술 심사에 임하고, 심사 중 인지한 사실과 신청 기술 내용을 외부에 공개하지 않을 것이며, 신청인이나 이해관계인으로부터의 부정한 청탁 등도 철저히 거부하겠습니다. 만일 상기 사실과 다르거나 서약내용을 어길 경우 어떠한 민·형사 상의 불이익도 감수하겠습니다.

※ 이해관계 기준

1. 신청인 또는 이해관계인과 동일기관에 소속된 자
2. 신청기술 개발에 관여한 자
3. 신청기술과 관련된 시험을 실시했던 기관에 근무 중인 자
4. 신청기술을 연구용역 했던 기관에 근무 중인 자
5. 기타 진흥원장이 이해관계가 있다고 인정하는 자

서약일자 :

심사위원 : (서명)

[별지 제14호 서식]

각 서(이해관계인)

본인은 가(이) 신기술지정(또는 보호기간연장)을 신청한 기술(신청기술명(신기술명):)에 대하여 신기술의 평가기준 및 평가절차 등에 관한 규정 제8조에 의거 이해관계 의견을 제출하고자 하는 자로서 동 신기술지정신청서(또는 신기술보호기간연장신청서)를 정히 수령하였으며, 신청인의 동의 없이 동 신청서를 공개하거나 다른 목적으로 사용할 경우 당해 신청기술에 대한 이해관계 의견 제출 제한 등의 조치를 감수할 것이며, 이로 인하여 발생되는 모든 문제에 대하여는 본인이 책임을 질 것을 서약합니다.

- 주 소(소재지) :
- 주민(법인)등록번호 :
- 성 명(법인명) : (서명)

년 월 일

국토교통과학기술진흥원장 귀하

※ 신청서 수령자가 대리인일 경우 대리인 위임증서 첨부

[별지 제15호 서식]

제　　호

신기술 지정증서
(스마트 건설기술)

○ 명　　칭 :
○ 개발자(개량자) :
○ 보호 기간 : 　. 　. 　. ~ 　. 　. 　. (　년)
○ 기술 내용 :
○ 기술 범위 :
○ 보호 내용 :

「건설기술진흥법」 제14조 및 같은 법 시행령 제33조제1항에 따라 위 기술을 신기술로 지정합니다.

년　　월　　일

국토교통부장관 직인

210㎜×297㎜[백상지 120g/㎡]

[별지 제16호 서식]

제　　호

신기술 지정증서

○ 명　　칭 :
○ 개발자(개량자) :
○ 보호 기간 : 　. 　. 　. ~ 　. 　. 　. (　년)
○ 기술 내용 :
○ 기술 범위 :
○ 보호 내용 :

「건설기술진흥법」 제14조의 규정에 의거 지정된 신기술에 대해 같은 법 시행규칙 제9조에 의하여 신기술 지정증서를 재발급 합니다.

년　　월　　일

국토교통부장관 직인

210㎜×297㎜[백상지 120g/㎡]

신기술 · 신제품 통합 인증요령

국토교통부고시 제2019–461호

일부개정 2019.8.30

제1조(목적) 이 요령은 「자연재해대책법」, 「농림식품과학기술 육성법」, 「산업기술혁신 촉진법」, 「보건의료기술 진흥법」, 「환경기술 및 환경산업 지원법」, 「건설기술진흥법」, 「국가통합교통체계효율화법」, 「물류정책기본법」, 「해양수산과학기술 육성법」, 「목재의 지속가능한 이용에 관한 법률」 및 「농업기계화 촉진법」에 의한 신기술(New Excellent Technology : NET) 인증업무(인정, 지정업무를 포함한다)와 「산업기술혁신 촉진법」에 의한 신제품(New Excellent Product : NEP) 인증업무에 공통으로 적용하는데 필요한 사항을 규정함을 목적으로 한다.

제2조(정의) 이 요령에서 사용하고 있는 용어의 뜻은 다음 각 호와 같다.

1. "신기술 인증"이라 함은 국내에서 최초로 개발된 기술과 도입기술의 소화개량에 의한 새로운 기술로서 현장 보급 또는 실용화가 필요하거나 경제적 · 기술적 파급효과가 큰 기술을 행정안전부장관, 농림축산식품부장관, 산업통상자원부장관, 보건복지부장관, 환경부장관, 국토교통부장관, 해양수산부장관, 농촌진흥청장 및 산림청장(이하 "관계중앙행정기관의 장"이라 한다)이 각각 인증("지정"을 포함한다)한 것을 말한다.
2. "신제품인증"이라 함은 국내에서 최초로 개발된 기술 또는 기존 기술을 혁신적으로 개선 · 개량한 우수한 기술을 핵심기술로 적용하여 실용화가 완료된 제품 중 성능과 품질이 우수한 제품으로서 경제적 · 기술적 파급효과가 큰 제품을 산업통상자원부장관이 인증한 것을 말한다.
3. "인증기관"이란 제3조 각 호의 어느 하나에 해당하는 신기술 및 신제품을 해당 법률에 의거하여 위임 · 위탁받아 인증업무를 수행하는 제4조의 각 기관을 말한다.

제3조(인증대상) ①신기술의 인증대상은 다음 각 호의 어느 하나에 해당하는 기술로 한다.

1. 「자연재해대책법」 제61조제1항에 해당하는 방재 신기술
2. 「농림식품과학기술 육성법」 제12조의2에 해당하는 농림식품 신기술
3. 「산업기술혁신 촉진법 시행령」 제15조의2 및 동법 시행령 제18조의2제2항에 해당하는 산업 신기술
4. 「보건의료기술 진흥법 시행령」 제18조제1항에 해당하는 보건의료 신기술
5. 「환경기술 및 환경산업 지원법」 제7조제1항에 해당하는 환경신기술
6. 「건설기술진흥법」 제14조제1항에 해당하는 건설 신기술
7. 「국가통합교통체계효율화법」 제102조제1항에 해당하는 교통

신기술

8. 「물류정책기본법 시행령」 제46조의3에 해당하는 우수 물류신기술등

9. 「해양수산과학기술 육성법」 제17조에 해당하는 해양수산 신기술

10. 「목재의 지속가능한 이용에 관한 법률 시행령」 제18조제1항에 해당하는 목재제품 신기술

11. 「농업기계화 촉진법 시행령」 제4조제1항에 해당하는 농업기계 신기술

②신제품의 인증대상은 「산업기술혁신 촉진법」 제16조제1항 및 동법 시행령 제19조제2항에 해당하는 신제품으로 한다.

제4조(신청접수기관 및 기간) ①신기술 및 신제품 인증은 다음 각 호의 기관에서 신청서를 각각 접수한다.

1. 「자연재해대책법」에 따른 방재 신기술은 행정안전부
2. 「농림식품과학기술 육성법」에 따른 농림식품 신기술은 농림식품기술기획평가원
3. 「산업기술혁신촉진법」에 따른 산업 신기술은 한국산업기술진흥협회
4. 「보건의료기술 진흥법」에 따른 보건 신기술은 한국보건산업진흥원
5. 「환경기술 및 환경산업 지원법」에 따른 환경 신기술은 한국환경산업기술원
6. 「건설기술진흥법」 및 「국가통합교통체계효율화법」에 따른 건설 및 교통 신기술은 국토교통과학기술진흥원
7. 「물류정책기본법」에 따른 우수물류신기술등은 국토교통과학기술진흥원 또는 해양수산과학기술진흥원
8. 「해양수산과학기술 육성법」에 따른 해양수산 신기술은 해양수산과학기술진흥원
9. 「목재의 지속가능한 이용에 관한 법률」에 따른 목재제품 신기술은 한국임업진흥원
10. 「농업기계화 촉진법」에 따른 농업기계 신기술은 농촌진흥청
11. 「산업기술혁신촉진법」에 따른 신제품은 한국산업기술진흥협회

②신기술 및 신제품인증은 상시 신청·접수(기간 연장을 포함한다)를 원칙으로 하되, 제도의 효율적 운영을 위하여 인증기관은 일정기간을 정하여 접수할 수 있다.

③제2항 후단에 따라 일정기간을 정하여 접수하는 인증의 경우 신청자가 개발 신기술의 상용화 및 신제품의 신속한 시장출시 등을 이유로 신속한 인증심사를 원하는 경우 [별지 제1호 서식]에 따라 해당 인증기관에 신속인증심사를 신청할 수 있다.

제5조(인증기간) 관계중앙행정기관의 장은 관련법령에 따라 5년의 범위 이내에서 기간을 정하여 인증하고, 인증기간의 연장이 필요한 경우 7년의 범위 이내에서 관련법령에서 연장기간을 정할 수 있다. 다만, 인증의 특성상 인증기간을 달리 할 필요가 있다고 인정되는 경우 관계행정기관의 장이 별도로 정할 수 있다.

제6조(인증서의 교부) 관계중앙행정기관의 장은 관련법령에 의하여 신기술 및 신제품을 인증하는 때에는 이를 확인하는 인증서(이하 인정서, 지정서를 포함한다)를 교부한다.

제7조(인증표시의 사용) ①관련법령에 의하여 신기술인증을 받은 인증서에는 [별표1]의 인증표시를 사용할 수 있다.

②관련법령에 의하여 신기술 인증을 받은 자는 신기술을 적용하여 제조한 제품이나 포장·용기 및 홍보물 등에 [별표2]의 인증표시를 사용할 수 있다.

③제2항에 의하여 인증표시를 제품에 부착하여 사용하는 경우에는 제품에 적용된 인증번호와 인증유효기간을 표기하여야 한다.

제8조(지원) 정부는 이 요령에 의하여 신기술인증을 받은 자에 대하여 금융·조세·인력·구매 등을 지원할 경우 인증부처나 인증대상에 따라 차별하여서는 아니된다.

제9조(인증절차 및 서식) ①인증의 절차는 1차 서류·면접심사, 2차 현장심사, 3차 종합심사 순을 원칙으로 하되, 사전예고 및 이의신청 등 추가 절차 또는 세부절차는 각 인증의 특성에 맞추어 관계중앙행정기관의 장이 따로 정하여 운용한다.

②신기술 인증 신청서, 신기술 인증 유효기간 연장 신청서, 인증서 또는 확인서 재발급 신청서 및 인증 신기술·신제품 관련 실적 보고서 등의 각종 서식은 [별지 제2호 서식] 내지 [별지 제5호 서식]과 같다. 다만, 별도의 서식이 필요하다고 인정되는 경우 관계중앙행정기관의 장이 따로 정하여 운용할 수 있다.

제9조의2(신속인증심사) ①제4조제3항에 따라 신속인증심사를 신청받은 인증기관은 신속인증심사 여부를 신청을 받은 날로부터 10일 이내에 결정하고 그 결과를 신청자에게 알려야 한다.

②해당 인증기관은 신속인증심사가 결정된 경우 즉시 인증심사를 이행하여야 한다.

③인증기관은 관계중앙행정기관의 장이 정하는 바에 따라 신속인증심사에 따른 추가 인증심사비용을 신청자에게 청구할 수 있다. 다만, 추가 심사비용을 포함한 총 인증심사 수수료는 해당 인증 수수료의 3배를 초과하지 않는다.

④제1항부터 제3항까지에서 규정한 사항 외에 신속인증심사의 절차 및 이행 등에 관하여 필요한 사항은 관계중앙행정기관의 장이 별도로 정한다.

제10조(신기술·신제품활용증진협의회 구성) ①국무조정실장은 인증제도 개선 및 발전 등에 관해 관계중앙행정기관과의 협의를 위해 '신기술·신제품활용증진협의회'(이하 "협의회"라 한다)를 구성·운영할 수 있다.

②협의회 의장은 국무조정실장으로 한다. 다만, 의장이 부득이한 사유로 직무수행이 곤란하거나, 협의회 운영을 위해 필요하다고 인정되는 경우 국무조정실 규제조정실장이 직무를 대행한다.

③협의회는 의장이 필요하다고 인정하는 때에 소집한다.

④협의회는 각 부처의 인증담당 소관 고위공무원으로 구성하며, 간사는 산업통상자원부 인증담당 소관 고위공무원으로 한다.

⑤제1항부터 제4항까지에서 규정한 사항 외에 협의회의 구성과 운영에 관한 사항은 협의회 의장이 협의회를 통해 정한다.

제10조의2(신기술·신제품 통합정보시스템 구축·운영 등) ①산업통상자원부장관은 신기술·신제품 인증제도의 효율적인 운영·관리를 위해 관계부처가 운영 중인 관련 인증정보시스템을 연계한 "신기

술 · 신제품 통합정보시스템"을 구축 · 운영한다.

②산업통상자원부장관은 시스템을 통하여 신기술 및 신제품 인증 제도와 관련한 다음 각 호의 정보를 관리하여야 한다.

1. 신기술 · 신제품인증 신청현황
2. 신기술 · 신제품인증 발급현황
3. 신기술 · 신제품 활용실적
4. 기타, 산업통상자원부장관이 신기술 · 신제품인증정보 통합관리를 위해 필요하다고 인정하는 정보

③인증기관은 신기술 및 신제품 인증과 관련하여 인증현황 및 인증기술 공고 등에 관한 사항을 동 통합정보시스템을 통해 게시하여야 한다.

④산업통상자원부장관은 제2항 및 제3항에 따른 정보관리 및 보급을 위하여 각 인증기관에 관련 정보를 요청할 수 있으며 각 인증기관은 이에 따라야 한다.

⑤산업통상자원부장관은 원활한 통합정보시스템 운영 및 유지보수를 위하여 해당 업무를 외부기관이나 업체에 위탁할 수 있으며, 이에 따른 예산을 지원할 수 있다.

제10조의3(수수료) 신기술 및 신제품인증을 위한 각종 수수료의 상한액은 [별표3]과 같다. 다만, 인증의 특성상 동 상한액을 초과 할 필요가 있다고 인정되는 경우 관계중앙행정기관의 장이 따로 정할 수 있다.

제11조(자료제출 요청) 산업통상자원부장관은 신기술 및 신제품 인증의 현황파악 및 제10조 따른 협의회 개최 등을 위하여 필요한 때에는 관계중앙행정기관의 장에게 자료제출을 요청할 수 있다.

제12조(기타사항) 그 밖에 필요한 사항은 신기술 · 신제품활용증진협의회 의견을 들어 관계중앙행정기관의 장이 정한다.

제13조(재검토기한) 「훈령 · 예규 등의 발령 및 관리에 관한 규정」에 따라 이 고시에 대하여 2019년 7월 1일 기준으로 매 3년이 되는 시점(매 3년째의 6월 30일까지를 말한다) 마다 그 타당성을 검토하여 개선 등의 조치를 하여야 한다.

부칙 〈제2009-694호, 2009.8.27〉

제1조(시행일) 이 고시는 발령한 날로부터 시행한다.

부칙 〈제2013-151호, 2013.4.22〉

이 고시는 발령한 날부터 시행한다.

부칙 〈제2013-644호, 2013.11.5〉

제1조(시행일) 이 요령은 고시한 날부터 시행한다.

제2조(적용례) 이 요령 제3조 각 호에 해당하는 기술 중 이 요령의 시행 전에 해당 법령 등의 규정이 개정되지 아니한 경우에는 개정이 이루어진 해당 규정의 시행일부터 적용한다.

제3조(경과조치) 이 요령 시행 이전에 관련법령에 의하여 농림식품 신기술인증, 보건 신기술인증, 전력 신기술인증, 교통 신기술인증, 방

재 신기술인증 및 목재제품 신기술인증 등을 받은 신기술은 이 요령에 의하여 인증받은 신기술로 보며, 인증기간은 기존의 인증기간을 적용한다.

부칙 〈제2016-338호, 2016.6.9〉

제1조(시행일) 이 요령은 고시한 날부터 시행한다.

제2조(적용례) 이 요령 제3조 각 호에 해당하는 신기술 및 신제품 중 이 요령의 시행 전에 해당 법령 등의 규정이 개정되지 아니한 경우에는 개정이 이루어진 해당 규정의 시행일부터 적용한다.

제3조(경과조치) 이 요령 시행 이전에 관련법령에 의하여 인증을 받은 신기술 및 신제품은 이 요령에 의하여 인증 받은 신기술 및 신제품으로 보며, 인증기간은 기존의 인증기간을 적용한다.

부칙 〈제2019-461호, 2019.8.30〉

제1조(시행일) 이 고시는 공포한 날부터 시행한다.

제2조(경과조치) 이 요령 시행 이전에 관련법령에 의하여 인증을 받은 신기술 및 신제품은 이 요령에 의하여 인증 받은 신기술 및 신제품으로 보며, 인증기간은 기존의 인증기간을 적용한다.

[별표 1]

신기술인증 표시방법(제7조①항 관련)

1. 도안 모형

2. 도안 요령

가. 크기: 표지의 크기는 표시하려는 인증서 형태 및 주변의 도안 등을 고려하여 적당한 크기로 표시할 수 있다.

나. 색상: “Ne”와 “T”의 외곽선, “신기술인증”, “New Excellent Technology”는 검정색, “T”의 내부는 검정색 음영 30%로 하고, 태극은 전자청색(DIC No. 142)으로 한다.

[별표 2]

신기술적용제품의 표시방법(제7조②항 관련)

1. 도안 모형

(예시)본 제품은 「산업기술혁신 촉진법」 제15조의2제3항 및 같은 법 시행령 제18조의4에 따라 산업통상자원부장관으로부터 확인받은 신기술적용제품입니다.

1. 인증번호: 신기술명*-년도-일련번호
   예) 농림식품 신기술-2013-0001
   *"신기술적용제품 확인" 제도가 있는 인증에 한함
2. 제품명 :
3. 제조자명 또는 제조자를 나타내는 약호(略號):
4. 신기술적용제품 확인의 유효기간: 20 . . . ~ 20 . . .

2. 도안 요령

가. 크기: 표지의 크기는 표시하려는 제품, 포장용기의 크기 · 형태 및 주변의 도안 등을 고려하여 적당한 크기로 표시할 수 있다.

나. 색상: "Ne"와 "T"의 외곽선, "신기술인증", "New Excellent Technology"는 검정색, "T"의 내부는 검정색 음영 30%로 하고, 태극은 전자청색(DIC No. 142)으로 한다. 다만, 제품이나 포장지 등의 여건에 따라 지정된 색상을 사용하기 곤란할 때는 적당한 색상으로 변경할 수 있다.

[별표 3]

신기술 및 신제품 인증 수수료 상한선(제10조의3 관련)

구 분	수수료(기술 또는 제품 건당)	
신기술 및 신제품 인증	서류 · 면접 심사	100만원
	현장 심사	100만원 또는 실비정산 가능
	종합 심사	100만원
신기술 및 신제품 인증 유효기간 연장	서류 · 면접 심사	100만원
신기술적용제품 확인*	100만원	

* "신기술적용제품 확인" 제도가 있는 인증에 한함

[별지 제1호 서식]

신속인증심사 신청서

※ [ ]에는 해당되는 곳에 √표시를 합니다. (앞쪽)

접수번호	접수일	처리기간 10일

신청인	기관(업체)명		대표자	
	주 생산품		업종	
	종업원 수 명	자본금 백만원	매출액 억원	수출액 만$
	기업유형 [ ]대기업 [ ]중견기업 [ ]중소기업 [ ]국공립(연) [ ]정부출연(연) [ ]대학		사업자등록번호	
	주소			
업무 담당자	소속 부서	직위	성명	
	전화 (휴대전화)	전송	전자우편	
신속인증 신청사유				
신청 기술	기술 명칭			
	기술핵심단어 [ ] [ ] [ ] [ ]			

「○○○○○○○법」 제○○조제○항, 같은 법 시행령 제○○조제○항 및 같은 법 시행규칙 제○조제○항에 따라 위와 같이 신청합니다.

년 월 일

신청인 기관(업체)명

대표자 (서명 또는 인)

귀하

제출서류	1. 「0000000 시행규칙」 별지 제00호 서식의 신청기술 설명서(세부 기재 내용은 000장관이 정하여 고시하는 바에 따라 작성합니다) 2. 「품질경영 및 공산품안전관리법」 제2조제2호에 따른 품질경영체제를 갖추고 있는지에 대한 설명자료 또는 국제표준화기구(ISO)의 인증서 3. 산업재산권 및 국내외 공인된 인증기관의 인증실적자료 또는 한국인정기구(KOLAS)에서 인정한 시험기관의 시험성적서 4. 공동연구를 하거나 기술이전을 받은 경우에는 그 증빙자료	수수료 서류 · 면접심사 : 원 현장심사 : 원
○○○○○ 확인사항	사업자등록증	

행정정보 공동이용 동의서

본인은 이 건 업무처리와 관련하여 ○○○○○○가 「전자정부법」 제36조제2항에 따른 행정정보의 공동이용을 통하여 위의 ○○○○○○ 확인사항을 확인하는 것에 동의합니다. *동의하지 아니하는 경우에는 신청인이 직접 사업자등록증 사본을 제출하여야 합니다.

신청인 (서명 또는 인)

210mm×297mm[백상지 80g/㎡(재활용품)]

[별지 제2호 서식]

신기술 인증 신청서

※ [ ]에는 해당되는 곳에 √표시를 합니다. (앞쪽)

접수번호	접수일	처리기간

신청인	기관(업체)명		대표자	
	주 생산품		업종	
	종업원 수 명	자본금 백만원	매출액 억원	수출액 만$
	기업유형 [ ]대기업 [ ]중견기업 [ ]중소기업 [ ]국공립(연) [ ]정부출연(연) [ ]대학		사업자등록번호	
	주소			
업무 담당자	소속 부서	직위	성명	
	전화 (휴대전화)	전송	전자우편	
신청 기술	기술 명칭		신청분과 [ ]위원회	
	기술핵심단어 [ ] [ ] [ ] [ ]			

「○○○○○○○법」 제○○조제○항, 같은 법 시행령 제○○조제○항 및 같은 법 시행규칙 제○조제○항에 따라 위와 같이 신청합니다.

년 월 일

신청인 기관(업체)명

대표자 (서명 또는 인)

귀하

제출서류	1. 「0000000 시행규칙」 별지 제00호 서식의 신청기술 설명서(세부 기재 내용은 000장관이 정하여 고시하는 바에 따라 작성합니다) 2. 「품질경영 및 공산품안전관리법」 제2조제2호에 따른 품질경영체제를 갖추고 있는지에 대한 설명자료 또는 국제표준화기구(ISO)의 인증서 3. 산업재산권 및 국내외 공인된 인증기관의 인증실적자료 또는 한국인정기구(KOLAS)에서 인정한 시험기관의 시험성적서 4. 공동연구를 하거나 기술이전을 받은 경우에는 그 증빙자료	수수료 서류 · 면접심사 : 원 현장심사 : 원
○○○○○ 확인사항	사업자등록증	

행정정보 공동이용 동의서

본인은 이 건 업무처리와 관련하여 ○○○○○○가 「전자정부법」 제36조제2항에 따른 행정정보의 공동이용을 통하여 위의 ○○○○○○ 확인사항을 확인하는 것에 동의합니다. *동의하지 아니하는 경우에는 신청인이 직접 사업자등록증 사본을 제출하여야 합니다.

신청인 (서명 또는 인)

처리절차

신청서 작성	→	접 수	→	서류·면접 심사	→	현장심사	→	종합심사	→	결과 통보
신청인		○○○○○○○○○		전문분과위원회		전문분과위원회		종합심사위원회		○○○○○○

210mm×297mm[백상지 80g/㎡(재활용품)]

[별지 제3호 서식]

신기술 인증 유효기간 연장 신청서

※ [ ]에는 해당되는 곳에 √표시를 합니다.

접수번호	접수일		처리기간	
신청인	기관(업체)명		대표자	
	주 생산품		업종	
	종업원 수 명	자본금 백만원	매출액 억원	수출액 만$
	기업유형 [ ]대기업 [ ]중견기업 [ ]중소기업 [ ]국공립(연) [ ]정부출연(연) [ ]대학		사업자등록번호	
	주소			
업무 담당자	소속 부서	직위	성명	
	전화 (휴대전화)	전송	전자우편	
인증 기술	기술명		인증번호	
	인증기간 년 월 일 ~ 년 월 일			
	신청사유 * 연장신청기술 관련 현재 국내외 기술개발동향, 경쟁기업·경쟁제품(기술)의 현수준, 인증 후 기술개발 현황 등 연장사유 설명			

「○○○○○○○법」 제○○조제○항, 같은 법 시행령 제○○조제○항 및 같은 법 시행규칙 제○조제○항에 따라 위와 같이 신청합니다.

년 월 일

신청인 기관(업체)명
대표자 (서명 또는 인)

귀하

제출서류	1.「0000000 시행규칙」 별지 제00호 서식의 신청기술 설명서(세부 기재 내용은 000장관이 정하여 고시하는 바에 따라 작성합니다) 2.「품질경영 및 공산품안전관리법」 제2조제2호에 따른 품질경영체제를 갖추고 있는지에 대한 설명자료 또는 국제표준화기구(ISO)의 인증서 3. 산업재산권 및 국내외 공인된 인증기관의 인증실적자료 또는 한국인정기구(KOLAS)에서 인정한 시험기관의 시험성적서 4. 공동연구를 하거나 기술이전을 받은 경우에는 그 증빙자료	수수료 서류 · 면접심사 : 원
○○○○○ 확인사항	사업자등록증	

행정정보 공동이용 동의서

본인은 이 건 업무처리와 관련하여 ○○○○○ 가 「전자정부법」 제36조제2항에 따른 행정정보의 공동이용을 통하여 위의 ○○○○○ 확인사항을 확인하는 것에 동의합니다. *동의하지 아니하는 경우에는 신청인이 직접 사업자등록 사본을 제출하여야 합니다.

신청인 (서명 또는 인)

처리절차

신청서 작성 (신청인) → 접 수 (○○○○C) → 서류·면접심사 (전문분과위원회) → 결과 통보 (○○○○○)

210mm×297mm[백상지 80g/㎡(재활용품)]

[별지 제4호 서식]

인증서 또는 확인서 재발급 신청서

※ 색상이 어두운 난은 신고자가 적지 않습니다.

접수번호	접수일		처리기간 30일	
신청구분	□ 신기술 인증(NET) □ 신제품 인증(NEP) □ 신기술적용제품 확인			
인증명칭	기술(제품)명			
신청인	기관(업체)명		대표자	
	주소		전화	
	담당자	소속	성명	직위
		전화 (휴대전화)	전송	전자우편
신청사유	□ 분실·소실 □ 기재사항 변경 (신청사유를 구체적으로 상세하게 설명)			

「○○○○○○○」 시행령 제20조의2에 따라 신기술인증서(적용제품 확인서 포함) 또는 신제품 인증서의 재발급을 신청합니다.

년 월 일

신청인 기관(업체)명
대표자 (서명 또는 인)

○○○○○○○ 귀하

첨부서류	1. 인증서 또는 확인서 원본(헐어서 못쓰게 되거나 기재사항에 변동이 있는 경우에만 첨부합니다) 2. 기재사항에 변동이 있음을 증명하는 서류(기재사항에 변동이 있는 경우에만 첨부합니다)	수수료

처리절차

신청서 작성 (신청인) → 접 수 (○○○○○○○) → 조사·확인 (○○○○○○○) → 인증서 또는 확인서 재발급 (○○○○○○○)

210㎜×297㎜[일반용지 70g/㎡(재활용품)]

[별지 제5호 서식]

인증 신기술 · 신제품 관련 실적 보고서

※ 색상이 어두운 난은 신고자가 적지 않습니다.

접수번호	접수일

신청구분	□ 신기술 인증(NET) ( ) (보건, 건설, 교통 환경, 방재기술, 목재제품기술, 농기계기술, 일반산업 기술로 구분하여 기재) □ 신제품 인증(NEP)
인증명칭	기술(제품)명 (인증번호 : 호)

신청인	기관(업체)명		대표자	
	업종		규모	□대 □중소 □벤처 □기타
	매출액	억원	종업원 수	명
	담당자	소속	성명	직위
		전화 (휴대전화)	전송	전자우편

개발현황	관련특허	국내(출원: 건, 등록: 건) 국외(출원: 건, 등록: 건)
	상용화완료	인증이후 소요기간 ______ 개월 투자금액 ______ 억원
	상용화진행중	인증이후 소요기간 ______ 개월 투자금액 ______ 억원
	상용화미흡사유	□ 시간부족 □ 자금부족 □ 인력부족 □ 시장미형성 □ 기타( )
마크사용	제품명	모델명
	사용방법	□ 제품 □ 포장.용기 □ 홍보물 □ 사용 않음 □ 기타 ( )
	인증효과	□ 있음(□제품신뢰도 □기업이미지 □매출증대 □기술력인정 □투자유치) □ 없음 □ 기타( )

제품 판매실적	국내/외 판매	국내		수출		
		제품매출액	용역매출액	제품매출액	용역매출액	국가명
		억원	억원	백만$	백만$	
	국내판매 금액 중 우선구매 매출금액	중앙정부	기관명 : ______ 등 ______개 기관 금 액 : 억원, 계약 건 수 : 건			
		지방 자치단체	기관명 : ______ 등 ______개 기관 금 액 : 억원, 계약 건 수 : 건			
		기타 공공기관	기관명 : ______ 등 ______개 기관 금 액 : 억원, 계약 건 수 : 건			
기타의견						

「○○○○○○○」 운용요령 제○○조제○항에 따라 위와 같이 신기술 및 신제품 관련 인증실적을 제출합니다.

년 월 일

신청인 기관(업체)명

대표자 (서명 또는 인)

○○○○○○○ 귀하

210㎜×297㎜[일반용지 70g/㎡(재활용품)]

신기술사용협약 등에 관한 규정

국토교통부고시 제2019-355호

일부개정 2019.7.1

제1조(목적) 이 규정은 「건설기술진흥법」 제14조의2 및 「건설기술진흥법 시행령」 제36조의2에 따라 신기술사용협약에 관한 필요한 사항을 정함을 목적으로 한다.

제2조(정의) 이 규정에서 사용하는 용어의 정의는 다음과 같다.

1. "기술개발자"란 「건설기술진흥법」 제14조제2항에 따라 건설신기술을 개발한 자 또는 업체를 말한다.
2. "신기술사용협약자"란 「건설기술진흥법」 제14조의2제1항에 따라 기술개발자와 신기술사용협약을 체결한 업체를 말한다.

제3조(신기술사용협약자의 인정 기준) ①신기술사용협약자는 다음 각 호의 요건을 모두 갖추어야 한다.

1. 해당 신기술 시공에 필요한 관련 건설업 등록증을 보유할 것
2. 해당 신기술을 시공할 수 있는 장비를 소유 또는 임대하고 있을 것
3. 해당 신기술을 전수(傳受)한 자일 것

②신기술을 공동으로 개발한 경우 공동 기술개발자의 일부가 신기술사용협약을 체결할 경우에는 공동 기술개발자(해당 신기술의 특허, 실용신안, 상표권 등 지식재산권을 보유한 자를 포함한다) 전체의 동의를 받아야 한다.

③신기술사용협약자는 협약기간 만료일까지 제1항에 따른 요건을 유지하여야 한다.

제4조(신기술사용협약 증명서 발급 신청 및 증명서 발급) ①기술개발자 또는 신기술사용협약자는 신기술사용협약을 체결한 경우 「건설기술진흥법 시행규칙」(이하 "규칙"이라 한다) 등에 따른 다음 각 호의 서류를 한국건설교통신기술협회장(이하 "협회장"이라 한다)에게 제출하여야 한다.

1. 규칙 별지 제1호의2서식의 신기술사용협약 증명서 발급신청서
2. 규칙 별지 제1호의3서식의 신기술사용협약서
3. 건설업 등록증 사본
4. 신기술을 시공할 수 있는 장비의 소유 또는 임대 현황에 관한 서류
5. 규칙 별지 제1호의4서식의 신기술사용협약 기술전수 확인서
6. 규칙 별지 제1호의5서식의 신기술사용협약 관련 지식재산권 활용 동의서(필요시)

②협회장은 다음 각 호의 하나에 해당하는 경우에는 신청서류의 보완을 요구하거나 반려할 수 있으며, 반려할 경우에는 그 사유를 명시하여 신청자에게 통보하여야 한다.

1. 제1항에 의한 신청서류의 누락이 있는 경우
2. 제3조의 인정 기준에 적합하지 않는 경우

③협회장은 제1항에 따라 제출된 서류에 대하여 검토하고 검토결

과 적합한 경우에 규칙 별지 제1호의6서식의 신기술사용협약 증명서를 발급한다.

제5조(신기술사용협약 기간) 제4조에 따른 신기술사용협약 기간은 해당 신기술의 보호기간 이내로 한다.

제6조(분쟁해결) 신기술 사용에 관한 기술개발자와 신기술사용협약자간에 분쟁이 발생한 경우 분쟁해결에 대하여는 기술개발자와 신기술사용협약자간의 협약서에 따른다. 다만 협약서에 규정되지 않는 사항은 상호 합의에 따른다.

제7조(활용실적) ①신기술사용협약자는 영 제34조제6항에 따라 신기술 활용실적을 작성하여 협회장에게 제출하여야 한다.

②삭제

제8조(신기술사용협약 관리) ①협회장은 신기술사용협약 증명서 발급실적을 별지 제2호 서식에 따라 관리하여야 하며, 반기별로 신기술사용협약 증명서 발급 실적을 익월 말일까지 국토교통부장관에게 보고하여야 한다.

②기술개발자 및 신기술사용협약자는 다음 각 호의 어느 하나에 해당하는 경우에는 그 내용을 협회장에게 통보하고, 신기술사용협약 증명서를 재발급 받아야 한다.

1. 신기술사용협약 증명서를 분실하거나 훼손되어 못 쓰게 된 경우
2. 신기술사용협약 증명서 기재사항이 변경된 경우

③기술개발자 및 신기술사용협약자가 제2항에 따라 신기술사용협약 증명서 재발급을 신청하는 경우에는 제4조제1항제3호, 제4호 및 별지 제1호 서식의 서류를 제출한다.

④협회장은 다음 각 호의 어느 하나에 해당하는 경우에는 별지 제2호 서식의 신기술사용협약 증명서 발급 대장에서 삭제하고, 그 사실을 관계기관에 통보할 수 있다.

1. 법 제89조제1호의2에 따라 신기술사용협약에 관한 증명서의 발급 신청을 거짓으로 한 것이 확인된 경우
2. 신기술사용협약이 해약된 것이 확인된 경우
3. 신기술사용협약자가 제3조에 따른 인정 기준을 상실한 것이 확인된 경우

제9조(재검토기한) 국토교통부장관은 「훈령 · 예규 등의 발령 및 관리에 관한 규정」에 따라 이 고시에 대하여 2019년 7월 1일 기준으로 매3년이 되는 시점(매 3년째의 6월 30일까지를 말한다)마다 그 타당성을 검토하여 개선 등의 조치를 하여야 한다.

부칙 〈제2016-733호, 2016.11.8〉

이 고시는 발령한 날로부터 시행한다.

부칙 〈제2019-355호, 2019.7.1〉

이 고시는 발령한 날부터 시행한다.

[별지 제1호 서식]

신기술사용협약 증명서 재발급 신청서

접수번호	접수일	실명확인	처리기간 7일

지정번호	건설신기술 제 호	보호기간
신기술 명칭		
신청인	상호 또는 법인명	사업자등록번호 (법인등록번호)
	성명(대표자)	생년월일
	주소 및 연락처 (우) (전화: , 팩스:)	
신청사유		

「신기술사용협약 등에 관한 규정」 제4조제4항에 따라 신기술사용협약 증명서의 재발급을 신청합니다.

년 월 일

신청인 (인)

수탁기관의 장 귀하

첨부서류	「건설신기술 협약 등에 관한 규정」 8조제3항의 규정에 따른 증명서류 1. 건설업 등록증 사본 1부 2. 신기술을 시공할 수 있는 장비의 소유 또는 임대 현황에 관한 서류 1부

처리절차

신청서 작성	→	접수	→	서류 검토 및 통보	→	사후관리
신청인		발급기관		발급기관		발급기관

210㎜×297㎜[백상지(80g/㎡) 또는 중질지(80g/㎡)]

[별지 제2호 서식]

신기술사용협약 증명서 발급 대장

접수 번호	접수일	발급일	신기술		신기술사용협약				비고
			지정 번호	보호 기간	기술개발자	협약자	협약기간	등록번호	

210㎜×297㎜[백상지(80g/㎡) 또는 중질지(80g/㎡)]

국토교통부 주요 훈령 및 고시·지침

3. 지침

1 건설공사 시공상세도 작성 지침

2 건설기술용역 하도급 관리지침

건설공사 시공상세도 작성 지침

국토해양부지침 2010.6.30, 제정

제1장 총 칙

1.1 일반 사항

1.1.1 지침 목적

본 지침은 「건설기술관리법」 제23조의2 및 같은 법 시행규칙 제14조의4에 따라 발주청 및 시공자 등이 참고하여 현장실정에 맞는 시공상세도를 작성토록 하여 부실설계·시공 방지 및 공사품질 향상 등 국제경쟁력을 제고하기 위함에 목적이 있다.

1.1.2 적용 범위

(1) 본 지침은 발주청이 발주하는 건설사업 위주로 도로, 하천, 철도 분야에 대하여 시공상세도의 작성, 제출, 관리 업무를 수행하는데 적용한다 (기타유사시설물에 대해서도 동 기준을 참고할 수 있음).

(2) 발주청은 본 지침을 참고로 하여 시공자가 건설공사의 진행단계별로 작성해야 할 시공상세도의 목록을 공사시방서에 명시하여야 하며, 그 작성기준을 별도로 마련하여 시공자나 감리원이 참고하게 할 수 있다.

(3) 발주청은 시공자가 건설기술관리법 제23조의2 제3항의 규정에 따라 시공상태를 검토·확인받아야 하는 대상공종을 공사시방서에 명시하여야 한다.

(4) 각 공종의 성격에 따라 지침에 제시되지 않은 상세한 사항은 각 발주청의 과업지시서나 작성기준을 참고로 하여 작성하도록 한다.

1.1.3 법적 근거

본 지침에 관련된 근거는 다음과 같다.

(1) 건설기술관리법 제23조의2 (설계도서의 작성 등)

(2) 건설기술관리법 시행규칙 제14조의4 (시공상세도면의 작성)

(3) 책임감리현장참여자업무지침서 제34조 (시공상세도의 승인)

(4) 시공감리현장참여자업무지침서 제32조 (시공상세도의 승인)

1.1.4 용어의 정의

(1) "설계도면"(Engineering Drawing)이라 함은 시공될 공사의 성격과 범위를 표시하고 설계자의 의사를 KS 및 관련규격에 근거하여 표현한 도면으로서 공사목적물의 내용을 구체적으로 표시해 놓은 도면을 말한다. 즉, 과업계획에 의해 제시된 목적물의 형상과 규격 등을 표현하기 위해 설계자에 의해 작성된 도면으로 물량산출 및 내역산출의 기초가 되며 시공자가 시공도면을 작성할 수 있도록 모든 지침이 표현된 도면을 말한다.

(2) "시공상세도"(Shop Drawing)라 함은 현장에 종사하는 시공자가 목적물의 품질확보 또는 안전시공을 할 수 있도록 건설공사의 진행단계별로 요구되는 시공방법과 순서, 목적물을 시공하기 위하여 임시로 필요한 조립용 자재와 그 상세 등을 설계도면에 근거하여 작성하는 도면으로 감리원의 검토·승인이 요구되며 가시설물의 설치, 변경에 따른 제반도면을 포함한다.

(3) "준공도면(As-Built Drawing)"이라 함은 착공 후, 준공까지 모든 변경사항이 설계도면에 표기된 것으로 준공 후 공사비 정산 및 유지관리에 필요한 도면을 말한다.

(4) "발주청"이라 함은 건설공사 또는 건설기술용역을 발주하는 국가, 지방자치단체, 국가 또는 지방자치단체가 납입자본금의 2분의 1 이상을 출자한 기업체의 장, 기타 대통령령이 정하는 기관의 장을 말한다.

(5) "책임감리"라 함은 시공감리와 관계 법령에 따라 발주청으로서의 감독권한을 대행하는 것을 말하되, 책임감리는 공사감리의 내용에 따라 건설기술관리법 시행령이 정하는 바에 의하여 전면책임감리 및 부분책임감리로 구분한다.

(6) "감리원"이라 함은 "건설기술관리법 제28조"의 규정에 의한 감리전문회사에 소속되어 검측감리 · 시공감리 또는 책임감리를 수행하는 자를 말한다.
(7) "책임감리원"이라 함은 발주청과 체결된 감리용역계약에 의하여 감리전문회사를 대표하여 현장에 상주하면서 당해공사 전반에 관한 검측감리 · 시공감리 또는 책임감리 업무를 총괄하는 자를 말한다.
(8) "시공자"라 함은 건설산업기본법 제2조제5호의 규정에 의한 건설업자 및 주택법 제9조의 규정에 의한 주택건설업자에 등록한 자로서 당해공사를 도급받아 공사를 시행하는 발주청의 계약상대자이다.
(9) "현장대리인"이라 함은 "공사계약일반조건 제14조의 공사현장대리인"을 말하며, 공사에 관한 전반적인 관리 및 공사업무를 책임 있게 시행할 수 있는 권한을 가진 건설기술자를 말한다.
(10) "검토"라 함은 시공자가 수행하는 중요사항과 당해 건설공사와 관련한 발주청의 요구사항에 대해 시공자 제출서류, 현장실정 등 그 내용을 감리원이 숙지하고, 감리원의 경험과 기술을 바탕으로 하여 타당성 여부를 파악하는 것을 말한다. 감리원은 사항에 따라 검토의견을 발주청 또는 시공자에게 제출하여야 한다.
(11) "승인"이라 함은 발주청 또는 감리원이 시공 또는 감리업무와 관련하여, 이 지침에 나타난 승인사항에 대해 감리원 또는 시공자의 요구에 따라 그 내용을 서면으로 동의하는 것을 말한다. 발주청 또는 감리원의 승인 없이는 다음 단계의 업무를 수행할 수 없다.
(12) "확인"이라 함은 시공자가 공사를 공사계약문서에 따른 실시 여부 또는 지시 · 조정 · 승인 이후 실행한 결과에 대하여 발주청 또는 감리원이 원래의 의도와 규정대로 시행되었는지를 확인하는 것을 말한다.

제2장 시공상세도 작성 일반

2.1 기본원칙

2.1.1 시공상세도 작성

(1) 시공상세도 작성은 실시설계도면을 기준으로 각 공종별, 형식별 세부사항들이 표현되도록 현장여건을 반영하여 상세하게 작성하여야 한다.
(2) 각종 구조물의 시공상세도는 현장 여건과 공종별 시공계획을 최대한 반영하여 시공시 문제점이 발생하지 않도록 작성하여야 한다.
(3) 시공상세도 작성시 주철근의 경우 안정성에 문제가 발생할 소지가 있으므로 철근의 길이나 겹이음의 위치 등 철근상세에 관한 변경이 필요할 경우 반드시 전문기술사의 검토 · 확인을 거쳐 책임감리원의 승인을 거쳐야 한다.
(4) 가시설공의 시공상세도 및 상세도의 승인 요청시에는 구조계산서가 첨부되어야 하며, 관련기술사의 서명날인이 포함되어야 한다.
(5) 시공계획서와 중복되는 부분은 감리원과 협의하여 시공상세도 작성을 아니할 수도 있다.
(6) 본 지침에 수록된 설계기준은 개정된 최신 설계기준을 따른다.

2.1.2 시공상세도 작성 의무자

시공상세도는 원칙적으로 시공현장 책임자인 현장대리인이 작성 · 보급하는 것으로 한다.

2.1.3 시공상세도 작성 범위

시공상세도는 원칙적으로 해당사업 전공종을 대상으로 작성하는 것으로 한다. 다만, 감리원과 협의하여 필요가 없다고 판단되는 보통, 단순공종에 대해서는 구체적인 사유 및 근거를 제시하는 경우 시공상세도 작성 생략 또는 해당공종의 표준도로 대체할 수 있다.

2.2 시공상세도 작성 책임사항

2.2.1 발주청

발주청은 사업목표를 정하고 설계 및 계약변경에 대한 최종책임을 지며, "건설기술관리법 제28조의4"에 의거 시공자가 건설공사의 시공상세도 및 기타 관계서류의 내용과 적합하지 않게 해당 건설공사를 시공하는 경우에는 재시공 · 공사중지 명령이나 그밖에 필요한 조치를 취할 수 있다.

2.2.2 감리원

(1) 감리원은 시공자가 계약 서류의 내용을 올바로 해석하고 재료의 요구조건을 적정 수용하여 제출한 시공상세도를 검토할 책임이 있다.

(2) 감리원은 승인(Approved), 권고사항 이행을 전제로 조건부 승인(Approved as note), 권고사항과 함께 불허(NOT Approved as note) 중 하나를 지시하는 감리원의 서명과 함께 승인서류를 제출하여야 한다.

(3) 권고사항과 함께 불허(NCT Approved as note)는 감리자의 사전 승인 없이 도면이 계약요구조건들로부터 현격히 벗어났거나, 다수의 오류, 판독의 곤란으로 시공상세도의 보완 또는 재작성이 필요한 경우에 적용된다.

(4) 조건부로 승인(Approved as note)된 도면들은 권고사항을 수정하여 감리원의 확인을 득한 후에 공사를 수행하여야 한다.

(5) 감리원은 시공자가 시공상세도를 작성하였는지 검토 · 확인하여야 하며, 특히 주요구조물(관련가설시설물 포함)의 구조적 안전에 관한 사항은 반드시 비상주 감리원이 검토 · 확인하여야 한다.

2.2.3 시공자

(1) 시공자는 계약서류와 일치하는 적합한 상세, 치수, 재료 요구조건 및 구조물 부재의 제작 및 가설에 필요한 기타 요구조건들을 정확히 보여주는 시공상세도를 작성, 제공할 책임이 있다.

(2) 계약서류상의 오류, 모순이 발견될 경우, 이를 즉시 감리원에게 통보하여 후속조치를 취하도록 해야 한다.

(3) 발주청 또는 책임감리원이 승인하였다고 해서 목적물의 하자에 대하여 시공자의 책임이 면제되는 것은 아니다.

제3장 시공상세도 작성 목록

3.1 시공상세도 작성 일반사항

(1) 시공자는 실시설계도면과 시방서 등에 표기된 부분을 명확히 하여 시공상의 오류예방과 공사안전을 확보할 수 있도록 시공상세도를 작성해야 한다.

(2) 감리원은 건설기술관리법 시행규칙 제14조의4의 규정에 의하여 공사시방서에 작성하도록 명시된 시공상세도에 대하여 검토기간(6.1.2 시공상세도 제출시기 및 부수 참조) 내에 확인하고 승인여부를 결정하여야한다.

(3) 시공자는 감리원과 협의하여 발주청이 특별시방서에 명시한 사항 및 공사조건에 따라 필요한 시공상세도를 조정할 수 있다.

3.2 시공상세도 작성 목록

(1) 본 지침의 작성목록에 제시되지 않은 도면이더라도 현장여건에 따라 필요한 경우, 시공자는 감리원과 협의하여 시공상세도를 작성해야 한다.

(2) 단, 본 시공상세도 작성 목록 구분은 현장에서 시공상세도 작성에 따른 세부사항과 대가산정을 위하여 정한 기준이며, 기술검토나 또는 전문기술사의 검토를 요하는 사항 등은 단순 공종이라 하더라도 발주청과의 협의, 조정을 통해서 공종 난이도를 조정할 필요가 있으며, 반드시 세부사항으로 구분된 본 공종 난이도를 따를 필요는 없다.

해 설

시공상세도 작성난이도는 아래와 같은 조건으로 구분하였으며, 발주청과 협의, 조정을 통해서 조정할 수 있다.

복잡 : 구조변경에 의한 신규 재작성 등의 구조계산을 필요로 하고 전문기술사의 검토를 필요로 하는 도면 및 수량 산출이 복잡한 공종에 해당되는 도면

보통 : 실시설계도면을 참조하여 상세하게 작성하거나, 구조변경을 필요로 하지 않는 복잡한 도면 및 수량 산출이 보통 공종에 해당되는 도면

단순 : 실시설계도면을 참조하여 간단하게 작성하는 도면 및 수량 산출이 간단 공종에 해당되는 도면

3.2.1 공통사항

공종	세부사항	난이도
철근공	가. 부재별 철근 배근 전개도 나. 겹이음 위치 및 길이, 기계적 연결 또는 용접이음의 위치 ① 배근상세도 검토 후 길이별 반입철근 계획수립 (8,9,10,11,12m) ② 구조상 안전위치 선정, 겹이음 위치와 길이 등을 고려 자투리 철근 최소화 (구조물, 암거표준도, 옹벽표준도의 이음부 확인 후 결정) ③ 정·부철근의 유효간격 및 철근덮개 유지용 간격재(spacer) 및 고임재의 위치, 설치방법 및 가공을 위한 상세도면 ④ 특수 구조물의 수직철근 조립방법 및 작업 중 전도방지 계획도 ⑤ 철근 구부리기 상세, 철근재료표 (철근개수, 형상과 규격, 길이, 중량포함), 철근의 위치 ⑥ 기계적 이음시 커플러 규격 ⑦ 용접이음시 용접방법(용접자세) 및 목 두께 ⑧ 시공이음을 고려한 철근겹이음 위치	복 잡

3.2.2 토공

공종	세부사항	난이도
토공	가. 흙깎기 (절토) ① 소단폭원, 절취고 및 경사 (절토부 개소당 대표단면) ② 소단, 산마루, 측구, 도수로, 개천내기 위치	단 순
	나. 흙쌓기 (성토) ① 흙쌓기 최종 마무리면별 길어깨 ② 본선 및 중분대 표준횡단계획도 (성토부 개소당 대표단면) ③ 토사 측구 설치 계획도 ④ 암성토시 성토법면 시공계획도	단 순
	다. 다 짐 ① 노체 노상의 토사 다짐 흙쌓기 두께 및 종류 ② 토사 다짐순서도	단 순
	라. 비탈면 보강 및 비탈덮기 ① 비탈면 보강 및 비탈덮기 계획도, 시공순서도, 호안전개도 ② 보강 공법 및 비탈덮기 공법에 따른 사용재료의 제원 및 상세 ③ 매트리스형 돌망태 설치상세도 등 ④ 비탈면보강용 록앵커, 록볼트, 식생 및 그물망설치 상세도	단 순
	마. 토공 구조물 접속부 ① 어프로치 블록 ② 강화노반	단 순
	바. 한쪽깍기, 한쪽쌓기 구간 ① 배수처리 ② 층따기 및 다짐순서도	단 순
	사. 흙깎기, 흙쌓기 경계부 ① 층따기 및 다짐순서도	단 순

3.2.3 불량토 치환공

공종	세부사항	난이도
불량토 치환공	가. 지층조사 ① 지층별심도, 확인계획도(종단, 횡단방향) - 심도별, 이정별 연결도	보 통
	나. 불량토 치환 계획도 ① 치환 공법개요, 사용재료, 치환폭, 깊이	복 잡

3.2.4 지반개량공

공종	세부사항	난이도
연약지반개량공	가. 지층조사 ① 지층별심도 확인계획도(종단, 횡단방향): 심도별, 이정별 연결도	보 통
	나. PP, PET 매트 ① 성토 폭원을 고려한 위치별 매트의 공장제작 계획도 ② 현장 및 공장 봉합방법 ③ 단계성토시 PP, PET매트 단부 처리방안	복 잡
	다. 연약지반상 배수구조물 기초 치환 ① 치환폭, 깊이, 길이	복 잡
	라. 연직배수공 ① 배수계획도	복 잡
	② 시공순서도	보 통
	마. 계측 기기 ① 설치위치 평면도 ② 설치방법 ③ 설치위치 변경 및 깊이(길이) ④ 계측 기기 보호시설 ⑤ 계측빈도	복 잡
	바. 지반보강 계획도 ① 사용재료, 주입범위, 깊이, 교반범위 등 ② 지반고 표기, 배수처리계획도	복 잡

3.2.5 구조물공 공통사항

공종	세부사항	난이도
구조물공 공통사항	가. 일반 구조물 ① 단면변화부 ② 파일 매몰부 보강상세도 ③ 구조물 개구부 보강(후속공정을 고려한 개구부 위치) ④ 콘크리트 타설이음 (시공이음) ⑤ 콘크리트 타설계획서(콘크리트 타설순서도 포함) ⑥ 강연선 인장장비 배치, 순서, 방법 ⑦ 콘크리트투입구 위치, 수량, 규격 ⑧ 지수판 상세도 ⑨ 신축이음 및 기타 상세도 ⑩ 차수벽 상세도 ⑪ 어도블럭 상세도	복 잡
	⑫ 시공순서도 ⑬ 방수 상세도	보 통
	나. 거푸집 ① 모따기 위치도 ② 문양거푸집 등의 사용시 설치계획도 및 철근 덮개 표시도 ③ 시공 이음부 처리도	보 통
	④ 동바리 설치도	복 잡

3.2.6 배수공

공종	세부사항	난이도
취·배수공	가. 공통 사항 ① 타 시설물과의 연결부 및 연장 끝부분 처리도 ② 신축, 수축 및 시공이음 위치도	단 순
	나. L형 측구 ① 형식변경부 접속처리와 문양거푸집 사용시 설치계획도	단 순
	다. U형 측구(용수로, 개천내기 포함) ① 배수종단도	단 순
	라. V형 측구 ① 배수종단도 ② 선형 ③ L형측구 또는 U형측구와 접속연결부 처리도	단 순
	마. 산마루 측구 ① 선형 ② L형측구 또는 U형측구와 접속연결부 처리도	단 순
	바. 암거, 취·배수관(문) ① 확장공사시 가시설 설치도 ② 지형여건을 고려한 연장, 규격, 사각(Skew), 피토고, 경사 ③ 설계 표고가 암거 중심 기준이므로 암거길이 방향으로 최대 피토고 위치에서의 단면검토와 시공 시 암거 상면이 포장층 내에 위치할 경우 보강슬래브 또는 접속슬래브 설치도 ④ 통로암거 특수거푸집 설치계획도(덮개 확보방안 포함) ⑤ 인접한 암거, 취·배수관, 측구용 배수로간 날개벽 연결부처리도	복 잡

공종	세부사항	난이도
취·배수공	⑥ 분할 시공시 시공이음부 처리도 ⑦ 날개벽과 도수로 연결상세도 ⑧ 문양거푸집 시공상세도 ⑨ 기존암거 확장시 신구조인트 처리방법도 ⑩ 단부, 조작대 및 도교기둥 상세도	복 잡
	사. 옹벽 ① 취·배수구멍 위치도 및 잡석채움 시공도 ② 문양거푸집 설치도 ③ 조립 철근 설치상세도 ④ 시공이음 위치 및 상세도(Water Stop etc.) ⑤ 옹벽배면 배수시설등 상세도	복 잡
	아. 배관구, 용수로 ① 배관구, 용수로 설치상세도 ② 출입구·용수로 뚜껑 및 그레이팅(Grating) 설치 상세도	보 통
	자. 기 타 ① 맹암거 설치계획도 ② 흙깎기· 쌓기 경사면 녹화계획도 ③ IC 및 JCT 구간 내 녹지대 배수계획도 ④ 흙깎기·쌓기 경사면보호를 위한 소단 및 사면배수(도수) 계획도	단 순
	⑤ 문비, 문틀, 권양기 상세도	복 잡

3.2.7 포장공

공종	세부사항	난이도
포장공	가. 시멘트 콘크리트 및 아스팔트 콘크리트포장 ① 센서라인 설치계획도(위치, 간격) ② 교량 접속슬래브의 종단경사, 편경사를 고려한 세부계획도 ③ 도로 및 갈매기차로 포장상세도 ④ 경계석, 분리석 등 상세도	보 통

3.2.8 교량공

공종	세부사항	난이도
교량공	가. 기 초 ① 가시설이 필요한 터파기에서의 가시설도 ② 말뚝기초 적용시 공법에 따른 설치계획도, 말뚝 부재 운반 계획도, 시험항타계획도, 두부 정리 상세도, 이음상세도 및 재하시험 계획도 등	복 잡
	③ 세굴방지공 상세도	보 통
	나. 교대, 교각 ① 시공이음부 처리도 ② 교량 받침면 : 받침(Bearing)별 받침면 시공계획도(표고표기) ③ 대기온도, 건조수축, 크리이프 등을 고려한 받침(Bearing)의 유간 ④ 확장공사 시 가시설 설치도 ⑤ 슬래브 배수처리 위한 교대주변 배수 처리도 ⑥ 철근상세도(교각 띠철근 설치 상세도 및 커플러 설치 위치도 포함) ⑦ 거푸집 상세도(구조계산서 포함)	복 잡

공종	세부사항	난이도
교량공	⑧ 교량받침 교체위한 잭업(Jack-up)설치도 ⑨ 교대배면 뒤채움 처리도 및 교대 보호 블록 ⑩ 교량받침면내 배수처리를 위한 물빼기홈 설치도 ⑪ 교각 접지 상세도	보 통
	다. 교량받침 ① 교량받침 설치계획도 ② 앵커설치 시공상세도 - 교량받침, 앵커크기 및 위치를 확인하여 코핑의 철근배근도에 반영 ③ 솔플레이트와 교량받침 상부플레이트 연결도 (용접, 볼트이음, 쐐기형 처리 등)	단 순
	라. 신축이음장치 ① 신축이음장치 설치도(슬래브 철근 조립전 제출) - 선정제품의 폭, 두께와 상부형식에 따른 신축이음장치 설치부의 교량슬래브 단부조정 등을 명기 - 신축이음장치 설치규격에 상응한 블록아웃(Block out)폭, 두께 - 앵커철근 용접 시 대기온도에 따른 신축이음장치 설치폭 ② 슬래브 양측난간 누수방지를 위한 물막이 처리도	단 순
	마. 강 교 ① 강교 제작계획도(각 부재의 절단 가공, 용접 검사 현도)	복 잡

공종	세부사항	난이도
교량공	② 가설계획도(가벤트 설치도, 부재 체결순서도, 투입장비 배치도, 볼트체결 순서도) ③ 바닥판 거푸집 상세도(재질, 규격, 형상, 부착방법) ④ 강교부재 운반계획도(중량, 폭, 길이, 높이검토) ⑤ 공장 및 현장 도장 계획도 ⑥ 강교부재 인양계획도(인양위치, 인양러그(Lug) 상세, 인양장비, 가이드 프레임 등)	복 잡
	바. P.S.C BEAM교 ① P.S.C BEAM 상세도 및 강재거푸집 상세도 ② 사각(Skew) 종단, 편경사구간 설치계획도 ③ 전도방지 시설도 ④ 제작장 평면계획(Beam 배치) 및 바닥 조성(다짐, 배수) 계획도 ⑤ 강연선지지철근 상세도 ⑥ 가설계획도(장비용량 및 투입배치도)	보 통
	사. PSC 콘크리트 박스거더교 ① 공통사항 - 강연선배치 상세도, 각종 정착부 상세도 및 인장 후 마감처리 상세도 - 유지보수용 강연선 배치 세부상세도 - 철근배근상세도 - 캠버관리도 - 상판가설장비(FSM, MSS, ILM, FCM) 설치계획도, 가설장비 재료, 규격, 형상, 가설장비 운영(작동)	복 잡
	- 시공순서도	보 통

<table>
<tr><th>공종</th><th>세부사항</th><th>난이도</th></tr>
<tr><td rowspan="4">교량공</td><td>② FSM
- 동바리 시공도면, 강재 거푸집 상세도
③ ILM
- 시공이음부 배근상세도, 제작장 일반도 및 구조도, 추진코(Nose부), LATERAL GUIDE 상세도, 브라켓 및 임시슬라이딩패드(PTFE판), 임시교각(Bent)상세도
④ FCM
- Key-seg 상세도, 가설강봉 설치계획도, FORM TRAVELLER 상세도, 주두부가시설 상세도, 인장순서도</td><td>복 잡</td></tr>
<tr><td>- Key-seg 시공순서도</td><td>보 통</td></tr>
<tr><td>⑤ MSS
- 시공이음부 상세도, 이동식거푸집 상세도, 교각 브라켓 상세도</td><td>복 잡</td></tr>
<tr><td>아. 바닥판
① 배수구 설치계획도
(특히 거더교의 경우 보 및 가로보 위치에 배수구 설치가 곤란하므로 적정한 간격 및 위치 조정이 필요하며 교량하부 조건에 따른 배수관 길이 및 집수구 설치위치)
② 배수구 주변 철근보강
③ 물끊기 위치 및 재료, 규격
④ 슬래브 콘크리트 타설, 데크피니셔 설치도
⑤ 가로등 설치구간 및 광통신 라인 설치구간 세부계획도
⑥ 난간 방호벽 광통신 파이프 배치 및 철근 배근도
⑦ 표지판 및 방음벽 설치구간의 세부시공 상세도</td><td>보 통</td></tr>
</table>

3.2.9 터널공

<table>
<tr><th>공종</th><th>세부사항</th><th>난이도</th></tr>
<tr><td rowspan="5">터널공</td><td>가. 굴 착
① 단면도
② 발파계획도(천공깊이, 방향 및 위치)
③ 터널 입·출구부 절취 계획도
(갱구부 보강상세도 포함)
④ 시·종점부의 중심좌표 및 표고 확인
⑤ 천공패턴
⑥ 천공배열도 및 기폭배열도
⑦ 발파용 매트나 덮개 표준도
⑧ 상세도, 보강단면도</td><td>복 잡</td></tr>
<tr><td>⑨ 굴착순서도 및 시공순서도</td><td>보 통</td></tr>
<tr><td>나. 계 측
① 계측 기기 설치위치도
② 계측 기기 보호시설도
③ 계측기 상세도 및 계측빈도</td><td>복 잡</td></tr>
<tr><td>다. 배수구 및 공동구
① 시공 중 배수처리 계획도
② 공동구와 집수정과의 배수관 연결
③ 포장 표고와 비교 공동구 상단 표고</td><td>보 통</td></tr>
<tr><td>라. 라 이 닝
① 거푸집 도면(콘크리트 투입구 및 검사구, 단부마감), 강재거푸집 상세도
② 수축 및 팽창줄눈 설치도
③ 라이닝과 개구부 철근연결 및 시공이음부 처리도
④ 철재 동바리</td><td>복 잡</td></tr>
</table>

공종	세부사항	난이도
터널공	마. 타 일 ① 배치도, 수축 및 팽창줄눈 설치도	보 통
	바. 방수 ① 갱구부 방수시트 부착 계획도	보 통
	사. 지보공 ① 과다여굴 부위 보강계획도 ② 강지보재 부위 숏크리트 ③ 와이어매쉬 설치도 ④ 와이어매쉬 겹침 상세도 ⑤ 용수처리 계획도	보 통

3.2.10 부대공

공종	세부사항	난이도
부대공	가. 방 음 벽 ① 신축이음장치 설치부 처리도 (지주간격, 방음판, 길이) ② 방음벽용 옹벽과 교량부 방호난간, 가드레일 또는 L형 측구, V형 측구 등과의 접속부 처리도 ③ 종단경사가 급한 곳의 방음벽 옹벽 처리도 ④ 방음벽 출입시설 설치 위치도 및 상세도	보 통
	나. 중앙분리대 ① 토공부와 교량부의 접속부 처리도 (교량 신축이음부) ② 기초 및 구체 기계 시공시 센서라인 설치계획도	보 통
	다. 울타리 ① 기둥과의 접속부 처리도 ② Y형 앵글 설치계획도 ③ 울타리 설치계획도	단 순
	라. 콘크리트 블록포장 ① 기 시설물 접속부 처리도 ② 안전층(Sandcushion) 상세도	단 순
	마. 기 타 ① 영업소 시설 상세도 ② 노면 표지 상세도 ③ 안전시설(시선유도표지) 상세도 ④ 점검로, 난간, 전기설비 상세도 ⑤ 전철주 상세도 ⑥ 낙석방지책 ⑦ 철도교 공동관로 상세도(신호, 통신, 전력)	보 통

3.2.11 가시설공

공종	세부사항	난이도
가시설공	가. 흙막이 가시설공 ① H-파일, Sheet-파일 : 위치별 규격 및 근입길이, 간격, 이음부 연결상세(필요시), 횡토압 지지방법 (H-파일 또는 어스앵커 사용 등) ② 흙막이 공법 표기 ③ 토류판 : 재질, 폭, 두께, 길이 ④ 어스앵커 : 근입길이, 종, 횡방향 간격, 정착 헤드 크기 및 방법, 그라우팅 제원 및 상세, 인장 상세도	복 잡

공종	세부사항	난이도
가시설공	⑤ 형태별 단면도 ⑥ 가시설 상세도, 수직 피스 제작, 코너 피스 제작도 - 주형보 받침 및 연결 - 보강재(Stiffener) 설치 - 띠장 우각부 연결 - 띠장 연결 - 파일 연결 - 버팀보 보강용 브레이싱 - 중간파일 보강용 브레이싱 및 ㄷ형강 설치 - 주형보 브레이싱 - 피스 브라켓 제작 - 토류용 앵글설치 - 버팀보 제작 - 띠장 설치 - 잭(Jack) 설치 - 수직 피스제작 - 제작 복공 설치도 - 장비통로 및 작업구 버팀보 보강 - 작업구 안전 울타리 - 주형보 X-브레이싱 - 보조파일 - 사보강재 - 화타쐐기 - 중간말뚝 방수처리 - H-파일 개구부 마감 - 보걸이 - 진입부 상세 - U볼트 - 작업계단 및 점검통로 - 버팀보 연결 ⑦ Tie Cable : 종, 횡방향 간격, 강연선 및 정착구 상세도 ⑧ 인접구조물 · 지장물의 위치, 규격 및 종류	복 잡
	⑨ 설치순서도 및 해체순서도 작성(필요시) ⑩ 시공순서도 ⑪ 가시설 계측 - 계측기기 설치위치도 및 보호시설도 - 계측기 상세도 및 계측빈도	보 통

공종	세부사항	난이도
가시설공	나. 가 교 ① 연장, 폭원, 통과높이, H-파일의 근입 깊이, 강재 규격, 난간설치방법 및 상세도, 포장단면, 연결가도 테이퍼 및 연장, 기타사항 ② 이음부 용접 및 볼트 체결도	복 잡
	다. 동바리 ① 종단면도, 횡단면도 - 수평, 수직, 사재설치상세도 ② 수직재 최상단 및 최하단 수평재 배치 상세도 ③ 동바리의 상부 U-헤드 상세도 ④ 하부기초 상세도 ⑤ 강관비계 연결 이음쇄 상세도	복 잡
	라. 가 시 설 ① 안전 시설, 안전 도색 ② 가설건물 배치현황	단 순
	마. 가도 및 가물막이 ① 연장, 폭원 ② 접속처리도(본선, 가교 접속부, 테이퍼 등) ③ 배수시설도	보 통
	바. 기 타 ① 구조물(암거, 교량, 배수관) 시공 전 가배수 시설도 ② 가도, 가교 및 가시설 설치에 따른 길어깨 안전시설 설치도	단 순

3.2.12 상하수도공

공종	세부사항	난이도
상하수도공	가. 공통사항 ① 타시설물과의 연결부 접속처리도, 계획평면도	보 통
	나. 관접합부설 ① 밸브실 및 유량계실 설치위치도 및 배관상세도 ② 수평, 수직곡관 위치도 ③ 지형여건을 고려한 관로 연잔, 규격, 토피, 경사	보 통
	다. 기타 ① 곡관보호공 상세도	보 통

3.2.13 옹벽 및 기타

공종	세부사항	난이도
옹벽 및 기타	가. 옹 벽 ① 구간별 전개도(시공이음, 개구부 위치) ② 날개벽과의 연결부 처리도(교량 및 암거, 배수관) ③ 배수구 위치도 ④ 옹벽 위 표지판 등 설치구간 단면 보강도 ⑤ 집수정과의 연결도 ⑥ 다이크와 연결부 처리도 ⑦ 조립 철근 상세도 ⑧ 구조물과 보강토옹벽의 접속부에 대한 시공상세도	보 통
	나. 기 타 ① 양생, 보온 세부사항 ② 각 옹벽별 유지관리 점검시설의 필요한 부분 상세도	단 순

3.2.14 교통안전 시설

공종	세부사항	난이도
교통안전시설	가. 표지판 ① 표지판 설치계획도(종 · 횡단상 위치, 매설 깊이) ② 지주 또는 트러스와 결속부 처리도 ③ 앵커볼트 시공계획도	단 순
	나. 교통처리계획 ① 단계별 교통처리계획도 ② 차선변경에 따른 단계별 복공계획도	보 통

3.2.15 기타

공종	세부사항	난이도
기타	① 기타 규격, 치수, 연장 등이 불명확하여 시공에 어려움이 예상되는 부위의 각종 상세도면 ② 특수공종 및 기타, 세부상세도면이 필요시 감리원과 협의하여 시행 ③ 공사용 진입로, 세륜세차 시설, 유지관리도로, 방재구난구역 진입로 및 기타 상세도	보 통

제 4 장　시공상세도 작성시 유의사항

4.1 철근의 이음

(1) 철근은 설계도 또는 시방서에서 요구하거나 허용한 경우 또는 책임감리원의 승인 하에서만 이음을 할 수 있다.
(2) D35를 초과하는 인장철근은 겹침이음을 하지 않아야 한다.
(3) 용접이음은 철근의 설계기준 항복강도 fy의 125퍼센트 이상을 발휘할 수 있는 완전용접이어야 한다.
(4) 기계적 이음은 철근의 설계기준 항복강도 fy의 125퍼센트 이상을 발휘할 수 있는 완전 기계적 이음이어야 한다.
(5) 고임재와 간격재(Spacer)는 철근 배근시 거푸집으로부터 덮개와 철근 간격을 정확히 유지하고, 콘크리트 타설시 진동이나 충격이 발생하더라도 원래의 위치를 벗어나지 않도록 설치하여야 한다. 또한 간격재의 배치 수를 임의로 조정하게 되면 콘크리트 내구성 저하요인이 되므로 유의하여야한다.
(6) 결속선은 간격재(Spacer)와 더불어 철근의 위치를 유지하는데 꼭 필요한 재료중의 하나로서 현재의 결속선 사용방법은 #20 철선 두 겹으로 이음 개소당 두 곳 이상 직교하는 모든 철근의 결속을 원칙으로 하고 경미한 곳은 하나 또는 둘 걸러 결속하도록 되어 있다. 중요한 부위는 철근이음 1개소마다 3군데를 결속하여야 한다.

해　설

철근의 이음에 대해서는 원칙적으로 콘크리트 구조설계기준(2007), 도로교 설계기준(2005) 및 철도설계기준(2004)을 따르기로 한다.

1. 철근의 이음은 구조상 취약한 곳으로, 이음은 가능한 최대 인장응력점으로부터 떨어진 곳에 두어야 한다.
2. D35를 초과하는 철근의 겹침이음에 대한 시험자료가 불충분하므로 이러한 철근의 겹침이음은 금지되어 있다. 다만, D35 이하의 철근과 압축 겹침이음을 하는 경우에는 겹침이음을 허용한다.
3. 완전용접이음은 주로 주부재에서 D19 이상 지름이 큰 철근에 적용된다. 완전용접을 보장하기 위해 용접강도는 철근의 설계기준항복강도 125퍼센트의 인장강도를 발휘할 수 있어야 하며, 이는 압축에 대해서도 적용된다. 설계기준에 따라 설계시에 사용되는 철근의 최대응력은 항복강도이다. 따라서 부재에서 철근이 항복하여 취성적 파괴를 피할 수 있도록 이음부에 충분한 강도가 필요하므로 설계기준강도보다 25퍼센트 증가시킨 것이 채택된 것이며, 이것은 안전율에 대한 최소값이며, 경제적인 면에서 실용적 최대값이다.
4. 기계적이음은 용접이음과 동일한 이유로 완전 기계적 연결에서도 인장 또는 압축에서 설계기준항복강도의 125퍼센트를 발휘할 수 있도록 규정하였다.

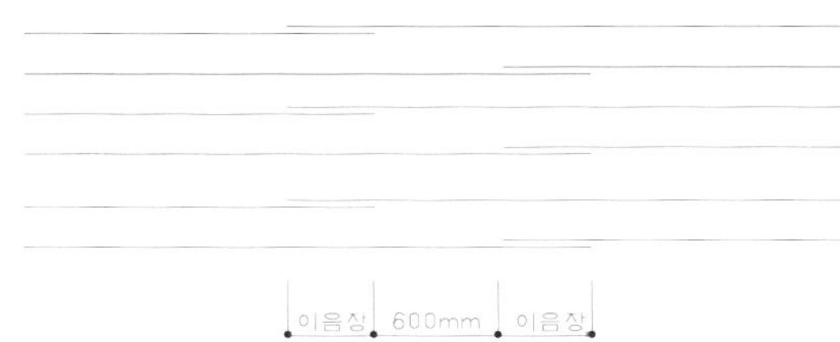

〈그림 4.1.1〉 용접 또는 기계적 이음 상세도 작성 예

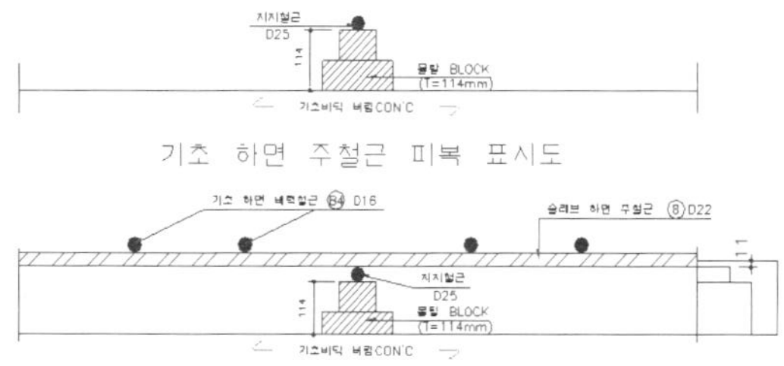

〈그림 4.1.2〉 모르타르 블록 배치 및 지지철근 배열 작성예

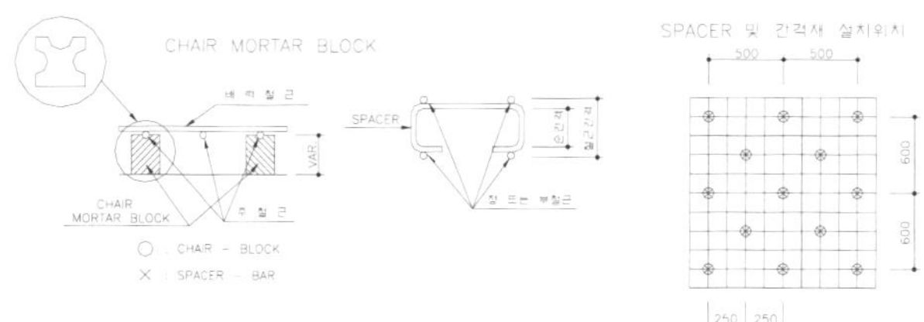

〈그림 4.1.3〉 간격재(SPACER)또는 고임재 상세도 작성예

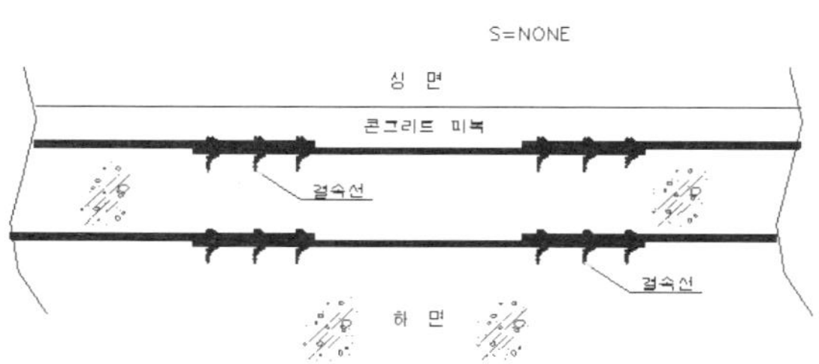

〈그림 4.1.4〉 겹이음상세 작성예

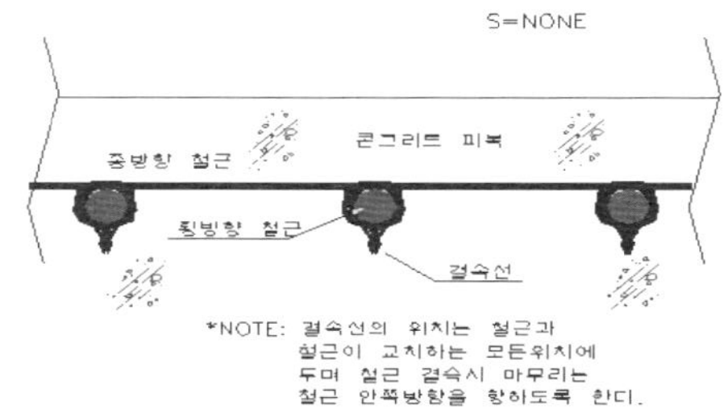

〈그림 4.1.5〉 종 · 횡방향 결속 상세 작성예

4.2 철근간섭부분에 대한 해소 방법

(1) 교각 코핑부, 교량 받침부, 강연선정착부 등 철근간섭이 발생하는 부분은 시공상세도를 반드시 작성하여야 하며, 시공상세도 작성으로 철근간섭을 해소할 수 없는 경우에는 필요에 따라 3D 도면작성으로 철근간섭을 사전배제할 수 있다.

해 설

1. 교량 받침부 배근도(2D)

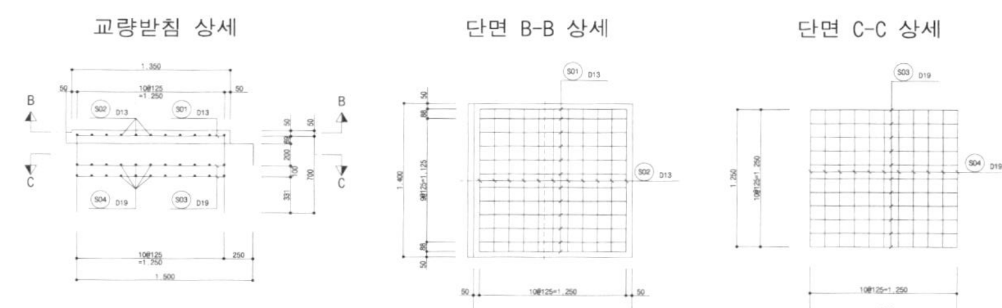

2. 교량 받침부 배근도(3D)

4.3 거푸집

(1) 특별히 지정하지 않은 경우라도 콘크리트의 모서리는 모따기가 될 수 있는 구조이어야 한다.
(2) 문양거푸집은 쉽게 조립할 수 있고 안전하게 떼어낼 수 있게 해야 하며 거푸집 판 또는 패널의 이음은 부재축에 직각 또는 평행으로 하고 모르타르가 새어 나오지 않는 구조로 하여야 한다.
(3) 콘크리트 피복두께는 콘크리트 표면부터 철근의 가장 바깥면까지의 최단 거리이며, "콘크리트 구조설계기준" 5.4 최소 피복두께의 기준을 만족하도록 하고, 상세도에 표시하여야 한다.
(4) 시공이음부 처리도는 "콘크리트 표준시방서" 제2장 일반콘크리트 시공편의 기준을 만족하도록 작성한다.

해 설

1. 모따기 위치
   가. 시공자는 설계도면 또는 구조물 모서리 처리 기준 규정을 준수하는 것을 원칙으로 한다.
   나. 기초상면의 모서리는 설계도면 또는 구조물 모서리 처리 기준 등에 특별한 언급이 없거나 감리원의 별도의 지시가 없는 경우, 다짐 장비 등에 의하여 파손될 우려가 있으므로 20mm~70mm 정도 크기로 모따기를 수행하여야 한다.
   다. 교대 전면, 교각, 슬래브의 모서리는 설계도면, 모서리 처리 기준 규정에 특별한 언급이 없거나 감리원의 별도의 지시가 없는 경우 반경은 20mm~70mm로 하여 곡면처리 또는 삼각 모따기를 수행하여야 한다.
   라. 시공자는 모서리 처리 모양에 따라 거푸집을 제작, 설치하여야 하며, 이에 대한 거푸집 도면을 작성하여 감리원의 승인을 얻어야 한다.

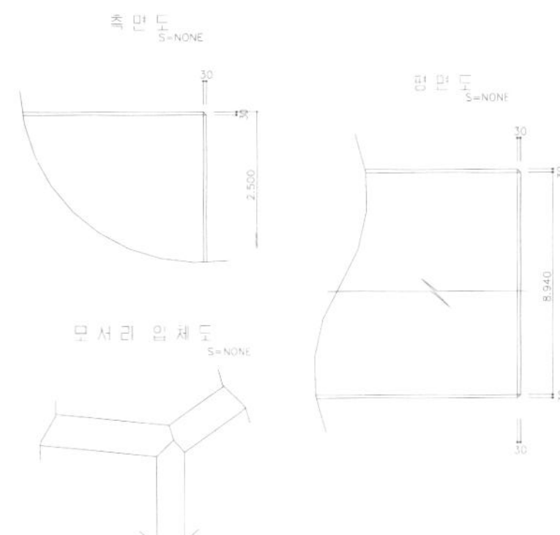

〈그림 4.3.1〉 모따기 작성예

마. 구조물 모서리 처리 기준

○ 구조물 모서리 처리시 고려사항

- 모서리가 형성된 위치 및 응력 집중의 유무 판단
- 각 구조물 부분별 특성 부각
- 전체 구조물과의 조화
- 철근 덮개 규정 고려
- 시공성을 고려한 처리 방법
- 주변경관과의 조화

○ 구조물 부위별 모서리 처리

- 교각 기둥 형상에 따른 모서리 처리 기준

형 상	형 상 예 (평 면)	비 고
사 각 형		모서리 처리 필요
다 각 형	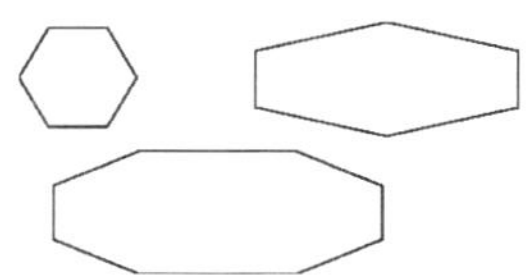	(내각 $\theta \leq 150°$인 경우 모서리 처리 필요)
원 형 및 타 원 형	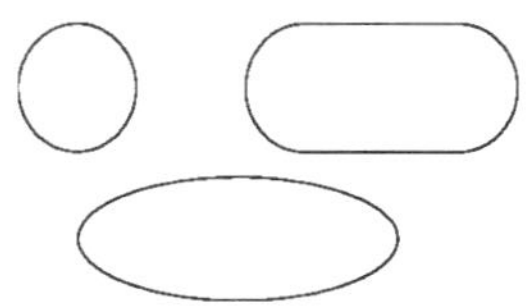	모서리 처리 불필요
기 타	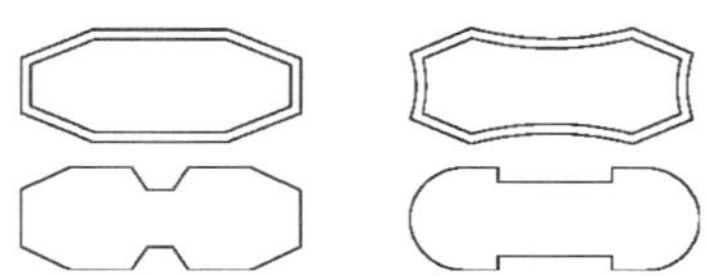	(내각 $\theta \leq 150°$인 경우 모서리 처리 필요)

- 교각 모서리 처리 방법

구 분		형 상		비 고
기 둥	곡 면 처 리	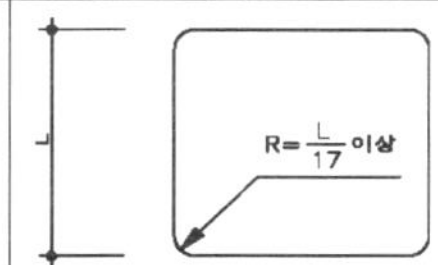	R=L/17 이상	L : 기둥단면의 길이
	삼 각 처 리	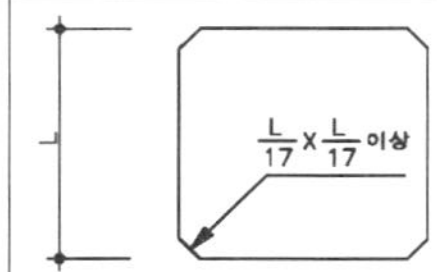	L/17 × L/17 이상	
	2 단 사 각 처 리	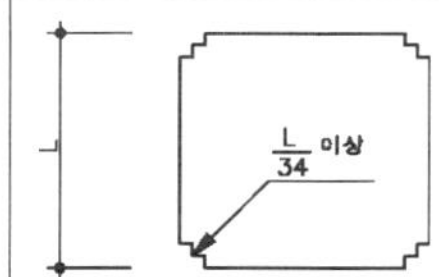	L/34 이상	

※ 모서리 파손방지만을 고려할 경우 최소 모따기는 20mm~70mm 크기를 적용한다.

- 상판 슬래브

Rahmen, PSC 슬래브교는 모서리 처리 필요하며, 강합성거더 및 PSC Beam교는 모서리처리 불필요

형 상	형	상
곡 면 처 리	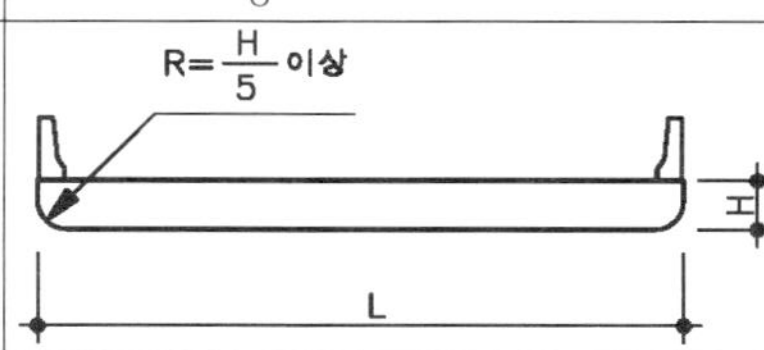	R=H/5 이상

형 상	형	상
삼 각 모 따 기	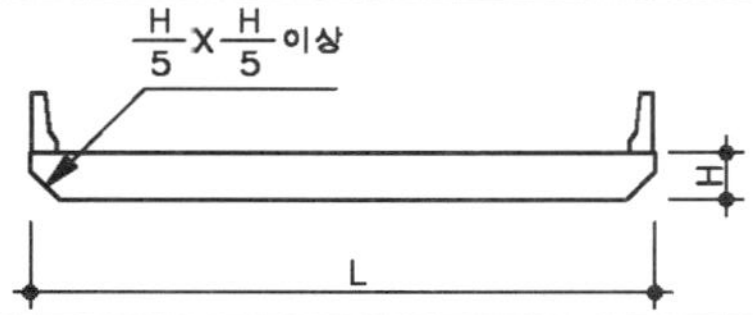	H/5 × H/5 이상
2 단 사 각	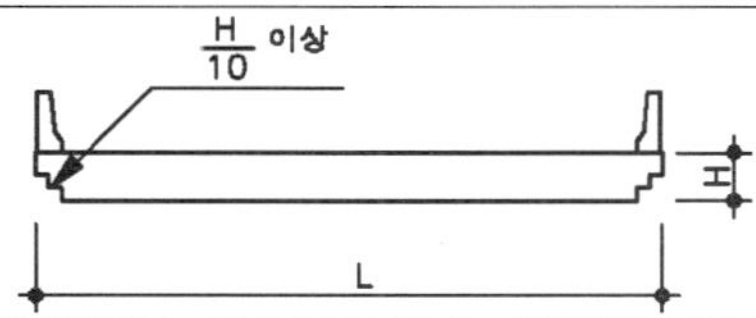	H/10 이상

2. 문양거푸집 설치도
   가. 되메우기 선을 고려하여 거푸집이 과다하게 설치되는 것을 방지하여야 한다.
   나. 양각부위의 철근 덮개는 콘크리트 구조설계기준의 최소 피복두께 및 시방기준을 만족하도록 충분히 확보되어야 한다.

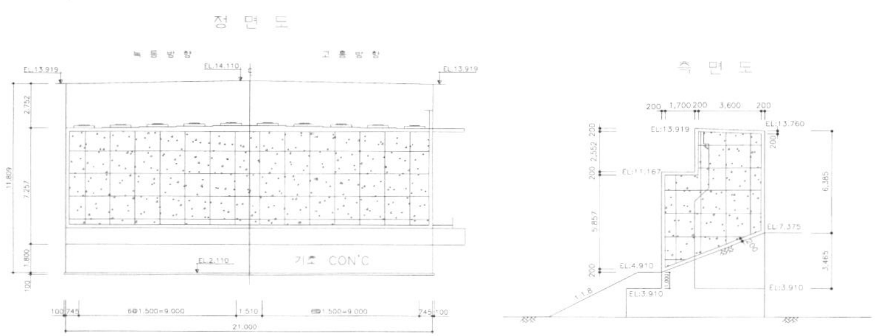

〈그림 4.3.2〉 문양거푸집 설치 작성예

3. 콘크리트 피복두께 표시도

최소 피복두께는 횡철근이 주철근을 감싸고 있는 경우에는 콘크리트 표면부터 스터럽, 띠철근 또는 나선철근의 바깥면까지의 최단거리이고, 그렇지 않은 경우에는 가장 외단에 배치된 철근 표면까지 최단거리이다. 또한 포스트 텐셔닝 프리스트레싱 강재의 경우에는 덕트 또는 철제 접속구 표면까지의 최단거리이다.

4. 시공이음부 처리도
   가. 시공이음은 될 수 있는 대로 전단력이 작은 위치에 설치하고, 시공이음을 부재의 압축력이 작용하는 방향과 직각이 되도록 하는 것이 원칙이다.
   나. 부득이하게 전단력과 휨모멘트가 큰 위치에서 시공이음을 설치할 경우 감리원 및 발주청과 협의하여 별도의 보강을 실시하여야 한다.
   다. 시공이음은 직선이고 경우에 따라 구조물과 정확하게 수직·수평한 배치를 갖게 하여야 한다.
   라. 시공이음에서는 콘크리트의 표면을 깨끗하게 청소하고, 다음 층의 콘크리트를 치기 전에 레이턴스(Laitance)를 제거하여야 한다. 수축에 대한 시간여유를 주기 위해서는 12시간 내에는 시공이음의 굳은 쪽에 콘크리트를 쳐서는 안 된다.
   마. 철근은 시공이음을 가로질러서 연속되게 배치하여야 한다.
   바. 구 콘크리트 면을 긁어내기(Chipping) 또는 제트(Jet) 수류에 의한 골재 노출법을 표기해야 한다.

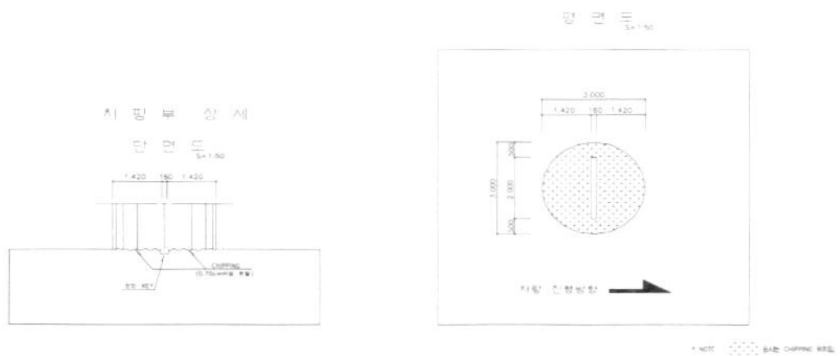

〈그림 4.3.3〉 치핑부 상세 작성예

4.4 교량공

(1) 구조물공에 관련된 아래의 도면 목록에 대한 검토를 수행하고 시공상세도를 작성하여야 한다.
  가. 가시설이 필요한 터파기에서의 가시설도
    a. 시공순서도
    b. 가설 구조물도
  나. 교량받침면 : 받침(Bearing)별 받침면 시공계획도(표고표기)
  다. 교량받침 최소 연단거리 고려 앵커 설치도
  라. 솔플레이트와 윗 받침(Upper Bearing)연결도(용접, 볼트이음, 쐐기형 처리 등)
  마. 신축이음장치 설치도
  바. 배수구 설치계획도
  사. 배수구 개구부 주변 철근보강도
  아. 슬래브 콘크리트 타설 데크피니셔 설치도
(2) 시험보링 또는 시험터파기 등을 통한 지반조사결과가 당초 설계 시와 다른 경우 필요시 구조검토를 수행 후 구조도를 재작성하여야 한다.

해 설

1. 교량받침면 : 받침(Bearing)별 받침면 시공계획도(표고표기)
  가. 교량 상부구조 시공시에는 정밀한 기준점 측량과 수준측량을 행하여 받침의 고정 설치위치를 결정하여야 한다.
  나. 지간측량결과 하부구조의 위치에 오차가 있을 경우에는 이후의 시공에 지장을 초래하지 않고 완성한 교량의 기능을 손상하지 않도록 감리원의 승인을 얻어 오차를 배분하여 받침 중심위치를 결정한다.

2. 교량받침 최소 연단거리 고려 앵커 설치도
  가. 받침 및 받침판의 설치
    ① 코핑 철근에 고정 또는 후시공 시 블럭아웃(Block out) 규격, 재료, 깊이 등을 명기하여야 한다.
    ② 교량받침 시공순서도를 명기하여야 한다.
    ③ 설치 블럭아웃(Block Out)과 코핑(Coping)면의 수평상태, 받침 형식과 배치 등을 확실히 점검할 수 있도록 유의해야 한다.

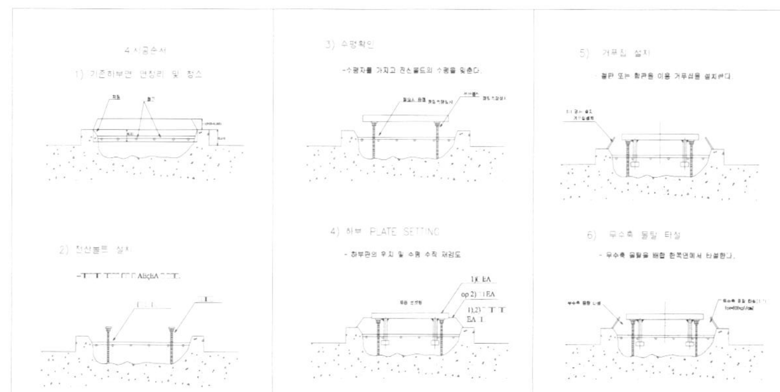

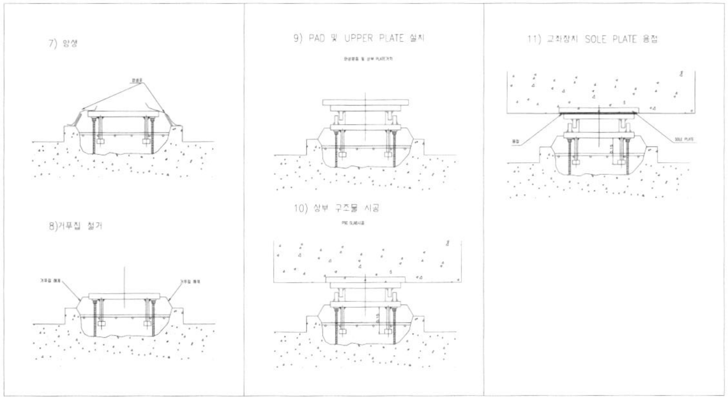

〈그림 4.4.1〉 앵커 설치도 작성 예

나. 앵커볼트 설치

① 교대 및 교각에 앵커볼트를 설치할 때는 미리 콘크리트 속에 매입공을 만들어 주어야 한다. 관은 적어도 볼트직경보다 50mm 이상 큰 목편 또는 금속파이프 등에 기름을 칠해 매입하여 두고 콘크리트가 적절히 경화한 후에 지거하여 만든다.

② 교대 및 교각에 앵커볼트를 설치하기 위해 미리 콘크리트 속에 관을 매입할 때에는 교대 및 교각의 주철근을 절대로 절단하지 말아야 한다.

③ 감리원의 승인을 받을 경우에는 콘크리트를 친 후에 구멍을 뚫거나 콘크리트를 칠 때 직접 앵커볼트를 설치할 수도 있다. 콘크리트를 친 후 구멍을 뚫는 경우에는 볼트직경 보다 적어도 25mm 정도 크게 하여야 한다.

④ 교대, 교각에 설치할 앵커볼트 구멍은 우수의 침투방지로 동절기에 파손되지 않도록 동해의 영향이 없는 채움재를 이용하여 봉인하여야 한다.

⑤ 볼트는 바른 위치에 정확히 세우고 틈은 모르타르로 완전히 채워야 한다.

⑥ 신축 슈, 로울러, 로커 등에 사용하는 앵커볼트의 설치위치는 가설시의 온도를 고려하여 정하여야 한다. 가동단 앵커볼트의 너트는 구조물이 자유롭게 팽창수축할 수 있도록 조절하여야 한다.

⑦ 부반력 받침의 경우 교대 및 교각에 앵커볼트를 미리 설치한 후 콘크리트를 타설하여 콘크리트와 앵커볼트가 일체화 되도록 하여야 한다.

⑧ 앵커볼트 설치 중 부득이하게 받침하면의 보강 철근을 절단한 경우 반드시 절단 부위를 보강 하여야 한다.

⑨ 부반력 받침에 설치되는 앵커볼트는 감리원 및 발주청이 요구할 경우 시공자의 부담으로 인장 및 인발력 시험을 실시하여야 한다.

3. 솔플레이트와 교량받침 상부플레이트(Upper Bearing)연결도(용접, 볼트이음, 쐐기형 처리 등)

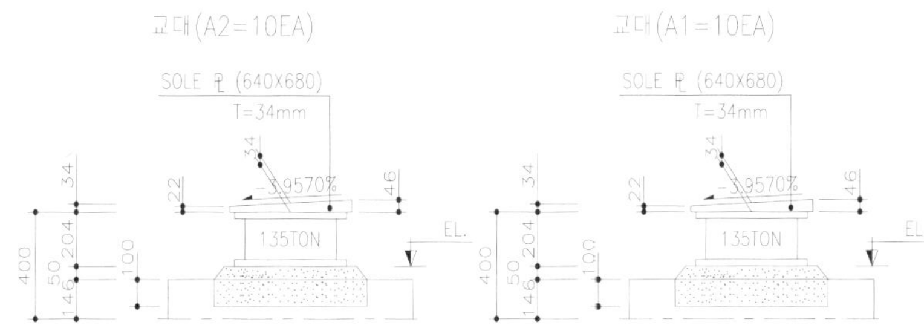

〈그림 4.4.2〉 솔플레이트와 교량받침 상부플레이트(Upper Bearing)연결 작성예

4. 신축이음장치 설치도
   가. 슬래브 철근 조립전 제출해야 한다.
   나. 선정제품의 폭, 두께와 상부형식에 따른 신축이음장치 설치부의 교량 슬래브 단부조정 등을 명기한다.
   다. 신축이음장치 설치규격에 상응한 블럭아웃(Block out)폭, 두께를 기입한다.
   라. 앵커철근 용접시 대기온도에 따른 신축이음장치 설치 폭을 계산한다.

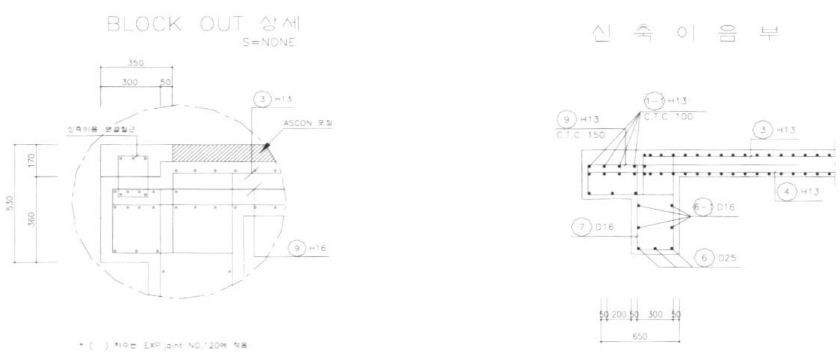

〈그림 4.4.3〉 블록아웃(Block out) 상세 작성예

   마. 신축이음 설치를 위한 계산량이 설계도상에 주어지지 않은 경우, 신축이음 설치 승인을 받기 전에 신축이음설치를 위한 계산을 실시해야 한다. 시공자는 특정 신축이음장치를 사용하기 위해서는 설치절차와 신축이음 부품을 나타낸 시공상세도를 감리원에게 제출해야 한다.

5. 배수구 설치계획도
   가. 거더교의 경우 보 및 가로보 위치에 배수구 설치가 곤란하므로 적정한 간격 및 위치조정이 필요하며, 이를 반드시 시공상세도에 명기해야 한다.
   나. 교량하부 조건에 따른 배수관 길이 및 집수구 설치위치를 정확히 표현하여야 한다.
   다. 배수구의 간격은 20m 이하로 하여야 한다.
   라. 교량 신축장치의 상류측과 교량 종단이 가장 낮은 부위에는 반드시 배수구를 설치하여야 한다.
   마. 교량 신축이음부 하단에는 배수관을 설치하여 교량받침으로 물이 유입되지 않도록 유의해야 한다.
   바. 횡관이 2개 이상의 배수구와 직결되는 경우에는 중간에 1개의 신축이음을 설치한다.
   사. 배수관의 상부공과 하부공의 접속부에는 연결관을 두어 상하부를 연결한다.
   아. 배수관의 경사는 원칙적으로 3% 이상으로 한다.
   자. 배수관은 유도관을 교각으로 연결하여 배수처리하여, 배수구의 위치는 지표에서 300 mm 이격하는 것으로 한다.
   차. 배수용 강관은 교량하부에 충분히 고정 설치하여야 한다.
   카. 배수구의 설치높이는 배수구 위치의 포장면보다 20mm 아래로 한다.
   타. 종단곡선이 오목하게 된 경우 최저점부에 배수구를 설치하여야 한다.
   파. 완화 곡선구간 및 S곡선구간의 변곡점부근에서 횡단경사가 수평 또는 수평에 가까우므로 차도 양측에 배수구를 설치하여야 한다.
   하. 배수구는 부식방지를 위한 방법을 고려해야 한다.
   거. 편구배 변화구간에는 노면계획고의 등고선(contour)을 작성하여 배수흐름의 방향을 파악하고 중앙분리대측과 길어깨측으로의 배수경계를 고려하여 배수구를 설치한다.

6. 배수구 개구부 주변 철근보강

가. 슬래브에 배수구 또는 집수정을 설치할 필요가 있을 때, 단면손실로 슬래브의 강도가 저하되지 않도록 개구부 주위에 보강철근을 배근하여 사인장 균열이 발생하지 않도록 해야 한다.

나. 아래 그림은 개구부의 보강철근의 일반적인 배근도를 나타낸다.

다. 개구부의 각 모서리에는 슬래브 상·하면 모두 대각선의 보강철근을 배근한다.

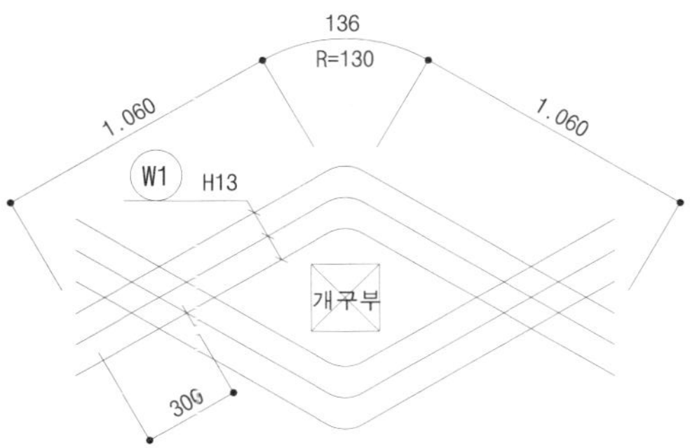

〈그림 4.4.4〉 개구부 보강철근 작성예

7. 슬래브 콘크리트 타설 데크피니셔 설치도

가. 데크피니셔 레일 설치는 편경사에 맞추어 배수처리에 이상이 없도록 하고, 슬래브 콘크리트 타설 전 데크피니셔(약 30kN)를 가동하여 침하량을 측정하고 침하량을 보정한 후 슬래브 콘크리트를 타설한다.

나. 데크피니셔 시공순서는 종단경사가 낮은 쪽에서 높은 쪽으로 동일 종단의 경우 데크피니셔 드럼 가동은 편경사가 낮은 쪽에서 높은 쪽으로 가동시킨다.

다. 시공이음이 발생되지 않도록 연속적인 콘크리트 타설이 될 수 있는 장비 가동상태 확인 및 인원 확보가 되어야 한다.

라. 데크피니셔 레일설치시 인력 마무리 구간이 최소가 되도록 해야 하며, 인력마무리를 위한 충분한 인력이 확보되어야 한다.

4.5 옹 벽 공

(1) '벽체전개도' 및 '평면도'에는 준비공, 수축줄눈, 신축이음, 시공이음, 철근공, 배수공, 뒤채움, 개구부 등의 위치를 정확히 표기한다.

(2) 각 도면에는 구조물 시공순서도를 표기하며 필요시에는 각 단면별로 상세한 일반도를 작성한다.

(3) 옹벽 가시설도 : 필요시에는 설치순서도 및 해체순서도를 작성한다.

(4) 옹벽 상세도 : 옹벽 시공이음, 타 구조물과의 연결도 및 단부 처리도를 상세히 작성한다.

해 설

1. 준비공

가. 시공자는 설계도 및 설계도서 내용을 파악하여 현장조건에 적합성을 검토한 후 시공하여야 한다.

나. 옹벽 설치위치의 지반조건 및 유입되는 침투수 조건을 조사 확인하여야 한다.

다. 옹벽위치 및 높이 기준점을 설치하여야 한다.

2. 수축줄눈과 신축이음

가. 수축줄눈과 신축이음은 공사종류별 해당 설계기준을 우선한다.

나. 옹벽벽체 표면에는 6m전후의 간격으로 V자 홈의 연직방향 수축이음을 설치하고 철근을 끊어서는 안된다.

다. 신축이음은 수축줄눈과 달리 구조체 전체의 팽창, 수축을 자유롭게 하여 콘크리트의 내부에 발생하는 응력에 의한 균열을 방지하기 위하여 길이 20m이하의 간격으로 설치하되 완전히 절단하여 온도변화와 지반의 부등침하에 대비하여야 한다.

라. 신축이음의 형상은 그림 4.5.1과 같이 서로 물리는 형상으로 하지만 옹벽의 높이가 낮고 기초지반이 견고한 경우에는 시공의 용이성을 고려하여 홈을 두지 않고 직선의 형상으로 해도 좋으며, 시공에 있어서 엇갈림이 생기지 않도록 충분히 주의하여야 한다.

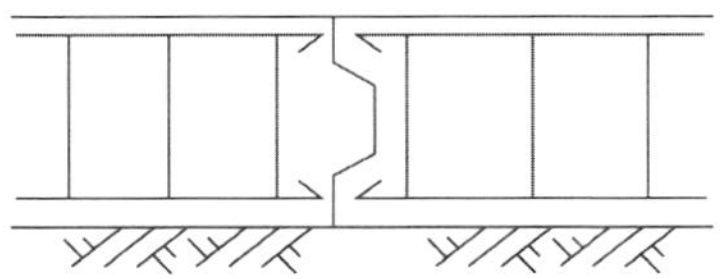

〈그림 4.5.1〉 신축이음의 형상

마. 신축이음의 재료는 아스팔트계통의 제품, 수지계통의 제품등을 사용하여 신축이 자유롭게 되도록 하여야 한다.

바. 수밀을 요하는 이음에서는 적당한 신축성을 가지는 지수판을 이음재와 직각방향으로 양쪽의 콘크리트에 완전히 매입되도록 설치하여야 한다.

3. 철근공

가. 철근은 조립하기 전에 들뜬 녹이나 콘크리트와의 부착을 해칠 위험이 있는 물질은 제거해야 하며 설계도서에 명시된 철근의 간격과 덮개를 정확히 유지하기 위해서 적절한 간격으로 간격재(Spacer)를 배치하여야 한다.

나. 굴곡부 보강철근은 옹벽의 형상이 직선이 아니고 도중에서 굴곡되는 경우에는 수평방향으로 가외철근을 추가배근해야 한다.

다. 기타 부벽식 옹벽의 벽체나 저판 슬래브와 같이 단면의 두께가 비교적 얇은 부재의 배근은 반드시 주철근이 단면의 외측에 오도록 배근하여 유효높이를 크게 하여야 한다.

4. 배수공

가. 배수공사의 재료는 양질의 조약돌 또는 깬 잡석등을 사용한다.

나. 빗물이 옹벽의 흙 속에 직접 침투하는 경우나 근처의 빗물 또는 지하수 옹벽으로 침수되지 않도록 배수처리 하여야 한다.

다. 뒤채움 흙이 사질토인 경우는 직경 6~10cm의 경질 염화비닐관이나 기타 재료로 형성된 물구멍을 용이하게 배수할 수 있는 높이에서 배수공의 면적을 합하여 2~4m^2에 한 개씩 설치하거나 파이프를 옹벽의 길이 방향으로 매설하여 배수를 유도하여야 하며 옹벽 뒷면의 물구멍 주변에는 필터의 역할을 할 수 있는 자갈 또는 쇄석을 채워서 토사가 물구멍을 막는 일이 없도록 하여야 한다.

라. 뒤채움흙이 세립토를 함유한 경우는 배수 시설과 더불어 옹벽의 뒷면에 필터재를 설치하여 배수층을 형성하여야 하며 배수층으로는 통상 벽 안쪽 전면에 걸쳐 두께 30cm정도의 자갈 또는 쇄석층을 두되 배면토에 대한 필터층으로의 조건이 만족되도록 입도배합을 하여야 한다. 또한 배수층 하단에 배수관을 설치하고 안전한 위치로 배수되도록 하며 유하된 물이 기초슬래브 바닥에 정체되어 흙을 연화시키지 않도록 그 주변을 불투수층으로 차단하여야 한다.

5. 뒤채움

가. 뒤채움은 옹벽시공의 최종단계의 공정으로서 벽체에 유해한 변위가 발생하지 않도록 뒤채움 높이, 대형장비의 투입등을 적절히 조절하면서 시공해야 한다.

나. 흙깎기와 흙쌓기를 균형시키는 현장에서 뒤채움재료는 토공기준을 만족하여야 하고 설계에서 가정한 재료보다도 불량한 재료가 들어가지 않도록 충분히 주의해야 한다.

4.6 동바리공

(1) 동바리의 사용 제한

경사재가 없는 조립형 동바리와 강관틀 동바리는 수평변위가 억제되지 않으므로 시공시 안전사고 방지를 위해 콘크리트 교량 가설용 동바리로서의 사용을 제한한다.

(2) 동바리 설치 제한

1) 조립형동바리 및 강관틀동바리의 설치높이는 시공성과 안전성을 고려하여 10m 이내로 한다.

2) 조립형동바리 및 강관틀동바리는 15m 이내의 지간을 갖는 교량의 가설공사 시에 적용하며 15m를 초과하는 경우에는 전문기술사 검토의견을 첨부하여 발주청의 승인을 받아야 한다. 단, 박스형 거더교의 경우에는 이 제한을 적용하지 않는다(단, PSC Box Girder(FSM)는 적용대상임).

(3) 설계일반

1) 동바리가 설치된 후 타풍시나 강한 바람이 작용하는 경우에는 큰 횡력이 작용할 수 있으므로 시공시에는 이에 대한 안전성을 확보할 수 있도록 유의하여야 한다. 또한 시공이 불가피한 경우에는 방풍막등의 설치로 시공시 가설구조물의 안전성을 확보할 수 있는 방안을 제시하여야 한다.

2) 조립형 동바리의 경우 수평재와 수직재, 수직재와 수직재간의 연결부 상세를 명기하여야 한다.

3) 교량의 상부슬래브 등과 같이 경사를 갖고 있는 콘크리트 구조물을 타설하고자 할 경우 거푸집과 동바리 상단의 경사에 대한 처리방안을 명기하여야 한다.

4) 가새 또는 수평재와 연결부 상세를 명기하여야 한다.

5) 강관동바리는 강관지주를 3본 이상 이어서 사용하지 않도록 한다.

해 설

동바리공은 "콘크리트 교량 가설용 동바리 설치지침(2007)"의 규정에 따라야 한다.

제 5 장 시공상세도 작성 기준

5.1 시공상세도의 요구조건 및 작성방법

5.1.1 시공상세도의 요구조건

시공상세도의 요구조건은 다음과 같다.

(1) 정확성(Accuracy)

현장제작 및 설치 시공시 기준이 되는 도면으로 정확한 치수는 정밀시공을 위한 가장 중요한 요소이다.

(2) 평이성(Legibility)

건설 및 구조적인 지식이 없는 일반 기능공이 쉽게 이해할 수 있어야 한다.

(3) 명확성(Clarity)

반드시 표현해야 할 내용은 간단·명료하면서도 완전하게 표현되어야 한다.

(4) 정돈성(Neatness)

부재의 평면, 단면, 상세 등의 배치나 순서는 공사의 순서를 고려하여 부재별로 합리적으로 배치하여야 한다.

5.1.2 시공상세도의 작성방법

시공상세도는 다음과 같은 작성규칙에 의거하여 작성한다.

(1) 본 지침에 제시된 "시공상세도의 구성 및 작성의 일반원칙"에 준하여 작성한다.
(2) 주요 작업부위에 대하여 공사수행을 하기에 충분한 축척으로 작성한다.
(3) 정확한 치수 및 축척이 명시되어야 한다.
(4) 현장에서 시공 또는 구입 가능한 크기, 길이의 자재를 사용한다.
(5) 시공상세도에는 조립도, 설치도면, 기타시공 방법을 나타내는 표와 그림을 모두 포함한다.
(6) 시방서의 요구사항이 종합적으로 반영되도록 작성해야 하며, 부위별 재료명과 시공 또는 설치 및 마감상태를 명확히 표기해야 한다.
(7) 설계도면에 제시되지 않는 내용 중에서 필요한 부분은 본 지침에 제시한 작성목록에 준하여 시공상세도를 작성한다.

5.2 시공상세도의 구성 및 작성의 일반원칙

5.2.1 시공상세도의 구성

(1) 시공상세도의 구성
건설사업 과정에서 발생하는 도면을 체계적으로 작성, 납품, 관리하기 위하여 시공상세도는 각 공종별로 분류된 목록에 의하여 구성한다.
(2) 시공상세도 분류체계의 적용
분류체계에 의한 목록은 사업명, 도면명, 도면번호, 도면파일명에 일관성 있게 사용하여야 한다. 도면목록, 표제란 등에는 시공상세도 분류체계에 의한 도면명이나 도면번호를 일관성 있게 표현하여야 한다.
(3) 시공상세도 분류체계 적용의 예외
본 지침에서 정의되지 않은 도면이더라도 사용이 불가피한 경우 감리원과 협의하여 별도로 정할 수 있다.

5.2.2 시공상세도 작성의 일반원칙

(1) 시공상세도는 이해가 쉽도록 상세히 작성한다.
(2) 시공상세도는 알아보기 쉽도록 간결하게 표기하고 중복을 피한다.
(3) 시공상세도에는 시공상세도 작성자, 검토자, 확인자의 서명 또는 날인이 있어야 한다.
(4) 가능하면 같은 규격의 도면을 사용하며, 정확한 치수기입 및 분명한 표현을 한다.
(5) 시공상세도에 작성되는 단위는 밀리미터(mm)의 사용을 원칙으로 한다.
(6) 시공상세도에는 주석(Note)란을 만들어 시공시에 유의할 사항이나 해당도면 공사 내용에 대한 특기사항 등을 수록한다.
(7) 보이는 부분은 실선으로 표기하고 숨겨진 부분은 파선으로 표기함을 원칙으로 한다.

5.3 시공상세도 표현기준

5.3.1 시공상세도의 크기 및 양식

(1) 시공상세도의 크기
시공상세도의 크기는 KS A 5201(종이의 재단치수)의 A열의 치수를 사용하며 A3를 기본규격으로 한다.
(2) 시공상세도의 양식
시공상세도는 도면을 작도하는 제도영역, 표제영역(표제란), 윤곽선 및 여백으로 구분한다.
(3) KS를 적용하기 어려운 경우
도면 배치 등의 필요에 의하여 KS가 아닌 특별한 크기의 도면이 요구되는 경우 ISO 5457의 규정 또는 KS 규격 중 가로나, 세로, 한 방향으로 연장하여 사용할 수 있다.

해 설

1. 시공상세도 크기 및 양식

시공상세도는 다음 그림과 같이 제도영역, 표제영역, 여백 등으로 구분하며, 도면의 크기에 따른 여백은 아래 표와 같다.

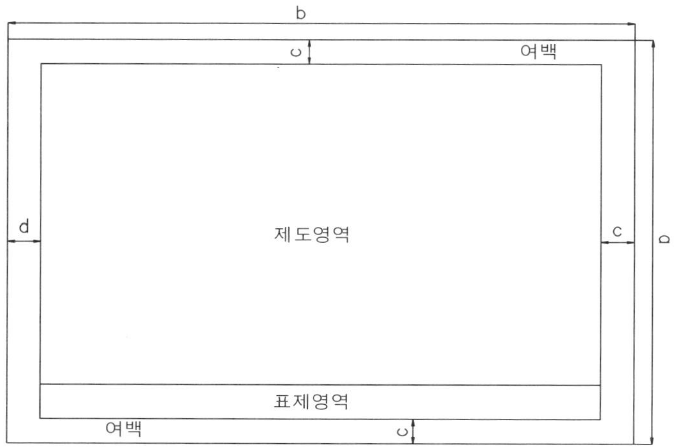

〈그림 5.3.1〉 시공상세도의 양식(예시)

〈표 5.3.1〉 도면크기 및 여백

호칭	크기	여백	
	a×b(mm)	c(mm)	d(mm)
A3	297×420	10	25

2. KS에 의한 도면의 연장규격

필요한 경우 용도에 따라 도면의 크기를 연장하여 사용할 수 있다. 연장된 도면의 크기는 다음과 같이 별도로 정하여 사용할 수 있으며, 이때 도면여백은 기본규격과 동일하게 적용하며 가로 방향으로 연장할 경우는 표제란의 개정내용 칸의 폭을 연장한다.

〈표 5.3.2〉 도면크기의 연장

A계열 크기		특별연장크기		예외연장크기	
호칭	세로×가로 (mm)	호칭	세로×가로 (mm)	호칭	세로×가로 (mm)
A3	297×420	A4×3 A4×4 A4×5	297×630 297×841 297×1,051	A4×6 A4×7 A4×8 A4×9	297×1,261 297×1,471 297×1,682 297×1,892

3. 임의에 의한 도면의 연장규격

특별 연장 크기 및 예외 연장크기를 사용하기 어려운 경우, KS규격의 세로 또는 가로 중 한 방향으로 연장하여 사용할 수 있다. 이때 도면여백은 기본규격과 동일하게 적용한다.

〈그림 5.3.2〉 도면크기의 연장

5.3.2 시공상세도의 배치, 방향 및 지형표시 관련

(1) 시공상세도의 배치
도면은 장변 방향을 수평으로 배치하는 것을 원칙으로 한다. 단, 필요한 경우 단변 방향을 수평방향으로 배치할 수 있다.

(2) 도면 정보영역 배치
도면정보영역의 배치는 제도영역과 표제영역으로 나뉜다.

(3) 시공상세도의 방향
좌표계를 갖는 도면의 경우 정북(도북)방향을 도면의 위쪽으로 함을 원칙으로 한다. 단, 시설물이나 시설물 주변현황을 고려하여 임의 방향으로 배치할 수 있다.

(4) 좌표계
1) 지형도 등에서 사용되는 도곽의 좌표는 평면직각(TM)좌표계를 사용하며, 미터(m) 단위로 표시한다. 단, 필요한 경우 사업별로 발주청이 별도의 기준 좌표를 지정하여 운용할 수 있으며, 이 경우 평면직각(TM)좌표계와의 변환이 가능하도록 필요한 자료를 별도로 확보하여야 한다.
2) 도곽은 발주청이 현황의 규모, 축척에 따라 간격 등을 임의 지정하여 사용할 수 있다.

(5) 방위표시
방위표시는 발주청이 지정한 심벌기호에 의해 도면 오른쪽 위에 배치함을 원칙으로 한다.

(6) 표고 및 수준
1) 지형이나 대지 등의 표고는 국가 또는 발주청이 정한 수준점으로부터 측량한 해발고도를 미터(m) 단위로 표시한다.
2) 건설 사업별로 공사현장의 기준이 되는 지점의 수준을 공사기준 수준으로 정하여 운용한다.
3) 도면에 표기하는 시설물 각 부위의 수준은 공사기준 수준과의 높이 차이를 미터(m) 또는 밀리미터(mm) 단위로 표시한다.
4) 도면의 표고 및 수준 표기는 발주청이 정한 심벌기호에 의한다.

해 설

1. 도면 정보영역의 배치
   가. 도면 정보영역은 제도영역(Drawing Area)과 표제영역(Title Block Area)으로 나뉘며, 제도영역은 제도블럭(Drawing Block)과 노트블럭(Note Block)으로 나뉜다.
   나. 제도블록은 설계대상의 도형을 표기하는 공간으로 사용한다.
   다. 노트블록은 시공상세도 승인란, 방위, 축척, Key Plan, 범례, 주기(NOTE) 등 기타 도면의 보조적인 정보를 표기하는 공간으로 확보하여 사용한다. 단, 필요에 따라 이 공간을 제도블록과 동일한 용도로 사용하여 도형을 표기할 수 있다.

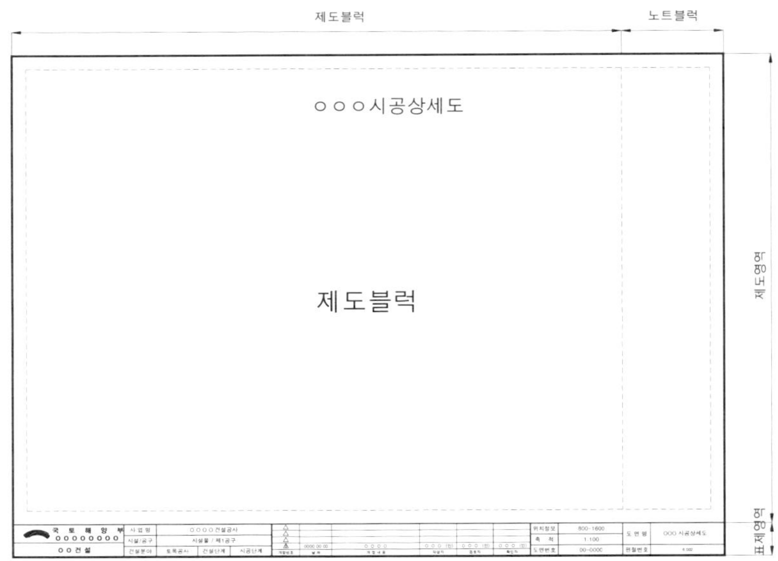

〈그림 5.3.3〉 도면 정보영역의 배치예

2. 배치 일반사항

가. 도면의 제도영역에 작성되어야 할 도면내용과 이와 관련하여 표시해야 할 기타 사항은 시각적으로 적절한 위치와 축척으로 배치되어야 한다.

나. 치수선, 치수문자, 지시선, 지시문자, 그리고 각종 심벌 등은 적당한 여백을 고려하여 작도한다.

다. 도면의 제도영역에서 도면내용이 지나치게 한쪽 변으로 치우치거나 중앙에 집중 배치되어 필요 이상의 여백이 남지 않도록 고려하여 작성한다.

라. 여백이 많이 남을 경우 나중에 도면내용을 추가할 가능성에 대비하여 도면의 좌측상단부에 우선적으로 도면내용을 배치한다.

마. 하나의 제도영역에서 2종류 이상의 도면을 배치하는 경우에는 상하, 좌우의 기준과 수준을 맞추어 작성한다.

3. 도면에 사용하는 로고 및 심벌

발주청이 도면표지나 표제란 등에 발주청의 명칭을 결합한 심벌을 사용하며, 시공자의 경우도 고유의 자사로고를 사용할 수 있다.

5.3.3 표제란

(1) 표제란의 위치

1) 도면에는 작성 및 관리에 필요한 정보를 기록하기 위하여 표제란을 둔다.
2) 표제란의 위치는 KS A 0106을 참고하여 도면윤곽의 오른쪽 하단을 기준으로 왼쪽 또는 위쪽 방향으로 영역을 확보하여 사용한다.

(2) 표제란의 구성요건

표제란은 다음과 같은 영역으로 구성한다.

1) 발주청 및 시공자 정보영역
2) 공사 정보영역
3) 개정관리 정보영역
4) 도면 및 표준정보영역

해 설

1. 표제란의 영역

표제란은 발주청 및 시공자 정보영역, 공사 정보영역, 개정관리 정보영역, 도면 및 표준 정보영역으로 구성된다.

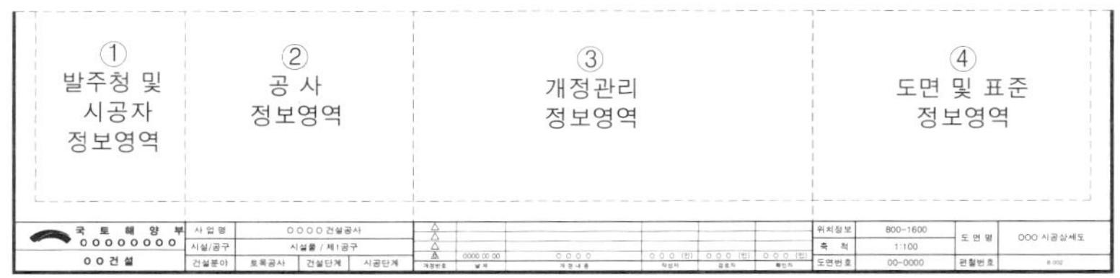

〈그림 5.3.4〉 표제란의 정보영역

2. 표제란의 규격

가. 도면 하단에 작성되는 도면 표제란 구성은 다음과 같이 규정한다.

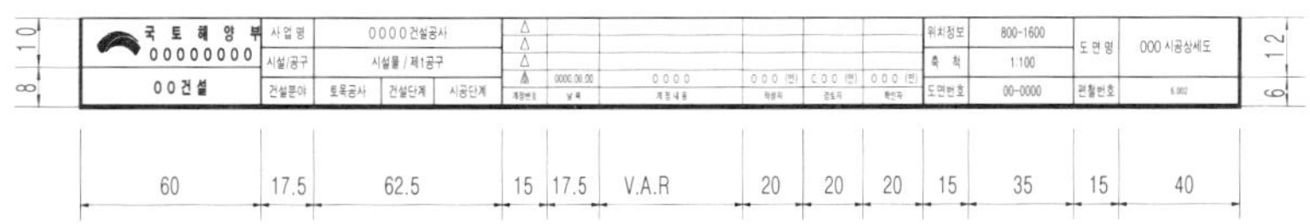

〈그림 5.3.5〉 표제란 규격(A3규격)

나. 도면의 크기를 가로로 연장할 경우, 개정관리 정보영역의 개정내용칸의 폭을 연장하여 사용한다.

〈그림 5.3.6〉 도면의 연장(예시)

다. 표제란을 포함한 도곽의 작성 시, 건설CALS/EC 도면표준 지원도구를 사용하거나 이 도구에서 제공하는 CAD 파일을 활용하여야 한다.

라. 표제란은 표제란 규격을 준수하여 작성하되, 필요한 경우 표제란의 기입 항목을 추가하거나 배열의 크기, 순서 등을 변경할 수 있다. 이 때, 건설CALS/EC 도면표준 지원도구에서 제공하는 CAD 파일의 속성 태그는 임의로 삭제 및 편집할 수 없다.

3. 표제란의 기입내용

가. 발주청 및 시공자 정보영역

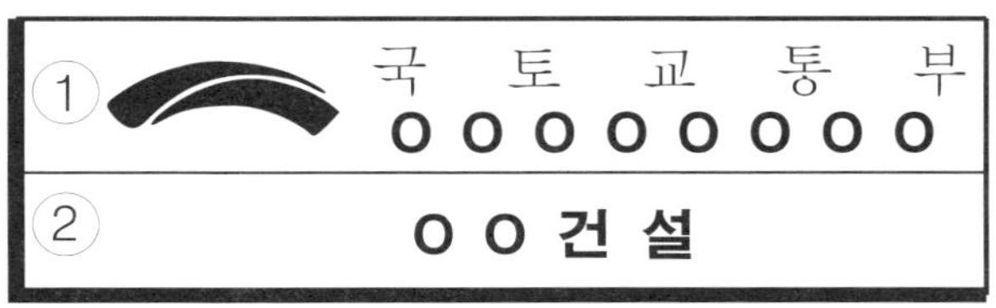

번호	기입항목	설 명	권장폰트	권장크기 (mm)
①	발주청 명 또는 발주청 로고	발주청 명 또는 발주청의 로고를 기재	견고딕	5
②	시공자 명 또는 시공자 로고	설계자, 시공자 등 컨소시엄인 경우 대표회사 또는 참여사를 기재	견고딕	5

나. 공사 정보영역

사 업 명	1 OOOO건설공사		
시설/공구	2 시설물 / 제1공구		
건설분야	3 토목공사	건설단계	4 시공단계

번호	기입항목	설 명	권장 폰트	권장크기 (mm)
①	사업명	필요에 따라 사업 분류번호, 사업로고 포함 가능	돋움	4.5
②	시설/공구	필요에 따라 사업을 세분화한 공구, 시설물 또는 건물명 포함 가능	돋움	4.5
③	건설분야	건설CALS/EC 전자도면 작성표준에서 정의하는 건설전문분야 예) 토목	돋움	4.5
④	건설단계	건설CALS/EC 전자도면 작성표준에서 정의하는 건설사업단계 예) 시공단계	돋움	4.5

다. 개정관리 정보영역

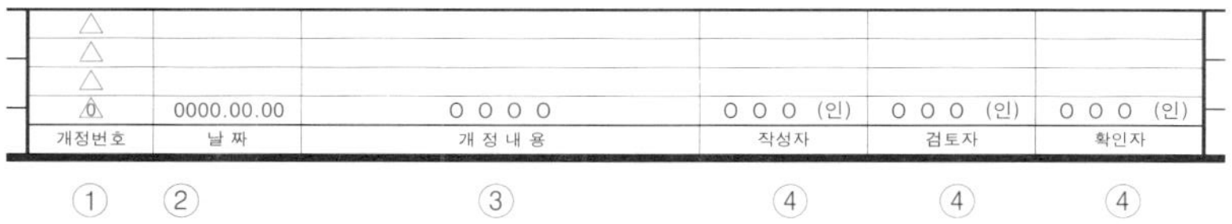

번호	기입항목	설 명	권장 폰트	권장크기 (mm)
①	개정번호	개정순차번호 기재	돋움	3
②	날짜	YYYY.MM.DD의 형식으로 개정 년, 월, 일을 표기	돋움	3.5
③	개정내용	기본설계, 실시설계, 시공상세도, 준공 등 주요공정의 최종단계만을 기재하며 일상적인 개정은 생략할 수 있음	돋움	3.5
④	확인란	작성자는 시공상세도 작성자, 검토자는 시공상세도 책임자, 확인자는 현장대리인 등으로 세분하여 담당자 이름과 서명을 기재	돋움	3.5

라. 도면 및 표준 정보영역

위치정보	① 800-1600	도 면 명	④ OOO 시공상세도
축 척	② 1:100		
도면번호	③ 00-0000	편철번호	⑤ 6.002

번호	기입항목	설 명	권장 폰트	권장크기 (mm)
①	위치 정보	기준기점으로부터의 거리나 당해 공사의 해당도면 시설의 위치정보를 연거리로 구간 또는 단일위치를 기재(해당 없는 경우는 생략) 예) STA. 0+800~1+600 = 800~1600 NO.10+2.55(20m 측점간격)=202.55	돋움	4.5
②	축척	다수의 축척이 포함된 경우 대표적인 축척 또는 복수의 축척을 기재하며A:B의 형식으로 작성 예) 1:1200, 1:200	돋움	4.5
③	도면 번호	발주청의 도면번호 목록에 따른 도면번호를 기재	돋움	4.5
④	도면명	다수의 도면이 포함된 경우 대표적인 도면명 또는 복수의 도면명을 기재	돋움	4.5
⑤	편철 번호	도면번호와 별도로 편철이나 관리의 편의를 위한 도면 또는 공종별 일련번호로 출력될 종이도면에 대한 페이지 번호를 부여 예) 6-203, 023, 6.023	돋움	3

5.3.4 시공상세도 표지

(1) 시공상세도 표지의 구성요건

시공상세도 표지는 다음과 같은 영역으로 구성한다.

① 공사 정보영역
② 발주청 정보영역
③ 납품 정보영역
④ 도면관리 정보영역
⑤ 적용표준 정보영역

(2) 시공상세도 표지의 작성

시공자는 발주청이 시공상세도 표지의 구성요건에 따라 도면 표지 기재정보 및 문자, 치수 등의 표현 기준을 규정한 도면 표지를 사용한다.

해 설

1. 시공상세도 표지의 영역

시공상세도 표지는 공사 정보영역, 발주청 정보영역, 납품 정보영역, 도면관리 정보영역, 적용 표준 정보영역 등 5개 영역으로 구성된다.

〈그림 5.3.7〉 시공상세도 표지 영역(예시)

2. 시공상세도 표지의 규격

가. A3 크기 도면의 시공상세도 표지의 규격은 다음과 같다.

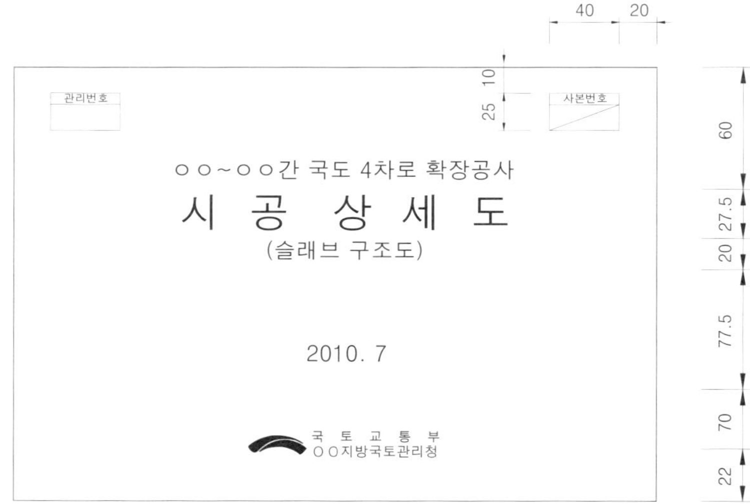

〈그림 5.3.8〉 시공상세도 표지 및 규격(예시)

나. 도면표지의 작성 시, 건설CALS/EC 도면표준 지원도구를 사용하거나 이 도구에서 제공하는 CAD파일을 활용하여야 한다.

다. 도면표지는 도면표지 규격을 준수하여 작성하되, 필요한 경우 도면표지의 기입 항목을 추가하거나 배열의 크기, 순서 등을 변경할 수 있다. 이때, 건설CALS/EC 도면표준 지원도구에서 제공하는 CAD 파일의 속성 태그는 임의로 삭제 및 편집할 수 없다.

3. 시공상세도 표지 기입내용

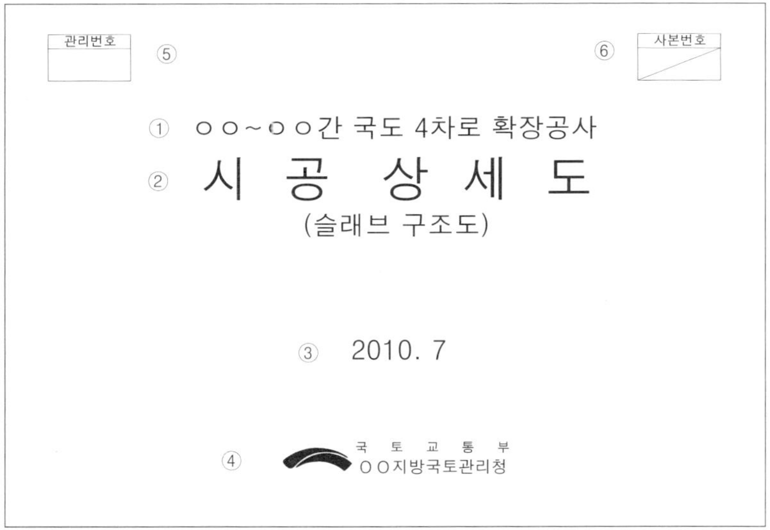

〈그림 5.3.9〉 시공상세도 표지 기입내용(예시)

〈표 5.3.3〉 시공상세도 표지 기입내용

번호	기입항목	설 명	권장 폰트	권장크기 (mm)
①	사업명	사업명을 기재(필요에 따라 사업 분류 번호, 사업로고 등을 포함할 수 있음)	견고딕	20
②	설계도서명	해당 설계도서의 이름을 기재 예) 시공상세도 등	견고딕	40
③	제출일자	YYYY.MM.DD의 형식으로 납품(준공) 년, 월, 일을 표기(일자는 생략가능) 예) 2009.01	견고딕	17
④	발주청명 또는 발주청 로고	발주청명 또는 발주청의 로고를 기재	견고딕	13
⑤	관리번호	발주청의 도면관리 번호	돋움	8
⑥	사본번호	발주청의 사본번호(전체권수/해당권수)	돋움	8

5.3.5 시공상세도 목차

(1) 시공상세도 목차의 구성요건

시공상세도 목차는 다음과 같은 정보로 구성한다.

① 도면명

② 도면매수

③ 도면번호

④ 기타

(2) 시공상세도 목차의 작성

시공자는 발주청이 도면 목차의 구성요건에 따라 목차의 형식 및 규격, 작성기준 및 기입내용 등의 표현기준을 규정한 도면목차를 사용한다.

해 설

1. 시공상세도 목차의 형식 및 규격

   각 분야의 A3크기 시공상세도 목차 형식 및 규격은 다음과 같다.

00-00간 국도 4차로 확장공사
제0공구 : 00-00

시공상세도 목차

편철번호	도 면 명	매 수	도면번호
1	절토 소단복원, 절취고 경사	1	S01-001
2	성토 최종마무리면별 길어깨	1	S01-001
3	본선 및 중분대 표준횡단 계획도	2	S01-001
4	토사측구 설치계획도	1	S01-001
5	지층조사	1	S01-001
6	PE,PET WAT	1	S01-001
7	연약지반상 배수구조물 기초치환	2	S01-001
8	Sand pile 및 Pack drain	1	S01-001
9	계측기기 설치위치도	1	S01-001
10	타시설물과의 연결부 접속처리도	1	S01-001
11	L형측구 (접속처리와 우늬거푸집 설치도)	2	S01-001
12	U형 측구(배수검사)	1	S01-001
13	V형 측구(배수검사)	1	S01-001
14	암거확장시 가시설 설치도	2	S01-001
15	겹이음 위치도와 길이	1	S01-001
16	구조물공 시공이음부 처리도	1	S01-001
17	터파기에서의 가시설도	1	S01-001
18	교량받침 앵커설치도	3	S01-001
19	받침별 교좌면 E.L표기	1	S01-001
20	신축이음 장치 설치도	1	S01-001
21	PSC BEAM 전도방지 시설도	1	S01-001
22	배수구멍 주변 철근보강	1	S01-001

편철번호	도 면 명	매 수	도면번호
23	옹벽 구간별 전개도	1	S01-001
24	터널 굴착순서도	1	S01-001
25	교량 접속슬래브의 종단경사	2	S01-001
26	방음벽 신축이음장치 설치부	1	S01-001
27	방음벽 출입시설 설계위치도, 상세도	1	S01-001
28	중앙분리대 토공부와 교량부 접속부 처리도	1	S01-001
29	표지판 설치계획도	2	S01-001
30	지주 또는 트러스와 결속부 처리도	1	S01-001
31	가교 연장, 폭원, 통과높이	1	S01-001
32	가교 이음부 용접 및 볼트체결도	1	S01-001
33	가시설 H-pile의 근입깊이	2	S01-001
34	토류판 : 재질,폭,두께,길이	1	S01-001
35	어스앵커 근입깊이 및 간격	1	S01-001
36	가도 연장 및 폭원	2	S01-001
37	가도 접속처리도	1	S01-001
38	가도 배수시설도	1	S01-001
39	구조물 시공전 가배수시설	1	S01-001

〈그림 5.3.10〉 각 분야의 시공상세도 목차(예시)

2. 시공상세도 목차 작성기준

   가. 시공상세도 목차는 각 분야별 도면번호 목록의 순서에 의거하여 작성한다.

   나. 출력되는 시공상세도가 본 지침 "5.3.6 출력된 도면의 편철"의 기준에 따라 여러권으로 분리되는 경우 시공상세도 목차는 권별로 작성한다.

   다. 특별한 경우에는 제원 또는 형식 등을 목차에 표기할 수 있다.

3. 시공상세도 목차 기입내용

   시공상세도 목차의 기입내용은 다음과 같다.

구성항목	작 성 방 법
편철번호	출력도면의 편철을 위한 번호를 기재
도면명	도면번호 목록에 의한 도면명을 기재
도면번호	부속서의 도면번호 목록에 의한 도면번호를 기재
매수	도면명(분류)에 해당하는 도면의 매수를 표기
기타	시공 대상의 형식, 제원 등을 추가적으로 기재할 수 있음

5.3.6 출력된 도면의 편철

(1) 출력장치에 의하여 출력된 도면을 철할 때는 도면의 좌측을 철함을 원칙으로 한다.

(2) 도면 편철의 순서는 본 지침 "5.2.1 시공상세도의 구성"에서 규정한 분류체계에 따라 구성하는 것을 원칙으로 하되 필요에 따라 발주청이 별도의 편철 순서를 지정할 수 있다.

5.3.7 축척 및 도면의 출력

(1) 축척은 KS A 0110을 기본으로 적용하며 토목분야의 경우 KS F 1001의 규정을 적용한다.
(2) 도면의 종류에 따른 축척은 국토해양부의 "건설공사의 설계도서 작성기준" 및 발주청이 축척의 표시원칙, 도면표기, 출력 등을 정한 규정을 기본으로 적용한다.
(3) 도면을 종이 등의 물리적 매체에 출력하는 경우 도면에 표시된 축척과 일치하도록 출력하여야 한다. 만일 도면에 표시된 축척과 다르게 출력되는 경우 도면에 그래픽스케일 등을 표현하여 축척의 확인이 가능하도록 하여야 한다.

해 설

1. 축척의 표시원칙

가. 시공상세도는 축척을 기입하여야 하며, 사용한 축척은 표제란에 표시한다.

나. 축척은 문자로 '1:N'의 형식으로 표기한다. 단, 수평축과 수직축의 축척을 별도로 적용하는 경우는 'H=1:N V=1:N'과 같이 기재한다.

예) 1:1,000, 1/500, H=1:1,000 V=1:200

다. 축척은 원칙적으로 다음 표에 의한 종류 중 선택하여 사용한다. 단, 특별한 경우는 임의 축척을 사용할 수 있다.

〈표 5.3.4〉 도면의 축척

종 류	척 도
축 척	1:2 1:5 1:10 1:20 1:50 1:100 1:200 1:500 1:1,000 1:1,200 1:2,000 1:5,000 1:10,000

라. 그림의 형태가 치수에 비례하지 않을 때는 'NS(None Scale)' 또는 'NONE'으로 표시한다.

마. 조립도, 입체도, 배치도 등의 그림에서 치수를 읽을 필요가 없는 경우는 축척 표시를 생략할 수 있다.

2. 축척의 도면표기

가. 축척은 도면 제목 아래에 표기하고 표제란에도 기입하여야 한다. 단. 전체 동일 축척일 경우 도면 제목 아래 축척은 생략할 수 있다.

평 면 도
S=1:100

위치정보	800−1600
축 척	NONE
도면번호	00−0000

〈그림 5.3.11〉 도면축척 기입의 예

나. 동일한 도면 내에 다수의 축척을 사용하였을 때는 해당 도면의 제목 부분마다 해당 축척을 병기하고, 표제란에는 가장 많이 사용된 축척을 '1:N'의 형식으로 기입하거나 "AS SHOWN"이라 기입한다.

다. 출력된 도면이 복사 또는 촬영 등에 의하 축소 또는 확대되는 경우에 대비하여 그 축척에 해당하는 그래픽 축척을 표기할 수 있다.

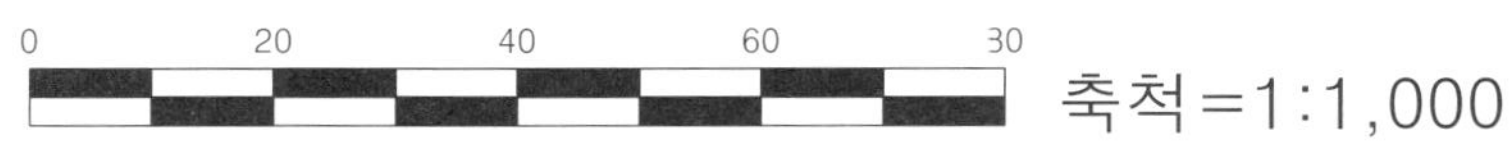

〈그림 5.3.12〉 그래픽 축척의 예

라. 가로와 세로가 다른 축척인 경우는 가로와 세로의 축척을 별도로 적용할 수 있다. 이 경우에는 복수의 축척을 표제란에 표시하거나 대상 도면 부근에 축척을 표시한다.

마. 다중 축척의 경우 수평축척을 도면적용 주 축척으로 한다.

3. 문자 등의 출력을 위한 축척의 적용

시공상세도 작업에서 도로나 옹벽 등 설계대상은 현재 사용하는 실제 치수로 입력하여 도면의 축척에 따라 출력된다. 그러나 도면을 표기하기 위한 표기요소, 예를 들어 문자 등은 출력되었을 때 도면의 축척과 관계없이 표현규격에 의한 크기로 출력한다. 따라서, 이러한 도면 표기요소는 다음과 같은 원칙을 준수하여 입력한다.

〈표 5.3.5〉 출력치수 적용대상

도면 요소	적용대상	적용원칙	CAD 입력방법 사례
문자	도면문자 전체의 크기(높이)	축척분모 × 출력문자 크기	축척=1:10, 출력문자 크기=2.5mm이면, CAD 문자 크기는 10×2.5mm=25단위
심벌	도면표기용 심벌	축척분모	축척=1:10이면, CAD 심벌 크기는 10배
치수 및 인출	도면에 표기되는 치수 및 인출의 화살표, 문자 크기 전체	-	치수 및 인출문자 : 문자와 동일 치수 및 인출심벌 : 심벌과 동일
선	도면에 사용된 선축척	축척분모	축척 = 1:10이면, 선 종류 및 해칭 출력 크기 = 10 단위(권장)
해칭	도면에 사용된 해치패턴의 축척		

4. 축척과 시공상세도 출력

가. 도면을 종이 등의 물리적 매체에 출력하는 경우 도면에 표시된 축척과 일치하도록 출력한다. 예를 들어 축척이 1:50이면 CAD에서 50unit로 작성된 설계대상을 1mm로 종이에 출력한다.

나. 도면에 표시된 축척과 다르게 출력되는 경우 도면에 그래픽 축척 등을 표현하여 축척의 확인이 가능하도록 한다.

5. 출력의 일관성을 위한 CAD도면 데이터의 저장

가. 납품되는 CAD파일은 도면출력의 일관성을 확보하기 위해 도곽을 포함한 도면전체가 화면에 보이도록 ZOOM한 상태로 저장되어야 한다.

나. CAD데이터는 도곽의 최 외곽(종이영역)을 한계영역(limits)으로 설정하여 저장해야 한다.

5.3.8 선

(1) 색상과 선의 굵기

시공자는 발주청이 선의 종류, 굵기, 간격, 색상 및 용도 등의 정보를 포함하여 규정한 선 체계에 따라 시공상세도를 작성한다.

(2) 발주청이 특별히 지정하여 관리하지 않는 선은 KS A 0109를 기본으로 적용한다.

(3) 선의 굵기와 화면 색상 연동

1) 출력물이 칼라인 경우, 출력색상과 화면색상은 동일하게 함을 원칙으로 한다.

2) 출력물이 흑백인 경우, 화면에서의 구분을 용이하게 하기 위하여 선의 굵기와 색상을 연동시켜 사용할 수 있다.

5.3.9 해칭

(1) 해칭 선의 굵기 및 화면색상 연동
선이 포함된 해칭 선의 굵기 및 화면색상 연동은 본 지침 '5.3.8 선'의 내용에 준한다.
(2) 해칭 체계의 원칙 및 구조
해칭 체계의 원칙 및 구조는 본 지침 '5.3.8 선'에 의한 선 체계에 준하여 적용한다.

5.3.10 문자 및 폰트

(1) 문자의 사용은 KS A 0107을 기본으로 적용하되 토목분야의 경우 KS F 1001의 규정을 적용한다.
(2) 도면에 표기하는 문자의 크기는 높이 기준으로 2.0, 2.5, 3.0, 3.5, 4.0, 4.5, 5, 6, 7, 8, 9, 10, 14, 20mm를 기본으로 한다.
(3) 한글코드 체계
도면 정보 교환을 위한 한글 및 한자의 코드 표현 형식은 KS X 1001을 기본으로 적용한다.
(4) 문자 및 폰트의 사용
시공자는 발주청이 도면에 표기하는 문자를 용도별로 구분하여 폰트, 높이, 용도 등을 정의한 표준문자를 사용한다.

5.3.11 치수

(1) 도면에 표기하는 치수는 mm단위를 원칙으로 하며 도면에 단위는 표시하지 않는다. 다만, 미터(m)나 킬로미터(km) 등 특정한 단위의 사용이 불가피 한 경우 치수 뒤에 단위를 표기할 수 있다.
(2) 시공자는 발주청이 표준으로 정한 선, 심벌, 문자 등의 치수규격을 사용하는 것을 원칙으로 한다.
(3) 발주청이 특별히 지정하지 않는 치수의 표기는 KS A 0108과 KS A 0113을 기본으로 적용하되 토목분야의 경우 KS F 1001의 규정을 적용한다.

5.3.12 기호 및 도형의 표현

(1) 동일한 의미를 나타내는 기호 및 도형은 통일하여 사용하여야 한다.
(2) 시공자는 발주청이 작성하여 관리하는 기호 및 도형체계를 적용한다.
(3) CAD사용 효율을 증대하기 위하여 기호 및 도형을 심벌체계 등으로 관리할 수 있으며 이는 본 표준 '5.4.3 심벌 체계'에 의한다.
(4) 기호 및 도형은 KS A 0112를 기본으로 적용하되 토목분야의 경우 KS F 1001의 규정을 적용한다.

5.3.13 Key Plan, Note 및 특기사항

(1) 위치도, Key Plan
1) Key Plan을 두는 경우 도면의 가급적 우측 상단에 표기한다. 여의치 않을 경우 도면 상단 표기를 원칙으로 한다.
2) Key Plan에는 도면의 해당 부분을 명확하게 표시한다.
3) Key Plan의 상단에 방위표를 표시한다.
(2) 주기(note) 및 기타 특기사항을 두는 경우 표제란은 우측 상단 또는 Key Plan의 하단에 표기한다.

해 설

1. 위치도, Key Plan
가. 위치도나 Key Plan은 주요 시설물의 위치나 전체 현황 중 해당구역을 표기해야 할 필요가 있을 경우 사용한다.
나. 위치도나 Key Plan은 도면 오른쪽 맨 위로 표제란 영역에 표기함을

원칙으로 하되 위치도의 경우 별도의 도면에 작성할 수 있다.

다. 위치도나 Key Plan에는 방위를 표시하며, 해당 영역에 해칭으로 명암을 표현할 수 있다.

2. 주기(NOTE) 및 특기사항

가. 도면의 주기 및 특기사항은 도면의 표제란 오른쪽 아래에서 위쪽으로 표기함을 원칙으로 한다.

나. 공사를 위한 특기사항이 많은 경우는 별도의 도면에 적절한 도형과 병행하여 작성한다.

5.3.14 투상법

투상법은 KS A 0111, KS A 0111-1~4를 기본으로 적용한다.

1. 제도에 사용하는 투상법은 특별한 이유가 없는 한 평행 투상에 의한 정투상도로 표기함을 원칙으로 한다.
2. 정투상도는 제3각법에 의하여 그린다.

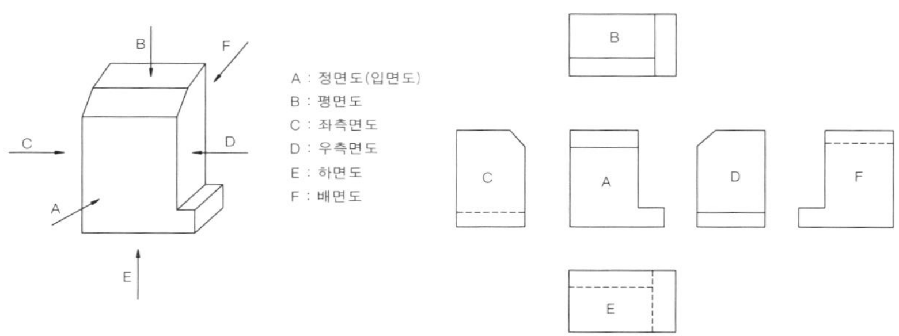

〈그림 5.3.13〉 정투상도의 제3각법과 명칭

5.3.15 용어 및 약어

(1) 용어

1) 도면에 사용되는 용어는 통일하여 일관성 있게 사용한다.
2) 도면에 사용되는 용어는 KS A 3007, KS F 1004, KS F 1504, KS F 1508, KS F 1500 등 KS에서 정의된 용어를 사용한다.
3) KS에 정의된 용어가 없는 경우 다음의 용어 적용 순위에 따라 사용한다.
   ① 관계법규 또는 법률용어사전에 정의되었거나 법률 내용중에 사용된 용어
   ② '한글 맞춤법'(교육과학기술부), '외래어 맞춤법'(교육과학기술부) 또는 '기본 외래어 용어집'(국립국어연구원), '국어대사전'(법령입안심사기준, 법제처 참조)
   ③ 각 전문분야별 '기수용어사전'에서 정의된 용어, 한국건설기술연구원의 '건설용어집'

(2) 약어

1) 도면에 사용되는 약어는 통일하여 일관성 있게 사용한다.
2) 도면약어는 발주청이 정의한 약어를 우선적으로 적용한다.
3) 약어의 사용
   약어는 일반문자, 심벌, 테이블, 범례(legend), 주기(note) 등 도면에 사용되는 모든 도면문자에 사용될 수 있다.

해 설

1. 약어는 어떤 단어의 의미를 원래 어형보다 간략하게 표시한 말로 해당 언어의 본질이 변하지 않는 단어로 규정하며, 도면약어는 도면에 사용되는 영문약어를 말한다.
2. 발주청이 정의하지 않은 약어는 다음의 원칙에 따라 사용할 수 있다. 이 경우 도면의 범례에 표기한다.

가. 약어는 6글자 이상의 영문에 한하여 규정함을 원칙으로 하나, 6글자 미만인 경우에도 기존에 관례적으로 사용해온 경우는 예외로 한다.

나. 약어는 원칙적으로 마침표(period)를 사용하지 않음을 원칙으로 하나, 관례에 따라 빈번하게 사용되어온 경우는 병용할 수 있다.

5.3.16 테이블(일람표, 재료표, 기타)

(1) 도면에 사용되는 테이블은 통일하여 일관성 있게 사용한다.
(2) 도면테이블은 발주청이 정의한 테이블형식을 우선적으로 적용한다.
(3) 테이블을 구성하는 선, 굵자 등은 본 지침을 준수하여 작성하도록 한다.

5.4 데이터 작성기준

5.4.1 도면번호 체계

(1) 도면번호 목록의 사용
1) 모든 도면에는 '건설CALS/EC 전자도면 작성표준'의 도면번호 체계에 따라 고유의 번호를 부여한다.
2) 도면번호 체계는 도면분류 체계와 연계할 수 있는 구조를 가져야 하며 도면 일련번호를 포함한다.
3) 도면번호 체계는 문자 및 숫자로 표현하며 영문 알파벳 A~Z와 숫자 0~9, dash(-)를 사용할 수 있다.
4) 각 도면에 사용되는 도면번호는 납품되는 도면 파일명에 사용되어 해당 도면 데이터를 쉽게 찾을 수 있도록 한다.

(2) 도면번호 체계의 적용원칙
1) 발주청의 도면번호 체계는 '건설CALS/EC 전자도면 작성표준'에 명시된 도면번호 체계 중 기본드면번호 체계를 따른다.
2) 토목분야는 대, 중, 소 분류코드를 적용하며, 토목 이외 분야는 건설CALS/EC 전자도면 작성표준에 따른다.

해 설

도면의 출력에 의한 편철관리의 편의성을 위하여 편철번호를 부여할 수 있으며 이 경우 편철번호는 도면번호와 별개로 사용할 수 있다.

위치정보	800-1600	도 면 명	OOO 시공상세도
축 척	1:100		
도면번호	00-0000	편철번호	6.002

〈그림 5.4.1〉 도면번호 및 편철번호의 작성사례

5.4.2 레이어 체계

(1) 레이어 체계 적용의 개념
1) 레이어는 하나의 도면 데이터를 분야 및 공종 등의 요소로 구분하기 위해 사용한다.
2) 레이어 체계는 도면데이터의 공유와 재활용을 위하여 적용한다.

(2) 레이어 체계의 원칙
1) 레이어 체계는 '건설CALS/EC 전자도면 작성표준'에 명시된 레이어 체계를 따른다.
2) 이에 따라 발주청의 레이어 체계는 대, 중, 소분류 및 세분류를 적용한다.
3) 레이어 체계는 문자 및 숫자로 표현하며 영문 알파벳 A~Z와 숫자 0~9, dash(-)를 사용할 수 있다.

5.4.3 심벌 체계

(1) 심벌 목록의 사용
1) 도면에 사용하는 모든 심벌은 '건설CALS/EC 전자도면 작성표준'의 심벌 체계에 따라 고유의 코드를 부여한다.
2) 심벌 코드는 발주청이 정한 각 분야별 심벌 목록에 의한다.
3) 발주청이 정의하지 않은 심벌은 발주청과 협의 하에 심벌 체계 적용원칙에 따라 정의하여 사용할 수 있다.

(2) 심벌 체계의 원칙
1) 심벌 체계는 '건설CALS/EC 전자도면 작성표준'에 명시된 심벌 체계를 따른다.
2) 이에 따라 발주청은 대, 중, 소분류 코드를 적용한다.
3) 심벌 체계는 문자 및 숫자로 표현하며 영문 알파벳 A~Z와 숫자 0~9, dash(-)를 사용할 수 있다.

5.4.4 객체 체계

(1) 객체 체계의 사용
1) 객체 체계는 발주청이 정의한 객체 체계를 사용한다.
2) 시공자는 업무생산성 향상 등을 이유로 CAD 소프트웨어가 제공하는 객체 체계를 사용할 수 있다.
(2) 객체 체계의 적용원칙
발주청이 객체 체계 목록을 제공하는 경우 시공자는 이를 사용하며 목록에서 제시되는 정보필드별 형식, 단위 등을 부여한다.

5.4.5 속성 체계

(1) 속성 체계의 사용
1) 속성 체계는 발주청이 정의한 속성 체계를 사용한다.
2) 시공자는 업무생산성 향상 등을 이유로 CAD 소프트웨어가 제공하는 속성 체계를 사용할 수 있다.
(2) 속성 체계의 적용원칙
발주청이 속성 체계 목록을 제공하는 경우 시공자는 이를 사용하며 목록에서 제시되는 정보필드별 형식, 단위 등을 부여한다.

제 6 장 시공상세도의 제출 및 승인

6.1 일반사항

6.1.1 시공상세도 제출

(1) 시공자는 설계서 및 현장조건과의 적합성 여부를 확인하여 공사 수행상의 잘못 또는 부분공사의 누락을 예방하고, 타공사 시공자, 자재납품자, 관련기관 및 주변에 거주하는 주민과의 마찰로 인한 공사의 지연을 예방하기 위하여 시공상세도를 작성하여 제출하여야 한다.
(2) 시공자는 작성한 시공상세도에 대하여 실명을 기입하고 서명 또는 날인을 하여 감리원의 확인을 받은 후 해당공사에 이용하여야 한다.
(3) 시공자는 이 지침서에 의거한 시공상세도를 작성하여 제출하여야 한다.
(4) 시공상세도가 변경된 때에는 변경시공상세도를 작성하여 감리원의 확인을 받아야 한다.

6.1.2 시공상세도 제출 시기 및 부수

(1) 제출시기 : 시공자는 각 공종 및 동일 공종에 대하여 시공 순서 및 규모에 따라 구분하여 공사착수 15일 전(단, 기술검토 등을 요하지 않는 단순한 사항은 7일 전이며, 휴일 및 공휴일은 제외)까지 시공상세도를 제출 하여야 한다.
(2) 감리원의 확인기간
① 기술검토 등을 요하지 않는 단순한 사항은 접수일로부터 7일 이내(휴일 및 공휴일 제외) 검토 · 확인한다.
② 그 외의 사항(전문기술사의 검토 등)은 14일 이내(휴일 및 공휴일 제외) 검토 · 확인한다.
③ 기일 내에 검토 · 확인이 불가능할 경우 사유와 처리계획을 명시하여 시공자에게 통보하며, 통보사항이 없을 때에는 승인한 것으로 간주한다.
(3) 제출부수 : 2부

6.2 제출절차

6.2.1 작성 및 확인

(1) 시공자가 제출하는 각 제출물은 설계서의 내용 및 현장조건에 대하여 검토한 결과를 반영하여 작성해야 한다. 또한, 타시공자, 자재납품업자, 작업자, 관련 기관과의 협의, 조정한 내용을 포함하여 작성해야 한다.

(2) 시공자는 각 제출물에 다하여 계약문서와의 일치여부를 확인한 후, 제출물에 서명 또는 날인하여 감리원에게 제출해야 한다

6.2.2 추가요구 및 변경

(1) 감리원은 공사의 원활한 진행 등을 위하여 제출물의 제출부수 추가, 제출시기의 변경 또는 시공상세도 작성지침에 명시되지 아니한 제출물의 제출과 기록유지를 요구할 수 있으며, 시공자는 이에 따라야 한다.

6.2.3 내용 변경

(1) 감리원은 모든 제출물에 대하여 그것의 주요한 내용의 변경을 수반하는 사유가 발생되었을 경우에는 지체 없이 관련되는 제출물을 시공자가 재작성하여 제출하도록 하여야 한다.

6.2.4 미제출시의 제한

(1) 이 지침서가 정한 제출물을 감리원 또는 발주청에 제출하지 않고서는 감리원 또는 발주청의 승인 및 확인을 받을 수 없으며, 해당 공사를 진행할 수 없다.

6.2.5 공사관련자에의 전파교육

(1) 시공자는 감리원이 확인한 제출물에 대하여 필요한 사항은 작업자 등 공사관련자에게 전파교육 시행 및 대장관리하여 공사 시행상의 오류를 방지해야 한다.

6.3 시공상세도 승인 절차

6.3.1 승인절차

(1) 감리원(발주청)은 시공자가 제출한 시공상세도를 아래 절차에 따라 검토 · 확인 후 승인하여야 한다.

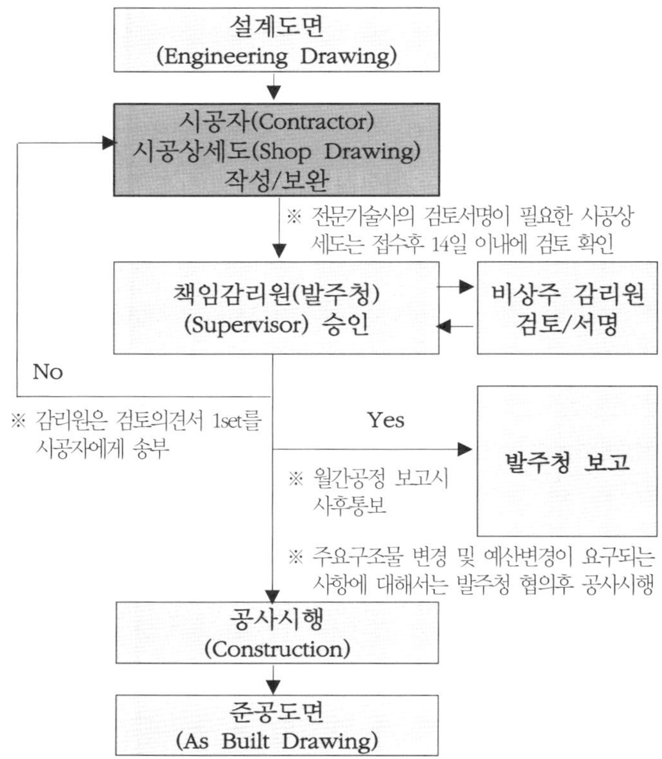

해 설

감리원(발주청)은 시공자가 공사여건과 계약문서의 조건 및 설계도서 등이 상호 일치되게 작성하여 제출한 시공상세도를 검토·확인때 까지 시공을 허용하지 말아야 하고, 기간내에 검토·확인하여 승인한 후 시공자가 공사를 시행하도록 하여야 한다.

6.3.2 시공상세도 검토

(1) 감리원은 시공자로부터 시공상세도를 사전에 제출받아 다음 각 호의 사항을 고려하여 시공상세도를 검토·확인하고, 시공자가 제출한 시공상세도의 내용이 주요구조물인 경우에는 시공상세도를 검토할 때 필요한 경우 발주청과 협의하여 당초 설계자를 참여시킬 수 있다.
- 가. 설계도면 및 시방서 또는 관계규정에 일치하는지 여부
- 나. 현장기술자, 기능공이 명확하게 이해할 수 있는지 여부
- 다. 실제시공이 가능한지 여부
- 라. 안전성 확보 여부
- 마. 계산의 정확성
- 바. 제도의 품질 및 선명성, 도면작성 표준과 일치하는지 여부
- 사. 도면으로 표시가 곤란한 내용은 시공시 유의사항으로 작성되었는지 등을 검토

(2) 감리원은 시공상세도가 설계도면과 시방서 등에 개략적으로 표기된 부분을 명확히 하여 시공상의 착오방지 및 공사안전을 확보하기 위한 수단으로 본 지침에 준하여 작성되었는지 검토·확인하여야 하며, 특히 주요 구조부(관련 가시설포함)의 구조적 안전에 관한 사항은 비상주감리원이 검토·확인하여야 한다.

(3) 전문 기술사의 검토
구조계산 및 수리계산을 요하는 부분 및 안전상 중요한 부분 등은 전문기술사의 검토가 필요하며, 전문기술사의 검토 필요여부는 책임감리원의 의사 결정에 따르도록 한다.

6.3.3 시공상세도 서명

(1) 시공상세도의 개정관리정보영역에는 작성자, 검토자, 확인자가 서명 하여야 한다.

해 설

시공상세도의 개정관리정보영역에 서명하는 작성자, 검토자, 확인자는 시공자이며, 그 내용은 표 6.3.1과 같다.

〈표 6.3.1〉 시공상세도의 작성자, 검토자 및 확인자

시공상세도 서명	작 성 자	시공상세도 작성자
	검 토 자	시공상세도 작성 책임자
	확 인 자	현장대리인

6.3.4 시공상세도 승인등급

시공상세도 승인자는 책임감리원(발주청)이며, 승인은 다음과 같이 3가지 등급으로 처리된다.

(1) 시공상세도 승인 : 작성된 시공상세도가 문제가 없을 경우 "승인"에 체크하여 지체없이 시공자에게 통보하여야 한다.

(2) 권고사항 이행을 전제로 조건부 승인 : 시공상세도 수정사항이 경미하여 계약사항을 만족시켜 발주청의 요구대로 작성된 경우 "권고사항 이행을 전제로 조건부 승인"에 체크하여 시공자에게 통보하며, 시공자는 권고사항을 수정하여 감리원의 확인을 득한 후 공사를 수행 하여야 한다.

(3) 권고사항과 함께 불허 : 작성된 도면이 계약요구조건들로부터 현격히 벗어났거나, 내용의 부적절, 도면판독 불가, 적절한 치수의 결여, 설계도면과의 상충되는 정보 등으로 인해 시공에 중대한 오류나 변경을 초래할 경우에는 "권고사항과 함께 불허"에 체크하여 시공자에게 통보하며, 시공자는 해당 도면의 권고사항을 모두 수정하여 책임감리원에게 제출하고 "승인"을 얻어야 한다.

해 설

1. 시공상세도 승인란은 도면 여백에 위치하도록 하며 승인일자, 서명란의 내용을 포함하여 작성한다.

☐ **승 인**
☐ **권고사항 이행을 전제로 조건부 승인**
☐ **권고사항과 함께 불허**

주의
1. 감리원의 승인은 모든 시방서 조건들이 만족되고 시공자의 시공상세도는 발주청이 승인한 설계와 일치한다는 전제하에 부여함.
2. 시공자는 현장에서 일어나는 모든 질적 양적 작업에 관한 수정, 확인 작업에 대하여 책임을 짐.
3. 상기 승인으로 구조물의 안전에 대한 시공자의 총괄적인 책임이 면제되는 것은 아님.

서명 : ______________________
책임감리원

날짜 : ______________________

〈그림 6.3.1〉 시공상세도 승인배포인 작성 예

2. 구조계산 및 수리계산이 필요한 부분 및 안전상 중요한 부분 등은 전문기술사의 검토가 필요하며, 전문기술사 서명은 도면 좌측하단에 위치하도록 한다.

계약설계도면 및 시방서의 내용과 일치함을 서명함

〈그림 6.3.2〉 전문기술사의 서명

제 7 장 시공상세도 작성업무 구분

7.1 작성업무 구분 일반사항

실시설계도면과 시공상세도는 구분하여 작성하여야 한다.

(1) 철근배근 범위가 표현되지 않아 철근 수량 산출시 차이가 예상되는 둔각부, 예각부, 단면변화부의 형태별 단면도 등은 주철근 조립도와 전개도를 실시설계 단계에서 작성하여 수량오차가 발생하지 않도록 하여야 한다.

(2) 실시설계도는 아래사항을 포함하여 작성하여야 한다.
  1) 일반도 : 대표단면도와 둔각부, 예각부의 형태별 단면도.
  2) 구조도 : 주철근 조립도, 재료표(Bar-Bending)
  3) 가시설 및 가설교량 : 개요도 및 대표단면도

(3) 시공상세도는 아래사항을 포함하여 작성하여야 한다.
  1) 일반도 : 현장여건에 따라 필요한 경우에 해당하는 도면
  2) 구조도 : 철근전개도, 철근상세도, 재료표(Bar-Bending)
  3) 가시설 및 가설교량 : 형태별 단면도, 상세도 및 재료표

(4) 주요도면 작성주체
  1) 실시설계도면(설계단계) : 설계자
  2) 시공상세도(시공단계) : 시공자

7.2 주요도면 작성 업무구분

구분	현 행 (설계자)		업무구분 개선방안: 실시설계도면 (설계단계)	업무구분 개선방안: 시공상세도 (시공단계)
구조물도	일반도 단면력도 주철근조립도	설계자 →	일반도 단면력도 주철근조립도	주철근조립도
	철근전개도 철근상세도 철근재료표	설계자+시공자 →	**철근상세도+철근재료표**	철근전개도 철근상세도 철근재료표
가시설도	종·평면도 종단면도	설계자 →	종·평면도 종단면도	
	형태별 단면도	설계자+시공자 →	**개요도, 대표단면도**	형태별 단면도
	평면 전개도 세부 상세도 강재 재료표	시공자 →	잠정금액(P.S 단가) 적용	평면 전개도 세부 상세도 강재 재료표
비고				전문기술사 날인 비상주감리원 검토 책임감리원 승인

7.3 설계 및 시공 단계별 도면작성 업무담당

7.3.1 업무담당 구분 일반사항

(1) 설계 및 시공 단계별 도면작성 업무담당은 7.3.2와 같이 구분함을 원칙으로 하고, 발주청이 필요하다고 인정하는 경우 업무구분을 조정할 수 있다.

7.3.2 업무담당 구분

공종	도면 목록: 도면종류	도면 목록: 세부명칭	업무 담당: 설계단계	업무 담당: 시공단계
토공	축제 및 호안	공사계획평면도	○	
		계획평면도	○	
		종단면도	○	
		표준단면도	○	
		횡단면도	○	
		호안전개도		○
		매트리스형 돌망태 일반도	○	
		매트리스형 돌망태 설치상세도		○
	산마루측구 일반도	평면도	○	○
		산마루측구 단면도	○	○
		신축이음상세도		○
		본선수로 접속부 상세도		○
	소단측구	평면도	○	○
		소단측구 단면도	○	○
	울타리 현황도	시·종점부 평면도	○	
	개천내기	평면도	○	
		종단면도	○	
		표준횡단면도	○	
		흄관부설상세도	○	
		면벽상세도	○	
		선형좌표계	○	○
		신축이음상세도		○
	개천내기 횡단면도	횡단면도(기본20m간격으로 작성)	○	○
	연약지반처리도	연약지반처리공법 현황	○	
		연약지반처리 종평면도	○	
		연약지반처리 표준횡단면도	○	
		계측기설치 일반도	○	
		계측기설치 상세도		○

공종	도면 목록		업무 담당	
	도면종류	세부명칭	설계단계	시공단계
토공	방재구난구역진입도로	평면도	○	
		종단면도	○	
		선형좌표계	○	○
		표준횡단면도 (방재구난지역구간, 일반구간)	○	
		포장상세도		○
		신축이음상세도		○
		흄관상세도		○
		면벽상세도		○
	방재진입도로횡단면도	횡단면도(기본20m간격으로 작성)	○	○
	길내기	평면도	○	
		종단면도	○	
		표준횡단면도	○	
		포장상세도		○
		흄관상세도		○
		교행구간 평면상세도		○
		신축이음상세도		○
		면벽상세도		○
		선형좌표계	○	○
	길내기 횡단면도	횡단면도(기본20m간격으로 작성)	○	○
	횡방향 맹암거 일반도	평면도	○	
		종단면도(종방향 오목부, 종방향 땅깍기와 흙쌓기의 경계부)	○	
		횡단면도(흙쌓기부, 땅깎기부)	○	
		상세도	○	○
		맹암거집계표	○	○
	낙석방지울타리 일반도	평면도	○	
	비탈면 점검로	평면도	○	
	배수계통도	평면도	○	

공종	도면 목록		업무 담당	
	도면종류	세부명칭	설계단계	시공단계
토공	기존수로 및 도로포장 철거도	평면도	○	○
		U형수로 단면도	○	
		수로BOX 단면도	○	
		아스콘포장도		○
		철거수량집계표	○	○
	공사용 우회도로 일반도	평면도	○	
		종단면도	○	
		표준횡단면도	○	
		I.P제원표	○	○
		철거복구 재료표	○	○
	공사용가도로 일반도	평면도	○	
		종단면도	○	
		표준횡단면도	○	
		단면도	○	
		물유입 방지벽설치도	○	○
	공사용가도로 횡단면도	횡단면도(기본20m간격으로 작성)	○	○
	구조물 접속부 일반도	측면도	○	
		횡단면도	○	
		평면도	○	
		종단면도	○	
		상세도	○	○
		강화노반설치도		○
	진입도로	평면도	○	
		종단면도	○	
		표준횡단면도	○	
		포장상세도		○
		선형좌표계	○	○
		연결도로	○	○
	진입도로 횡단면도	횡단면도(기본20m간격으로 작성)	○	○

공종	도면 목록		업무 담당	
	도면종류	세부명칭	설계단계	시공단계
구조물공	종평면도	평면도	○	
		종단면도	○	
		표준단면도	○	
		표준횡단면도	○	
	지질주상도	지질주상도	○	○
	교량받침 표고	교량받침 표고산출 근거	○	○
	교량받침좌표 및 배치도	교량받침좌표 및 배치도	○	○
	하부(교대, 교각) 일반도	교대 일반도	○	
		교각 일반도	○	
	하부(교대, 교각) 배근도	단면도, 정면도	○	
		평면도(전개도), 기초평면도		○
		주철근 조립도	○	○
		날개벽 평면 및 전개도		○
		철근 상세도	○	○
		철근 재료표	○	○
		접속슬래브 구조도	○	○
	옹벽 일반도	평면도	○	
		종단면도	○	
		단면도	○	
		시공이음상세도		○
		신축이음상세도		○
		문양거푸집상세도		○
		배수공 및 배수재 상세도		○
	옹벽 전개도	단면 구조도	○	○
		정면 전개도(전면, 배면)		○
		기초평면 전개도(상면, 하면)		○
		철근상세도	○	○

공종	도면 목록		업무 담당	
	도면종류	세부명칭	설계단계	시공단계
구조물공 (라멘교)	일반도	평면도	○	
		종단면도	○	
		위치도	○	
	철근 구조도	주철근 조립도	○	○
		표준단면도	○	
		슬래브 전개도(배근도)		○
		벽체 전개도(벽체평면도)		○
		기초 전개도(기초평면도)		○
		날개벽 평면 및 전개도		○
	철근 상세도	철근 재료표	○	○
		접속슬래브 구조도	○	○
구조물공 (PSC BEAM)	슬래브 일반도	슬래브 일반도	○	○
	슬래브 배근도	슬래브 배근도	○	○
	상부 구조도	PSC BEAM 구조도	○	
		PSC BEAM 상세도		○
		PSC BEAM 강선지지 철근구조도		○
	기타 상세도	PSC BEAM 강재거푸집 상세도		○
		PSC BEAM 거치 및 작업순서도		○
		전도방지시설개요도	○	
		전도방지시설상세도		○
구조물공 (강합성 거더교)	슬래브 일반도	슬래브 일반도	○	
	슬래브 구조도	슬래브 배근도	○	○
		철근 상세도	○	○
		철근 재료표	○	○
	강상형 일반도	강상형 일반도	○	
	강상형 상세도	가로보 상세도	○	○
		강상형 상세도		○
		현장이음 상세도	○	○

공종	도면 목록		업무 담당	
	도면종류	세부명칭	설계단계	시공단계
구조물공 (강합성 거더교)	강상형 상세도	강상형 단면도	○	○
		세로보 치수표	○	○
		세로보 상세도	○	○
		가로보 상세도	○	○
	솟음도	솟음도	○	
	재료표	강재 재료표	○	○
	도장상세도	도장상세도		○
	부대도면	내부출입구 일반도	○	
		내부출입구 상세도		○
		맨홀 상세도	○	○
		환기구 상세도	○	○
		단면요약도	○	
		용접시험도	○	○
구조물공 (PSC BOX (FCM))	시공개요도	시공개요도	○	
	예정공정표	예정공정표	○	○
	시공순서도	시공순서도(공법개요도)	○	○
	상부 일반도	표준 단면도	○	
		일반단면 제원도	○	
		상부구조 일반도	○	
		주두부 일반도	○	○
		측경간 일반도	○	○
		하부 강연선 정착부 일반도	○	○
		하부 강연선 정착부 상세도		○
		EXTERNAL & HUNCH 일반도	○	
		EXTERNAL & HUNCH 상세도		○

공종	도면 목록		업무 담당	
	도면종류	세부명칭	설계단계	시공단계
구조물공 (PSC BOX (FCM))	상부 구조도	철근일반 구조도	○	○
		주두부 구조도	○	○
		측경간 구조도	○	○
		격벽부 구조도	○	○
		강연선 지지철근 배치도		○
		작업구 위치 및 보강도		○
		하부 강연선 정착부 구조도	○	○
		EXTERNAL & HUNCH 구조도	○	○
	강연선 배치도	강연선 배치 개요도	○	
		강연선 배치 상세 피복	○	○
		강연선 배치 일반도	○	○
		강연선 배치 단면도		○
		강연선 배치 상세도		○
		횡방향 강연선 배치 개요도	○	
		횡방향 강연선 배치 상세도		○
		EXTERNAL 강연선 배치 개요도	○	
		EXTERNAL 강연선 배치 상세도		○
	인장순서도	인장순서도		○
	강봉 배치도	강봉 배치도	○	○
	가시설도	Key-Seg. 상부 가고정 가시설 개요도	○	○
		Key-Seg. 상부 가고정 가시설 상세도		○
		주두부 및 측경간부 가시설 개요도	○	○
		주두부 및 측경간부 가시설 상세도		○
	솟음도	CAMBER 관리도	○	○
	부대도면	Form Traveller 일반도	○	○
		Form Traveller 상세도		○
		FCM 내부점검시설		○

공종	도면종류	세부명칭	설계단계	시공단계
구조물공 (PSC BOX (ILM))	시공 개요도	시공 개요도	○	
	시공순서도	압출 시공순서도(공법개요도)	○	○
	상부 일반도	표준 단면도	○	
		일반단면 제원도	○	
		상부구조 일반도	○	○
		First Seg. 지점부 일반도	○	
		중간지점부 일반도	○	
		Last Seg. 지점부 일반도	○	
	강연선 배치도	강연선배치개요도	○	
		1차강연선 배치도	○	○
		강연선 배치 단면도		○
		First Seg. 정착부 상세도		○
		Last Seg. 정착부 상세도		○
		2차강연선 배치도	○	○
		2차강연선 배치 상세도		○
		EXTERNAL 강연선 배치 개요도	○	○
		EXTERNAL 강연선 배치 상세도		○
		횡방향 강연선 배치 개요도	○	
		횡방향 강연선 배치 상세도		○
	상부구조도	시점부 격벽 배근도	○	○
		중간지점부 격벽 배근도	○	○
		종점부 격벽 배근도	○	○
		시종점부 정착부 보강 배근도	○	○
		1차강연선 정착부 보강배근도	○	○
		2차강연선 정착부 보강배근도	○	○
		EXTERNAL 강연선 정착부 배근도	○	○
		추진코 연결정착부 배근도	○	○
		시공이음부 보강배근도	○	○
		강연선 지지철근 배치도	○	○

공종	도면종류	세부명칭	설계단계	시공단계
구조물공 (PSC BOX (ILM))	부대도면	제작장 일반도	○	○
		제작장 배근도	○	○
		추진코 일반도	○	○
		추진코 상세도		○
		Lateral Guide 개요도	○	○
		Lateral Guide 상세도		○
		압출장치 개요도	○	○
		압출장치 상세도		○
		강재거푸집 일반도	○	○
		강재거푸집 상세도		○
		Mould Cover 일반도	○	
		Mould Cover 상세도		○
		작업구 위치 및 보강도	○	○
		Insert Steel 상세도		○
구조물공 (PSC BOX (MSS))	시공 개요도	시공 개요도	○	
	시공순서도	시공순서도(공법개요도)	○	○
	상부 일반도	표준단면도	○	
		상부일반도	○	
		단지점부 격벽 일반도	○	
		중간지점부 격벽 일반도	○	
		강연선 정착부 일반도	○	○
		강연선 정착부 상세도		○
	상부구조도	상부구조도	○	
		지점부 구조도	○	
		시공이음부 구조도	○	
		강연선 지지철근 배치도	○	○
		강연선 정착부 구조도	○	○

공종	도면 목록		업무 담당	
	도면종류	세부명칭	설계단계	시공단계
구조물공 (PSC BOX (MSS))	강연선 배치도	강연선 배치 개요도	○	
		강연선 배치 상세 피복	○	○
		강연선 배치 단면도	○	
		강연선 배치 상세도		○
		횡방향 강연선 배치 개요도	○	○
		횡방향 강연선 배치 상세도		○
		EXTERNAL 강연선 배치 개요도	○	○
		EXTERNAL 강연선 배치 상세도		○
	솟음도	CAMBER 관리도	○	○
	부대도면	MSS장비 개요도	○	○
		MSS장비 단면도	○	
		MSS장비 상세도		○
		교각 브라켓 상세도		○
		임시고정시설 설치 개요도	○	
		임시고정시설 상세도		○
구조물공	수로콘크리트 일반도	평면도	○	
		종단면도(좌측, 우측)	○	
		단면 일반도	○	
		표준단면도	○	
		본선수로 단면도	○	
		신축이음상세도	○	○
		상세도		○
	수로콘크리트 구조도	주철근 조립도	○	
		벽체 전개도(외측, 내측)		○
		하부 전개도(상면, 하면)		○
		철근상세도		○
	수로콘크리트 방수거 상세도	방수거 평면상세도	○	
		단면도	○	○
		철근상세도		○

공종	도면 목록		업무 담당	
	도면종류	세부명칭	설계단계	시공단계
구조물공	비탈수로 일반도	평면도	○	
		종단면도	○	
	비탈수로 구조도	주철근조립도	○	
		철근상세도		○
		철근가공상세도		○
		신축이음상세도		○
		물막이벽 상세도 및 철근상세도		○
	낙차공	낙차공일반도	○	
		낙차공철근배근도		○
		낙차공 어도설치 일반도	○	
		낙차공 어도 단면도	○	
		낙차공 어도 배근도		○
		역T형 옹벽전개도		○
		역T형 옹벽구조도	○	
	지하차도 일반도	평면도	○	
		종단면도	○	
		횡단면도(기본20m간격으로 작성)	○	○
		BOX구간 단면도	○	
		날개벽구간 정면도	○	
		날개벽구간 평면도	○	
		날개벽구간 측면도	○	
		농로상세도	○	○
		흙내림방지턱 상세도		○
		경계블럭 상세도		○
		문양거푸집 상세도		○
		U-TYPE구간 단면도	○	
		흙내림방지턱 상세도		○

공종	도면 목록		업무 담당	
	도면종류	세부명칭	설계단계	시공단계
구조물공	지하차도 구조도	주철근 조립도	○	○
		상부슬래브 전개도(상면, 하면)		○
		하부슬래브 전개도(상면, 하면)		○
		좌측벽체 전개도(외측, 내측)		○
		우측벽체 전개도(외측, 내측)		○
		철근상세도		○
		상부거더 평면도 전개도 (상면, 하면)		○
		하부거더 평면도 전개도 (상면, 하면)		○
		종단면도 전개도		○
		날개벽 배면 전개도		○
		날개벽 정면 전개도		○
		날개벽 단면 구조도	○	
		날개벽 단면 상세도		○
	지하차도 승강장 일반도	종평면도	○	
		평면도	○	
		종단면도	○	
		단면일반도	○	
		상세도		○
	지하차도 승강장 구조도	주철근 조립도	○	○
		단면 구조도	○	
		상부슬래브 전개도(상면, 하면)		○
		벽체 전개도(전면, 배면)		○
		철근상세도		○

공종	도면 목록		업무 담당	
	도면종류	세부명칭	설계단계	시공단계
구조물공	지하차도 자연유하 흄관부설 일반도	평면도	○	
		종단면도	○	
		구체배수상세도	○	○
		흄관상세도	○	○
		선형좌표계	○	○
	암거 일반도	정면도	○	
		횡단면도	○	
		측면도	○	
		평면도	○	
		단면일반도	○	
		표준단면도	○	
		단면 상세도	○	○
		시공순서도	○	○
		차수벽 상세도		○
	암거 구조도	주철근 조립도	○	○
		난간벽상세도	○	○
		수로벽상세도	○	○
		상부슬래브 전개도(상면, 하면)		○
		하부슬래브 전개도(상면, 하면)		○
		좌측벽체 전개도(외측, 내측)		○
		우측벽체 전개도(외측, 내측)		○
		철근상세도		○
	암거 익벽 구조도	주철근 조립도	○	○
		벽체배면 전개도		○
		벽체전면 전개도		○
		저판상면 전개도		○
		저판하면 전개도		○
		철근상세도		○

공종	도면 목록		업무 담당	
	도면종류	세부명칭	설계단계	시공단계
구조물공	연결통로 일반도	평면도	○	
		종단면도	○	
		횡단면도	○	
		표준단면도	○	
		연결통로 요약도	○	
		집수정 일반도	○	○
	연결통로 구조도 (마감벽, 거더, 출입구)	주철근 조립도	○	○
		상부슬래브 전개도(상면, 하면)		○
		하부슬래브 전개도(상면, 하면)		○
		좌측벽체 전개도(외측, 내측)		○
		우측벽체 전개도(외측, 내측)		○
		EV마감벽 단면도	○	○
		개구부 보강상세도	○	○
		집수정 단면구조도	○	
		집수정 평면구조도		○
		개구부 보강상세도	○	○
		철근상세도		○
	승강장 일반도	측면도(승강장부)	○	
		측면도(노반측 경사로단부)	○	
		측면도(승강장측 경사로 단부)	○	
		단면도	○	
		상세도		○
		승강장평면도	○	
		홈지붕 기둥 평면도	○	
		승강장 안전타일 배치평면도	○	
		유도용 및 경고용 점자타일 설치 평면도	○	

공종	도면 목록		업무 담당	
	도면종류	세부명칭	설계단계	시공단계
구조물공	승강장 일반도	승차위치 설치상세도	○	
		T자형 설치 상세도	○	
		승강장 바닥 단부 평면도	○	
		유도용 점자 블록	○	
		경고용 점자 블록	○	
		화강석 신축이음 마감상세도	○	○
	승강장 구조도 (승강장부)	승강장 옹벽 일반도	○	
		주철근 조립도	○	○
		벽체 전개도(배면, 전면)		○
		상부슬래브 전개도(상면, 하면)		○
		하부슬래브 전개도(상면, 하면)		○
		수로뚜껑상세도	○	○
		철근상세도		○
	표면배수 일반도	평면도	○	
		표면배수 평면약도	○	
		상세도	○	○
		종단면도	○	
		횡단면도	○	
		측면도	○	
		시공순서도	○	○
		PE사다리 상세도	○	○
		집수정 뚜껑	○	
		비탈수로평면	○	

공종	도면 목록		업무 담당	
	도면종류	세부명칭	설계단계	시공단계
구조물공	표면배수 구조도	단면 구조도	○	
		주철근 조립도	○	○
		벽체 전개도(외측, 내측)		○
		상부슬래브 전개도(상면, 하면)		○
		하부슬래브 전개도(상면, 하면)		○
		하부 전개도		○
		뚜껑 철근콘크리트 구조도	○	
		평면구조도	○	
		개구부 보강상세도	○	○
		집수정 뚜껑 구조도	○	
		취입부 측면 구조도	○	
		방수거 평면 상세도	○	
		철근상세도		○
	부대도면	교량받침 배치도	○	
		교량받침 상세도		○
		신축이음장치 상세도		○
		배수시설계획도	○	
		배수시설상세도		○
		세굴방지공 일반도	○	
		세굴방지공 상세도		○
		교대보호블럭 설치도	○	○
		교대 뒷채움 상세도	○	○
		점검용 계단 단면도	○	○
		방호울타리 상세도	○	○
		난간 상세도	○	○
		중앙분리대 상세도	○	○
		방음벽 일반도	○	
		방음벽 상세도		○
		방음벽 기초 상세도	○	○
		교각점검시설 일반도		○
		교각점검시설 상세도		○

공종	도면 목록		업무 담당	
	도면종류	세부명칭	설계단계	시공단계
터널공	표준단면도	표준단면도	○	
		사용재료표	○	
		지보패턴별 치수표	○	
		F.L기준 개요도	○	
	표준지보패턴표	표준지보패턴표	○	
	표준지보패턴도	단면도		○
		재료표		○
	굴착 및 지보순서도	단면도		○
		측면도		○
		지보순서도		○
	격자지보 상세도	단면도		○
		상세도		○
		간격재 상세도		○
	라이닝 구조도	주철근조립도	○	○
		표준단면도	○	
		측면 전개도(외측, 내측)		○
		철근상세도		○
	강재거푸집 상세도	단면도		○
		측면도		○
		상세도(각종)		○
	개착터널 표준단면도	표준단면도	○	
	개착터널 구조도	주철근조립도	○	○
		표준단면도	○	
		측면 전개도(외측, 내측)		○
		철근상세도		○
	공사용 갱문 강지보공 상세도	단면도		○
		상세도		○
		간격재 상세도		○

공종	도면 목록		업무 담당	
	도면종류	세부명칭	설계단계	시공단계
터널공	발파패턴도	정면도		○
		다단식발파기 SETTING TIME		○
		다단식발파기를 이용한 터널발파방법에 의한 영역구분		○
		장약상세도		○
		심빼기 상세도		○
		화약량표		○
	구간별 적용 지보패턴도	종단면도	○	
	횡단면도	횡단면도(시점부, 종점부)	○	
	시·종점부 갱구부 계획도	평면도	○	
		종단면도	○	
		횡단면도	○	
	시·종점부 갱구부 보강상세도	정면도	○	
		측면도	○	
		록볼트상세도		○
		상세도		○
	시·종점부 갱문 일반도	정면도	○	
		평면도	○	
		단면도	○	
		상세도	○	
		난간상세도 일반도	○	
		난간상세도 구조도		○
		DRAIN BOARD 상세도	○	
		신축이음상세도	○	
		수축줄눈 상세도	○	

공종	도면 목록		업무 담당	
	도면종류	세부명칭	설계단계	시공단계
터널공	시·종점부 공사용 갱문 상세도	정면도	○	
		측면도	○	
		상세도	○	
	대단면과 NATM 접속부 일반도	평면도	○	
		측면도	○	
	대단면과 NATM 접속부 보강도	평면도	○	
		측면도	○	
	대단면과 NATM 접속부 구조도	마감벽 전개도	○	
		단면도	○	
		철근상세도		○
	신호기 Block Out 상세도	확폭 평면도	○	
		단면도	○	
	사갱 접속부 보강도	평면도	○	
		정면도	○	
		종단면도	○	
		단면도	○	
	사갱 접속부 구조도	주철근조립도	○	○
		표준단면도	○	
		보강구간 개요도	○	
		평면 전개도(외측, 내측)		○
		측면 전개도(외측, 내측)		○
		정면 전개도(외측, 내측)		○
		철근상세도		○
	변압기굴 표준단면도	정면도	○	
		평면도	○	
		측면도	○	

공종	도면 목록		업무 담당	
	도면종류	세부명칭	설계단계	시공단계
터널공	변압기굴 표준지보패턴도	측면도		○
		단면도		○
		입면도		○
	변압기굴 발파패턴도	정면도		○
		단면도		○
		장약상세도		○
		심빼기상세도		○
		화약량표		○
	통신기재갱 일반도	정면도	○	
		평면도	○	
		측면도	○	
	계측계획도	계측계획도	○	
	배수계획도	평면도	○	
		종단면도	○	
	조경계획도	평면도	○	
		식재수량표	○	
	저토피 통과구간 일반도	카렌시안 일반도	○	
		지보패턴표	○	
		단면도	○	
	저토피 통과구간 발파패턴도	정면도		○
		단면도		○
		다단식발파기 SETTING TIME		○
		다단식발파기를 이용한 터널발파방법에 의한 영역구분		○
		장약상세도		○
		심빼기 상세도		○
		화약량표		○

공종	도면 목록		업무 담당	
	도면종류	세부명칭	설계단계	시공단계
터널공	카렌시안 공법 시공순서도	시공순서도		○
	카렌시안 공법 구조도	주철근조립도	○	○
		표준단면도	○	○
		측면도	○	○
		철근상세도		○
	기재갱 위치도	기재갱 위치도	○	
	록볼트 상세 및 시공순서도	록볼트단면도		○
		상세도		○
		시공순서도		○
	훠폴링 상세 및 시공순서	훠폴링 배치도		○
		훠폴링 보강방안		○
		훠폴링 시공도		○
	소구경 강관보강 그라우팅 상세도	설치단면도	○	
		종단개요도	○	
		상세도		○
		주입순서도		○
	대구경 강관보강 그라우팅 상세도	측면도	○	
		설치단면도	○	
		상세도		○
		주입순서도		○
	신축 및 시공이음 상세도	단면도	○	
		측면도	○	
		상세도		○
		신축이음부 SEALING		○
	NATM터널과 개착터널 접합부 상세도	단면도	○	
		평면도	○	
		상세도		○

공종	도면 목록		업무 담당	
	도면종류	세부명칭	설계단계	시공단계
터널공	계측상세도 (일상계측)	내공변위, 천단침하 측정단면도	○	
		내공계측 개념도	○	
		ROTARY TARGET		○
		반사쉬트 TARGET		○
	계측상세도 (정밀계측)	설치단면도		○
		지중변위 측정		○
		록볼트 축력 측정		○
		숏크리트 응력 측정		○
		단면도		○
	계측상세도(지표 및 지중침하 측정)	측정단면도		○
		측정대상범위도		○
	계측상세도(지표 및 지중침하 측정)	지중침하 측정계		○
		지표침하계		○
	방수 및 배수상세도	단면도(NATM, 개착)	○	
		측벽유공관 설치상세도	○	
		측벽배수관 시공순서도		○
		시공표준도		○
		부착판 상세도	○	
		개념도	○	
		방수쉬트 겹이음 상세도		○
		방수쉬트 접합부 상세도		○
		록볼트 두부정리		○
		지수판 연결 상세도		○
		방수막 보호재		○
		상세도		○

공종	도면 목록		업무 담당	
	도면종류	세부명칭	설계단계	시공단계
터널공	터널내 핸드레일 상세도	정면도	○	
		평면도	○	
		단면도		○
		상세도		○
		설치개요도		○
		재료표		○
	매립전 설치 및 접지 상세도	매립전 상세도	○	
		C-CHANNEL 및 앵커 접속상세도	○	
		C-CHANNEL 상세도		○
		앵커상세도		○
		급전선 지지볼트 상세도		○
		접지설비 상세도		○
		재료표	○	○
	갱구부 소화수조 일반도	평면도	○	
		단면도	○	
		맨홀덮개 평면도	○	
		맨홀덮개 배면도	○	
		상세도		○
		재료표	○	
	접속부 시공개념도	접속부 시공개념도		○
	여굴부 처리계획도	긴급여굴처리계획도	○	
		규모에 따른 여굴처리계획도	○	
	선진수평보링 계획도	횡단면도		○
		종단면도		○
	Soil Nailing 상세 및 시공순서도	시공순서도	○	○
		표준단면도	○	○
		네일설치 상세정면도		○
		스페이스 상세도	○	○

공종	도면 목록		업무 담당	
	도면종류	세부명칭	설계단계	시공단계
터널공	공동구 및 배수구 상세도	공동구 및 배수구 일반도	○	
		공동구 뚜껑상세도		○
		배수구 뚜껑상세도		○
		철근상세도		○
		주철근조립도	○	○
		철근재료표	○	○
	집수정 상세도	표준단면도	○	
		뚜껑상세도		○
		단면상세도	○	○
		평면상세도	○	○
		집수정 재료표	○	
		단면 구조도	○	
		철근상세도	○	
	공사용 방음문 상세도	단면도		○
		차량용 출입문 상세도		○
		보행자용 출입문 상세도		○
		상세도		○
	오탁수 처리시설 공정도	오탁수 처리시설 공정도		○
	오탁수 처리시설 일반도	평면도	○	
		단면도	○	
	오탁수 처리시설 구조도	철근상세도		○
		표준단면도	○	
		주철근조립도	○	○
		철근 전개도		○
	공사중 급수설비	공사중 급수설비도	○	
	공사중 배수설비	공사중 배수설비도	○	
	공사중 환기설비	공사중 환기설비도	○	

공종	도면 목록		업무 담당	
	도면종류	세부명칭	설계단계	시공단계
방수공	방수표준도	표준단면도	○	
		쉬트이음부	○	
		상세도		○
포장공	포장계획도	평면도	○	
		토공구간 표준단면도	○	
		지하차도내 표준단면도	○	
		상세도		○
	포장일반도	일반평면도	○	
		보차도 및 도로경계석 설치평면도	○	
		단면도	○	
		표준단면도	○	
		보차도경계석 상세도	○	
		도로경계석 상세도	○	
		보도 및 자전거 분리석	○	
		횡단보도 턱낮춤 시설도	○	
		보도 및 자전거 도로 단면도	○	
		포장단면도	○	
		아스콘 포장 상세도		○
		포장 콘크리트 상세도		○
	미끄럼 방지 포장도	형식별 평면도	○	
		포장단면도	○	
		설치도		○
		전면처리 최소길이표	○	
		골재품질 기준표	○	
		결합재품질 기준표	○	

공종	도면 목록		업무 담당	
	도면종류	세부명칭	설계단계	시공단계
부대공	방음벽 기초 일반도 및 상세도 (성토부, 절토부)	철근가공상세도	○	○
		수축줄눈상세도		○
		시공이음상세도		○
		신축이음상세도		○
		적용범위표	○	
	방음벽 상세도	정면도		○
		평면도		○
		단면도		○
		BASE PLATE 상세도		○
		Rib PLATE 상세도		○
	울타리 상세도	정면도		○
		측면도		○
		표준단면도	○	
		조립상세도		○
	울타리 출입문 상세도	정면도		○
		상세도		○
		조립도		○
		출입문 위치표		○
	출입문 상세도	위치평면도	○	○
		정면도		○
		단면도		○
		대문바퀴상세도		○
	낙석방지울타리 상세도	정면도		○
		측면도		○
		상세도		○
		PVC코팅망 상세도		○
	낙석방지울타리 출입문 상세도	정면도		○
		출입문 위치표		○
	비탈면 점검로 상세도	점검로(단면도, 평면도, 정면도, 측면도, precast상세도)		○

공종	도면 목록		업무 담당	
	도면종류	세부명칭	설계단계	시공단계
부대공	신축이음장치 설치도	단면도	○	
		상세도		○
	차도용 난간상세도	정면도		○
		단면도		○
		상세도		○
		재료표		○
	보도용 난간상세도	정면도		○
		단면도		○
		상세도		○
	전력인입 및 가로등설비 평면도	전력인입 및 가로등설비 평면도	○	
	전등설비 평면도	전등설비 평면도	○	
		조명기구 설치 상세도	○	○
		등기구 상세도	○	○
	분전반 결선도	결선도	○	
		정면도	○	
		측면도	○	
		점멸기 회로도	○	
	가로등 및 등기구 상세도	가로등주 상세도	○	
		등기구 상세도	○	
		가로등 기초 상세도	○	○
		케이블 접속재	○	
		가로등분전함 상세도	○	
		안정기 내부 결선도	○	
		터파기 상세도		○
	각종 상세도	접지상세도	○	○
		맨홀 및 핸드홀 상세도	○	○
	전철주, 방음벽, 난간위치 평면도	평면도	○	
		상세도		○

공종	도면 목록		업무 담당	
	도면종류	세부명칭	설계단계	시공단계
부대공	전철주 받침 및 방음벽 기초상세도	단면도	○	
		단면 구조도	○	
		평면도	○	
		철근상세도		○
	자갈막이형 난간 상세도	종단면도	○	
		지주상세도	○	
		자갈막이 PLATE 상세도		○
		BASE PLATE 상세도		○
		상세도		○
		난간 설치 현황표	○	
		재료표	○	
	교각 접지 상세도	교각 접지 상세도		○
	철근 간격유지재 상세도	수평·수직부재 간격유지재 상세도		○
	유지관리용 번호판 상세도	표지판 상세도	○	
	말뚝 두부보강 및 이음 상세도	평면도	○	
		단면도	○	
		띠철근상세도		○
		조립도	○	
		입체도		○
		이음 상세도		○
	표지판 및 차선도색 상세도	평면도	○	
		교통표지판상세도	○	
		차선도색상세도	○	
		표지병상세도	○	
		도로반사경 상세도	○	
	단주식 표지판 상세도	정면도	○	
		배면도	○	
		측면도	○	
		덮개상세도	○	
		클램프상세도	○	

공종	도면 목록		업무 담당	
	도면종류	세부명칭	설계단계	시공단계
부대공	시선유도표지	흙속 매입기초	○	
		콘크리트 기초	○	
		상세도		○
		단면도	○	
		가드레일용 상세도		○
		지주제원표	○	
		표준설치간격표	○	
	노측용 가드레일 상세도	평면도	○	
		정면도	○	
		레일 상세도		○
		연결대 상세도		○
		구조제원표	○	
		치수표	○	
	조경계획 일반도	평면계획도	○	
		식재수량표		○
		수목보호덮개 및 받침틀 일반도		○
		받침틀 상세도		○
		덮개 상세도		○
		단면 상세도		○
		식형 및 지주목 상세도		○
		연계형 지주 상세도		○
		관목류 식재 상세도		○
	어도블럭	어도블럭 설치상세도		○
	세륜세차시설	세륜세차시설 설치상세도		○
	규준틀 및 제방선형	규준틀 상세도 및 제방선형 표시깃발	○	
	철근간격 유지재	철근간격 유지재		○

공종	도면 목록		업무 담당	
	도면종류	세부명칭	설계단계	시공단계
취·배수공	배수문	일반도	○	
		본체 구조도	○	
		흉벽 구조도	○	
		평행 날개벽	○	
		유출구 날개벽 구조도	○	
		유출구 철근상세도		○
		단부 구조도	○	
		단부 상세도		○
		조작대 구조도	○	
		조작대 상세도		○
		도교 기둥 구조도	○	
		도교 기둥 상세도		○
		스핀들 구조도	○	
		권양기 구조도	○	
		권양기 설치상세도		○
		문비, 문틀 일반도	○	
		문비, 문틀 상세도		○
	배수통관	배수통관 일반도	○	
		유입·출구 날개벽	○	
		유입·출구 철근상세도		○
		유입구 집수정	○	
		유입구 집수정 철근배근도		○
		유출구 도수로 철근배근도		○
		차수벽 구조도	○	
		FRP자동문비 구조도	○	
		FRP자동문비 설치상세도		○

공종	도면 목록		업무 담당	
	도면종류	세부명칭	설계단계	시공단계
취·배수공	배수로	배수로 일반도	○	
		유출구 날개벽	○	
		유출구 철근상세도		○
		유출도수로 철근배근도		○
	용수로	용수로 및 뚜껑구조도	○	
		용수로 및 뚜껑 설치상세도		○
	취수관	취수관 일반도	○	
		유입구 구조도	○	
		조작대 구조도	○	
		도교 기둥 구조도	○	
		난간상세도	○	
		유출구 날개벽	○	
		유출구 철근상세도		○
		차수벽 구조도	○	

건설기술용역 하도급 관리지침

국토교통부고시 제2019-430호

일부개정 2019.8.8

제1조(목적) 이 지침은 「건설기술진흥법」 제35조제5항 및 같은 법 시행규칙 제31조제2항의 규정에 따라 발주청이 건설기술용역 하도급 계약의 적정성을 판단하는 데 필요한 항목·절차 등을 정하는 것을 목적으로 한다.

제2조(적용범위) 건설기술용역의 하도급 계약과 관련하여 관계법령(하도급거래 공정화에 관한 법률 및 같은법 시행령)이나 계약서(엔지니어링활동업종 표준하도급 계약서) 등에서 특별히 정한 경우를 제외하고는 건설기술용역 하도급 관리지침(이하 "지침"이라 한다)을 따른다. 다만, 건설기술용역의 특성에 따라 발주청이 필요하다고 인정하는 경우에는 이 지침을 보완하여 정할 수 있으며 인쇄, 모형제작 등 건설기술용역 업무에 해당되지 않는 직접경비성 업무는 이 지침에 따르지 않는다.

제3조(용어의 정의) 이 지침에서 사용하는 용어의 정의는 다음 각 호와 같다.

1. "건설기술용역 도급금액 산출내역서(이하 "용역 산출내역서"라 한다)는 건설기술용역 중 하도급 예정인 공종 전체의 세부 업무 내용별로 도급금액을 구분하고 하도급 부분금액을 파악할 수 있도록 건설기술진흥법 시행규칙 별지 제32호에 첨부하는 서류(2. 용역규모 및 용역금액 등이 명시된 용역내역서)를 말한다.
2. "하도급 적정성 검토"라 함은 수급인의 하도급 계약 승인신청과 관련하여 발주청이 하도급 대상자(이하 '하수급인'이라 칭함)의 건설기술용역 업무 수행자격의 적정성을 검토하는 것을 말한다.
3. "하도급부분금액"이라 함은 해당 하도급하고자 하는 용역부분에 해당하는 도급금액으로 직접인건비, 직접경비, 제경비, 기술료 및 부가가치세 등을 포함한 금액을 말한다. 다만, 계약서나 관계법령 등에 의하여 수급인이 부담하는 금액은 제외한다.
4. "하도급계약금액"이라 함은 수급인이 하도급 대상자(이하 '하수급인'이라 칭함)와 하도급계약을 맺으면서 지급하기로 계약한 금액을 말한다.
5. "하도급율"이라 함은 하도급계약금액을 하도급부분금액으로 나눈 비율을 말한다.

제4조(건설기술용역의 하도급 제한) ①수급인은 도급받은 건설기술용역 중 개별 전문분야(사업수행능력 평가과정에서 기술자 평가가 이루어지는 대상분야) 전체를 다른 건설기술용역업자에게 하도급할 수 없다. 다만, 발주청이 건설기술용역의 품질 및 업무효율성을 높이기 위하여 필요하다고 인정하여 서면(전자문서 포함)으로 승인한 경우에는 예외로 한다.

②하수급인은 하도급 받은 건설기술용역의 일부 또는 전부를 다시

하도급 할 수 없다.

③수급인이 건설기술용역의 일부를 하도급 하는 경우 하수급인이 제2항의 규정을 준수하도록 관리하여야 한다.

④수급인은 하수급인이 제2항의 규정을 위반하여 재하도급 계약을 체결하는 경우 재하도급 계약의 해지를 요구할 수 있다.

⑤수급인은 하수급인이 정당한 사유 없이 제4항에 따른 요구에 따르지 아니하는 경우에는 해당 건설기술용역에 관한 하수급인과의 계약을 해지할 수 있다.

⑥수급인은 하수급인과의 계약을 해지하는 경우에는 그 내용을 즉시 발주청에게 통보한다.

제5조(건설기술용역 하수급인의 자격) 건설기술용역 하수급인의 자격은 「중소기업기본법」에서 정하는 중소기업자로 한정한다. 다만, 발주청이 건설기술용역의 품질 및 업무효율성을 높이기 위하여 필요하다고 인정하여 서면(전자문서 포함)으로 승인한 경우에는 예외로 한다.

제6조(건설기술용역 하도급계약의 원칙) ①건설기술용역에 관한 하도급 계약의 당사자는 대등한 입장에서 합의에 따라 공정하게 계약을 체결하고 신의를 지켜 성실하게 계약을 이행하여야 한다.

②건설기술용역에 관한 하도급 계약의 당사자는 계약을 체결할 때 엔지니어링활동업종 표준하도급계약서에 따른 별지 제1호 서식의 표준하도급계약서를 작성하고, 해당 계약서에 서명 또는 기명날인 한 후 서로 주고받아 보관하여야 한다.

제7조(하도급 계약 승인신청서 제출) ①수급인이 하도급을 시행하고자 하는 경우, 건설기술진흥법 시행규칙 제31조제1항에 따라 하도급 계약 승인신청서 및 표준하도급계약서를 작성(서명 또는 기명날인 미포함)하여 발주청에 제출하여야 한다.

②제1항의 하도급 계약 승인신청서에 첨부되는 용역 산출내역서를 작성할 경우, 「건설기술용역 대가 등에 관한 기준」 등에서 정하는 업무구분에 따라 작성하는 것을 원칙으로 한다. 다만, 동 기준으로 산정되지 않은 건설기술용역 또는 발주기관에서 산출내역을 제공받지 않은 건설기술용역은 산출내역서 제출을 생략한다.

제8조(건설기술용역의 하도급 승인 등) 발주청은 수급인으로부터 하도급 계약 승인 신청서를 제출받은 경우 별표1에 따른 요건을 확인하고 문제가 없는 경우 이를 승인하여야 한다.

제9조(하도급 계약의 적정성 판단에 필요한 정보나 의견 요청) 발주청은 건설기술용역 실적관리 수탁기관 등을 대상으로 하도급 계약의 적정성 세부 검토를 위해 필요한 정보나 의견을 요청할 수 있다.

제10조(하수급인의 변경요구 등) ①발주청은 제7조의 규정에 따른 자료를 제출하지 아니하거나 거짓으로 제출한 경우에는 수급인에 대하여 하도급계약내용 또는 하수급인의 변경을 요구할 수 있다.

②발주청은 제1항의 규정에 따른 변경요구를 하고자 하는 경우에는 그 사유가 있음을 안 날로부터 14일 이내에 서면으로 이를 요구하여야 한다.

③수급인은 제1항의 규정에 따라 발주청에서 하수급인의 변경을 요구한 경우 특별한 사유가 없는 한 이에 응하여야 한다.

④발주청은 수급인이 정당한 사유 없이 제1항의 요구에 응하지 아

니하여 용역결과에 중대한 영향을 초래할 우려가 있다고 인정하는 때에는 해당 건설기술용역의 도급계약을 해지할 수 있다.

제11조(하도급대금 지급보증) ①발주청이 필요하다고 인정하는 경우 수급인이 하도급계약을 할 때 하수급인에게 하도급대금의 지급을 보증하는 보증서를 주도록 할 수 있으며, 이에 대응하여 수급인은 하수급인에게 하도급금액의 100분의 10에 해당하는 금액의 계약이행보증서의 발급을 요구할 수 있다.

②발주청이 수급인으로 하여금 하수급인에게 하도급대금 지급보증서를 주도록 한 경우 수급인은 하도급대금 지급보증서 발급에 소요된 비용에 대하여 발주청에 계약금액 증액을 요청할 수 있다.

③수급인이 하도급대금지급보증서 발급에 소요되는 비용을 청구한 경우 발주청은 수급인에게 소요비용 지출내역에 대한 증빙서류의 제출을 요구할 수 있다.

④보증서를 발급한 기관은 수급인에게 하도급대금의 지급을 보증하는 보증계약의 보증서를 발급(변경발급을 포함한다)하거나 보증계약을 해지한 경우에는 즉시 발주청에게 다음 각 호의 내용을 통보하여야 한다.

1. 발급연월일
2. 하도급 계약건명 및 하도급계약금액
3. 보증금액 및 보증기간
4. 보증채권자, 발급자의 성명(법인인 경우 상호 및 대표자 성명)
5. 발주청의 기관명칭
6. 보증계약을 해지한 경우 해지일자 및 해지사유

제12조(하도급대금의 지급 및 지급확인 등) ①수급인은 도급받은 건설기술용역에 대한 준공금 또는 기성금을 받으면 다음 각 호의 구분에 따라 해당 금액을 받은 날부터 15일 이내에 하수급인에게 현금으로 지급하여야 한다.

1. 준공금을 받은 경우: 하도급대금
2. 기성금을 받은 경우: 기성금 수령부분 중 하수급인이 시행한 부분에 해당하는 금액

②수급인이 발주청으로부터 선급금을 받은 때에는 수급인이 받은 선급금의 내용과 비율에 따라 선급금을 받은 날(하도급계약을 체결하기 전에 선급금을 지급받은 경우에는 하도급계약을 체결한 날)부터 15일 이내에 하수급인에게 선급금을 지급하여야 한다. 이 경우 수급인은 하수급인이 선급금을 반환하여야 할 경우에 대비하여 하수급인에게 보증을 요구할 수 있다.

③수급인은 하도급대금의 지급 내역(수령자, 지급액, 지급일 등)을 5일(공휴일 및 토요일은 제외한다) 이내에 발주청에 통보하여야 한다.

④발주청은 하수급인에 대가지급 사실을 통보하고 하도급대금 수령내역(수령자, 수령액, 수령일 등) 및 증빙서류를 제출하게 하여야 한다.

⑤발주청은 제3항의 지급내역과 제4항의 수령내역을 비교 · 확인하여야 한다.

제13조(설계변경 등에 따른 하도급대금의 조정 등) ①수급인은 하도급을 한 내용이 설계변경 또는 경제 상황의 변동에 따라 발주청으로부터 용역금액을 늘려 지급받은 경우에 그가 금액을 늘려 받은 용

역금액의 내용과 비율에 따라 하수급인에게 비용을 늘려 지급하여야 하고, 용역금액을 줄여 지급받은 때에는 이에 준하여 금액을 줄여 지급한다. 다만, 제11조에 따른 하도급대금지급보증서 발급비용 등 수급인이 부담하여야 하는 금액에 대하여는 그러하지 아니하다.

②발주청은 발주한 건설기술용역의 금액을 설계변경 또는 경제 상황의 변동에 따라 수급인에 조정하여 지급한 경우에는 수급인에게 용역금액을 조정하여 지급한 날로부터 15일 이내에 용역금액의 조정사유와 용역금액 조정시기, 조정율 · 금액 등을 하수급인에 통보하여야 한다.

③발주청은 제2항의 사항을 문서(전자문서를 포함한다)로 통보하여야 하며, 하수급인으로부터 설계변경 등에 따른 해당 용역금액 조정내용에 대하여 열람을 요청받은 경우 특별한 사유가 없는 한 이에 응하여야 한다.

제14조(하도급대금의 직접 지급) ①발주청은 다음 각 호의 어느 하나에 해당하는 경우에는 하수급인이 시행한 부분에 해당하는 하도급대금을 하수급인에게 직접 지급할 수 있다. 이 경우 발주청의 수급인에 대한 대금 지급채무는 하수급인에게 지급한 한도에서 소멸한 것으로 본다.

1. 수급인이 하도급대금 지급을 1회 이상 지체한 경우
2. 수급인의 파산 등 수급인이 하도급대금을 지급할 수 없는 명백한 사유가 있다고 발주청이 인정하는 경우
3. 발주청의 지시에도 불구하고 수급인이 하수급인에게 정당한 사유 없이 하도급대금의 지급보증서를 주지 아니한 경우

②발주청은 다음 각 호의 어느 하나에 해당하는 경우에는 하수급인이 시행한 부분에 해당하는 하도급대금을 하수급인에 직접 지급하여야 한다.

1. 발주청이 하도급대금을 직접 하수급인에 지급하기로 발주청과 수급인 간 또는 발주청 · 수급인 및 하수급인이 그 뜻과 지급의 방법 · 절차를 명백하게 하여 합의한 경우
2. 하수급인이 시행한 부분에 대한 하도급 대금지급을 명하는 확정판결을 받은 경우
3. 수급인이 하도급대금 지급을 2회 이상 지체한 경우로서 하수급인이 발주청에 하도급대금의 직접 지급을 요청한 경우
4. 수급인의 지급정지, 파산, 그 밖에 이와 유사한 사유가 있거나 건설기술용역업 등록 등이 취소되어 수급인이 하도급대금을 지급할 수 없게 된 경우로서 하수급인이 발주청에 하도급대금의 직접 지급을 요청한 경우
5. 제1항제3호에 해당하는 경우로서 하수급인이 발주청에 하도급대금의 직접 지급을 요청한 경우

③제2항 각 호의 어느 하나에 해당하는 사유가 발생하여 발주청이 하수급인에 하도급대금을 직접 지급한 경우에는 발주청의 수급인에 대한 대금 지급채무와 수급인의 하수급인에 대한 하도급대금 지급채무는 그 범위에서 소멸한 것으로 본다.

④수급인은 제1항제1호 각 목의 어느 하나에 해당하는 경우로서 하수급인에게 책임이 있는 사유로 자신이 피해를 입을 우려가 있다고

인정되는 경우에는 그 사유를 분명하게 밝혀 발주청이 하수급인에 하도급대금을 직접 지급하는 것을 중지할 것을 요청할 수 있다.

⑤제1항이나 제2항에 따라 하수급인이 발주청으로부터 하도급대금을 직접 지급받기 위하여 하수급인이 시행한 부분의 확인 등이 필요한 경우에는 수급인은 지체 없이 이에 필요한 조치를 하여야 한다.

제15조(하도급 실적 통보) ①발주청은 「건설기술진흥법 시행령」 제45조에 따라 발주하는 건설기술용역과 관련된 하도급 계약현황(계약금액 및 참여기술인을 포함)을 국토교통부장관에게 통보하여야 한다. 단, 하수급인의 하도급 실적을 통보하는 경우 수급인이 통보한 건설기술용역실적에서 하도급 실적을 제외하지 아니한다.

②발주청은 제1항에 따른 통보를 위하여 수급인에게 하도급 관련 자료의 요청 등을 요구할 수 있고, 수급인은 발주청의 요청에 따라야 한다.

③수급인 또는 하수급인은 제1항에 따른 하도급 실적을 국토교통부장관에게 직접 통보 할 수 있다.

제16조(재검토기한) 국토교통부장관은 「훈령 · 예규 등의 발령 및 관리에 관한 규정」에 따라 이 고시에 대하여 2019년 7월 1일 기준으로 매 3년이 되는 시점(매 3년째의 6월 30일까지를 말한다)마다 그 타당성을 검토하여 개선 등의 조치를 하여야 한다.

부칙 〈2014.5.21〉

제1조(시행일) 이 지침은 2014년 5월 23일부터 시행한다.

제2조(적용례) 이 지침은 「건설기술진흥법」 시행일 이후 최초로 발주하는 건설기술용역사업부터 적용한다.

부칙 〈2015.5.12〉

제1조(시행일) 이 지침은 고시한 날부터 시행한다.

제2조(경과조치) 부칙 제1조의 규정에도 불구하고 이 지침 시행일 이전에 하도급이 승인 되었거나 승인 절차가 진행중인 경우에는 종전의 규정에 의한다.

부칙 〈2017.4.11〉

이 고시는 발령한 날부터 시행한다.

부칙 〈2019.8.8〉

이 고시는 발령한 날부터 시행한다.

[별표1]

하도급 계약 적정성 검토사항(제8조 관련)

검 토 사 항
○ 하수급인의 자격이 국가를 당사자로 하는 계약에 관한 법률 시행령 제76조 또는 지방자치단체를 당사자로 하는 계약에 관한 법률 시행령 제92조에 따라 부정당업자로 지정 등 입찰참가 제한 여부 ○ 건설기술진흥법 제35조에 따른 하수급인 자격의 적정 여부

[별지 제1호 서식]

건설기술용역 표준하도급계약서

1. 용역계약명 :
   ○ 원도급 용역계약서명 :
   ○ 발주자(원도급인)명 :

2. 용역수행기간 : 20 년 월 일부터 20 년 월 일까지

3. 용역수행범위 및 참여기술인 : (상세범위는 문서 첨부)

업무범위	성명	전문분야	등급	참여기간

4. 납품일자 및 장소 : 년 월 일( )

5. 계약금액 : 일금 원정 (₩)
   ○ 공급가액 : 일금 원정 (₩)
   ○ 부가가치세 : 일금 원정 (₩)

6. 대금의 지급
   가. 선급금
   (1) 계약체결후 ( )일 이내에 일금 원정 (₩)
   (2) 발주자로부터 지급받은 날 또는 계약일로부터 15일이내 그 내용과 비율에 따름. 단, 수급인이 요구할 경우 선급금 보증서를 첨부
   나. 기성부분금 : (1) 월 ( )회
   (2) 목적물 수령일로부터 ( )일 이내
   (3) 지급방법 : 현금 %, 어음 %

210mm×297mm[백상지(80g/㎡) 또는 중질지(80g/㎡)]

다. 설계변경, 경제상황변동 등에 따른 대금조정 및 지급
(1) 발주자로부터 조정 받은 날로부터 30일 이내 그 내용과 비율에 따라 조정
(2) 발주자로부터 지급 받은 날로부터 15일 이내 지급

7 계약보증금 : 일금 원정 (₩)

8. 하자보수보증금률 : %

9. 하자담보책임기간 : 20 . 00. 00~ 20 .00.00
(설계도서 등 검사 완료일로부터 00년 또는 개월)

10. 지체상금률 : 지체일당 ( )/1,000

당사자는 상기의 건설기술용역 위탁업무에 대하여 갑과 을은 이 기본계약서에 의하여 계약을 체결하고 신의에 따라 성실히 계약상의 의무를 이행할 것을 확약하며, 이 계약의 증거로서 계약서를 작성하여 당사자가 기명날인한 후 각각 1통씩 보관한다.

20 년 월 일

* 원사업자	* 수급사업자
주소 :	주소 :
상호 :	상호 :
등록번호(신고번호) :	등록번호(신고번호) :
전화 및 팩스 :	전화 및 팩스 :
성명 : (인)	성명 : (인)

첨부 : 1. 계약예규의 용역계약일반(특수)조건
2. 과업상세범위
3. 산출 내역서
4. 작업 공정 예정표

210mm×297mm[백상지(80g/m²) 또는 중질지(80g/m²)]

건설기술 진흥법령집

인 쇄 일 2022. 7. 11　　발 행 일 2022. 7. 25
발 행 인 김형철
발 행 처 대한경제　　소 재 지 서울시 강남구 언주로 711(건설회관)
전　　화 02)515-7320~2　　홈페이지 www.DNEWS.co.kr　　정　가 40,000원

 등록/제2-2호(62.11.21)